ITALIA

1: 200 000

ATLANTE STRADALE e TURISTICO
TOURIST and MOTORING ATLAS
ATLAS ROUTIER et TOURISTIQUE
STRASSEN- und REISEATLAS
TOERISTISCHE WEGENATLAS
ATLAS DE CARRETERAS y TURÍSTICO

B

Sommario / Contents / Sommaire
Inhaltsübersicht / Inhoud / Sumario

Copertina interna: Quadro d'insieme
Inside front cover: Key to map pages
Intérieur de couverture : Tableau d'assemblage

Umschlaginnenseite: Übersicht
Binnenzijde van het omslag: Overzichtskaart
Portada interior: Mapa índice

D - G

Grandi itinerari - Quadro d'insieme
Route planning - Key to map pages
Grands itinéraires - Tableau d'assemblage
Reiseplanung - Übersicht
Grote verbindingswegen
Información general

H - I

Distanze
Distances
Tableau des distances
Entfernungen
Afstandstabel
Distancias

J - K

Tempi di percorrenza
Driving times
Temps de parcours
Fahrzeiten
Reistijdentabel
Tiempo de recorrido

1 - 41

Profili autostradali: intersezioni e svincoli, servizi, distanze progressive
Motorways table: intersections & interchanges, services, cumulative distances
Profils autoroutiers : intersections et échangeurs, services, distances cumulées
Autobahntabellen: Autobahnkreuzen, Anschlussstellen, Dienste Progresive Entfernungen
Snelwegprofielen: aansluiten, voorzieningen, afstanden
Autopistas: enlaces, servicios, distancias progresivas

1

Legenda
Key
Légende
Zeichenerklärung
Verklaring der tekens
Signos convencionales

C

2 - 181

Italia / Italy
Italie / Italien
Italië / italia

182 - 205

Sicilia / Sicily
Sicile / Sicilien
Sicilië / Sicilia

206 - 227

Sardegna / Sardinia
Sardaigne / Sardinien
Sardinië / Cerdeña

228 -328

Indice completo - Piante di città
Index of place names - Town plans
Index des localités - Plans de ville
Ortsverzeichnis - Stadtpläne
Plaatsnamenregister - Stadsplattegronden
Índice - Planos de ciudades

Piante di città / Town plans / Plans de ville / Stadtpläne / Stadsplattegronden / Planos de ciudades

229	Agrigento	257	Ferrara	284	Padova	309	Sassari
230	Alessandria	258	Firenze	285	Palermo	311	Siena
230	Ancona		(pianta d'insieme)		(pianta d'insieme)	312	Siracusa
231	Aosta	259	Firenze	286	Palermo	313	Sorrento
231	Arezzo	260	Forlì	287	Parma	313	Spoleto
232	Ascoli Piceno	262	Genova	288	Pavia	314	Stresa
232	Assisi		(pianta d'insieme)	288	Perugia	315	Taormina
234	Bari	263	Genova	289	Pesaro	315	Taranto
235	Bergamo	266	L'Aquila	289	Pescara	317	Torino
236	Bologna	267	La Spezia	290	Piacenza		(pianta d'insieme)
	(pianta d'insieme)	268	Lecce	291	Pisa	318	Torino
237	Bologna	269	Livorno	294	Prato	319	Trento
238	Bolzano	270	Lucca	296	Ravenna	319	Treviso
239	Brescia	272	Mantova	296	Reggio di Calabria	320	Trieste
240	Brindisi	274	Messina	297	Reggio nell'Emilia	321	Udine
241	Cagliari	275	Milano	298	Rimini	321	Urbino
247	Catania		(pianta d'insieme)	299	Roma	322	Varese
252	Como	276	Milano		(pianta d'insieme)	323	Venezia
253	Cortina d'Ampezzo	277	Modena	300	Roma	324	Verona
253	Cosenza	281	Napoli	302	Salerno	325	Vicenza
254	Courmayeur		(pianta d'insieme)	304	San Gimignano	327	Viterbo
254	Cremona	282	Napoli	305	San Marino		
255	Cuneo	283	Novara	306	San Remo		

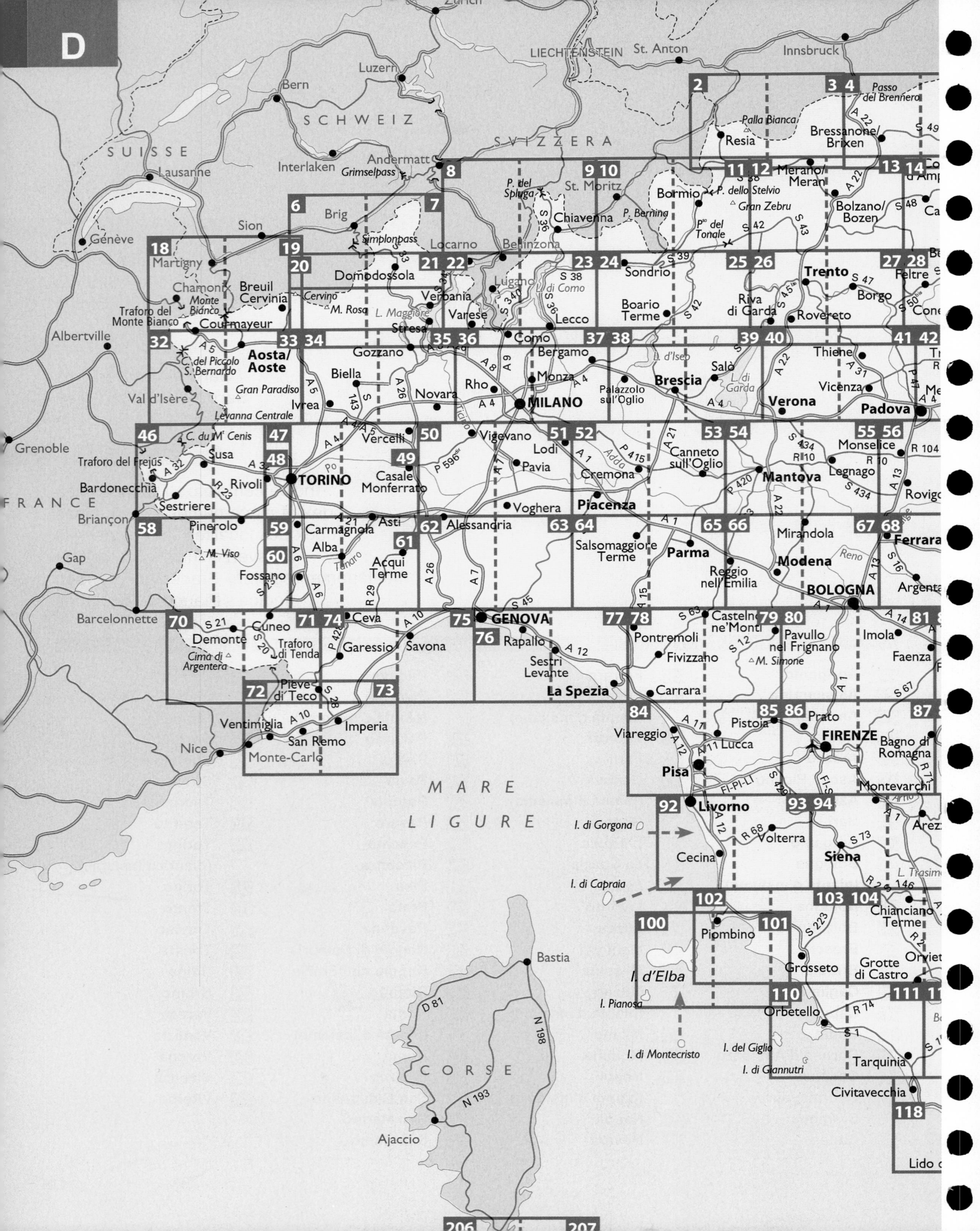
D
Luzern
Bern
SCHWEIZ
LIECHTENSTEIN
St. Anton
Innsbruck
SUISSE
SVIZZERA
Lausanne
Interlaken
Andermatt
Grimselpass
Genève
Sion
Brig
Simplonpass
Martigny
Chamonix
Monte Bianco
Breuil Cervinia
Traforo del Monte Bianco
Courmayeur
Cervino
M. Rosa
Domodossola
Locarno
Bellinzona
P. del Spluga
St. Moritz
Chiavenna
P. Bernina
Bormio
P. dello Stelvio
Gran Zebru
P.so del Tonale
Resia
Palla Bianca
Passo del Brennero
Bressanone/ Brixen
Merano/ Meran
Bolzano/ Bozen
Trento
Feltre
Borgo
Rovereto
Riva di Garda
Sondrio
Boario Terme
Lecco
Como
Lugano
L. di Como
Verbania
L. Maggiore
Varese
Stresa
Albertville
Aosta/ Aoste
C. del Piccolo S. Bernardo
Gran Paradiso
Val d'Isère
Levanna Centrale
Gozzano
Biella
Ivrea
Novara
Rho
Bergamo
Monza
MILANO
Palazzolo sull'Oglio
Brescia
L. d'Iseo
Salò
L. di Garda
Verona
Thiene
Vicenza
Padova
Grenoble
C. du M' Cenis
Susa
Traforo del Frejus
Bardonecchia
Rivoli
TORINO
Vercelli
Casale Monferrato
Vigevano
Pavia
Lodi
Cremona
Canneto sull'Oglio
Mantova
Monselice
Legnago
Rovigo
FRANCE
Sestriere
Briançon
Pinerolo
Voghera
Piacenza
Carmagnola
Asti
Alessandria
Alba
Tanaro
M. Viso
Fossano
Acqui Terme
Salsomaggiore Terme
Parma
Reggio nell'Emilia
Mirandola
Modena
Ferrara
Reno
Argenta
BOLOGNA
Gap
Barcelonnette
Demonte
Cuneo
Ceva
GENOVA
Cima di Argentera
Traforo di Tenda
Garessio
Savona
Rapallo
Sestri Levante
La Spezia
Pontremoli
Fivizzano
Carrara
Castelnovo ne'Monti
Pavullo nel Frignano
M. Simone
Imola
Faenza
Pieve di Teco
Ventimiglia
Imperia
San Remo
Monte-Carlo
Nice
Viareggio
Pistoia
Prato
FIRENZE
Lucca
Bagno di Romagna
Pisa
Montevarchi
Arno
MARE
LIGURE
I. di Gorgona
Livorno
Volterra
Cecina
Siena
I. di Capraia
L. Trasimeno
Chianciano Terme
Piombino
Grosseto
I. d'Elba
Grotte di Castro
Orvieto
I. Pianosa
Orbetello
I. di Montecristo
I. del Giglio
I. di Giannutri
Tarquinia
Civitavecchia
Lido
Bastia
CORSE
Ajaccio
2
3 4
6
7
8
9 10
11 12
13 14
18
19
20
21 22
23 24
25 26
27 28
32
33 34
35 36
37 38
39 40
41 42
46
47
48
49
50
51 52
53 54
55 56
58
59
60
61
62
63 64
65 66
67 68
70
71 74
72
73
75
76
77 78
79 80
81
84
85 86
87
92
93 94
100
101
102
103 104
110
111
118
206
207

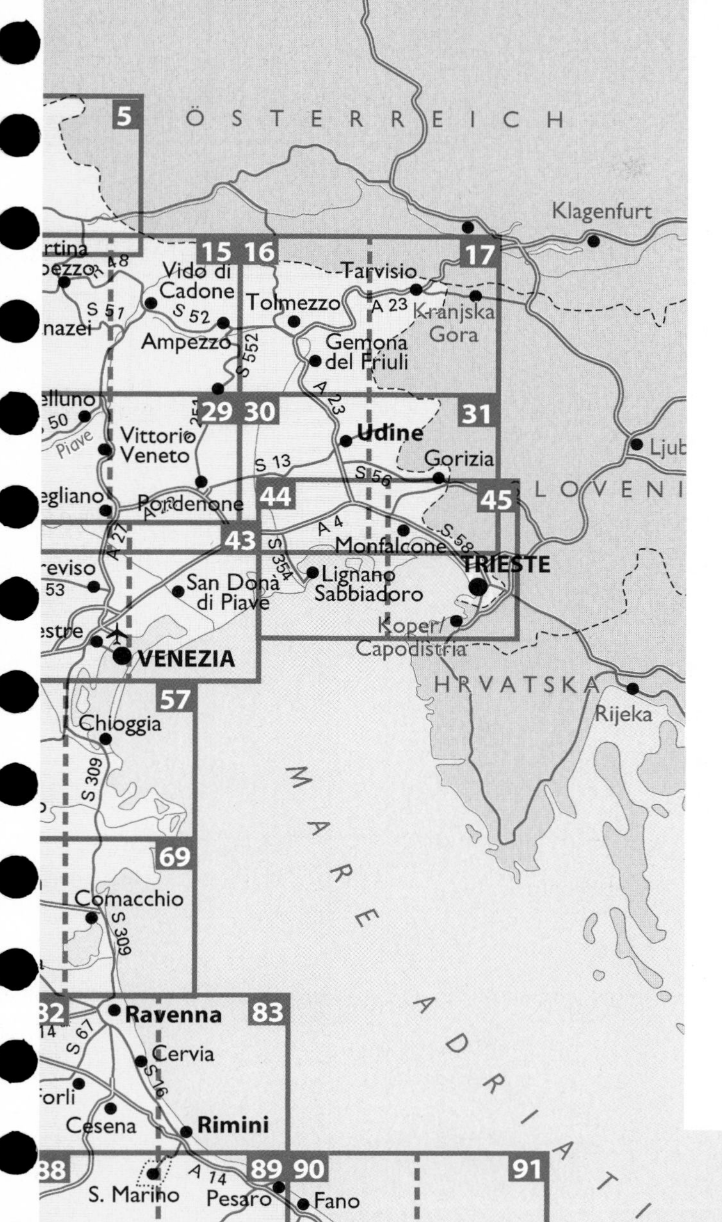

Grandi itinerari
Route planning
Grands itinéraires
Reiseplanung
Grote verbidingswegen
Información general

1 : 3 300 000 - 1 cm = 33 km

Quadro d'insieme
Key to map pages
Tableau d'assemblage
Übersicht
Overzichtskaart
Mapa índice

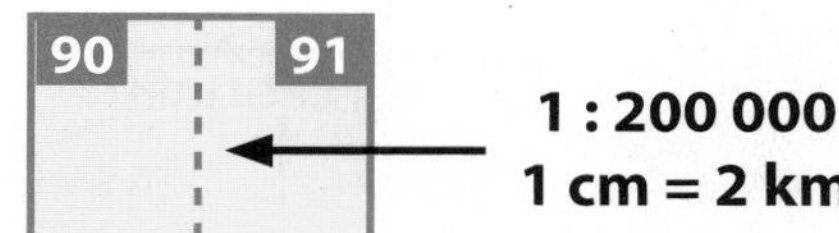

1 : 200 000
1 cm = 2 km

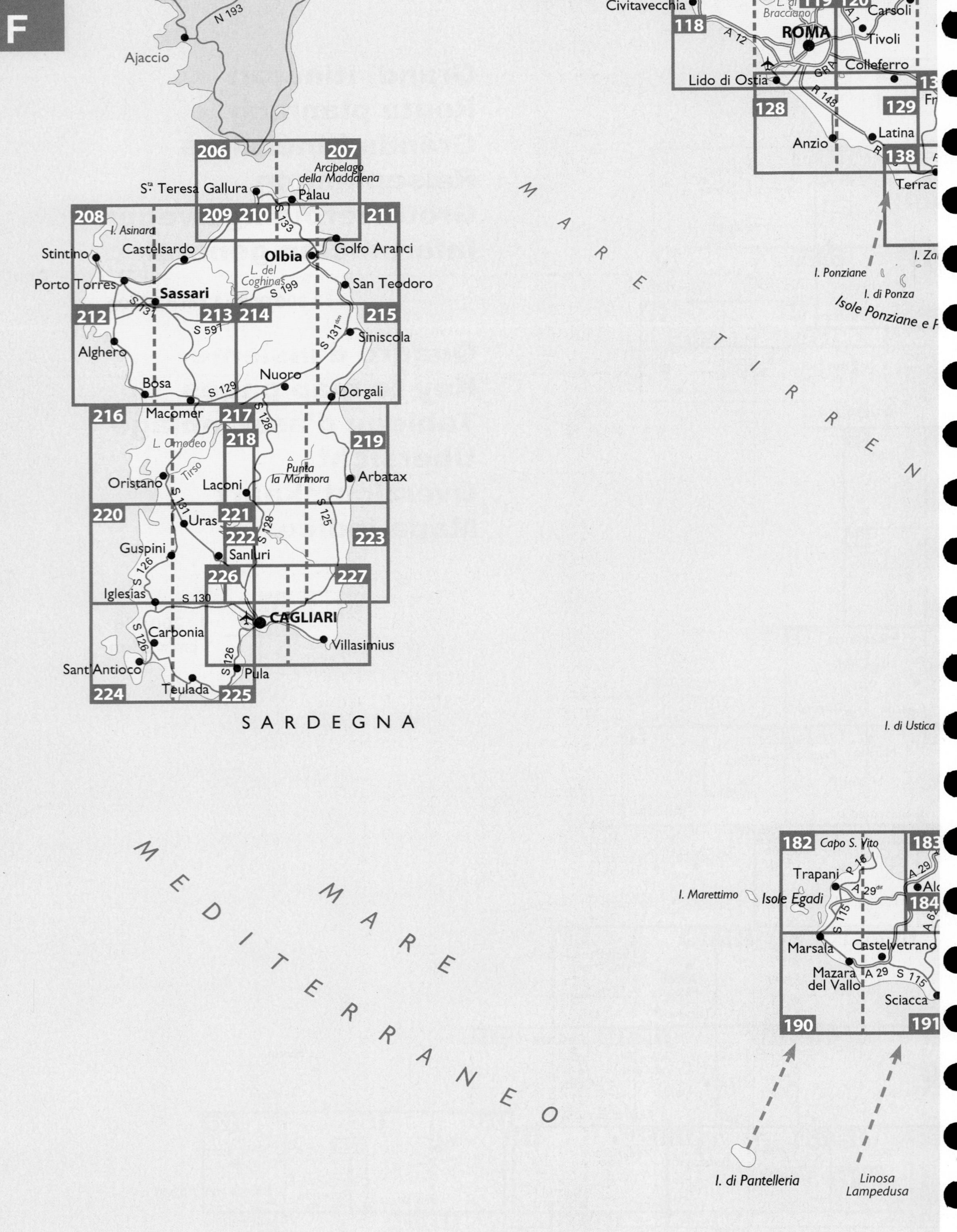

F

CORSE

N 193

Ajaccio

I. di Giannutri

Civitavecchia

L. di Bracciano

119 120

Carsoli

118 A 12

ROMA

Tivoli

Colleferro

Lido di Ostia

GRA

R 148

128

129

13 Fr

Anzio

R

Latina

138

Terrac

I. Za

206 207

Arcipelago della Maddalena

Sª Teresa Gallura

Palau

S 133

208 209 210

211

I. Ponziane

Isole Ponziane e P

I. di Ponza

Stintino

I. Asinara

Castelsardo

Olbia

Golfo Aranci

Porto Torres

L. del Coghinas

San Teodoro

Sassari

S 199

MARE

212 213 214

S 591

215

Alghero

S 131 bis

Siniscola

Bosa

S 129

Nuoro

Dorgali

TIRREN

216 Macomer

217

L. Omodeo

218

S 128

Tirso

△ Punta la Marmora

219

Oristano

Laconi

Arbatax

220

S 131

Uras

221

S 128

S 125

223

Guspini

222 Sanluri

S 126

Iglesias

226

S 130

227

CAGLIARI

224

S 126

Carbonia

Villasimius

Sant'Antioco

225

S 126

Pula

Teulada

SARDEGNA

I. di Ustica

MARE

MEDITERRANEO

182 *Capo S. Vito*

183

Trapani

R 16

A 29

Alc

I. Marettimo

Isole Egadi

A 29 dir

184

S 115

A 6

Marsala

Castelvetrano

Mazara del Vallo

A 29

S 115

Sciacca

190

191

I. di Pantelleria

Linosa
Lampedusa

MARE ADRIATICO

121 Avezzano
122 Sulmona
124 Termoli
123 Castel di Sangro
125 I. Tremiti
126 San Giovanni Rotondo
127 Vieste
Monte Sant'Angelo

Sora
Cassino
131 Campobasso
132 Isernia
133 Lucera
134
Foggia
Manfredonia
135
136 Barletta
137 Molfetta
Cerignola
Andria

Formia
139
140 Mondragone
Caserta
141 Benevento
142
Calitri
143 Canosa di Puglia
144
145 **146** **BARI**
147 Monopoli
148
149
Brindisi

Gaeta
Pozzuoli
Avellino
Rionero in Vulture
Altamura
Gioia
Fasano

NAPOLI
Sorrento
152 **Salerno**
153 Potenza
154
155 Massafra
156
157 **158**
159
Lecce
Manduria

150
151
Agropoli
Polla
Sala Consilina
Viggiano
Ferrandina
Taranto
Sava
Metaponto
Otranto

I. di Capri
162 Lagonegro
163 Latronico
164
165
Gallipoli
Marina di Leuca
160 **161**

Palinuro
Maratea
Castrovillari

166 **167**
169
168 Rossano
Cirò Marina

Paola
170 Cosenza
171
172
173 Crotone
Amantea
174 **Catanzaro**
175

I. Stromboli
180 Isole Eolie e Lipari
181
176 Vibo Valentia
177 Soverato
I. Salina
I. Panarea
I. Alicudi
I. Filicudi
I. Lipari
I. Vulcano

MARE IONIO

PALERMO **185** **186**
187
188 Milazzo
178 Bagnara Calabra
179
Bagheria
Cefalù
S.to Stefano di Camastra
Patti
Messina
Reggio di Calabria
Brancaleone Marina

Corleone
189

192
193 **194**
195
196 Bronte
Monte Etna
197 Taormina
Castronuovo di Sicilia
Caltanissetta
Enna
Adrano
Acireale

198
199 Piazza Armerina
202
203
Catania
Agrigento
Porto Empedocle
200 Licata
Gela
201 Augusta
SICILIA

Siracusa
Ragusa
Noto

Marina di Ragusa
Pozzallo
C. Passero
204 **205**

Distanze

Le distanze sono calcolate a partire dal centro delle città e seguendo la strada che, pur non essendo necessariamente la più breve, offre le migliori condizioni di viaggio

Distances

Distances are shown in kilometres and are calculated from town/city centres along the most practicable roads, although not necessarily taking the shortest route.

Distances

Les distances sont comptées à partir du centre-ville et par la route la plus pratique, c'est à dire celle qui offre les meilleures conditions de roulage, mais qui n'est pas nécessairement la plus courte.

572 km

Alessandria	Ancona	Aosta	Bari	Bergamo	Bologna	Brennero (Passo del)	Brescia	Brindisi	Campobasso	Catanzaro	Civitavecchia	Como	Cortina d'Ampezzo	Cosenza	Domodossola	Ferrara	Firenze	Foggia	Genova	L'Aquila	La Spezia	Livorno	Milano	Modena	Napoli
473																									
169	626																								
916	467	1069																							
149	468	228	909																						
252	227	405	668	247																					
434	589	536	1030	316	367																				
178	422	280	863	60	201	270																			
1025	577	1178	114	1020	780	1141	974																		
774	325	927	221	769	529	890	723	333																	
1176	834	1336	363	1190	976	1311	1145	361	486																
506	317	665	498	578	360	695	532	636	298	683															
142	499	218	940	83	278	392	129	1052	801	1220	599														
483	514	585	955	365	292	125	319	1067	816	1254	640	440													
1084	742	1243	270	1098	883	1218	1052	268	393	99	590	1125	1163												
168	572	222	1012	170	350	478	216	1124	873	1293	664	141	527	1201											
292	275	445	716	220	53	340	174	827	576	1015	401	315	250	924	390										
331	288	491	676	346	131	466	300	814	476	861	285	373	411	769	448	171									
793	344	946	135	788	547	908	742	247	89	483	410	815	834	392	891	594	616								
89	530	248	918	204	309	492	233	1056	718	1102	432	193	541	1011	246	349	258	849							
639	190	792	401	634	394	755	588	513	206	626	205	662	680	534	737	441	371	280	610						
189	441	349	826	262	220	478	215	963	626	1010	340	278	499	919	347	260	166	761	114	520					
264	431	423	744	336	209	544	290	881	544	928	248	353	489	837	421	249	106	683	188	460	98				
98	439	187	880	53	217	362	104	991	741	1160	539	53	411	1068	129	258	316	759	141	606	223	301			
218	272	363	713	203	50	324	158	824	574	993	379	232	330	901	308	91	149	592	260	439	178	232	177		
788	395	948	265	802	588	923	756	377	162	407	294	830	868	315	905	628	474	178	713	239	630	540	775	606	
1110	661	1263	199	1105	865	1226	1059	86	417	443	719	1132	1151	352	1208	911	899	330	1138	596	1055	965	1077	909	458
314	341	416	782	196	119	271	150	893	642	1081	467	271	185	990	358	77	237	660	364	508	335	320	244	157	695
157	326	310	766	163	104	362	117	878	627	1047	441	180	384	955	255	144	203	645	207	492	126	203	125	62	660
465	141	624	565	479	245	599	433	677	375	760	184	506	532	668	582	292	151	444	390	180	299	240	451	283	373
623	174	776	314	618	378	738	572	425	174	651	291	645	664	559	721	424	420	192	673	107	599	509	590	421	246
96	381	261	821	112	159	346	88	933	682	1102	480	122	395	1010	198	199	258	700	147	547	165	242	67	117	715
926	462	1085	131	940	725	1060	894	221	235	351	432	967	1005	259	1043	765	611	115	850	377	768	678	912	743	157
323	178	476	619	318	77	438	272	730	479	939	363	345	287	847	421	94	201	497	373	344	291	284	290	121	552
1268	925	1427	454	1282	1067	1402	1236	452	577	161	774	1309	1347	192	1385	1108	953	574	1193	719	1110	1020	1254	1085	499
599	306	759	432	613	399	734	567	543	232	616	70	641	678	525	716	439	285	345	524	125	441	316	585	417	229
829	436	988	242	843	628	964	797	321	139	354	335	870	908	263	946	669	515	154	754	280	671	581	815	647	56
380	137	533	578	375	135	496	329	690	439	948	392	403	421	856	478	182	259	457	430	304	357	341	348	179	534
194	651	354	1049	325	429	613	354	1187	850	1234	564	314	662	1142	352	469	390	970	146	743	249	326	267	387	847
382	245	542	638	396	182	517	350	775	438	822	184	424	461	730	499	222	78	548	307	331	216	157	369	200	435
236	572	311	1013	162	351	270	209	1125	874	1293	672	117	320	1202	254	391	449	892	286	739	357	434	143	309	907
142	609	163	1050	233	388	541	279	1161	910	1308	638	219	590	1216	227	428	464	928	220	775	315	400	192	346	921
995	546	1148	96	990	750	1111	944	73	302	295	583	1018	1036	203	1093	797	763	216	1002	482	919	829	963	794	309
547	577	649	1024	429	355	282	383	1135	879	1317	703	504	222	1226	591	313	473	897	597	744	572	556	476	394	931
93	561	115	1002	183	339	492	229	1113	862	1260	589	170	541	1168	177	379	416	880	171	727	275	352	142	297	873
300	455	402	896	182	233	139	136	1007	756	1176	561	257	190	1084	344	205	332	774	350	621	347	414	230	190	789
487	518	589	964	369	296	363	323	1076	819	1264	644	444	239	1172	532	254	414	843	537	684	512	497	417	334	871
455	486	557	927	337	264	273	291	1038	787	1226	611	412	207	1134	499	222	382	805	505	652	480	464	385	302	839
355	379	450	820	230	156	307	185	931	680	1119	504	316	160	1026	392	115	275	698	398	545	364	357	276	195	732
239	374	341	814	120	152	235	75	926	675	1095	480	196	254	1003	283	110	251	693	289	540	278	333	168	108	708

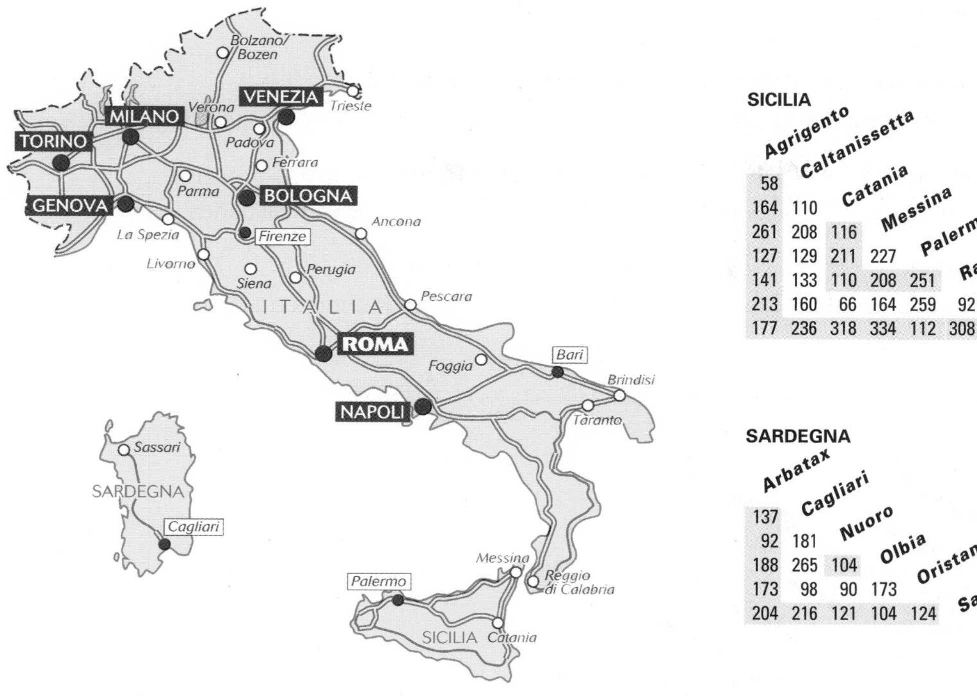

SICILIA

Agrigento	Caltanissetta	Catania	Messina	Palermo	Ragusa	Siracusa	Trapani
58							
164	110						
261	208	116					
127	129	211	227				
141	133	110	208	251			
213	160	66	164	259	92		
177	236	318	334	112	308	368	

SARDEGNA

Arbatax	Cagliari	Nuoro	Olbia	Oristano	Sassari
137					
92	181				
188	265	104			
173	98	90	173		
204	216	121	104	124	

Entfernungen

Die Entfernungen gelten ab Stadtmitte unter Berücksichtigung der günstigsten, jedoch nicht immer kürzesten Strecke.

Afstandstabel

De afstanden zijn berekend van centrum tot centrum langs de meest geschickte,
maar niet noodzakelijkerwijze kortste route.

Distancias

El kilometraje está calculado desde el centro de la ciudad y por la carretera más práctica para el automovilista, que no tiene por-
qué ser la más corta.

Padova	Parma	Perugia	Pescara	Piacenza	Potenza	Ravenna	Reggio di Calabria	Roma	Salerno	San Marino	San Remo	Siena	Sondrio	Susa	Taranto	Tarvisio	Torino	Trento	Trieste	Udine	Venezia	Verona
980																						
964	212																					
763	360	336																				
512	492	475	273																			
1019	226	66	393	530																		
306	833	797	509	310	851																	
817	192	175	185	328	229	656																
537	1175	1139	852	725	1193	445	1032															
630	507	471	183	211	525	367	364	708														
406	737	701	413	286	755	105	593	447	269													
776	250	233	214	287	287	616	85	1040	392	576												
1273	492	336	525	801	274	985	500	1326	657	889	558											
861	290	254	109	378	308	573	253	914	245	477	273	440										
1211	350	258	584	722	200	1044	422	1386	717	949	480	413	501									
1248	420	294	599	759	232	1059	458	1400	731	963	516	281	515	316								
158	865	848	646	395	902	155	700	387	512	258	659	1135	719	1094	1131							
1222	248	447	588	727	456	1068	350	1410	741	973	485	723	525	583	655	1105						
1200	371	246	550	711	184	1010	410	1352	683	915	468	233	467	266	66	1083	604					
1093	182	230	467	605	209	927	304	1268	600	831	362	477	383	164	408	977	348	357				
1162	189	388	528	668	396	1015	290	1356	682	914	425	664	465	524	596	1046	167	545	355			
1125	157	356	496	636	364	977	258	1318	650	881	393	632	433	492	563	1008	99	513	323	75		
1017	49	249	389	529	257	870	148	1211	544	774	286	525	326	385	456	901	224	406	215	164	133	
1012	84	148	386	523	148	846	223	1187	518	750	281	415	302	275	347	896	317	296	101	258	227	118

Tempi di percorrenza

Il tempo di percorrenza tra due località è riportato all'incrocio della fascia orizzontale con quella verticale.

Driving times

The driving time between two towns is given at the intersection of horizontal and vertical bands.

Temps de parcours

Le temps de parcours entre deux localités est indiqué à l'intersection des bandes horizontales et verticales.

Città (diagonale): Alessandria, Ancona, Aosta, Bari, Bergamo, Bologna, Brennero (Passo del), Brescia, Brindisi, Campobasso, Catanzaro, Civitavecchia, Como, Cortina d'Ampezzo, Cosenza, Domodossola, Ferrara, Firenze, Foggia, Genova, L'Aquila, La Spezia, Livorno, Milano, Modena, Napoli

5:19

```
4:20
1:46  5:51
8:13  4:21  9:45
1:42  4:09  2:26  7:58
2:30  2:09  4:01  5:58  2:18
4:04  5:14  5:11  9:03  2:56  3:27
1:54  3:54  3:00  7:43  0:46  2:06  2:41
9:28  5:35  10:59 1:35  9:16  7:20  10:22 8:59
7:19  3:26  8:50  3:05  7:07  5:11  8:13  6:51  4:24
11:58 8:52  13:23 4:42  11:40 9:58  12:46 11:23 4:52  6:19
5:28  4:04  6:53  5:09  5:48  4:29  7:17  5:31  6:19  3:21  7:26
1:38  4:38  2:20  8:27  1:11  2:50  3:56  1:43  9:45  7:35  12:16 6:11
4:57  5:43  6:03  9:32  3:48  3:18  1:45  3:32  10:50 8:39  12:56 7:31  4:48
10:50 7:45  12:16 3:35  10:33 8:51  11:39 10:16 3:45  5:11  1:17  6:18  11:03 11:54
1:44  5:19  2:22  9:08  1:53  3:32  4:38  2:25  10:27 8:16  12:57 6:45  1:35  5:38  11:52
2:49  2:32  4:21  6:22  2:20  0:43  3:27  2:04  7:40  5:29  10:21 4:56  3:09  3:04  9:16  3:46
3:35  3:24  5:01  6:38  3:18  1:34  4:24  2:59  7:56  4:58  9:03  3:08  3:48  4:39  7:58  4:26  1:54
7:06  3:14  8:38  1:24  6:55  4:58  8:01  6:38  2:42  1:50  5:34  4:30  7:25  8:37  4:28  8:03  5:22  6:12
1:07  5:00  2:33  8:49  2:21  3:13  4:44  2:31  10:07 7:10  11:15 4:34  2:15  5:44  10:09 2:30  3:32  2:42  7:45
5:50  1:58  7:21  3:57  5:38  3:42  6:44  5:21  5:15  3:10  7:17  1:56  6:09  7:21  6:11  6:47  4:05  3:22  2:52  5:35
2:13  4:05  3:38  7:57  2:32  2:17  4:28  2:14  9:15  6:18  10:23 3:42  2:55  5:20  9:17  3:35  2:37  1:50  6:49  1:24  4:50
2:49  3:59  4:15  7:52  3:09  2:11  4:59  2:52  9:10  6:12  10:17 3:03  3:32  5:14  9:12  4:12  2:31  1:27  7:11  2:01  4:29  1:04
1:13  4:09  2:09  7:58  0:57  2:22  3:42  1:29  9:16  7:06  11:47 5:43  0:54  4:42  10:42 1:32  2:41  3:14  6:53  1:46  5:37  2:28  3:08
2:08  2:38  3:39  6:27  1:56  0:50  3:02  1:40  7:45  5:34  10:16 4:50  2:27  3:53  9:10  3:05  1:09  1:43  5:22  2:43  4:06  1:54  2:23  1:54
7:25  4:27  8:50  2:47  7:07  5:25  8:13  6:50  4:05  2:11  5:14  2:53  7:38  8:29  4:08  8:16  5:45  4:23  2:06  6:37  2:46  5:40  5:45  7:05  5:38
10:30 6:37  12:01 2:37  10:18 8:22  11:24 10:01 1:09  5:22  5:47  7:19  10:49 12:01 4:42  11:27 8:45  8:50  3:42  11:03 6:28  10:06 10:11 10:16 8:49  5:03
2:58  3:06  4:04  6:55  1:50  1:17  3:28  1:33  8:13  6:03  10:55 5:29  2:50  2:29  9:50  3:28  0:54  2:22  5:51  3:32  4:34  3:09  3:03  2:30  1:43  6:20
1:41  3:02  3:12  6:51  1:37  1:14  3:22  1:20  8:09  5:58  10:40 4:42  2:00  4:17  9:34  2:38  1:33  2:07  5:46  2:16  4:30  1:27  2:08  1:27  0:54  6:05
4:42  2:17  6:08  5:44  4:25  2:56  5:31  4:08  7:03  4:09  8:14  2:17  4:55  6:32  7:08  5:33  3:19  1:41  4:40  3:54  2:41  2:57  2:39  4:23  2:56  3:39
5:37  1:44  7:08  2:54  5:25  3:29  6:31  5:08  4:12  2:02  7:21  2:45  5:56  7:08  6:16  6:34  3:52  4:10  1:49  6:11  1:34  5:23  5:09  5:23  3:56  3:24
1:07  3:31  2:40  7:20  1:18  1:43  3:19  1:05  8:38  6:27  11:09 5:04  1:28  4:18  10:03 2:06  2:03  2:36  6:15  1:41  4:59  1:49  2:30  0:56  1:23  6:34
8:41  4:50  10:07 1:56  8:23  6:34  9:30  8:07  2:58  3:02  4:03  4:09  8:54  10:13 2:58  9:32  7:02  5:40  1:38  7:53  4:02  6:56  7:01  8:22  6:55  1:53
3:03  1:50  4:35  5:39  2:52  0:55  3:58  2:35  6:57  4:47  10:22 4:25  3:22  4:13  9:17  4:00  1:23  2:02  4:34  3:38  3:18  2:49  2:43  2:50  1:23  5:47
13:15 10:10 14:40 5:59  12:57 11:15 14:03 12:41 6:09  7:36  2:11  8:43  13:28 14:19 2:37  14:06 11:35 10:14 6:55  12:27 8:36  11:30 11:35 12:56 11:28 6:27
5:53  3:05  7:18  4:42  5:35  3:53  6:41  5:18  6:00  2:54  6:59  1:02  6:06  6:57  5:53  6:44  4:13  2:51  4:01  5:05  1:24  4:08  3:54  5:33  4:06  2:24
7:42  4:44  9:07  2:39  7:24  5:42  8:30  7:07  4:05  2:03  4:27  3:09  7:55  8:45  3:22  8:33  6:02  4:40  1:58  6:53  3:03  5:56  6:01  7:22  5:55  0:50
3:43  1:34  5:15  5:23  3:32  1:35  4:38  3:15  6:42  4:31  9:51  4:48  4:03  5:15  8:45  4:40  1:59  2:43  4:19  4:18  3:02  3:30  3:23  3:30  2:03  5:34
2:01  6:00  3:27  10:12 3:20  4:12  5:44  3:30  11:30 8:33  12:37 5:57  3:14  6:44  11:32 3:24  4:32  4:05  8:44  1:39  7:05  2:44  3:23  2:47  3:52  8:03
4:07  3:41  5:32  6:33  3:49  2:07  4:55  3:32  7:51  4:53  8:58  2:45  4:20  5:11  7:52  4:58  2:27  1:10  6:04  3:19  3:25  2:22  2:04  3:47  2:20  4:23
3:02  5:47  3:44  9:36  1:58  3:59  3:50  2:46  10:54 8:43  13:25 7:20  1:48  4:48  12:19 3:08  4:19  4:52  8:31  3:35  7:15  4:05  4:46  2:12  3:39  8:50
1:29  5:28  1:39  9:17  2:37  3:40  5:23  3:10  10:35 8:24  13:11 6:31  2:32  6:22  12:06 2:30  3:59  4:38  8:12  2:13  6:56  3:18  3:57  2:18  3:20  8:36
8:57  5:04  10:28 1:13  8:45  6:49  9:51  8:28  1:05  3:49  3:56  5:46  9:16  10:28 2:51  9:54  7:12  7:17  2:09  9:30  4:55  8:33  8:38  8:43  7:16  3:50
4:54  5:40  6:00  9:29  3:46  3:15  3:38  3:29  10:47 8:37  12:54 7:28  4:46  2:57  11:48 5:24  2:52  4:21  8:24  5:28  7:08  5:08  5:01  4:26  3:41  8:19
1:10  5:09  1:21  8:58  2:16  3:22  5:01  2:48  10:17 8:06  12:53 6:13  2:10  6:01  11:48 2:09  3:41  4:20  7:54  1:55  6:37  2:59  3:38  1:56  3:01  8:18
2:51  4:01  3:57  7:50  1:43  2:13  1:23  1:26  9:08  6:57  11:39 6:13  2:43  2:21  10:33 3:21  2:11  3:06  6:45  3:26  5:29  3:17  3:46  2:23  1:53  7:04
4:31  5:17  5:38  9:07  3:23  2:52  4:54  3:07  10:25 8:14  12:31 7:05  4:23  3:09  11:26 5:01  2:30  3:58  8:02  5:06  6:46  4:45  4:39  4:03  3:19  7:56
4:10  4:57  5:17  8:46  3:02  2:31  3:57  2:46  10:04 7:53  12:10 6:44  4:02  2:48  11:05 4:40  2:09  3:37  7:41  4:45  6:25  4:24  4:18  3:43  2:58  7:35
3:49  4:33  4:55  8:22  2:40  2:08  3:48  2:23  9:40  7:30  11:50 6:23  3:41  2:46  10:45 4:19  1:47  3:20  7:18  4:23  6:01  4:09  3:56  3:19  2:36  7:14
2:20  3:24  3:27  7:13  1:12  1:37  2:16  0:56  8:31  6:21  11:02 5:36  2:12  3:09  9:57  2:50  1:27  2:29  6:08  2:55  4:52  2:38  3:10  1:52  1:16  6:27
```

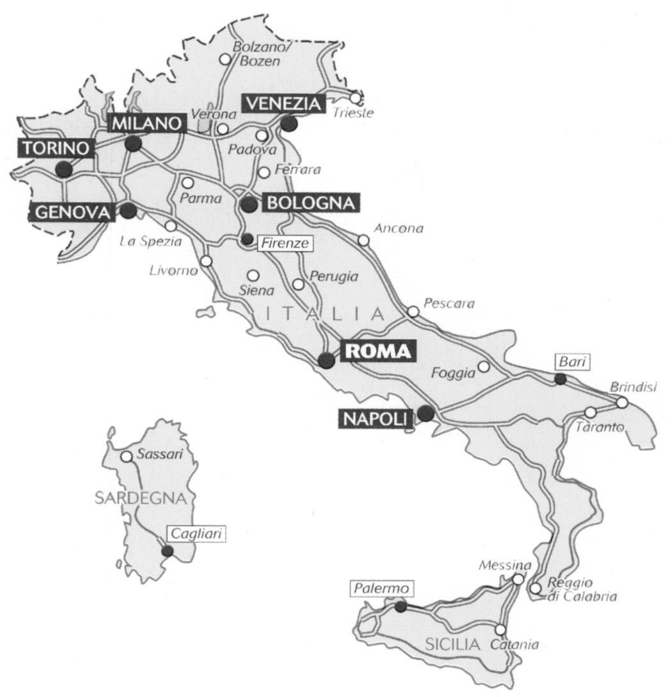

SICILIA

Agrigento	Caltanissetta	Catania	Messina	Palermo	Ragusa	Siracusa	Trapani
0:56							
2:05	1:20						
2:56	2:11	1:13					
1:58	1:32	2:15	2:18				
2:27	2:17	1:37	2:37	3:33			
2:33	1:48	0:49	1:49	2:49	1:33		
2:29	2:43	3:25	3:29	1:24	4:44	3:56	

SARDEGNA

Arbatax	Cagliari	Nuoro	Olbia	Oristano	Sassari
2:30					
1:19	2:28				
2:32	3:53	1:25			
2:23	1:24	1:16	2:40		
2:51	2:56	1:44	1:40	1:42	

Fahrzeiten

Die Fahrzeit in zwischen zwei Städten ist an dem Schnittpunkt der waagerechten und der senkrechten Spalten in der Tabelle abzulesen.

Reistijdentabel

De reistijd tussen twee steden vindt u op het snijpunt van de horizontale en verticale stroken.

Tiempos de recorrido

El tiempo de recorrido entre dos poblaciones resulta indicada en el cruce de la franja horizontal con aquella vertical.

Otranto	Padova	Parma	Perugia	Pescara	Piacenza	Potenza	Ravenna	Reggio di Calabria	Roma	Salerno	San Marino	San Remo	Siena	Sondrio	Susa	Taranto	Tarvisio	Torino	Trento	Trieste	Udine	Venezia	Verona
9:19																							
9:14	2:08																						
8:08	3:54	3:19																					
5:18	4:27	4:19	3:16																				
9:44	2:11	0:54	3:51	4:45																			
4:01	7:36	7:18	4:57	3:24	7:44																		
8:03	2:08	1:46	2:24	3:04	2:12	6:10																	
7:13	12:10	11:52	9:31	9:22	12:18	5:29	11:47																
7:05	4:47	4:29	2:09	2:17	4:56	3:47	4:25	8:14															
5:08	6:36	6:18	3:57	3:49	6:44	1:16	6:14	5:42	2:39														
7:47	2:33	2:26	2:46	2:49	2:52	5:55	1:14	11:06	4:39	6:11													
12:36	4:36	3:24	5:20	7:14	2:46	9:26	4:44	13:52	6:32	8:21	5:24												
8:56	3:01	2:43	1:36	4:34	3:10	5:46	2:40	10:13	2:53	4:41	3:19	4:48											
12:00	3:51	3:10	6:07	7:01	2:36	10:13	4:31	14:40	7:20	9:08	5:11	4:44	5:29										
11:40	4:15	2:51	5:53	6:42	2:14	10:00	4:12	14:26	7:06	8:55	4:51	2:49	5:16	3:58									
2:08	7:47	7:39	6:36	3:38	8:05	2:06	6:27	5:11	5:26	3:07	6:10	11:00	7:09	10:28	10:02								
11:53	2:18	4:04	6:14	6:54	4:06	9:42	4:01	14:08	6:48	8:37	5:04	6:37	4:58	6:40	6:02	10:14							
11:22	3:53	2:33	5:35	6:24	1:55	9:41	3:54	14:08	6:48	8:37	4:33	2:29	4:58	3:36	0:52	9:43	5:58						
10:14	1:41	2:11	4:21	5:15	2:03	8:27	2:45	12:54	5:33	7:22	3:25	4:35	3:43	2:54	3:59	8:34	4:13	3:36					
11:30	1:55	3:42	5:52	6:32	3:43	9:20	3:39	13:46	6:26	8:15	4:41	6:15	4:36	5:28	5:39	9:51	1:41	5:17	3:46				
11:09	1:35	3:21	5:31	6:11	3:22	8:59	3:18	13:25	6:05	7:54	4:20	5:54	4:15	5:07	5:18	9:30	1:02	4:56	3:25	0:57			
10:46	1:13	2:58	5:07	5:49	3:00	8:54	2:52	13:04	5:43	7:32	3:57	5:34	3:56	4:34	4:57	9:07	2:43	4:34	2:34	2:20	2:02		
9:37	1:02	1:34	3:44	4:38	1:32	7:51	2:08	12:17	4:57	6:46	2:48	4:04	3:07	3:17	3:28	7:58	3:06	3:06	1:04	2:45	2:26	1:56	

Profili autostradali
Motorways table
Profils autoroutiers
Autobahntabellen
Snelwegprofielen
Autopistas

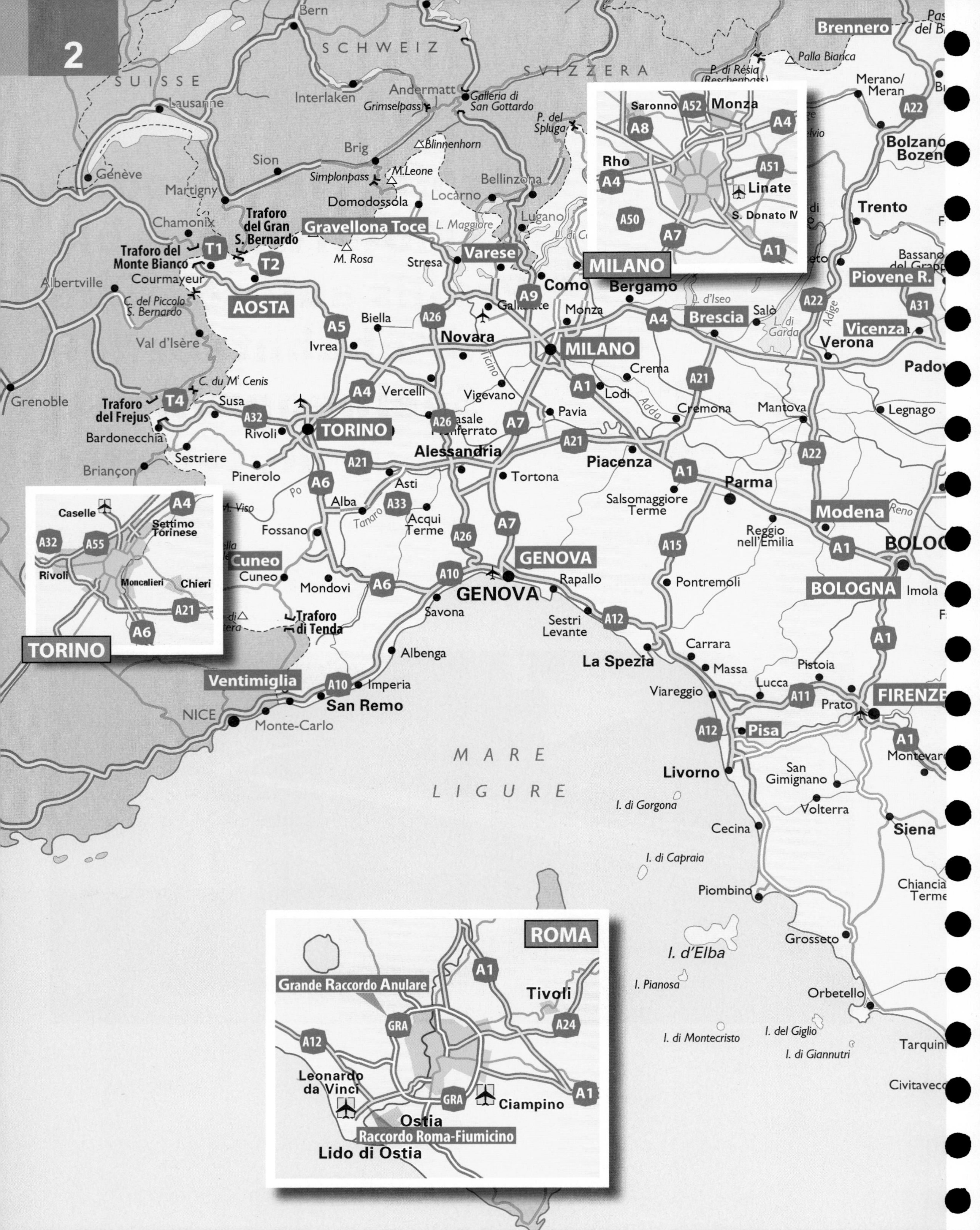

SCHWEIZ
SUISSE
SVIZZERA
Bern
Interlaken
Andermatt
Grimselpass
Galleria di San Gottardo
Lausanne
Genève
Sion
Brig
Blinnenhorn
P. del Spluga
Simplonpass
M.Leone
Bellinzona
Locarno
Martigny
Domodossola
Lugano
L. Maggiore
Chamonix
Traforo del Gran S. Bernardo
Gravellona Toce
Traforo del Monte Bianco
Courmayeur
M. Rosa
Stresa
Varese
Albertville
C. del Piccolo S. Bernardo
AOSTA
Biella
Como
Bergamo
Monza
Val d'Isère
Ivrea
Novara
MILANO
Ticino
C. du Mt Cenis
Vercelli
Vigevano
Crema
Lodi
Grenoble
Traforo del Frejus
Susa
Rivoli
TORINO
Casale Monferrato
Pavia
Adda
Cremona
Mantova
Legnago
Bardonecchia
Alessandria
Piacenza
Sestriere
Pinerolo
Asti
Tortona
Parma
Briançon
Po
Alba
Tanaro
Acqui Terme
Salsomaggiore Terme
Modena
Reno
Fossano
Reggio nell'Emilia
BOLOGNA
Cuneo
Mondovi
GENOVA
Rapallo
Pontremoli
Imola
Traforo di Tenda
Savona
Sestri Levante
Carrara
Albenga
La Spezia
Massa
Pistoia
Ventimiglia
Imperia
Lucca
Viareggio
Prato
FIRENZE
San Remo
NICE
Monte-Carlo
Pisa
MARE LIGURE
Livorno
San Gimignano
I. di Gorgona
Volterra
Cecina
Siena
I. di Capraia
Piombino
Chianciano Terme
Grosseto
I. d'Elba
I. Pianosa
Orbetello
I. di Montecristo
I. del Giglio
I. di Giannutri
Tarquinia
Civitavecchia
Brennero
Palla Bianca
P. di Résia (Reschenpass)
Merano/Meran
Bolzano/Bozen
Trento
Bassano del Grappa
Piovene R.
Vicenza
Verona
Brescia
Salò
L. d'Iseo
L. di Garda
Adige
Padova
Montevarchi
Saronno
Rho
Linate
S. Donato M
Caselle
Settimo Torinese
Moncalieri
Chieri
ROMA
Grande Raccordo Anulare
Tivoli
Leonardo da Vinci
Ciampino
Ostia
Raccordo Roma-Fiumicino
Lido di Ostia
A1
A4
A5
A6
A7
A8
A9
A10
A11
A12
A15
A21
A22
A24
A26
A31
A32
A33
A50
A51
A52
A55
GRA
T1
T2
T4

Profili autostradali
Motorways table
Profils autoroutiers
Autobahntabellen
Snelwegprofielen
Autopistas

segue p.4
see p. 4
suite p. 4
weiter auf Seite 4

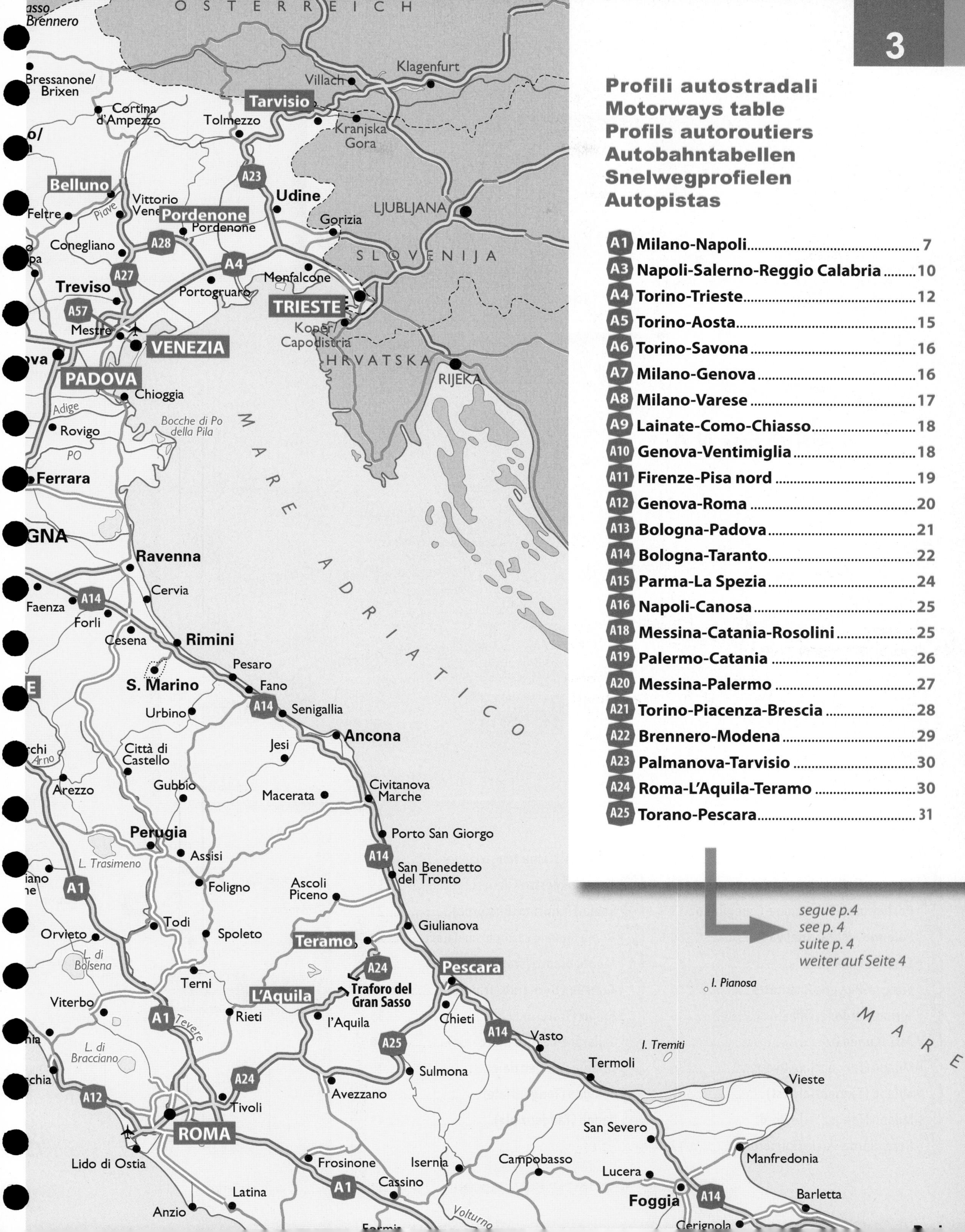

Civitavecchia
A12
A24
Tivoli
ROMA
A1
Lido di Ostia
Latina
Anzio
Terracina
I. Zannone
I. Ponziane
I. di Ponza
I. Ventotene
Isole Ponziane e Pontine

Grande Raccordo Anulare
A1
Tivoli
GRA
A24
A12
Leonardo da Vinci
GRA
Ciampino
A1
Ostia
A91
Raccordo Roma-Fiumicino
Lido di Ostia
ROMA

S.ta Teresa Gallura
Palau
I. Asinara
Olbia
Stintino
Porto Torres
Sassari
L. del Coghinas
Siniscola
Alghero
Macomer
Bosa
Nuoro
Dorgali
SARDEGNA
Tirso
Punta la Marmora
Arbatax
Oristano
Laconi
Mannu
Guspini
Muravera
Iglesias
CAGLIARI
Carbonia

A1
Benevento
Caserta
S. Maria Capua Vetere
A30
Aversa
A16
Avellino
Capodichino
VESUVIO
A30
Pozzuoli
Torre del Greco
A3
Tangenziale Napoli
Sorrento
Salerno
I. di Capri
NAPOLI

I. di Ustica

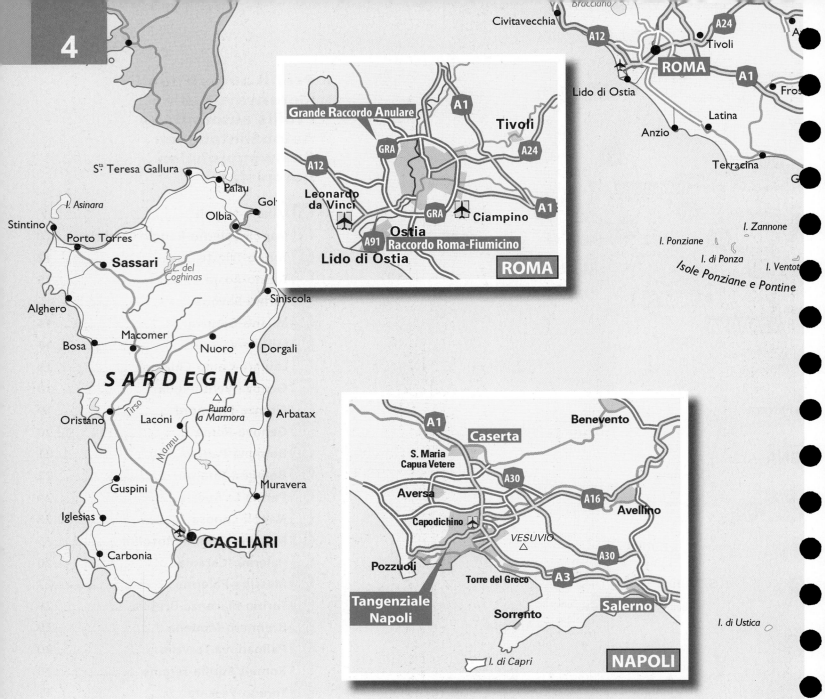

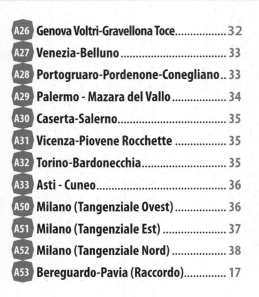

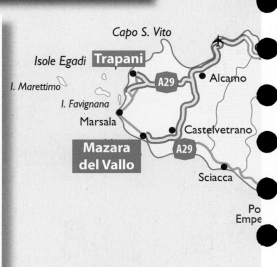

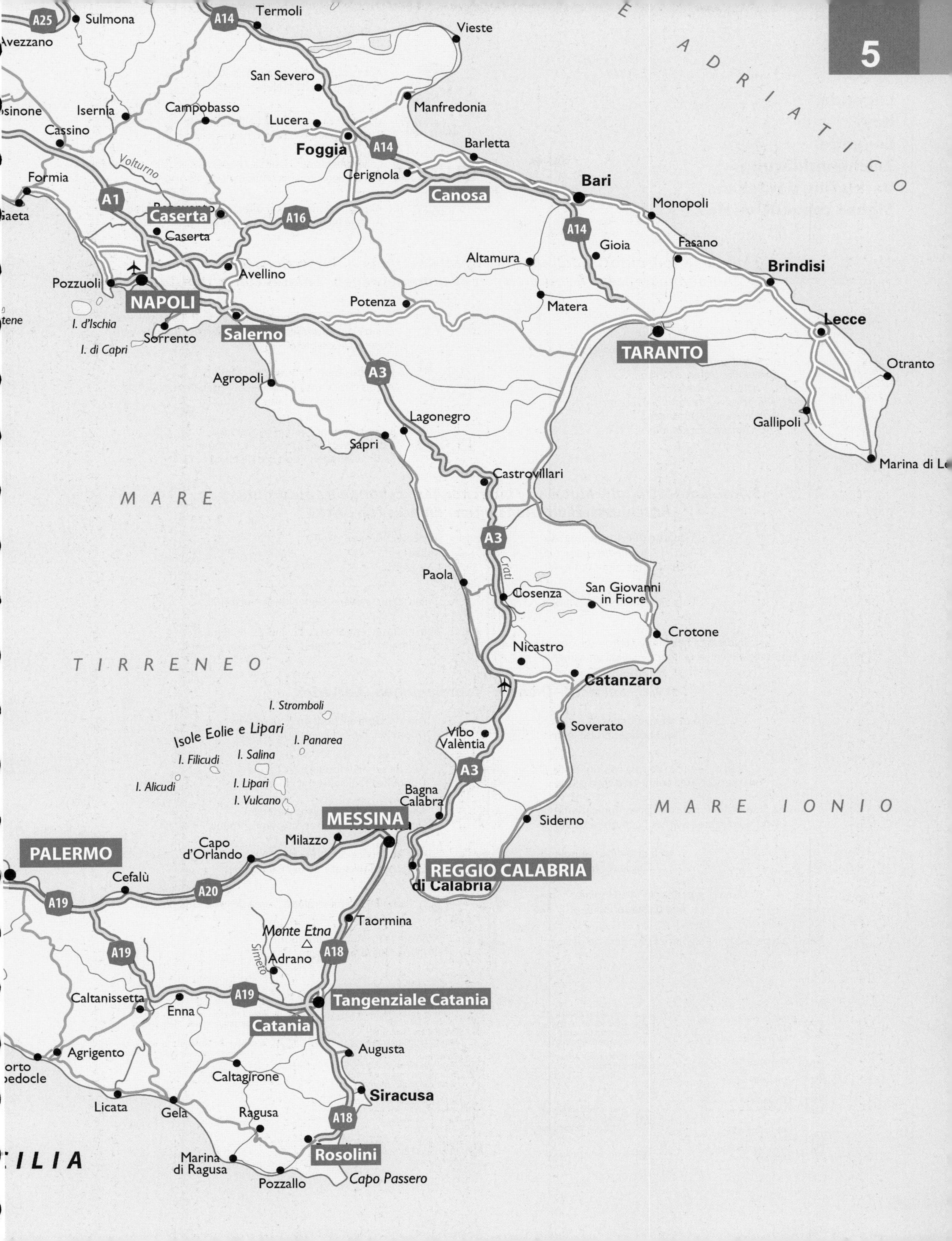

MARE ADRIATICO

A25 Sulmona
Avezzano
A14 Termoli
Vieste
Vieste

San Severo
Manfredonia
Isernia
Campobasso
Lucera
Frosinone
Cassino
Lucera
A14
Barletta
Foggia
Formia
Volturno
A1
Benevento
Cerignola
Canosa
Bari
Gaeta
Caserta
Caserta
A16
Monopoli
Fasano
Gioia
A14
Altamura
Brindisi
Pozzuoli
Avellino
Potenza
Matera
Lecce
NAPOLI
I. d'Ischia
Salerno
Tene
Sorrento
I. di Capri
Agropoli
A3
TARANTO
Otranto

MARE
Lagonegro
Gallipoli
Sapri
Castrovillari
Marina di L

A3
San Giovanni
in Fiore
Crati
Paola
Cosenza
Crotone
Nicastro
TIRRENEO
Catanzaro
I. Stromboli
Soverato
Isole Eolie e Lipari
I. Panarea
Vibo
Valèntia
I. Filicudi
I. Salina
A3
MARE IONIO
I. Alicudi
I. Lipari
Bagna
Calabra
I. Vulcano
Siderno
MESSINA
PALERMO
Capo
d'Orlando
Milazzo
REGGIO CALABRIA
di Calabria
Cefalù
A20
A19
Taormina
Monte Etna
△
A18
Adrano
Simeto
A19
Caltanissetta
A19
Tangenziale Catania
Enna
Catania
Agrigento
Augusta
orto
pedocle
Caltagirone
Licata
Gela
Ragusa
Siracusa
A18
CILIA
Marina
di Ragusa
Pozzallo
Rosolini
Capo Passero

Legenda
Key
Légende
Zeichenerklärung
Verklaring der tekens
Signos convencionales

 Autostrada / Motorway / Autoroute
Autobahn / Autosnelweg / Autopista

 Uscita / Exit name / Sortie d'autoroute -
Ausfahrtnamen / Afstandnaam / Salida

 Collegamento autostradale / Motorway link / Liaison autoroutière
Verbindungautobahn / Autosnelweg-verbinding /

 Altra direzione / Other direction / Autre direction
Andere Richtung / Andere richting / Otro destino

Intersezioni autostradali - Motorway intersections - Intersections autoroutières
Autobahnkreuzen - Aansluiten met de autosnelwegen - Enlaces con autopistas

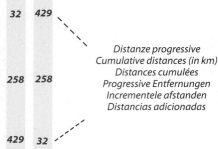

Distanze progressive
Cumulative distances (in km)
Distances cumulées
Progressive Entfernungen
Incrementele afstanden
Distancias adicionadas

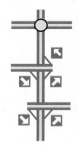

A quattro direzioni (completo) / In four directions (full)
Quatre directions (complet) / in vier Richtungen (Voll)
Volledig / Completo

A tre direzioni / In three directions
A trois directions / in drei Richtungen (Voll)
Drie richtingen / Con tres destinos

A due direzioni / In two directions
A deux directions / in zwei Richtungen
Beide richtingen / Con dos destinos

Svincoli autostradali - Motorway interchanges - Échangeurs autoroutiers
Anschlussstellen - Aansluiten - Enlaces con pistas

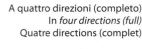
A quattro direzioni (completo)
In four directions (full)
Quatre directions (complet)

in vier Richtungen (Voll)
Volledig
Completo

Parziale / Limited / Incomplet

Teilanschlussstellen / Gedeeltelijk / Incompleto

Solo uscita / Exit only / Sortie seulement
Nur Ausfahrt / alleen een uitgang / Salida unicamente

Solo entrata / Entrance only / Entrée seulement
Nur Einfahrt / Neem alleen / Entrada unicamente

Servizi - Services - Dienste - Voorzieningen - Servicios

Area di servizio doppia a ponte
Twin-bridge service area

Aire de service à pont en double sens
Doppeltes Tankstelle als Brückenbau

Area di servizio doppia comunicante
Twin service area connected by passage

Aire de service double avec liaison
Doppeltes Tankstelle mit Übergang

Area di servizio doppia (senza comunicazione)
Twin service area (without communication)

Aire de service double (unilatérale)
Doppeltes Tankstelle an beiden Fahrbahn

Area di servizio singola
Single service area

Aire de service dans un seul sens
Einfaches Tankstelle an der Fahrbahnen

Area di parcheggio / Parking area
Aire de stationnement

Parkplatz / parkeerplaats / Area de estacionamiento

Barriera a pedaggio / Toll barrier / Barrière de péage

Zahlstelle für Autobahngebühr
Tolweg / Barrera de peaje

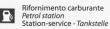 Rifornimento carburante
Petrol station
Station-service - Tankstelle

 Rifornimento gas (GPL)
LPG station - Gaz (GPL)
Tankstelle Flüssigas

 Metano - Methane
Méthane - Methan

Officina meccanica
Repair service
Atelier de mécanique
Werkstatt

 Servizi per disabili
Facilities for the disabled
Services pour handicapés
Dienste für Behinderte

 Ristorante - Restaurant
Gasthaus

Motel

Area attrezzata camper
Camper service
Aire pour camping-cars

 Snack bar - Cafeteria

 Informazioni turistiche
Tourist information
Information touristique
Touristiche Informationen

Punto blu
Motorway service & information
Information et services autoroutes
Autobahn Auskünfte und Service

Soccorso sanitario
Medical aid
Secours sanitaire
Erstehilfestelle

Bancomat - Cash dispenser
Distributeur de billets
Geldautomat

 Area attrezzata per picnic - Picnic area
Aire de pique-nique - Picknickplatz

 Area per animali domestici - Pets area
Aire pour animaux domestiques - Haustierpark

A 1 MILANO - NAPOLI
Autostrada del Sole

TRIESTE Tangenziale est
Aerop. di Linate
MILANO Ple Corvetto — 759
S. DONATO M.
S. Donato ovest
S. Donato est
SS 9 EMILIA
1 — 758
S. GIULIANO
Tangenziale ovest A9 A7 A8 A4
4 — 755
8 — MELEGNANO-BINASCO
Barriera Milano Sud
S. Zenone ovest
S. Zenone est
23 — LODI — PAVIA - CREMA — 736
CASALPUSTERLENGO OSPEDALETTO L. — S. ANGELO LODIGIANO PAVIA CODOGNO-CREMONA
Somaglia ovest
Somaglia est
50 — PIACENZA nord — ss 9 Via Emilia CODOGNO — 709
58 — TORINO A21 — A21 BRESCIA — 701
PIACENZA sud
Arda ovest
Arda est
73 — A21 BRESCIA — 686
FIORENZUOLA — CREMONA BUSSETO CORTEMAGGIORE
P — P
FIDENZA SALSOMAGGIORE T.
P — P
102 — LA SPEZIA A15 — 657
110 — PARMA — COLORNO SABBIONETA CASALMAGGIORE — 649
S. Martino ovest
S. Martino est
125 — TERRE DI CANOSSA CAMPEGINE — CAPRARA — 634

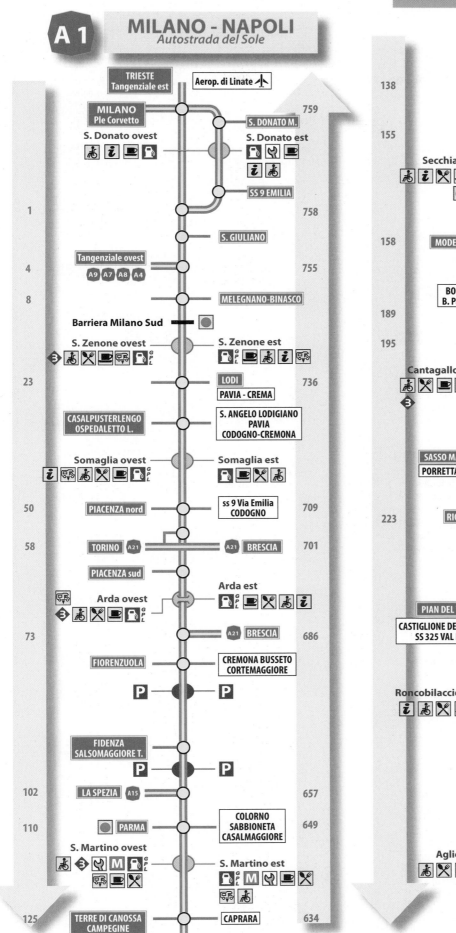

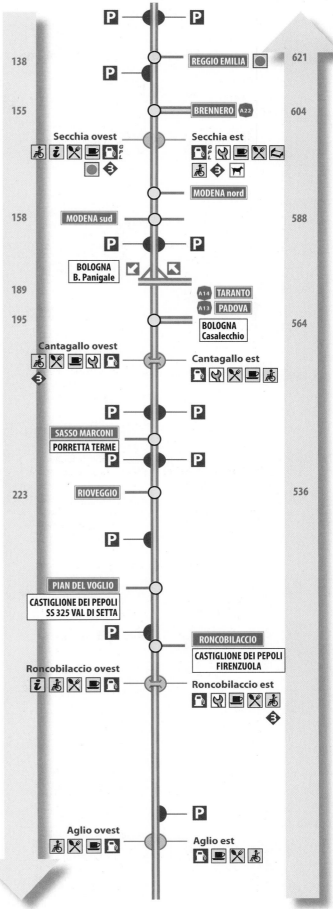

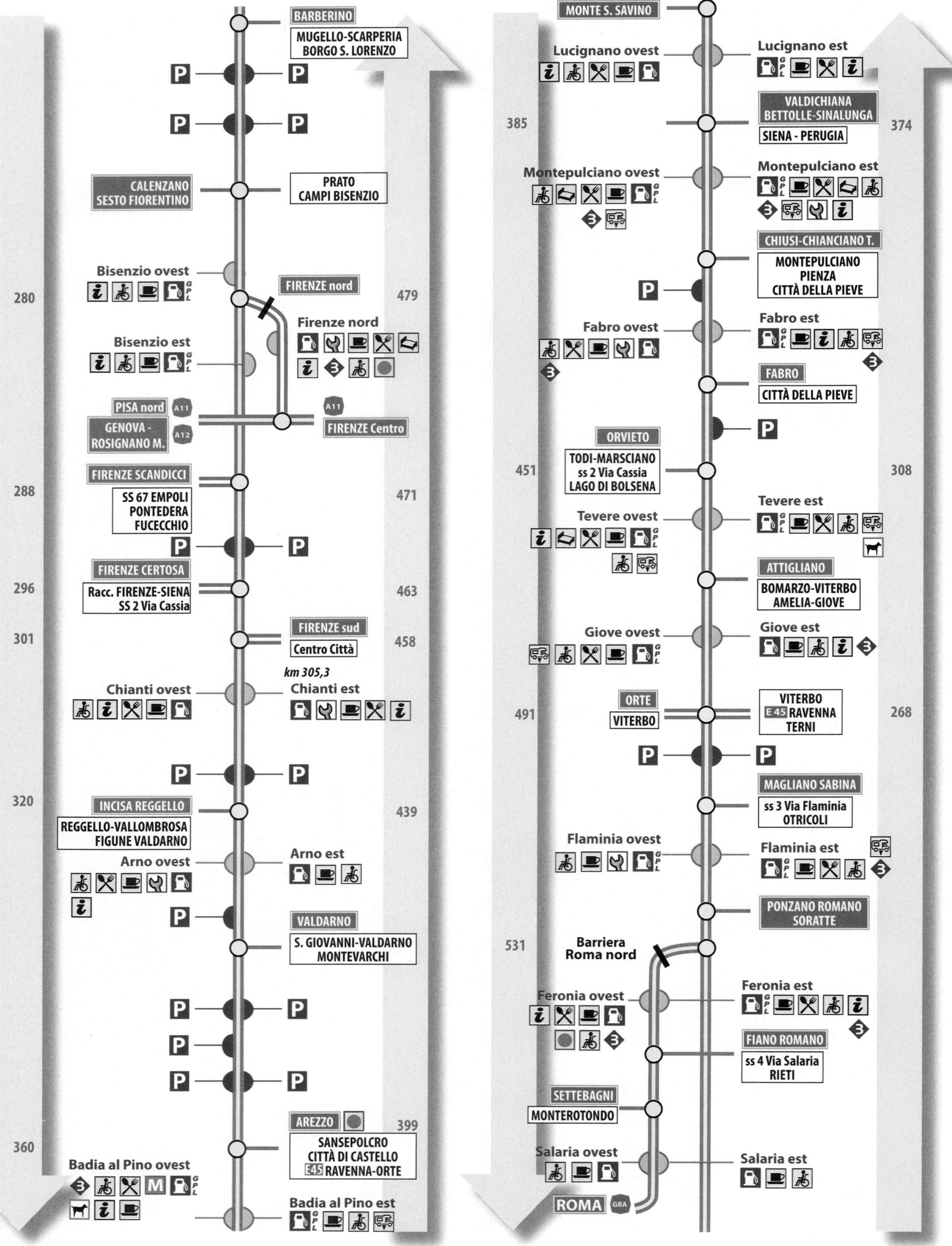

BARBERINO
MUGELLO-SCARPERIA BORGO S. LORENZO
CALENZANO SESTO FIORENTINO
PRATO CAMPI BISENZIO
Bisenzio ovest
280
FIRENZE nord
479
Firenze nord
Bisenzio est
PISA nord
GENOVA - ROSIGNANO M.
FIRENZE Centro
FIRENZE SCANDICCI
288
SS 67 EMPOLI PONTEDERA FUCECCHIO
471
FIRENZE CERTOSA
296
Racc. FIRENZE-SIENA SS 2 Via Cassia
463
FIRENZE sud
301
Centro Città
458
km 305,3
Chianti ovest
Chianti est
320
INCISA REGGELLO
REGGELLO-VALLOMBROSA FIGUNE VALDARNO
439
Arno ovest
Arno est
VALDARNO
S. GIOVANNI-VALDARNO MONTEVARCHI
AREZZO
399
SANSEPOLCRO CITTÀ DI CASTELLO E45 RAVENNA-ORTE
360
Badia al Pino ovest
Badia al Pino est
MONTE S. SAVINO
Lucignano ovest
Lucignano est
VALDICHIANA BETTOLLE-SINALUNGA
385
SIENA - PERUGIA
374
Montepulciano ovest
Montepulciano est
CHIUSI-CHIANCIANO T.
MONTEPULCIANO PIENZA CITTÀ DELLA PIEVE
Fabro ovest
Fabro est
FABRO
CITTÀ DELLA PIEVE
ORVIETO
451
TODI-MARSCIANO ss 2 Via Cassia LAGO DI BOLSENA
308
Tevere ovest
Tevere est
ATTIGLIANO
BOMARZO-VITERBO AMELIA-GIOVE
Giove ovest
Giove est
ORTE
491
VITERBO
VITERBO E45 RAVENNA TERNI
268
MAGLIANO SABINA
ss 3 Via Flaminia OTRICOLI
Flaminia ovest
Flaminia est
PONZANO ROMANO SORATTE
531
Barriera Roma nord
Feronia ovest
Feronia est
FIANO ROMANO
ss 4 Via Salaria RIETI
SETTEBAGNI
MONTEROTONDO
Salaria ovest
Salaria est
ROMA
GRA

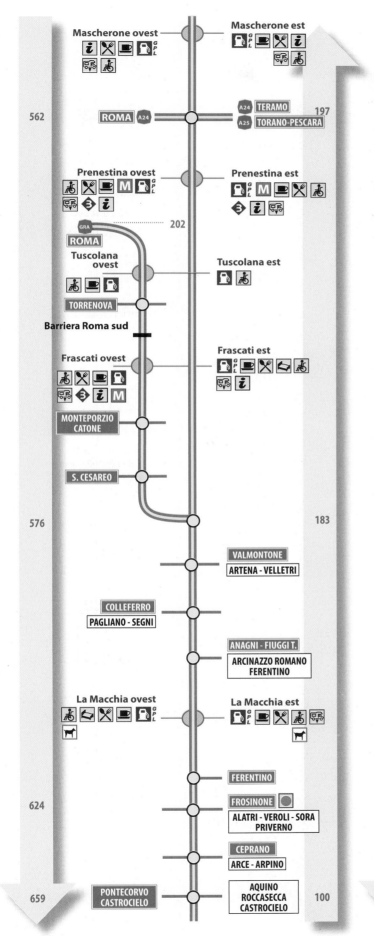

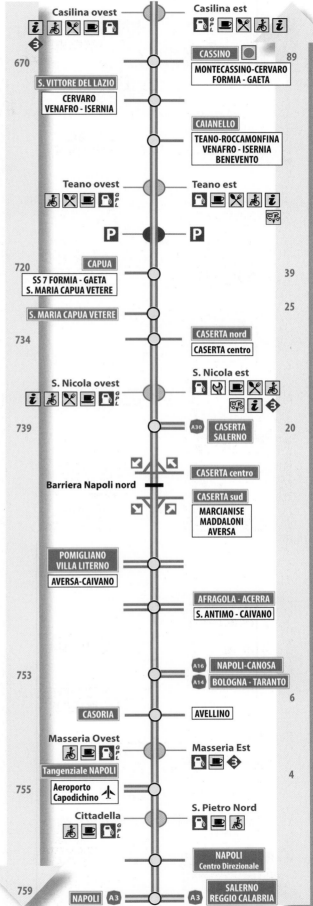

Left diagram (A1):

Mascherone ovest — Mascherone est

562 — ROMA A24 — A24 TERAMO 197 / A25 TORANO-PESCARA

Prenestina ovest — Prenestina est

202 — GRA ROMA

Tuscolana ovest — Tuscolana est

TORRENOVA

Barriera Roma sud

Frascati ovest — Frascati est

MONTEPORZIO CATONE

S. CESAREO

576 — 183

VALMONTONE / ARTENA - VELLETRI

COLLEFERRO / PAGLIANO - SEGNI

ANAGNI - FIUGGI T. / ARCINAZZO ROMANO FERENTINO

La Macchia ovest — La Macchia est

FERENTINO

624 — FROSINONE / ALATRI - VEROLI - SORA PRIVERNO

CEPRANO / ARCE - ARPINO

659 — PONTECORVO CASTROCIELO — AQUINO ROCCASECCA CASTROCIELO 100

Right diagram (A1):

Casilina ovest — Casilina est

670 — CASSINO / MONTECASSINO-CERVARO FORMIA - GAETA 89

S. VITTORE DEL LAZIO / CERVARO VENAFRO - ISERNIA

CAIANELLO / TEANO-ROCCAMONFINA VENAFRO - ISERNIA BENEVENTO

Teano ovest — Teano est

P — P

720 — CAPUA / SS 7 FORMIA - GAETA S. MARIA CAPUA VETERE 39

S. MARIA CAPUA VETERE 25

734 — CASERTA nord / CASERTA centro

S. Nicola ovest — S. Nicola est

739 — A30 CASERTA SALERNO 20

CASERTA centro

Barriera Napoli nord

CASERTA sud / MARCIANISE MADDALONI AVERSA

POMIGLIANO VILLA LITERNO / AVERSA-CAIVANO

AFRAGOLA - ACERRA / S. ANTIMO - CAIVANO

753 — A16 NAPOLI-CANOSA / A14 BOLOGNA - TARANTO 6

CASORIA / AVELLINO

Masseria Ovest — Masseria Est 4

Tangenziale NAPOLI

755 — Aeroporto Capodichino

Cittadella — S. Pietro Nord

NAPOLI Centro Direzionale

759 — NAPOLI A3 — A3 SALERNO REGGIO CALABRIA

A 3 NAPOLI - SALERNO - REGGIO CALABRIA

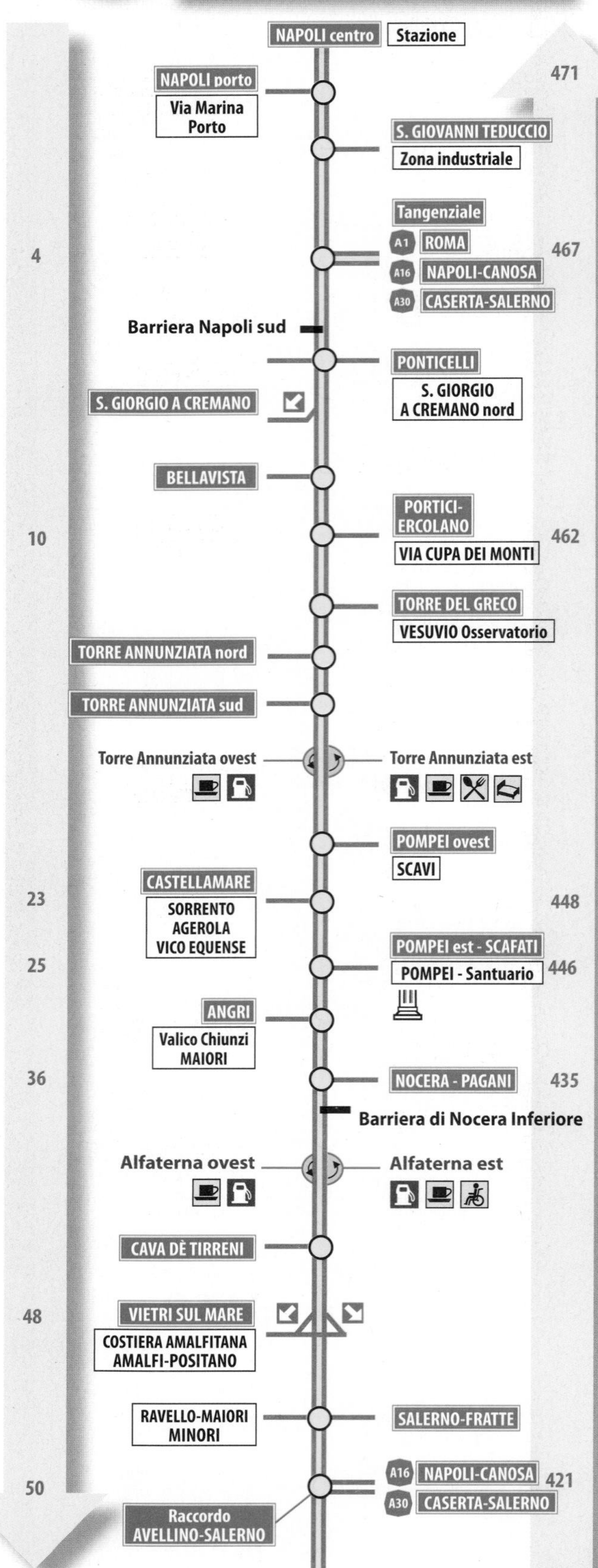
NAPOLI centro
Stazione
NAPOLI porto
Via Marina Porto
471
S. GIOVANNI TEDUCCIO
Zona industriale
Tangenziale
A1 ROMA
4
467
A16 NAPOLI-CANOSA
A30 CASERTA-SALERNO
Barriera Napoli sud
PONTICELLI
S. GIORGIO A CREMANO
S. GIORGIO A CREMANO nord
BELLAVISTA
PORTICI-ERCOLANO
10
VIA CUPA DEI MONTI
462
TORRE DEL GRECO
VESUVIO Osservatorio
TORRE ANNUNZIATA nord
TORRE ANNUNZIATA sud
Torre Annunziata ovest
Torre Annunziata est
POMPEI ovest
SCAVI
CASTELLAMARE
23
SORRENTO AGEROLA VICO EQUENSE
448
POMPEI est - SCAFATI
25
POMPEI - Santuario
446
ANGRI
Valico Chiunzi MAIORI
36
NOCERA - PAGANI
435
Barriera di Nocera Inferiore
Alfaterna ovest
Alfaterna est
CAVA DÈ TIRRENI
48
VIETRI SUL MARE
COSTIERA AMALFITANA AMALFI-POSITANO
RAVELLO-MAIORI MINORI
SALERNO-FRATTE
A16 NAPOLI-CANOSA
421
50
A30 CASERTA-SALERNO
Raccordo AVELLINO-SALERNO

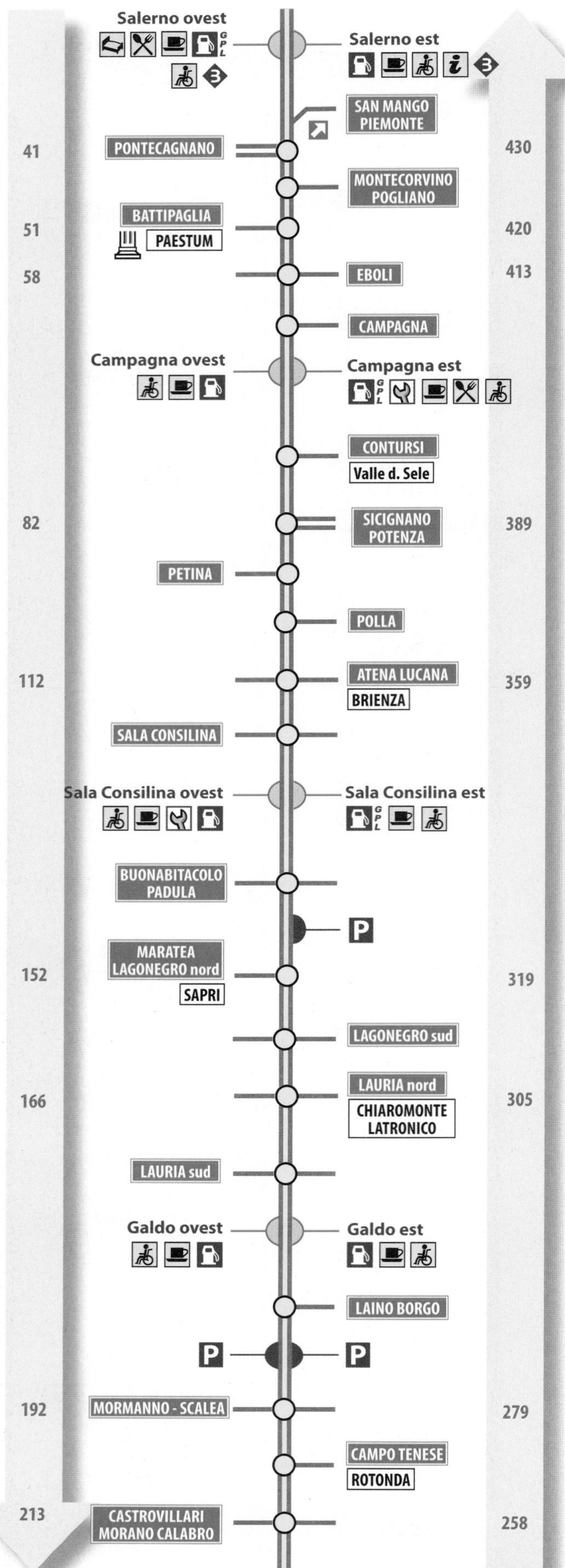
Salerno ovest
Salerno est
SAN MANGO PIEMONTE
41
PONTECAGNANO
430
MONTECORVINO POGLIANO
51
BATTIPAGLIA
420
PAESTUM
58
EBOLI
413
CAMPAGNA
Campagna ovest
Campagna est
CONTURSI
Valle d. Sele
82
SICIGNANO POTENZA
389
PETINA
POLLA
112
ATENA LUCANA
359
BRIENZA
SALA CONSILINA
Sala Consilina ovest
Sala Consilina est
BUONABITACOLO PADULA
P
MARATEA LAGONEGRO nord
152
SAPRI
319
LAGONEGRO sud
LAURIA nord
166
CHIAROMONTE LATRONICO
305
LAURIA sud
Galdo ovest
Galdo est
LAINO BORGO
P
P
192
MORMANNO - SCALEA
279
CAMPO TENESE
ROTONDA
213
CASTROVILLARI MORANO CALABRO
258

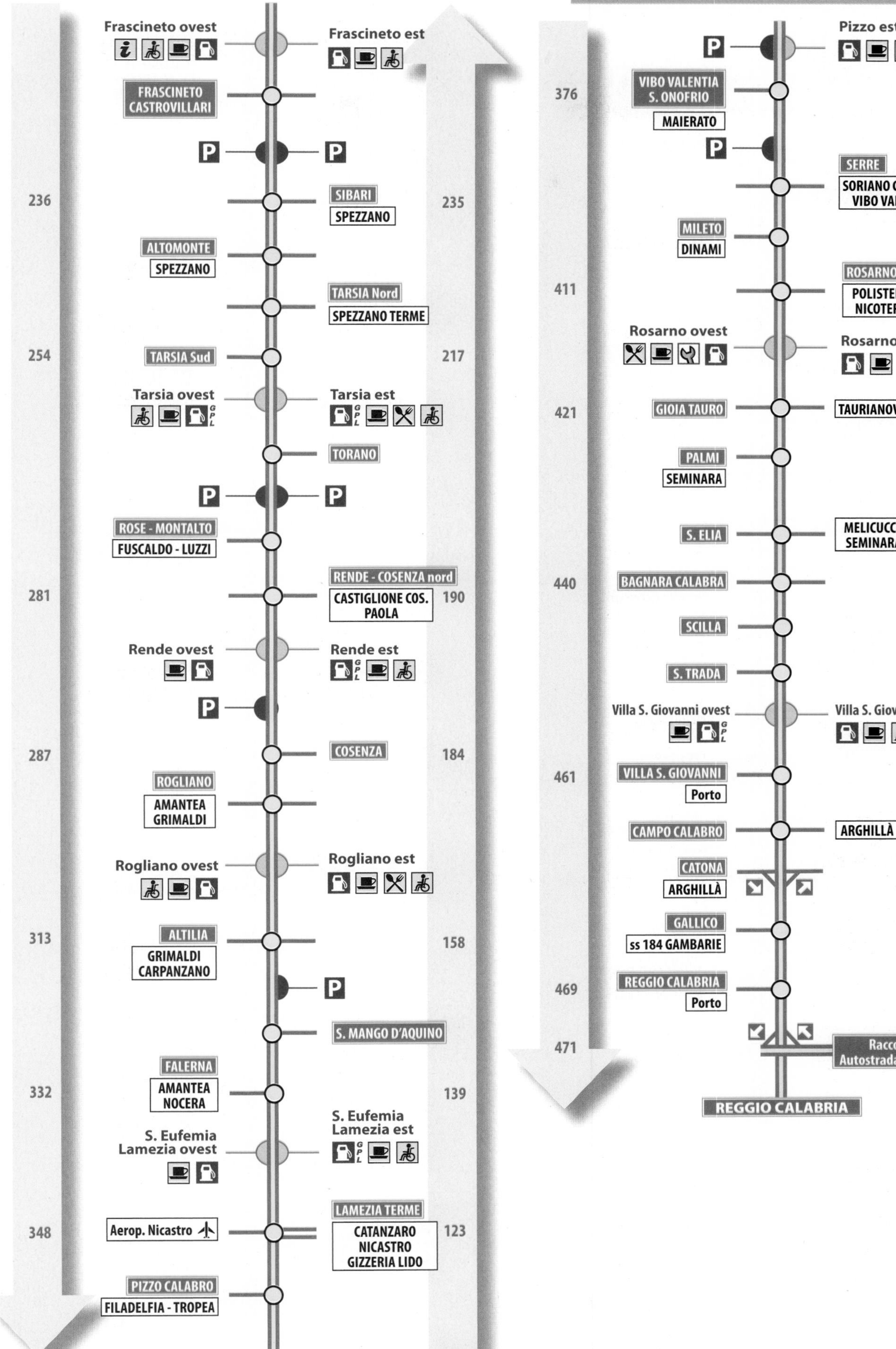

Frascineto ovest

Frascineto est

FRASCINETO
CASTROVILLARI

P   P

236   SIBARI   235
SPEZZANO

ALTOMONTE
SPEZZANO

TARSIA Nord
SPEZZANO TERME

254   TARSIA Sud   217

Tarsia ovest   Tarsia est

TORANO

P   P

ROSE - MONTALTO
FUSCALDO - LUZZI

RENDE - COSENZA nord
281   CASTIGLIONE COS.   190
PAOLA

Rende ovest   Rende est

P

287   COSENZA   184

ROGLIANO
AMANTEA
GRIMALDI

Rogliano ovest   Rogliano est

313   ALTILIA   158
GRIMALDI
CARPANZANO

P

S. MANGO D'AQUINO

FALERNA
332   AMANTEA   139
NOCERA

S. Eufemia
Lamezia est

S. Eufemia
Lamezia ovest

LAMEZIA TERME
348   Aerop. Nicastro   CATANZARO   123
NICASTRO
GIZZERIA LIDO

PIZZO CALABRO
FILADELFIA - TROPEA

Pizzo est

376   VIBO VALENTIA   95
S. ONOFRIO

MAIERATO

P

SERRE
SORIANO CALABRO
VIBO VALENTIA

MILETO
DINAMI

ROSARNO
411   POLISTENA   63
NICOTERA

Rosarno ovest   Rosarno est

421   GIOIA TAURO   TAURIANOVA   52

PALMI
SEMINARA

S. ELIA   MELICUCCA
SEMINARA

440   BAGNARA CALABRA   31

SCILLA

S. TRADA

Villa S. Giovanni ovest   Villa S. Giovanni est

461   VILLA S. GIOVANNI   10
Porto

CAMPO CALABRO   ARGHILLÀ

CATONA
ARGHILLÀ

GALLICO
ss 184 GAMBARIE

469   REGGIO CALABRIA
Porto

471   Raccordo
Autostradale SS 106

REGGIO CALABRIA

A 4 TORINO - TRIESTE

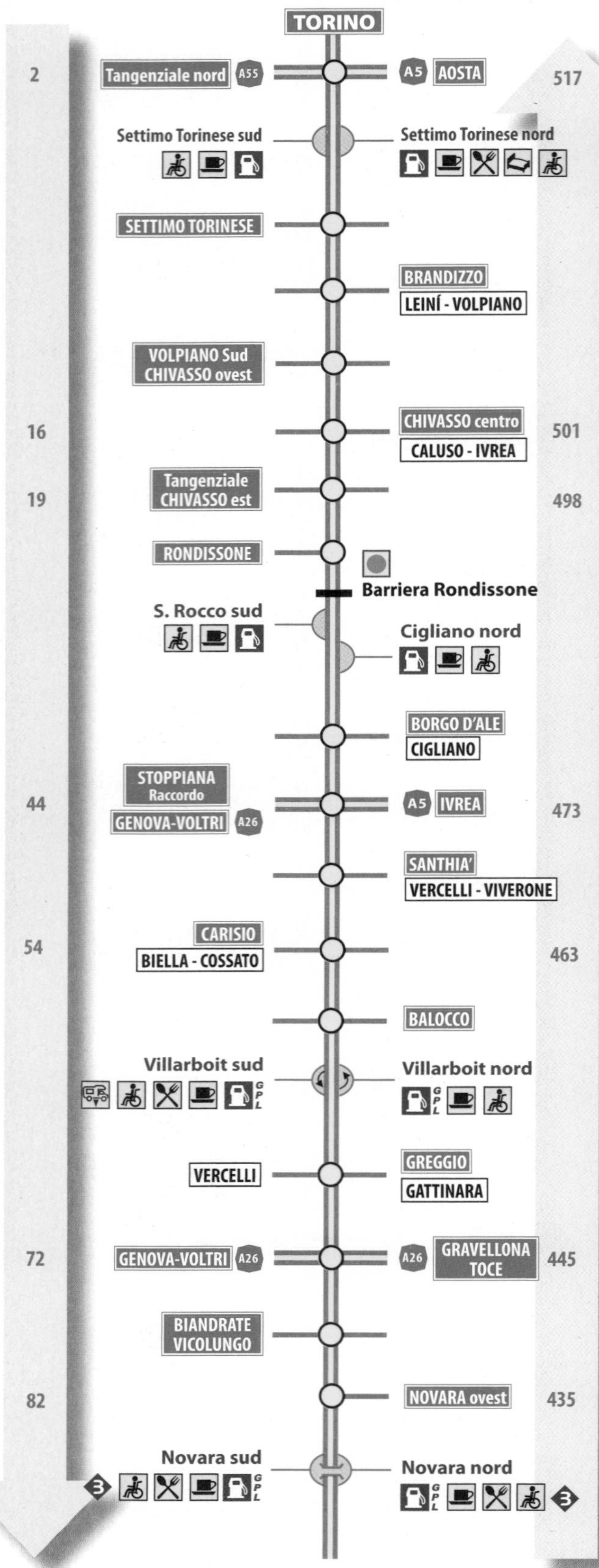
TORINO
2
Tangenziale nord
A55
A5
AOSTA
517
Settimo Torinese sud
Settimo Torinese nord
SETTIMO TORINESE
BRANDIZZO
LEINÍ - VOLPIANO
VOLPIANO Sud
CHIVASSO ovest
16
CHIVASSO centro
CALUSO - IVREA
501
19
Tangenziale
CHIVASSO est
498
RONDISSONE
Barriera Rondissone
S. Rocco sud
Cigliano nord
BORGO D'ALE
CIGLIANO
STOPPIANA
Raccordo
44
GENOVA-VOLTRI
A26
A5
IVREA
473
SANTHIA'
VERCELLI - VIVERONE
CARISIO
54
BIELLA - COSSATO
463
BALOCCO
Villarboit sud
Villarboit nord
VERCELLI
GREGGIO
GATTINARA
72
GENOVA-VOLTRI
A26
A26
GRAVELLONA
TOCE
445
BIANDRATE
VICOLUNGO
82
NOVARA ovest
435
Novara sud
Novara nord

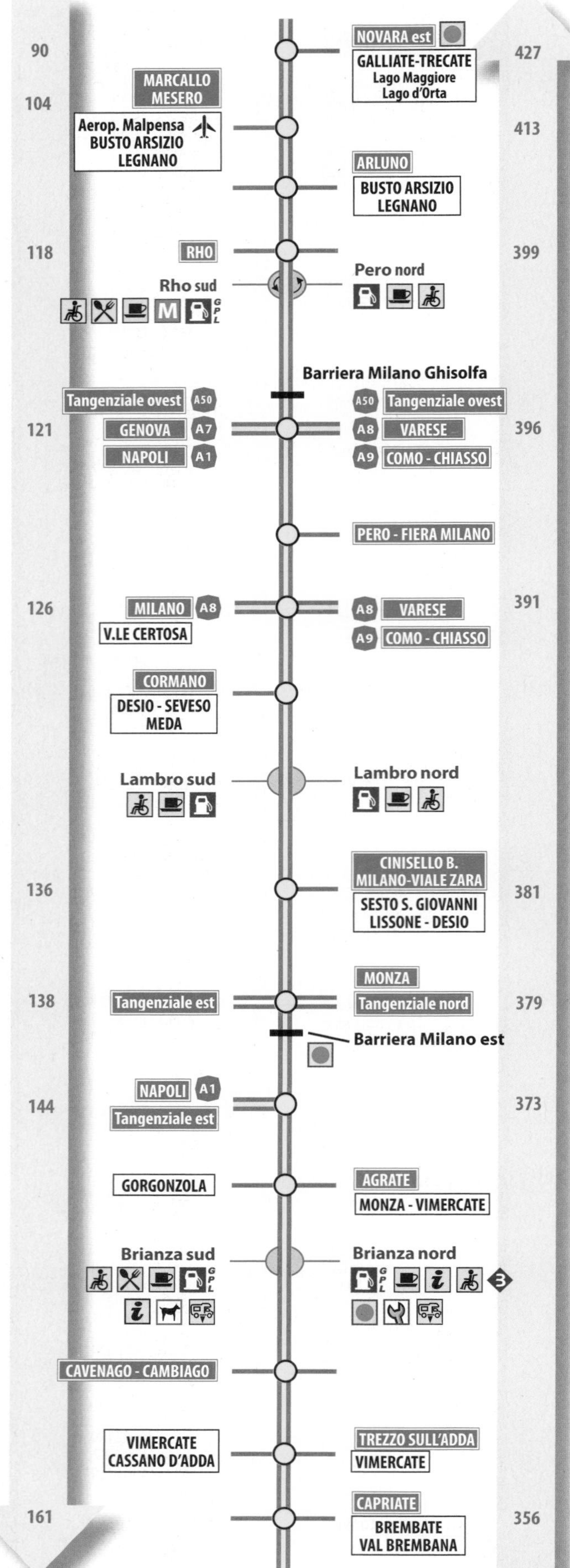
90
NOVARA est
GALLIATE-TRECATE
Lago Maggiore
Lago d'Orta
427
MARCALLO
MESERO
104
Aerop. Malpensa
BUSTO ARSIZIO
LEGNANO
413
ARLUNO
BUSTO ARSIZIO
LEGNANO
118
RHO
399
Rho sud
Pero nord
Barriera Milano Ghisolfa
Tangenziale ovest
A50
A50
Tangenziale ovest
121
GENOVA
A7
A8
VARESE
396
NAPOLI
A1
A9
COMO - CHIASSO
PERO - FIERA MILANO
126
MILANO
A8
V.LE CERTOSA
A8
VARESE
391
A9
COMO - CHIASSO
CORMANO
DESIO - SEVESO
MEDA
Lambro sud
Lambro nord
136
CINISELLO B.
MILANO-VIALE ZARA
SESTO S. GIOVANNI
LISSONE - DESIO
381
MONZA
138
Tangenziale est
Tangenziale nord
379
Barriera Milano est
144
NAPOLI
A1
Tangenziale est
373
GORGONZOLA
AGRATE
MONZA - VIMERCATE
Brianza sud
Brianza nord
CAVENAGO - CAMBIAGO
VIMERCATE
CASSANO D'ADDA
TREZZO SULL'ADDA
VIMERCATE
161
CAPRIATE
BREMBATE
VAL BREMBANA
356

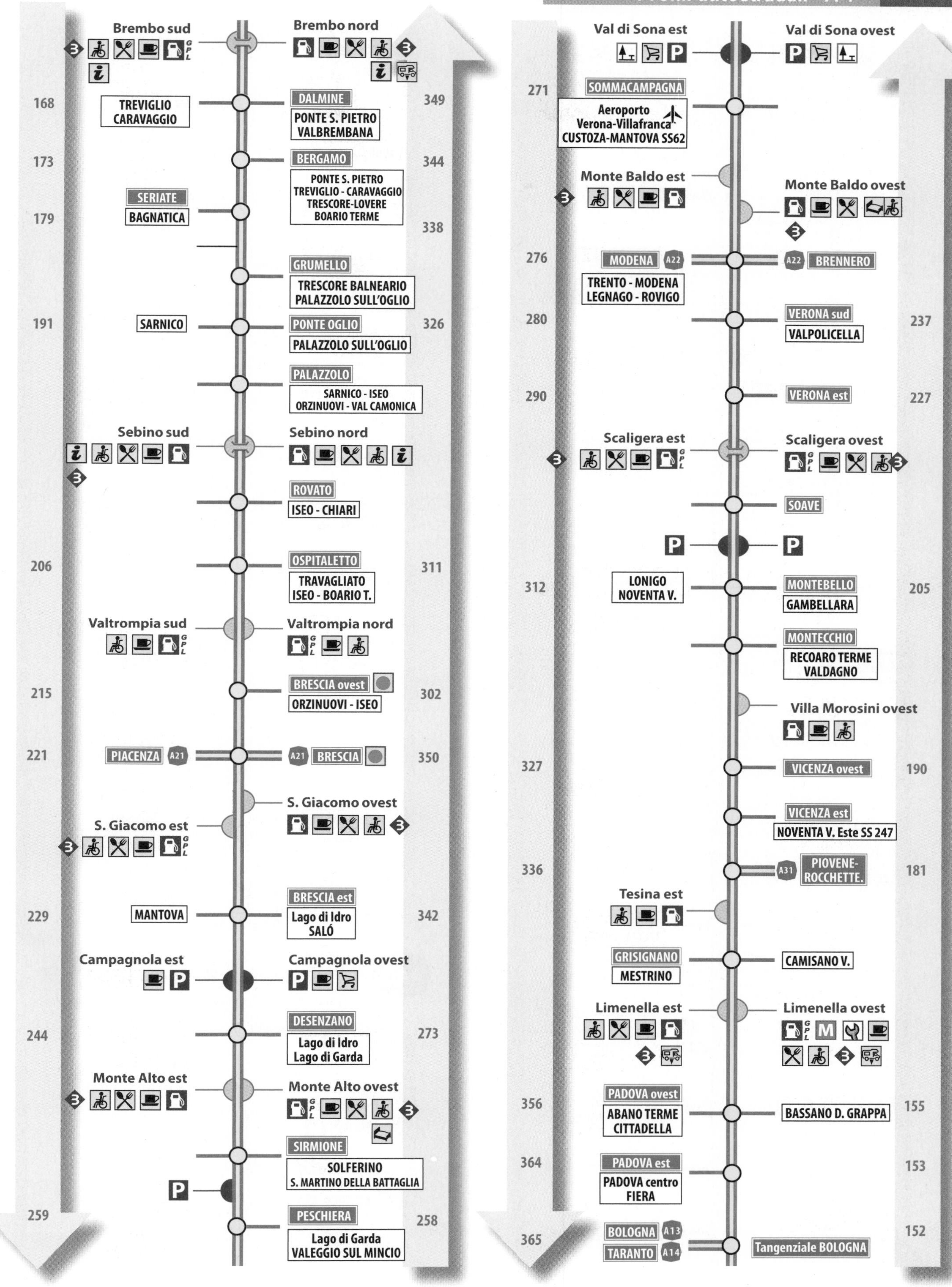

Brembo sud — **Brembo nord**

168 — TREVIGLIO CARAVAGGIO — DALMINE / PONTE S. PIETRO VALBREMBANA — 349

173 — BERGAMO / PONTE S. PIETRO TREVIGLIO - CARAVAGGIO TRESCORE-LOVERE BOARIO TERME — 344

179 — SERIATE BAGNATICA — 338

GRUMELLO / TRESCORE BALNEARIO PALAZZOLO SULL'OGLIO

191 — SARNICO — PONTE OGLIO / PALAZZOLO SULL'OGLIO — 326

PALAZZOLO / SARNICO - ISEO ORZINUOVI - VAL CAMONICA

Sebino sud — **Sebino nord**

ROVATO / ISEO - CHIARI

206 — OSPITALETTO / TRAVAGLIATO ISEO - BOARIO T. — 311

Valtrompia sud — **Valtrompia nord**

215 — BRESCIA ovest / ORZINUOVI - ISEO — 302

221 — PIACENZA A21 — A21 BRESCIA — 350

S. Giacomo est — **S. Giacomo ovest**

229 — MANTOVA — BRESCIA est / Lago di Idro SALÓ — 342

Campagnola est — **Campagnola ovest**

244 — DESENZANO / Lago di Idro Lago di Garda — 273

Monte Alto est — **Monte Alto ovest**

SIRMIONE / SOLFERINO S. MARTINO DELLA BATTAGLIA

259 — PESCHIERA / Lago di Garda VALEGGIO SUL MINCIO — 258

Val di Sona est — **Val di Sona ovest**

271 — SOMMACAMPAGNA / Aeroporto Verona-Villafranca CUSTOZA-MANTOVA SS62

Monte Baldo est — **Monte Baldo ovest**

276 — MODENA A22 — A22 BRENNERO / TRENTO - MODENA LEGNAGO - ROVIGO

280 — VERONA sud / VALPOLICELLA — 237

290 — VERONA est — 227

Scaligera est — **Scaligera ovest**

SOAVE

312 — LONIGO NOVENTA V. — MONTEBELLO / GAMBELLARA — 205

MONTECCHIO / RECOARO TERME VALDAGNO

Villa Morosini ovest

327 — VICENZA ovest — 190

VICENZA est / NOVENTA V. Este SS 247

336 — A31 PIOVENE-ROCCHETTE. — 181

Tesina est

GRISIGNANO / MESTRINO — CAMISANO V.

Limenella est — **Limenella ovest**

356 — PADOVA ovest / ABANO TERME CITTADELLA — BASSANO D. GRAPPA — 155

364 — PADOVA est / PADOVA centro FIERA — 153

365 — BOLOGNA A13 / TARANTO A14 — Tangenziale BOLOGNA — 152

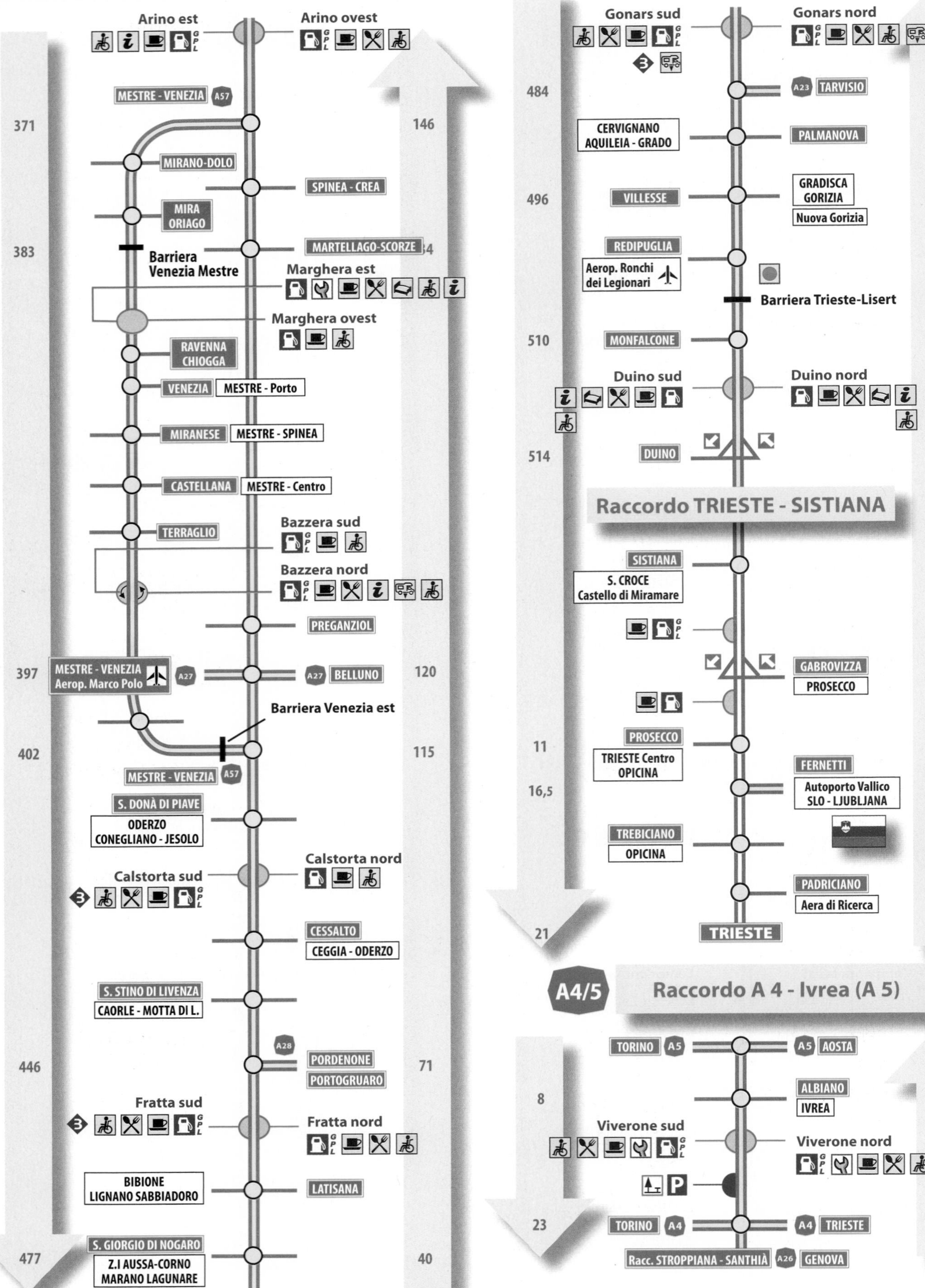

Arino est — Arino ovest

MESTRE - VENEZIA (A57)

371

146

MIRANO-DOLO

SPINEA - CREA

MIRA ORIAGO

383

MARTELLAGO-SCORZE 34

Barriera Venezia Mestre

Marghera est

Marghera ovest

RAVENNA CHIOGGA

VENEZIA — MESTRE - Porto

MIRANESE — MESTRE - SPINEA

CASTELLANA — MESTRE - Centro

TERRAGLIO — Bazzera sud

Bazzera nord

PREGANZIOL

397 — MESTRE - VENEZIA Aerop. Marco Polo (A27) — (A27) BELLUNO — 120

Barriera Venezia est

402 — 115

MESTRE - VENEZIA (A57)

S. DONÀ DI PIAVE
ODERZO CONEGLIANO - JESOLO

Calstorta nord
Calstorta sud

CESSALTO
CEGGIA - ODERZO

S. STINO DI LIVENZA
CAORLE - MOTTA DI L.

(A28) PORDENONE — 71
446 PORTOGRUARO

Fratta sud — Fratta nord

BIBIONE LIGNANO SABBIADORO — LATISANA

477 — S. GIORGIO DI NOGARO Z.I AUSSA-CORNO MARANO LAGUNARE — 40

Gonars sud — Gonars nord

484 — (A23) TARVISIO — 33

CERVIGNANO AQUILEIA - GRADO — PALMANOVA

496 — VILLESSE — GRADISCA GORIZIA — 21
Nuova Gorizia

REDIPUGLIA
Aerop. Ronchi dei Legionari

Barriera Trieste-Lisert

510 — MONFALCONE — 7

Duino sud — Duino nord

514 — DUINO

Raccordo TRIESTE - SISTIANA

SISTIANA — 21
S. CROCE Castello di Miramare

GABROVIZZA
PROSECCO

11 — PROSECCO
TRIESTE Centro OPICINA

16,5 — FERNETTI
Autoporto Vallico SLO - LJUBLJANA — 4,5

TREBICIANO
OPICINA

PADRICIANO
Aera di Ricerca

TRIESTE

21

A4/5 — ## Raccordo A 4 - Ivrea (A 5)

TORINO (A5) — (A5) AOSTA — 23

8 — ALBIANO — 15
IVREA

Viverone sud — Viverone nord

23 — TORINO (A4) — (A4) TRIESTE

Racc. STROPPIANA - SANTHIÀ (A26) GENOVA

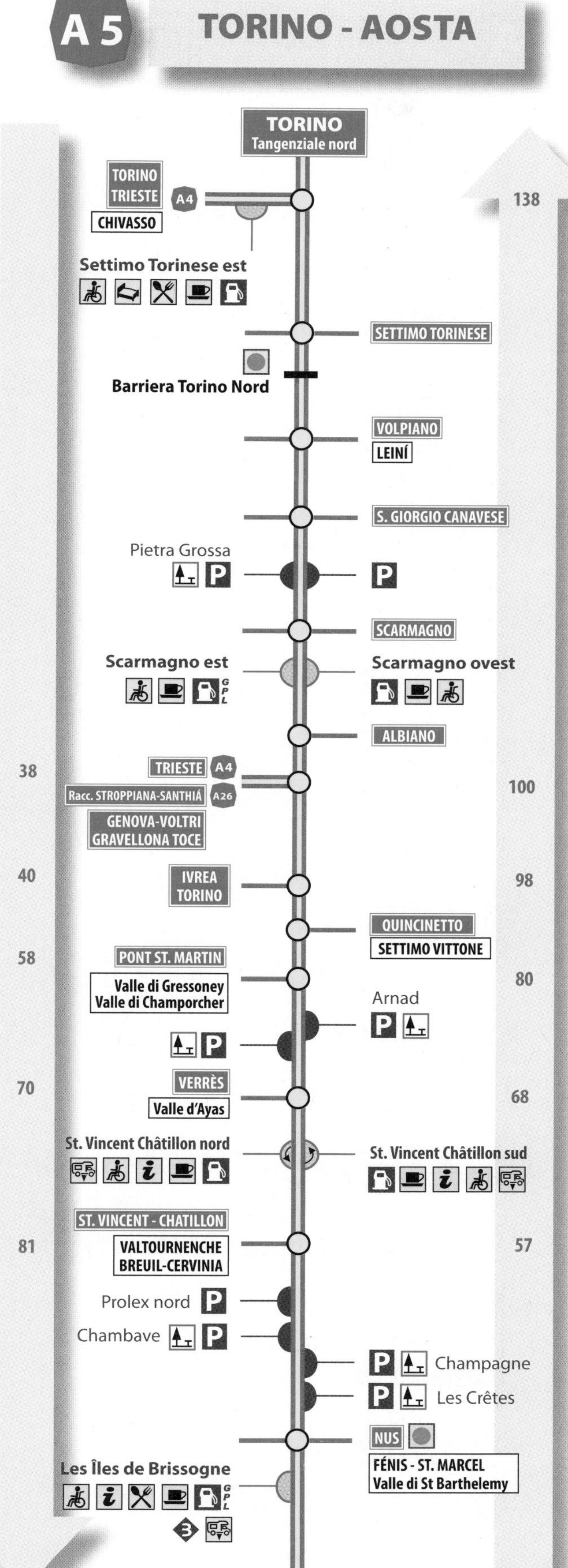

A 5 TORINO - AOSTA

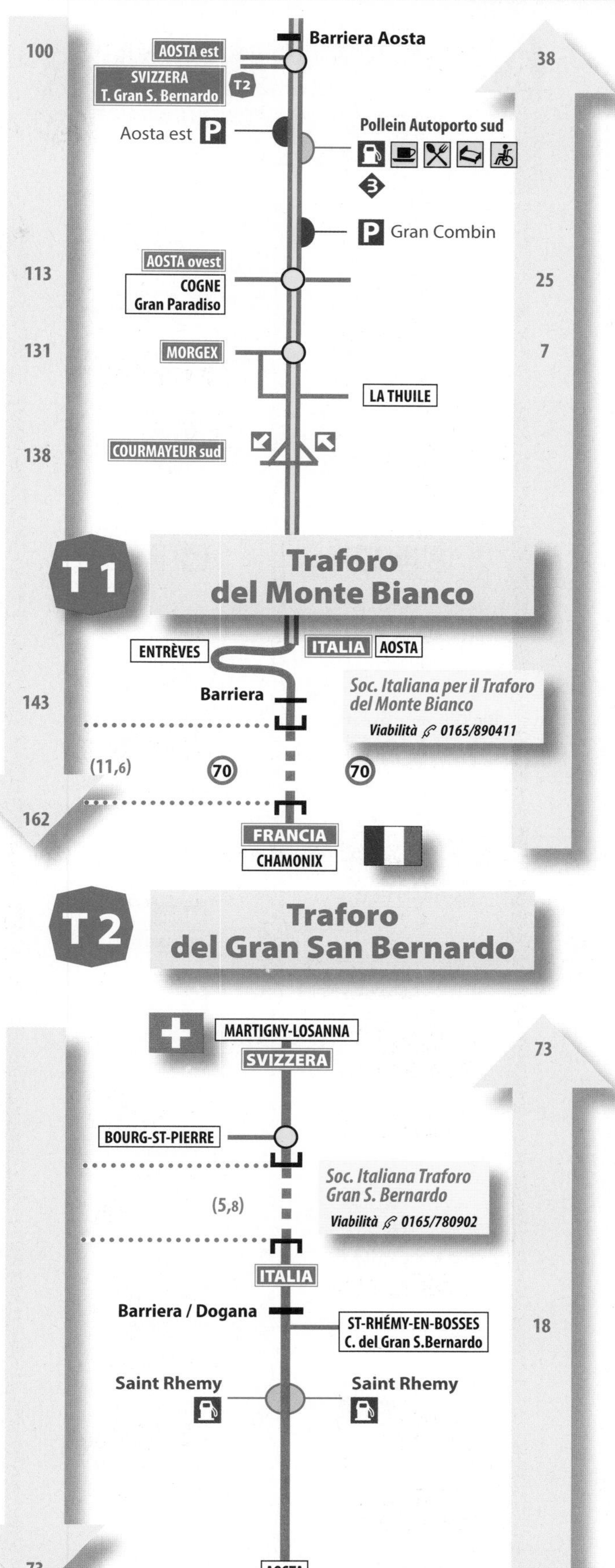

T 1 Traforo del Monte Bianco

T 2 Traforo del Gran San Bernardo

A 6 — TORINO - SAVONA
Autostrada Verdemare

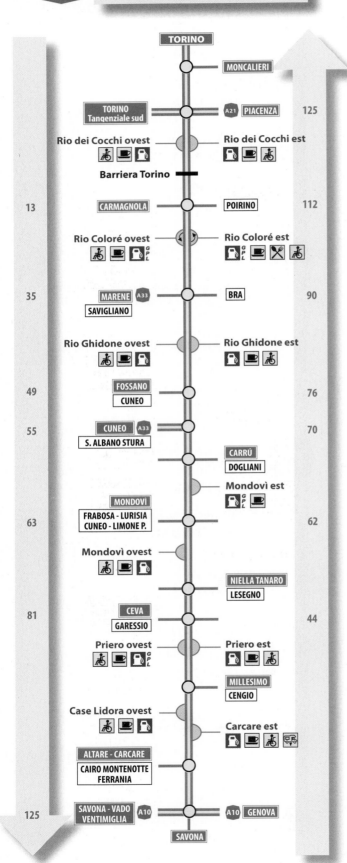

A 7 — MILANO - GENOVA

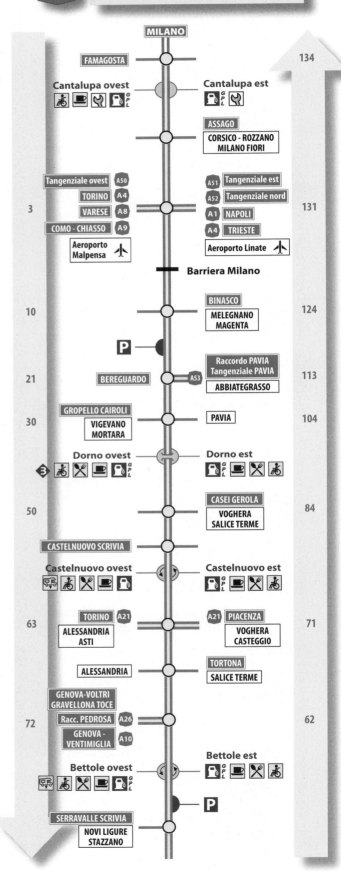

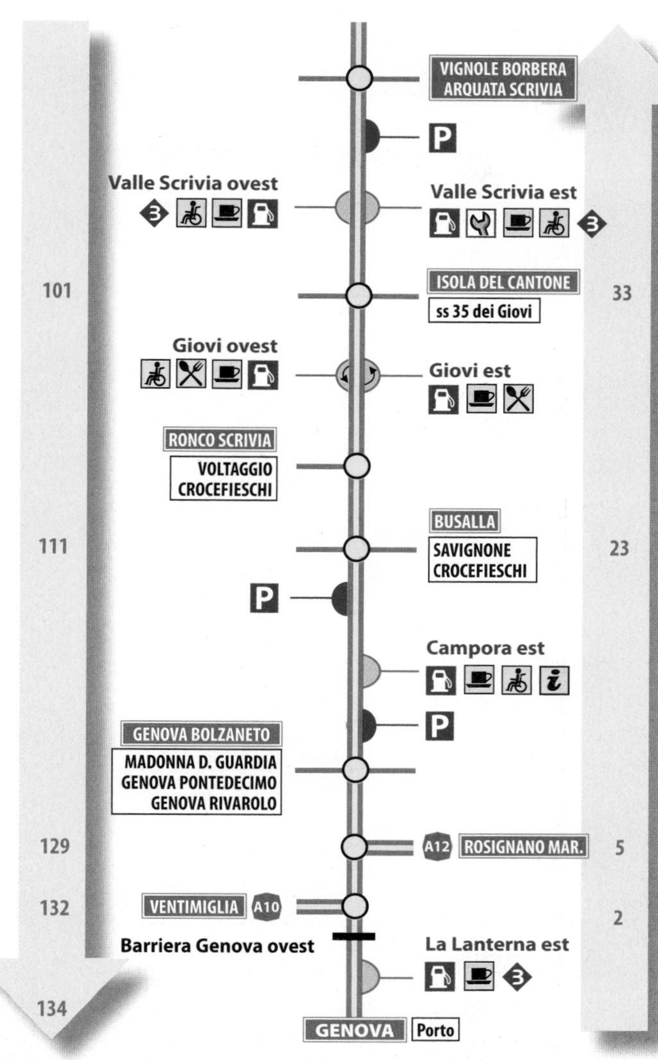

VIGNOLE BORBERA
ARQUATA SCRIVIA

Valle Scrivia ovest

Valle Scrivia est

101

ISOLA DEL CANTONE
ss 35 dei Giovi

33

Giovi ovest

Giovi est

RONCO SCRIVIA
VOLTAGGIO
CROCEFIESCHI

111

BUSALLA
SAVIGNONE
CROCEFIESCHI

23

Campora est

GENOVA BOLZANETO
MADONNA D. GUARDIA
GENOVA PONTEDECIMO
GENOVA RIVAROLO

129

A12 ROSIGNANO MAR.

5

132 VENTIMIGLIA A10

2

Barriera Genova ovest

La Lanterna est

134

GENOVA Porto

Raccordo
A53 BEREGUARDO - PAVIA

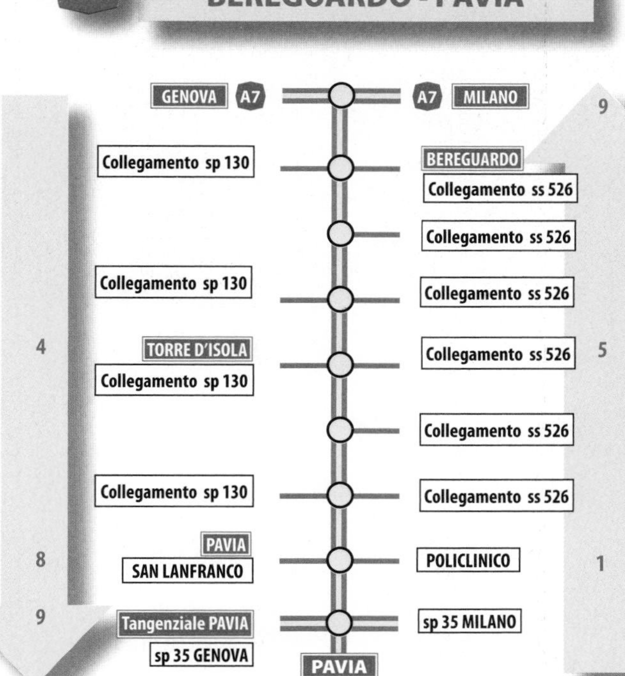

GENOVA A7

A7 MILANO

9

Collegamento sp 130

BEREGUARDO
Collegamento ss 526

Collegamento ss 526

Collegamento sp 130

Collegamento ss 526

4

TORRE D'ISOLA
Collegamento sp 130

Collegamento ss 526

5

Collegamento ss 526

Collegamento sp 130

Collegamento ss 526

8

PAVIA
SAN LANFRANCO

POLICLINICO

1

9

Tangenziale PAVIA
sp 35 GENOVA

sp 35 MILANO

PAVIA

A 8 MILANO - VARESE
Autostrada dei Laghi

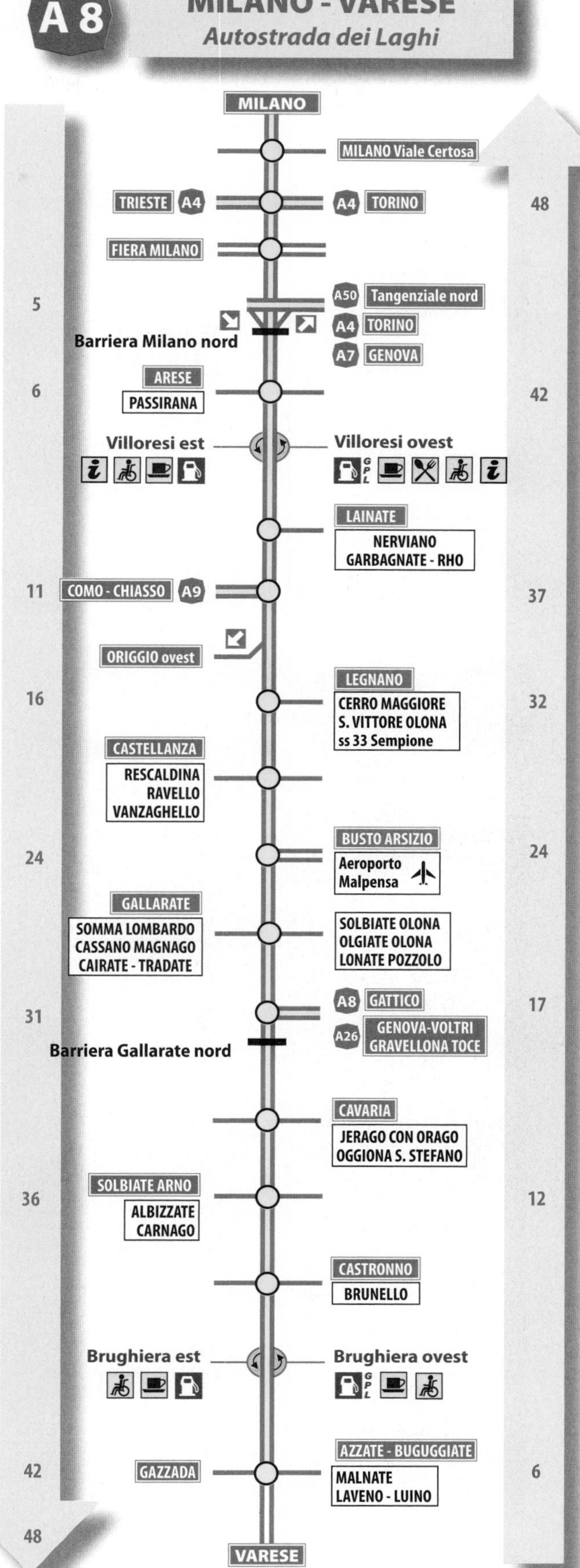

MILANO

MILANO Viale Certosa

TRIESTE A4

A4 TORINO

48

FIERA MILANO

A50 Tangenziale nord

5

Barriera Milano nord

A4 TORINO

A7 GENOVA

6

ARESE
PASSIRANA

42

Villoresi est

Villoresi ovest

LAINATE
NERVIANO
GARBAGNATE - RHO

11 COMO - CHIASSO A9

37

ORIGGIO ovest

16

LEGNANO
CERRO MAGGIORE
S. VITTORE OLONA
ss 33 Sempione

32

CASTELLANZA
RESCALDINA
RAVELLO
VANZAGHELLO

24

BUSTO ARSIZIO
Aeroporto
Malpensa

24

GALLARATE
SOMMA LOMBARDO
CASSANO MAGNAGO
CAIRATE - TRADATE

SOLBIATE OLONA
OLGIATE OLONA
LONATE POZZOLO

31

A8 GATTICO

A26 GENOVA-VOLTRI
GRAVELLONA TOCE

17

Barriera Gallarate nord

CAVARIA
JERAGO CON ORAGO
OGGIONA S. STEFANO

36

SOLBIATE ARNO
ALBIZZATE
CARNAGO

12

CASTRONNO
BRUNELLO

Brughiera est

Brughiera ovest

42

GAZZADA

AZZATE - BUGUGGIATE
MALNATE
LAVENO - LUINO

6

48

VARESE

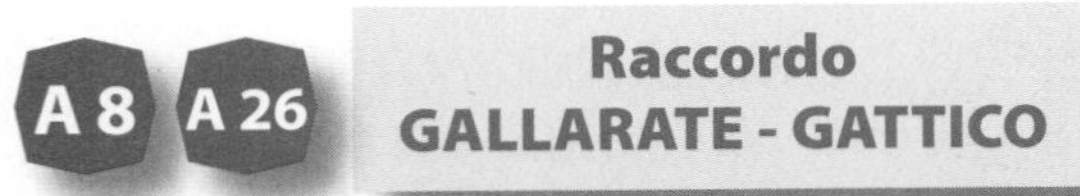

A 8 A 26 — Raccordo GALLARATE - GATTICO

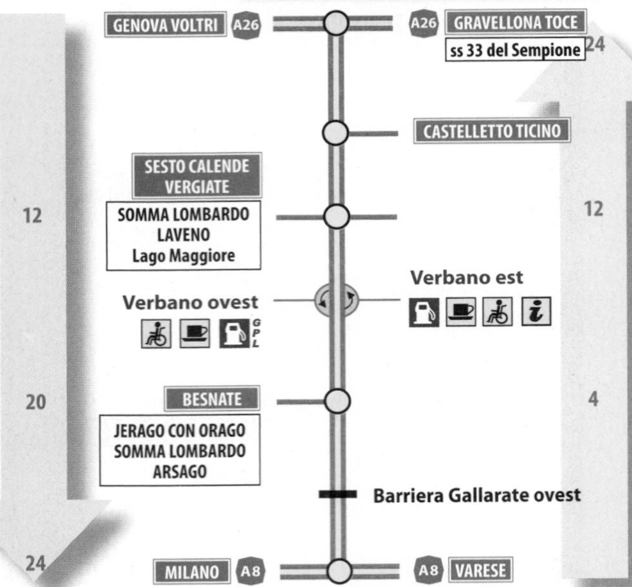

- GENOVA VOLTRI A26
- A26 GRAVELLONA TOCE — ss 33 del Sempione — 24
- CASTELLETTO TICINO
- SESTO CALENDE VERGIATE — SOMMA LOMBARDO LAVENO Lago Maggiore — 12 / 12
- Verbano ovest
- Verbano est
- 20 — BESNATE — JERAGO CON ORAGO SOMMA LOMBARDO ARSAGO — 4
- Barriera Gallarate ovest
- 24 — MILANO A8 — A8 VARESE

A 9 — LAINATE - COMO - CHIASSO *Autostrada dei Laghi*

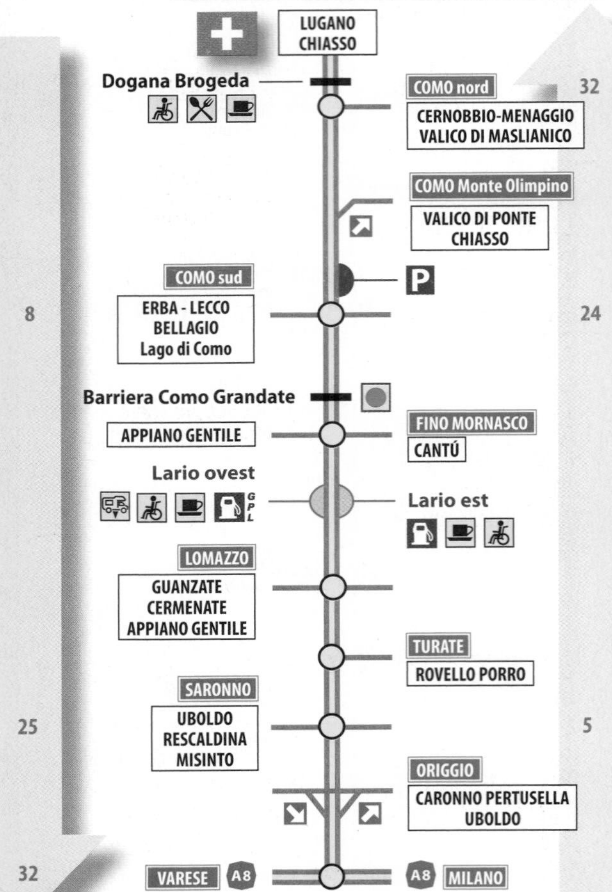

- LUGANO CHIASSO
- Dogana Brogeda
- COMO nord — CERNOBBIO-MENAGGIO VALICO DI MASLIANICO — 32
- COMO Monte Olimpino — VALICO DI PONTE CHIASSO
- COMO sud — ERBA - LECCO BELLAGIO Lago di Como — 8 / 24
- Barriera Como Grandate
- APPIANO GENTILE — FINO MORNASCO CANTÚ
- Lario ovest — Lario est
- LOMAZZO — GUANZATE CERMENATE APPIANO GENTILE
- TURATE ROVELLO PORRO
- SARONNO — UBOLDO RESCALDINA MISINTO — 25 / 5
- ORIGGIO — CARONNO PERTUSELLA UBOLDO
- 32 — VARESE A8 — A8 MILANO

A10 — GENOVA - VENTIMIGLIA *Autostrada dei Fiori*

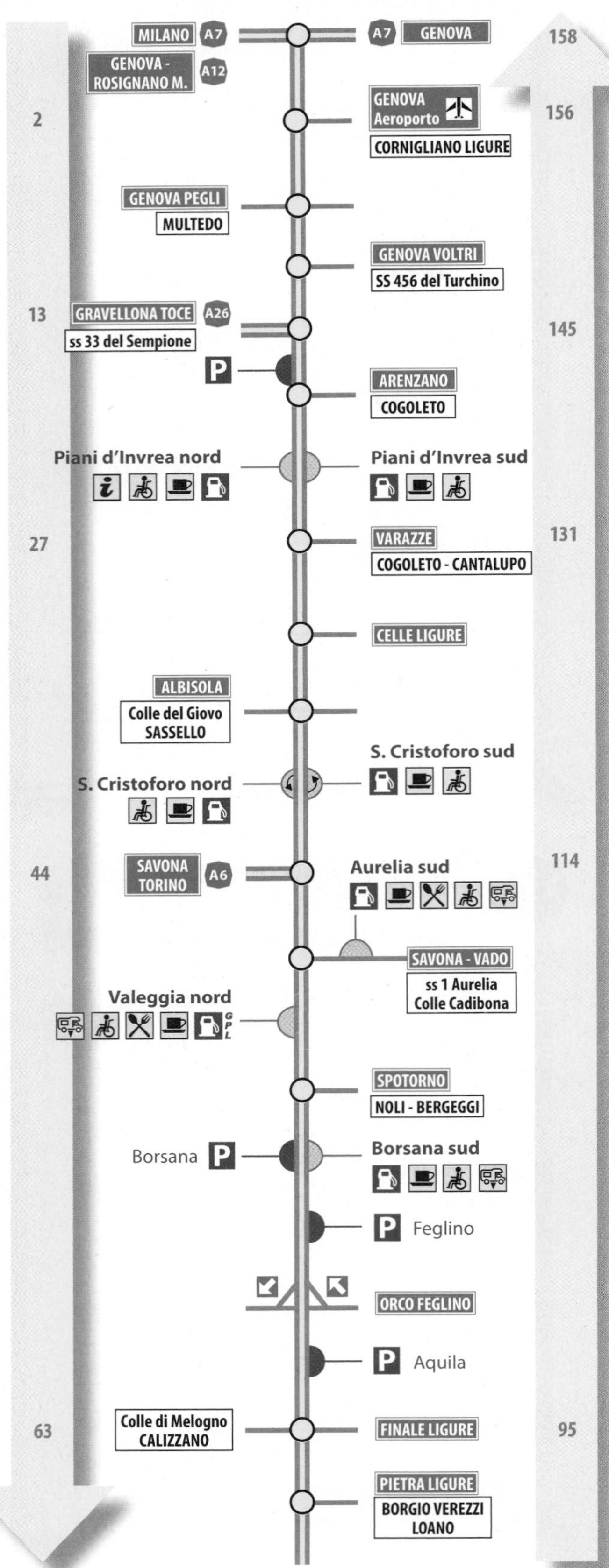

- MILANO A7 — A7 GENOVA — 158
- GENOVA - ROSIGNANO M. A12
- 2 — GENOVA Aeroporto — CORNIGLIANO LIGURE — 156
- GENOVA PEGLI — MULTEDO
- GENOVA VOLTRI — SS 456 del Turchino
- 13 — GRAVELLONA TOCE A26 — ss 33 del Sempione — 145
- P — ARENZANO COGOLETO
- Piani d'Invrea nord — Piani d'Invrea sud
- 27 — VARAZZE COGOLETO - CANTALUPO — 131
- CELLE LIGURE
- ALBISOLA — Colle del Giovo SASSELLO
- S. Cristoforo nord — S. Cristoforo sud
- 44 — SAVONA TORINO A6 — Aurelia sud — 114
- SAVONA - VADO — ss 1 Aurelia Colle Cadibona
- Valeggia nord
- SPOTORNO NOLI - BERGEGGI
- Borsana P — Borsana sud
- P Feglino
- ORCO FEGLINO
- P Aquila
- 63 — Colle di Melogno CALIZZANO — FINALE LIGURE — 95
- PIETRA LIGURE — BORGIO VEREZZI LOANO

A11 FIRENZE - PISA nord
Firenze Mare

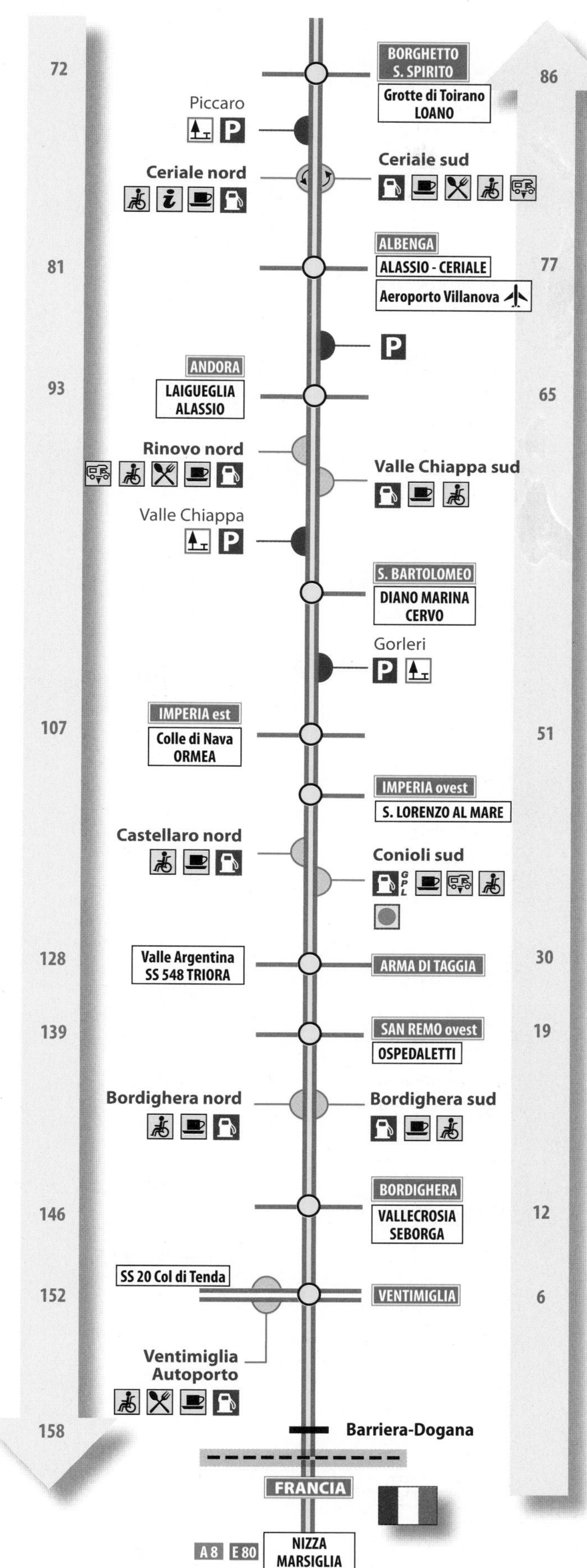

72
Piccaro
BORGHETTO S. SPIRITO
Grotte di Toirano LOANO
86
Ceriale nord
Ceriale sud
81
ALBENGA
ALASSIO - CERIALE
Aeroporto Villanova
77
93
ANDORA
LAIGUEGLIA ALASSIO
65
Rinovo nord
Valle Chiappa sud
Valle Chiappa
S. BARTOLOMEO
DIANO MARINA CERVO
Gorleri
107
IMPERIA est
Colle di Nava ORMEA
51
IMPERIA ovest
S. LORENZO AL MARE
Castellaro nord
Conioli sud
128
Valle Argentina SS 548 TRIORA
ARMA DI TAGGIA
30
139
SAN REMO ovest
OSPEDALETTI
19
Bordighera nord
Bordighera sud
146
BORDIGHERA
VALLECROSIA SEBORGA
12
152
SS 20 Col di Tenda
VENTIMIGLIA
6
Ventimiglia Autoporto
158
Barriera-Dogana
FRANCIA
A 8
E 80
NIZZA MARSIGLIA

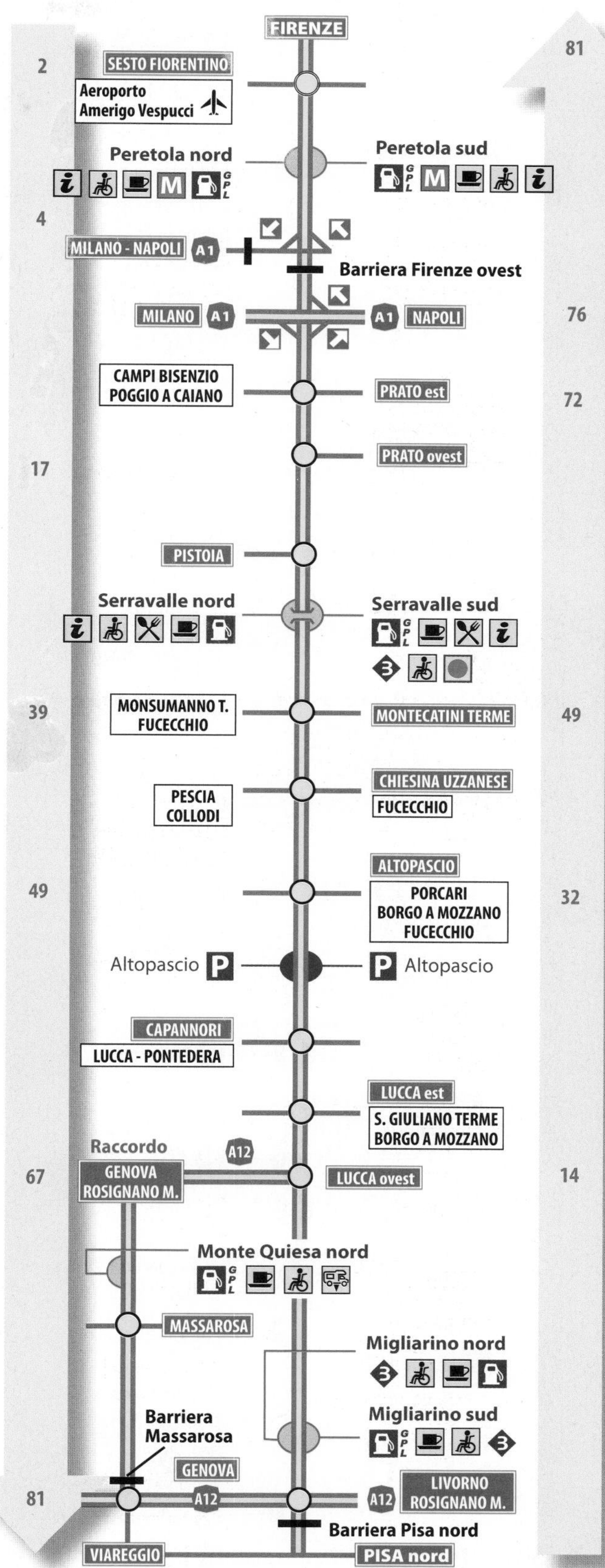

FIRENZE
2
SESTO FIORENTINO
Aeroporto Amerigo Vespucci
81
Peretola nord
Peretola sud
4
MILANO - NAPOLI
A1
Barriera Firenze ovest
MILANO
A1
A1
NAPOLI
76
CAMPI BISENZIO POGGIO A CAIANO
PRATO est
72
17
PRATO ovest
PISTOIA
Serravalle nord
Serravalle sud
39
MONSUMANNO T. FUCECCHIO
MONTECATINI TERME
49
PESCIA COLLODI
CHIESINA UZZANESE
FUCECCHIO
49
ALTOPASCIO
PORCARI BORGO A MOZZANO FUCECCHIO
32
Altopascio
Altopascio
CAPANNORI
LUCCA - PONTEDERA
LUCCA est
S. GIULIANO TERME BORGO A MOZZANO
Raccordo
A12
67
GENOVA ROSIGNANO M.
LUCCA ovest
14
Monte Quiesa nord
MASSAROSA
Migliarino nord
Barriera Massarosa
Migliarino sud
GENOVA
81
A12
A12
LIVORNO ROSIGNANO M.
Barriera Pisa nord
VIAREGGIO
PISA nord

A12 GENOVA - ROMA
Autostrada Azzurra

Magra ovest
Magra est
LERICI
BOCCA DI MAGRA
MARINELLA
SARZANA
Area archeologica di Luni
110
MARINA DI CARRARA
MARINELLA
CARRARA
Campo Cecina
96
MARINA DI MASSA
MASSA
MONTIGNOSO
Alpi Apuane
VERSILIA
FORTE DEI MARMI
PIETRASANTA
Versilia ovest
Versilia est
VIAREGGIO-CAMAIORE
137
LIDO DI CAMAIORE
TORRE DEL LAGO
MASSAROSA
VERSILIA SUD
A11 A12
69
VIAREGGIO
FIRENZE
LUCCA
La Costanza
151
PISA nord
A11
A11
FIRENZE
LUCCA
55
PISA centro
162
SGC FIRENZE
44
Aeroporto
Galileo Galilei
Castagnolo ovest
Castagnolo est
LIVORNO
171
Porto - Centro Città
Zona Industriale
SS 1 Aurelia
35
178
LIVORNO
COLLESALVETTI
SGC FIRENZE
28
Savalano
Fine
LIVORNO
ROSIGNANO M.
Barriera Rosignano Marittimo
206
ROSIGNANO
MARITTIMO
VADA
CECINA
VOLTERRA
E 80
SGC variante
AURELIA - GROSSETO

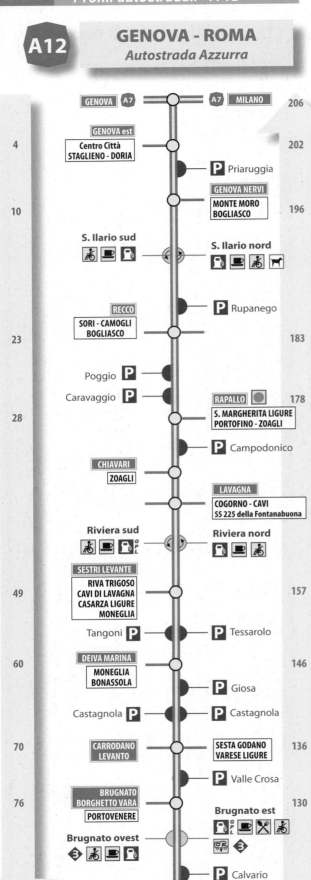

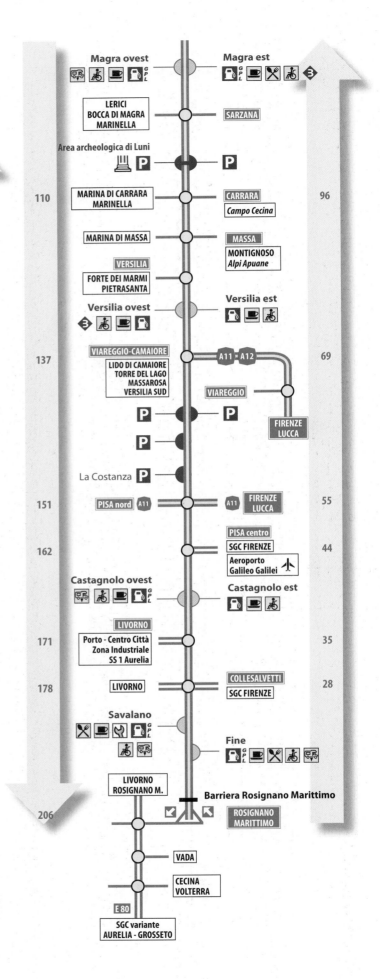

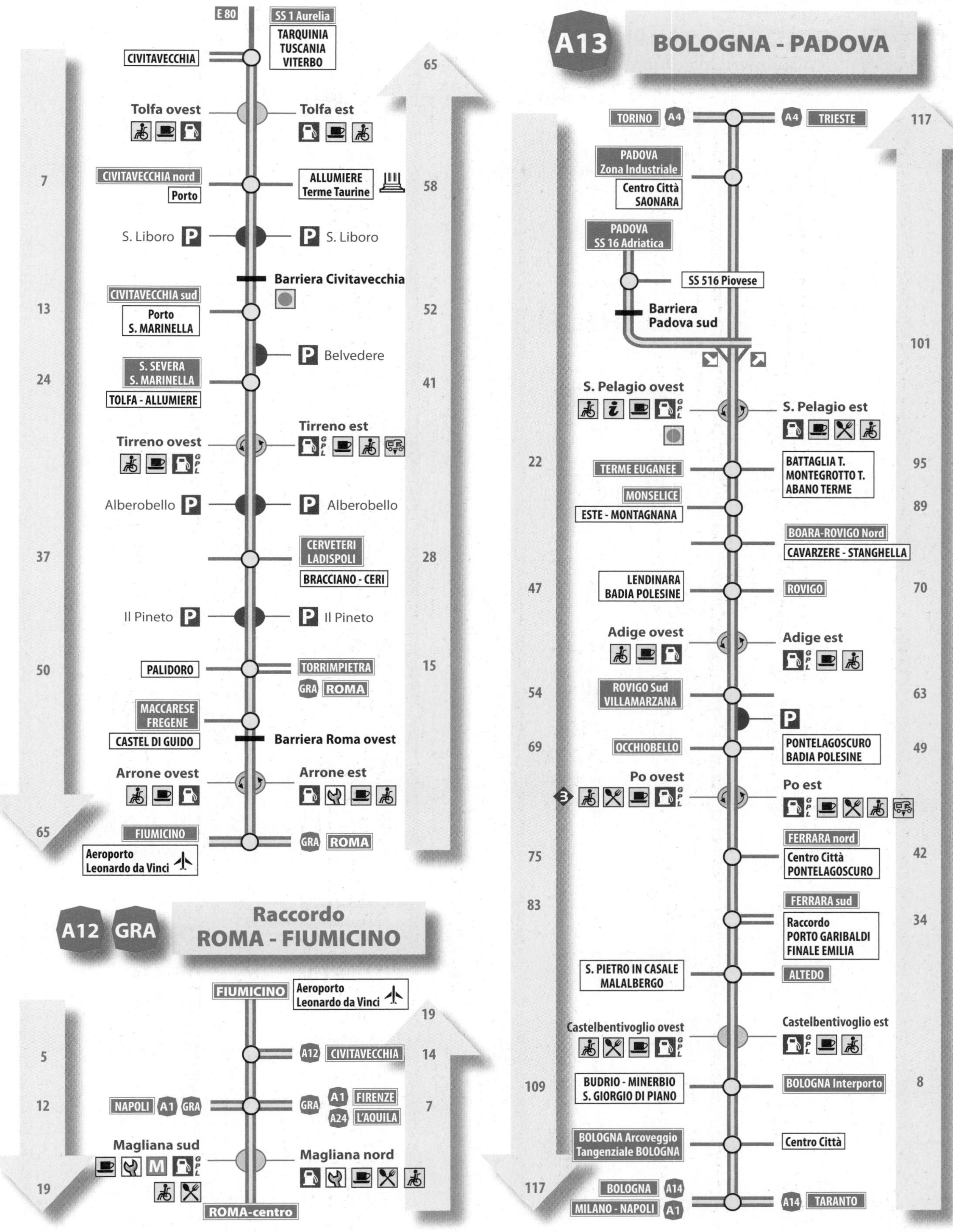

A13 BOLOGNA - PADOVA

A12 **GRA** Raccordo
ROMA - FIUMICINO

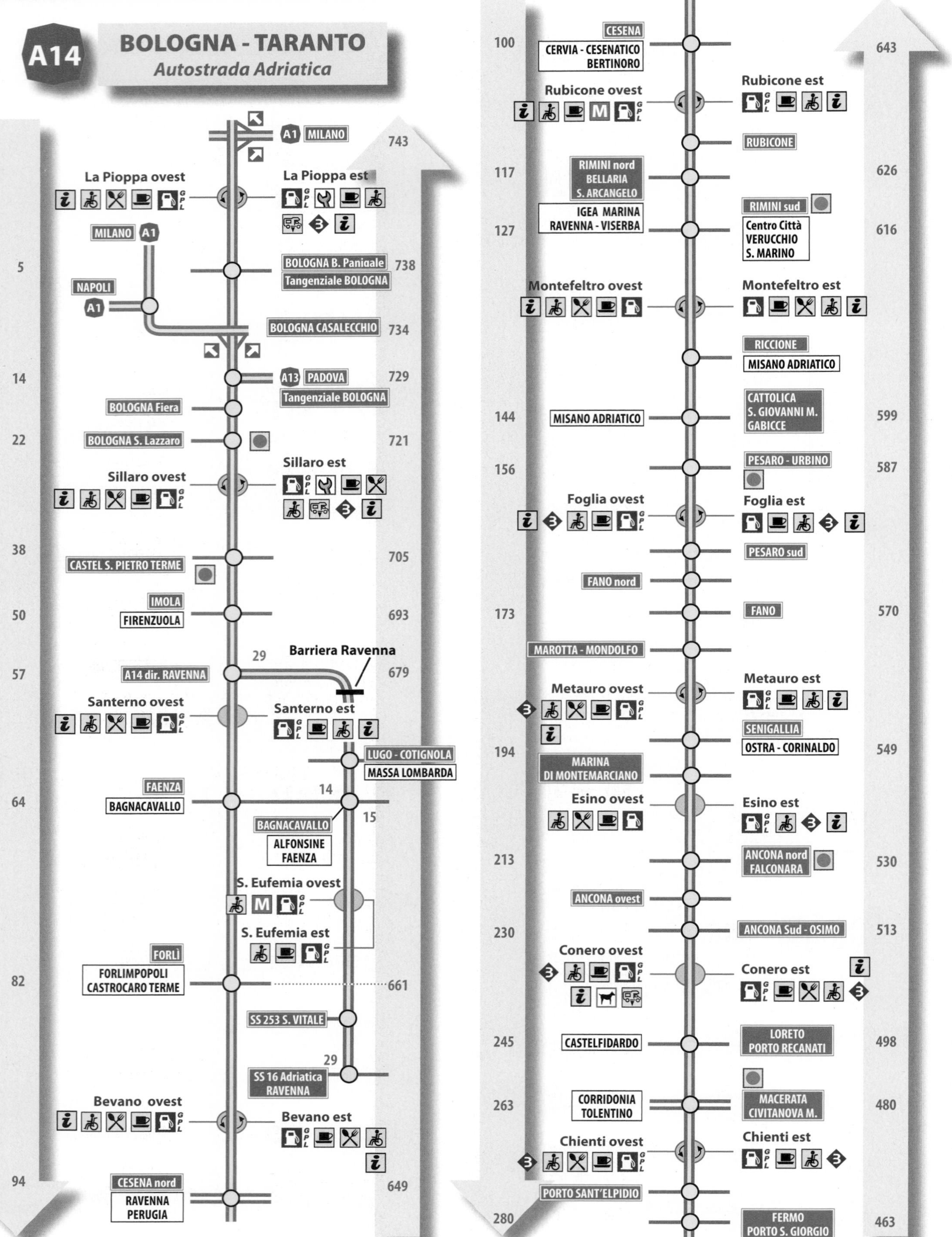

A14 BOLOGNA - TARANTO
Autostrada Adriatica

- A1 MILANO — 743
- La Pioppa ovest / La Pioppa est
- MILANO A1
- NAPOLI A1
- 5
- BOLOGNA B. Panigale — 738
  Tangenziale BOLOGNA
- BOLOGNA CASALECCHIO — 734
- 14 — A13 PADOVA — 729
  Tangenziale BOLOGNA
- BOLOGNA Fiera
- 22 — BOLOGNA S. Lazzaro — 721
- Sillaro ovest / Sillaro est
- 38 — CASTEL S. PIETRO TERME — 705
- 50 — IMOLA / FIRENZUOLA — 693
- 29 — Barriera Ravenna
- 57 — A14 dir. RAVENNA — 679
- Santerno ovest / Santerno est
- LUGO - COTIGNOLA / MASSA LOMBARDA
- 64 — FAENZA / BAGNACAVALLO — 14
- BAGNACAVALLO / ALFONSINE FAENZA — 15
- S. Eufemia ovest / S. Eufemia est
- FORLÌ / FORLIMPOPOLI CASTROCARO TERME
- 82 — 661
- SS 253 S. VITALE
- SS 16 Adriatica RAVENNA — 29
- Bevano ovest / Bevano est
- 94 — CESENA nord / RAVENNA PERUGIA — 649

- 100 — CESENA / CERVIA - CESENATICO BERTINORO — 643
- Rubicone ovest / Rubicone est
- 117 — RIMINI nord BELLARIA S. ARCANGELO — RUBICONE — 626
- 127 — IGEA MARINA RAVENNA - VISERBA — RIMINI sud / Centro Città VERUCCHIO S. MARINO — 616
- Montefeltro ovest / Montefeltro est
- RICCIONE / MISANO ADRIATICO
- 144 — MISANO ADRIATICO — CATTOLICA S. GIOVANNI M. GABICCE — 599
- 156 — PESARO - URBINO — 587
- Foglia ovest / Foglia est
- PESARO sud
- FANO nord
- 173 — FANO — 570
- MAROTTA - MONDOLFO
- Metauro ovest / Metauro est
- SENIGALLIA OSTRA - CORINALDO — 549
- 194 — MARINA DI MONTEMARCIANO
- Esino ovest / Esino est
- 213 — ANCONA nord FALCONARA — 530
- ANCONA ovest
- 230 — ANCONA Sud - OSIMO — 513
- Conero ovest / Conero est
- 245 — CASTELFIDARDO — LORETO PORTO RECANATI — 498
- 263 — CORRIDONIA TOLENTINO — MACERATA CIVITANOVA M. — 480
- Chienti ovest / Chienti est
- PORTO SANT'ELPIDIO
- 280 — FERMO PORTO S. GIORGIO — 463

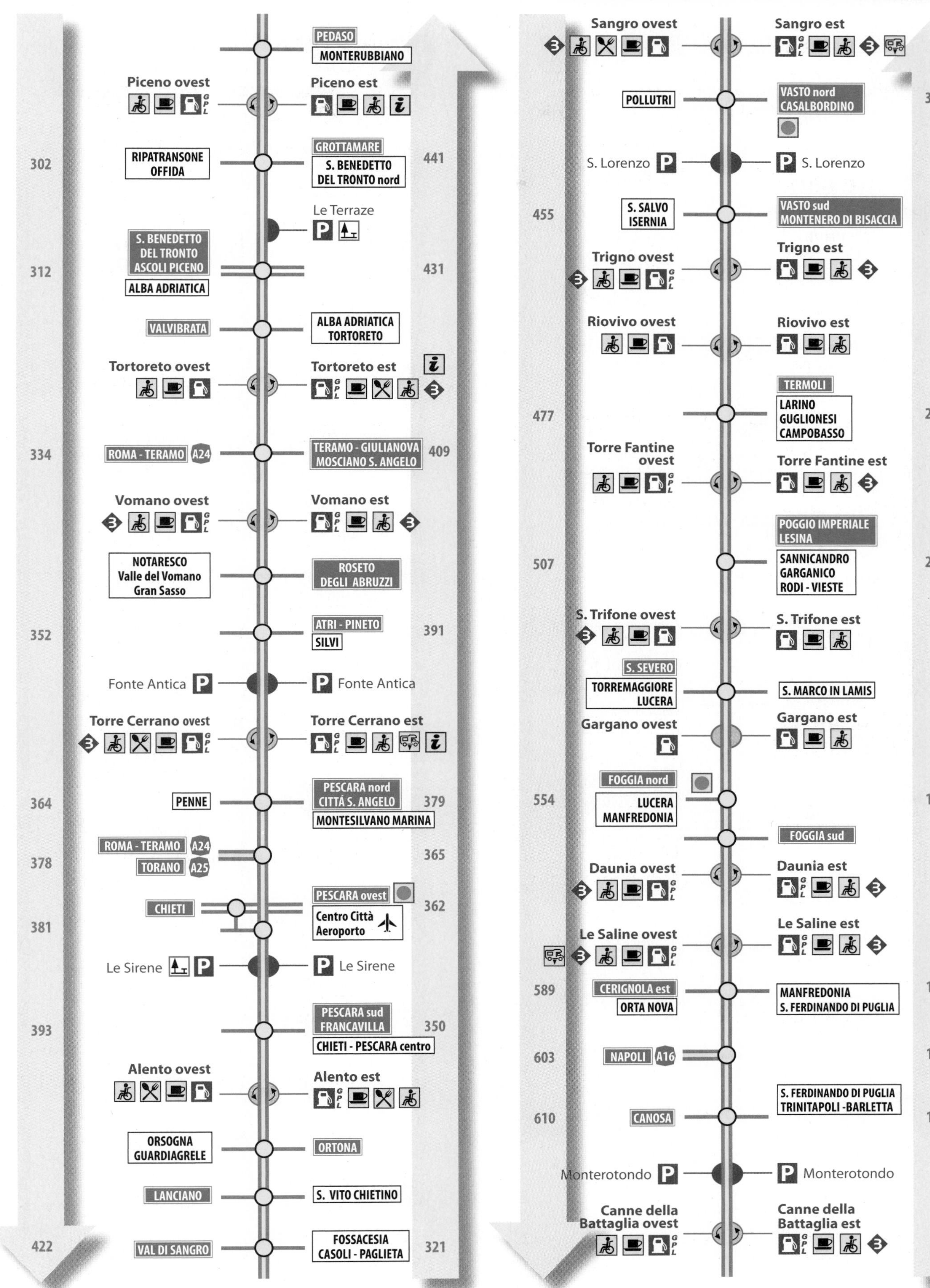

PEDASO
MONTERUBBIANO

Piceno ovest
Piceno est

302
RIPATRANSONE
OFFIDA
GROTTAMARE
S. BENEDETTO
DEL TRONTO nord
441

Le Terrazze
P

312
S. BENEDETTO
DEL TRONTO
ASCOLI PICENO
ALBA ADRIATICA
431

VALVIBRATA
ALBA ADRIATICA
TORTORETO

Tortoreto ovest
Tortoreto est

334
ROMA - TERAMO A24
TERAMO - GIULIANOVA
MOSCIANO S. ANGELO
409

Vomano ovest
Vomano est

NOTARESCO
Valle del Vomano
Gran Sasso
ROSETO
DEGLI ABRUZZI

352
ATRI - PINETO
SILVI
391

Fonte Antica P
P Fonte Antica

Torre Cerrano ovest
Torre Cerrano est

364
PENNE
PESCARA nord
CITTÀ S. ANGELO
MONTESILVANO MARINA
379

378
ROMA - TERAMO A24
TORANO A25
365

381
CHIETI
PESCARA ovest
Centro Città
Aeroporto
362

Le Sirene P
P Le Sirene

393
PESCARA sud
FRANCAVILLA
CHIETI - PESCARA centro
350

Alento ovest
Alento est

ORSOGNA
GUARDIAGRELE
ORTONA

LANCIANO
S. VITO CHIETINO

422
VAL DI SANGRO
FOSSACESIA
CASOLI - PAGLIETA
321

Sangro ovest
Sangro est

POLLUTRI
VASTO nord
CASALBORDINO
306

S. Lorenzo P
P S. Lorenzo

455
S. SALVO
ISERNIA
VASTO sud
MONTENERO DI BISACCIA

Trigno ovest
Trigno est

Riovivo ovest
Riovivo est

477
TERMOLI
LARINO
GUGLIONESI
CAMPOBASSO
266

Torre Fantine
ovest
Torre Fantine est

507
POGGIO IMPERIALE
LESINA
SANNICANDRO
GARGANICO
RODI - VIESTE
236

S. Trifone ovest
S. Trifone est

S. SEVERO
TORREMAGGIORE
LUCERA
S. MARCO IN LAMIS

Gargano ovest
Gargano est

554
FOGGIA nord
LUCERA
MANFREDONIA
189

FOGGIA sud

Daunia ovest
Daunia est

Le Saline ovest
Le Saline est

589
CERIGNOLA est
ORTA NOVA
MANFREDONIA
S. FERDINANDO DI PUGLIA
154

603
NAPOLI A16
140

610
CANOSA
S. FERDINANDO DI PUGLIA
TRINITAPOLI -BARLETTA
133

Monterotondo P
P Monterotondo

Canne della
Battaglia ovest
Canne della
Battaglia est

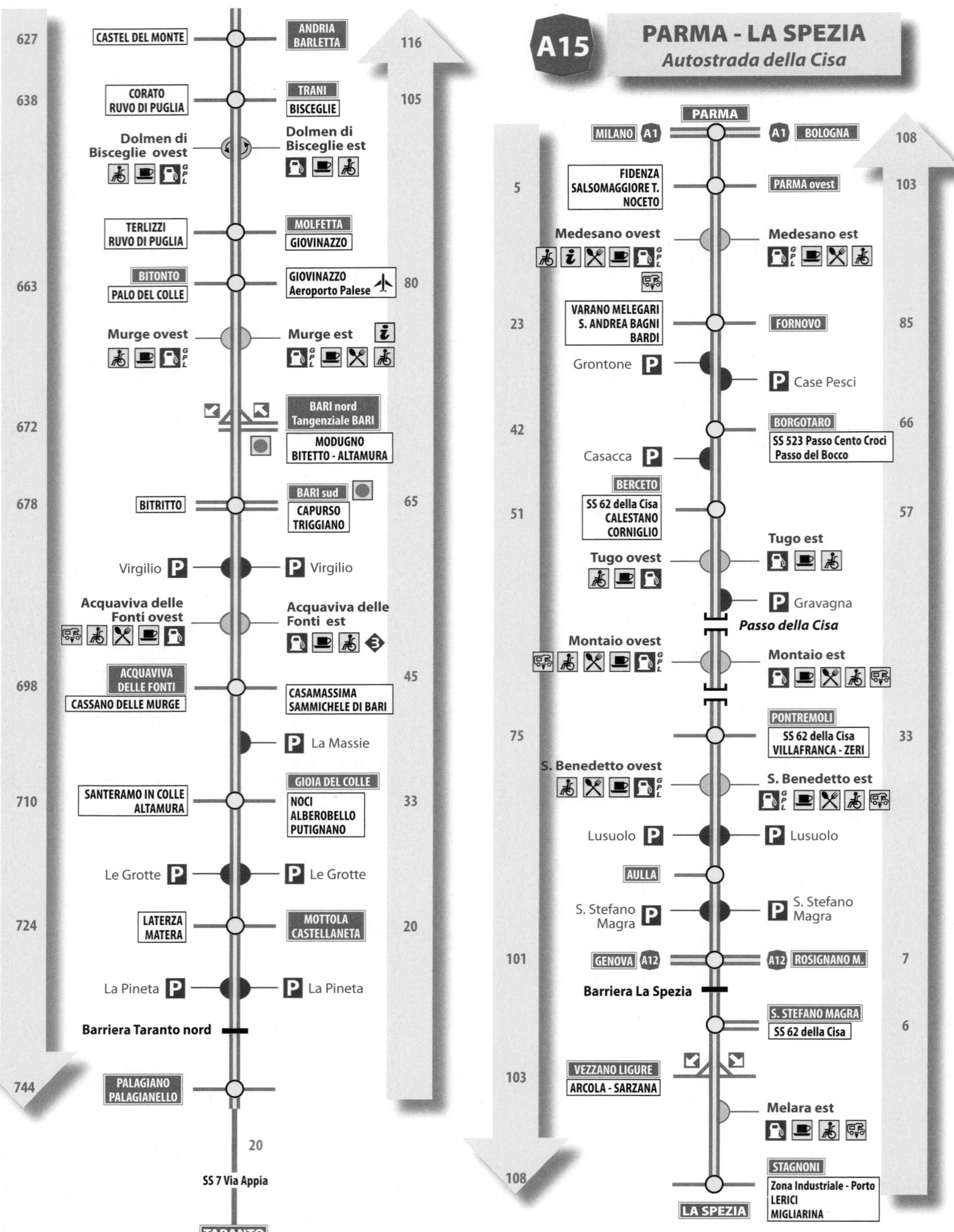

627 CASTEL DEL MONTE | ANDRIA BARLETTA **116**

638 CORATO RUVO DI PUGLIA | TRANI BISCEGLIE **105**

Dolmen di Bisceglie ovest | Dolmen di Bisceglie est

TERLIZZI RUVO DI PUGLIA | MOLFETTA GIOVINAZZO

663 BITONTO PALO DEL COLLE | GIOVINAZZO Aeroporto Palese **80**

Murge ovest | Murge est

672 | BARI nord Tangenziale BARI
MODUGNO BITETTO - ALTAMURA

678 BITRITTO | BARI sud CAPURSO TRIGGIANO **65**

Virgilio P | P Virgilio

Acquaviva delle Fonti ovest | Acquaviva delle Fonti est

698 ACQUAVIVA DELLE FONTI CASSANO DELLE MURGE | CASAMASSIMA SAMMICHELE DI BARI **45**

P La Massie

710 SANTERAMO IN COLLE ALTAMURA | GIOIA DEL COLLE NOCI ALBEROBELLO PUTIGNANO **33**

Le Grotte P | P Le Grotte

724 LATERZA MATERA | MOTTOLA CASTELLANETA **20**

La Pineta P | P La Pineta

Barriera Taranto nord

744 PALAGIANO PALAGIANELLO

20

SS 7 Via Appia

TARANTO

A15

PARMA - LA SPEZIA
Autostrada della Cisa

PARMA

MILANO A1 | A1 BOLOGNA **108**

5 FIDENZA SALSOMAGGIORE T. NOCETO | PARMA ovest **103**

Medesano ovest | Medesano est

23 VARANO MELEGARI S. ANDREA BAGNI BARDI | FORNOVO **85**

Grontone P | P Case Pesci

42 Casacca P | BORGOTARO SS 523 Passo Cento Croci Passo del Bocco **66**

51 BERCETO SS 62 della Cisa CALESTANO CORNIGLIO

Tugo ovest | Tugo est **57**

P Gravagna

Passo della Cisa

Montaio ovest | Montaio est

75 | PONTREMOLI SS 62 della Cisa VILLAFRANCA - ZERI **33**

S. Benedetto ovest | S. Benedetto est

Lusuolo P | P Lusuolo

AULLA

S. Stefano Magra P | P S. Stefano Magra

101 GENOVA A12 | A12 ROSIGNANO M. **7**

Barriera La Spezia

103 VEZZANO LIGURE ARCOLA - SARZANA | S. STEFANO MAGRA SS 62 della Cisa **6**

Melara est

108 | STAGNONI Zona Industriale - Porto LERICI MIGLIARINA

LA SPEZIA

A16 — NAPOLI - CANOSA
Autostrada dei Due Mari

A18 — MESSINA - CATANIA

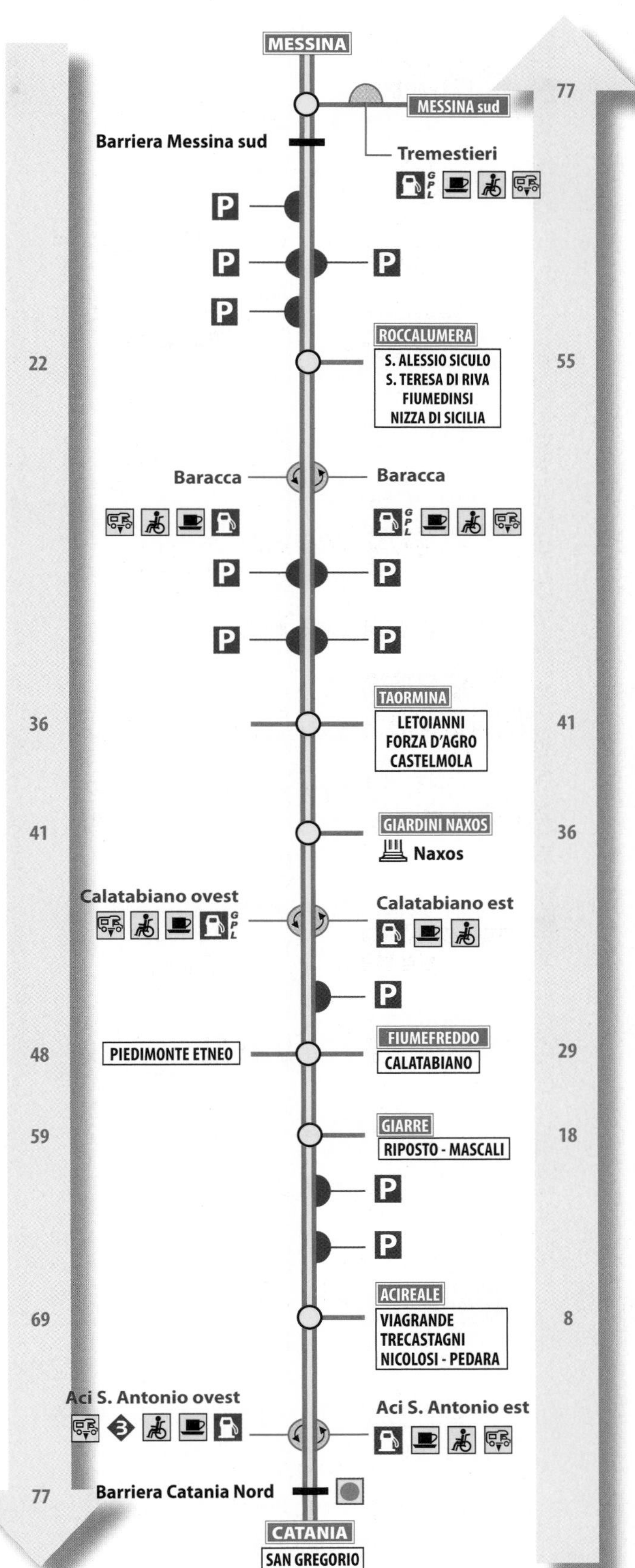

A16 NAPOLI - CANOSA	
NAPOLI A1	A1 MILANO — 172
Vesuvio sud	Vesuvio nord
7 — SOMMA VESUVIANA OTTAVIANO	POMIGLIANO D'ARCO — 165 / AFRAGOLA - ACERRA
	Barriera Napoli est
16 — SALERNO A30	A30 CASERTA — 156
SALERNO A30	TUFINO
	BAIANO — 131
41 — AVELLINO ovest	
Irpinia sud	Irpinia nord
50 — AVELLINO est	
Racc. SALERNO - AVELLINO	BENEVENTO — 122
69 — ATRIPALDA SERINO MANOCALZATI	S. GIORGIO DEL SANNIO MONTEMILETTO MONTEFUSCO — 103
Mirabella sud	Mirabella nord
	GROTTAMINARDA ARIANO IRPINO
104 — VALLATA TREVICO	SS 91 Valle del Sele ANZANO DI PUGLIA — 68
Calaggio sud	Calaggio nord
111 — LACEDONIA ROCCHETTA S. ANTONIO	S. AGATA DI PUGLIA ACCADIA — 61
128 — CANDELA MELFI	ASCOLI SATRIANO LAVELLO — 44
Torre Alemanna sud	Torre Alemanna nord
Ofanto sud	Ofanto nord
160 —	CERIGNOLA ovest LAVELLO STORNARELLA — 12
172 — TARANTO CANOSA A14	A14 BOLOGNA

A18 MESSINA - CATANIA	
MESSINA	
Barriera Messina sud	MESSINA sud — 77 / Tremestieri
P	P
P	P
P	
22 —	ROCCALUMERA S. ALESSIO SICULO S. TERESA DI RIVA FIUMEDINSI NIZZA DI SICILIA — 55
Baracca	Baracca
P	P
P	P
36 —	TAORMINA LETOIANNI FORZA D'AGRO CASTELMOLA — 41
41 —	GIARDINI NAXOS Naxos — 36
Calatabiano ovest	Calatabiano est
	P
48 — PIEDIMONTE ETNEO	FIUMEFREDDO CALATABIANO — 29
59 —	GIARRE RIPOSTO - MASCALI — 18
	P
	P
69 —	ACIREALE VIAGRANDE TRECASTAGNI NICOLOSI - PEDARA — 8
Aci S. Antonio ovest	Aci S. Antonio est
77 — Barriera Catania Nord	
	CATANIA SAN GREGORIO

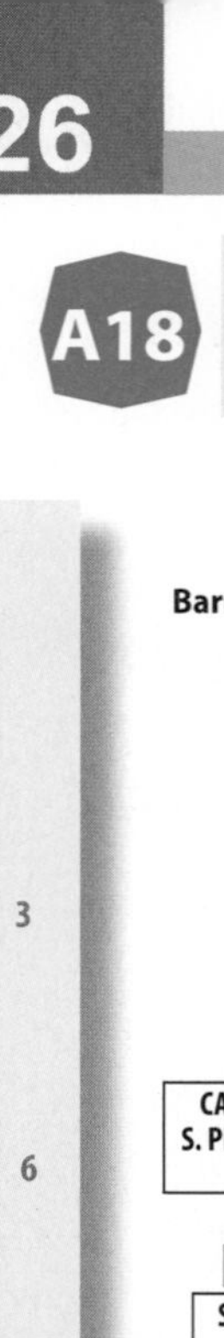

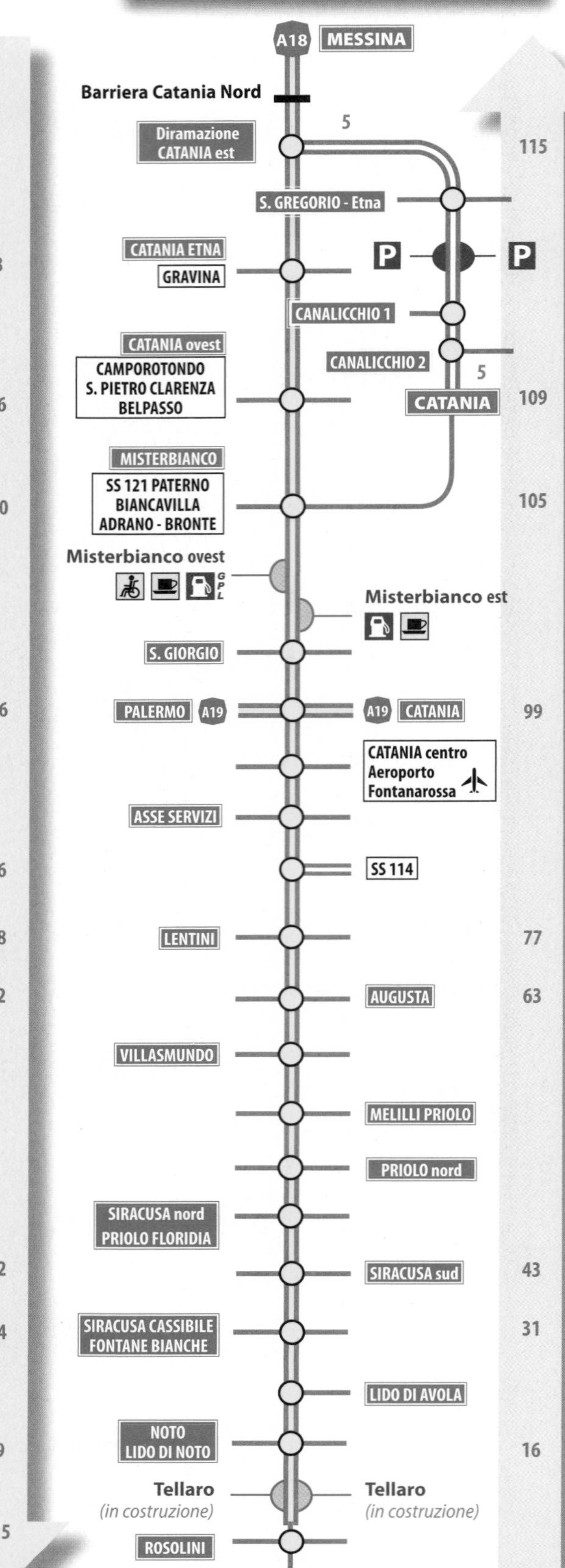

A18 CATANIA-SIRACUSA ROSOLINI

A18 MESSINA

Barriera Catania Nord

Diramazione CATANIA est — 5

S. GREGORIO - Etna — 115

CATANIA ETNA
GRAVINA — 3

CANALICCHIO 1

CATANIA ovest
CAMPOROTONDO
S. PIETRO CLARENZA
BELPASSO — 6

CANALICCHIO 2 — 5

CATANIA — 109

MISTERBIANCO
SS 121 PATERNO
BIANCAVILLA
ADRANO - BRONTE — 10 — 105

Misterbianco ovest

Misterbianco est

S. GIORGIO

PALERMO A19 — 16 — A19 CATANIA — 99

CATANIA centro
Aeroporto
Fontanarossa

ASSE SERVIZI

SS 114 — 26

LENTINI — 38 — 77

AUGUSTA — 52 — 63

VILLASMUNDO

MELILLI PRIOLO

PRIOLO nord

SIRACUSA nord
PRIOLO FLORIDIA

SIRACUSA sud — 72 — 43

SIRACUSA CASSIBILE
FONTANE BIANCHE — 84 — 31

LIDO DI AVOLA

NOTO
LIDO DI NOTO — 99 — 16

Tellaro
(in costruzione) — Tellaro (in costruzione)

ROSOLINI — 115

SS 115 MODICA-RAGUSA

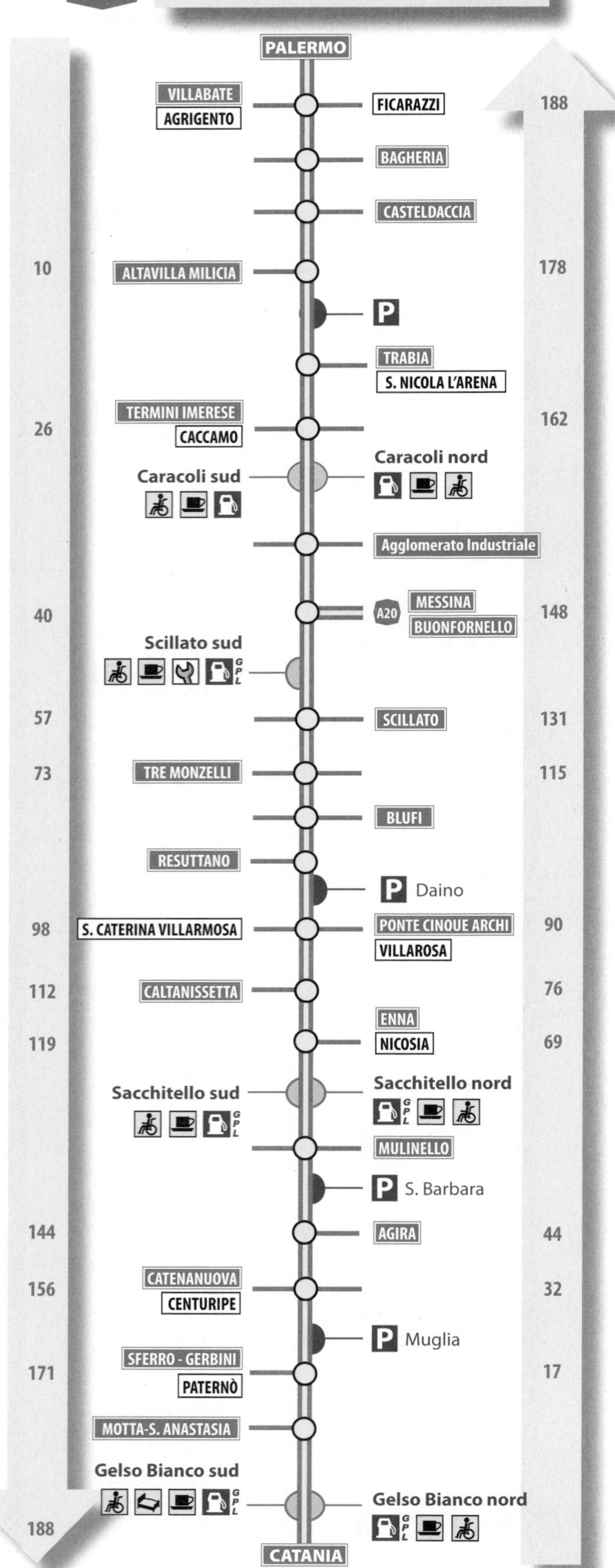

A19 PALERMO - CATANIA

PALERMO

VILLABATE
AGRIGENTO — FICARAZZI — 188

BAGHERIA

CASTELDACCIA

ALTAVILLA MILICIA — 10 — 178

TRABIA
S. NICOLA L'ARENA

TERMINI IMERESE
CACCAMO — 26 — Caracoli nord — 162

Caracoli sud

Agglomerato Industriale

A20 MESSINA
BUONFORNELLO — 40 — 148

Scillato sud

SCILLATO — 57 — 131

TRE MONZELLI — 73 — 115

BLUFI

RESUTTANO

Daino

S. CATERINA VILLARMOSA — 98 — PONTE CINQUE ARCHI
VILLAROSA — 90

CALTANISSETTA — 112 — 76

ENNA
NICOSIA — 119 — 69

Sacchitello sud — Sacchitello nord

MULINELLO

S. Barbara

AGIRA — 144 — 44

CATENANUOVA
CENTURIPE — 156 — 32

Muglia

SFERRO - GERBINI
PATERNÒ — 171 — 17

MOTTA-S. ANASTASIA

Gelso Bianco sud — Gelso Bianco nord

CATANIA — 188

A20 MESSINA - PALERMO

MESSINA

183

Barriera Messina sud

P Tremestieri

MESSINA sud TREMESTIERI
SS 114 Orientale Sicula SCALETTA ZANCLEA ITALA

Tremestieri ovest

3

S. FILIPPO

MESSINA - GAZZI

7

MESSINA centro

177

MESSINA - BOCCETTA

Trapani P

P Salici

P

21

VILLAFRANCA T.

Barriera Messina nord

Divieto nord

Divieto sud

ROMETTA
VILLAFRANCA T. SPADAFORA SAPONARA

Ronetto P

38

MILAZZO Isole EOLIE

145

Olivarella sud

47

BARCELLONA
CASTROREALE T. TERME VIGLIATORE

136

Bazia nord P

P Bazia sud

58

FALCONE
OLIVERI - FURNARI TERME VIGLIATORE

125

Tindari nord

Tindari sud

67

PATTI
MONTAGNAREALE GIOIOSA MAREA SS 113 SETT. SICULA

116

P Praia

Cicero P

S. Angelo di Broto P

84

BROLO
CAPO D'ORLANDO GIOIOSA MAREA

99

S. Gregorio P

P S. Gregorio

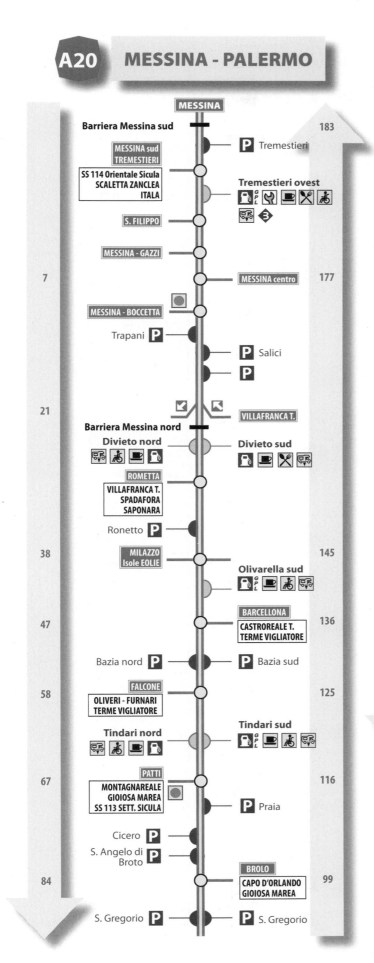

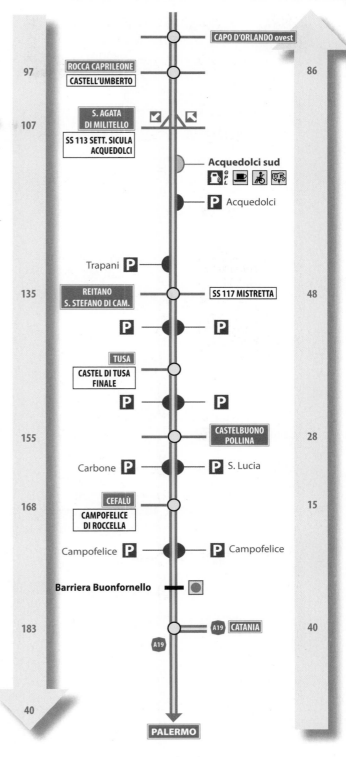

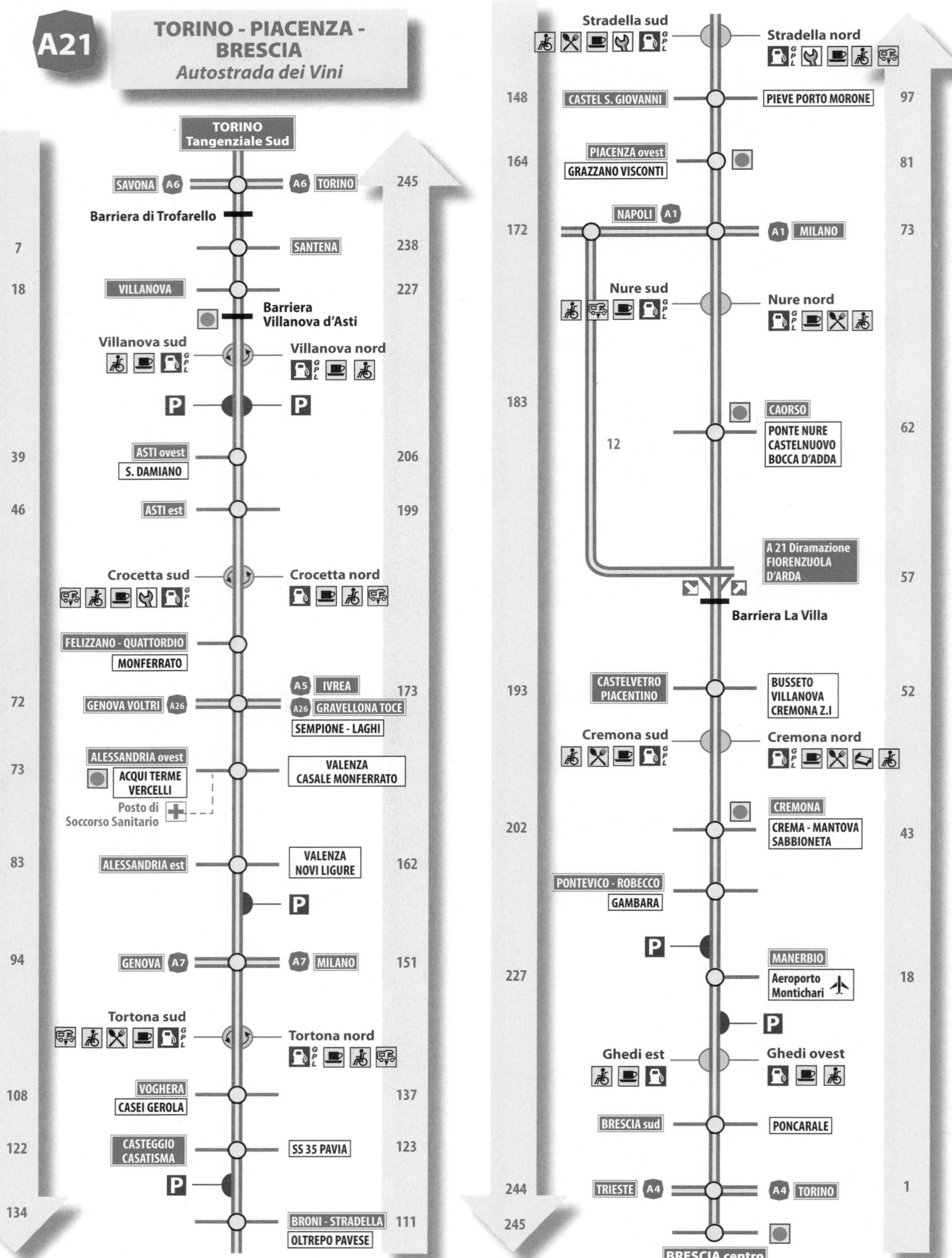

A21 TORINO - PIACENZA - BRESCIA
Autostrada dei Vini

TORINO Tangenziale Sud

SAVONA A6	A6 TORINO	245

Barriera di Trofarello

7	SANTENA	238
18 VILLANOVA		227

Barriera Villanova d'Asti

Villanova sud — Villanova nord

P — P

39	ASTI ovest / S. DAMIANO	206
46	ASTI est	199

Crocetta sud — Crocetta nord

FELIZZANO - QUATTORDIO / MONFERRATO

72	A5 IVREA	173
	GENOVA VOLTRI A26	A26 GRAVELLONA TOCE
		SEMPIONE - LAGHI

73	ALESSANDRIA ovest	VALENZA
	ACQUI TERME VERCELLI	CASALE MONFERRATO

Posto di Soccorso Sanitario

83	ALESSANDRIA est	VALENZA NOVI LIGURE	162

P

94	GENOVA A7	A7 MILANO	151

Tortona sud — Tortona nord

108	VOGHERA / CASEI GEROLA	137
122	CASTEGGIO CASATISMA	SS 35 PAVIA	123

P

134	BRONI - STRADELLA / OLTREPO PAVESE	111

Stradella sud — Stradella nord

148	CASTEL S. GIOVANNI	PIEVE PORTO MORONE	97
164	PIACENZA ovest / GRAZZANO VISCONTI		81
172	NAPOLI A1	A1 MILANO	73

Nure sud — Nure nord

183			
12	CAORSO	PONTE NURE CASTELNUOVO BOCCA D'ADDA	62

A 21 Diramazione FIORENZUOLA D'ARDA		57

Barriera La Villa

193	CASTELVETRO PIACENTINO	BUSSETO VILLANOVA CREMONA Z.I	52

Cremona sud — Cremona nord

202	CREMONA / CREMA - MANTOVA SABBIONETA	43

PONTEVICO - ROBECCO / GAMBARA

P

227	MANERBIO / Aeroporto Montichari	18

P

Ghedi est — Ghedi ovest

BRESCIA sud — PONCARALE

244	TRIESTE A4	A4 TORINO	1
245			

BRESCIA centro

A22 BRENNERO - MODENA
Autostrada del Brennero

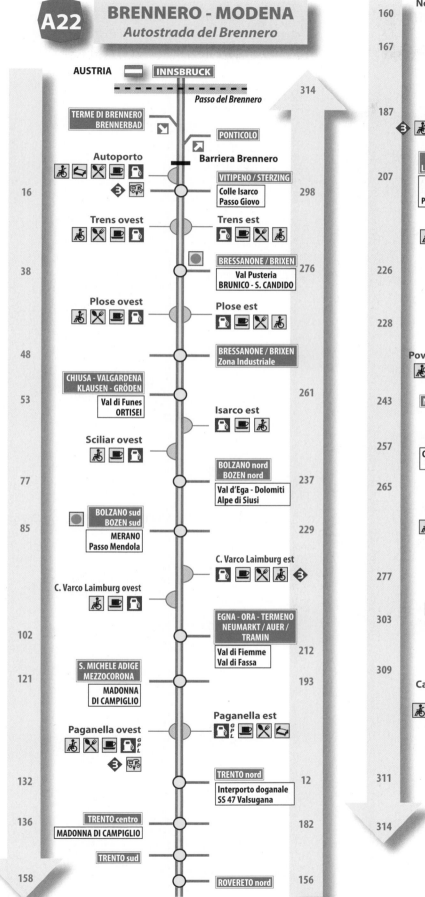

AUSTRIA — INNSBRUCK

Passo del Brennero — 314

TERME DI BRENNERO BRENNERBAD

PONTICOLO

Autoporto — Barriera Brennero

16 — VITIPENO / STERZING — 298
Colle Isarco
Passo Giovo

Trens ovest — Trens est

38 — BRESSANONE / BRIXEN — 276
Val Pusteria
BRUNICO - S. CANDIDO

Plose ovest — Plose est

48 — BRESSANONE / BRIXEN
Zona Industriale

CHIUSA - VALGARDENA
KLAUSEN - GRÖDEN
53 — 261
Val di Funes
ORTISEI

Isarco est

Sciliar ovest

257

77 — BOLZANO nord — 237
BOZEN nord
Val d'Ega - Dolomiti
Alpe di Siusi

BOLZANO sud
BOZEN sud
85 — 229
MERANO
Passo Mendola

C. Varco Laimburg est

C. Varco Laimburg ovest

EGNA - ORA - TERMENO
102 — NEUMARKT / AUER /
TRAMIN
Val di Fiemme — 212
Val di Fassa

S. MICHELE ADIGE
121 — MEZZOCORONA — 193
MADONNA
DI CAMPIGLIO

Paganella est

Paganella ovest

132 — TRENTO nord — 12
Interporto doganale
SS 47 Valsugana

136 — TRENTO centro — 182
MADONNA DI CAMPIGLIO

TRENTO sud

158 — ROVERETO nord — 156

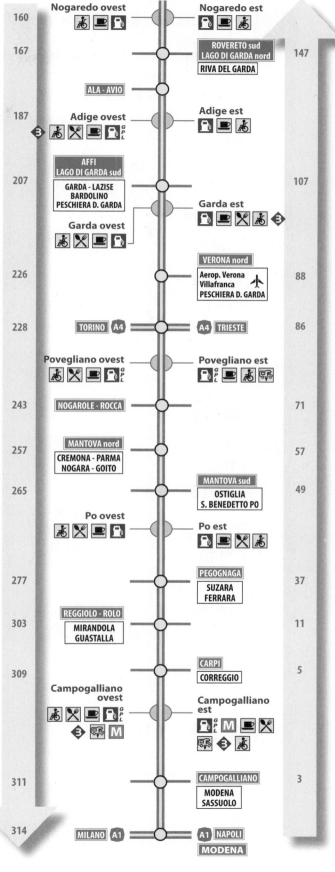

160 — Nogaredo ovest — Nogaredo est

167 — ROVERETO sud — 147
LAGO DI GARDA nord
RIVA DEL GARDA

ALA - AVIO

187 — Adige ovest — Adige est

AFFI
LAGO DI GARDA sud
207 — GARDA - LAZISE — 107
BARDOLINO
PESCHIERA D. GARDA
Garda est
Garda ovest

VERONA nord
226 — Aerop. Verona — 88
Villafranca
PESCHIERA D. GARDA

228 — TORINO A4 — A4 TRIESTE — 86

Povegliano ovest — Povegliano est

243 — NOGAROLE - ROCCA — 71

MANTOVA nord
257 — CREMONA - PARMA — 57
NOGARA - GOITO

MANTOVA sud
265 — OSTIGLIA — 49
S. BENEDETTO PO

Po ovest — Po est

PEGOGNAGA
277 — SUZARA — 37
FERRARA

REGGIOLO - ROLO
303 — MIRANDOLA — 11
GUASTALLA

CARPI
309 — CORREGGIO — 5

Campogalliano
ovest
Campogalliano
est

CAMPOGALLIANO
311 — MODENA — 3
SASSUOLO

314 — MILANO A1 — A1 NAPOLI — 314
MODENA

A23 PALMANOVA - TARVISIO
Autostrada Alpe - Adria

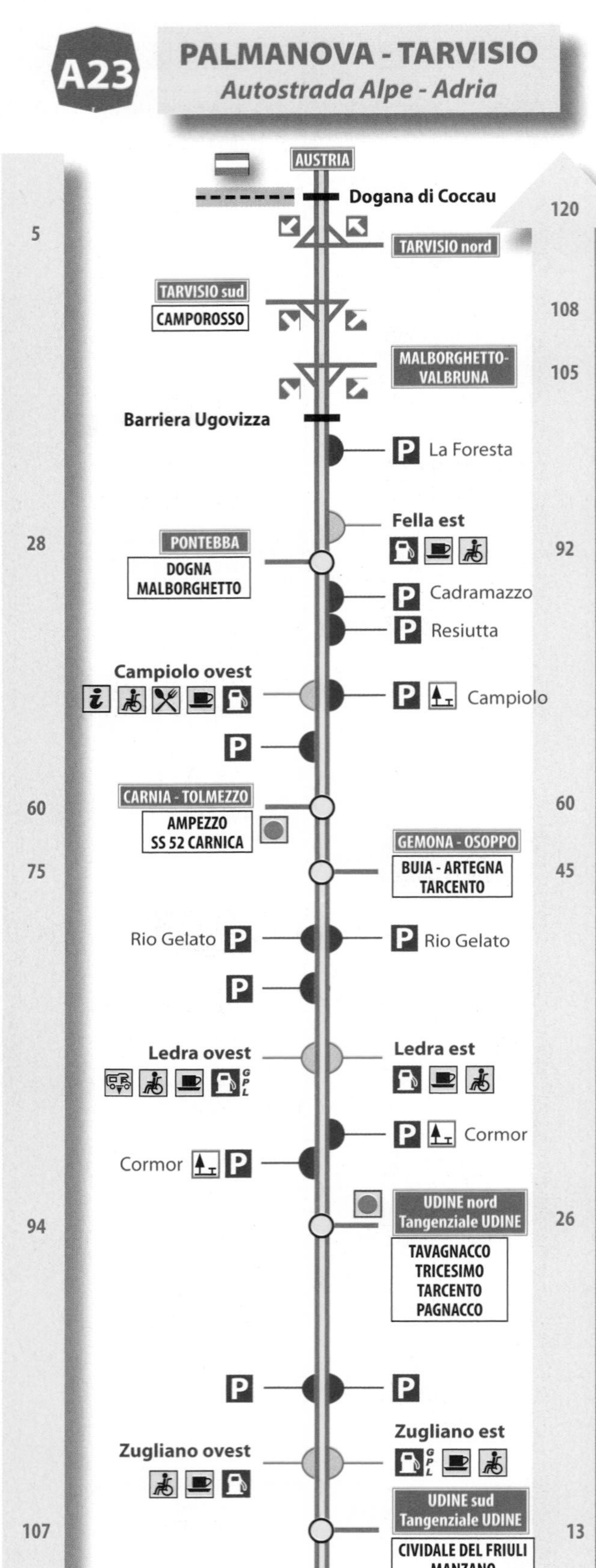

AUSTRIA

Dogana di Coccau — 120

TARVISIO nord

5

TARVISIO sud
CAMPOROSSO — 108

MALBORGHETTO-VALBRUNA — 105

Barriera Ugovizza

P La Foresta

Fella est — 92

28

PONTEBBA
DOGNA
MALBORGHETTO

P Cadramazzo

P Resiutta

Campiolo ovest

P Campiolo

P

CARNIA - TOLMEZZO — 60

60

AMPEZZO
SS 52 CARNICA

GEMONA - OSOPPO
BUIA - ARTEGNA
TARCENTO — 45

75

Rio Gelato P   P Rio Gelato

P

Ledra ovest   Ledra est

P Cormor

Cormor P

UDINE nord
Tangenziale UDINE — 26

94

TAVAGNACCO
TRICESIMO
TARCENTO
PAGNACCO

P   P

Zugliano est

Zugliano ovest

UDINE sud
Tangenziale UDINE — 13

107

CIVIDALE DEL FRIULI
MANZANO

120

TORINO A4   A4 TRIESTE
PALMANOVA

A24 ROMA - L'AQUILA - TERAMO
Autostrada dei Parchi

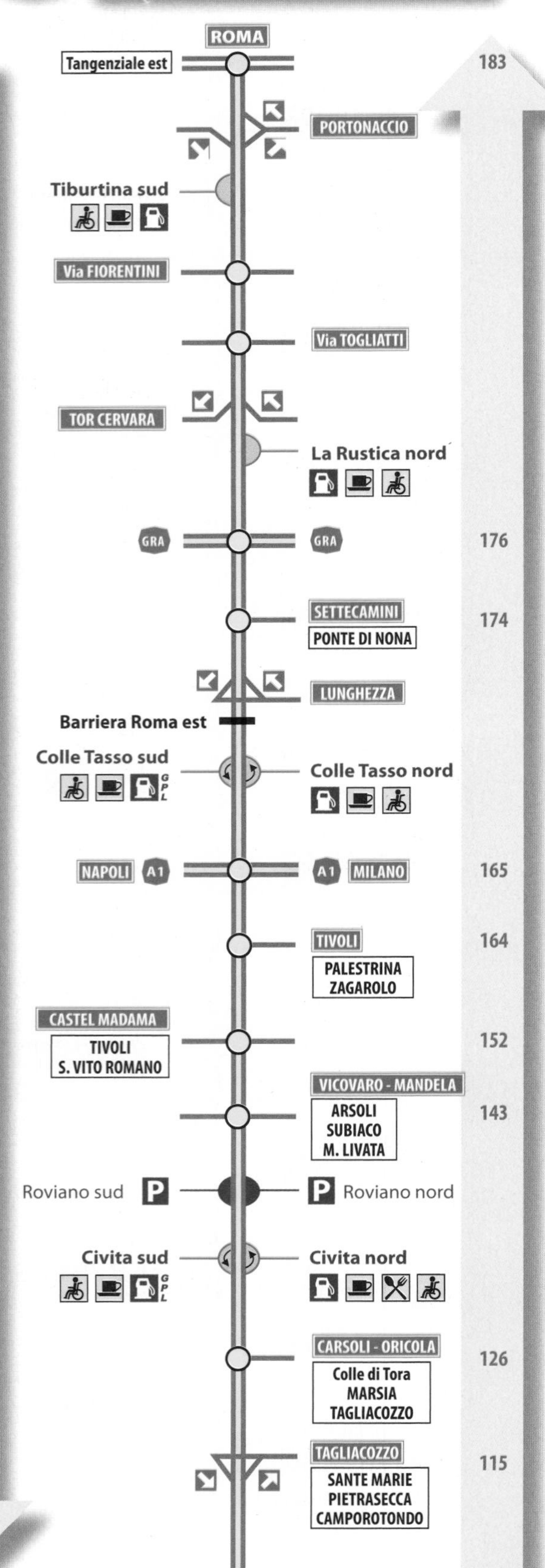

ROMA

Tangenziale est — 183

PORTONACCIO

Tiburtina sud

Via FIORENTINI

Via TOGLIATTI

TOR CERVARA

La Rustica nord

7   GRA   GRA — 176

9   SETTECAMINI
PONTE DI NONA — 174

15   LUNGHEZZA

Barriera Roma est

Colle Tasso sud   Colle Tasso nord

18   NAPOLI A1   A1 MILANO — 165

19   TIVOLI — 164
PALESTRINA
ZAGAROLO

CASTEL MADAMA

31   TIVOLI
S. VITO ROMANO — 152

VICOVARO - MANDELA

40   ARSOLI
SUBIACO
M. LIVATA — 143

Roviano sud P   P Roviano nord

Civita sud   Civita nord

CARSOLI - ORICOLA

57   Colle di Tora
MARSIA
TAGLIACOZZO — 126

TAGLIACOZZO — 115

SANTE MARIE
PIETRASECCA
CAMPOROTONDO

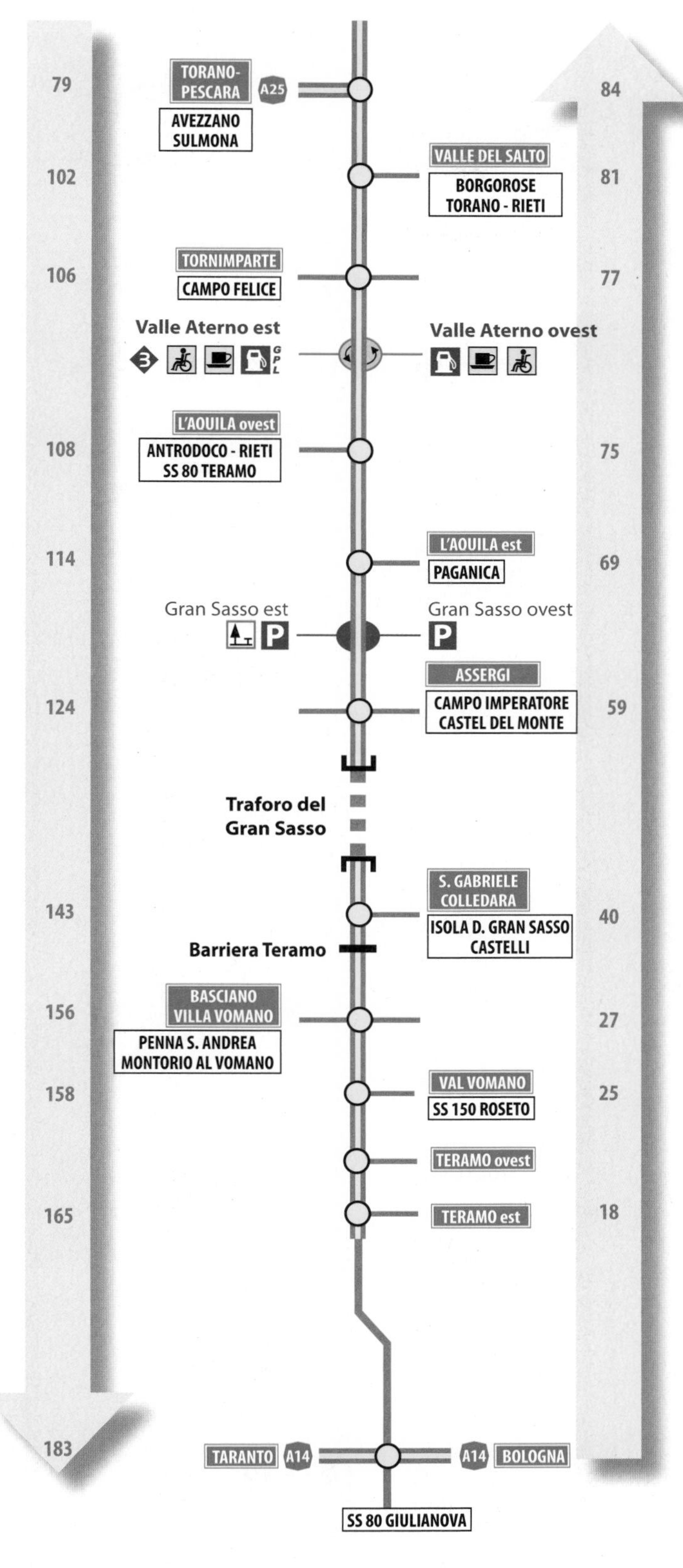

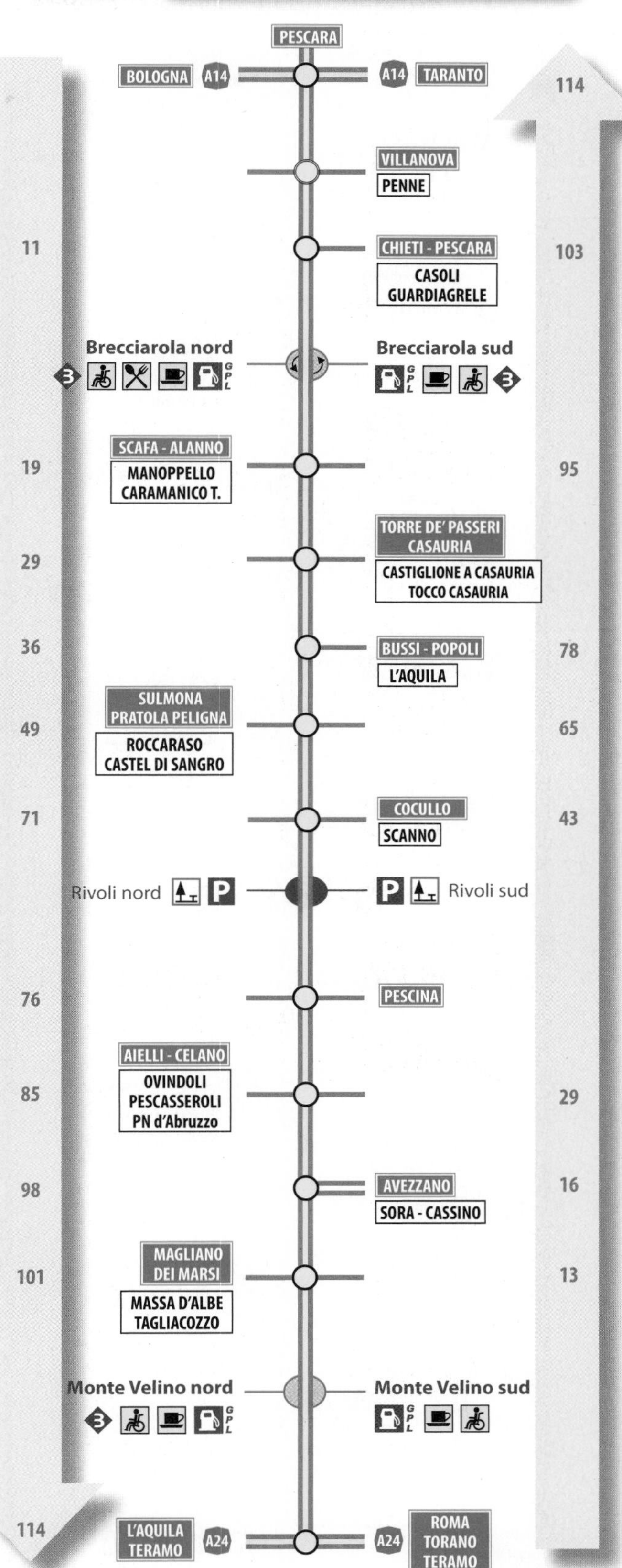

Left diagram (A25):

km	Exit
79	TORANO-PESCARA A25 — AVEZZANO SULMONA
84	
102	VALLE DEL SALTO — BORGOROSE TORANO - RIETI · 81
106	TORNIMPARTE — CAMPO FELICE · 77
	Valle Aterno est — Valle Aterno ovest
108	L'AQUILA ovest — ANTRODOCO - RIETI SS 80 TERAMO · 75
114	L'AQUILA est — PAGANICA · 69
	Gran Sasso est — Gran Sasso ovest
124	ASSERGI — CAMPO IMPERATORE CASTEL DEL MONTE · 59
	Traforo del Gran Sasso
143	S. GABRIELE COLLEDARA — ISOLA D. GRAN SASSO CASTELLI · 40
	Barriera Teramo
156	BASCIANO VILLA VOMANO — PENNA S. ANDREA MONTORIO AL VOMANO · 27
158	VAL VOMANO — SS 150 ROSETO · 25
	TERAMO ovest
165	TERAMO est · 18
183	TARANTO A14 — A14 BOLOGNA — SS 80 GIULIANOVA

Right diagram (A25):

km	Exit
	PESCARA
	BOLOGNA A14 — A14 TARANTO · 114
	VILLANOVA — PENNE
11	CHIETI - PESCARA — CASOLI GUARDIAGRELE · 103
	Brecciarola nord — Brecciarola sud
19	SCAFA - ALANNO — MANOPPELLO CARAMANICO T. · 95
29	TORRE DE' PASSERI CASAURIA — CASTIGLIONE A CASAURIA TOCCO CASAURIA
36	BUSSI - POPOLI — L'AQUILA · 78
49	SULMONA PRATOLA PELIGNA — ROCCARASO CASTEL DI SANGRO · 65
71	COCULLO — SCANNO · 43
	Rivoli nord — Rivoli sud
76	PESCINA
85	AIELLI - CELANO — OVINDOLI PESCASSEROLI PN d'Abruzzo · 29
98	AVEZZANO — SORA - CASSINO · 16
101	MAGLIANO DEI MARSI — MASSA D'ALBE TAGLIACOZZO · 13
	Monte Velino nord — Monte Velino sud
114	L'AQUILA TERAMO A24 — A24 ROMA TORANO TERAMO

A26 GENOVA VOLTRI -
GRAVELLONA TOCE
Autostrada dei Trafori

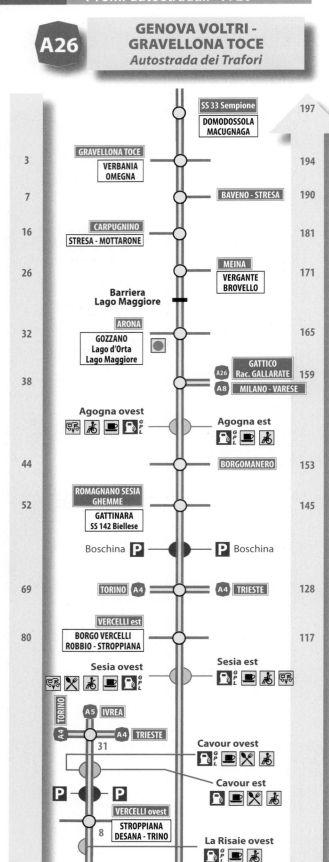

	SS 33 Sempione	197
	DOMODOSSOLA MACUGNAGA	
3	GRAVELLONA TOCE / VERBANIA OMEGNA	194
7	BAVENO - STRESA	190
16	CARPUGNINO / STRESA - MOTTARONE	181
26	MEINA / VERGANTE BROVELLO	171
	Barriera Lago Maggiore	
32	ARONA / GOZZANO Lago d'Orta Lago Maggiore	165
38	A26 Rac. GALLARATE GATTICO / A8 MILANO - VARESE	159
	Agogna ovest / Agogna est	
44	BORGOMANERO	153
52	ROMAGNANO SESIA GHEMME / GATTINARA SS 142 Biellese	145
	Boschina P / P Boschina	
69	TORINO A4 / A4 TRIESTE	128
80	VERCELLI est / BORGO VERCELLI ROBBIO - STROPPIANA	117
	Sesia ovest / Sesia est	

TORINO A5 IVREA
A4 / A4 TRIESTE
31
Cavour ovest
P / P
Cavour est
VERCELLI ovest
8 STROPPIANA DESANA - TRINO
La Risaie ovest
94
A 26/4 STROPPIANA-SANTHIA 103

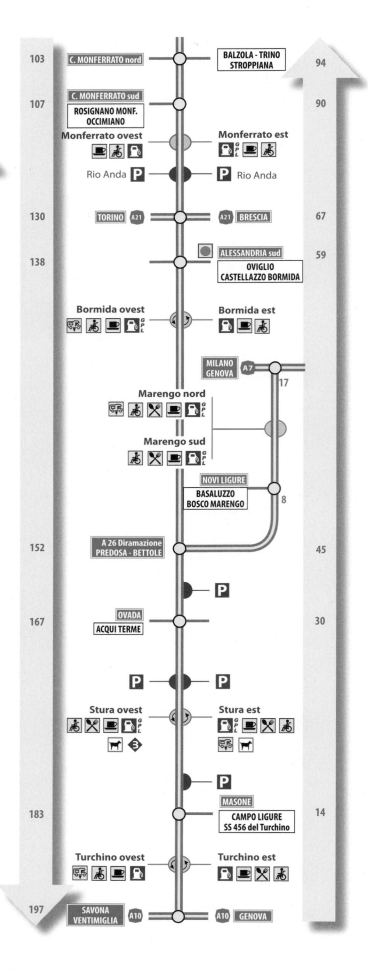

103	C. MONFERRATO nord / BALZOLA - TRINO STROPPIANA	94
107	C. MONFERRATO sud / ROSIGNANO MONF. OCCIMIANO	90
	Monferrato ovest / Monferrato est	
	Rio Anda P / P Rio Anda	
130	TORINO A21 / A21 BRESCIA	67
138	ALESSANDRIA sud / OVIGLIO CASTELLAZZO BORMIDA	59
	Bormida ovest / Bormida est	
	MILANO GENOVA A7	17
	Marengo nord	
	Marengo sud	
	NOVI LIGURE / BASALUZZO BOSCO MARENGO	8
152	A 26 Diramazione PREDOSA - BETTOLE	45
	P / P	
167	OVADA / ACQUI TERME	30
	P / P	
	Stura ovest / Stura est	
	P	
183	MASONE / CAMPO LIGURE SS 456 del Turchino	14
	Turchino ovest / Turchino est	
197	SAVONA VENTIMIGLIA A10 / A10 GENOVA	

A27 VENEZIA - BELLUNO
Autostrada d'Alemagna

A28 PORTOGRUARO - PORDENONE CONEGLIANO

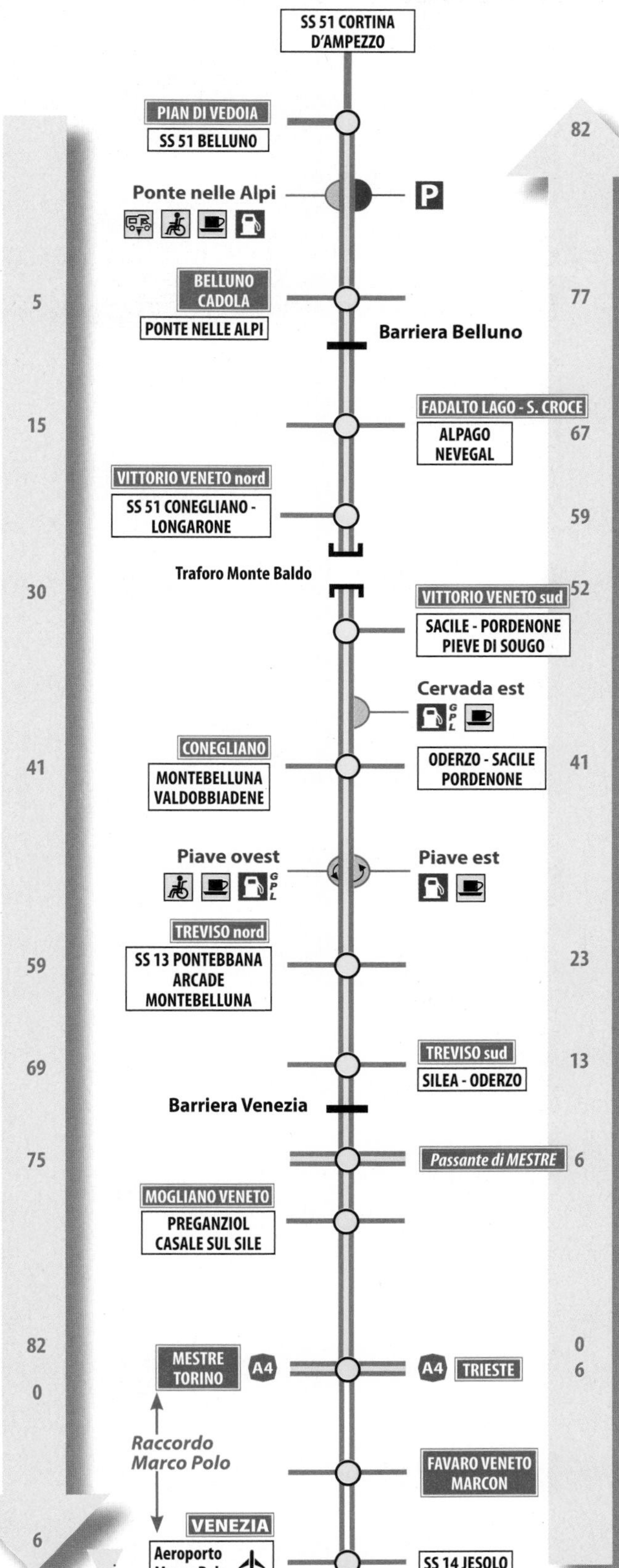

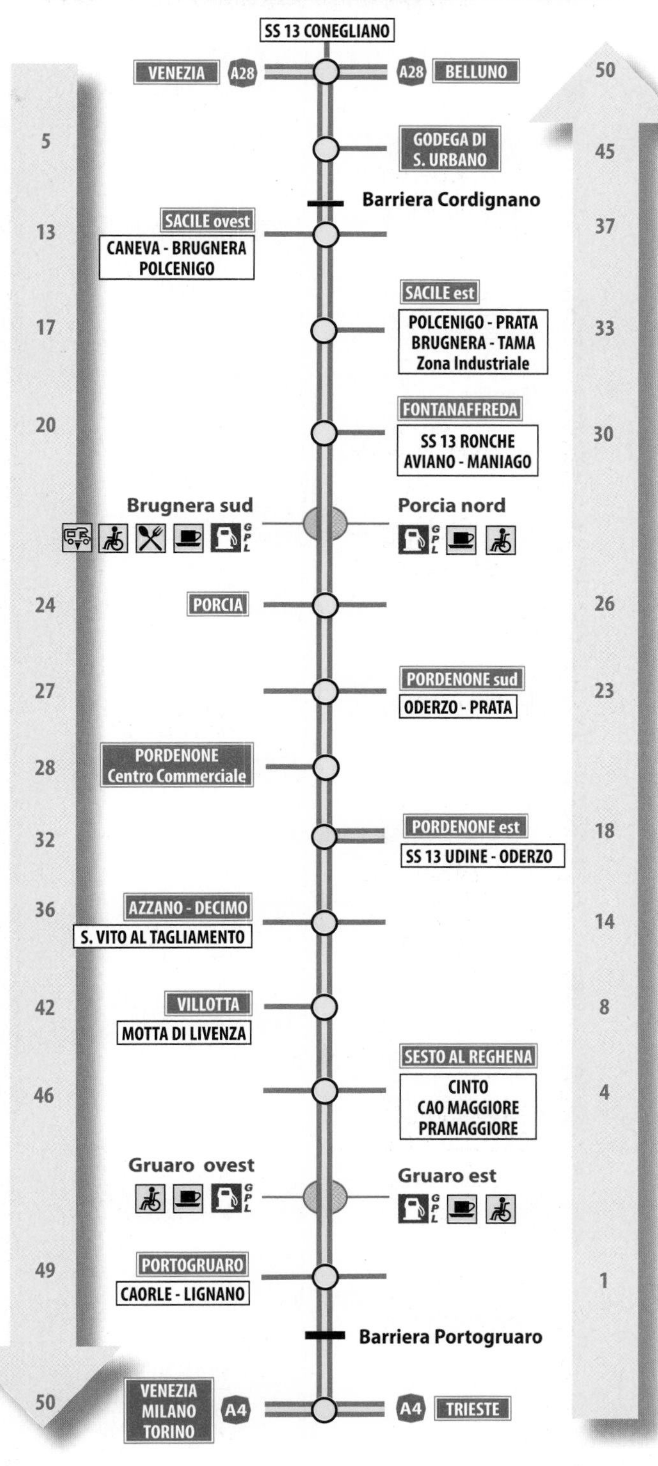

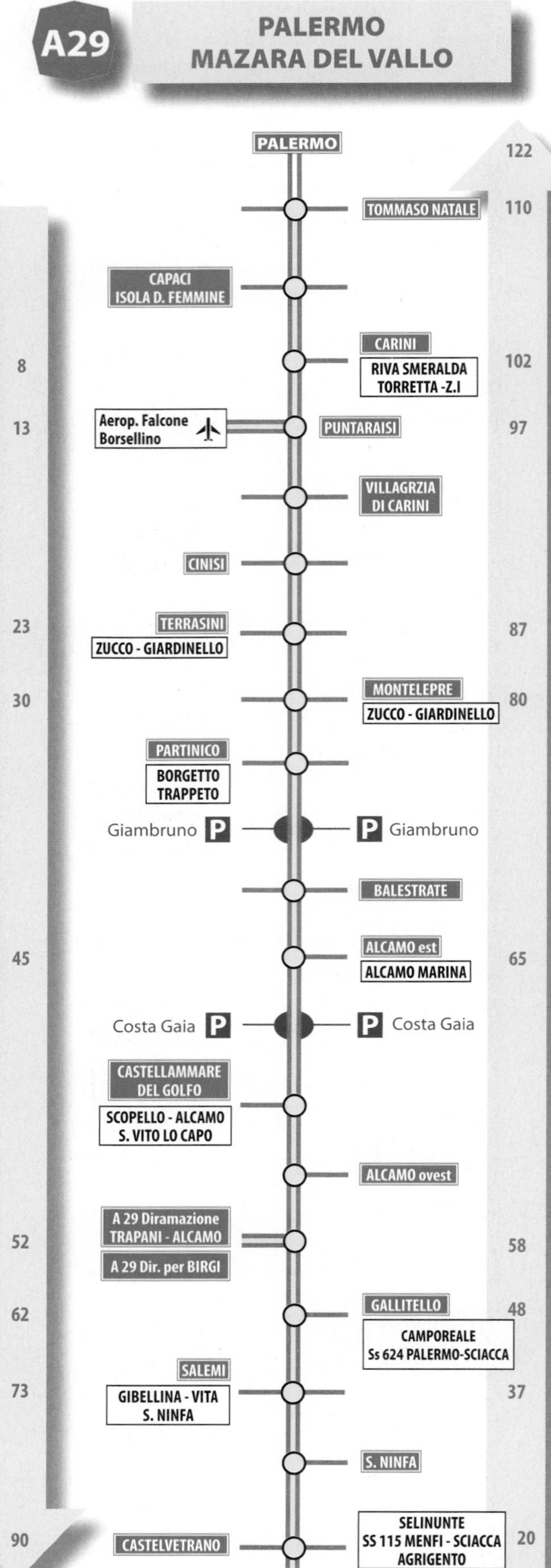

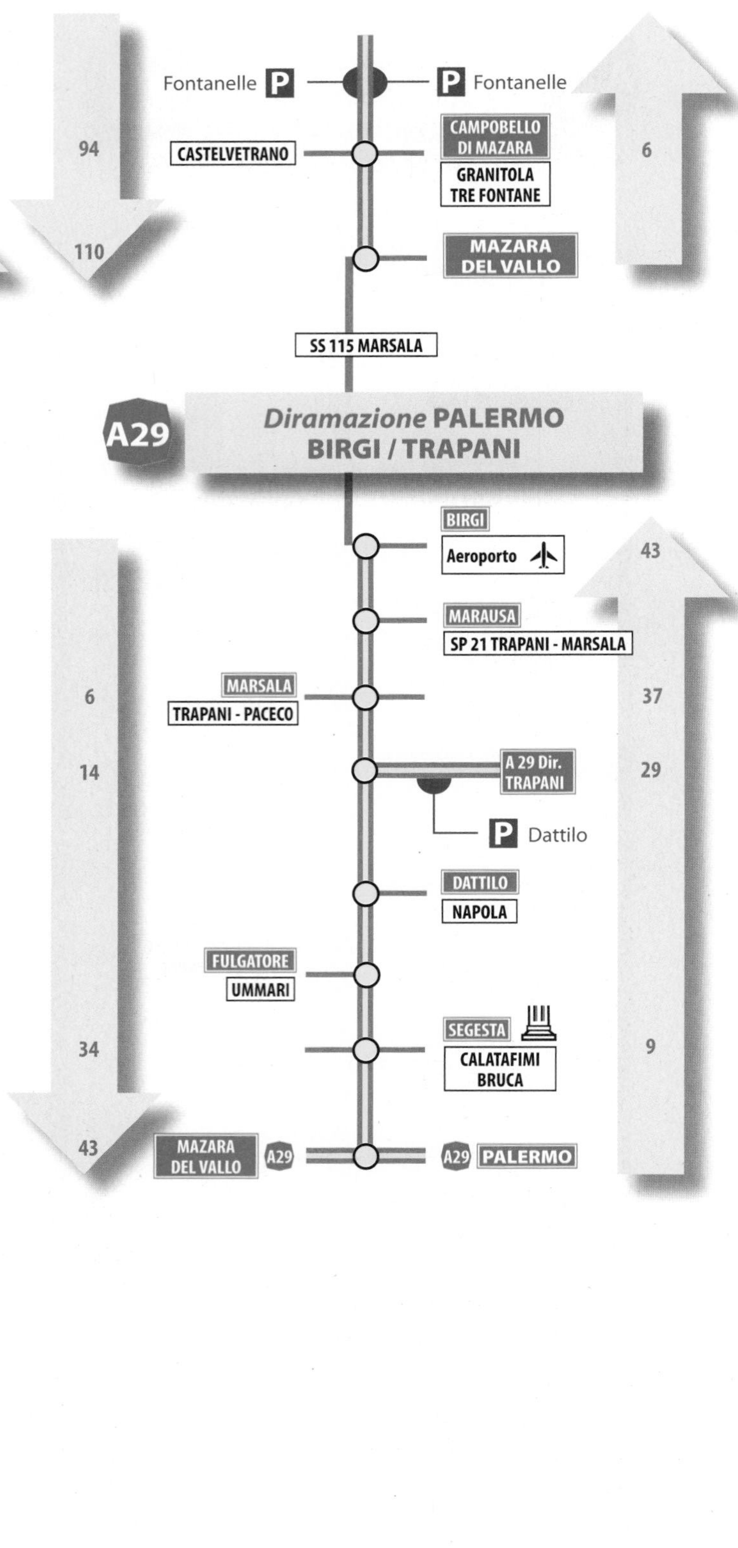

A29 PALERMO MAZARA DEL VALLO

PALERMO

110 TOMMASO NATALE

CAPACI ISOLA D. FEMMINE

8

CARINI 102
RIVA SMERALDA TORRETTA -Z.I

13 Aerop. Falcone Borsellino ✈ PUNTARAISI 97

VILLAGRZIA DI CARINI

CINISI

23 TERRASINI 87
ZUCCO - GIARDINELLO

30 MONTELEPRE 80
ZUCCO - GIARDINELLO

PARTINICO
BORGETTO TRAPPETO

Giambruno P ● P Giambruno

BALESTRATE

45 ALCAMO est 65
ALCAMO MARINA

Costa Gaia P ● P Costa Gaia

CASTELLAMMARE DEL GOLFO
SCOPELLO - ALCAMO S. VITO LO CAPO

ALCAMO ovest

52 A 29 Diramazione TRAPANI - ALCAMO 58
A 29 Dir. per BIRGI

62 GALLITELLO 48
CAMPOREALE Ss 624 PALERMO-SCIACCA

73 SALEMI 37
GIBELLINA - VITA S. NINFA

S. NINFA

90 CASTELVETRANO SELINUNTE 20
SS 115 MENFI - SCIACCA AGRIGENTO

122

Fontanelle P ● P Fontanelle

94
CASTELVETRANO CAMPOBELLO DI MAZARA 6
GRANITOLA TRE FONTANE

110 MAZARA DEL VALLO

SS 115 MARSALA

A29 *Diramazione* PALERMO BIRGI / TRAPANI

BIRGI 43
Aeroporto ✈

MARAUSA
SP 21 TRAPANI - MARSALA

6 MARSALA 37
TRAPANI - PACECO

14 A 29 Dir. TRAPANI 29
P Dattilo

DATTILO
NAPOLA

FULGATORE
UMMARI

34 SEGESTA 9
CALATAFIMI BRUCA

43 MAZARA DEL VALLO A29 A29 PALERMO

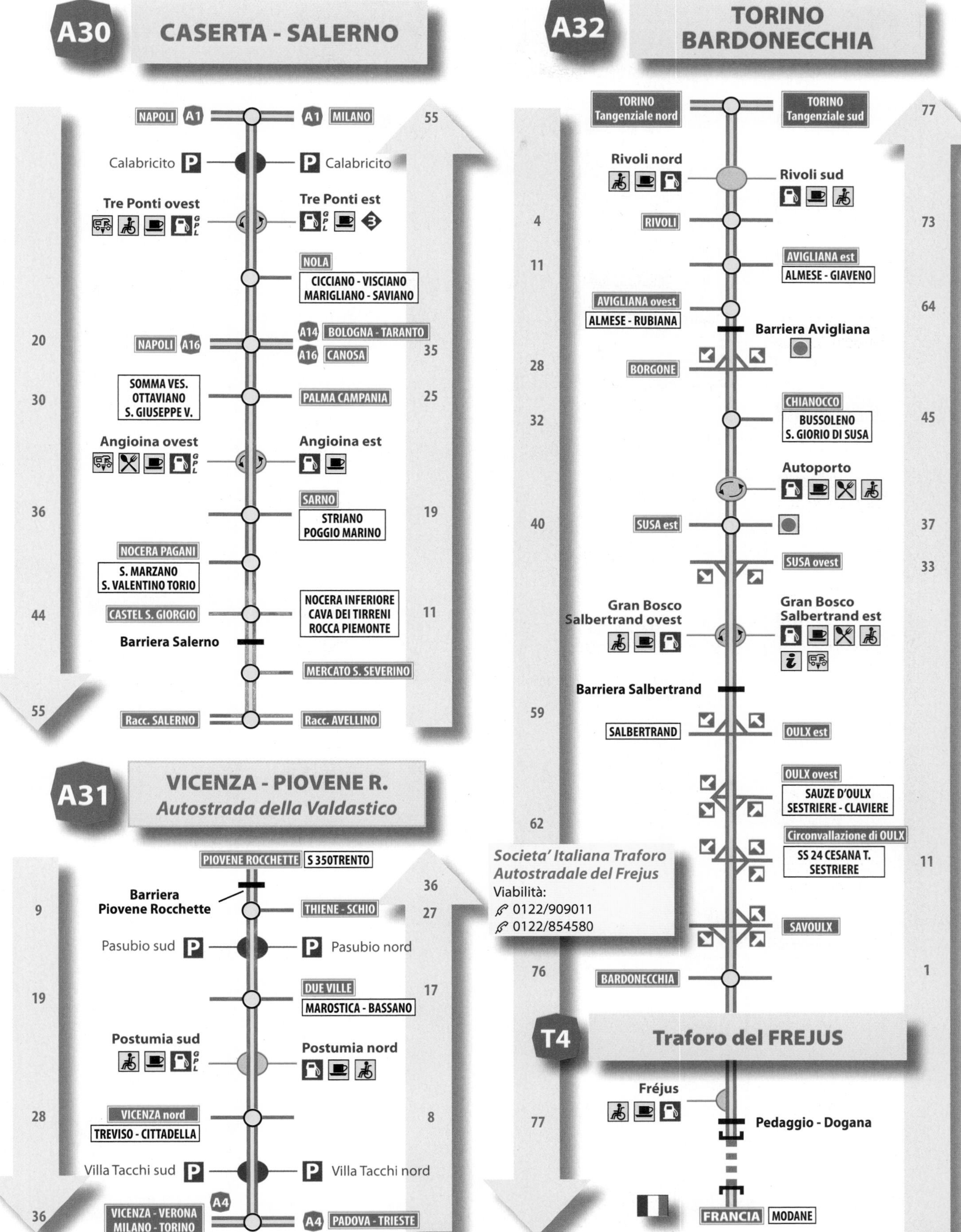

A30 — **CASERTA - SALERNO**

NAPOLI **A1**		**A1** MILANO	55
Calabricito **P**		**P** Calabricito
Tre Ponti ovest		Tre Ponti est
NOLA	CICCIANO - VISCIANO / MARIGLIANO - SAVIANO	
20 — NAPOLI **A16**		**A14** BOLOGNA - TARANTO / **A16** CANOSA — 35
30 — SOMMA VES. OTTAVIANO S. GIUSEPPE V.		PALMA CAMPANIA — 25
Angioina ovest		Angioina est
36 — SARNO	STRIANO POGGIO MARINO	19
NOCERA PAGANI / S. MARZANO S. VALENTINO TORIO		
44 — CASTEL S. GIORGIO		NOCERA INFERIORE CAVA DEI TIRRENI ROCCA PIEMONTE — 11
Barriera Salerno		
	MERCATO S. SEVERINO	
55 — Racc. SALERNO		Racc. AVELLINO

A31 — **VICENZA - PIOVENE R.** *Autostrada della Valdastico*

PIOVENE ROCCHETTE	S 350 TRENTO	
Barriera Piovene Rocchette		36
9	THIENE - SCHIO	27
Pasubio sud **P**		**P** Pasubio nord
19 — DUE VILLE	MAROSTICA - BASSANO	17
Postumia sud		Postumia nord
28 — VICENZA nord / TREVISO - CITTADELLA		8
Villa Tacchi sud **P**		**P** Villa Tacchi nord
36 — VICENZA - VERONA MILANO - TORINO **A4**		**A4** PADOVA - TRIESTE

A32 — **TORINO BARDONECCHIA**

TORINO Tangenziale nord		TORINO Tangenziale sud — 77
Rivoli nord		Rivoli sud
4 — RIVOLI		73
11 —		AVIGLIANA est / ALMESE - GIAVENO
AVIGLIANA ovest / ALMESE - RUBIANA		64
28 —	Barriera Avigliana	
BORGONE		
32 — CHIANOCCO	BUSSOLENO S. GIORIO DI SUSA	45
	Autoporto	
40 — SUSA est		37
	SUSA ovest	33
Gran Bosco Salbertrand ovest		Gran Bosco Salbertrand est
Barriera Salbertrand		
59 — SALBERTRAND		OULX est
	OULX ovest / SAUZE D'OULX SESTRIERE - CLAVIERE	
62 —	Circonvallazione di OULX / SS 24 CESANA T. SESTRIERE	11
	SAVOULX	
76 — BARDONECCHIA		1

Societa' Italiana Traforo Autostradale del Frejus
Viabilità:
☎ 0122/909011
☎ 0122/854580

T4 — **Traforo del FREJUS**

Fréjus	
77	Pedaggio - Dogana
	FRANCIA MODANE

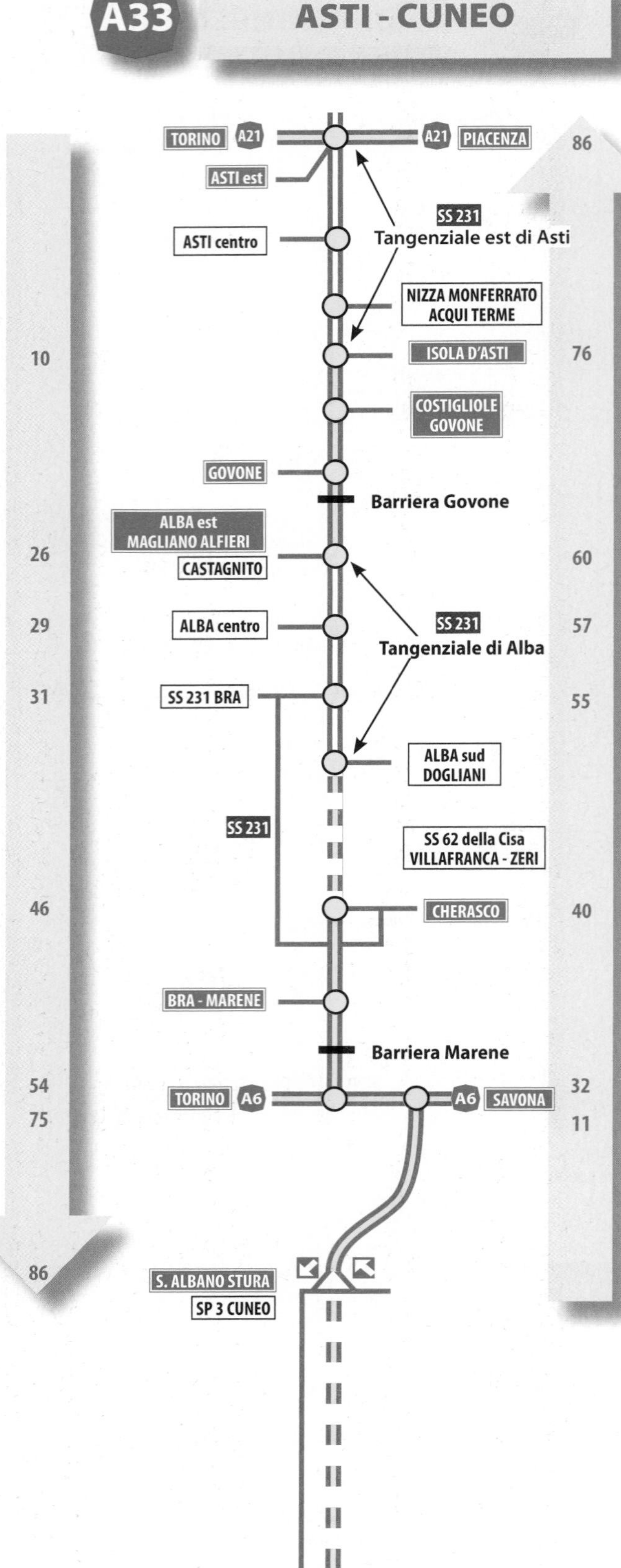

A33 ASTI - CUNEO

TORINO A21 — A21 PIACENZA — 86
ASTI est
ASTI centro — SS 231 Tangenziale est di Asti
NIZZA MONFERRATO ACQUI TERME
10 — ISOLA D'ASTI — 76
COSTIGLIOLE GOVONE
GOVONE — Barriera Govone
26 — ALBA est MAGLIANO ALFIERI — 60
CASTAGNITO
29 — ALBA centro — SS 231 — 57
Tangenziale di Alba
31 — SS 231 BRA — 55
ALBA sud DOGLIANI
SS 231
SS 62 della Cisa VILLAFRANCA - ZERI
46 — CHERASCO — 40
BRA - MARENE
Barriera Marene
54 / 75 — TORINO A6 — A6 SAVONA — 32 / 11
86
S. ALBANO STURA SP 3 CUNEO
CUNEO

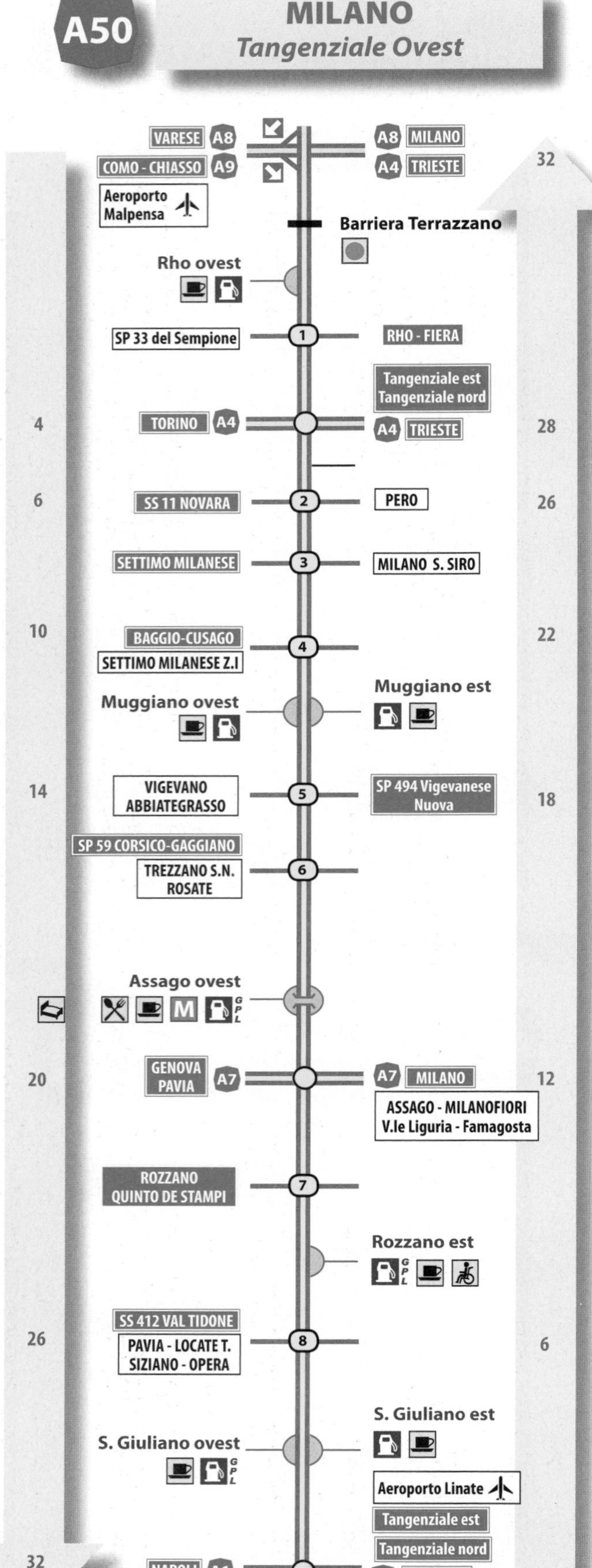

A50 MILANO *Tangenziale Ovest*

VARESE A8 — A8 MILANO — 32
COMO - CHIASSO A9 — A4 TRIESTE
Aeroporto Malpensa
Barriera Terrazzano
Rho ovest
SP 33 del Sempione — 1 — RHO - FIERA
Tangenziale est Tangenziale nord
4 — TORINO A4 — A4 TRIESTE — 28
6 — SS 11 NOVARA — 2 — PERO — 26
SETTIMO MILANESE — 3 — MILANO S. SIRO
10 — BAGGIO-CUSAGO SETTIMO MILANESE Z.I — 4 — 22
Muggiano ovest — Muggiano est
VIGEVANO ABBIATEGRASSO — 5 — SP 494 Vigevanese Nuova — 18
14
SP 59 CORSICO-GAGGIANO — 6
TREZZANO S.N. ROSATE
Assago ovest
GENOVA PAVIA A7 — A7 MILANO — 12
20 — ASSAGO - MILANOFIORI V.le Liguria - Famagosta
ROZZANO QUINTO DE STAMPI — 7
Rozzano est
SS 412 VAL TIDONE PAVIA - LOCATE T. SIZIANO - OPERA — 8 — 6
26
S. Giuliano est
S. Giuliano ovest
Aeroporto Linate
Tangenziale est
Tangenziale nord
32 — NAPOLI A1 — A1 MILANO

A51 MILANO *Tangenziale Est*

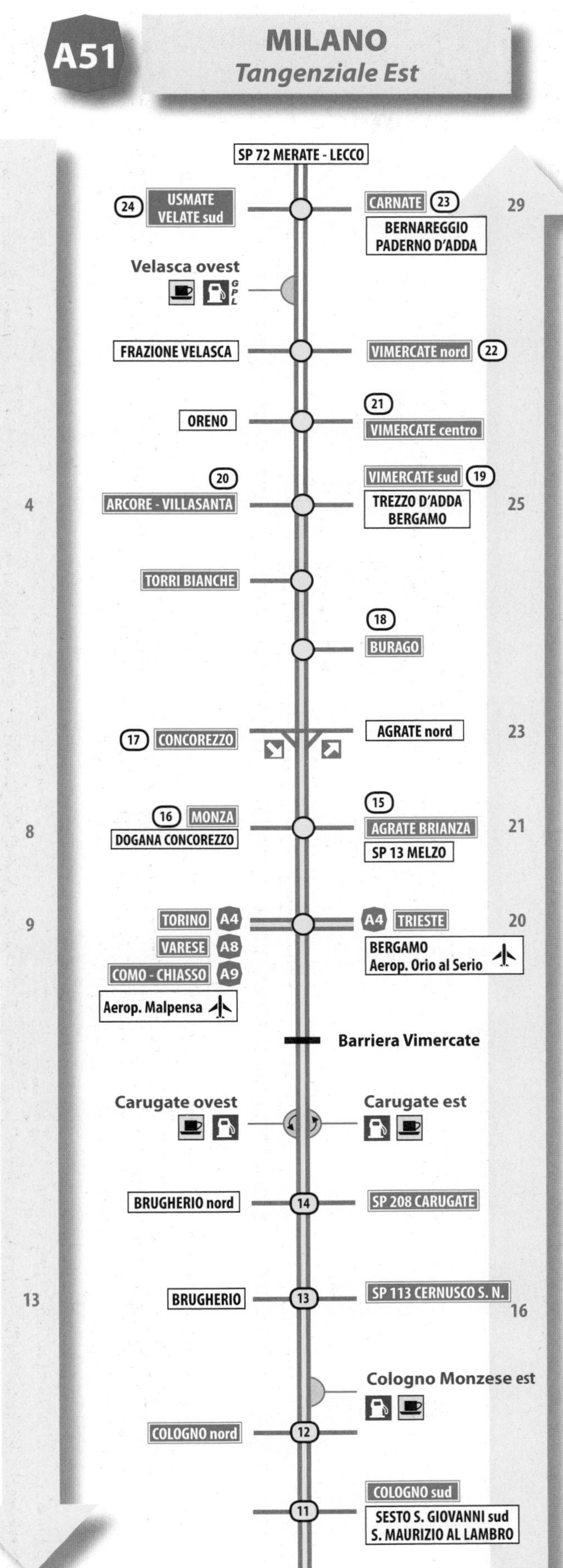

SP 72 MERATE - LECCO
24 USMATE VELATE sud
CARNATE 23
BERNAREGGIO PADERNO D'ADDA
29
Velasca ovest
FRAZIONE VELASCA
VIMERCATE nord 22
ORENO
21 VIMERCATE centro
20 ARCORE - VILLASANTA
VIMERCATE sud 19
TREZZO D'ADDA BERGAMO
4
25
TORRI BIANCHE
18 BURAGO
17 CONCOREZZO
AGRATE nord
23
16 MONZA
DOGANA CONCOREZZO
15 AGRATE BRIANZA
SP 13 MELZO
8
21
TORINO A4
VARESE A8
COMO - CHIASSO A9
Aerop. Malpensa
A4 TRIESTE
BERGAMO Aerop. Orio al Serio
9
20
Barriera Vimercate
Carugate ovest
Carugate est
BRUGHERIO nord
14
SP 208 CARUGATE
BRUGHERIO
13
SP 113 CERNUSCO S. N.
13
16
Cologno Monzese est
COLOGNO nord
12
COLOGNO sud
11
SESTO S. GIOVANNI sud S. MAURIZIO AL LAMBRO

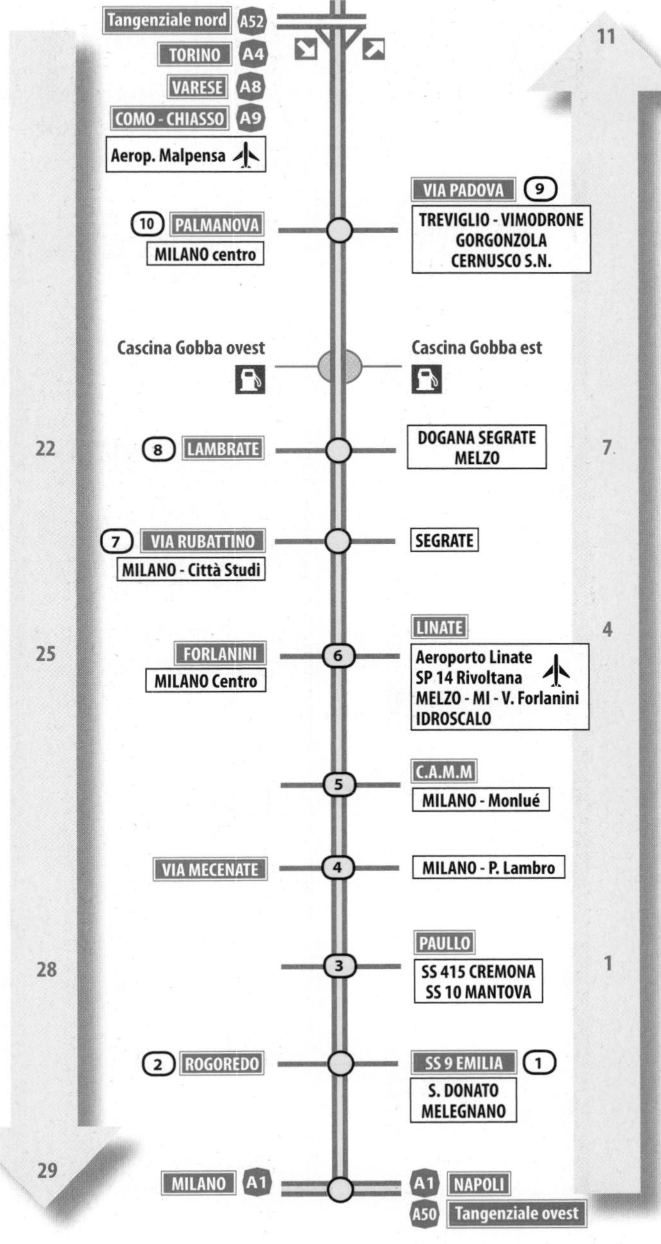

Tangenziale nord A52
TORINO A4
VARESE A8
COMO - CHIASSO A9
Aerop. Malpensa
11
VIA PADOVA 9
TREVIGLIO - VIMODRONE GORGONZOLA CERNUSCO S.N.
10 PALMANOVA
MILANO centro
Cascina Gobba ovest
Cascina Gobba est
22
8 LAMBRATE
DOGANA SEGRATE MELZO
7
7 VIA RUBATTINO
MILANO - Città Studi
SEGRATE
LINATE
25
FORLANINI
MILANO Centro
6
Aeroporto Linate SP 14 Rivoltana MELZO - MI - V. Forlanini IDROSCALO
4
5
C.A.M.M
MILANO - Monlué
VIA MECENATE
4
MILANO - P. Lambro
PAULLO
28
3
SS 415 CREMONA SS 10 MANTOVA
1
2 ROGOREDO
SS 9 EMILIA 1
S. DONATO MELEGNANO
29
MILANO A1
A1 NAPOLI
A50 Tangenziale ovest

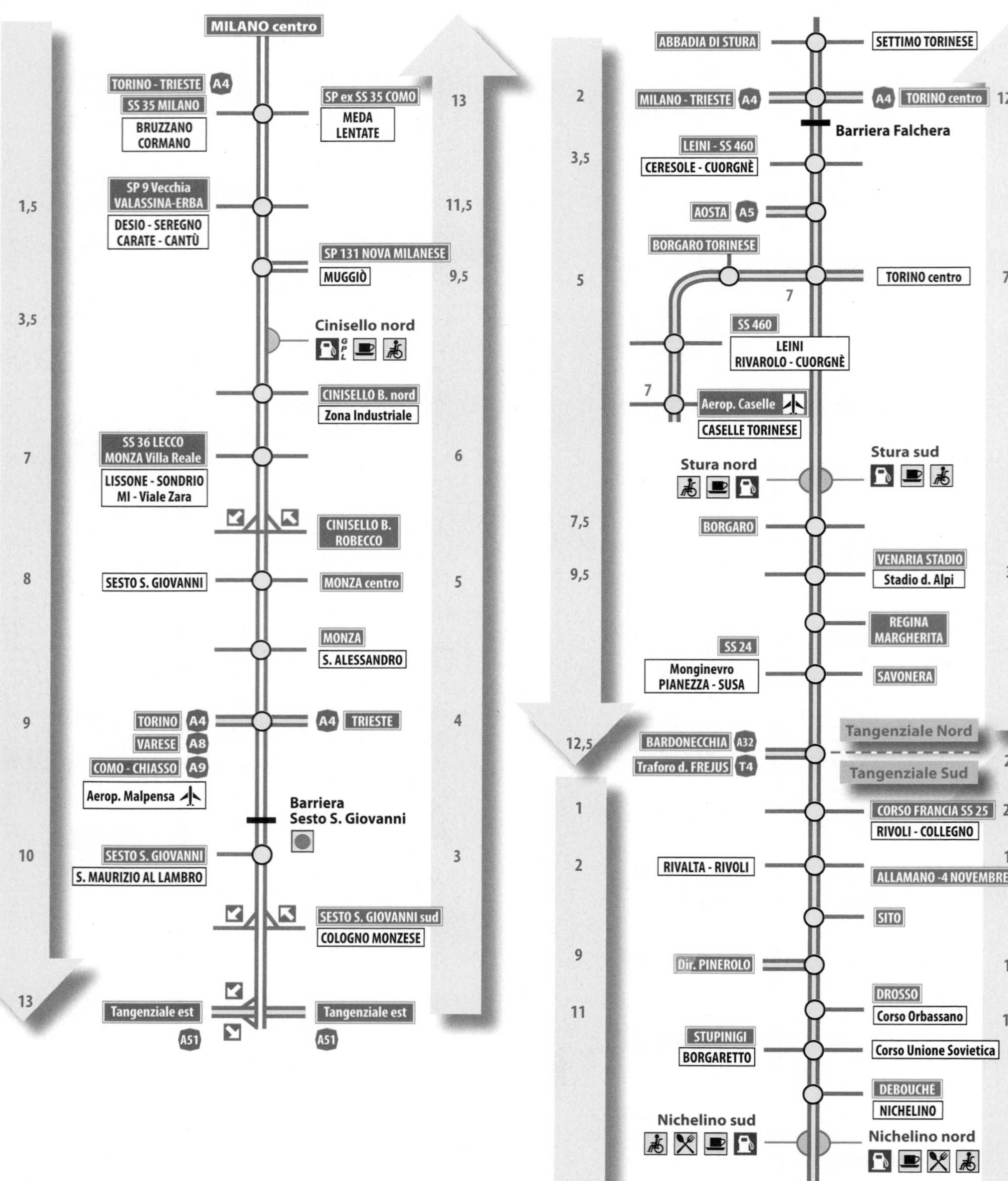

A52 MILANO
Tangenziale Nord

A55 TORINO
Sistema tangenziale

A52 — MILANO Tangenziale Nord

MILANO centro

TORINO - TRIESTE A4	SP ex SS 35 COMO	13
SS 35 MILANO	MEDA	
BRUZZANO	LENTATE	
CORMANO		
1,5		
SP 9 Vecchia		11,5
VALASSINA-ERBA		
DESIO - SEREGNO		
CARATE - CANTÙ		
	SP 131 NOVA MILANESE	9,5
	MUGGIÒ	
3,5		
	Cinisello nord	
	CINISELLO B. nord	
	Zona Industriale	
7	SS 36 LECCO	6
	MONZA Villa Reale	
	LISSONE - SONDRIO	
	MI - Viale Zara	
	CINISELLO B.	
	ROBECCO	
8	SESTO S. GIOVANNI	MONZA centro	5
	MONZA	
	S. ALESSANDRO	
9	TORINO A4	A4 TRIESTE	4
	VARESE A8	
	COMO - CHIASSO A9	
	Aerop. Malpensa	
	Barriera	
	Sesto S. Giovanni	
10	SESTO S. GIOVANNI	3
	S. MAURIZIO AL LAMBRO	
	SESTO S. GIOVANNI sud	
	COLOGNO MONZESE	
13	Tangenziale est	Tangenziale est
	A51	A51

A55 — TORINO Sistema tangenziale

	ABBADIA DI STURA	SETTIMO TORINESE
2	MILANO - TRIESTE A4	A4 TORINO centro	12,5
	Barriera Falchera	
3,5	LEINI - SS 460	
	CERESOLE - CUORGNÈ	
	AOSTA A5	
5	BORGARO TORINESE	
	TORINO centro	7,5
	7	
	SS 460	
	LEINI	
	RIVAROLO - CUORGNÈ	
7	Aerop. Caselle	
	CASELLE TORINESE	
	Stura nord	Stura sud
7,5	BORGARO	5
	VENARIA STADIO	3
9,5		Stadio d. Alpi
	REGINA	
	MARGHERITA	
	SS 24	
	Monginevro	SAVONERA
	PIANEZZA - SUSA	
12,5	BARDONECCHIA A32	Tangenziale Nord
	Traforo d. FREJUS T4	Tangenziale Sud	21
1		CORSO FRANCIA SS 25	20
		RIVOLI - COLLEGNO	
2	RIVALTA - RIVOLI	19
		ALLAMANO - 4 NOVEMBRE	
		SITO	
9	Dir. PINEROLO	12
		DROSSO	
11		Corso Orbassano	10
	STUPINIGI	Corso Unione Sovietica
	BORGARETTO	
		DEBOUCHE	
		NICHELINO	
	Nichelino sud	Nichelino nord
18	SS 20	3
	LA LOGGIA - CARIGNANO	

A57 **VENEZIA-MESTRE VENEZIA EST**

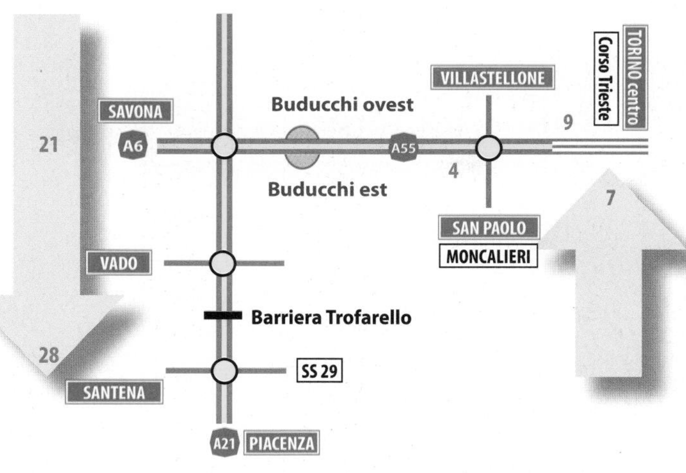

A55 **Diramazione TORINO - PINEROLO**

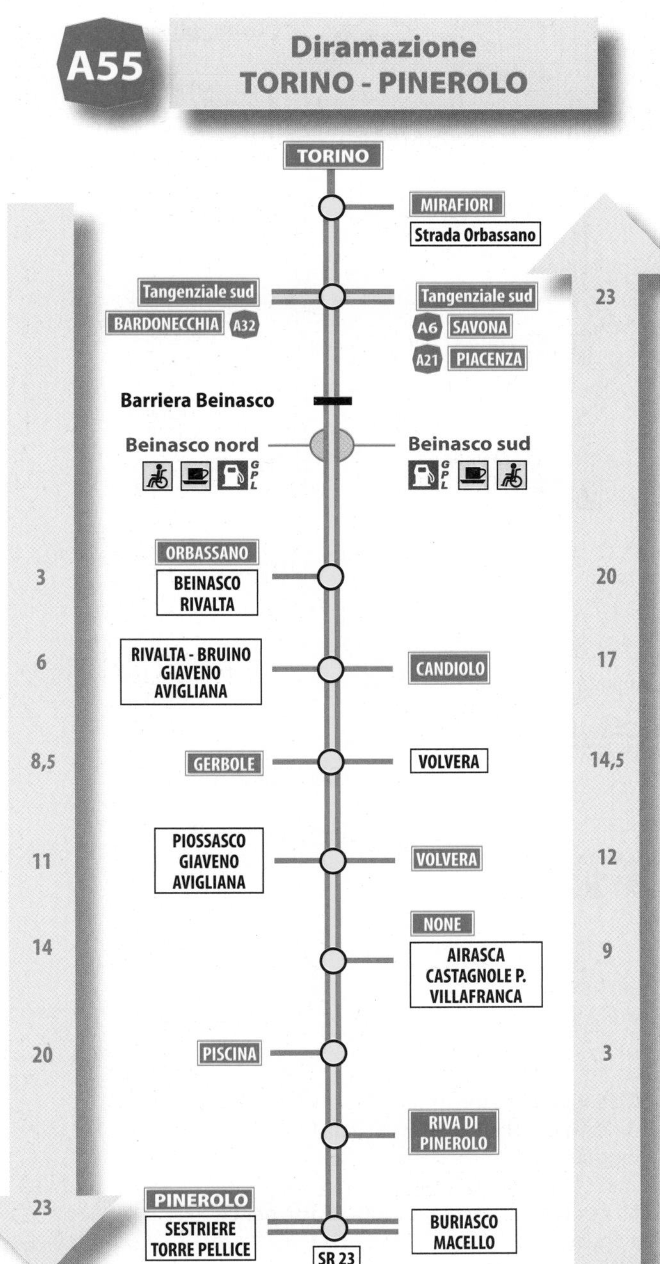

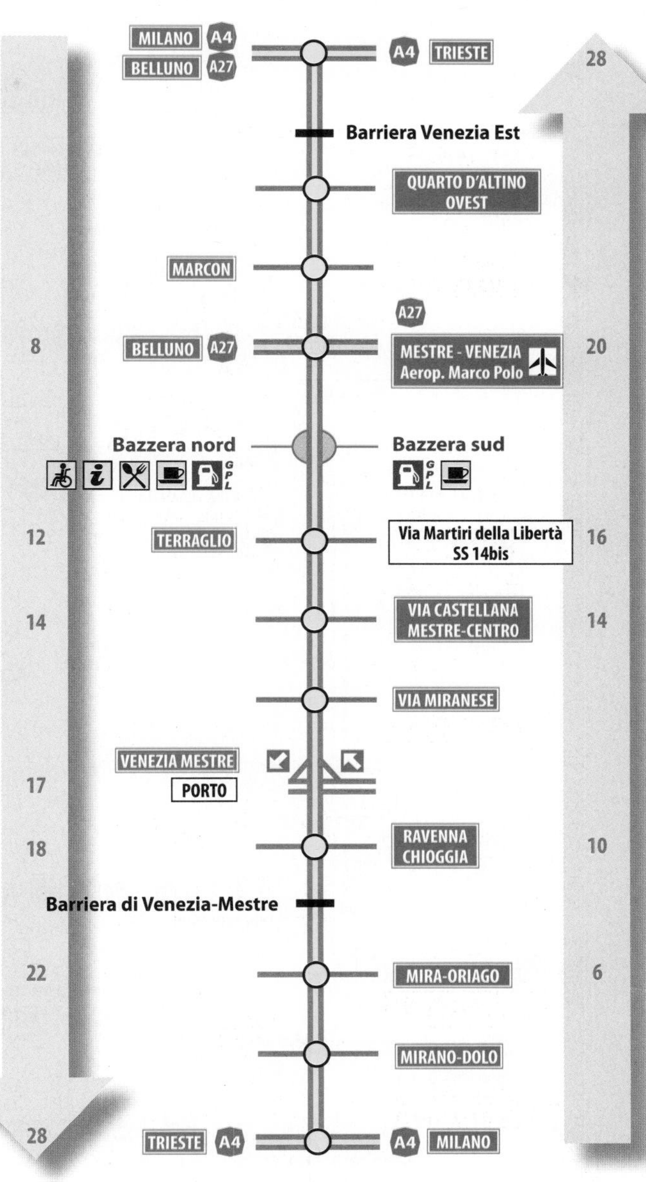

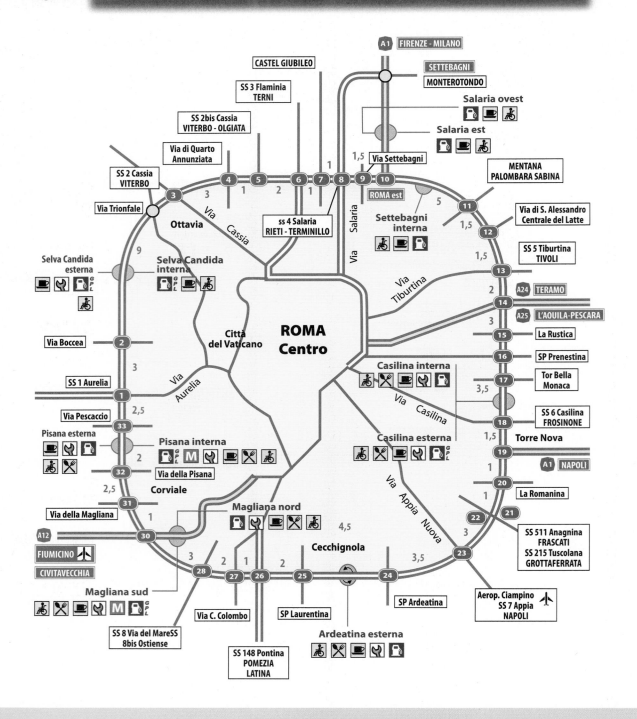

ROMA - *Grande Raccordo Anulare*

Numeri utili

Carabinieri 112

Polizia 113

Soccorso stradale A.C.I 803 116

Soccorso stadale V.A.I 803 803

Informazioni sul traffico

CCISS Viaggiare informati (Centro Coordinamento
Informazioni e Sicurezza Stradale) 15 18

Viaggiando (Servizio informativo
per chi viagia nel nord/est italiano) 89 24 89

Call Center di Viabilità di Autostrade per l'italia . . . 840 04 21 21

Telepass 800 269 269

BOLOGNA *Tangenziale*

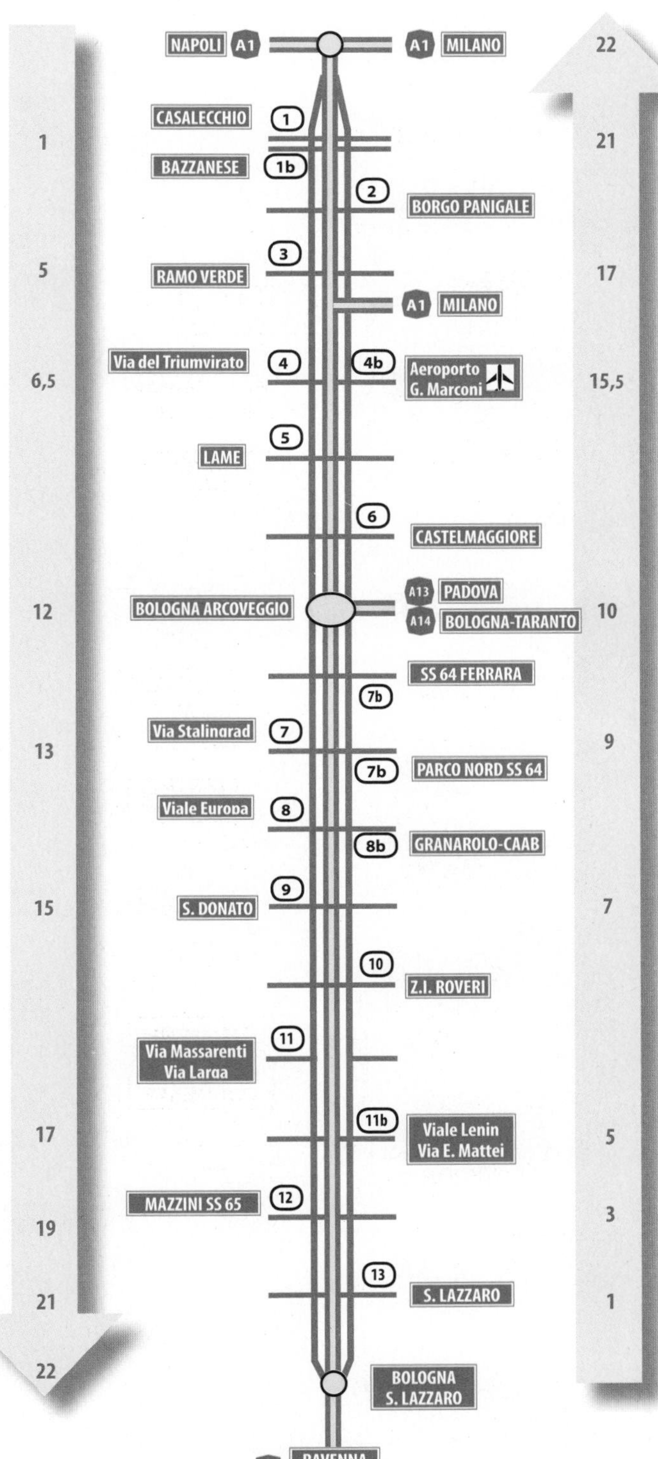

NAPOLI A1
A1 MILANO
CASALECCHIO 1
BAZZANESE 1b
2 BORGO PANIGALE
3 RAMO VERDE
A1 MILANO
Via del Triumvirato 4
4b Aeroporto G. Marconi
5 LAME
6 CASTELMAGGIORE
BOLOGNA ARCOVEGGIO
A13 PADOVA
A14 BOLOGNA-TARANTO
SS 64 FERRARA 7b
Via Stalingrad 7
7b PARCO NORD SS 64
Viale Europa 8
8b GRANAROLO-CAAB
9 S. DONATO
10 Z.I. ROVERI
11 Via Massarenti Via Larga
11b Viale Lenin Via E. Mattei
MAZZINI SS 65 12
13 S. LAZZARO
BOLOGNA S. LAZZARO
A14 RAVENNA TARANTO
1 5 6,5 12 13 15 17 19 21 22
22 21 17 15,5 10 9 7 5 3 1

NAPOLI - *Tangenziale*

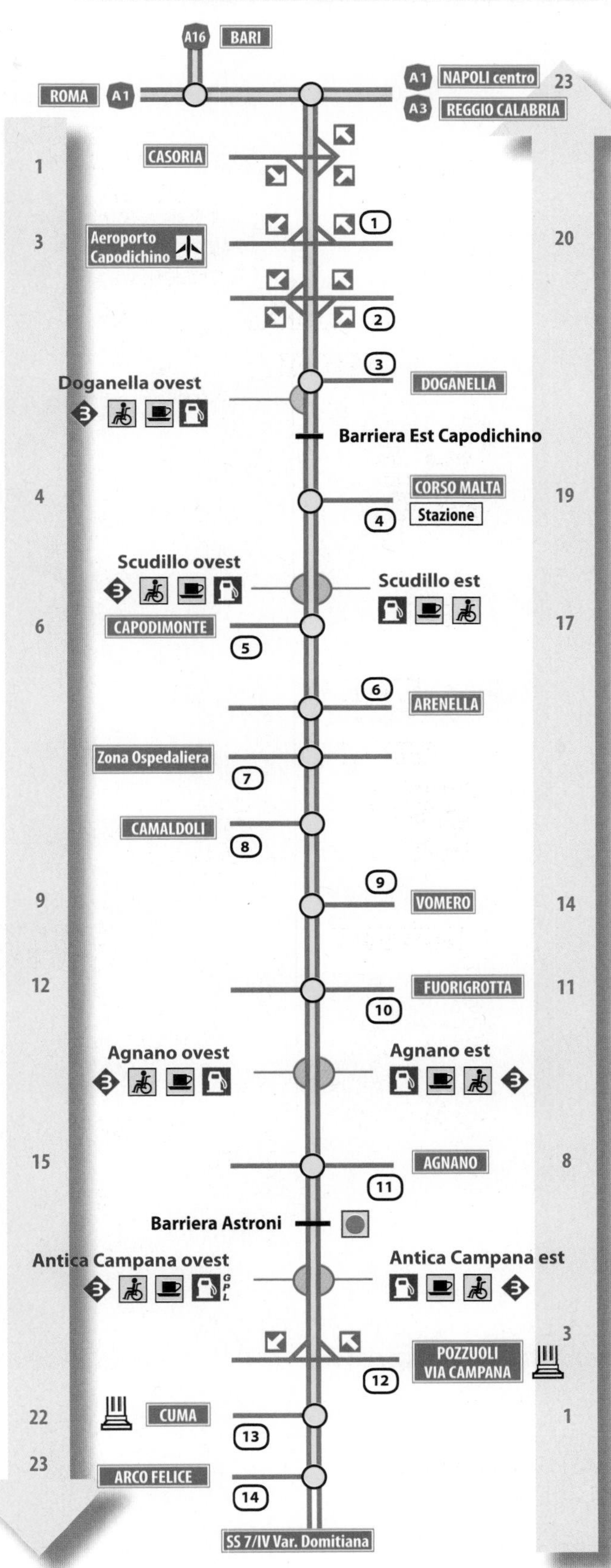

A16 BARI
ROMA A1
A1 NAPOLI centro
A3 REGGIO CALABRIA
CASORIA
Aeroporto Capodichino 1
2
3 DOGANELLA
Doganella ovest
Barriera Est Capodichino
CORSO MALTA Stazione 4
Scudillo ovest
Scudillo est
CAPODIMONTE 5
6 ARENELLA
Zona Ospedaliera 7
CAMALDOLI 8
9 VOMERO
FUORIGROTTA 10
Agnano ovest
Agnano est
AGNANO 11
Barriera Astroni
Antica Campana ovest
Antica Campana est
GPL
POZZUOLI VIA CAMPANA 12
CUMA 13
ARCO FELICE 14
SS 7/IV Var. Domitiana
1 3 4 6 9 12 15 22 23
23 20 19 17 14 11 8 3 1

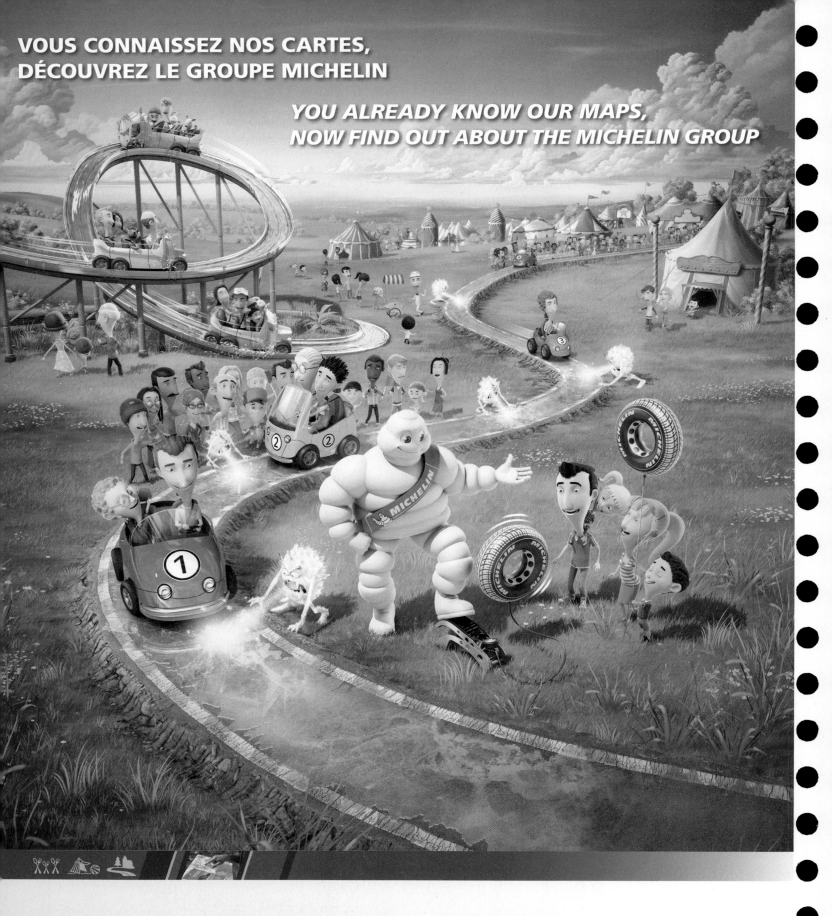

VOUS CONNAISSEZ NOS CARTES,
DÉCOUVREZ LE GROUPE MICHELIN

YOU ALREADY KNOW OUR MAPS,
NOW FIND OUT ABOUT THE MICHELIN GROUP

L'aventure Michelin

Tout commence avec des balles en caoutchouc ! C'est ce que produit, vers 1880, la petite entreprise clermontoise dont héritent André et Édouard Michelin. Les deux frères saisissent vite le potentiel des nouveaux moyens de transport. L'invention du pneumatique démontable pour la bicyclette est leur première réussite. Mais c'est avec l'automobile qu'ils donnent la pleine mesure de leur créativité. Tout au long du 20e s., Michelin n'a cessé d'innover pour créer des pneumatiques plus fiables et plus performants, du poids lourd à la Formule 1, en passant par le métro et l'avion.

Très tôt, Michelin propose à ses clients des outils et des services destinés à faciliter leurs déplacements, à les rendre plus agréables… et plus fréquents. Dès 1900, le **Guide Michelin** fournit aux chauffeurs tous les renseignements utiles pour entretenir leur automobile, trouver où se loger et se restaurer. Il deviendra la référence en matière de gastronomie. Parallèlement, le Bureau des itinéraires offre aux voyageurs conseils et itinéraires personnalisés.

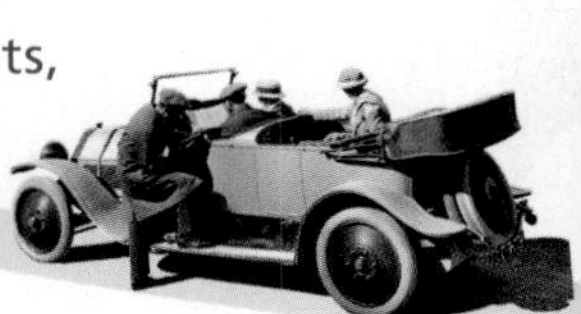

En 1910, la première collection de **cartes routières** remporte un succès immédiat ! En 1926, un premier guide régional invite à découvrir les plus beaux sites de Bretagne. Bientôt, chaque région de France a son **Guide Vert**. La collection s'ouvre ensuite à des destinations plus lointaines (de New York en 1968… à Taïwan en 2011).

Au 21e s., avec l'essor du numérique, le défi se poursuit pour les cartes et guides Michelin qui continuent d'accompagner le pneumatique. Aujourd'hui comme hier, la mission de Michelin reste l'aide à la mobilité, au service des voyageurs.

The Michelin Adventure

It all started with rubber balls! This was the product made by a small company based in Clermont-Ferrand that André and Edouard Michelin inherited, back in 1880. The brothers quickly saw the potential for a new means of transport and their first success was the invention of detachable pneumatic tyres for bicycles. However, the automobile was to provide the greatest scope for their creative talents.

Throughout the 20th century, Michelin never ceased developing and creating ever more reliable and high-performance tyres, not only for vehicles ranging from trucks to F1 but also for underground transit systems and aeroplanes.

*From early on, Michelin provided its customers with tools and services to facilitate mobility and make travelling a more pleasurable and more frequent experience. As early as 1900, the **Michelin Guide** supplied motorists with a host of useful information related to vehicle maintenance, accommodation and restaurants, and was to become a benchmark for good food. At the same time, the Travel Information Bureau offered travellers personalised tips and itineraries.*

*The publication of the first collection of roadmaps, in 1910, was an instant hit! In 1926, the first regional guide to France was published, devoted to the principal sites of Brittany, and before long each region of France had its own **Green Guide**. The collection was later extended to more far-flung destinations, including New York in 1968 and Taiwan in 2011.*

In the 21st century, with the growth of digital technology, the challenge for Michelin maps and guides is to continue to develop alongside the company's tyre activities. Now, as before, Michelin is committed to improving the mobility of travellers.

MICHELIN AUJOURD'HUI	MICHELIN TODAY
N°1 MONDIAL DES PNEUMATIQUES	***WORLD NUMBER ONE TYRE MANUFACTURER***
• 70 sites de production dans 18 pays	• *70 production sites in 18 countries*
• 111 000 employés de toutes cultures, sur tous les continents	• *111,000 employees from all cultures and on every continent*
• 6 000 personnes dans les centres de Recherche & Développement	• *6,000 people employed in research and development*

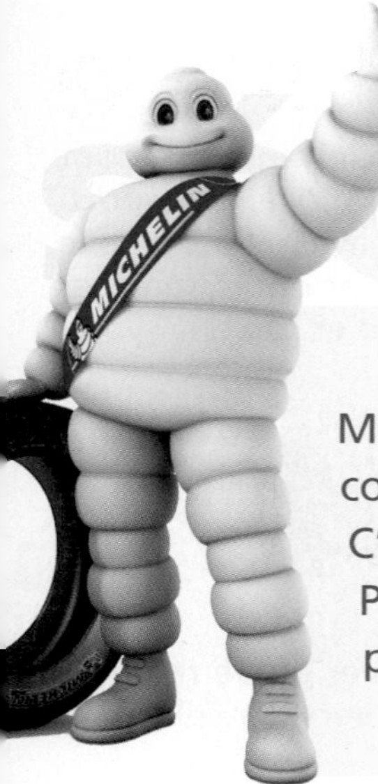

Avancer ensemble vers un
Moving forward together for

Mieux avancer, c'est d'abord innover pour mettre au point des pneus qui freinent plus court et offrent une meilleure adhérence, quel que soit l'état de la route.

C'est aussi aider les automobilistes à prendre soin de leur sécurité et de leurs pneus. Pour cela, Michelin organise partout dans le monde des opérations **Faites le plein d'air** pour rappeler à tous que la juste pression, c'est vital.

LA JUSTE PRESSION   *CORRECT TYRE PRESSURE*

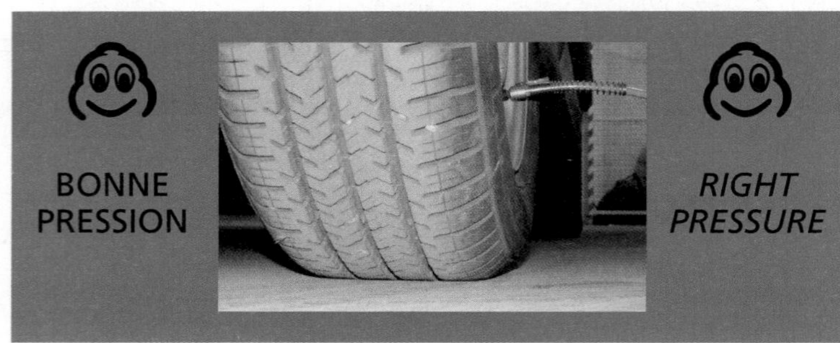

- Sécurité
- Longévité
- Consommation de carburant optimale

BONNE PRESSION — *RIGHT PRESSURE*

- *Safety*
- *Longevity*
- *Optimum fuel consumption*

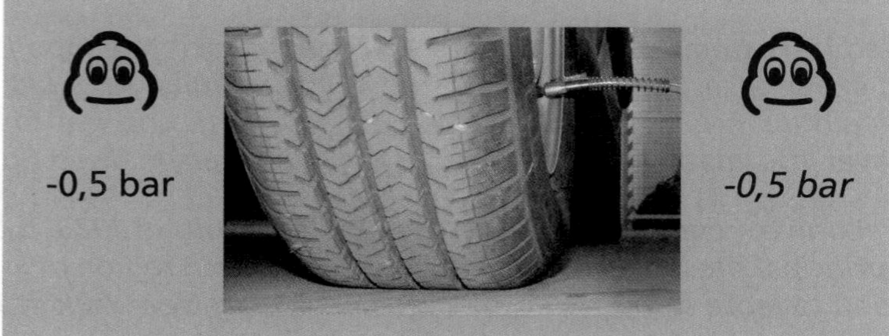

- Durée de vie des pneus réduite de 20% (- 8000 km)

-0,5 bar   -0,5 bar

- *Durability reduced by 20% (- 8,000 km)*

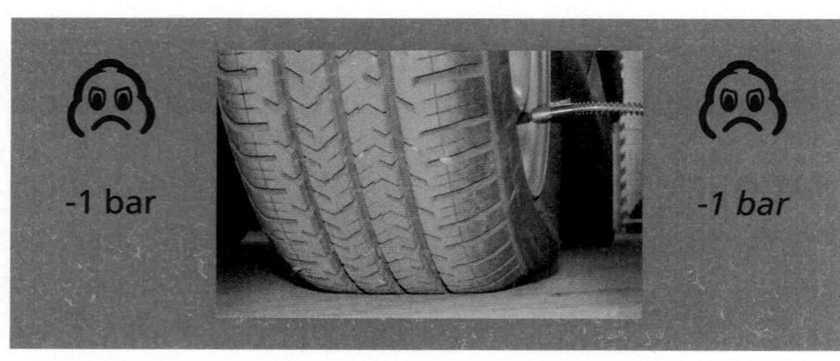

- Risque d'éclatement
- Hausse de la consommation de carburant
- Distance de freinage augmentée sur sol mouillé

-1 bar   -1 bar

- *Risk of blowouts*
- *Increased fuel consumption*
- *Longer braking distances on wet surfaces*

monde où la mobilité est plus sûre
a world where mobility is safer

Moving forward means developing tyres with better road grip and shorter braking distances, whatever the state of the road. It also involves helping motorists take care of their safety and their tyres.

To do so, Michelin organises "Fill Up With Air" campaigns all over the world to remind us that correct tyre pressure is vital.

L'USURE	WEAR

COMMENT DETECTER L'USURE

La profondeur minimale des sculptures est fixée par la loi à 1,6 mm. Les manufacturiers ont muni les pneus d'indicateurs d'usure. Ce sont de petits pains de gomme moulés au fond des sculptures et d'une hauteur de 1,6 mm.

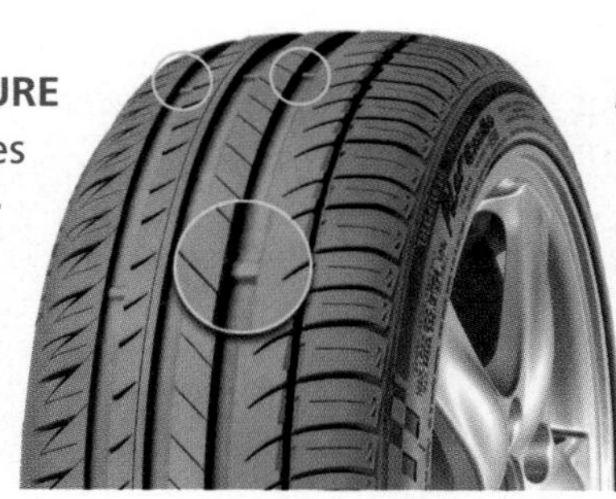

DETECTING TYRE WEAR

The legal minimum depth of tyre tread is 1.6 mm.
Tyre manufacturers equip their tyres with tread wear indicators, which are small blocks of rubber moulded into the base of the main grooves at a depth of 1.6 mm.

LES PNEUMATIQUES CONSTITUENT LE SEUL POINT DE CONTACT ENTRE LE VÉHICULE ET LA ROUTE.

TYRES ARE THE ONLY POINT OF CONTACT BETWEEN VEHICLE AND ROAD.

Ci-dessous, la zone de contact réelle photographiée.

The photo below shows the actual contact zone.

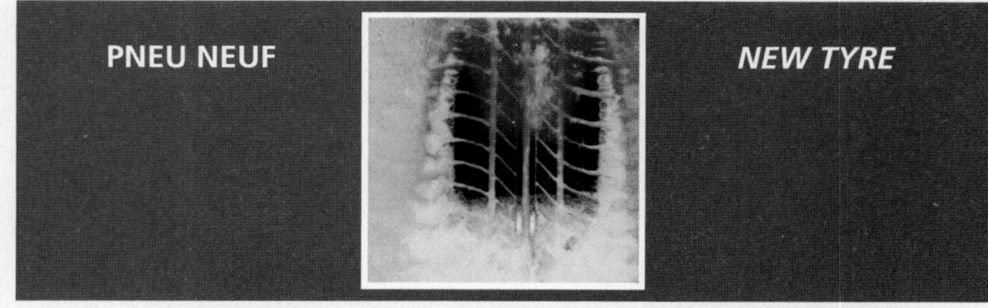

PNEU NEUF

NEW TYRE

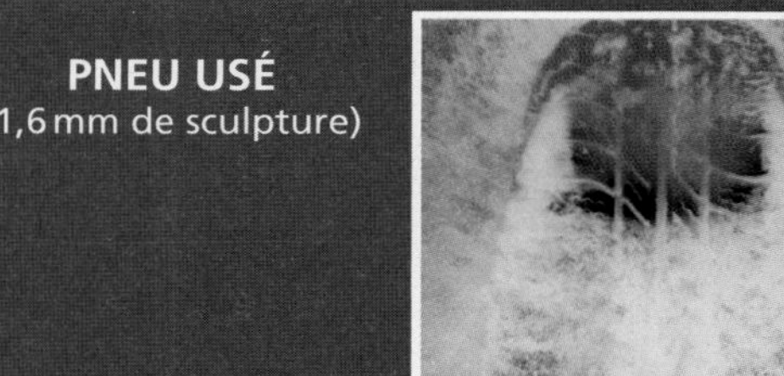

Au-dessous de cette valeur, les pneus sont considérés comme lisses et dangereux sur chaussée mouillée.

PNEU USÉ
(1,6 mm de sculpture)

WORN TYRE
(1,6 mm tread)

If the tread depth is less than 1.6mm, tyres are considered to be worn and dangerous on wet surfaces.

Mieux avancer, c'est développer une mobilité durable

Moving forward means sustainable mobility

Chaque jour, Michelin innove pour diviser par deux d'ici à 2050 la quantité de matières premières utilisée dans la fabrication des pneumatiques, et développe dans ses usines les énergies renouvelables. La conception des pneus MICHELIN permet déjà d'économiser des milliards de litres de carburant, et donc des milliards de tonnes de CO2.

De même, Michelin choisit d'imprimer ses cartes et guides sur des «papiers issus de forêts gérées durablement». L'obtention de la certification ISO14001 atteste de son plein engagement dans une éco-conception au quotidien.

Un engagement que Michelin confirme en diversifiant ses supports de publication et en proposant des solutions numériques pour trouver plus facilement son chemin, dépenser moins de carburant.... et profiter de ses voyages !

Parce que, comme vous, Michelin s'engage dans la préservation de notre planète.

By 2050, Michelin aims to cut the quantity of raw materials used in its tyre manufacturing process by half and to have developed renewable energy in its facilities. The design of MICHELIN tyres has already saved billions of litres of fuel and, by extension, billions of tonnes of CO2.

Similarly, Michelin prints its maps and guides on paper produced from sustainably managed forests and is diversifying its publishing media by offering digital solutions to make travelling easier, more fuel efficient and more enjoyable!

The group's whole-hearted commitment to eco-design on a daily basis is demonstrated by ISO 14001 certification.

Like you, Michelin is committed to preserving our planet.

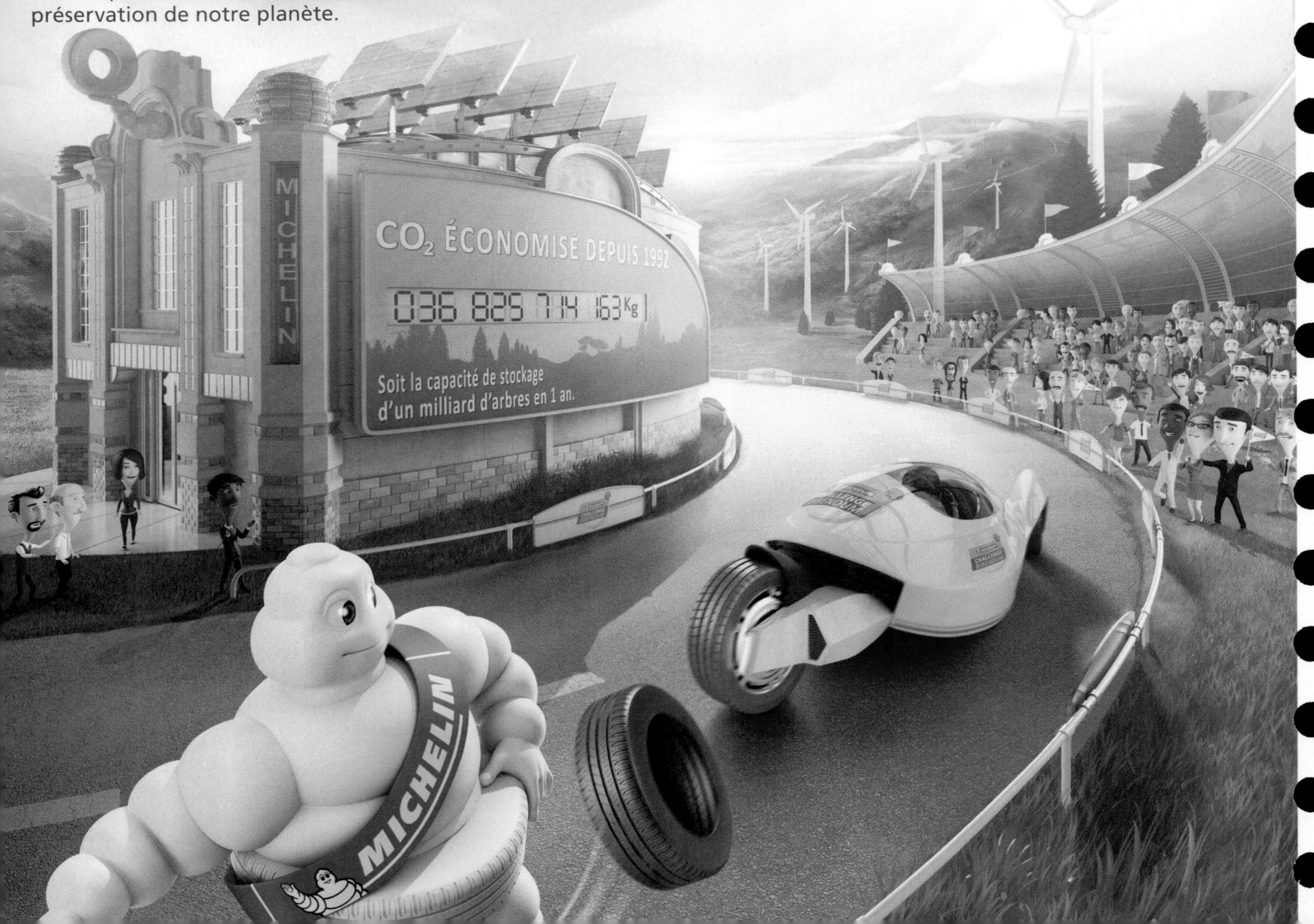

Chattez avec Bibendum

Rendez-vous sur :
www.michelin.com/corporate/fr
Découvrez l'actualité et l'histoire de Michelin.

Chat with Bibendum

*Go to **www.michelin.com/corporate/fr***
*Find out more about
Michelin's history and the
latest news.*

| QUIZZ | *QUIZ* |

Michelin développe des pneumatiques pour tous les types de véhicules. Amusez-vous à identifier le bon pneu...

*Michelin develops tyres for all types of vehicles.
See if you can match the right tyre with the right vehicle...*

A

1

B

2

C

3

D

4

E

5

G

F

6

7

Solution : A-6 / B-4 / C-2 / D-1 / E-3 / F-7 / G-5

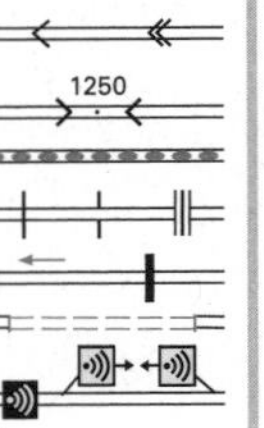

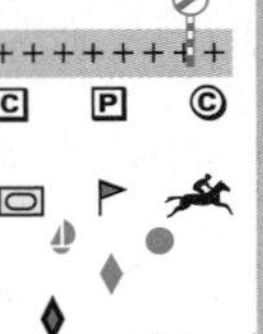

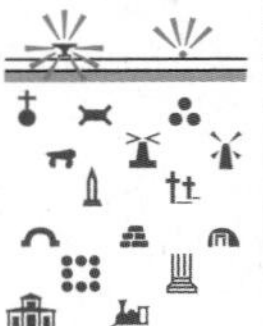

Key | Zeichenerklärung

Roads | Straßen

Motorway - Service area - Rest area	Autobahn - Tankstelle - Tankstelle mit Raststätte
Dual carriageway with motorway characteristics	Schnellstraße mit getrennten Fahrbahnen
Interchanges: complete, limited	Anschlussstellen: Voll - bzw. Teilanschlussstellen
Numbered interchanges	Nr. der Ausfahrt
International and national road network	Internationale bzw.nationale Hauptverkehrsstraße
Interregional and less congested road	Überregionale Verbindungsstraße oder Umleitungsstrecke
Other roads	Sonstige Straße
Rough track - Footpath	Wirtschaftsweg - Pfad
Motorway - Road under construction	Autobahn - Straße im Bau

Road withs | Straßenbreiten

Dual carriageway - 4 lanes	Getrennte Fahrbahnen - 4 Farhspuren
2 wide lanes	2 breite Fahrspuren
2 lanes	2 Fahrspuren
1 lane	1 Fahrspur

Distances (total and intermediate) | **Entfernungen** (Gesamt- und Teilentfernungen)

Toll roads on motorway	Mautstrecke auf der Autobahn
Toll-free section on motorway	Mautfreie Strecke auf der Autobahn
On road	Auf der Straße

Numbering - Signs | Nummerierung - Wegweisung

English		Deutsch
European route - Motorway	E 10 A 10	Europastraße - Autobahn
State road / Regional road / Provincial road	S 434 R 25 P 500	Staatsstraße / regionale straße / Provinzialestraße

Obstacle | Verkehrshindernisse

Steep hill (ascent in direction of the arrow)	Starke Steigung (Steigung in Pfeilrichtung)
Pass and its height above sea level	Pass mit Höhenangabe
Difficult or dangerous section of road	Schwierige oder gefährliche Strecke
Level crossing: railway passing, under road, over road	Bahnübergänge: schienengleich, Unterführung, Überführung
One way road - Toll barrier	Einbahnstraße - Mautstelle
Prohibited road	Gesperrte Straße
Speed camera - Tutor: Report of the average speed between two or several points on a motorway	Starenkasten - Tutor: Erhebung der Durchschnittsgeschwindigkeit zwischen zwei oder mehr Punkten auf der Autobahn

Transportation | Verkehrsmittel

Railway - Station	Bahnlinie - Bahnhof
Airport - Airfield	Flughafen - Flugplatz
Transportation of vehicles:	Schiffsverbindungen:
by boat	per Schiff
by rail	per Bahn
Ferry (passengers and cycles only)	Fähre für Personen und Fahrräder

Administration | Verwaltung

National boundary - Customs post	Staatsgrenze - Zoll
Administrative district seat	Verwaltungshauptstadt

Sport & Recreation Facilities | Sport - Freizeit

Stadium - Golf course - Horse racetrack	Stadion - Golfplatz - Pferderennbahn
Pleasure boat harbour - Bathing place	Yachthafen - Strandbad
Water park	Badepark
Country park	Freizeitanlage
Racing circuit	Rennstrecke
Mountain refuge hut - Footpath	Schutzhütte - Fernwanderweg

Signs | Sehenswürdigkeiten

Principal sights: see THE GREEN GUIDE	Hauptsehenswürdigkeiten: siehe GRÜNER REISEFÜHRER
Viewing table - Panoramic view - Viewpoint	Orientierungstafel - Rundblick - Aussichtspunkt
Scenic route	Landschaftlich schöne Strecke
Religious building - Historic house, castle - Ruins	Sakral-Bau - Schloss, Burg - Ruine
Prehistoric monument - Lighthouse - Windmill	Vorgeschichtliches Steindenkmal - Leuchtturm Windmühle
Ossuary - Military cemetery	Ossarium - Soldatenfriedhof
Cave - Nuraghe - Etruscan necropolis	Höhle - Nuraghe - Etruskiche Nekropole
Archaeological excavations - Greek or roman ruins	Ausgraben - Griechische, römanische Ruinen
Palace, Villa - Tourist train	Palast, Villa - Museumseisenbahn-Linie
Garden, park - Other place of interest	Garten, Park - Sonstige Sehenswürdigkeit

Other signs | Sonstige Zeichen

English	Deutsch
Factory - Dam - Refinery	Fabrik - Staudamm - Raffinerie
Power station	Kraftwerk
Oil or gas well	Erdöl-, Erdgasförderstelle
Telecommunications tower or mast	Funk-, Sendeturm
Quarry - Windmill - Water tower	Steinbruch - Windmühle - Wasserturm
Church or chapel - Cemetery - Hospital	Kirche oder Kapelle - Friedhof - Krankenhaus
Castel - Fort - Ruins	Schloss, Burg - Fort, Festung - Ruine
Cave - Monument - Moutain airfield	Höhle - Denkmal - Landeplatz im Gebirge
Forest or wood - Marshland, rice field	Wald oder Gehölz - Sumpfgebiete, Reisfelder

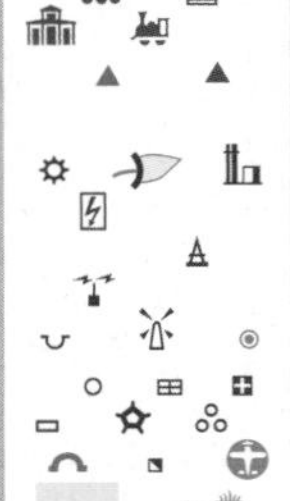

Legenda | Légende

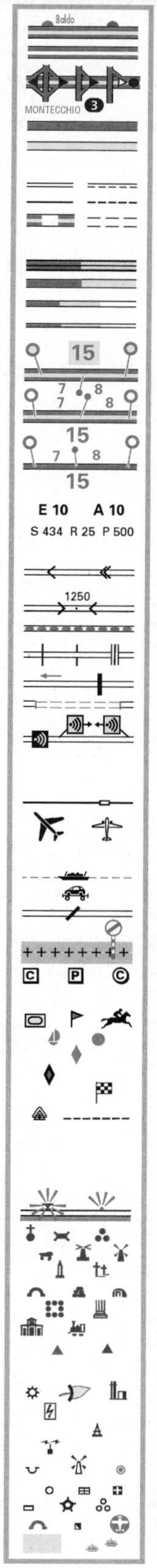

Legenda	Légende
Strade	**Routes**
Autostrada - Stazione di servizio - Area di riposo	Autoroute - Aire de service - Aire de repos
Doppia carreggiata di tipo autostradale	Double chaussée de type autoroutier
Svincoli: completo, parziale	Échangeurs : complet, partiels
Svincolo numerato	Sortie numérotée
Strada di collegamento internazionale o nazionale	Route de liaison internationale ou nationale
Strada di collegamento interregionale o di disimpegno	Route de liaison interrégionale ou de dégagement
Altre Strade	Autres routes
Strada per carri - Sentiero	Chemin d'exploitation - Sentier
Autostrada - Strada in costruzione	Autoroute - Route en construction
Larghezza delle strade	**Largeur des routes**
Carreggiate separate - 4 corsie	Chaussées séparées - 4 voies
2 corsie larghe	2 voies larges
2 corsie	2 voies
1 corsia	1 voie
Distanze (totali e parziali)	**Distances** (totalisées et partielles)
Tratto a pedaggio su autostrada	Section à péage sur autoroute
Tratto esente da pedaggio su autostrada	Section libre sur autoroute
Su strada	Sur route
Numerazione - Segnaletica	**Numérotation - Signalisation**
Strada europea - Autostrada	Route européenne - Autoroute
Strada statale / regionale / provinciale	Route d'État / régionale / provinciale
Ostacoli	**Obstacles**
Forte pendenza (salita nel senso della freccia)	Forte déclivité (flèches dans le sens de la montée)
Passo ed altitudine	Col et sa cote d'altitude
Percorso difficile o pericoloso	Parcours difficile ou dangereux
Passaggi della strada: a livello, cavalcavia, sottopassaggio	Passages de la route : à niveau, supérieur, inférieur
Strada a senso unico - Casello	Route à sens unique - Barrière de péage
Strada vietata	Route interdite
Autovelox - Tutor: Rilevatore di velocità media (tra due o piu' punti) in autostrada	Radar fixe - Tutor : Relevé de vitesse moyenne entre deux ou plusieurs points sur autoroute
Trasporti	**Transports**
Ferrovia - Stazione	Voie ferrée - Gare
Aeroporto - Aerodromo	Aéroport - Aérodrome
Trasporto auto:	Transport des autos :
su traghetto	par bateau
per ferrovia	par voie ferrée
Traghetto per pedoni e biciclette	Bac pour piétons et cycles
Amministrazione	**Administration**
Frontiera - Dogana	Frontière - Douane
Capoluogo amministrativo	Capitale de division administrative
Sport - Divertimento	**Sports - Loisirs**
Stadio - Golf - Ippodromo	Stade - Golf - Hippodrome
Porto turistico - Stabilimento balneare	Port de plaisance - Baignade
Parco acquatico	Parc aquatique
Area o parco per attività ricreative	Base ou parc de loisirs
Circuito automobilistico	Circuit automobile
Rifugio - Sentiero per escursioni	Refuge de montagne - Sentier
Mete e luoghi d'interesse	**Curiosités**
Principali luoghi d'interesse, vedere LA GUIDA VERDE	Principales curiosités : voir LE GUIDE VERT
Tavola di orientamento - Panorama - Vista	Table d'orientation - Panorama - Point de vue
Percorso pittoresco	Parcours pittoresque
Edificio religioso - Castello - Rovine	Édifice religieux - Château - Ruines
Monumento megalitico - Faro - Mulino a vento	Monument mégalithique - Phare - Moulin à vent
Ossario - Cimitero militare	Ossuaire - Cimetière militaire
Grotta - Nuraghe - Necropoli etrusca	Grotte - Nuraghe - Nécropole étrusque
Scavi archeologici - Vestiges gréco-romains	Fouilles archéologiques - Vestiges gréco-romains
Palazzo, Villa - Trenino turistico	Palais, Villa - Train touristique
Giardino, parco - Altri luoghi d'interesse	Jardin, parc - Autres curiosités
Simboli vari	**Signes divers**
Fabbrica - Diga - Raffineria	Usine - Barrage - Raffinerie
Centrale elettrica	Centrale électrique
Pozzo petrolifero o gas naturale	Puits de pétrole ou gaz
Torre o pilone per telecomunicazioni	Tour ou pylône de télécommunications
Cava - Mulino a vento - Torre idrica	Carrière - Moulin à vent - Château d'eau
Chiesa o cappella - Cimitero - Ospedale	Église ou chapelle - Cimetière - Hôpital
Castello - Forte - Rovine	Château - Fort - Ruines
Grotta - Monumento - Altiporto	Grotte - Monument - Altiport
Foresta o bosco - Palude, risaie	Forêt ou bois - Marais, rizières

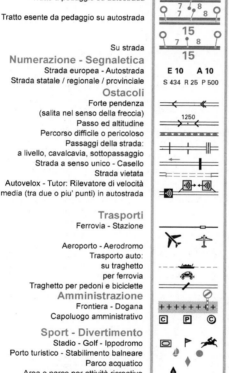

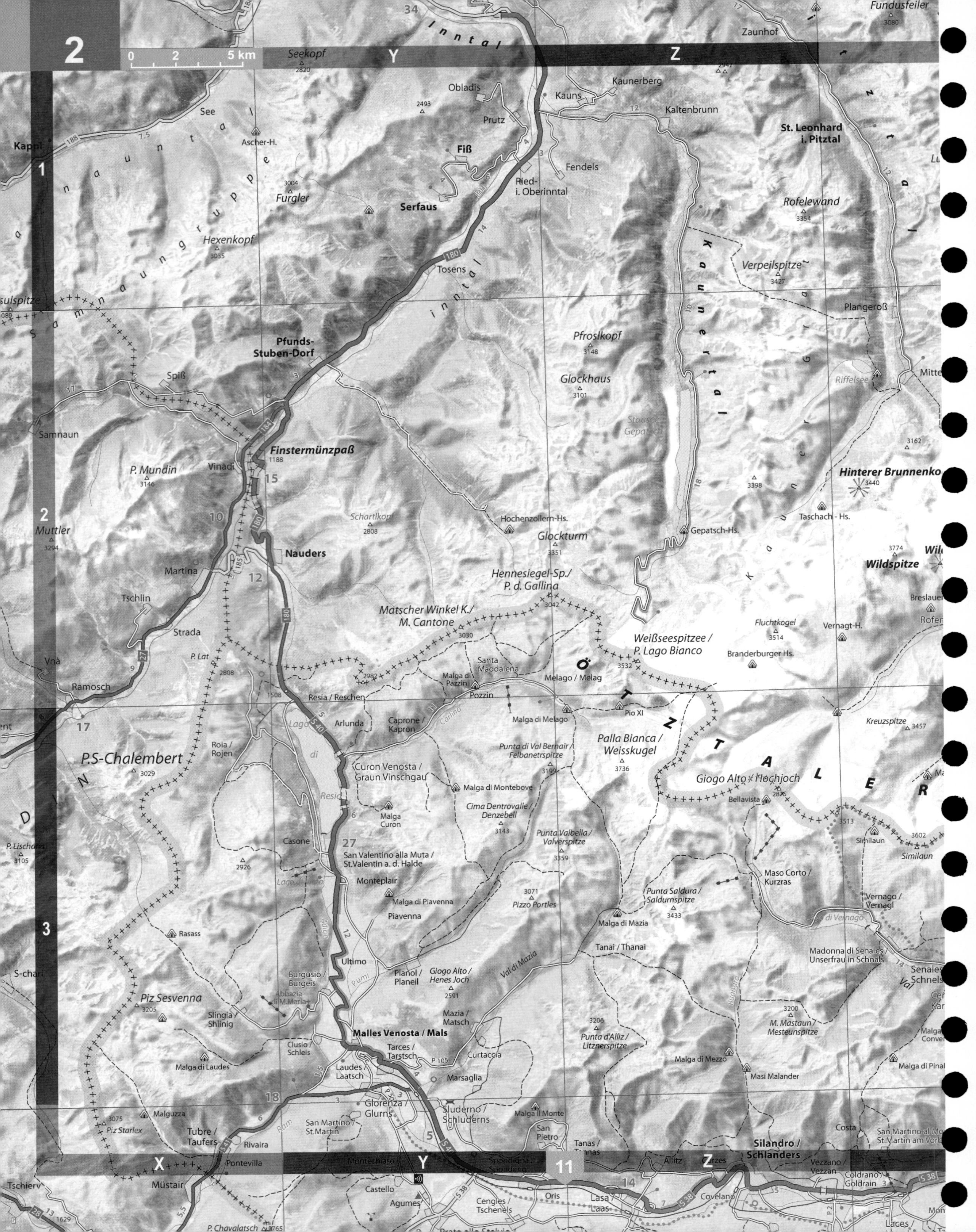

0 2 5 km
Y
Z
X
Inntal
Seekopf 2820
Zaunhof
Fundusfeiler 3080
Obladis
Kauns
Kaunerberg
Kaltenbrunn
See
Kappl
Ascher-H.
Prutz
St. Leonhard i. Pitztal
Fiß
Fendels
Ried- i. Oberinntal
Furgler 3004
Serfaus
Rofelewand 3354
Hexenkopf 3035
Tosens
Verpeilspitze 3427
Samnaungruppe
Plangeroß
Pfunds-Stuben-Dorf
Pfroslkopf 3148
Kaunertal
Spiß
Glockhaus 3101
Riffelsee
Samnaun
Stausee Gepatsch
Finstermünzpaß 1188
Vinadi
P. Mundin 3146
Hinterer Brunnenkogel 3440
Muttler 3294
Schartlkopf 2808
Hochenzollern-Hs.
Taschach - Hs.
Gepatsch-Hs.
Glockturm 3351
Nauders
Martina
Wildspitze 3774
Hennesiegel-Sp./ P. d. Gallina 3042
Tschlin
Breslauer
Matscher Winkel K./ M. Cantone 3030
Strada
Fluchtkogel 3514
Vernagt-H.
Weißseespitzee / P. Lago Bianco 3532
P. Lat 2808
Branderburger Hs.
Vnà
Santa Maddalena
Melago / Melag
Ramosch
Malga di Pazzin
Pozzin
Resia / Reschen
1508
Pio XI
Malga di Melago
Arlunda
Caprone / Kapron
Kreuzspitze 3457
P.S-Chalembert 3029
Roia / Rojen
Lago di Resia
Punta di Val Bernair / Felbanetrspitze 3199
Palla Bianca / Weisskugel 3736
ÖTZTALER
Curon Venosta / Graun Vinschgau
Malga di Montebove
Giogo Alto / Hochjoch 2875
Bellavista
Malga Curon
Cima Dentrovalle / Denzebell 3143
3513
Similaun
3602
P. Lischana 3105
Punta Valbella / Valverspitze 3359
Casone
San Valentino alla Muta / St.Valentin a. d. Halde
2926
Monteplair
Maso Corto / Kurzras
3071 Pizzo Portles
Punta Saldura / Saldurnspitze 3433
Malga di Piavenna
Vernago / Vernagt
Piavenna
Malga di Mazia
Rasass
Tanai / Thanai
Madonna di Senales / Unserfrau in Schnals
Ultimo
S-charl
Burgusio / Burgeis
Planol / Planeil
Giogo Alto / Henes Joch 2591
Val di Mazia
Senales / Schnals
Piz Sesvenna 3205
Abbazia di M.Maria
Slingia / Shlinig
Mazia / Matsch
3200 M. Mastaun / Mesteunspitze
3206 Punta d'Alliz / Litznerspitze
Malles Venosta / Mals
Clusio / Schleis
Tarces / Tarstsch
Curtaccia
Malga di Laudes
Malga di Mezzo
Malga di Pinal
Laudes / Laatsch
Marsaglia
Masi Malander
Glorenza / Glurns
Sluderno / Schluderns
Malga il Monte
3075 Piz Starlex
Malguzza
San Martino / St.Martin
Tubre / Taufers
Rivaira
San Pietro
Tanas / Tannas
Costa
San Martino al Monte / St.Martin am Vorberg
Silandro / Schlanders
Pontevilla
Montechiaro
Spondigna / Spondinig
Allitz
Vezzano / Vezzan
Tschierv
Müstair
Castello
Oris
Lasa / Laas
Covelano
Coldrano / Goldrain
Agumes
Cengles / Tschenels
Laces
P. Chavalatsch 2765
1629
11

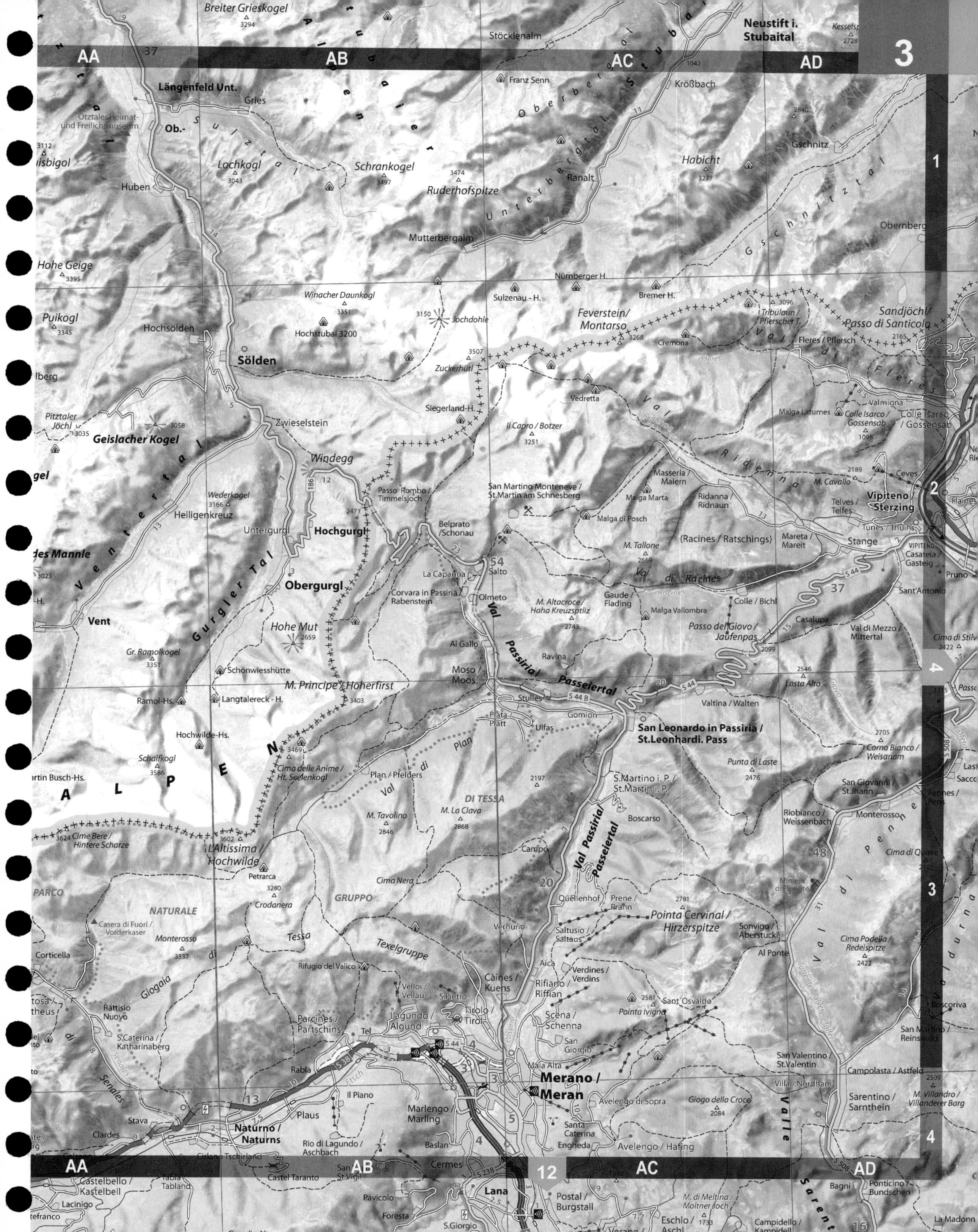

AA
AB
AC
AD
1
2
3
4
Breiter Grieskogel
Stöcklenalm
Neustift i. Stubaital
Längenfeld Unt.
Gries
Ötztaler Heimat- und Freilichtmuseum
Ob.-
Franz Senn
Krößbach
Gschnitz
Lochkogl
Schrankogel
Ruderhofspitze
Habicht
Huben
Ranalt
Oberberg
Mutterbergalm
Hohe Geige
Nürnberger H.
Bremer H.
Winacher Daunkogl
Sulzenau - H.
Puikogl
Hochsölden
Hochstubai 3200
Jochdohle
Feverstein / Montarso
Sandjöchl / Passo di Santicolo
Sölden
Zuckerhütl
Cremona
Fleres / Pflersch
Vedretta
Siegerland-H.
Zwieselstein
Pitztaler Jöchl
Geislacher Kogel
Il Capro / Botzer
Malga Laturnes
Colle Isarco / Gossensab
Windegg
Ceves
M. Cavallo
Vipiteno / Sterzing
Wederkogel
Heiligenkreuz
Passo Rombo / Timmelsjoch
San Martino Monteneve / St.Martin am Schnesberg
Masseria / Maiern
Malga Marta
Ridanna / Ridnaun
Telves / Telfes
Malga di Posch
Untergurgl
Hochgurgl
Belprato / Schonau
Tunes / Thuins
Stange
M. Tallone
(Racines / Ratschings)
Mareta / Mareit
Casateia / Gasteig
La Capanna
Salto
Obergurgl
Vent
Corvara in Passiria / Rabenstein
Olmeto
M. Altacroce / Haha Kreuzsptiz
Gaude / Flading
Colle / Bichl
Malga Vallombra
Sant'Antonio
Pruno
Hohe Mut
Passo del Giovo / Jaufenpas
Casalupa
Val di Mezzo / Mittertal
Gr. Ramolkogel
Al Gallo
Ravina
Schönwiesshütte
Moso / Moos
Lasta Alta
M. Principe / Hoherfirst
Ramol-Hs.
Langtalereck - H.
Stulles
Val Passiria / Passeiertal
Valtina / Walten
Gomion
Plata / Platt
Ulfas
San Leonardo in Passiria / St.Leonhardi. Pass
Hochwilde-Hs.
Corno Bianco / Weisanam
Schalfkogl
Cima delle Anime / Ht. Seelenkogl
Punta di Laste
Plan / Pfelders
Val di Plan
S.Martino i. P. / St.Martin i. P.
San Giovanni / St.Jhann
DI TESSA
M. Tavolino
M. La Clava
Boscarso
Riobianco / Weissenbach
Monterosso
Cime Bere / Hintere Scharze
L'Altissima / Hochwilde
Campo
Cima di Quaire
Petrarca
Cima Nera
Quellenhof
Prene / Prahn
PARCO
NATURALE
Crodanera
GRUPPO
Pointa Cervinal / Hirzerspitze
Casera di Fuori / Vorderkaser
Verhurio
Saltusio / Saltaus
Sonvigo / Aberstuckl
Monterosso
Tessa
Texelgruppe
Cima Podella / Redeispitze
Al Ponte
Corticella
Rifugio del Valico
Aica
Verdines / Verdins
Gioggia
Velloi / Vellau
Caines / Kuens
Rifiano / Riffian
S.Pietro
Rattisio Nuovo
Parcines / Partschins
Lagundo / Algund
Tirolo / Tirol
Scena / Schenna
Pointa Ivigna
Sant Osvaldo
Boscoriva
S.Caterina / Katharinaberg
Tel
San Giorgio
San Martino / Reinsvald
Maia Alta
San Valentino / St.Valentin
Rabla
Merano / Meran
Campolasta / Astfeld
Villa / Nordham
Il Piano
Marlengo / Marling
Avelengo di Sopra
Giogo della Croce
M. Villandro / Villanderer Barg
Sarentino / Sarnthein
Stava
Plaus
Naturno / Naturns
Santa Caterina
Senales
Clardes
Rio di Lagundo / Aschbach
Baslan
Engheda
Avelengo / Hafing
Valle
Cirlano Tschirland
Castel Taranto
Cermes
San Vigil
Castelbello / Kastelbell
Tabla / Tabland
Lacinigo
Pavicolo
Lana
Postal / Burgstall
M. di Meltina / Moltner Joch
Bagni
Ponticino / Bundschen
Foresta
S.Giorgio
Eschio / Aschl
Campidello / Kampidell
La Madonn
Sarent
Val di Penne
Gschnitztal
Val di Fleres
Val Ridanna
Val di Racines
Stubaier Alpen
Unterbergtal
Sulztal
Venter Tal
Gurgler Tal
ALPEN

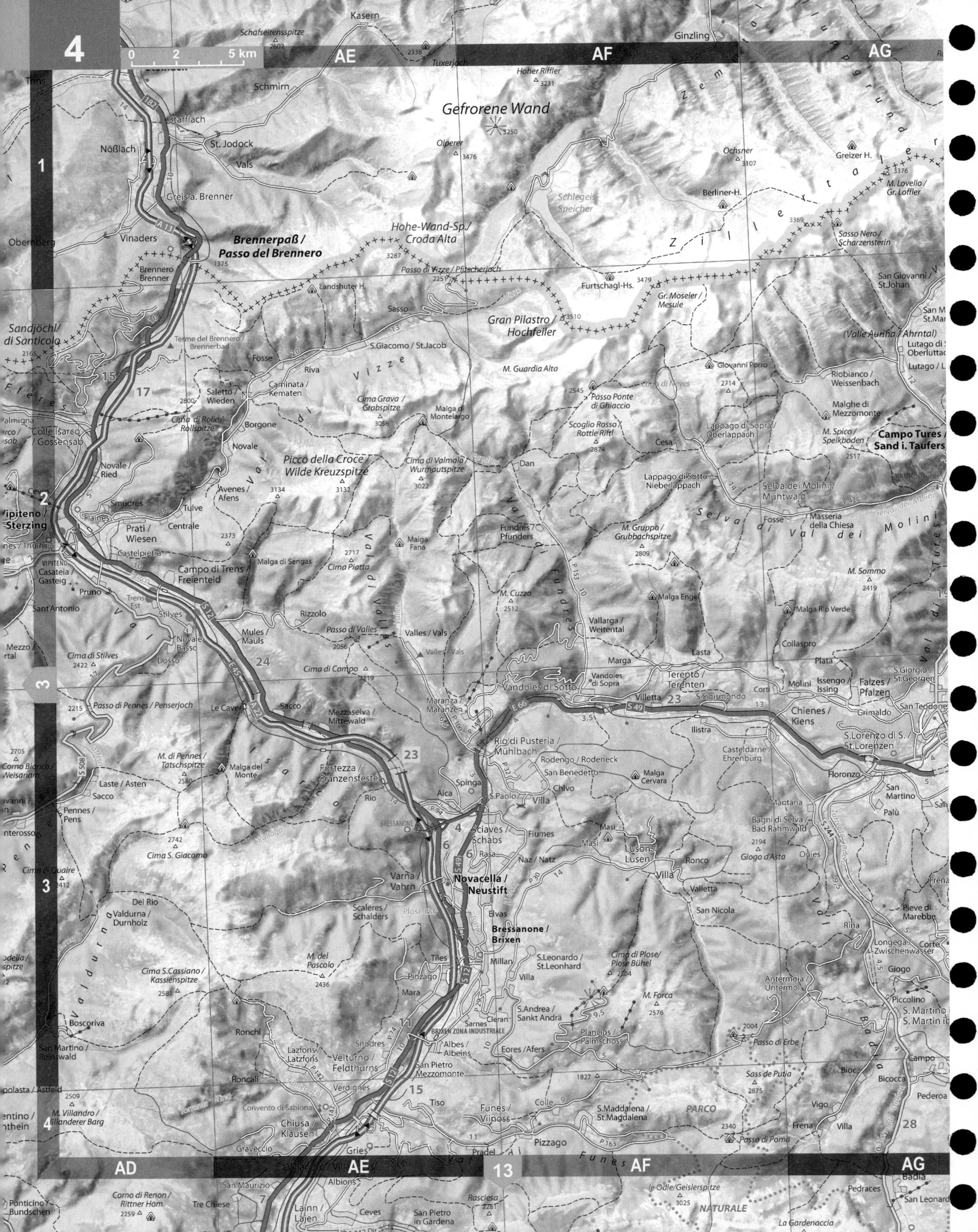

0 2 5 km
AE
AF
AG
Kasern
Schafseitenspitze
Ginzling
Tuxerjoch
Hoher Riffler
Schmirn
Gefrorene Wand
Stafflach
St. Jodock
Nößlach
Vals
Olperer
Ochsner
Greizer H.
Schlegeis Speicher
Berliner-H.
M. Lovello / Gr. Loffler
Gries a. Brenner
Vinaders
Obernberg
Brennerpaß / Passo del Brennero
Brennero / Brenner
Hohe-Wand-Sp./ Croda Alta
Passo di Vizze / Pfitscherjoch
Sasso Nero / Scharzensterin
Zillertal
Landshuter H.
Furtschagl-Hs.
Gr. Moseler / Mesule
San Giovanni / St.Johan
Sasso
Gran Pilastro / Hochfeiler
Sandjöchl / di Santicolo
Terme del Brennero / Brennerbad
S.Giacomo / St.Jacob
(Valle Aurina / Ahrntal)
Lutago / L
Fosse
Riva
Vizze
Caminata / Kematen
M. Guardia Alta
Giovanni Porro
Riobianco / Weissenbach
Saletto / Wieden
Cima di Rolle / Rollspitze
Borgone
Cima Grava / Grabspitze
Malga di Montelargo
Passo Ponte di Ghiaccio
Malghe di Mezzomonte
Colle Isarco / Gossensab
Novale
Scoglio Rosso / Rottle Riftl
Lappago di Sopra / Oberlappach
Cesa
M. Spico / Spelkboden
Campo Tures / Sand i. Taufers
Novale / Ried
Picco della Croce / Wilde Kreuzspitze
Cima di Valmala / Wurmautspitze
Dan
Lappago di Sotto / Nieberlappach
Selva dei Molini / Muhtwald
Avenes / Afens
Smudres
Tulve
Vipiteno / Sterzing
Prati / Wiesen
Centrale
Malga Fana
Fundres / Pfunders
Fosse
Masseria della Chiesa
M. Gruppo / Grubbachspitze
Selva di Val dei Molini
Castelpietra
Cima Piatta
Casateia / Gasteig
Campo di Trens / Freienfeld
Malga di Sengas
Pruno
Trens
M. Sommo
Sant'Antonio
Stilves
Rizzolo
M. Cuzzo
Malga Engel
Malga Rio Verde
Novale Basso
Mules / Mauls
Passo di Valles
Valles / Vals
Vallarga / Weitental
Collaspro
Cima di Stilves
Dosso
Cima di Campo
Marga
Lasta
Plata
Terento / Terenten
S.Giorgio / St.Georgen
Vandoies di Sotto
Vandoies di Sopra
Molini
Issengo / Issing
Falzes / Pfalzen
Passo di Pennes / Penserjoch
Le Cave
Sacco
Maranza / Maranzen
Villetta
S.Sigismondo
Corti
Chienes / Kiens
Grimaldo
San Teodone
Mezzaselva / Mittewald
Rio di Pusteria / Mühlbach
Ilistra
S.Lorenzo di S. / St.Lorenzen
M. di Pennes / Tatschspitze
Malga del Monte
Fortezza / Franzensfeste
Rodengo / Rodeneck
Casteldarne / Ehrenburg
San Benedetto
Malga Cervara
Florenzo
Corno Bianco / Weisanam
Laste / Asten
Spinga
Chivo
San Martino
Sacco
Rio
Aica
S.Paolo
Villa
Mantana
Palù
Pennes / Pens
Bagni di Selva / Bad Rahmwald
Sciaves / Schabs
Fiumes
Masi
Cima S. Giacomo
Rasa
Lusons / Lusen
Naz / Natz
Ronco
Giogo d'Asta
Ones
Cima di Quaire
Varna / Vahrn
Novacella / Neustift
Villa
Valletta
Del Rio
Valdurna / Durnholz
Scaleres / Schalders
Elvas
San Nicola
Pieve di Marebbe
Bressanone / Brixen
Rina
Longega / Zwischenwasser
Corte
M. del Pascolo
Tiles
S.Leonardo / St.Leonhard
Cima di Plose / Plose Bühel
Cima S.Cassiano / Kassienspitze
Millan
Pinzago
Villa
Giogo
Antermoia / Untermoi
Mara
Piccolino
S.Andrea / Sankt Andrä
M. Forca
S. Martino i / S. Martin i
Boscoriva
Sarnes
Cleran
BRIXEN ZONA INDUSTRIALE
Ronchi
Plancios / Palmschoss
Passo di Erbe
San Martino / Reinswald
Lazfons / Latzfons
Snodres
Albes / Albeins
Eores / Afers
Campo
Velturno / Feldthurns
San Pietro Mezzomonte
Bioc
Sass de Putia
Bicocca
Roncali
Verdignes
Pederoa
M. Villandro / Villanderer Barg
Convento di Sabiona
Tiso
Funes / Villnoss
Colle
S.Maddalena / St.Magdalena
PARCO
Vigo
Chiusa / Klausen
Pizzago
Passo di Poma
Frena
Villa
Graveccio
Gries
Pradel
Funes
AD
AE
13
AF
AG
San Maurizio
Albions
Badia
Corno di Renon / Rittner Horn
Tre Chiese
Lainn / Lajen
Rasciesa
le Odle / Geislerspitze
Pedraces
San Leonard
Ponticino / Bundschen
Ceves
San Pietro in Gardena
NATURALE
La Gardenaccia

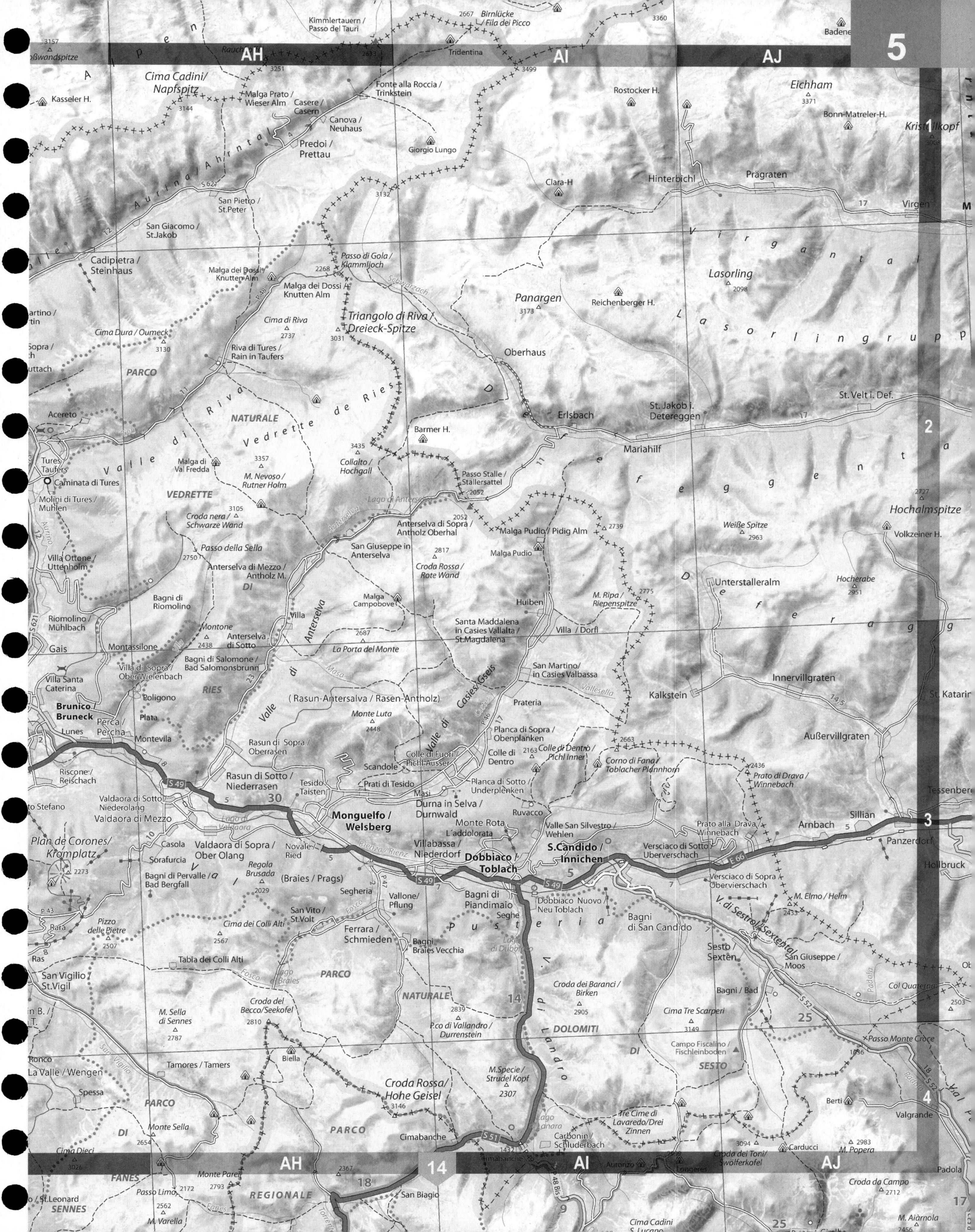
AH
AI
AJ
1
2
3
4
Kimmlertauern / Passo del Tauri
Birnlücke / Fila dei Picco
Tridentina
Cima Cadini / Napfspitz
Malga Prato / Wieser Alm
Fonte alla Roccia / Trinkstein
Kasseler H.
Casere / Casern
Canova / Neuhaus
Predoi / Prettau
Giorgio Lungo
Rostocker H.
Eichham
Bonn-Matreler-H.
Aurina / Ahrntal
San Pietro / St.Peter
San Giacomo / St.Jakob
Cadipietra / Steinhaus
Clara-H
Hinterbichl
Prägraten
Virgen
Virgental
Passo di Gola / Klammljoch
Malga dei Dossi / Knutten Alm
Lasorling
Lasorlinggrupp
Panargen
Reichenberger H.
Cima di Riva
Triangolo di Riva / Dreieck-Spitze
Cima Dura / Oumeck
Riva di Tures / Rain in Taufers
Oberhaus
PARCO
NATURALE
VEDRETTE
DI
RIES
Vedrette de Ries
Valle di Riva
Acereto
Erlsbach
St. Jakob i. Deteregge n
St. Velt i. Def.
Barmer H.
Tures / Taufers
Caminata di Tures
Malga di Val Fredda
M. Nevoso / Rutner Holm
Collalto / Hochgall
Mariahilf
Defereggental
Passo Stalle / Stallersattel
Hochalmspitze
Molini di Tures / Muhlen
Croda nera / Schwarze Wand
Lago di Anterselva
Anterselva di Sopra / Antholz Oberhal
Malga Pudio / Pidig Alm
Weiße Spitze
Volkzeiner H.
Passo della Sella
San Giuseppe in Anterselva
Villa Ottone / Uttenholm
Anterselva di Mezzo / Antholz M.
Croda Rossa / Rote Wand
Malga Pudio
Unterstalleralm
Hocherabe
Bagni di Riomolino
Malga Campobove
Huiben
M. Ripa / Riepenspitze
Riomolino / Mühlbach
Villa
Montone
Anterselva di Sotto
Santa Maddalena in Casies Vallalta / St.Magdalena
Villa / Dorfl
Gais
Montassilone
La Porta del Monte
Villa di Sopra / Ober Wielenbach
Bagni di Salomone / Bad Salomonsbrunn
San Martino / in Casies Valbassa
Innervillgraten
Villa Santa Caterina
Valle di Anterselva
Valle di Casies / Gsies
Kalkstein
Brunico / Bruneck
Poligono
Perca / Percha
(Rasun-Antersalva / Rasen-Antholz)
Prateria
Plata
Monte Luta
Lunes
Montevila
Rasun di Sopra / Oberrasen
Planca di Sopra / Obenplanken
Außervillgraten
Colle di Fuori / Pichl-Ausser
Colle di Dentro
Colle di Dentro / Pichl Inner
Corno di Fana / Toblacher Pfannhorn
Prato di Drava / Winnebach
Riscone / Reischach
Scandole
Rasun di Sotto / Niederrasen
Tesido / Taisten
Prati di Tesido
Planca di Sotto / Underplenken
Tessenberg
Valdaora di Sotto / Niederolang
Valdaora di Mezzo
Monguelfo / Welsberg
Masi
Durna in Selva / Durnwald
Ruvacco
Sillian
Arnbach
Monte Rota
L'addolorata
Valle San Silvestro / Wehlen
Prato alla Drava / Winnebach
Plan de Corones / Kronplatz
Casola
Valdaora di Sopra / Ober Olang
Novale / Ried
Villabassa / Niederdorf
Dobbiaco / Toblach
S.Candido / Innichen
Versciaco di Sotto / Uberverschach
Panzerdorf
Hollbruck
Sorafurcia
Regola Brusada
Bagni di Pervalle / Bad Bergfall
(Braies / Prags)
Versciaco di Sopra / Obervierschach
Segheria
Vallone / Pflung
Bagni di Piandimaio
Dobbiaco Nuovo / Neu Toblach
M. Elmo / Helm
Pizzo delle Pietre
Cima dei Colli Alti
San Vito / St.Volt
Seghe
Pusteria
Bagni di San Candido
V. di Sesto / Sextental
Ferrara / Schmieden
Bagni Braies Vecchia
Lago di Dobbiaco
Sesto / Sexten
Ras
Tabia dei Colli Alti
San Giuseppe / Moos
San Vigilio / St.Vigil
Lago di Braies
PARCO
NATURALE
V. di Landro
Bagni / Bad
Col Quaterna
Croda dei Baranci / Birken
M. Sella di Sennes
Croda del Becco / Seekofel
P.co di Vallandro / Durrenstein
Cima Tre Scarperi
DOLOMITI
DI
SESTO
Passo Monte Croce
Campo Fiscalino / Fischleinboden
Ronco
La Valle / Wengen
Tamores / Tamers
Biella
M.Specie / Strudel Kopf
Spessa
Croda Rossa / Hohe Geisel
PARCO
Berti
Valgrande
Tre Cime di Lavaredo / Drei Zinnen
Monte Sella
DI
PARCO
Cimabanche
Lago Landro
Carbonin / Schluderbach
Carducci
Cima Dieci
Croda dei Toni / Zwölferkofel
M. Popera
FANES
Monte Parei
Cimabanche
Auronzo
Longeres
Padola
Passo Limo
REGIONALE
San Biagio
Croda da Campo
St.Leonard
SENNES
M. Varella
Cima Cadini S. Lucano
M. Aiarnola
14
17

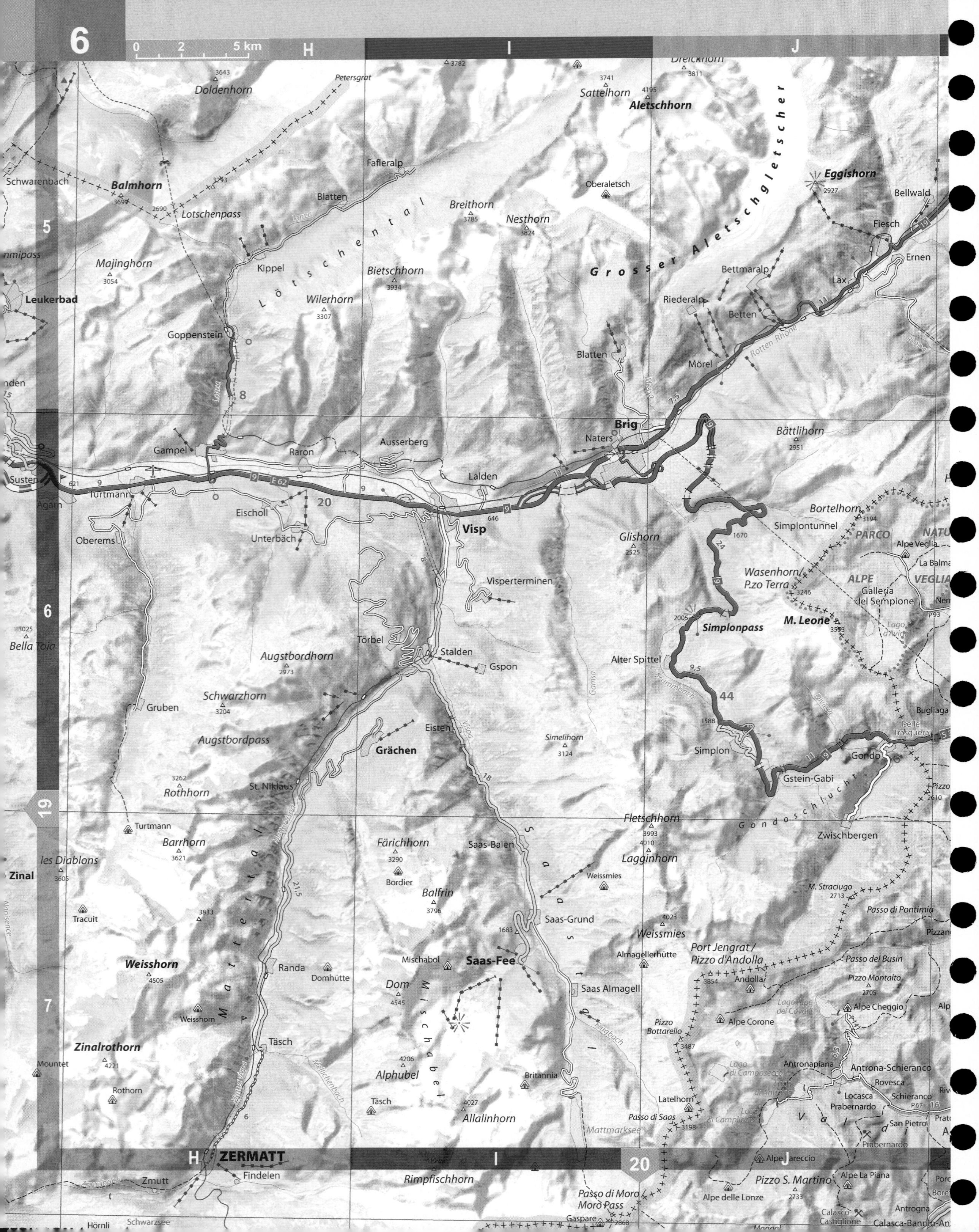
0 2 5 km
H
I
J
Doldenhorn
Petersgrat
Sattelhorn
Aletschhorn
Dreieckhorn
Grosser Aletschgletscher
Schwarenbach
Balmhorn
Lotschenpass
Fafleralp
Blatten
Lötschental
Breithorn
Nesthorn
Oberaletsch
Eggishorn
Bellwald
Fiesch
Ernen
Majinghorn
Leukerbad
Kippel
Bietschhorn
Wilerhorn
Bettmeralp
Riederalp
Betten
Lax
Goppenstein
Blatten
Mörel
Rotten Rhone
Gampel
Raron
Ausserberg
Brig
Naters
Bättlihorn
Susten
Agarn
Turtmann
Lalden
Eischoll
Visp
Unterbäch
Oberems
Glishorn
Bortelhorn
Simplontunnel
Alpe Veglia
Wasenhorn/
P.zo Terra
Galleria del Sempione
Visperterminen
Simplonpass
M. Leone
Bella Tola
Törbel
Stalden
Gspon
Augstbordhorn
Alter Spittel
Schwarzhorn
Gruben
Augstbordpass
Eisten
Grächen
Simelihorn
Simplon
Gondo
Gstein-Gabi
Rothorn
St. Niklaus
Turtmann
Fletschhorn
Gondoschlucht
Zwischbergen
Barrhorn
Färichhorn
Saas-Balen
Lagginhorn
les Diablons
Zinal
Bordier
Balfrin
Weissmies
M. Straciugo
Passo di Pontimia
Tracuit
Saas-Grund
Weissmies
Port Jengrat /
Pizzo d'Andolla
Passo del Busin
Weisshorn
Randa
Domhütte
Mischabel
Saas-Fee
Almagellerhütte
Andolla
Pizzo Montalto
Dom
Saas Almagell
Alpe Cheggio
Weisshorn
Mattertal
Alpe Corone
Pizzo Bottarello
Zinalrothorn
Täsch
Antronapiana
Antrona-Schieranco
Mountet
Alphubel
Britannia
Rovesca
Rothorn
Täsch
Allalinhorn
Latelhorn
Locasca
Schieranco
Prabernardo
Passo di Saas
Mattmarksee
San Pietro
ZERMATT
Findelen
Zmutt
Rimpfischhorn
Alpe Jareccio
20
Alpe La Piana
Pizzo S. Martino
Passo di Moro
Moro Pass
Alpe delle Lonze
Antrogna
Hörnli
Schwarzsee
Gaspare
Calasco
19

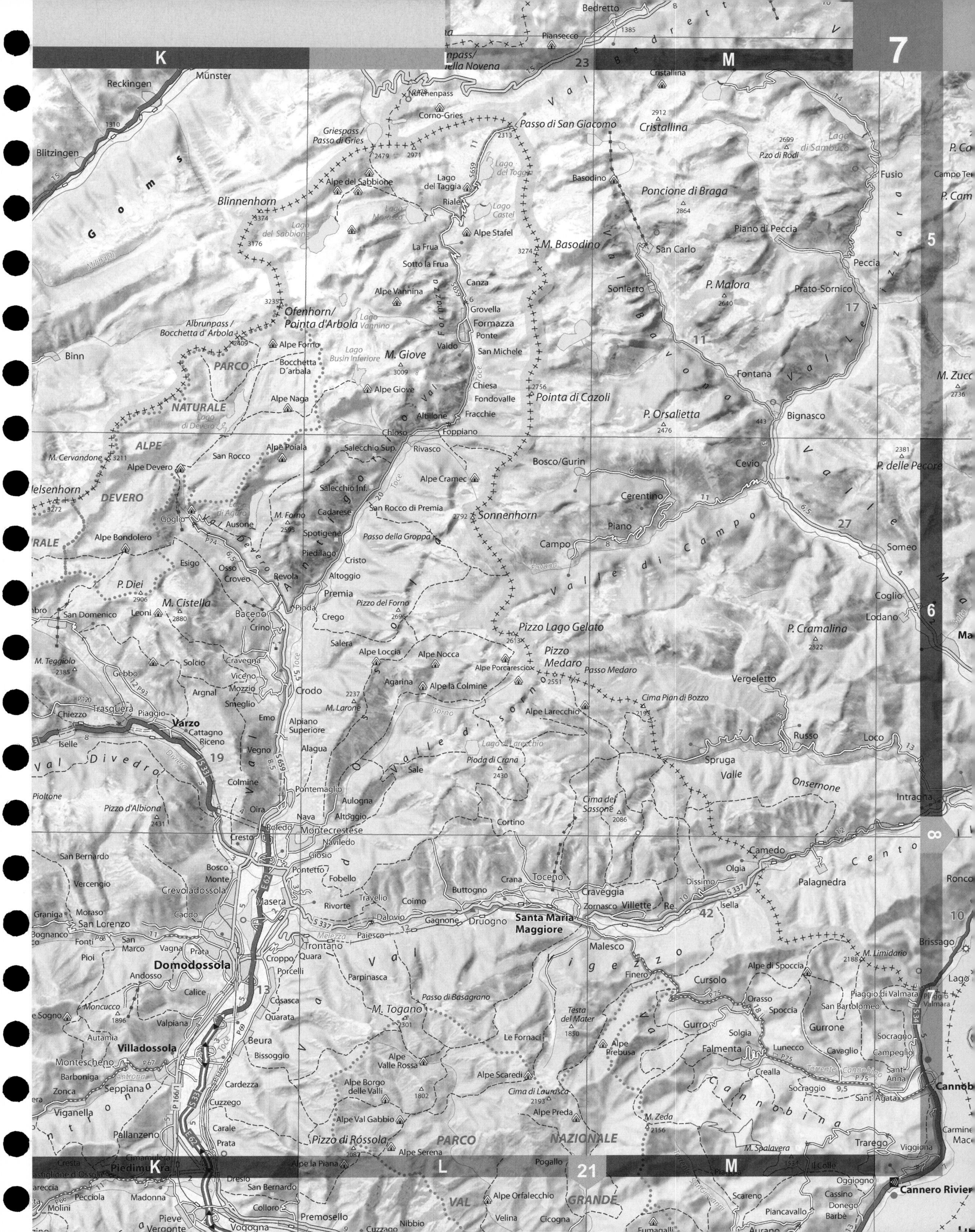
7
K
M
23
Bedretto
Piansecco
1385
Val Bedretto
Münster
Reckingen
1310
Blitzingen
Goms
Nufenenpass
Corno-Gries
Griespass /
Passo di Gries
2479
2971
Passo di San Giacomo
2313
Cristallina
2912
Cristallina
2699
P.zo di Rodi
Lago di Sambuco
Fusio
Alpe del Sabbione
Lago del Taggia
Lago del Toggia
Basodino
Poncione di Braga
2864
Blinnenhorn
3374
Lago del Sabbione
Lago Morasco
Riale
Lago Castel
Alpe Stafel
Piano di Peccia
3176
La Frua
3274
M. Basodino
San Carlo
Sotto la Frua
Peccia
Canza
Sonlerto
P. Malora
2640
Prato-Sornico
Alpe Vannina
Val Bavona
17
3235
Ofenhorn/
Pointa d'Arbola
Lago Vannino
Grovella
Formazza
Ponte
Val Formazza
Albrunpass /
Bocchetta d' Arbola
2409
Alpe Forno
Valdo
11
Binn
PARCO
Lago Busin Inferiore
M. Giove
3009
San Michele
Bocchetta D'arbola
Fontana
Val Lavizzara
M. Zucc
2736
Alpe Giove
2756
Chiesa
Alpe Naga
Fondovalle
Pointa di Cazoli
NATURALE
Lago di Devero
Altillone
Fracchie
P. Orsalietta
2476
443
Bignasco
Chioso
Foppiano
ALPE
M. Cervandone
3211
Alpe Poiala
San Rocco
Salecchio Sup.
Rivasco
2381
P. delle Pecore
Alpe Devero
Bosco/Gurin
Cevio
Alpe Cramec
Helsenhorn
DEVERO
Salecchio Inf.
Cerentino
3272
Valle Antigorio
San Rocco di Premia
Lago di Agaro
Goglio
Ausone
M. Forno
2595
2792
Sonnenhorn
Piano
27
Val Devero
Cadarese
Alpe Bondolero
Spotigene
Passo della Groppa
Campo
Someo
Piedilago
Valle di Campo
Esigo
Osso
Cristo
Rovana
P. Diei
2906
Croveo
Revola
Altoggio
Coglio
M. Cistella
Premia
Leoni
2880
San Domenico
Baceno
Pioda
Pizzo del Forno
2696
Lodano
Crego
Pizzo Lago Gelato
P. Cramalina
Crino
2613
2322
M. Teggiolo
2385
Salera
Pizzo Medaro
Alpe Loccia
Alpe Nocca
Solcio
Cravegna
Alpe Porcarescio
2551
Passo Medaro
Gebbo
Viceno
Mozzio
Agarina
Alpe la Colmine
Vergeletto
Crodo
2237
Cima Pian di Bozzo
Argnal
P. 120
Smeglio
M. Larone
Alpe Larecchio
2193
Trasquera
Chiezzo
Piaggio
Emo
Alpiano Superiore
Varzo
Cattagno
Riceno
Valle d'Isorno
Russo
Iselle
Loco
Lago di Larecchio
Vegno
Alagua
Pioda di Crana
Spruga
Val Divedro
19
2430
Valle Onsernone
Sale
Colmine
Pontemaglio
Cima del Sassone
Pioltone
Aulogna
Intragna
Pizzo d'Albiona
2431
Oira
Altoggio
2086
Cortino
Nava
Roledo
Montecrestese
Cresto
Naviledo
Camedo
Giosio
San Bernardo
Valle Centovalli
Bosco
Pontetto
Olgia
Monte
Fobello
Crana
Toceno
Dissimo
Palagnedra
Ronco
Vercengio
Crevoladossola
Buttogno
Craveggia
Travelio
Coimo
Masera
Zornasco
Villette
Re
Isella
Caddo
Rivorte
42
Graniga
Moraso
Dalovio
Gagnone
Druogno
Santa Maria Maggiore
San Lorenzo
S 337
10
Paiesco
Bognanco
Fonti
San Marco
Melezza
Brissago
Trontano
Vagna
Prata
Malesco
Valle Vigezzo
M. Limidario
2188
Pioi
Quara
Croppo
Finero
Alpe di Spoccia
Domodossola
Porcelli
Lago
Andosso
Parpinasca
Cursolo
Valle Vigezzo
Calice
13
Orasso
Piaggio di Valmara
Passo di Basagrano
Moncucco
Cosasca
Spoccia
San Bartolomeo
1896
Sogno
M. Togano
Quarata
2301
Testa del Mater
1850
Valpiana
Gurro
Gurrone
Autamia
Beura
Le Fornaci
Solgia
Socragno
Alpe Prebusa
Villadossola
Bissoggio
Alpe Valle Rossa
Falmenta
Lunecco
Cavaglio
Campeglio
Montescheno
Barbonigla
Crealla
Torrente Cannobino
Sant' Anna
Seppiana
Alpe Scaredi
Cannobio
Antrona
Cardezza
Alpe Borgo delle Valli
1802
Socraggio
Sant' Agata
Zonca
Cima di Laurasca
2193
Viganella
Cuzzego
Alpe Val Gabbio
Alpe Preda
Valle Cannobina
Valle Antrona
M. Zeda
2156
Carmine
Pallanzeno
Carale
Prata
Pizzo di Róssola
PARCO
NAZIONALE
Traffiume
Viggiona
2087
M. Spalavera
Alpe Serena
Cresta
Piedimulera
Alpe la Piana
Pogallo
21
Il Colle
L
Plancia
Oggiogno
Cannero Riviera
Castiglione d'Ossola
Dresio
San Bernardo
Pecciola
Madonna
VAL
Alpe Orfalecchio
GRANDE
Scareno
Cassino
Donego
Molini
Colloro
Piancavallo
Barbè
Premosello
Pieve Vergonte
Vogogna
Nibbio
Velina
Cicogna
Fumagalli
Cuzzago
Aurano

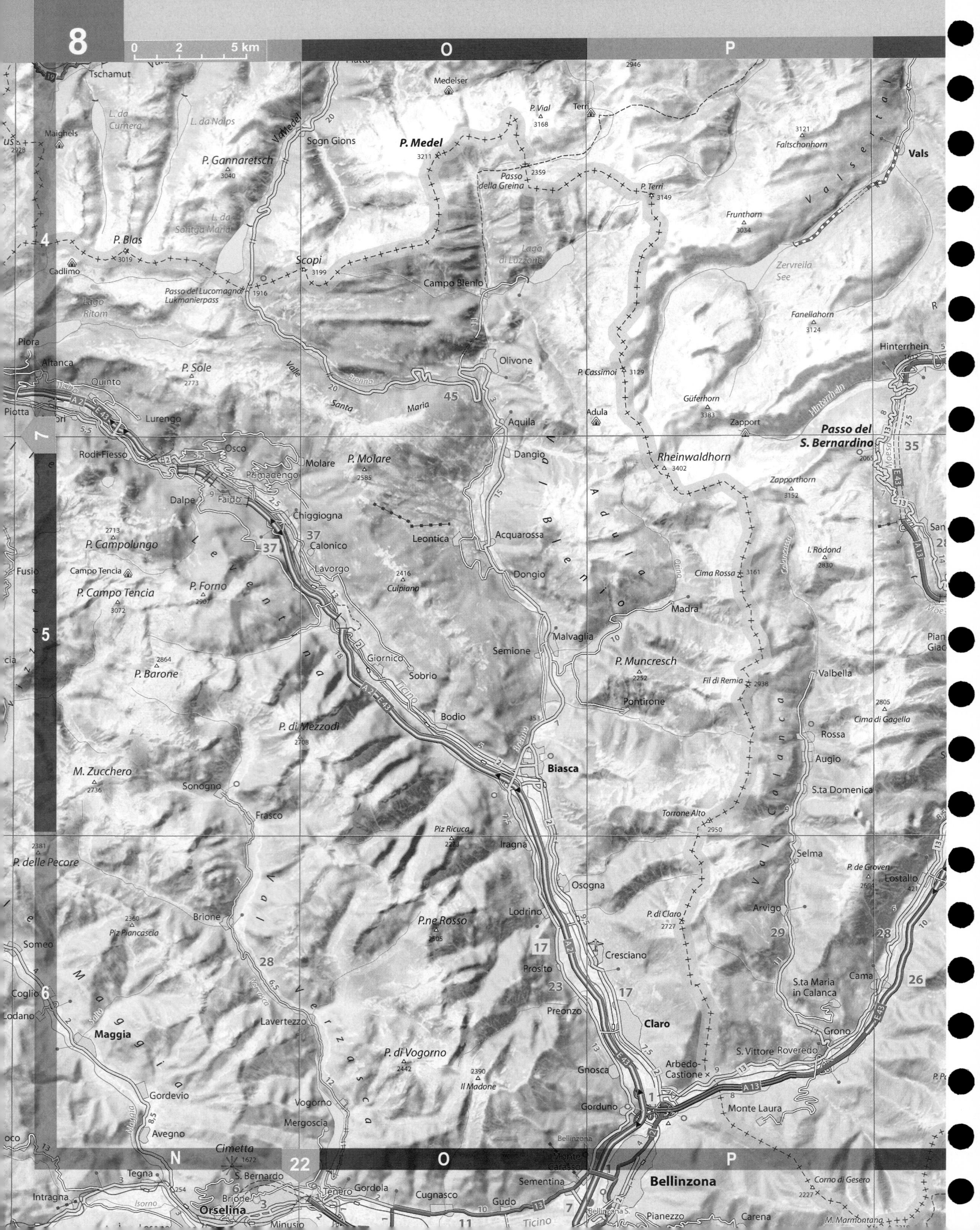

0 2 5 km
O
P
Tschamut
Medelser
Terri
P. Vial
3168
L. da Curnera
L. da Naips
Maighels
Sogn Gions
P. Medel
3211
P. Gannaretsch
3040
Passo della Greina
2359
P. Terri
3149
3121
Faltschonhorn
Vals
Frunthorn
3034
L. da Sontga Maria
P. Blas
3019
Scopi
3199
Cadlimo
Passo del Lucomagno
Lukmanierpass
1916
Campo Blenio
Lago di Luzzone
Zervreila See
Valsertal
Lago Ritom
Fanellahorn
3124
Piora
Altanca
P. Sole
2773
Olivone
P. Cassimoi
3129
Hinterrhein
Quinto
Valle Santa Maria
Brenno
45
Güferhorn
3383
Adula
Zapport
Piotta
Lurengo
Aquila
Passo del S. Bernardino
2065
35
Rodi-Fiesso
Osco
Molare
P. Molare
2585
Dangio
Rheinwaldhorn
3402
Primadengo
Zapporthorn
3152
Dalpe
Faido
Chiggiogna
2713
P. Campolungo
37
Calonico
Leontica
Acquarossa
Val Blenio
Adula
I. Rodond
2830
Fusio
Campo Tencia
Lavorgo
2416
Culpiana
Dongio
Cima Rossa
3161
P. Campo Tencia
3072
P. Forno
2907
Leventina
Madra
Malvaglia
Semione
2864
P. Barone
Giornico
Sobrio
P. Muncresch
2252
Fil di Remia
2938
Valbella
Pontirone
Bodio
2805
Cima di Gagella
P. di Mezzodi
2708
Rossa
Biasca
Augio
M. Zucchero
2736
Sonogno
S.ta Domenica
Frasco
Torrone Alto
2950
Val Calanca
2381
Piz Ricuca
2273
Iragna
P. delle Pecore
Selma
P. de Groven
Lostallo
Osogna
Brione
2360
Piz Piancascia
Lodrino
P.ne Rosso
2505
P. di Claro
2727
Arvigo
29
28
Someo
Val Verzasca
17
Cresciano
Prosito
23
S.ta Maria in Calanca
Cama
26
Coglio
Lodano
Maggia
Lavertezzo
Preonzo
Claro
Grono
Valle Maggia
P. di Vogorno
2442
2390
Il Madone
Gnosca
S. Vittore
Roveredo
Arbedo-Castione
Gordevio
Vogorno
Gorduno
Monte Laura
Mergoscia
Avegno
Bellinzona
Cimetta
1672
N
22
Monte Carasso
Tegna
S. Bernardo
Sementina
Bellinzona
Corno di Gesero
2227
Intragna
Brione
Gordola
Cugnasco
Orselina
Tenero
Gudo
Isorno
Ticino
Pianezzo
Carena
M. Marmontana
Minusio

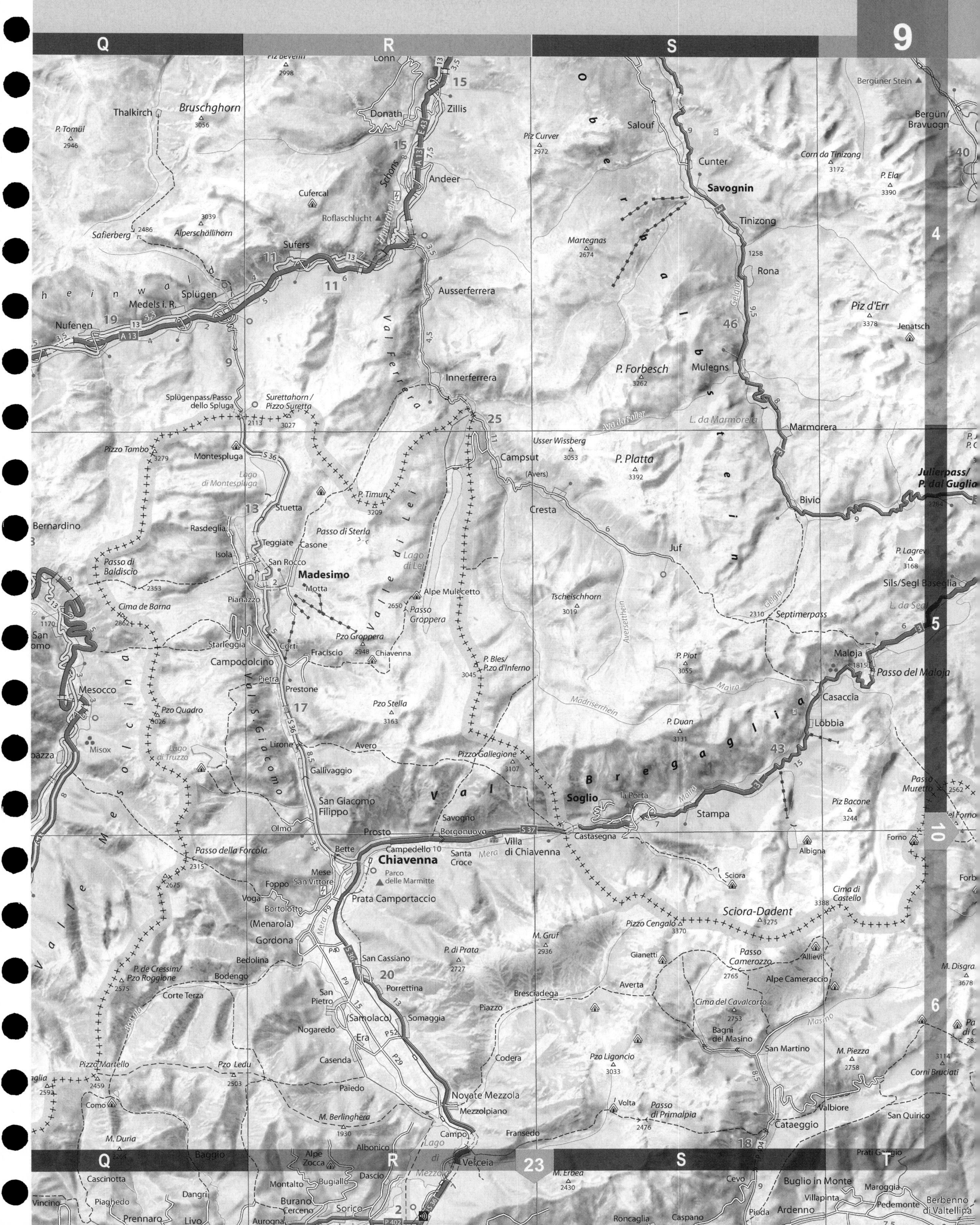
Thalkirch
Bruschghorn
3056
P. Tomül
2946
Lohn
Donath
Zillis
Schons
Andeer
Salouf
Piz Curver
2972
Cunter
Savognin
Tinizong
Bergüner Stein
Bergün/
Bravuogn
Corn da Tinizong
3172
P. Ela
3390
Cufercal
Roflaschlucht
Safierberg
2486
3039
Alperschällihorn
Sufers
Martegnas
2674
Rona
Ausserferrera
Splügen
Medels i. R.
Nufenen
Piz d'Err
3378
Jenatsch
Innerferrera
P. Forbesch
3262
Mulegns
Splügenpass/Passo dello Spluga
Surettahorn /
Pizzo Suretta
2113
3027
Ava da Faller
L. da Marmorera
Marmorera
Pizzo Tambo
3279
Montespluga
Lago di Montespluga
Campsut
(Avers)
Usser Wissberg
3053
P. Platta
3392
Julierpass/
P. dal Guglia
2284
Bivio
Cresta
P. Timun
3209
Stuetta
Bernardino
Rasdeglia
Passo di Sterla
Teggiate
Casone
Juf
Isola
San Rocco
Lago di Lei
Passo di Baldiscio
Madesimo
Motta
P. Lagrev
3168
Sils/Segl Baselgia
2353
Pianazzo
Alpe Mulecetto
2650
Passo Groppera
Tscheischhorn
3019
Averserrhein
Septimerpass
2310
L. da Segl
Cima de Barna
2862
Starleggia
Corti
Pzo Groppera
2948
Chiavenna
Fraciscio
Campodolcino
P. Bles/
P.zo d'Inferno
3045
P. Piot
3055
Maloja
1815
Passo del Maloja
Mesocco
Pietra
Prestone
Madriserrhein
Maira
Casaccia
Pzo Quadro
3026
Pzo Stella
3163
P. Duan
3131
Löbbia
Misox
Lago di Truzzo
Lirone
Avero
Pizzo Gallegione
3107
Gallivaggio
Val Bregaglia
Passo Muretto
2562
Soglio
la Porta
Piz Bacone
3244
San Giacomo
Filippo
Savogno
Stampa
Val S. Giacomo
Valle Mesolcina
Olmo
Prosto
Borgonuovo
Villa di Chiavenna
Castasegna
Forno
Albigna
Passo della Forcola
2315
Bette
Campedello
Santa Croce
Mera
Chiavenna
Mese
Parco delle Marmitte
Sciora
2675
Foppo
San Vittore
Voga
Bortolotto
Prata Camportaccio
Cima di Castello
3388
Sciora-Dadent
3275
Pizzo Cengalo
3370
(Menarola)
Gordona
M. Gruf
2936
P. di Prata
2727
San Cassiano
Gianetti
Passo Camerozzo
2765
Allievi
M. Disgrazia
3678
Bedolina
P. de Cressim/
Pzo Roggione
2575
Bodengo
Porrettina
Alpe Cameraccio
Averta
Corte Terza
San Pietro
Bresciadega
Cima del Cavalcorto
2753
(Samolaco)
Somaggia
Piazzo
Bagni del Masino
Masino
Nogaredo
Era
San Martino
M. Piezza
2758
Pizzo Martello
Pzo Ledu
2503
Casenda
Codera
Pzo Ligoncio
3033
3114
Corni Bruciati
2459
2593
Paiedo
Novate Mezzola
Como
Volta
Passo di Primalpia
2476
Valbiore
Mezzolpiano
M. Berlinghera
1930
San Quirico
Cataeggio
Fransedo
M. Duria
2264
Campo
Albonico
Lago di Mezzola
Baggio
Alpe Zocca
Verceia
Prati Gaggio
Cascinotta
Dascio
M. Erbea
2430
Montalto
Bugiallo
Cevo
Buglio in Monte
Maroggia
Dangri
Villapinta
Vincino
Piaghedo
Burano
Cerceno
Sorico
Pedemonte
Berbenno di Valtellina
Prennaro
Livo
Aurogna
Roncaglia
Caspano
Pioda
Ardenno

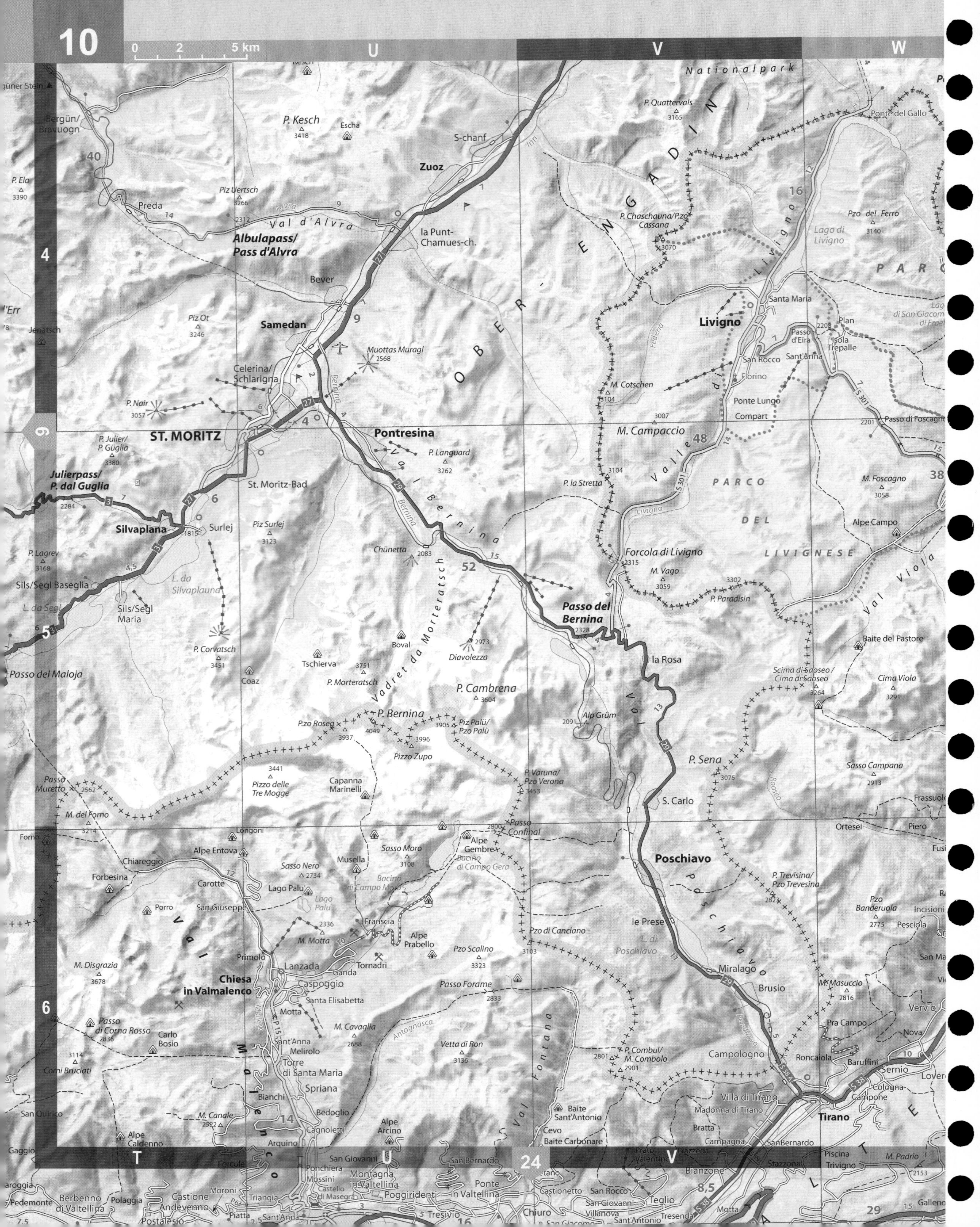
0 2 5 km
U
V
W
Nationalpark
P. Kesch
Escha
S-chanf
Zuoz
P. Quattervals
Bergün/ Bravuogn
P. Ela
Preda
Piz Uertsch
Val d'Alvra
Albulapass/ Pass d'Alvra
la Punt-Chamues-ch.
P. Chaschauna/P.zo Cassana
Lago di Livigno
Pzo del Ferro
Bever
Samedan
Piz Ot
Jenatsch
Muottas Muragl
OBER ENGADIN
Santa Maria
Livigno
Passo d'Eira
Isola
Trepalle
Plan
San Rocco
Sant'Anna
Florino
Celerina/ Schlarigna
M. Cotschen
Ponte Lungo
Compart
P. Nair
ST. MORITZ
Pontresina
M. Campaccio
Valle di Livigno
Passo di Foscagno
P. Julier/ P. Güglia
P. Languard
Julierpass/ P. dal Guglia
St. Moritz-Bad
P. la Stretta
PARCO DEL LIVIGNESE
M. Foscagno
Silvaplana
Surlej
Piz Surlej
Val Bernina
Alpe Campo
Chünetta
Forcola di Livigno
P. Lagrev
Sils/Segl Baseglia
L. da Silvaplauna
M. Vago
P. Paradisin
Val Viola
L. da Segl
Sils/Segl Maria
Passo del Bernina
Boval
Diavolezza
Baite del Pastore
Passo del Maloja
P. Corvatsch
Coaz
Tschierva
P. Morteratsch
Vadret da Morteratsch
la Rosa
Scima di Saoseo / Cima di Saoseo
Cima Viola
P. Cambrena
P. Bernina
P.zo Roseg
Piz Palü/ Pzo Palù
Pizzo Zupo
Alp Grüm
Val Poschiavo
P. Sena
Sasso Campana
Passo Muretto
Pizzo delle Tre Mogge
Capanna Marinelli
P. Varuna/ Pzo Verona
S. Carlo
Frassuolo
M. del Forno
Passo Confinal
Ortesei
Piero
Forno
Longoni
Alpe Entova
Alpe Gembre
Bacino di Campo Gera
Sasso Moro
Poschiavo
Chiareggio
Musella
Sasso Nero
P. Trevisina/ Pzo Trevesina
Forbesina
Carotte
Lago Palù
Bacino di Campo Moro
Pzo Banderuola
Incisioni
Porro
San Giuseppe
Franscia
le Prese
Pesciola
Val Malenco
M. Motta
Alpe Prabello
Pzo di Canciano
L. di Poschiavo
Primolo
Pzo Scalino
M. Disgrazia
Lanzada
Tornadri
Miralago
Chiesa in Valmalenco
Caspoggio
Ganda
Passo Forame
M. Masuccio
Brusio
Santa Elisabetta
Motta
Passo di Corna Rosso
Carlo Bosio
M. Cavaglia
Antognasca
Pra Campo
Vervio
Sant'Anna
Melirolo
Vetta di Ron
P. Combul/ M. Combolo
Campologno
Roncaiola
Nova
Corni Bruciati
Torre di Santa Maria
Val Fontana
Baruffini
Sernio
Spriana
Villa di Tirano
Cologna
Campone
Lovero
Bianchi
Madonna di Tirano
San Quirico
Bedoglio
Baite Sant'Antonio
M. Canale
Alpe Arcino
Tirano
Bratta
Alpe Caldenno
Cagnoletti
Cevo
Baite Carbonare
Campagna
San Bernardo
Gaggio
Arquino
T
U
24
V
San Giovanni
San Bernardo
Piscina
M. Padrio
Forcola
Ponchiera
Montagna in Valtellina
Stazzona
Trivigno
Mossini
Castello di Masegra
Ponte in Valtellina
Bianzone
Berbenno di Valtellina
Pedemonte
Polaggia
Castione Andevenno
Moroni
Triangia
Poggiridenti
Castionetto
San Rocco
San Giovanni
Teglio
Postalesio
Piatta
Sant'Anna
Tresivio
Chiuro
Villanova
Sant'Antonio
Tresenda
Motta
Galleno

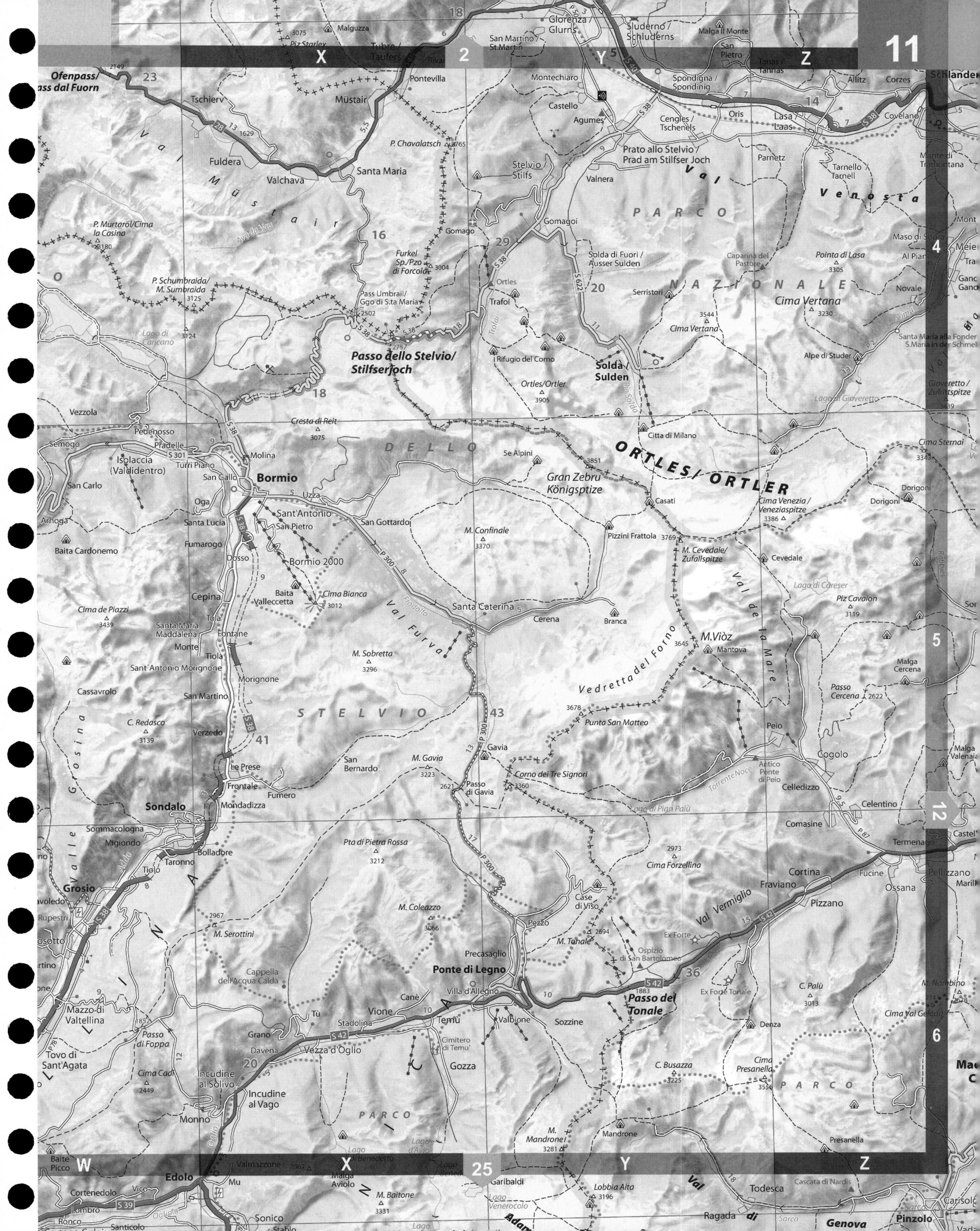
11
X
Y
Z
W
2
25
12
4
5
6
Glorenza / Glurns
Sluderno / Schluderns
Malga il Monte
San Martino / St.Martin
Malguzza
Piz Starlex
Tubre / Taufers
Ofenpass / Pass dal Fuorn
Schlanders
Pontevilla
Montechiaro
Spondigna / Spondinig
Allitz
Corzes
Tschierv
Müstair
Castello
Agumes
Cengles / Tschengls
Oris
Lasa / Laas
Covelano
P. Chavalatsch
Prato allo Stelvio / Prad am Stilfser Joch
Parnetz
Fuldera
Valchava
Santa Maria
Stelvio / Stilfs
Valnera
Tarnello / Tarnell
Val Müstair
Val Venosta
PARCO
Gomagoi
Gomago
P. Murtaröl/Cima la Casina
Furkel Sp./Pzo di Forcola
Solda di Fuori / Ausser Sulden
Pointa di Lasa
P. Schumbraida/ M. Sumbraida
Ortles
Trafoi
Serristori
NAZIONALE
Cima Vertana
Novale
Pass Umbrail/ Ggo di S.ta Maria
Lago di Cancano
Passo dello Stelvio/ Stilfserjoch
Rifugio del Corno
Solda / Sulden
Alpe di Studer
Ortles/Ortler
Vezzola
Cresta di Reit
Citta di Milano
Pedenosso
Semogo
Pradelle
Isolaccia (Valdidentro)
Turri Piano
Molina
San Gallo
Bormio
DELLO
ORTLES/ ORTLER
Gran Zebru Königspitze
Cima Sternai
San Carlo
Oga
Uzza
Sant'Antonio
San Pietro
San Gottardo
Casati
Cima Venezia / Veneziaspitze
Dorigoni
Arnoga
Santa Lucia
M. Confinale
Pizzini Frattola
M. Cevedale/ Zufallspitze
Cevedale
Baita Cardonemo
Fumarogo
Dosso
Bormio 2000
Val de la Mare
Lago di Careser
Cepina
Baita Vallecetta
Cima Bianca
Cima de Piazzi
Santa Caterina
Piz Cavalon
Val Furva
Cerena
Branca
Santa Maria Maddalena
Fontane
M.Viòz
Mantova
Monte
Tiola
M. Sobretta
Sant'Antonio Morignone
Malga Cercena
Morignone
Vedretta del Forno
Passo Cercena
Cassavrolo
San Martino
STELVIO
C. Redasco
Punta San Matteo
Peio
Verzedo
Gavia
Cogolo
San Bernardo
M. Gavia
Corno dei Tre Signori
Antico Ponte di Peio
Le Prese
Passo di Gavia
Frontale
Fumero
Celledizzo
Sondalo
Mondadizza
Lago di Pian Palù
Celentino
Sommacologna
Migiondo
Comasine
Bolladore
Pta di Pietra Rossa
Termenago
Taronno
Tiolo
Cima Forzellina
Grosio
Cortina
Fucine
Fraviano
Ossana
Pellizzano
Val Vermiglio
M. Coleazzo
Case di Viso
Pizzano
M. Serottini
Pezzo
Ex Forte
M. Tonale
Ospizio di San Bartolomeo
Precasaglio
Ponte di Legno
Cappella dell'Acqua Calda
Villa d'Allegno
Passo del Tonale
Ex Forte Tonale
C. Palù
M. Nambino
Canè
Vione
Mazzo di Valtellina
Tù
Stadolina
Temù
Valbione
Sozzine
Denza
Cima Val Gelada
Passo di Foppa
Grano
Davena
Vezza d'Oglio
Cimitero di Temu'
Tovo di Sant'Agata
Cima Cadi
Gozza
C. Busazza
Cima Presanella
Incudine al Solivo
Incudine al Vago
PARCO
Monno
M. Mandrone
Mandrone
Presanella
Lago di Benedetto
Lago d'Avio
Baite Picco
Valmazzone
Edolo
Mu
Malga Aviolo
Garibaldi
Lobbia Alta
Todesca
Cascata di Nardis
Cortenedolo
Vico
M. Baitone
Lago Venerocolo
Carisolo
Lombro
Sonico
Ragada
Val di Genova
Pinzolo
Ronco
Santicolo
Stablo

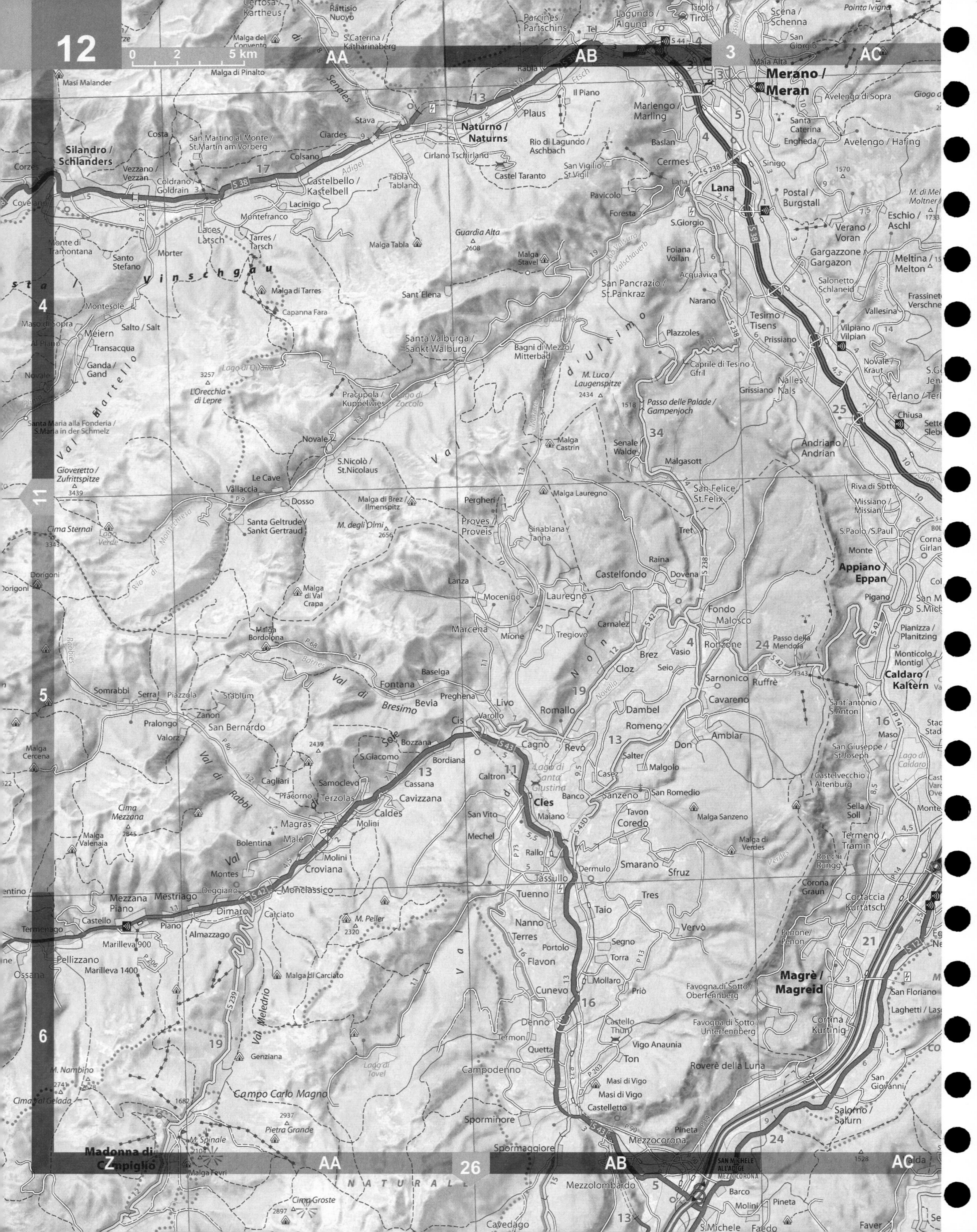

0 2 5 km
AA
AB
3
AC
Merano / Meran
Naturno / Naturns
Silandro / Schlanders
Lana
Vinschgau
Val d'Ultimo
Val di Non
Cles
Appiano / Eppan
Caldaro / Kaltern
Magrè / Magreid
Fondo
Malosco
Madonna di Campiglio
Z
AA
26
AB
AC
11
4
5
6

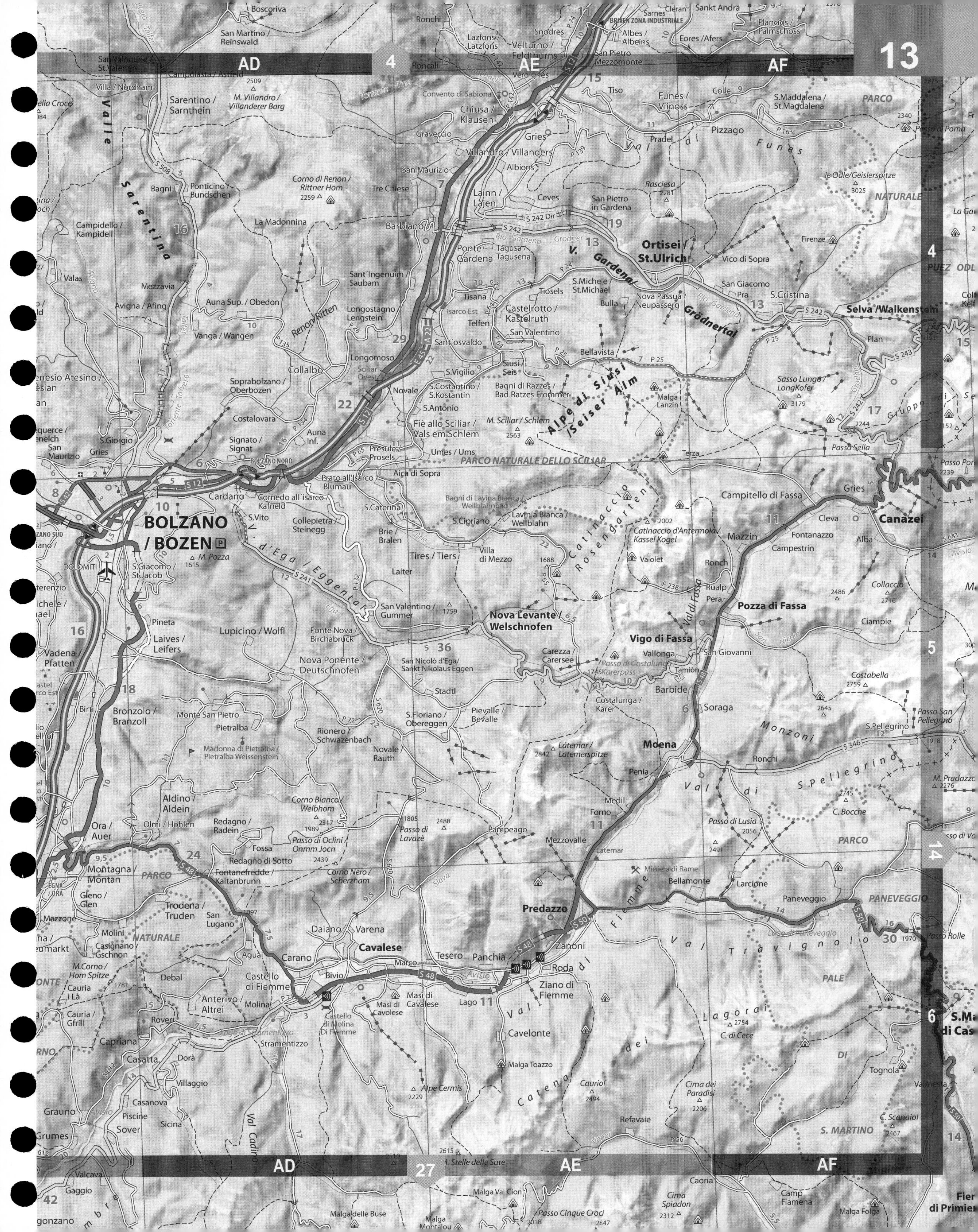

13
AD
4
AE
AF
AD
27
AE
AF
Boscoriva
Ronchi
San Martino / Reinswald
Lazfons / Latzfons
Velturno / Feldthurns
Snodres
Albes / Albeins
Sarnes
Cleran
Sankt Andrä
Plancios / Palmschoss
Eores / Afers
San Pietro Mezzomonte
BRIXEN ZONA INDUSTRIALE
San Valentino / St.Valentin
Roncali
Verdignes
Campolasta / Astfeld
Villa / Nordham
Sarentino / Sarnthein
2509
M. Villandro / Villanderer Barg
Convento di Sabiona
Chiusa / Klausen
Tiso
Funes / Villnoss
Colle
S.Maddalena / St.Magdalena
PARCO
Valle Sarentina
Graveccio
Gries
Pradel
Pizzago
Val di Funes
2340
Passo di Poma
Villandro / Villanders
Albions
San Maurizio
Bagni
Ponticino / Bundschen
Corno di Renon / Rittner Horn
2259
Tre Chiese
Lajen
Ceves
San Pietro in Gardena
Rasciesa
2281
le Odle/Geislerspitze
3025
NATURALE
Campidello / Kampidell
La Madonnina
Barbiano
S 242 Dir
S 242
Ponte Gardena
Tagusa / Tagusena
Rio Gardena
V. Gardena
Ortisei / St.Ulrich
Vico di Sopra
Firenze
PUEZ ODL
Valas
Mezzavia
Sant'Ingenuin / Saubam
Tisana
Tiosels
S.Michele / St.Michael
Bulla
Nova Passua / Neupasserg
San Giacomo
Pra
S.Cristina
Selva / Walkenstein
Avigna / Afing
Auna Sup. / Obedon
Renon / Ritten
Longostagno / Lengstein
Isarco Est
Castelrotto / Kastelruth
Grödnertal
Vanga / Wangen
Telfen
San Valentino
Plan
Sant'osvaldo
Bellavista
P 25
Longomoso
Sciliar Ovest
Collalbo
S.Vigilio
Siusi / Seis
Sasso Lungo / LongKofer
3179
Genesio Atesino
Soprabolzano / Oberbozen
Novale
S.Costantino / S.Kostantin
Bagni di Razzes / Bad Ratzes Frommer
Alpe di Siusi / Seiser Alm
Malga Lanzin
Gruppo di Se
S.Antonio
Costalovara
Fiè allo Sciliar / Vals em Schlem
M. Sciliar / Schlem
2563
2244
S.Giorgio
Signato / Signat
Auna Inf.
Gries
San Maurizio
Presule / Prosels
Umes / Ums
Passo Sella
Terza
BOLZANO NORD
PARCO NATURALE DELLO SCILIAR
Passo Pordoi
2239
Aica di Sopra
Prato all'Isarco / Blumau
Cardano
Cornedo all'isarco / Kafneid
Bagni di Lavina Bianca / Wellblahnbad
Campitello di Fassa
Gries
BOLZANO / BOZEN
S.Vito
S.Caterina
Catinaccio / Rosengarten
Lavinia Bianca / Wellblahn
2002
Cleva
Canazei
Collepietra / Steinegg
S.Cipriano
Catinaccio d'Antermoia / Kassel Kogel
Mazzin
Fontanazzo
Alba
Brie / Bralen
Campestrin
M. Pozza
1615
DOLOMITI
S.Giacomo / St.Jacob
V. d'Ega / Eggental
Tires / Tiers
Villa di Mezzo
Vaiolet
Laiter
1688
Ronch
Collaccio
2716
S 241
P 238
Rualp
2486
Pera
Pozza di Fassa
San Valentino / Gummer
1759
Nova Levante / Welschnofen
Val di Fassa
Ciampie
Pineta
Laives / Leifers
Lupicino / Wolfl
Ponte Nova / Birchabruck
Vigo di Fassa
Vadena / Pfatten
Carezza / Carersee
Vallonga
San Giovanni
Nova Ponente / Deutschnofen
San Nicolò d'Ega / Sankt Nikolaus Eggen
Passo di Costalunga / Karerpass
Tamion
Costabella
2759
Stadtl
Barbide
Costalunga / Karer
Soraga
Bronzolo / Branzoll
Monte San Pietro
Pietralba
S.Floriano / Obereggen
Pievalle / Bevalle
Monzoni
Passo San Pellegrino
S.Pellegrino
Rionero / Schwazenbach
Novale / Rauth
Madonna di Pietralba / Pietralba Weissenstein
Látemar / Latemerspitze
2842
Moena
Penia
S 346
Ronchi
Val di S.Pellegrino
M. Pradazzo
2276
Aldino / Aldein
Corno Bianco / Welbhorn
2317
Medil
Forno
Passo di Lusia
2056
2745
C. Bocche
Ora / Auer
Olmi / Hohlen
Redagno / Radein
1989
Passo di Oclini / Onmm Jocn
1805
Passo di Lavazè
2488
Pampeago
Mezzovalle
PARCO
Montagna / Montan
Fossa
Redagno di Sotto
2439
Latemar
2491
PARCO
Fontanefredde / Kaltanbrunn
Corno Nero / Scherzham
Miniera di Rame
Bellamonte
Larcione
Gleno / Glen
Trodena / Truden
Predazzo
Paneveggio
PANEVEGGIO
San Lugano
Val di Fiemme
Mazzone
Molini
NATURALE
Daiano
Varena
Cavalese
Zanoni
Lago di Paneveggio
Passo Rolle
1970
Casignano / Gschnon
Aguai
Carano
Tesero
Panchià
Val Travignolo
M.Corno / Hom Spitze
1781
Debal
Castello di Fiemme
Bivio
Marco
Roda
Ziano di Fiemme
PALE
Cauria i Là
Anterivo / Altrei
Molina
Masi di Cavalese
Masi di Cavolese
Lago
Castello di Molina Di Fiemme
Cauria / Gfrill
Rover
Lago di Stramentizzo
Val
Cavelonte
Lagorai
2754
C. di Cece
Capriana
Stramentizzo
DI
Casatta
Dorà
Malga Toazzo
Tognola
Villaggio
Catena dei Lagorai
Cauriol
2494
Cima dei Paradisi
2206
Casanova
Alpe Cermis
2229
Grauno
Piscine
Sover
Sicina
Val Cadino
Refavaie
C. Scanaiol
2467
S. MARTINO
Grumes
2615
M. Stelle delle Sute
Valcava
Gaggio
Caoria
Camp Fiamena
Cima Spiadon
2312
Malga Folga
Fiera di Primiero
Malga Val Cion
Malga delle Buse
Malga Montalou
Passo Cinque Croci
2018
2847
gonzano
42
S.Martino di Castrozza

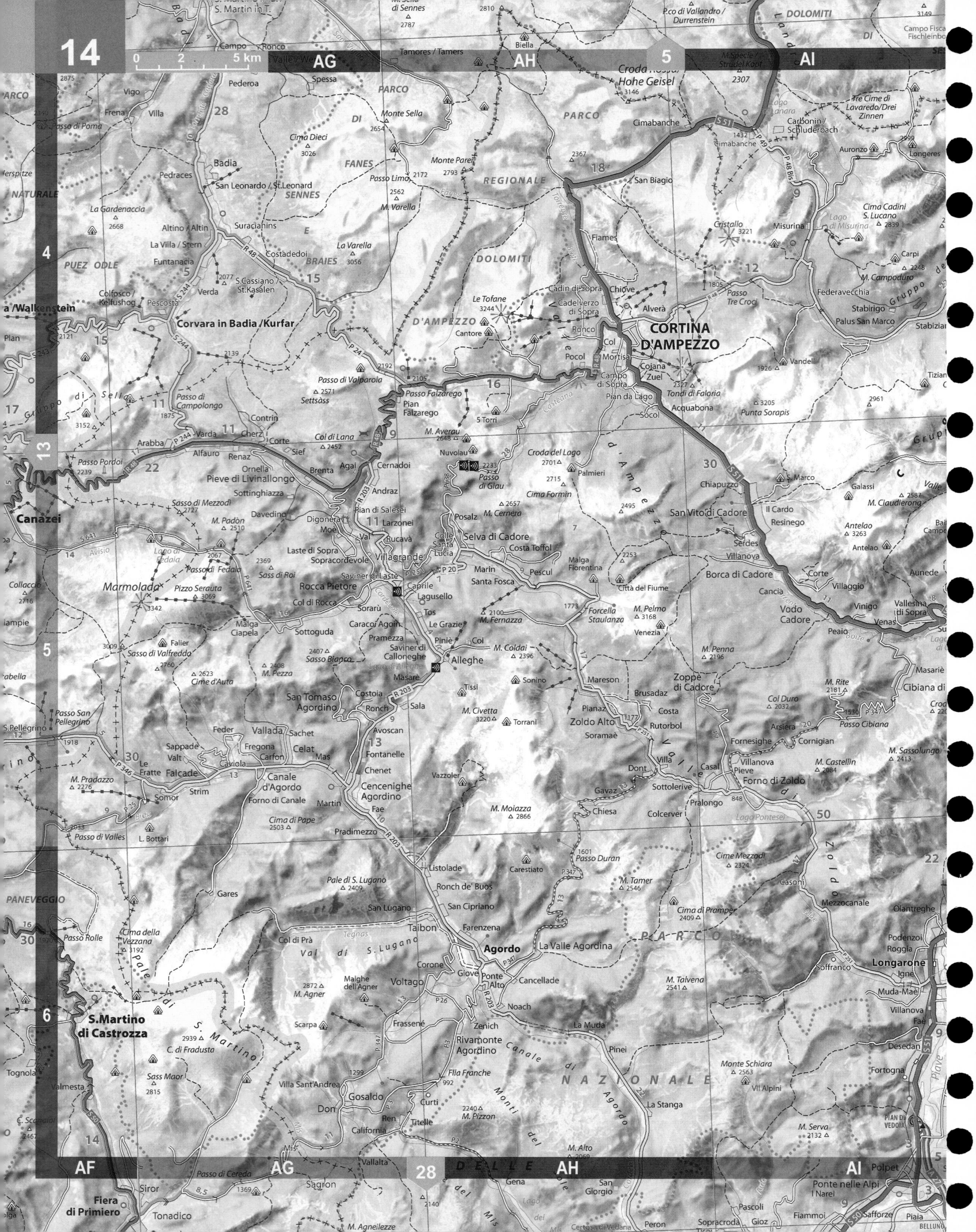
0 2 5 km
AG
AH
5
AI
AF
AG
28
AH
AI
4
13
5
6
S. Martin in T.
Campo
Ronco
Tamores / Tamers
Biella
P.co di Vallandro / Durrenstein
DOLOMITI
Campo Fiscalino / Fischleinboden
M.Specie / Strudel Kopf
2307
Croda Rossa / Hohe Geisel
3146
Pederoa
Spessa
PARCO
Vigo
Frena
Villa
28
Passo di Poma
DI
Monte Sella
2654
Cima Dieci
3026
PARCO
Cimabanche
Tre Cime di Lavaredo/Drei Zinnen
Carbonin / Schluderbach
Auronzo
Longeres
Badia
Pedraces
San Leonardo / St.Leonard
FANES
SENNES
Monte Parei
2793
Passo Limo
2172
2562
M. Varella
REGIONALE
2367
18
San Biagio
La Gardenaccia
2668
Altino / Altin
La Villa / Stern
Suraciahns
PUEZ ODLE
Funtanacia
Costadedoi
La Varella
3056
BRAIES
DOLOMITI
Fiames
Cristallo
3221
Misurina
Lago di Misurina
Cima Cadini S. Lucano
2839
Carpi
2248
M. Campoduro
12
Colfosco / Kelfushog
Pescosta
Verda
2077
S.Cassiano / St.Kasalen
15
Le Tofane
3244
Cadin di Sopra
Cadelverzo di Sopra
Chiave
Alverà
Passo Tre Croci
1805
Federavecchia
Gruppo
Stabirigo
Palus San Marco
Stabiziane
a /Walkenstein
Corvara in Badia /Kurfar
Plan
2121
15
D'AMPEZZO
Cantore
Ronco
CORTINA D'AMPEZZO
Col
Pocol
Mortisa
Cojana
Zuel
Vandelli
1926
2139
Passo di Valparola
2571
Settsàss
2192
2105
Passo Falzarego
Pian Falzarego
16
Campo di Sopra
Pian da Lago
2327
Tondi di Faloria
Socol
Acquabona
3205
Punta Sorapis
2961
Tiziano
17
Gruppo di Sella
11
Passo di Campolongo
1875
3152
Contrin
Arabba
Varda
11
Cherz
Corte
Sief
Col di Lana
2452
M. Averau
2648
5 Torri
Nuvolau
2233
Passo di Giau
Croda del Lago
2701
2715
Palmieri
d'Ampezzo
30
S. Marco
Chiapuzzo
Galassi
2587
M. Ciaudierona
Valle
Passo Pordoi
2239
22
Alfauro
Renaz
Ornella
Pieve di Livinallongo
Brenta
Agai
Cernadoi
Andraz
Sottinghiazza
Sasso di Mezzodì
2727
Cima Formin
2657
M. Cernera
2495
San Vito di Cadore
Il Cardo
Resinego
Antelao
3263
Canazei
M. Padòn
2510
Davedino
Pian di Salesei
11
Larzonei
Digonera
Moè
Posalz
Selva di Cadore
Colle Santa Lucia
Rucavà
Val
7
Serdes
Villanova
Antelao
Costa Toffol
Lago di Fedaia
Passo di Fedaia
2067
2369
Sass di Roi
Laste di Sopra
Sopracordevole
Villagrande
Saviner di Laste
P 20
Marin
Santa Fosca
Pescul
Malga Fiorentina
2253
Borca di Cadore
Corte
Villaggio
Aunede
Collaccio
2716
Marmolada
Pizzo Serauta
3069
3342
Rocca Pietore
Caprile
Lagusello
Col di Rocca
Città del Fiume
Cancia
Vinigo
Vallesina di Sopra
1773
Forcella Staulanza
M. Pelmo
3168
Venezia
Vodo Cadore
Venas
Peaio
Malga Ciapela
Sottoguda
Soraru
Tos
Caracoi Agoin
Le Grazie
2100
M. Fernazza
Falier
Pramezza
Piniè
Coi
3009
Sasso di Valfredda
2760
2407
Sasso Bianco
Saviner di Calloneghe
Alleghe
M. Coldai
2396
M. Penna
2196
Masariè
2408
M. Pezza
2623
Cime d'Auta
Masarè
Sonino
Mareson
Zoppè di Cadore
M. Rite
2181
Cibiana di Cadore
Tissi
Costoia
San Tomaso Agordino
Brusadaz
Col Duro
2032
Passo San Pellegrino
S.Pellegrino
Roch
Sala
M. Civetta
3220
Torrani
Pianaz
Zoldo Alto
Costa
Rutorbol
Arsiera
1530
Passo Cibiana
Feder
Vallada
Sachet
Avoscan
Soramaè
Fornesighe
Cornigian
1918
Sappade
Fregona
Celat
Mas
13
Fontanelle
M. Sassolungo
2413
Valt
Carfon
30
Le Fratte
Falcade
Caviola
Canale d'Agordo
Chenet
Dont
Villa
Casal
Villanova
Pieve
M. Castellin
2084
Forno di Zoldo
M. Pradazzo
2276
Strim
Vazzoler
Cencenighe Agordino
Gavaz
Sottolerive
Somor
Forno di Canale
Martin
M. Moiazza
2866
Chiesa
Colcerver
Pralongo
848
50
Fae
Cima di Pape
2503
Lago Pontesei
Passo di Valles
L. Bottari
Pradimezzo
1601
Passo Duran
Cime Mezzodì
2324
22
Listolade
Carestiato
M. Tamer
2546
Pale di S. Lugano
2409
Ronch de' Buos
Casoni
Gares
San Lugano
San Cipriano
Cima di Pramper
2409
Mezzocanale
PANEVEGGIO
Olantreghe
16
Passo Rolle
Cima della Vezzana
3192
Col di Prà
Taibon
Farenzena
PARCO
Podenzoi
30
Val di S. Lugano
Agordo
La Valle Agordina
Roggia
Longarone
Igne
Soffranco
Corone
Giove
Ponte Alto
Cancellade
M. Talvena
2541
Muda-Maè
2872
M. Agner
Malghe dell'Agner
Voltago
Noach
Villanova
Faè
S.Martino di Castrozza
Scarpa
Frassenè
Zenich
La Muda
2939
C. di Fradusta
S. Martino
Rivamonte Agordino
Canale
Pinei
Desedan
Sass Maor
2815
1299
Flla Franche
992
Monte Schiara
2563
VII Alpini
Fortogna
Tognola
Valmesta
Villa Sant'Andrea
Gosaldo
Curti
Monti del
NAZIONALE
Agordo
La Stanga
Piave
Don
Ren
2240
M. Pizzon
PIAN DI VEDOIA
C. Scanaiol
2467
14
California
Titele
M. Serva
2132
Mis
Vallalta
M. Alto
2069
Polpet
DELLE
Passo di Cereda
Siror
1369
Sagron
Gena
San Giorgio
Ponte nelle Alpi / Nareì
Fiera di Primiero
Tonadico
2140
Pascoli
Gioz
Fiammoi
Safforze
Piaia
M. Agneilezze
Peron
Sopracrodà
BELLUNO

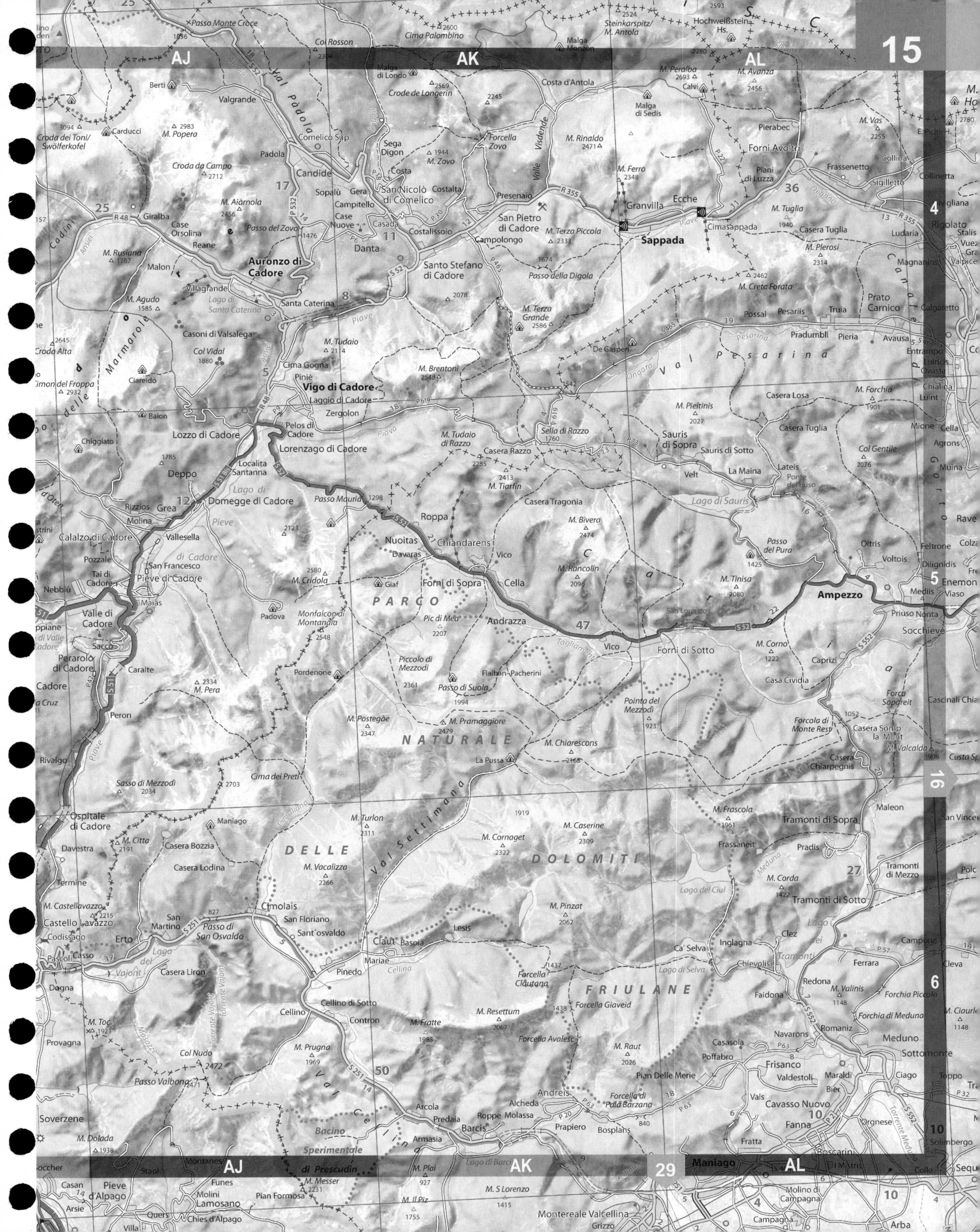
AJ
AK
AL
Passo Monte Croce
Col Rosson
Cima Palombino
Steinkarspitz/ M. Antola
Hochweißstein Hs.
Val Padola
Comelico Sup.
Sega Digon
M. Zovo
Forcella Zovo
Valle Visdende
M. Rinaldo
M. Peralba
M. Avanza
Costa d'Antola
Malga di Sedis
Forni Avoltri
Croda dei Toni/ Swölferkofel
M. Popera
Croda da Campo
Padola
Candide
San Nicolò di Comelico
Presenaio
San Pietro di Cadore
Granvilla
Ecche
Sappada
Cimasappada
M. Aiàrnola
Passo del Zovo
Auronzo di Cadore
Santo Stefano di Cadore
Campolongo
M. Terza Piccola
Passo della Digola
M. Creta Forata
Villagrande
Lago di Santa Caterina
Santa Caterina
M. Terza Grande
Prato Carnico
Casoni di Valsalega
M. Tudaio
Col Vidal
De Gasperi
Val Pesarina
Cima Gogna
Vigo di Cadore
Laggio di Cadore
M. Brentoni
Zergolon
Lozzo di Cadore
Pelos di Cadore
Lorenzago di Cadore
M. Tudaio di Razzo
Casera Razzo
Sella di Razzo
Sauris di Sopra
Sauris di Sotto
M. Pieltinis
M. Forchia
Casera Tuglia
Col Gentile
Deppo
M. Tiarfin
Lago di Sauris
Lago di Domegge di Cadore
Passo Mauria
Roppa
Casera Tragonia
M. Bivera
Passo del Pura
Calalzo di Cadore
Nuoitas
Chiandarens
Vico
Pieve di Cadore
M. Cridola
Forni di Sopra
Cella
M. Rancolin
M. Tinisa
Ampezzo
Valle di Cadore
PARCO
Monfalcon di Montanaia
Pic di Mea
Andrazza
Forni di Sotto
M. Corno
Socchieve
Piccolo di Mezzodi
Passo di Suola
Pointa del Mezzodì
Casa Cividia
Forca Sopreit
M. Postegae
M. Pramaggiore
NATURALE
M. Chiarescons
La Pussa
Forcola di Monte Rest
Sasso di Mezzodì
Cima dei Preti
Val Settimana
M. Frascola
Tramonti di Sopra
Ospitale di Cadore
M. Turlon
M. Caserine
M. Cornaget
DELLE
DOLOMITI
Casera Bozzia
Casera Lodina
M. Vacalizza
Lago del Ciul
M. Corda
Tramonti di Sotto
Cimolais
San Martino
Passo di San Osvaldo
M. Pinzat
Castello Lavazzo
Erto
Claut
Lesis
Inglagna
Ca' Selva
Lago di Selva
Casera Liron
Forcella Clautana
FRIULANE
Pinedo
Cellino di Sotto
Contron
M. Fratte
M. Resettum
Forcella Giaveid
M. Toc
Forcella Avalesc
M. Raut
Navarons
Meduno
Col Nudo
M. Prugna
Val Cellina
Poffabro
Frisanco
Passo Valbona
Pian Delle Merie
Andreis
Forcella di Pala Barzana
Cavasso Nuovo
Soverzene
Arcola
Predaia
Barcis
Alcheda
Molassa
Fanna
M. Dolada
Bacino Sperimentale di Prescudin
Armasia
Bosplans
M. Plai
Lago di Barcis
Maniago
Pieve d'Alpago
M. Messer
M. S Lorenzo
Lamosano
Pian Formosa
M. Il Piz
Montereale Valcellina
Chies d'Alpago
16
29

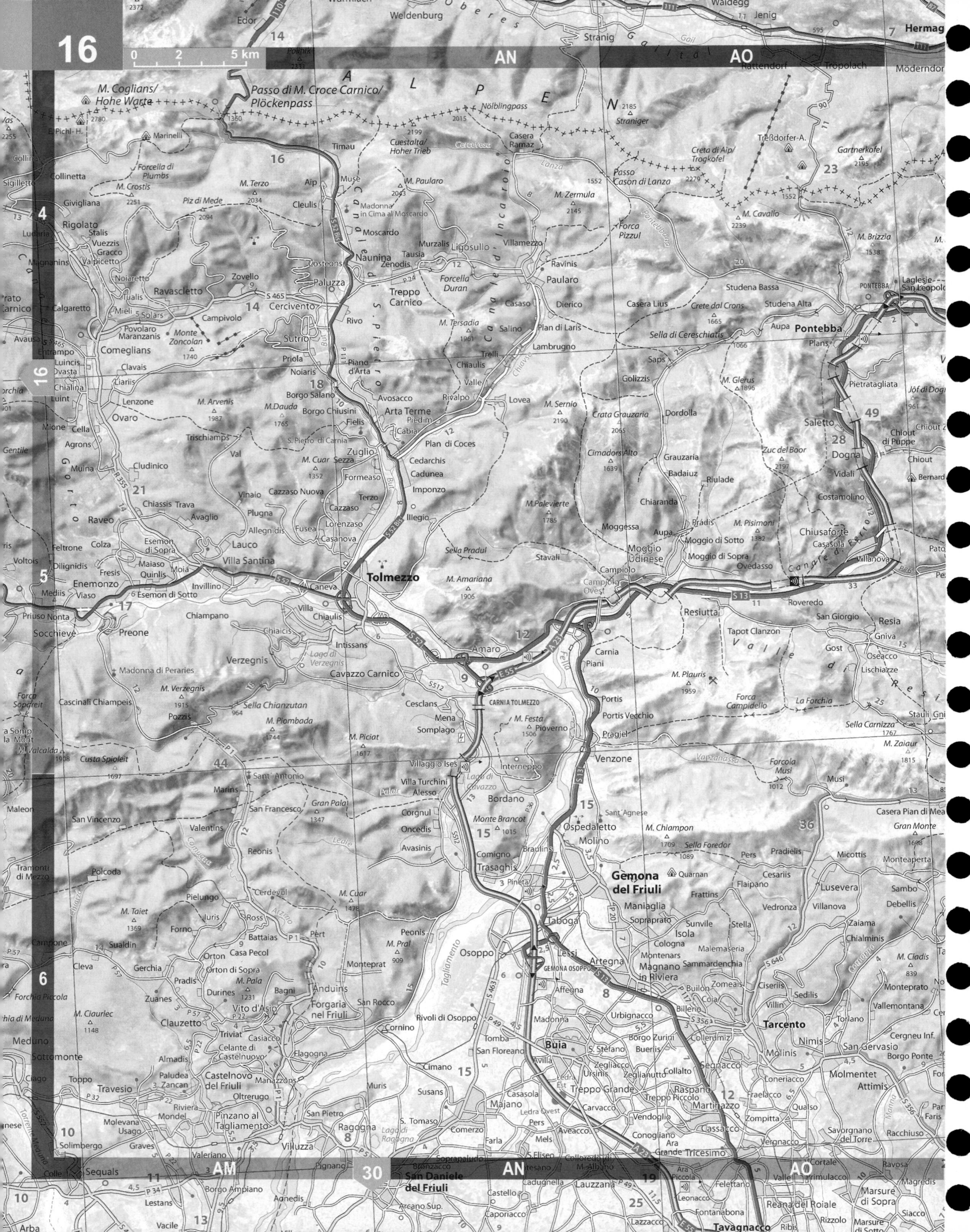

16
0 2 5 km
AN
AO
AM
30
Weldenburg
Edor
Oberes Gailtal
Stranig
Waidegg
Jenig
Hermag
Rattendorf
Tropolach
Möderndorf
A L P E N
M. Coglians/
Hohe Warte
Passo di M. Croce Carnico/
Plöckenpass
Nölblingpass
Straniger
Marinelli
Timau
Cuestalta/
Hoher Trieb
Casera Ramaz
Creta di Aip/
Trogkofel
Treßdorfer-A.
Gartnerkofel
Passo
Cason di Lanza
Forcella di Plumbs
M. Crostis
M. Terzo
Piz di Mede
Aip
Muse
M. Paularo
Cleulis
Madonna in Cima al Moscardo
M. Zermula
M. Cavallo
Forca Pizzul
M. Brizzia
Collinetta
Sigilletto
Givigliana
Rigolato
Stalis
Vuezzis
Gracco
Valpicetto
Magnanins
Ludaria
Moscardo
Murzalis
Ligosullo
Villamezzo
Ravinis
Paularo
Costeons
Naunina
Tausia
Zenodis
Paluzza
Noiaretto
Zovello
Ravascletto
Tualis
Mieli
Solars
Calgaretto
Cercivento
Treppo Carnico
Forcella Duran
Casaso
Dierico
Casera Lius
Crete dal Crons
Studena Bassa
Studena Alta
Pontebba
Laglesie-San Leopoldo
Campivolo
Povolaro
Maranzanis
Monte Zoncolan
Comeglians
Entrampo
Sutrio
Rivo
M. Tersadia
Salino
Plan di Laris
Lambrugno
Sella di Cereschiatis
Aupa
Plans
Priola
Noiaris
Piano d'Arta
Trelli
Chiaulis
Saps
Golizzis
M. Glerus
Pietratagliata
Jôf di Dogna
Clavais
Luincis
Ovasta
Liariis
Chialina
Luint
Lenzone
Ovaro
M. Arvenis
M.Dauda
Borgo Salano
Borgo Chiusini
Avosacco
Arta Terme
Piedim
Fielis
Cabia
Valle
Rivalpo
Lovea
M. Sernio
Crata Grauzaria
Dordolla
Saletto
Chiout di Puppe
Mione
Cella
Agrons
Trischiamps
S. Pietro di Carnia
Plan di Coces
Cimadors Alto
Zuc del Boor
Dogna
Chiout
Bernardia
Gentile
Muina
Cludinico
Val
M. Cuar
Sezza
Zuglio
Formeaso
Cedarchis
Cadunea
Imponzo
Grauzaria
Badaiuz
Riulade
Vidali
Costamolino
Vinaio
Cazzaso Nuova
Terzo
Cazzaso
Chiassis
Trava
Avaglio
Plugna
Lorenzaso
Illegio
M.Palevierte
Chiaranda
Pradis
M. Pisimoni
Chiusaforte
Casasola
Raveo
Allegnidis
Fusea
Casanova
Moggessa
Aupa
Moggio di Sotto
Moggio di Sopra
Moggio Udinese
Villanova
Feltrone
Colza
Esemon di Sopra
Lauco
Sella Pradul
Stavali
Voltois
Dilignidis
Fresis
Maiaso
Quinlis
Moia
Villa Santina
Tolmezzo
Campiolo
Ovedasso
Canale del Ferro
Enemonzo
Mediis
Viaso
Invillino
Esemon di Sotto
Caneva
M. Amariana
Campiolo Ovest
Roveredo
Resiutta
Priuso
Nonta
Socchieve
Preone
Chiampano
Villa
Chiaulis
Chiaicis
Intissans
Amaro
Carnia
Piani
Tapot Clanzon
San Giorgio
Resia
Gniva
Gost
Oseacco
Lischiazze
Valle di Resia
Madonna di Peraries
Verzegnis
Lago di Verzegnis
Cavazzo Carnico
M. Plauris
M. Verzegnis
Sella Chianzutan
Cascinali Chiampeis
Forca Sopareit
Pozzis
M. Piombada
Cesclans
Mena
Somplago
CARNIA TOLMEZZO
M. Festa
Pioverno
Portis
Portis Vecchio
Pragjel
Forca Campidello
La Forchia
Sella Carnizza
Stauli Gnivizza
M. Zaiaur
M. Valcalda
Custa Spioleit
M. Piciat
Villaggio Ises
Interneppo
Venzone
Forcola Musi
Musi
Sant' Antonio
Villa Turchini
Alesso
Lago di Cavazzo
Bordano
Marins
Maleon
San Vincenzo
San Francesco
Gran Pala
Corgnul
Oncedis
Monte Brancot
Sant' Agnese
Ospedaletto
M. Chiampon
Casera Pian di Mea
Gran Monte
Valentins
Reonis
Avasinis
Molino
Sella Foredor
Pers
Pradielis
Micottis
Monteaperta
Tramonti di Mezzo
Polcoda
Comigno
Trasaghis
Bradlins
Pineta
Gemona del Friuli
Quarnan
Cesariis
Flaipano
Lusevera
Sambo
Cerdevol
Pielungo
M. Cuar
Frattins
Maniaglia
Vedronza
Villanova
Debellis
M. Taiet
Iuris
Ross
Forno
Sopraprato
Sunvile
Stella
Zaiama
Campone
Sualdin
Battaias
Pert
Peonis
Taboga
Isola
Chialminis
M. Pral
Cologna
Malemaseria
Orton
Casa Pecol
Monteprat
Osoppo
Lessi
Montenars
Artegna
Sammardenchia
M. Cladis
Cleva
Gerchia
Orton di Sopra
Pradis
Magnano in Riviera
Forchia Piccola
M. Pala
Durines
Bagni
Anduins
GEMONA OSOPPO
Zomeais
Ciseriis
Sedilis
Monteprato
Zuanes
Forgaria nel Friuli
San Rocco
Affegna
Buiton
Coja
Villin
Vallemontana
M. Ciaurlec
Vito d'Asio
Rivoli di Osoppo
Madonna
Billerio
Urbignacco
Tarcento
Torlano
Meduno
Clauzetto
Triviat
Casiacco
Cornino
Tomba
Borgo Zurini
Collerumiz
Nimis
Cergneu Inf.
Sottomonte
Almadis
Celante di Castelnuovo
Flagogna
San Floreano
Buia
S. Stefano
Bueriis
Molinis
San Gervasio
Borgo Ponte
Paludea
Zancan
Castelnovo del Friuli
Cimano
Avilla
Zegliacco
Urbinis
Zeglianutto
Collalto
Segnacco
Ciago
Toppo
Travesio
Manazzons
Muris
Treppo Grande
Raspano
Loneriacco
Molmentet
Attimis
Oltrerugo
Susans
Casasola
Treppo Piccolo
Martinazzo
Fraelacco
Qualso
Riviera
Mondel
Pinzano al Tagliamento
San Pietro
Majano
Ledra Ovest
Carvacco
Vendoglio
Zompitta
Faris
Molevana
Usago
Ragogna
S. Tomaso
Pers
Cassacco
Savorgnano del Torre
Racchiuso
Solimbergo
Graves
Lago di Ragogna
Comerzo
Farla
Mels
Aveacco
Conogliano
Ara Grande
Vergnacco
Valeriano
Villuzza
Sopraplauda
S. Eliseo
Colloredo di M. Albano
Tricesimo
Cortale
Ravosa
Colle
Sequals
Pignano
Bronzacco
San Daniele del Friuli
Tesano
Ara Piccola
Valle
Primulacco
Magredis
Lestans
Borgo Ampiano
Agnedis
Cadugnella
Lauzzana
Feletto
Marsure di Sopra
Castello
Leonacco
Reana del Roiale
Vacile
Arcano Sup.
Caporiacco
Fontanabona
Lazzacco
Rizzolo
Siacco
Arba
Tavagnacco
Ribis
Marsure di Sotto

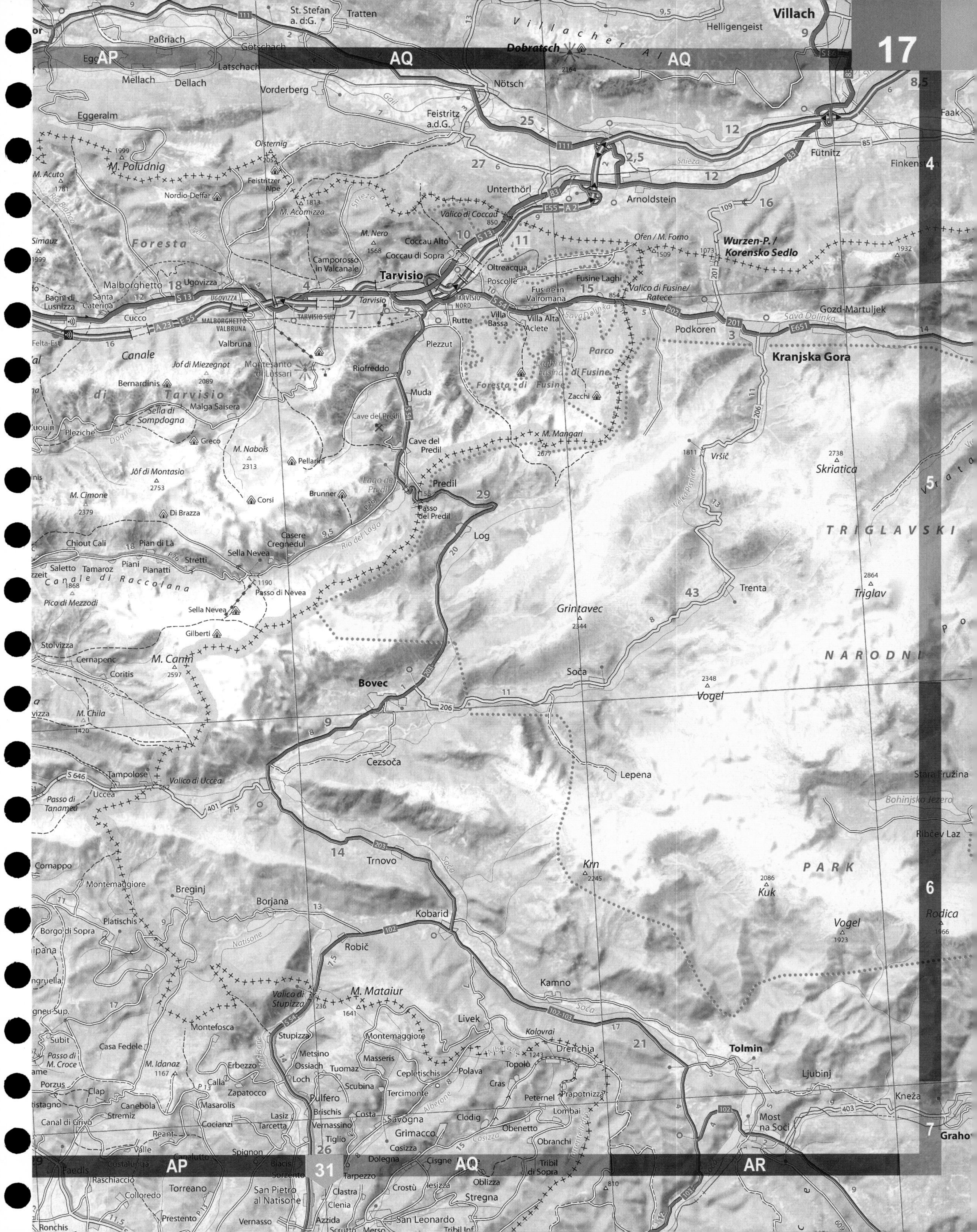

AP
AQ
AQ
AR
4
5
6
7
Villach
Heiligengeist
St. Stefan a. d.G.
Tratten
Dobratsch
2164
Villacher Alpe
Paßriach
Götschach
Latschach
Egg
Mellach
Dellach
Vorderberg
Nötsch
Feistritz a.d.G.
Gail
Eggeralm
Faak
Fürnitz
Finkenstein
Unterthörl
Arnoldstein
Wurzen-P. / Korensko Sedlo
Ofen / M. Forno
1509
1073
1932
M. Poludnig
1999
Oisternig
2052
Feistritzer Alpe
M. Acuto
1781
Nordio-Deffar
1813
M. Acomizza
Valico di Coccau
850
Rio Bianco
Foresta
Slizza
Simauz
1999
M. Nero
1568
Coccau Alto
Coccau di Sopra
Camporosso in Valcanale
Tarvisio
Oltreacqua
Poscolle
Fusine Laghi
Valico di Fusine/ Ratece
854
Fusine in Valromana
Malborghetto
Ugovizza
Bagni di Lusnizza
Santa Caterina
Cucco
Tarvisio Sud
Tarvisio Nord
Malborghetto Valbruna
Villa Bassa
Villa Alta
Aclete
Rutte
Sava Dolinka
Podkoren
Gozd-Martuljek
Kranjska Gora
Valbruna
Plezzut
Canale
Jof di Miezegnot
2089
Montesanto di Lussari
Riofreddo
Parco
Laghi di Fusine
Foresta di Fusine
Zacchi
Bernardinis
Tarvisio
Muda
Sella di Sompdogna
Malga Saisera
Cave del Predil
Plezziche
Dogna
Greco
M. Nabois
2313
Pellarini
M. Mangart
2677
Vršič
1811
2738
Skriatica
Jôf di Montasio
2753
Lago del Predil
Predil
Passo del Predil
1156
M. Cimone
2379
Corsi
Brunner
Di Brazza
Log
Chiout Cali
Pian di Là
Casere Cregnedul
Rio del Lago
Triglavski
Saletto
Tamaroz
Piani
Pianatti
Stretti
Sella Nevea
Canale di Raccolana
1868
1190
Passo di Nevea
Pico di Mezzodi
Trenta
2864
Triglav
Sella Nevea
Grintavec
2344
Gilberti
Stolvizza
Narodni
Cernapenc
M. Canin
2597
Coritis
Resia
Bovec
Soča
2348
Vogel
M. Chila
1420
Cezsoča
Lepena
Stara Fružina
Tampolose
Valico di Uccea
Uccea
Passo di Tanamea
Bohinjsko Jezero
Ribčev Laz
Trnovo
Krn
2245
Park
Cornappo
Montemaggiore
Breginj
Borjana
2086
Kuk
Rodica
1966
Kobarid
Vogel
1923
Platischis
Borgo di Sopra
Natisone
Robič
M. Mataiur
1641
Valico di Stupizza
Kamno
Montefosca
Livek
Stupizza
Montemaggiore
Kolovrat
1243
Drenchia
Tolmin
Passo di M. Croce
Casa Fedele
M. Idanaz
1167
Erbezzo
Metsino
Ossiach
Tuomaz
Masseris
Cepletischis
Polava
Topolò
Cras
Ljubinj
Porzus
Clap
Calla
Zapatocco
Loch
Scubina
Pulfero
Tercimonte
Peternel
Prapotnizza
Kneža
Canebola
Stremiz
Masarolis
Brischis
Costa
Savogna
Clodig
Lombai
Most na Soči
Canal di Grivò
Cocianzi
Lasiz
Tarcetta
Vernassino
Grimacco
Obenetto
Obranchi
Valle
Spignon
Tiglio
Cosizza
Graho
Faedis
Costalunga
Biacis
Dolegna
Cisgne
Tribil di Sopra
Raschiaccio
Sorzento
Tarpezzo
Oblizza
Torreano
Colloredo
San Pietro al Natisone
Clastra
Clenia
Crostù
Stregna
Prestento
Vernasso
Azzida
San Leonardo
Ronchis
Merso
Tribil Inf.
31

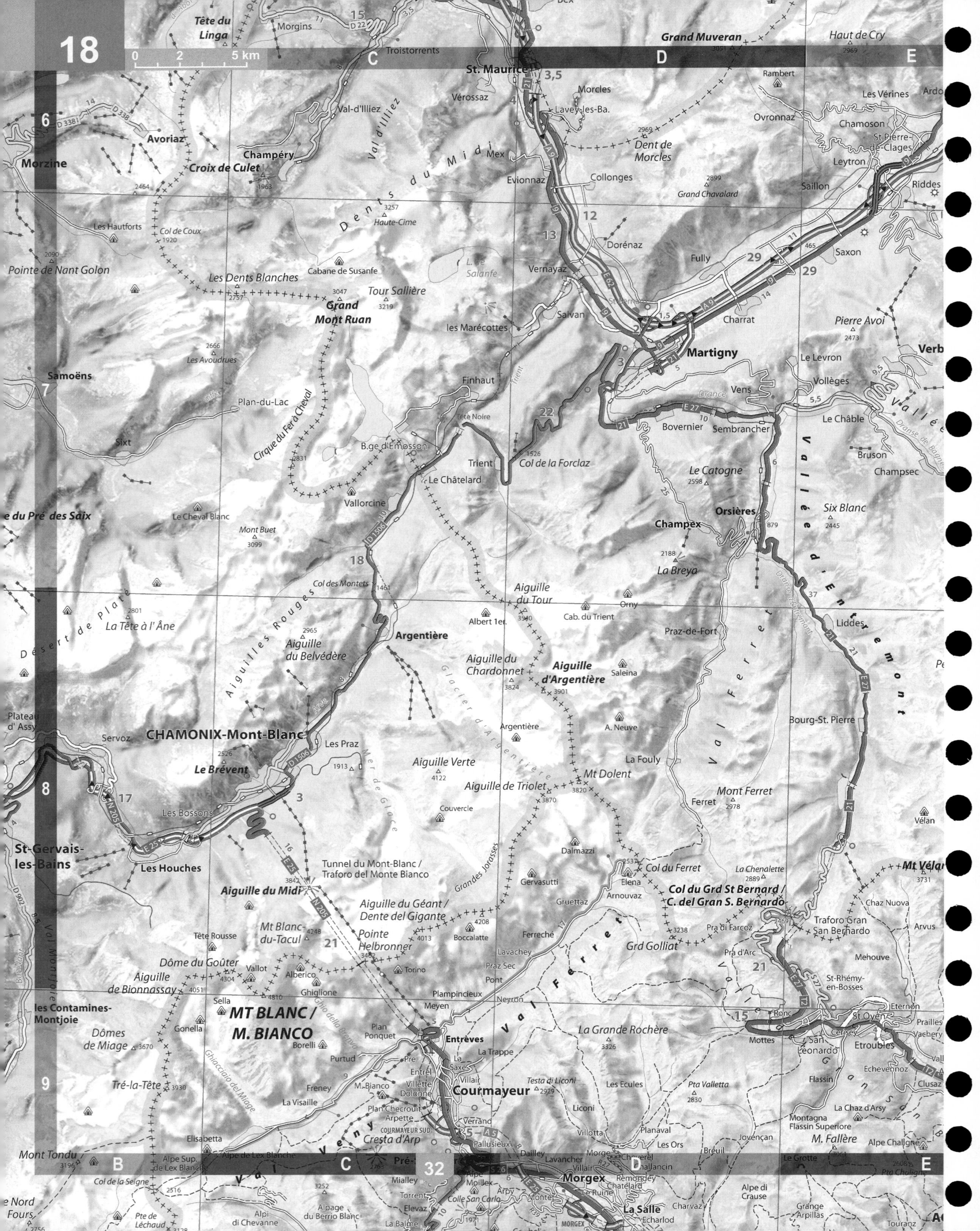
0 2 5 km
B
C
D
E
6
7
8
9
32
Tête du Linga
Morgins
Troistorrents
St. Maurice
Grand Muveran
Haut de Cry
Rambert
Les Vérines
Ardon
Morcles
Vérossaz
Lavey-les-Ba.
Val-d'Illiez
Val d'Illiez
Avoriaz
Morzine
Champéry
Croix de Culet
Dents du Midi
Mex
Dent de Morcles
Ovronnaz
Chamoson
St Pierre-de-Clages
Leytron
Riddes
Saillon
Evionnaz
Collonges
Grand Chavalard
Haute-Cime
Les Hautforts
Col de Coux
Pointe de Nant Golon
Dorénaz
Fully
Saxon
Cabane de Susanfe
Lac de Salanfe
Vernayaz
Les Dents Blanches
Tour Sallière
Grand Mont Ruan
Salvan
Charrat
les Marécottes
Pierre Avoi
Martigny
Les Avoudrues
Samoëns
Finhaut
Le Levron
Vollèges
Verbier
Plan-du-Lac
Cirque du Fer à Cheval
Vens
Drance
Tête Noire
Le Châble
Sixt
B.ge d'Emosson
Bovernier
Sembrancher
Trient
Col de la Forclaz
Bruson
Le Châtelard
Le Catogne
Champsec
Vallorcine
Orsières
Six Blanc
Champex
du Pré des Saix
Le Cheval Blanc
Mont Buet
La Breya
Col des Montets
Aiguilles Rouges
Aiguille du Tour
Orny
Cab. du Trient
Albert 1er
Praz-de-Fort
Lidde
Désert de Platé
La Tête à l'Âne
Argentière
Aiguille du Belvédère
Aiguille du Chardonnet
Aiguille d'Argentière
Saleina
Val Ferret
Vallée d'Entremont
Plateau d'Assy
Servoz
CHAMONIX-Mont-Blanc
Les Praz
Glacier d'Argentière
A. Neuve
Bourg-St. Pierre
Le Brévent
Mer de Glace
Aiguille Verte
La Fouly
Mt Dolent
Aiguille de Triolet
Mont Ferret
Ferret
Couvercle
Les Bossons
St-Gervais-les-Bains
Les Houches
Vélan
Tunnel du Mont-Blanc / Traforo del Monte Bianco
Dalmazzi
Col du Ferret
La Chenalette
Mt Vélan
Aiguille du Midi
Grandes Jorasses
Gervasutti
Elena
Arnouvaz
Col du Grd St Bernard / C. del Gran S. Bernardo
Chaz Nuova
Aiguille du Géant / Dente del Gigante
Gruettaz
Traforo Gran San Bernardo
Arvus
Mt Blanc-du-Tacul
Pointe Helbronner
Tête Rousse
Boccalatte
Ferreché
Pra di Farcoz
Grd Golliat
Pra d'Arc
Mehouve
Lavachey
Praz Sec
Dôme du Goûter
Vallot
Torino
Aiguille de Bionnassay
Alberico
Ghiglione
Pont
St-Rhémy-en-Bosses
Plampincieux
Neyron
Sella
Les Contamines-Montjoie
Meyen
Etemon
St.Oyen
MT BLANC / M. BIANCO
Gonella
Plan Ponquet
Entrèves
La Grande Rochère
Mottes
Cerisey
San Leonardo
Etroubles
Dômes de Miage
Borelli
La Trappe
Purtud
La Saxe
Pré
Entrèl
Villette
Dolonne
M. Bianco
Tré-la-Tête
Freney
Villair
Courmayeur
Testa di Liconi
Les Ecules
Pta Valletta
Echevennoz
Flassin
Clusaz
La Visaille
Ghiacciaio del Miage
Plan Checrouit
Arpette
COURMAYEUR SUD
Verrand
Liconi
La Chaz d'Arsy
Montagna Flassin Superiore
Elisabetta
Val Veny
Cresta d'Arp
Villotta
Planaval
Jovençan
M. Fallère
Alpe Challgne
Pallusieux
Les Ors
Breuil
Mont Tondu
Alpe Sup. de Lex Blanche
Alpe de Lex Blanche
Pré-
Dailley
Lavancher
Villair
Morge
Chetrel
Challancin
Le Grotte
Pta Chaligne
Col de la Seigne
Mialley
Alpe Moillex
Morgex
Remondey
Chatelard
Alpe di Crause
Torrent
Colle San Carlo
Arpy
Monte
Le Ruine
Charvaz
Grange Arpillas
Nord Fours
Pte de Léchaud
Alpi di Chevanne
Alpage du Berrio Blanc
Elevaz
La Balme
La Salle
Echarlod
Touranz
MORGEX
Val Montjoie
Bionnassay
Trient
Drance de Bagnes
Dranse d'Entremont
Arve
E 25
E 27
E 62
A 9
A 5
N 205
D 1506
D 22
D 338
D 902
S 27
S 26
21
29
9

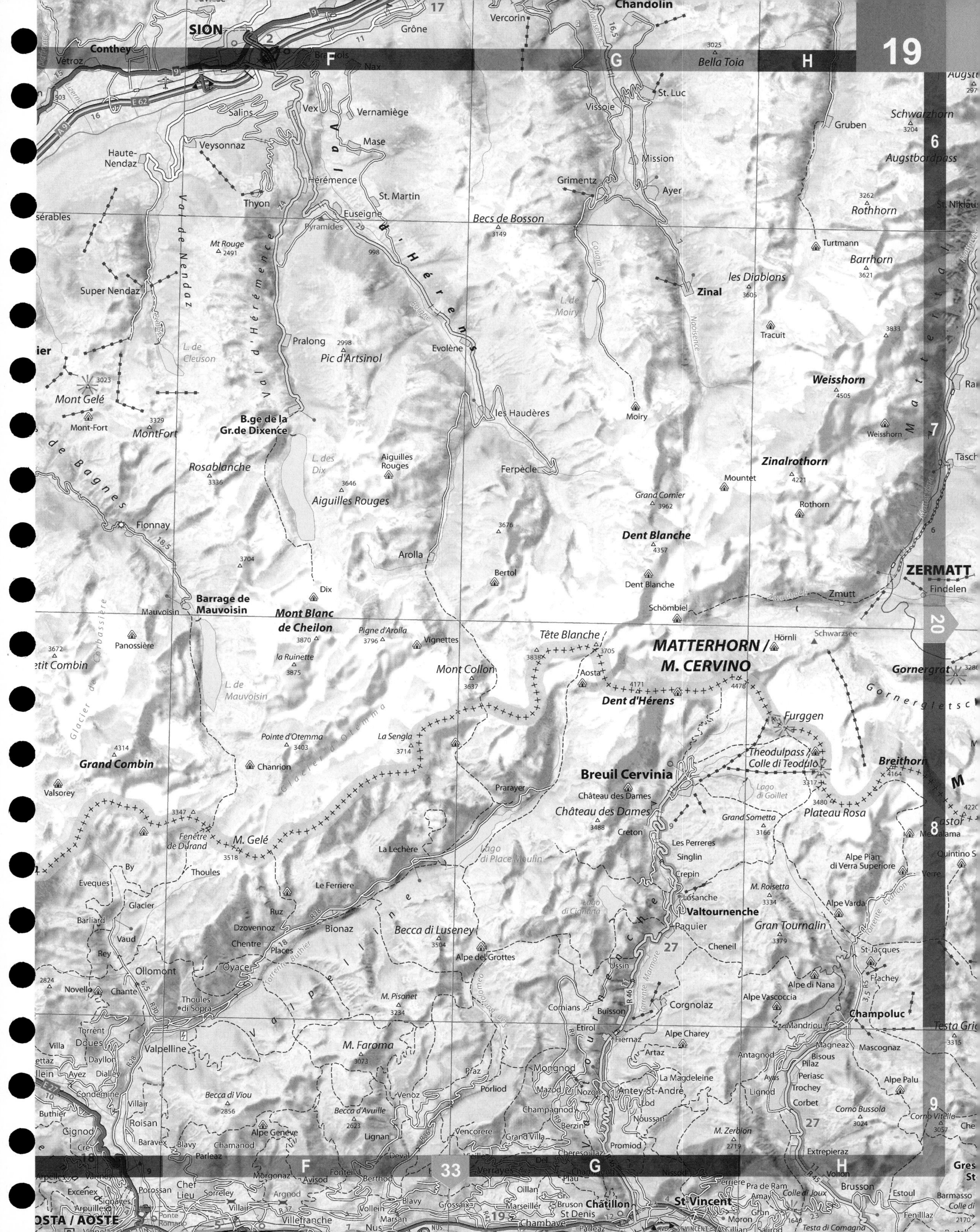

Sion
Conthey
Vétroz
Chandolin
Vercorin
Grône
Bella Toia
St. Luc
Vissoie
Vex
Vernamiège
Mase
Salins
Veysonnaz
Haute-Nendaz
Hérémence
St. Martin
Thyon
Euseigne
Pyramides
Grimentz
Mission
Ayer
Becs de Bosson
Gruben
Schwarzhorn
Augstbordpass
Rothhorn
Turtmann
Barrhorn
Mt Rouge
Super Nendaz
Val de Nendaz
Val d'Hérémence
Val d'Hérens
L. de Moiry
Zinal
les Diablons
Tracuit
L. de Cleuson
Pralong
Pic d'Artsinol
Evolène
Mont Gelé
Mont-Fort
MontFort
B.ge de la Gr.de Dixence
les Haudères
Moiry
Weisshorn
Mattertal
L. des Dix
Aiguilles Rouges
Ferpècle
Zinalrothorn
Mountet
Rosablanche
Grand Cornier
Rothorn
Täsch
Val de Bagnes
Fionnay
Dent Blanche
Arolla
Bertol
ZERMATT
Findelen
Zmutt
Dix
Barrage de Mauvoisin
Mauvoisin
Mont Blanc de Cheilon
Schönbiel
Pigne d'Arolla
Vignettes
Tête Blanche
Hörnli
Schwarzsee
MATTERHORN / M. CERVINO
Panossière
Petit Combin
la Ruinette
Mont Collon
Aosta
Dent d'Hérens
Gornergrat
Gornergletscher
L. de Mauvoisin
Glacier de Corbassière
Furggen
Pointe d'Otemma
La Sengla
Glacier d'Otemma
Theodulpass / Colle di Teodulo
Breithorn
Grand Combin
Chanrion
Breuil Cervinia
Valsorey
Prarayer
Château des Dames
Lago di Goillet
Plateau Rosa
Fenêtre de Durand
M. Gelé
Creton
Grand Sometta
Castor
La Lechère
Lago di Place Moulin
Les Perreres
Singlin
Alpe Pian di Verra Superiore
By
Thoules
Crepin
Eveques
Le Ferriere
M. Roisetta
Losanche
Valtournenche
Alpe Varda
Glacier
Ruz
Paquier
Gran Tournalin
Barliard
Vaud
Dzovennoz
Bionaz
Becca di Luseney
Lago di Cignana
Chentre
Places
Cheneil
St-Jacques
Rey
Alpe del Grottes
Oyace
Torrente Buthier
Ussin
Fiery
Ollomont
Valpelline
Alpe di Nana
Novello
Chante
Thoules di Sopra
M. Pisonet
Comians
Buisson
Corgnolaz
Alpe Vascoccia
Champoluc
Torrent
Doues
Valpelline
M. Faroma
Etirol
Mandriou
Testa Grigia
Villa
Dayllon
Fiernaz
Alpe Charey
Antagnod
Magneaz
Mascognaz
Ayez
Dialley
Artaz
Bisous
Pilaz
Praz
Mongnod
Periasc
Condemine
Porliod
La Magdeleine
Ayas
Alpe Palu
Villair
Becca di Viou
Venoz
Mazod
Nozon
Antey-St-André
Lignod
Trochey
Buthier
Roisan
Becca d'Avuille
Champagnod
Lod
Corbet
Corno Bussola
Corno Vitello
Gignod
Alpe Geneve
Lignan
Berzin
Noussan
M. Zerbion
Baravex
Blavy
Chamanod
Vencorere
Grand Villa
Promiod
Extrepieraz
Parleaz
Deval
Fontei
Chamois
Verrayes
Cheresoulaz
Nissod
Volpon
Brusson
Estoul
Barmasso
Colle di Joux
Chef Lieu
Sorreley
Morgonaz
Avisod
Berthod
Oillan
Marseiller
Bruson
Châtillon
St-Vincent
Perriere
Pra de Ram
Amay
Excenex
Signayes
Arpuilles
Porossan
Villair
Argnod
Blavy
Vollein
Grossaix
St Denis
Grun
Moron
Fenillaz
AOSTA / AOSTE
Villefranche
Nus
Marsan
Chambave
Pialeaz
Testa di Comagna
Valtournenche
Val d'Ayas
Zmuttbach
Val Pelline
Torrente Marmore
Torrente Evançon
Navisence
Gougra
Borgne
Lizerne

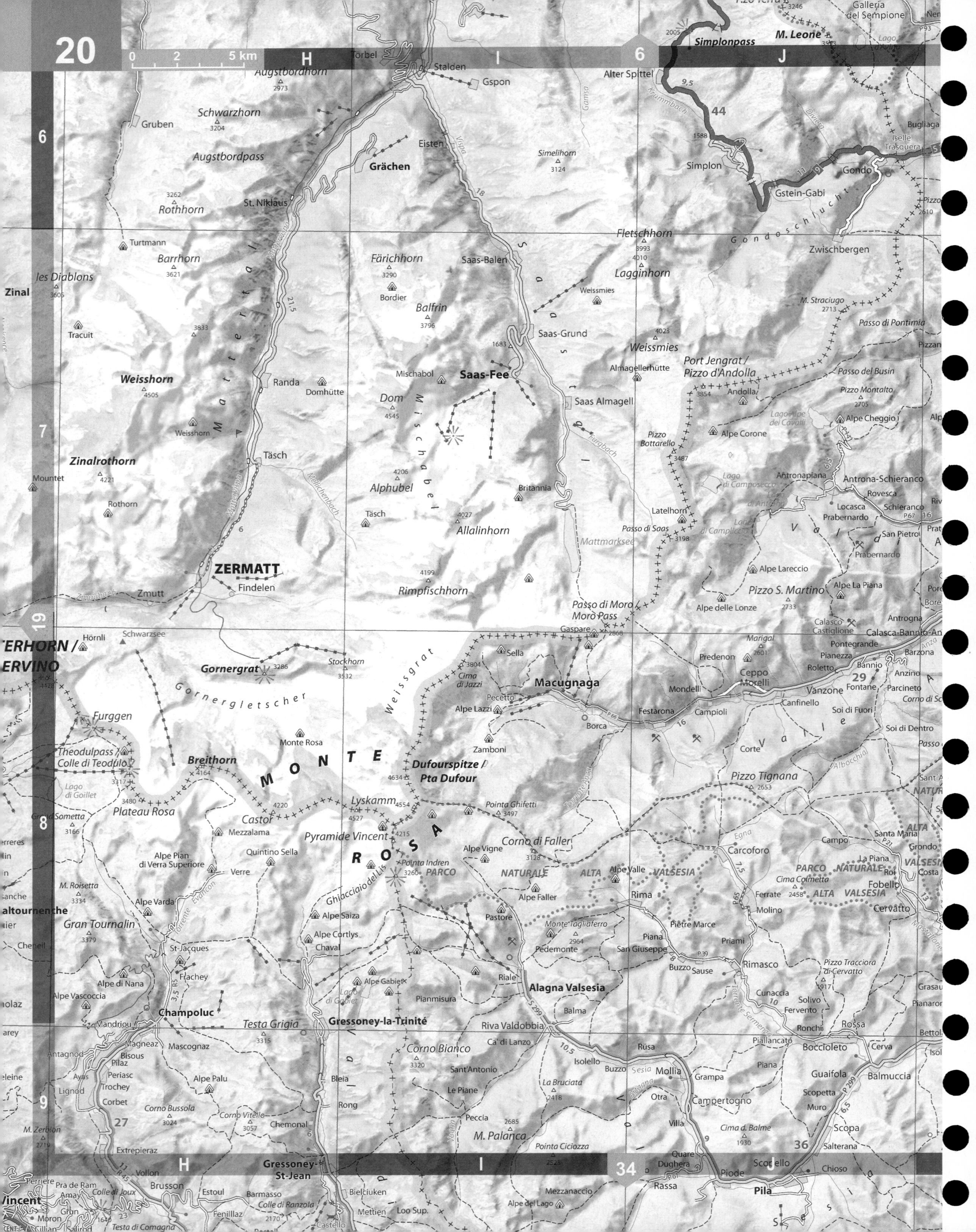
0 2 5 km
H
I
6
J
Simplonpass
M. Leone
Galleria del Sempione
Törbel
Stalden
Gspon
Augstbordhorn
2973
Alter Spittel
Krummbach
44
Schwarzhorn
3204
Gruben
Eisten
Grächen
Augstbordpass
Simelihorn
3124
Simplon
Gondo
Bugliaga
Iselle
Trasquera
Gstein-Gabi
Rothhorn
3262
St. Niklaus
Gondoschlucht
Zwischbergen
Fletschhorn
3993
4010
Lagginhorn
Turtmann
Barrhorn
3621
Färichhorn
3290
Bordier
Saas-Balen
les Diablons
3609
Zinal
Weissmies
Balfrin
3796
M. Straciugo
2713
Passo di Pontimia
Tracuit
3833
Saas-Grund
1683
4023
Weissmies
Mattertal
Saastal
Mischabel
Mischabol
Saas-Fee
Almagellerhütte
Port Jengrat /
Pizzo d'Andolla
Passo del Busin
Weisshorn
4505
Randa
Domhütte
Dom
4545
Saas Almagell
3854
Andolla
Pizzo Montalto
2705
Weisshorn
Alpe Cheggio
Alpe Corone
Pizzo Bottarello
3487
Täsch
Zinalrothorn
4221
Mountet
4206
Alphubel
Britannia
Antronapiana
Antrona-Schieranco
Lago di Camposecco
Rovesca
Locasca
Schieranco
Prabernardo
Rothorn
Täsch
4027
Allalinhorn
Latelhorn
Passo di Saas
3198
Mattmarksee
Lago di Cingino
San Pietro
Prabernardo
4199
Rimpfischhorn
Alpe Lareccio
ZERMATT
Findelen
Zmutt
Zmuttbach
Pizzo S. Martino
2733
Alpe La Piana
Passo di Moro /
Moro Pass
Alpe delle Lonze
19
Hörnli
Schwarzsee
MATTERHORN /
CERVINO
Gaspare
2868
Calasco
Castiglione
Antrogna
Calasca-Bannio-Anzino
Marigal
2601
Pontegrande
Pianezza
Barzona
Predenon
Roletto
Bannio
Anzino
Gornergrat
3286
Stockhorn
3532
Weissgrat
3804
Sella
Cima di Jazzi
Ceppo Morelli
Macugnaga
Mondelli
29
Vanzone
Fontane
Parcineto
Gornergletscher
Furggen
Pecetto
Alpe Lazzi
Festarona
Campioli
Canfinello
Soi di Fuori
Soi di Dentro
Borca
Monte Rosa
Zamboni
Corte
Valle Anzasca
Theodulpass /
Colle di Teodulo
Breithorn
4164
MONTE ROSA
Dufourspitze /
Pta Dufour
4634
3317
Lago di Goillet
Pizzo Tignana
2653
3480
Plateau Rosa
4220
Lyskamm
4554
4527
Pointa Ghifetti
3497
Grand Sometta
3166
Castor
Mezzalama
4215
Pyramide Vincent
Corno di Faller
3128
Carcoforo
Campo
Santa Maria
Grondo
Alpe Pian di Verra Superiore
Quintino Sella
Alpe Vigne
Pointa Indren
3260
PARCO NATURALE ALTA VALSESIA
Alpe Valle
La Piana
Costa
Verre
M. Roisetta
3334
Ghiacciaio del Lis
Cima Colmetta
2458
Ferrate
Fobello
Rima
Alpe Faller
Molino
Cervatto
Alpe Varda
Valtournenche
Alpe Saiza
Pastore
Gran Tournalin
3379
Alpe Cortlys
Chaval
Monte Tagliaferro
2964
Pietre Marce
Cheneil
St-Jacques
Pedemonte
Piana
San Giuseppe
Priami
Frachey
Alpe Gabiet
Riale
Buzzo
Sause
Rimasco
Pizzo Tracciora di Cervatto
1917
Alpe di Nana
Lago di Gabiet
Alagna Valsesia
Alpe Vascoccia
Pianmisura
Cunaccia
Solivo
Fervento
Champoluc
Balma
Mandriou
Testa Grigia
3315
Gressoney-la-Trinité
Riva Valdobbia
Rossa
Ronchi
Magneaz
Mascognaz
Ca' di Lanzo
Piallancato
Boccioleto
Cerva
Antagnod
Bisous
Pilaz
Corno Bianco
3320
Rusa
Isolello
Periasc
Ayas
Alpe Palu
Sant'Antonio
Buzzo
Sesia
Mollia
Grampa
Piana
Guaifola
Balmuccia
Trochey
Lignod
Bleia
Le Piane
La Bruciata
2418
Otra
Campertogno
Scopetta
Muro
Corbet
Corno Bussola
3024
Corno Vitello
3057
Rong
Peccia
2685
Villa
Cima d. Balme
1930
Scopa
27
Chemonal
M. Palanca
M. Zerbion
2719
Extrepieraz
Pointa Ciciozza
2523
36
Salterana
H
Gressoney-St-Jean
I
34
Quare
Dughera
Scopello
Chioso
Vollon
Brusson
Rassa
Piode
Pila
Perriere
Pra de Ram
Amay
Colle di Joux
Estoul
Barmasso
Colle di Ranzola
2170
Bielciuken
Mezzanaccio
Alpe del Lago
St-Vincent
Grun
Moron
Fenillaz
Mettien
Loo Sup.
Testa di Comagna
Castello

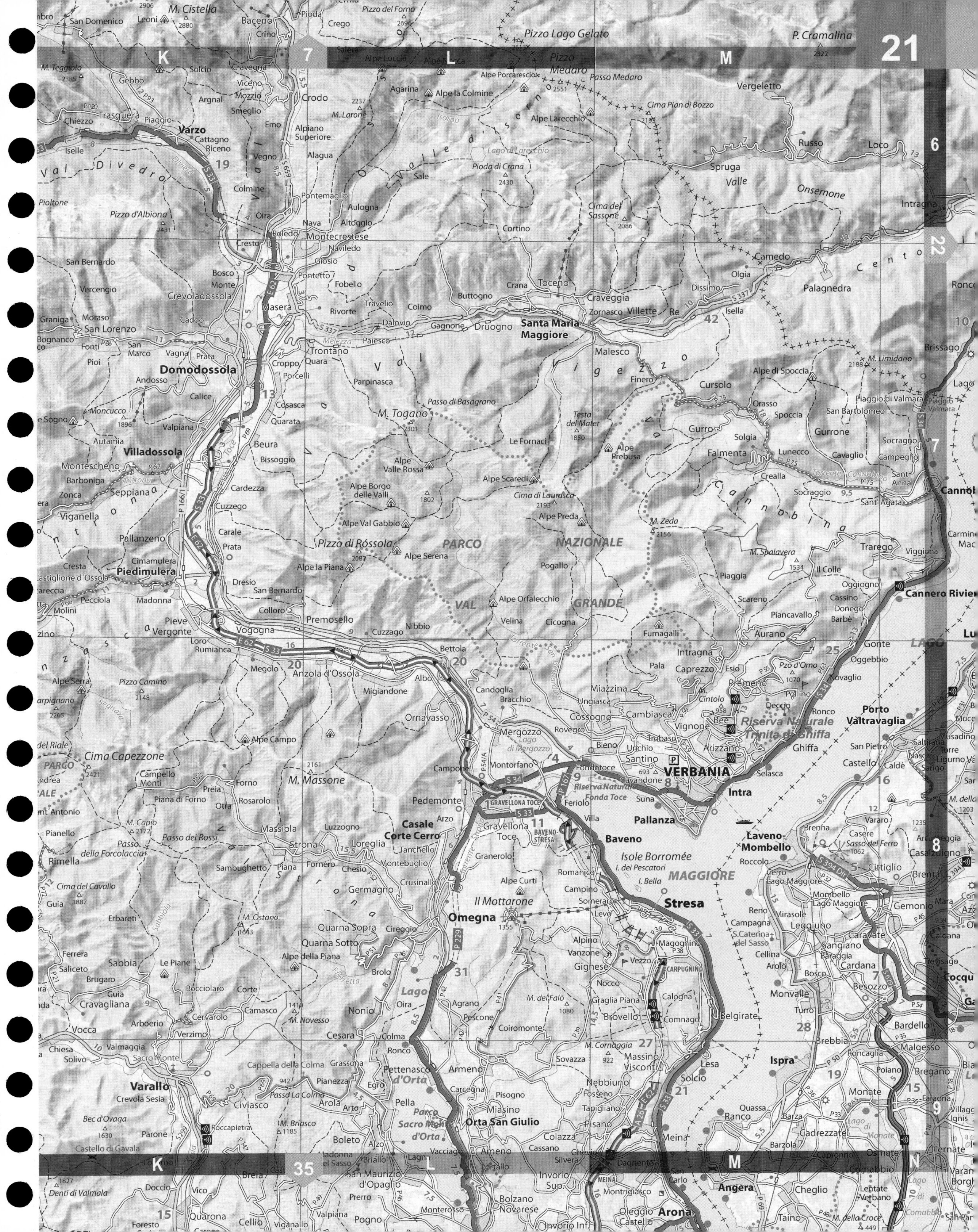
K
L
M
7
6
22
7
8
9
35
N
M. Cistella
Baceno
Crodo
Pizzo del Forno
Crego
Pizzo Lago Gelato
P. Cramalina
Pizzo Medaro
Passo Medaro
Vergeletto
Cima Pian di Bozzo
Alpe Larecchio
Agarina
Alpe la Colmine
Alpe Porcarescio
M. Teggiolo
Gebbo
Solcio
Cravegna
Viceno
Mozzio
Smeglio
Argnal
Trasquera
Piaggio
Chiezzo
Varzo
Cattagno
Riceno
Iselle
Val Divedro
Emo
Alpiano Superiore
Alagua
Vegno
Valle d'Isorno
Lago di Larecchio
Pioda di Crana
Russo
Loco
Spruga
Valle Onsernone
Intragna
Pioltone
Pizzo d'Albiona
Colmine
Olra
Pontemaglio
Sale
Aulogna
Altoggio
Nava
Montecrestese
Cima dei Sassone
Cortino
Roledo
Cresto
Naviledo
Giosio
San Bernardo
Vercengio
Bosco
Monte
Crevoladossola
Pontetto
Fobello
Travelio
Coimo
Buttogno
Crana
Toceno
Craveggia
Dissimo
Olgia
Camedo
Palagnedra
Centovalli
Ronco
Masera
Rivorte
Zornasco
Villette
Re
Isella
Graniga
Moraso
Caddo
San Lorenzo
Dalovio
Gagnone
Druogno
Santa Maria Maggiore
Bognanco
Fonti
San Marco
Vagna
Prata
Paiesco
Trontano
Malesco
Brissago
Pioi
Croppo
Quara
Porcelli
Val Vigezzo
Finero
M. Limidario
Alpe di Spoccia
Domodossola
Andosso
Parpinasca
Cursolo
Lago
Calice
Orasso
Piaggio di Valmara
Moncucco
Cosasca
Quarata
Passo di Basagrano
M. Togano
Testa del Mater
Spoccia
San Bartolomeo
Valpiana
Gurro
Gurrone
Autamia
Beura
Le Fornaci
Alpe Prebusa
Solgia
Villadossola
Bissoggio
Falmenta
Lunecco
Socragno
Cavaglio
Campeglio
Montescheno
Barbonigia
Alpe Valle Rossa
Crealla
Torrente Cannobino
Sant' Anna
Zonca
Seppiana
Cardezza
Alpe Scaredi
Socraggio
Cannobio
Alpe Borgo delle Valli
Cima di Laurasca
Sant' Agata
Viganella
Cuzzego
Valle Cannobina
Alpe Preda
M. Zeda
Alpe Val Gabbio
Pallanzeno
Carale
Prata
Parco Nazionale Val Grande
Pizzo di Róssola
Alpe Serena
M. Spalavera
Trarego
Viggiona
Cimamulera
Cresta
Piedimulera
Castiglione d'Ossola
Alpe la Piana
Pogallo
Piaggia
Il Colle
Oggiogno
Cannero Riviera
Dresio
San Bernardo
Pecciola
Madonna
Molini
Alpe Orfalecchio
Scareno
Cassino
Donego
Barbè
Colloro
Premosello
Piancavallo
Pieve Vergonte
Velina
Cicogna
Fumagalli
Aurano
Nibbio
Cuzzago
Vogogna
Loro
Rumianca
Bettola
Intragna
Gonte
Oggebbio
Lago Maggiore
Megolo
Anzola d'Ossola
Albo
Pala
Caprezzo
Esio
Pzo d'Omo
Novaglio
Alpe Serra
Pizzo Camino
Migiandone
Candoglia
Bracchio
Miazzina
Premeno
Pollino
Porto Valtravaglia
M. Cintolo
Ungiasca
Deccio
Ronco
Ornavasso
Cossogno
Cambiasca
Vignone
Bee
Riserva Naturale Trinità di Ghiffa
Mergozzo
Lago di Mergozzo
Rovegro
Trobaso
Arizzano
Ghiffa
Alpe Campo
Bieno
Unchio
Santino
San Pietro
Castello
Calde
Cima Capezzone
Campone
Montorfano
Fondotoce
VERBANIA
Selasca
Campello Monti
Forno
M. Massone
Cavandone
Riserva Naturale Fondo Toce
Suna
Intra
Preia
Rosarolo
Piana di Forno
Pedemonte
Feriolo
Otra
Arzo
Villa
Pallanza
Casale Corte Cerro
Gravellona Toce
Baveno
Laveno-Mombello
Vararo
Sant' Antonio
M. Capio
Passo dei Rossi
Massiola
Luzzogno
Tanchello
Brenna
Pianello
Passo della Forcolaccia
Rimella
Strona
Loreglia
Montebuglio
Granerolo
Isole Borromée
I. dei Pescatori
I. Bella
Casere
Sasso del Ferro
Roccolo
Sambughetto
Fornero
Chesio
Crusinallo
Romanico
Cittiglio
Brenta
Casalzuigno
Valle Strona
Germagno
Alpe Curti
Il Mottarone
Campino
Stresa
Cerro
Lago Maggiore
Mombello
Cima del Cavallo
Guia
Erbareti
M. Ostano
Omegna
Somerarc
Levo
Reno
Mirasole
Gemonio
Quarna Sopra
Cireggio
Campagna
Leggiuno
Quarna Sotto
S. Caterina del Sasso
Sangiano
Caravate
Ferrera
Saliceto
Sabbia
Brugaro
Le Piane
Alpe della Piana
Alpino
Vanzone
Gignese
Magognino
Vezzo
Cellina
Arolo
Baraggia
Cardana
Cocquio
Bosco
Brolo
Lago d'Orta
Nocco
Calogna
Besozzo
Guia
Corte
Bocciolaro
Cravagliana
Oira
Agrano
M. del Falò
Graglia Piana
Brovello
Monvalle
Arboerio
Camasco
M. Novesso
Cervarolo
Nonio
Pescone
Coiromonte
Comnago
Belgirate
Turro
Bardello
Vocca
Verzimo
Cesara
Colma
Ronco
Brebbia
Malgesso
Chiesa
Valmaggia
Solivo
Sacro Monte
Cappella della Colma
Grassona
Pettenasco
Armeno
Sovazza
M. Cornaggia
Massino Visconti
Lesa
Ispra
Roncaglia
Poiano
Bregano
Varallo
Crevola Sesia
Pianezza
Egro
Passo La Colma
Carcegna
Nebbiuno
Fosseno
Solcio
Monate
Arola
Arto
Pella
Pisogno
Miasino
Orta San Giulio
Tapigliano
Quassa
Ranco
Barza
Parco Sacro Monte d'Orta
Bec d'Ovaga
M. Briasco
Roccapietra
Parone
Boleto
Alzo
Pisano
Colazza
Meina
Cadrezzate
Lago di Monate
Ternate
Castello di Gavala
Madonna del Sasso
Vacciago
Ameno
Cassano
Ghevio
Silvera
Dagnente
Barzola
Capronno
Osmate
Briallo
Lagna
Corconio
Comabbio
San Maurizio d'Opaglio
Invorio Sup.
Denti di Valmala
Doccio
Vico
Breia
Meina
Montrigiasco
San Carlo
Angera
Cheglio
Lentate Verbano
Bolzano Novarese
Prerro
Pogno
Valpiana
Monterosso
Cellio
Quarona
Foresto
Vignallo
Invorio Inf.
Oleggio Castello
Arona
Taino
M. della Croce
Lago di Comabbio
Varano Borghi
San Pa

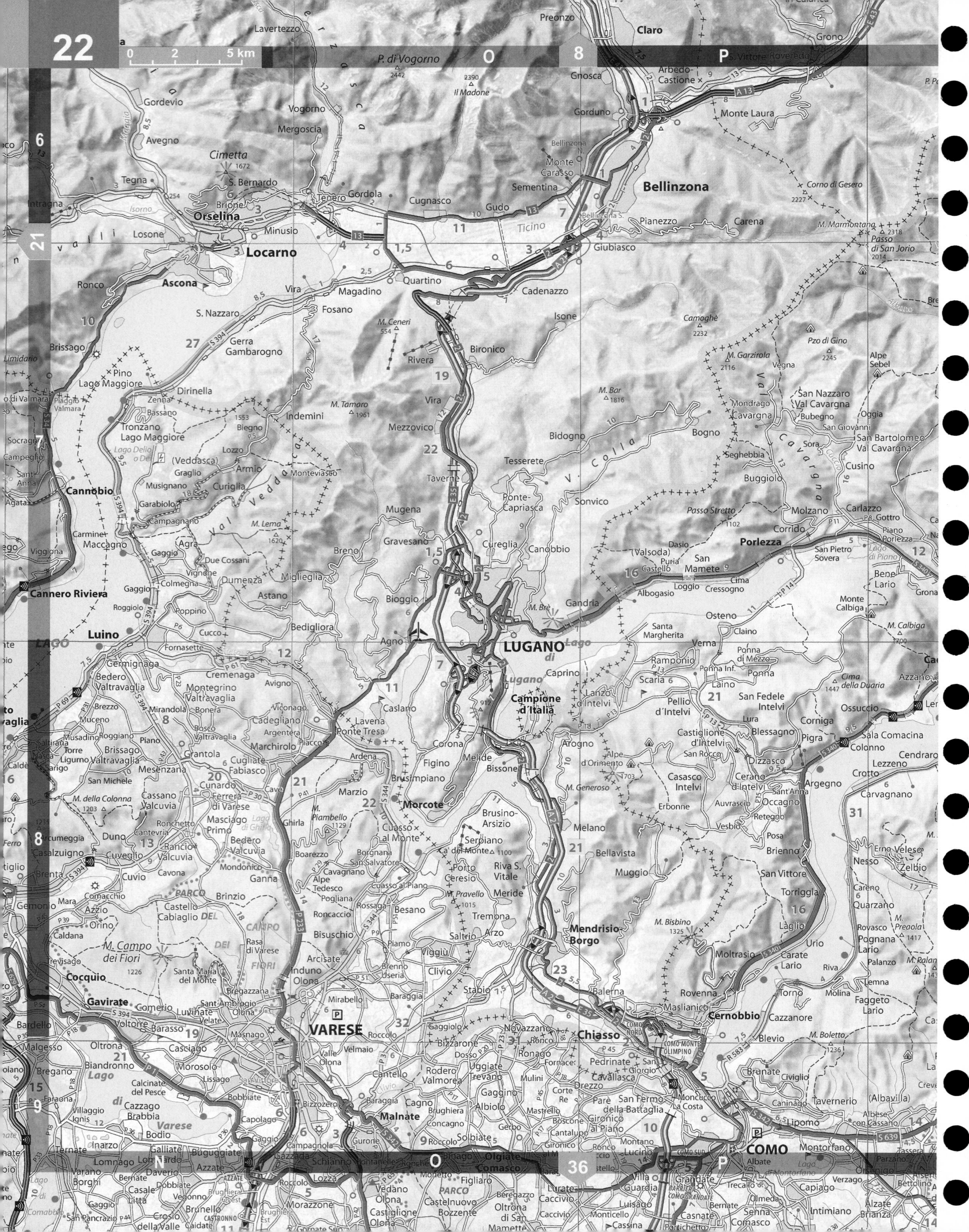
0 2 5 km
O
8
P
Lavertezzo
Preonzo
Claro
Grono
P. di Vogorno
2442
2390
Il Madone
Gnosca
Arbedo-Castione
S. Vittore
Roveredo
Gordevio
Vogorno
Mergoscia
Gorduno
Monte Laura
Avegno
Cimetta
1672
Tegna
S. Bernardo
Brione
Orselina
Intragna
Monte Carasso
Sementina
Bellinzona
Corno di Gesero
2227
Gordola
Tenero
Cugnasco
Gudo
Pianezzo
Carena
Losone
Minusio
Locarno
Ticino
Giubiasco
M. Marmontana
2318
Passo di San Jorio
2014
Ronco
Ascona
Vira
Magadino
Quartino
Cadenazzo
S. Nazzaro
Fosano
Isone
Camoghè
2232
Brissago
Gerra Gambarogno
M. Ceneri
554
Bironico
Rivera
Pzo di Gino
2245
M. Garzirola
2116
Alpe Sebel
Vegna
Pino
Lago Maggiore
Dirinella
Zenna
Piaggio Valmara
Bassano
Tronzano
Lago Maggiore
M. Tamaro
1961
Indemini
Vira
Mezzovico
M. Bar
1816
Mondrago
Cavargna
San Nazzaro
Val Cavargna
Bubegno
Oggia
San Giovanni
San Bartolomeo
Val Cavargna
Socragno
Campeglio
Biegno
Lozzo
Bidogno
Bogno
Sora
(Veddasca)
Armio
Graglio
Monteviasco
Tesserete
Seghebbia
Cusino
Sant Anna
Musignano
Curiglia
Taverne
Buggiolo
Cannobio
V. Colla
Val Cavargna
Garabiolo
Campagnano
Ponte-Capriasca
Sonvico
Mugena
Passo Stretto
1102
Molzano
Carlazzo
Carmine
Maccagno
M. Lema
1620
Val Veddasca
Gravesano
Cureglia
Canobbio
Corrido
Gottro
Piano Porlezza
Viggiona
Agra
Gaggio
Due Cossani
Breno
Dasio
(Valsoda)
Puria
Castello
San Mamete
Porlezza
San Pietro Sovera
Lago di Piano
Vignone
Colmegna
Dumenza
Miglieglia
Loggio
Cressogno
Bene Lario
Cannero Riviera
Gaggio
Astano
Bioggio
Gandria
Albogasio
Monte Calbiga
Grona
Roggiolo
Poppino
M. Brè
Osteno
Luino
Cucco
Bedigliora
Santa Margherita
Claino
M. Calbiga
1700
Fornasette
Agno
LUGANO
Lago di Lugano
Verna
Ponna di Mezzo
Germignaga
Bedero Valtravaglia
Cremenaga
Ramponio
Ponna Inf.
Caprino
Ponna
Cima della Duaria
1447
Azzano
Montegrino Valtravaglia
Avigno
Scaria
Lanzo d'Intelvi
Laino
Campione d'Italia
San Fedele Intelvi
Pellio d'Intelvi
Ossuccio
Brezzo
Viconago
Caslano
Mirandola
Bonera
Cadegliano
Muceno
Lavena Ponte Tresa
Bosco Valtravaglia
Argentera
Lura
Corniga
Musadino
Roggiano
Blessagno
Castiglione d'Intelvi
Sala Comacina
Pigra
Piano
Porto Valtravaglia
Torre
Brissago Valtravaglia
Marchirolo
Piacco
Grantola
Corona
Arogno
Colonno
Ligurno
Cugliate Fabiasco
Ardena
Figino
Melide
San Rocco
Alpe d'Orimento
Dizzasco
Cendraro
Lezzeno
Mesenzana
1703
Bissone
Crotto
San Michele
Cunardo
Brusimpiano
Casasco Intelvi
Cerano d'Intelvi
Argegno
Carvagnano
Cassano Valcuvia
M. della Colonna
1203
Ferrera di Varese
Marzio
Morcote
M. Generoso
Sant'Anna
Occagno
Erbonne
Auvrascio
Retegno
Brusino-Arsizio
M. Piambello
1129
Ronchetto
Masciago Primo
Lago di Ghirla
Ghirla
Vesbio
Melano
Cantevria
Arcumeggia
Duno
Rancio Valcuvia
Bedero Valcuvia
Cuasso al Monte
Serpiano
Posa
Brienno
Erno
Veleso
Casalzuigno
Cuveglio
Borgnana
San Salvatore
Ca' del Monte
1100
Bellavista
Nesso
Zelbio
Brenta
Boarezzo
Cavagnano
Porto Ceresio
Riva S. Vitale
Muggio
San Vittore
Cavona
Mondonico
Ganna
Cuvio
Alpe Tedesco
Cuasso al Piano
Pogliana
M. Pravello
1015
Meride
Torriggia
Careno
Quarzano
Comacchio
Brinzio
Azzio
Mara
PARCO
Gemonio
Rossaga
Besano
Orino
Castello Cabiaglio
DEL
Roncaccio
Tremona
M. Bisbino
1325
Laglio
Rovasco
M. Preaola
1417
Pognana Lario
Caldana
CAMPO
Bisuschio
Saltrio
Arzo
Mendrisio
Borgo
Urio
M. Campo dei Fiori
Rasa di Varese
DEI
Viggiù
Moltrasio
Carate Lario
Palanzo
M. Palanzo
Trevisago
1226
FIORI
Arcisate
Piamo
Clivio
Riva
Cocquio
Santa Maria del Monte
Induno Olona
Brenno Useria
Stabio
Balerna
Rovenna
Torno
Molina
Lemna
Faggeto Lario
Bregazzana
Mirabello
Baraggia
Maslianico
Gavirate
Sant'Ambrogio Olona
Comerio
Luvinate
Velate
Cernobbio
Cazzanore
Bardello
Voltorre
VARESE
Gaggiolo
Novazzano
Chiasso
Blevio
M. Boletto
1236
Barasso
Masnago
Roccolo
Ronco
Malgesso
Oltrona
Casciago
Valle Olona
Velmaio
Bizzarone
Dosso
Ronago
COMO MONTE OLIMPINO
Biandronno
Morosolo
Uggiate Trevano
Pedrinate
San Giorgio
Fornace
Bregano
Cantello
Rodero
Valmorea
Cavallasca
Brunate
Civiglio
Lago di Varese
Calcinate del Pesce
Lissago
Mulini
Drezzo
Bobbiate
Gaggino
Corte Re
Parè
San Fermo della Battaglia
Monticuccoli
La Costa
Caninago
Tavernerio
(Albavilla)
Villaggio Ignis
Cazzago Brabbia
Capolago
Bizzozero
Baraggia
Cagno
Albiolo
Malnate
Brughiera
Mastrello
Boscone
Gironico al Piano
Albese con Cassano
Lipomo
Bodio
Gaggio
Concagno
Solbiate
Gerbo
Cantalupo
Inarzo
Campagnola
Gurone
Roccolo
Gironico
Montano Lucino
COMO
Montorfano
Tassera
Ternate
Galliate Lombardo
Buguggiate
Azzate
Gazzada Schianno
Binago
Olgiate Comasco
Albate
Parzano
Lomnago
N
O
36
P
Varano Borghi
Daverio
Dobbiate
Lozza
Monello
Figliaro
Lurate Caccivio
Villa Guardia
Grandate
Trecallo
Lago di Montorfano
Verzago
Bettolino
Bernate
Casale Litta
Vegonno
Roccolo
Vedano Olona
PARCO
Castelnuovo Bozzente
Beregazzo
Luisago
Capiago
Olmeda
Alzate Brianza
Gaggio
Brunello
Morazzone
Castiglione Olona
Oltrona di San Mamette
Caccivio
Monticello
Cassina
Casnate
Senna Comasco
Intimiano
San Pancrazio
Crosio della Valle
Caidate

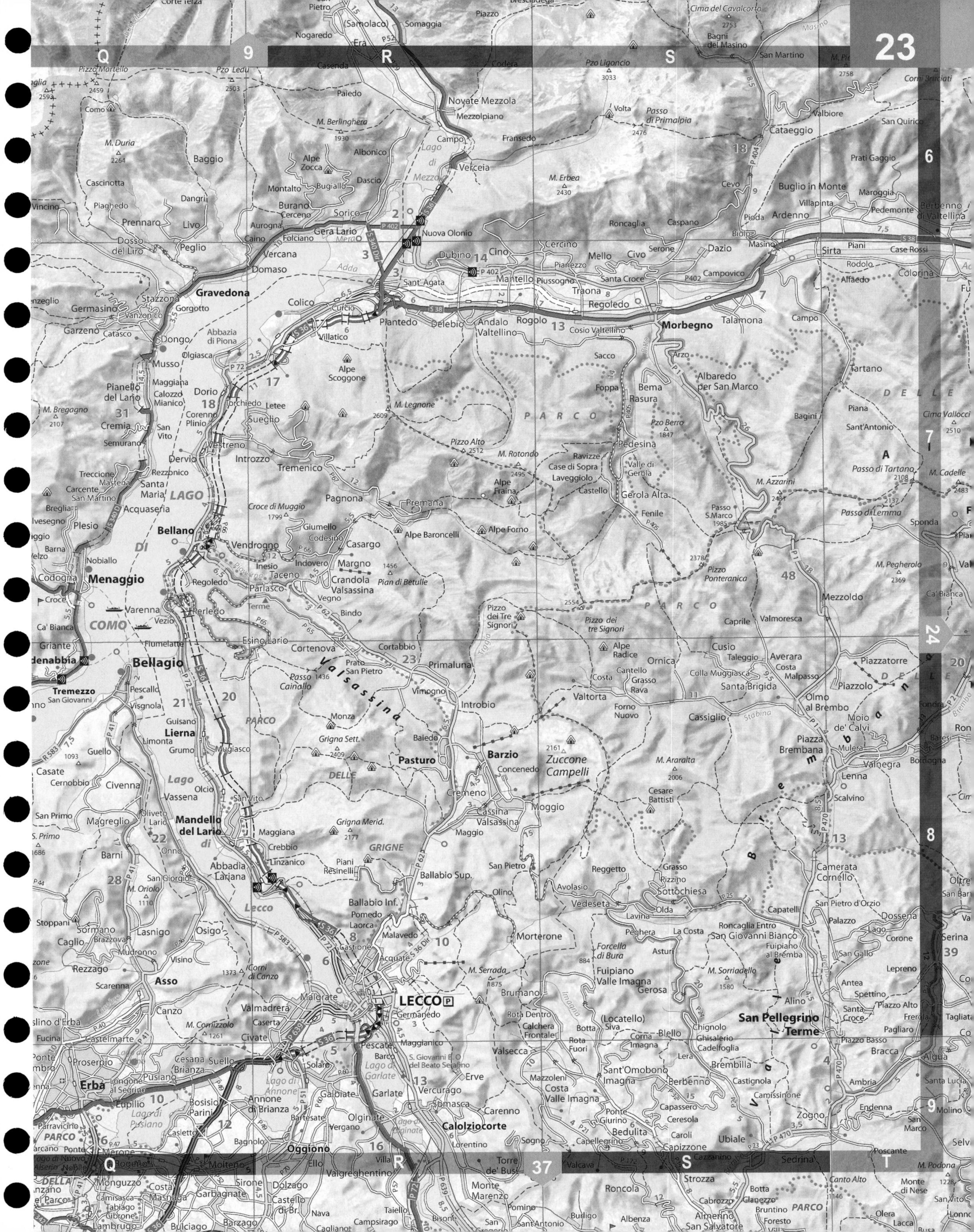
Q
9
R
S
Cima del Cavalcorto
2753
Bagni del Masino
San Martino
Pizzo Martello
2459
Pzo Ledù
2503
Pzo Ligoncio
3033
Novate Mezzola
Mezzolpiano
Volta
Passo di Primalpia
2476
Valbiore
San Quirico
Cataeggio
M. Berlinghera
1930
Campo
Fransedo
M. Duria
2264
Baggio
Alpe Zocca
Albonico
Lago di Mezzola
Verceia
M. Erbea
2430
Prati Gaggio
Cevo
Buglio in Monte
Maroggia
Villapinta
Berbenno di Valtellina
Pedemonte
Cascinotta
Montalto
Bugiallo
Dascio
Piaghedo
Dangri
Burano
Cerceno
Sorico
Pioda
Ardenno
Vincino
Prennaro
Livo
Aurogna
Gera Lario
P 402
Nuova Olonio
Roncaglia
Caspano
Biolo
Masino
Sirta
Piani
Case Rossi
Dosso del Liro
Peglio
Caino
Folciano
Vercana
Domaso
Dubino
Cino
Cercino
Mello
Civo
Serone
Dazio
Pianezzo
Mantello
Piussogno
Santa Croce
P402
Campovico
Rodolo
Alfaedo
Colorina
Adda
Sant'Agata
Traona
Regoledo
Gravedona
Stazzona
Germasino
Vanzonico
Gorgotto
Colico
Curcio
Piantedo
Delebio
Andalo Valtellino
Rogolo
Cosio Valtellino
Morbegno
Talamona
Campo
Garzeno
Catasco
Abbazia di Piona
Villatico
Dongo
Olgiasca
Musso
Alpe Scoggone
Sacco
Arzo
Albaredo per San Marco
Tartano
Pianello del Lario
Maggiana
Calozzo
Mianico
Dorio
Torchiedo
Letee
Foppa
Bema
Rasura
M. Legnone
2609
PARCO
M. Bregagno
2107
Cremia
Corenno Plinio
Sueglio
Pzo Berro
1847
Piana
Bagini
Sant'Antonio
Cima Vallocci
2510
Semurano
San Vito
Vestreno
Pizzo Alto
2512
Pedesina
Dervio
Introzzo
M. Rotondo
2495
Ravizze
Case di Sopra
Laveggiolo
Valle di Gerola
A
Passo di Tartano
2108
M. Cadelle
2483
Treccione
Mastena
Rezzonico
Tremenico
Alpe Fraina
Castello
Gerola Alta
M. Azzarini
Carcente
San Martino
Santa Maria
LAGO
Pagnona
Premana
Breglia
Acquaseria
Croce di Muggio
1799
Fenile
Passo S.Marco
1985
Passo di Lemma
Ivesegno
Plesio
Giumello
Codesino
Alpe Baroncelli
Alpe Forno
Sponda
Bellano
Casargo
Barna
DI
Vendrogno
Nobiallo
Inesio
Indovero
Margno
Taceno
Crandola Valsassina
Pian di Betulle
1456
2378
Pizzo Ponteranica
48
M. Pegherolo
2369
Codogna
Menaggio
Regoledo
Parlasco
Vegno
Terme
Croce
Varenna
Perledo
Bindo
2554
Pizzo dei Tre Signori
PARCO
Mezzoldo
Ca' Bianca
Caprile
Valmoresca
COMO
Vezio
Fiumelatte
Esino Lario
Pizzo dei tre Signori
24
Griante
Cadenabbia
Bellagio
Cortenova
Prato San Pietro
Cortabbio
Primaluna
Alpe Radice
Cusio
Averara
Costa
Malpasso
Taleggio
Ornica
Piazzatorre
20
Tremezzo
San Giovanni
Pescallo
Passo Cainallo
1436
Valsassina
Vimogno
Cantello
Costa
Grasso
Rava
Colla Muggiasca
Santa Brigida
Piazzolo
Visgnola
21
20
Introbio
Valtorta
Forno Nuovo
Olmo al Brembo
Guisano
PARCO
Monza
Cassiglio
Moio de' Calvi
Lierna
Limonta
Grumo
Mugiasco
Grigna Sett.
2409
Baiedo
Barzio
2161
Zuccone Campelli
M. Araralta
2006
Piazza Brembana
Valnegra
Guello
1093
Pasturo
Concenedo
Lenna
Casate
Cernobbio
Civenna
Lago
DELLE
Cremeno
Cesare Battisti
Scalvino
Vassena
Olcio
San Vito
Cassina Valsassina
Moggio
San Primo
Magreglio
Oliveto Lario
Mandello del Lario
Grigna Merid.
2177
Maggiana
Maggio
8
S. Primo
1686
22
Onno
di
Crebbio
GRIGNE
13
Barni
Abbadia Lariana
Linzanico
Piani Resinelli
Ballabio Sup.
San Pietro
Reggetto
Grasso
Rizzino
Camerata Cornello
28
San Giorgio
M. Oriolo
1110
Avolasio
Sottochiesa
Olino
Ballabio Inf.
Vedeseta
Olda
Capatelli
San Pietro d'Orzio
Stoppani
Sormano
Brazzova
Lecco
Pomedo
Laorca
Lavina
Palazzo
Dossena
Caglio
Lasnigo
Osigo
8
Malavedo
10
Morterone
Peghera
La Costa
Roncaglia Entro
San Giovanni Bianco
Lago
Corone
Serina
Mudronno
Visino
Gastione
Forcella di Bura
Fuipiano al Brembo
San Gallo
39
Rezzago
1373
Corni di Canzo
6
Acquate
M. Serrada
1875
884
Fuipiano Valle Imagna
Asturi
M. Sorriadello
1580
Lepreno
Scarenna
Asso
Brumano
Gerosa
Antea
Spettino
Canzo
Valmadrera
Malgrate
LECCO
Germanedo
Rota Dentro
Calchera Frontale
Botta
(Locatello)
Siva
Alino
Santa Croce
Piazzo Alto
Frerola
San Pellegrino Terme
Pagliaro
Castelmarte
M. Cornizzolo
1261
Caserta
Civate
Maggianico
Rota Fuori
Corna Imagna
Blello
Chignolo
Ghisalerio
Cadelfoglia
Piazzo Basso
Bracca
Cesana Brianza
Suello
Pescate
Barco
S. Giovanni B. del Beato Serafino
Valsecca
Lera
Brembilla
4
Algua
Ponte Lambro
Proserpio
Pusiano
Solaro
Lago di Garlate
5
13
Erve
Mazzoleni
Sant'Omobono Imagna
Berbenno
Castignola
Ambria
Santa Lucia
Erba
Longone al Segrino
Lago di Annone
Annone di Brianza
Galbiate
Garlate
Vercurago
Somasca
Costa Valle Imagna
Camissinone
Endenna
Eupilio
10
Lago di Pusiano
Bosisio Parini
Bartesate
Olginate
Lago di Olginate
Carenno
Ponte Giurino
Capassero
Ceresola
Zogno
San Marco
Molino
Parravicino
PARCO
Caslettо
12
Calolziocorte
Bedulita
Caroli
Ubiale
Arcano
Ponte
Merone
Bagnolo
Oggiono
Vergano
16
Lorentino
Sogno
Capellegrino
Capizzone
Sedrina
Poscante
Selvino
Q
Rogeno
Molteno
Ello
Villa
R
Torre de' Busi
37
Valcava
S
Cazzanino
T
M. Podona
1228
Lago di Nuovo
Nobile
DELLA
Monguzzo
Costa Masnaga
Garbagnate
Sirone
Dolzago
Castello di Br.
Valgreghentino
Monte Marenzo
Roncola
Strozza
Botta
Clanezzo
Canto Alto
1146
Monte di Nese
San Vito
Camisasca
Tabiago
Cibrone
Lambrugo
Bulciago
Barzago
Nava
Cagliano
Campsirago
Taiello
Bisone
Pomino
San Antonio
Burligo
Albenza
Almenno San Salvatore
Cabrozzo
Bruntino
Foresto
PARCO
Olera
Lacca

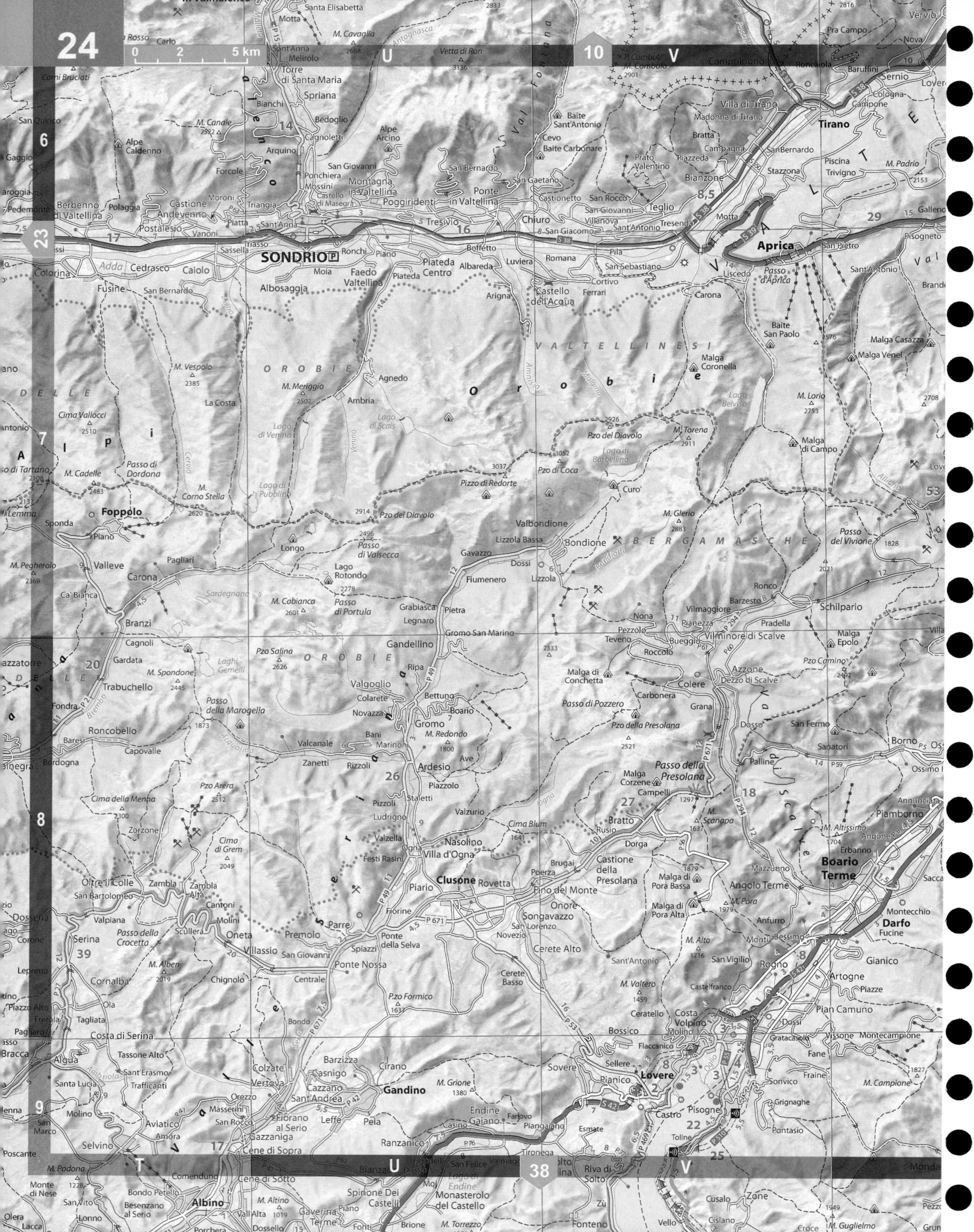
0 2 5 km
SONDRIO
Tirano
Aprica
Boario Terme
Darfo
Clusone
Lovere
Gandino
Albino
Foppolo
O R O B I E
V A L T E L L I N E S I
B E R G A M A S C H E
Passo della Presolana
Passo del Vivione
Pizzo di Redorte
Pzo del Diavolo
Valbondione
Gromo
Ardesio
Villa d'Ogna
Castione della Presolana
Vilminore di Scalve
Schilpario
Angolo Terme
Costa Volpino
Pisogne
Sovere
Serina
Branzi
Carona
Piateda Centro
Teglio
Chiuro
Poggiridenti
Montagna in Valtellina
Berbenno di Valtellina
Cedrasco
Albosaggia
Faedo Valtellina
Gazzaniga
Fiorano al Serio
Cene di Sopra
Ponte Nossa
Rovetta
Fino del Monte
Onore
Songavazzo
Bratto
Dorga
Colere
Azzone
Piamborno
Gianico
Artogne
Pian Camuno
Rogno
Castro
Riva di Solto
Leffe
Casnigo
Cazzano Sant'Andrea
Vertova
Colzate
Oneta
Premolo
Parre
Piario
Gandellino
Valgoglio
Roncobello
Valleve
Trabuchello
Oltre il Colle
Selvino
Aviatico
Spinone Dei Castelli
Monasterolo del Castello
U
V
T
10
38
6
7
8
9
23

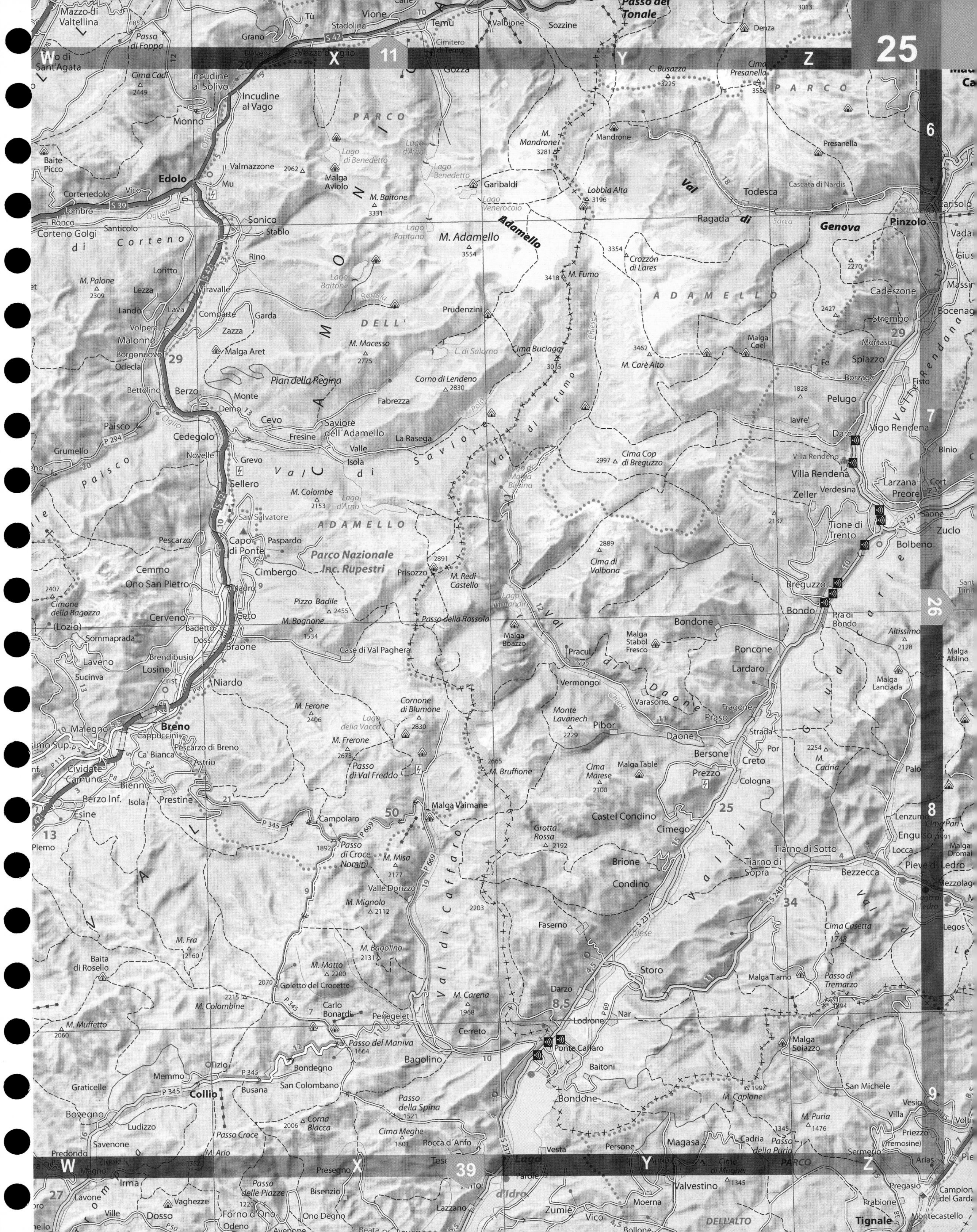
Edolo
Breno
Pinzolo
M. Adamello
Val di Genova
Parco Nazionale Inc. Rupestri
Capo di Ponte
Cedegolo
Storo
Ponte Caffaro
Bagolino
Collio
Tione di Trento
Condino
Passo del Tonale
Val Camonica
Passo del Maniva
Passo di Croce Domini
Val di Daone
Valli Giudicarie
Lago d'Idro
Tignale

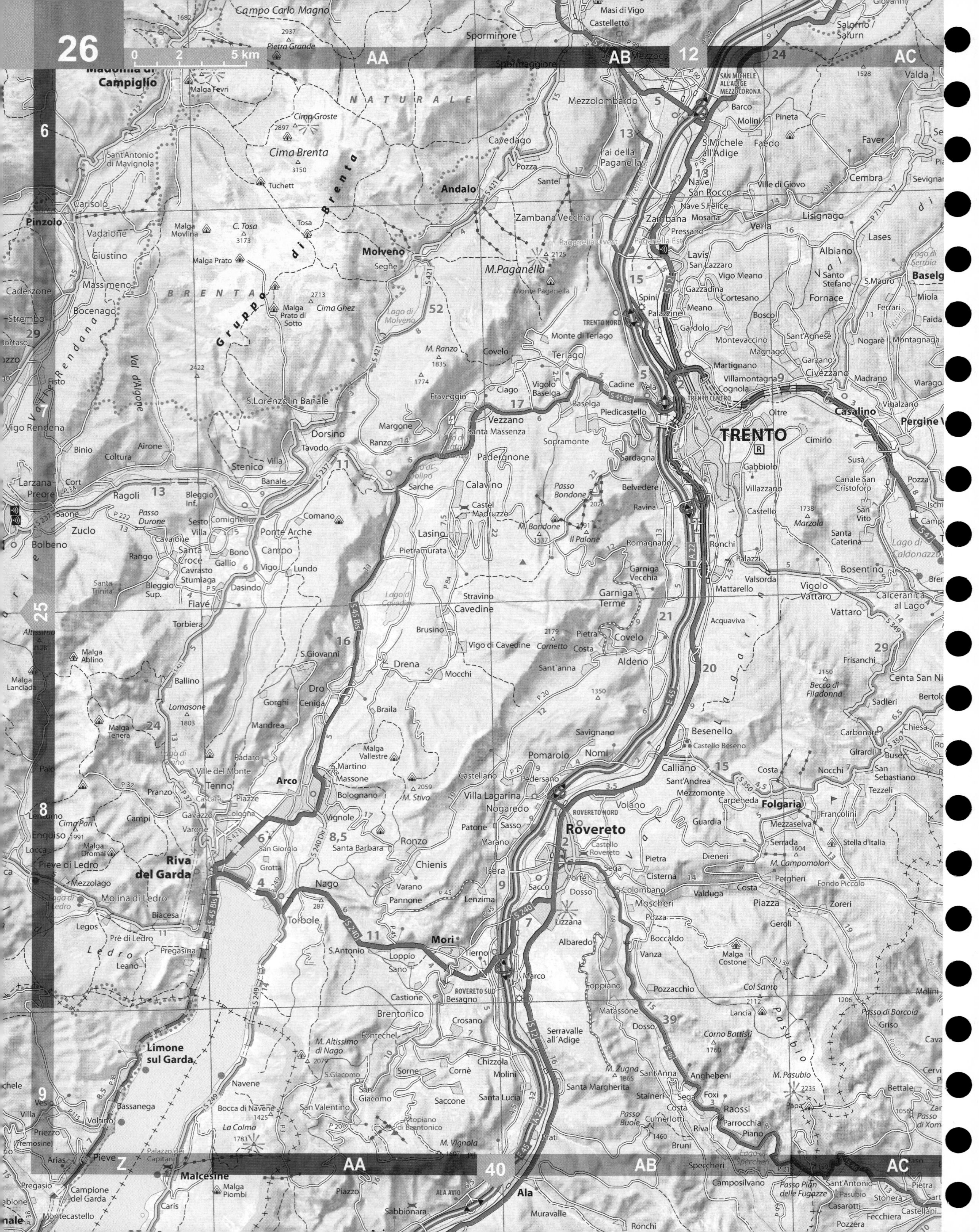
26
0 2 5 km
AA
AB
12
24
AC
Campo Carlo Magno
Pietra Grande
Madonna di Campiglio
Malga Fevri
Sporminore
Spormaggiore
Masi di Vigo
Castelletto
Mezzocorona
Salorno / Salurn
San Michele all'Adige
Mezzocorona
Valda
N A T U R A L E
Cima Groste
Mezzolombardo
Barco
Pineta
Molini
S.Michele all'Adige
Faedo
Faver
Cembra
Sevignano
Sant'Antonio di Mavignola
Cima Brenta
Cavedago
Fai della Paganella
Pozza
Tuchett
Andalo
Santel
Nave San Rocco
Nave S.Felice
Ville di Giovo
Lisignago
Carisolo
Pinzolo
Vadaione
Giustino
Malga Movlina
C. Tosa
Tosa
Zambana Vecchia
Zambana
Mosana
Pressano
Verla
Lases
Molveno
Paganella Ovest
Paganella Est
Lavis
San Lazzaro
Albiano
Malga Prato
Segne
M.Paganella
Monte Paganella
Vigo Meano
Santo Stefano
S.Mauro
Baselga
Massimeno
Caderzone
B R E N T A
Gruppo di Brenta
Cima Ghez
Malga Prato di Sotto
Lago di Molveno
Gazzadina
Cortesano
Fornace
Miola
Strembo
Bocenago
Spini
Palazzine
Meano
Bosco
Ferrari
Faida
TRENTO NORD
Gardolo
Monte di Terlago
Montevaccino
Sant'Agnese
Nogarè
Montagnaga
M. Ranzo
Covelo
Terlago
Magnago
Garzano
Martignano
Civezzano
Madrano
Viarago
Valle Rendena
Val d'Algone
Fisto
Fraveggio
Ciago
Vigolo Baselga
Cadine
Vela
Villamontagna
Cognola
TRENTO CENTRO
S.Lorenzo in Banale
Baselga
Piedicastello
Oltre
Casalino
Vigalzano
Pergine V
Vigo Rendena
Dorsino
Margone
Vezzano
Santa Massenza
TRENTO
Cimirlo
Binio
Airone
Coltura
Tavodo
Ranzo
Sopramonte
Villa
Stenico
Padergnone
Sardagna
Susà
Larzana
Preore
Cort
Banale
Lago di Toblino
Sarche
Calavino
Gabbiolo
Villazzano
Canale San Cristoforo
Pozza
Ragoli
Bleggio Inf.
Passo Bondone
Belvedere
Saone
Passo Durone
Comighello
Castel Madruzzo
Ravina
Castello
Marzola
San Vito
Zuclo
Sesto Villa
Comano
M. Bondone
Il Palone
Santa Caterina
Cavaione
Ponte Arche
Lasino
Romagnano
Ronchi
Lago di Caldonazzo
Bolbeno
Rango
Santa Croce
Bono
Campo
Pietramurata
Palazzi
Bosentino
Gallio
Cavrasto
Stumiaga
Vigo
Lundo
Garniga Vecchia
Valsorda
Santa Trinità
Bleggio Sup.
Dasindo
Mattarello
Vigolo Vattaro
Calceranica al Lago
Fiavé
Lago di Cavedine
Stravino
Cavedine
Garniga Terme
Vattaro
Torbiera
Acquaviva
Altissimo
Malga Ablino
Brusino
Pietra
Covelo
Vigo di Cavedine
Cornetto
Costa
Malga Lanciada
S.Giovanni
Drena
Sant'anna
Aldeno
Frisanchi
Ballino
Mocchi
Becco di Filadonna
Centa San Nicolò
Dro
Ceniga
Gorghi
Braila
Sadleri
Bertoldi
Lomasone
Mandrea
Savignano
Besenello
Carbonare
Chiesa
Malga Tenera
Castello Beseno
Malga Vallestre
Padaro
Pomarolo
Nomi
Calliano
Costa
Nocchi
Girardi
Buse
San Sebastiano
Ville del Monte
Martino
Massone
Castellano
Pedersano
Sant'Andrea
Mezzomonte
Carpeneda
Folgaria
Tezzeli
Tenno
Arco
Bolognano
M. Stivo
Villa Lagarina
Nogaredo
Volano
Francolini
Pranzo
Cascata
Piazze
Cologna
Campi
Vignole
ROVERETO NORD
Guardia
Mezzaselva
Cima Pari
Gavazzo
Varone
Patone
Sasso
Rovereto
Serrada
Stella d'Italia
Enguiso
Malga Dromai
Riva del Garda
San Giorgio
Santa Barbara
Ronzo
Marano
Castello Rovereto
Dieneri
M. Campomolon
Locca
Pieve di Ledro
Grotta
Chienis
Isera
Pietra
Sega
Pergheri
Fondo Piccolo
Mezzolago
Nago
Varano
Porte
Cisterna
Costa
Molina di Ledro
Lago di Ledro
Pannone
Lenzima
Sacco
Dosso
S.Colombano
Valduga
Piazza
Zoreri
Moscheri
Biacesa
Torbole
Lizzana
Pozza
Geroli
Legos
Prè di Ledro
L e d r o
Mori
Albaredo
Boccaldo
Pregasina
Leano
S.Antonio
Loppio
Tierno
Vanza
Malga Costone
Sano
Marco
Foppiano
Pozzacchio
Col Santo
Molini
Castione
ROVERETO SUD
Besagno
Lancia
Brentonico
Crosano
Matassone
Passo di Borcola
Griso
Fontechel
Dosso
Corno Battisti
Limone sul Garda
M. Altissimo di Nago
Serravalle all'Adige
Chizzola
Molini
M. Zugna
Sant'Anna
Anghebeni
M. Pasubio
S.Giacomo
Sorne
Cornè
Santa Margherita
Navene
San Giacomo
Foxi
Bettale
Vesio
Bassanega
Bocca di Navene
San Valentino
Saccone
Santa Lucia
Stainerl
Sega
Raossi
Papa
Passo di Xomo
Villa
Voltino
Altopiano di Brentonico
Passo Buole
Cumerlotti
Parrocchia
Piano
Priezzo
(Tremosine)
La Colma
M. Vignola
Prati
Riva
Bruni
Arias
Pieve
Palazzo dei Capitani
Z
AA
40
AB
AC
Specchieri
Lago di Speccheri
Pregasio
Campione del Garda
Malcesine
Malga Piombi
Piazzo
ALA AVIO
Ala
Camposilvano
Passo Pian delle Fugazze
Sant'Antonio
Pasubio
Stoner
Pietra
Casarotti
Pozzera
Castellani
Caris
Sabbionara
Muravalle
Fecchiera
Montecastello
Ronchi
S 45 Bis
S 421
S 237
S 240
S 12
S 350
S 349
S 47
A 22
E 45
6
7
8
9
25
29

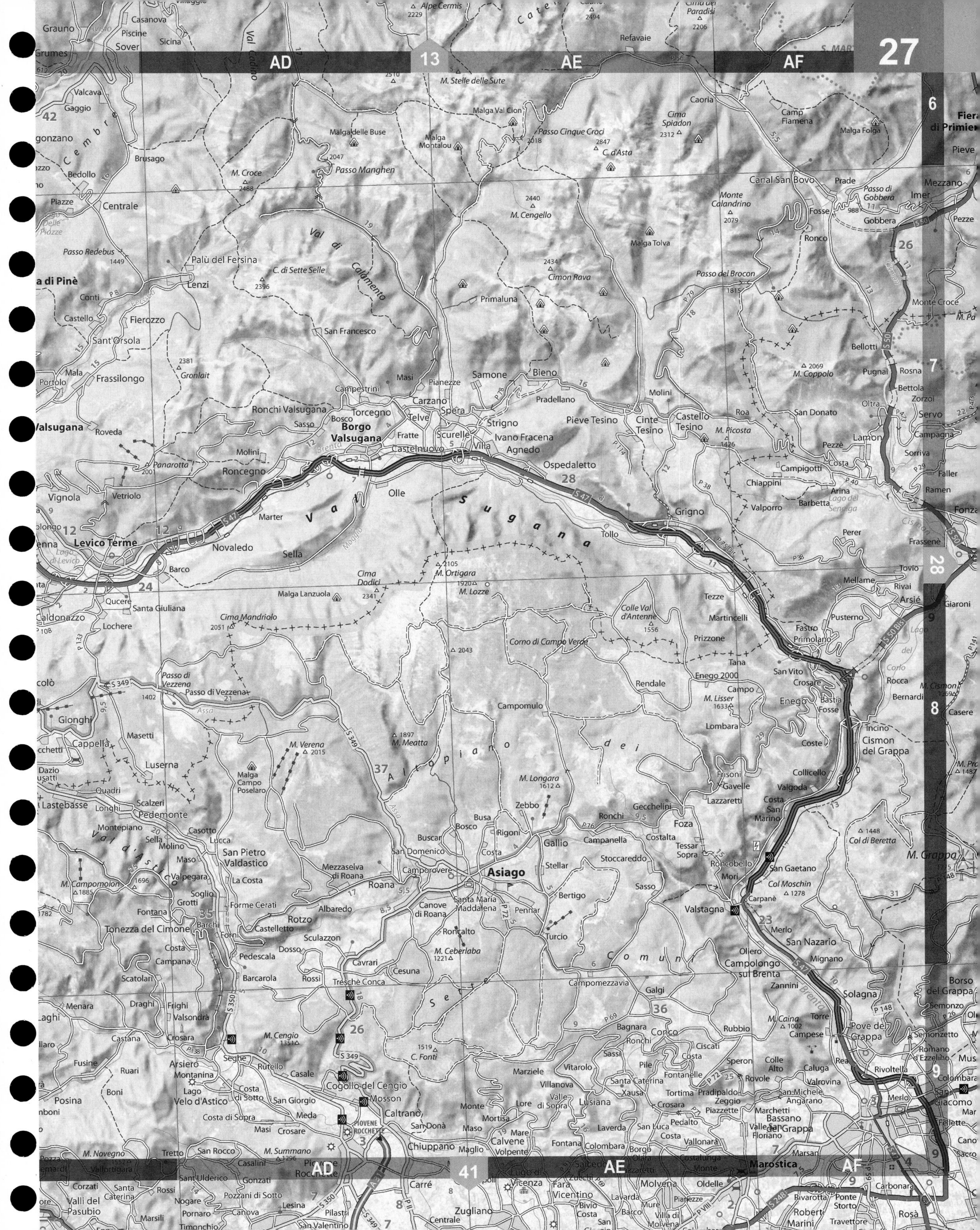
AD
13
AE
AF
6
7
28
8
9
42
12
24
37
35
26
36
28
23
41
AD
AE
AF
Borgo Valsugana
Asiago
Levico Terme
Val Sugana
Altopiano dei Sette Comuni
Passo Manghen
Passo del Brocon
Passo di Vezzena
Cima Dodici
M. Ortigara
Castelnuovo
Strigno
Grigno
Primolano
Enego
Cismon del Grappa
Valstagna
Bassano del Grappa
Marostica
Arsiero
Gallio
Roana
Lamon
Canal San Bovo
Telve
Roncegno
Novaledo
Caldonazzo
Lusiana
Conco
Solagna
Pove del Grappa
M. Grappa

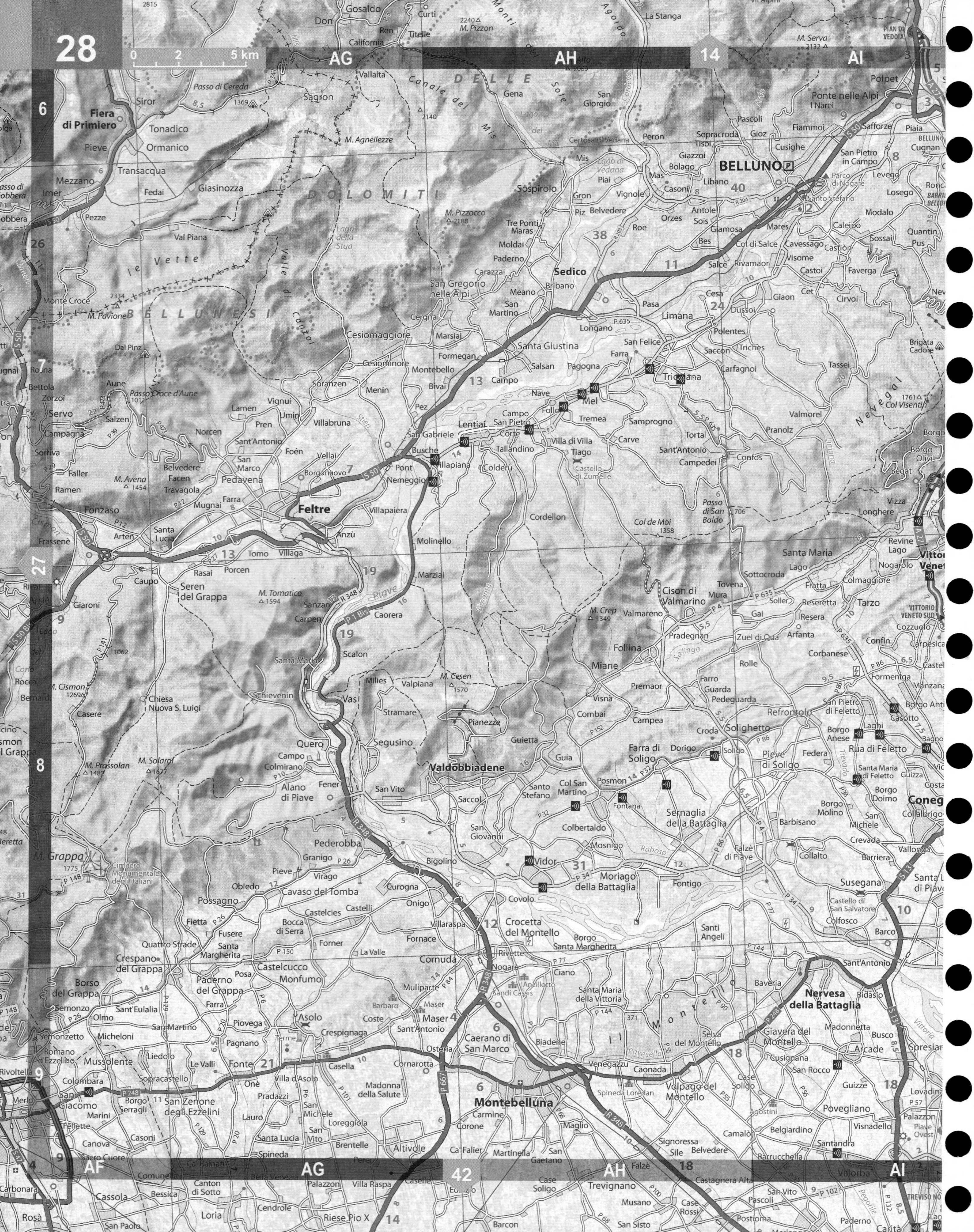
0 2 5 km
AG
AH
14
AI
6
7
8
27
9
AF
AG
42
AH
AI
Gosaldo
Don
Curti
Ren
Titelle
California
M. Pizzon
Monti del Sole
Agordo
La Stanga
M. Serva
Passo di Cereda
Vallalta
Canale del Mis
Gena
San Giorgio
Polpet
Ponte nelle Alpi
I Narei
Fiera di Primiero
Siror
Sagron
Tonadico
Ormanico
Pieve
M. Agneilezze
Certosa di Vedana
Peron
Sopracroda
Tisoi
Pascoli
Gioz
Fiammoi
Safforze
Piaia
Cugnan
Transacqua
Mezzano
Imer
Fedai
Giasinozza
D O L O M I T I
Sospirolo
Mis
Lago di Vedana
Piai
Mas
Giazzoi
Bolago
BELLUNO
Libano
Casoni
Gron
Vignole
Piz
Belvedere
Orzes
Antole
Sois
Giamosa
Mares
Col di Salce
Cavessago
Visome
Castoi
Faverga
Caleipo
Castion
Sossai
Quantin
Modalo
Losego
Levego
San Pietro in Campo
Parco di Nogare
Santo Stefano
Pezze
Val Piana
Lago della Stua
M. Pizzocco
Tre Ponti
Maras
Moldai
Paderno
Roe
Bes
Salce
Rivamaor
Sedico
Bribano
Carazzai
San Gregorio nelle Alpi
Meano
San Martino
Pasa
Cesa
Limana
Dussoi
Giaon
Cet
Cirvoi
le Vette
Valle di Canzoi
Monte Croce
M. Pavione
B E L L U N E S I
Cergnai
Cesiomaggiore
Marsiai
Longano
Santa Giustina
San Felice
Polentes
Triches
Farra
Saccon
Brigata Cadore
Dal Pinz
Cesiominore
Formegan
Montebello
Salsan
Pagogna
Trichiana
Carfagnol
Tassei
Nevegal
Col Visentin
Aune
Passo Croce d'Aune
Bettola
Zorzoi
Servo
Salzen
Campagna
Soranzen
Menin
Bivai
Campo
Nave
Mel
Follo
Tremea
Samprogno
Valmorel
Vignui
Umin
Lamen
Pren
Villabruna
Pez
Lentiai
San Gabriele
Campo San Pietro
Corte
Villa di Villa
Carve
Tortal
Pranolz
Norcen
Sant'Antonio
Foén
Busche
Villapiana
Tallandino
Colderù
Tiago
Castello di Zumelle
Sant'Antonio
Campedei
Confos
Sorriva
Faller
Ramen
M. Avena
Belvedere
Facen
Travagola
San Marco
Pedavena
Vellai
Borgonuovo
Pont
Nemeggio
Segat
Fonzaso
Mugnai
Farra
Feltre
Villapaiera
Cordellon
Passo di San Boldo
Col de Moi
Vizza
Longhere
Frassenè
Arten
Santa Lucia
Anzù
Molinello
Revine Lago
Santa Maria
Lago
Nogarolo
Tomo
Villaga
Rasai
Porcen
Caupo
Seren del Grappa
M. Tomatico
Marziai
Sottocroda
Tovena
Cison di Valmarino
Mura
Soller
Fratta
Colmaggiore
Reseretta
Tarzo
Resera
Giaroni
Sanzan
Carpen
Caorera
Piave
M. Crep
Valmareno
Pradegnan
Gai
Zuel di Qua
Arfanta
Cozzuolo
Confin
Corbanese
Scalon
Santa Maria
Follina
Miane
Rolle
Carpesica
Formeniga
Manzana
Rocca
Bernardi
M. Cismon
Chiesa Nuova S. Luigi
Casere
Schievenin
Mlies
Valpiana
M. Cesen
Premaor
Farro
Guarda
Pedeguarda
Vas
Stramare
Pianezze
Visnà
Combai
Campea
Refrontolo
San Pietro di Feletto
Borgo Anti
Casotto
Quero
Segusino
Guietta
Croda
Solighetto
Borgo Anese
Laghi
Campo
Colmirano
M. Prassolan
M. Solarol
Valdobbiadene
Guia
Farra di Soligo
Dorigo
Soligo
Pieve di Soligo
Federa
Rua di Feletto
Bagno
Alano di Piave
Fener
San Vito
Santo Stefano
Col San Martino
Posmon
Santa Maria di Feletto
Guizza
Borgo Dolmo
Conegliano
Collalbrigo
Saccol
Fontana
Sernaglia della Battaglia
Borgo Molino
Barbisano
San Michele
San Giovanni
Colbertaldo
Crevada
Vallonga
Pederobba
M. Grappa
Cimitero Monumentale degli Italiani
Granigo
Bigolino
Vidor
Mosnigo
Raboso
Falzè di Piave
Collalto
Barriera
Pieve
Virago
Obledo
Cavaso del Tomba
Curogna
Covolo
Moriago della Battaglia
Fontigo
Susegana
Castello di San Salvatore
Santa Lucia di Piave
Possagno
Castelcies
Castelli
Onigo
Colfosco
Fietta
Fusere
Bocca di Serra
Villaraspa
Crocetta del Montello
Santi Angeli
Quattro Strade
Santa Margherita
Forner
Fornace
Borgo Santa Margherita
Barco
Crespano del Grappa
La Valle
Cornuda
Rivette
Nogarè
Ciano
Sant'Antonio
Castelcucco
Monfumo
Posa
Paderno del Grappa
Muliparte
Ancillotto
Santa Maria della Vittoria
Il Montello
Baveria
Nervesa della Battaglia
Bidasio
Borso del Grappa
Semonzo
Farra
Barbaro
Maser
Sandi Cassis
Sant'Eulalia
Olmo
San Martino
Piovega
Asolo
Coste
Sant'Antonio
Caerano di San Marco
Biadene
Selva del Montello
Giavera del Montello
Madonnetta
Busco
Semonzetto
Micheloni
Pagnano
Crespignaga
Terme
Arcade
Spresiano
Romano d'Ezzelino
Liedolo
Mussolente
Le Valli
Fonte
Casella
Cornarotta
Osteria
Pavesella
Venegazzù
Caonada
Cusignana
San Rocco
Rivoltella
Colombara
Sopracastello
Onè
Villa d'Asolo
Madonna della Salute
Case Solighe
Volpago del Montello
Guizze
Lovadina
Merlo
San Giacomo
Borgo Serragli
San Zenone degli Ezzelini
Pradazzi
San Michele
Montebelluna
Spineda Loredan
Povegliano
Marini
Fellette
Lauro
Loreggiola
Carmine
Maglio
Agostini
Camalò
Belgiardino
Visnadello
Palazzon
Piave Ovest
Casoni
Santa Lucia
San Vito
Corone
Canova
Sacro Cuore
Spineda
Brentelle
Altivole
Ca' Falier
Martinella
San Gaetano
Signoressa
Sile
Belvedere
Santandrà
Barrucchella
Falzè
Villorba
Carbonara
Cassola
Comunella
Ca' Rainati
Canton di Sotto
Bessica
Palazzon
Villa Raspa
Caselle
Case Soligo
Trevignano
Castagnera Alta
San Vito
Pascoli
Treviso Nord
Rosà
San Paolo
Loria
Cendrole
Riese Pio X
Barcon
Musano
Case Rossi
Postioma
San Sisto
Paderno
Carità

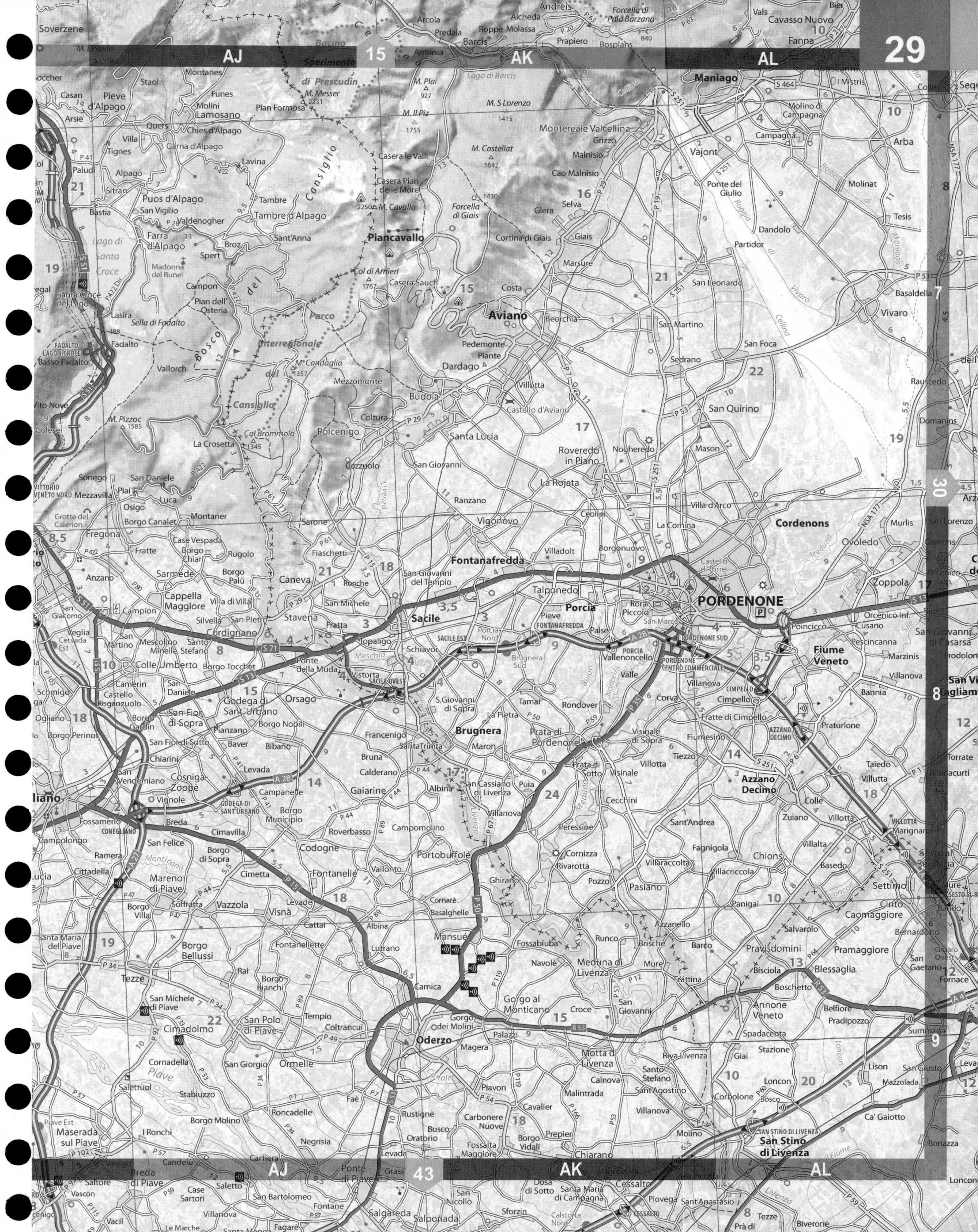
AJ
15
AK
AL
30
8
7
9
43
Soverzene
Andreis
Forcella di Pala Barzana
Vals
Cavasso Nuovo
Fanna
Arcola
Alcheda
Predaia
Roppe
Molassa
Barcis
Praplero
Bosplans
Armasia
Lago di Barcis
Maniago
Bacino Sperimentale di Prescudin
M. Messer
M. Plai
M. S Lorenzo
M. Il Piz
M. Castellat
Montereale Valcellina
Grizzo
Malnisio
Cao Malnisio
Vajont
Campagna
Molino di Campagna
Arba
I Mistris
Colle
Montanes
Staol
Casan
Pieve d'Alpago
Funes
Molini
Lamosano
Pian Formosa
Arsie
Chies d'Alpago
Quers
Villa
Garna d'Alpago
Tignes
Paludi
Alpago
Lavina
Sitran
Puos d'Alpago
San Vigilio
Tambre
Tambre d'Alpago
Bastia
Valdenogher
Farra d'Alpago
Broz
Sant'Anna
Spert
Madonna del Runel
Lago di Santa Croce
Cansiglio
Casera le Valli
Casera Pian delle More
M. Cavallo
Forcella di Giais
Piancavallo
Selva
Glera
Giais
Cortina di Giais
Marsure
Ponte del Giulio
Molinat
Dandolo
Tesis
Partidor
San Leonardo
Basaldella
Vivaro
Santa Croce del Lago
Campon
Pian dell' Osteria
Bosco del Parco Interregionale del Cansiglio
Col di Arnieri
Casera Sauch
Costa
Aviano
Beorchia
San Martino
Lasira
Sella di Fadalto
Fadalto
Basso Fadalto
Vallorch
M. Candaglia
Pedemonte
Piante
Dardago
San Foca
Sedrano
Rauscedo
Vito Nove
Colesei
M. Pizzoc
Mezzomonte
Budoia
Villotta
Castello d'Aviano
San Quirino
Domanins
Coltura
Col Brommolo
La Crosetta
Polcenigo
Santa Lucia
Roveredo in Piano
Nogheredo
Mason
Cozzuolo
San Giovanni
Sonego
San Daniele
Vittorio Veneto Nord
Mezzavilla
Piai
Luca
Osigo
La Rojata
Ranzano
Villa d'Arco
Grotte del Calerion
Borgo Canalet
Montaner
Sarone
Vigonovo
Ceolini
La Comina
Cordenons
Murlis
San Lorenzo
Fregona
Case Vespada
Borgo Chiar
Fratte
Rugolo
Fiaschetti
Villadolt
Borgonuovo
Ovoledo
Anzano
Sarmede
Borgo Palù
Caneva
Ronche
San Giovanni del Tempio
Fontanafredda
Castello di Torre
Zoppola
Cappella Maggiore
Villa di Villa
San Michele
Talponedo
Porcia
Rorai Piccolo
Pordenone
San Giacomo
Campion
Silvella
San Pietro
Cordignano
Stevena
Sacile
Fratta
Nopaligo
Porcia Nord
Palse
San Marco
Poincicco
Orcenico Inf.
Cusano
Veglia
Cervada Est
San Martino
Mescolino
Minelle
Santo Stefano
Meschio
Schiavoi
Sacile Est
Brugnera Sud
Vallenoncello
Pordenone Sud
Pescincanna
Fiume Veneto
Marzinis
Colle Umberto
Borgo Tocchet
Ponte della Muda
Vistorta
Sacile Ovest
Valle
Pordenone Centro Commerciale
Villanova
Cimpello
Villanova
Camerin
Castello Roganzuolo
Scomigo
San Daniele
Godega di Sant'Urbano
Orsago
S.Giovanni di Sopra
Tamai
Rondover
Corva
Bannia
Ogliano
Borgo Gardin
San Fior di Sopra
Borgo Nobili
La Pietra
Fratte di Cimpello
Praturlone
Borgo Perinot
Pianzano
Francenigo
Brugnera
Prata di Pordenone
Visinale di Sopra
Azzano Decimo
San Fior di Sotto
Baver
Bibano
Bruna
Santa Trinita
Maron
Fiumesino
Tiezzo
Taiedo
Chiarini
Calderano
Prata di Sotto
Visinale
Villotta
Villutta
San Vendemiano
Cosniga
Zoppè
Levada
Campanelle
Gaiarine
Albina
San Cassiano di Livenza
Puia
Cecchini
Azzano Decimo
Colle
Vignole
Godega di Sant'Urbano
Borgo Municipio
Villanova
Zuiano
Villotta
Marignana
Conegliano
Fossamerlo
Breda
Cimavilla
Roverbasso
Campomolino
Peressine
Sant'Andrea
Campolongo
San Felice
Villalta
Ramera
Borgo di Sopra
Codogne
Portobuffolè
Cornizza
Rivarotta
Fagnigola
Chions
Basedo
Sesto al Reghena
Cittadella
Mareno di Piave
Cimetta
Fontanelle
Vallonto
Ghirano
Pozzo
Villaraccolta
Villacriccola
Pasiano
Settimo
Soffratta
Vazzola
Visnà
Levade
Cornarè
Basalghelle
Panigai
Cinto Caomaggiore
Borgo Villa
Cattai
Albina
Azzanello
Salvarolo
Santa Maria del Piave
Fontanellette
Mansuè
Fossabiuba
Runco
Brische
Barco
Pravisdomini
Pramaggiore
Bernardotto
Borgo Bellussi
Lutrano
Navolè
Meduna di Livenza
Mure
Bisciola
Blessaglia
Tezze
Rai
Borgo Bianchi
Camica
Frattina
Boschetto
San Gaetano
Fornace
San Michele di Piave
Gorgo al Monticano
San Giovanni
Annone Veneto
Belfiore
Pradipozzo
Cimadolmo
San Polo di Piave
Tempio
Coltrancui
Gorgo dei Molini
Croce
Summaga
Oderzo
Palazzi
Magera
Spadacenta
Cornadella
San Giorgio
Ormelle
Motta di Livenza
Riva Livenza
Stazione
Giai
Lison
San Giusto
Calnova
Santo Stefano
Mazzolada
Salettuol
Stabiuzzo
Piavon
Sant'Agostino
Loncon
Faè
Rustignè
Malintrada
Corbolone
Bosco
Roncadelle
Cavalier
Piave Est
Borgo Molino
Carbonere Nuove
Villanova
Ca' Gaiotto
Maserada sul Piave
I Ronchi
Negrisia
Busco
Oratorio
Prepier
Molino
San Stino di Livenza
Bonazza
Borgo Vidali
Fossalta Maggiore
Varago
Cartiera
Levada
Candelù
Chiarano
Breda di Piave
Ponte di Piave
Grassaga
Magnadola
Vela Piccola
Saltore
Case Sartori
Saletto
Cessalto
Dosa di Sotto
Santa Maria di Campagna
Loncon
Vascon
San Bartolomeo
San Nicolò
Piovega
Sant'Anastasio
Fontane
Villanova
Salgareda
Salponada
Sforzin
Calstorta Nord
Tezze
Vacil
Le Marche
Santa Menna
Fagarè
Biverone
Prà di Levada

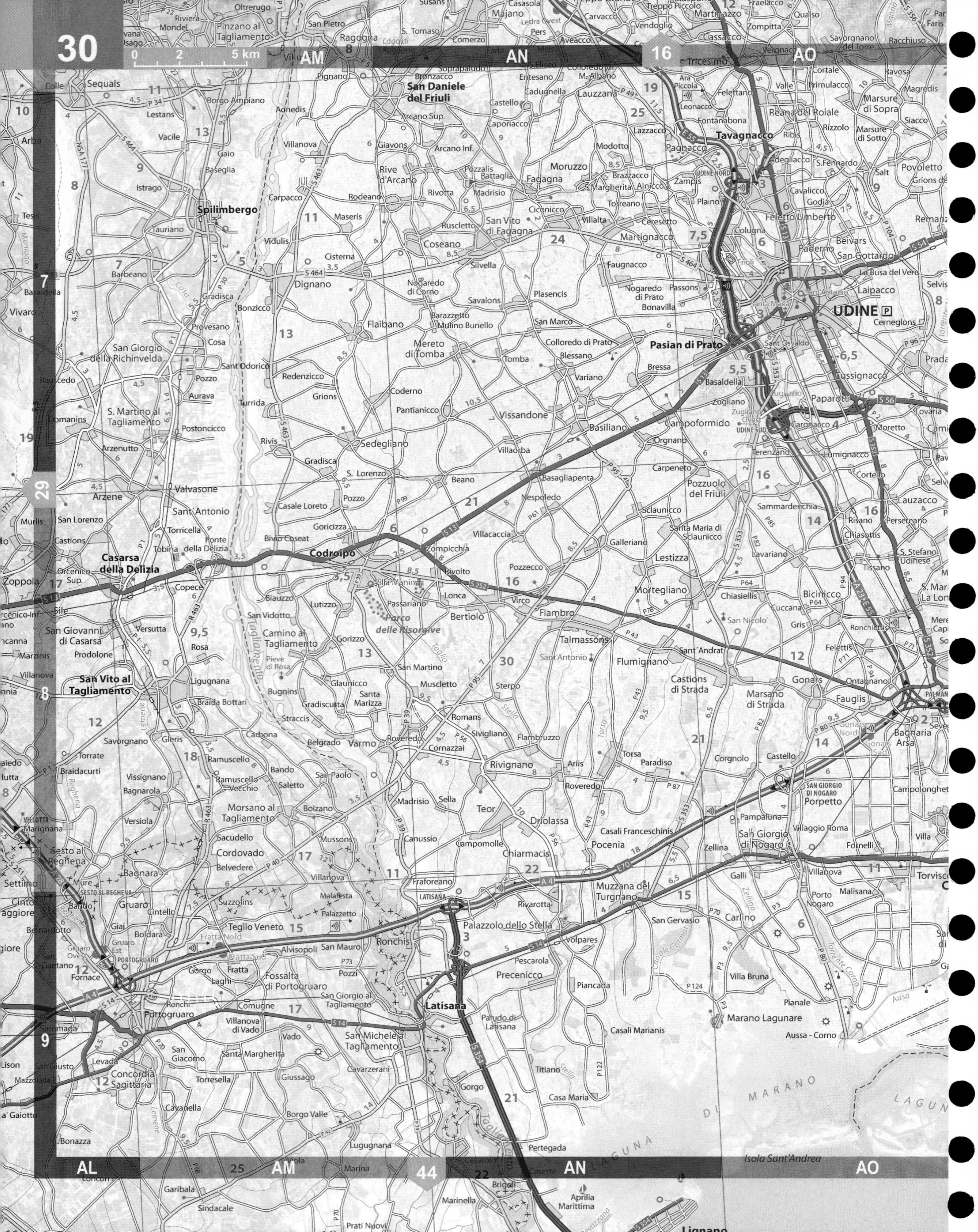
0 2 5 km
AM
AN
16
AO
AL
AM
44
AN
AO
29
7
8
9
Spilimbergo
San Daniele del Friuli
Tavagnacco
UDINE
Pasian di Prato
Codroipo
Casarsa della Delizia
San Vito al Tagliamento
Latisana
Lignano
Portogruaro
Dignano
Sedegliano
Basiliano
Campoformido
Mortegliano
Talmassons
Rivignano
Teor
Palazzolo dello Stella
Precenicco
Marano Lagunare
San Giorgio di Nogaro
Porpetto
Carlino
Muzzana del Turgnano
Pocenia
Varmo
Camino al Tagliamento
Morsano al Tagliamento
Cordovado
Teglio Veneto
Fossalta di Portogruaro
San Michele al Tagliamento
Concordia Sagittaria
Sesto al Reghena
Gruaro
Valvasone
Arzene
San Giorgio della Richinvelda
S. Martino al Tagliamento
Fagagna
Moruzzo
Martignacco
Coseano
Flaibano
Mereto di Tomba
Pozzuolo del Friuli
Lestizza
Castions di Strada
Gonars
Bicinicco
Bagnaria Arsa
Fauglis
Parco delle Risorgive
Tagliamento
Laguna di Marano
Isola Sant'Andrea
Aprilia Marittima

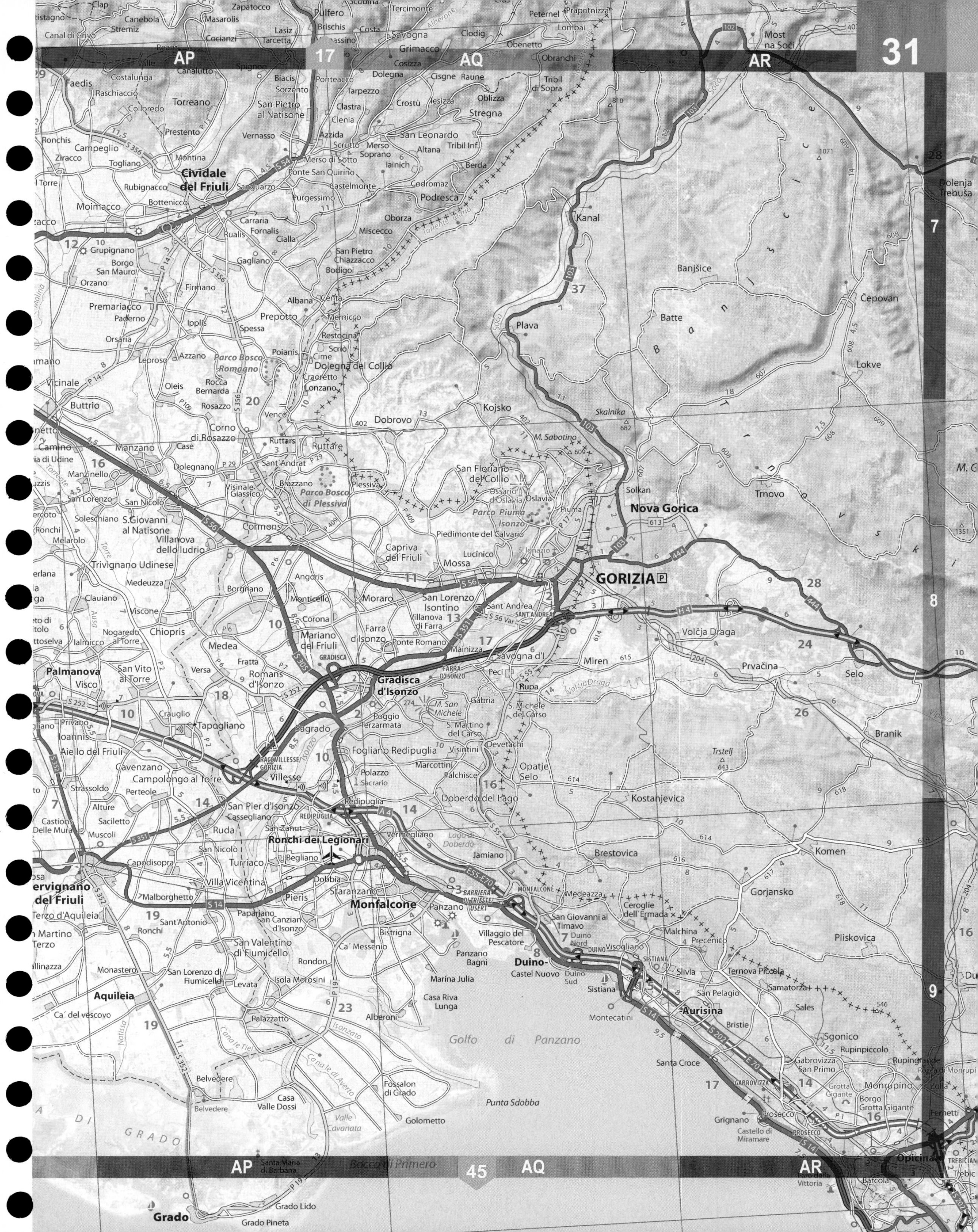
AP
17
AQ
AR
Zapatocco
Pulfero
Tercimonte
Peternel
Prapotnizza
Canebola
Masarolis
Brischis
Costa
Lombai
Most
na Soči
Stremiz
Lasiz
Tarcetta
Savogna
Clodig
Obenetto
Canal di Grivò
Cocianzi
Grimacco
Obranchi
Cosizza
Dolegna
Cisgne
Raune
Tribil
di Sopra
Costalunga
Canalutto
Spignon
Biacis
Ponteacco
Faedis
Sorzento
Tarpezzo
Raschiacciò
Oblizza
Torreano
San Pietro
al Natisone
Clastra
Crostù
Iesizza
Colloredo
Stregna
Clenia
Prestento
Vernasso
Azzida
San Leonardo
Ronchis
Scrutto
Merso
Campeglio
Sopranò
Altana
Tribil Inf.
Ziracco
Merso di Sotto
Iainich
Montina
Togliano
Ponte San Quirino
Berda
Cividale
del Friuli
Sanguarzo
Castelmonte
Codromaz
Rubignacco
Purgessimo
Podresca
Moimacco
Bottenicco
Kanal
Carraria
Oborza
Fornalis
Rualis
Miscecco
Cialla
Grupignano
San Pietro
Chiazzacco
Gagliano
Borgo
San Mauro
Bodigoi
Banjšice
Orzano
Firmano
Albana
Centa
Čepovan
Premariacco
Prepotto
Mernicco
Batte
Paderno
Ipplis
Spessa
Plava
Restocina
Orsaria
Scriò
Poianis
Cime
Leproso
Azzano
Parco Bosco
Romagno
Dolegna del Collio
Lokve
Craoretto
Vicinale
Rocca
Bernarda
Oleis
Lonzano
Buttrio
Rosazzo
Venco
Kojsko
Skalnika
Dobrovo
Corno
di Rosazzo
Ruttars
M. Sabotino
Camino
Manzano
Case
Ruttarsi
Sant'Andrat
Dolegnano
Manzinello
San Floriano
del Collio
Brazzano
Plessiva
Parco Bosco
di Plessiva
Ossario
d'Oslavia
Oslavia
Solkan
Trnovo
San Lorenzo
San Nicolò
Visinale
Giassico
Nova Gorica
Soleschiano
S.Giovanni
al Natisone
Parco Piuma
Isonzo
Piuma
Ronchi
Cormons
Piedimonte del Calvario
Melarolo
Villanova
dello Iudrio
Capriva
del Friuli
Lucinico
Mossa
S. Ignazio
Trivignano Udinese
Angoris
GORIZIA
Medeuzza
Borgnano
Clauiano
Monticello
Moraro
San Lorenzo
Isontino
Sant'Andrea
Viscone
Corona
Villanova
di Farra
Chiopris
Nogaredo
al Torre
Mariano
del Friuli
Farra
d'Isonzo
Volčja Draga
Ialmicco
Ponte Romano
Mainizza
Medea
Savogna d'I.
Palmanova
San Vito
al Torre
Fratta
Romans
d'Isonzo
Peci
Miren
Prvačina
Versa
Selo
Visco
Gradisca
d'Isonzo
Rupa
Gabria
M. San
Michele
S. Michele
del Carso
Crauglio
Poggio
Terzarmata
S. Martino
del Carso
Branik
Tapogliano
Sagrado
Aiello del Friuli
Fogliano Redipuglia
Visintini
Devetachi
Trstelj
Cavenzano
Villesse
Marcottini
Opatje
Selo
Campolongo al Torre
Polazzo
Palchisce
Strassoldo
Perteole
Redipuglia
Doberdò del Lago
Kostanjevica
Alture
San Pier d'Isonzo
Castions
Delle Mura
Saciletto
Cassegliano
Ruda
San Zanut
Muscoli
Ronchi dei Legionari
Vermegliano
Lago di
Doberdò
San Nicolò
Jamiano
Brestovica
Komen
Capodisopra
Turriaco
Begliano
Villa Vicentina
Dobbia
Cervignano
del Friuli
Malborghetto
Pieris
Staranzano
Medeazza
Monfalcone
Panzano
Gorjansko
Ceroglie
dell'Ermada
Papariano
San Canzian
d'Isonzo
San Giovanni al
Timavo
Terzo d'Aquileia
Sant'Antonio
Villaggio del
Pescatore
Malchina
Ronchi
Bistrigna
Precenico
Pliskovica
San Valentino
di Fiumicello
Ca' Messenio
Duino
Panzano
Bagni
Visogliano
Monastero
Rondon
Duino-
Castel Nuovo
Slivia
Ternova Piccola
San Lorenzo di
Fiumicello
Levata
Isola Morosini
Samatorza
Marina Julia
Sistiana
Aquileia
Casa Riva
Lunga
San Pelagio
Sales
Aurisina
Montecatini
Ca' del vescovo
Palazzatto
Alberoni
Bristie
Golfo di Panzano
Sgonico
Rupinpiccolo
Gabrovizza
San Primo
Rupingrande
Santa Croce
Belvedere
Fossalon
di Grado
Monrupino
Grotta
Gigante
Borgo
Grotta Gigante
Casa
Valle Dossi
Punta Sdobba
Belvedere
Golometto
Grignano
Prosecco
Castello di
Miramare
Fernetti
Opicina
GRADO
Santa Maria
di Barbana
Bocca di Primero
45
Barcola
Grado Lido
Grado
Grado Pineta

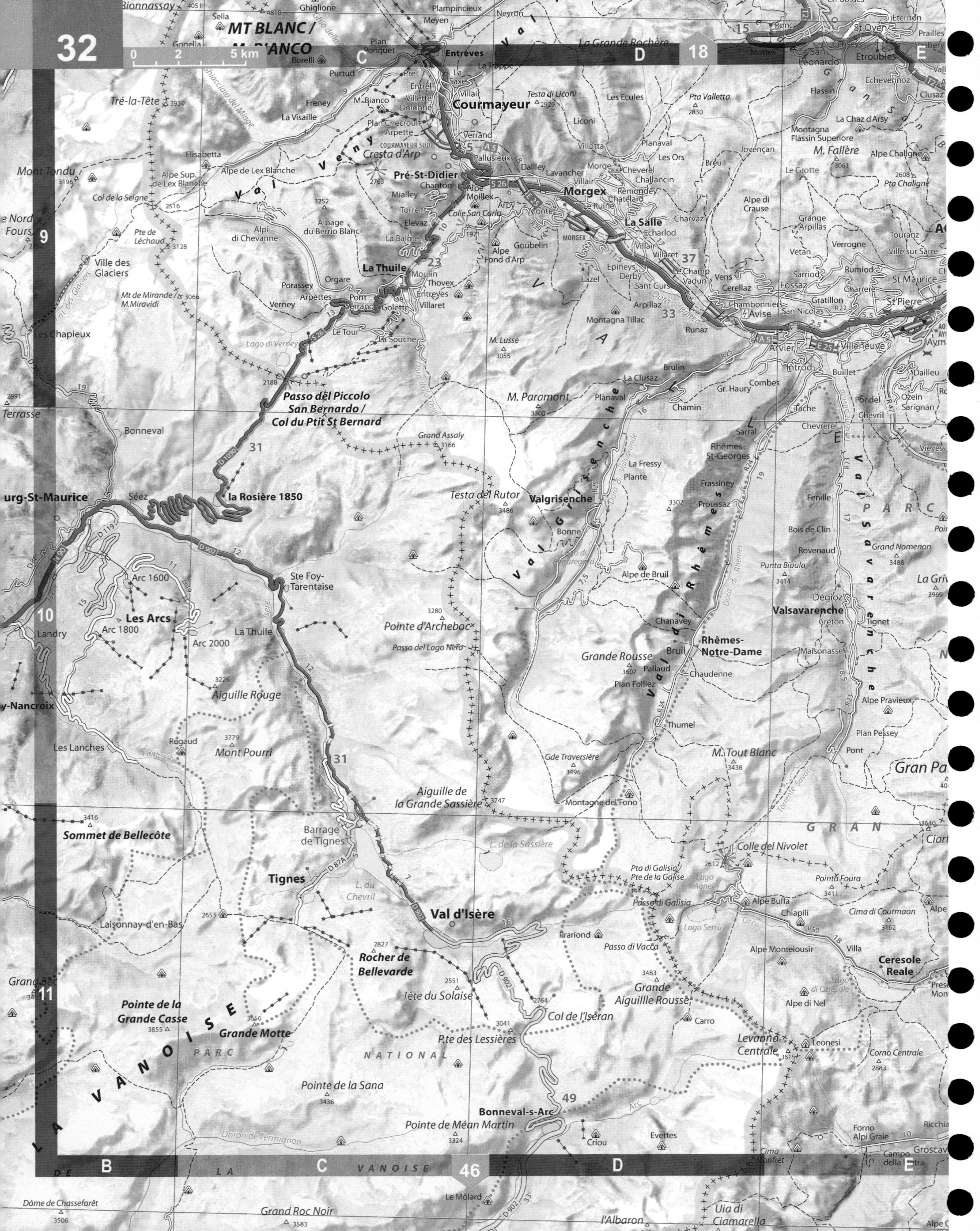

MT BLANC / M. BIANCO
0 2 5 km
C
D
18
E
Bionnassay 4051
Sella
Gonella
Ghiglione
Plampincieux
Meyen
Neyron
Plan Ponquet
Borelli
Entrèves
La Trappe
La Grande Rochère 3326
Mottes
San Leonardo
St Oyen
Eternon
Prailles
Etroubles
Echevennoz
Clusaz
Flassin
Purtud
Pré
La Saxe
Entrel
Villaire
Villette
Dolonne
M. Bianco
Courmayeur
Testa di Liconi 2929
Les Ecules
Pta Valletta 2830
Tré-la-Tête 3930
Freney
La Visaille
Plan Checrout
Arpette
Cresta d'Arp
Verrand
Liconi
Villotta
Planaval
La Chaz d'Arsy
Montagna Flassin Superiore
M. Fallère 3061
Jovençan
Les Ors
Elisabetta
Alpe de Lex Blanche
Alpe Sup. de Lex Blanche
Mont Tondu 3196
Val Veny
Pallusieux
Dailley
Pré-St-Didier
Chanton
Alpe Moillex
Lavancher
Villair
Morge
Cheverel
Challancin
Morgex
Remondey
Chatelard
Le Ruine
Bréuil
Le Grotte
Alpe Chaligne
2608 Pta Chaligne
Col de la Seigne 2516
3252
Mialley
Torrent
Colle San Carlo
Arpy
Alpe di Crause
Alpage du Berrio Blanc
Elevaz
La Salle
Echarlod
Charvaz
Grange Arpilas
Nord Fours 9
Pte de Léchaud 3128
Alpi di Chevanne
La Balme
1971
Alpe Fond d'Arp
Goubelin
Villair
Villaret
37
Vetan
Verrogne
Touranz
Ville sur Sarre
Ville des Glaciers
La Thuile
23
Moulin
Thovex
Entreyes
Villaret
Lazel
Epineys
Derby
Sant Gurs
Le Champ
Vadun
Vens
Cerellaz
Sarriod
Fossaz
Rumiod
Charrere
St Maurice
St Pierre
Mt de Mirande / M.Miravidi 3066
Porassey
Arpettes
Orgare
Verney
Pont Serrand
Golette
Arpillaz
Chambonniers
Avise
San Nicolas
Gratillon
Les Chapieux
Le Tour
La Souche
Montagna Tillac
33
Runaz
Arvier
Villeneuve
Lago di Verney
M. Lusse 3055
Brulin
La Clusaz
Introd
Buillet
Dailleu
2891
Terrasse
2188
Passo del Piccolo San Bernardo / Col du Ptit St Bernard
M. Paramont 3300
Planaval
Gr. Haury
Combes
Chamin
Pondel
Ozein
Sarignan
Cheviil
Tache
Chevrere
Bonneval
Grand Assaly 3166
Sarral
Rhêmes-St-Georges
Vieyes
31
La Fressy
Plante
Frassiney
Proussaz
3302
Fenille
Bourg-St-Maurice
Séez
la Rosière 1850
Testa del Rutor 3486
Valgrisenche
Val Grisenche
Bois de Clin
Rovenaud
Grand Nomenon 3488
Parc
Bonne
Lago di Beauregard
Alpe de Bruil
Punta Bioula 3414
La Grivola 3969
Arc 1600
Ste Foy-Tarentaise
Val di Rhêmes
Valsavarenche
Degioz
Creton
Tignet
Les Arcs
10
Landry
Arc 1800
Arc 2000
La Thuile
3280
Pointe d'Archeboc
Passo del Lago Nero
Chanavey
Rhêmes-Notre-Dame
Bruil
Maisonasse
Grande Rousse 3607
Pallaud
Chaudenne
Plan Folliez
3226
Aiguille Rouge
Alpe Pravieux
Nancroix
Thumel
Plan Pessey
3779
Regaud
Mont Pourri
Les Lanches
Gde Traversière 3496
M. Tout Blanc 3438
Pont
Gran Paradiso
Aiguille de la Grande Sassière 3747
Montagne del Fono
3416
Sommet de Bellecôte
Barrage de Tignes
L. de la Sassière
Gran
Colle del Nivolet 2612
Pta di Galisia / Pte de la Galise 3344
Lago Agnel
Punta Foura 3411
Tignes
L. du Chevril
Passo di Galisia
Alpe Buffa
Chiapili
Cima di Courmaon 3162
2653
Laisonnay-d'en-Bas
Val d'Isère
Lago Serrù
Orco
Prariond
Passo di Vacca
Alpe Monteiousir
Villa
Ceresole Reale
2827
Rocher de Bellevarde
3483
Grande Aiguillle Rousse
Lago di Ceresole
Alpe di Nel
2551
Tête du Solaise
2764
Col de l'Iseran
Carro
Pointe de la Grande Casse 3855
3656
Grande Motte
11
Grand Bec
3041
P.te des Lessières
Levanna Centrale 3615
Leonesi
Corno Centrale 2883
Parc National
La Vanoise
Pointe de la Sana 3436
Bonneval-s-Arc
49
Pointe de Méan Martin 3324
Doron de Termignon
Criou
Evettes
Arc
Forno Alpi Graie
Ricchiaglio
Cima Monfret
Campo della Pietra
Groscavallo
B
La
C
Vanoise
46
D
E
Le Molard
Dôme de Chasseforêt 3506
Grand Roc Noir 3583
l'Albaron
Uia di Ciamarella

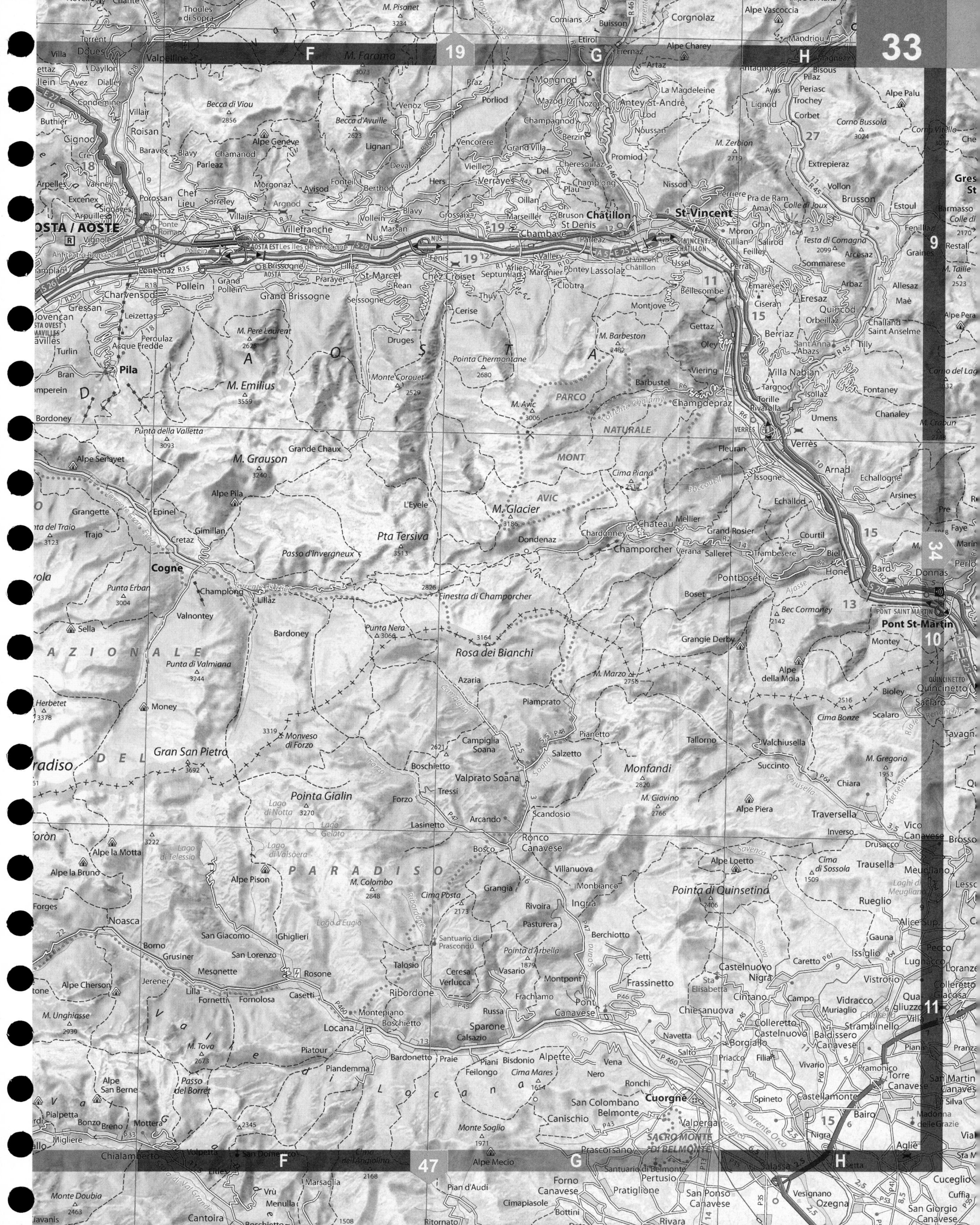

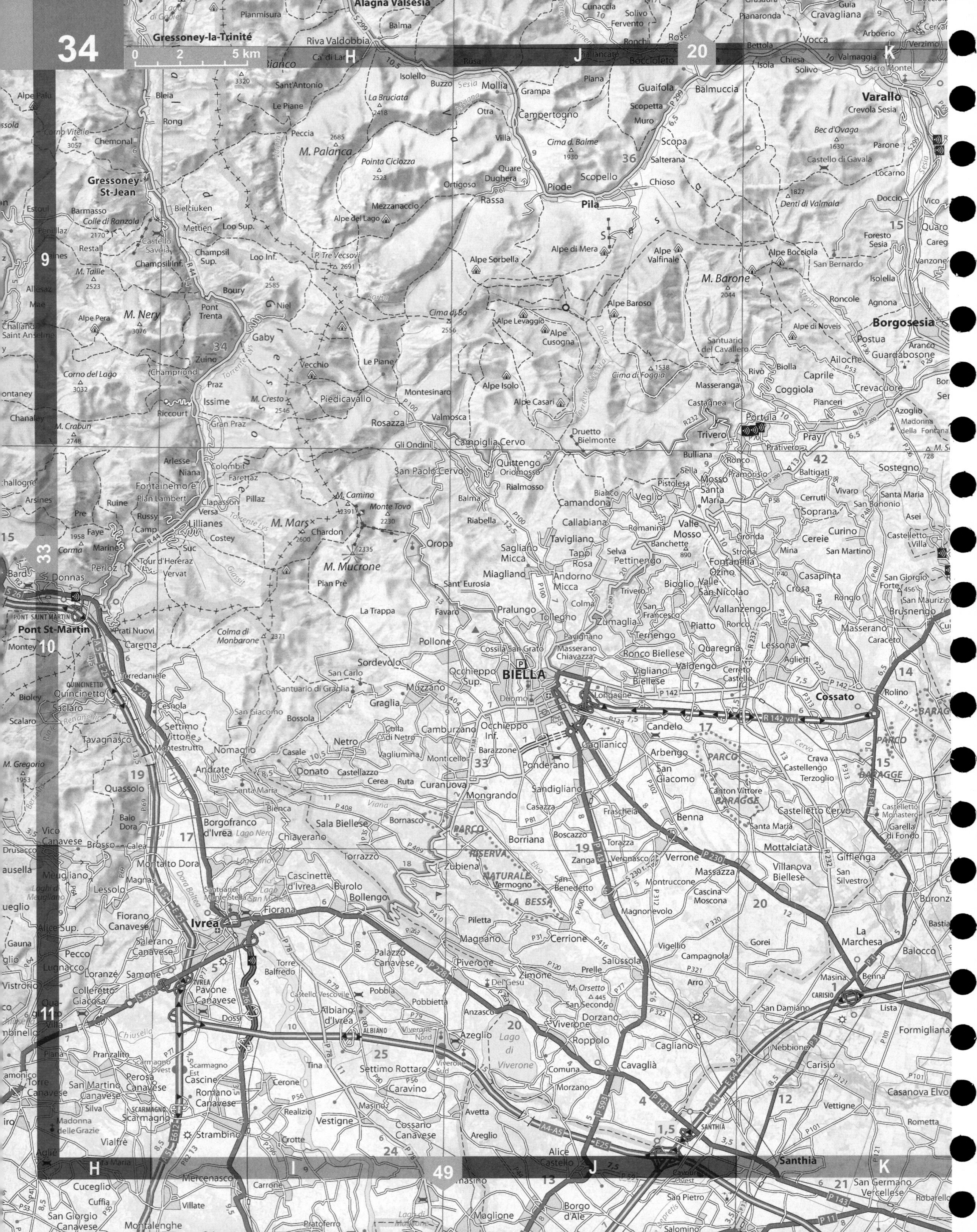

Alagna Valsesia
Gressoney-la-Trinité
0 2 5 km
Riva Valdobbia
Varallo
Gressoney-St-Jean
M. Palanca
Borgosesia
M. Barone
M. Mars
M. Mucrone
Pont St-Martin
BIELLA
Cossato
Ivrea
Santhià
Lago di Viverone

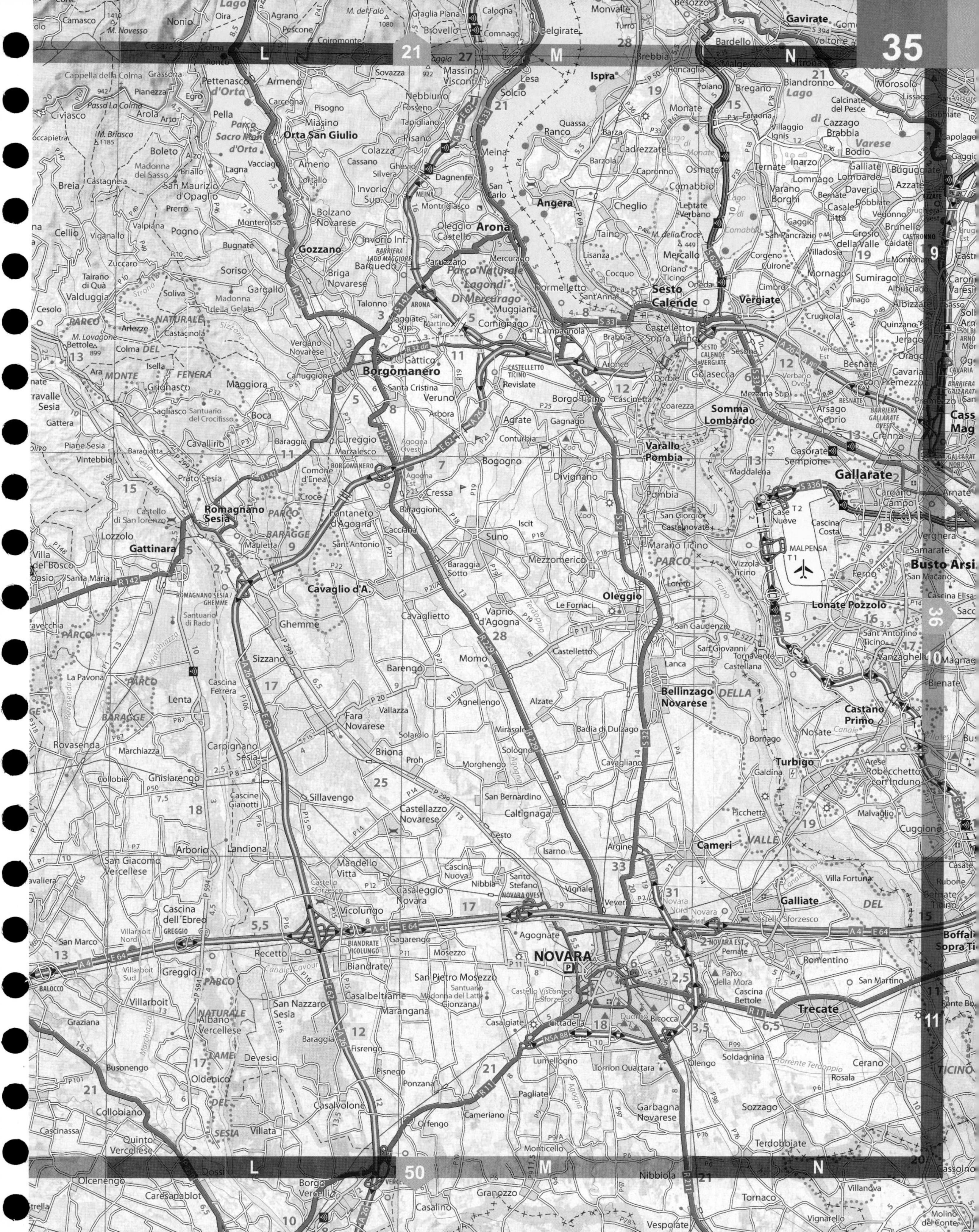

L
M
N
21
50
36
9
10
11
Orta San Giulio
Gozzano
Arona
Borgomanero
Romagnano Sesia
Gattinara
Cavaglio d'A.
Oleggio
Sesto Calende
Vergiate
Somma Lombardo
Gallarate
Busto Arsi
Lonate Pozzolo
Castano Primo
Turbigo
Bellinzago Novarese
Varallo Pombia
Cameri
Galliate
Trecate
NOVARA
Ispra
Angera
Gavirate
MALPENSA
Lago d'Orta
Lago di Varese

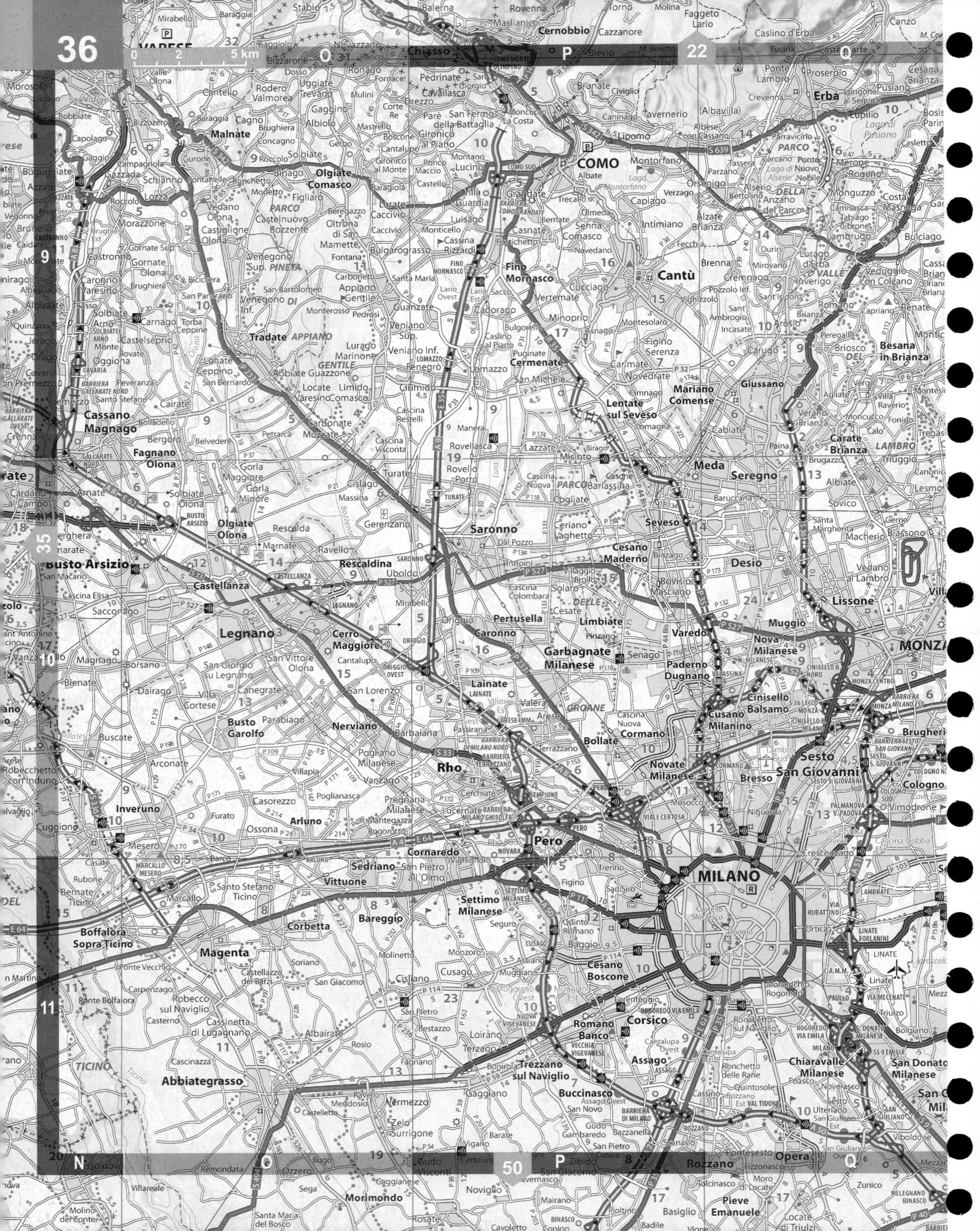

0 2 5 km
VARESE
Chiasso
COMO
Cernobbio
Blevio
Erba
Caslino d'Erba
Canzo
Brunate
Albavilla
Tavernerio
Lipomo
Montorfano
Malnate
Olgiate Comasco
Gazzada
Schianno
Lozza
Morazzone
Castiglione Olona
Vedano Olona
Venegono Sup.
Venegono Inf.
Tradate
Appiano Gentile
Guanzate
Lurate Caccivio
Villa Guardia
Grandate
Cassina Rizzardi
Fino Mornasco
Vertemate
Cantù
Capiago
Intimiano
Alzate Brianza
Orsenigo
Anzano del Parco
Lurago d'Erba
Inverigo
Veduggio con Colzano
Renate
Besana in Brianza
Giussano
Carimate
Novedrate
Mariano Comense
Lentate sul Seveso
Cermenate
Lomazzo
Cislago
Turate
Rovellasca
Saronno
Meda
Seregno
Carate Brianza
Seveso
Cesano Maderno
Desio
Lissone
Muggiò
Vedano al Lambro
MONZA
Cassano Magnago
Gallarate
Fagnano Olona
Solbiate Olona
Olgiate Olona
Busto Arsizio
Castellanza
Rescaldina
Gerenzano
Uboldo
Legnano
Cerro Maggiore
San Vittore Olona
Origgio
Caronno
Garbagnate Milanese
Limbiate
Varedo
Nova Milanese
Paderno Dugnano
Cinisello Balsamo
Cusano Milanino
Sesto San Giovanni
Brugherio
Cologno
Bresso
Novate Milanese
Bollate
Cormano
Lainate
Arese
Nerviano
Parabiago
Busto Garolfo
Villa Cortese
Dairago
Magnago
Buscate
Arconate
Cuggiono
Inveruno
Rho
Pero
Pogliano Milanese
Vanzago
Pregnana Milanese
Arluno
Ossona
Casorezzo
Mesero
Marcallo
Santo Stefano Ticino
Sedriano
Vittuone
Cornaredo
Settimo Milanese
MILANO
Vimodrone
Boffalora Sopra Ticino
Magenta
Corbetta
Bareggio
Cusago
Cesano Boscone
Corsico
Trezzano sul Naviglio
Buccinasco
Assago
Rozzano
Opera
Chiaravalle Milanese
San Donato Milanese
Linate
Robecco sul Naviglio
Cassinetta di Lugagnano
Abbiategrasso
Albairate
Gaggiano
Vermezzo
Zelo Surrigone
Morimondo
Noviglio
Pieve Emanuele
Basiglio
TICINO
22
35
50
N O P Q

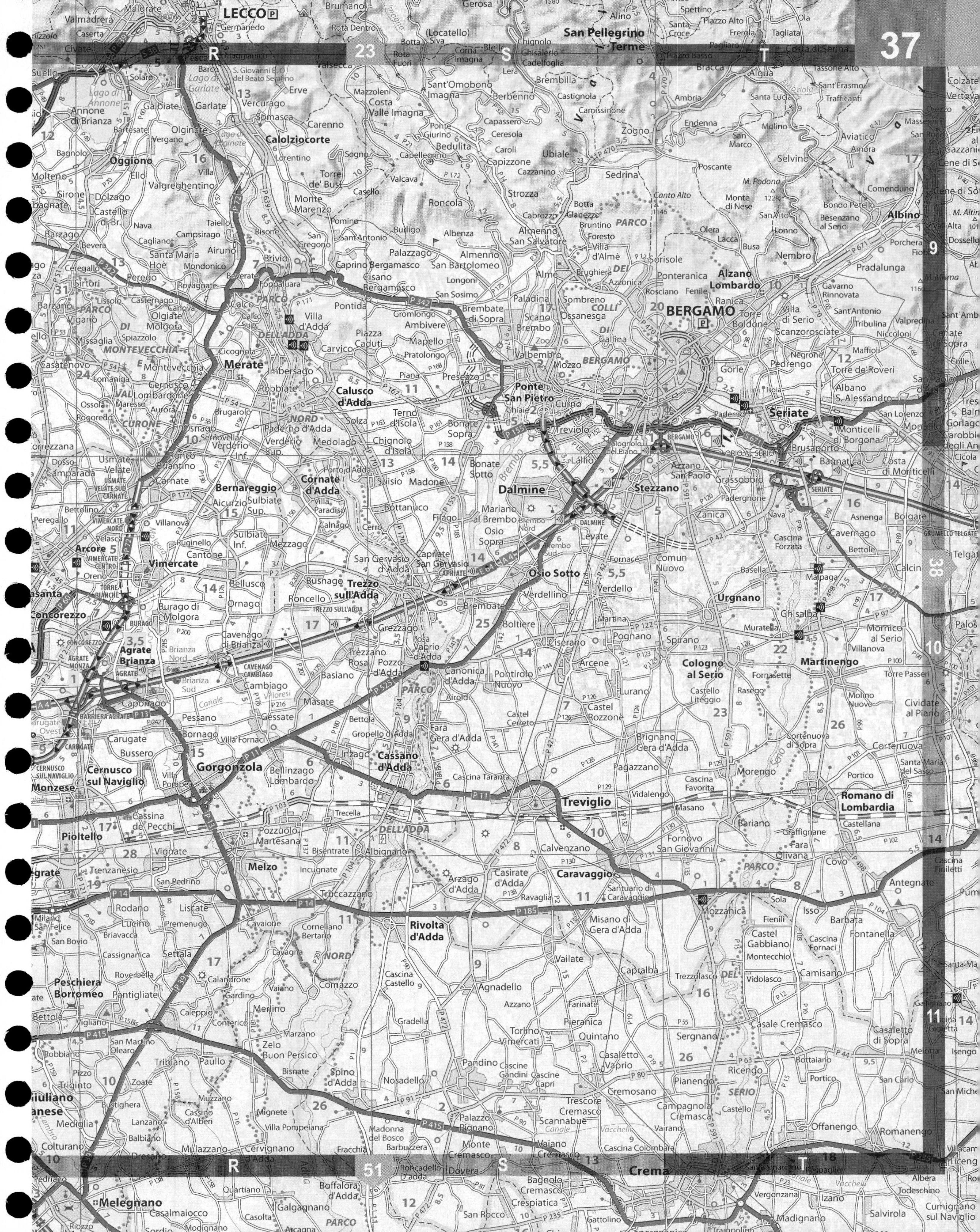
LECCO
San Pellegrino Terme
Calolziocorte
Oggiono
Brivio
Merate
Calusco d'Adda
Ponte San Pietro
BERGAMO
Alzano Lombardo
Albino
Seriate
Dalmine
Stezzano
Vimercate
Arcore
Trezzo sull'Adda
Osio Sotto
Urgnano
Martinengo
Agrate Brianza
Concorezzo
Cologno al Serio
Cassano d'Adda
Gorgonzola
Cernusco sul Naviglio
Treviglio
Romano di Lombardia
Pioltello
Melzo
Caravaggio
Rivolta d'Adda
Peschiera Borromeo
Crema
Melegnano
PARCO DI MONTEVECCHIA
PARCO DELL'ADDA NORD
PARCO DELL'ADDA
PARCO DEI COLLI DI BERGAMO
PARCO DEL SERIO
23
51
R
S
T
38
9
10
11

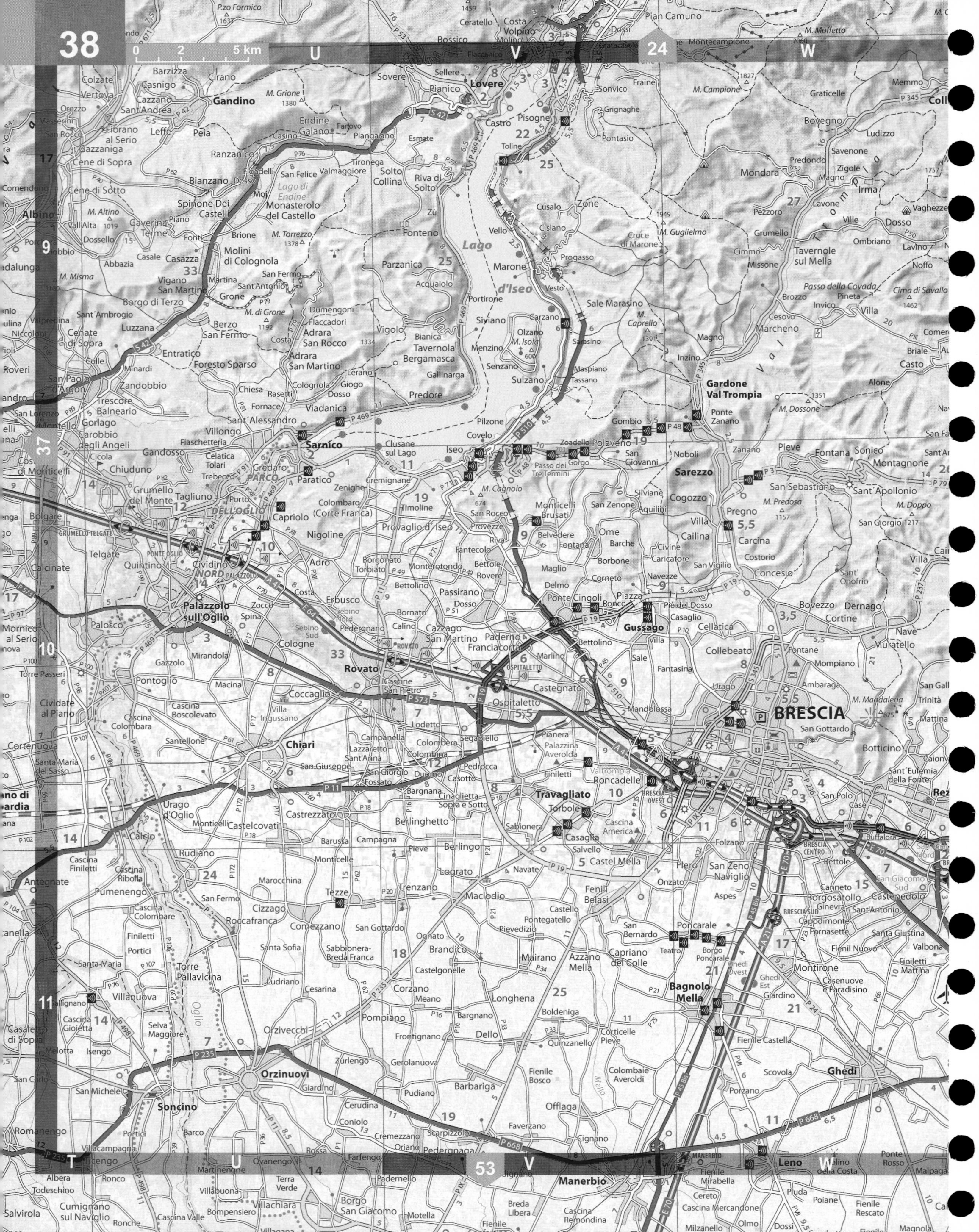
0 2 5 km
U
V
24
W
T
U
53
V
W
37
Lovere
Gandino
Castro
Pisogne
Lago d'Iseo
Marone
Sale Marasino
Sulzano
Iseo
Sarnico
Clusane sul Lago
Paratico
Capriolo
Palazzolo sull'Oglio
Rovato
Coccaglio
Chiari
Ospitaletto
Gussago
Gardone Val Trompia
Sarezzo
BRESCIA
Roncadelle
Travagliato
Castel Mella
Bagnolo Mella
Ghedi
Orzinuovi
Soncino
Manerbio
Leno
Albino
Provaglio d'Iseo
Cologne
Urago d'Oglio
Castrezzato
Rudiano
Roccafranca
Pompiano
Dello
Lograto
Mairano
Azzano Mella
Capriano del Colle
Flero
San Zeno Naviglio
Castenedolo
Borgosatollo
Montirone
Botticino
Rezzato
Concesio
Villa Carcina
Lumezzane
Val Trompia
Monte Isola
Predore
Tavernola Bergamasca
Vigolo
Adrara San Martino
Adrara San Rocco
Trescore Balneario
Gorlago
Grumello del Monte
Telgate
Calcinate
Cividate al Piano
Pontoglio
Calcio
Orzivecchi
Pedergnaga
Offlaga
Barbariga
Corzano
Brandico
Longhena
Quinzanello
Fienile Castella
P 510
P 469
A 4
E 70
P 668
P 235
P 11
P 573
P 19

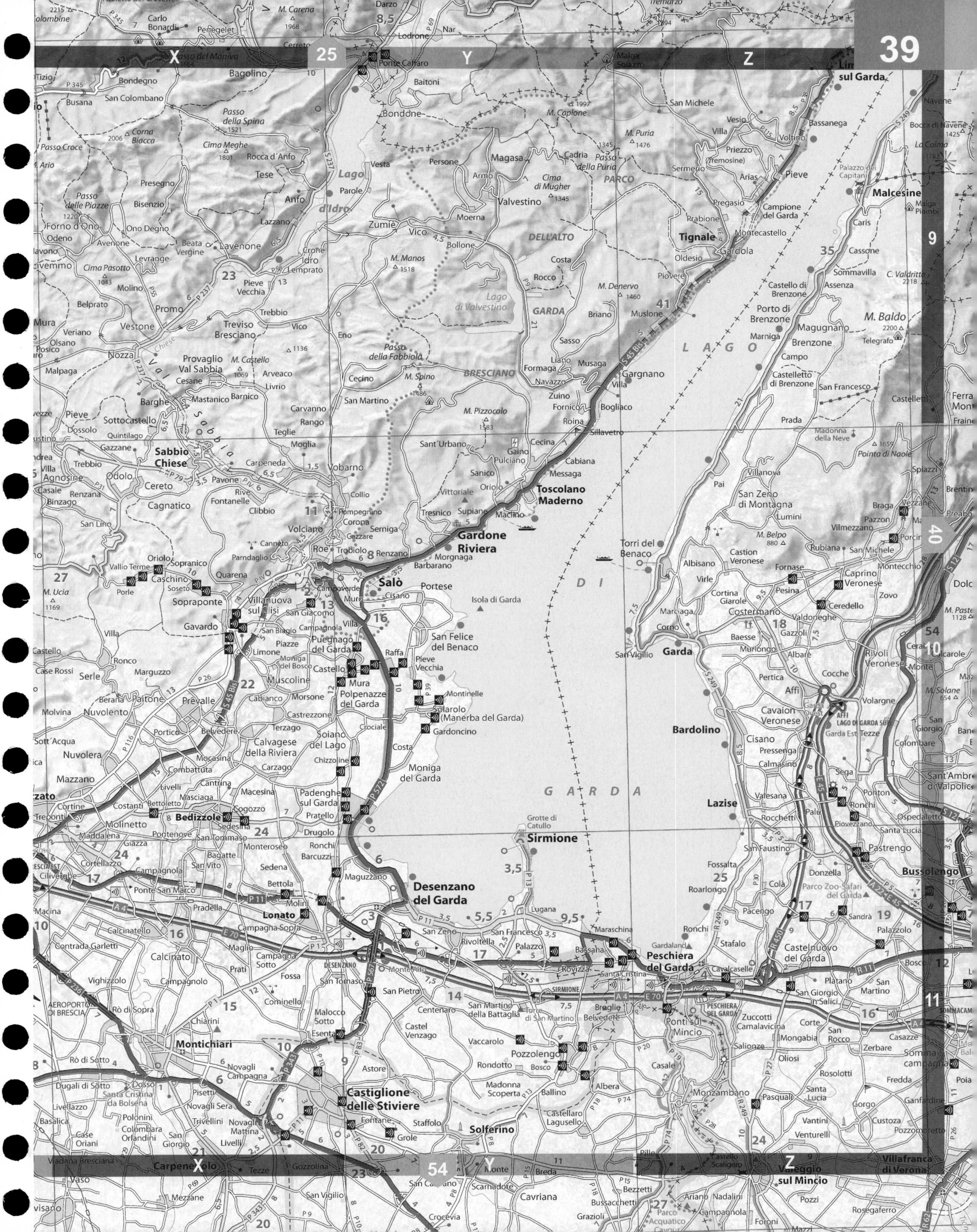
25
X
Y
Z
Passo del Maniva
Bagolino
Ponte Caffaro
Baitoni
Bondone
Malga Solazzo
Limone sul Garda
Bondegno
San Colombano
Busana
Passo della Spina
Corna Blacca
Passo Croce
Cima Meghe
Rocca d'Anfo
Tese
Presegno
Bisenzio
Passo delle Piazze
Lago d'Idro
Parole
Vesta
Anfo
Lazzano
Forno d'Ono
Odeno
Ono Degno
Avenone
Beata Vergine
Lavenone
Crone
Idro
Lemprato
Levrange
Cima Pasotto
Molino
Pieve Vecchia
Promo
Vestone
Treviso Bresciano
Trebbio
Vico
Eno
Zumiè
Persone
Magasa
Armo
Cadria
Passo della Puria
M. Caplone
M. Puria
Cima di Mugher
Valvestino
Moerna
Bollone
M. Manos
DELL'ALTO
PARCO
GARDA
BRESCIANO
Lago di Valvestino
Costa
Rocco
Tignale
Gardola
Oldesio
Piovere
Prabione
Montecastello
Pregasio
Campione del Garda
Pieve
Arias
Sermerio
Priezzo (Tremosine)
Villa
Vesio
San Michele
Voltino
Bassanega
Navene
Bocca di Navene
La Colma
Palazzo dei Capitani
Malcesine
Malga Piombi
Caris
Cassone
Sommavilla
C. Valdritta
Assenza
Castello di Brenzone
Porto di Brenzone
Marniga
Magugnano
Brenzone
Campo
M. Baldo
Telegrafo
Castelletto di Brenzone
San Francesco
Castelletto
Prada
Madonna della Neve
Pointa di Naole
M. Denervo
Muslone
Briano
Sasso
Liano
Formaga
Musaga
Navazzo
Gargnano
Villa
Zuino
Fornico
Bogliaco
Roina
Sillavetro
LAGO DI GARDA
Nozza
Provaglio Val Sabbia
M. Castello
Arveaco
Livrio
Cesane
Mastanico
Barnico
Barghe
Passo della Fabbiola
M. Spino
Cecino
San Martino
Carvanno
Rango
Teglie
Moglia
M. Pizzocolo
Sant'Urbano
Gaino
Pulciano
Cecina
Cabiana
Messaga
Pieve
Dossolo
Sottocastello
Quintilago
Gazzane
Sabbio Chiese
Carpeneda
Vobarno
Agnosine
Odolo
Cereto
Pavone
Rive
Fontanelle
Cagnatico
Clibbio
Collio
Pompegnino
Corona
Volciano
Sanico
Oriolo
Vittoriale
Tresnico
Supiane
Maclino
Toscolano Maderno
Serniga
Gardone Riviera
Morgnaga
Barbarano
Renzano
Trobiolo
Roe
Gazzare
Canneto
Parndaglio
Quarena
Torri del Benaco
Albisano
Castion Veronese
Pai
Villanova
San Zeno di Montagna
Lumini
M. Belpo
Braga
Pazzon
Vilmezzano
Porcino
Rubiana
San Michele
Montecchio
Caprino Veronese
Pesina
Fornase
Zovo
Ceredello
Valdoneghe
Costermano
Cortina
Giarole
Virle
Marciaga
Corno
San Vigilio
Garda
Baesse
Murlongo
Gazzoli
Albarè
Rivoli Veronese
Cocche
Affi
Pertica
Volargne
Cavaion Veronese
Bardolino
Cisano
Pressenga
Calmasino
Sega
Ponton
Ronchi
Piovezzano
Valesana
Lazise
Palu
Rocchetti
San Faustino
Pastrengo
Bussolengo
Fossalta
Roarlongo
Colà
Donzella
Parco Zoo-Safari del Garda
Pacengo
Sandrà
Palazzolo
Castelnuovo del Garda
Gardaland
Ronchi
Stafalo
Peschiera del Garda
Cavalcaselle
Platano
San Martino
San Giorgio in Salici
Oriolo
Sopranico
Vallio Terme
Caschino
Soseto
Porle
Sopraponte
M. Ucia
Villanuova sul Clisi
San Giacomo
Gavardo
San Biagio
Campagnola
Salò
Portese
Campoverde
Muro
Cisano
Isola di Garda
Villa
Puegnago del Garda
San Felice del Benaco
Raffa
Pieve Vecchia
Piazze
Moniga del Bosco
Muscoline
Castello
Limone
Mura
Polpenazze del Garda
Montinelle
Solarolo (Manerba del Garda)
Gardoncino
Castello
Case Rossi
Serle
Ronco
Marguzzo
Prevalle
Paitone
Nuvolento
Molvina
Cabianco
Morsone
Castrezzone
Terzago
Calvagese della Riviera
Soiano del Lago
Crociale
Costa
Chizzoline
Moniga del Garda
Carzago
Portico
Belvedere
Sott'Acqua
Nuvolera
Mocasina
Combattuta
Mazzano
Livelli
Cantrina
Masciaga
Macesina
Padenghe sul Garda
Pratello
Drugolo
Cortine
Costanti
Bettoleto
Bedizzole
Cogozzo
Sedesina
Molinetto
Pontenove
San Tommaso
Maddalena
Giazza
Monteroseo
Ronchi
Barcuzzi
Cortellazzo
Bagatte
San Vito
Sedena
Campagnola
Ponte San Marco
Bettola
Maguzzano
Desenzano del Garda
Pradella
Molini
Lonato
Campagna Sopra
Grotte di Catullo
Sirmione
Lugana
San Zeno
Rivoltella
San Francesco
Palazzo
Maraschina
Bassana
Rovizza
Santa Cristina
Macina
Calcinatello
Contrada Garletti
Maglio
Calcinato
Prati
Campagna Sotto
Fossa
Desenzano
Monte Vito
San Tomaso
San Pietro
Vighizzolo
Campagnolo
Cominello
Aeroporto di Brescia
Rò di Sopra
Chiarini
Malocco Sotto
Centenaro
San Martino della Battaglia
Torre di San Martino
Broglie
Belvedere
Ponti sul Mincio
Zuccotti
Camalavicina
Mongabia
Corte
San Rocco
Casazze
Zerbare
Somma campagna
Montichiari
Esenta
Castel Venzago
Vaccarolo
Pozzolengo
Salionze
Oliosi
Rò di Sotto
Novagli Campagna
Astore
Rondotto
Bosco
Casale
Rosolotti
Fredda
Poia
Dugali di Sotto
Dosso
Santa Cristina da Bolsena
Pisetti
Novagli Sera
Castiglione delle Stiviere
Madonna Scoperta
Ballino
Albera
Monzambano
Pasquali
Santa Lucia
Gorgo
Ganfardine
Livellazzo
Basalica
Polonini
Colombara
Orlandini
Trivellini
Novagli Mattina
Livelli
Fontane
Staffolo
Grole
Solferino
Castellaro Lagusello
Vantini
Custoza
Venturelli
Pozzomoretto
Case Oriani
San Giorgio
Viadana Bresciana
Carpenedolo
Tezze
Gozzolina
54
Monte
Breda
Pille
Castello Scaligero
Valeggio sul Mincio
Villafranca di Verona
Vaso
Mezzane
San Vigilio
San Cassiano
Scarnadore
Cavriana
Bezzetti
Bussacchetti
Ariano
Nadalini
Campagnola
Pozzi
Rosegaferro
Parco Acquatico
Grazioli
Foroni
Crocevia
A4
E70
P11
SIRMIONE
PESCHIERA DEL GARDA
AFFI LAGO DI GARDA SUD
40

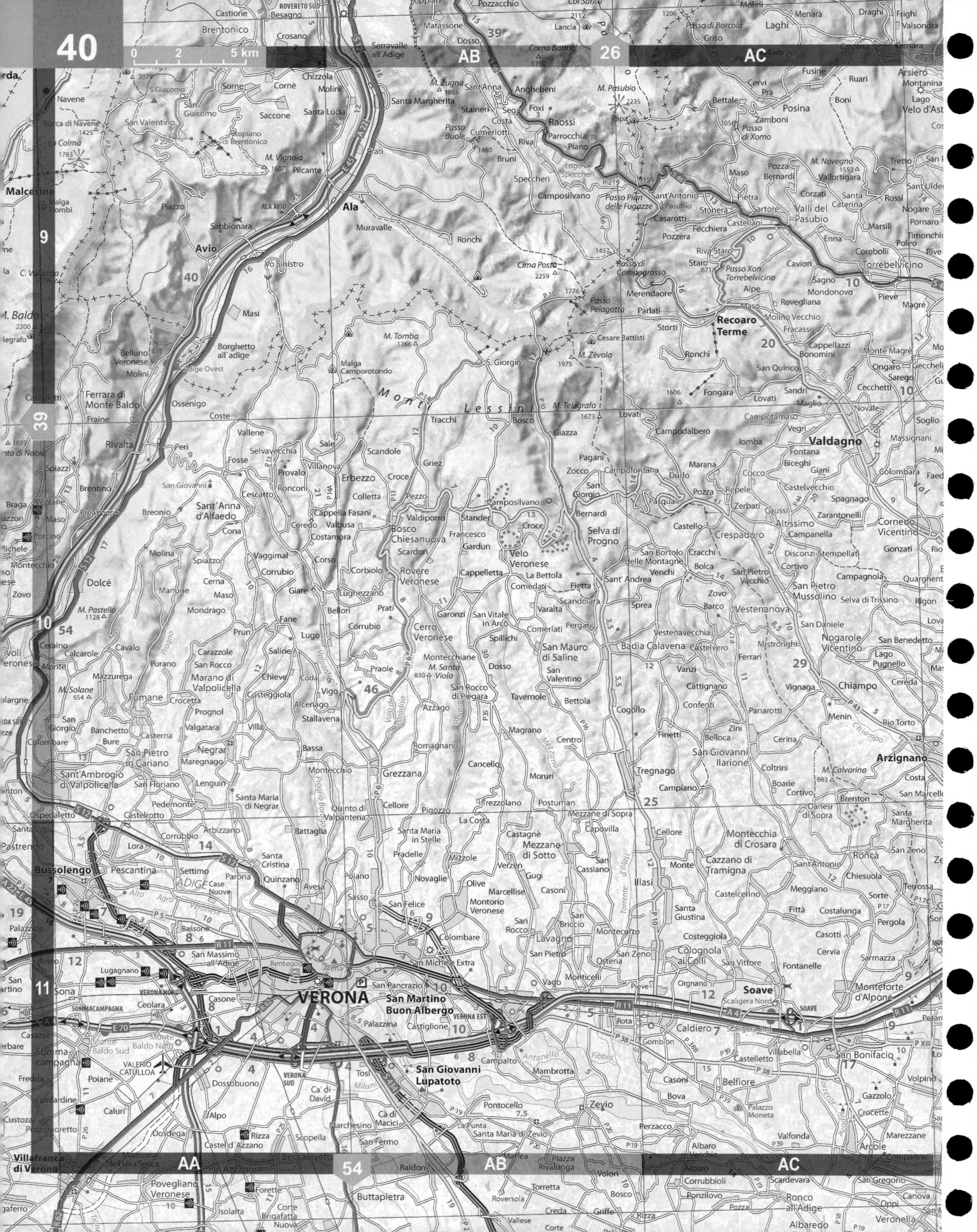
0 2 5 km
AB
26
AC
AA
54
39
9
10
11
19
Castione
Brentonico
Rovereto Sud
Besagno
Crosano
Serravalle all'Adige
Pozzacchio
Matassone
Dosso
Lancia
Corno Battisti
Passo di Borcola
Griso
Laghi
Molini
Menara
Draghi
Frighi
Valsondra
Arsiero
Montanina
Lago
Velo d'Astico
Chizzola
Molini
Sorne
Cornè
S.Giacomo
San Giacomo
Navene
Bocca di Navene
San Valentino
Altopiano di Brentonico
La Colma
Saccone
Santa Lucia
Santa Margherita
M. Zugna
Sant'Anna
Anghebeni
M. Pasubio
Bettale
Cervi
Prà
Fusine
Ruari
Boni
Posina
Zamboni
Passo di Xomo
Stalnieri
Sega
Foxi
Raossi
Costa
Parrocchia
Piano
Passo Buole
Cumerlotti
Riva
Papa
M. Vignola
Pilcante
Prati
Bruni
Lago di Speccheri
Speccheri
Malcesine
Malga Pombi
Piazzo
Ala Avio
Ala
Sabbionara
Muravalle
Camposilvano
Passo Pian delle Fugazze
Sant'Antonio
Pasubio
Casarotti
Stonera
Maso
Pozza
Bernardi
Pietra
Sartore
M. Novegno
Vallortigara
Corzati
Valli del Pasubio
Santa Caterina
Tretto
Sant'Ulderico
Rossi
Nogare
Pornaro
Marsili
Timonchio
Poleo
Rive
Avio
Ronchi
Pozzera
Fecchiera
Castellani
Enna
Corobolli
Torrebelvicino
Vo Sinistro
C. Valdritta
Cima Posta
Passo di Campogrosso
Riva Staro
Staro
Passo Xon
Cavion
Sagno
Mondonovo
Pieve
Magrè
Merendaore
Alpe
Rovegliana
M. Baldo
Masi
Passo Pelagatta
Parlati
Molino Vecchio
Recoaro Terme
Fracassi
M. Tomba
Cesare Battisti
Storti
Cappellazzi
Bonomini
Monte Magrè
Ongaro
Saregò
Belluno Veronese
Borghetto all'Adige
Adige Est
Adige Ovest
Molini
Malga Camporotondo
S. Giorgio
M. Zevola
Ronchi
San Quirico
Fongara
Sandri
Lovati
Maglio
Cecchetti
Castelletti
Ferrara di Monte Baldo
Ossenigo
Monti Lessini
Tracchi
M. Telegrafo
Bosco
Lovati
Campotamaso
Vegri
Novale
Soglio
Fraine
Coste
Vallene
Giazza
Campodalbero
Iomba
Valdagno
Massignani
Rivalta
Peri
Selvavecchia
Sale
Scandole
Griez
Pagani
Zocco
Campofontana
Durlo
Marana
Fontana
Biceghi
Giani
Colombara
Fosse
Provalo
Villanova
Erbezzo
Croce
San Giorgio
Cocco
Castelvecchio
Spiazzi
San Giovanni
Ronconi
Colletta
Pezzo
Camposilvano
Pasquali
Pozza
Repele
Zerbati
Caussi
Spagnago
Brentino
Cescatto
Sant'Anna d'Alfaedo
Cappella Fasani
Valdiporro
Stander
Bernardi
Castello
Altissimo
Zarantonelli
Cornedo Vicentino
Braga
Breonio
Cona
Ceredo
Valbusa
Costamora
Bosco Chiesanuova
Francesco
Croce
Selva di Progno
Crespadoro
Campanella
Porcino
Preabocco
Scardon
Gardun
Velo Veronese
San Bortolo delle Montagne
Cracchi
Disconzi-Stempellati
Gonzati
Molina
Vaggimal
Corso
Corbiolo
Rovere Veronese
Cappelletta
La Bettola
Bolca
Cortivo
Montecchio
Spiazzo
Corrubio
Venchi
San Pietro Vecchio
Campagnola
Quargnenta
Dolcè
Manune
Cerna
Maso
Giare
Lughezzano
Comerlati
Fietta
Sant' Andrea
Zovo
San Pietro Mussolino
Zovo
Mondrago
Bellori
Prati
Garonzi
Scandolara
Varalta
Sprea
Barco
Vestenanova
Selva di Trissino
Rigon
M. Pastello
Fane
San Vitale in Arco
Pergari
San Daniele
Prun
Lugo
Corrubio
Cerro Veronese
Spillichi
Comerlati
Vestenavecchia
Nogarole Vicentino
San Benedetto
Ceraino
Calcarole
Cavalo
Carazzole
Saline
Badia Calavena
Castelvero
Mistrorighi
Lago
Pugnello
Monte
Purano
San Rocco
Montecchiane
M. Santa Viola
Dosso
San Mauro di Saline
Ferrari
Vanzi
Mazzurega
Marano di Valpolicella
Chieve
Coda
Praole
San Valentino
Chiampo
Cereda
M. Solane
Fumane
Crocetta
Costeggiola
Vigo
San Rocco di Piegara
Tavernole
Bettola
Cattignano
Vignaga
Alcenago
Azzago
Cogollo
Confenti
Panarotti
Menin
San Giorgio
Banchetto
Prognol
Stallavena
Rio Torto
Bure
Casterna
Valgatara
Villa
Magrano
Finetti
Zini
Belloca
Cerina
Arzignano
Colombare
San Pietro in Cariano
Negrar
Bassa
Romagnano
Centro
San Giovanni Ilarione
Maregnago
Cancello
Coltrini
M. Calvarina
Costa
Sant'Ambrogio di Valpolicella
San Floriano
Lenguin
Montecchio
Grezzana
Moruri
Tregnago
Boarie
Cortivo
San Marcello
Campiano
Pedemonte
Santa Maria di Negrar
Quinto di Valpantena
Cellore
Pigozzo
Trezzolano
Postumian
Brenton
Danesi di Sopra
Santa Margherita
Ospedaletto
Castelrotto
Mezzane di Sopra
Santa Lucia
Arbizzano
Battaglia
Santa Maria in Stelle
La Costa
Capovilla
Cellore
Montecchia di Crosara
Pastrengo
Lora
Corrubbio
Castagnè
Mezzane di Sotto
Roncà
San Zeno
Bussolengo
Pescantina
Settimo
Santa Cristina
Pradelle
Mizzole
Verzen
San Cassiano
Monte
Cazzano di Tramigna
Sant'Antonio
Chiesuola
Parona
Case Nuove
Quinzano
Avesa
Poiano
Novaglie
Gugi
Illasi
Meggiano
Terrossa
Alto Agro Veronese
Olive
Marcellise
Casoni
Castelcerino
Sorte
Montorio Veronese
Fittà
Costalunga
Palazzolo
Sasso
San Felice
San Rocco
Briccio
Santa Giustina
Pergola
Bassone
Colombare
Lavagno
Montecurto
Costeggiola
Casotti
San Massimo all'Adige
San Pietro
San Zeno
Colognola ai Colli
Cervia
Bosco
Bentegodi
Arena
San Michele Extra
Osteria
San Vittore
Sarmazza
San Martino
Sona
Lugagnano
Verona Nord
San Pancrazio
Monticelli
Fontanelle
Vago
Pieve
Orgnano
Soave
Monteforte d'Alpone
Sommacampagna
Ceolara
Casone
VERONA
San Martino Buon Albergo
Scaligera Nord
Soave
Palazzina
Verona Est
Rota
Caldiero
Scaligera Sud
Casazze
Monte Baldo Sud
Monte Baldo Nord
Castiglione
Gombion
Villabella
San Bonifacio
Somma-campagna
Campalto
Antanello
Fibbio
Castelletto
Valerio Catullo
Verona Sud
Mambrotta
Fredda
Poiane
Dossobuono
Tosi
San Giovanni Lupatoto
Casoni
Belfiore
Volpino
Cà di David
Milani
Cardardine
Bova
Gazzolo
Caluri
Pontocello
Zevio
Palazzo Moneta
Crocette
Custoza
Pezzoporetto
Alpo
Cà di Macici
Marchesino
La Punta
Santa Maria di Zevio
Perzacco
Marezzane
Dosdega
Rizza
Scopella
Valfonda
Castel d'Azzano
San Fermo
Albaro
Arcole
Villafranca di Verona
Madonna dell'Uva Secca
Azzano
Beccacivetta
Raldon
Maffea
Piazza
Rivalunga
Albaro Vecchio
Remondina
Compagnie
Povegliano Veronese
Forette
Torretta
Volon
Corrubbioli
Scardevara
San Gregorio
Corte Brigafatta Nuova
Buttapietra
Roversola
Bosco
Ponzilovo
Ronco all'Adige
Canova
Oppi
Isolalta
Creda
Griffe
Rizza
Pozza
Vallese
Corte
Albaredo
Veronella
Adige
Progno
Valpantena
Chiampo
Agno
Torrente d'Illasi
Alpone
Mezzano
Valle del Paradiso

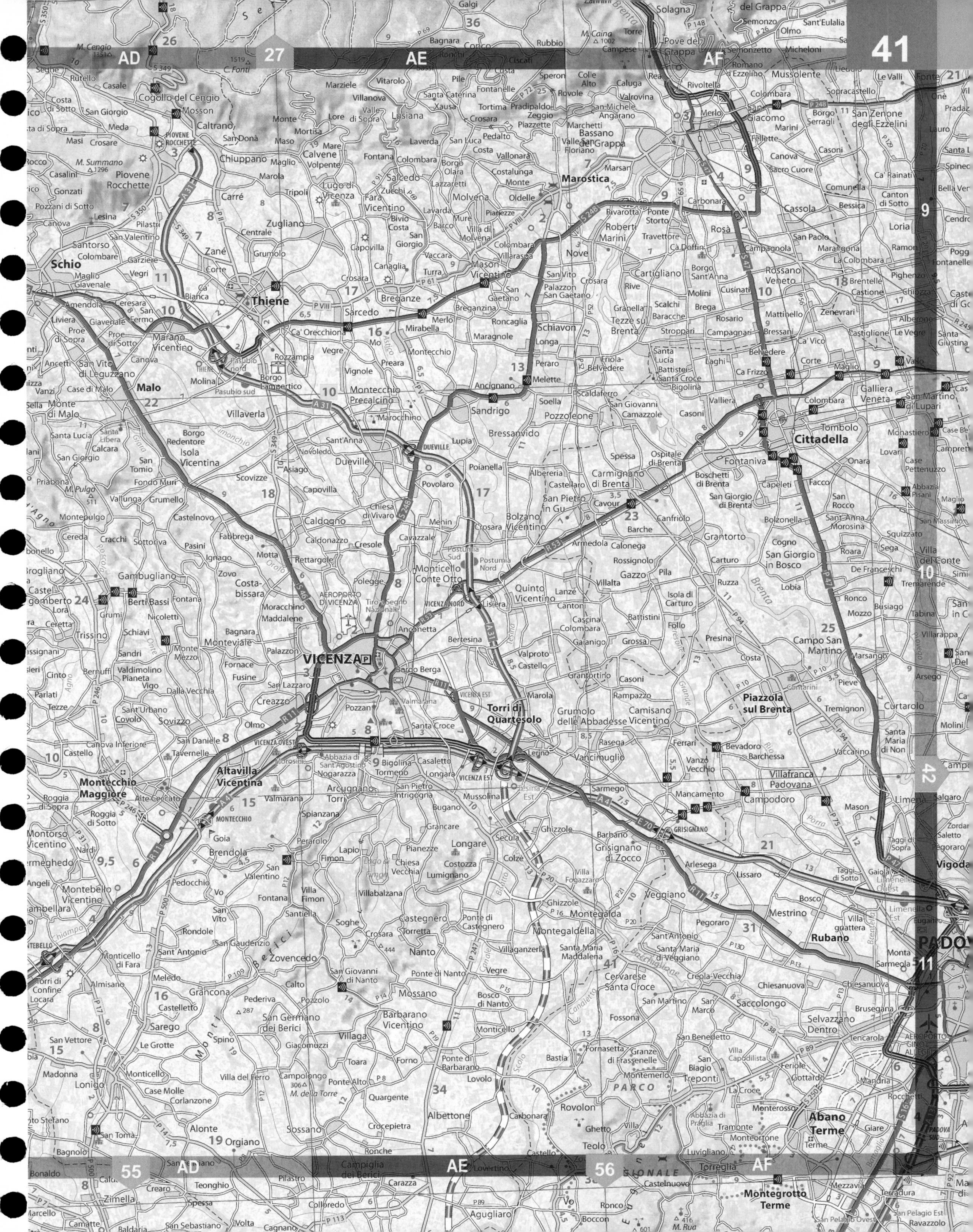
AD
27
AE
AF
Schio
Thiene
Malo
Marostica
Bassano del Grappa
Piovene Rocchette
Breganze
Sandrigo
Dueville
Cittadella
Rossano Veneto
Galliera Veneta
Tombolo
VICENZA
Altavilla Vicentina
Montecchio Maggiore
Torri di Quartesolo
Grumolo delle Abbadesse
Camisano Vicentino
Piazzola sul Brenta
Grisignano di Zocco
Veggiano
Montegalda
Longare
Nanto
Mossano
Barbarano Vicentino
Rubano
Mestrino
Selvazzano Dentro
Abano Terme
Montegrotto Terme
Lonigo
Sarego
Brendola
Creazzo
Sovizzo
Monteviale
Costabissara
Caldogno
Quinto Vicentino
Bolzano Vicentino
Zugliano
Sarcedo
Carrè
Zanè
Chiuppano
Calvene
Lugo di Vicenza
Fara Vicentino
Mason Vicentino
Nove
Cartigliano
Tezze sul Brenta
Rosà
Pove del Grappa
Romano d'Ezzelino
Mussolente
San Zenone degli Ezzelini
Loria
Castelfranco
Carmignano di Brenta
San Pietro in Gu
Pozzoleone
Schiavon
Montecchio Precalcino
Villaverla
Isola Vicentina
Trissino
Castelgomberto
Gambugliano
Villafranca Padovana
Campodoro
Limena
Vigodarzere
PADOVA
Teolo
Rovolon
Cervarese Santa Croce
Saccolongo
Torreglia
Albettone
Sossano
Orgiano
Alonte
Zimella
55
56
42
9
10
11
AEROPORTO DI VICENZA
AEROPORTO G. ALLEGRI
PARCO

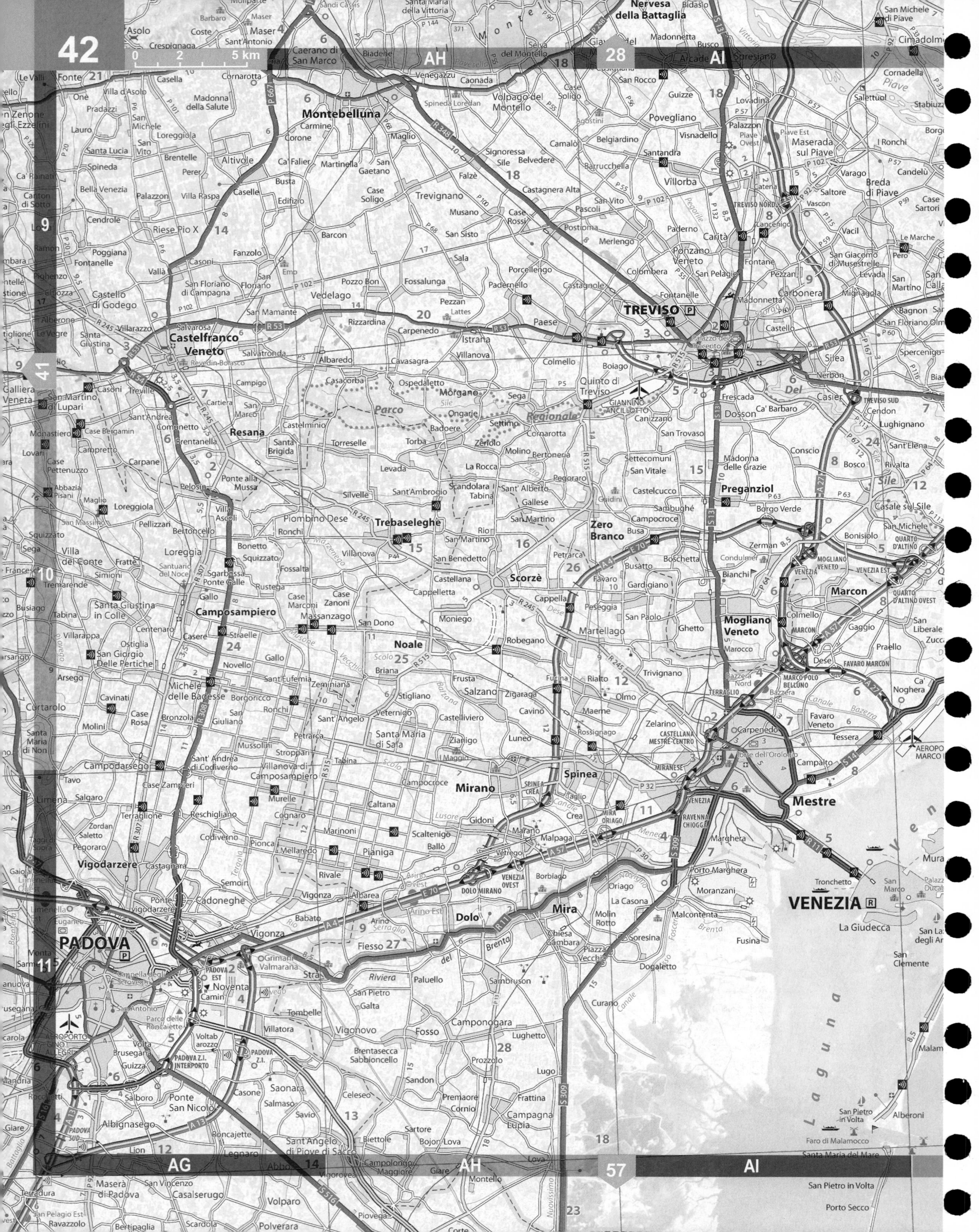
0 2 5 km
AH
28
AI
AG
AH
57
AI
9
41
10
11
Nervesa della Battaglia
Asolo
Maser
Caerano di San Marco
Montebelluna
Volpago del Montello
Spresiano
Cimadolmo
San Michele di Piave
Castello di Godego
Castelfranco Veneto
Riese Pio X
Vedelago
Trevignano
Villorba
Ponzano Veneto
Paese
TREVISO
Silea
Carbonera
Maserada sul Piave
Breda di Piave
Istrana
Quinto di Treviso
Morgano
Parco
Regionale
Sile
San Martino di Lupari
Resana
Loreggiola
Loreggia
Trebaseleghe
Piombino Dese
Zero Branco
Preganziol
Casale sul Sile
Marcon
Mogliano Veneto
Scorzè
Camposampiero
Noale
Santa Giustina in Colle
San Giorgio Delle Pertiche
Villa del Conte
Salzano
Santa Maria di Sala
Martellago
Spinea
Mirano
Mestre
Villanova di Camposampiero
Vigodarzere
Cadoneghe
Pianiga
Dolo
Mira
VENEZIA
La Giudecca
PADOVA
Vigonza
Noventa
Stra
Fiesso
Riviera del Brenta
Vigonovo
Camponogara
Campagna Lupia
Saonara
Ponte San Nicolò
Albignasego
Maserà di Padova
Casalserugo
Piove di Sacco
Laguna Veneta
San Pietro in Volta
Porto Secco
Faro di Malamocco
Santa Maria del Mare
Alberoni
Porto Marghera
Marghera
Favaro Veneto
Tessera
AEROPORTO MARCO POLO
GIANNINO ANCILLOTTO
AEROPORTO GINO ALLEGRI

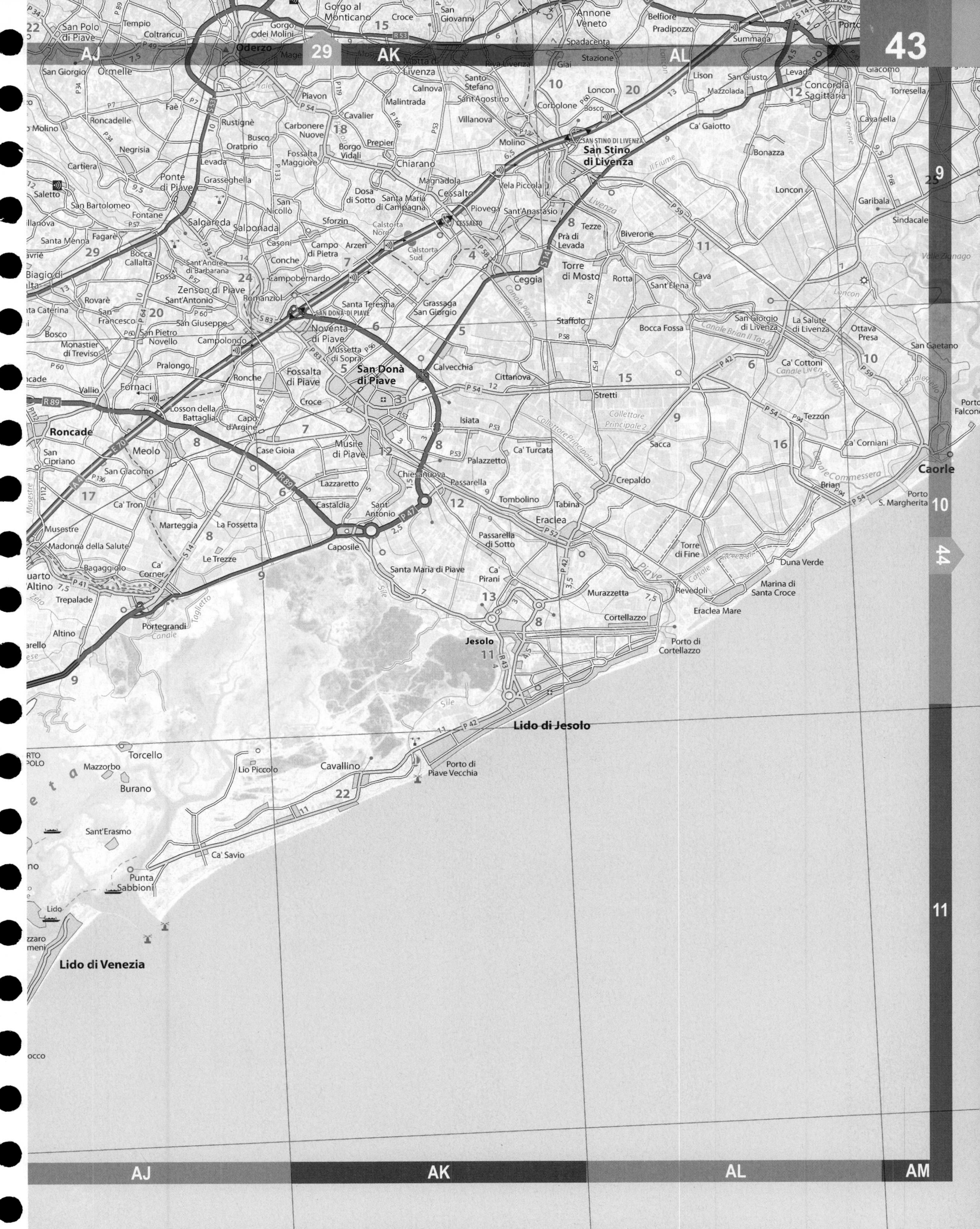
AJ
29
AK
AL
AM
9
10
11
44
Oderzo
Motta di Livenza
San Stino di Livenza
Cessalto
San Donà di Piave
Noventa di Piave
Fossalta di Piave
Musile di Piave
Roncade
Meolo
Ceggia
Torre di Mosto
Eraclea
Jesolo
Lido di Jesolo
Caorle
Concordia Sagittaria
Eraclea Mare
Cortellazzo
Porto di Cortellazzo
Duna Verde
Marina di Santa Croce
Cavallino
Lio Piccolo
Torcello
Mazzorbo
Burano
Sant'Erasmo
Punta Sabbioni
Ca' Savio
Lido di Venezia
Porto di Piave Vecchia
Caposile
Santa Maria di Piave
Salgareda
Ponte di Piave
Chiarano
Annone Veneto
Gorgo al Monticano
Zenson di Piave
Monastier di Treviso
Portegrandi
Altino
Trepalade
Ca' Corniani
Porto S. Margherita
San Giorgio di Livenza
La Salute di Livenza
Ottava Presa
San Gaetano
Stretti
Cittanova
Calvecchia
Passarella
Chiesanuova
Isiata
Palazzetto
Ca' Turcata
Crepaldo
Sacca
Tombolino
Tabina
Torre di Fine
Revedoli
Murazzetta
Ca' Pirani
Passarella di Sotto
Staffolo
Bocca Fossa
Ca' Cottoni
Tezzon
Brian
Loncon
Garibala
Sindacale
Bonazza
Cavanella
Torresella
Levada
Lison
Summaga
Belfiore
Pradipozzo
Spadacenta
Stazione
Giai
Corbolone
Villanova
Santo Stefano
Sant'Agostino
Calnova
Malintrada
Cavalier
Carbonere Nuove
Prepier
Borgo Vidali
Fossalta Maggiore
Busco
Oratorio
Rustignè
Negrisia
Roncadelle
Ormelle
San Polo di Piave
Tempio
Coltrancui
San Giorgio
Faè
Piavon
Cartiera
Levada
Grasseghella
Saletto
San Bartolomeo
Fontane
Santa Menna
Fagarè
Bocca Callalta
Sant'Andrea di Barbarana
Fossa
Rovarè
San Francesco
San Giuseppe
San Pietro Novello
Campolongo
Pralongo
Ronche
Fornaci
Vallio
Losson della Battaglia
Capo d'Argine
Croce
Case Gioia
Lazzaretto
Castaldia
Sant'Antonio
San Cipriano
San Giacomo
Ca' Tron
Marteggia
La Fossetta
Musestre
Madonna della Salute
Le Trezze
Ca' Corner
Bagaggiolo
Sant'Antonio
Salgareda
Salbonada
Campo di Pietra
Arzeri
Conche
Campobernardo
Romanziol
Santa Teresina
Grassaga San Giorgio
Mussetta di Sopra
San Nicolò
Sforzin
Dosa di Sotto
Santa Maria di Campagna
Magnadola
Piovega
Vela Piccola
Sant'Anastasio
Prà di Levada
Tezze
Biverone
Rotta
Sant'Elena
Cava
Molino
Chiarano
Cessalto
Calstorta Nord
Calstorta Sud
Il Fiume
Canale Brian Il Taglio
Canale Commessera
Collettore Principale 2
Collettore Principale 3
Canale Piavon
Piave
Sile
Livenza
Canale Taglietto
Caorle
A4
E70
R89
P54
P42
P47
P53
P57
P58
P59
P94
S14
R53
R43
P52

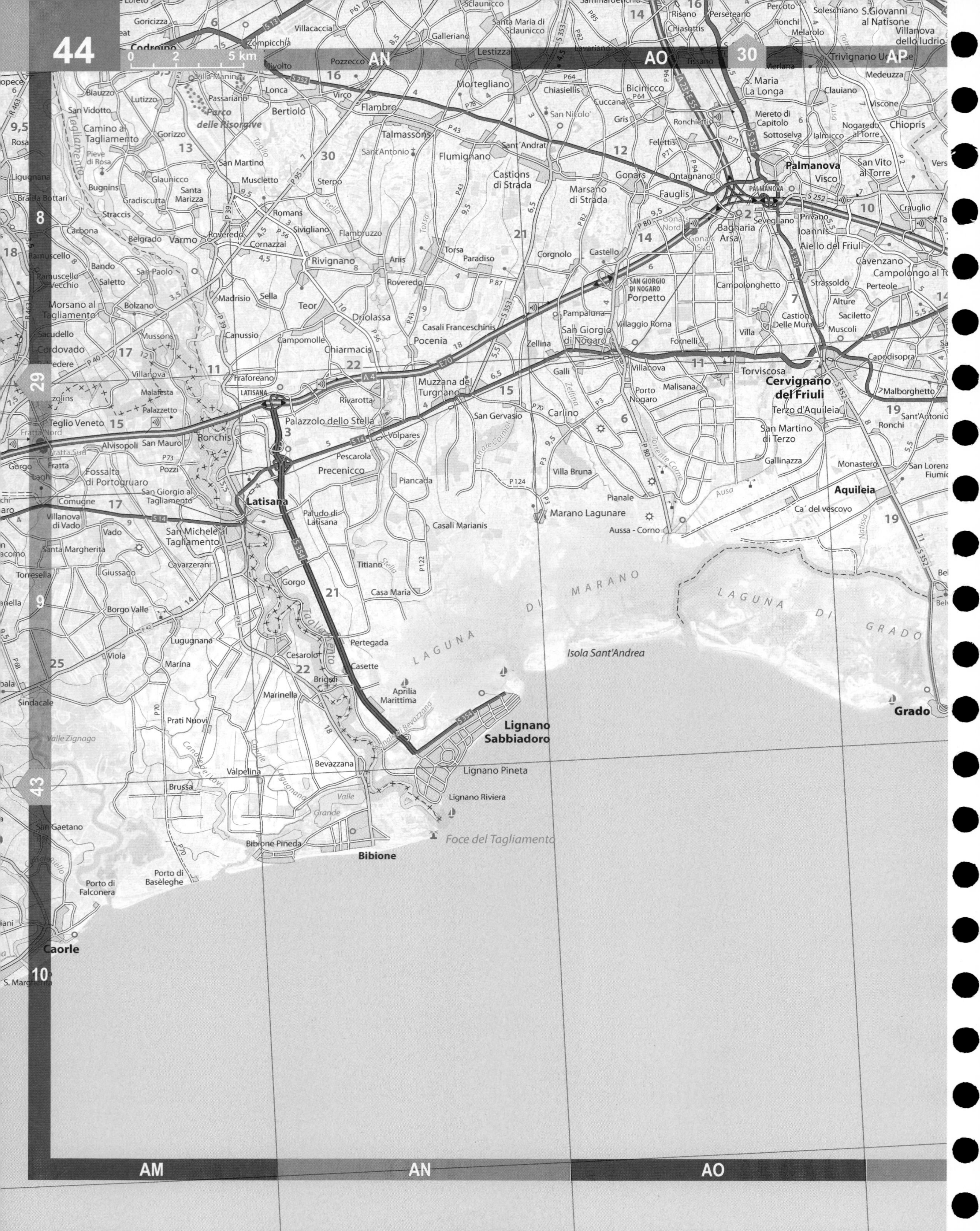

Codroipo
Goricizza
Villacaccia
Zompicchia
Galleriano
Santa Maria di Sclaunicco
Lestizza
Pozzecco
Rivolto
Villa Manin
Parco delle Risorgive
Passariano
Lonca
Virco
Flambro
Bertiolo
Mortegliano
Chiasiellis
Bicinicco
Cuccana
Gris
San Nicolo'
Talmassons
Sant'Antonio
Flumignano
Sant'Andrat
Castions di Strada
Marsano di Strada
Gonars
Ontagnano
Fauglis
Palmanova
Visco
S. Maria La Longa
Mereto di Capitolo
Sottoselva
Clauiano
Nogaredo al Torre
Chiopris
San Vito al Torre
Medeuzza
Trivignano Udinese
S.Giovanni al Natisone
Villanova dello Iudrio
Percoto
Soleschiano
Ronchi
Melarolo
Risano
Persereano
Chiasottis
Biauzzo
Lutizzo
San Vidotto
Camino al Tagliamento
Gorizzo
Pieve di Rosa
Bugnins
Glaunicco
San Martino
Muscletto
Santa Marizza
Gradiscutta
Straccis
Sterpo
Romans
Sivigliano
Flambruzzo
Carbona
Belgrado
Varmo
Roveredo
Cornazzai
Rivignano
Ariis
Torsa
Paradiso
Corgnolo
Castello
Bagnaria Arsa
Sevegliano
Privano
Ioannis
Aiello del Friuli
Cavenzano
Campolongo al Torre
Perteole
Strassoldo
Alture
Saciletto
Castions Delle Mura
Muscoli
Villa
Campolonghetto
San Giorgio di Nogaro
Porpetto
Villaggio Roma
Fornelli
Pampaluna
San Giorgio di Nogaro
Zellina
Ramuscello
Bando
Saletto
San Paolo
Ramuscello Vecchio
Madrisio
Sella
Teor
Roveredo
Driolassa
Casali Franceschinis
Pocenia
Morsano al Tagliamento
Bolzano
Mussons
Canussio
Campomolle
Chiarmacis
Sacudello
Cordovado
Villanova
Fraforeano
Latisana
Muzzana del Turgnano
Galli
Villanova
Torviscosa
Cervignano del Friuli
Capodisopra
Malborghetto
Terzo d'Aquileia
Sant'Antonio
Ronchi
Malafesta
Palazzetto
Teglio Veneto
Fratta Nord
Rivarotta
Palazzolo dello Stella
Volpares
Carlino
San Gervasio
Malisana
Porto Nogaro
San Martino di Terzo
Gallinazza
Monastero
Alvisopoli
San Mauro
Ronchis
Fratta Sud
Gorgo
Fratta
Pozzi
Fossalta di Portogruaro
Pescarola
Precenicco
Piancada
Villa Bruna
Pianale
Aquileia
Ca' del vescovo
Comugne
San Giorgio al Tagliamento
Latisana
Villanova di Vado
Vado
San Michele al Tagliamento
Paludo di Latisana
Casali Marianis
Marano Lagunare
Aussa - Corno
Santa Margherita
Torresella
Giussago
Cavarzerani
Titiano
Gorgo
Casa Maria
Laguna di Marano
Laguna di Grado
Borgo Valle
Lugugnana
Viola
Marina
Pertegada
Cesarolo
Casette
Isola Sant'Andrea
Brian
Aprilia Marittima
Marinella
Sindacale
Prati Nuovi
Valle Zignago
Lignano Sabbiadoro
Grado
Bevazzana
Lignano Pineta
Valpelina
Brussa
Lignano Riviera
Valle Grande
San Gaetano
Bibione Pineda
Foce del Tagliamento
Bibione
Porto di Baseleghe
Porto di Falconera
Caorle
S. Margherita
AM
AN
AO
AP
0 2 5 km

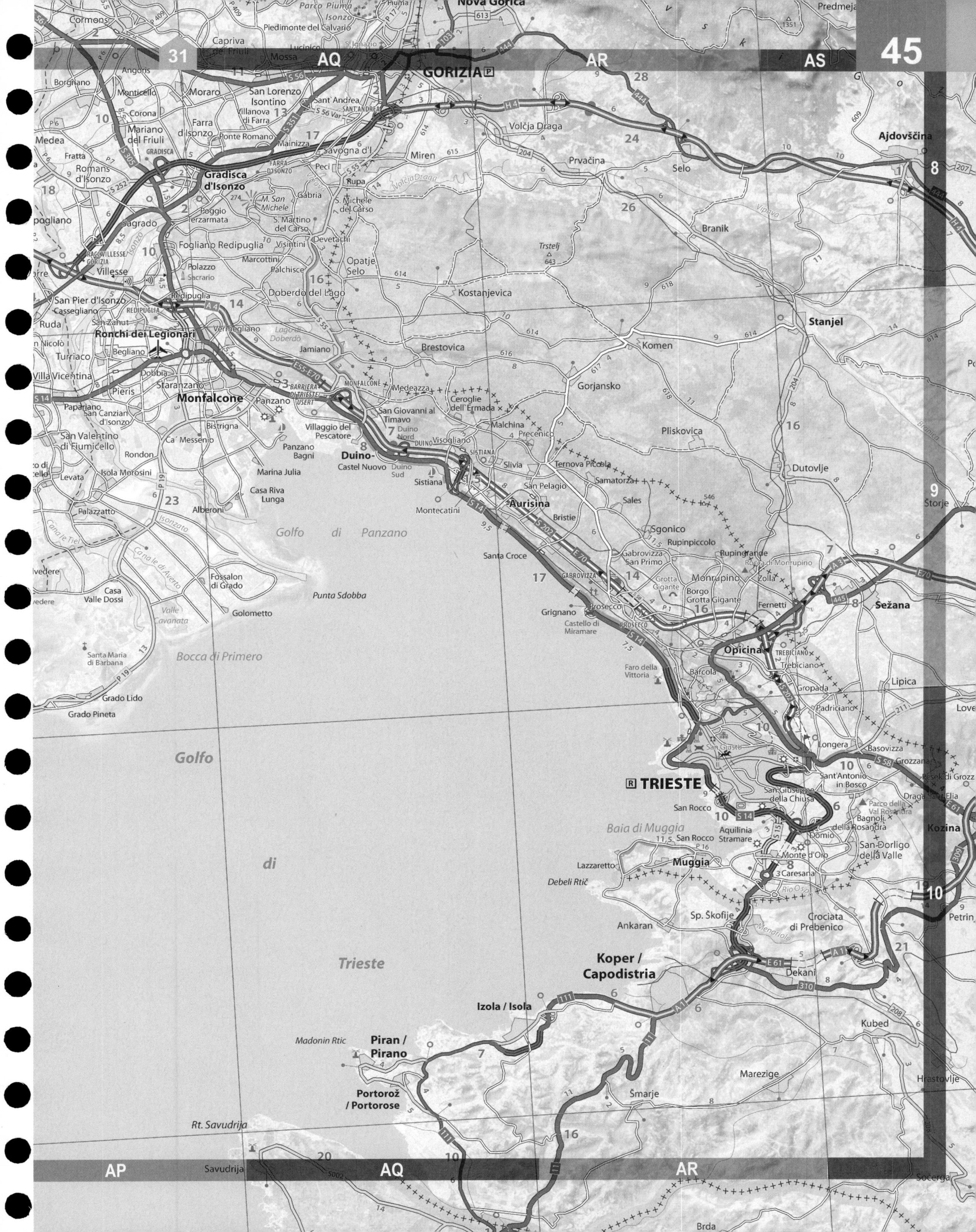
Nova Gorica
Cormons
Gorizia
Volčja Draga
Prvačina
Selo
Ajdovščina
Miren
Gradisca d'Isonzo
Monfalcone
Ronchi dei Legionari
Doberdò del Lago
Kostanjevica
Komen
Stanjel
Brestovica
Gorjansko
Duino
Sistiana
Aurisina
Sgonico
Opicina
Sežana
TRIESTE
Muggia
Koper / Capodistria
Izola / Isola
Piran / Pirano
Portorož / Portorose
Golfo di Panzano
Golfo di Trieste
Baia di Muggia
Bocca di Primero
Grado Pineta
Kozina
Lipica
Dutovlje
Pliskovica
Branik
Marezige
Šmarje
Dekani
Savudrija
Rt. Savudrija
AP
AQ
AR
AS
31

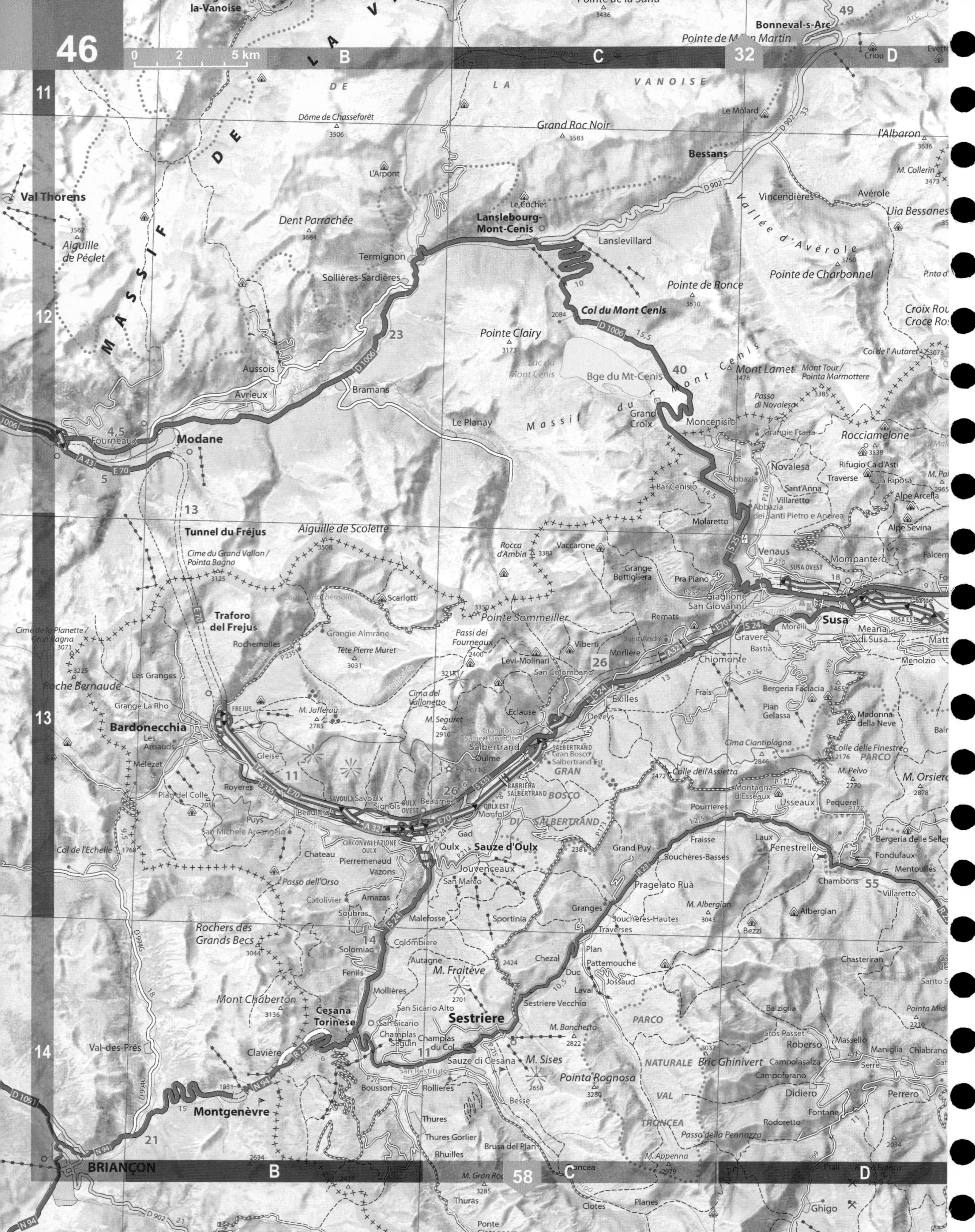
46
0 2 5 km
B
C
32
D
11
12
13
14
Val Thorens
Aiguille de Péclet
3562
MASSIF DE LA VANOISE
Dôme de Chasseforêt
3506
Grand Roc Noir
3583
Bonneval-s-Arc
Pointe de Méan Martin
Le Môlard
Bessans
l'Albaron
3636
M. Collerin
3473
Criou
Vincendières
Avérole
Uia Bessanese
Vallée d'Avérole
Pointe de Charbonnel
3750
L'Arpont
Le Cuchet
Dent Parrachée
3684
Lanslebourg-Mont-Cenis
Lanslevillard
Termignon
Sollières-Sardières
Pointe de Ronce
3610
Col du Mont Cenis
2084
Croix Rousse
Pointe Clairy
3173
Lac du Mont Cenis
Bge du Mt-Cenis
Mont Lamet
3478
Mont Tour / Pointa Marmottere
Col de l'Autaret
3073
Aussois
Avrieux
Bramans
Fourneaux
Modane
Le Planay
Massif du Mont Cenis
Grand Croix
Moncenisio
Passo di Novalesa
3385
Rocciamelone
3538
Grangie Fratta
Novalesa
Rifugio Ca d'Asti
La Riposa
Traverse
Sant'Anna
Villaretto
Abbazia dei Santi Pietro e Andrea
Alpe Arcella
Alpe Sevina
Bar Cenisio
Molaretto
Venaus
Mompantero
Falcemagna
Tunnel du Fréjus
Aiguille de Scolette
3508
Rocca d'Ambin
3381
Vaccarone
Cime du Grand Vallon / Pointa Bagna
3125
Grange Buttigliera
Pra Piano
SUSA OVEST
Giaglione
San Giovanni
Susa
Meana di Susa
Mattie
Scarlotti
Lago Rochemolle
Traforo del Frejus
Pointe Sommeiller
3350
Remats
Cime de la Planette / Gran Bagna
3071
Grangie Almrane
Rochemolles
Tête Pierre Muret
3031
Passi dei Fourneaux
2400
Levi-Molinari
Viberti
Morliere
Gravere
Morelli
Bastia
Chiomonte
Menolzio
Roche Bernaude
3225
Les Granges
San Colombano
Cima del Vallonetto
Exilles
Frais
Bergeria Faclacia
Grange La Rho
Bardonecchia
Les Arnauds
M. Jafferau
2785
M. Seguret
2910
Eclause
Deveys
Pian Gelassa
Madonna della Neve
Gran Bosco
Salbertrand
Oulme
Ex Forte
Cima Ciantiplagna
2846
Colle delle Finestre
2176
PARCO
Mélezet
Gleise
Colle dell'Assietta
2472
M. Pelvo
2770
M. Orsiera
2878
Pian del Colle
2054
Royeres
Savoulx
Beaulard
Signols
Beaumont
GRAN BOSCO DI SALBERTRAND
Montagna d'Esseaux
Usseaux
Pequerel
Pourrieres
Puys
San Michele Arcangelo
Gad
Monfol
Oulx
Sauze d'Oulx
Col de l'Echelle
1768
Chateau
Pierremenaud
Vazons
Jouvenceaux
San Marco
Grand Puy
Fraisse
Souchères-Basses
Laux
Fenestrelle
Bergeria delle Seller
Fondufaux
Mentoulles
Passo dell'Orso
Catolivier
Amazas
Soubras
Pragelato Ruà
Chambons
Villaretto
M. Albergian
3043
Albergian
Rochers des Grands Becs
3044
Malefosse
Sportinia
Granges
Souchères-Hautes
Traverses
Bezzi
Solomiac
Colombiere
Autagne
M. Fraitève
2701
2424
Chezal
Plan
Pattemouche
Josseaud
Duc
Laval
Chasteiran
Fenils
Mollières
Mont Chaberton
3136
Cesana Torinese
San Sicario Alto
San Sicario
Sestriere
Sestriere Vecchio
Balziglia
Punta Midi
2210
Val-des-Prés
Clavière
Champlas Séguin
Champlas du Col
Sauze di Cesana
M. Sises
M. Banchetta
2822
PARCO NATURALE VAL TRONCEA
Gros Passet
Roberso
Massello
Maniglia
Chiabrano
Bric Ghinivert
3037
Campolasalza
Serre
Campoforano
San Restituto
1851
Bousson
Rollieres
Pointa Rognosa
3280
2658
Besse
Didiero
Perrero
Montgenèvre
Thures
Thures Gorlier
Rhuilles
Brusa del Plan
Passo della Pennazza
M. Appenna
2979
Rodoretto
Fontane
BRIANÇON
2634
2439
M. Gran Roc
3285
Troncea
Prali
Bric Bianco
Thuras
Planes
Clotes
Ghigo
Ponte Ciatagnera
58
D 902
D 1006
A 43
E 70
A 32
S 24
S 25
S 335
N 94
D 1091
D 994G
R 23
P 210
P 255

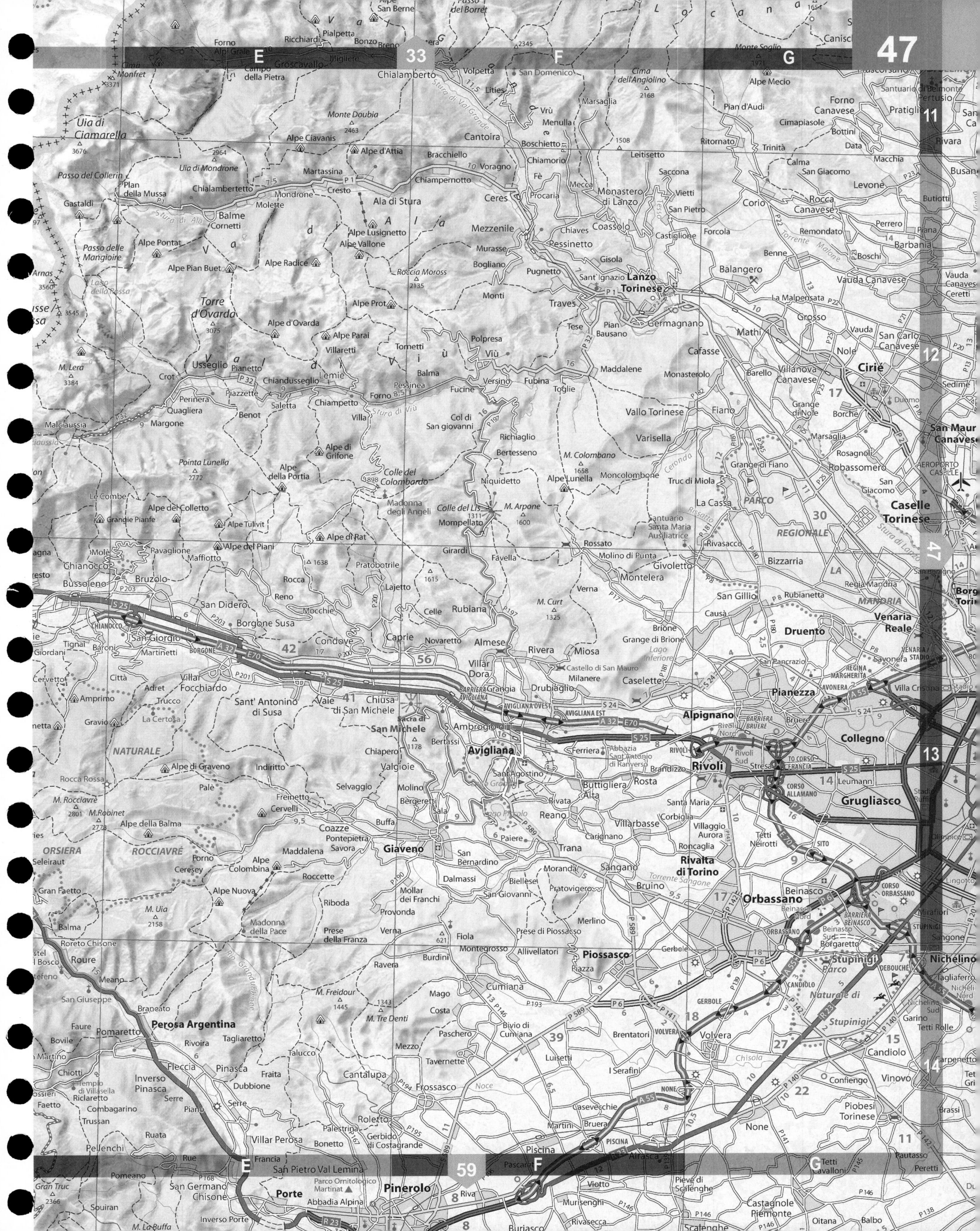

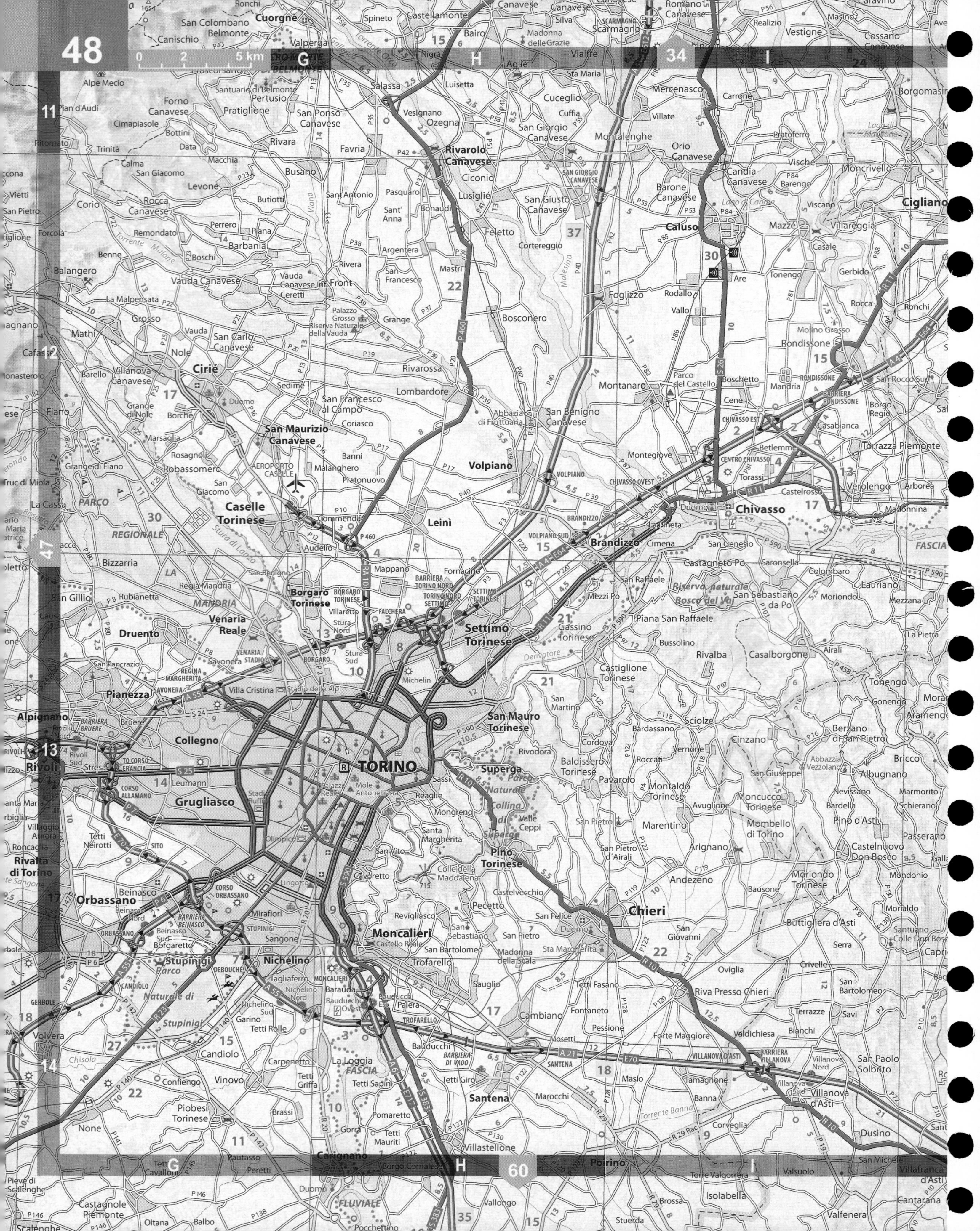
0 2 5 km
G
H
34
I
24
11
12
13
14
47
60
Cuorgnè
San Colombano Belmonte
Canischio
Valperga
Spineto
Castellamonte
Bairo
Madonna delle Grazie
Vialfrè
Scarmagno
Romano Canavese
Realizio
Vestigne
Cossano Canavese
Alpe Mecio
Santuario di Belmonte
Pertusio
Salassa
Luisetta
Aglìè
Sta Maria
Mercenasco
Carrone
Borgomasino
Forno Canavese
Pratiglione
San Ponso Canavese
Vesignano
Ozegna
Cuceglio
Cuffia
Villate
Pian d'Audi
Cimapiasole
Bottini
Rivara
San Giorgio Canavese
Montalenghe
Prateferro
Pitomato
Trinità
Data
Favria
Rivarolo Canavese
Orio Canavese
Calma
San Giacomo
Macchia
Busano
Ciconio
Candia Canavese
Vische
Moncrivello
Levone
Lusigliè
Barone Canavese
Vietti
San Pietro
Corio
Rocca Canavese
Butiotti
Sant'Antonio
Pasquaro
Bonaudi
San Giusto Canavese
Lago di Candia
Viscano
Cigliano
Sant' Anna
Forcola
Remondato
Perrero
Fiana
Barbania
Feletto
Corteregio
Caluso
Mazzè
Villareggia
Casale
Benne
Boschi
Argentera
Rivera
Mastri
Balangero
Vauda Canavese
Vauda Canavese Inf.
Front
Ceretti
San Francesco
Are
Tonengo
Gerbido
La Malpensata
Foglizzo
Rodallo
Vallo
Rocca
Ronchi
Grosso
Palazzo Grosso
Riserva Naturale della Vauda
Grange
Bosconero
Mathi
Vauda
San Carlo Canavese
Molino Grosso
Rondissone
Nole
Cirié
Rivarossa
Barello
Villanova Canavese
Sedime
Lombardore
Montanaro
Parco del Castello
Boschetto
Mandria
San Rocco Sud
Grange di Nole
Borche
Duomo
San Francesco al Campo
Abbazia di Fruttuaria
San Benigno Canavese
Cene
Borgo Regio
Fiano
Marsaglia
San Maurizio Canavese
Coriasco
Casabianca
Torrazza Piemonte
Rosagnolo
Robassomero
Aeroporto Caselle
Banni
Malanghero
Pratonuovo
Volpiano
Montegiove
Betlemme
Torassi
Grange di Fiano
San Giacomo
Verolengo
Arborea
Truc di Miola
La Cassa
Parco
Caselle Torinese
Commenda
Leinì
Chivasso
Castelrosso
Madonnina
Regionale
Audello
Brandizzo
Lamineta
Cimena
San Genesio
Fascia
Bizzarria
La Mandria
Mappano
Fornacino
Castagneto Po
Saronsella
Colombaro
San Benigno
Riserva naturale Bosco del Vaj
San Raffaele
Lauriano
San Gillio
Rubianetta
Regia Mandria
Borgaro Torinese
Barriera Torino Nord
Mezzi Po
San Sebastiano da Po
Moriondo
Mezzana
Venaria Reale
Villaretto
Stura Nord
Settimo Torinese
Gassino Torinese
Piana San Raffaele
Druento
La Pietra
Bussolino
Rivalba
Casalborgone
Airali
Savonera
Stura Sud
Castiglione Torinese
San Pancrazio
Michelin
Tonengo
Villa Cristina
Stadio delle Alpi
Pianezza
San Martino
Gonengo
Alpignano
Bruere
San Mauro Torinese
Sciolze
Bardassano
Berzano di San Pietro
Collegno
Rivodora
Cordova
Vernone
Cinzano
Rivoli
Superga
Baldissero Torinese
Roccati
Bricco
Leumann
TORINO
Sassi
Parco Naturale Collina di Superga
Pavarolo
Montaldo Torinese
San Giuseppe
Abbazia di Vezzolano
Albugnano
Grugliasco
Mole Antonelliana
Reaglie
Moncucco Torinese
Nevissano
Marmorito
Bardella
Schierano
Mongreno
Avuglione
Valle Ceppi
Marentino
Mombello di Torino
Pino d'Asti
Santa Margherita
Passerano
Tetti Neirotti
Olimpico
Castelnuovo Don Bosco
San Vito
Arignano
Pino Torinese
San Pietro d'Airali
Rivalta di Torino
Cavoretto
Colle della Maddalena
Andezeno
Moriondo Torinese
Mondonio
Beinasco
Castelvecchio
Lingotto
Mirafiori
Pecetto
Chieri
Bausone
Orbassano
Moriaido
Buttigliera d'Asti
Revigliasco
San Felice
San Sebastiano
Moncalieri
San Pietro
San Giovanni
Santuario Colle Don Bosco
Sangone
Castello Reale
Borgaretto
San Bartolomeo
Madonna della Scala
Sta Margherita
Serra
Stupinigi
Nichelino
Trofarello
Oviglia
Crivelle
Parco Naturale di Stupinigi
Tagliaferro
Barauda
Saugio
Tetti Fasano
Riva Presso Chieri
San Bartolomeo
Palera
Cambiano
Fontaneto
Terrazze
Savi
Volvera
Garino
Tetti Rolle
Pessione
Forte Maggiore
Valdichiesa
Bianchi
Candiolo
Bauducchi
Mosetti
Carpenetto
La Loggia
Villanova Nord
San Paolo Solbrito
Chisola
Tetti Griffa
Tetti Sapini
Tetti Giro
Masio
Tamagnone
Confiengo
Vinovo
Santena
Marocchi
Banna
Villanova d'Asti
Piobesi Torinese
Brassi
Pomaretto
None
Tetti Mauriti
Villastellone
Corveglia
Dusino
Gorra
Carignano
Borgo Cornalese
Poirino
Valsuolo
San Michele
Villafranca d'Asti
Tetti Cavalloni
Pautasso
Peretti
Torre Valgorrera
Pieve di Scalenghe
Dupino
Isolabella
Brossa
Cantarana
Castagnole Piemonte
Fluviale
Vallongo
Valfenera
Scalenghe
Oitana
Balbo
Pocchettino
Stuerda
35

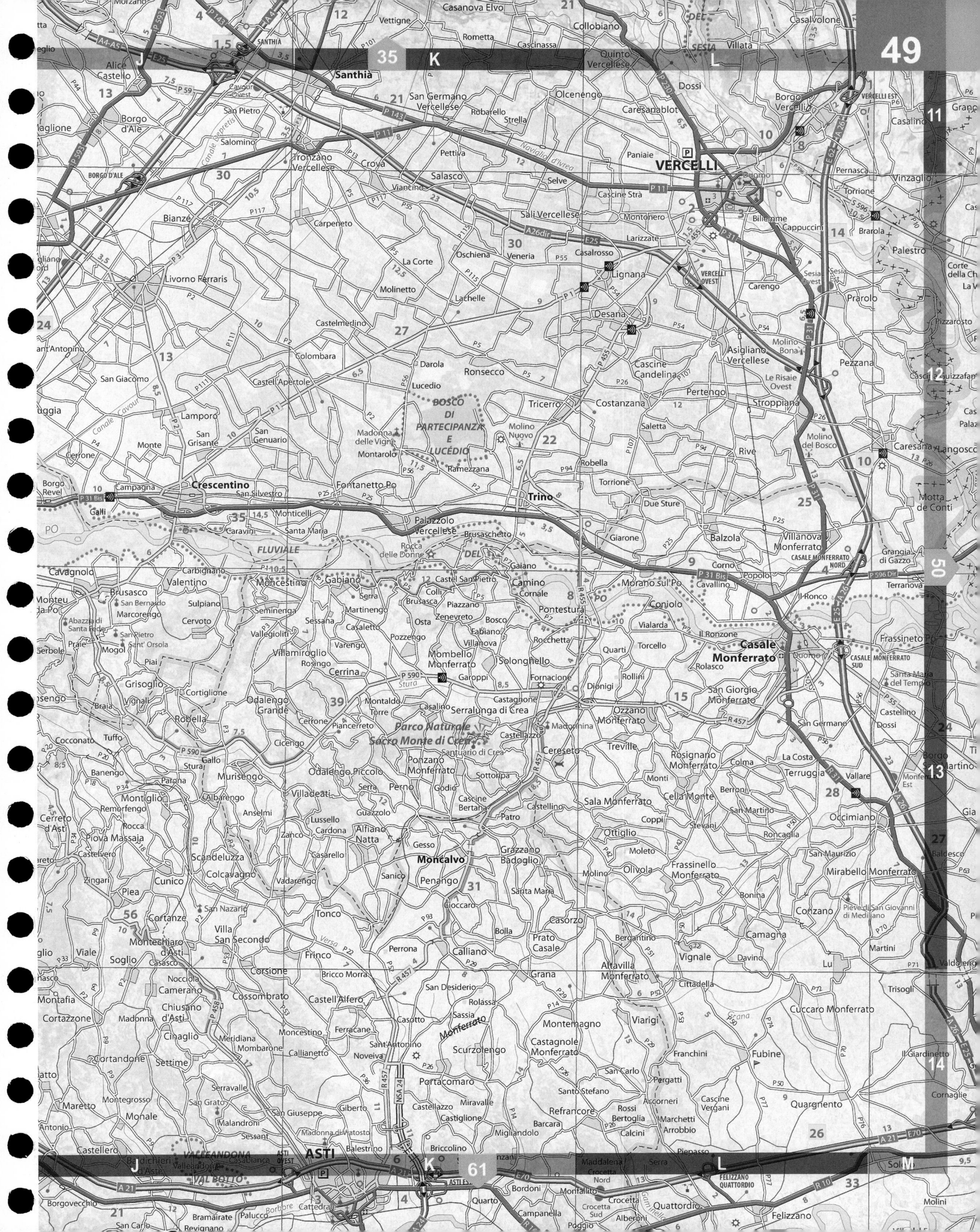

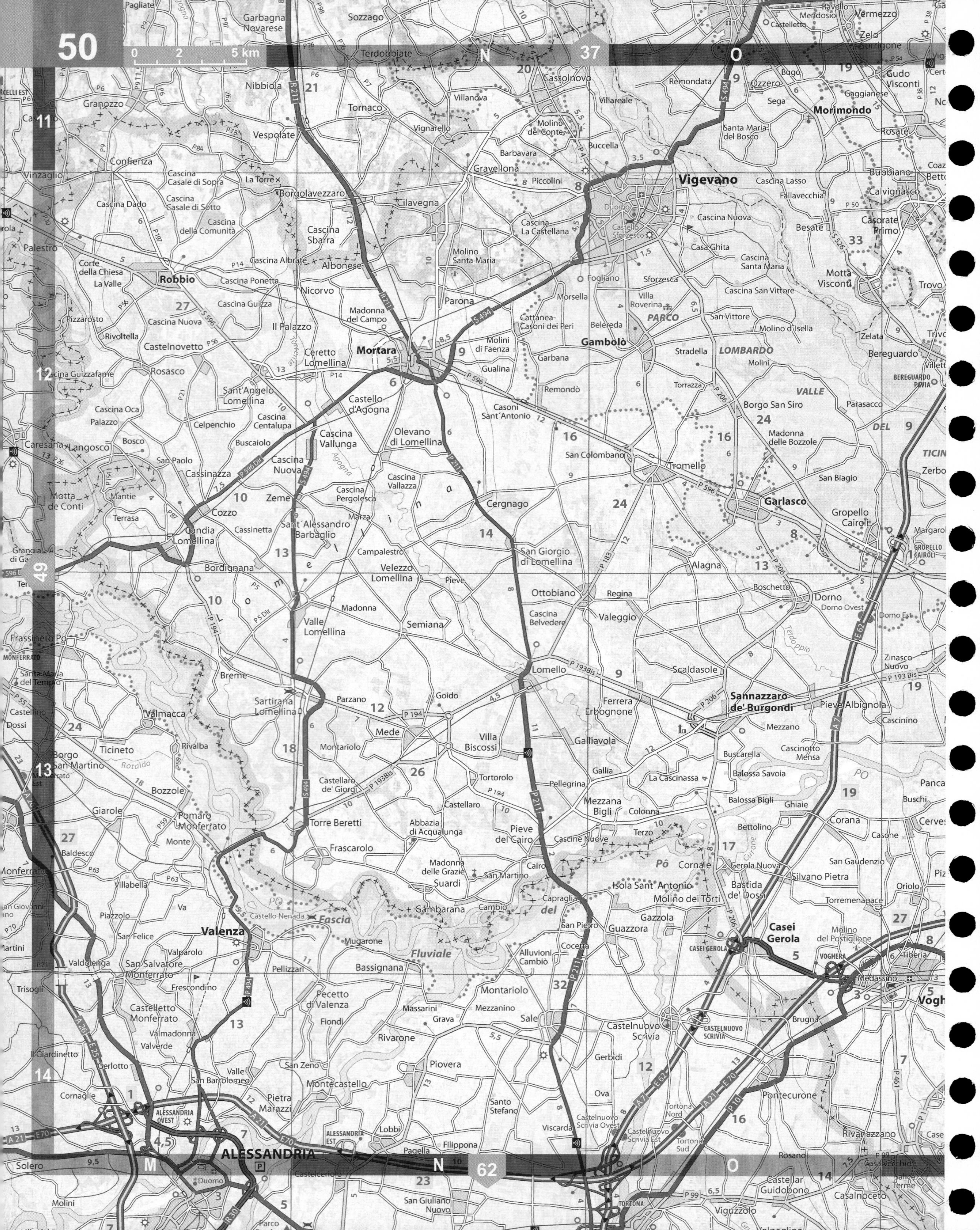
0 2 5 km
37
62
49
Vigevano
Mortara
Gambolò
Garlasco
Robbio
Valenza
ALESSANDRIA
Sannazzaro de' Burgondi
Casei Gerola
Morimondo
Cassolnovo
Terdobbiate
Sozzago
Garbagna Novarese
Nibbiola
Tornaco
Vespolate
Borgolavezzaro
Cilavegna
Gravellona
Confienza
Palestro
Albonese
Nicorvo
Parona
Castelnovetto
Rosasco
Sant'Angelo Lomellina
Castello d'Agogna
Olevano di Lomellina
Cozzo
Candia Lomellina
Zeme
Cergnago
Tromello
San Giorgio di Lomellina
Alagna
Dorno
Ottobiano
Valeggio
Lomello
Semiana
Velezzo Lomellina
Valle Lomellina
Breme
Sartirana Lomellina
Mede
Villa Biscossi
Galliavola
Ferrera Erbognone
Scaldasole
Pieve Albignola
Mezzana Bigli
Pieve del Cairo
Frascarolo
Torre Beretti
Suardi
Gambarana
Bassignana
Pecetto di Valenza
Rivarone
Montecastello
Pietra Marazzi
Piovera
Sale
Castelnuovo Scrivia
Guazzora
Isola Sant'Antonio
Molino dei Torti
Alzano Scrivia
Pontecurone
Tortona
Viguzzolo
Castellar Guidobono
Casalnoceto
Rivanazzano
Voghera
Medassino
Bereguardo
Zerbolò
Gropello Cairoli
Borgo San Siro
Parasacco
Motta Visconti
Besate
Casorate Primo
Trovo
Gudo Visconti
Rosate
Vermezzo
Zelo Surrigone
Ozzero
Abbiategrasso
PARCO LOMBARDO VALLE DEL TICINO
Lomellina
PO
Fascia Fluviale del Po
A 7
A 21
A 26
E 62
E 70
E 25
S 494
S 596
R 211
P 211
P 206
P 596
P 193Bis
P 194
P 183

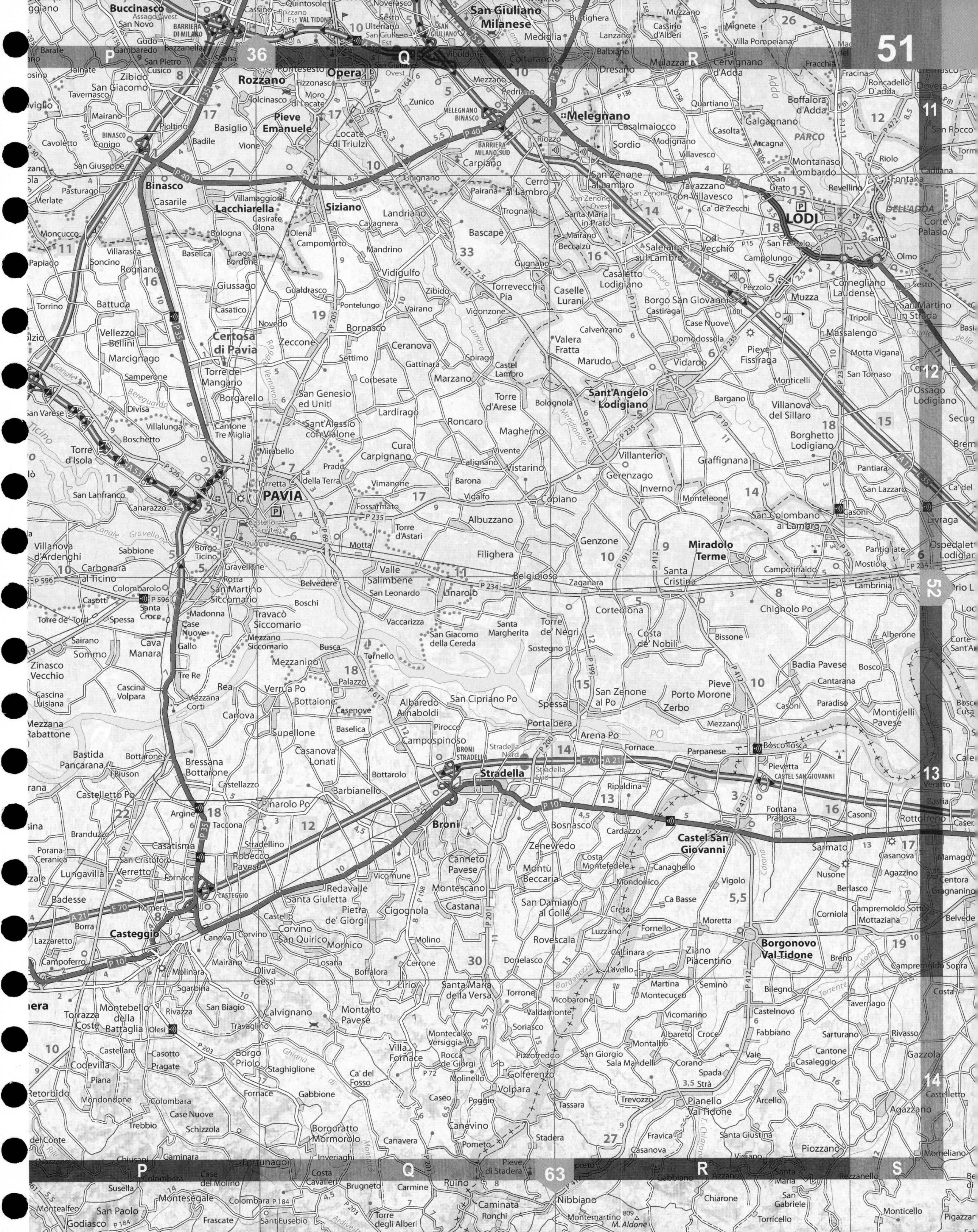
Buccinasco
San Novo
Gudo Gambaredo
Bazzanella
Zibido San Giacomo
San Pietro Cusico
Rozzano
Opera
Fizzonasco
Pontesesto
Tolcinasco
Moro di Locate
Pieve Emanuele
Locate di Triulzi
Basiglio
Pioltino
Badile
Vione
Mairano
Conigo
Cavoletto
San Giuseppe
Binasco
Casarile
Pasturago
Merlate
Lacchiarella
Villamaggiore
Casirate Olona
Siziano
Olena
Campomorto
Bologna
Turago Bordone
Basellica
Villarasca
Moncucco
Papiago
Soncino
Rognano
Giussago
Casatico
Battuda
Torrino
Vellezzo Bellini
Marcignago
Samperone
Divisa
Villalunga
Boschetto
San Varese
Certosa di Pavia
Torre del Mangano
Borgarello
Cantone Tre Miglia
Mirabello
Torretta
PAVIA
Castello Visconteo
Duomo
Borgo Ticino
Gravellone
Rotta
San Martino Siccomario
Canarazzo
San Lanfranco
Torre d'Isola
Ticino
Villanova d'Ardenghi
Sabbione
Carbonara al Ticino
Colombarolo
Casotti
Santa Croce
Torre de' Torti
Spessa
Sairano
Sommo
Cava Manara
Madonna
Case Nuove
Gallo
Travacò Siccomario
Mezzano Siccomario
Zinasco Vecchio
Cascina Volpara
Cascina Luisiana
Mezzana Rabattone
Bastida Pancarana
Bottarone
Bressana Bottarone
I Biuson
Castelletto Po
Castellazzo
Argine
Taccona
Pinarolo Po
Branduzzo
Porana-Ceranica
Casatisma
San Cristoforo
Verretto
Lungavilla
Robecco Pavese
Stradellino
Fornace
Badesse
Borra
Casteggio
Lazzaretto
Campoferro
Romera
Canova
Corvino
Corvino San Quirico
Castello
Mairano
Molinara
Sgarbina
Rivazza
San Biagio
Oliva Gessi
Torrazza Coste
Montebello della Battaglia
Olesi
Travaglino
Calvignano
Codevilla
Castellaro
Casotto
Pragate
Piana
Retorbido
Mondondone
Colombara
Case Nuove
Trebbio
Schizzola
Borgo Priolo
Staghiglione
Fornace
Gabbione
Borgoratto Mormorolo
Inveriaghi
Fortunago
Gaminara
Chiusani
Costa Cavalieri
Case del Molino
Susella
Montesegale
Colombara
Montealfeo
San Paolo
Godiasco
Frascate
Sant'Eusebio
Torre degli Alberi
Brugneto
Carmine
Ruino
Caminata
Ronchi
Pieve di Stadera
Nibbiano
Montemartino
M. Aldone
Chiarone
Gabbiano
Azzano
Santa Maria
San Gabriele
Torricello
Rezzanello
Monticello
Pigazzano
Quintosole
Noverasco
Sesto Ulteriano
San Giuliano Milanese
Mediglia
Bustighera
Lanzano
Balbiano
Colturano
Viboldone
Dresano
Mezzano
Pedriano
Melegnano
Riozzo
Carpiano
Zunico
Cerro al Lambro
Pairana
Gnignano
Landriano
Cavagnera
Mandrino
Vidigulfo
Zibido
Vairano
Pontelungo
Gualdrasco
Novedo
Zeccone
Bornasco
Settimo
Ceranova
Gattinara
Corbesate
San Genesio ed Uniti
Lardirago
Sant'Alessio con Vialone
Cura Carpignano
Prado
Ca della Terra
Vimanone
Fossarmato
Torre d'Astari
Motta
Valle Salimbene
San Leonardo
Belvedere
Boschi
Vaccarizza
Linarolo
Santa Margherita
San Giacomo della Cereda
Busca
Mezzanino
Tornello
Verrua Po
Palazzo
Bottaione
Casenove
Albaredo Arnaboldi
Baselica
Canova
Supellone
Casanova Lonati
Pirocco
Campospinoso
Bottarolo
Barbianello
Rea
Mezzana Corti
Tre Re
Broni
Stradella
Redavalle
Santa Giuletta
Pietra de' Giorgi
Cigognola
Vicomune
Canneto Pavese
Montescano
Castana
Mornico
Losana
Cerrone
Molino
Boffalora
Lirio
Santa Maria della Versa
Montalto Pavese
Villa Fornace
Montecalvo Versiggia
Rocca de' Giorgi
Molinello
Caseo
Poggio
Canevino
Canavera
Pometo
Golferenzo
Volpara
Donelasco
Torrone
Soriasco
Pizzofreddo
Valdamonte
Vicobarone
Tassara
Stadera
Bascapè
Trognano
Gugnano
Torrevecchia Pia
Vigonzone
Spirago
Castel Lambro
Marzano
Torre d'Arese
Roncaro
Magherno
Vivente
Calignano
Barona
Vistarino
Vigalfo
Albuzzano
Copiano
Filighera
Belgioioso
Zaganara
Genzone
Torre de' Negri
Corteolona
Sostegno
Costa de' Nobili
Spessa
San Cipriano Po
Portalbera
San Zenone al Po
Arena Po
Ripaldina
Bosnasco
Zenevredo
Montù Beccaria
Costa Montefedele
Mondonico
San Damiano al Colle
Creta
Rovescala
Luzzano
Fornello
Calcinara
Lavello
San Zenone al Lambro
Santa Maria in Prato
Mairano
Beccalzù
Caselle Lurani
Salerano sul Lambro
Lodi Vecchio
Casaletto Lodigiano
Borgo San Giovanni
Castiraga
Calvenzano
Valera Fratta
Marudo
Sant'Angelo Lodigiano
Bolognola
Villanterio
Gerenzago
Inverno
Monteleone
Miradolo Terme
Santa Cristina
Bissone
Chignolo Po
Pieve Porto Morone
Zerbo
Mezzano
Parpanese
Fornace
Castel San Giovanni
Fontana Pradosa
Cardazzo
Canaghello
Vigolo
Ca Basse
Moretta
Ziano Piacentino
Borgonovo Val Tidone
Martina Montecucco
Seminò
Vicomarino
Albareto
Croce
Montalbo
San Giorgio
Sala Mandelli
Corano
Spada
Strà
Trevozzo
Pianello Val Tidone
Fravica
Casanova
Santa Giustina
Vidiano
Piozzano
Arcello
Muzzano
Cassino d'Alberi
Mignete
Villa Pompeiana
Mulazzano
Cervignano d'Adda
Quartiano
Galgagnano
Casolta
Modignano
Casalmaiocco
Sordio
Villavesco
Tavazzano con Villavesco
Ca' de Zecchi
LODI
San Fereolo
Campolungo
Pezzolo
Mùzza
Case Nuove
Domodossola
Vidardo
Pieve Fissiraga
Bargano
Graffignana
Villanova del Sillaro
Monticelli
San Colombano al Lambro
Camporinaldo
Lambrinia
Fracchia
Fracina
Roncadello D'adda
Boffalora d'Adda
Arcagna
Montanaso Lombardo
Riolo
Revellino
Fontana
Gatta
Olmo
Cornegliano Laudense
Tripoli
Massalengo
Motta Vigana
San Tomaso
San Martino in Strada
Ossago Lodigiano
Borghetto Lodigiano
Pantiara
San Lazzaro
Casoni
Livraga
Ospedaletto Lodigiano
Pantigliate
Mostiola
Alberone
Badia Pavese
Bosco
Cantarana
Paradiso
Casoni
Monticelli Pavese
Bosco Tosca
Pievetta
Casoni
Rottofreno
Sarmato
Nusone
Casanova
Agazzino
Berlasco
Corniola
Campremoldo Sotto
Mottaziana
Breno
Campremoldo Sopra
Bilegno
Castelnovo
Tavernago
Fabbiano
Sarturano
Rivasso
Cantone
Casaleggio
Vaie
Gazzola
Castelletto
Agazzano
Momeliano
Corte Sant'Andrea
Centora
Gragnanino
Belvedere
Costa
Veratto
Bastia
PO
Lambro
Adda
PARCO DELL'ADDA
Canale della Muzza
T. Chiarone
Torrente Tidone
Ghiana
Bardoneza
Rogg. Vernavola
Bereguardo
Canale Gravellone
Staffora
Coppa
Ardivestra
Ile
A1 E35
A21 E70
A53
A7
S9
P 35
P 40
P 412
P 235
P 234
P 596
P 617
P 10
P 201
P 198
P 199
P 203
P 184
P 205
P 526
P 164
P 17
P 19
P 23
P 72
Stradella Nord
Stradella Sud
CASTEL SAN GIOVANNI
BRONI STRADELLA
CASTEGGIO
BARRIERA MILANO SUD
MELEGNANO BINASCO
BARRIERA DI MILANO
Assago Ovest
San Giuliano Ovest
Lodi
P
Q
R
S
36
63
52
11
12
13
14

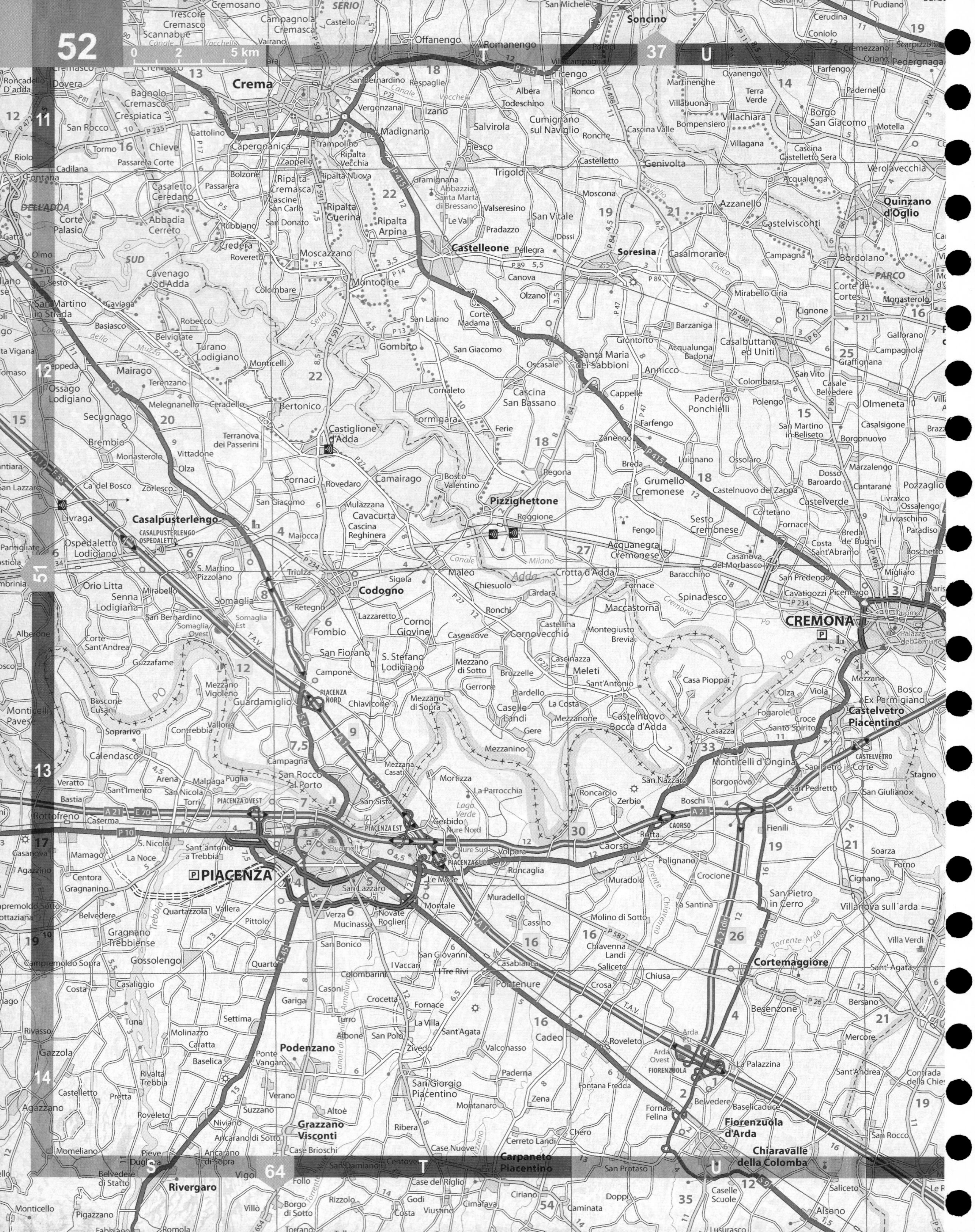
0 2 5 km
37
64
Soncino
Crema
Offanengo
Romanengo
Ticengo
Cremosano
Campagnola Cremasca
Castello
Trescore Cremasco
Scannabue
Vairano
San Michele
Villacampagna
Pudiano
Cerudina
Coniolo
Cremezzano
Orzinuovi
Scarpizzolo
Pedergnaga
Rossa
Farfengo
Ovanengo
Martinenghe
Terra Verde
Villabuona
Bompensiero
Villachiara
Villagana
Borgo San Giacomo
Motella
Cascina Castelletto Sera
Verolavecchia
Acqualunga
Quinzano d'Oglio
Padernello
Dovera
Roncadello d'Adda
Bagnolo Cremasco
Crespiatica
San Bernardino
Respaglie
Vergonzana
Izano
Albera
Todeschino
Ronco
Salvirola
Cumignano sul Naviglio
Ronche
Cascina Valle
San Rocco
Gattolino
Madignano
Capergnanica
Tormo
Chieve
Passarera Corte
Trampolino
Ripalta Vecchia
Fiesco
Trigolo
Castelletto
Genivolta
Cadilana
Fontana
Bolzone
Zappello
Ripalta Nuova
Gramignana
Abbazzia Santa Marta di Bressano
Casaletto Ceredano
Passarera
Ripalta Cremasca
Cascine San Carlo
Moscona
Azzanello
Corte Palasio
Abbadia Cerreto
Ripalta Guerina
Ripalta Arpina
Valseresino
San Vitale
Castelvisconti
Rubbiano
San Donato
Le Valli
Pradazzo
Dossi
Credera
Rovereto
Moscazzano
Castelleone
Pellegra
Soresina
Casalmorano
Campagna
Bordolano
Olmo
Cavenago d'Adda
Montodine
Canova
Olzano
Mirabello Ciria
Corte de' Cortesi
Monasterolo
Sesto
San Martino in Strada
Colombare
Caviaga
Corte Madama
San Latino
Cignone
Basiasco
Robecco
Barzaniga
Grontorto
Belvignate
Turano Lodigiano
Gombito
San Giacomo
Santa Maria dei Sabbioni
Acqualunga Badona
Casalbuttano ed Uniti
Galloranо
Campagnola
Graffignana
Mairago
Monticelli
Oscasale
Annicco
Ossago Lodigiano
Terenzano
Cornaleto
Cascina San Bassano
Cappelle
Colombara
San Vito
Casale Belvedere
Paderno Ponchielli
Polengo
Olmeneta
Melegnanello
Ceradello
Bertonico
Secugnago
Formigara
Farfengo
San Martino in Beliseto
Casalsigone
Brembio
Terranova dei Passerini
Castiglione d'Adda
Ferie
Zanengo
Borgonuovo
Monasterolo
Vittadone
Olza
Luignano
Ossolaro
Marzalengo
Regona
Breda
Grumello Cremonese
Dosso Baroardo
Cantarane
Pozzaglio
Ca' del Bosco
Zorlesco
Fornaci
Rovedaro
Camairago
Bosco Valentino
Pizzighettone
Castelnuovo del Zappa
Castelverde
Ossalengo
Livrasco
Livraga
Casalpusterlengo
San Giacomo
Mulazzana
Cavacurta
Cascina Reghinera
Roggione
Cortetano
Livraschino
Paradiso
Maiocca
Fengo
Sesto Cremonese
Fornace
Breda de' Bugni
Ospedaletto Lodigiano
Acquanegra Cremonese
Costa Sant'Abramo
Boschetto
Pantigliate
S. Martino Pizzolano
Triulza
Sigola
Maleo
Milano
Adda
Crotta d'Adda
Casanova del Morbasco
Baracchino
Migliaro
Orio Litta
Mirabello
Codogno
Chiesuolo
Lardara
San Predengo
Cavatigozzi
Picenengo
Senna Lodigiana
Somaglia
Retegno
Fornace
Spinadesco
San Bernardino
Lazzaretto
Ronchi
Maccastorna
Somaglia Est
Somaglia Ovest
Fombio
Corno Giovine
Casenuove
Cornovecchio
Castellina
Montegiusto Brevia
CREMONA
Duomo
Palazzo del Comune
Corte Sant'Andrea
Alberone
San Fiorano
S. Stefano Lodigiano
Mezzano di Sotto
Cascinazza
Meleti
Guzzafame
Campone
Bruzzelle
Sant'Antonio
Casa Pioppai
Mezzano
Bosco Ex Parmigiano
Mezzano Vigoleno
Guardamiglio
Piacenza Nord
Chiavicone
Mezzano di Sopra
Gerrone
Piardello
La Costa
Olza
Viola
Boscone Cusani
Caselle Landi
Mezzanone
Castelnuovo Bocca d'Adda
Fogarole
Croce
Santo Spirito
Castelvetro Piacentino
Monticelli Pavese
Sopravivo
Contrebbia
Valloria
Gere
Casazza
Calendasco
Mezzanino
Monticelli d'Ongina
San Pietro in Corte
Castelvetro
Campagna
Mezzana Casati
Veratto
Arena
Malpaga
Puglia
San Rocco al Porto
Mortizza
San Nazzaro
Borgonovo
Stagno
Bastia
Sant'Imento
San Nicola
Torri
Piacenza Ovest
La Parrocchia
Roncarolo
Zerbio
San Pedretto
San Giuliano
Rottofreno
Caserma
San Sisto
Lago Verde
Boschi
Gerbido
Nure Nord
Caorso
Fienili
Piacenza Est
Casanova
S. Nicolò
Sant'antonio a Trebbia
Duomo
Nure Sud
Volpara
Rotta
Piacenza Sud
Polignano
Soarza
Mamago
La Noce
PIACENZA
Roncaglia
Muradolo
Il Crocione
Forno
Agazzino
Centora
Gragnanino
Le Mose
San Lazzaro
Cignano
Muradello
San Pietro in Cerro
Montale
La Santina
Villanova sull'arda
Quartazzola
Vallera
Verza
Mucinasso
Novate
Roglieri
Belvedere
Pittolo
Cassino
Molino di Sotto
Chiavenna
Gragnano Trebbiense
San Bonico
Chiavenna Landi
Villa Verdi
Campremoldo Sopra
Gossolengo
Quarto
San Giovanni
Casabianca
I Vaccari
I Tre Rivi
Cortemaggiore
Saliceto
Sant'Agata
Caselliggio
Colombarini
Pontenure
Chiusa
Crosa
Costa
Cason
Crocetta
Gariga
Fornace
Besenzone
Bersano
Settima
Tuna
Turro
La Villa
Cadeo
Rivasso
Molinazzo
Caratta
Albone
San Polo
Sant'Agata
Mercore
Gazzola
Podenzano
Zivedo
Valconasso
Roveleto
Arda Est
Arda Ovest
Fiorenzuola
La Palazzina
Ponte Vangaro
Baselica
Rivalta Trebbia
Paderna
Fontana Fredda
Sant'Andrea
Contrada della Chiesa
San Giorgio Piacentino
Zena
Castelletto
Pretta
Agazzano
Verano
Montanaro
Belvedere
Baselicaduce
Suzzano
Altoè
Fornace Felina
Fiorenzuola d'Arda
Roveleto
Niviano
Grazzano Visconti
Ribera
Cerreto Landi
Chero
San Rocco
Ancarano di Sotto
Momeliano
Case Brioschi
Case Nuove
Carpaneto Piacentino
Chiaravalle della Colomba
Pieve Dugliara
Ancarano di Sopra
San Damiano
Centoval
San Protaso
Belvedere di Statto
Vigolo
Folio
Case del Riglio
Rivergaro
Caselle Scuole
Saliceto
Borgo di Sotto
Rizzolo
Godi
Cimafava
Ciriano
Caminata
Doppi
Monticello
Villò
Costa
Viustino
Alseno
Pigazzano
Fabbiano
Romola
Torrano
Lusurasco
SERIO
PARCO
SUD
DELL'ADDA
PO
T.A.V.
Canale Vacchelli
Naviglio
Civico
Canale della Muzza
Torrente Arda
Torrente Chiavenna
Trebbia
A 21
E 70
A 1
E 35
A 21dir
P 10
P 235
P 415
P 498
P 234
P 27
P 26
P 587
P 462
S 9
S 45
CAORSO
CASALPUSTERLENGO OSPEDALETTO

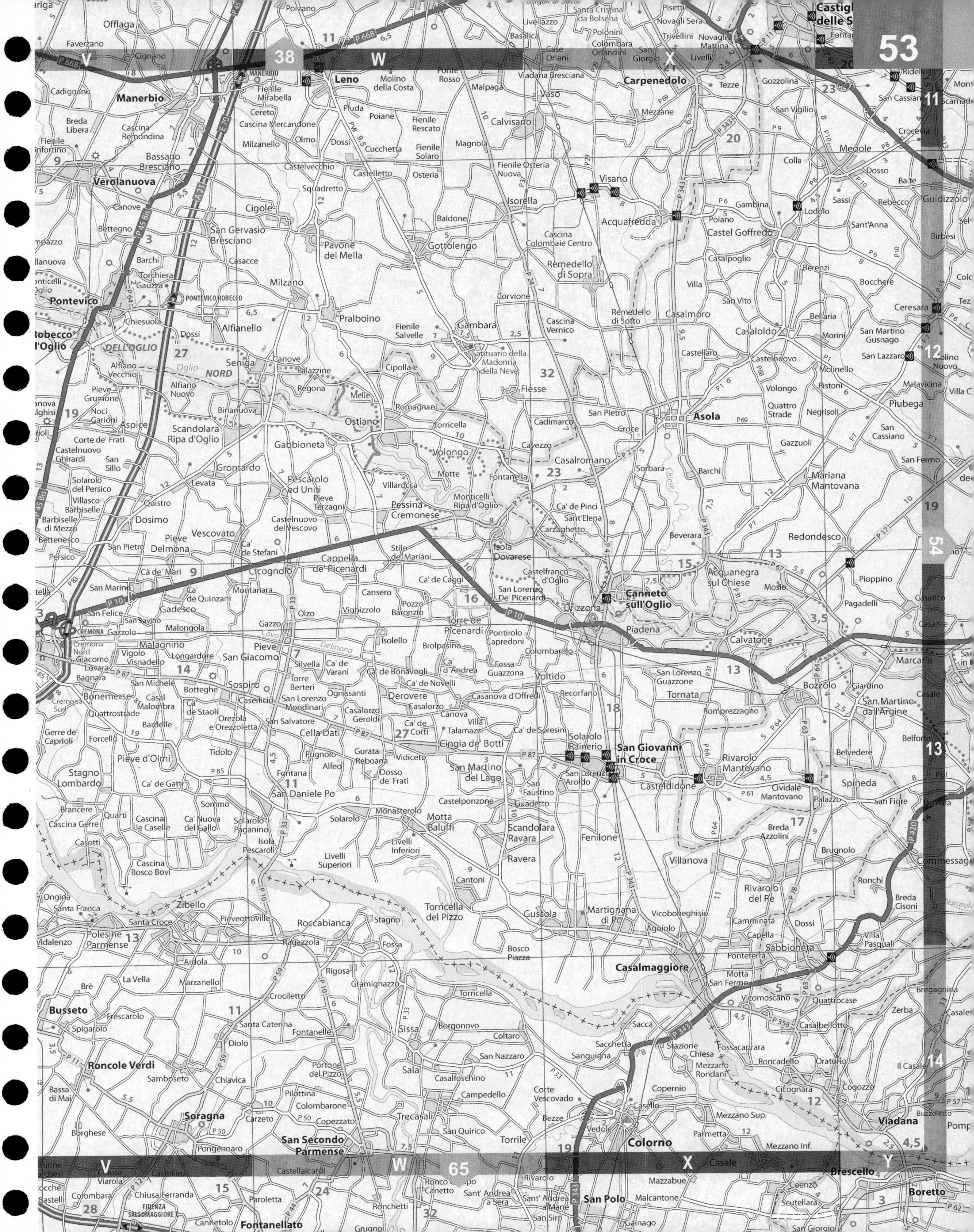

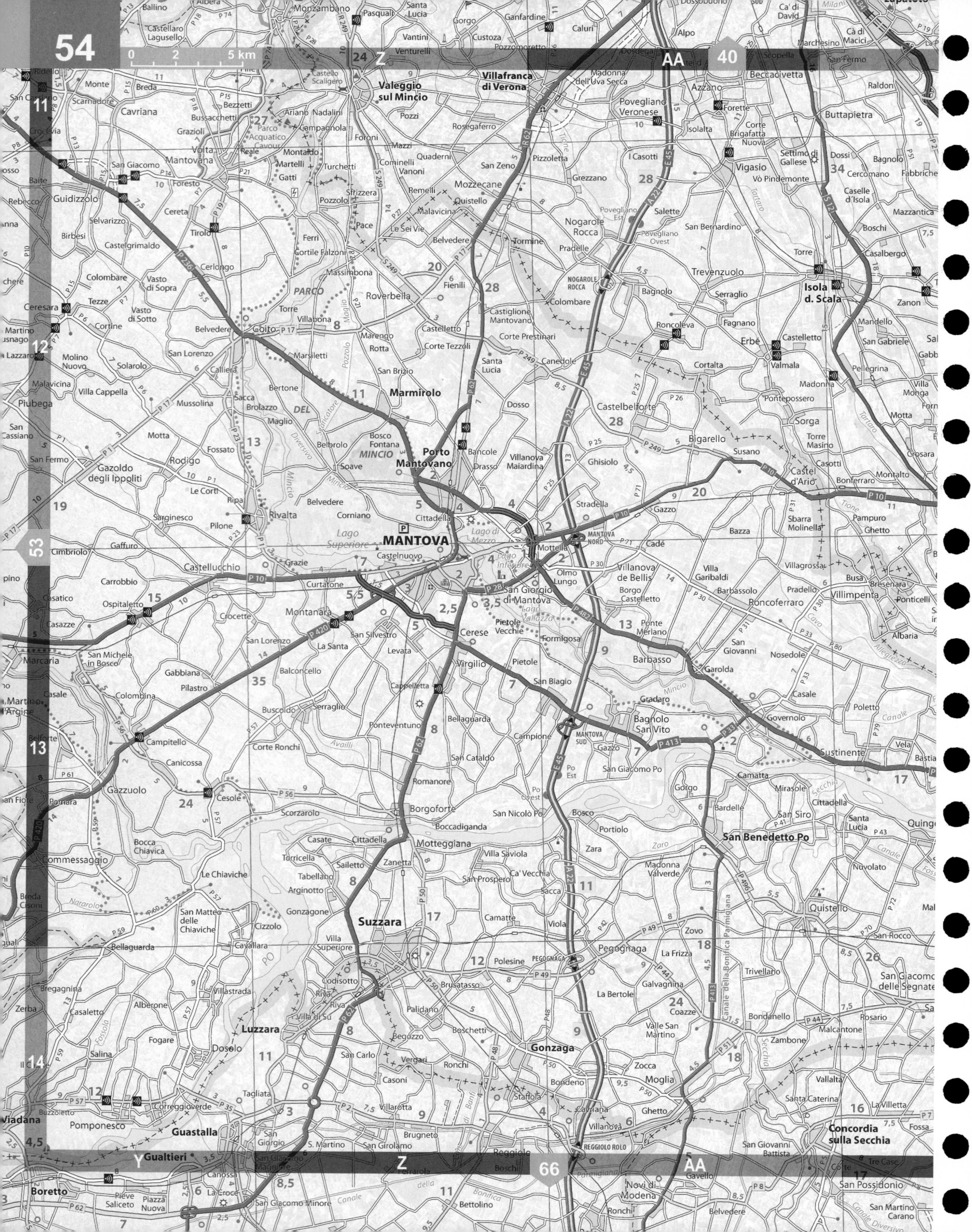

54
0 2 5 km
Z
AA
40
53
66
Y
Valeggio sul Mincio
Villafranca di Verona
Monzambano
Povegliano Veronese
Vigasio
Buttapietra
Isola d. Scala
Erbè
Trevenzuolo
Nogarole Rocca
Mozzecane
Roverbella
Goito
Guidizzolo
Cavriana
Volta Mantovana
Marmirolo
Porto Mantovano
MANTOVA
Lago Superiore
Lago di Mezzo
Lago Inferiore
Castelbelforte
Bigarello
Castel d'Ario
Villimpenta
Roncoferraro
San Giorgio di Mantova
Castellucchio
Curtatone
Gazoldo degli Ippoliti
Rodigo
Marcaria
Virgilio
Cerese
Bagnolo San Vito
Sustinente
San Benedetto Po
Borgoforte
Motteggiana
Suzzara
Pegognaga
Gonzaga
Moglia
Quistello
Luzzara
Dosolo
Viadana
Pomponesco
Guastalla
Gualtieri
Boretto
Reggiolo
Novi di Modena
Concordia sulla Secchia
San Possidonio
Gazzuolo
Commessaggio
Sabbioneta
PARCO DEL MINCIO
Mincio
Po
E 45
A 22
P 10
P 28
P 249
P 413
P 420
P 62

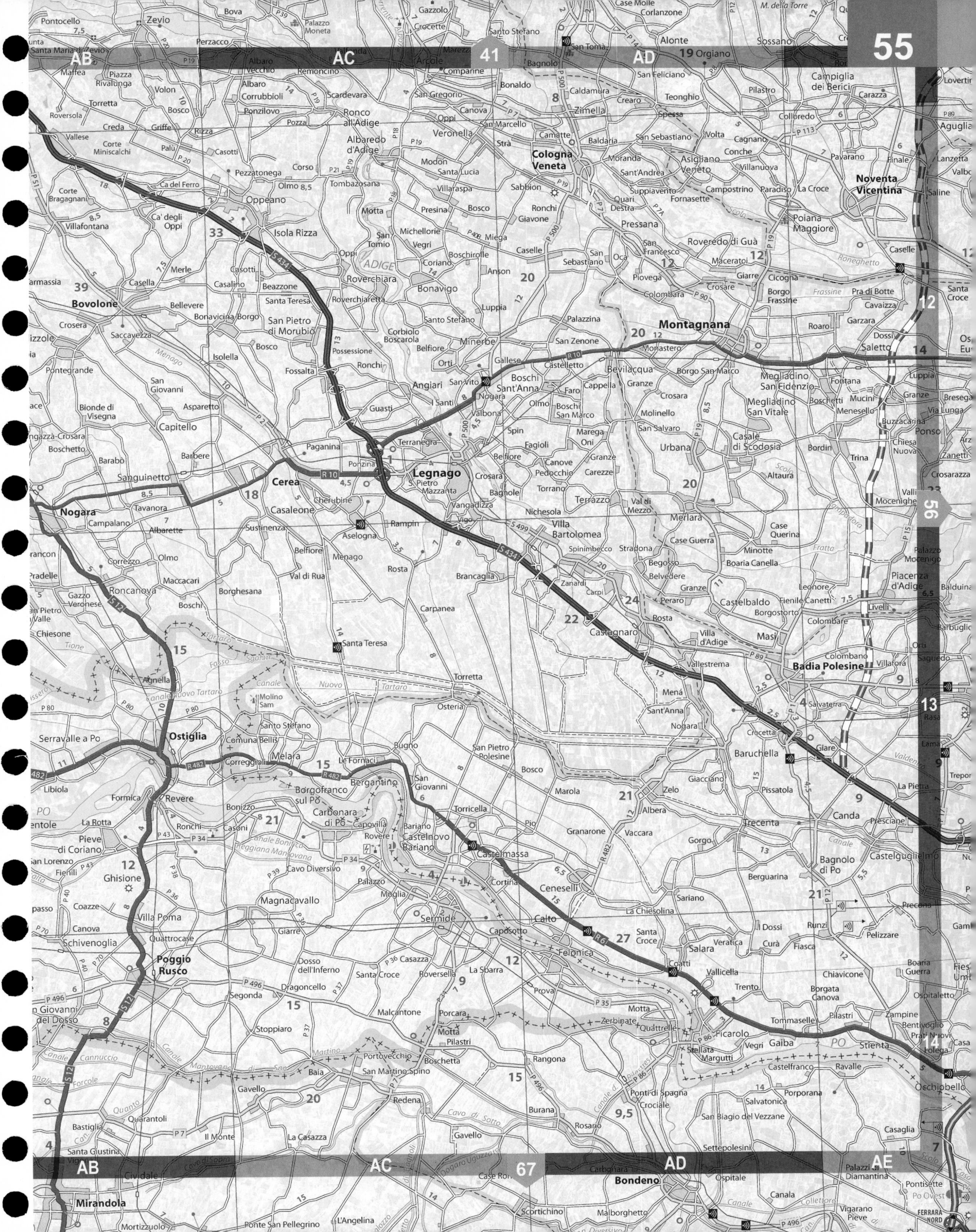
AB
AC
41
AD
Zevio
Oppeano
Isola Rizza
Bovolone
Cologna Veneta
Noventa Vicentina
Montagnana
Legnago
Cerea
Nogara
Casaleone
Villa Bartolomea
Castagnaro
Badia Polesine
Ostiglia
Revere
Melara
Bergantino
Castelmassa
Castelnuovo Bariano
Sermide
Felonica
Ficarolo
Stienta
Occhiobello
Trecenta
Canda
Bagnolo di Po
Poggio Rusco
Villa Poma
Mirandola
Bondeno
Albaredo d'Adige
Roverchiara
Bonavigo
Minerbe
Bevilacqua
Urbana
Merlara
Castelbaldo
Masi
Piacenza d'Adige
Pressana
Roveredo di Guà
Asigliano Veneto
Poiana Maggiore
Carbonara di Po
Borgofranco sul Po
Magnacavallo
Ghisione
Pieve di Coriano
Serravalle a Po
Salara
Gaiba
Castelguglielmo
Zerbinate
Stellata
Palazzi di Diamantina
Ferrara Nord
56
67
AB
AC
AD
AE

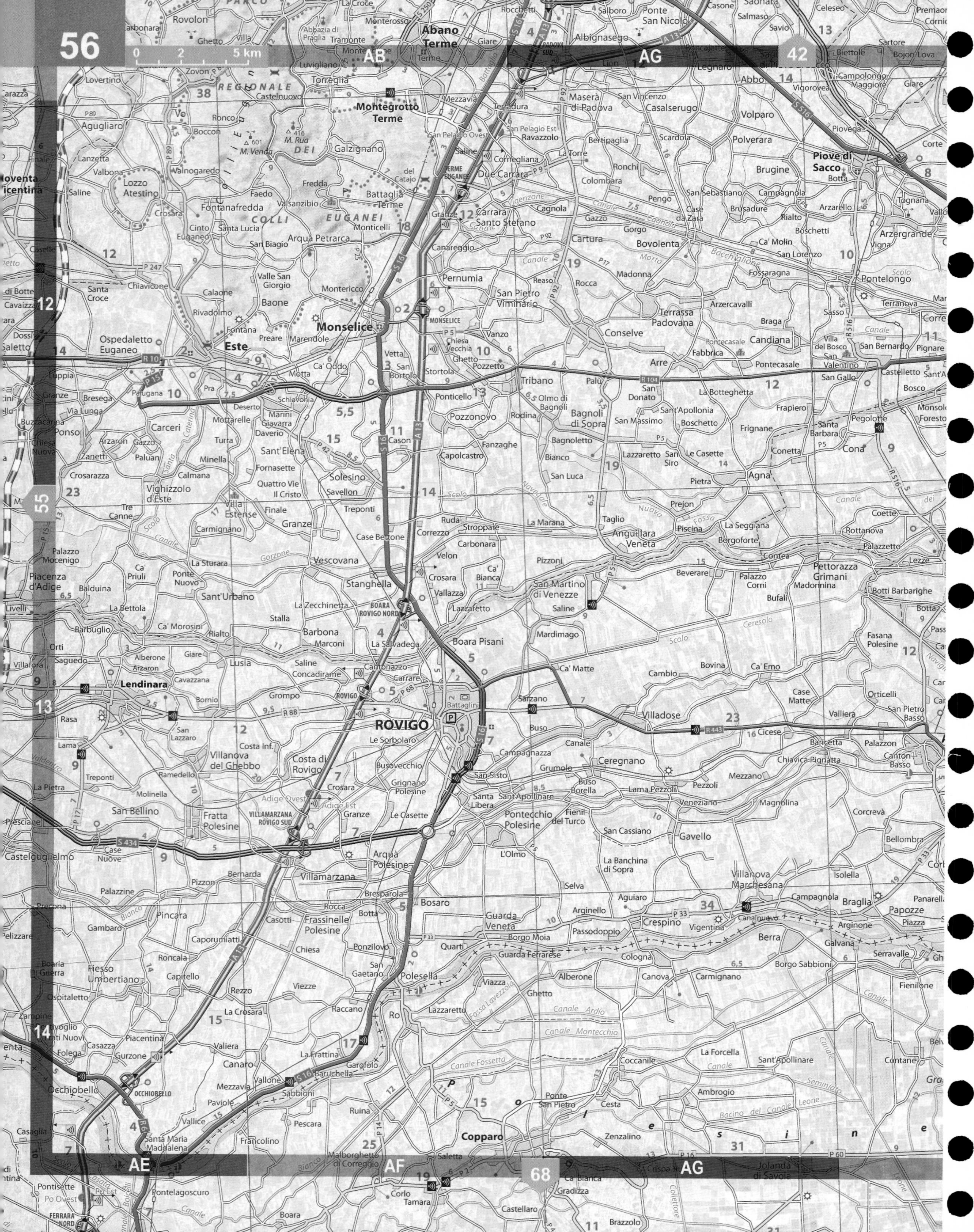

0 2 5 km
AB
AG
42
55
68
AE
AF
AG
12
13
14
PARCO REGIONALE COLLI EUGANEI
Rovolon
Abano Terme
Montegrotto Terme
Torreglia
Teolo
Galzignano
Battaglia Terme
Due Carrara
Carrara Santo Stefano
Cartura
Maserà di Padova
Albignasego
Ponte San Nicolò
Legnaro
Casalserugo
Bertipaglia
Volparo
Polverara
Piove di Sacco
Brugine
Arzergrande
Pontelongo
Bovolenta
Agugliaro
Lozzo Atestino
Noventa Vicentina
Fontanafredda
Cinto Euganeo
Arquà Petrarca
Baone
Este
Ospedaletto Euganeo
Monselice
Pernumia
San Pietro Viminario
Conselve
Terrassa Padovana
Candiana
Tribano
Bagnoli di Sopra
Arre
Pozzonovo
Solesino
Granze
Vighizzolo d'Este
Carceri
Ponso
Sant'Elena
Vescovana
Stanghella
Anguillara Veneta
Agna
Cona
Pettorazza Grimani
Piacenza d'Adige
Sant'Urbano
Barbona
Boara Pisani
Lendinara
Lusia
ROVIGO
Costa di Rovigo
Villadose
Ceregnano
Gavello
Fratta Polesine
Villanova del Ghebbo
San Bellino
Castelguglielmo
Arquà Polesine
Villamarzana
Pincara
Frassinelle Polesine
Guarda Veneta
Crespino
Villanova Marchesana
Papozze
Polesella
Ro
Fiesso Umbertiano
Canaro
Occhiobello
Copparo
Berra
Serravalle
Jolanda di Savoia
Ferrara

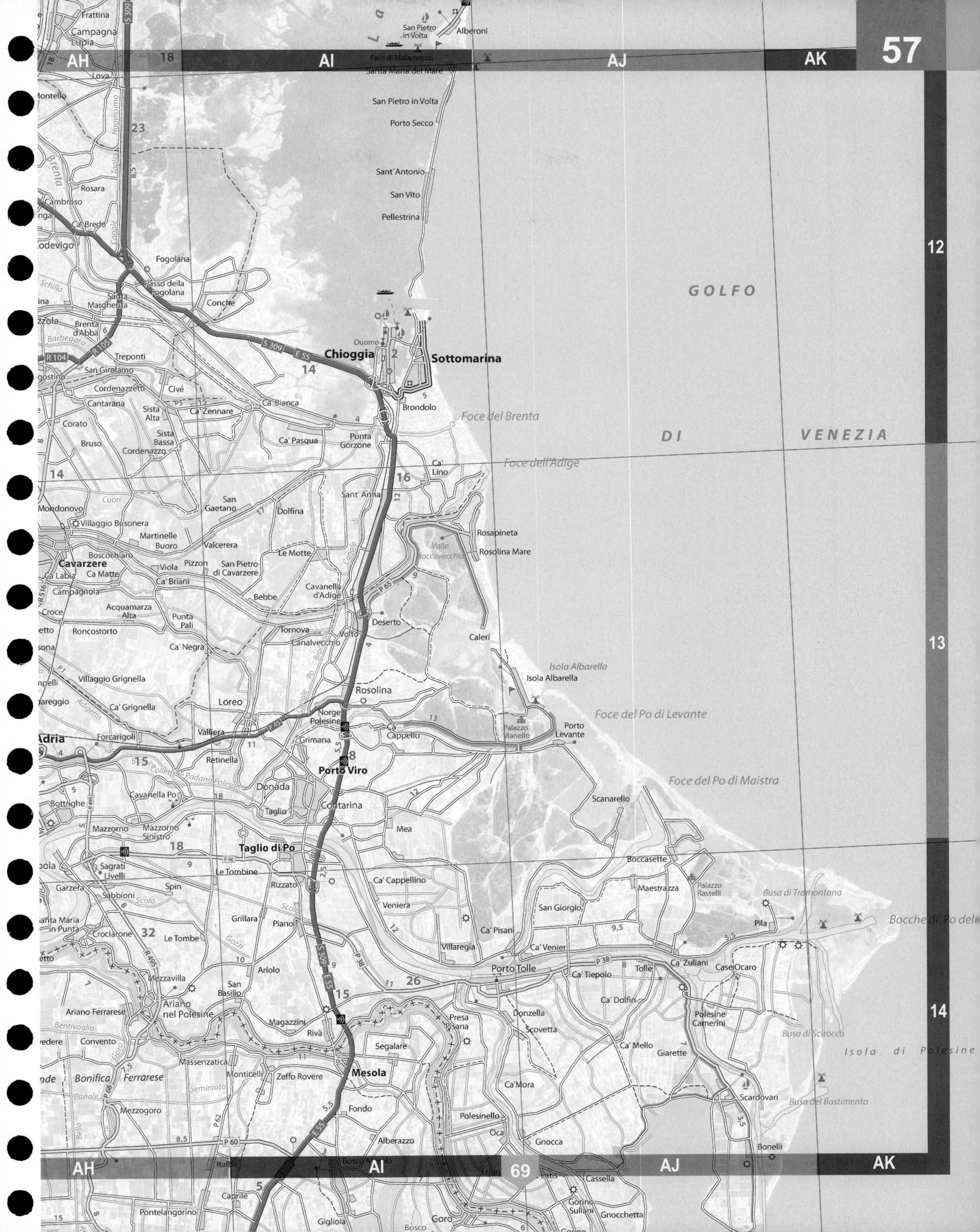

AH
AI
AJ
AK
GOLFO
DI
VENEZIA
Chioggia
Sottomarina
Duomo
Alberoni
San Pietro in Volta
Faro di Malamocco
Santa Maria del Mare
Porto Secco
Sant´Antonio
San Vito
Pellestrina
Brondolo
Foce del Brenta
Foce dell'Adige
Frattina
Campagna Lupia
Lova
Montello
Rosara
Cambroso
Ca' Bredo
Codevigo
Fogolana
Passo della Fogolana
Conche
Santa Margherita
Brenta d'Abba
Treponti
San Girolamo
Cordenazzetti
Civé
Cantarana
Sista Alta
Ca' Zennare
Ca' Bianca
Corato
Sista Bassa
Bruso
Cordenazzo
Ca' Pasqua
Punta Gorzone
Ca' Lino
Sant' Anna
San Gaetano
Dolfina
Mondonovo
Villaggio Busonera
Martinelle Buoro
Valcerera
Rosapineta
Rosolina Mare
Valle Boccavecchia
Boscochiaro
Cavarzere
Ca Matte
Ca Labia
Viola
Pizzon
San Pietro di Cavarzere
Le Motte
Ca' Briani
Campagnola
Cavanella d'Adige
Bebbe
Acquamarza Alta
Croce
Punta Pali
Deserto
Roncostorto
Tornova
Volto
Canalvecchio
Caleri
Ca' Negra
Isola Albarella
Villaggio Grignella
Rosolina
Ca' Grignella
Loreo
Norge Polesine
Foce del Po di Levante
Porto Levante
Palazzo Vianello
Ca' Cappello
Adria
Forcarigoli
Valliera
Grimana
Retinella
Porto Viro
Collettore Padano Polesano
Donada
Foce del Po di Maistra
Scanarello
Cavanella Po
Bottrighe
Taglio
Contarina
Mea
Mazzorno
Mazzorno Sinistro
Taglio di Po
Boccasette
Sagrati Livelli
Le Tombine
Rizzato
Ca' Cappellino
Maestrazza
Palazzo Rastelli
Busa di Tramontana
Garzera
Sabbioni
Spin
Veniera
San Giorgio
Pila
Bocche di Po del
Santa Maria in Punta
Crociarone
Grillara
Piano
Ca' Pisani
Le Tombe
Villaregia
Ca' Venier
Ca' Zuliani
Case Ocaro
Porto Tolle
Tolle
Ca' Tiepolo
Mezzavilla
Ariolo
San Basilio
Ca' Dolfin
Ariano Ferrarese
Ariano nel Polesine
Donzella
Polesine Camerini
Bentivoglio
Magazzini
Presa Pisana
Scovetta
Busa di Scirocco
Convento
Rivà
Segalare
Ca' Mello
Giarette
Isola di Polesine
Massenzatica
Monticelli
Zeffo Rovere
Mesola
Bonifica Ferrarese
Seminiato
Ca'Mora
Scardovari
Busa del Bastimento
Mezzogoro
Fondo
Polesinello
Oca
Alberazzo
Gnocca
Bonelli
Italba
Bosco Mesola
Frigo
69
Latis
Cassella
Caprile
Gorino Sullam
Gnocchetta
Pontelangorino
Gigliola
Goro
Bosco
S 309
E 55
R 104
R 105
P 65
P 45
P 46
P 38
R 495
P 60
P 62
12
13
14

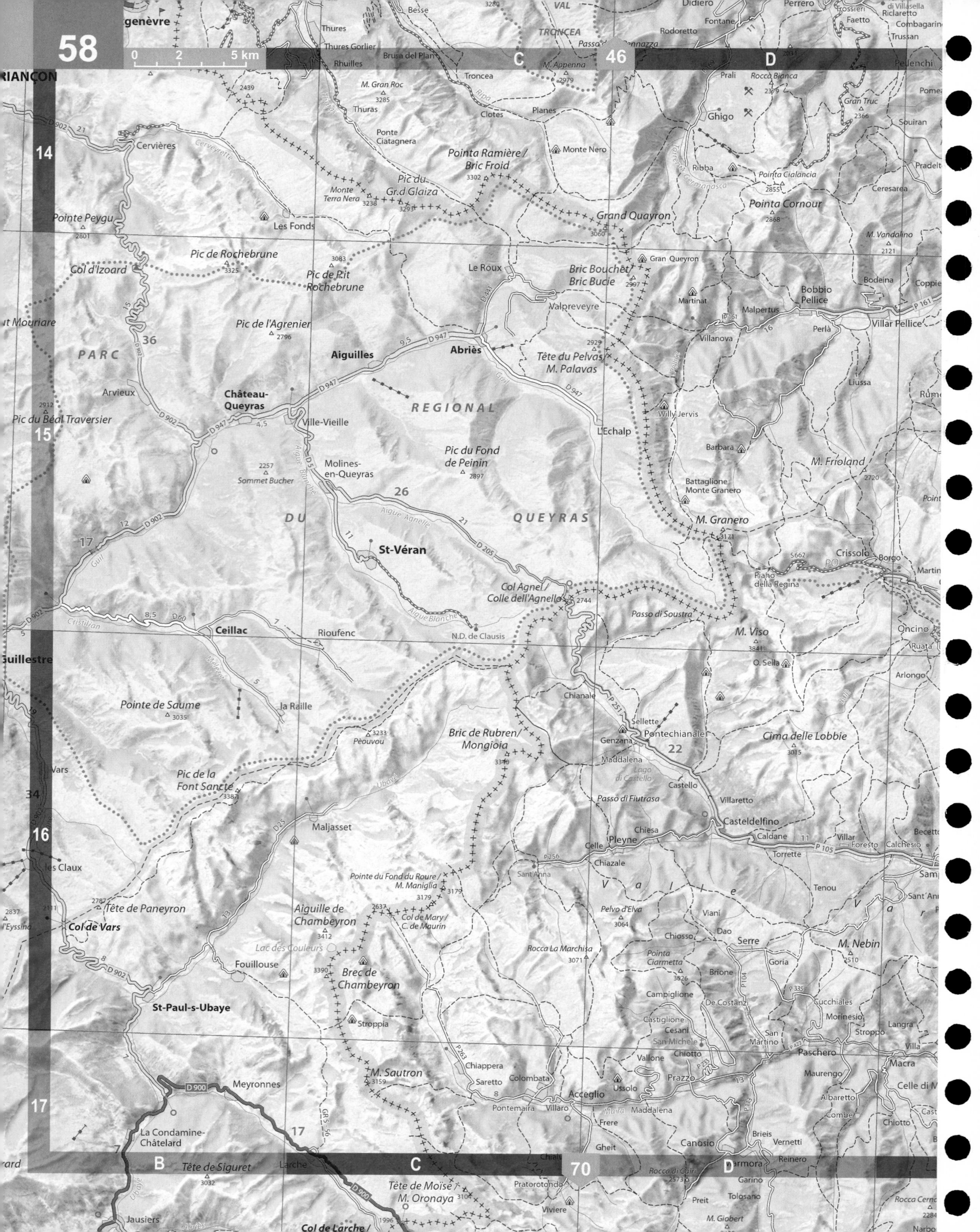

0 2 5 km
C
46
D
B
C
70
D
14
15
16
17
34
RIANÇON
genèvre
Besse
VAL
TRONCEA
Didiero
Perrero
Thures
Thures Gorlier
Rhuilles
Brusa del Plan
Troncea
M. Appenna
2979
Rodoretto
Fontane
Prali
Rocca Bianca
Ghigo
Gran Truc
Pellenchi
Faetto
Combagarin
Trussan
M. Gran Roc
3285
Thuras
Clotes
Planes
Ponte
Ciatagnera
Pointa Ramière /
Bric Froid
3302
Monte Nero
Ribba
Pointa Cialancia
2855
Pointa Cornour
2868
Ceresarea
Pradelt
Souiran
Cervières
D 902
Pic du
Gr.d Glaiza
Monte
Terra Nera
3238
3293
Grand Quayron
3060
Pointe Peygu
2801
Les Fonds
Pic de Rochebrune
3325
Col d'Izoard
3083
Pic de P.tit
Rochebrune
Le Roux
Gran Queyron
Bric Bouchet/
Bric Bucie
2997
M. Vandalino
2121
Bodeina
Martinat
Bobbio
Pellice
Malpertus
Villar Pellice
P 161
Perlà
Villanova
Valpreveyre
Pic de l'Agrenier
2796
Mouriare
PARC
36
Aiguilles
D 947
Abriès
2929
Tête du Pelvas/
M. Palavas
Liussa
Arvieux
2912
Pic du Béal Traversier
Château-
Queyras
Ville-Vieille
REGIONAL
D 947
L'Echalp
Willy Jervis
Barbara
2257
Sommet Bucher
Molines-
en-Queyras
Pic du Fond
de Peinin
2897
M. Frioland
2720
Battaglione
Monte Granero
26
DU
QUEYRAS
M. Granero
3171
17
St-Véran
D 205
Crissolo
Borgo
Piano
della Regina
Col Agnel /
Colle dell'Agnello
2744
Passo di Soustra
Aigue Blanche
Ceillac
Rioufenc
N.D. de Clausis
M. Viso
3841
Oncino
Ruata
Q. Sella
Arlongo
Guillestre
Pointe de Saume
3035
la Raille
Chianale
P 251
Sellette
Pontechianale
Genzana
22
Maddalena
Cima delle Lobbie
3015
3233
Péouvou
Bric de Rubren/
Mongioia
3340
Vars
Pic de la
Font Sancte
3387
Lago
di Castello
Castello
Passo di Fiutrasa
Villaretto
Casteldelfino
Maljasset
Chiesa
Celle
Pleyne
Caldane
Villar
Foresto
Calchesio
Torrette
Chiazale
Sant'Anna
les Claux
Pointe du Fond du Roure /
M. Maniglia
3179
Tenou
2787
Tête de Paneyron
2837
l'Eyssina
Col de Vars
Aiguille de
Chambeyron
3412
2637
Col de Mary /
C. de Maurin
Pelvo d'Elva
3064
Viani
Dao
Serre
M. Nebin
2510
Lac des Couleurs
Rocca La Marchisa
3071
Chiosso
Pointa
Ciarmetta
3026
Goria
Brione
Fouillouse
D 902
3390
Brec de
Chambeyron
Campiglione
De Costanzi
Cucchiales
Morinesio
St-Paul-s-Ubaye
Castiglione
Cesani
San Michele
Stroppia
San
Martino
Stroppo
Langra
Vallone
Chiotto
Paschero
Villa
Macra
M. Sautron
3159
Chiappera
Saretto
Colombata
Ussolo
Prazzo
Maurengo
Celle di M
Meyronnes
D 900
Acceglio
Pontemaira
Villaro
Maddalena
Frere
Albaretto
Combe
Chiotto
17
La Condamine-
Châtelard
Brieis
Vernetti
Canosio
Gheit
Reinero
Tête de Siguret
3032
Larche
Marmora
Rocca di Cairi
2573
Garino
Tête de Moïse /
M. Oronaya
3104
Pratorotondo
Preit
Tolosano
Rocca Cerno
Viviere
Jausiers
Col de Larche /
1996
M. Giobert
Narbo

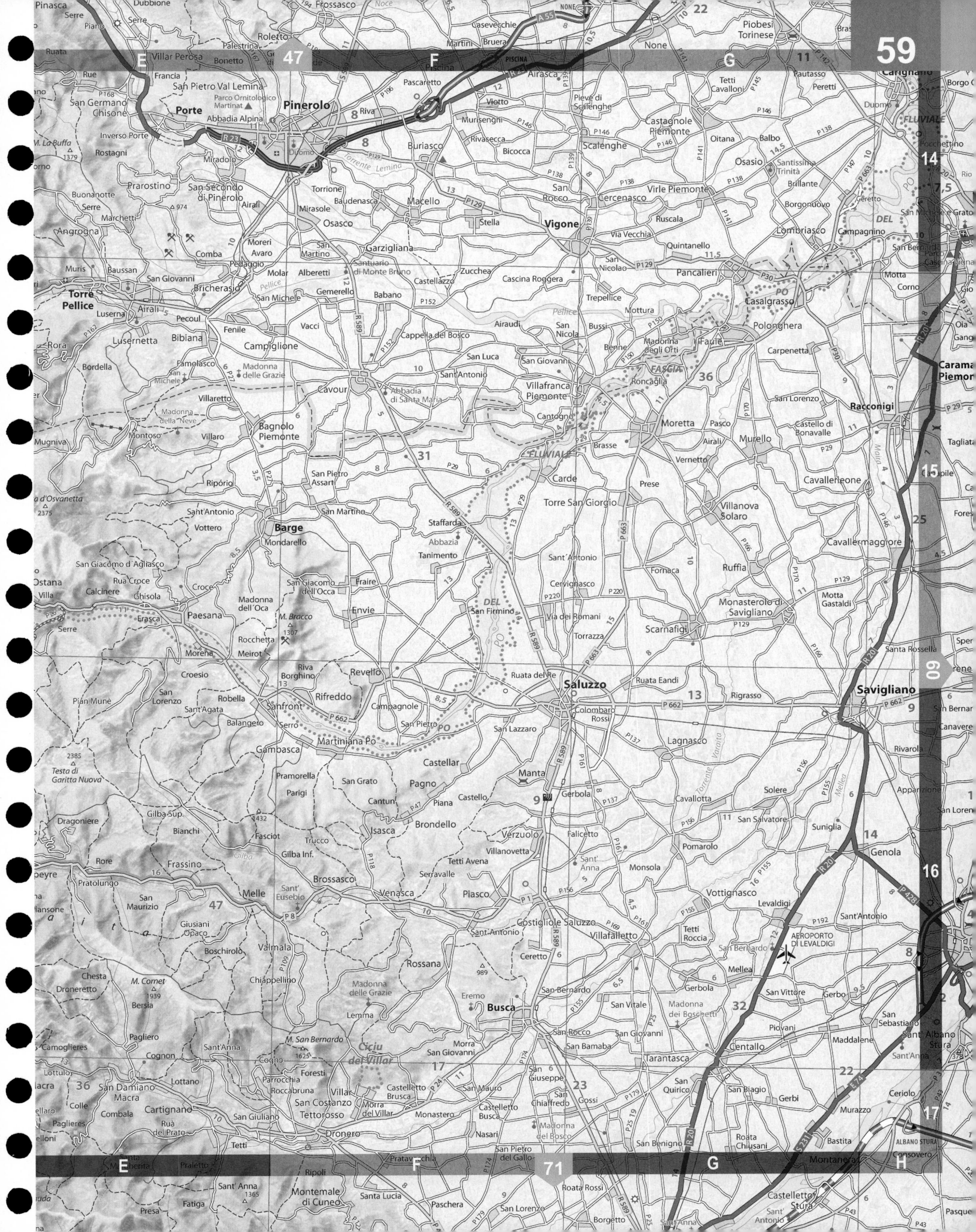

Pinasca
Frossasco
Piobesi Torinese
None
Roletto
Villar Perosa
Casevecchie
Martini
Bruera
E
F
G
H
47
71
60
Francia
San Pietro Val Lemina
Parco Ornitologico Martinat
Pinerolo
Porte
Abbadia Alpina
San Germano Chisone
Inverso Porte
Rostagni
M. La Buffa
Riva
Buriasco
Pascaretto
Airasca
Viotto
Murisenghi
Rivasecca
Bicocca
Scalenghe
Pieve di Scalenghe
Castagnole Piemonte
Tetti Cavalloni
Pautasso
Peretti
Carignano
Oitana
Balbo
Osasio
Santissima Trinità
Brillante
Pocchettino
Miradolo
Prarostino
San Secondo di Pinerolo
Torrione
Baudenasca
Macello
Stella
Vigone
San Rocco
Cercenasco
Virle Piemonte
Borgonuovo
Buonanotte
Serre
Marchetti
Angrogna
Airali
Mirasole
Osasco
Garzigliana
Ruscala
Via Vecchia
Lombriasco
Campagnino
Moreri
Avaro
Comba
Pedaggio
San Martino
Santuario di Monte Bruno
Zucchea
Quintanello
San Nicolao
Pancalieri
Muris
Baussan
San Giovanni
Bricherasio
Molar
Alberetti
Castellazzo
Cascina Roggera
Motta
Corno
Torre Pellice
Luserna
Airali
San Michele
Gemerello
Babano
Trepellice
Mottura
Casalgrasso
Pecoul
Fenile
Vacci
Airaudi
San Nicola
Bussi
Polonghera
Rora
Lusernetta
Bibiana
Campiglione
Cappella del Bosco
Madonna degli Orti
Faule
Bordella
Famolasco
Madonna delle Grazie
San Luca
San Giovanni
Benne
Carpenetta
Caramagna Piemonte
Sant'Antonio
Villafranca Piemonte
Roncaglia
FASCIA
36
Cavour
Abbadia di Santa Maria
Villaretto
San Lorenzo
Racconigi
Madonna della Neve
Cantogno
Bagnolo Piemonte
Moretta
Pasco
Castello di Bonavalle
Mugniva
Montoso
Villaro
Airali
Murello
Tagliata
31
FLUVIALE
Brasse
Vernetto
San Pietro Assarti
Ripòrio
Carde
Prese
Cavallerleone
Torre San Giorgio
Villanova Solaro
Sant'Antonio
Vottero
San Martino
Barge
Staffarda
Abbazia
Mondarello
Tanimento
Sant'Antonio
Cavallermaggiore
Ruffia
Fornaca
San Giacomo d'Agliasco
Ostana
Rua Croce
Croce
San Giacomo dell'Occa
Fraire
Cervignasco
Motta Gastaldi
Calcinere
Ghisola
Madonna dell'Oca
Envie
DEL
San Firmino
Via dei Romani
Monasterolo di Savigliano
Paesana
Erasca
M. Bracco
Torrazza
Scarnafigi
Santa Rossella
Morena
Meirot
Rocchetta
Croesio
Riva
Borghino
Revello
Ruata del Re
Saluzzo
Ruata Eandi
Rigrasso
Savigliano
Pian Mune
San Lorenzo
Sant'Agata
Robella
Sanfront
Rifreddo
Campagnole
Colombaro Rossi
13
Balangero
Serro
San Pietro
PO
San Lazzaro
Lagnasco
Rivarola
Gambasca
Martiniana Po
Castellar
Testa di Garitta Nuova
Pramorella
Parigi
San Grato
Pagno
Manta
Cantun
Piana
Castello
Gerbola
Cavallotta
Solere
Apparizione
Dragoniere
Gilba Sup.
Bianchi
Fasciot
Trucco
Isasca
Brondello
Verzuolo
Falicetto
San Salvatore
Suniglia
Villanovetta
Gilba Inf.
Pomarolo
Genola
Rore
Frassino
Tetti Avena
Sant'Anna
Monsola
Pratolungo
Serravalle
Brossasco
San Maurizio
Melle
Sant'Eusebio
Venasca
Piasco
Vottignasco
Levaldigi
Sant'Antonio
Giusiani Opaco
Costigliole Saluzzo
Sant'Antonio
Villafalletto
Tetti Roccia
Aeroporto di Levaldigi
Boschirolo
Valmala
San Bernardo
Ceretto
Mellea
Chesta
Droneretto
M. Cornet
Chiappellino
Rossana
Madonna delle Grazie
San Vittore
Gerbo
Bersia
Eremo
San Bernardo
Busca
San Vitale
Madonna dei Boschetti
San Sebastiano
Sant'Albano Stura
Lemma
Piovani
Maddalene
Pagliero
Camoglieres
M. San Bernardo
Ciciu del Villar
San Rocco
San Bamaba
San Giovanni
Centallo
Cognon
Sant'Anna
Cogno
Morra San Giovanni
Tarantasca
Lottulo
Lottano
Parrocchia
Foresti
San Giuseppe
San Quirico
San Biagio
Gerbi
Ceriolo
San Damiano Macra
Roccabruna
Villar
Castelletto Brusca
San Mauro
San Chiaffredo
Gossi
Colle
San Costanzo
Tettorosso
Morra del Villar
Castelletto Busca
Murazzo
Combala
Cartignano
San Giuliano
Monastero
Paglieres
Ruà del Prato
Dronero
Nasari
Madonna del Bosco
Roata Chiusani
Bastita
Tetti
San Benigno
Albano Stura
Consovero
Pratavecchia
San Pietro del Gallo
Montanera
Ripoli
Praletto
Sant'Anna
Montemale di Cuneo
Santa Lucia
Roata Rossi
Castelletto Stura
Fatiga
Presa
Paschera
San Lorenzo
Borgetto
Sant'Antonio

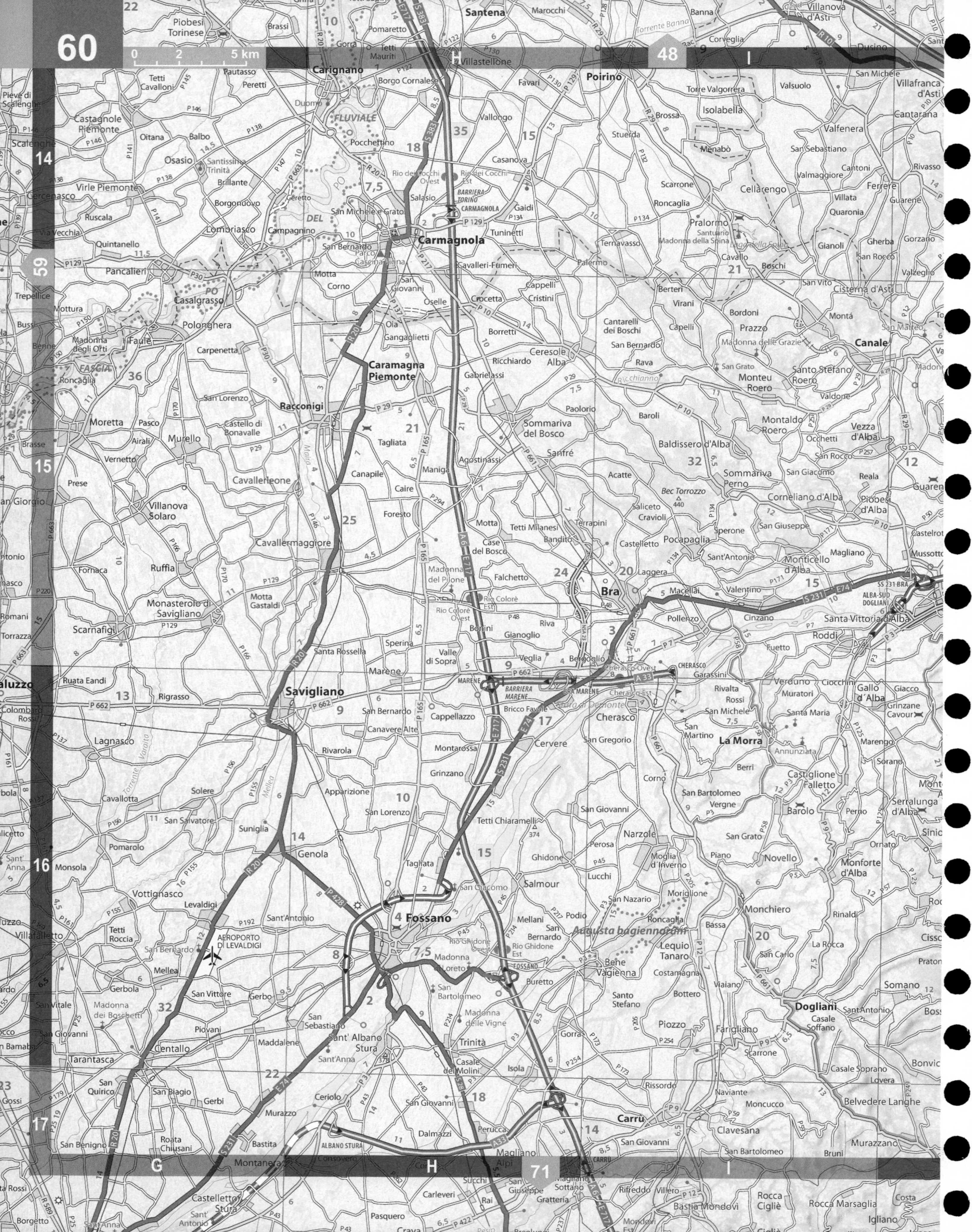
0 2 5 km
48
71
59
G
H
I
14
15
16
17
Piobesi Torinese
Santena
Villanova d'Asti
Carignano
Villastellone
Poirino
Dusino
Pomaretto
Tetti Mauriti
Borgo Cornalese
Pautasso
Peretti
Tetti Cavalloni
Pieve di Scalenghe
Castagnole Piemonte
Scalenghe
Oitana
Balbo
Osasio
Santissima Trinità
Brillante
Virle Piemonte
Cercenasco
Ruscala
Borgonuovo
Lombriasco
Campagnino
Via Vecchia
Quintanello
Pancalieri
Casalgrasso
Polonghera
Faule
Trepellice
Mottura
Bussi
Madonna degli Orti
Roncaglia
Carpenetta
San Lorenzo
Racconigi
Moretta
Pasco
Airali
Murello
Castello di Bonavalle
Brasse
Vernetto
Prese
Cavallerleone
Villanova Solaro
Ruffia
Cavallermaggiore
Fornaca
Monasterolo di Savigliano
Motta Gastaldi
Scarnafigi
Romani
Torrazza
Ruata Eandi
Rigrasso
Savigliano
Colombaro Rossi
Lagnasco
Solere
Cavallotta
San Salvatore
Suniglia
Pomarolo
Monsola
Genola
Vottignasco
Levaldigi
Villafalletto
Tetti Roccia
Aeroporto di Levaldigi
San Bernardo
Mellea
Gerbola
San Vittore
San Vitale
Madonna dei Boschetti
Piovani
Centallo
San Giovanni
Tarantasca
San Quirico
San Biagio
Gerbi
Murazzo
Roata Chiusani
San Benigno
Bastita
Montanera
Castelletto Stura
Sant' Antonio
Borgetto
Pasquero
Carleveri
Vallongo
Pocchettino
Casanova
Rio dei Cocchi Ovest
Rio dei Cocchi Est
Barriera Torino Carmagnola
Salasio
San Michele e Grato
Gaidi
Carmagnola
Tuninetti
San Bernardo
Motta
Corno
San Giovanni
Oselle
Cavalleri-Fumeri
Crocetta
Oia
Gangaglietti
Caramagna Piemonte
Borretti
Ricchiardo
Gabrielassi
Ceresole Alba
Tagliata
Canapile
Maniga
Caire
Foresto
Agostinassi
Sommariva del Bosco
Sanfrè
Paolorio
Motta
Tetti Milanesi
Bandito
Case del Bosco
Madonna del Pilone
Falchetto
Rio Colorè Est
Rio Colorè Ovest
Bonini
Gianoglio
Riva
Bra
Sperina
Valle di Sopra
Santa Rossella
Marene
Veglia
Bergoglio
Barriera Marene
Bricco Favole
Cherasco-Ovest
Cherasco-Est
Cherasco
San Bernardo
Cappellazzo
Canavere Alte
Rivarola
Montarossa
Grinzano
Apparizione
San Lorenzo
Tetti Chiaramelli
Cervere
San Gregorio
Tagliata
San Giacomo
Fossano
Salmour
Ghidone
Mellani
San Bernardo
Podio
Rio Ghidone Ovest
Rio Ghidone Est
Madonna di Loreto
San Bartolomeo
Madonna delle Vigne
Sant' Albano Stura
Sant'Anna
San Sebastiano
Maddalene
Trinità
Casale dei Molini
Isola
Ceriolo
San Giovanni
Dalmazzi
Perucca
Magliano Alpi
Albano Stura
Consovero
Succhi
Rai
Crava
Gorra
Bene Vagienna
Buretto
Augusta bagiennorum
Santo Stefano
Piozzo
Rissordo
Carrù
San Giovanni
Magliano Sottano
Gratteria
Mondovì
Torrente Banna
Marocchi
Banna
Corveglia
San Michele
Villafranca d'Asti
Torre Valgorrera
Isolabella
Brossa
Valsuolo
Stuerda
Menabò
Valfenera
Cantarana
San Sebastiano
Cantoni
Rivasso
Valmaggiore
Scarrone
Cellarengo
Ferrere
Roncaglia
Villata
Guarene
Quaronia
Pralormo
Santuario Madonna della Spina
Lago della Spina
Ternavasso
Gianoli
Gherba
Gorzano
Palermo
Cavallo
Boschi
San Rocco
Valzeglio
Cappelli
Cristini
Berteri
Virani
San Vito
Cisterna d'Asti
Cantarelli dei Boschi
Bordoni
Montà
Capelli
Prazzo
San Matteo
San Bernardo
Madonna delle Grazie
Canale
Rava
San Grato
Monteu Roero
Santo Stefano Roero
Valdone
Baroli
Montaldo Roero
Vezza d'Alba
Baldissero d'Alba
Occhetti
San Rocco
Acatte
Sommariva Perno
San Giacomo
Reala
Guarene
Bec Torrozzo
Saliceto
Cravioli
Corneliano d'Alba
Piobesi d'Alba
Terrapini
Sperone
San Giuseppe
Pocapaglia
Castelletto
Sant'Antonio
Monticello d'Alba
Magliano
Mussotto
Laggera
Macellai
Valentino
Alba-Sud Dogliani
Pollenzo
Cinzano
Santa Vittoria d'Alba
Roddi
Fuetto
Cherasco
Garassini
Verduno
Ciocchini
Gallo d'Alba
Giacco
Rivalta
Muratori
Rossi
Grinzane Cavour
San Michele
Santa Maria
San Martino
La Morra
Annunziata
Marengo
Sorano
Berri
Corno
Castiglione Falletto
San Bartolomeo
Vergne
Barolo
Perno
Serralunga d'Alba
San Giovanni
Narzole
San Grato
Ornato
Perosa
Moglia d'Inverno
Piano
Novello
Monforte d'Alba
Lucchi
Moriglione
San Nazario
Roncaglia
Monchiero
Rinaldi
Bassa
Lequio Tanaro
San Carlo
La Rocca
Costamagna
Viaiano
Somano
Dogliani
Sant'Antonio
Casale Soffano
Bottero
Farigliano
Scarrone
Casale Soprano
Lovera
Bonvicino
Belvedere Langhe
Naviante
Moncucco
Clavesana
San Bartolomeo
Murazzano
Bruni
Rifreddo
Villero
Bastia Mondovì
Rocca Ciglié
Rocca Marsaglia
Costa
Igliano

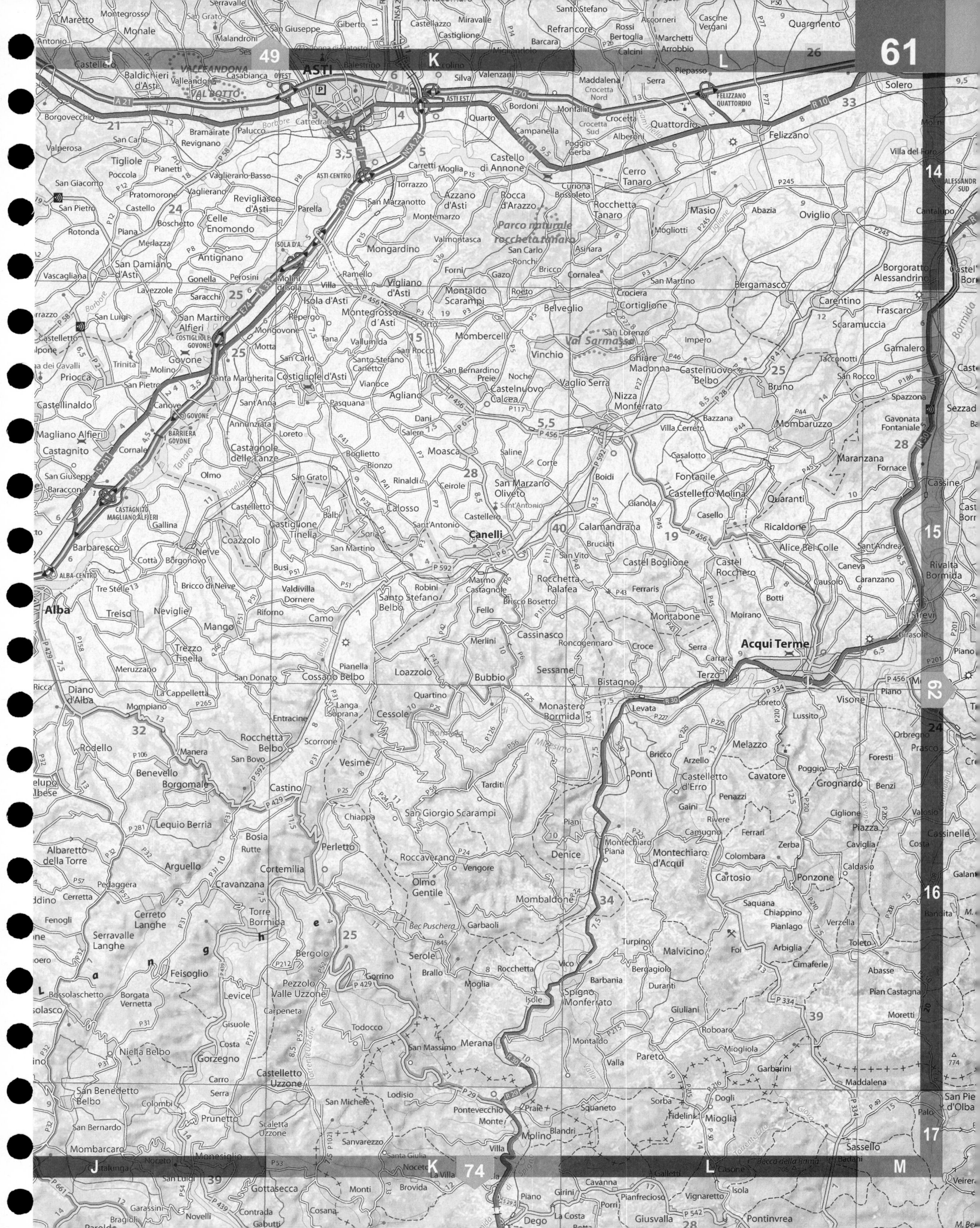

Asti
Alba
Canelli
Acqui Terme
Nizza Monferrato
Felizzano
Parco naturale rocchetta tanaro
Val Sarmassa
Langhe

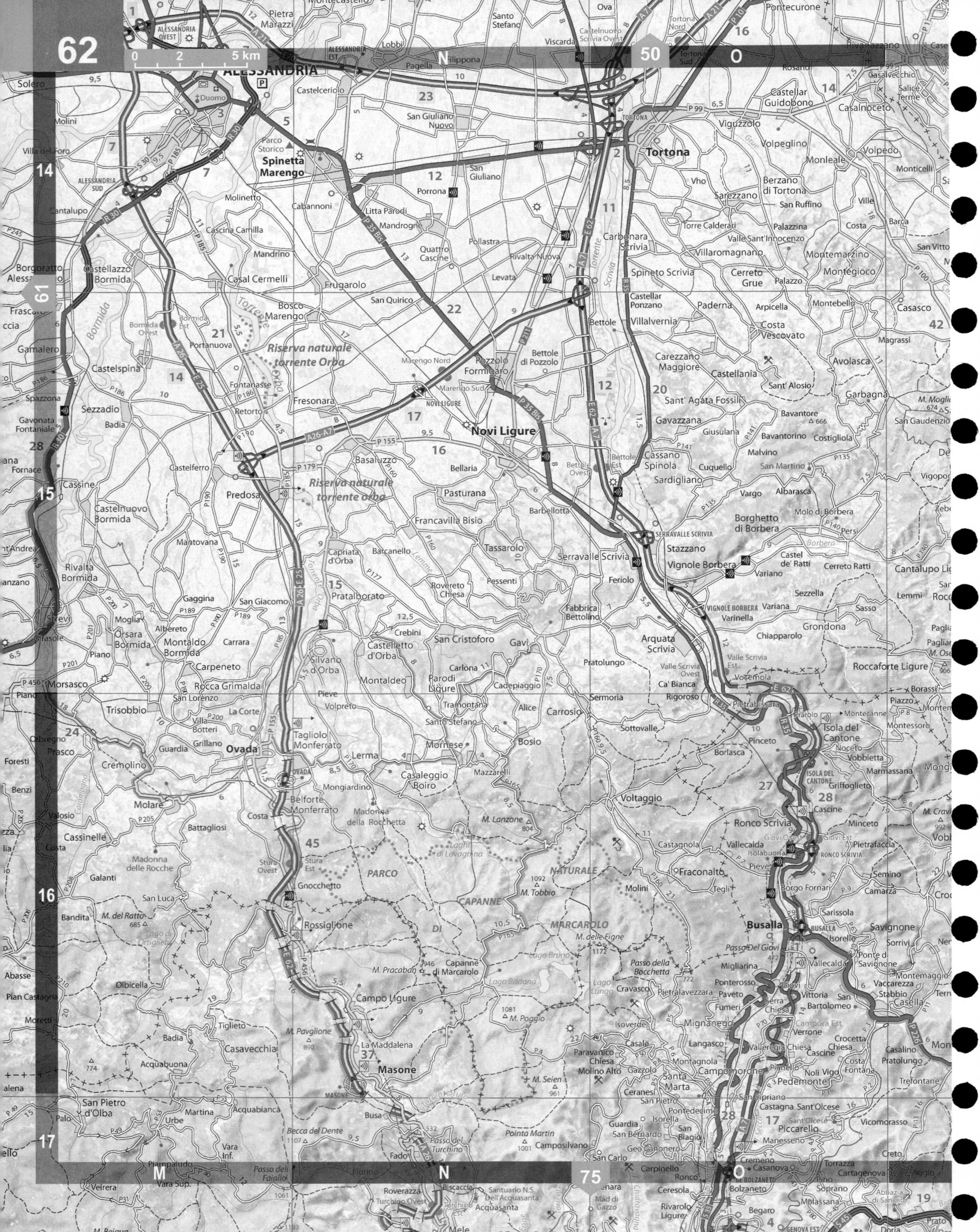

0 2 5 km
ALESSANDRIA
Tortona
Spinetta Marengo
Novi Ligure
Ovada
Busalla
Serravalle Scrivia
Gavi
Masone
Campo Ligure
Rossiglione
Pontecurone
Castellar Guidobono
Viguzzolo
Volpedo
Monleale
Sarezzano
Carbonara Scrivia
Villaromagnano
Spineto Scrivia
Cerreto Grue
Castellazzo Bormida
Casal Cermelli
Frugarolo
Bosco Marengo
Pozzolo Formigaro
Fresonara
Basaluzzo
Pasturana
Francavilla Bisio
Tassarolo
Stazzano
Vignole Borbera
Borghetto di Borbera
Cassano Spinola
Sardigliano
Arquata Scrivia
Capriata d'Orba
Pratalborato
Castelletto d'Orba
Silvano d'Orba
San Cristoforo
Parodi Ligure
Carrosio
Voltaggio
Isola del Cantone
Ronco Scrivia
Fraconalto
Savignone
Casella
Mignanego
Campomorone
Serra Riccò
Sant'Olcese
Montoggio
Lerma
Mornese
Bosio
Tagliolo Monferrato
Belforte Monferrato
Molare
Cremolino
Trisobbio
Rocca Grimalda
Carpeneto
Montaldo Bormida
Castelnuovo Bormida
Rivalta Bormida
Sezzadio
Predosa
Castelferro
Castelspina
Strevi
Morsasco
Cassinelle
Tiglieto
Urbe
Riserva naturale torrente Orba
PARCO NATURALE CAPANNE DI MARCAROLO
M. Tobbio
M. Lanzone
M. Pracaban
Passo del Turchino
Passo dei Giovi
Passo della Bocchetta
A26
A7
E25
E62
A21
50
61
75

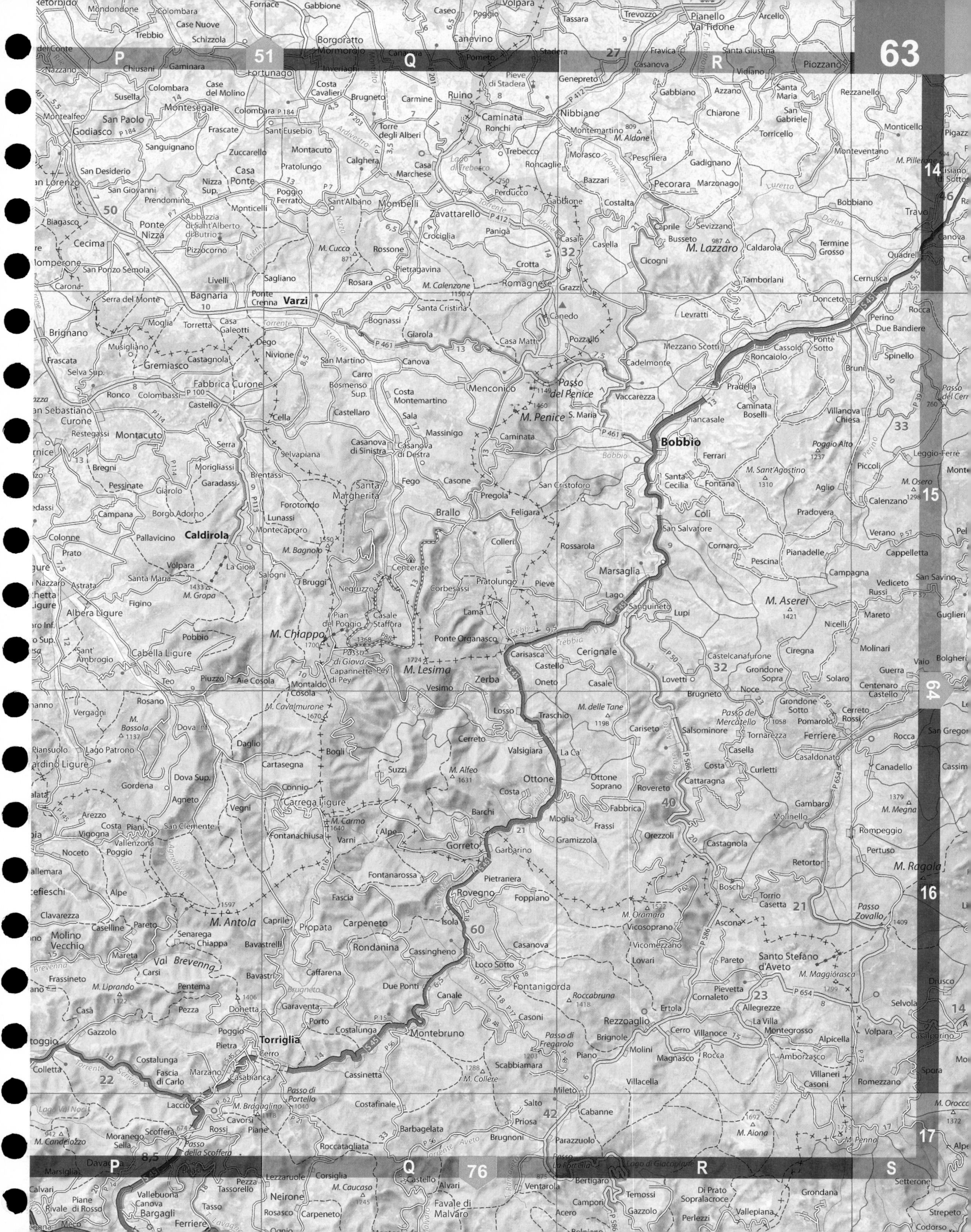
P
Q
R
S
51
27
76
14
15
16
17
64
Fornace
Gabbione
Caseo
Volpara
Tassara
Trevozzo
Pianello Val Tidone
Arcello
Mondondone
Colombara
Case Nuove
Trebbio
Schizzola
Borgoratto Mormorolo
Canevino
Fortunago
Pometo
Stadera
Fravica
Santa Giustina
Casanova
Vidiano
Piozzano
Chiusani
Gaminara
Inverlaghi
Pieve di Stadera
Genepreto
Colombara
Case del Molino
Costa Cavalieri
Brugneto
Carmine
Ruino
Gabbiano
Azzano
Santa Maria
Rezzanello
Susella
Montesegale
Colombara
Caminata
Ronchi
Nibbiano
Chiarone
San Gabriele
Montealfeo
San Paolo
Godiasco
Frascate
Sant'Eusebio
Torre degli Alberi
Montemartino
M. Aldone
Torricello
Monticello
Sanguignano
Zuccarello
Montacuto
Trebecco
Morasco
Peschiera
Gadignano
Monteventano
M. Pillerone
San Desiderio
Casa Ponte
Pratolungo
Calghera
Casa Marchese
Lago di Trebecco
Roncaglie
Pecorara
Marzonago
San Lorenzo
San Giovanni
Nizza Sup.
Poggio Ferrato
Bazzari
Prendomino
Sant'Albano
Mombelli
Perducco
Gabbione
Costalta
Bobbiano
Travo
Monticelli
Zavattarello
Biagasco
Ponte Nizza
Abbazzia di Sant'Alberto di Butrio
Caprile
Sevizzano
Busseto
M. Lazzaro
Caldarola
Termine Grosso
Cecima
Pizzocorno
M. Cucco
Rossone
Crociglia
Panigà
Casale
Casella
Quadrelli
Pietragavina
Crotta
Cicogni
San Ponzo Semola
Livelli
Sagliano
Rosara
M. Calenzone
Romagnese
Grazzi
Tamborlani
Cernusca
Serra del Monte
Bagnaria
Ponte Crenna
Varzi
Santa Cristina
Donceto
Canedo
Levratti
Rocca
Perino
Due Bandiere
Brignano
Moglia
Torretta
Casa Galeotti
Bognassi
Giarola
Dego
Casa Matti
Pozzallo
Mezzano Scotti
Cassolo
Ponte Sotto
Musigliano
Nivione
Roncaiolo
Spinello
Frascata
Gremiasco
Castagnola
San Martino
Canova
Cadelmonte
Bruni
Selva Sup.
Carro
Fabbrica Curone
Bosmenso Sup.
Menconico
Passo del Penice
Vaccarezza
Pradella
Passo del Cerro
Ronco
Colombassi
Costa Montemartino
Caminata Boselli
San Sebastiano Curone
Castello
Cella
Castellaro
Sala
M. Penice
S. Maria
Piancasale
Villanova Chiesa
Restegassi
Montacuto
Massinigo
Caminata
Bobbio
Poggio Alto
Serra
Casanova di Sinistra
Casanova di Destra
Ferrari
Leggio-Ferrè
Selvapiana
M. Sant'Agostino
Piccoli
Bregni
Morigliassi
Santa Cecilia
Fontana
M. Osero
Garadassi
Brentassi
Fego
Casone
San Cristoforo
Aglio
Pessinate
Giarolo
Santa Margherita
Pregola
Calenzano
Forotondo
Brallo
Feligara
Coli
Pradovera
Campana
Borgo Adorno
Lunassi
San Salvatore
Colonne
Pallavicino
Caldirola
Montecapraro
Colleri
Verano
Prato
M. Bagnolo
Rossarola
Cornaro
Pianadelle
Cappelletta
Pescina
Volpara
La Gioia
Cencerate
Marsaglia
Campagna
Salogni
Santa Maria
M. Gropa
Bruggi
Pratolungo
Pieve
Vediceto
San Savino
Astrata
Negruzzo
Corbesassi
Russi
Figino
Lago
Sanguineto
Lupi
M. Aserei
Albera Ligure
Casale Staffora
Lama
Mareto
Guglieri
Pian del Poggio
Nicelli
Pobbio
M. Chiappo
Ponte Organasco
Molinari
Sant Ambrogio
Cabella Ligure
Passo di Giova
Capannette di Pey
Pey
M. Lesima
Carisasca
Cerignale
Castelcanafurone
Ciregna
Vaio
Castello
Grondone Sopra
Guerra
Teo
Piuzzo
Aie Cosola
Montaldo Cosola
Vesimo
Zerba
Oneto
Casale
Lovetti
Solaro
Centenaro Castello
Rosano
M. Cavalmurone
Brugneto
Noce
Vergagni
M. Bossola
Dova Inf.
Losso
Traschio
M. delle Tane
Cariseto
Grondone Sotto
Cerreto Rossi
Passo del Mercatello
Salsominore
Pomarolo
Piansuolo
Lago Patrone
Daglio
Cerreto
Tornarezza
Ferriere
Rocca
Bogli
Valsigiara
La Ca'
Casella
Casaldonato
Cartasegna
Suzzi
M. Alfeo
Ottone
Ottone Soprano
Costa
Curletti
Canadello
Gordena
Dova Sup.
Connio
Cattaragna
Rovereto
Agneto
Carrega Ligure
Costa
Fabbrica
Gambaro
M. Megna
Arezzo
Vegni
Barchi
Molinello
Vigogna
Costa
Piani
San Clemente
M. Carmo
Moglia
Frassi
Rompeggio
Vallenzona
Fontanachiusa
Varni
Alpe
Gorreto
Garbarino
Gramizzola
Orezzoli
Castagnola
Pertuso
Noceto
Poggio
Retorto
M. Ragola
Fontanarossa
Pietranera
Boschi
Alpe
Rovegno
Foppiano
Torrio Casetta
Passo Zovallo
Fascia
M. Oramara
Clavarezza
Pareto
M. Antola
Caprile
Propata
Carpeneto
Isola
Vicosoprano
Ascona
Molino Vecchio
Senarega
Chiappa
Bavastrelli
Vicomezzano
Santo Stefano d'Aveto
Rondanina
Cassingheno
Casanova
Lovari
Pareto
Mareta
Val Brevenna
Carsi
Loco Sotto
M. Maggiorasca
Frassineto
Caffarena
Bavastri
Fontanigorda
Pievetta
Drusco
M. Liprando
Pentema
Due Ponti
Canale
Roccabruna
Cornaleto
Allegrezze
Selvola
Casà
Pezza
Dohetta
Garaventa
Rezzoaglio
Ertola
La Villa
Gazzolo
Porto
Casoni
Brignole
Montegrosso
Volpara
Poggio
Costalunga
Montebruno
Cerro
Villanoce
Alpicella
Torriglia
Pietra
Cerro
Passo di Fregarolo
Molini
Piano
Magnasco
Rocca
Amborzasco
Colletta
Costalunga
Fascia di Carlo
Marzano
Casabianca
Cassinetta
Scabbiamara
M. Collere
Villaneri
Casoni
Romezzano
Spora
Villacella
Mileto
Salto
Cabanne
Lago Val Noci
Laccio
Passo di Portello
Costafinale
M. Bragaglino
M. Orocco
Cavorsi
Piane
Priosa
M. Aiona
Moranego
Scoffera
Rossi
Barbagelata
Parazzuolo
M. Candelozzo
Sella
Passo della Scoffera
Roccatagliata
Brugnoni
M. Penna
Davagna
Passo La Forcella
Lago di Giacopiane
Castello
Alvari
Marsiglia
Lezzaruole
Corsiglia
Ventarola
Bertigaro
Setterone
Calvari
Pezza
Tassorello
M. Caucaso
Di Prato
Sopralacroce
Grondana
Piane
Vallebuona
Canova
Neirone
Favale di Malvaro
Temossi
Campori
Rivale
di Rosso
Bargagli
Tasso
Rosasco
Carpeneto
Acero
Gazzolo
Perlezzi
Vallepiana
Strepeto
Ferriere
Codorso

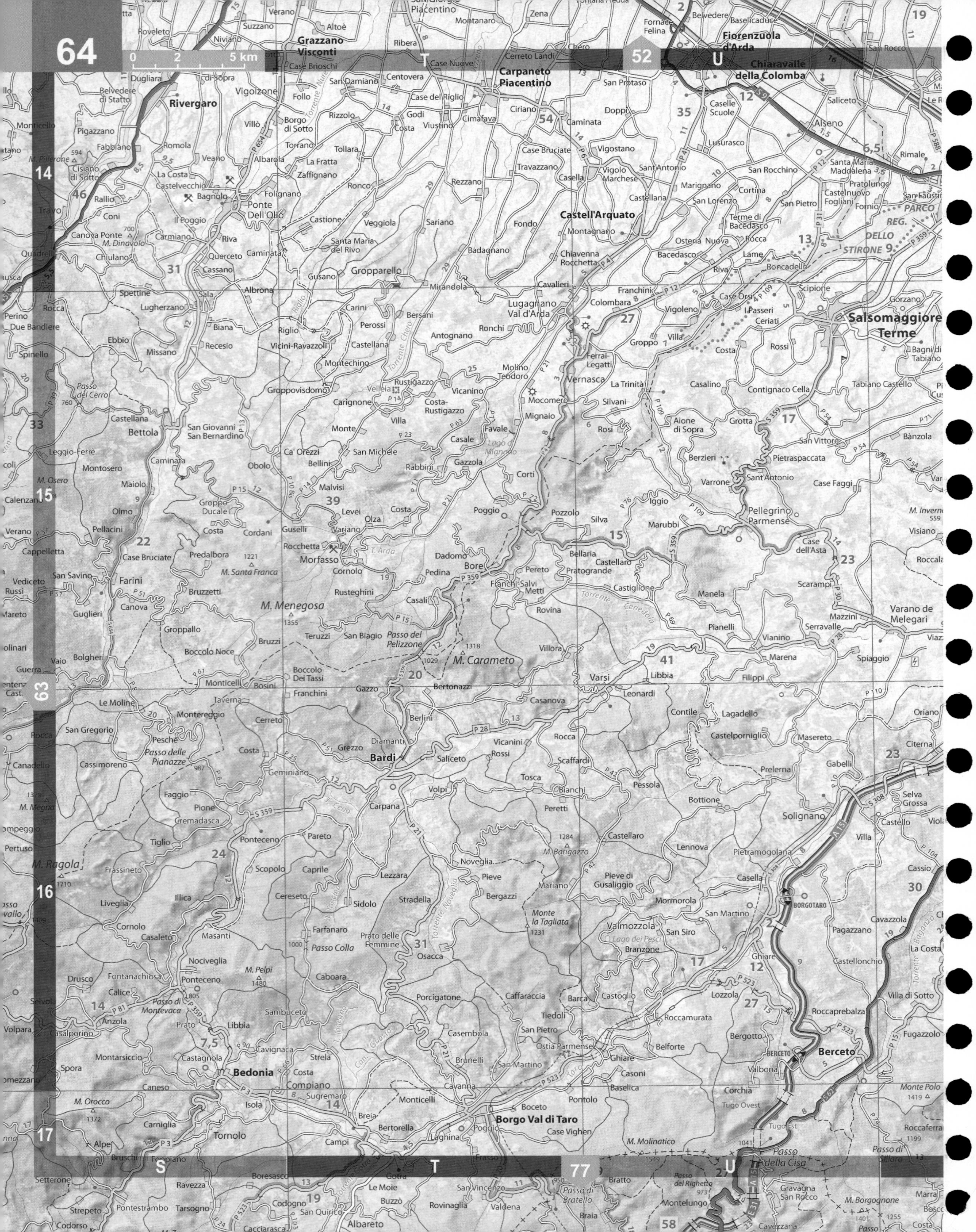
0 2 5 km
52
T
U
Grazzano Visconti
Rivergaro
Vigolzone
Carpaneto Piacentino
Fiorenzuola d'Arda
Chiaravalle della Colomba
Alseno
San Damiano
Centovera
Case del Riglio
Cimafava
Ciriano
Caminata
Vigostano
Vigolo Marchese
Castell'Arquato
Montagnano
Chiavenna Rocchetta
Lugagnano Val d'Arda
Vernasca
Mocomero
Salsomaggiore Terme
Tabiano Castello
Bagni di Tabiano
PARCO REG. DELLO STIRONE
Ponte Dell'Olio
Travo
Bettola
Gropparello
Groppovisdomo
Veleia
Rustigazzo
Pellegrino Parmense
Varano de Melegari
Serravalle
Varsi
Bore
Morfasso
Farini
M. Santa Franca
M. Menegosa
M. Carameto
Passo del Pelizzone
Bardi
Gravago
Solignano
Pietramogolana
Valmozzola
Lago dei Pesci
Borgotaro
Berceto
Bedonia
Compiano
Borgo Val di Taro
Tornolo
M. Ragola
M. Pelpi
M. Orocco
M. Molinatico
Monte la Tagliata
M. Barigazzo
Passo Colla
Passo delle Pianazze
Passo di Montevaca
Passo della Cisa
Passo del Righetto
Passo di Bratello
M. Borgognone
Monte Polo
Passo di Sillara
Tugo Ovest
S
T
U
77
58
14
15
16
17
63

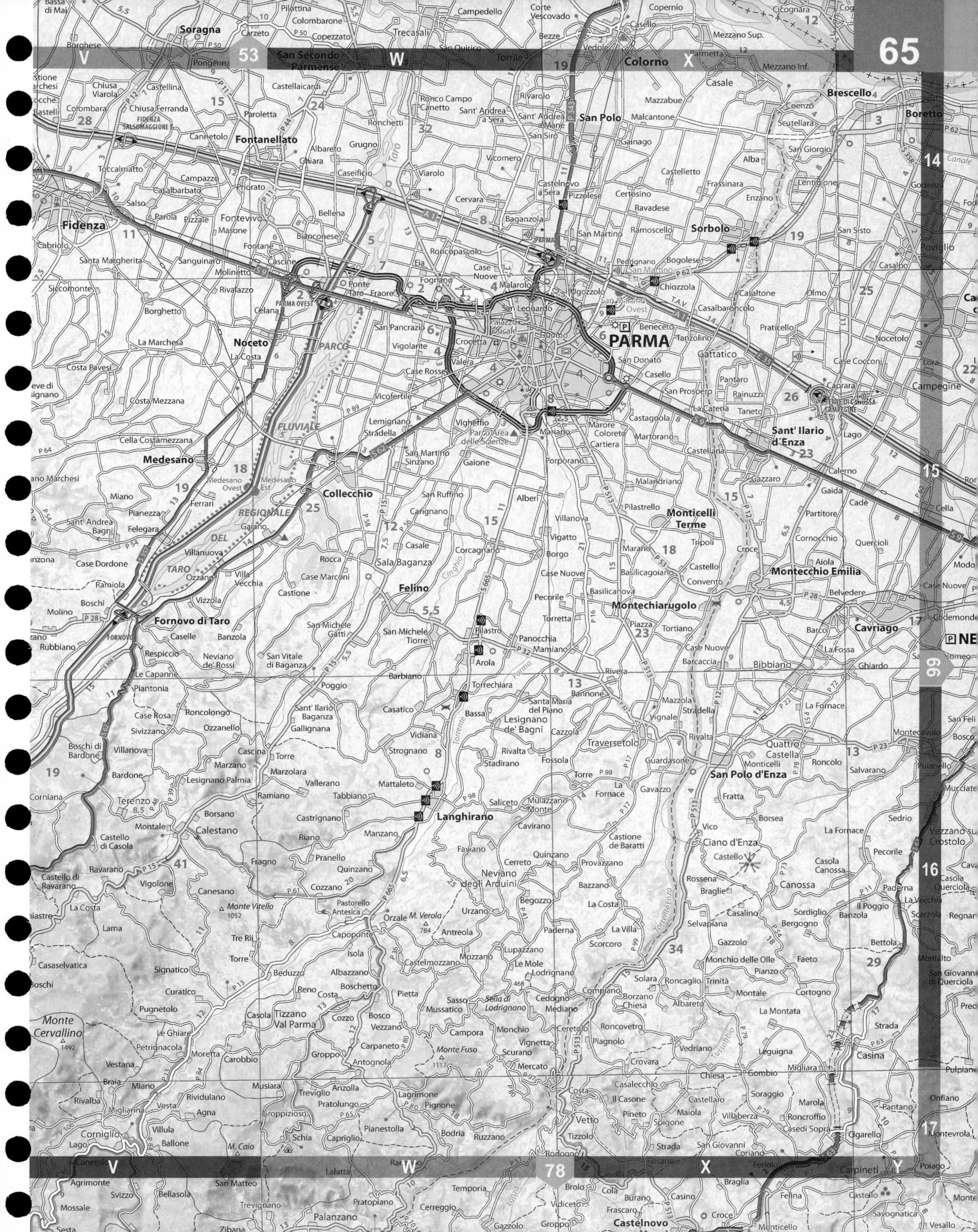

65
53
78
V
W
X
Y
14
15
16
17
66
Soragna
San Secondo Parmense
Colorno
Brescello
Boretto
Fontanellato
San Polo
Fidenza
Sorbolo
Noceto
PARMA
Medesano
Collecchio
Sant' Ilario d'Enza
Monticelli Terme
Montecchio Emilia
Felino
Sala Baganza
Montechiarugolo
Cavriago
Fornovo di Taro
Bibbiano
Traversetolo
San Polo d'Enza
Langhirano
Calestano
Ciano d'Enza
Canossa
Neviano degli Arduini
Tizzano Val Parma
Casina
Castelnovo
Carpineti
Monte Cervallino
Monte Vitello
M. Verola
Monte Fuso
Sella di Lodrignano
PARCO FLUVIALE REGIONALE DEL TARO
Torrechiara
Colorno
Trecasali
Torrile
Mezzano Inf.
Mezzano Sup.
Copernio
Casale
Mazzabue
Malcantone
Gainago
Castelletto
Frassinara
Enzano
Ramoscello
San Martino
Pizzolese
Certosino
Ravadese
Bogolese
Chiozzola
Casaltone
Casalbaroncolo
Beneceto
Tanzolino
Gattatico
Praticello
Nocetolo
Case Cocconi
Campegine
Caprara
Taneto
Rainuzzi
Pantaro
Lago
Calerno
Gaida
Cadè
Cella
Partitore
Cornocchio
Quercioli
Aiola
Belvedere
Barco
La Fossa
Ghiardo
San Prospero
Castagnola
Martorano
Marore
Coloreto
Cartiera
Porporano
Malandriano
Pilastrello
Villanova
Vigatto
Borgo
Case Nuove
Pecorile
Basilicanova
Basilicagoiano
Marano
Tripoli
Castello
Convento
Torretta
Piazza
Tortiano
Case Nuove
Barcaccia
Rivera
Bannone
Mazzola
Stradella
Vignale
Rivalta
Quattro Castella
Roncolo
Salvarano
Monticelli
Guardasone
Gavazzo
Fratta
Borsea
Vico
Rossena
Braglie
Casalino
Selvapiana
Sordiglio
Bergogno
Gazzolo
Faeto
Monchio delle Olle
Pianzo
Trinità
Roncaglio
Solara
Montale
Cortogno
La Montata
Strada
Leguigna
Migliara
Gombio
Chiesa
Soraggio
Marola
Roncroffio
Casedi Sopra
Cigarello
Villaberza
Spigone
Maiola
Castellaro
Strada
San Giovanni
Coriano
Felina
Castello
Savognatica
Vesallo
Croce
Frascaro
Burano
Cola
Brolo
Vidiceto
Groppo
Gazzolo
Casino
Braglia
Rodogno
Tizzolo
Vetto
Pineto
Il Casone
Casalecchio
Costa
Crovara
Vedriano
Roncovetro
Piagnolo
Ceretolo
Borzano Chiesa
Albareto
Compiano
Mediano
Cedogno
Lodrignano
Le Mole
Lupazzano
Mozzano
Castelmozzano
Urzano
Antreola
Orzale
Capoponte
Isola
Albazzano
Boschetto
Beduzzo
Reno
Costa
Pietta
Sasso
Mussatico
Bosco
Vezzano
Cozzo
Casola
Campora
Monchio
Vignetta
Scurano
Saliceto
Mercato
Carpaneto
Antognola
Groppo
Anzolla
Treviglio
Pratolungo
Lagrimone
Pignone
Pianestolla
Bodria
Ruzzano
Capriglio
Schia
Groppizioso
Musiara
Agna
Rividulano
Miano
Braia
Vestana
Moretta
Carobbio
Petrignacola
Le Ghiare
Villula
Ballone
Corniglio
Lago
Migliarina
Vesta
Rivalba
M. Caio
Canetolo
Agrimonte
Svizzo
Mossale
Bellasola
San Matteo
Trevignano
Palanzano
Zibana
Lalatta
Ranzano
Temporia
Cerreggio
Pratopiano
Sesta
Casaselvatica
Boschi
Signatico
Curatico
Pugnetolo
Torre
Tre Rii
Lama
La Costa
Vigolone
Canesano
Ravarano
Castello di Ravarano
Fragno
Pranello
Quinzano
Cozzano
Pastorello
Antesica
Riano
Manzano
Castrignano
Tabbiano
Vallerano
Mattaleto
Ramiano
Marzolara
Marzano
Lesignano Palmia
Borsano
Montale
Castello di Casola
Terenzo
Bardone
Corniana
Boschi di Bardone
Villanova
Sivizzano
Case Rosa
Roncolongo
Ozzanello
Cascina
Torre
Gallignana
Sant' Ilario Baganza
Casatico
Vidiana
Strognano
Bassa
Lesignano de' Bagni
Santa Maria del Piano
Cazzola
Rivalta
Stadirano
Fossola
Torre
La Fornace
Mulazzano Monte
Cavirano
Faviano
Cerreto
Quinzano
Provazzano
Castione de Baratti
Bazzano
Begozzo
La Costa
La Villa
Scorcoro
Paderna
Poggio
Barbiano
Arola
Pilastro
Panocchia
Mamiano
San Michele Tiorre
San Michele Gatti
San Vitale di Baganza
Banzola
Neviano de' Rossi
Respiccio
Caselle
Le Capanne
Piantonia
Rubbiano
Molino
Boschi
Ramiola
Vizzola
Ozzano
Villa Vecchia
Castione
Case Marconi
Rocca
Casale
Carignano
San Ruffino
Corcagnano
Alberi
Gaione
San Martino Sinzano
Vigheffio
Parco Area delle Scienze
Mariano
Lemignano
Stradella
Vicofertile
Case Rosse
Valera
Crocetta
Vigolante
San Pancrazio
Fraore
Ponte Taro
Fognano
Malarolo
Case Nuove
San Leonardo
Palazzo Ducale
Duomo
San Donato
Casello
Ugozzolo
Pedrignano
Roncopascolo
Eia
Baganzola
Cervara
Viarolo
Vicomero
Castelnovo a Sera
Rivarolo
Sant' Andrea a Mane
Sant' Andrea a Sera
San Siro
Ronco Campo Canetto
Ronchetti
Grugno
Albareto
Ghiara
Caseificio
Bellena
Bianconese
Fontane
Cascinapiano
Paroletta
Castellaicardi
Pilottina
Colombarone
Copezzato
Carzeto
Campedello
Corte Vescovado
Bezze
Vedole
Pongenna
Castellina
Chiusa Viarola
Chiusa Ferranda
Colombara
Canneto
Toccalmatto
Campazzo
Casalbarbato
Priorato
Salso
Parola
Pizzale
Fontevivo
Masone
Sanguinaro
Molinetto
Rivalazzo
Celana
Santa Margherita
Cabriolo
Siccomonte
Borghetto
La Marchesa
La Costa
Costa Pavesi
Costa Mezzana
Cella Costamezzana
Miano
Pianezza
Sant' Andrea Bagni
Felegara
Ferrari
Villanuova
Case Dordone
Medesano Ovest
Medesano Est
Garano
PARMA OVEST
FIDENZA SALSOMAGGIORE T.
TERRE DI CANOSSA CAMPEGINE
Cognara
Parmetta
Coenzo
Sbutellara
San Giorgio
Alba
Lentigione
Godenzo
Sorbolo
San Sisto
Poviglio
Casalpo
Olmo
Lora
Modolena
Case Nuove
Codemondo
Montecavolo
Puianello
Sedrio
Vezzano sul Crostolo
Pecorile
Casola Canossa
Paderna
La Vecchia
Scarzola
Il Poggio
Banzola
Bettola
Montalto
San Giovanni di Querciola
Casola Querciola
La Fornace
Croce
Fossa
Pulpiano
Onfiano
Pantano
Montevrola
Poiago
A1
E35
S9
S62
P 665
P 513
P 343
P 15
T.A.V.

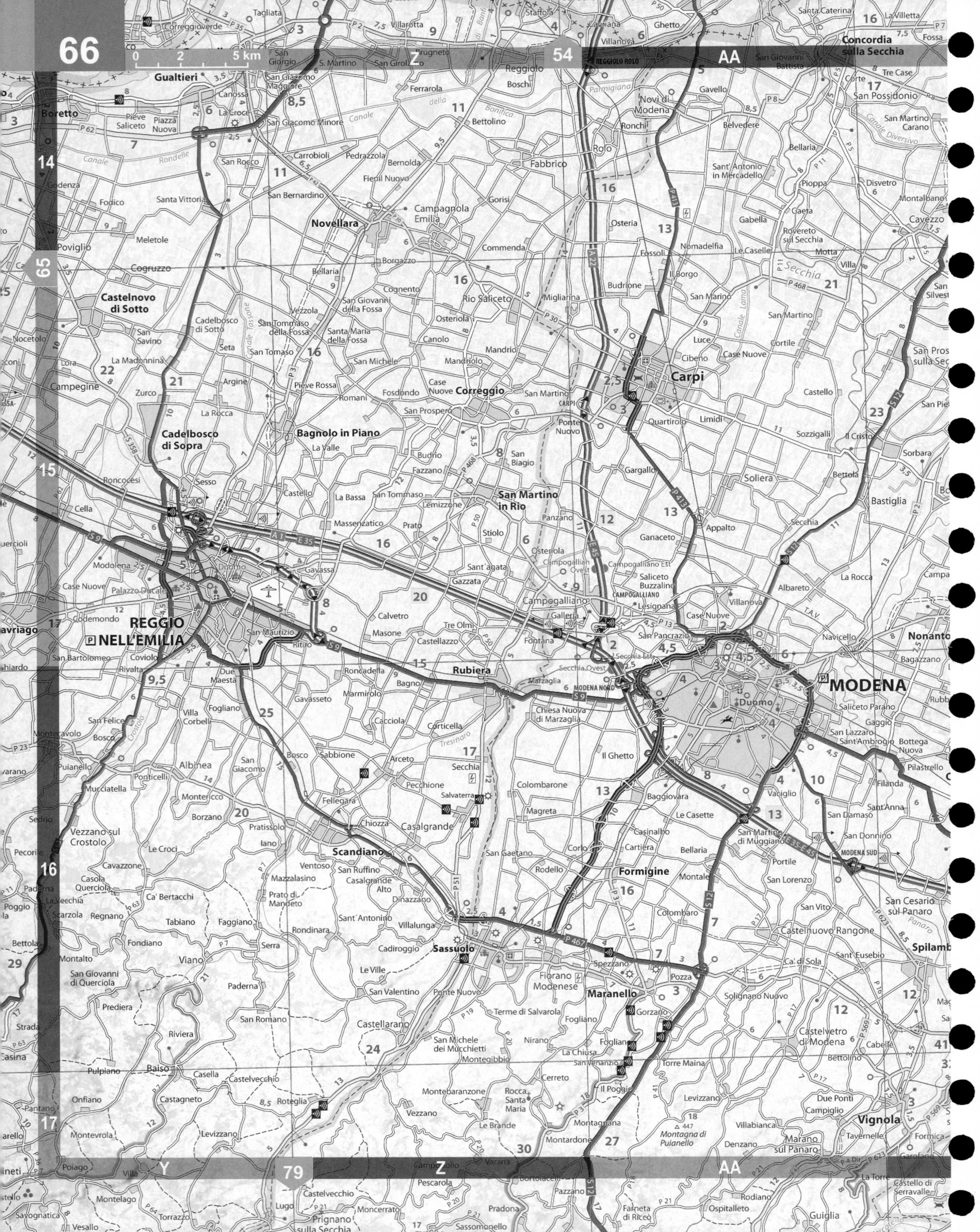
Gualtieri
Boretto
Novellara
Castelnovo di Sotto
Correggio
Carpi
Bagnolo in Piano
Cadelbosco di Sopra
San Martino in Rio
REGGIO NELL'EMILIA
Rubiera
MODENA
Scandiano
Sassuolo
Formigine
Maranello
Vignola
Concordia sulla Secchia
Novi di Modena
Fabbrico
Campogalliano
Soliera
Bastiglia
Castelnuovo Rangone
Castelvetro di Modena
Fiorano Modenese
Casalgrande
Castellarano
Albinea
Vezzano sul Crostolo
Quattro Castella

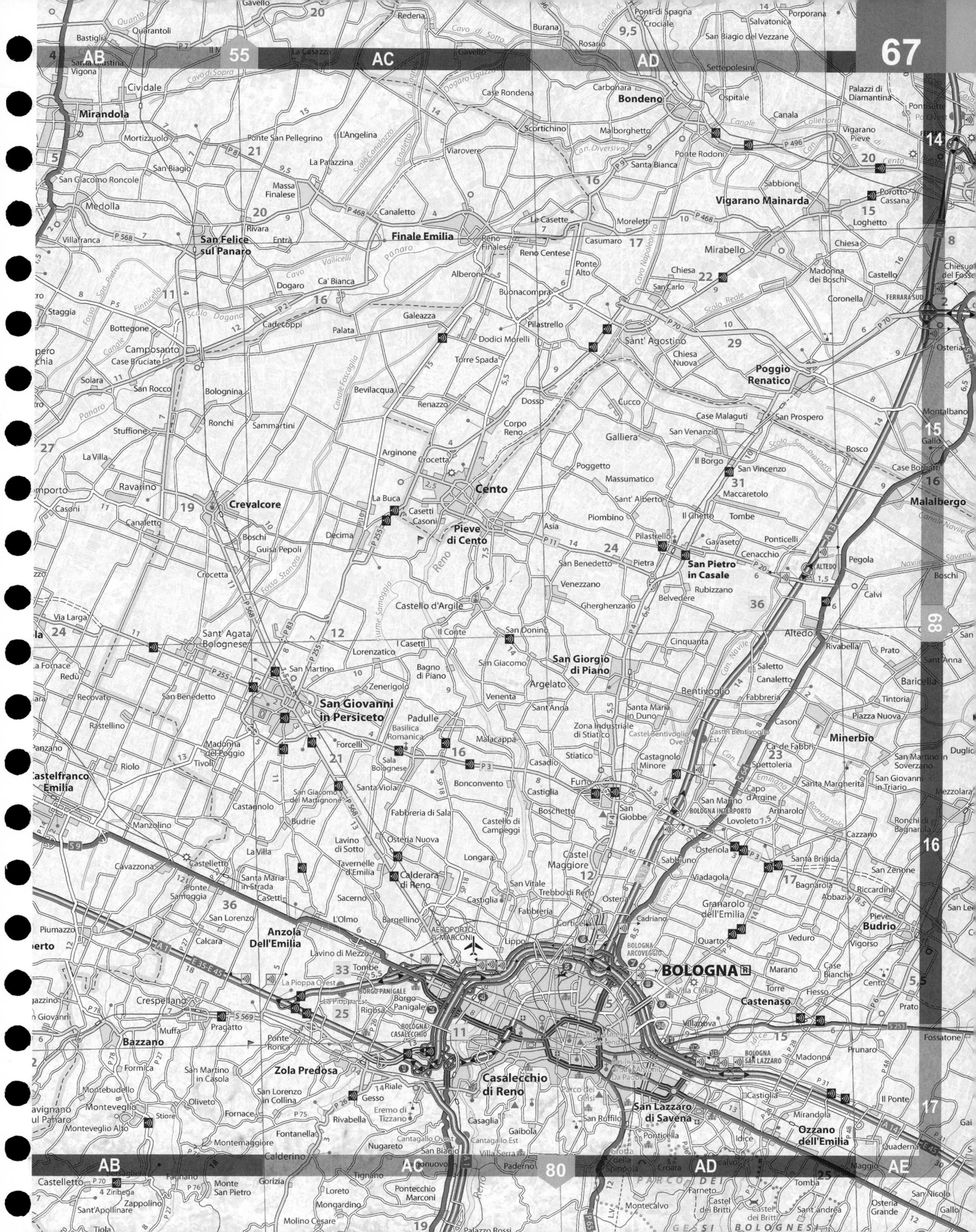

AB
55
AC
AD
Gavello
Redena
Burana
Ponti di Spagna
Crociale
Porporana
Salvatonica
San Biagio del Vezzane
Bastiglia
Quarantoli
Rosario
9,5
Santa Giustina
Vigona
La Casazza
Cavo di Sotto
Settepolesini
Cividale
Cavo di Sopra
Case Rondena
Carbonara
Bondeno
Ospitale
Palazzi di Diamantina
Mirandola
Canala
Pontisette
Scortichino
Malborghetto
Vigarano Pieve
Mortizzuolo
Ponte San Pellegrino
L'Angelina
Ponte Rodoni
Viarovere
Santa Bianca
21
La Palazzina
San Biagio
14
Massa Finalese
Sabbione
Porotto Cassana
San Giacomo Roncole
Medolla
Canaletto
Vigarano Mainarda
Loghetto
Le Casette
Moreletti
20
Rivara
Entrà
Villafranca
San Felice sul Panaro
Finale Emilia
Reno Finalese
Reno Centese
Casumaro
Mirabello
Chiesa
8
Cavo Vallicelli
Ponte Alto
Chiesa
Madonna dei Boschi
Castello
Chiesuol del Fosso
Dogaro
Ca' Bianca
Alberone
San Carlo
Buonacompra
Coronella
FERRARA SUD
Staggia
Scalo Dogana
Scolo Reale
Bottegone
Cadecoppi
Palata
Galeazza
Pilastrello
Camposanto
Case Bruciate
Dodici Morelli
Sant' Agostino
Chiesa Nuova
Poggio Renatico
Osteria
Torre Spada
Solara
San Rocco
Bolognina
Bevilacqua
Dosso
Cucco
Renazzo
Corpo Reno
Case Malaguti
San Prospero
Montalbano
Ronchi
Stuffione
Sammartini
Galliera
San Venanzio
Gallo
La Villa
Arginone
Crocetta
Bosco
Poggetto
Il Borgo
Massumatico
San Vincenzo
Case Borgatti
Ravarino
Cento
Maccaretolo
Sant' Alberto
Malalbergo
Crevalcore
La Buca
Casetti Casoni
Casoni
19
Canaletto
Pieve di Cento
Asia
Piombino
Il Ghetto
Tombe
Boschi
Decima
Pilastrello
Gavaseto
Ponticelli
Guisa Pepoli
Cenacchio
Pegola
San Benedetto
Pietra
San Pietro in Casale
ALTEDO
Crocetta
Venezzano
Rubizzano
Boschi
Gherghenzano
Belvedere
Calvi
Castello d'Argile
36
Via Larga
24
Sant' Agata Bolognese
Il Conte
San Donino
Altedo
12
Cinquanta
Rivabella
Prato
I Casetti
Lorenzatico
La Fornace
San Martino
Bagno di Piano
San Giacomo
San Giorgio di Piano
Saletto
Sant' Anna
Redù
Canaletto
Baricella
Zenerigolo
Argelato
Bentivoglio
Recovato
San Benedetto
San Giovanni in Persiceto
Fabbreria
Tintoria
Venenta
Santa Maria in Duno
Sant'Anna
Piazza Nuova
Padulle
Rastellino
Basilica Romanica
Zona Industriale di Stiatico
Castel Bentivoglio Ovest
Castel Bentivoglio Est
Casoni
Malacappa
Minerbio
Forcelli
Panzano
Madonna del Poggio
16
Ca de Fabbri
Duglio
Stiatico
Sala Bolognese
Castagnolo Minore
Spettoleria
San Martino in Soverzano
Riolo
Tivoli
Casadio
Castelfranco Emilia
Santa Viola
Bonconvento
Funo
Santa Margherita
San Giovanni in Triario
San Giacomo del Martignone
Castiglia
Mezzolara
Capo d'Argine
San Marino
Castagnolo
Boschetto
San Giobbe
BOLOGNA INTERPORTO
Armarolo
Budrie
Fabbreria di Sala
Castello di Campeggi
Lovoleto
Ronchi di Bagnarola
Manzolino
Cazzano
Lavino di Sotto
Osteria Nuova
Castel Maggiore
Osteriola
La Villa
Longara
Sabbiuno
Santa Brigida
Castelletto
Cavazzona
Tavernelle d'Emilia
San Zenone
Viadagola
Santa Maria in Strada
Calderara di Reno
San Vitale
Bagnarola
Riccardina
Ponte Samoggia
Trebbo di Reno
Abbazia
Casetti
Sacerno
Castiglia
Osteria
Granarolo dell'Emilia
36
Fabbreria
San Lorenzo
L'Olmo
Bargellino
Corticella
Cadriano
Budrio
Piumazzo
AEROPORTO G. MARCONI
Anzola Dell'Emilia
Lippo
Quarto
Veduro
Vigorso
Calcara
BOLOGNA ARCOVEGGIO
BOLOGNA
Marano
Case Bianche
Lavino di Mezzo
33
Tombe
Cento
La Pioppa Ovest
Villa Clelia
Crespellano
BORGO PANIGALE
Borgo Panigale
La Pioppa Est
Torre
Fiesso
Castenaso
Prato
25
Rigosa
Villanova
Muffa
Pragatto
BOLOGNA CASALECCHIO
11
15
Fossatone
Bazzano
Ponte Ronca
BOLOGNA SAN LAZZARO
Madonna
Prunaro
Formica
Zola Predosa
Casalecchio di Reno
San Martino in Casola
Parco dei Gessi
Basilica di Sant'Antonio Da Padova
Montebudello
Riale
Gesso
San Lorenzo in Collina
Castiglia
Il Ponte
Oliveto
Eremo di Tizzano
San Lazzaro di Savena
Monteveglio
Stiore
Fornace
Rivabella
Casaglia
San Ruffillo
Mirandola
Monteveglio Alto
Gaibola
Ponticella
Ozzano dell'Emilia
Fontanella
Cantagallo Ovest
Cantagallo Est
Idice
Montemaggiore
Calderino
Nugareto
San Biagio
Villa Serra
Quaderna
AB
AC
80
AD
AE
Paderno
Croara
Maggio
Castelletto
Faenano
Monte San Pietro
Gorizia
Tignano
Pontecchio Marconi
PARCO DEI GESSI BOLOGNESI
Farneto
Tomba
Ziribega
Zappolino
Loreto
Mongardino
Castel dei Britti
Osteria Grande
San Nicolò
Sant'Apollinare
Molino Cesare
Montecalvo
Sant'Andrea
Gallo
Tiola
19
Palazzo Rossi

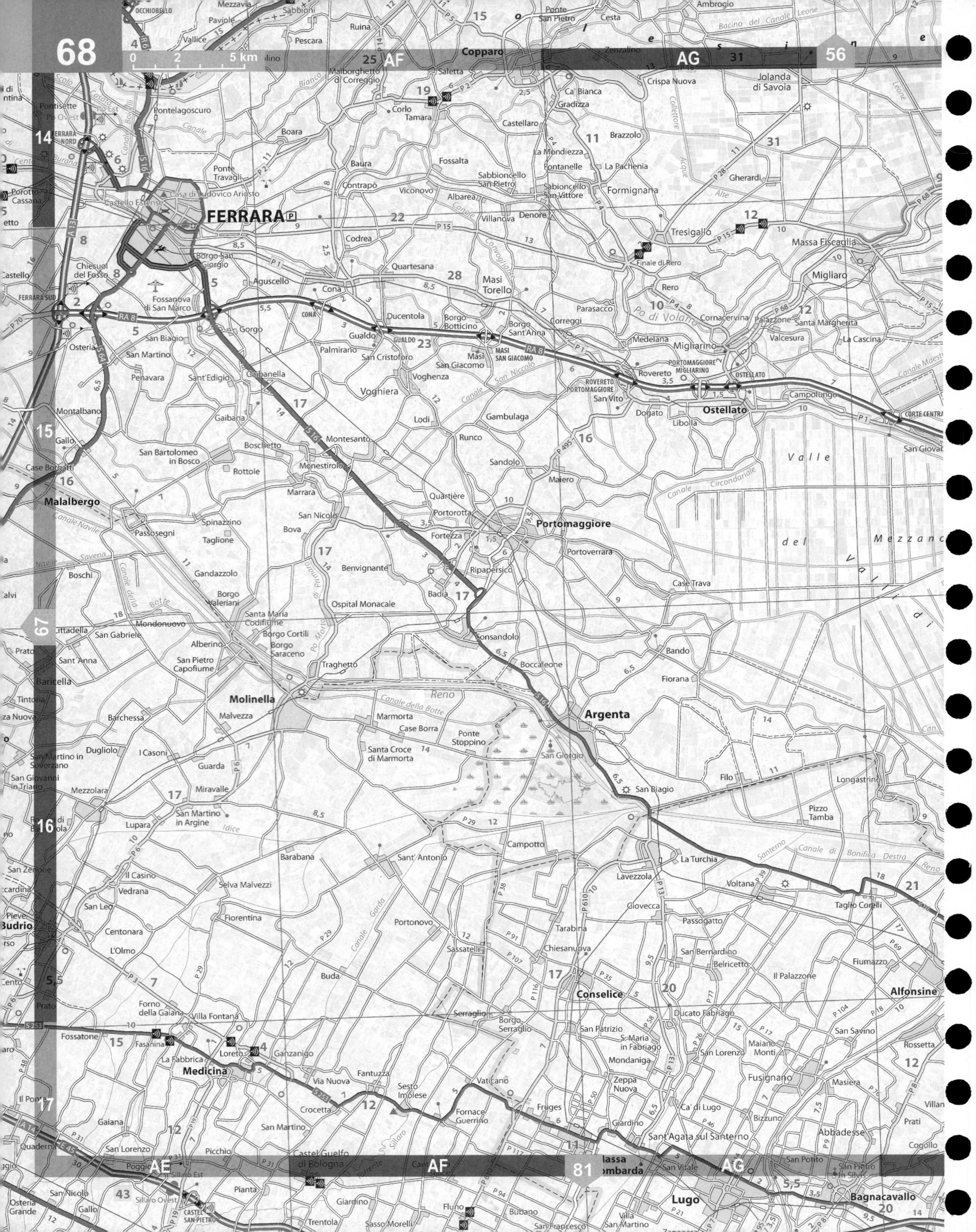

0 2 5 km
25 AF
AG 31
56
Copparo
Occhiobello
Mezzavia
Sabbioni
Paviole
Vallice
Pescara
Ruina
Ponte San Pietro
Cesta
Ambrogio
Bacino del Canale Leone
Zenzalino
Malborghetto di Correggio
Saletta
Ca' Bianca
Gradizza
Crispa Nuova
Jolanda di Savoia
Pontisette
Po Ovest
Po Est
Pontelagoscuro
Ferrara Nord
Corlo
Tamara
Castellaro
Brazzolo
Boara
La Mondiezza
Fontanelle
La Pachenia
Baura
Fossalta
Sabbioncello San Pietro
Sabbioncello San Vittore
Gherardi
Ponte Travagli
Contrapò
Viconovo
Albarea
Formignana
Porotto
Cassana
Castello Estense
Casa di Ludovico Ariosto
FERRARA
Villanova
Denore
Tresigallo
Massa Fiscaglia
Codrea
Finale di Rero
Chiesuol del Fosso
Borgo San Giorgio
Quartesana
Aguscello
Masi Torello
Rero
Migliaro
Ferrara Sud
Fossanova di San Marco
Cona
Parasacco
Po di Volano
Cornacervina
Palazzone
Santa Margherita
Ducentola
Borgo Botticino
Borgo Sant'Anna
Correggi
Medelana
Migliarino
Valcesura
La Cascina
Gorgo
Gualdo
Osteria
San Biagio
Palmirano
San Cristoforo
Masi San Giacomo
San Giacomo
Portomaggiore Migliarino
Ostellato
Rovereto
San Martino
Voghenza
Rovereto Portomaggiore
San Vito
Campolungo
Penavara
Sant'Egidio
Gaibanella
Voghiera
Dogato
Libolla
Corte Centrale
Montalbano
Lodi
Gambulaga
Gaibana
Runco
San Giovanni
Gallo
Montesanto
Valle
San Bartolomeo in Bosco
Boschetto
Sandolo
Rottole
Case Borgatti
Monestirolo
Maiero
Malalbergo
Marrara
Quartiere
Canale Circondariale
Portorotta
Canale Navile
Spinazzino
San Nicolò
Portomaggiore
Passosegni
Taglione
Bova
Fortezza
Portoverrara
del
Mezzano
Savena
Gandazzolo
Benvignante
Ripapersico
Boschi
Case Trava
Borgo Valeriani
Badia
Ospital Monacale
Mondonuovo
Santa Maria Codifiume
Cittadella
San Gabriele
Alberino
Borgo Cortili
Borgo Saraceno
Consandolo
Prato
Sant'Anna
San Pietro Capofiume
Bando
Traghetto
Boccaleone
Baricella
Fiorana
Tintoria
Molinella
Reno
Canale della Botte
Argenta
Barchessa
Malvezza
Marmorta
Case Borra
Ponte Stoppino
Dugliolo
I Casoni
Santa Croce di Marmorta
San Giorgio
San Martino in Soverzano
Guarda
San Giovanni in Triario
Filo
Longastrino
Mezzolara
Miravalle
San Biagio
San Martino in Argine
Pizzo Tamba
Lupara
Idice
Campotto
Barabana
Sant'Antonio
La Turchia
Canale di Bonifica Destra
Il Casino
Lavezzola
Voltana
Vedrana
Selva Malvezzi
Giovecca
Taglio Corelli
San Leo
Budrio
Fiorentina
Passogatto
Centonara
Portonovo
Tarabina
Fiumazzo
L'Olmo
Sassatelli
Chiesanuova
San Bernardino
Belricetto
Buda
Il Palazzone
Conselice
Alfonsine
Forno della Gaiana
Villa Fontana
Serraglio
Borgo Serraglio
Ducato Fabriago
Fossatone
Fasanina
Loreto
Ganzanigo
San Patrizio
S. Maria in Fabriago
San Savino
La Fabbrica
Medicina
Maiano Monti
San Lorenzo
Rossetta
Mondaniga
Fantuzza
Via Nuova
Vaticano
Sesto Imolese
Zeppa Nuova
Fusignano
Masiera
Il Poggio
Crocetta
Fornace Guerrino
Fruges
Giardino
Ca' di Lugo
Bizzuno
Prati
Gaiana
San Martino
Sant'Agata sul Santerno
Abbadesse
Quaderna
Picchio
Castel Guelfo di Bologna
San Lorenzo
Cotignola
Poggio
AE
AF
AG
81
Massa Lombarda
San Vitale
San Potito
San Pietro in Silvis
Sillaro Est
Sillaro Ovest
San Nicolò
Pianta
Osteria Grande
Gallo
Castel San Pietro
Giardino
Lugo
Bagnacavallo
Fluno
Bubano
Trentola
Sasso Morelli
San Francesco
Villa San Martino
67

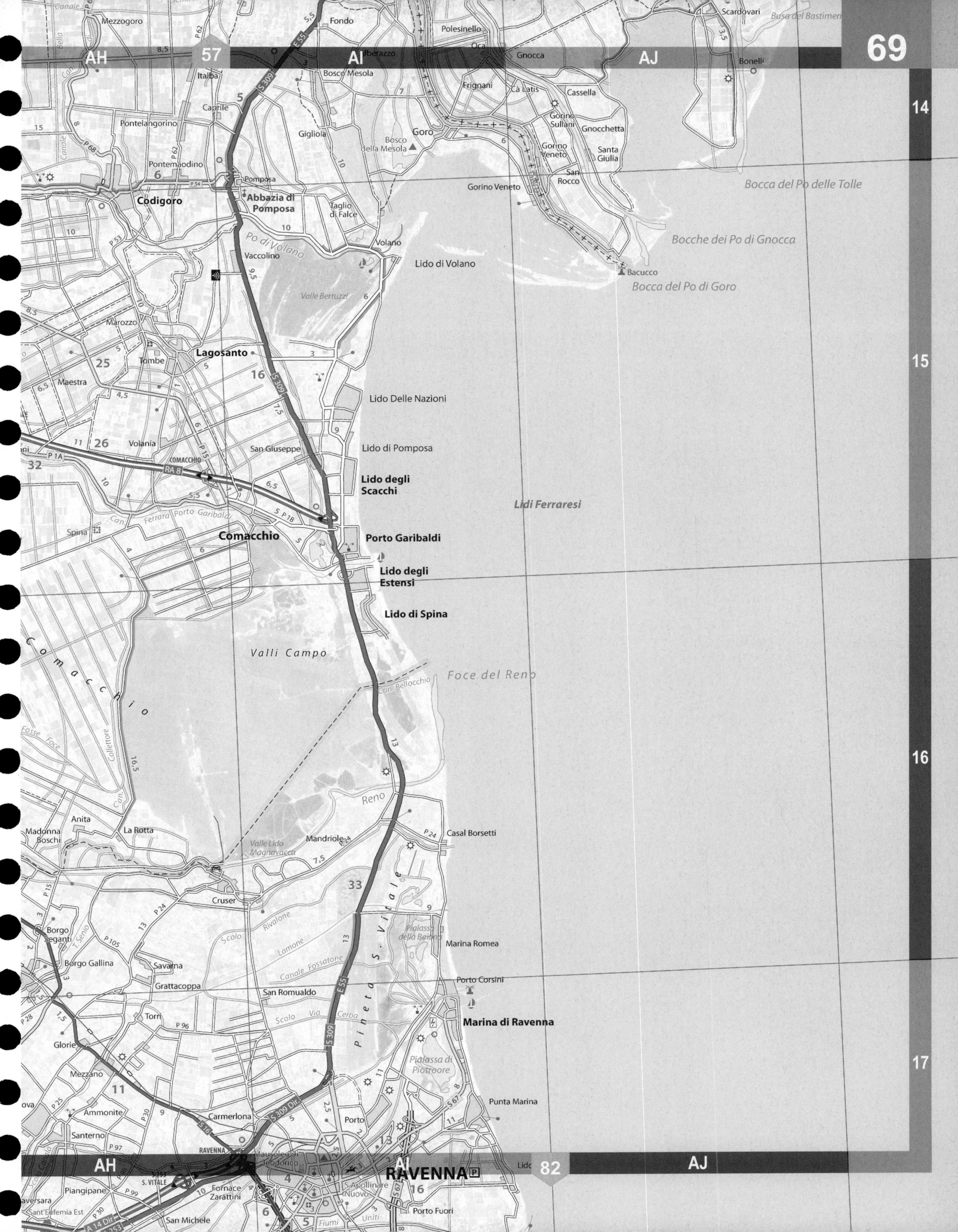
AH
57
AI
AJ
14
15
16
17
82
Mezzogoro
Fondo
Polesinello
Scardovari
Bonelli
Alberazzo
Oca
Gnocca
Italba
Bosco Mesola
Frignani
Cà Latis
Cassella
Caprile
Pontelangorino
Gigliola
Bosco della Mesola
Goro
Gorino Sullani
Gnocchetta
Gorino Veneto
Santa Giulia
San Rocco
Pontemaodino
Pomposa
Codigoro
Abbazia di Pomposa
Taglio di Falce
Bocca del Po delle Tolle
Bocche dei Po di Gnocca
Po di Volano
Vaccolino
Volano
Lido di Volano
Bacucco
Bocca del Po di Goro
Valle Bertuzzi
Marozzo
Lagosanto
Tombe
Maestra
Lido Delle Nazioni
Volania
San Giuseppe
Lido di Pomposa
Lido degli Scacchi
Lidi Ferraresi
Spina
Comacchio
Porto Garibaldi
Lido degli Estensi
Lido di Spina
Valli Campo
Foce del Reno
Can. Bellocchio
Comacchio
Reno
Anita
Madonna Boschi
La Rotta
Mandriole
Casal Borsetti
Valle Lido Magnavacca
Cruser
S. Vitale
Pineta
Borgo Seganti
Rivalone
Scolo
Lamone
Pialassa della Baiona
Marina Romea
Borgo Gallina
Savarna
Canale Fossatone
Grattacoppa
San Romualdo
Porto Corsini
Torri
Scolo Via Cerba
Marina di Ravenna
Glorie
Pialassa di Piomboni
Mezzano
Punta Marina
Ammonite
Carmerlona
Porto
Santerno
Mausoleo di Teodorico
RAVENNA
S. Apollinare Nuovo
Piangipane
Fornace Zarattini
Sant'Eufemia Est
San Michele
Porto Fuori
Fiumi Uniti

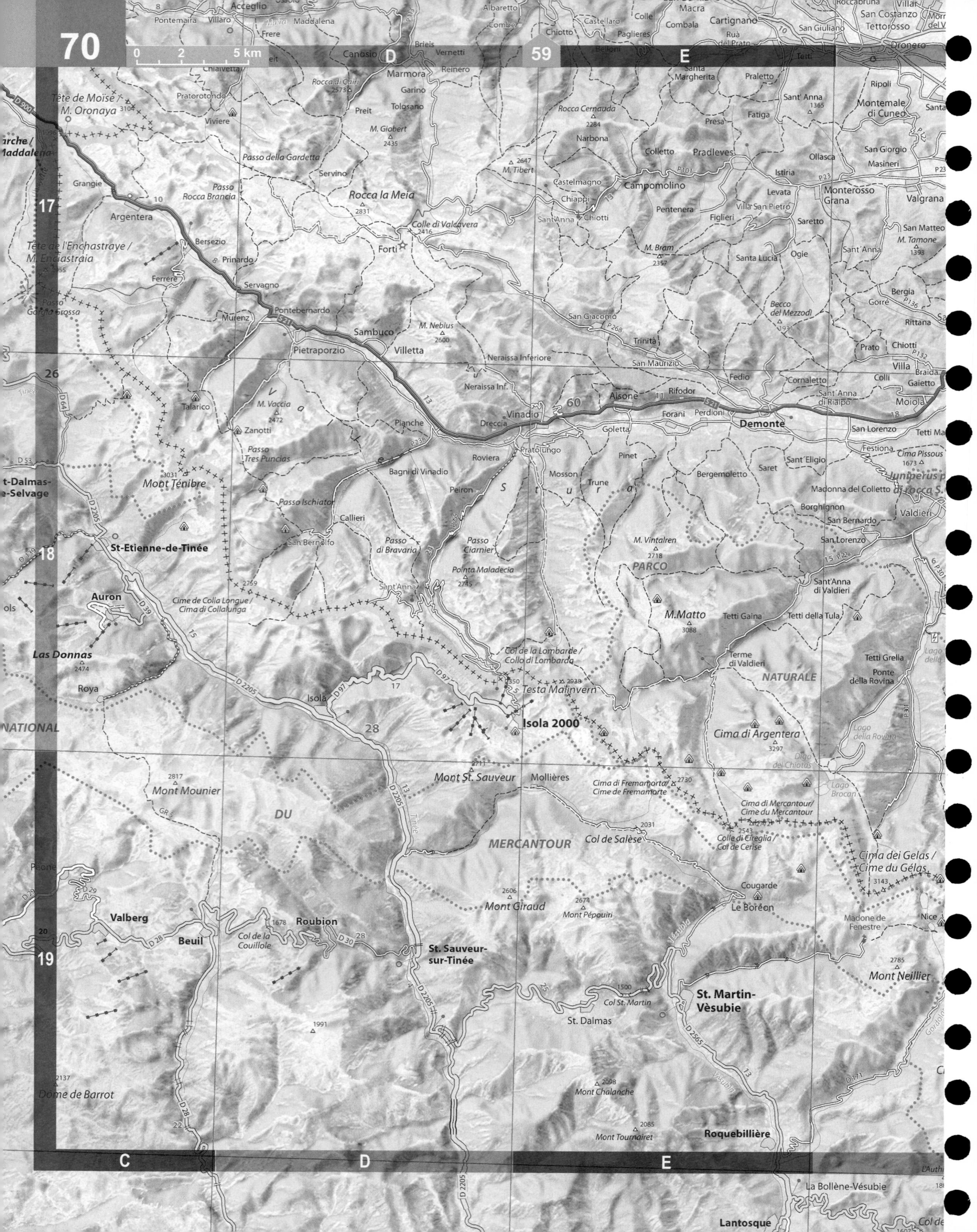

0 2 5 km
59
D
E
C
D
E
17
18
19
26
20
Acceglio
Pontemaira
Villaro
Maddalena
Frere
Canosio
Marmora
Albaretto
Macra
Cartignano
Dronero
Tête de Moïse / M. Oronaya
Rocca la Meia
Argentera
Bersezio
Tête de l'Enchastraye / M. Enciastraia
Pinardo
Ferrere
Servagno
Pontebernardo
Sambuco
Pietraporzio
Villetta
Passo della Gardetta
Passo Rocca Brancia
Colle di Valcavera
Forti
M. Giobert
M. Tibert
Rocca Cernauda
Castelmagno
Campomolino
Pradleves
Monterosso Grana
Valgrana
Montemale di Cuneo
M. Bram
Demonte
Vinadio
Aisone
Rifodor
Perdioni
Forani
Goletta
Pratolungo
Moiola
Gaiotto
Braida
Villa
Colli
Cornaletto
Sant'Anna di Rialpo
San Lorenzo
Festiona
Cima Pissous
Valdieri
Sant'Anna di Valdieri
Terme di Valdieri
M. Matto
PARCO
NATURALE
M. Vaccia
Talarico
Zanotti
Passo Tres Puncias
Mont Ténibre
Passo Ischiator
San Bernolfo
Callieri
Passo di Bravaria
Passo Ciarnier
Pointa Maladecia
Sant'Anna
Bagni di Vinadio
Roviera
Peiron
Mosson
Trune
Bergemoletto
Saret
Sant'Eligio
Madonna del Colletto
Borghignon
San Bernardo
M. Vintalren
St-Etienne-de-Tinée
Auron
Las Donnas
Roya
Isola
Isola 2000
Col de la Lombarde / Collo di Lombarda
Testa Malinvern
Cime de Colla Longue / Cima di Collalunga
Cima di Argentera
Tetti Gaina
Tetti della Tula
Tetti Grella
Ponte della Rovina
Lago della Rovina
Mont St. Sauveur
Mollières
Mont Mounier
DU
MERCANTOUR
NATIONAL
Cima di Fremamorta / Cime de Fremamorte
Cima di Mercantour / Cime du Mercantour
Colle di Ciriegia / Col de Cerise
Col de Salèse
Cima dei Gelas / Cime du Gélas
Cougarde
Le Boréon
Madone de Fenestre
Mont Neillier
Mont Giraud
Mont Pépouiri
Valberg
Beuil
Roubion
Col de la Couillole
St. Sauveur-sur-Tinée
St. Martin-Vèsubie
Col St. Martin
St. Dalmas
Dome de Barrot
Mont Chalanche
Mont Tournairet
Roquebillière
La Bollène-Vésubie
Lantosque

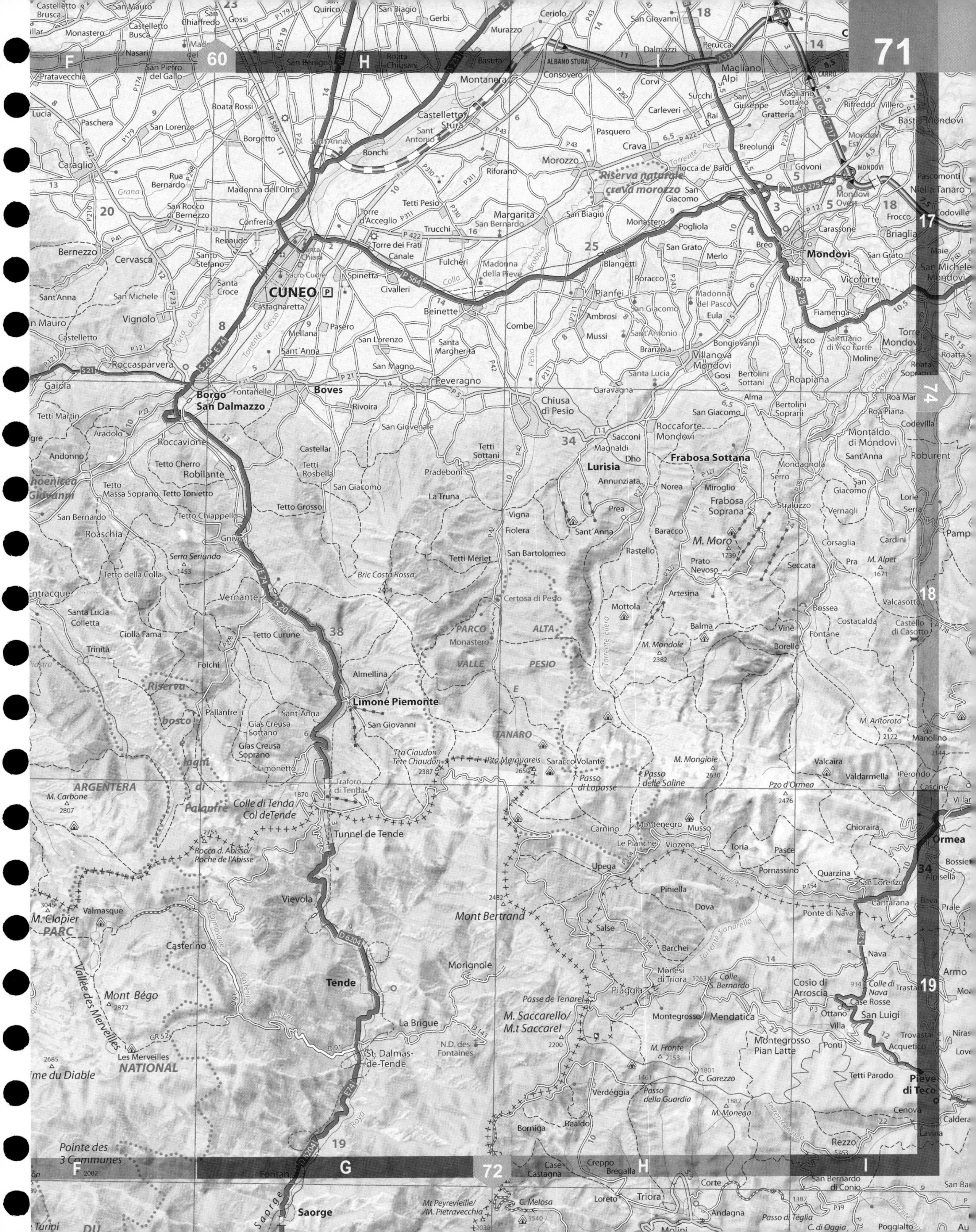
CUNEO
Borgo San Dalmazzo
Boves
Mondovì
Chiusa di Pesio
Lurisia
Frabosa Sottana
Frabosa Soprana
Limone Piemonte
Tende
La Brigue
St. Dalmas-de-Tende
Saorge
Fontan
Ormea
Pieve di Teco
Tunnel de Tende
Colle di Tenda
Col de Tende
Traforo di Tenda
Mont Bertrand
Mont Bégo
M. Clapier
M. Carbone
M. Saccarello/
M.t Saccarel
M. Mondole
M. Mongioie
M. Moro
M. Alpet
M. Antoroto
M. Fronte
M. Monega
Pzo d'Ormea
Passo di Lagasse
Passo delle Saline
Passe de Tenarel
Passo della Guardia
Pointe des 3 Communes
Cime du Diable
Les Merveilles
Vallée des Merveilles
PARC
NATIONAL
ARGENTERA
Riserva bosco laghi di Palanfrè
PARCO ALTA VALLE PESIO E TANARO
Riserva naturale crava morozzo
Certosa di Pesio
Vernante
Roccavione
Robilante
Entracque
Valdieri
Caraglio
Cervasca
Vignolo
Bernezzo
Roccasparvera
Gaiola
Peveragno
Beinette
Morozzo
Margarita
Crava
Magliano Alpi
Montanera
Castelletto Stura
Villanova Mondovì
Roccaforte Mondovì
Vicoforte
Upega
Viozene
Carnino
Piaggia
Mendatica
Montegrosso Pian Latte
Cosio di Arroscia
Nava
Ponte di Nava
Briga Alta
Triora
Realdo
Verdéggia
Borniga
Rezzo
Cenova
Morignole
Vievola
Casterino
Valmasque
Ceva
Roburent
Pamparato
Valcasotto
Garessio
Ormea
F
G
H
I
60
72
74
17
18
19

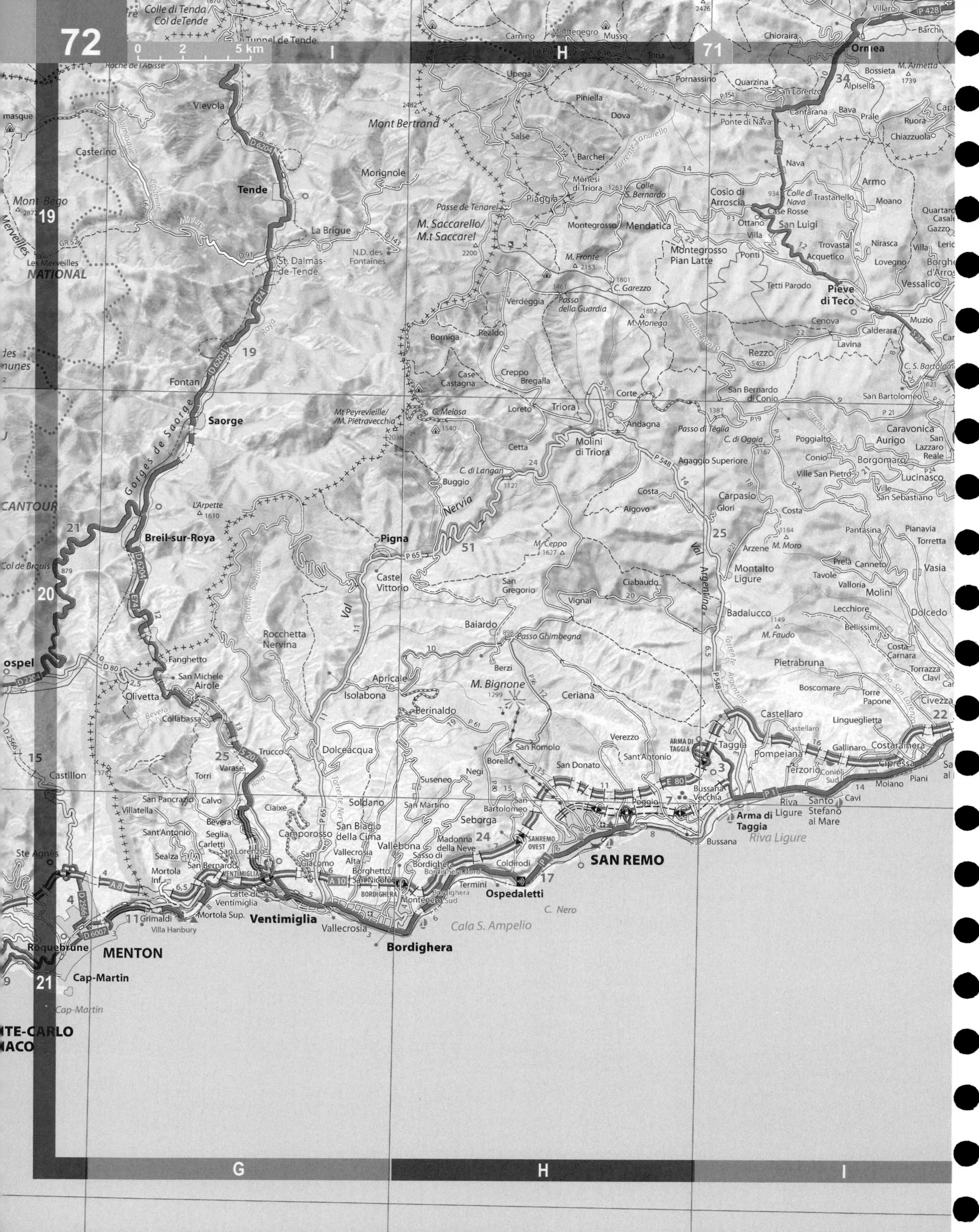
0 2 5 km
I
H
71
G
H
I
Colle di Tenda
Col de Tende
Tunnel de Tende
Roche de l'Abisse
Vievola
Casterino
Tende
Mont Bégo
La Brigue
St. Dalmas-de-Tende
N.D. des Fontaines
Les Merveilles
NATIONAL
Morignole
Mont Bertrand
Upega
Carnino
Montenegro
Musso
Viozene
Pornassino
Quarzina
Chioraira
Ormea
Bossieta
M. Armetta
Alpisella
San Lorenzo
Cantarana
Bava
Prale
Ruora
Chiazzuola
Ponte di Nava
Piniella
Dova
Salse
Barchei
Nava
Armo
Moano
Mònesi di Triora
Colle S. Bernardo
Cosio di Arroscia
Colle di Nava
Trastanello
Case Rosse
Ottano
San Luigi
Villa
Trovasta
Nirasca
Acquetico
Lovegno
Vessalico
Pieve di Teco
Passe de Tenarel
Piaggia
Montegrosso
Mendatica
M. Saccarello/ M.t Saccarel
Montegrosso Pian Latte
Ponti
Tetti Parodo
M. Fronte
C. Garezzo
Verdéggia
Passo della Guardia
M. Monega
Cenova
Calderara
Muzio
Lavina
Borniga
Realdo
Rezzo
Fontan
Creppo
Bregalla
Case Castagna
Corte
San Bernardo di Conio
San Bartolomeo
Saorge
Mt Peyrevieille/ M. Pietravecchia
C. Melosa
Loreto
Triora
Andagna
Passo di Téglia
C. di Oggia
Caravonica
Aurigo
Poggialto
Conio
Borgomaro
Lucinasco
Ville San Pietro
Ville San Sebastiano
Molini di Triora
Cetta
Agaggio Superiore
C. di Langan
Buggio
Nervia
Costa
Aigovo
Carpasio
Glori
Gorges de Saorge
L'Arpette
CANTOUR
Breil-sur-Roya
Pigna
M. Ceppo
Arzene
M. Moro
Pantasina
Pianavia
Torretta
Montalto Ligure
Canneto
Vasia
Tavole
Valloria
Molini
Col de Brouis
Castel Vittorio
San Gregorio
Ciabaudo
Vignai
Val Argentina
Badalucco
Lecchiore
Dolcedo
Bellissimi
Torrente Barbaira
Rocchetta Nervina
Baiardo
Passo Ghimbegna
M. Fauda
Costa Carnara
Pietrabruna
Torrazza
Clavi
Fanghetto
Sospel
San Michele
Airole
Olivetta
Apricale
Berzi
Isolabona
M. Bignone
Ceriana
Boscomare
Torre Papone
Civezza
Castellaro
Linguegliatta
Collabassa
Perinaldo
Verezzo
Taggia
Pompeiana
Gallinaro
Costarainera
Cipressa
Trucco
Dolceacqua
San Romolo
Sant'Antonio
Arma di Taggia
Terzorio
Castillon
Torri
Varase
Negi
San Donato
Borello
Suseneo
Moiano
Piani
Bussana Vecchia
Riva Ligure
Santo Stefano al Mare
Cavi
San Pancrazio
Calvo
Villatella
Ciaixe
Soldano
San Martino
Seborga
San Bartolomeo
Poggio
Bevera
Sant'Antonio
Seglia
Carletti
Camporosso
San Biagio della Cima
Vallebona
Madonna della Neve
Sasso di Bordighera
Coldirodi
SAN REMO
Bussana
Riva Ligure
Ste Agnès
Sealza
San Bernardo
San Lorenzo
Mortola Inf.
Latte di Ventimiglia
Vallecrosia Alta
Borghetto San Nicolò
San Giacomo
Termini
Ospedaletti
Montenero
Grimaldi
Villa Hanbury
Mortola Sup.
Ventimiglia
Vallecrosia
Bordighera
C. Nero
Cala S. Ampelio
Roquebrune
MENTON
Cap-Martin
MONTE-CARLO
MONACO

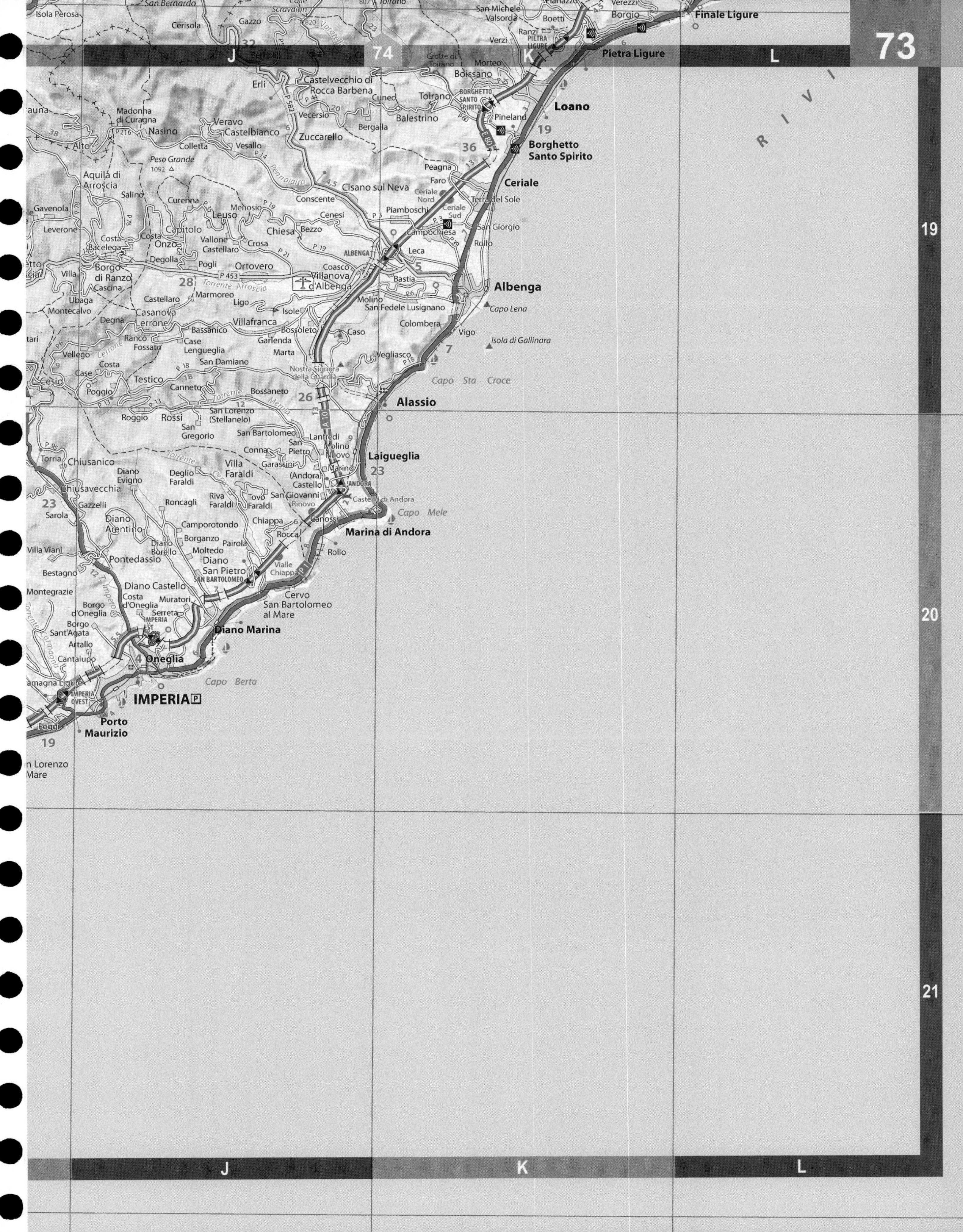
Finale Ligure
Pietra Ligure
Loano
Borghetto
Santo Spirito
Ceriale
Albenga
Alassio
Laigueglia
Marina di Andora
Diano Marina
Oneglia
IMPERIA
Porto
Maurizio
Capo Lena
Isola di Gallinara
Capo Sta Croce
Capo Mele
Capo Berta
Cervo
San Bartolomeo
al Mare
Toirano
Boissano
Balestrino
Zuccarello
Castelvecchio di
Rocca Barbena
Cisano sul Neva
Villanova
d'Albenga
Ortovero
Villafranca
Garlenda
Testico
Pontedassio
Diano Castello
Diano
San Pietro
Chiusanico
Chiusavecchia
Nasino
Castelbianco
Leca
Bastia
Vigo
Colombera
J
K
L
19
20
21
74

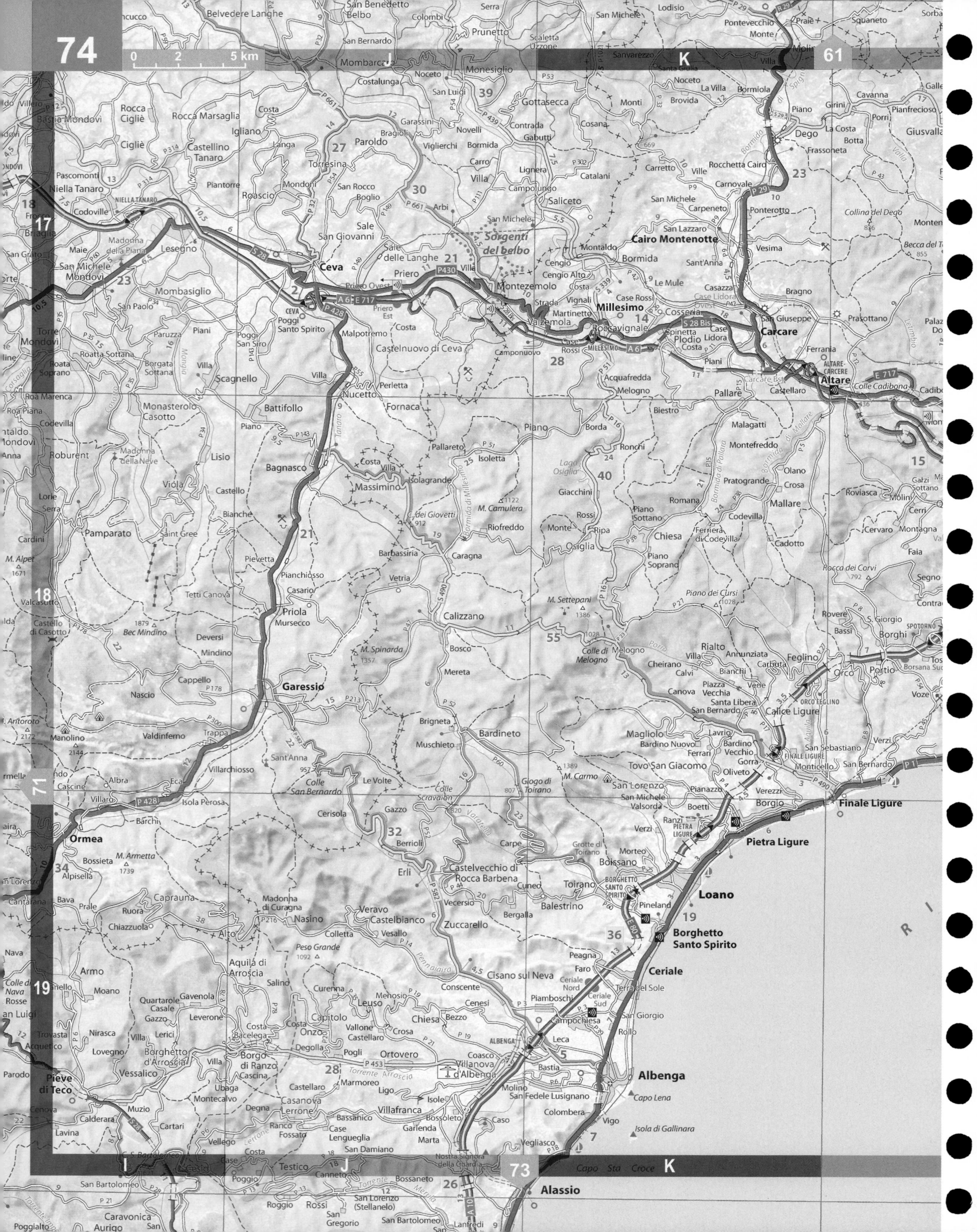

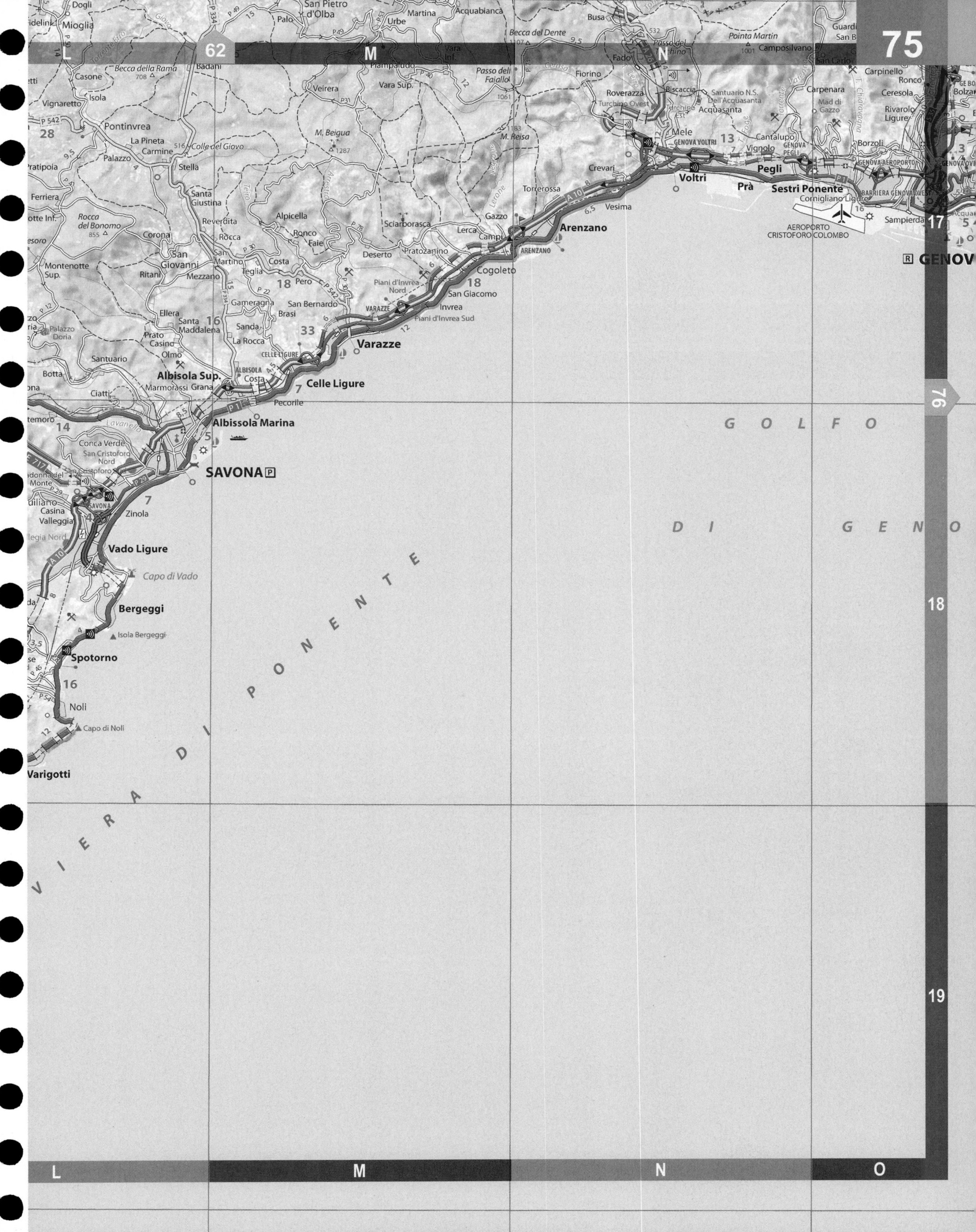

GOLFO

DI GENO

R I V I E R A   D I   P O N E N T E

Dogli
Mioglia
San Pietro d'Olba
Palo
Martina
Acquabianca
Urbe
Becca del Dente
Busa
Pointa Martin
Camposilvano
Guardi
San B
Carpinello
fidelink
Casone
Becca della Rama
708
Badani
Piampaludo
Vara Inf.
Passo del Rhino
Fado
Ronco
Ceresola
San Cardo
Vignaretto
Isola
Veirera
Vara Sup.
Passo dei Faiallo
Fiorino
Roverazza
Biscaccia
Santuario N.S. Dell'Acquasanta
Carpenara
Mad di Gazzo
Rivarolo Ligure
Pontinvrea
La Pineta Carmine
Colle del Giovo
M. Beigua
Turchino Ovest
Archino
Acquasanta
Mele
GENOVA VOLTRI
Cantalupo
Borzoli
Pratipoia
28
Palazzo
Stella
M. Reisa
1287
Crevari
Vignolo
GENOVA PEGLI
GENOVA AEROPORTO
GENOVA VI
Ferriera
Santa Giustina
Reverdita
Alpicella
Torrerossa
Vesima
Voltri
Prà
Pegli
Sestri Ponente
BARRIERA GENOVA OVEST
Rocca del Bonomo
855
Corona
Rocca
Ronco Faie
Sciarborasca
Gazzo
Arenzano
Cornigliano Ligure
Acqua
tte Inf.
San Martino
Costa
Deserto
Pratozanino
ARENZANO
AEROPORTO CRISTOFORO COLOMBO
Sampierda
17
5
Montenotte Sup.
San Giovanni
Teglia
Pero
18
Piani d'Invrea Nord
Cogoleto
Ritani
Mezzano
18
Lerca
Campi
R GENOV
Botta
Ellera
Santa Maddalena
Gameragna
San Bernardo
Brasi
VARAZZE
San Giacomo
Invrea
Piani d'Invrea Sud
ria
Palazzo Doria
Prato Casino
16
Sanda
La Rocca
33
Varazze
Santuario
Olmo
CELLE LIGURE
Ciatti
Marmorassi
Grana
ALBISOLA Costa
Albisola Sup.
7
Celle Ligure
temoro
14
Lavanella
ALBISOLA
Pecorile
Conca Verde
San Cristoforo Nord
Albissola Marina
onca del Monte
San Cristoforo
SAVONA
uiliano
Casina Valleggia
SAVONA
7
Zinola
llegia Nord
Vado Ligure
Capo di Vado
da
Bergeggi
Isola Bergeggi
3,5
Spotorno
se
16
Noli
Capo di Noli
Varigotti

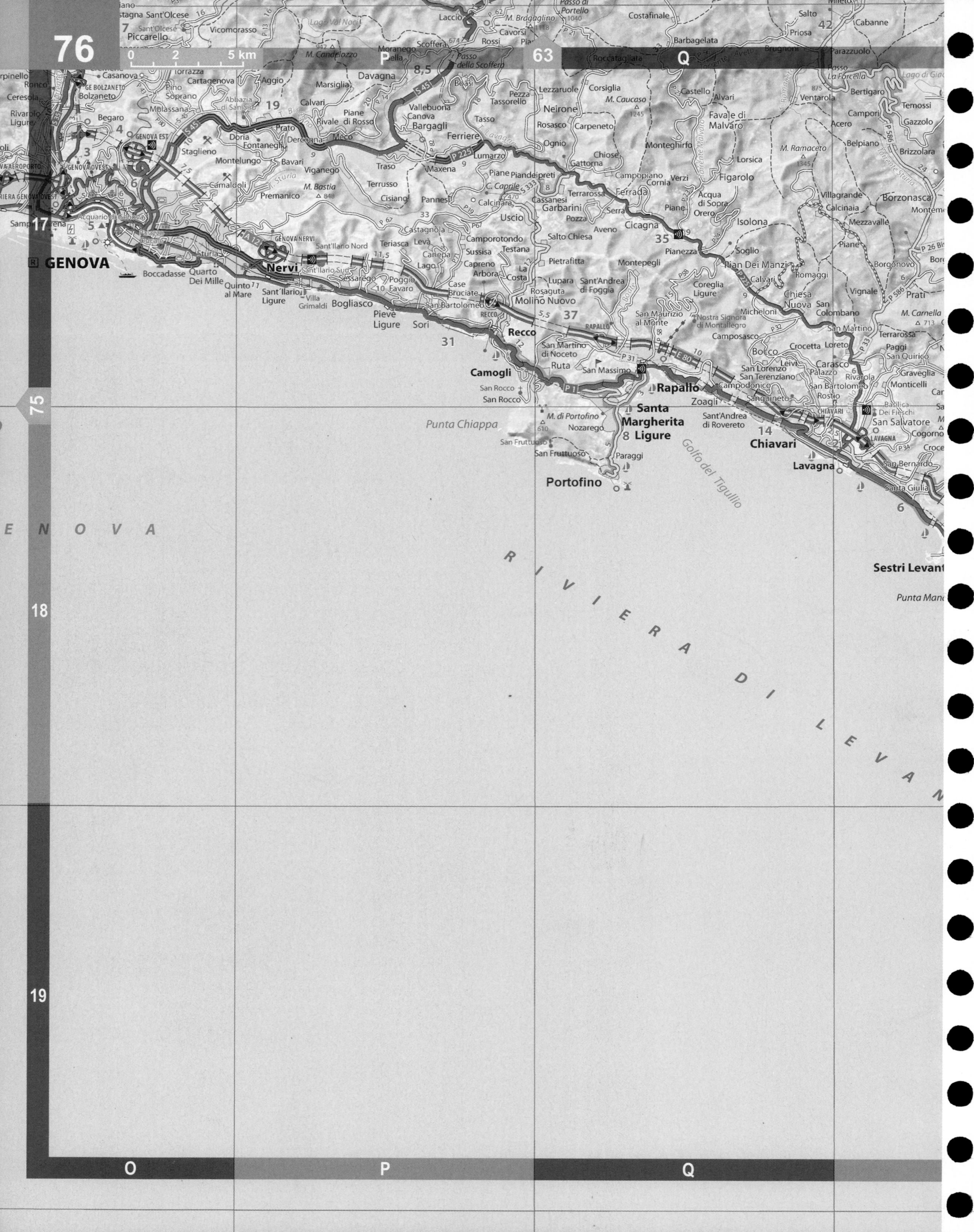
0 2 5 km
63
75
P
Q
O
17
18
19
GENOVA
Nervi
Boccadasse
Quarto Dei Mille
Quinto al Mare
Sant'Ilario Ligure
Villa Grimaldi
Bogliasco
Pieve Ligure
Sori
Recco
Camogli
San Rocco
Punta Chiappa
M. di Portofino
Nozarego
San Fruttuoso
Portofino
Paraggi
Santa Margherita Ligure
Rapallo
San Massimo
Ruta
San Martino di Noceto
Zoagli
Sant'Andrea di Rovereto
Chiavari
Lavagna
Golfo del Tigullio
Sestri Levante
Punta Manc
Santa Giulia
San Bernardo
San Salvatore
Cogorno
Basilica dei Fieschi
Sanguineto
Campodonico
San Lorenzo
San Terenziano
Leivi
Carasco
Rivarola
Bocco
Camposasco
Montallegro
San Maurizio al Monte
Molino Nuovo
Case Bruciate
San Bartolomeo
Sant'Ilario Nord
Sant'Ilario Sud
Sessarego
Poggio Favaro
Lago
Canepa
Leva
Teriasca
Castagnola
Capreno
Arbora
La Costa
Sussisa
Testana
Camporotondo
Uscio
Calcinara
C. Caprile
Lupara
Rosaguta
Sant'Andrea di Foggia
Pietrafitta
Salto Chiesa
Montepegli
Aveno
Cicagna
Coreglia Ligure
Pianezza
Soglio
Pian Dei Manzi
Calvari
Romaggi
Chiesa Nuova
San Colombano
Micheloni
San Martino
Terrarossa
Paggi
San Quirico
Graveglia
Monticelli
Vignale
Prati
M. Carnella
Borgonovo
Piane
Mezzavalle
Villagrande
Calcinaia
Borzonasca
Isolona
Orero
Acqua di Sopra
Piane
Figarolo
Ferrada
Serra
Terrarossa
Cassanesi
Garbarini
Pozza
Piandeipreti
Verzi
Cornia
Campopiano
Gattorna
Chiose
Lorsica
Monteghirfo
Favale di Malvaro
Ognio
Rosasco
Carpeneto
Neirone
Lezzaruole
Corsiglia
M. Caucaso
Castello
Alvari
Barbagelata
Costafinale
Roccatagliata
Brugnoni
Parazzuolo
Passo La Forcella
Ventarola
Bertigaro
Temossi
Campori
Gazzolo
Acero
Belpiano
Brizzolara
M. Ramaceto
Mileto
Salto
Priosa
Cabanne
Passo di Portello
M. Bragaglino
Laccio
Cavorsi
Rossi
Scoffera
Passo della Scoffera
Moranego
Davagna
Marsiglia
Calvari
Piane di Rosso
Rivale
Vallebuona
Canova
Bargagli
Ferriere
Lumarzo
Tasso
Pezza
Tassorello
Maxena
Traso
Piane
Terrusso
Cisiano
Pannesi
Viganego
M. Bastia
Premanico
Bavari
Montelungo
Staglieno
Fontanegli
Doria
Prato
Dercogna
Meco
Camaldoli
Aggio
Cartagenova
Pino Soprano
Molassana
Abbazia di San Siro
Torrazza
Casanova
Bolzaneto
GE BOLZANETO
Ceresola
Rivarolo Ligure
Begaro
GENOVA EST
GENOVA OVEST
GENOVA NERVI
Acquario di Genova
Sturla
Sant'Olcese
Vicomorasso
Piccarello
Lago Val Noci
M. Candelozzo
RAPALLO
RECCO
CHIAVARI
LAVAGNA
E N O V A
RIVIERA DI LEVAN

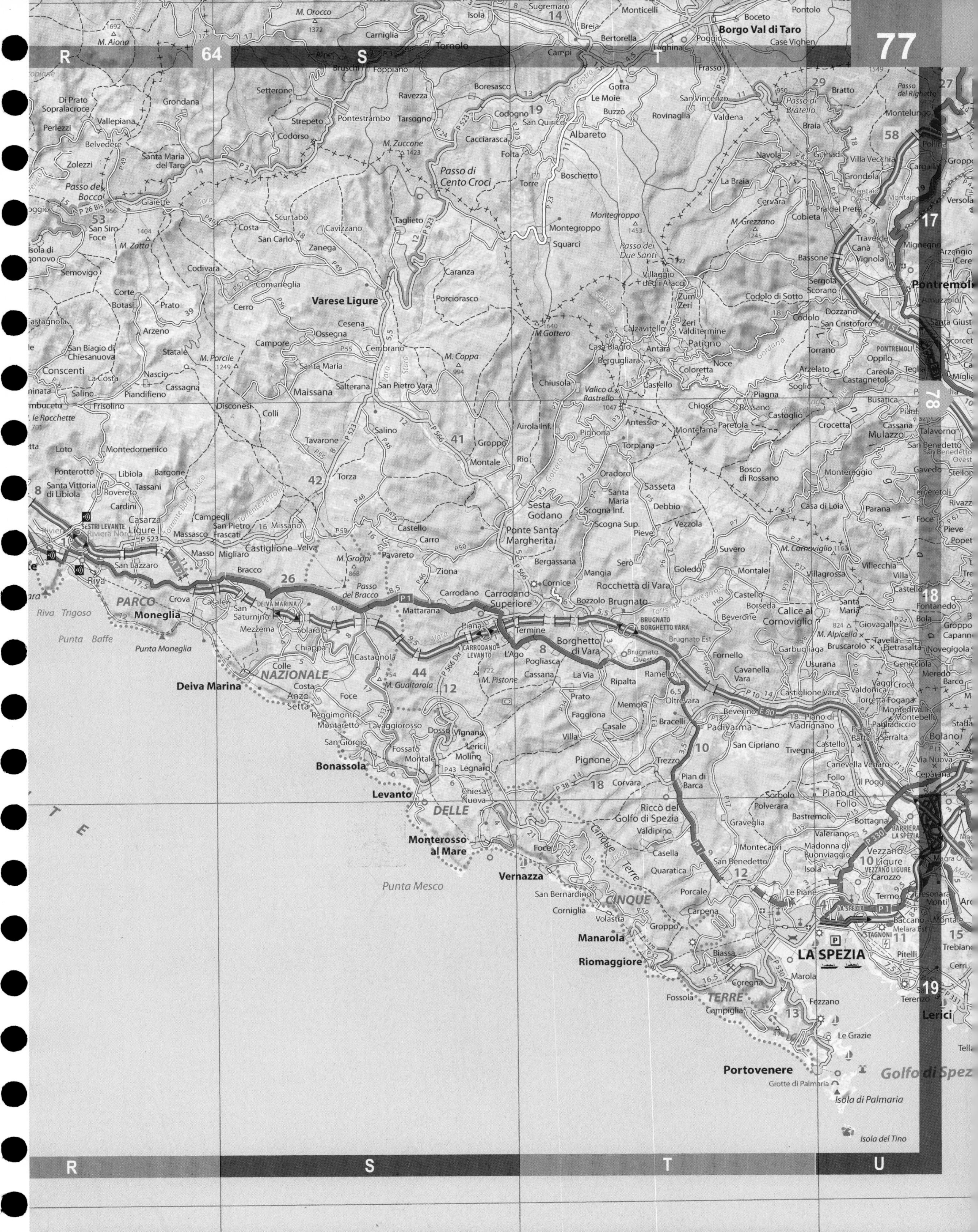

R
S
T
U
64
78
Borgo Val di Taro
Tornolo
Varese Ligure
Sestri Levante
Moneglia
Deiva Marina
Bonassola
Levanto
Monterosso al Mare
Vernazza
Corniglia
Manarola
Riomaggiore
Portovenere
LA SPEZIA
Lerici
Pontremoli
Mulazzo
Albareto
Zeri
Sesta Godano
Brugnato
Borghetto di Vara
Carrodano Superiore
Calice al Cornoviglio
Rocchetta di Vara
Maissana
Castiglione Chiavarese
Casarza Ligure
Vezzano Ligure
Riccò del Golfo di Spezia
Passo di Cento Croci
Passo del Bocco
Passo del Bracco
Passo dei Due Santi
M. Gottero
Punta Mesco
Punta Moneglia
Punta Baffe
Riva Trigoso
PARCO NAZIONALE DELLE CINQUE TERRE
Golfo di Spezia
Isola di Palmaria
Isola del Tino
Grotte di Palmaria

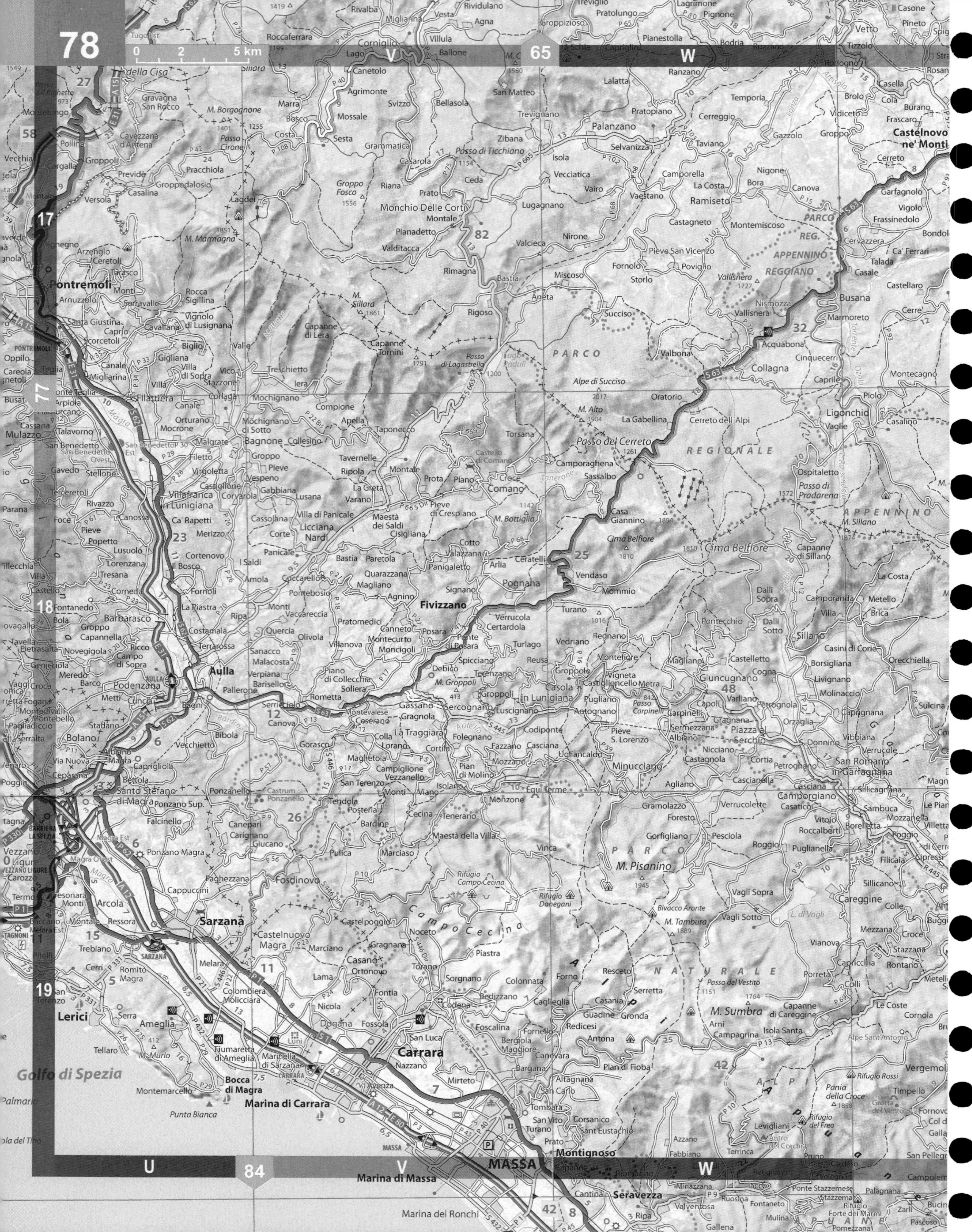
0 2 5 km
65
V
W
U
84
V
W
58
77
17
18
19
Pontremoli
Arnuzzolo
Santa Giustina
Filattiera
Mulazzo
Villafranca in Lunigiana
Bagnone
Licciana Nardi
Fivizzano
Aulla
Podenzana
Bolano
Santo Stefano di Magra
Sarzana
Castelnuovo Magra
Fosdinovo
Lerici
Ameglia
Bocca di Magra
Marina di Carrara
Carrara
Golfo di Spezia
Punta Bianca
Montemarcello
MASSA
Marina di Massa
Marina dei Ronchi
Montignoso
Seravezza
Casola in Lunigiana
Comano
Monchio Delle Corti
Palanzano
Ramiseto
Collagna
Ligonchio
Busana
Castelnovo ne' Monti
Vetto
Passo del Cerreto
Passo di Lagastrello
Passo di Ticchiano
Passo Cirone
Alpe di Succiso
M. Alto
Cima Belfiore
M. Sillano
Passo di Pradarena
PARCO
REGIONALE
APPENNINO
PARCO REG. APPENNINO REGGIANO
Sillano
Piazza al Serchio
Minucciano
Giuncugnano
San Romano in Garfagnana
Camporgiano
Vagli Sopra
Vagli Sotto
M. Pisanino
M. Tambura
M. Sumbra
Campo Cecina
Rifugio Campo Cecina
Rifugio Donegani
Bivacco Aronte
ALPI APUANE
PARCO NATURALE
Passo del Vestito
Equi Terme
Vinca
Isola Santa
Castrum Ponzanello
Luni
M. Marmagna
M. Borgognone
Lagdei
Castello di Comano
Vergemoli
Rifugio Rossi
Pania della Croce
Careggine
Vianova

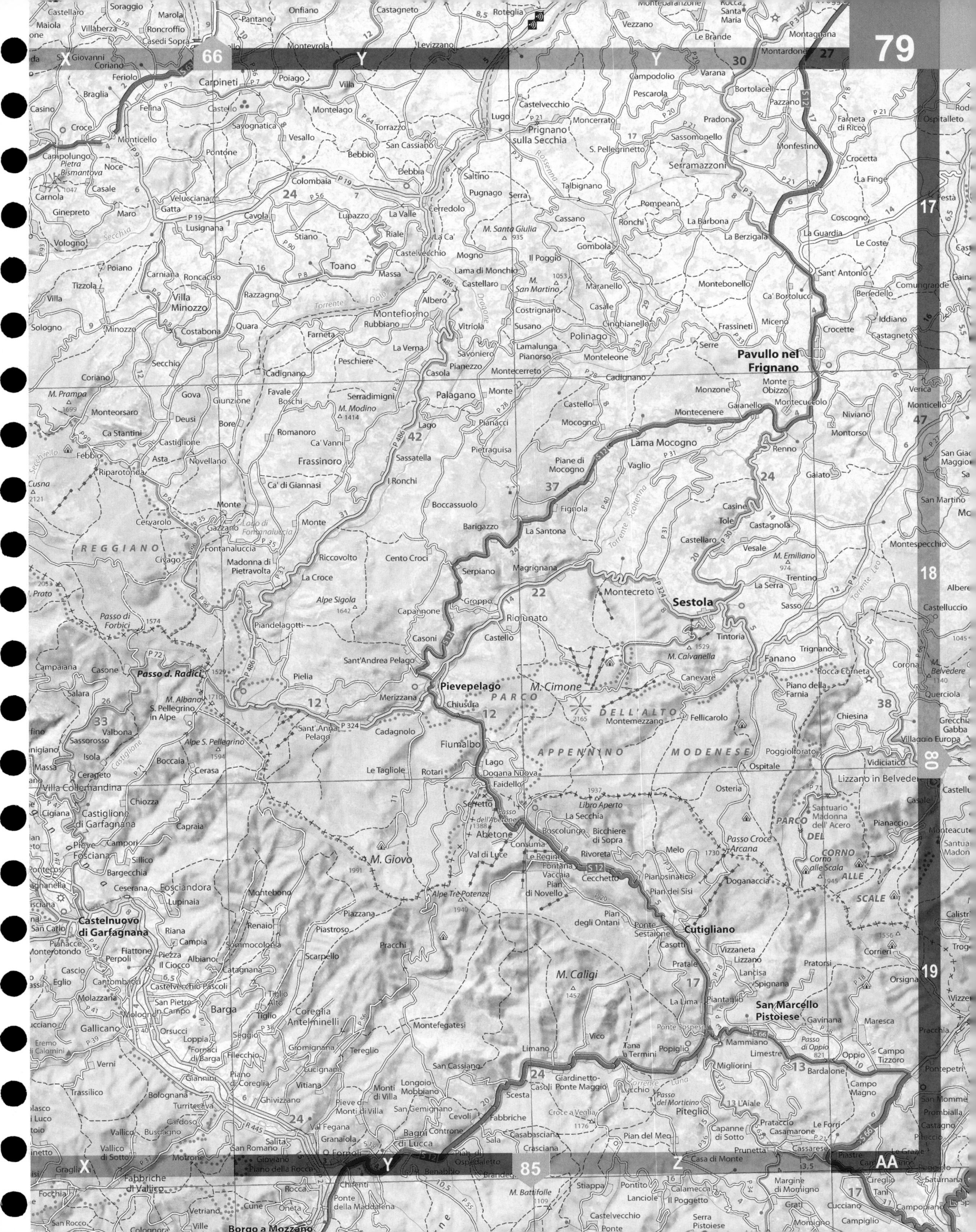

66
X
Y
Z
AA
85
Castellaro
Soraggio
Marola
Onfiano
Castagneto
Roteglia
Vezzano
Maiola
Villaberza
Roncroffio
Pantano
Casedi Sopra
Montevrola
Levizzano
Le Brande
Montagnana
Montardone
San Giovanni
Coriano
Feriolo
Carpineti
Poiago
Villa
Campodolio
Varana
Pescarola
Bortolacelli
Pazzano
Braglia
Felina
Castello
Montelago
Castelvecchio
Moncerrato
Pradona
Farneta di Ricco
Ospitalletto
Casino
Croce
Savognatica
Torrazzo
Lugo
Prignano sulla Secchia
Sassomonello
Monticello
Vesallo
San Cassiano
S. Pellegrinetto
Monfestino
Campolungo
Pietra Bismantova
Pontone
Bebbio
Serramazzoni
Crocetta
Noce
Debbia
Saltino
La Finge
Carnola
Casale
Colombaia
Pugnago
Serra
Talbignano
Festà
Veluçciana
Cerredolo
Pompeano
Ginepreto
Maro
Gatta
Cavola
Lupazzo
La Valle
Cassano
Ronchi
La Barbona
Coscogno
Lusignana
Riale
La Ca'
M. Santa Giulia
La Berzigala
La Guardia
Vologno
Stiano
Castelvecchio
Mogno
Il Poggio
Gombola
Le Coste
Poiano
Toano
Massa
Lama di Monchio
Sant' Antonio
Tizzola
Carniana
Roncaciso
Castellaro
M. San Martino
Maranello
Montebonello
Comungrande
Villa
Villa Minozzo
Razzagno
Albero
Casale
Ca' Bortolucci
Benedello
Montefiorino
Costrignano
Rubbiano
Vitriola
Susano
Cinghianello
Frassineti
Miceno
Iddiano
Sologno
Minozzo
Costabona
Quara
Farneta
Polinago
Crocette
Castagneto
Lamalunga
Pianorso
Serre
La Verna
Savoniero
Pavullo nel Frignano
Secchio
Peschiere
Pianezzo
Monteleone
Coriano
Cadignano
Casola
Montecerreto
Cadignano
Monte Obizzo
M. Prampa
Gova
Giunzione
Favale
Serradimigni
Palagano
Monte
Monzone
Verica
Boschi
M. Modino
Castello
Gaianello
Montecuccolo
Niviano
Monticello
Monteorsaro
Deusi
Bore
Lago
Pianacci
Mocogno
Montecenere
Montorso
Ca Stantini
Romanoro
Castiglione
Ca' Vanni
Pietraguisa
Lama Mocogno
Renno
Febbio
Asta
Novellano
Frassinoro
Sassatella
Vaglio
San Giacomo Maggiore
Riparotonda
Piane di Mocogno
Gaiato
Cusna
I Ronchi
Ca' di Giannasi
Monte
Boccassuolo
Fignola
Casine
San Martino
Tole
Cervarolo
Gazzano
Lago di Fontanaluccia
Monte
Barigazzo
La Santona
Castagnola
Castellaro
REGGIANO
Fontanaluccia
Montespecchio
Civago
Madonna di Pietravolta
Riccovolto
Cento Croci
Vesale
M. Emiliano
Serpiano
Magrignana
La Croce
Trentino
Prato
Montecreto
La Serra
Albere
Sestola
Castelluccio
Alpe Sigola
Groppo
Passo di Forbici
Capannone
Riolunato
Sasso
Piandelagotti
Tintoria
Casoni
Castello
M. Calvanella
Trignano
Campaiana
Casone
Sant'Andrea Pelago
Fanano
Passo d. Radici
Rocca Corneta
Corona
M. Belvedere
Pielia
Canevare
Salara
M. Albano
Pievepelago
M. Cimone
Piano della Farnia
Querciola
S. Pellegrino in Alpe
Merizzana
PARCO
Chiusura
DELL'ALTO
Fellicarolo
Chiesina
Valbona
Montemezzano
Grecchia
Gabba
Sassorosso
Sant' Anna Pelago
Cadagnolo
Villaggio Europa
Alpe S. Pellegrino
Fiumalbo
APPENNINO
MODENESE
Poggioforato
Isola
Boccaia
Vidiciatico
Massa
Cerasa
Ospitale
Ceragelo
Lago
Le Tagliole
Rotari
Dogana Nuova
Lizzano in Belvedere
Faidello
Osteria
Villa Collemandina
Castellino
Chiozza
Libro Aperto
Santuario Madonna dell' Acero
Casale
Serretto
La Secchia
Cigiana
Castiglione di Garfagnana
Passo dell'Abetone
PARCO
Pianaccio
Bicchiere di Sopra
Capraia
Boscolungo
DEL
Abetone
Monteacuto
Pieve Fosciana
Campori
Consuma
Melo
Passo Croce Arcana
CORNO
Santuario Madon
M. Giovo
Val di Luce
Le Regine
Rivoreta
Sillico
Corno alle Scala
Bargecchia
Fontana Vaccaia
Cecchetto
Pianosinatico
ALLE
Doganaccia
Pian di Novello
Pian dei Sisi
Ceserana
Fosciandora
Montebono
Alpe Tre Potenze
SCALE
Lupinaia
Piazzana
Calistri
Castelnuovo di Garfagnana
San Carlo
Renaio
Pian degli Ontani
Ponte Sestaione
Cutigliano
Riana
Piastroso
Campia
Sommocolonia
Pracchi
Pianacce
Monterotondo
Casotti
Vizzaneta
Lizzano
Corrieri
Fiattone
Piezza
Il Ciocco
Albiano
Perpoli
Scarpello
Pratorsi
Pratale
M. Caligi
Lancisa
Spignana
Cascio
Eglio
Cantombacci
Catagnana
Castelvecchio Pascoli
Orsigna
Molazzana
San Pietro in Campo
Tiglio Alto
Coreglia Antelminelli
La Lima
Piantaglio
San Marcello Pistoiese
Barga
Mologno
Tiglio
Gallicano
Montefegatesi
Gavinana
Maresca
Orsucci
Loppia
Fornaci di Barga
Seggio
Ponte Sospeso
Mammiano
Vico
Pracchia
Eremo di Calomini
Passo di Oppio
Filecchio
Tereglio
Gromignana
Limano
Tana a Termini
Popiglio
Limestre
Oppio
Campo Tizzoro
Verni
Piano di Coreglia
San Cassiano
Migliorini
Bardalone
Pontepetri
Lucignana
Giardinetto
Ponte Maggio
Trassilico
Giuncugnano
Monti di Villa
Longoio
Casoli
Scesta
Campo Magno
Lucchio
Bolognana
Turritecava
Vitiana
Mobbiano
Passo del Morticino
L'Aiale
San Mommè
Fabbriche
Piteglio
Cardoso
Pieve di Monti di Villa
San Gemignano
Cevoli
Croce a Veglia
Prataccio
Casamarone
Le Forri
Prombialla
Castagno
Vallico
Buscagno
Val Fegana
Granaiola
Controne
Casabasciana
Pian del Meo
Capanne di Sotto
Vallico di Sotto
San Romano
Salita
Bagni di Lucca
Sala
Crasciana
Prunetta
Cassarese
Pitecchio
Le Grazie
Formoli
Gragliana
Molazzana
Gioviano
Piano della Rocca
Pian di Ospedaletto
Casa di Monte
Piastre
Fabbriche di Vallico
Chifenti
Benabbio
Brandeglio
Stiappa
Pontito
Calamecca
Margine di Momigno
Cireglio
Tani
Saturnana
Focchia
Rocca
Ponte della Maddalena
M. Battifolle
Lanciole
Il Poggetto
Campiglio
Campopiano
Vetriano
Cune
Oneta
Castelvecchio
Serra Pistoiese
Gratti
Momigno
Cucciano
San Rocco
Ville
Colognora
Borgo a Mozzano
Ponte

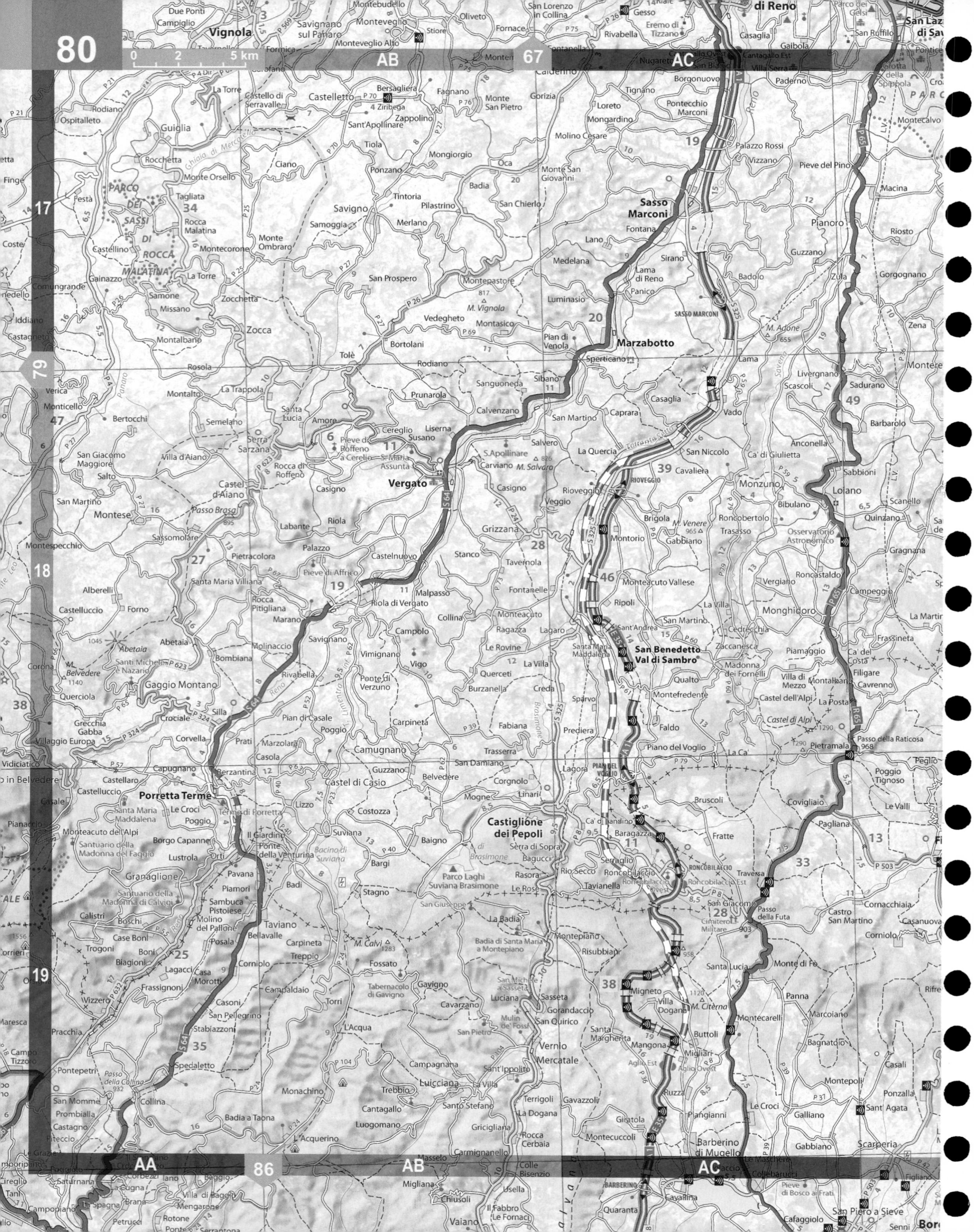

0 2 5 km
AB
67
AC
79
86
AA
AB
AC
17
18
19
Vignola
Savignano sul Panaro
Monteveglio
Monteveglio Alto
Due Ponti
Campiglio
Montebudello
Stiore
Oliveto
Fornace
San Lorenzo in Collina
Gesso
Rivabella
Eremo di Tizzano
di Reno
Casaglia
Gaibola
San Ruffillo
San Lazzaro di Savena
Nugareto
Cantagallo Ovest
Cantagallo Est
San Biagio
Villa Serra
Borgonuovo
Paderno
La Torre
Castello di Serravalle
Castelletto
Bersagliera
Ziribega
Fagnano
Monte San Pietro
Gorizia
Loreto
Tignano
Pontecchio Marconi
Mongardino
Rodiano
Ospitaletto
Guiglia
Sant'Apollinare
Zappolino
Molino Cesare
Palazzo Rossi
Vizzano
Pieve del Pino
Montecalvo
Rocchetta
Ciano
Tiola
Mongiorgio
Ponzano
Oca
Monte San Giovanni
Monte Orsello
Parco dei Sassi di Rocca Malatina
Festà
Tagliata
Rocca Malatina
Tintoria
Pilastrino
Badia
San Chierlo
Sasso Marconi
Macina
Savigno
Samoggia
Merlano
Fontana
Pianoro
Riosto
Monte Ombraro
Montecorone
Castellino
Lano
Medelana
Sirano
Guzzano
Lama di Reno
Badolo
Zula
Gorgognano
Gainazzo
Comungrande
La Torre
San Prospero
Montepastore
Samone
Zocchetta
Panico
Luminasio
M. Vignola
Missano
Vedegheto
Montasico
Zocca
Montalbano
Bortolani
Pian di Venola
Marzabotto
M. Adone
Zena
Tolè
Rodiano
Sperticano
Lama
Rosola
Sibano
Sanguoneda
Livergnano
Scascoli
Sadurano
La Trappola
Montalto
Prunarola
Casaglia
Verica
Monticello
Santa Lucia
Calvenzano
San Martino
Caprara
Vado
Bertocchi
Semelano
Amore
Cereglio
Liserna
Susano
Barbarolo
Serra Sarzana
Pieve di Roffeno
S. Maria Assunta
Salvero
La Quercia
San Niccolo
Ca' di Giulietta
Anconella
San Giacomo Maggiore
Villa d'Aiano
Rocca di Roffeno
S. Apollinare
Carviano
M. Salvaro
Cavaliera
Sabbioni
Salto
Vergato
Casigno
Casigno
Rioveggio
Monzuno
Loiano
Castel d'Aiano
San Martino
Veggio
Bibulano
Scanello
Montese
Passo Brasa
Labante
Riola
Grizzana
Brigola
M. Venere
Roncobertolo
Quinzano
Sassomolare
Montorio
Gabbiano
Trasasso
Osservatorio Astronomico
Montespecchio
Palazzo
Stanco
Tavernola
Gragnana
Pietracolora
Castelnuovo
Pieve di Affrico
Roncastaldo
Santa Maria Villiana
Monteacuto Vallese
Vergiano
Campeggio
Alberelli
Malpasso
Fontanelle
Rocca Pitigliana
Riola di Vergato
Ripoli
La Villa
Monghidoro
Castelluccio
Forno
Marano
Collina
Monteacuto
San Martino
La Martina
Sant'Andrea
Campolo
Ragazza
Lagaro
Cedrecchia
Frassineta
Abetaia
Molinaccio
Savignano
Santa Maria Maddalena
San Benedetto Val di Sambro
Zaccanesca
Piamaggio
Ca' del Costa
Corona
M. Belvedere
Santi Michele e Nazario
Bombiana
Vimignano
Le Rovine
Madonna dei Fornelli
Vigo
La Villa
Filigare
Gaggio Montano
Rivabella
Ponte di Verzuno
Querceti
Qualto
Villa di Mezzo
Montalbano
Cavrenno
Querciola
Burzanella
Creda
Montefredente
Castel dell'Alpi
La Posta
Silla
Pian di Casale
Sparvo
Crociale
Carpineta
Castel di Alpi
Grecchia
Gabba
Poggio
Fabiana
Faldo
Villaggio Europa
Corvella
Prati
Marzolara
Camugnano
Trasserra
Prediera
Piano del Voglio
La Ca'
Pietramala
Passo della Raticosa
Casola
Vidiciatico
Capugnano
Guzzano
San Damiano
Lagora
Peglio
Castellaro
Berzantina
Castel di Casio
Belvedere
Corgnolo
Bruscoli
Poggio Tignoso
Castelluccio
Porretta Terme
Linari
Mogne
Covigliaio
Le Valli
Santa Maria Maddalena
Le Croci
Terme di Porretta
Lizzo
Costozza
Castiglione dei Pepoli
Ca' di Landino
Pagliana
Monteacuto dell'Alpi
Poggio
Baragazza
Fratte
Borgo Capanne
Il Giardino
Suviana
Baigno
Santuario della Madonna del Faggio
Ponte della Venturina
Bacino di Suviana
Bargi
Serra di Sopra
Bagucci
Lustrola
Orti
Brasimone
Serraglio
Traversa
Granaglione
Pavana
Parco Laghi Suviana Brasimone
Rasora
Rio Secco
Roncobilaccio
Piamori
Badi
Tavianella
Santuario della Madonna di Calvigi
Stagno
Le Rose
Sambuca Pistoiese
San Giuseppe
San Giacomo
Passo della Futa
Cornacchiaia
Castro San Martino
Calistri
Boschi
Molino del Pallone
Taviano
La Badia
Cimitero Militare
Casanuova
Case Boni
Bellavalle
Montepiano
Corniolo
Posala
Carpineta
M. Calvi
Badia di Santa Maria a Montepiano
Trogoni
Boni
Treppio
Risubbiani
Santa Lucia
Monte di Fo
Biagioni
Corniolo
Fossato
Lagacci
Casa Morotti
Tabernacolo di Gavigno
Gavigno
San Michele a Sasseta
Migneto
Frassignoni
Campaldaio
Luciana
Sasseta
Villa Dogana
Panna
Vizzero
Casoni
Torri
Cavarzano
Gorandaccio
M. Citerna
Marcoiano
San Pellegrino
Mulin de' Fossi
San Quirico
Montecarelli
Stabiazzoni
L'Acqua
San Pietro
Vernio
Santa Margherita
Buttoli
Bagnatoio
Pracchia
Mangona
Mercatale
Migliari
Campo Tizzoro
Spedaletto
Sant'Ippolito
Aglio Est
Aglio Ovest
Casali
Pontepetri
Passo della Collina
Campagnana
Montepoli
Luicciana
La Villa
Ponzalla
San Momme
Monachino
Trebbio
Santo Stefano
Ruzza
Sant'Agata
Collina
Cantagallo
Terrigoli
Gavazzoli
Le Croci
Prombialla
Badia a Taona
Luogomano
La Dogana
Piangianni
Galliano
Castagno
Gricigliana
Giratola
Piteccio
L'Acquerino
Rocca Cerbaia
Montecuccoli
Barberino di Mugello
Gabbiano
Scarperia
Masseto
Carmignanello
Colle
Bisenzio
Le Maschere
Collebarucci
Saturnana
Migliana
Figliano
Corbezzi
La Cugna
Baggio
Villa di Baggio
Cavallina
Usella
Chiusoli
Pieve di Bosco ai Frati
Campopiano
Spagna
Mengarone
Brana
Il Fabbro
Le Fornaci
Quaranta
San Piero a Sieve
Cafaggiolo
Rotone
Petrucci
Vaiano
Senni

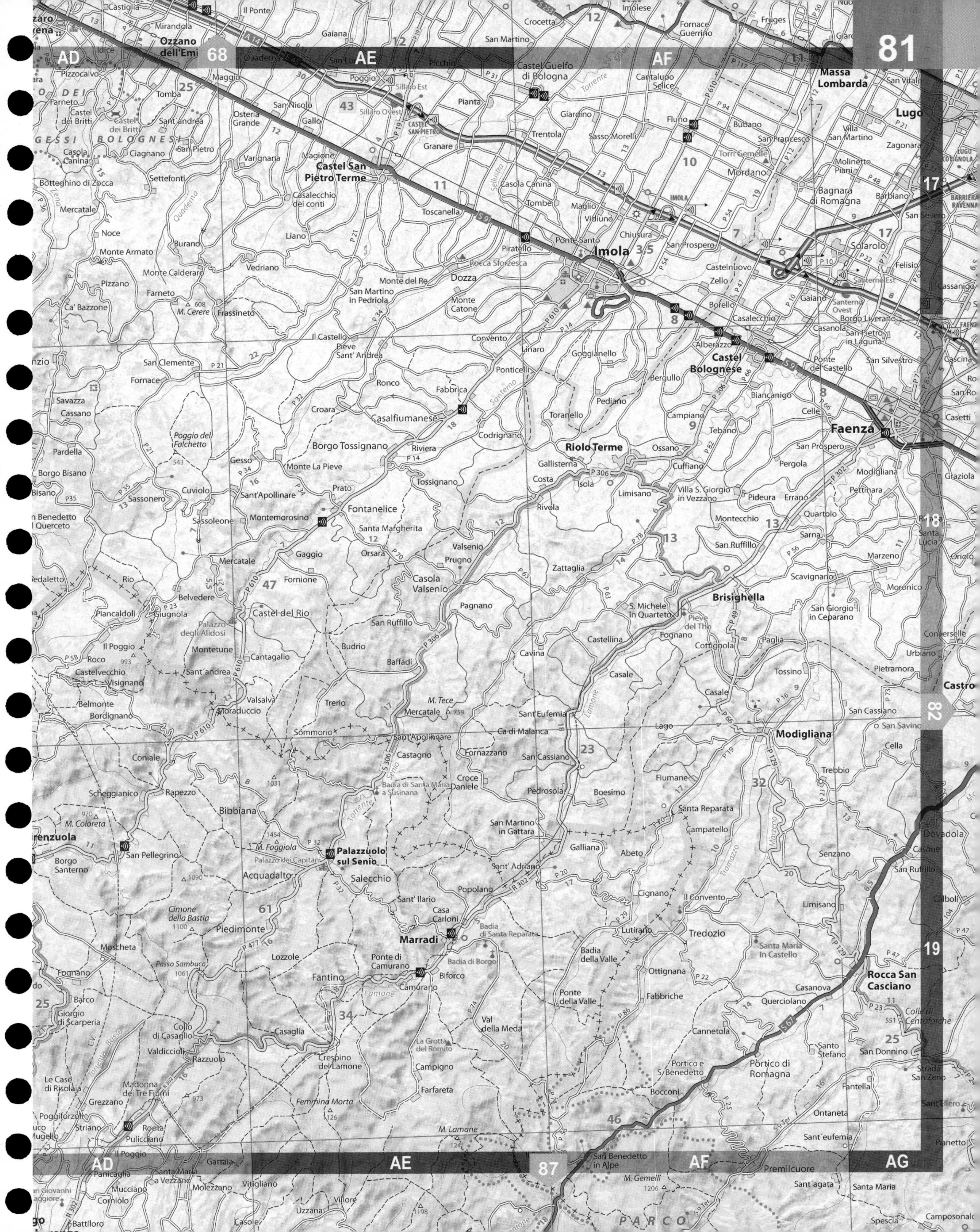
AD
AE
AF
AG
68
82
87
Ozzano dell'Emilia
Castel San Pietro Terme
Imola
Massa Lombarda
Lugo
Bagnara di Romagna
Solarolo
Castel Bolognese
Faenza
Riolo Terme
Brisighella
Modigliana
Casalfiumanese
Borgo Tossignano
Fontanelice
Casola Valsenio
Castel del Rio
Palazzuolo sul Senio
Marradi
Tredozio
Dovadola
Rocca San Casciano
Portico di Romagna
Premilcuore
Firenzuola
Dozza
Mordano
Castel Guelfo di Bologna

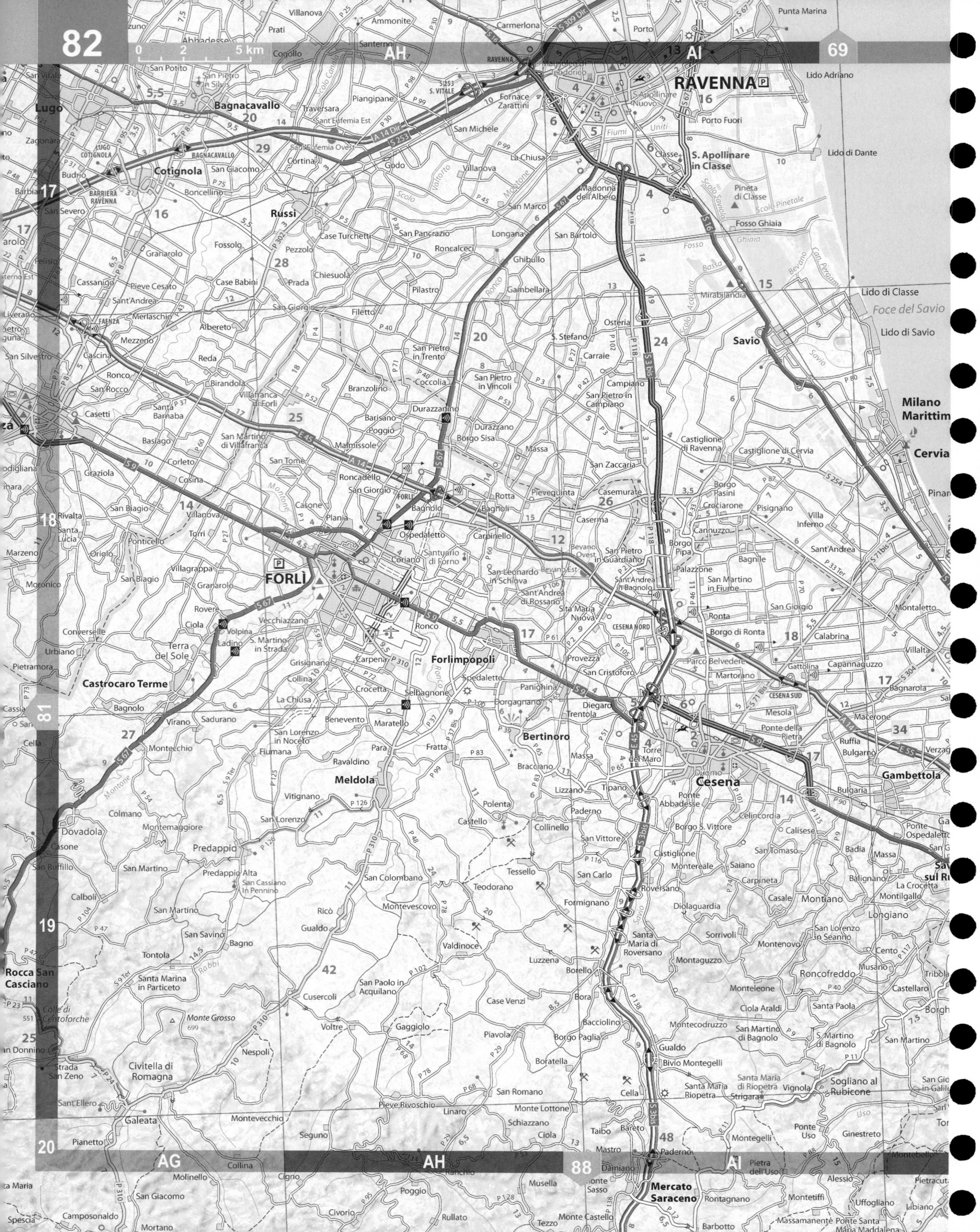
0 2 5 km
AH
AI
AG
69
81
88
17
18
19
20
RAVENNA
Lugo
Bagnacavallo
Cotignola
Russi
Faenza
FORLÌ
Forlimpopoli
Bertinoro
Cesena
Meldola
Predappio
Castrocaro Terme
Dovadola
Rocca San Casciano
Galeata
Civitella di Romagna
Mercato Saraceno
Savio
Milano Marittima
Cervia
Gambettola
Lido Adriano
Lido di Dante
Lido di Classe
Lido di Savio
Foce del Savio
Punta Marina
Porto Fuori
S. Apollinare in Classe
Pineta di Classe
Fosso Ghiaia
Mirabilandia
Castiglione di Ravenna
Castiglione di Cervia
San Pietro in Vincoli
San Pietro in Campiano
San Pietro in Trento
Durazzanino
Coccolia
Villafranca di Forlì
San Martino di Villafranca
Bagnolo
Ospedaletto
Carpinello
San Leonardo in Schiova
Sant'Andrea in Bagnolo
Sant'Andrea di Rossano
Diegaro
Calabrina
Capannaguzzo
Ruffia
Bulgarnò
Bulgaria
Saiano
Montiano
Longiano
Sogliano al Rubicone
Santa Maria di Rioppetra
Montecodruzzo
Roncofreddo
Sorrivoli
Borello
Luzzena
Teodorano
Polenta
Collinello
Fratta
Monte Grosso
699
San Paolo in Acquilano
Cusercoli
Santa Marina in Particeto
Nespoli
Strada San Zeno
Sant'Ellero
Montevecchio
Linaro
Pieve Rivoschio
San Romano
Bivio Montegelli
Gualdo
Paderno
Piavola
Bacciolino
Borgo Paglia
Case Venzi
Vitignano
San Lorenzo in Noceto
Rovere
Ciola
Terra del Sole
Villagrappa
Granarolo
Ronco
Carpena
Selbagnone
Spedaletto
Panighina
Massa
Capocolle
Torre del Moro
Tipano
Ponte Abbadesse
Borgo S. Vittore
Calisese
Sala
Macerone
Villalta
Gattolina
Pisignano
Cannuzzo
Bagnile
Ronta
Borgo di Ronta
Martorano
Parco Belvedere
Cesena Nord
Cesena Sud
S 9
S 16
S 67
S 3 bis
E 45
E 55
A 14
A 14 Dir
S 254
S 71 bis
S 309 Dir
S 253
S 304

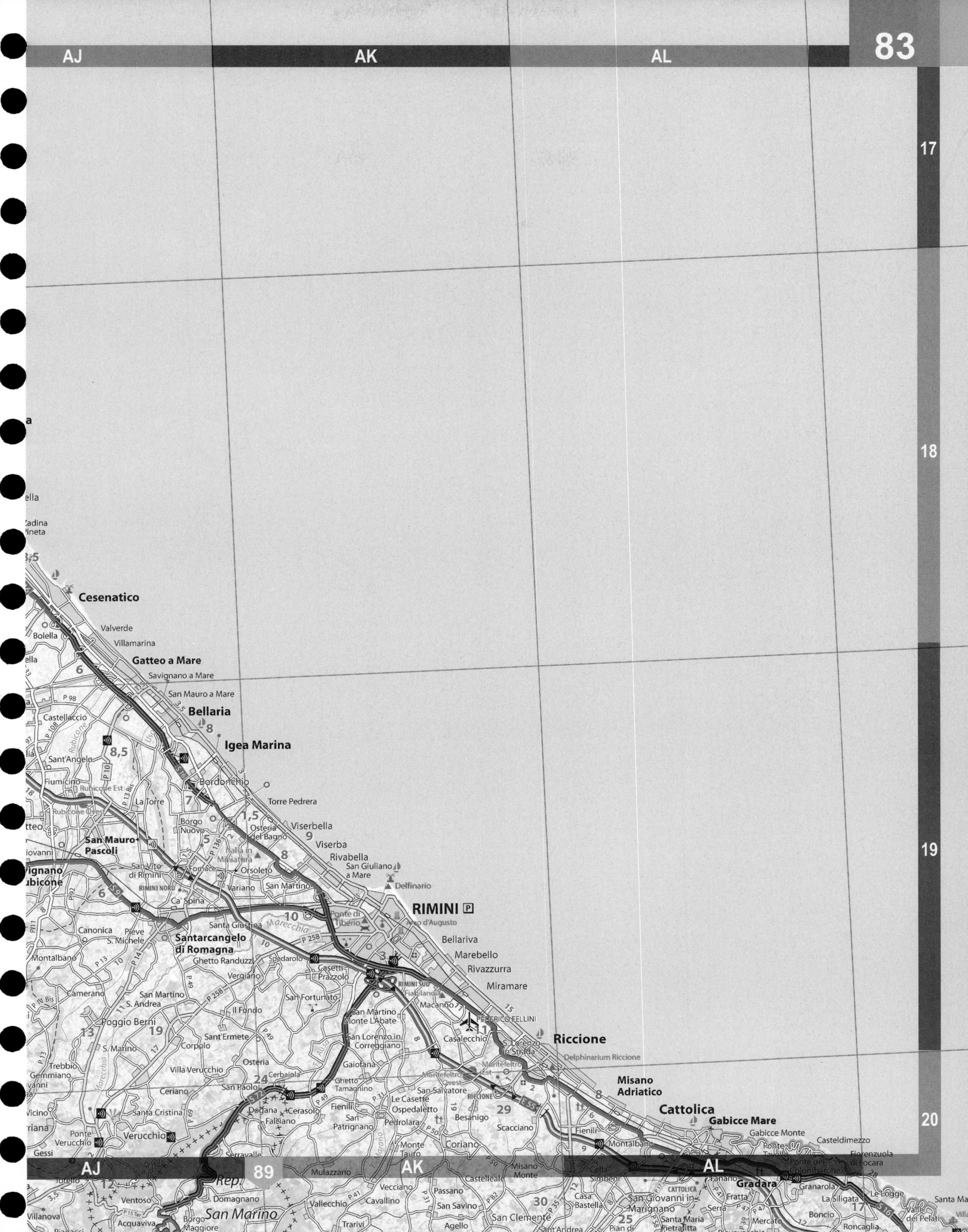

Cesenatico

Valverde
Bolella
Villamarina
ella
Gatteo a Mare
Savignano a Mare
Castellaccio
6
San Mauro a Mare
P 98
3,5
Bellaria
Sant'Angelo
8,5
8
Fiumicino
Rubicone Est
Igea Marina
La Torre
Bordonchio
7
Torre Pedrera
Borgo
Nuovo
1,5
Osteria
del Bagno
Viserbella
9
5
San Mauro+
Pascoli
San Vito
di Rimini
Fornace
8
Viserba
Rivabella
San Giuliano
a Mare
giovanni
Orsoleto
Italia in
Miniatura
rignano
ubicone
6
RIMINI NORD
Ca' Spina
Variano
San Martino
Delfinario
RIMINI P
Arco d'Augusto
Canonica
Pieve
S. Michele
**Santarcangelo
di Romagna**
Santa Giustina
Ghetto Randuzzi
Marecchia
P 258
Ponte di
Tiberio
Bellariva
Marebello
Montalbano
P 13
Vergiano
Spadarolo
Casetti
Prazzolo
3
Rivazzurra
Camerano
San Martino
S. Andrea
P 49
Il Fondo
San Fortunato
Macanno
Fiabilandia
Miramare
Poggio Berni
S. Marino
13
19
Sant'Ermete
Corpolo
San Martino
Monte L'Abate
San Lorenzo in
Correggiano
FEDERICO FELLINI
11
Casalecchio
S. Lorenzo
in Strada
Riccione
Trebbio
Gemmiano
Villa Verucchio
Osteria
24
Cerbaiola
Gaiofana
Ghetto
Tamagnino
San Salvatore
Delphinarium Riccione
vinci
Ceriano
San Paolo
Fienili
Le Casette
Ospedaletto
RICCIONE
29
**Misano
Adriatico**
Vicino
Santa Cristina
Dogana
Cerasolo
San
Patrignano
Pedrolara
Besanigo
Scacciano
Fienili
8
Cattolica
riana
Ponte
Verucchio
Verucchio
Falsiano
Monte
Tauro
Coriano
Montalbano
Gabicce Mare
Gessi

Mulazzano
Castelleale
Misano
Monte
Simbeni
Gradara
Granarola
torello
Rep
Ventoso
Domagnano
Vecciano
Passano
Casa
Bastella
CATTOLICA
San Giovanni in
Marignano
La Siligata
Boncio
Santa Mar
Villanova
Borgo
Maggiore
San Marino
Vallecchio
Cavallino
San Savino
San Clemente
Pian di
30
25
Santa Maria
Pietrafitta
Mercato
dei Pelati
Villa
Acquaviva
Pianacci
Trarivi
Agello
San'Andrea
Roncaglia

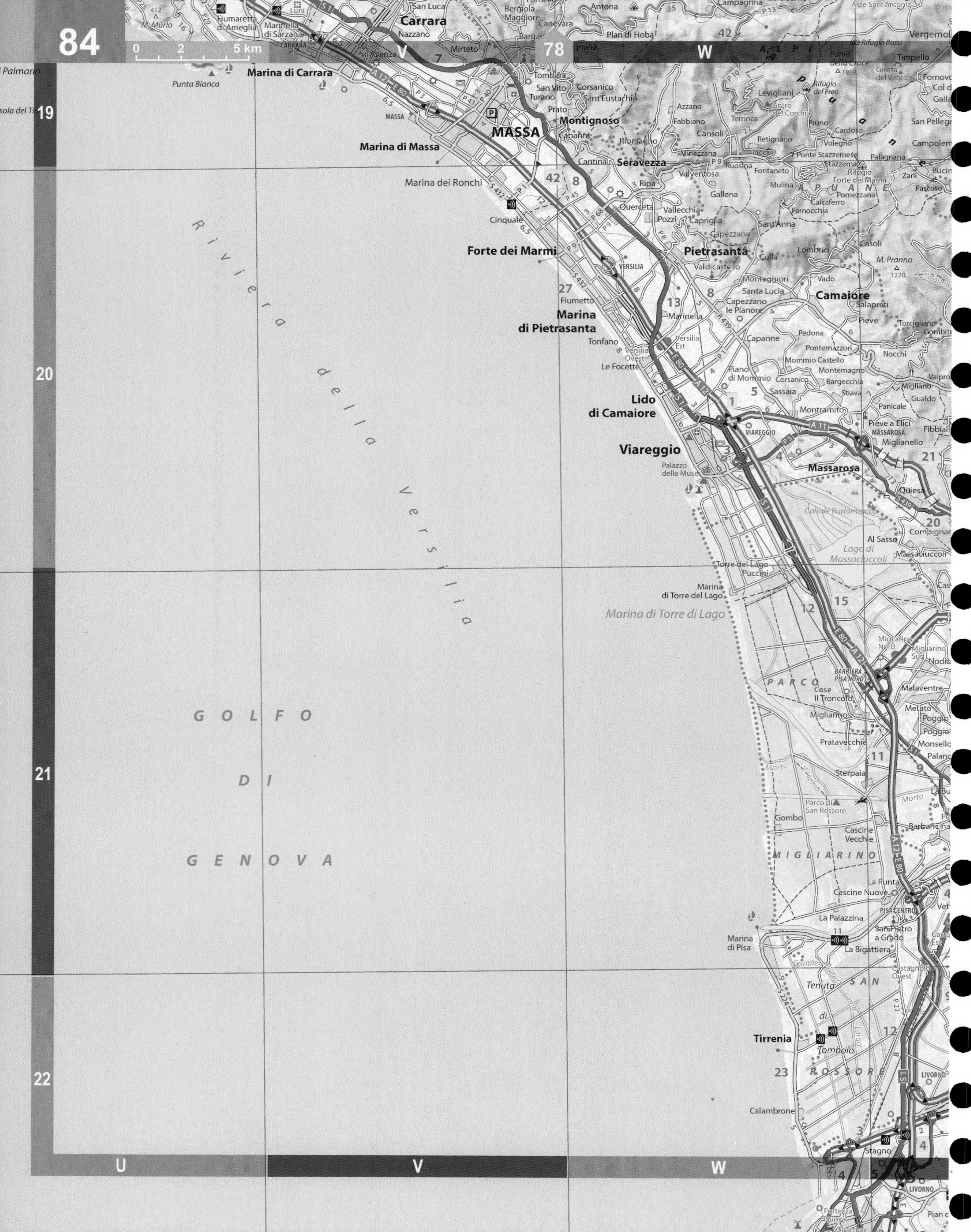
Carrara
Marina di Carrara
MASSA
Marina di Massa
Montignoso
Seravezza
Forte dei Marmi
Pietrasanta
Camaiore
Marina di Pietrasanta
Lido di Camaiore
Viareggio
Massarosa
Riviera della Versilia
Lago di Massaciuccoli
Marina di Torre di Lago
GOLFO DI GENOVA
Marina di Pisa
Tirrenia
Calambrone
LIVORNO
U
V
W
19
20
21
22
78
0 2 5 km

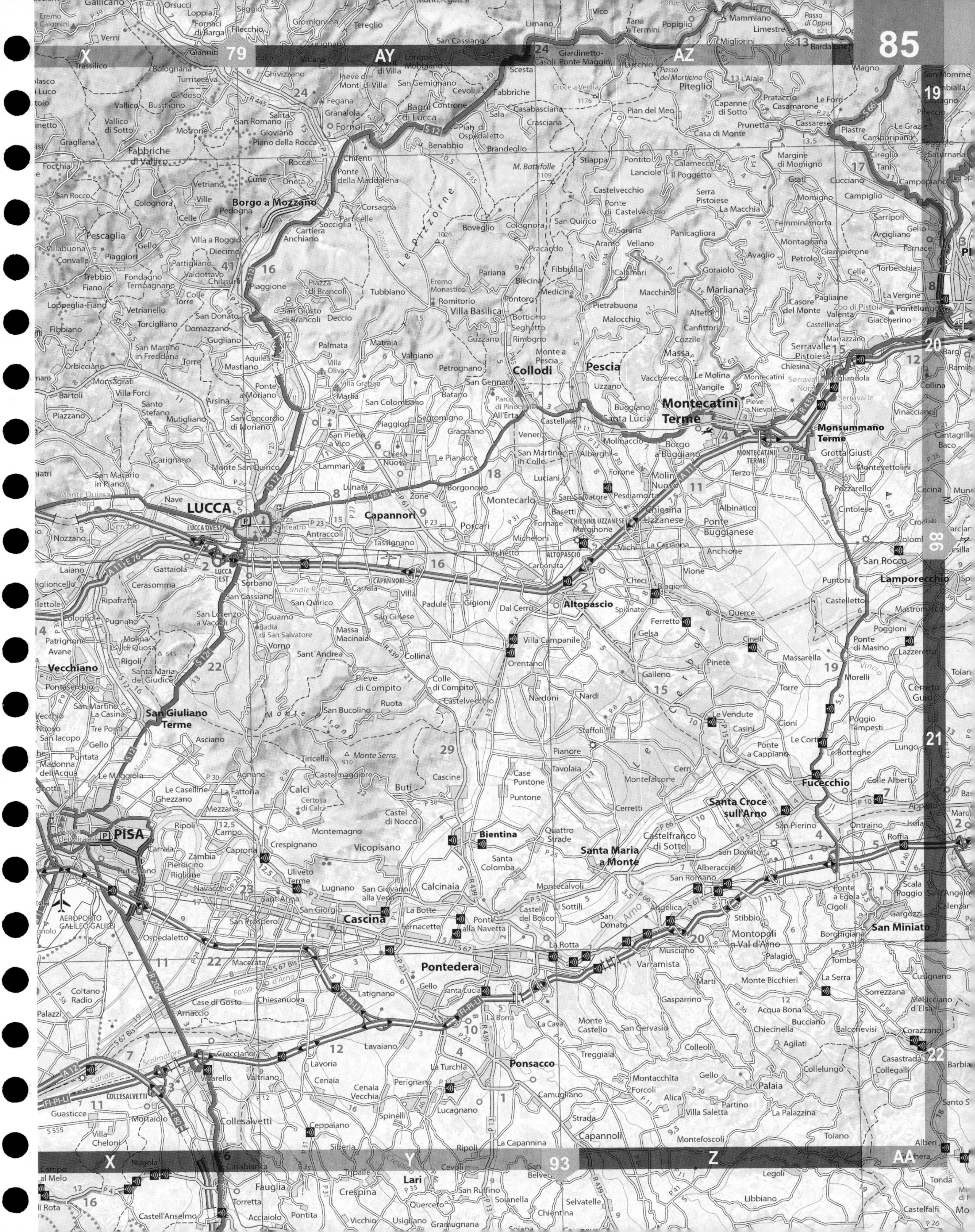
X
79
AY
AZ
19
20
21
22
86
93
Z
AA
Y
Borgo a Mozzano
Pescaglia
LUCCA
Capannori
Montecarlo
Porcari
Altopascio
Collodi
Pescia
Montecatini Terme
Monsummano Terme
Serravalle Pistoiese
Lamporecchio
Fucecchio
Santa Croce sull'Arno
Castelfranco di Sotto
Santa Maria a Monte
San Miniato
Bientina
Calcinaia
Cascina
Pontedera
Ponsacco
Palaia
Vicopisano
Calci
Buti
San Giuliano Terme
Vecchiano
PISA
AEROPORTO GALILEO GALILEI
Collesalvetti
Capannoli
Lari
Crespina
Fauglia
Montopoli in Val d'Arno
Marliana
Villa Basilica
Bagni di Lucca
Fabbriche di Vallico
Monte Serra
Le Pizzorne
Arno
Pieve di Compito
Orentano
Massa
Tubbiano
Lucca Ovest
Lucca Est
Capannori
Altopascio
Montecatini Terme
Chiesina Uzzanese
Collesalvetti

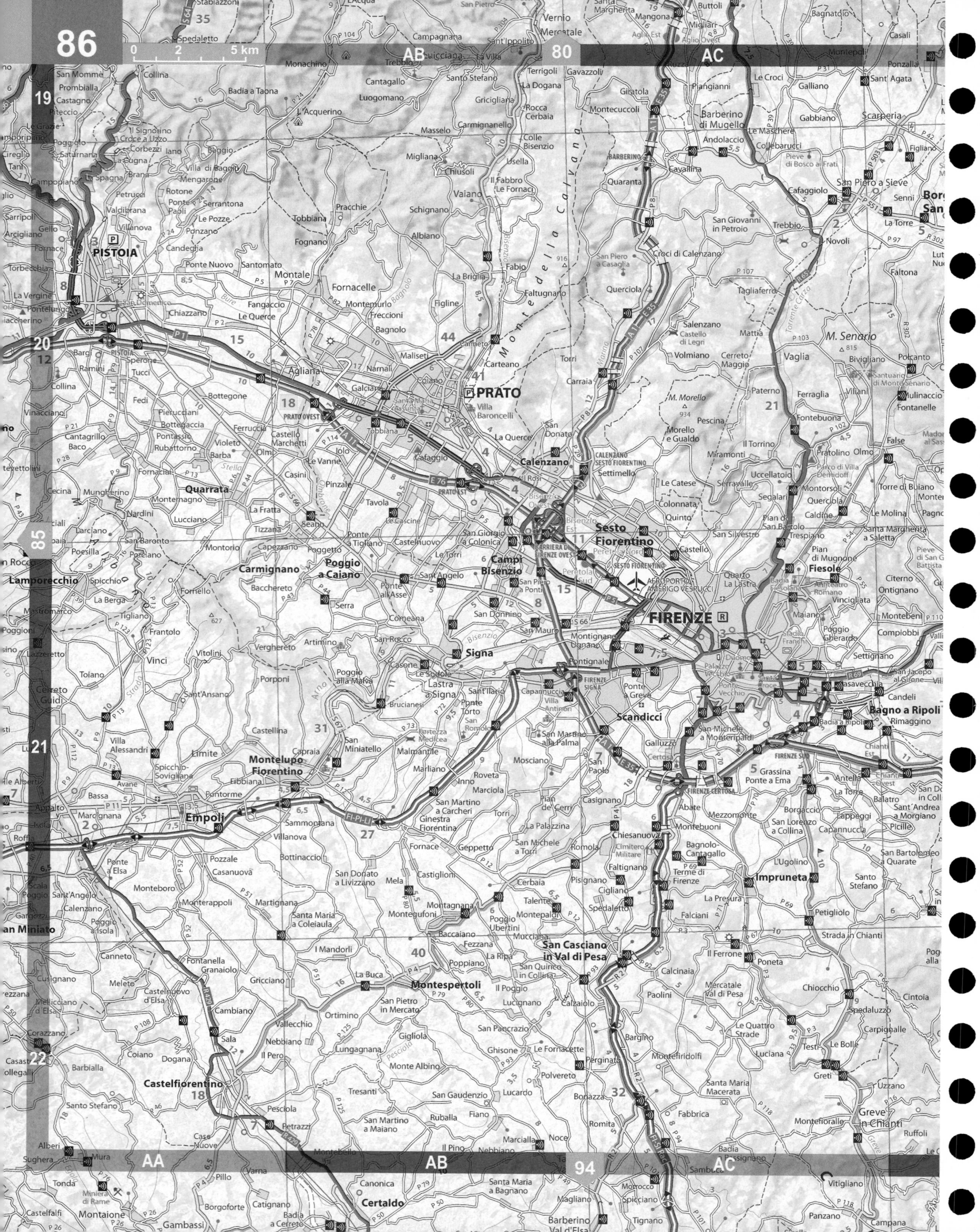

PISTOIA
PRATO
FIRENZE
Sesto Fiorentino
Calenzano
Campi Bisenzio
Scandicci
Fiesole
Bagno a Ripoli
Impruneta
Empoli
Montelupo Fiorentino
Castelfiorentino
Certaldo
Montespertoli
San Casciano in Val di Pesa
Greve in Chianti
Lastra a Signa
Signa
Carmignano
Poggio a Caiano
Quarrata
Vinci
Lamporecchio
Montale
Agliana
Vaiano
Barberino di Mugello
San Piero a Sieve
Vaglia
Monte della Calvana
M. Senario
M. Morello
AEROPORTO AMERIGO VESPUCCI
AB
AC
AA
80
94
85
19
20
21
22

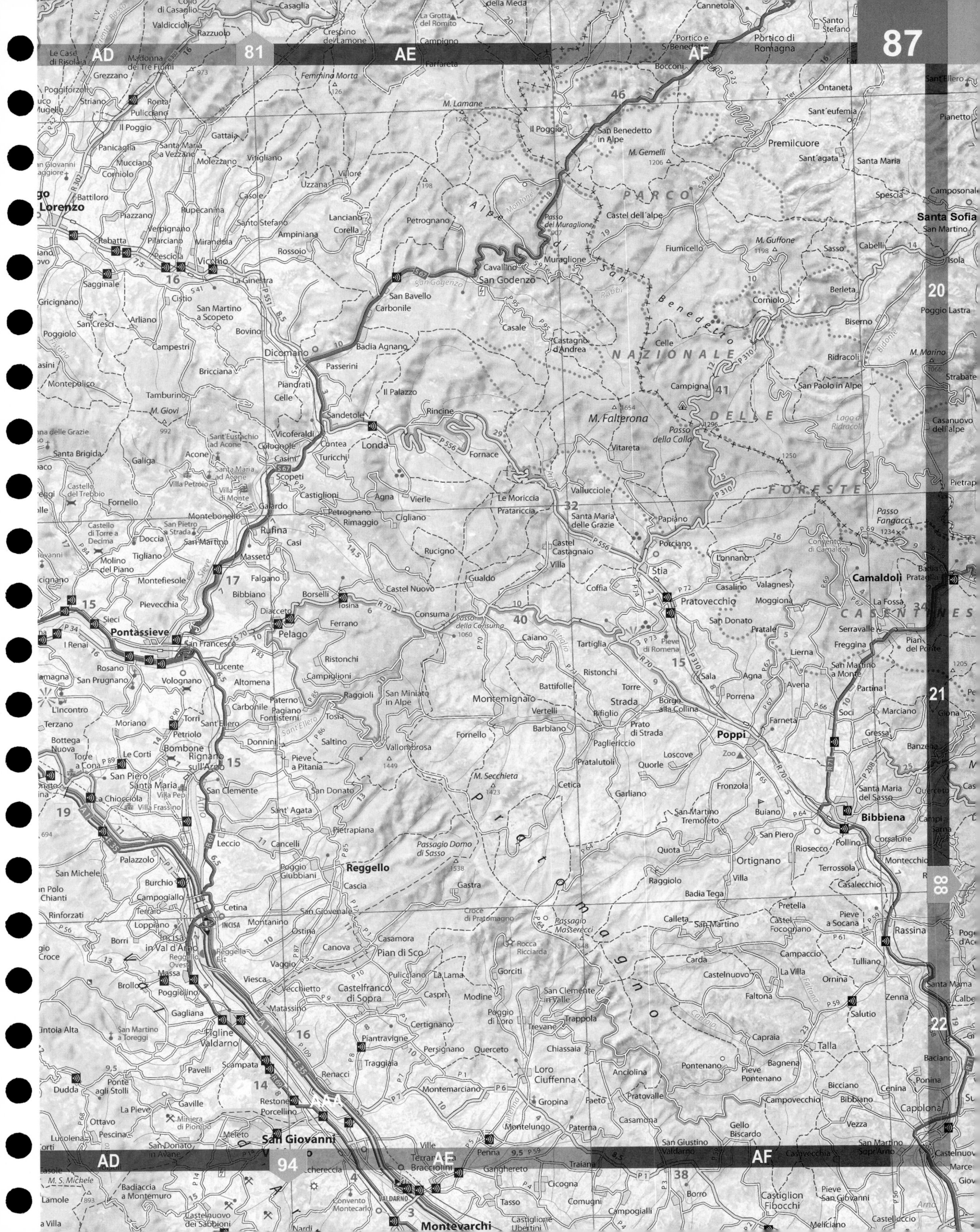
AD
81
AE
AF
Casaglia
Crespino del Lamone
La Grotta del Romito
Cannetola
Santo Stefano
Portico e S. Benedetto
Portico di Romagna
Le Case di Risolaia
Madonna dei Tre Fiumi
Razzuolo
Valdiccioli
Campigno
Farfareta
Bocconi
Grezzano
Femmina Morta
Poggiforzoli
Ronta
Striano
Pulicciano
M. Lamane
Ontaneta
Sant'eufemia
Il Poggio
Gattaia
San Benedetto in Alpe
Pianetto
Panicaglia
Santa Maria a Vezzano
Vitigliano
M. Gemelli
Premilcuore
Mucciano
Molezzano
Sant'agata
Santa Maria
Corniolo
Villore
Uzzana
Casole
Parco
Spescia
Camposonaldo
Lorenzo
Battiloro
Rupecanina
Alpe
Montone
Passo del Muraglione
Castel dell'alpe
Santa Sofia
San Martino
Piazzano
Lanciano
Petrognano
Santo Stefano
Corella
Ampiniana
Rabatta
Pilarciano
Vespignano
Mirandola
Rossoio
Fiumicello
M. Guffone
Sasso
Cabelli
Isola
Pesciola
Vicchio
Cavallino
Muraglione
San Godenzo
Sagginale
La Ginestra
16
San Bavello
Carbonile
Berleta
20
Gricignano
Cistio
San Martino a Scopeto
Arliano
Benedetto
Corniolo
Poggio Lastra
San Cresci
Casale
Bovino
Castagno d'Andrea
Biserno
Poggiolo
Campestri
Dicomano
Badia Agnano
Celle
Nazionale
Ridracoli
M. Marino
Montepulico
Bricciana
Passerini
Piandrati
Campigna
41
Strabatenza
Tamburino
Celle
Il Palazzo
San Paolo in Alpe
M. Giovi
Sandetole
Rincine
M. Falterona
Delle
Lago di Ridracoli
Casanuovo dell'alpe
Sant'Eustachio ad Acone
Vicoferaldi
Colognole
Londa
Passo della Calla
Contea
Santa Brigida
Galiga
Acone
Casini
Turicchi
P 556
Fornace
Vitareta
Santa Maria ad Acone
Scopeti
Villa Petroio
Castello del Trebbio
Villa di Monte
Castiglioni
Agna
Vierle
Valluciole
Foreste
Fornello
Galardo
Le Moriccia
Pratariccia
32
Santa Maria delle Grazie
Papiano
Passo Fangacci
Montebonello
Petrognano
Rimaggio
Cigliano
Castello di Torre a Decima
San Pietro a Strada
Rufina
Doccia
San Martino
Casi
Castel Castagnaio
Porciano
Convento di Camaldoli
Tigliano
Rucigno
Molino del Piano
Masseto
Stia
Lonnano
Camaldoli
Badia Prataglia
Montefiesole
17
Falgano
Villa
Gualdo
Coffia
Casalino
Valagnesi
Bibbiano
Castel Nuovo
Borselli
Tosina
Moggiona
15
Pievecchia
Diacceto
Consuma
Pratovecchio
La Fossa
Sieci
Ferrano
Passo della Consuma
40
San Donato
Casentinesi
Pontassieve
Pelago
Caiano
Tartiglia
Pratale
Serravalle
I Renai
San Francesco
Pieve di Romena
Freggina
Pian del Ponte
Ristonchi
Lierna
Rosano
Lucente
Ristonchi
15
San Martino a Monte
San Prugnano
Volognano
Altomena
Campiglioni
Battifolle
Torre
Sala
Agna
Avena
Partina
Raggioli
San Miniato in Alpe
Montemignaio
Strada
Borgo alla Collina
Porrena
21
L'Incontro
Paterno
Carbonile
Pagiano
Fontisterni
Tosi
Vertelli
Rifiglio
Prato di Strada
Farneta
Soci
Marciano
Terzano
Moriano
Torri
Sant'Ellero
Barbiano
Poppi
Gressa
Bottega Nuova
Petriolo
Saltino
Fornello
Paglericcio
Loscove
Banzena
Torre a Cona
Le Corti
Bombone
Donnini
Vallombrosa
Pratalutoli
Quorle
Zoo
Rignano sull'Arno
Pieve a Pitiania
San Piero
Santa Maria
M. Secchieta
Cetica
Fronzola
Santa Maria del Sasso
La Chiocciola
Villa Frassino
San Clemente
San Donato
Garliano
19
Sant' Agata
San Martino Tremoleto
Buiano
Bibbiena
Leccio
Cancelli
Pietrapiana
Pratomagno
San Piero
Pollino
Corsalone
Palazzolo
Passaggio Domo di Sasso
Quota
Riosecco
Montecchio
San Michele
Poggio Giubbiani
Reggello
Ortignano
Terrossola
Burchio
Raggiolo
Villa
Casalecchio
Cascia
Gastra
Badia Tega
88
Campogiallo
Chianti
Terrato
Cetina
San Giovenale
Croce di Pratomagno
Pretella
Rinforzati
Calleta
San Martino
Castel Focognano
Pieve a Socana
Montanino
Ostina
Passagio Masserecci
Loppiano
Incisa
Rassina
Borri
Incisa in Val d'Arno
Casamora
Canova
Rocca Ricciarda
Campaccio
Reggello Ovest
Vaggio
Pian di Sco
Carda
Tulliano
Castelnuovo
La Villa
Massa
Ornina
Gorciti
Pulicciano
La Lama
Brollo
Viesca
Vecchietto
Castelfranco di Sopra
Caspri
Modine
San Clemente in Valle
Faltona
Zenna
Santa Mama
Poggiolino
Matassino
Poggio di Loro
Trappola
Salutio
Gagliana
Trevane
Certignano
22
Figline Valdarno
San Martino a Toreggi
16
Piantravigne
Chiassaia
Capraia
Talla
Persignano
Querceto
Scampata
Traggiaia
Loro Ciuffenna
Anciolina
Pontenano
Bagnena
Pieve Pontenano
Pavelli
Renacci
Baciano
Ponina
Dudda
Ponte agli Stolli
14
Montemarciano
Restone
Porcellino
Gaville
Pratovalle
Bicciano
Cenina
Gropina
Faeto
Campovecchio
Bibbiano
La Pieve
Miniera di Piombo
Casamona
Capolona
Ottavo
Pescina
Montelungo
Paterna
Gello Biscardo
Vezza
Lucolena
Meleto
San Giovanni
Penna
San Giustino Valdarno
Casavecchia
San Martino Sopr'Arno
Castelnuovo
San Donato in Avane
AD
94
Terranuova Bracciolini
AE
Ganghereto
Traiana
AF
Marcena
Badiaccia a Montemuro
M. S. Michele
Cicogna
38
Pieve San Giovanni
Lamole
Convento Montecarlo
Valdarno
Tasso
Borro
Castiglion Fibocchi
Castelnuovo dei Sabbioni
Comugni
Campogialli
Castiglione Ubertini
Meliciano
Castelluccio
Montevarchi
Nardi

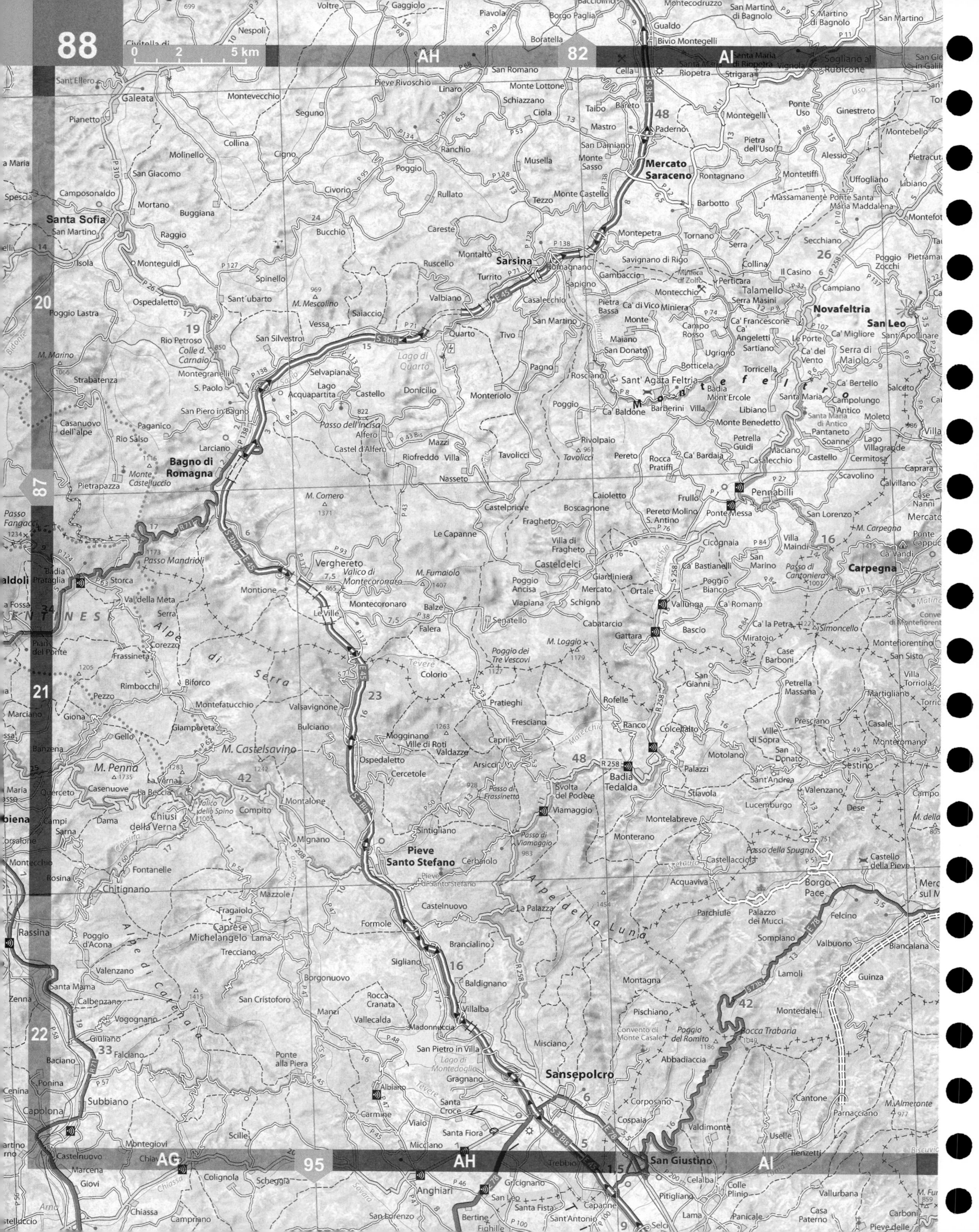

82
95
87
AH
AI
AG
0 2 5 km
Bagno di Romagna
Santa Sofia
Sarsina
Mercato Saraceno
Novafeltria
San Leo
Pennabilli
Carpegna
Pieve Santo Stefano
Sansepolcro
San Giustino
Badia Tedalda
Sant' Agata Feltria
Verghereto
Galeata
Anghiari
Subbiano
Capolona
Chiusi della Verna
Caprese Michelangelo
Sestino
Borgo Pace
M. Castelsavino
Alpe di Serra
Alpe della Luna
Alpe di Catenaia
M. Fumaiolo
Lago di Montedoglio
Passo Mandrioli
Passo dei Mandrioli
Valico di Montecoronaro

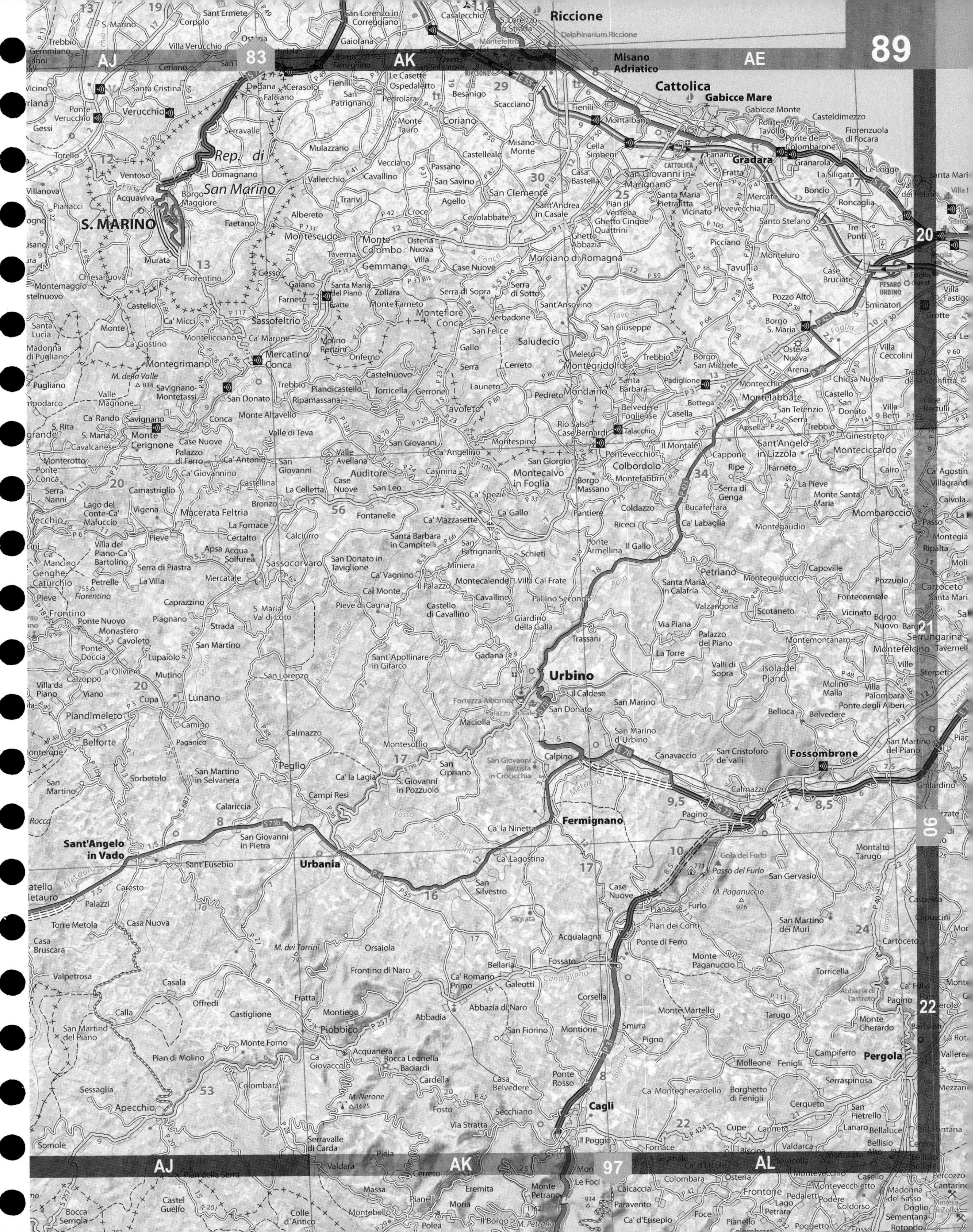

83
AJ
AK
AE
Riccione
Delphinarium Riccione
Misano Adriatico
Cattolica
Gabicce Mare
Gabicce Monte
Casteldimezzo
Fiorenzuola di Focara
Gradara
Granarola
S. MARINO
Rep. di San Marino
Sant'Ermete
Corpolo
San Lorenzo in Correggiano
Casalecchio
S. Lorenzo in Strada
Trebbio
S. Marino
Villa Verucchio
Gaiofana
Montefeltro
Ospedaletto
Cerasolo
Dogana
Falciano
Fienili
San Patrignano
Pedrolara
Besanigo
Scacciano
Santa Cristina
Verucchio
Ponte Verucchio
Gessi
Serravalle
Torello
Ventoso
Mulazzano
Vecchiano
Passano
Coriano
Misano Monte
Castelleale
Cella Simbeni
Montalbano
Fenili
Villanova
Pianacci
Acquaviva
Borgo Maggiore
Domagnano
Vallecchio
Cavallino
San Savino
San Clemente
Casa Bastelle
San Giovanni in Marignano
Santa Maria Pietrafitta
Fanano
Fratta
Serra
Mercato
Boncio
La Siligata
Le Logge
Pievevecchia
Roncaglia
Tavullia
Santo Stefano
Tre Ponti
Vicinato
Picciano
Monteluro
Faetano
Tavarni
Agello
Cevolabbate
Sant'Andrea in Casale
Pian di Ventena
Ghetto Cinque Quattrini
Ghetto Abbazia
Alberato
Montescudo
Monte Colombo
Osteria Nuova
Villa
Taverna
Gemmano
Case Nuove
Morciano di Romagna
Murata
Fiorentino
Chiesanuova
Montemaggio
Castello
Gesso
Galano
Farneto
Santa Maria del Piano
Fratte
Zollara
Monte Farneto
Serra di Sopra
Serra di Sotto
Sant'Ansovino
Case Bruciate
Pesaro Urbino
Pozzo Alto
Sminatori
Borgo S. Maria
Grotte
Santa Lucia
Monte
Madonna di Pugliano
Ca' Micci
Sassofeltrio
Montefiore Conca
Serbadone
San Felice
Tavollo
San Giuseppe
Osteria Nuova
Villa Ceccolini
Montelicciano
Ca' Gostino
Ca' Marone
Mercatino Conca
Molino Renzini
Onferno
Gallo
Saludecio
Meleto
Montegridolfo
Trebbio
Borgo San Michele
Arena
Chiusa Nuova
Montegrimano
M. della Valle
Savignano-Montetassi
Pugliano
Valle Magnone
San Donato
Trebbio
Piandicastello
Castelnuovo
Torricella
Gerrone
Serra
Cerreto
Launeto
Pedreto
Mondaino
Santa Barbara
Padiglione
Montecchio
Montelabbate
Castello San Donato
Trebbio della Scanfitta
Ca' Rando
Savignano
Conca
Monte Altavello
Ripamassana
Tavoleto
Belvedere Fogliense
Bottega
Casella
S. Terenzio
Serra
Villa Betti
S. Rita
S. Maria
Ca' Valcanese
Monte Cerignone
Case Nuove
Palazzo di Ferro
Valle di Teva
San Giovanni
Montespino
Rio Salso
Case Bernardi
Talacchio
Il Montale
Apsella
Sant'Angelo in Lizzola
Ginestreto
Monteciccardo
Monterotto
Ponte Conca
Ca' Antonio
Ca' Giovannino
San Giovanni
Valle Avellana
Auditore
Casinina
Ca' Angelino
San Giorgio
Montecalvo in Foglia
Pontevecchio
Colbordolo
Montefabbri
Cappone
Ripe
Farneto
La Pieve
Cairo
Ca' Agostin
Villagrand
Serra Nanni
Camastriglio
Castellina
La Celletta
Case Nuove
San Leo
Ca' Spezie
Borgo Massano
Serra di Genga
Monte Santa Maria
Lago del Conte-Ca' Mafuccio
Vigena
Macerata Feltria
Bronzo
Fontanelle
Ca' Gallo
Pantiere
Coldazzo
Bucaferrara
Mombaroccio
Caivola
La Fornace
Ca' Mazzasette
Riceci
Ca' Labaglia
Montegaudio
Passo
Villa del Piano-Ca' Bartolino
Pieve
Certalto
Calciurro
Santa Barbara in Campitelli
San Patrignano
Schieti
Ponte Armellina
Il Gallo
Montegia
Ripalta
Ca' Mancino
Genghe Caturchio
Petrelle
Serra di Piastra
Apsa
Acqua Solfurea
Sassocorvaro
San Donato in Taviglione
Miniera
Petriano
Capoville
Pieve
Fiorentino
La Villa
Mercatale
Ca' Vagnino
Il Palazzo
Montecalende
Villa Cal Frate
Santa Maria in Calafria
Monteguiduccio
Pozzuolo
Cartoceto
Frontino
Caprazzino
Cal Monte
Castello di Cavallino
Cavallino
Pallino Secondo
Valzangona
Fontecorniale
Ponte Nuovo
Piagnano
S. Maria Val di Loto
Pieve di Cagna
Scotaneto
Vicinato
Borgo Nuovo
Monastero
Cavoleto
Strada
Giardino della Galla
Via Piana
Serrungarina
Ponte Doccia
Lupaiolo
San Martino
Trassani
Palazzo del Piano
Montemontanaro
Montefelcino
Tavernell
La Torre
Ca' Oliviero
Mutino
San Lorenzo
Sant'Apollinare in Gifarco
Gadana
Valli di Sopra
Isola del Piano
Ville
Sterpeti
Calzoppo
Villa da Piano
Viano
Cupa
Lunano
Urbino
Il Caldese
Fortezza Albornoz
Palazzo Ducale
San Marino
Molino Malla
Villa Palombara
Ponte degli Alberi
Piandimeleto
Camino
Calmazzo
Maciolla
San Donato
Belloca
Belvedere
Belforte
Paganico
San Marino d'Urbino
San Martino del Piano
Monterone
Montesoffio
Calpino
Canavaccio
San Cristoforo de' valli
Fossombrone
San Martino
Sorbetolo
San Martino in Selvanera
Peglio
Ca' la Lagia
San Cipriano
S. Giovanni in Pozzuolo
San Giovanni Battista in Crocicchia
Metauro
Calmazzo
Ghilardino
Rocca
Campi Resi
Calariccia
Pagino
Sant'Angelo in Vado
San Giovanni in Pietra
Ca' la Ninetta
Fermignano
Urbania
Sant'Eusebio
Ca' Lagostina
Gola del Furlo
Passo del Furlo
Montalto Tarugo
San Gervasio
Castello Metauro
Caresto
Palazzi
San Silvestro
Case Nuove
M. Paganuccio
Furlo
Pianacce
Pian dei Conti
Caspessa
Torre Metola
Casa Nuova
Sagrata
San Martino dei Muri
Capuccini
Casa Bruscara
M. dei Torrini
Orsaiola
Acqualagna
Ponte di Ferro
Cartoceto
Monte Paganuccio
Valpetrosa
Frontino di Naro
Bellaria
Fossato
Torricella
Casala
Ca' Romano Primo
Galeotti
Candigliano
Abbazia di Lastreto
Ca' Fulvi
Offredi
Fratta
Abbazia di Naro
Corsella
Pagino
Calla
Castiglione
Montiego
Abbadia
Monte Martello
Tarugo
Monte Gherardo
San Martino del Piano
Piobbico
Smirra
Barbanti
San Fiorino
Montione
Pigno
Campiferro
Pergola
La Rota
Pian di Molino
Monte Forno
Acquanera
Ca' Giovaccolo
Rocca Leonella
Baciardi
Molleone
Fenigli
Vallerea
Cardella
Casa Belvedere
Ponte Rosso
Serraspinosa
Mezzano
Sessaglia
Colombara
M. Nerone
Ca' Montegherardello
Borghetto di Fenigli
Apecchio
Fosto
Secchiano
Cagli
Cerquato
San Pietrello
Lanaro
Bellaluce
Via Stratta
Il Poggio
Cupe
Canneto
Somole
Serravalle di Carda
Fornace
Biscina
Valdarca
Bellisio Alto
Montalate
Pieia
AJ
AK
97
AL
Pian della Serra
Valdara
Cerreto
Mon
Le Foci
Grumale
Ca' d'Ercole
Torricella
Montevecchio
Montevecchietto
Casello
Percozzo
Cantarino
Massa
Eremita
Monte Petrano
Caicaccia
Colombara
Osteria
Frontone
Pedaletti
Podere
Madonna del Sasso
Castel Guelfo
Bocca Serriola
Colle d'Antico
Montebello
Pianello
Moria
Polea
Il Borgo
M. Petrano
Paravento
Ca' d'Eusepio
Foce
Pianello
Lago
Petrara
Coldorso
Doglio
Sementana
Poggetto
Rotonde

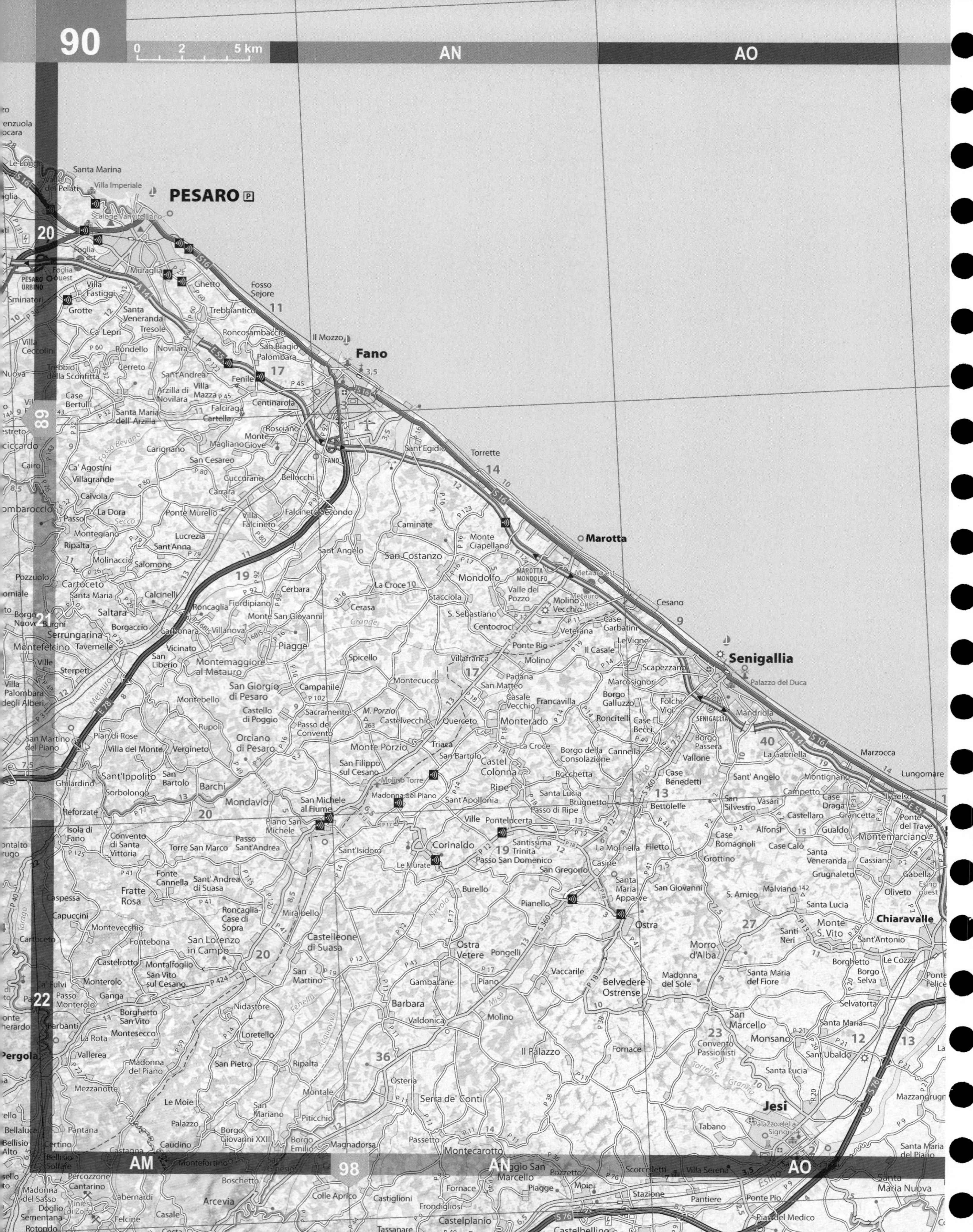
0 2 5 km
AN
AO
PESARO
Fano
Marotta
Senigallia
Jesi
Chiaravalle
Santa Marina
Villa Imperiale
Foglia
Muraglia
Ghetto
Fosso Sejore
Trebbiantico
Villa Fastiggi
Grotte
Santa Veneranda
Tresole
Ca' Lepri
Rondello
Novilara
Roncosambaccio
San Biagio
Palombara
Il Mozzo
Cerreto
Sant'Andrea
Fenile
Arzilla di Novilara
Villa Mazza
Centinarola
Case Bertuli
Santa Maria dell'Arzilla
Falciraga
Cartella
Rosciano
Monte Giove
Magliano
Carignano
San Cesareo
Sant'Egidio
Torrette
Ca' Agostini
Villagrande
Cuccurano
Bellocchi
Carrara
Calvola
La Dora
Passo
Ponte Murello
Villa Falcineto
Falcineto Secondo
Montegiano
Lucrezia
Ripalta
Sant'Anna
Molinaccio
Salomone
Caminate
Monte Ciapellano
San Costanzo
Sant'Angelo
Cartoceto
Santa Maria
Calcinelli
Cerbara
Fiordipiano
Roncaglia
La Croce
Mondolfo
Valle del Pozzo
Molino Vecchio
Cesano
Saltara
Borgaccio
Monte San Giovanni
Cerasa
Stacciola
S. Sebastiano
Centocroci
Veterana
Case Garbatini
Serrungarina
Tavernelle
Carbonara
Villanova
Vicinato
Piagge
Ponte Rio
Il Casale
Le Vigne
Montefelcino
San Liberio
Montemaggiore al Metauro
Spicello
Villafranca
Molino
Scapezzano
Sterpeti
Padana
San Matteo
Marcosignori
Palazzo del Duca
Villa Palombara degli Alberi
San Giorgio di Pesaro
Campanile
Montecucco
Casale Vecchio
Francavilla
Borgo Galluzzo
Folchi Vigi
Mandriola
Montebello
Castello di Poggio
Sacramento
M. Porzio
Passo del Convento
Castelvecchio
Querceto
Monterado
Roncitelli
Case Becci
Rupoli
Pian di Rose
Villa del Monte
Vergineto
Orciano di Pesaro
Monte Porzio
Triaca
La Croce
Borgo della Consolazione
Cannella
Borgo Passera
La Gabriella
Marzocca
San Martino del Piano
San Filippo sul Cesano
San Bartolo
Castel Colonna
Vallone
Sant'Ippolito
Ghilardino
Sorbolongo
Barchi
Molino Torre
Ripe
Rocchetta
Case Benedetti
Sant'Angelo
Montignano
Lungomare
Mondavio
San Michele al Fiume
Madonna del Piano
Sant'Apollonia
Santa Lucia
Brugnetto
Bettolelle
Campetto
Il Gelso
Reforzate
Passo di Ripe
San Silvestro
Vasari
Case Draga
Castellaro
Grancetta
Ponte del Trave
Isola di Fano
Convento di Santa Vittoria
Torre San Marco
Passo Sant'Andrea
Piano San Michele
Ville
Pontelucerta
Alfonsi
Gualdo
Montemarciano
Corinaldo
Santissima Trinità
La Molinella
Filetto
Case Romagnoli
Case Calò
Sant'Isidoro
Le Murate
Passo San Domenico
Casine
Grottino
Santa Veneranda
Cassiano
Fonte Cannella
Sant'Andrea di Suasa
San Gregorio
Grugnaleto
Gabella
Fratte Rosa
Burello
Santa Maria Apparve
San Giovanni
S. Amico
Malviano
Oliveto
Caspessa
Roncaglia-Case di Sopra
Mirabello
Pianello
Santa Lucia
Capuccini
Ostra
Monte S. Vito
Santi Neri
Cartoceto
Montevecchio
Fontebona
Castelleone di Suasa
San Lorenzo in Campo
Ostra Vetere
Pongelli
Sant'Antonio
Morro d'Alba
Castelrotto
Montalfoglio
San Vito sul Cesano
Borghetto
Le Cozze
Borgo Selva
Monterolo
Ganga
Gambacane
Piano
Vaccarile
Belvedere Ostrense
Madonna del Sole
Santa Maria del Fiore
Ca' Fulvi
Passo Monterolo
San Martino
Nidastore
Barbara
Selvatorta
Borghetto San Vito
Valdonica
Molino
San Marcello
Santa Maria
Monsano
Montesecco
La Rota
Loretello
Convento Passionisti
Sant'Ubaldo
Vallerea
Il Palazzo
Fornace
Santa Lucia
Pergola
Madonna del Piano
San Pietro
Ripalta
Osteria
Mezzanotte
Montale
Serra de' Conti
Le Moie
San Mariano
Piticchio
Mazzangrugno
Palazzo
Tabano
Palazzo della Signoria
Pantiera
Borgo Giovanni XXIII
Borgo Emilio
Magnadorsa
Passetto
Montecarotto
Santa Maria del Piano
Caudino
Certino
Bellisio Solfare
AM
Montefortino
San Ginesio
98
Maggio San Marcello
Pozzetto
Scorcelletti
Villa Serena
Santa Maria Nuova
Percozzone
Cantarino
Boschetto
Piagge
Moie
Madonna del Sasso
Cabernardi
Arcevia
Colle Aprico
Fornace
Stazione
Pantiere
Ponte Pio
Doglio
Miniera di Zolfo
Castiglioni
Frondigliosi
Sementana
Felcine
Casale
Castelplanio
Pian del Medico
Rotondo
Costa
Tassanare
Rosora
Castelbellino
20
21
22
89
E 55
A 14
S 16
E 78
S 76
S 360

20

21

22

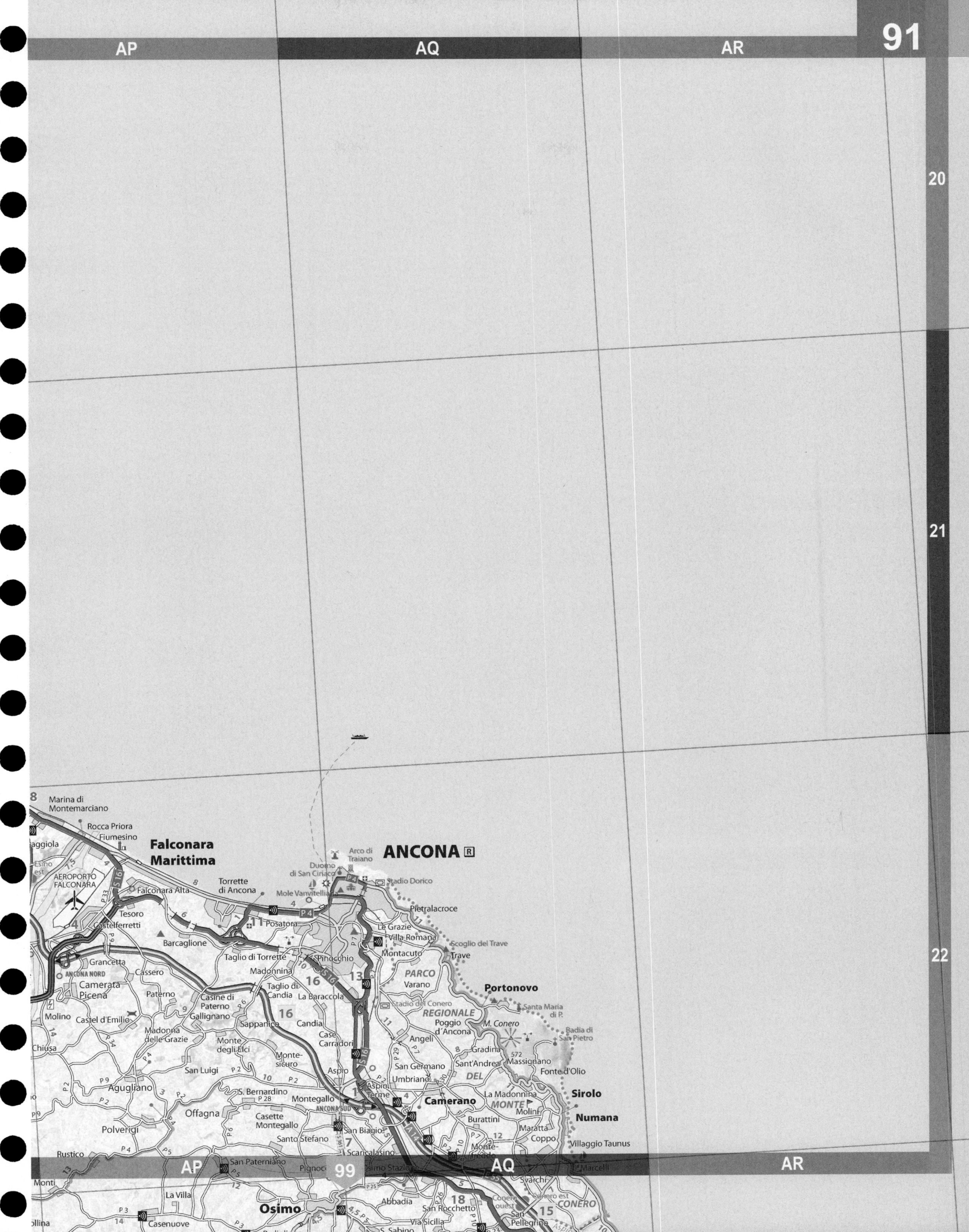

Marina di
Montemarciano

8

Rocca Priora
Fiumesino

aggiola

**Falconara
Marittima**

Esino
est

AEROPORTO
FALCONARA

Falconara Alta

Tesoro

Torrette
di Ancona

Arco di
Traiano

ANCONA Ⓡ

Duomo
di San Ciriaco

Mole Vanvitelliana

Stadio Dorico

Castelferretti

Posatora

P 4

Pietralacroce

Barcaglione

Le Grazie

Villa Romana

Scoglio dei Trave

Grancetta

Taglio di Torrette

Pinocchio

Montacuto

Trave

ANCONA NORD

Cassero

Madonnina

PARCO

Camerata
Picena

Paterno

Taglio di
Candia

La Baraccola

16

13

Varano

Portonovo

Molino

Castel d'Emilio

Casine di
Paterno

Gallignano

Sapparico

Candia

16

Stadio del Conero

REGIONALE

Poggio
d'Ancona

Santa Maria
di P.

M. Conero

Badia di
San Pietro

Madonna
delle Grazie

Monte
degli Elci

Monte-
sicuro

Case
Carradori

Angeli

Chiusa

San Luigi

Aspio

San Germano

Umbriano

Gradina

Sant'Andrea

Massignano

DEL

Fonte d'Olio

Agugliano

S. Bernardino

Montegallo

Aspio
Terme

Camerano

La Madonnina

Molini

Sirolo

Offagna

Casette
Montegallo

ANCONA SUD

MONTE

Maratta

Numana

Polverigi

Santo Stefano

San Biagio

Burattini

Coppo

Villaggio Taunus

Rustico

Scaricalasino

7

Monte-

Monti

La Villa

San Paterniano

Osimo Staz

Svarchi

Marcelli

Osimo

Casenuove

Abbadia

San Rocchetto

18

Conero
ouest

Conero est

15

CONERO

San
Pellegrine

Via Sicilia

Collina

S. Sabino

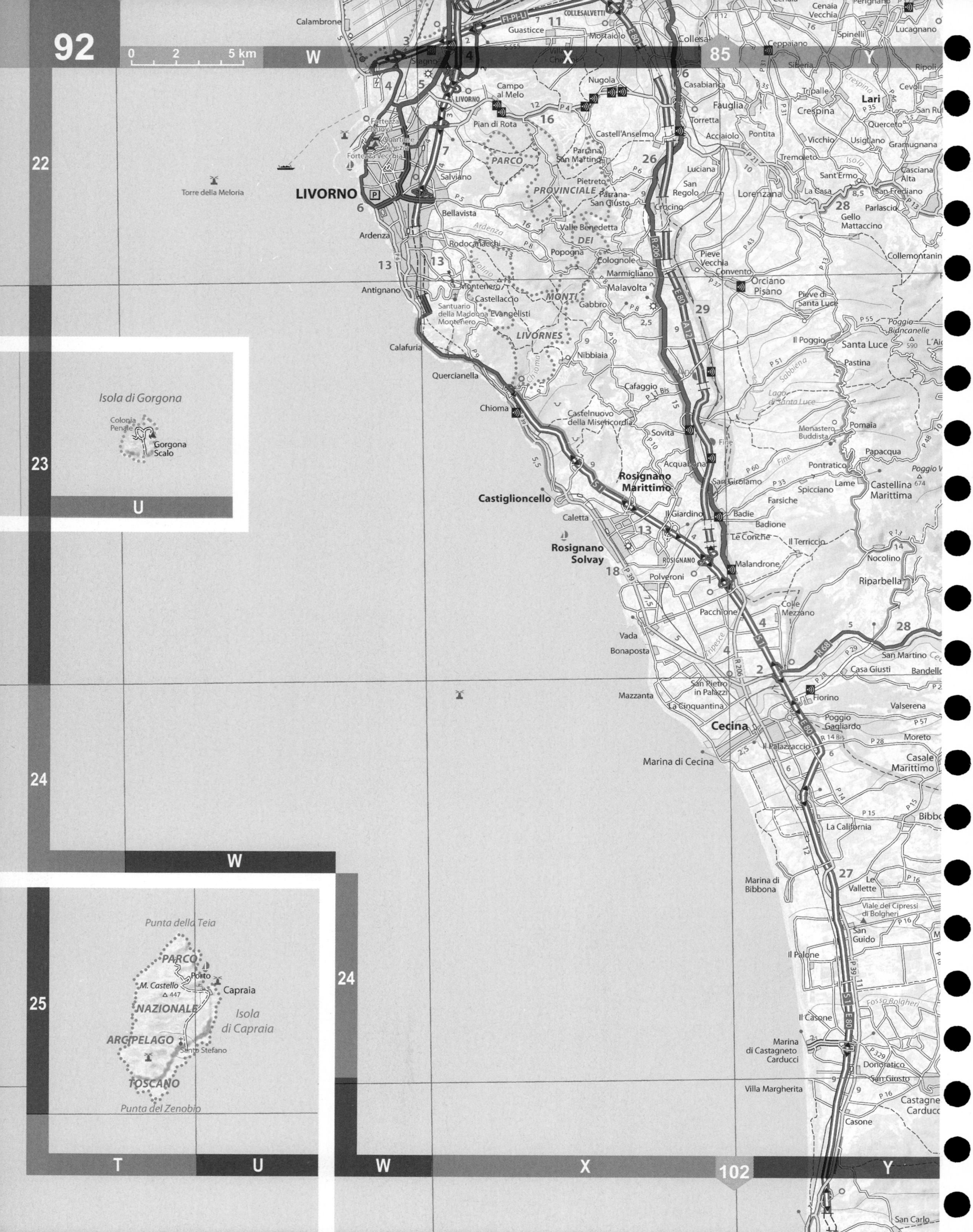

0   2   5 km

W   X   Y

22

23

24

25

T   U   W   X   Y

U

W

24

LIVORNO

Torre della Meloria

Calambrone
Guasticce
FI-PI-LI   COLLESALVETTI
Mortaiolo
Collesal
Campo al Melo
Nugola
Casabianca
Fauglia
Torretta
Acciaiolo
Pontita
Castell'Anselmo
Partana
San Martino
Pietreto
Parana-
San Giusto
Crocino
San Regolo
Luciana
Pian di Rota
PARCO
Salviano
Bellavista
Ardenza
Rodocanacchi
Popogna
Colognole
Marmigliano
Malavolta
Pieve Vecchia
Convento
Orciano Pisano
Pieve di
Santa Luce
DEI
Valle Benedetta
PROVINCIALE
Antignano
Montenero
Castellaccio
Santuario
della Madonna
Montenero
Evangelisti
Gabbro
MONTI
LIVORNES
Nibbiaia
Santa Luce
Pastina
Calafuria
Quercianella
Cafaggio
Castelnuovo
della Misericordia
Sovita
Il Poggio
Chioma
Acquabona
Pomaia
Monastero
Buddista
Papacqua
Rosignano
Marittimo
San Girolamo
Spicciano
Lame
Castellina
Marittima
Castiglioncello
Caletta
Il Giardino
Badie
Badione
Farsiche
Il Terriccio
Nocolino
Rosignano
Solvay
Le Conche
Riparbella
Malandrone
Polveroni
Pacchione
Colle
Mezzano
Vada
Bonaposta
San Martino
San Pietro
in Palazzi
Casa Giusti
Mazzanta
La Cinquantina
Fiorino
Valserena
Cecina
Poggio
Gagliardo
Moreto
Marina di Cecina
Il Palazzaccio
Casale
Marittimo
La California
Bibbo
Marina di
Bibbona
Le
Vallette
Viale dei Cipressi
di Bolgheri
San
Guido
Il Palone
Il Casone
Marina
di Castagneto
Carducci
Donoratico
San Giusto
Villa Margherita
Castagneto
Carducci
Casone
San Carlo

Isola di Gorgona
Colonia
Penale
Gorgona
Scalo

Punta della Teia
PARCO
M. Castello
Porto
Capraia
NAZIONALE
Isola
di Capraia
ARGIPELAGO
Santo Stefano
TOSCANO
Punta del Zenobio

Lari
Cenaia
Vecchia
Perignano
Ceppaiano
Spinelli
Lucagnano
Cevoli
Ripoli
Tripalle
Crespina
Quarceto
Vicchio
Usigliano
Gramugnana
Tremoleto
Sant'Ermo
Casciana
Alta
Lorenzana
La Casa
San Frediano
Parlascio
Gello
Mattaccino
Collemontanin

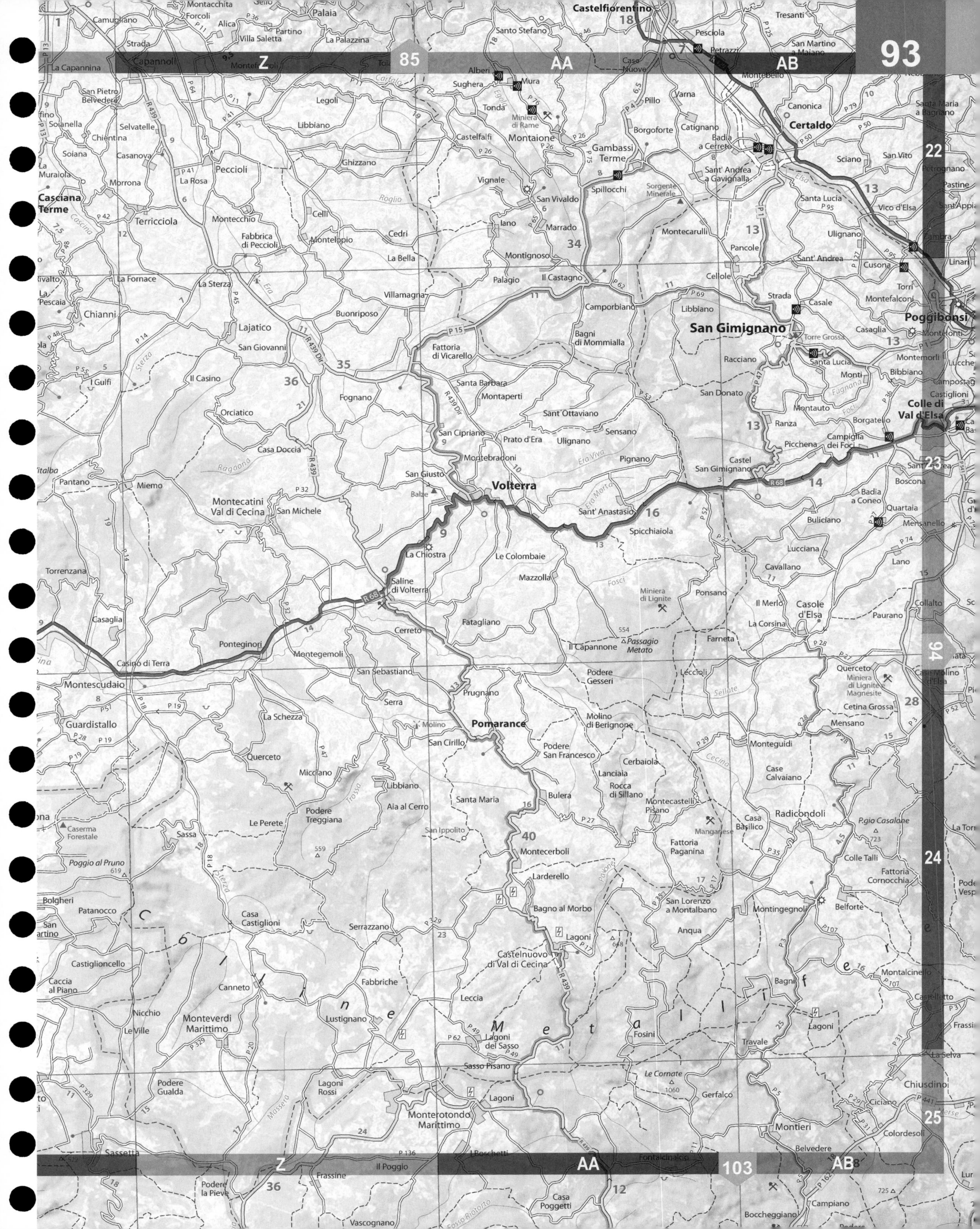

93
85
103
94
Z
AA
AB
22
23
24
25
Castelfiorentino
Montacchita
Forcoli
Camugliano
Alica
Villa Saletta
Partino
Palaia
La Palazzina
Strada
La Capannina
Capannoli
Montefoscoli
Santo Stefano
Alberi
Mura
Sughera
Tonda
Miniera di Rame
Montaione
Castelfalfi
Cartaia
Case Nuove
Pesciola
Petrazzi
Montebello
Tresanti
San Martino a Maiano
San Pietro Belvedere
Legoli
Libbiano
Selvatelle
Soianella
Chientina
Soiana
Casanova
Pillo
Varna
Borgoforte
Catignano
Gambassi Terme
Badia a Cerreto
Sant' Andrea a Gavignalla
Canonica
Certaldo
Santa Maria a Bagnano
Sciano
San Vito
Petrognano
Pastine
Vico d'Elsa
Sant'Appiano
Muraiola
Morrona
Peccioli
La Rosa
Ghizzano
Vignale
San Vivaldo
Spillocchi
Sorgente Minerale
Santa Lucia
Casciana Terme
Terricciola
Montecchio
Celli
Fabbrica di Peccioli
Montelopio
Cedri
Iano
Marrado
Montecarulli
Pancole
Ulignano
Cusona
Zambra
La Bella
Montignoso
Sant' Andrea
Torri
Linari
La Fornace
La Sterza
Palagio
Il Castagno
Cellole
Strada
Casale
Montefalconi
Poggibonsi
La Pescaia
Chianni
Villamagna
Camporbiano
Libbiano
Lajatico
Buonriposo
Bagni di Mommialla
San Gimignano
Torre Grossa
Casaglia
Montelonti
San Giovanni
Fattoria di Vicarello
Racciano
Santa Lucia
Montemorli
Bibbiano
Monti
I Gulfi
Il Casino
Santa Barbara
Montaperti
San Donato
Campostaggia
Castiglioni
Fognano
Colle di Val d'Elsa
Orciatico
Sant' Ottaviano
Montauto
Ranza
Borgatello
San Cipriano
Prato d'Era
Ulignano
Sensano
Campiglia dei Foci
Picchena
Casa Doccia
Montebradoni
Pignano
Castel San Gimignano
Pantano
Miemo
San Giusto
Balze
Volterra
Boscona
Montecatini Val di Cecina
San Michele
Sant' Anastasio
Spicchiaiola
Badia a Coneo
Quartaia
Buliciano
Mensanello
La Chiostra
Le Colombaie
Lucciana
Torrenzana
Cavallano
Lano
Mazzolla
Saline di Volterra
Miniera di Lignite
Ponsano
Il Merlo
Casole d'Elsa
Collalto
Casaglia
Fatagliano
La Corsina
Paurano
Ponteginori
Cerreto
Passaggio Metato
Il Capannone
Farneta
Montegemoli
Casino di Terra
San Sebastiano
Podere Gesseri
Leccioli
Querceto
Miniera di Lignite e Magnesite
Casa Molino d'Elsa
Montescudaio
Prugnano
Serra
Cetina Grossa
Guardistallo
La Schezza
Pomarance
Molino
Molino di Berignone
Mensano
San Cirillo
Podere San Francesco
Monteguidi
Querceto
Cerbaiola
Case Calvaiano
Micciano
Lanciaia
Libbiano
Rocca di Sillano
Santa Maria
Bulera
Aia al Cerro
Montecastelli Pisano
Radicondoli
Podere Treggiana
Casa Basilico
P.gio Casalone
Caserma Forestale
Le Perete
San Ippolito
Manganese
Sassa
Fattoria Paganina
Montecerboli
Colle Talli
Poggio al Pruno
Larderello
Fattoria Cornocchia
Bolgheri
San Lorenzo a Montalbano
Patanocco
Bagno al Morbo
Montingegnoli
Belforte
San Martino
Casa Castiglioni
Serrazzano
Lagoni
Anqua
Castiglioncello
Castelnuovo di Val di Cecina
Montalcinello
Caccia al Piano
Canneto
Fabbriche
Bagni
Leccia
Castelletto
Nicchio
Monteverdi Marittimo
Lustignano
Le Ville
Lagoni
Fosini
Lagoni del Sasso
Travale
Frassini
La Selva
Sasso Pisano
Le Cornate
Podere Gualda
Lagoni Rossi
Lagoni
Gerfalco
Chiusdino
Ciciano
Monterotondo Marittimo
Montieri
Colordesoli
Sassetta
I Poschetti
Belvedere
Fontalcinaldo
Il Poggio
Frassine
Podere la Pieve
Casa Poggetti
Campiano
Boccheggiano
Vascognano
Colline Metallifere
Era
Elsa
Roglio
Sterza
Ragaona
Era Viva
Era Morta
Fosci
Foci
Sellate
Cecina
Pavone
Massera
Fosso Riotorto

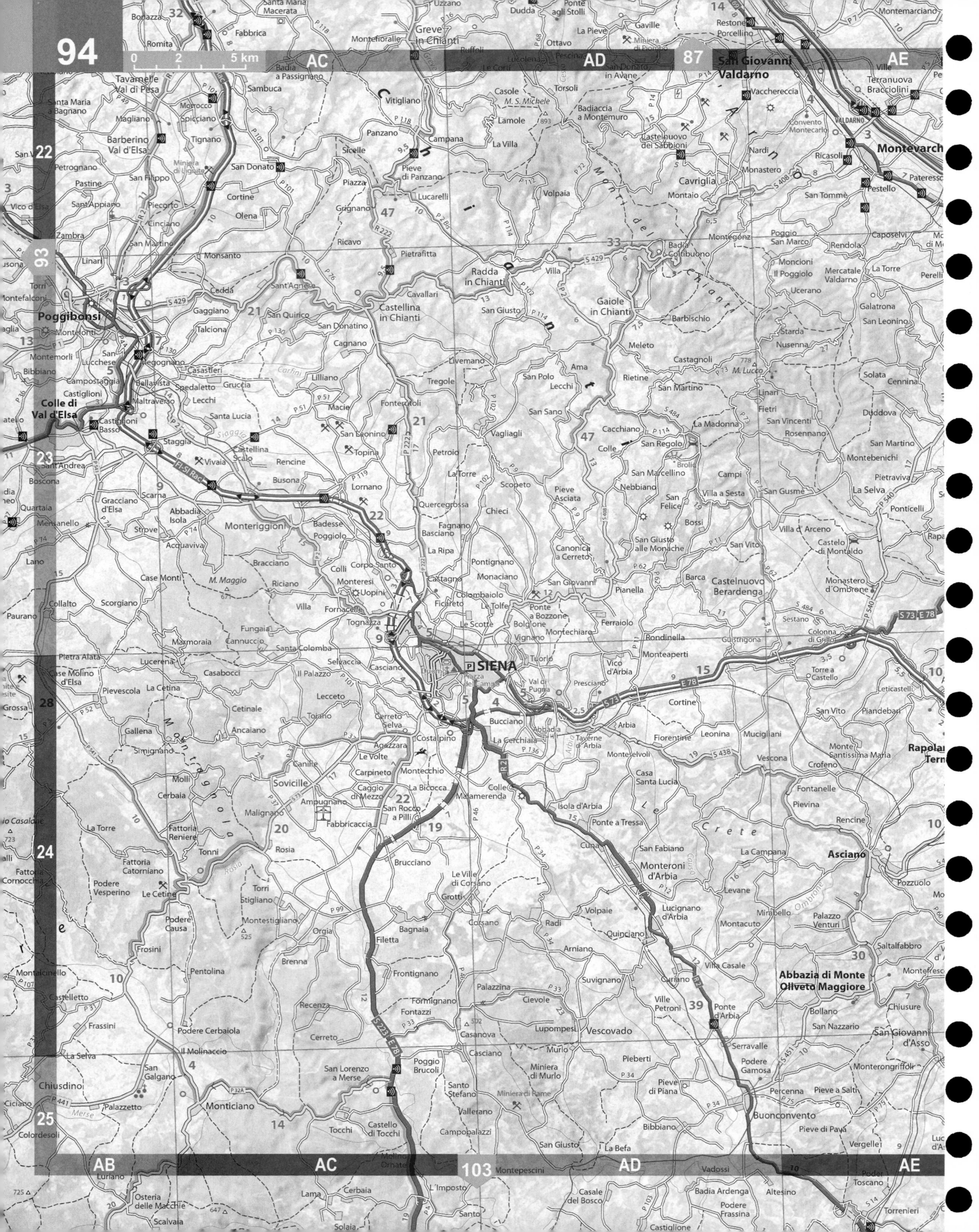
0 2 5 km
AC
AD
87
AE
AB
AC
103
AD
AE
22
93
23
28
24
25
Greve in Chianti
San Giovanni Valdarno
Montevarchi
Tavarnelle Val di Pesa
Barberino Val d'Elsa
Poggibonsi
Colle di Val d'Elsa
Castellina in Chianti
Radda in Chianti
Gaiole in Chianti
Cavriglia
Monteriggioni
SIENA
Castelnuovo Berardenga
Asciano
Sovicille
Rapolano Terme
Monteroni d'Arbia
Buonconvento
Abbazia di Monte Oliveto Maggiore
San Giovanni d'Asso
Murlo
Vescovado
Monticiano
Chiusdino
San Galgano
Montalcinello
Rosia
Ama
Lecchi
San Gusmè
Pianella
Vagliagli
Quercegrossa
Fontebecci
Taverne d'Arbia
Isola d'Arbia
Ponte a Tressa
Lucignano d'Arbia
Ponte d'Arbia
Casciano
Bagnaia
Filetta
Frontignano
Orgia
Brenna
Torri
Stigliano
Montestigliano
Staggia
Castellina Scalo
Badesse
Uopini
Tognazza
Costalpino
Montecchio
San Rocco a Pilli
Fabbricaccia
Malignano
Ampugnano
San Lorenzo a Merse
Poggio Brucoli
Santo Stefano
Vallerano
Campopalazzi
Bibbiano
Vergelle
Percenna
Pieve a Salti
Chiusure
Montefresco
Monte Santissima Maria
Vescona
Leonina
Mucigliani
Fontanelle
Pievina
Rencine
La Campana
Pozzuolo
Saltalfabbro
Palazzo Venturi
Mirabello
Montacuto
Levane
Terranuova Bracciolini
Ricasoli
Pestello
San Tommè
Badia a Coltibuono
Montegonzi
Poggio San Marco
Moncioni
Il Poggiolo
Mercatale Valdarno
Ucerano
Galatrona
San Leonino
Nusenna
Starda
Solata
Cennina
Duddova
Rosennano
San Martino
Montebenichi
Pietraviva
La Selva
Ponticelli
Villa d'Arceno
Castelo di Montaldo
Monastero d'Ombrone
Sestano
Colonna di Grillo
Torre a Castello
Leticastelli
San Vito
Piandebari
Cortine
Arbia
Fiorentine
Monteselvoli
Casa Santa Lucia
Crete
San Fabiano
Cuna
Volpaie
Quinciano
Radi
Arniano
Corsano
Grotti
Le Ville di Corsano
Suvignano
Curiano
Villa Casale
Ville Petroni
Serravalle
Podere Gamosa
Pieberti
Pieve di Piana
Miniera di Murlo
Lupompesi
Cievole
Palazzina
Casanova
Casciano
Formignano
Fontazzi
Cerreto
Recenza
Il Molinaccio
Podere Cerbaiola
Frassini
Castelletto
Pentolina
Frosini
Podere Causa
Le Cetine
Podere Vesperino
Fattoria Catorniano
Tonni
Fattoria Reniere
La Torre
Molli
Cerbaia
Simignano
Gallena
Ancaiano
Cetinale
Toiano
Lecceto
Il Palazzo
Selvaccia
Casabocci
La Cetina
Pievescola
Lucerena
Case Molino d'Elsa
Pietra Alata
Marmoraia
Cannuccio
Santa Colomba
Fungaia
Scorgiano
Collalto
Paurano
Case Monti
M. Maggio
Riciano
Bracciano
Villa
Fornacelle
Monteresi
Corpo Santo
Colli
Poggiolo
Acquaviva
Strove
Abbadia Isola
Gracciano d'Elsa
Scarna
Quartaia
Boscona
Sant'Andrea
Vivaia
Rencine
Busona
Lornano
Topina
San Leonino
Macie
Lilliano
Cagnano
San Donatino
San Quirico
Gaggiano
Talciona
Cedda
Sant'Agnese
Casastieri
Spedaletto
Gruccia
Lecchi
Santa Lucia
Bellavista
Megognano
Maltraverso
Castiglioni Basso
Campostaggia
Castiglioni
San Lucchese
Montelonti
Montemorli
Bibbiano
Linari
Zambra
Sant'Appiano
Vico d'Elsa
Pastine
Petrognano
Magliano
Santa Maria a Bagnano
Sambuca
Morocco
Spicciano
Tignano
San Donato
Cortine
Olena
Piecorto
Cinciano
San Martino
Monsanto
San Filippo
Bonazza
Romita
Fabbrica
Santa Maria Macerata
Badia a Passignano
Vitigliano
Panzano
Sicelle
Pieve di Panzano
Piazza
Grignano
Lucarelli
Ricavo
Pietrafitta
Cavallari
Campana
La Villa
Lamole
Casole
M. S. Michele
Badiaccia a Montemuro
Torsoli
Volpaia
Villa
San Giusto
Livernano
Tregole
Fonterutoli
Petroio
La Torre
Scopeto
Chieci
Fagnano
Basciano
La Ripa
Pontignano
Monaciano
Castagno
Colombaiolo
Ficareto
Le Tolfe
Le Scotte
Ponte a Bozzone
Bolgione
Vignano
Montechiaro
Tuorlo
Ferraiolo
Rondinella
Monteaperti
Vico d'Arbia
Presciano
Val di Pugna
Bucciano
La Cerchiaia
Colle
Malamerenda
La Bicocca
Caggio di Mezzo
Carpineto
Le Volte
Agazzara
Canile
Cerreto Selva
Canonica a Cerreto
San Giovanni
San Giusto alle Monache
Bossi
San Felice
Pieve Asciata
Nebbiano
San Marcellino
San Regolo
Cacchiano
Colle
Campi
Villa a Sesta
San Vincenti
Fietri
La Madonna
San Martino
Castagnoli
Rietine
M. Lucco
Meleto
Barbischio
San Polo
San Sano
Nardi
Monastero
Montaio
Castelnuovo dei Sabbioni
Vacchereccia
Convento Montecarlo
Gaville
Restone
Porcellino
Montemarciano
Caposelvi
Rendola
La Torre
Perelli
Dudda
Ponte agli Stolli
La Pieve
Ottavo
Uzzano
Montefioralle
Ruffoli
Lucolena
Montepescini
Vadossi
Badia Ardenga
Casale del Bosco
Podere Frassina
Altesino
Torrenieri
Poder Toscano
L'Imposto
Lama
Cerbaia
Santo
Solaia
Tocchi
Castello di Tocchi
Molino Ornate
Osteria delle Macchie
Scalvaia
Lurano
Colordesoli
Palazzetto
Merse
Ciciano
Miniera di Rame
La Befa
San Giusto
Castiglione
Pieve di Pava
Bollano
San Nazzario
Monterongriffoli

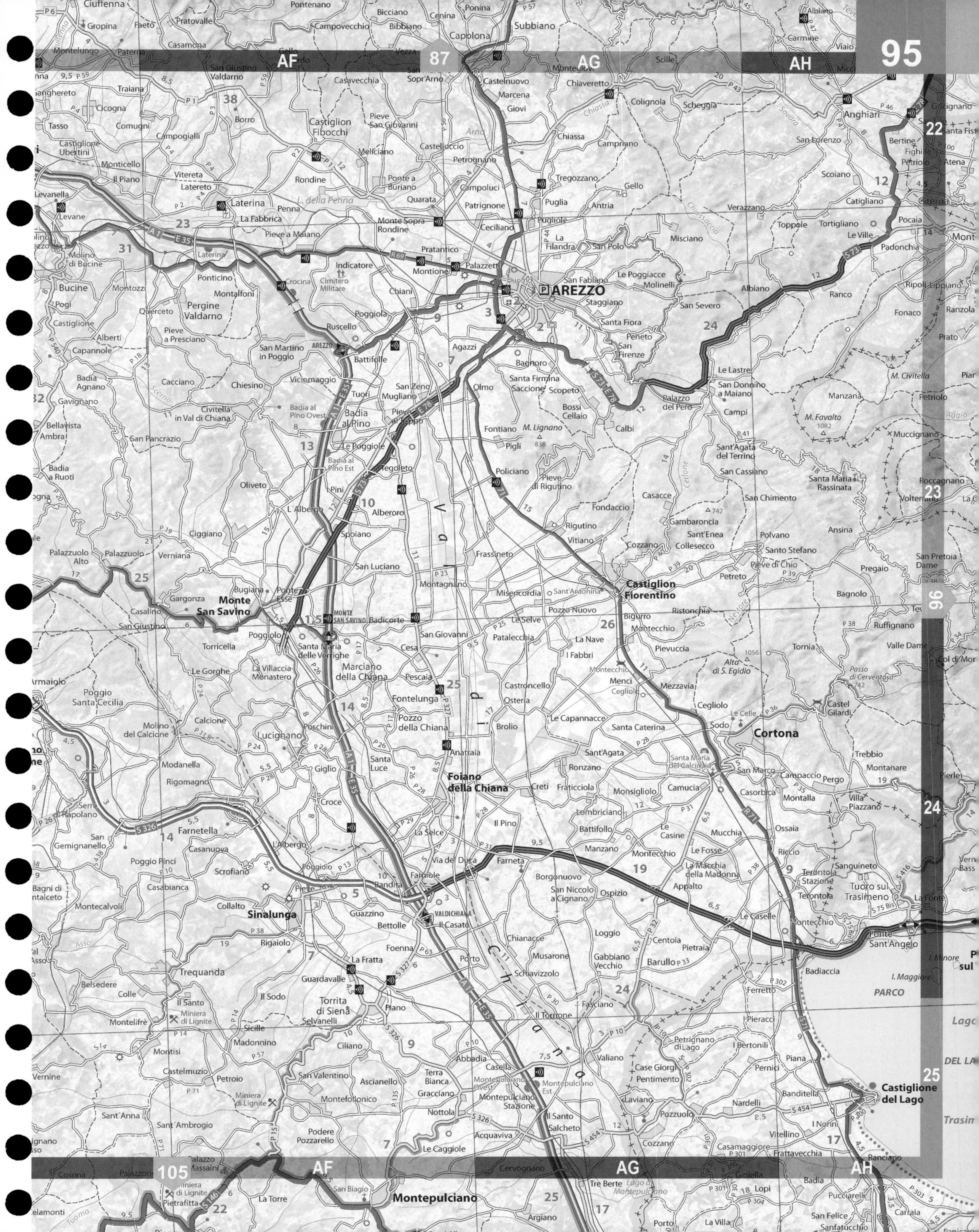
Ciuffenna
Pontenano
Bicciano
Cenina
Ponina
Subbiano
Albiano
Gropina
Faeto
Pratovalle
Campovecchio
Bibbiano
Capolona
Carmine
Viaio
Casamona
Montelungo
Paterna
AF
87
AG
AH
Scille
Montegiovi
San Giustino Valdarno
Sopr'Arno
Casavecchia
Castelnuovo
Chiaveretto
Marcena
Giovi
Colignola
Scheggia
Anghiari
Sangheretto
Traiana
38
Cicogna
Borro
Tasso
Comugni
Castiglion Fibocchi
Pieve San Giovanni
Chiassa
Campriano
Gricignano
Bertine
Fighille
Petriolo
Atena
Castiglione Ubertini
Campogialli
Meliciano
Castelluccio
Arno
San Lorenzo
22
Monticello
Petrognano
Tregozzano
Scoiano
Vitereta
Latereto
Il Piano
Rondine
Ponte a Buriano
Campoluci
Gello
12
Levanella
Levane
Laterina
Penna
L. della Penna
Quarata
Patrignone
Puglia
Antria
Verazzano
Catigliano
La Fabbrica
Monte Sopra Rondine
Pugliole
Toppole
Tortigliano
Pocaia
23
Pieve a Maiano
Ceciliano
La Filandra
San Polo
Misciano
Le Ville
Padonchia
31
Molino di Bucine
Laterina
Pratantico
Indicatore
Palazzetto
Cimitero Militare
Montione
Bucine
Crocina
Montozzi
Ponticino
Montalfoni
Chiani
Duomo
AREZZO
San Fabiano
Le Poggiacce
Molinelli
Albiano
Ripoli
Lippiano
Pogi
Pergine Valdarno
Querceto
Staggiano
Castiglione
Poggiola
9
3
2
San Severo
Ranco
Fonaco
Ranzola
Alberti
Pieve a Presciano
Ruscello
Santa Fiora
24
Peneto
Capannole
San Martino in Poggio
Battifolle
Agazzi
San Firenze
Prato
Badia Agnano
Cacciano
Chiesino
Viciomaggio
Bagnoro
Le Lastre
M. Civitella
Santa Firmina
Saccione
Scopeto
San Donnino a Maiano
Gavignano
Tuori
San Zeno
Mugliano
Olmo
Palazzo del Pero
Manzana
Petriolo
Civitella in Val di Chiana
Badia al Pino Ovest
Badia al Pino
Pieve al Toppo
Bossi
Cellaio
Campi
M. Favalto
Bellavista
Ambra
Fontiano
M. Lignano
Calbi
San Pancrazio
13
Le Poggiole
Pigli
Mucciqnano
Sant'Agata del Terrino
Badia a Ruoti
Badia al Pino Est
Tegoleto
Policiano
San Cassiano
Santa Maria Rassinata
Pieve di Rigutino
Oliveto
Pini
Casacce
San Chimento
Roccagnano
Volterrano
L'Albergo
10
Alberoro
Val
Fondaccio
Gambaroncia
Ciggiano
Spoiano
Rigutino
Vitiano
Sant'Enea
Ansina
Polvano
Palazzuolo Alto
Palazzuolo
Verniana
Frassineto
Cozzano
Collesecco
Santo Stefano
San Pretoia Dame
San Luciano
Pieve di Chio
Pregaio
25
Petreto
Bugiana
Ponte Esse
Montagnano
Castiglion Fiorentino
Gargonza
Monte San Savino
Misericordia
Sant'Antonina
Bagnolo
Casalino
San Giustino
Monte San Savino
Badicorte
Pozzo Nuovo
Ristonchia
96
Le Selve
Bigurro
Ruffignano
Poggiolo
San Giovanni
Patalecchia
26
Montecchio
Torricella
Santa Maria delle Vertighe
Cesa
La Nave
Pievuccia
Tornia
Valle Dame
I Fabbri
Le Gorghe
La Villaccia
Monastero
Marciano della Chiana
Montecchio
Alta di S. Egidio
Col di Mor
Passo di Cerventosa
Armaiolo
Pescaia
Menci
Cegliolo
Mezzavia
Poggio Santa Cecilia
Castroncello
Castel Gilardi
Fontelunga
Ostería
Cegliolo
14
d
Pozzo della Chiana
Le Capannacce
Le Celle
Molino del Calcione
Calcione
Poschini
Brolio
Santa Caterina
Sodo
Cortona
Lucignano
Anatraia
Sant'Agata
Trebbio
Modanella
Giglio
Santa Luce
Ronzano
Santa Maria del Calcinaio
San Marco
Montanare
Rigomagno
Foiano della Chiana
Creti
Fraticciola
Monsigliolo
Camucia
Campaccio
Pergo
Serre di Rapolano
Croce
Casorbica
Montalla
Villa Piazzano
Lombricіani
24
Farnetella
Il Pino
Battifolle
Le Casine
Mucchia
Ossaia
San Gemignanello
Casanuova
L'Albergo
La Selce
Manzano
Le Fosse
Riccio
Poggio Pinci
Poggiolo
Via del Duca
Farneta
Montecchio
La Macchia della Madonna
19
Sanguineto
Scrofiano
Borgonuovo
Terontola Stazione
Casabianca
Pieve
Famiole
Bandita
5
San Niccolò a Cignano
Ospizio
Appalto
Terontola
Tuoro sul Trasimeno
Bagni di Montalceto
Montecalvoli
Collalto
Sinalunga
Guazzino
Valdichiana
Bettolle
Il Casato
Le Caselle
Montecchio
Fonte Sant'Angelo
Rigaiolo
Foenna
Chianacce
Loggio
Centoia
Pietraia
I. Minore
7
La Fratta
Porto
Musarone
Gabbiano Vecchio
Barullo
Badiaccia
I. Maggiore
Trequanda
Guardavalle
Schiavizzolo
Ferretto
PARCO
Belsedere
Colle
Il Sodo
Torrita di Siena
Piano
Fasciano
Il Santo
Miniera di Lignite
Selvanelli
Il Torrone
Pieracci
Montelifrè
Sicille
Petrignano di Lago
Madonnino
Ciliano
9
Valiano
I Bertonili
Montisi
Abbadia
Piana
DEL LA
Castelmuzio
San Valentino
Terra Bianca
Casella
Montepulciano Ovest
Montepulciano Est
Case Giorgi
Pentimento
Pernici
25
Castiglione del Lago
Vernine
Petroio
Ascianello
Gracciano
Montepulciano Stazione
Laviano
Banditella
Miniera di Lignite
Montefollonico
Nardelli
Sant'Anna
Nottola
Il Santo
Salcheto
Pozzuolo
I Nonni
Trasim
Sant'Ambrogio
Podere Pozzarello
Acquaviva
Cozzano
Vitellino
17
Le Caggiole
Casamaggiore
Frattavecchia
Palazzo Massaini
105
AF
Cervognano
AG
AH
Ranciano
Cosona
Miniera di Lignite
San Biagio
Montepulciano
Tre Berte
Lago di Montepulciano
Gioiella
Lopi
Badia
Pietrafitta
La Torre
25
Pucciarelli
22
17
Carraia
Argiano
San Felice
Porto
La Villa
Sanfatucchio

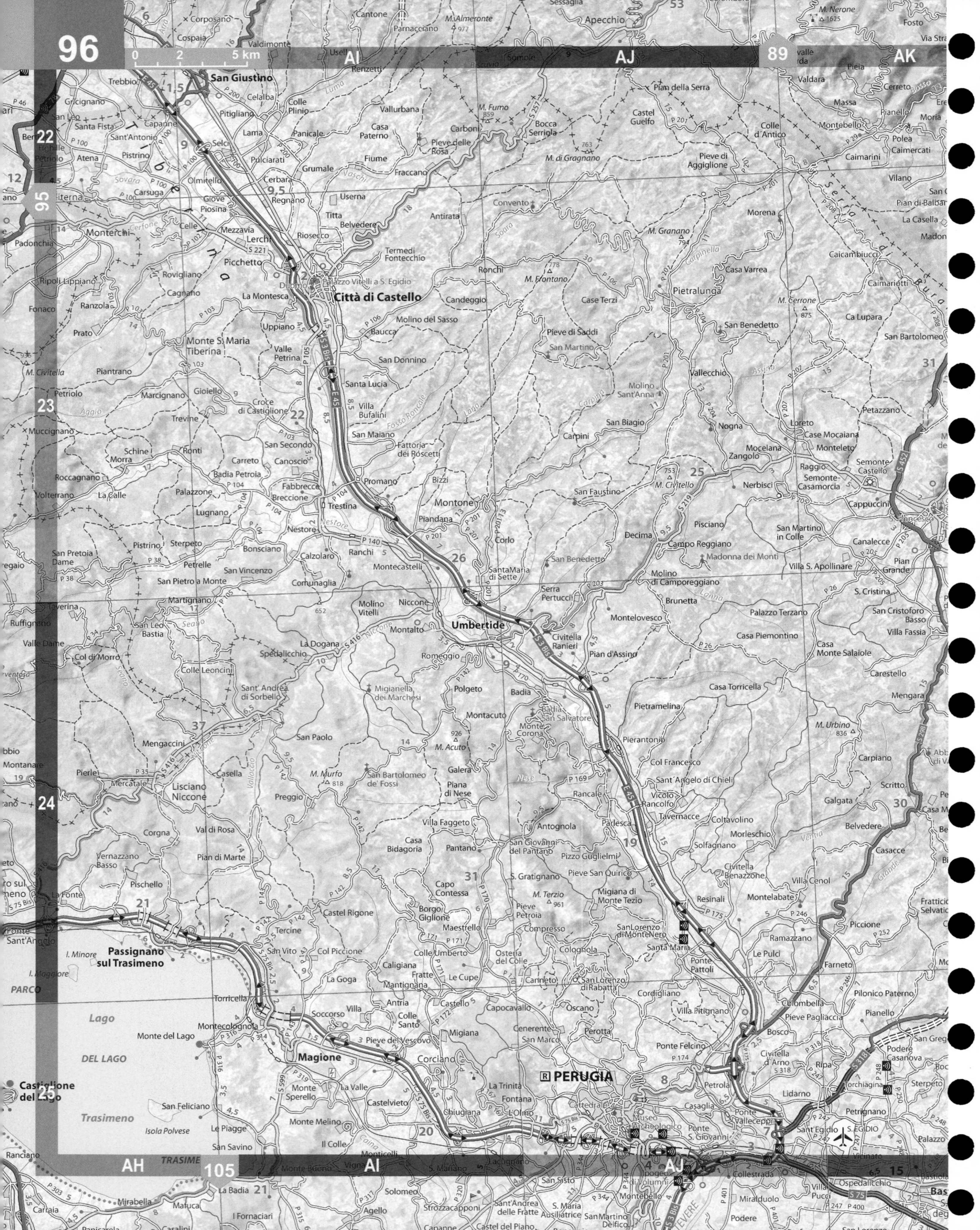
0 2 5 km
AI
AJ
89
AK
22
95
23
24
25
AH
105
AI
AJ
San Giustino
Cospaia
Corposano
Valdimonte
Trebbio
Gricignano
Selci
Lama
Pitigliano
Celalba
Colle Plinio
Santa Fista
Sant'Antonio
Capanne
Pistrino
Atena
Pulciarati
Cerbara
Regnano
Olmitello
Carsuga
Giove
Piosina
Monterchi
Padonchia
Celle
Mezzavia
Lerchi
Picchetto
Rovigliano
Cagnano
Ripoli Lippiano
Fonaco
Ranzola
La Montesca
Città di Castello
Palazzo Vitelli a S. Egidio
Duomo
Uppiano
Prato
Monte S. Maria Tiberina
Valle Petrina
Piantrano
M. Civitella
Petriolo
Marcignano
Gioiello
Croce di Castiglione
Trevine
Muccignano
Schine
Morra
Ronti
San Secondo
Canoscio
Carreto
Badia Petroia
Roccagnano
Volterrano
La Calle
Palazzone
Fabbrecce
Breccione
Trestina
Lugnano
Nestore
Pistrino
Sterpeto
Bonsciano
San Pretoia
Dame
Petrelle
San Vincenzo
San Pietro a Monte
Calzolaro
Ranchi
Comunaglia
Montecastelli
Martignano
Teverina
Ruffignano
San Leo Bastia
Valle Dame
Col di Morro
Colle Leoncini
Spedalicchio
La Dogana
Molino Vitelli
Niccone
Montalto
Umbertide
Romeggio
Sant' Andrea di Sorbello
Mengaccini
Mercatale
Pierle
Lisciano Niccone
Casella
San Paolo
Migianella dei Marchesi
Polgeto
Montacuto
M. Acuto
M. Murfo
San Bartolomeo de' Fossi
Preggio
Corgna
Val di Rosa
Pian di Marte
Vernazzano Basso
Pischello
La Fonte
Castel Rigone
Tercine
San Vito
Col Piccione
Passignano sul Trasimeno
I. Minore
I. Maggiore
PARCO
Torricella
Lago
Monte del Lago
Montecolognola
DEL LAGO
Castiglione del Lago
Trasimeno
Isola Polvese
San Feliciano
Le Piagge
San Savino
Ranciano
TRASIME
Magione
Soccorso
Villa
Pieve del Vescovo
Monte Sperello
La Valle
Castelvieto
Monte Melino
Il Colle
Chiugiana
Corciano
La Trinità
Fontana
L'Olmo
Cattedrale
PERUGIA
Museo Archeologico
Ponte S. Giovanni
Ponte Valleceppi
Casaglia
Petrola
Sant'Egidio
S. EGIDIO
Lidarno
Ripa
Torchiagina
Petrignano
Palazzo
Collestrada
Ospedalicchio
Bastia
Mirabella
Magione
La Badia
Solomeo
Strozzacapponi
Sant'Andrea delle Fratte
S. Maria Ausiliatrice
San Martino Delfico
Montebello
San Sisto
Monticelli
Agello
Capanne
Castel del Piano
Caligiana
Fratte
Mantignana
La Goga
Antria
Colle Santo
Castello
Migiana
Capocavallo
Cenerente
San Marco
Oscano
Perotta
Ponte Felcino
Villa Pitignano
Colle Umberto
Le Cupe
Osteria del Colle
Canneto
San Lorenzo di Rabatta
Colognola
Cordigliano
Compresso
Maestrello
Borgo Giglione
Capo Contessa
Pieve Petroia
M. Terzio
Migiana di Monte Tezio
S. Gratignano
Pieve San Quirico
Pizzo Guglielmi
San Giovanni del Pantano
Pantano
Casa Bidagoria
Villa Faggeto
Antognola
Parlesca
Rancale
Galera
Piana di Nese
Badia
Abbazia San Salvatore
Monte Corona
Pierantonio
Col Francesco
Sant'Angelo di Chieli
Vicolo Rancolfo
Tavernacce
Coltavolino
Solfagnano
Morleschio
Civitella Benazzone
Resinali
Montelabate
Villa Cenol
San Lorenzo di Monte Nero
Santa Maria
Ponte Pattoli
Le Pulci
Ramazzano
Piccione
Farneto
Colombella
Pieve Pagliaccia
Bosco
Civitella d'Arno
Pilonico Paterno
Pianello
Podere Casanova
Sterpeto
San Gregorio
Casa Torricella
Pietramelina
M. Urbino
Carpiano
Scritto
Galgata
Belvedere
Casacce
Mengara
Carestello
Casa Monte Salaiole
Villa Fassia
San Cristoforo Basso
S. Cristina
Palazzo Terzano
Casa Piemontino
Montelovesco
Brunetta
Molino di Camporeggiano
Villa S. Apollinare
Pian Grande
Canalecce
San Martino in Colle
Madonna dei Monti
Campo Reggiano
Decima
Pisciano
Serra Pertucci
Civitella Ranieri
Pian d'Assino
San Benedetto
SantaMaria di Sette
Corlo
Piandana
Montone
Bizzi
Promano
Fattoria dei Roscetti
San Maiano
Villa Bufalini
Santa Lucia
San Donnino
Baucca
Molino del Sasso
Candeggio
Ronchi
M. Frontano
Termedi Fontecchio
Belvedere
Riosecco
Titta
Userna
Antirata
Convento
Grumale
Fraccano
Fiume
Casa Paterno
Panicale
Vallurbana
Renzetti
Usell
Cantone
Parnacciano
M. Almeronte
Sessaglia
Apecchio
M. Fumo
Carboni
Pieve delle Rosa
Bocca Serriola
M. di Gragnano
Castel Guelfo
Pian della Serra
Colle d'Antico
Pieve di Aggiglione
Morena
M. Granano
Casa Varrea
Pietralunga
Case Terzi
Pieve di Saddi
San Martino
San Benedetto
Molino Sant'Anna
Vallecchio
San Biagio
Carpini
Nogna
Mocelana
Zangolo
M. Civitello
Nerbisci
San Faustino
Loreto
Case Mocaiana
Monteleto
Raggio
Semonte-Casamorcia
Semonte Castello
Cappuccini
Petazzano
M. Cerrone
Ca Lupara
San Bartolomeo
Caicambiucci
Caimariotti
Vilano
Caimarini
Polea
Caimercati
Montebello
Pianello
Massa
Cerreto
Valdara
Pieia
M. Nerone
Fosto
Morena
Tiberina
Nestore
Assino
Carpina
Niccone
Nese
Ventia
Caina
TEVERE
Serra di Burano
E 45
S 3 Bis
S 75 Bis
S 416
S 221
S 219
S 298
S 452
S 318
S 75

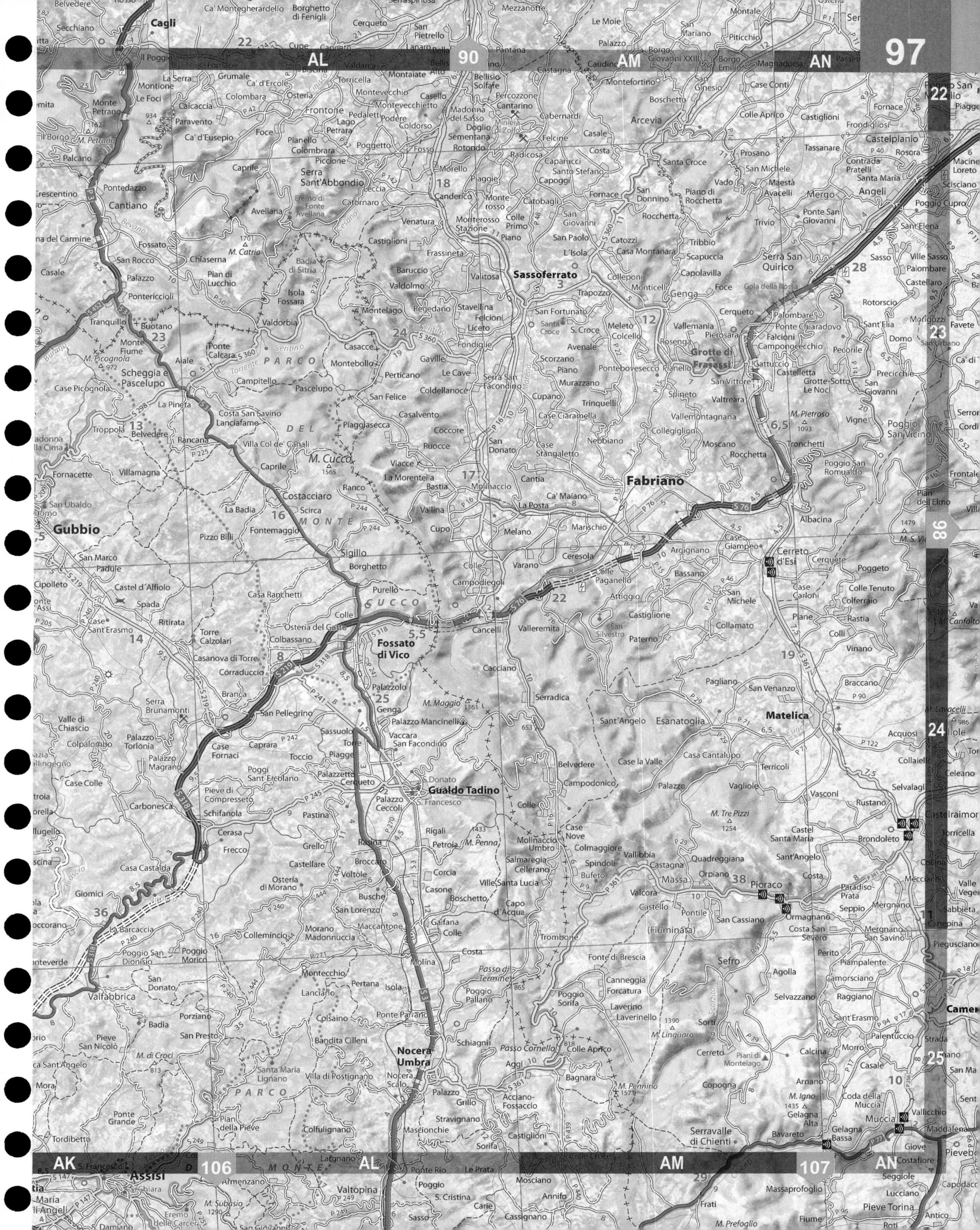
AL
90
AM
AN
22
23
24
25
98
AK
106
AL
AM
107
AN
Cagli
Cantiano
Gubbio
Scheggia e Pascelupo
Costacciaro
Sigillo
Fossato di Vico
Gualdo Tadino
Nocera Umbra
Assisi
Valfabbrica
Sassoferrato
Arcevia
Fabriano
Genga
Grotte di Frasassi
Serra San Quirico
Cerreto d'Esi
Matelica
Esanatoglia
Pioraco
Sefro
Muccia
Serravalle di Chienti
Castelraimondo
Castelplanio
Serra Sant'Abbondio
Frontone
Pergola
M. Catria
M. Cucco
M. Picognola
M. Maggio
M. Penna
M. Pennino
M. Subasio
M. Linguaro
M. Pietroso
M. Tre Pizzi
Passo Cornello
Passo di Termine
Gola della Rossa
PARCO DEL MONTE CUCCO
PARCO MONTE SUBASIO
S 3
S 76
S 219
S 318
S 360
S 361
S 444
S 452
S 298
Valtopina
Pieve Torina
Colle Aprico
Sentino
Esino

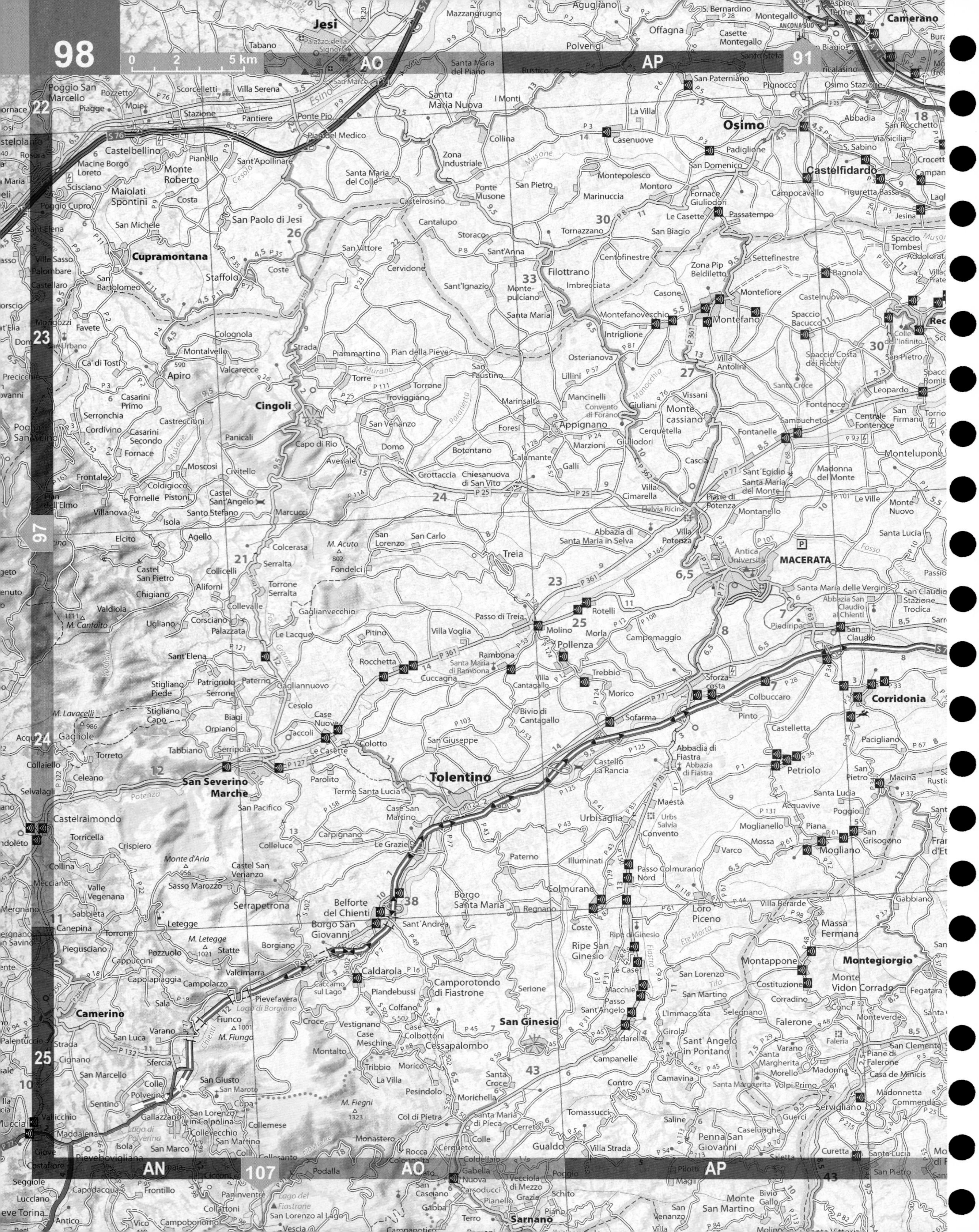
0 2 5 km
AO
AP
91
97
107
AN
Jesi
Camerano
Osimo
Castelfidardo
Offagna
Polverigi
Agugliano
Castelbellino
Monte Roberto
Maiolati Spontini
San Paolo di Jesi
Cupramontana
Staffolo
Filottrano
Montefano
Apiro
Cingoli
Appignano
Montecassiano
Treia
MACERATA
Corridonia
Pollenza
Petriolo
Mogliano
Tolentino
San Severino Marche
Castelraimondo
Camerino
Belforte del Chienti
Caldarola
Camporotondo di Fiastrone
San Ginesio
Urbisaglia
Loro Piceno
Massa Fermana
Montegiorgio
Montappone
Falerone
Sant' Angelo in Pontano
Serrapetrona
Sarnano
Gualdo
Penna San Giovanni
Servigliano
Colmurano
Ripe San Ginesio
Cessapalombo
Pievebovigliana
Muccia
M. Canfaito
M. Lavacelli
M. Letegge
M. Fiungo
M. Fiegni
M. Acuto
Lago di Borgiano
Abbadia di Fiastra
Urbs Salvia
Monte Vidon Corrado

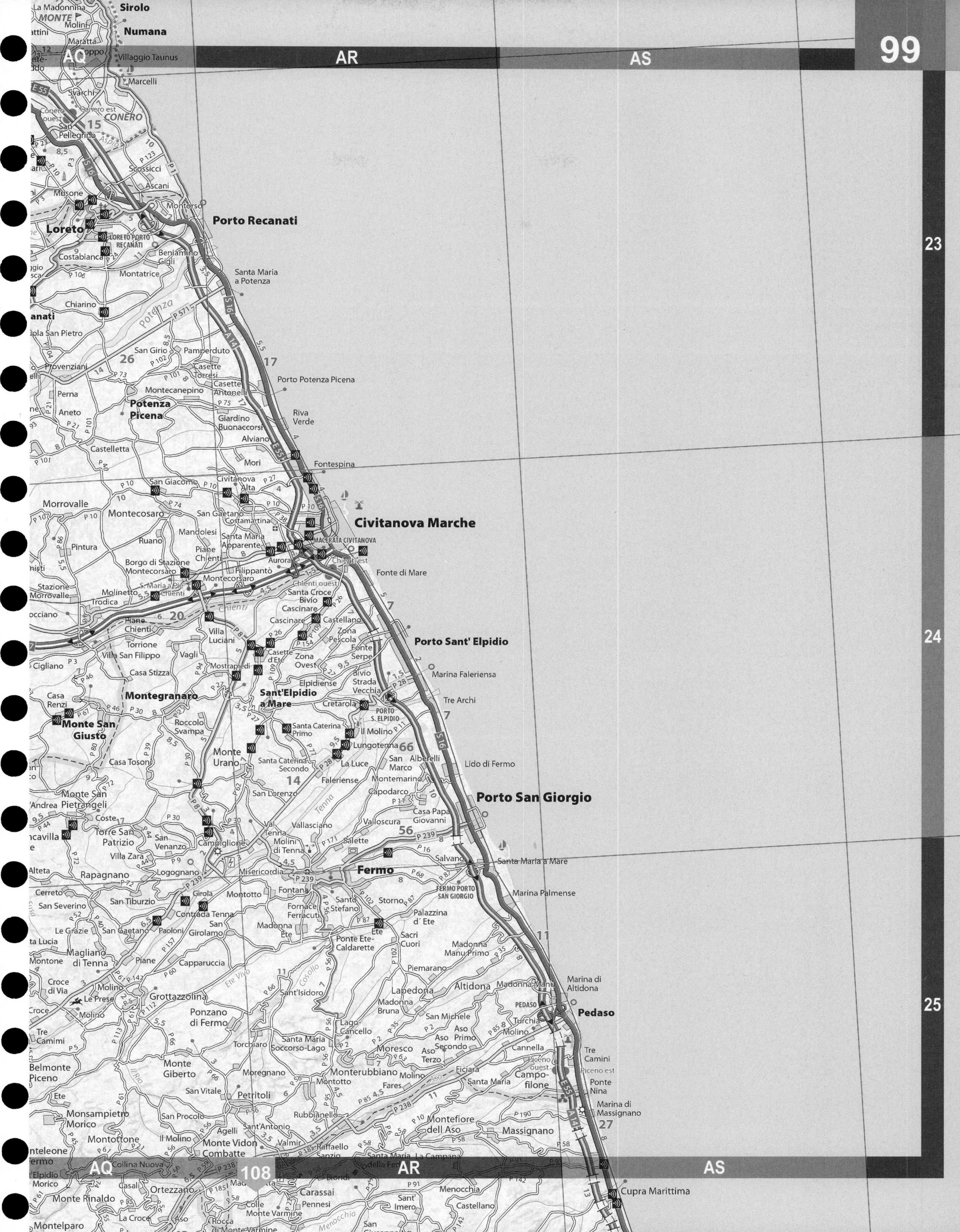

AQ
AR
AS
23
24
25
Sirolo
Numana
Porto Recanati
Loreto
Potenza Picena
Civitanova Marche
Porto Sant' Elpidio
Sant'Elpidio a Mare
Montegranaro
Monte San Giusto
Porto San Giorgio
Fermo
Pedaso
Cupra Marittima
Santa Maria a Potenza
Porto Potenza Picena
Riva Verde
Fontespina
Fonte di Mare
Marina Faleriensa
Tre Archi
Lido di Fermo
Santa Maria a Mare
Marina Palmense
Marina di Altidona
Marina di Massignano
Morrovalle
Montecosaro
Monte Urano
Altidona
Campofilone
Massignano
Montefiore dell'Aso
108

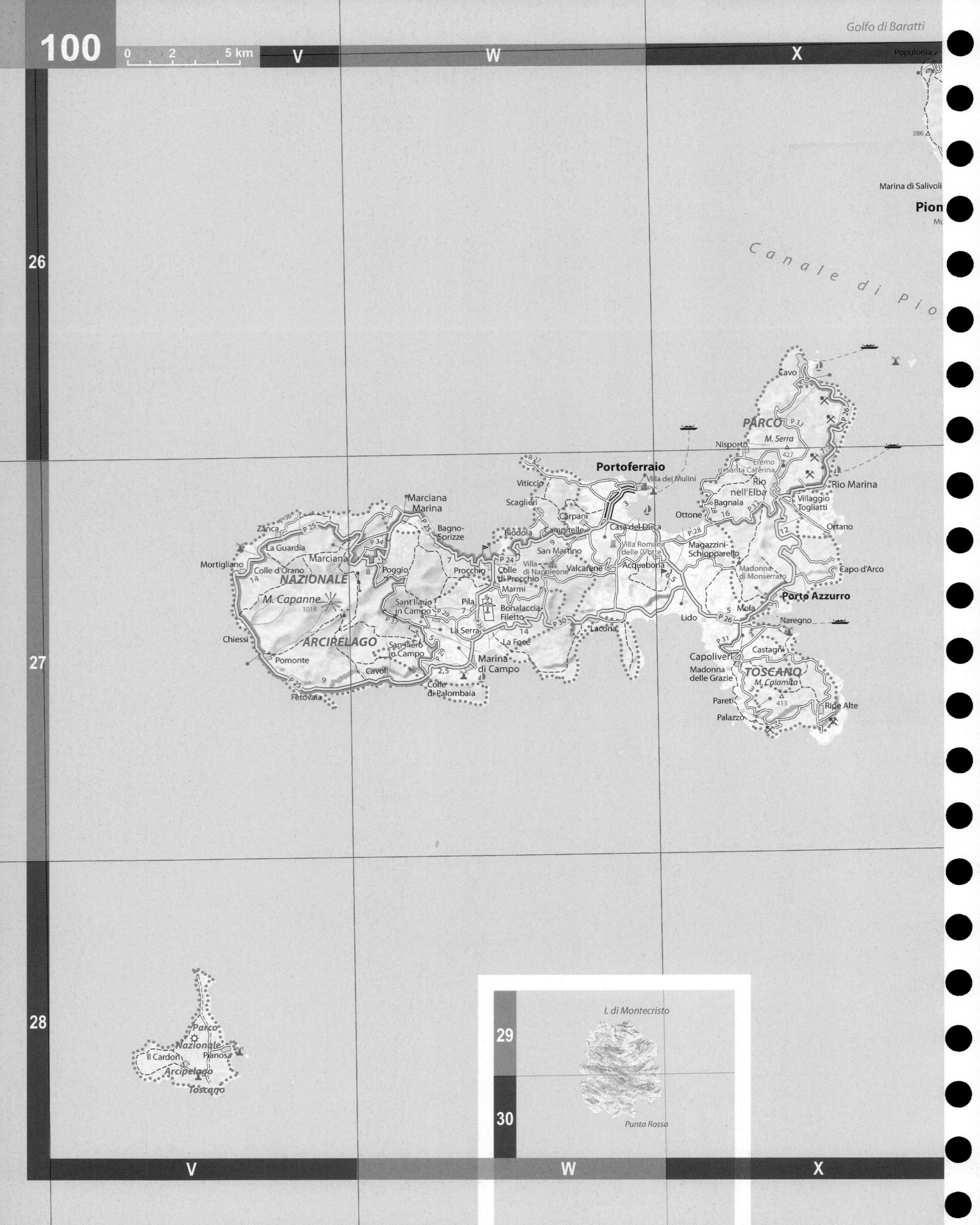

0 2 5 km

V   W   X

Golfo di Baratti

Populonia

286 △

Marina di Salivoli

Pion

Mu

Canale di Pio

26

Cavo

PARCO

Nisporto   M. Serra   P 33

427 △

Eremo di santa Caterina

Rio Marina

Portoferraio

Viticcio   Villa dei Mulini   Rio nell'Elba

Scaglieri   3   Bagnaia

P 27   Carpani   Ottone   16   Villaggio Togliatti

Marciana Marina   Biodola   Camnitelle   Casa del Duca   P 28   Ortano

Zanca   P 36   Bagno-Sprizze   San Martino   Villa Romana delle Grotte   12

P 25   P 34   7   P 24   Villa di Napoleone   Magazzini-Schiopparello   Capo d'Arco

La Guardia   Marciana   8   Procchio   Valcarene   Acquabona   Madonna di Monserrato

Mortigliano   Colle d'Orano   Poggio   Colle di Procchio   6,5   **Porto Azzurro**

NAZIONALE   14   Marmi

M. Capanne   Sant'Ilario in Campo   Pila   5   Lido   Mola   Naregno

1018 △   P 29   7   Bonalaccia   P 30   Lacona   P 26

Chiessi   P 35   Filetto

ARCIPELAGO   14   P 31   Castagni   Capoliveri

San Piero in Campo   La Serra   Madonna delle Grazie   **TOSCANO**

Pomonte   La Foce   M. Calamita

P 25   9   Cavoli   2,5   Marina di Campo   Pareti   413 △   Ripe Alte

Fetovaia   Colle di Palombaia   Palazzo

27

28

Parco Nazionale   Pianosa

Il Cardon

Arcipelago Toscano

29

I. di Montecristo

30

Punta Rossa

V   W   X

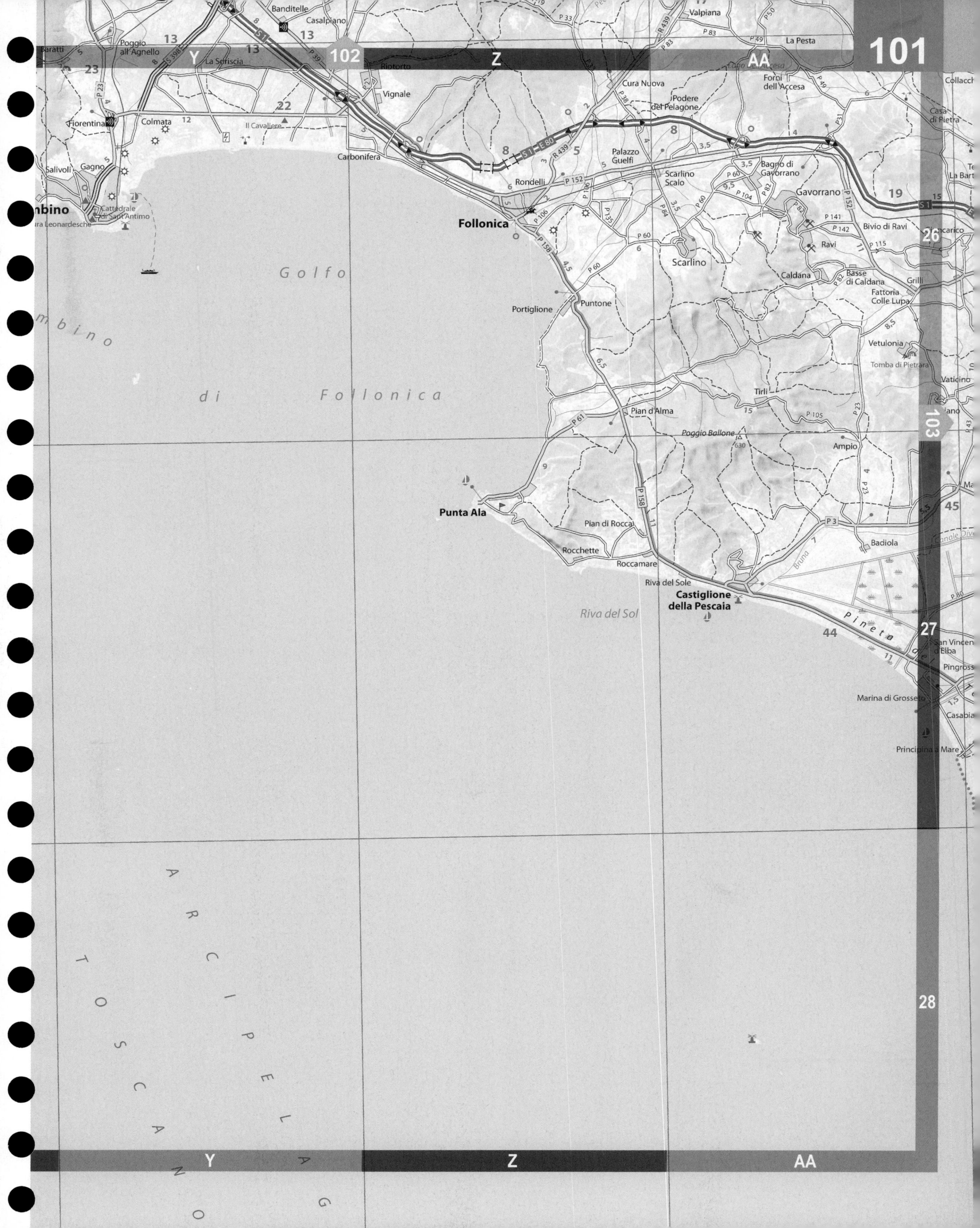

13
13
13
Y
22
12
102
Z
AA
103
Baratti
Banditelle
Casalpiano
Valpiana
P 33
P 83
P 50
La Pesta
P 49
Poggio all'Agnello
La Scriscia
Riotorto
Cura Nuova
Forni dell'Accesa
Collacch
Fiorentina
Colmata
Vignale
Il Cavaliere
Podere del Pelagone
Casa di Pietra
Salivoli
Gagno
Carbonifera
8
E 80
R 439
5
Palazzo Guelfi
Scarlino Scalo
Bagno di Gavorrano
La Bart
mbino
Cattedrale di Sant'Antimo
Rondelli
P 152
Gavorrano
19
15
Follonica
Scarlino
P 60
Bivio di Ravi
26
P 142
Ravi
P 115
carico
Grilli
Golfo
Caldana
Basse di Caldana
Fattoria Colle Lupa
Portiglione
Puntone
Vetulonia
Tomba di Pietrara
Vaticino
di
Follonica
Pian d'Alma
P 61
Poggio Ballone
630
Ampio
45
P 158
9
Punta Ala
Pian di Rocca
P 3
Badiola
Canale Div
Rocchette
Roccamare
Riva del Sole
Castiglione della Pescaia
Bruno
Pineta
27
Riva del Sol
44
San Vincenzo d'Elba
Pingross
Marina di Grosseto
Casabia
Principina a Mare
A R C I P E L A G O
T O S C A N O
28
Y
Z
AA

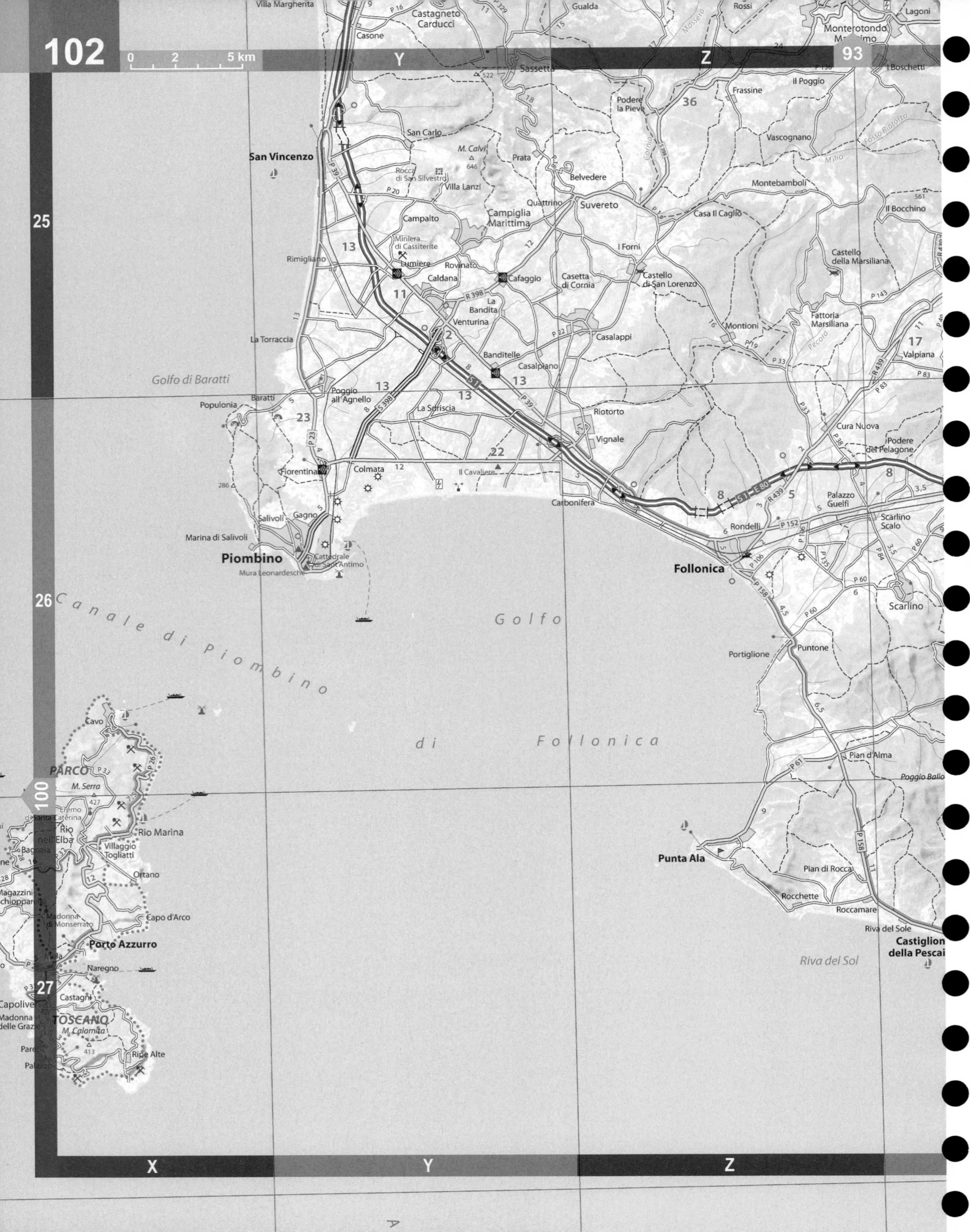

Villa Margherita
Castagneto Carducci
Casone
Gualda
Rossi
Lagoni
Monterotondo Marittimo
I Boschetti

San Vincenzo
San Carlo
Sassetta
Il Poggio
Frassine
Podere la Pieve
36
Vascognano

M. Calvi
646
Prata
Belvedere
Montebamboli
Il Bocchino

25
Campalto
Rocca di San Silvestro
Villa Lanzi
Quattrino
Suvereto
Casa Il Caglio
Castello della Marsiliana

13
Miniera di Cassiterite
Campiglia Marittima
I Forni
Castello di San Lorenzo

Rimigliano
Lumiere
Cafaggio
Casetta di Cornia
Fattoria Marsiliana

11
Caldana
Montioni
17
Valpiana

La Torraccia
La Bandita
R 398
Casalappi
16

2
Venturina
Banditelle
Casalpiano

13
Bandinelle
Casalpiano
13

Golfo di Baratti
Baratti
Poggio all'Agnello
13
Riotorto
Cura Nuova

Populonia
13
La Sdriscia
Vignale
Podere del Pelagone

23
22
8

Fiorentina
Colmata
12
Il Cavaliere
Carbonifera
S 1 - E 80
Palazzo Guelfi
Scarlino Scalo

286
Salivoli
Gagno
Rondelli
P 152

Marina di Salivoli
8
Scarlino

Piombino
Cattedrale di Sant'Antimo
Follonica
Mura Leonardesche

26
Canale di Piombino
G o l f o
Portiglione
Puntone

_d i_   _F o l l o n i c a_
Pian d'Alma
Poggio Ballo

Cavo
PARCO
P 33
M. Serra
Punta Ala
Pian di Rocca

100
427
Eremo di Santa Caterina
Rio nell'Elba
Rio Marina
Rocchette
Roccamare

Bagnaia
Villaggio Togliatti
Riva del Sole
Ortano
Castiglion della Pescaia

Magazzini Schioppare
Madonna di Monserrato
Capo d'Arco
Riva del Sol

Porto Azzurro
Naregno

27
Capolive
Castagni
TOSCANO
M. Calamita
413
Ripe Alte

Pareti
Palazzo

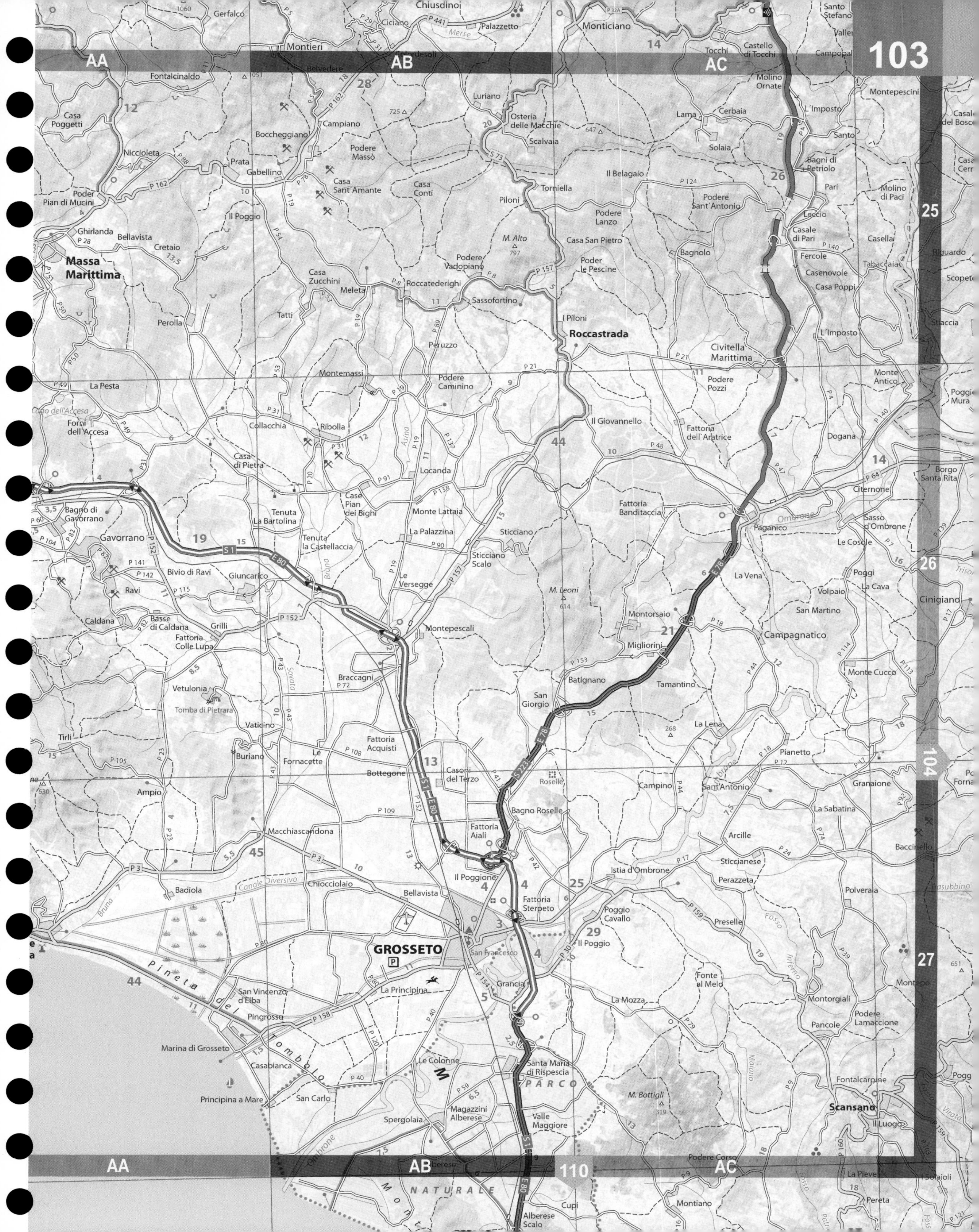
AA
AB
AC
Gerfalco
Chiusdino
Monticiano
Montieri
Ciciano
Palazzetto
Merse
Tocchi
Castello di Tocchi
Santo Stefano
Campopal
Belvedere
Fontalcinaldo
Molino Ornate
Montepescini
Casa Poggetti
Luriano
Osteria delle Macchie
Lama
Cerbaia
L'Imposto
Campiano
Scalvaia
Solaia
Santo
Boccheggiano
Niccioleta
Prata
Gabellino
Podere Massò
Bagni di Petriolo
Il Belagaio
Casa Sant'Amante
Casa Conti
Torniella
Piloni
Podere Sant'Antonio
Pari
Molino di Paci
Poder Pian di Mucini
Il Poggio
Podere Lanzo
Leccio
Ghirlanda
Bellavista
Cretaio
M. Alto
Casa San Pietro
Casale di Pari
Casella
Massa Marittima
Podere Vadopiano
Poder le Pescine
Bagnolo
Fercole
Riguardo
Tabaccaia
Casa Zucchini
Roccatederighi
Casenovole
Casa Poppi
Scopeto
Meleta
Sassofortino
Tatti
I Piloni
Perolla
Roccastrada
Stiaccia
Peruzzo
L'Imposto
Civitella Marittima
Montemassi
Podere Caminino
Podere Pozzi
Monte Antico
La Pesta
Poggio Mura
Lago dell'Accesa
Forni dell'Accesa
Collacchia
Ribolla
Il Giovannello
Fattoria dell'Aratrice
Dogana
Casa di Pietra
Locanda
Borgo Santa Rita
Citernone
Bagno di Gavorrano
Tenuta La Bartolina
Case Pian dei Bighi
Monte Lattaia
Fattoria Banditaccia
Paganico
Ombrone
Sasso d'Ombrone
Gavorrano
Tenuta la Castellaccia
La Palazzina
Sticciano
Le Cosole
Bivio di Ravi
Giuncarico
Sticciano Scalo
Le Versegge
La Vena
Poggi
La Cava
Ravi
M. Leoni
Volpaio
Cinigiano
Caldana
Basse di Caldana
Grilli
Montepescali
Montorsaio
San Martino
Fattoria Colle Lupa
Campagnatico
Migliorini
Batignano
Monte Cucco
Braccagni
Vetulonia
Tamantino
Tomba di Pietrara
San Giorgio
Vaticino
La Lena
Tirli
Fattoria Acquisti
Pianetto
Buriano
Le Fornacette
Bottegone
Casoni del Terzo
Roselle
Campino
Sant'Antonio
Granaione
Ampio
Bagno Roselle
La Sabatina
Macchiascandona
Fattoria Aiali
Arcille
Baccinello
Il Poggione
Istia d'Ombrone
Sticcianese
Badiola
Canale Diversivo
Chiocciolaio
Perazzeta
Bellavista
Fattoria Sterpeto
Polveraia
Poggio Cavallo
Preselle
GROSSETO
Il Poggio
San Francesco
Pineta del Tombolo
San Vincenzo d'Elba
La Principina
Grancia
Fonte al Melo
Montepo
Pingrosso
La Mozza
Montorgiali
Podere Lamaccione
Marina di Grosseto
Pancole
Casabianca
Le Colonne
Santa Maria di Rispescia
Parco
Principina a Mare
San Carlo
M. Bottigli
Fontalcarpine
Magazzini Alberese
Spergolaia
Valle Maggiore
Scansano
Il Luogo
Podere Corso
La Pieve
I Sodaioli
Pereta
Naturale
Montiano
Cupi
Alberese Scalo
104
110
25
26
27
S1
E80
E78
S223
S73

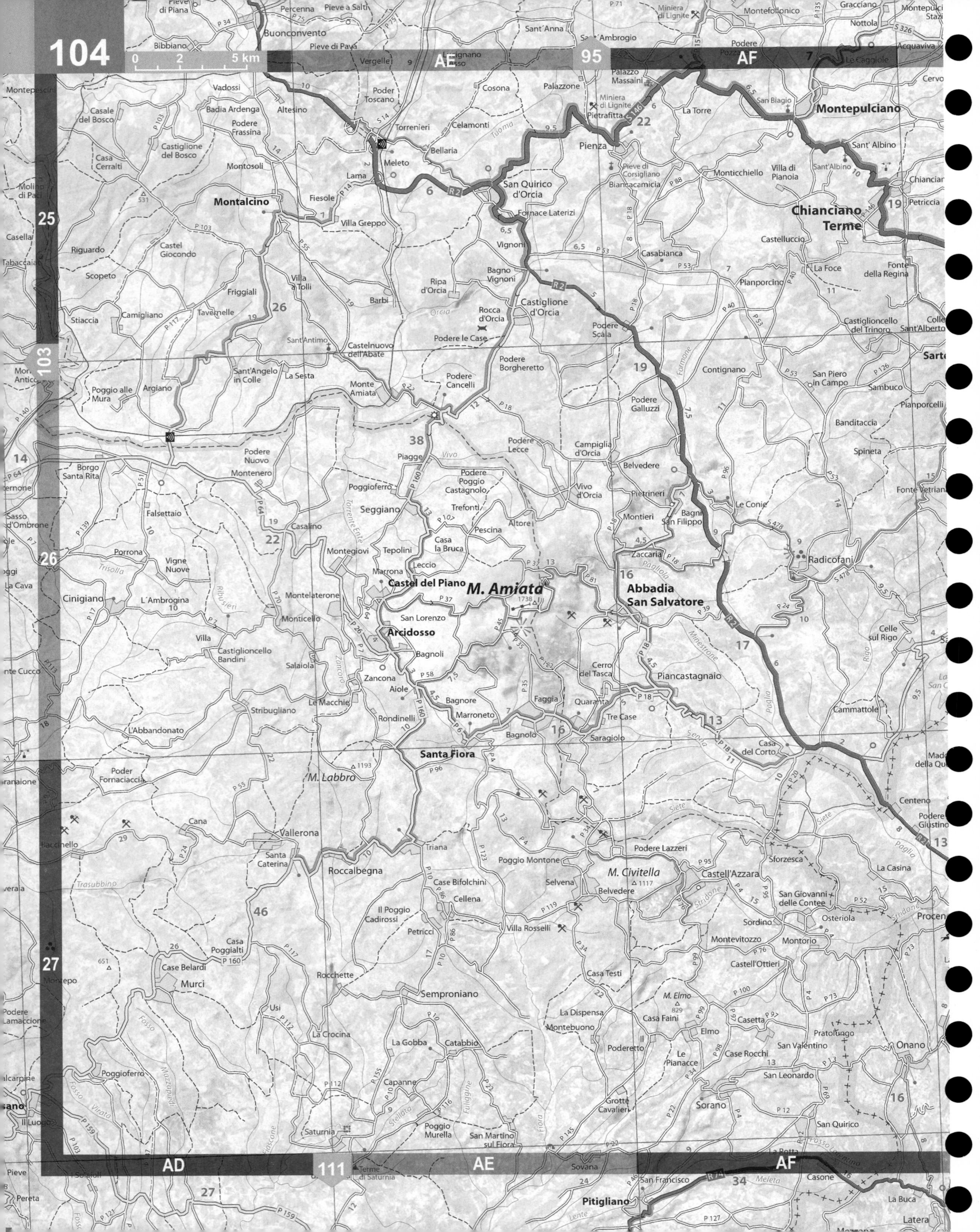
0 2 5 km
AE
95
AF
Buonconvento
Pieve a Salti
Montefollonico
Montepulciano
Pienza
San Quirico d'Orcia
Torrenieri
Montalcino
Chianciano Terme
Castiglione d'Orcia
Rocca d'Orcia
Bagno Vignoni
Vignoni
Castelnuovo dell'Abate
Sant'Angelo in Colle
Monte Amiata
Contignano
Radicofani
Abbadia San Salvatore
Piancastagnaio
M. Amiata
1738
Castel del Piano
Arcidosso
Seggiano
Santa Fiora
M. Labbro
Roccalbegna
Vallerona
Semproniano
M. Civitella
Castell'Azzara
Sorano
Pitigliano
Sovana
Saturnia
Onano
San Casciano
Proceno
Montepescini
Cinigiano
Murci
Poggioferro
Montenero
Camigliano
Monticchiello
Castelluccio
La Foce
Fonte della Regina
Bagni San Filippo
Campiglia d'Orcia
Vivo d'Orcia
Selvena
Montevitozzo
San Giovanni delle Contee
Castell'Ottieri
Elmo
San Quirico
Terme di Saturnia
AD
111
AE
AF
25
103
26
27

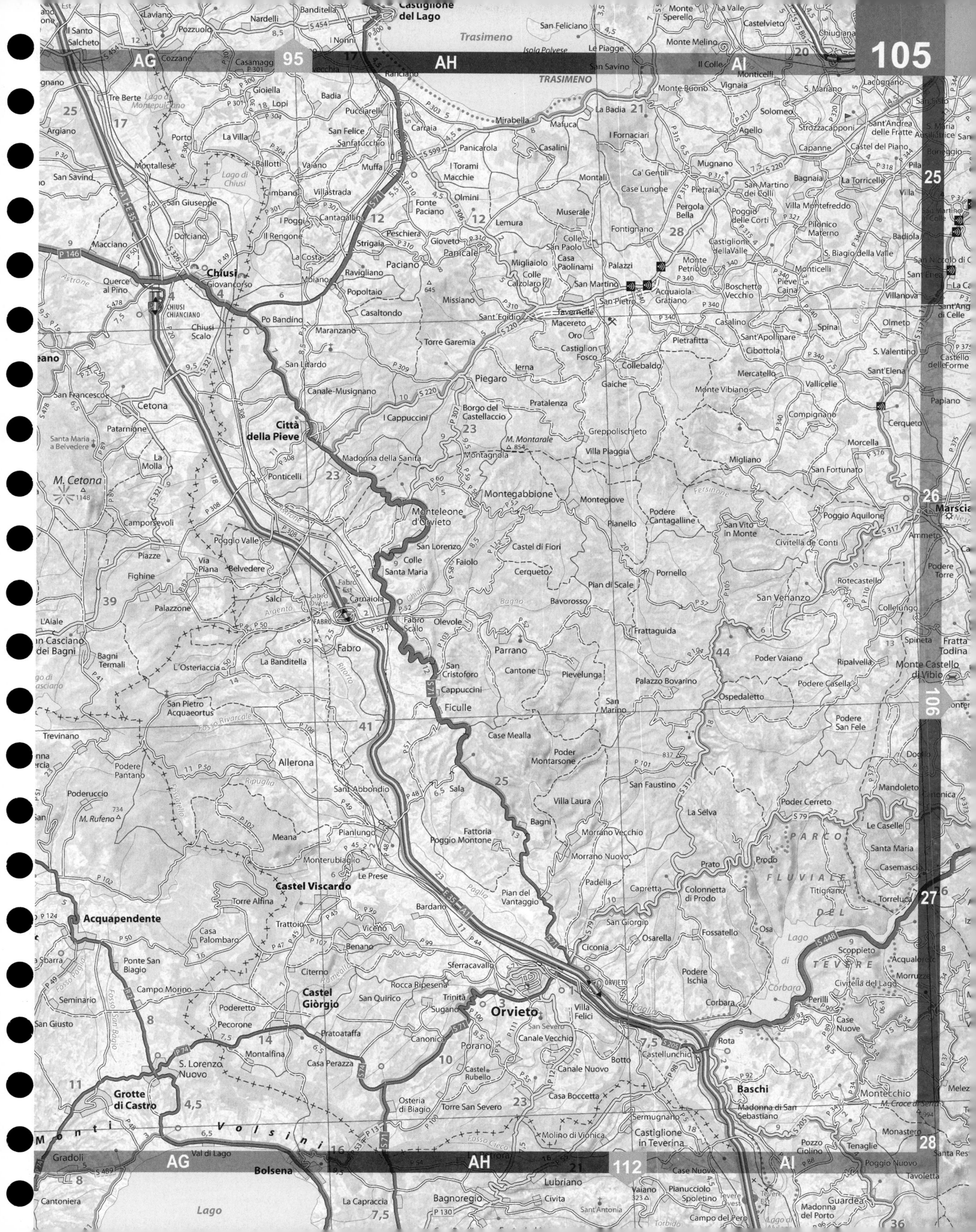

Castiglione del Lago
Trasimeno
TRASIMENO
Isola Polvese
AG
AH
AI
95
112
106
25
26
27
28
Laviano
Pozzuolo
Banditella
Nardelli
I Nonni
San Feliciano
Monte Sperello
La Valle
Castelvieto
Chiugiana
Il Santo
Salcheto
Cozzano
Casamaggiore
Ranciano
Le Piagge
San Savino
Monte Melino
Il Colle
Monticelli
Lago di Montepulciano
Tre Berte
Gioiella
Lopi
Badia
Pucciarelli
Mirabella
Mafuca
La Badia
Monte Buono
Vignaia
S. Mariano
Lacugnano
Argiano
Porto
La Villa
San Felice
Sanfatucchio
Carraia
Panicarola
Casalini
I Fornaciari
Solomeo
Strozzacapponi
Sant'Andrea delle Fratte
Montallese
Lago di Chiusi
I Ballotti
Vaiano
Muffa
I Torami
Macchie
Montali
Ca' Gentili
Mugnano
Agello
Capanne
Castel del Piano
San Savino
Cimbano
Villastrada
Fonte Paciano
Olmini
Case Lunghe
Pietraia
San Martino dei Colli
Bagnaia
La Torricella
San Giuseppe
I Poggi
Cantagallina
Lemura
Muserale
Pergola Bella
Poggio delle Corti
Villa Montefreddo
Pilonico Materno
Dolciano
Il Rengone
Peschiera
Strigaia
Gioveto
Panicale
Colle San Paolo
Fontignano
Castiglione della Valle
Badiola
Macciano
La Costa
Paciano
Migliaiolo
Casa Paolinami
Palazzi
Monte Petriolo
S. Biagio della Valle
Chiusi
Giovancorso
Querce al Pino
Ravigliano
Moiano
Colle Calzolaro
San Martino
Acquaiola-Gratiano
Boschetto Vecchio
Pieve Caina
Monticelli
Popoltaio
Missiano
San Pietro
Villanova
Chiusi Chianciano
Chiusi Scalo
Po Bandino
Casaltondo
Sant'Egidio
Tavernelle
Macereto
Oro
Casalino
Sant'Apollinare
Spina
Olmeto
Maranzano
Torre Garemia
Castiglion Fosco
Pietrafitta
Cibottola
S. Valentino
San Litardo
Ierna
Piegaro
Collebaldo
Mercatello
Sant'Elena
Canale-Musignano
Gaiche
Monte Vibiano
Vallicelle
San Francesco
Cetona
I Cappuccini
Borgo del Castellaccio
Pratalenza
Compignano
Papiano
Patarnione
Città della Pieve
M. Montarale
Greppolischieto
Cerqueto
Santa Maria a Belvedere
La Molla
Madonna della Sanità
Montagnola
Villa Piaggia
Morcella
Migliano
San Fortunato
Ponticelli
M. Cetona
Montegabbione
Montegiove
Fersinone
Marsciano
Camporsevoli
Monteleone d'Orvieto
Pianello
Poder Cantagalline
San Vito in Monte
Poggio Aquilone
Poggio Valle
San Lorenzo
Castel di Fiori
Civitella de' Conti
Ammeto
Piazze
Colle
Santa Maria
Faiolo
Cerqueto
Pornello
Podere Torre
Fighine
Via Piana
Belvedere
Fabro Est
Chiani
Pian di Scale
Rotecastello
39
Palazzone
Salci
Fabro Ovest
Carnaiola
Bagno
Bavorosso
San Venanzo
Collelungo
L'Aiale
Argento
Fabro
Fabro Scalo
Olevole
San Casciano dei Bagni
Bagni Termali
Fabro
Parrano
Frattaguida
44
Spineta
Fratta Todina
L'Osteriaccia
La Banditella
Ritorto
San Cristoforo
Cantone
Pievelunga
Poder Vaiano
Ripalvella
Monte Castello di Vibio
San Pietro Acquaeortus
Cappuccini
Palazzo Bovarino
Podere Casella
Ficulle
San Marino
Ospedaletto
Trevinano
Fosso Rivarcale
41
Case Mealla
Podere San Fele
Podere Pantano
Allerona
Poder Montarsone
Doglio
Poderuccio
Ripuglia
Sant'Abbondio
Sala
San Faustino
Mandoleto
M. Rufeno
Villa Laura
La Selva
Poder Cerreto
Meana
Pianlungo
Bagni
Fattoria Poggio Montone
Morrano Vecchio
PARCO
Le Caselle
Santa Maria
Monterubiaglio
Morrano Nuovo
Prato
Prodo
FLUVIALE
Casemasce
Acquapendente
Castel Viscardo
Le Prese
Pian del Vantaggio
Padella
Capretta
Colonnetta di Prodo
Titignano
Torreluca
Torre Alfina
Bardano
Paglia
DEL
Trattoio
Viceno
San Giorgio
Osarella
Fossatello
Osa
Lago di
TEVERE
Scoppieto
Acqualoreto
Casa Palombaro
Benano
Ciconia
Ponte San Biagio
Citerno
Sferracavallo
Podere Ischia
Corbara
Morruzze
Civitella del Lago
Campo Morino
Seminario
Castel Giorgio
Rocca Ripesena
San Quirico
Trinità
Sugano
Orvieto
Villa Felici
Perilli
San Giusto
Poderetto
Pecorone
Pratoaffa
Canonica
San Severo
Canale Vecchio
Case Nuove
Rota
Montalfina
Porano
Castellunchio
Botto
S. Lorenzo Nuovo
Casa Perazza
Castel Rubello
Canale Nuovo
Baschi
Grotte di Castro
Osteria di Biagio
Torre San Severo
Casa Boccetta
Montecchio
Madonna di San Sebastiano
M. Croce di Serra
Monti Volsini
Sermugnano
Molino di Vionica
Castiglione in Teverina
Pozzo Ciolino
Tenaglie
Monastero
Gradoli
Val di Lago
Bolsena
Lubriano
Case Nuove
Poggio Nuovo
Tavoletta
Cantoniera
La Capraccia
Bagnoregio
Civita
Vaiano
Pianucciolo Spoletino
Guardea
Lago
Sant'Antonia
Campo del Pero
Madonna del Porto

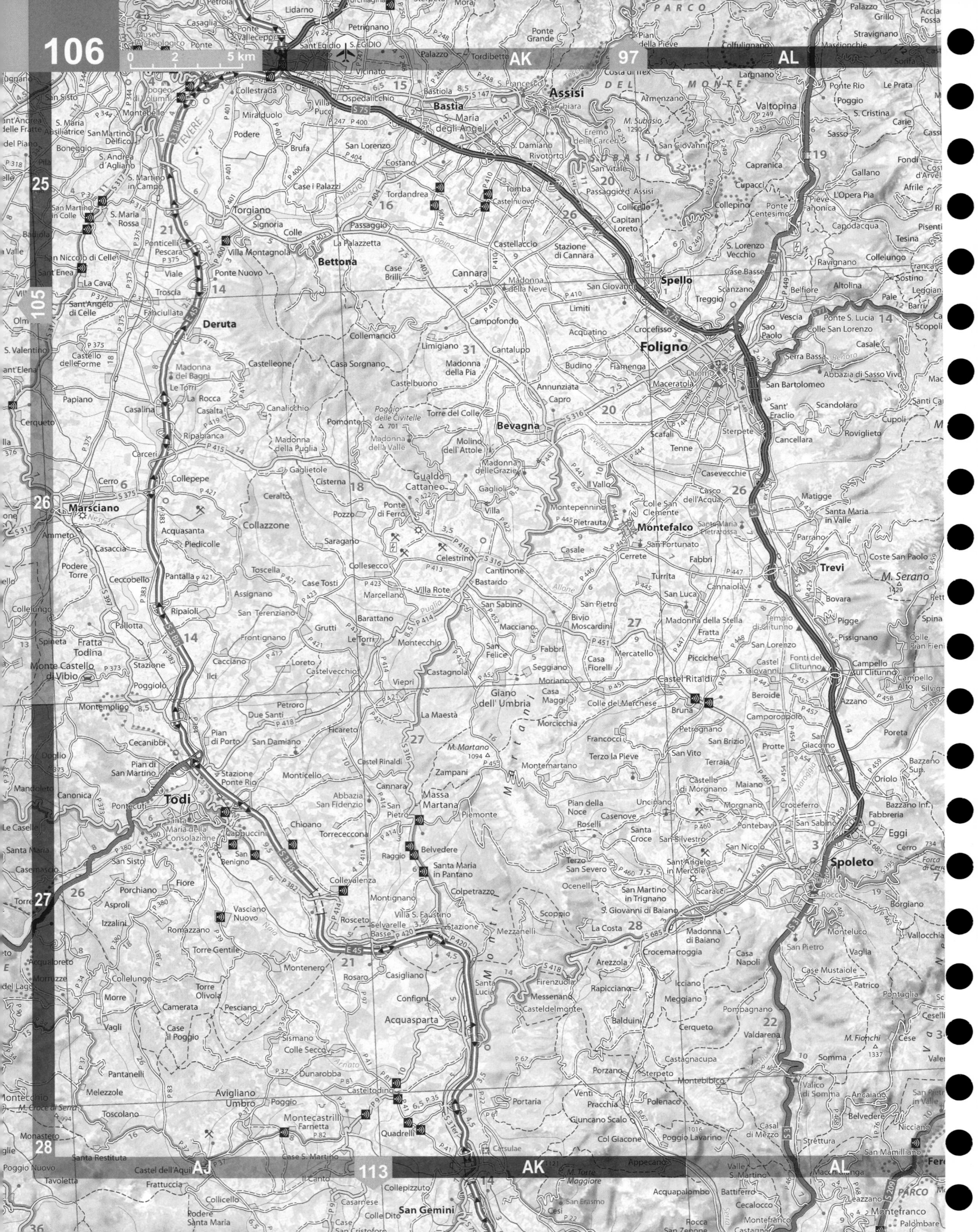
0 2 5 km
AK
97
AL
25
105
26
27
28
AJ
113
AK
AL
Assisi
Bastia
S. Maria degli Angeli
Spello
Foligno
Bettona
Cannara
Torgiano
Deruta
Bevagna
Montefalco
Trevi
Marsciano
Collazzone
Giano dell'Umbria
Castel Ritaldi
Todi
Massa Martana
Spoleto
Acquasparta
Avigliano Umbro
Montecastrilli
San Gemini
Monte Castello di Vibio
Fratta Todina
M. Subasio
M. Martano
M. Serano
M. Fionchi
Ospedalicchio
Collestrada
Ponte San Giovanni
Petrignano
Palazzo
Tordibetto
Capodacqua
Valtopina
Armenzano
Collepino
Pieve Fanonica
Belfiore
Scanzano
Vescia
Sterpete
Cancellara
Campello sul Clitunno
Fonti del Clitunno
Azzano
Eggi
Morgnano
Uncinano
San Martino in Trignano
S. Giovanni di Baiano
Madonna di Baiano
Crocemarroggia
Firenzuola
Casteldelmonte
Portaria
Casteltodino
Quadrelli
Farnetta
Dunarobba
Sismano
Torre Olivola
Collevalenza
Montenero
Rosaro
Casigliano
Configni
Ponte Rio
Pian di Porto
Pian di San Martino
Cecanibbi
Montemolino
Stazione
Ripaioli
Pantalla
Casalina
Ripabianca
Papiano
Castelleone
Madonna dei Bagni
Collepepe
Acquasanta
Piedicolle
Cerro
Ammeto
Casaccia
Podere Torre
Ceccobello
Pallotta
Spineta
Poggiolo
Cacciano
Loreto
Grutti
Barattano
Montecchio
Castagnola
Vieprì
La Maestà
Ficareto
Petroro
Due Santi
Castel Rinaldi
Zampani
Monticello
Cannara
Abbazia San Fidenzio
Chioano
Torrececcona
Belvedere
Raggio
Santa Maria in Pantano
Colpetrazzo
Montignano
Villa S. Faustino
Rosceto
Selvarelle Basse
Cantinone
Bastardo
Celestrino
Collesecco
Villa Rote
Marcellano
San Terenziano
Assignano
Toscella
Case Tosti
Saragano
Pozzo
Ponte di Ferro
Gualdo Cattaneo
Cisterna
Gaglietole
Madonna della Puglia
Pomonte
Torre del Colle
Molino dell'Attone
Madonna delle Grazie
Castelbuono
Madonna della Pia
Limigiano
Cantalupo
Campofondo
Collemancio
Casa Sorgnano
Madonna della Neve
Limiti
Acquatino
Budino
Fiamenga
Annunziata
Capro
Maceratola
Crocefisso
San Giovanni
Treggio
Passaggio
Colle
Signoria
La Palazzetta
Case Brilli
Castellaccio
Stazione di Cannara
Tordandrea
Tomba
Castelnuovo
Case i Palazzi
Costano
San Lorenzo
Brufa
Podere
Miralduolo
Villa Pucci
Rivotorto
S. Damiano
Eremo delle Carceri
San Vitale
Passaggio d'Assisi
Collicello
Capitan Loreto
Sao Paolo
Ponte S. Lucia
Colle San Lorenzo
Serra Bassa
San Bartolomeo
Sant' Eraclio
Scandolaro
Casevecchie
Scafali
Tenne
Il Vallo
Casco dell'Acqua
Matigge
Santa Maria in Valle
Colle San Clemente
Pietrauta
Montepennino
Casale
Cerrete
San Fortunato
Fabbri
Turrita
Cannaiola
San Luca
San Pietro
Bivio Moscardini
Madonna della Stella
Pissignano
Bovara
Pigge
Fratta
Mercatello
Picciche
San Lorenzo
Castel S. Giovanni
Casa Fiorelli
Seggiano
Moriano
Casa Maggi
Colle del Marchese
Bruna
Morcicchia
Beroide
Camporoppolo
Petrognano
Francocci
Terzo la Pieve
San Brizio
San Vito
Protte
San Giacomo
Terraia
Montemartano
Castello di Morgnano
Maiano
Croceferro
San Sabino
Pontebari
Pian della Noce
Casenove
Roselli
Santa Croce
San Silvestro
San Nicolò
Sant'Angelo in Mercole
Terzo San Severo
Ocenelli
Scaracci
La Costa
Scoppio
Mezzanelli
Monteluco
San Pietro
Vaglia
Case Mustaiole
Patrico
Arezzola
Rapicciano
Icciano
Meggiano
Messenano
Balduini
Cerqueto
Pompagnano
Valdarena
Somma
Valico di Somma
Castagnacupa
Porzano
Sterpeto
Montebibico
Venti
Pracchia
Polenaco
Giuncano Scalo
Col Giacone
Poggio Lavarino
Casal di Mezzo
Strettura
Carsulae
Appecano
Valle S. Martino
Battiferro
Acquapalombo
Cecalocco
Montefranco
Collepizzuto
Collicello
Rodere Santa Maria
Casarnese
Colle Dito
Frattuccia
Castel dell'Aquila
Case S. Martino
Santa Restituta
Toscolano
Melezzole
Pantanelli
Vagli
Case il Poggio
Camerata
Pesciano
Morre
Collelungo
Torre Gentile
Romazzano
Vasciano Nuovo
Izzalini
Asproli
Porchiano
Fiore
San Benigno
San Sisto
Pontecuti
Canonica
Santa Maria della Consolazione
Cappuccini
Stazione Ponte Rio
E 45
S 3 Bis
S 75
S 3
S 316
S 418
S 685
TEVERE
Topino
Teverone
Clitunno
Puglia
Naia
Martani
PARCO DEL MONTE SUBASIO

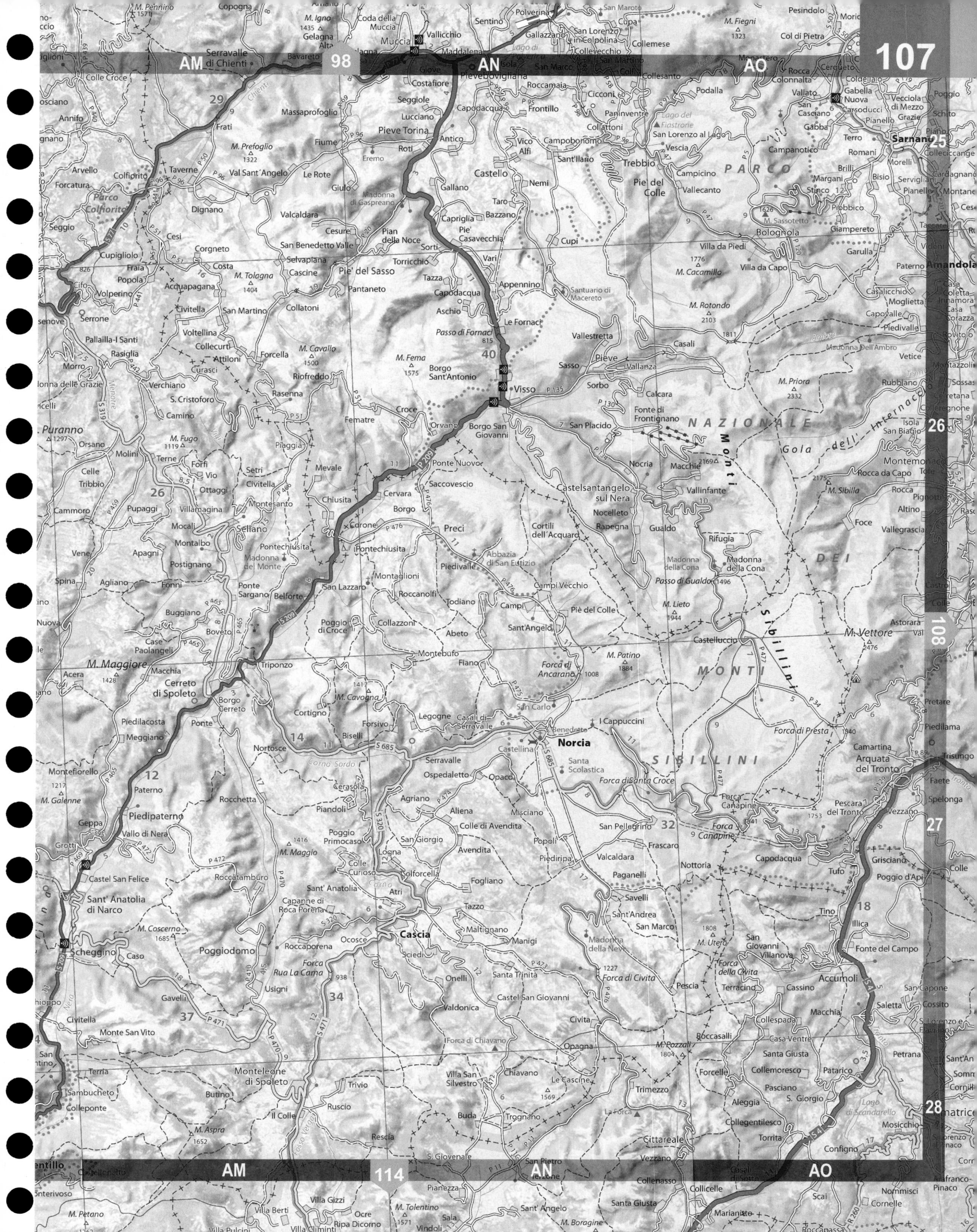
AM
98
AN
AO
Serravalle di Chienti
Muccia
Pievebovigliana
Sarnano
Amandola
Colfiorito
Parco Colfiorito
Pieve Torina
Visso
Castelsantangelo sul Nera
Preci
Sellano
Cerreto di Spoleto
Norcia
Cascia
Castelluccio
M. Vettore
2476
M. Sibilla
M. Priora
2332
Parco Nazionale dei Monti Sibillini
Monti Sibillini
Gola dell'Infernaccio
Forca di Presta
Arquata del Tronto
Accumoli
Sant' Anatolia di Narco
Scheggino
Monteleone di Spoleto
Poggiodomo
Cittareale
M. Maggiore
M. Cavogna
M. Tolagna
M. Prefoglio
M. Fema
M. Cavallo
M. Patino
M. Lieto
M. Rotondo
M. Cacamillo
M. Utero
M. Pozzoni
M. Coscerno
M. Aspra
Passo di Fornaci
Passo di Gualdo
Forca di Ancarano
Forca di Santa Croce
Forca Canapine
Forca di Civita
Forca Rua La Cama
Forca di Chiavano
Abbazia di San Eutizio
Santuario di Macereto
Campi Vecchio
Santa Scolastica
Lago di Scandarello
S 209
S 685
S 320
S 471
P 476
108
114
25
26
27
28

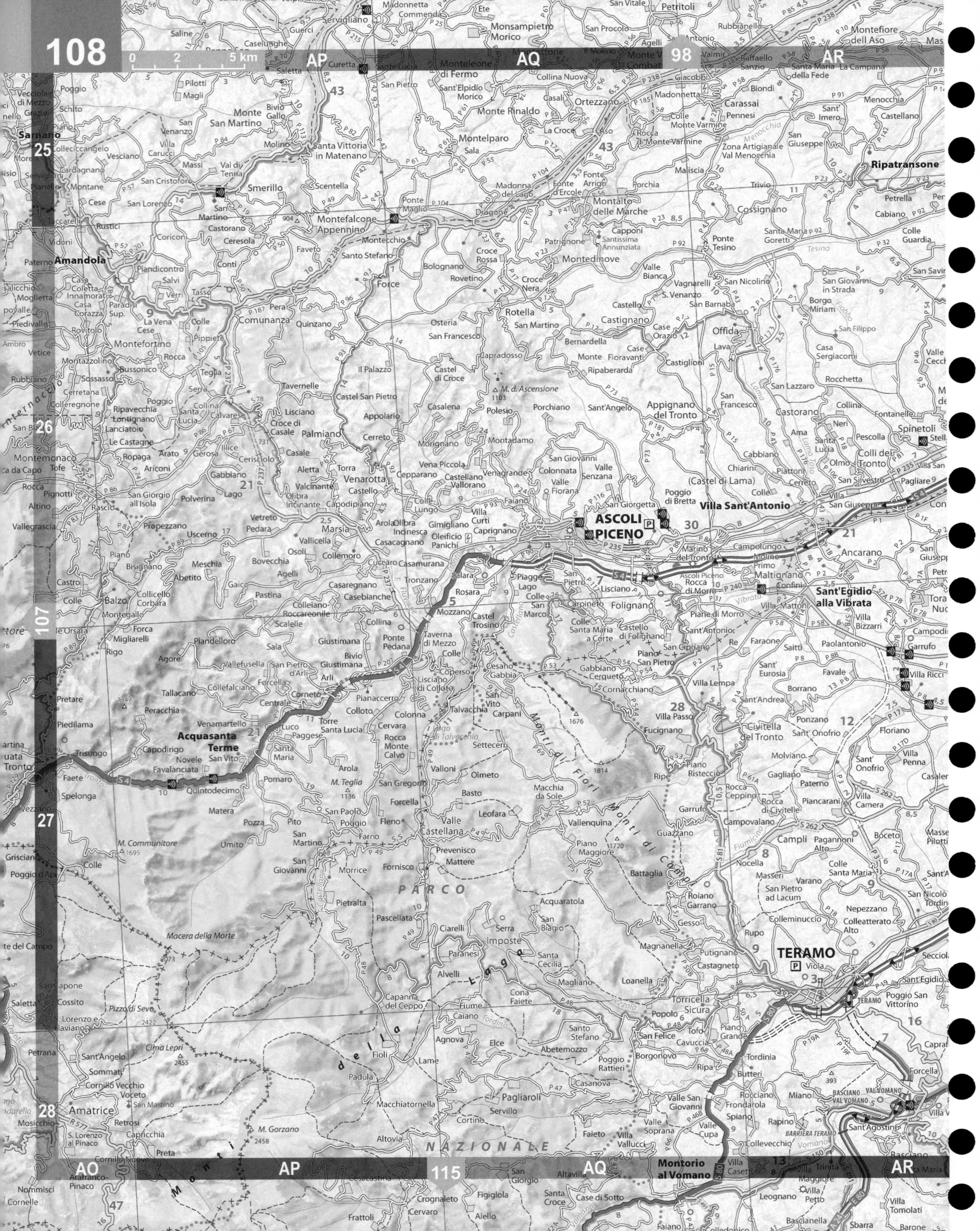

0 2 5 km
AP
AQ
98
AR
AO
AP
115
AQ
AR
25
26
107
27
28
Sarnano
Amandola
Montefortino
Comunanza
Montefalcone Appennino
Smerillo
Santa Vittoria in Matenano
Montelparo
Monte Rinaldo
Ortezzano
Montalto delle Marche
Cossignano
Ripatransone
Offida
Castignano
Rotella
Force
Venarotta
Palmiano
Roccafluvione
Montemonaco
Arquata del Tronto
Acquasanta Terme
ASCOLI PICENO
Villa Sant'Antonio
Folignano
Maltignano
Ancarano
Sant'Egidio alla Vibrata
Civitella del Tronto
Campli
TERAMO
Valle Castellana
Rocca Santa Maria
Torricella Sicura
Montorio al Vomano
Amatrice
Appignano del Tronto
Castorano
Colli del Tronto
Spinetoli
Monsampietro Morico
Monteleone di Fermo
Servigliano
Montefiore dell'Aso
M. d. Ascensione
M. Teglia
M. Communitore
Macera della Morte
Pizzo di Sevo
Cima Lepri
M. Gorzano
Monti di Fiori
Monti della Laga
PARCO NAZIONALE
Lago di Talvacchia

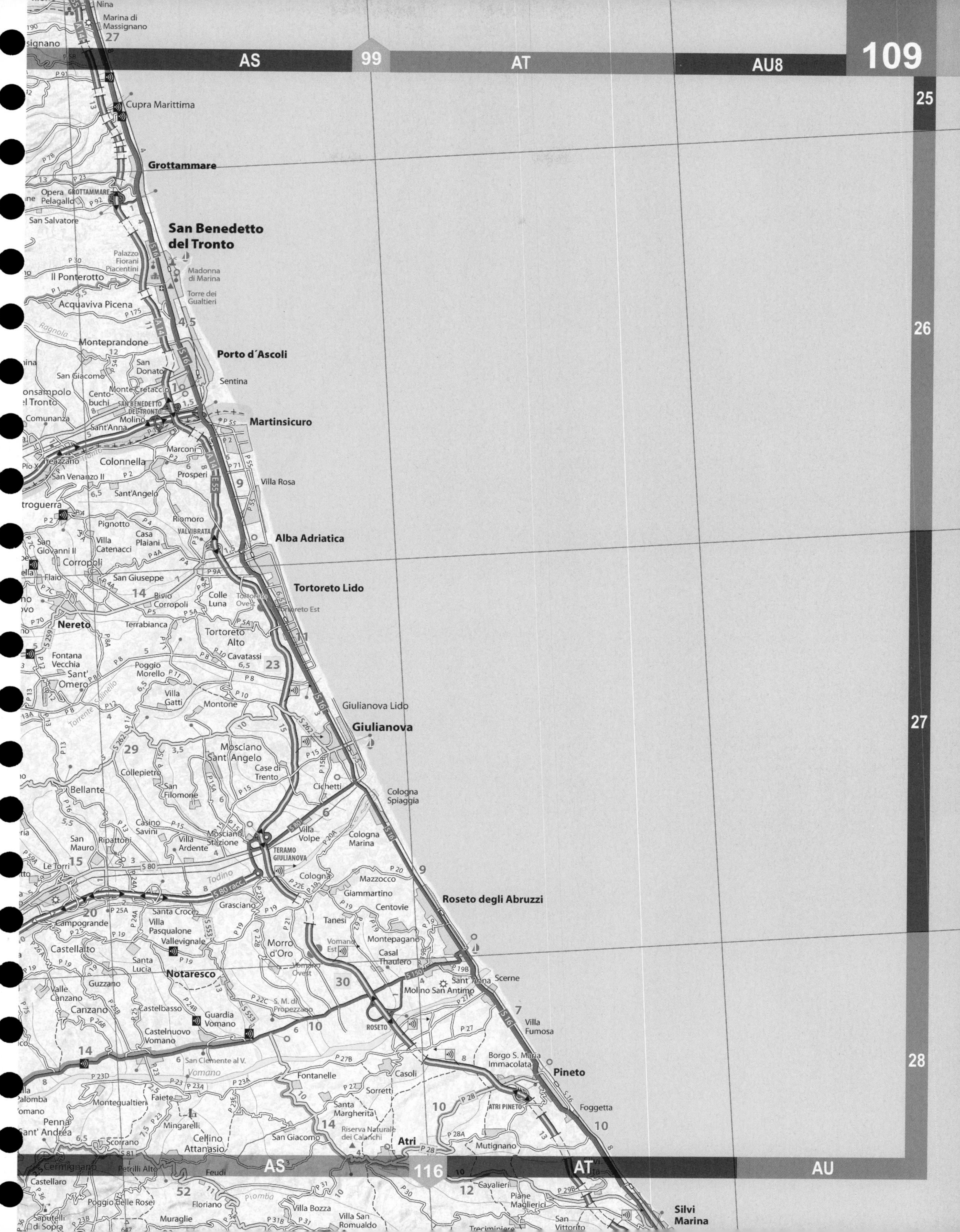
AS
99
AT
AU8
25
26
27
28
Nina
Marina di Massignano
Cupra Marittima
Grottammare
Opera Pelagallo
GROTTAMMARE
San Salvatore
San Benedetto del Tronto
Palazzo Fiorani Piacentini
Madonna di Marina
Torre dei Gualtieri
Il Ponterotto
Acquaviva Picena
Ragnola
Monteprandone
Porto d´Ascoli
San Donato
San Giacomo
Sentina
Monte Cretaccio
Centobuchi
SAN BENEDETTO DEL TRONTO
Molino
Sant'Anna
Comunanza
Martinsicuro
Marconi
Colonnella
San Venanzo II
Prosperi
Villa Rosa
Sant'Angelo
Pignotto
Riomoro
VALVIBRATA
Villa Catenacci
Casa Plaiani
San Giovanni II
Corropoli
Alba Adriatica
Flaio
San Giuseppe
Tortoreto Lido
Bivio Corropoli
Colle Luna
Tortoreto Ovest
Tortoreto Est
Nereto
Terrabianca
Tortoreto Alto
Fontana Vecchia
Sant' Omero
Poggio Morello
Cavatassi
Villa Gatti
Montone
Torrente Salinello
Giulianova Lido
Giulianova
Mosciano Sant'Angelo
Case di Trento
Collepietro
San Filomone
Cichetti
Bellante
Cologna Spiaggia
Casino Savini
San Mauro
Ripattoni
Villa Ardente
Mosciano Stazione
Villa Volpe
Cologna Marina
TERAMO GIULIANOVA
Le Torri
Todino
Cologna
Mazzocco
Giammartino
Centovie
Roseto degli Abruzzi
Grasciano
Tanesi
Santa Croce
Campogrande
Villa Pasqualone
Vallevignale
Montepagano
Castellalto
Morro d'Oro
Vomano Est
Vomano Ovest
Casal Thaulero
Santa Lucia
Notaresco
Sant' Anna
Scerne
Molino San Antimo
Guzzano
Valle Canzano
Canzano
Castelbasso
S. M. di Propezzano
Guardia Vomano
ROSETO
Villa Fumosa
Castelnuovo Vomano
San Clemente al V.
Vomano
Borgo S. Maria Immacolata
Pineto
Casoli
Fontanelle
Sorretti
Montegualtieri
Faiete
Santa Margherita
Foggetta
ATRI PINETO
Penna Sant' Andrea
Mingarelli
Riserva Naturale dei Calanchi
Cellino Attanasio
San Giacomo
Atri
Mutignano
Scorrano
Cermignano
Petrilli Alto
Feudi
AS
116
AT
AU
Castellaro
Poggio delle Rose
Floriano
Piomba
Villa Bozza
Gavalieri
Piane Maglierici
Saputelli di Sopra
Muraglie
Villa San Romualdo
Silvi Marina
San Vittorito

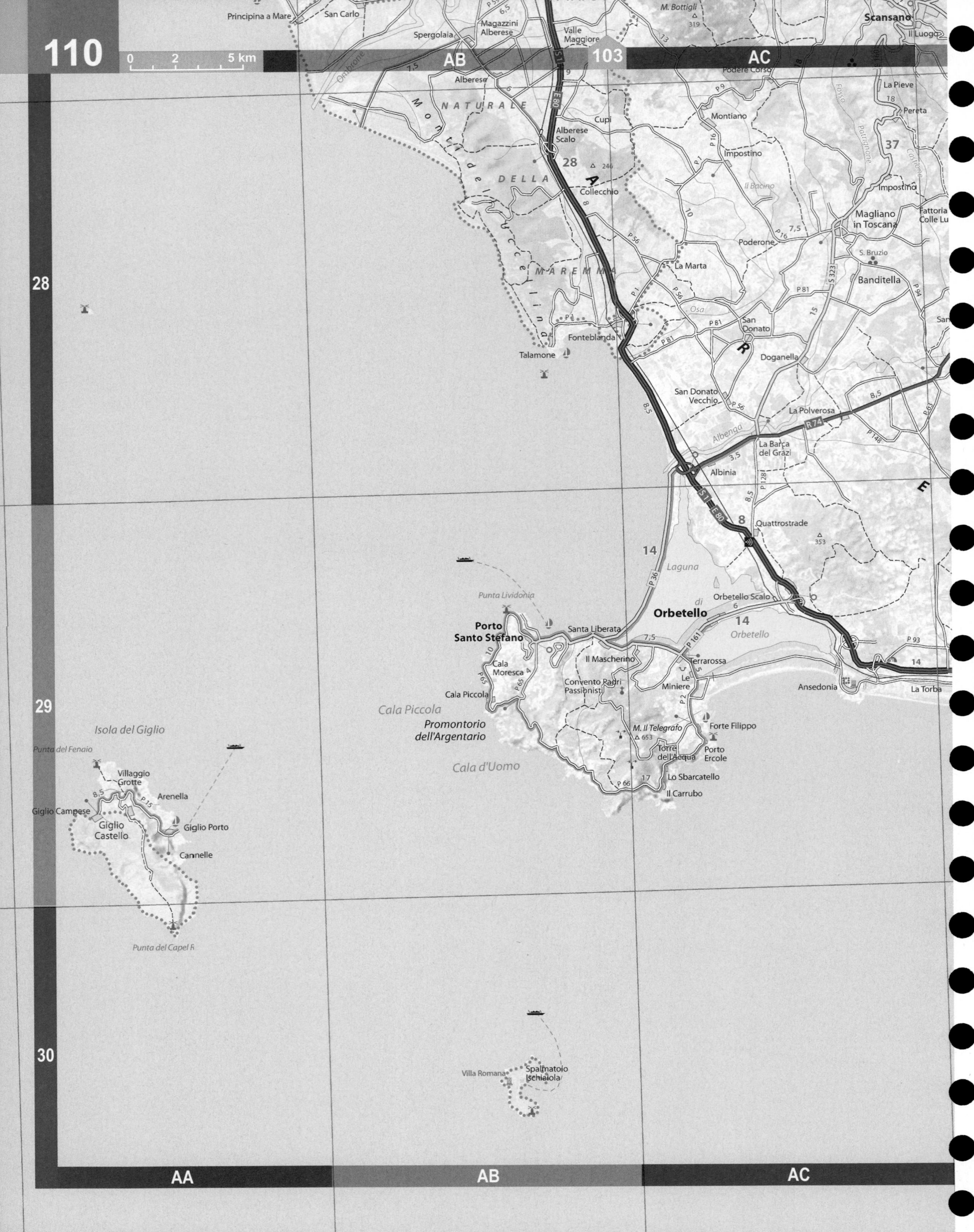

0   2   5 km

AB   103   AC

Scansano

Principina a Mare   San Carlo   Magazzini   M. Bottigli   Il Luogo
Alberese   319
Spergolaia   Valle   La Pieve
Maggiore   Pereta
NATURALE   Cupi   Podere Corso   37
Alberese   Montiano
Alberese   Impostino
Scalo   Impostino
28   246   Poderone   Magliano
Collecchio   in Toscana
DELLA   Fattoria
Colle Lu
S. Bruzio
La Marta   Banditella
MAREMMA   Osa
San   San Donato
Fonteblanda   Donato
R   Doganella
28   Talamone   San Donato   La Polverosa
Vecchio   R 74
Albenga   La Barca
del Grazi
Albinia
Quattrostrade   8
14   353
Laguna

Punta Lividonia   Orbetello Scalo   6
Porto   Santa Liberata   14
Santo Stefano   Orbetello   Orbetello
Cala   Il Mascherino   Le
Moresca   Miniere
29   Cala Piccola   Convento Padri   Ansedonia   La Torba
Passionisti
Isola del Giglio   Cala Piccola
Punta del Fenaio   Promontorio   M. Il Telegrafo   Forte Filippo
dell'Argentario   653   Porto
Villaggio   Torre   Ercole
Grotte   Cala d'Uomo   dell'Acqua
Arenella   Lo Sbarcatello
Giglio Campese   P 15   Il Carrubo
Giglio   Giglio Porto
Castello
Cannelle

Punta del Capel R

30   Spalmatoio
Villa Romana   Ischiaiola

AA   AB   AC

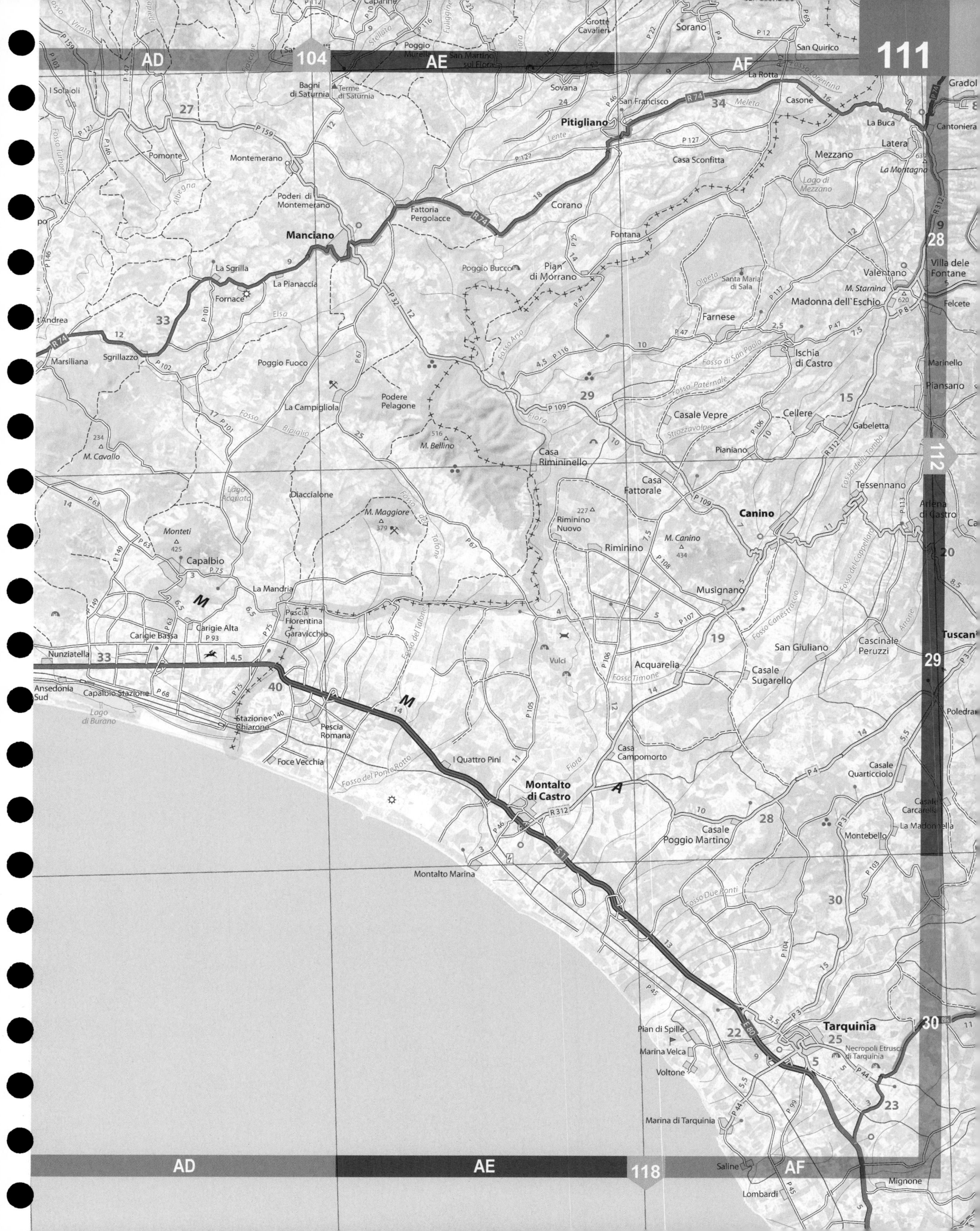
AD
104
AE
AF
Sorano
San Quirico
Grotte Cavalieri
Poggio Murella
San Martino sul Fiora
Bagni di Saturnia
Terme di Saturnia
Sovana
La Rotta
San Francisco
Casone
La Buca
Gradoli
Cantoniera
Pitigliano
Latera
Mezzano
Lago di Mezzano
La Montagna
I Solaioli
Pomonte
Montemerano
Casa Sconfitta
Poderi di Montemerano
Fattoria Pergolacce
Corano
Manciano
Fontana
Poggio Bucco
Pian di Morrano
Valentano
Villa dele Fontane
M. Starnina
Madonna dell`Eschio
Felcete
La Sgrilla
La Pianaccia
Fornace
Santa Maria di Sala
Farnese
Ischia di Castro
Marsiliana
Sgrillazzo
Poggio Fuoco
Marinello
Piansano
La Campigliola
Podere Pelagone
Casale Vepre
Cellere
Gabeletta
M. Cavallo
M. Bellino
Casa Rimininello
Pianiano
112
Tessennano
Diaccialone
Casa Fattorale
Canino
Arlena di Castro
M. Maggiore
Monteti
Riminino Nuovo
M. Canino
Riminino
Capalbio
La Mandria
Musignano
Pescia Fiorentina
Garavicchio
Carigie Alta
Carigie Bassa
Nunziatella
Vulci
Acquarelia
San Giuliano
Cascinale Peruzzi
Tuscania
Casale Sugarello
Ansedonia Sud
Capalbio Stazione
Lago di Burano
Stazione Chiarone
Pescia Romana
Poledrara
Foce Vecchia
I Quattro Pini
Casa Campomorto
Casale Quarticciolo
Montalto di Castro
Casale Carcarella
La Madonnella
Casale Poggio Martino
Montebello
Montalto Marina
Fosso Due Ponti
Pian di Spille
Marina Velca
Voltone
Tarquinia
Necropoli Etrusca di Tarquinia
Marina di Tarquinia
Saline
Mignone
Lombardi
118

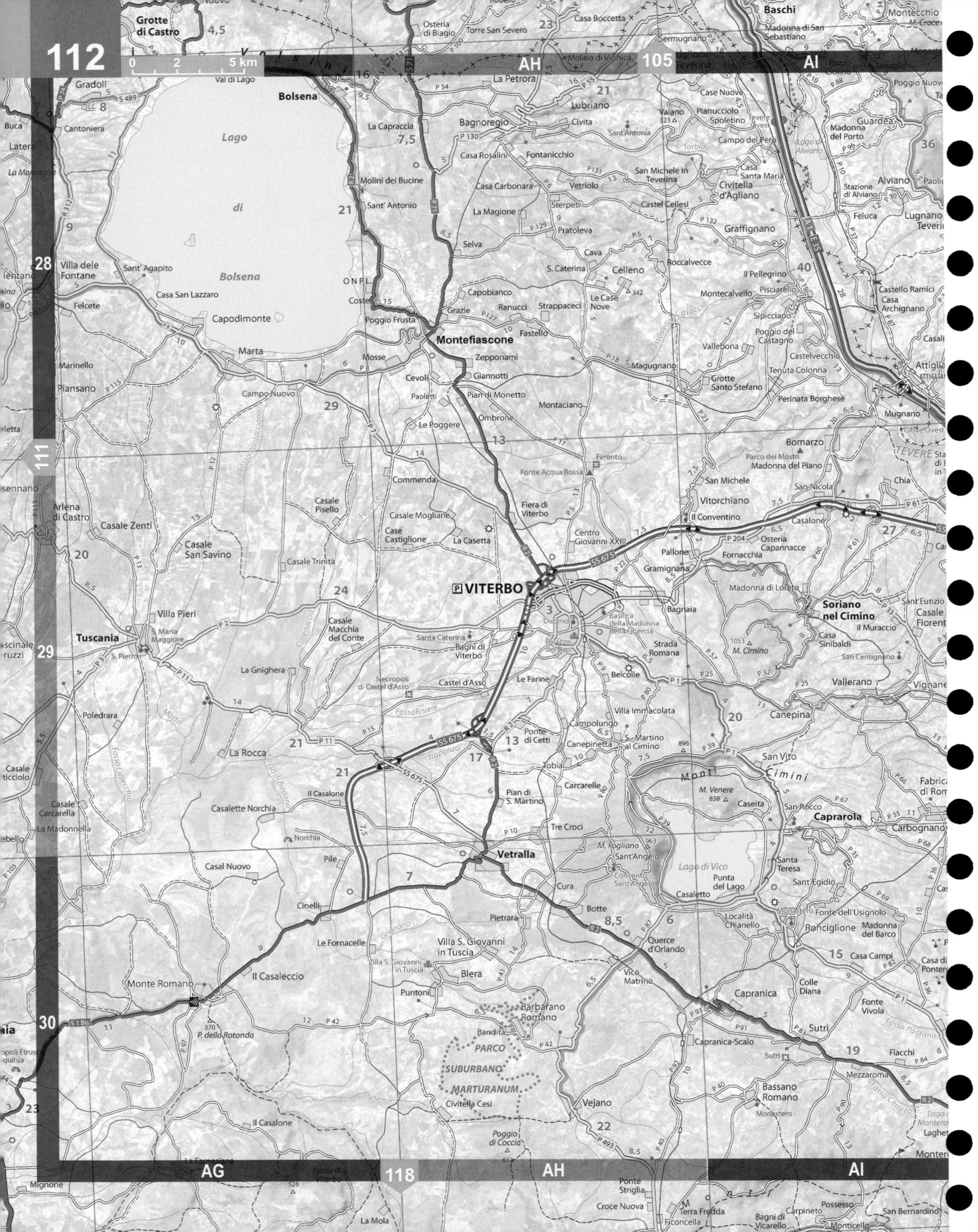
AH
105
AI
AG
118
111
28
29
30
0 2 5 km
Grotte di Castro
Osteria di Biagio
Torre San Severo
Casa Boccetta
Baschi
Madonna di San Sebastiano
Montecchio
Sermugnano
Molino di Vionica
Val di Lago
Bolsena
La Petrora
Lubriano
Civita
Bagnoregio
Case Nuove
Vaiano
Pianucciolo
Spoletino
Poggio Nuovo
Guardea
Madonna del Porto
Gradoli
Cantoniera
Buca
Latera
La Capraccia
Sant'Antonio
Campo del Pero
Lago di Alviano
Casa Rosalini
Fontanicchio
Lago di Bolsena
Molini del Bucine
Casa Carbonara
Vetriolo
San Michele in Teverina
Casa Santa Maria
Civitella d'Agliano
Alviano
Stazione di Alviano
Sant' Antonio
Sterpeti
Castel Cellesi
La Magione
Pratoleva
Graffignano
Feluca
Lugnano in Teverina
Selva
Cava
Roccalvecce
S. Caterina
Celleno
Il Pellegrino
Villa dele Fontane
Sant' Agapito
Casa San Lazzaro
Capobianco
Le Case Nove
Montecalvello
Pisciarello
Castello Ramici
Casa Archignano
Felcete
Capodimonte
Coste
Grazie
Ranucci
Strappaceci
Sipicciano
Poggio Frusta
Fastello
Poggio del Castagno
Montefiascone
Vallebona
Marta
Mosse
Zepponami
Magugnano
Castelvecchio
Marinello
Giannotti
Cevoli
Grotte Santo Stefano
Tenuta Colonna
Attigliano
Piansano
Campo Nuovo
Paoletti
Pian di Monetto
Perinata Borghese
Montaciano
Ombrone
Mugnano
Le Poggere
Bomarzo
Ferento
Parco dei Mostri
Madonna del Piano
Fonte Acqua Rossa
Commenda
San Michele
Chia
San Nicola
Arlena di Castro
Casale Pisello
Fiera di Viterbo
Vitorchiano
Casale Zenti
Casale Mogliane
Il Conventino
Casalone
Casale Castiglione
Centro Giovanni XXIII
Osteria Capannacce
Casale San Savino
La Casetta
Pallone
Fornacchia
Casale Trinità
Gramignana
VITERBO
Madonna di Loreto
Soriano nel Cimino
Sant'Eutizio
Villa Pieri
Bagnaia
Casale Macchia del Conte
Duomo
Basilica della Madonna della Quercia
Il Muracció
Tuscania
S. Maria Maggiore
S. Pietro
Santa Caterina
Palazzo dei Papi
Casa Sinibaldi
Bagni di Viterbo
Strada Romana
M. Cimino
San Centignano
La Gnighera
Belcolle
Necropoli di Castel d'Asso
Castel d'Asso
Le Farine
Vallerano
Vignanello
Villa Immacolata
Poledrara
Canepina
Campolungo
Ponte di Cetti
S. Martino al Cimino
La Rocca
Canepinetta
San Vito
Tobia
Monti Cimini
Casale Ticciolo
Carcarelle
M. Venere
Casale Carcarella
Casalette Norchia
Il Casalone
Pian di S. Martino
Caseita
San Rocco
Caprarola
Fabrica di Roma
La Madonnella
Tre Croci
Carbognano
Norchia
M. Fogliano
Sant'Angelo
Vetralla
Pile
Convento Sant'Angelo
Lago di Vico
Santa Teresa
Casal Nuovo
Punta del Lago
Sant'Egidio
Cura
Casaletto
Cinelli
Botte
Fonte dell'Usignolo
Località Chianello
Monastero
Pietrara
Ronciglione
Madonna del Barco
Le Fornacelle
Villa S. Giovanni in Tuscia
Querce d'Orlando
Casa Campi
Casa di Ponte
Il Casaleccio
Vico Matrino
Colle Diana
Blera
Monte Romano
Puntoni
Capranica
Barbarano Romano
Fonte Vivola
P. della Rotonda
Bandita
Capranica-Scalo
Sutri
PARCO SUBURBANO MARTURANUM
Flacchi
Mezzaroma
Fosso Pantano
Bassano Romano
Civitella Cesi
Vejano
Monastero
Poggio di Coccia
Il Casalone
La Farnesina
Mignone
Passo di Viterbo
Ponte Striglia
Croce Nuova
Terra Fredda
Bagni di Vicarello
Carpineto
Possesso
San Bernardino
La Mola
Ficoncella
Monticello
Laghetto
Montero
Tevere
Fosso Cerreto

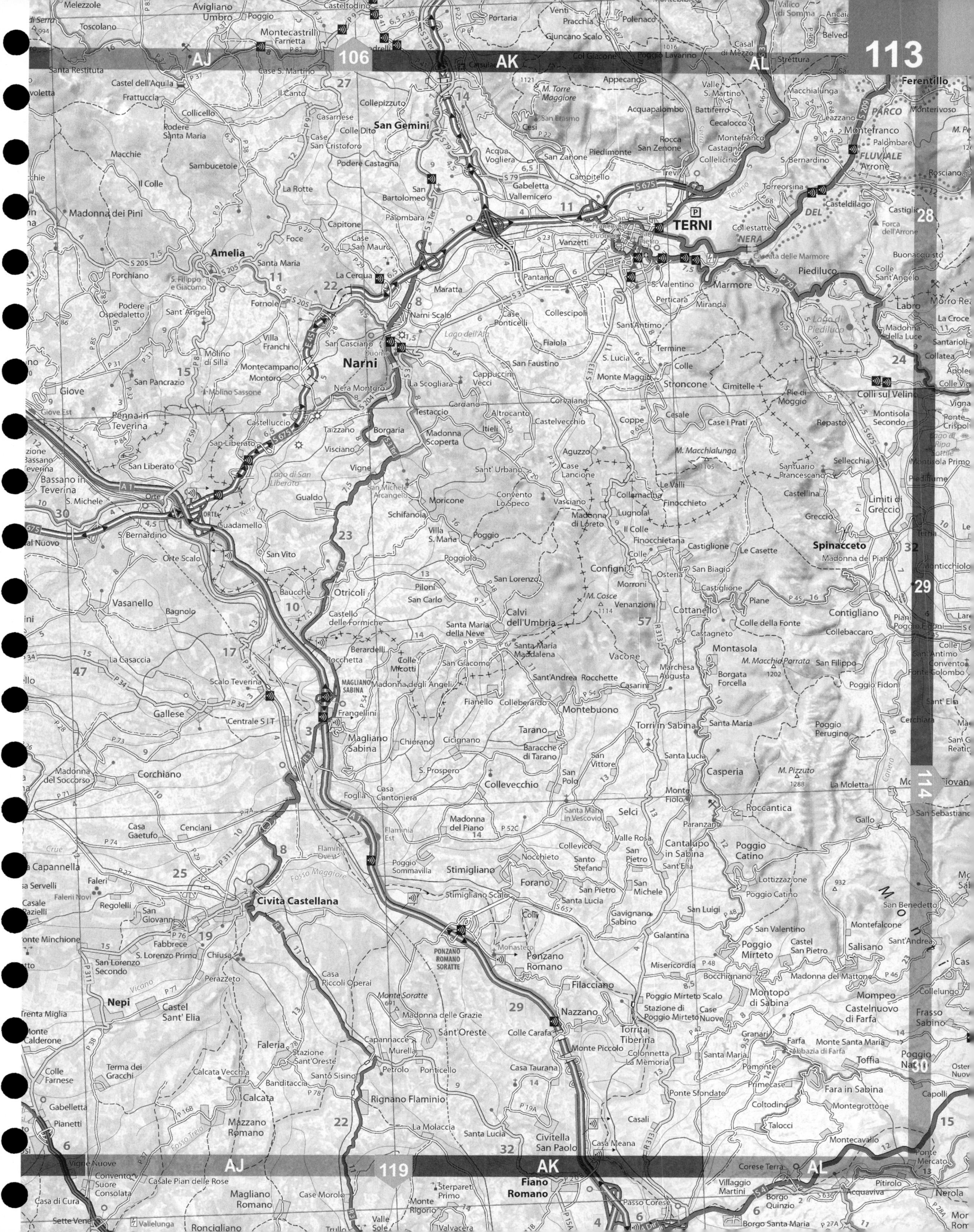

113
AJ
106
AK
AL
Melezzole
Avigliano Umbro
Poggio
Toscolano
Montecastrilli
Farnetta
Santa Restituta
Case S. Martino
Castel dell'Aquila
Frattuccia
Collicello
Rodere Santa Maria
Macchie
Sambucetole
Il Colle
Madonna dei Pini
Amelia
Santa Maria
Porchiano
S. Filippo e Giacomo
Fornole
Podere Ospedaletto
Sant' Angelo
Villa Franchi
Molino di Silla
Montecampano
Montoro
San Pancrazio
Molino Sassone
Giove
Penna in Teverina
Castelluccio
San Liberato
Bassano in Teverina
S. Michele
Orte
Orte Scalo
S. Bernardino
Guadamello
Vasanello
Bagnolo
La Casaccia
Scalo Teverina
Gallese
Centrale S I T
Corchiano
Madonna del Soccorso
Casa Gaetufo
Cenciani
Capannella
Faleri
Falerii Novi
Regolelli
San Giovanni
Civita Castellana
Fabbrece
S. Lorenzo Primo
Chiusa
San Lorenzo Secondo
Perazzeto
Nepi
Castel Sant' Elia
Trenta Miglia
Calderone
Colle Farnese
Terma dei Gracchi
Calcata Vecchia
Faleria
Stazione Sant'Oreste
Santo Sisino
Banditaccia
Calcata
Gabelletta
Pianetti
Mazzano Romano
Vigne Nuove
Convento Suore Consolata
Casale Pian delle Rose
Magliano Romano
Case Morolo
Casa di Cura
Sette Vene
Vallelunga
Ronciglione
Casteltodino
Portaria
Venti
Pracchia
Polenaco
Giuncano Scalo
Col Giacone
Poggio Lavarino
Casal di Mezzo
Valico di Somma
Ancaia
Belvedere
Strettura
Casulae
Collepizzuto
Il Canto
Casamese
Colle Dito
San Gemini
Case San Cristoforo
Podere Castagna
La Rotte
San Bartolomeo
Palombara
Capitone
Foce
Case San Mauro
La Cerqua
Maratta
Narni Scalo
San Casciano
Narni
Duomo
Nera Montoro
La Scogliera
Taizzano
Borgaria
Visciano
Vigne
Gualdo
Testaccio
Madonna Scoperta
San Michele Arcangelo
Moricone
Schifanoia
Villa S. Maria
Poggio
San Vito
Poggiolo
Baucche
Otricoli
Piloni
San Carlo
Castello delle Formiche
Berardelli
Rocchetta
Colle Micotti
Magliano Sabina
Madonna degli Angeli
Frangellini
Chiorano
Cicignano
Magliano Sabina
S. Prospero
Foglia
Casa Cantoniera
Flaminia Est
Flaminia Ovest
Poggio Sommavilla
Stimigliano
Stimigliano Scalo
Ponzano Romano Soratte
Ponzano Romano
Monastero
Casa Piccoli Operai
Monte Soratte
Madonna delle Grazie
Sant'Oreste
Capannacce
Murella
Petrolo
Ponticello
Rignano Flaminio
La Molaccia
Santa Lucia
Civitella San Paolo
Casa Meana
Sterparet Primo
Fiano Romano
Monte Rigorio
Valle Sole
Valvacera
Trullo
M. Torre Maggiore
Appecano
Valle S. Martino
Acquapalombo
Battiferro
Cecalocco
Montefranco
Castagna
Collelicino
Cesi
San Erasmo
Acqua Vogliera
San Zenone
Piedimonte
Rocca San Zenone
Gabelletta
Vallemicero
Campitello
Trevi
TERNI
Vanzetti
Pantano
S. Valentino
Perticara
Marmore
Miranda
Collestatte
Cascata delle Marmore
Piediluco
Case Ponticelli
Collescipoli
Lago dell'Aia
Fiaiola
San Faustino
Sant'Antimo
Termine
S. Lucia
Colle
Monte Maggio
Stroncone
Cimitelle
Cappuccini Vecchi
Cardano
Altrocanto
Itieli
Corvaiano
Castelvecchio
Coppe
Cesale
Case i Prati
Aguzzo
Case Lancione
Sant' Urbano
Convento Lo Speco
Vasciano
Madonna di Loreto
Collemacina
Lugnola
Le Valli
Finocchieto
M. Macchialunga
Il Colle
Finocchietana
Castiglione
Le Casette
Colle
Osteria
San Biagio
Configni
Morroni
San Lorenzo
M. Cosce
Venanzioni
Castiglione
Piane
Calvi dell'Umbria
Santa Maria della Neve
Santa Maria Maddalena
San Giacomo
Sant'Andrea
Rocchette
Casarini
Fianello
Colleberardo
Montebuono
Vacone
Cottanello
Castagneto
Montasola
Marchesa Augusta
Borgata Forcella
M. Macchia Porrata
Colle della Fonte
Tarano
Baracche di Tarano
Torri in Sabina
Santa Maria
San Vittore
San Polo
Santa Lucia
Casperia
Collevecchio
Santa Maria in Vescovio
Selci
Monte Fiolo
Roccantica
Paranzano
Madonna del Piano
Valle Rosa
Collevico
Nocchieto
Santo Stefano
San Pietro
Cantalupo in Sabina
Sant'Elia
Poggio Catino
Forano
San Pietro
Santa Lucia
San Michele
Gavignano Sabino
San Luigi
Lottizzazione
Poggio Catino
Colli
Galantina
Poggio Mirteto
Misericordia
Bocchignano
Filacciano
Poggio Mirteto Scalo
Stazione di Poggio Mirteto
Case Nuove
Montopo di Sabina
Nazzano
Colle Carafa
Torrita Tiberina
Monte Piccolo
Colonnetta La Memoria
Casa Taurana
Ponte Sfondato
Casali
Granari
Santa Maria
Pomonte
Primecase
Farfa
Abbazia di Farfa
Coltodino
Talocci
Fara in Sabina
Montegrottone
Montecavallo
Corese Terra
Villaggio Martini
Borgo Quinzio
Passo Corese
Borgo Santa Maria
Pitirolo
Acquaviva
Nerola
Ponte Mercato
Capolli
Toffia
Monte Santa Maria
Castelnuovo di Farfa
Mompeo
Frasso Sabino
Madonna del Mattone
Collelungo
Castel San Pietro
Salisano
Sant'Andrea
Montefalcone
San Valentino
San Benedetto
M. Pizzuto
La Moletta
Gallo
Poggio Perugino
Cerchiara
Santa Maria
Poggio Fidoni
Collebaccaro
Contigliano
Spinacceto
Madonna del Piano
Greccio
Castellina
Santuario Francescano
Limiti di Greccio
Sellecchia
Repasto
Montisola Secondo
Colli sul Velino
Pie di Moggio
Ferentillo
Macchialunga
Leazzano
Montefranco
Palombare
PARCO FLUVIALE DEL NERA
Arrone
S. Bernardino
Torreorsina
Casteldilago
Castiglione
Forca dell'Arrone
Buonacquisto
Colle Sant'Angelo
Labro
Morro Reatino
Madonna della Luce
Lago di Piediluco
Santarioli
Collatea
La Croce
Apoleggia
Colle Vigne
Vigna
Ponte Crispolti
Lago di Ripa Sottile
Montisola Primo
Piediluco
Sant' Elia
Convento Fonte Colombo
Sant' Antimo
Colle
Poggio Fidoni
San Sebastiano
114
28
29
30

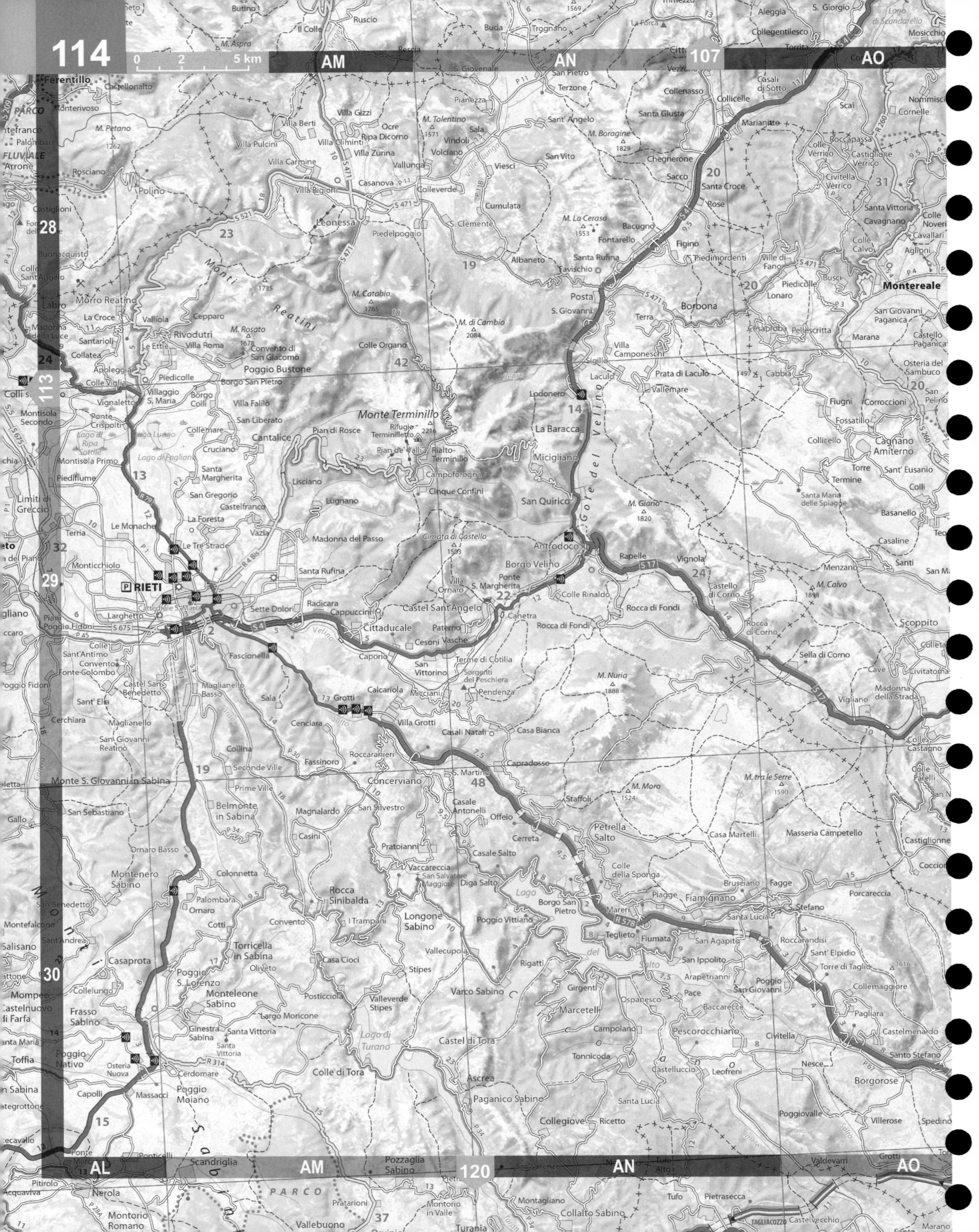
0 2 5 km
AM
AN
107
AO
113
AL
AM
120
AN
AO
RIETI
Leonessa
Monte Terminillo
Cittaducale
Antrodoco
Borbona
Montereale
Posta
Cantalice
Poggio Bustone
Rocca Sinibalda
Castel di Tora
Fiamignano
Borgorose
Poggio Moiano
Lago del Salto
Monti Reatini
Gole del Velino

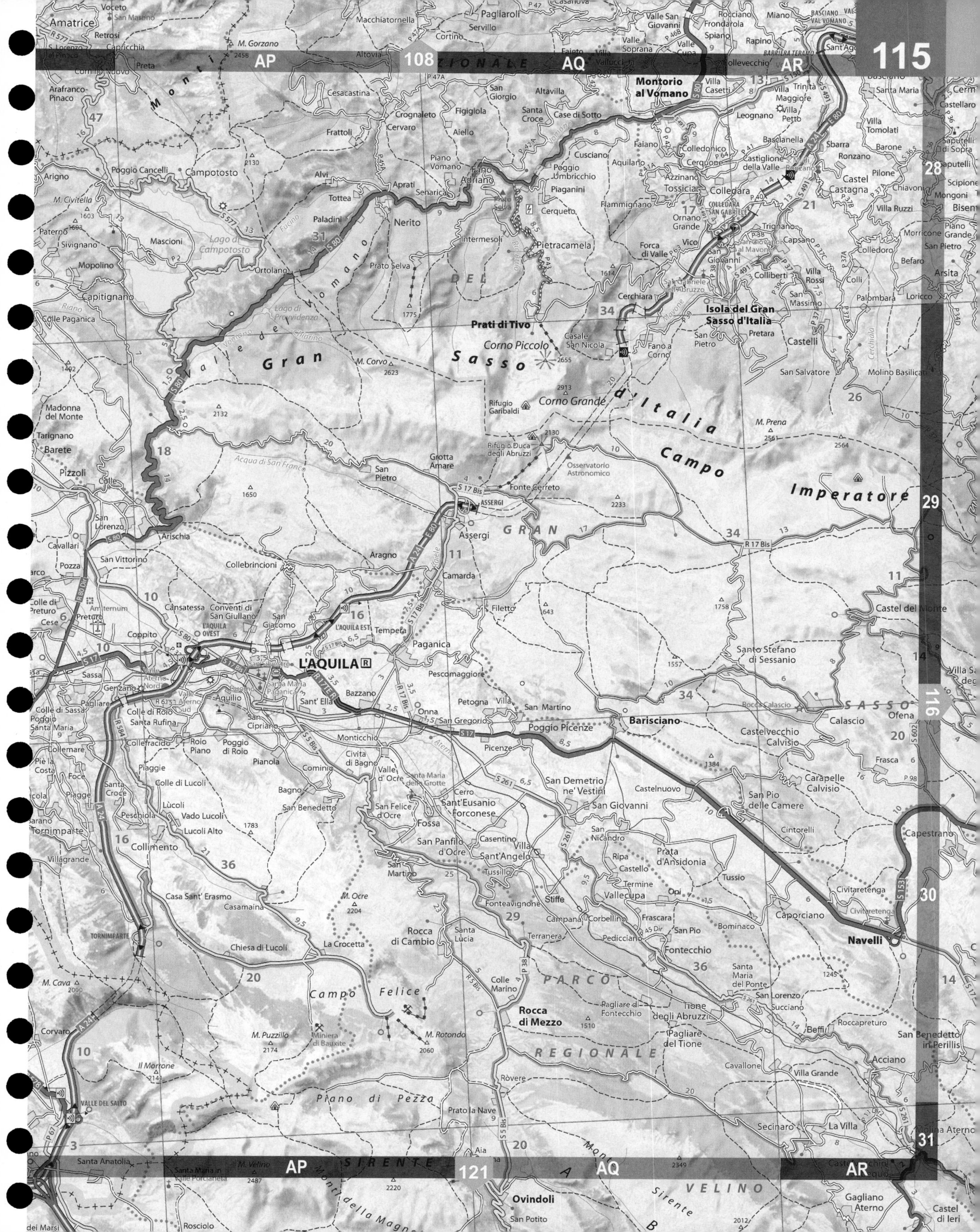
AP
108
AQ
AR
Amatrice
Retrosi
Capricchia
M. Gorzano
Macchiatornella
Pagliaroli
Servillo
Cortino
Valle San Giovanni
Rocciano
Frondarola
Spiano
Miano
Rapino
Valle Soprana
Valle Cupa
Altovia
Preta
Cesacastina
Crognaleto
Cervaro
Frattoli
Figliola
Aiello
San Giorgio
Altavilla
Santa Croce
Case di Sotto
Montorio al Vomano
Villa Casetti
Collevecchio
Villa Maggiore
Villa Petto
Trinità
Leognano
Santa Maria
Castellaro
Villa Tomolati
Barone
Arafranco-Pinaco
Monti
Poggio Cancelli
Campotosto
Arigno
M. Civitella
Alvi
Tottea
Aprati
Senarica
Piano Vomano
Fano Adriano
Cusciano
Poggio Umbricchio
Piaganini
Faiano
Aquilano
Colledonico
Cerqueto
Azzinano
Tossicia
Castiglione della Valle
Colledara
Sbarra
Ronzano
Castel Castagna
Pilone
Chiavoni
Paterno
Sivignano
Mascioni
Lago di Campotosto
Paladini
Nerito
Mopolino
Intermesoli
Pietracamela
Flammignano
Ornano Grande
Vico
Forca di Valle
San Giovanni
Trignano
Capsano
Villa Ruzzi
Colledoro
Befaro
Arsita
Villa Rossi
Colli
Capitignano
Ortolano
Prato Selva
Valle del Vomano
DEL
Colle Paganica
Lago di Provvidenza
Cerchiara
San Gabriele dell'Abruzzo
Colliberti
San Massimo
Palombara
Loricco
Isola del Gran Sasso d'Italia
Pretara
San Pietro
Castelli
Prati di Tivo
Casale San Nicola
Fano a Corno
Corno Piccolo
Gran
Sasso
M. Corvo
San Salvatore
Molino Basilica
Madonna del Monte
Tarignano
Barete
Pizzoli
Rifugio Garibaldi
Corno Grande
d'Italia
M. Prena
Campo
Imperatore
Rifugio Duca degli Abruzzi
Osservatorio Astronomico
Grotta Amare
San Pietro
Acqua di San Franco
Fonte Cerreto
Assergi
GRAN
San Lorenzo
Arischia
Cavallari
Pozza
San Vittorino
Aragno
Collebrincioni
Camarda
Filetto
Castel del Monte
Colle di Preturo
Preturo
Amiternum
Cansatessa
Conventi di San Giuliano
San Giacomo
L'AQUILA OVEST
L'AQUILA EST
Tempera
Paganica
Coppito
Santo Stefano di Sessanio
L'AQUILA
Sassa
Genzano
Pescomaggiore
Santa Maria Paganica
Sant' Elia
Bazzano
Petogna
Villa
San Martino
Aquilio
Pagliare
Colle di Sassa
Poggio Santa Maria
Colle di Roio
Santa Rufina
San Cipriano
Onna
San Gregorio
Poggio Picenze
Barisciano
Castelvecchio Calvisio
Calascio
Ofena
SASSO
116
Collemare
Collefracido
Roio Piano
Poggio di Roio
Monticchio
Civita di Bagno
Picenze
Frasca
Piè la Costa
Pianola
Cominio
Valle d'Ocre
Santa Maria della Grotte
San Demetrio ne' Vestini
Castelnuovo
Carapelle Calvisio
Foce
Piaggie
Colle di Lucoli
Santa Croce
Bagno
Cerro
San Pio delle Camere
Sant'Eusanio Forconese
San Giovanni
San Benedetto
San Felice d'Ocre
Lùcoli
Vado Lucoli
Peschiola
Fossa
Tornimparte
Lucoli Alto
Cintorelli
Capestrano
Casentino
San Nicandro
San Panfilo d'Ocre
Prata d'Ansidonia
Villa Sant'Angelo
Collimento
Villagrande
Ripa
Castello
Tussio
San Martino
Tussillo
Termine
Vallecupa
Opi
Civitaretenga
Casa Sant' Erasmo
M. Ocre
Casamaina
Fonteavignone
Stiffe
Campana
Corbellino
Frascara
Bominaco
Caporciano
Rocca di Cambio
Santa Lucia
Terranera
Pedicciano
San Pio
Chiesa di Lucoli
La Crocetta
Navelli
Fontecchio
TORNIMPARTE
Santa Maria del Ponte
M. Cava
PARCO
Colle Marino
Campo Felice
San Lorenzo
Succiano
Rocca di Mezzo
Pagliare di Fontecchio
Tione degli Abruzzi
Corvaro
M. Puzzillo
Miniera di Bauxite
M. Rotondo
Roccapreturo
Beffi
San Benedetto in Perillis
Pagliare del Tione
REGIONALE
Acciano
Il Morrone
Cavallone
Villa Grande
Rovere
VALLE DEL SALTO
Piano di Pezza
Prato la Nave
Secinaro
La Villa
Molina Aterno
Aia
Santa Anatolia
Santa Maria in Valle Porclaneta
M. Velino
SIRENTE
121
Monti della Magnola
Ovindoli
San Potito
VELINO
Sirente
Gagliano Aterno
Castel di Ieri
dei Marsi
Rosciolo

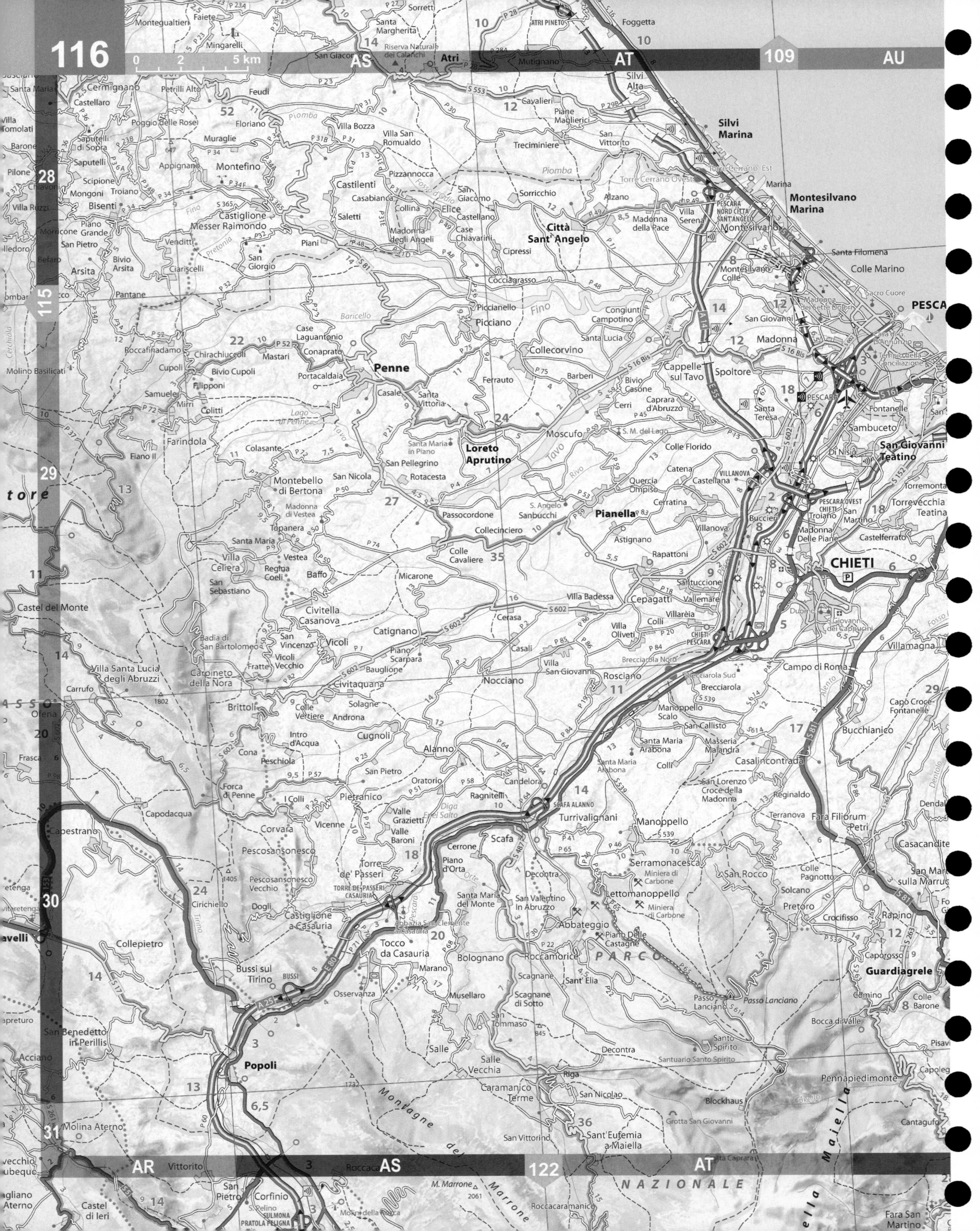
0 2 5 km
AS
AT
109
AU
Montegualtieri
Faiete
Mingarelli
Sorretti
Santa Margherita
Riserva Naturale dei Calanchi
Atri
ATRI PINETO
Foggetta
Mutignano
Silvi Alta
Cermignano
Castellaro
Santa Maria
Petrilli Alto
Feudi
Cavalieri
Piane Maglierici
Poggio delle Rosei
Floriano
Villa Bozza
Silvi Marina
Villa San Romualdo
San Vittorito
Saputelli di Sopra
Muraglie
Treciminiere
Barone
Saputelli
Appignano
Montefino
Pilone
Scipione
Castilenti
Pizzannocca
Torre Cerrano Est
Torre Cerrano Ovest
Marina
Chiavoni
Mongoni
Troiano
Casabianca
San Giacomo
Sorricchio
Alzano
Montesilvano Marina
Villa Ruzzi
Bisenti
Castiglione Messer Raimondo
Collina
Elice
Castellano
Madonna della Pace
Villa Serena
Montesilvano
Piano Grande
Morricone
Saletti
Città Sant'Angelo
San Pietro
Vendittl
Madonna degli Angeli
Case Chiavarini
Piani
Cipressi
Santa Filomena
Belfaro
Bivio Arsita
San Giorgio
Colle Marino
Arsita
Ciariscelli
Montesilvano Colle
Cocciagrasso
Pantane
Madonna dei Sette Dolori
Sacro Cuore
PESCARA
Piccianello
Congiunti Campotino
San Giovanni
Baricello
Picciano
Fino
Madonna
Case Laguantonio
Santa Lucia
Roccafinadamo
Chirachiuccoli
Mastari
Conaprato
Collecorvino
Molino Basilicata
Cupoli
Bivio Cupoli
Penne
Cappelle sul Tavo
Spoltore
Portacaldaia
Ferrauto
Barberi
Filipponi
Samuele
Casale
Santa Vittoria
Bivio Casone
Caprara d'Abruzzo
Mirri
Colitti
Cerri
Santa Teresa
Fontanelle
Lago di Penne
Sambuceto
Farindola
Colasante
Santa Maria in Piano
Loreto Aprutino
Moscufo
S. M. del Lago
San Giovanni Teatino
Fiano II
Di Nisio
San Pellegrino
Colle Florido
Rotacesta
Catena
Montebello di Bertona
San Nicola
Quercia Ompiso
Villanova
Castellana
Torremontanara
Madonna di Vestea
Passocordone
S. Angelo
Sanbucchi
Pianella
Cerratina
Buccieri
Troiano
Torrevecchia Teatina
Topanera
Collecinciero
San Martino
Santa Maria
Astignano
Villanova
Madonna Delle Piane
Castelferrato
Villa Celiera
Vestea
Colle Cavaliere
Rapattoni
Regina Coeli
Baffo
CHIETI
San Sebastiano
Micarone
Santuccione
Vallemare
Villa Badessa
Cepagatti
Castel del Monte
Civitella Casanova
Duomo
Villareia
San Giovanni dei Cappuccini
Cerasa
Colli
Villa Oliveti
Badia di San Bartolomeo
San Vincenzo
Vicoli
Catignano
Casali
CHIETI PESCARA
Villamagna
Villa Santa Lucia degli Abruzzi
Vicoli Vecchio
Fratte
Piano Scarpara
Bauglione
Brecciarola Nord
Carpineto della Nora
Villa San Giovanni
Rosciano
Campo di Roma
Nocciano
Brecciarola Sud
Civitaquana
Brecciarola
Carrufo
Capo Croce-Fontanelle
Brittoli
Colle Vertiere
Solagne
Androna
Manoppello Scalo
Ofena
San Callisto
Intro d'Acqua
Cugnoli
Bucchianico
Santa Maria Arabona
Masseria Malandra
Frasca
Cona
Alanno
Colli
Casalincontrada
Peschiola
Santa Maria Arabona
San Pietro
Forca di Penne
Oratorio
Candelora
San Lorenzo Croce della Madonna
I Colli
Pietranico
Ragnitelli
Reginaldo
Capodacqua
Valle Grazietti
Diga Enel Salto
SCAFA ALANNO
Turrivalignani
Terranova
Dendalo
Fara Filiorum Petri
Capestrano
Corvara
Vicenne
Valle Baroni
Manoppello
Cerrone
Scafa
Casacandite
Pescosansonesco
Piano d'Orta
Torre de' Passeri
Decontra
Serramonacesca
San Rocco
Colle Pagnotto
Miniera di Carbone
San Martino sulla Marrucina
Pescosansonesco Vecchio
Cirichiello
TORRE DE' PASSERI CASAURIA
Santa Maria del Monte
San Valentino in Abruzzo
Lettomanoppello
Solcano
Pretoro
Dogli
Castiglione a Casauria
Abbazia San Clemente a Casauria
Abbateggio
Crocifisso
Rapino
Collepietro
Tocco da Casauria
Piano Delle Castagne
Caporosso
Guardiagrele
Bolognano
Roccamorice
PARCO
Bussi sul Tirino
BUSSI
Marano
Scagnane
Sant' Elia
Osservanza
Scagnane di Sotto
Musellaro
Passo Lanciano
Comino
Colle Barone
San Tommaso
Bocca di Valle
San Benedetto in Perillis
Acciano
Popoli
Salle
Salle Vecchia
Decontra
Santo Spirito
Santuario Santo Spirito
Riga
Pennapiedimonte
Caramanico Terme
San Nicolao
Blockhaus
Montagne del Morrone
Molina Aterno
Sant'Eufemia a Maiella
Grotta San Giovanni
San Vittorino
Cantagufo
Maiella
AR
Vittorito
AS
122
AT
Roccacasale
M. Marrone
NAZIONALE
Castel di Ieri
San Pietro
Corfinio
S. Pelino
SULMONA
PRATOLA PELIGNA
Molino della Rocca
Roccacaramanico
Fara San Martino

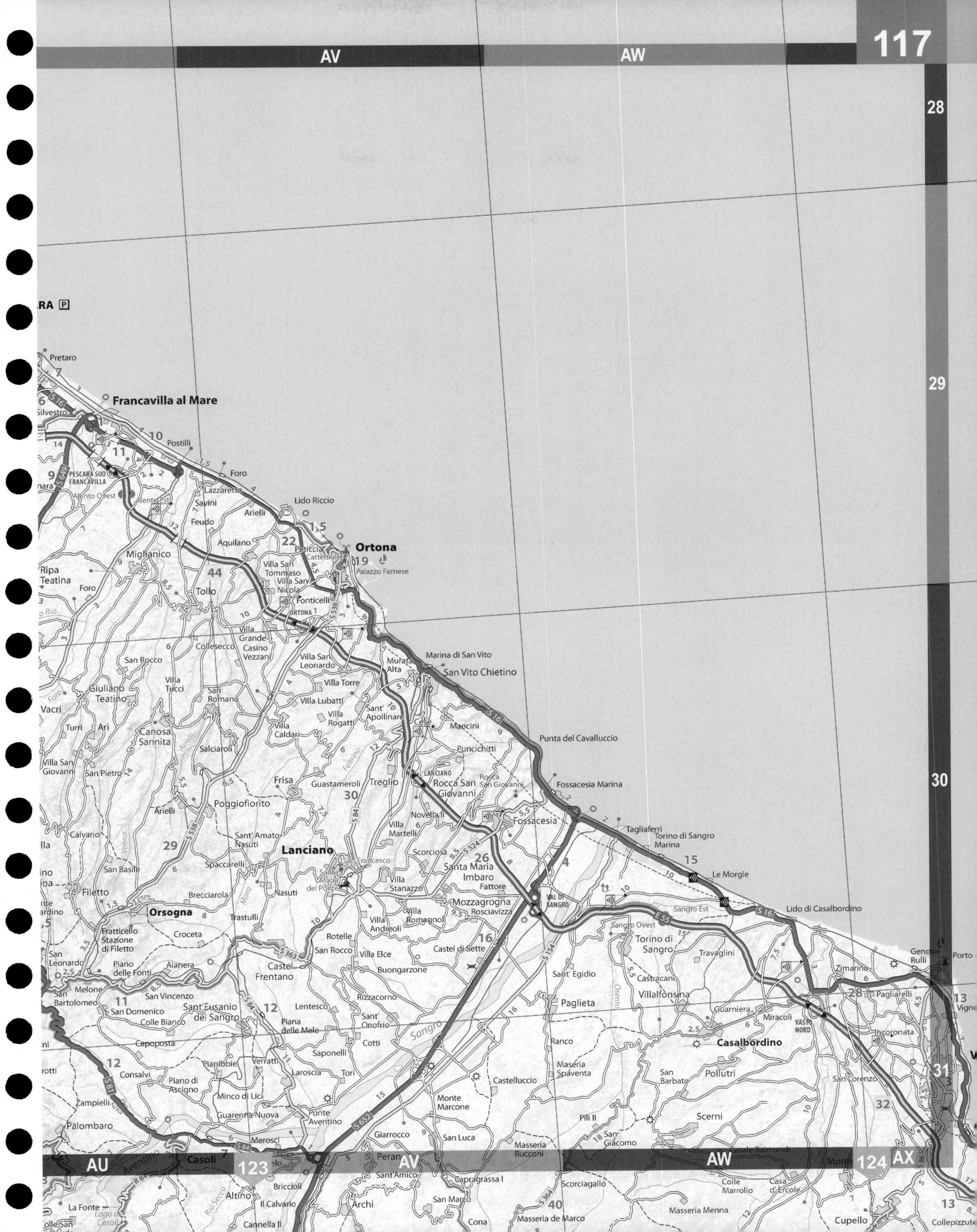

29

30

RA P

Pretaro
7
Francavilla al Mare
Silvestro
14
10   Postilli
11   Foro
9   PESCARA SUD   Lazzaretto
      FRANCAVILLA
                Savini
      Feudo   Arielli
12   Lido Riccio
Migliànico   Aquilano
44   Peticcia   Ortona
      Villa San   Cattedrale   19   Palazzo Farnese
Ripa   Tommaso
Teatina   Tollo   Villa San
      Foro   Nicola   Fonticelli
                ORTONA
San Rocco   Villa
Collesecco   Grande   Casino
Giuliano   Vezzani
Teatino   Villa   Villa San
      Tucci   Leonardo   Marina di San Vito
Vacri   San   Villa Torre   Muratata   San Vito Chietino
      Romano   Alta
Turri Ari   Villa Lubatti
Canosa   Villa   Sant'
Sannita   Caldari   Rogatti   Apollinare   Cese   Mancini
      Salciaroli   Puncichitti
Villa San   Punta del Cavalluccio
Giovanni   San Pietro   Frisa   LANCIANO
                Guastameroli   Treglio   Rocca San
                          Giovanni   Rocca   Fossacesia Marina
Arielli   Poggiofiorito   30   San Giovanni
                          Novella II   Fossacesia   Tagliaferri
29   Sant'Amato   Villa   Torino di Sangro
      Nasuti   Lanciano   Martelli   Marina
      San Basile   San Francesco   Scorciosa   Santa Maria   15   Le Morgie
Filetto   Brecciarola   Santa Maria   Nasuti   Imbaro   4
      del Ponte   Villa   26   Fattore
Orsogna   Trastulli   Stanazzo   Mozzagrogna   Sangro Est   Lido di Casalbordino
      Fratticello   Rotelle   Villa   Rosciavizza   VAL DI   Sangro Ovest
      Stazione   Villa Elce   Romagnoli   SANGRO   Genova
San   di Filetto   Aianera   San Rocco   16   Torino di   Rulli   Porto
Leonardo   Piano   Castel di Sette   Sangro   Travaglini
      delle Fonti   Buongarzone   Zimarino
Melone   San Vincenzo   Sant' Egidio   Castracani
11   San Domenico   Sant'Eusanio   Lentesco   Sant'   Villalfonsina   28   Pagliarelli   13
      Colle Bianco   del Sangro   12   Piana   Onofrio   Guarniera   VASTO   Vigne
                     delle Mele   Ranco   Miracoli   NORD
Capoposta   Pianibbie   Saponelli   Casalbordino   31
12   Consalvi   Verratti   Laroscia   Tori   Masseria   San   Pollutri   32
      Piano di   Minco di Lici   Monte   Spaventa   Barbato
Zampielli   Ascigno   Guarenna-Nuova   Marcone   San Lorenzo
Palombaro   Merosci   Giarrocco   San Luca   Pili II   San   Scerni
La Fonte   Altino   Perano   Masseria   Giacomo
      Il Calvario   Cannella II   Archi   San Marco   Rucconi   Colle
                          Cona   Masseria Menna   Marrollo   Casa
                Briccioli   Capragrassa I   Scorciagallo   d'Ercole   Cupello
                Sant'Amico   40   Masseria de Marco   Collepizzute

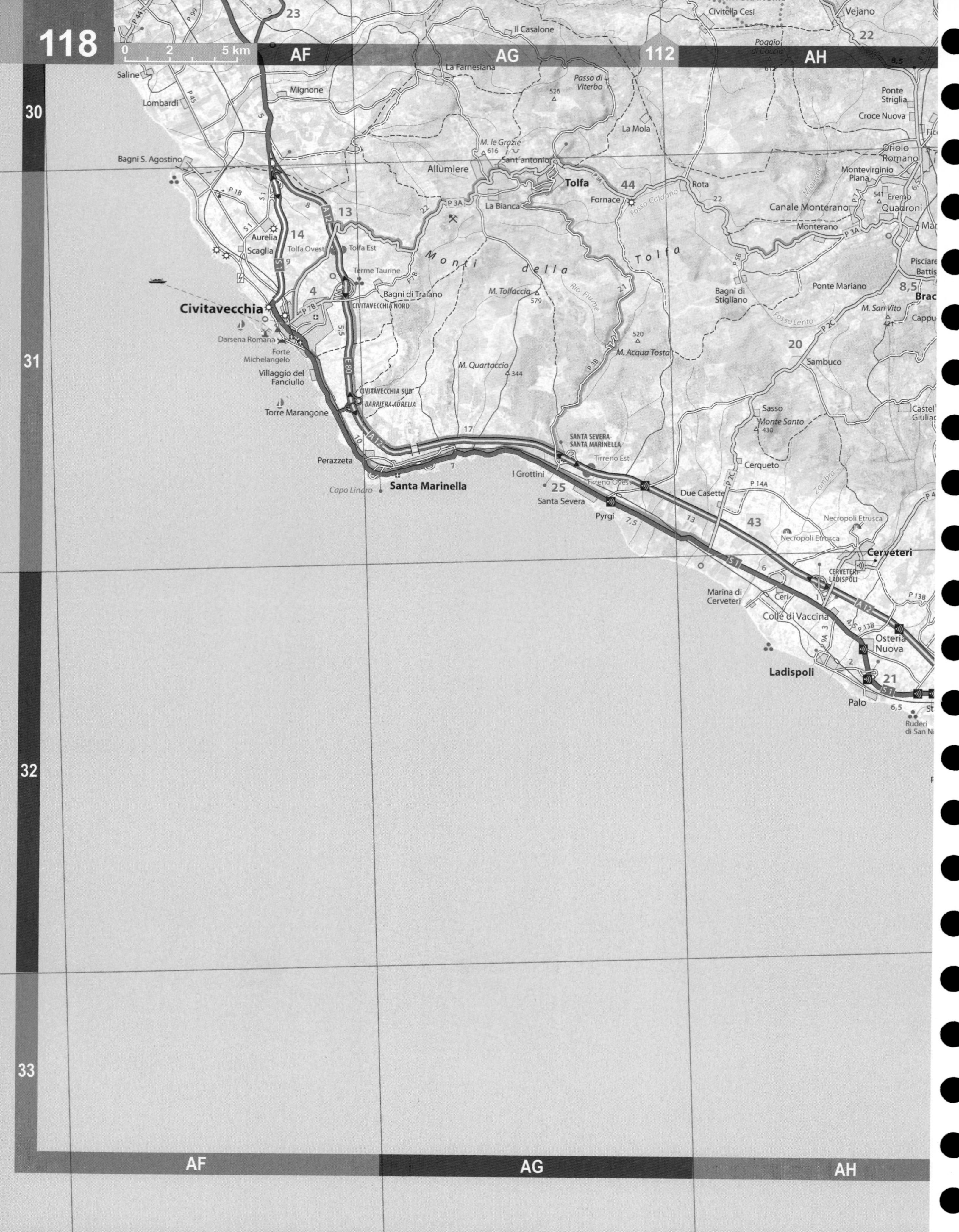

0 2 5 km
AF
AG
112
AH
30
31
32
33
Civitavecchia
Santa Marinella
Tolfa
Ladispoli
Cerveteri
Allumiere
Monti della Tolfa
Darsena Romana
Forte Michelangelo
Villaggio del Fanciullo
Torre Marangone
Perazzeta
Capo Linaro
I Grottini
Santa Severa
Pyrgi
Marina di Cerveteri
Colle di Vaccina
Osteria Nuova
Palo
Cerqueto
Due Casette
Sasso
Monte Santo
Sambuco
Bagni di Stigliano
Ponte Mariano
Canale Monterano
Monterano
Montevirginio
Oriolo Romano
Rota
Fornace
La Bianca
Sant'antonio
M. le Grazie
La Mola
Passo di Viterbo
La Farnesiana
Il Casalone
Civitella Cesi
Vejano
Mignone
Saline
Lombardi
Bagni S. Agostino
Aurelia
Scaglia
Tolfa Ovest
Tolfa Est
Terme Taurine
Bagni di Traiano
CIVITAVECCHIA NORD
CIVITAVECCHIA SUD
BARRIERA AURELIA
M. Tolfaccia
M. Quartaccio
M. Acqua Tosta
SANTA SEVERA-SANTA MARINELLA
Tirreno Est
Tirreno Ovest
Necropoli Etrusca
CERVETERI LADISPOLI
Ceri

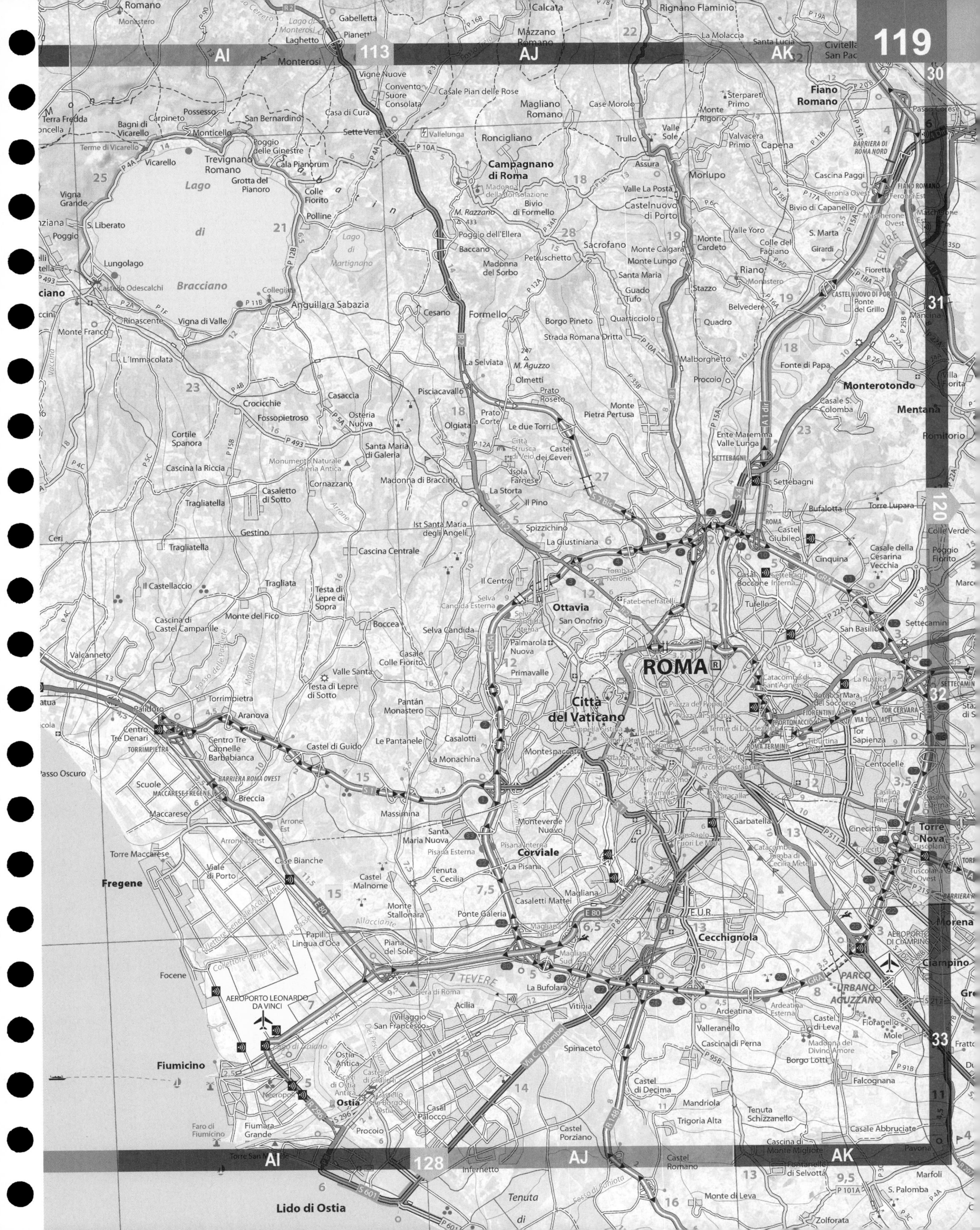
AI
AJ
AK
113
128
30
31
32
33
120
Romano
Calcata
Rignano Flaminio
Gabelletta
Pianetti
Laghetto
Mazzano Romano
La Molaccia
Santa Lucia
Civitella San Paolo
Monterosi
Vigne Nuove
Convento Suore Consolata
Casale Pian delle Rose
Sterpareti Primo
Fiano Romano
Terra Fredda
Carpineto
Possesso
San Bernardino
Casa di Cura
Magliano Romano
Case Morolo
Monte Rigoro
Bagni di Vicarello
Monticello
Sette Vene
Vallelunga
Ronciglione
Trullo
Valle Sole
Valvacera Primo
Capena
Terme di Vicarello
Poggio delle Ginestre
Trevignano Romano
Vicarello
Cala Pianorum
Campagnano di Roma
Assura
Morlupo
Cascina Paggi
Lago
Grotta del Pianoro
Colle Fiorito
Valle La Posta
Castelnuovo di Porto
Vigna Grande
Polline
Madonna della Consolazione
Bivio di Formello
Feronia Ovest
Bivio di Capanelle
S. Liberato
di
21
M. Razzano
Poggio dell'Ellera
Sacrofano
Valle Yoro
S. Marta
Poggio
Lago di Martignano
Baccano
Monte Calgara
Monte Cardeto
Colle del Fagiano
Girardi
Lungolago
Madonna del Sorbo
Petruschetto
Monte Lungo
Riano
Bracciano
Santa Maria
Castello Odescalchi
Collegiata
Guado Tufo
Stazzo
Fioretta
Anguillara Sabazia
Cesano
Formello
Belvedere
Ponte del Grillo
Rinascente
Vigna di Valle
Borgo Pineto
Quarticciolo
Quadro
Monte Franco
Strada Romana Dritta
L'Immacolata
La Selviata
M. Aguzzo
Malborghetto
Fonte di Papa
Olmetti
Procoio
Monterotondo
Casaccia
Pisciacavallo
Prato Roseto
Crocicchie
Osteria Nuova
Prato la Corte
Monte Pietra Pertusa
Casale S. Colomba
Mentana
Fossopietroso
Olgiata
Le due Torri
Ente Maremma Valle Lunga
Cortile Spanora
Santa Maria di Galeria
Città Etrusca di Veio
Castel dei Ceveri
Settebagni
Fornitorio
Monumento Naturale Galeria Antica
Cascina la Riccia
Isola Farnese
Cornazzano
Madonna di Braccino
Casaletto di Sotto
La Storta
Tragliatella
Il Pino
Bufalotta
Torre Lupara
Ist Santa Maria degli Angeli
Spizzichino
Castel Giubileo
Colle Verde
Gestino
La Giustiniana
Cinquina
Casale della Cesarina Vecchia
Poggio Fiorito
Cascina Centrale
Tomba di Nerone
Casal Boccone
Il Castellaccio
Tragliata
Testa di Lepre di Sopra
Il Centro
Ottavia
Fatebenefratelli
Tufello
Selva Candida Esterna
San Onofrio
Cascina di Castel Campanile
Monte del Fico
Boccea
Selva Candida
San Basilio
Settecamini
Palmarola Nuova
Valcanneto
ROMA
Casale Colle Fiorito
Primavalle
Catacombe di Sant'Agnese
La Rustica
Valle Santa
Testa di Lepre di Sotto
Città del Vaticano
Torrimpietra
Palidoro
Pantan Monastero
Borgo S. Maria del Soccorso
Aranova
Centro Tre Denari
Torrimpietra
Cappella Sistina
Pantheon
Piazza del Popolo
Piazza di Spagna
Terme di Diocleziano
Tor Sapienza
Centro Tre Cannelle
Barbabianca
Castel di Guido
Le Pantanele
Casalotti
Montespaccato
Colosseo
Arco di Costantino
Centocelle
Passo Oscuro
La Monachina
Circo Massimo
Scuole
Barriera Roma Ovest
Maccarese-Fregene
Breccia
Piramide di Caio Cestio
Terme di Caracalla
Maccarese
Massimina
Arrone Est
Monteverde Nuovo
Garbatella
Cinecittà
Torre Nova
Arrone Ovest
Santa Maria Nuova
Pisana Interna
Pisana Esterna
Corviale
San Paolo Fuori Le Mura
Catacombe
Tomba di Cecilia Metella
Torre Maccarese
Case Bianche
Viale di Porto
Castel Malnome
Tenuta S. Cecilia
La Pisana
Fregene
Magliana
Casaletti Mattei
Monte Stallonara
Ponte Galeria
E.U.R.
Morena
Papili Lingua d'Oca
Magliana Nord
Cecchignola
Aeroporto di Ciampino
Ciampino
Piana del Sole
Magliana Sud
Focene
Fiera di Roma
TEVERE
La Bufolara
Parco Urbano Aguzzano
Aeroporto Leonardo da Vinci
Acilia
Vitinia
Ardeatina
Ardeatina Esterna
Castel di Leva
Fioranello
Villaggio San Francesco
Vallerano
Mole
Cascina di Perna
Madonna del Divino Amore
Fiumicino
Ostia Antica
Castello di Giulio II
Spinaceto
Borgo Lotti
Scavi di Ostia Antica
Necropoli
Ostia
Castello e Borgo di Ostia
Castel di Decima
Falcognana
Mandriola
Casal Palocco
Tenuta Schizzanello
Trigoria Alta
Faro di Fiumicino
Fiumara Grande
Procoio
Castel Porziano
Casale Abbruciate
Cascina di Monte Migliore
Pavona
Torre San Michele
Infernetto
Castel Romano
Fontanelle di Selvotta
Marfoli
S. Palomba
Tenuta
Monte di Leva
Lido di Ostia
Zolforata

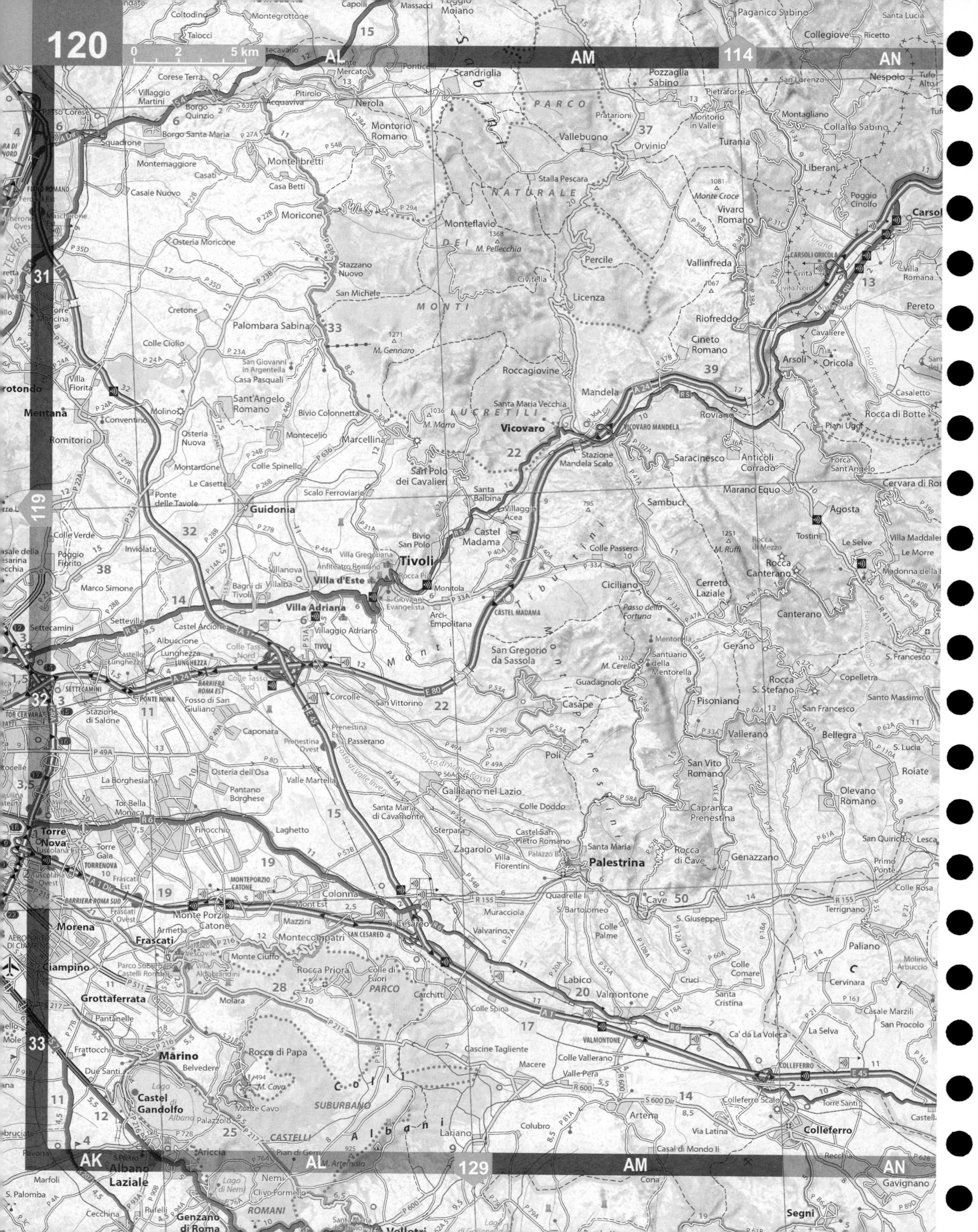

0 2 5 km
AL
AM
114
AN
119
AK
129
Paganico Sabino
Collegiove
Scandriglia
Pozzaglia Sabino
Nerola
Montorio Romano
PARCO
NATURALE
DEI
MONTI
LUCRETILI
Vallebuono
Orvinio
Turania
Montorio in Valle
Collalto Sabino
Liberani
Monte Croce
Vivaro Romano
Carsoli
Montelibretti
Moricone
Monteflavio
M. Pellecchia
Percile
Vallinfreda
Licenza
Riofreddo
Cineto Romano
Arsoli
Oricola
Pereto
Palombara Sabina
M. Gennaro
Roccagiovine
Mandela
Roviano
Rocca di Botte
Mentana
Sant'Angelo Romano
M. Morra
Vicovaro
Saracinesco
Anticoli Corrado
Marcellina
San Polo dei Cavalieri
Marano Equo
Agosta
Guidonia
Tivoli
Castel Madama
Ciciliano
Cerreto Laziale
Rocca Canterano
Canterano
Villa d'Este
Villa Adriana
San Gregorio da Sassola
M. Cerella
Gerano
Casape
Pisoniano
Rocca S. Stefano
Bellegra
Poli
San Vito Romano
Roiate
Olevano Romano
Gallicano nel Lazio
Capranica Prenestina
Torre Nova
Zagarolo
Palestrina
Rocca di Cave
Genazzano
Colonna
Cave
Monte Porzio Catone
Frascati
Montecompatri
Morena
Ciampino
Rocca Priora
Paliano
Grottaferrata
Labico
Valmontone
Marino
Rocca di Papa
M. Cavo
Colli Albani
Castel Gandolfo
Artena
Colleferro
Albano Laziale
Lariano
M. Artemisio
Nemi
Genzano di Roma
Segni

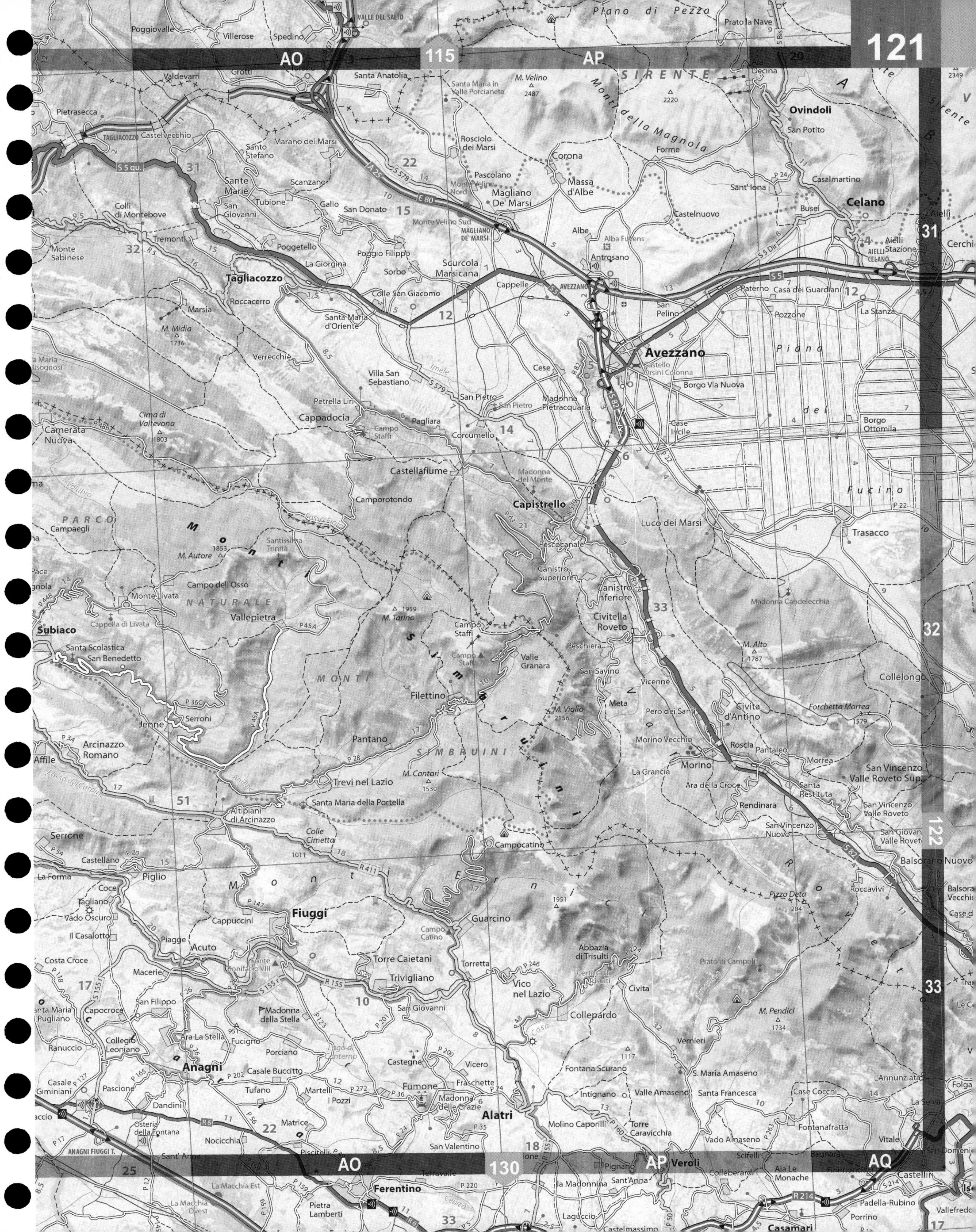
AO
115
AP
20
Piano di Pezza
Prato la Nave
Valle del Salto
Poggiovalle
Villerose
Spedino
Valdevarri
Grotti
Santa Anatolia
Santa Maria in Valle Porcianeta
M. Velino 2487
Sirente
2220
Ala Decina
Monti della Magnola
Ovindoli
San Potito
Sirente
2349
Pietrasecca
Tagliacozzo
Castelvecchio
Santo Stefano
Marano dei Marsi
Rosciolo dei Marsi
Corona
Forme
Sante Marie
Scanzano
Pascolano
Monte Velino Nord
Massa d'Albe
Sant' Iona
Casalmartino
Colli di Montebove
San Giovanni
Tubione
Gallo
San Donato
Magliano De' Marsi
Castelnuovo
Celano
Busei
Aielli
Tremonti
Monte Sabinese
Poggetello
Poggio Filippo
Monte Velino Sud
Magliano de' Marsi
Albe
Alba Fucens
Aielli Stazione
Cerchio
La Giorgina
Sorbo
Scurcola Marsicana
Antrosano
Tagliacozzo
Roccacerro
Colle San Giacomo
Cappelle
Avezzano
Paterno
Casa dei Guardiani
Marsia
Santa Maria d'Oriente
San Pelino
Pozzone
La Stanza
M. Midia 1736
Verrecchie
Avezzano
Castello Orsini Colonna
Piana del Fucino
Villa San Sebastiano
Cese
Borgo Via Nuova
San Pietro
Madonna Pietracquaria
Petrella Liri
Cappadocia
Campo Staffi
Pagliara
Corcumello
Case Incile
Borgo Ottomila
Cima di Valtevona 1803
Camerata Nuova
Castellafiume
Madonna del Monte
Camporotondo
Capistrello
Luco dei Marsi
Trasacco
Parco Naturale
Monti Simbruini
Campaegli
Santissima Trinità
M. Autore 1853
Pescocanale
Canistro Superiore
Campo dell'Osso
Canistro Inferiore
Monte Livata
Madonna Candelecchia
M. Tarino 1959
Vallepietra
Civitella Roveto
Subiaco
Cappella di Livata
Campo Staffi
Santa Scolastica
San Benedetto
Valle Granara
Peschiera
M. Alto 1787
San Savino
Collelongo
Vicenne
Filettino
Meta
Pero dei Santi
Civita d'Antino
Forchetta Morrea 1579
M. Viglio 2156
Serroni
Jenne
Pantano
Morino Vecchio
Roscia
Pantaleo
Arcinazzo Romano
Affile
Simbruini
Morino
Morrea
San Vincenzo Valle Roveto Sup.
M. Cantari 1530
Trevi nel Lazio
La Grancia
Ara della Croce
Santa Restituta
Fosso del Corpo
Santa Maria della Portella
Rendinara
San Vincenzo Valle Roveto
Altipiani di Arcinazzo
San Vincenzo Nuovo
San Giovanni Valle Roveto
Serrone
Colle Cimetta 1011
Campocatino
Val Roveto
Balsorano Nuovo
Castellano
La Forma
Piglio
Monti Ernici
Pizzo Deta 2041
Roccavivi
Balsorano Vecchio
Coce
Tagliano
Vado Oscuro
Fiuggi
1951
Cappuccini
Guarcino
Campo Catino
Il Casalotto
Piagge
Acuto
Abbazia di Trisulti
Costa Croce
Torre Caietani
Prato di Campoli
Macerie
Fonte Bonifacio VIII
Torretta
Trivigliano
Certosa di Trisulti
Vico nel Lazio
Civita
San Filippo
Santa Maria in Pugliano
Capocroce
Madonna della Stella
San Giovanni
Collepardo
M. Pendici 1734
Ranuccio
Collegio Leoniano
Ara La Stella
Fucigno
Porciano
Vernieri
Lago di Canterno
Castegne
1117
Anagni
Casale Buccitto
Vicero
Fontana Scurano
S. Maria Amaseno
L'Annunziata
Casale Giminiani
Pascione
Tufano
Martelli
I Pozzi
Fumone
Fraschette
Madonna delle Grazie
Intignano
Valle Amaseno
Santa Francesca
Case Cocchi
Folga
Dandini
Alatri
La Selva
Osteria della Fontana
Matrice
Molino Caporilli
Torre Caravicchia
Fontanafratta
Nocicchia
Vado Amaseno
Vitale
Anagni Fiuggi T.
Sant' Anna
Piscitelli
San Valentino
Bagnara
San Domenico
AO
130
AP
Veroli
Scifelli
AQ
Pignano
Aia Le Monache
Colleberardi
Castelli
Terravalle
La Macchia Est
Sant'Anna
La Madonnina
Ferentino
Pietra Lamberti
La Macchia Ovest
Padella-Rubino
Porrino
Vallefredda
Laguccio
Castelmassimo
Casamari
122
31
32
33

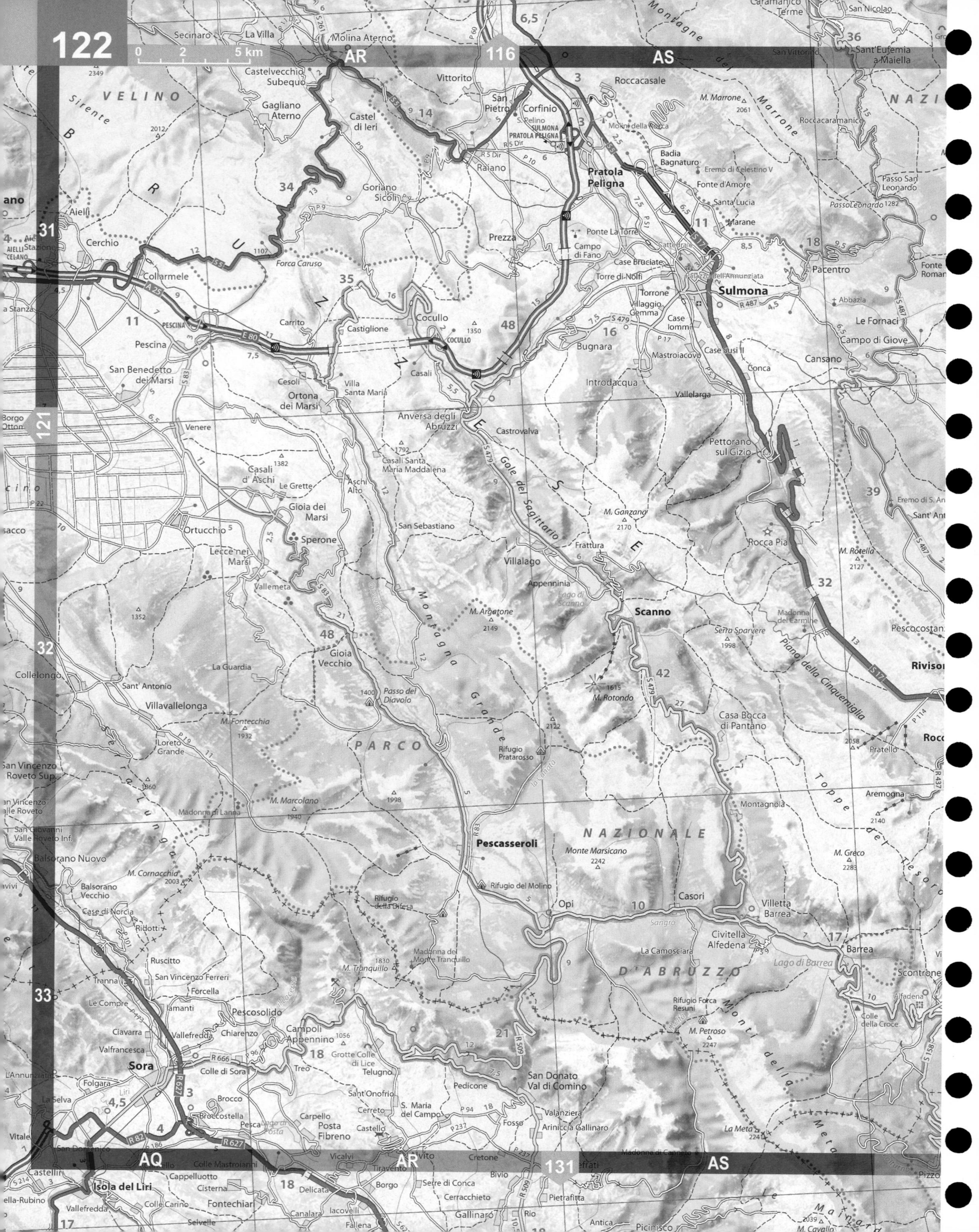
122
AR
116
AS
121
131
AQ
AR
AS
Sulmona
Pratola Peligna
Scanno
Pescasseroli
Sora
Isola del Liri
Corfinio
Raiano
Pescina
Cocullo
Anversa degli Abruzzi
Villalago
Opi
Civitella Alfedena
Barrea
Gole del Sagittario
PARCO NAZIONALE D'ABRUZZO
Montagna Grande
Serra Lunga
Monti della Meta
Toppe del Tesoro
Piano della Cinquemiglia
Lago di Scanno
Lago di Barrea
San Donato Val di Comino
Campoli Appennino
Gioia dei Marsi
Ortona dei Marsi
Balsorano Nuovo
Villavallelonga
Collelongo
Pettorano sul Gizio
Rocca Pia
Introdacqua
Bugnara
Pacentro
Cansano
Campo di Giove

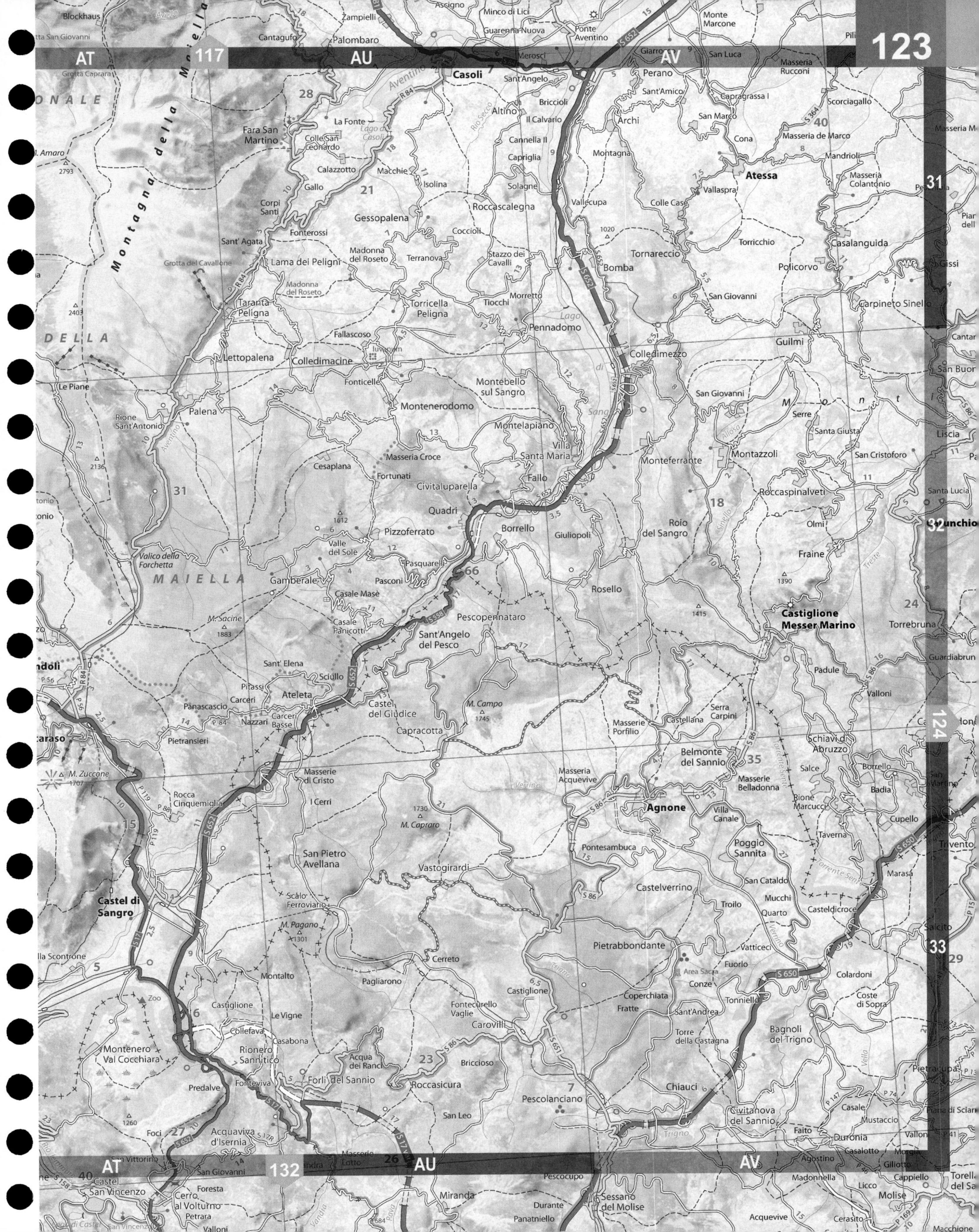

AT
117
AU
AV
Casoli
Atessa
Gessopalena
Roccascalegna
Bomba
Tornareccio
Lama dei Peligni
Torricella Peligna
Pennadomo
Colledimezzo
Colledimacine
Lettopalena
Palena
Montenerodomo
Montebello sul Sangro
Guilmi
Monteferrante
Montazzoli
Roccaspinalveti
Pizzoferrato
Quadri
Borrello
Gamberale
Rosello
Castiglione Messer Marino
Pescopennataro
Sant'Angelo del Pesco
Ateleta
Castel del Giudice
Capracotta
Belmonte del Sannio
Agnone
San Pietro Avellana
Vastogirardi
Castel di Sangro
Pietrabbondante
Carovilli
Pescolanciano
Chiauci
Civitanova del Sannio
Rionero Sannitico
Forlì del Sannio
Roccasicura
Acquaviva d'Isernia
MAIELLA
132
26
31
32
33
124

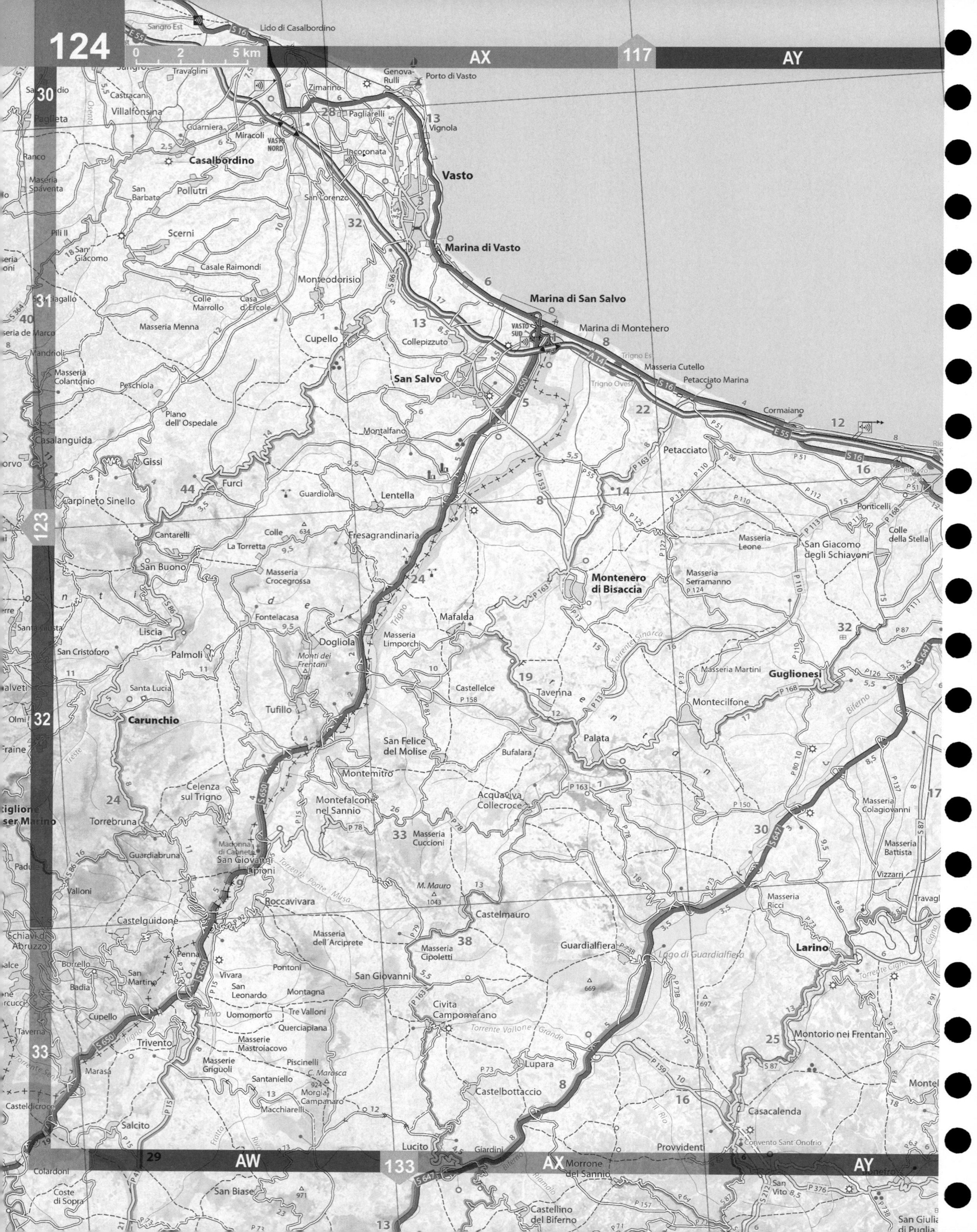
AX
117
AY
Lido di Casalbordino
Vasto
Marina di Vasto
Marina di San Salvo
Marina di Montenero
Casalbordino
Pollutri
Scerni
Monteodorisio
Cupello
San Salvo
Petacciato
Montenero di Bisaccia
Guglionesi
Gissi
Furci
Lentella
Fresagrandinaria
Carunchio
Palmoli
Dogliola
Tufillo
Mafalda
Tavenna
Palata
Montecilfone
San Felice del Molise
Montemitro
Celenza sul Trigno
Torrebruna
Montefalcone nel Sannio
Acquaviva Collecroce
San Giovanni Lipioni
Roccavivara
Castelmauro
Guardialfiera
Larino
Castelguidone
Trivento
Civita Campomarano
Lupara
Castelbottaccio
Montorio nei Frentani
Casacalenda
Salcito
Lucito
Provvidenti
Morrone del Sannio
Castellino del Biferno
123
AW
133
AX
AY

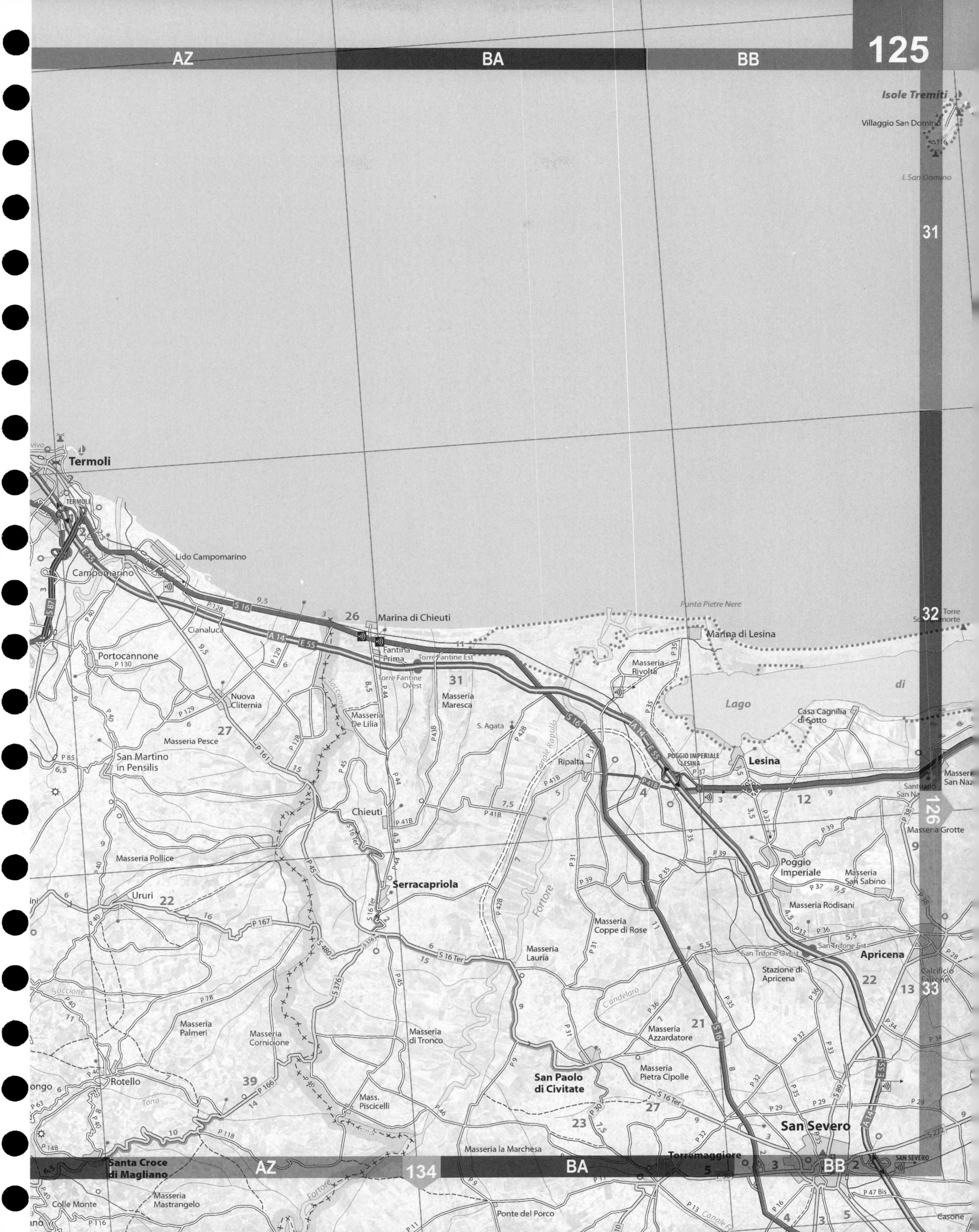
AZ
BA
BB
Isole Tremiti
Villaggio San Domino
I. San Domino
31
32
33
126
134
Termoli
Lido Campomarino
Campomarino
Cianaluca
Portocannone
Marina di Chieuti
Fantina Prima
Torre Fantine Est
Torre Fantine Ovest
Nuova Cliternia
Masseria Pesce
San Martino in Pensilis
Masseria De Lilia
Masseria Maresca
S. Agata
Chieuti
Serracapriola
Masseria Pollice
Ururi
Punta Pietre Nere
Marina di Lesina
Masseria Rivolta
Lago
Casa Cagnilia di Sotto
Lesina
Ripalta
Poggio Imperiale
Masseria San Sabino
Masseria Grotte
Masseria Rodisani
Masseria Coppe di Rose
Masseria Lauria
Apricena
Stazione di Apricena
Masseria Palmeri
Masseria Cornicione
Masseria di Tronco
Masseria Azzardatore
Rotello
San Paolo di Civitate
Masseria Pietra Cipolle
Mass. Piscicelli
San Severo
Torremaggiore
Masseria la Marchesa
Santa Croce di Magliano
Colle Monte
Masseria Mastrangelo
Ponte del Porco
Casone
Fortore
Saccione
Candelaro
Tona

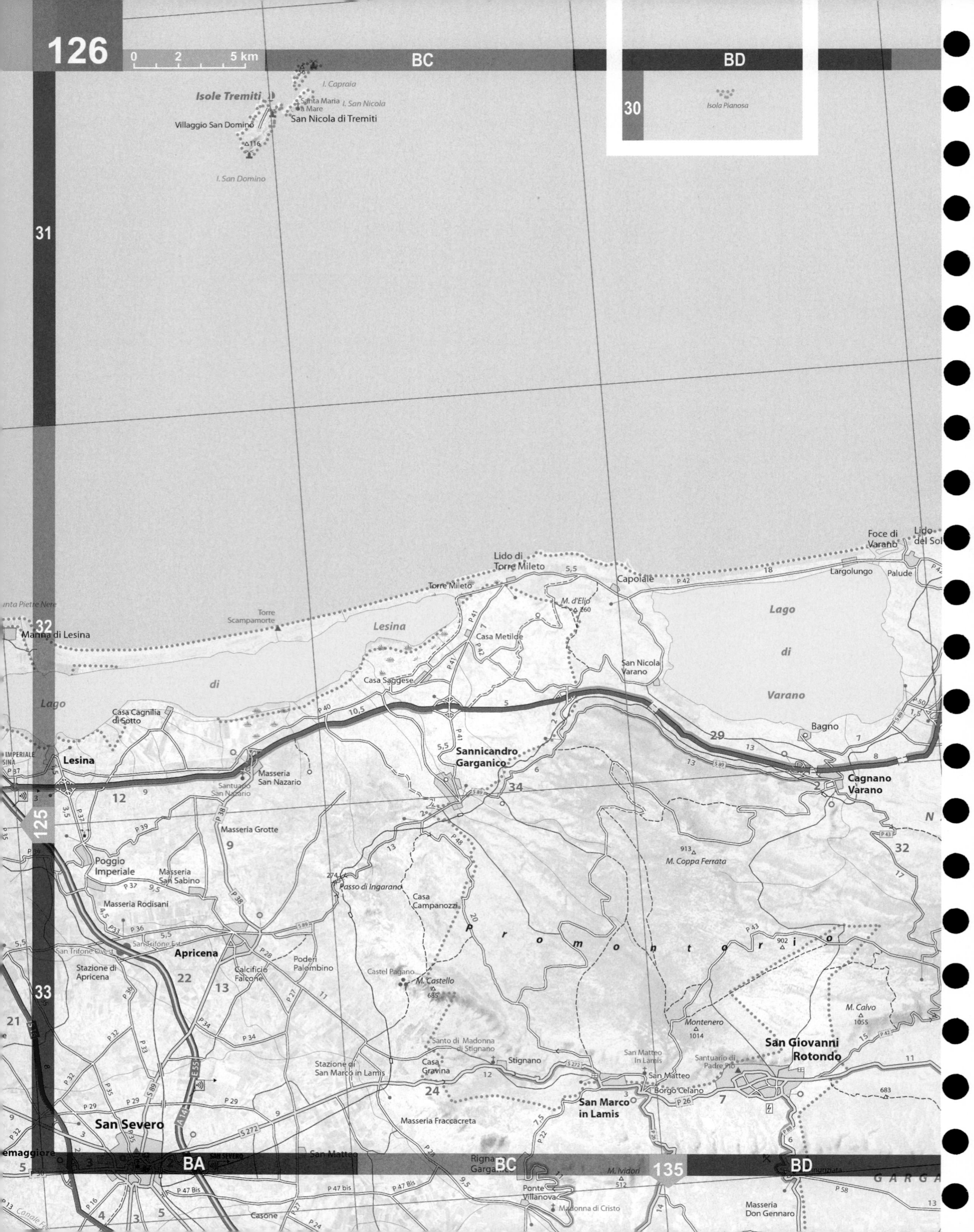

0   2   5 km

BC

BD

30

31

32

33

125

Isole Tremiti
I. Capraia
Santa Maria a Mare   *I. San Nicola*
Villaggio San Domino   San Nicola di Tremiti
△116
I. San Domino

Isola Pianosa

unta Pietre Nere

Marina di Lesina
Torre Scampamorte ▲

Casa Cagnilia di Sotto
Lago
Lesina
di

Casa Saggese

Casa Metilde

Torre Mileto
Lido di Torre Mileto
P 41
P 42
P 41

Foce di Varano
Lido del Sol

5,5
Capolale   P 42
Largolungo   Palude
18

M. d'Elio
△60

San Nicola Varano

Lago
di
Varano

Bagno
P 50
1,5

IMPERIALE SINA
P 37
Lesina

P 40   10,5
P 41
5,5
5
2
Sannicandro Garganico
6
34
2
29
13
13
2
8

P 39
12   9
Masseria San Nazario
Santuario San Nazario
3,5

Masseria Grotte
9

Poggio Imperiale
Masseria San Sabino
9,5

Masseria Rodisani
4,5
P 37
P 36   5,5
San Trifone Ovest   Sanrifone Est

Apricena
Stazione di Apricena
22   13
P 36
P 33
P 34

21

San Severo

P 38

274
Passo di Ingarano
Casa Campanozzi

Calcificio Falcone
Poderi Palombino
P 27
11
Castel Pagano
M. Castello
685

P 48

P 34
Santo di Madonna di Stignano
Stazione di San Marco in Lamis
Casa Gravina
24

Masseria Fraccacreta

San Matteo

913
△
M. Coppa Ferrata

P o m o n t o r i o

902
△
P 43

Montenero
1014

Stignano
12
S 272
San Matteo in Lamis
San Matteo
Borgo Celano
P 26

7,5

San Marco in Lamis

N
32
17

M. Calvo
1055

San Giovanni Rotondo
Santuario di Padre Pio
15   P 42
11

7
683

Cagnano Varano

5

emaggiore

P 29
P 29
A 14
P 29
S 272

Rigna Garga
Ponte Villanova
Madonna di Cristo
9,5
M. Ividori
512

13
Masseria Don Gennaro
P 58

G A R G A

Casone

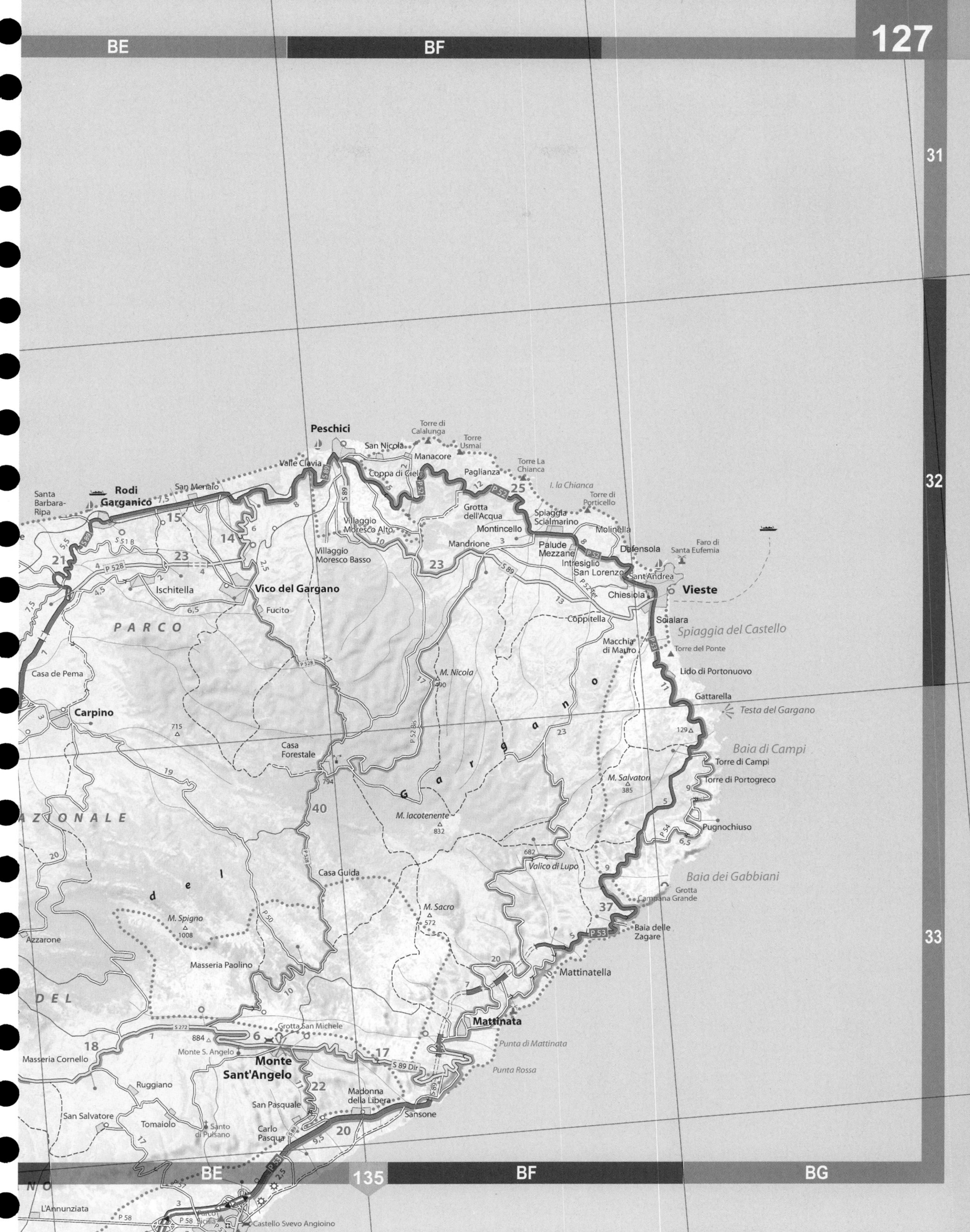

BE
BF
31
32
33
Peschici
Torre di Calalunga
Torre Usmai
San Nicola
Manacore
Valle Clavia
Coppa di Cielo
Paglianza
Torre La Chianca
I. la Chianca
Torre di Porticello
Santa Barbara-Ripa
Rodi Garganico
San Menaio
Grotta dell'Acqua
Spiaggia Scialmarino
Villaggio Moresco Alto
Montincello
Molinella
Mandrione
Paludi Mezzane
Defensola
Faro di Santa Eufemia
Villaggio Moresco Basso
Intresiglio
San Lorenzo
Sant'Andrea
Ischitella
Vico del Gargano
Vieste
Chiesiola
Fucito
Coppitella
Scialara
PARCO
Spiaggia del Castello
Macchia di Mauro
Torre del Ponte
Lido di Portonuovo
Casa de Pema
M. Nicola
Gattarella
Testa del Gargano
Carpino
Casa Forestale
Baia di Campi
Torre di Campi
M. Salvatore
Torre di Portogreco
Gargano
AZIONALE
M. Iacotenente
Pugnochiuso
Valico di Lupo
Baia dei Gabbiani
Casa Guida
del
Grotta Campana Grande
M. Spigno
M. Sacro
Baia delle Zagare
Azzarone
Masseria Paolino
Mattinatella
DEL
Mattinata
Grotta San Michele
Punta di Mattinata
Masseria Cornello
Monte S. Angelo
Monte Sant'Angelo
Punta Rossa
Ruggiano
Madonna della Libera
San Pasquale
Sansone
San Salvatore
Tomaiolo
Santo di Pulsano
Carlo Pasqua
BE
135
BF
BG
L'Annunziata
Castello Svevo Angioino
Lido Torre San Giusto

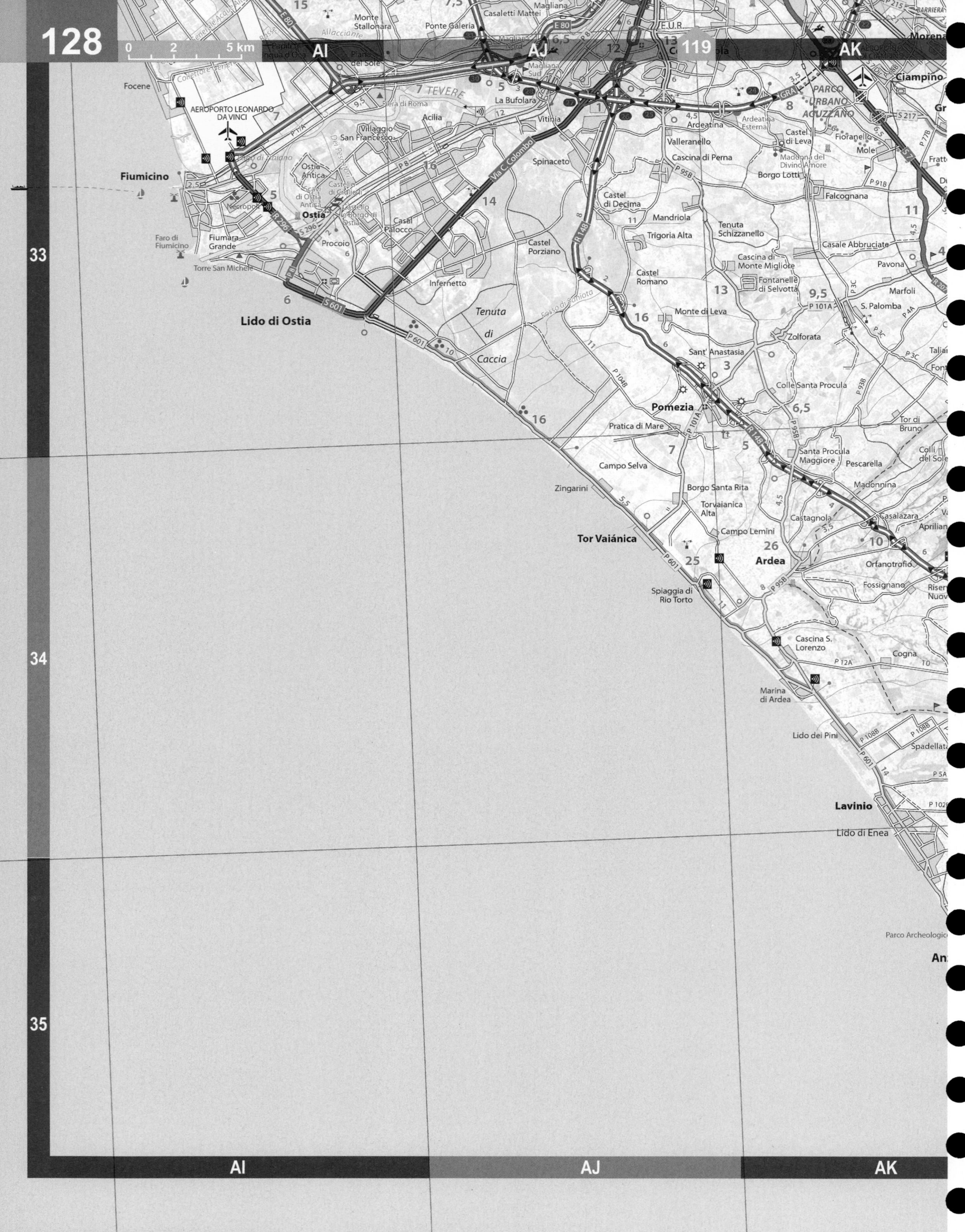

0 2 5 km
AI
AJ
119
AK
33
34
35
Fiumicino
AEROPORTO LEONARDO DA VINCI
Focene
Ostia
Ostia Antica
Lido di Ostia
Torre San Michele
Fiumara Grande
Faro di Fiumicino
Necropoli
Procoio
Casal Palocco
Acilia
Villaggio San Francesco
Infernetto
Tenuta di Caccia
Spinaceto
Vitinia
La Bufolara
Magliana Sud
Ponte Galeria
Malnome
Monte Stallonara
Casaletti Mattei
Magliana
E.U.R.
Ardeatina
Valleranello
Cascina di Perna
Castel di Decima
Mandriola
Trigoria Alta
Castel Porziano
Castel Romano
Tenuta Schizzanello
Monte di Leva
Sant' Anastasia
Pomezia
Pratica di Mare
Campo Selva
Zingarini
Tor Vaiánica
Borgo Santa Rita
Torvaianica Alta
Campo Lemini
Ardea
Spiaggia di Rio Torto
Cascina S. Lorenzo
Marina di Ardea
Lido dei Pini
Lavinio
Lido di Enea
Parco Archeologico
Ciampino
Morena
PARCO URBANO ACUZZANO
Castel di Leva
Fioranello
Mole
Madonna del Divino Amore
Borgo Lotti
Falcognana
Casale Abbruciate
Pavona
Cascina di Monte Migliore
Fontanelle di Selvotta
Marfoli
S. Palomba
Zolforata
Colle Santa Procula
Tor di Bruno
Colli del Sole
Santa Procula Maggiore
Pescarella
Madonnina
Castagnola
Casalazara
Orfanotrofio
Fossignano
Cogna
Spadellata
Via C. Colombo
TEVERE
S 601
P 601
R 148
P 95B
P 101A
GRA
S 217
E 80

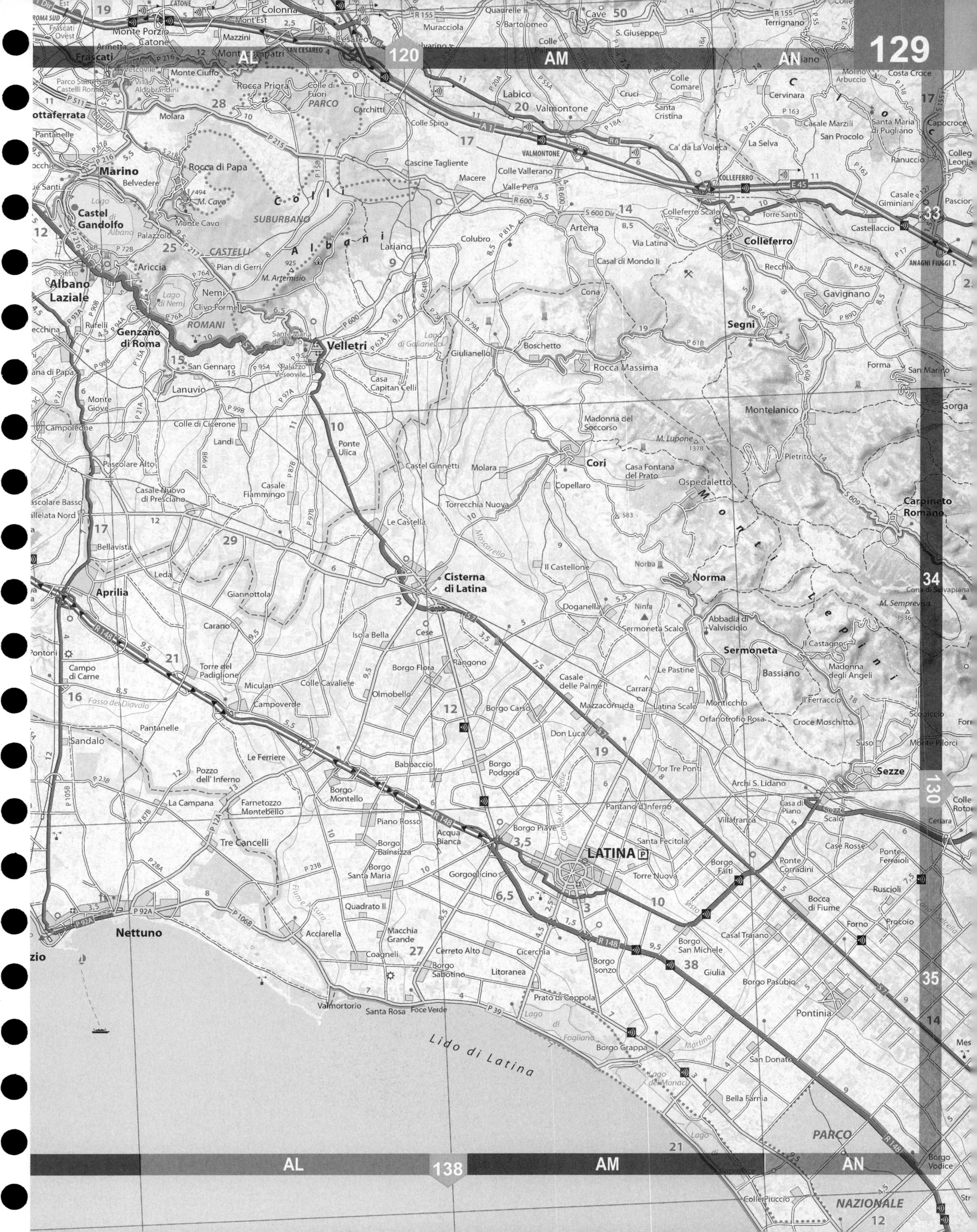
AL
AM
AN
120
138
130
33
34
35
Colonna
Monte Porzio Catone
Frascati
Monte Compatri
S. Cesareo
Quadrelle
S. Bartolomeo
Cave
Terrignano
Muracciola
Mazzini
Monte Ciuffo
Rocca Priora
Colle di Fuori
PARCO
Carchitti
Labico
Valmontone
Cruci
Colle Comare
Santa Cristina
Cervinara
Casale Marzili
Santa Maria di Pugliano
San Procolo
Capocroce
Molino Arbuccio
Costa Croce
Grottaferrata
Molara
Colle Spina
Cascine Tagliente
Ca' da La Voleca
La Selva
Ranuccio
Pantanelle
Marino
Belvedere
Rocca di Papa
M. Cavo
Monte Cavo
Colli
Albani
SUBURBANO
CASTELLI
ROMANI
Macere
Colle Vallerano
Valle Pera
Colleferro Scalo
Colleferro
Casale Giminiani
Castellaccio
Castel Gandolfo
Lago Albano
Palazzolo
Ariccia
Pian di Gerri
M. Artemisio
Lariano
Colubro
Artena
Via Latina
Casal di Mondo li
Recchia
Gavignano
Albano Laziale
Nemi
Lago di Nemi
Clivo Formello
Genzano di Roma
Rufelli
Cona
Segni
Velletri
Lago di Giulianello
Giulianello
Boschetto
Rocca Massima
Forma
San Marino
Gorga
San Gennaro
Lanuvio
Velletri Vescovile
Casa Capitan Celli
Monte Giove
Campoleone
Colle di Cicerone
Landi
Ponte Ulica
Montelanico
Madonna del Soccorso
M. Lupone
Pietrito
Carpineto Romano
Pascolare Alto
Castel Ginnetti
Molara
Cori
Casa Fontana del Prato
Ospedaletto
Copellaro
Casale Nuovo di Presciano
Casale Fiammingo
Torrecchia Nuova
Le Castella
Monti Lepini
Bellavista
Il Castellone
Moscarello
Norba
Norma
Cona di Selvapiana
M. Semprevisa
Aprilia
Leda
Giannottola
Cisterna di Latina
Doganella
Ninfa
Sermoneta Scalo
Abbadia di Valvisciolo
Carano
Isola Bella
Cese
Sermoneta
Il Castagno
Bassiano
Madonna degli Angeli
Pontoni
Campo di Carne
Torre del Padiglione
Miculan
Colle Cavaliere
Borgo Flora
Rangono
Casale delle Palme
Le Pastine
Carrara
Il Ferraccio
Fosso del Diavolo
Campoverde
Olmobello
Borgo Carso
Mazzacornuda
Latina Scalo
Monticchio
Orfanotrofio Rosa
Croce Moschitto
Pantanelle
Don Luca
Sandalo
Le Ferriere
Babbaccio
Borgo Podgora
Tor Tre Ponti
Suso
Monte Pilorci
Sezze
Pozzo dell' Inferno
Borgo Montello
Archi S. Lidano
La Campana
Farnetozzo Montebello
Piano Rosso
Acqua Bianca
Borgo Piave
Pantano d'Inferno
Casa di Piano
Sezze Scalo
Villafranca
Tre Cancelli
Borgo Bainsizza
Santa Pecitola
LATINA
Borgo Faiti
Case Rosse
Ponte Ferraioli
Borgo Santa Maria
Gorgolicino
Torre Nuova
Ponte Corradini
Ruscioli
Campo di Carne
Nettuno
Quadrato II
Bocca di Fiume
Acciarella
Macchia Grande
Casal Traiano
Forno
Procoio
Coagneli
Cerreto Alto
Cicerchia
Borgo San Michele
Borgo Isonzo
Giulia
Borgo Sabotino
Litoranea
Borgo Pasubio
Valmortorio
Santa Rosa
Foce Verde
Prato di Coppola
Pontinia
Lago di Fogliano
Lido di Latina
Borgo Grappa
San Donato
Lago dei Monaci
Bella Farnia
PARCO
NAZIONALE
Colle Piuccio
Borgo Vodice
Frosinone
Colleferro
VALMONTONE
ANAGNI FIUGGI T.
SAN CESAREO
ROMA SUD

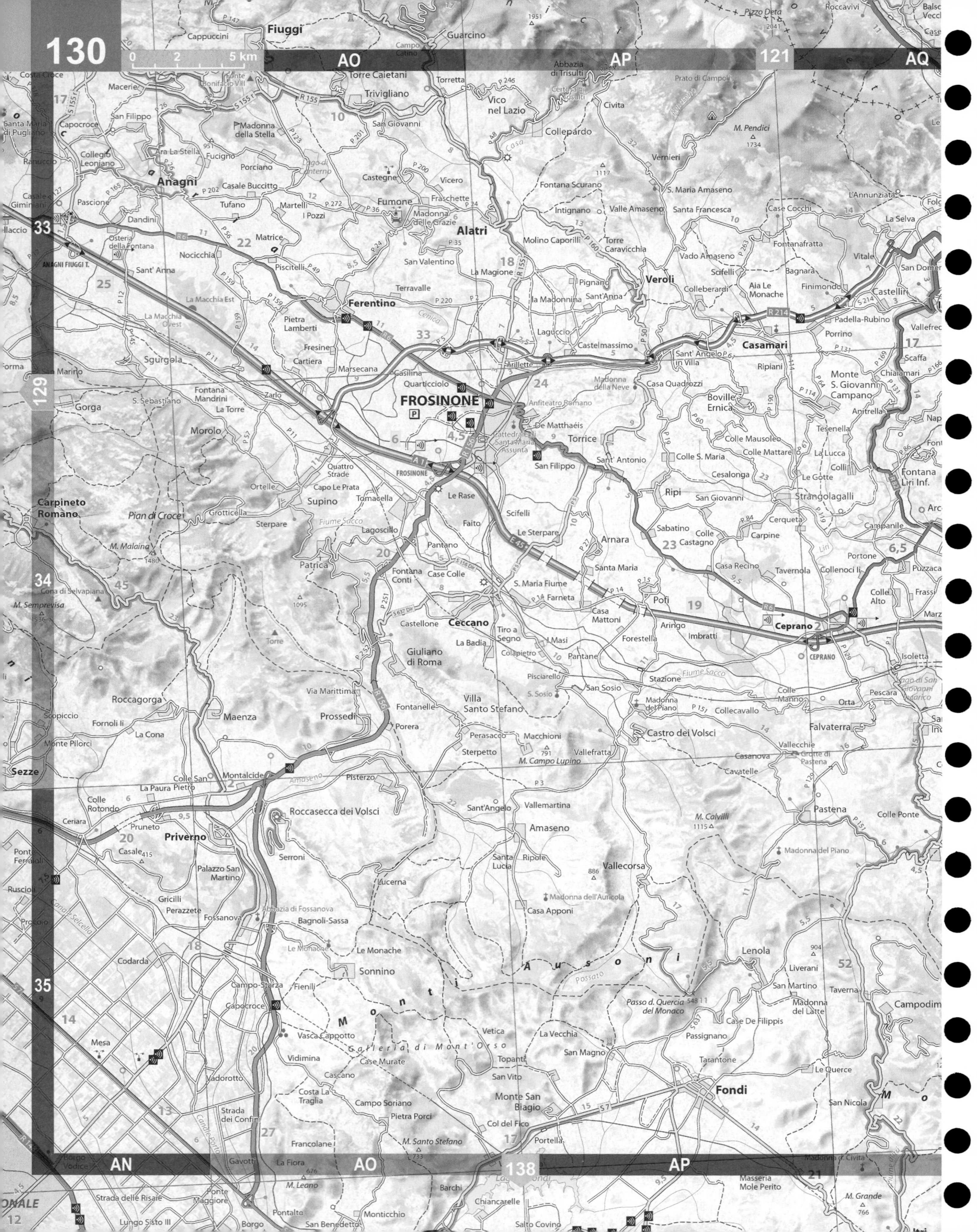
0 2 5 km
AO
AP
121
AQ
129
33
34
35
AN
AO
138
AP
Fiuggi
Guarcino
Cappuccini
Torre Caietani
Trivigliano
Torretta
Vico nel Lazio
Abbazia di Trisulti
Collepardo
Civita
Prato di Campoli
M. Pendici
Costa Croce
Macerie
San Filippo
Madonna della Stella
Santa Maria di Pugliano
Capocroce
Collegio Leoniano
Ara La Stella
Fucigno
Porciano
San Giovanni
Castegne
Vicero
Anagni
Casale Buccitto
Tufano
Pascione
Dandini
Martelli
I Pozzi
Fumone
Fraschette
Madonna delle Grazie
Alatri
Fontana Scurano
Intignano
Valle Amaseno
S. Maria Amaseno
Santa Francesca
Vernieri
Case Cocchi
L'Annunziata
La Selva
Osteria della Fontana
Matrice
Nocicchia
Molino Caporilli
Torre Caravicchia
Fontanafratta
Vado Amaseno
Scifelli
Bagnara
Vitale
ANAGNI FIUGGI T.
Sant' Anna
Piscitelli
San Valentino
La Magione
Pignano
Veroli
Colleberardi
Aia Le Monache
Finimondo
Castelliri
Terravalle
Ferentino
Sant'Anna
la Madonnina
La Macchia Est
La Macchia Ovest
Pietra Lamberti
Fresine
Cartiera
Laguccio
Castelmassimo
Casamari
Padella-Rubino
Porrino
Vallefreddo
Sgurgola
Marsecana
Casilina
Arillette
Sant' Angelo in Villa
Ripiani
Scaffa
Chiaiamari
Monte S. Giovanni Campano
San Marino
Quarticciolo
FROSINONE
Madonna della Neve
Casa Quadrozzi
Boville Ernica
Anitrella
Gorga
S. Sebastiano
Fontana Mandrini
La Torre
Zarlo
Anfiteatro Romano
De Matthaeis
Torrice
Morolo
Cattedrale di Santa Maria Assunta
San Filippo
Sant' Antonio
Colle Mausoleo
Colle Mattarello
Tesenella
La Lucca
Quattro Strade
FROSINONE
Colle S. Maria
Cesalonga
Le Gotte
Fontana Liri Inf.
Ortelle
Capo Le Prata
Tomacella
Le Rase
Ripi
San Giovanni
Strangolagalli
Carpineto Romano
Supino
Pian di Croce
Grotticella
Scifelli
Sterpare
Fiume Sacco
Faito
Cerqueta
Sabatino
Colle Castagno
Carpine
Campanile
M. Malaina
Lagoscillo
Le Sterpare
Arnara
Pantano
Portone
Patrica
Fontana Conti
Case Colle
Santa Maria
Casa Recino
Tavernola
Collenoci II
Cona di Selvapiana
M. Semprevisa
S. Maria Fiume
Farneta
Pofi
Colle Alto
Casa Mattoni
Castellone
Ceccano
Aringo
Ceprano
Imbratti
Tiro a Segno
I Masi
Forestella
La Badia
Colapietro
CEPRANO
Isoletta
Giuliano di Roma
Pantane
Pisciarello
Stazione
Fiume Sacco
S. Sosio
San Sosio
Colle Manno
Orta
Pescara
Via Marittima
Villa Santo Stefano
Madonna del Piano
Collecavallo
Roccagorga
Fontanelle
Prossedi
Maenza
Scopiccio
Fornoli II
Porera
Castro dei Volsci
Falvaterra
La Cona
Perasacco
Macchioni
Sterpetto
Vallefratta
Vallecchie
Grotte di Pastena
Monte Pilorci
M. Campo Lupino
Casanova
Sezze
Colle San Pietro
Montalcide
Pisterzo
Amaseno
Cavatelle
La Paura
Colle Rotondo
Roccasecca dei Volsci
Sant'Angelo
Vallemartina
Pastena
Colle Ponte
Ceriara
Pruneto
M. Calvilli
Priverno
Amaseno
Casale
Serroni
Santa Lucia
Ripole
Madonna del Piano
Ponte Ferraioli
Palazzo San Martino
Vallecorsa
Ruscioli
Lucerna
Madonna dell'Auricola
Gricilli
Perazzete
Casa Apponi
Abbazia di Fossanova
Fossanova
Bagnoli-Sassa
Le Monache
Le Monache
Codarda
Sonnino
A u s o n i
Lenola
Liverani
San Martino
Taverna
Campo-Sterza
Fienili
Passo d. Quercia del Monaco
Madonna del Latte
Campodimele
Capocroce
M o n t i
Case De Filippis
Mesa
Vasca Cappotto
Vetica
La Vecchia
Passignano
Vidimina
Galleria di Mont'Orso
Case Murate
San Magno
Topanti
Tarantone
Le Querce
Vadorotto
Cascano
San Vito
Fondi
Costa La Traglia
Campo Soriano
Monte San Biagio
San Nicola
Strada dei Confini
Pietra Porci
Col del Fico
Francolane
M. Santo Stefano
Portella
Borgo Vodice
Gavotti
La Fiora
Madonna d. Civita
M. Leano
Masseria Mole Perito
Strada delle Risaie
Ponte Maggiore
Barchi
Chiancarelle
M. Grande
Pontalto
Lungo Sisto III
Borgo
San Benedetto
Monticchio
Salto Covino

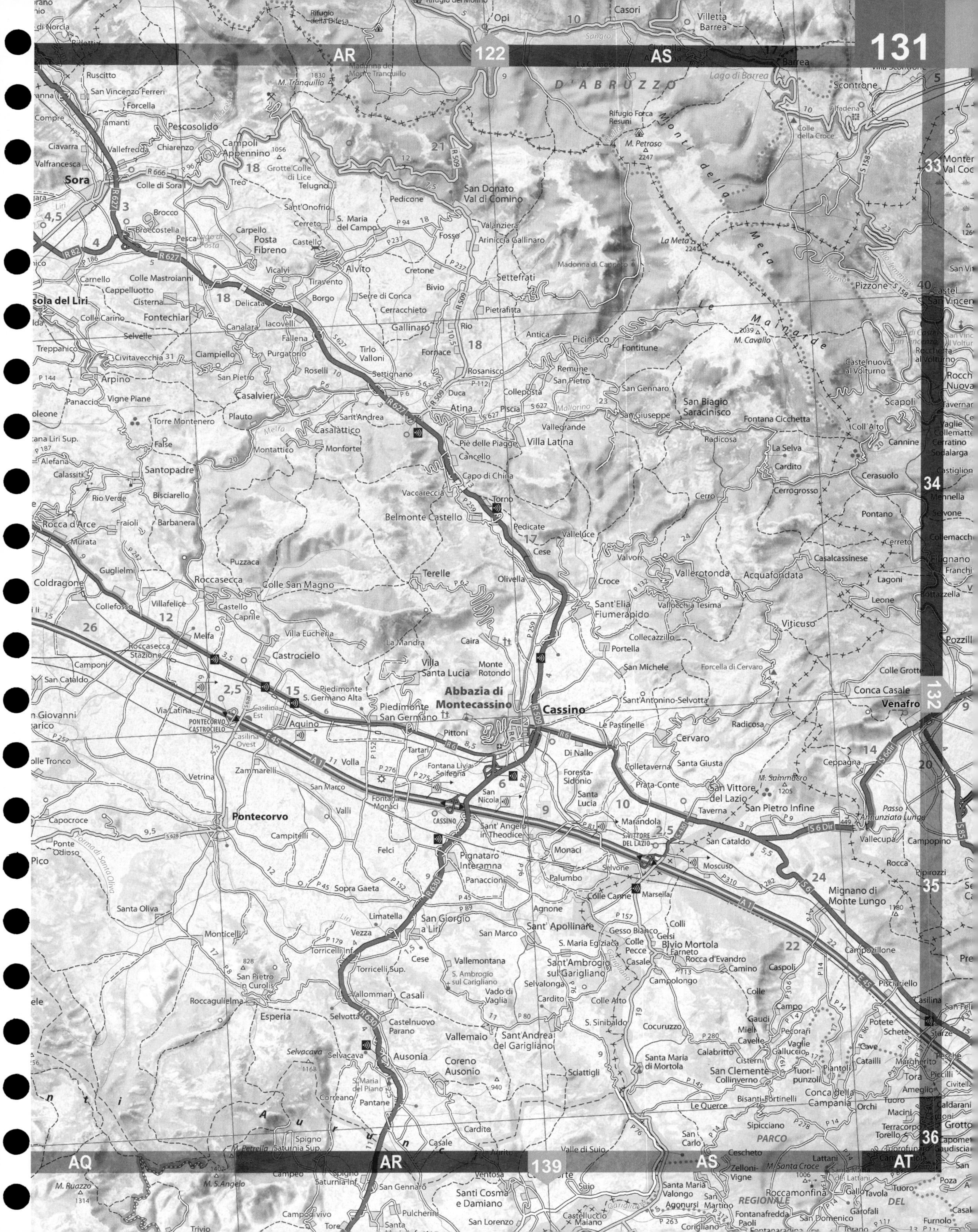

AR
122
AS
Opi
Casori
Villetta Barrea
Barrea
Lago di Barrea
Scontrone
Alfadena
Rifugio della Difesa
Ruscitto
San Vincenzo Ferreri
Forcella
Compre
Pescosolido
Campoli Appennino
Grotte Colle di Lice
Telugno
Sora
Colle di Sora
M. Tranquillo
D' A B R U Z Z O
Rifugio Forca Resuni
M. Petroso
Monti della Meta
San Donato Val di Comino
Pedicone
Sant'Onofrio
Brocco
Broccostella
Carpello
Posta Fibreno
Lago di Posta
Castello
S. Maria del Campo
Cerreto
Alvito
Valanziera
Ariniccia Gallinaro
Fosso
La Meta
Madonna di Canneto
Carnello
Colle Mastroianni
Cappelluotto
Cisterna
Fontechiari
Vicalvi
Tiravento
Borgo
Cretone
Bivio
Settefrati
Isola del Liri
Colle Carino
Delicata
Serre di Conca
Cerracchieto
Pietrafitta
Gallinaro
Rio
Pizzone
Le Mainarde
Castel San Vincenzo
Selvelle
Canalara
Iacovelli
Fallena
Tirlo
Valloni
Fornace
Antica
Picinisco
Fontitune
M. Cavallo
Treppanico
Civitavecchia
Ciampiello
Purgatorio
Roselli
Castelnuovo al Volturno
Rocchetta al Volturno
Arpino
San Pietro
Settignano
Rosanisco
Remune
San Pietro
San Gennaro
Vigne Piane
Panaccio
Casalvieri
Duca
Atina
Collepasta
Piscia
San Biagio Saracinisco
Scapoli
Mollarino
San Giuseppe
Fontana Cicchetta
Torre Montenero
Plauto
Sant'Andrea
Casalattico
Vallegrande
Villa Latina
Radicosa
Coll'Alto
Cannine
Melfa
Montattico
Monforte
Piè delle Piagge
La Selva
Cancello
Alefana
Calassiti
Santopadre
Capo di China
Cardito
Cerasuolo
Bisciarello
Rio Verde
Vaccareccia
Torno
Cerro
Cerrogrosso
Rocca d'Arce
Fraioli
Barbanera
Belmonte Castello
Pontano
Pedicate
Valleluce
Murata
Cese
Valvori
Casalcassinese
Puzzaca
Guglielmi
Terelle
Vallerotonda
Acquafondata
Coldragone
Roccasecca
Colle San Magno
Olivella
Croce
Lagoni
Collefosso
Villafelice
Castello
Caprile
Sant'Elia Fiumerapido
Vallocchia
Tesima
Leone
Viticuso
Melfa
Villa Eucheria
La Mandra
Collecazzillo
Roccasecca Stazione
Castrocielo
Caira
Portella
Camponi
Villa Santa Lucia
Monte Rotondo
San Michele
Forcella di Cervaro
Colle Grotte
San Cataldo
Piedimonte S. Germano Alta
Abbazia di Montecassino
Conca Casale
Venafro
132
San Giovanni Incarico
Via Latina
Casilina Est
Aquino
Piedimonte San Germano
Cassino
Sant'Antonino-Selvotta
Pontecorvo Castrocielo
Casilina Ovest
Pittoni
Tartari
Le Pastinelle
Radicosa
Cervaro
Colle Tronco
Zammarelli
Volla
Fontana Liviana Solfegna
Di Nallo
Foresta-Sidonio
Colletaverna
Santa Giusta
Ceppagna
M. Sammucro
Vetrina
San Marco
Prata-Conte
San Vittore del Lazio
Capocroce
Pontecorvo
Fontana Monaci
Valli
Cassino
San Nicola
Santa Lucia
Marandola
Taverna
San Pietro Infine
Annunziata Lunga
Campitelli
Sant' Angelo in Theodice
S. Vittore del Lazio
San Cataldo
Vallecupa
Campopino
Ponte Odioso
Pico
Felci
Pignataro Interamna
Monaci
Selvone
Mosculo
Rocca
Panaccioni
Palumbo
Mignano di Monte Lungo
Sopra Gaeta
Colle Carne
Marsella
Santa Oliva
Limatella
Agnone
San Giorgio a Liri
Gesso Bianco
Colli
Monticelli
Vezza
San Marco
Sant' Apollinare
S. Maria Egiziaca
Colle Pecce
Casale
Gelsi
Bivio Mortola
Farneto
Rocca d'Evandro
Camino
Campozillone
Torricella Inf.
Cese
Vallemontana
Sant'Ambrogio sul Garigliano
Caspoli
S. Ambrogio sul Garigliano
Campolongo
San Pietro in Curolis
Torricelli Sup.
Vado di Vaglia
Selvalonga
Pisciariello
Roccaguglielma
Esperia
Vallommari
Casali
Cardito
Colle Alto
Colle
Casilina
Selvotta
Castelnuovo Parano
Campo
S. Sinibaldo
Cocuruzzo
Gaudi
Pecorari
Potete
Vallemaio
Sant'Andrea del Garigliano
Mieli
Cavelle
Vaglie
Galluccio
Schete
Starze
Selvacava
Ausonia
Coreno Ausonio
Calabritto
Cisterna
Santa Maria di Mortola
Cave
Cataiili
Pesche
Sciattigli
San Clemente
Collinverno
Tuori-punzoli
Piantoli
Margherito
Tora
Piccilli
S. Maria del Piano
Correano
Pantane
Amegli
Conca della Campania
Bisanti-Fortinelli
Le Querce
Tuoro
Orchi
Macini
Cardito
Sipicciano
Terracorpo
Torello
Spigno Saturnia Sup.
Casale
Valle di Suio
San Carlo
PARCO
Cescheto
AQ
AR
139
AS
AT
M. Petrella
Zelloni-Vigne
M. Santa Croce
Lattani
M. Ruazzo
M. S. Angelo
Campeo
Spigno Saturnia Inf.
Ventosa
Suio
San Gennaro
Santi Cosma e Damiano
Santa Maria Valongo
Agonursi
San Martino
REGIONALE
Roccamonfina
Gallo
Tavola
DEL
Campodivivo
Pulcherini
Tore
Santa
San Lorenzo
Castelluccio
Maiano
Corigliano
Fontanafredda
Paoli
San Domenico
Garofali
Furnolo
Trivio

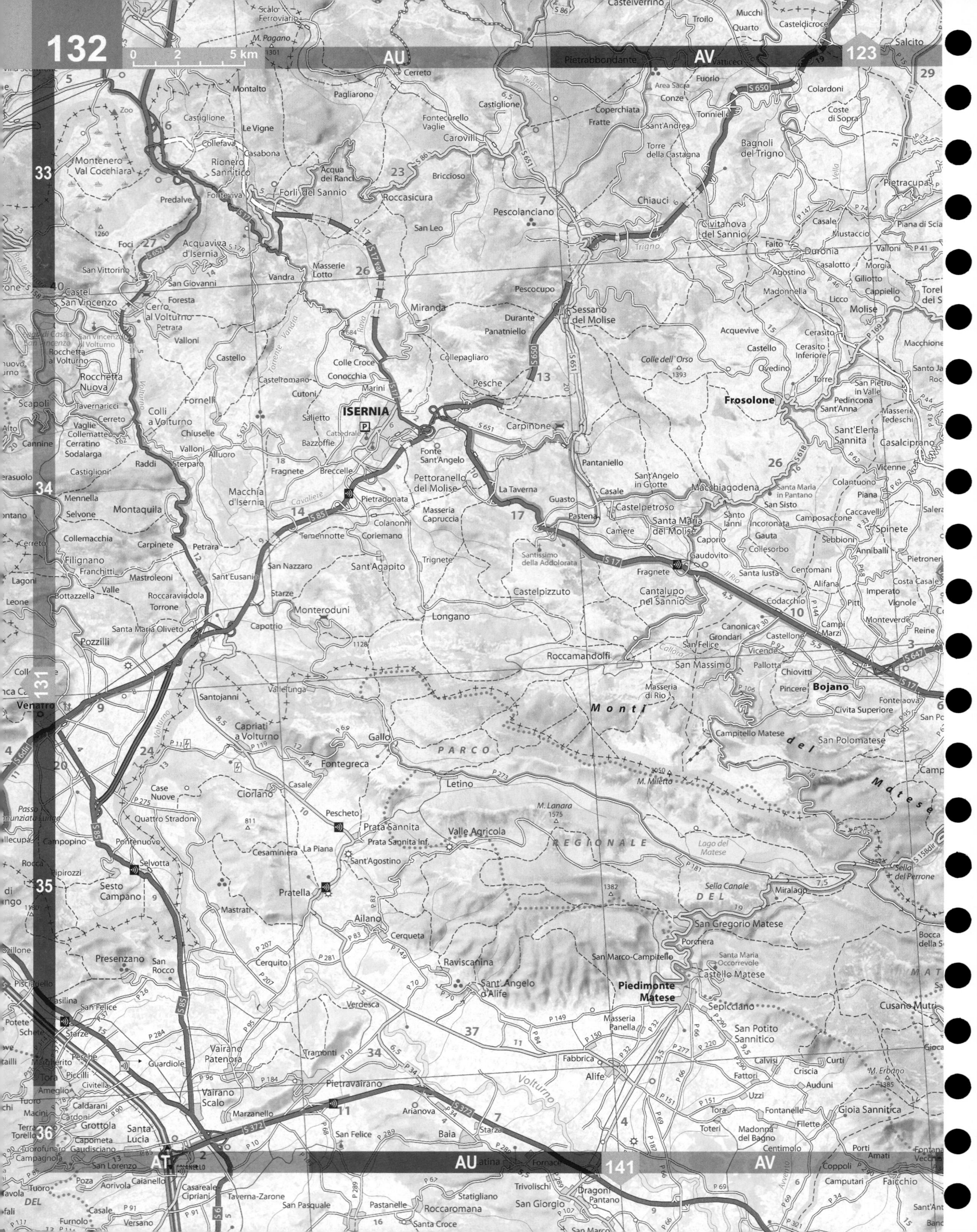

0 2 5 km
AU
AV
123
131
141
AT
AU
AV
Pietrabbondante
Scalo Ferroviario
M. Pagano
Cerreto
Montalto
Pagliarono
Castiglione
Le Vigne
Collefava
Casabona
Rionero Sannitico
Montenero Val Cocchiara
Zoo
Predalve
Fonteviva
Acqua dei Ranci
Forlì del Sannio
Roccasicura
Briccioso
Pescolanciano
Fontecurello Vaglie
Carovilli
Castiglione
Coperchiata
Fratte
Area Sacra
Conze
Fuorio
Torre della Castagna
Sant'Andrea
Tonniello
Bagnoli del Trigno
Trivento
Troilo
Mucchi
Quarto
Casteldicroce
Salcito
Colardoni
Coste di Sopra
Pietracupa
Chiauci
Civitanova del Sannio
Trigno
Duronia
Faito
Casale
Mustaccio
Piana di Scia
Valloni
Casalotto
Morgia
Agostino
Giliotto
Cappiello
Madonnella
Licco
Molise
San Leo
Foci
Acquaviva d'Isernia
San Vittorino
San Giovanni
Castel San Vincenzo
Foresta
Cerro al Volturno
Petrara
Valloni
Rocchetta al Volturno
Rocchetta Nuova
Scapoli
Tavernaricci
Cerreto
Vaglie
Collemattei
Cerratino
Sodalarga
Cannine
Colli a Volturno
Fornelli
Chiuselle
Valloni
Alluoro
Castello
Castelromano
Cutoni
Masserie Lotto
Vandra
Miranda
Colle Croce
Conocchia
Marini
ISERNIA
Saljetto
Cattedrale
Bazzoffie
Collepagliaro
Pesche
Pescocupo
Sessano del Molise
Durante
Panatniello
Carpinone
Fonte Sant'Angelo
Acquevive
Castello
Colle dell'Orso
Cerasito
Cerasito Inferiore
Ovedino
Frosolone
Torre
San Pietro in Valle
Pedincona
Sant'Anna
Masserie Tedeschi
Sant'Elena Sannita
Casalciprano
Macchione
Raddi
Sterparo
Castiglioni
Macchia d'Isernia
Fragnete
Breccelle
Pettoranello del Molise
La Taverna
Pantaniello
Sant'Angelo in Grotte
Casale
Macchiagodena
Santa Maria in Pantano
San Sisto
Colantuono
Piana
Vicenne
Mennella
Selvone
Montaquila
Pietradonata
Masseria Capruccia
Guasto
Pastena
Castelpetroso
Santa Maria del Molise
Santo Ianni
Incoronata
Camposacrone
Caccavelli
Spinete
Collemacchia
Carpinete
Petrara
Temennotte
Colanonni
Coriemano
Camere
Caporio
Gauta
Sebbioni
Anniballi
Pietroneri
Filignano
Franchitti
Mastroleoni
Sant'Eusanio
San Nazzaro
Sant'Agapito
Trignete
Santissimo della Addolorata
Fragnete
Gaudovito
Collesorbo
Santa Iusta
Centomani
Alifana
Costa Casale
Lagoni
Valle
Bottazzella
Roccaravindola
Torrone
Starze
Castelpizzuto
Cantalupo nel Sannio
Imperato
Vignole
Leone
Monteroduni
Longano
Codacchio
Pitti
Monteverde
Santa Maria Oliveto
Capotrio
Canonica
Grondari
Castellone
Campi Marzi
Reine
Pozzilli
Roccamandolfi
San Felice
San Massimo
Vicenne
Pallotta
Chiovitti
Bojano
Masseria di Rio
Pincere
Venafro
Santojanni
Vallelunga
Monti del Matese
Fontelaova
Civita Superiore
Capriati a Volturno
Gallo
Campitello Matese
San Polomatese
PARCO
Fontegreca
Casale
M. Miletto
Letino
Case Nuove
Ciorlano
Quattro Stradoni
M. Lanara
Pescheto
Prata Sannita
Valle Agricola
REGIONALE
Lago del Matese
Prata Sannita Inf.
Campopino
Pontenuovo
Cesaminiera
La Piana
Sant'Agostino
Selvotta
Sella del Perrone
Pirozzi
Sesto Campano
Pratella
Sella Canale
DEL
Miralago
Mastrati
Ailano
San Gregorio Matese
Cerqueta
Porchera
Presenzano
Cerquito
San Rocco
Raviscanina
San Marco-Campitello
Santa Maria Occorrevole
Castello Matese
Pisciarello
Sant'Angelo d'Alife
Piedimonte Matese
Casilina
San Felice
Verdesca
Sepicciano
Cusano Mutri
Potete
Starze
Masseria Panella
San Potito Sannitico
Vairano Patenora
Guardiole
Tramonti
Fabbrica
Calvisi
Criscia
Curti
Pesche
Alife
Fattori
M. Erbano
Auduni
Vairano Scalo
Pietravairano
Volturno
Uzzi
Caldarani
Civitella
Ameglio
Macini
Cardoni
Marzanello
Arianova
Tora
Fontanelle
Gioia Sannitica
Grottola
Santa Lucia
Toteri
Madonna del Bagno
Filette
Capometa
Gaudisciano
San Felice
Baia
Starza
Centimolo
Porti
Amati
San Lorenzo
Fornace
Coppoli
Camputari
Faicchio
Caianello
Aorivola
Casareale Cipriani
Taverna-Zorone
Trivolischi
Dragoni Pantano
Poza
San Pasquale
Pastanelle
Statigliano
Roccaromana
San Giorgio
Casale
Furnolo
Versano
Santa Croce
San Marco

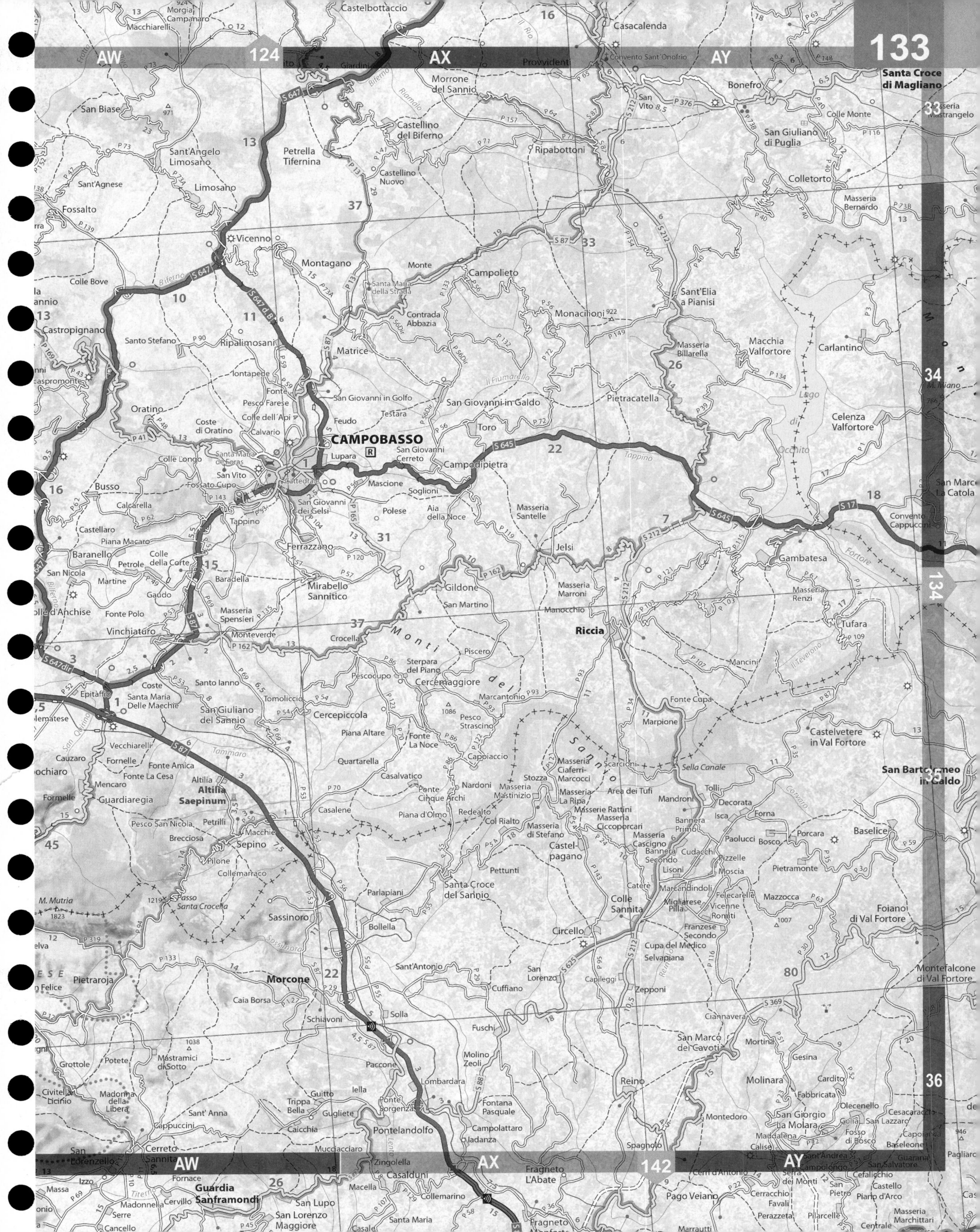
AW
124
AX
AY
CAMPOBASSO
Santa Croce di Magliano
Casacalenda
Morrone del Sannio
Castellino del Biferno
Petrella Tifernina
Ripabottoni
Bonefro
San Giuliano di Puglia
Colletorto
Sant'Angelo Limosano
Limosano
Fossalto
Vicenno
Montagano
Campolieto
Monacilioni
Sant'Elia a Pianisi
Macchia Valfortore
Carlantino
Castropignano
Ripalimosani
Matrice
San Giovanni in Galdo
Pietracatella
Oratino
Celenza Valfortore
Busso
Campodipietra
Tappino
Ferrazzano
Jelsi
Gambatesa
Baranello
Mirabello Sannitico
Gildone
Riccia
Tufara
Vinchiaturo
Monti del Sannio
Cercemaggiore
San Giuliano del Sannio
Cercepiccola
Castelvetere in Val Fortore
San Bartolomeo in Galdo
Altilia Saepinum
Guardiaregia
Sepino
Castelpagano
Baselice
Santa Croce del Sannio
Colle Sannita
Circello
Foiano di Val Fortore
Morcone
Pietraroja
Montefalcone di Val Fortore
San Marco dei Cavoti
Molinara
Reino
Pontelandolfo
San Giorgio la Molara
Fragneto l'Abate
Guardia Sanframondi
Pago Veiano
142
134
AW
AX
AY

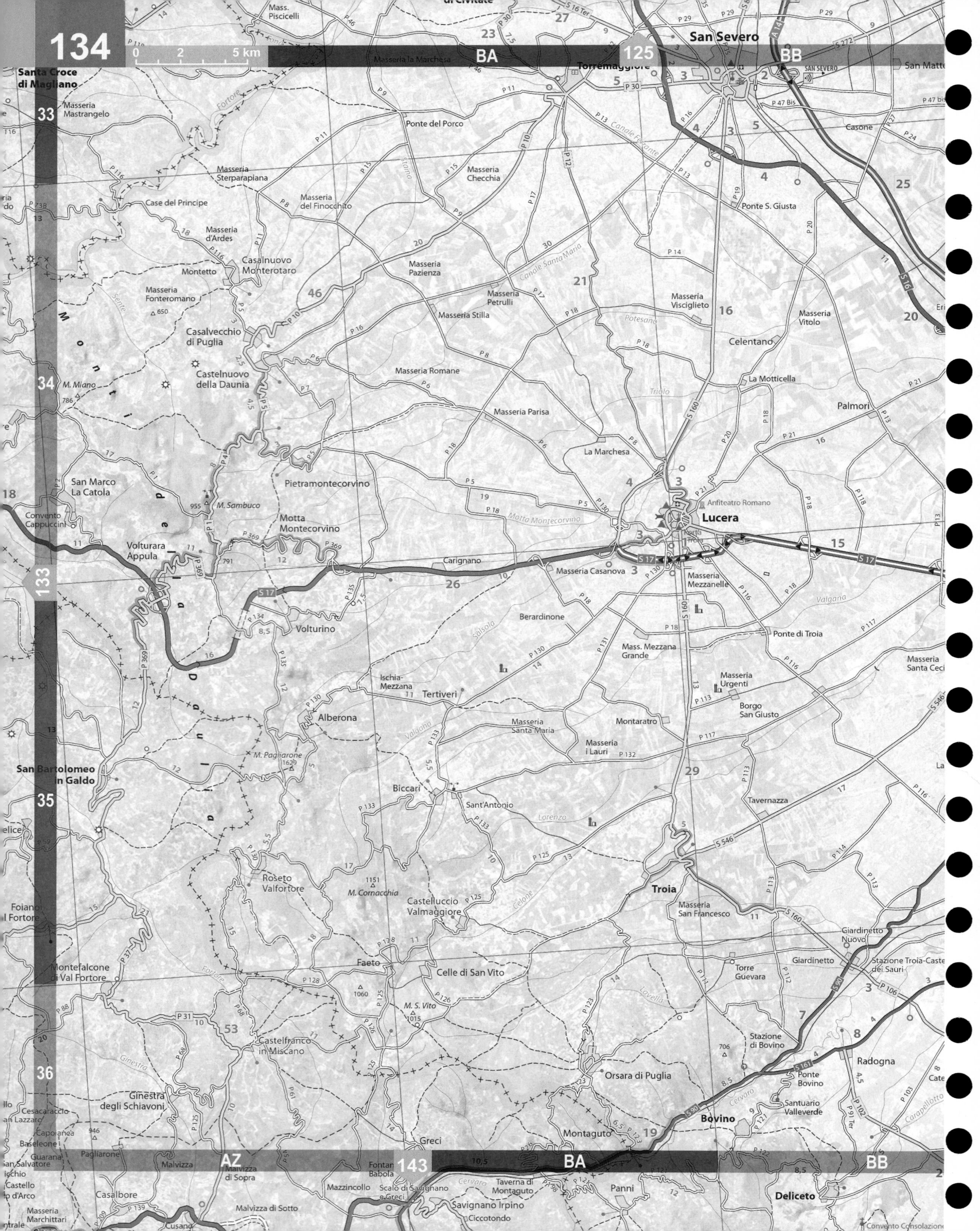
0 2 5 km
BA
125
BB
143
AZ
133
Santa Croce di Magliano
Masseria Mastrangelo
Mass. Piscicelli
Masseria la Marchesa
San Severo
Torremaggiore
San Matte
Ponte del Porco
Casone
Masseria Sterparapiana
Masseria Checchia
Case del Principe
Masseria del Finocchito
Ponte S. Giusta
Masseria d'Ardes
Casalnuovo Monterotaro
Montetto
Masseria Pazienza
Masseria Fonteromano
Masseria Petrulli
Masseria Stilla
Masseria Viscigliето
Masseria Vitolo
Casalvecchio di Puglia
Celentano
Castelnuovo della Daunia
Masseria Romane
La Motticella
M. Miano
Palmori
Masseria Parisa
La Marchesa
San Marco La Catola
Pietramontecorvino
M. Sambuco
Anfiteatro Romano
Lucera
Convento Cappuccini
Motta Montecorvino
Volturara Appula
Carignano
Masseria Casanova
Masseria Mezzanelle
Berardinone
Volturino
Ponte di Troia
Mass. Mezzana Grande
Masseria Santa Ceci
Ischia-Mezzana
Tertiveri
Masseria Urgenti
Borgo San Giusto
Alberona
Montaratro
Masseria Santa Maria
Masseria i Lauri
M. Pagliarone
San Bartolomeo in Galdo
Biccari
Sant'Antonio
Tavernazza
Roseto Valfortore
M. Cornacchia
Castelluccio Valmaggiore
Troia
Masseria San Francesco
Foiano di Val Fortore
Giardinetto Nuovo
Giardinetto
Stazione Troia-Castelluccio dei Sauri
Faeto
Celle di San Vito
Torre Guevara
Montefalcone di Val Fortore
M. S. Vito
Castelfranco in Miscano
Stazione di Bovino
Radogna
Orsara di Puglia
Ponte Bovino
Ginestra degli Schiavoni
Santuario Valleverde
Cesacaracolo
Caporanca
Baseleone
Montaguto
Bovino
Greci
Pagliarone
Guarana
San Salvatore
Castello d'Arco
Malvizza
Malvizza di Sopra
Fontan Babola
Mazzincollo
Scalo di Savignano e Greci
Taverna di Montaguto
Panni
Deliceto
Casalbore
Malvizza di Sotto
Savignano Irpino
Ciccotondo
Masseria Marchittari
Cusano
Convento Consolazione
Fortore
Triolo
Salsola
Valgana
Celone
Cervaro
Carapellotto
Ginestra
Lovella
Lorenzo
Potesano
Canale Santa Maria
Canale Ferrante
Monti della Daunia

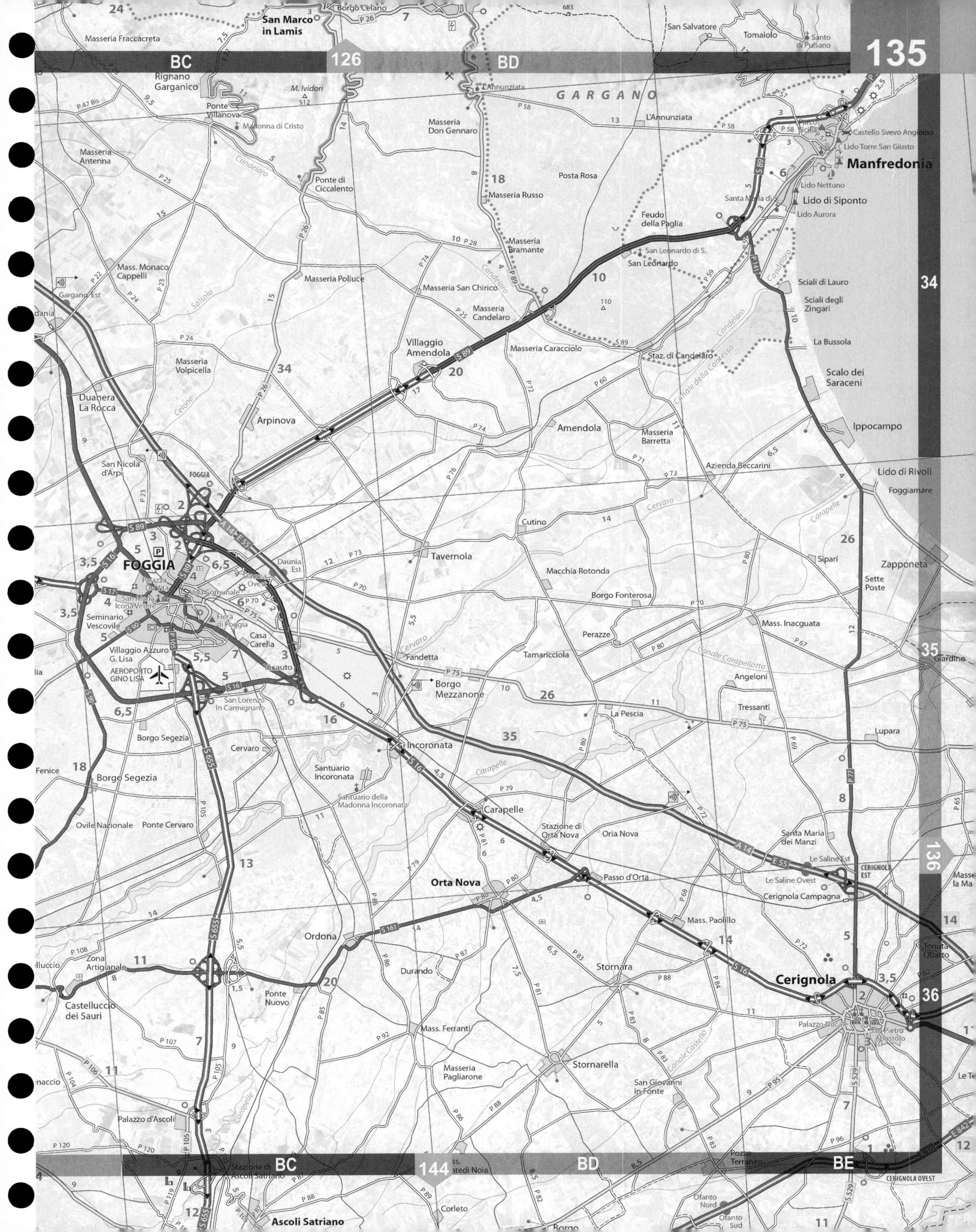

BC
126
BD
BC
144
BD
BE
136
34
35
36
San Marco in Lamis
Borgo Celano
Masseria Fraccacreta
San Salvatore
Tomaiolo
Santo di Pulsano
Rignano Garganico
M. Ividori
Annunziata
GARGANO
Ponte Villanova
Madonna di Cristo
Masseria Don Gennaro
L'Annunziata
Castello Svevo Angioino
Lido Torre San Giusto
Manfredonia
Masseria Antenna
Ponte di Ciccalento
Posta Rosa
Masseria Russo
Lido Nettuno
Santa Maria di S.
Lido di Siponto
Lido Aurora
Feudo della Paglia
Masseria Bramante
San Leonardo di S.
San Leonardo
Mass. Monaco Cappelli
Gargano Est
Masseria Polluce
Masseria San Chirico
Sciali di Lauro
Sciali degli Zingari
Masseria Candelaro
Villaggio Amendola
Masseria Caracciolo
Staz. di Candelaro
La Bussola
Masseria Volpicella
Scalo dei Saraceni
Duanera La Rocca
Arpinova
Amendola
Masseria Barretta
Ippocampo
San Nicola d'Arpi
Azienda Beccarini
Lido di Rivoli
Foggiamare
Cutino
FOGGIA
Tavernola
Macchia Rotonda
Daunia Est
Sipari
Zapponeta
Sette Poste
Palazzo Dogana
Villa Comunale
San Marco
Icona Vetere
Borgo Fonterosa
Seminario Vescovile
Fiera di Foggia
Mass. Inacguata
Perazze
Casa Carella
Villaggio Azzurro G. Lisa
AEROPORTO GINO LISA
Tamaricciola
Giardino
Fandetta
Texauto
Angeloni
Borgo Mezzanone
San Lorenzo In Carmignano
La Pescia
Tressanti
Borgo Segezia
Incoronata
Lupara
Cervaro
Fenice
Borgo Segezia
Santuario Incoronata
Santuario della Madonna Incoronata
Carapelle
Ovile Nazionale
Ponte Cervaro
Stazione di Orta Nova
Oria Nova
Santa Maria dei Manzi
Le Saline Est
Le Saline Ovest
CERIGNOLA EST
Orta Nova
Passo d'Orta
Cerignola Campagna
Mass. Paolillo
Ordona
Tenuta Quarto
Zona Artigianale
Durando
Stornara
Cerignola
Castelluccio dei Sauri
Ponte Nuovo
Palazzo Ducale
San Pietro Apostolo
Mass. Ferranti
Stornarella
Masseria Pagliarone
San Giovanni in Fonte
Palazzo d'Ascoli
Stazione di Ascoli Satriano
Pozzo Terraneo
CERIGNOLA OVEST
Corleto
Ofanto Nord
Ofanto Sud
Ascoli Satriano

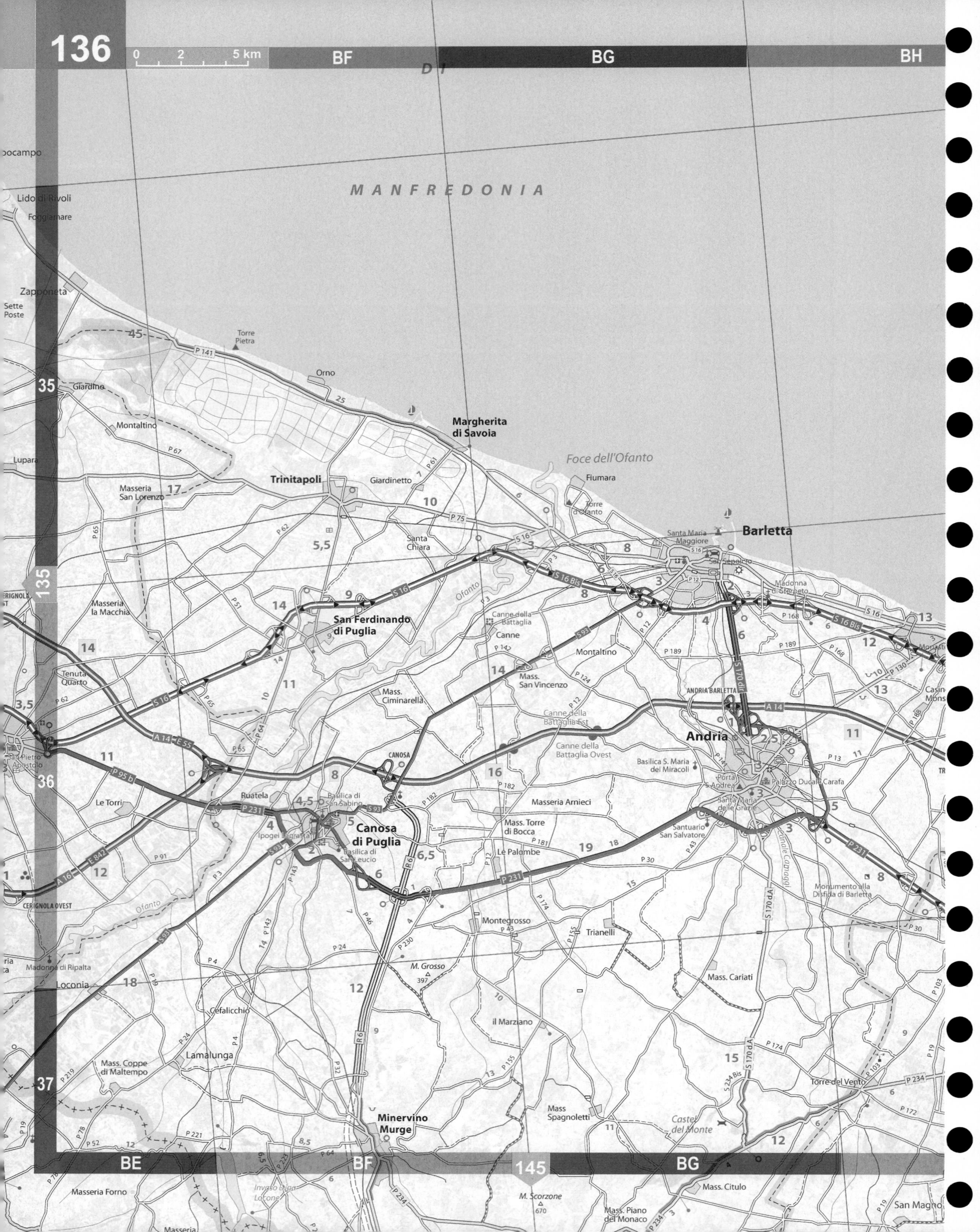

0 2 5 km
BF
BG
BH
DI
MANFREDONIA
Lido di Rivoli
Foggiamare
Zapponeta
Sette Poste
Torre Pietra
Orno
Giardino
Montaltino
Lupara
Margherita di Savoia
Foce dell'Ofanto
Fiumara
Torre d'Ofanto
Trinitapoli
Giardinetto
Masseria San Lorenzo
Santa Chiara
Barletta
Santa Maria Maggiore
San Sepolcro
Madonna di Sterpeto
Masseria la Macchia
San Ferdinando di Puglia
Canne della Battaglia
Canne
Montaltino
Tenuta Quarto
Mass. Ciminarella
Mass. San Vincenzo
Canne della Battaglia Est
Canne della Battaglia Ovest
ANDRIA BARLETTA
Andria
Basilica S. Maria dei Miracoli
Porta S. Andrea
Palazzo Ducale Carafa
Santa Maria delle Grazie
Santuario San Salvatore
CANOSA
San Pietro Apostolo
Le Torri
Ruatela
Basilica di San Sabino
Canosa di Puglia
Ipogei Lagrasta
Basilica di San Leucio
Masseria Arnieci
Mass. Torre di Bocca
Le Palombe
Monumento alla Disfida di Barletta
CERIGNOLA OVEST
Ofanto
Madonna di Ripalta
Loconia
Montegrosso
Trianelli
M. Grosso 397
Mass. Cariati
Cefalicchio
il Marziano
Lamalunga
Mass. Coppe di Maltempo
Torre del Vento
Mass Spagnoletti
Castel del Monte
Minervino Murge
Masseria Forno
Invaso Diga Locone
M. Scorzone 670
Mass. Citulo
Mass. Piano del Monaco
San Magno
Masseria
35
36
37
135
BE
BF
145
BG

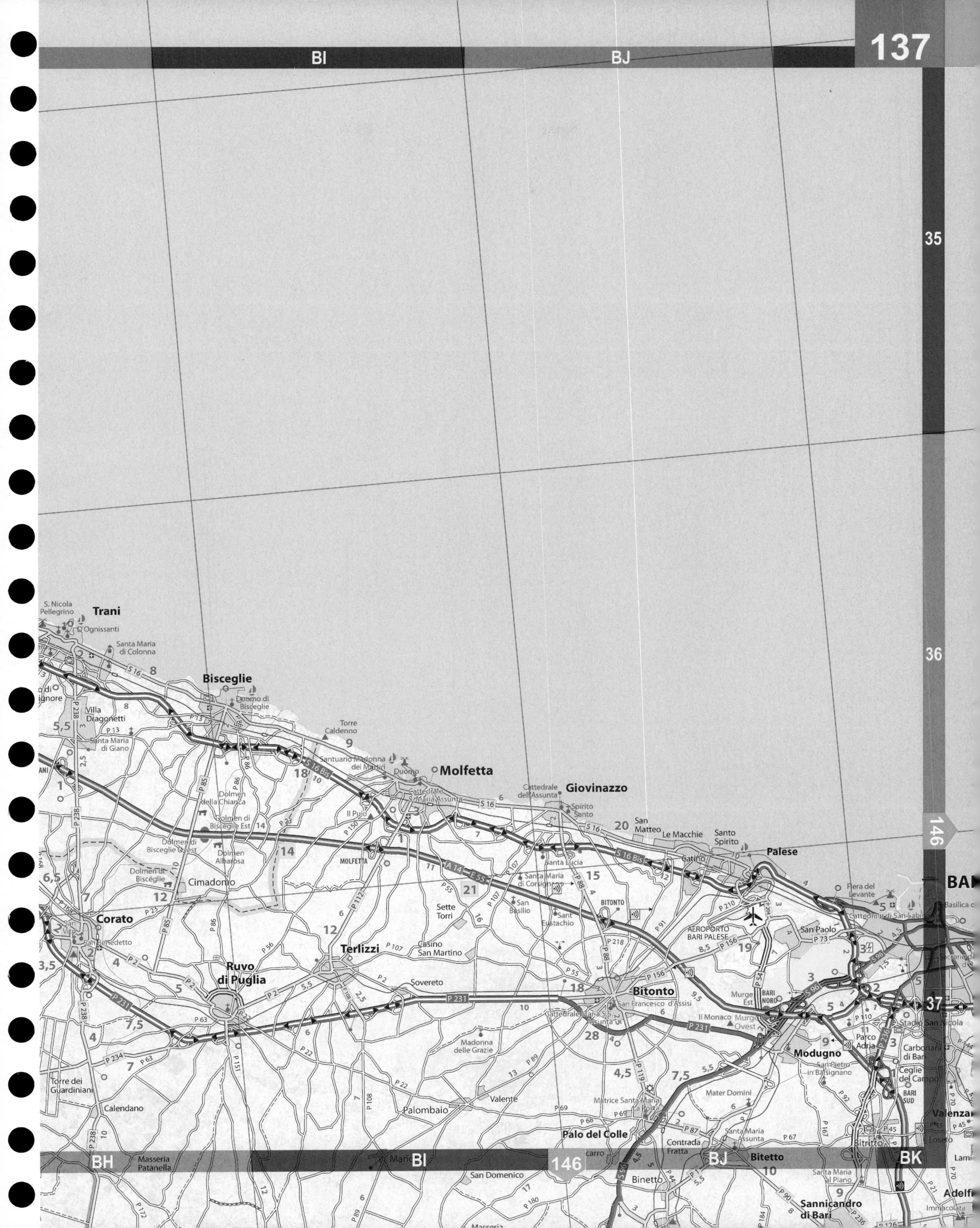
BI
BJ
35
36
37
146
BH
BK
Trani
S. Nicola Pellegrino
D'Ognissanti
Santa Maria di Colonna
Bisceglie
Duomo di Bisceglie
Villa Dragonetti
Santa Maria di Giano
Torre Caldenno
Santuario Madonna dei Martiri
Duomo
Molfetta
Cattedrale S. Maria Assunta
Il Pulo
Cattedrale dell'Assunta
Giovinazzo
Spirito Santo
San Matteo
Le Macchie
Santo Spirito
Palese
Dolmen della Chianca
Dolmen di Bisceglie Est
Dolmen di Bisceglie Ovest
Dolmen Albarosa
Dolmen di Bisceglie
Cimadomo
Corato
San Benedetto
Santa Maria di Corsignano
San Basilio
Sant Eustachio
Santa Lucia
Gatino
Sette Torri
Terlizzi
Casino San Martino
Ruvo di Puglia
Sovereto
Bitonto
San Francesco d'Assisi
Cattedrale Maria SS. Assunta
AEROPORTO BARI PALESE
Fiera del Levante
BARI
Basilica di
Cattedrale di San Sabino
San Paolo
Il Monaco
Murge Ovest
Murge Est
BARI NORD
Modugno
Parco Adria
Stadio San Nicola
Carbonara di Bari
Ceglie del Campo
BARI SUD
San Pietro in Balsignano
Madonna delle Grazie
Mater Domini
Matrice Santa Maria La Porta
Torre dei Guardiniani
Calendano
Valente
Palombaio
Palo del Colle
Santa Maria Assunta
Contrada Fratta
Bitetto
Bitritto
Valenzano
Loseto
Masseria Patanella
Mario
San Domenico
Binetto
Santa Maria al Piano
Sannicandro di Bari
Adelfia
Immacolata
MOLFETTA
BITONTO
A 14 - E 55
S 16
S 16 Bis
S 96
P 231
P 238
P 85
P 86
P 107
P 112
P 156
P 218
P 210
P 73
P 54
P 22
P 151
P 234
P 63
P 108
P 69
P 87
P 67
P 45
P 90
P 89
P 180
P 172
P 184
P 236
P 126

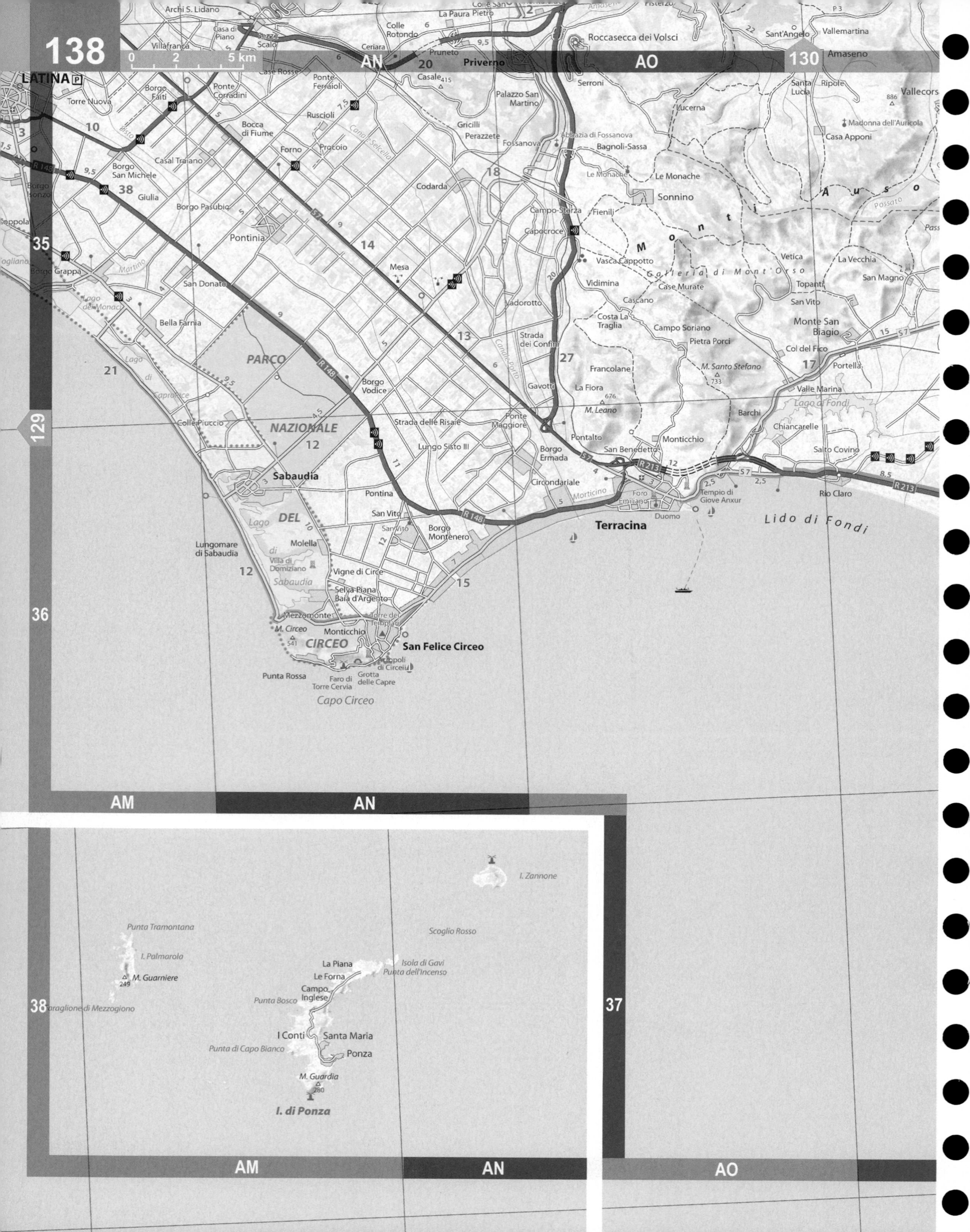

LATINA P

AN

AO

130 Amaseno

0 2 5 km

Archi S. Lidano

Casa di Piano

Villafranca

Sezze Scalo

Colle Rotondo

Ceriara

La Paura Pietro

Colle San

Roccasecca dei Volsci

Sant'Angelo

Vallemartina

P 3

Torre Nuova

Borgo Faiti

Ponte Corradini

Ponte Ferraioli

Pruneto

Priverno

Serroni

Santa Lucia

Ripote

Vallecors

886

3

10

Ruscioli

Casale 415

Palazzo San Martino

Lucerna

Madonna dell'Auricola

Casa Apponi

1,5

Casal Traiano

Borgo San Michele

Bocca di Fiume

Forno

Protoio

Gricilli

Perazzete

Fossanova

Abbazia di Fossanova

Bagnoli-Sassa

Le Monache

Le Monache

Sonnino

A

u

s

o

Passato

Pass

35

38

Giulia

Borgo Pasubio

Pontinia

14

Mesa

Codarda

18

Campo-Sterza

Capocroce

Fienili

Vasca Cappotto

Case Murate

Vidimina

Cascano

Galleria di Mont'Orso

Vetica

La Vecchia

San Magno

Topanti

San Vito

Monte San Biagio

15 S7

Borgo Grappa

Lago dei Monaci

San Donato

13

Costa La Traglia

Campo Soriano

Pietra Porci

Col del Fico

17

Portella

Bella Farnia

PARCO

21

Lago di Caprolace

Colle Piuccio

NAZIONALE

12

Borgo Vodice

27

Strada dei Confini

Gavotti

Francolane

La Fiora

M. Santo Stefano

733

676

M. Leano

Barchi

Valle Marina

Lago di Fondi

Chiancarelle

129

Strada delle Risaie

Lungo Sisto III

Ponte Maggiore

Pontalto

Monticchio

San Benedetto

36

Sabaudia

Pontina

San Vito

Borgo Ermada

Circondariale

Morticino

Foro Emiliano

Duomo

Tempio di Giove Anxur

Terracina

Salto Covino

R 213

Lido di Fondi

Lungomare di Sabaudia

Molella

Villa di Domiziano

Lago di Sabaudia

DEL

12

Vigne di Circe

San Vito

Borgo Montenero

15

Selva Piana

Baia d'Argento

Mezzomonte

M. Circeo

CIRCEO

Monticchio

Torre del Tempio

Acropoli di Circeii

San Felice Circeo

Punta Rossa

Faro di Torre Cervia

Grotta delle Capre

Capo Circeo

AM

AN

38

Punta Tramontana

I. Palmarola

M. Guarniere
249

Faraglione di Mezzogiono

Punta Bosco

Punta di Capo Bianco

La Piana

Le Forna

Campo Inglese

I Conti

Santa Maria

Ponza

M. Guardia
280

I. di Ponza

I. Zannone

Scoglio Rosso

Isola di Gavi

Punta dell'Incenso

37

AM

AN

AO

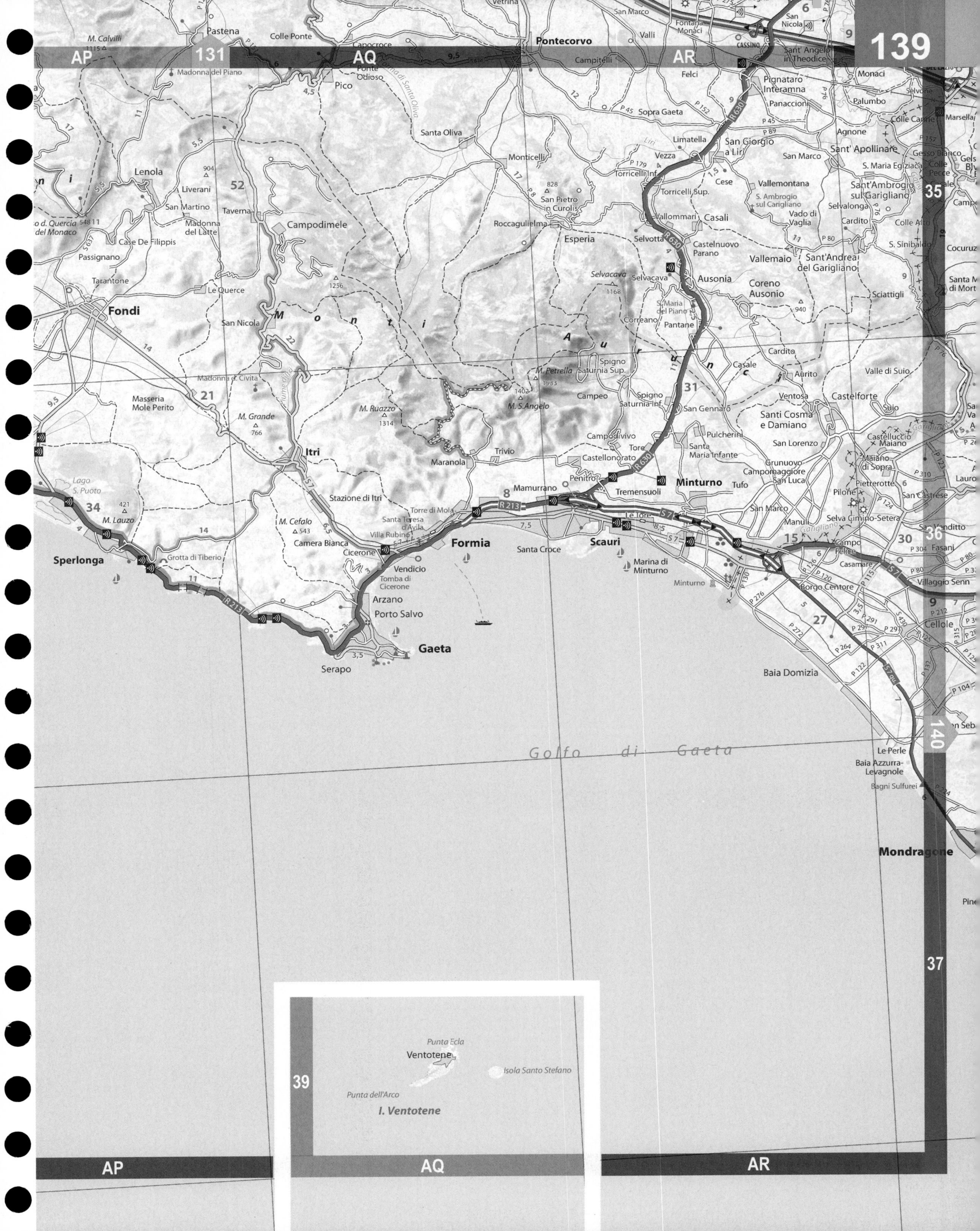
AP
131
AQ
AR
Pastena
Colle Ponte
Pontecorvo
Campitelli
Pico
Santa Oliva
Lenola
Fondi
Campodimele
Monticelli
Esperia
Ausonia
Castelnuovo Parano
Pignataro Interamna
San Giorgio a Liri
Sant' Apollinare
Sant'Ambrogio sul Garigliano
Sant'Andrea del Garigliano
Vallemaio
Coreno Ausonio
M o n t i A u r u n c i
Itri
Maranola
Trivio
Castelforte
Santi Cosma e Damiano
Minturno
Tremensuoli
Scauri
Formia
Sperlonga
Gaeta
Serapo
Santa Croce
Marina di Minturno
Baia Domizia
Golfo di Gaeta
Mondragone
35
36
37
140
39
Ventotene
Punta Eola
Isola Santo Stefano
Punta dell'Arco
I. Ventotene

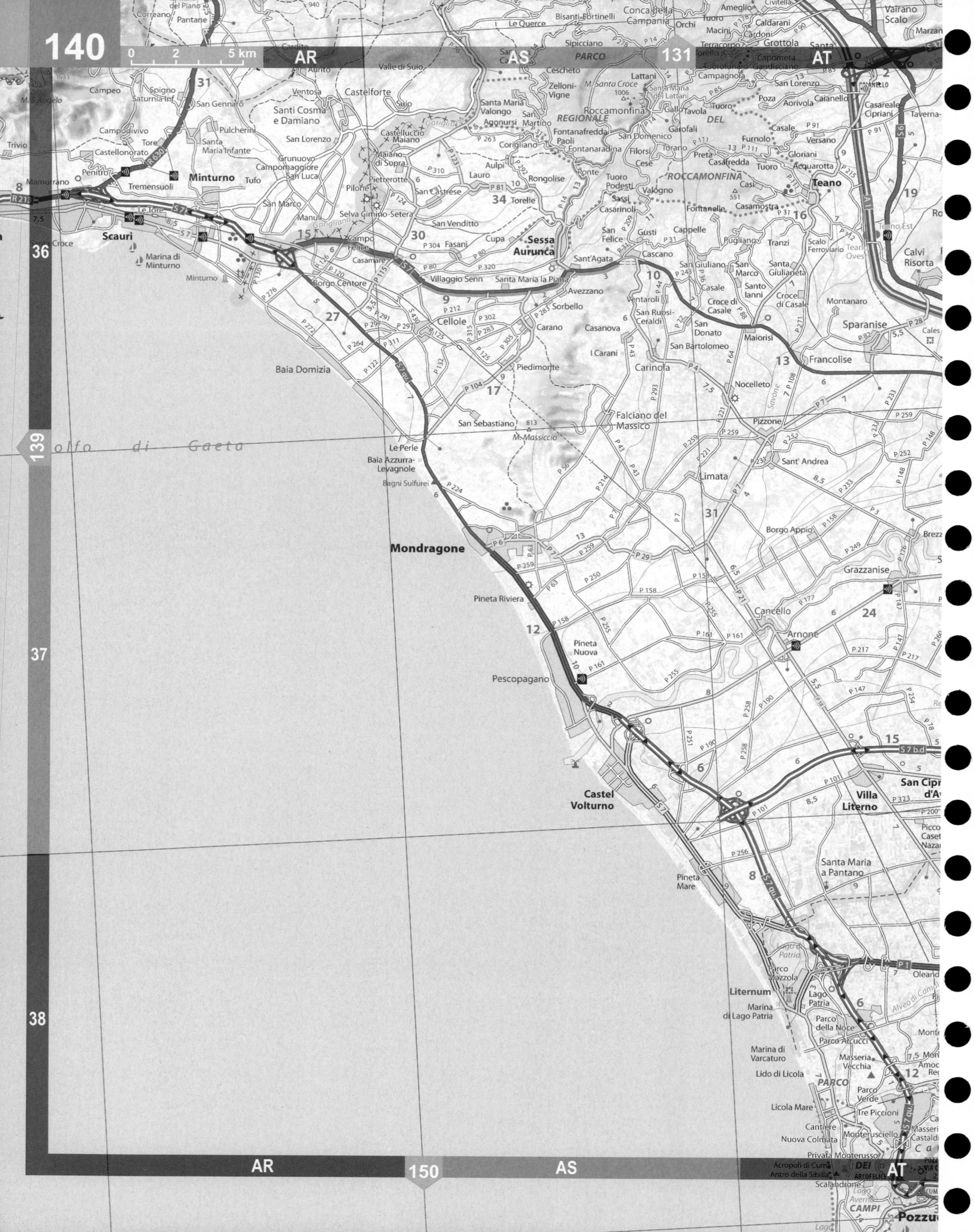

AR
AS
131
AT
139
150
36
37
38
Minturno
Scauri
Marina di Minturno
Castelforte
Santi Cosma e Damiano
Roccamonfina
Teano
Sessa Aurunca
Cellole
Baia Domizia
Golfo di Gaeta
Mondragone
Falciano del Massico
Carinola
Francolise
Sparanise
Pizzone
Sant' Andrea
Limata
Grazzanise
Cancello
Arnone
Pineta Riviera
Pineta Nuova
Pescopagano
Castel Volturno
Villa Literno
Pineta Mare
Santa Maria a Pantano
Liternum
Marina di Lago Patria
Lago Patria
Marina di Varcaturo
Lido di Licola
Licola Mare
Nuova Colmata
Acropoli di Cuma
Antro della Sibilla
Pozzuoli

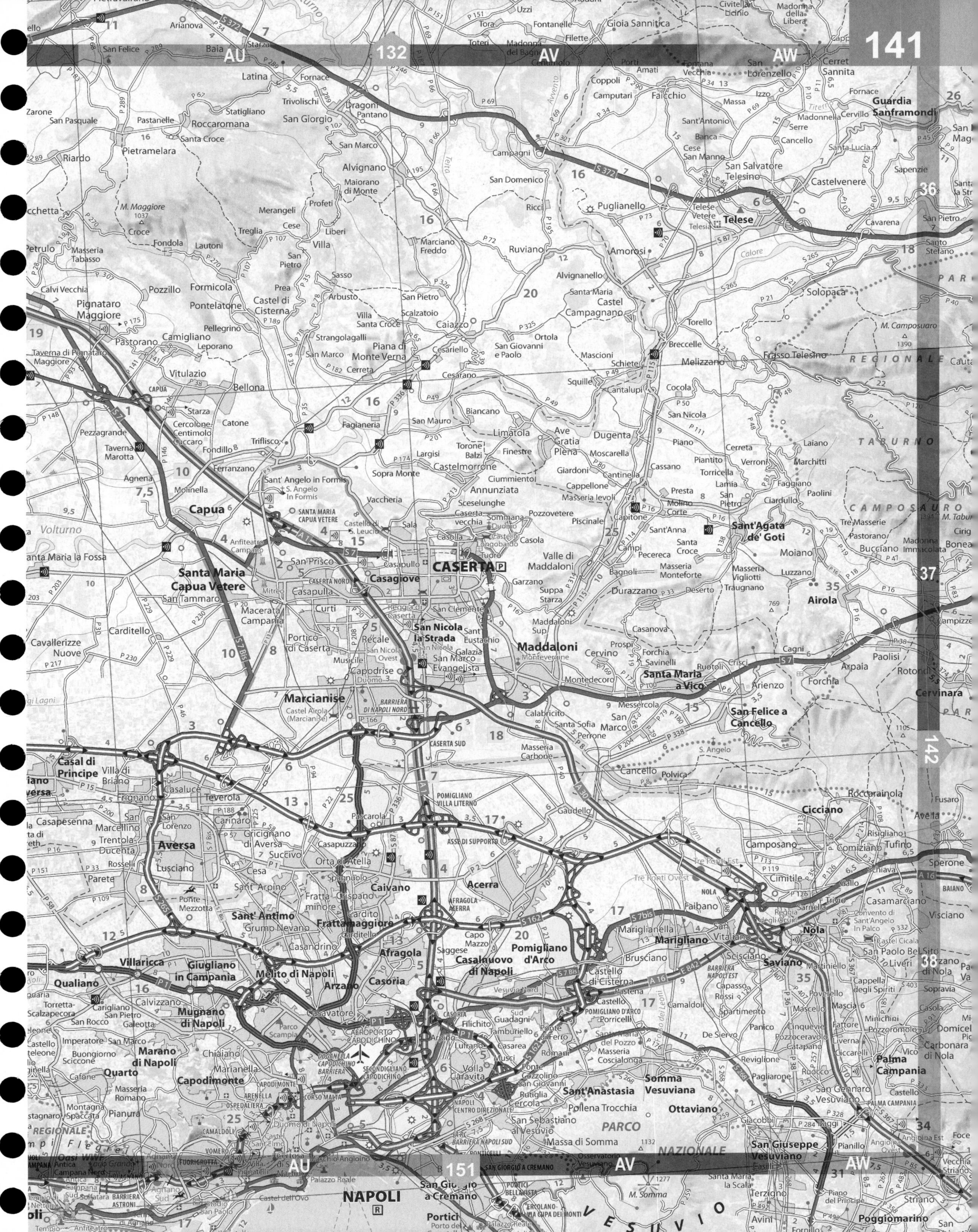
AU
132
AV
AW
Gioia Sannitica
Cerreto Sannita
Guardia Sanframondi
San Lorenzello
Faicchio
Roccaromana
Pietramelara
Riardo
Alvignano
San Salvatore Telesino
Telese
Castelvenere
Puglianello
Amorosi
Ruviano
Solopaca
Pignataro Maggiore
Pastorano
Camigliano
Vitulazio
Bellona
Pontelatone
Formicola
Castel di Cisterna
Caiazzo
Piana di Monte Verna
Castel Campagnano
Melizzano
Frasso Telesino
Dugenta
Limatola
Castelmorrone
Capua
Volturno
Santa Maria Capua Vetere
San Prisco
Casagiove
CASERTA
Maddaloni
Sant'Agata de' Goti
Airola
Moiano
Bucciano
Santa Maria a Vico
Arienzo
San Felice a Cancello
Cervinara
Marcianise
San Nicola la Strada
Recale
Capodrise
Macerata Campania
Portico di Caserta
San Marco Evangelista
Valle di Maddaloni
Durazzano
Casal di Principe
Aversa
Frignano
Teverola
Acerra
Caivano
Afragola
Casoria
Frattamaggiore
Sant'Antimo
Giugliano in Campania
Villaricca
Qualiano
Melito di Napoli
Mugnano di Napoli
Marano di Napoli
Quarto
Arzano
Casalnuovo di Napoli
Pomigliano d'Arco
Marigliano
Mariglianella
Brusciano
Nola
Saviano
Cicciano
Roccarainola
Palma Campania
Somma Vesuviana
Sant'Anastasia
Ottaviano
San Giuseppe Vesuviano
Poggiomarino
NAPOLI
San Giorgio a Cremano
Portici
San Sebastiano al Vesuvio
Massa di Somma
Capodimonte
Cercola
Volla
PARCO NAZIONALE VESUVIO
M. Somma
151
36
37
38
142
34
TABURNO
CAMPOSAURO
REGIONALE

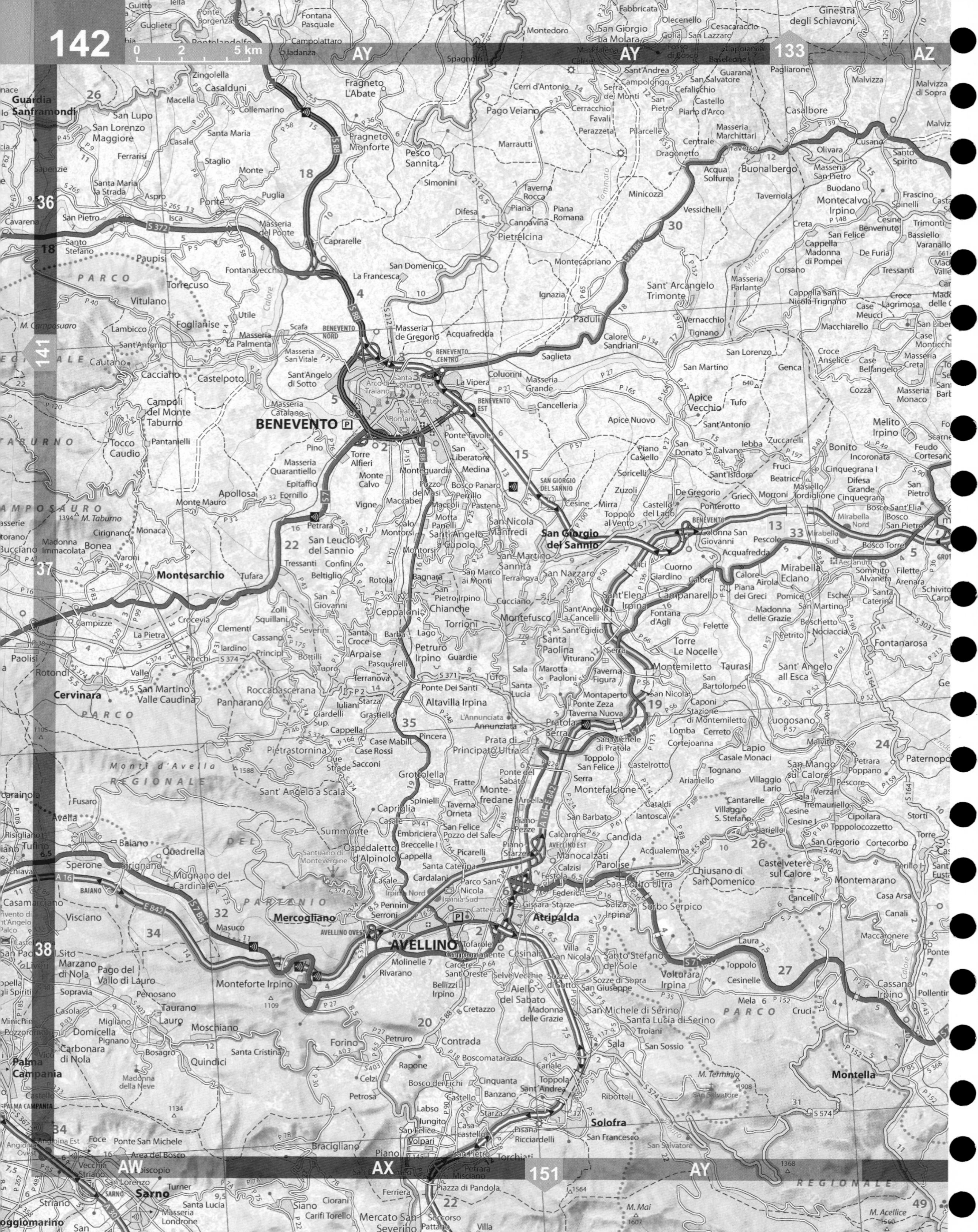
0 2 5 km
AY
AY
133
AZ
141
151
AW
AX
AY
36
37
38
34
BENEVENTO
AVELLINO
Guardia Sanframondi
San Lupo
San Lorenzo Maggiore
Casalduni
Fragneto L'Abate
Fragneto Monforte
Pesco Sannita
Pago Veiano
San Giorgio La Molara
Molinara
Fontana Pasquale
Campolattaro
Olecenello
Cesacaraccio
Ginestra degli Schiavoni
Montedoro
Spagnolo
Fabbricata
Casalbore
Buonalbergo
Montecalvo Irpino
Pietrelcina
Paduli
Sant' Arcangelo Trimonte
Apice Vecchio
Apice Nuovo
Ponte
Torrecuso
Paupisi
Vitulano
Foglianise
Cautano
Campoli del Monte Taburno
Tocco Caudio
Castelpoto
Sant'Angelo di Sotto
San Leucio del Sannio
Ceppaloni
Montesarchio
Apollosa
San Giorgio del Sannio
San Nicola Manfredi
San Martino Sannita
San Nazzaro
Calvi
Paolisi
Rotondi
Cervinara
San Martino Valle Caudina
Roccabascerana
Pannarano
Altavilla Irpina
Chianche
Torrioni
Petruro Irpino
Montefusco
Santa Paolina
Tufo
Pietrastornina
Sant' Angelo a Scala
Grottolella
Prata di Principato Ultra
Pratola Serra
Montefredane
Summonte
Ospedaletto d'Alpinolo
Mercogliano
Monteforte Irpino
Atripalda
Avella
Baiano
Sperone
Mugnano del Cardinale
Quadrella
Sirignano
Pago del Vallo di Lauro
Taurano
Lauro
Moschiano
Domicella
Carbonara di Nola
Palma Campania
Quindici
Forino
Contrada
Solofra
Serino
Montoro
Sarno
Striano
Mercato San Severino
Aiello del Sabato
Cesinali
San Michele di Serino
Santa Lucia di Serino
Santo Stefano del Sole
Sorbo Serpico
Volturara Irpina
Chiusano di San Domenico
Salza Irpina
Parolise
Candida
Manocalzati
Montefalcione
Lapio
Taurasi
Luogosano
Paternopoli
Castelfranci
Montemarano
Castelvetere sul Calore
Montella
Cassano Irpino
Mirabella Eclano
Fontanarosa
Sant' Angelo all'Esca
Torre Le Nocelle
Montemiletto
Venticano
Pietradefusi
Bonito
Melito Irpino
Grottaminarda
Sturno
Calore
PARCO
REGIONALE
TABURNO
CAMPOSAURO
PARTENIO
M. Taburno
M. Camposauro
Monti d'Avella
M. Terminio
M. Mai
M. Acellice
A 16
E 842
S 7
S 88
S 90 bis
S 372
S 374
S 400
S 574

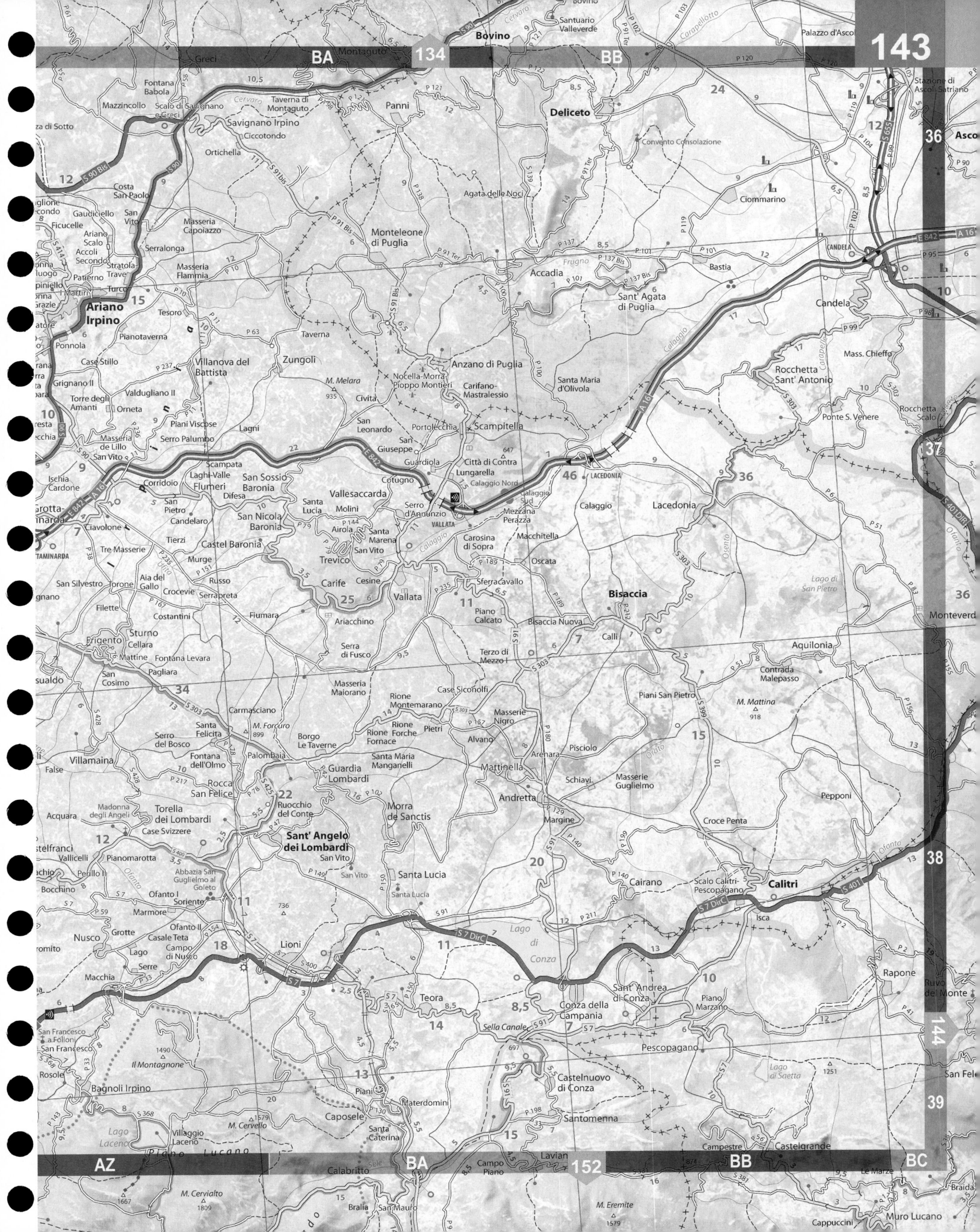
Bovino
Santuario Valleverde
Palazzo d'Ascoli
BA
134
BB
Greci
Montaguto
Fontana Babola
Mazzincollo
Scalo di Savignano e Greci
Taverna di Montaguto
Panni
Deliceto
Stazione di Ascoli Satriano
Savignano Irpino
Ciccotondo
Ortichella
Convento Consolazione
Costa San Paolo
Agata delle Noci
Ciommarino
Gaudiciello
San Vito
Ficucelle
Masseria Capoiazzo
Ariano Scalo
Accoli Secondo
Serralonga
Monteleone di Puglia
Candela
Stratola-Trave
Masseria Flammia
Patierno
Accadia
Bastia
Sant' Agata di Puglia
Ariano Irpino
Tesoro
Pianotaverna
Taverna
Ponnola
Zungoli
Anzano di Puglia
Case Stillo
Villanova del Battista
Santa Maria d'Olivola
Mass. Chieffo
Rocchetta Sant' Antonio
M. Melara
Nocella-Morra
Pioppo Montieri
Grignano II
Carifano-Mastralessio
Torre degli Amanti
Valdugliano II
Civita
Orneta
Rocchetta Scalo
Ponte S. Venere
San Leonardo
Piani Viscose
Lagni
Portolecchia
Scampitella
Masseria de Lillo
Serro Palumbo
San Giuseppe
San Vito
Guardiola
Città di Contra
Scampata
Lungarella
Laghi-Valle
San Sossio Baronia
Corridoio
Ischia Cardone
Flumeri
Cotugno
Calaggio Nord
Vallesaccarda
Calaggio Sud
LACEDONIA
Lacedonia
Calaggio
San Pietro
Difesa
Santa Lucia
Molini
Serro d'Annunzio
Mezzana Perazza
Candelaro
San Nicola Baronia
VALLATA
Ciavolone
Airola
Santa Marena
Tierzi
Carosina di Sopra
Macchitella
Castel Baronia
San Vito
Tre Masserie
Murge
Trevico
Oscata
Lago di San Pietro
Aia del Gallo
Russo
Carife
Cesine
Sferracavallo
San Silvestro
Torone
Crocevie
Serrapreta
Vallata
Bisaccia
Monteverde
Filette
Costantini
Fiumara
Piano Calcato
Ariacchino
Bisaccia Nuova
Sturno
Frigento
Cellara
Calli
Aquilonia
Mattine
Fontana Levara
Serra di Fusco
Terzo di Mezzo I
Pagliara
Contrada Malepasso
San Cosimo
Masseria Maiorano
Case Siconolfi
Piani San Pietro
Rione Montemarano
M. Mattina
Carmasciano
Masserie Nigro
Santa Felicita
M. Forcuro
Rione Fornace
Rione Forche
Pietri
Serro del Bosco
Borgo Le Taverne
Alvano
Pisciolo
Villamaina
Fontana dell'Olmo
Palombaia
Santa Maria Manganelli
Arenara
False
Guardia Lombardi
Mattinella
Schiavi
Masserie Guglielmo
Rocca San Felice
Pepponi
Madonna degli Angeli
Torella dei Lombardi
Ruocchio del Conte
Morra de Sanctis
Andretta
Acquara
Case Svizzere
Margine
Croce Penta
Sant' Angelo dei Lombardi
Vallicelli
Pianomarotta
San Vito
Abbazia San Guglielmo al Goleto
Perillo II
Santa Lucia
Cairano
Scalo Calitri-Pescopagano
Calitri
Bocchino
Ofanto I
Soriente
Marmore
Isca
Ofanto II
Lago di Conza
Nusco
Grotte
Casale Teta
Campo di Nusco
Lioni
Lago
Serre
Rapone
Macchia
Sant' Andrea di Conza
Ruvo del Monte
Teora
Piano Marzano
Conza della Campania
Sella Canale
San Francesco a Folloni
San Francesco
Pescopagano
Il Montagnone
Lago di Saetta
Rosole
Castelnuovo di Conza
San Fele
Bagnoli Irpino
Piani
Materdomini
Caposele
Santomenna
Villaggio Laceno
M. Cervello
Santa Caterina
Lago Laceno
Piano Lucano
Campestre
Castelgrande
AZ
BA
Calabritto
Campo Piano
Lavian
152
BB
BC
Le Marze
Braida
M. Cervialto
Bralia
San Mauro
M. Eremite
Cappuccini
Muro Lucano
144

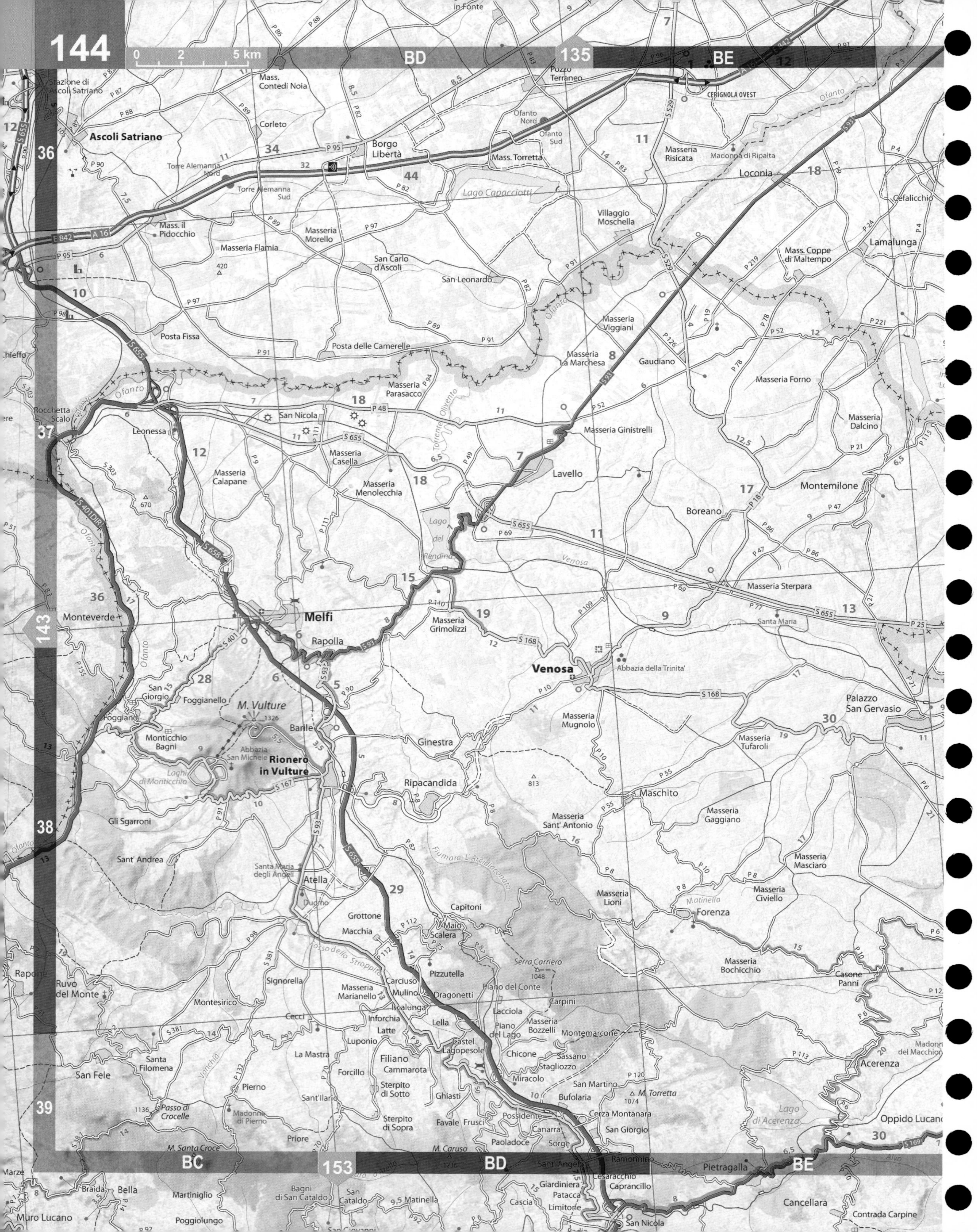
0 2 5 km
BD
135
BE
BC
153
143
36
37
38
39
Stazione di Ascoli Satriano
Ascoli Satriano
Mass. Contedi Noia
Corleto
Borgo Libertà
Pozzo Terraneo
Ofanto Nord
Ofanto Sud
CERIGNOLA OVEST
Masseria Risicata
Madonna di Ripalta
Loconia
Torre Alemanna Nord
Torre Alemanna Sud
Mass. Torretta
Lago Capacciotti
Cefalicchio
Villaggio Moschella
Mass. il Pidocchio
Masseria Flamia
Masseria Morello
San Carlo d'Ascoli
San Leonardo
Mass. Coppe di Maltempo
Lamalunga
Masseria Viggiani
Posta Fissa
Posta delle Camerelle
Masseria La Marchesa
Gaudiano
Masseria Forno
Masseria Parasacco
Rocchetta Scalo
Leonessa
San Nicola
Masseria Ginistrelli
Masseria Dalcino
Masseria Calapane
Masseria Casella
Masseria Menolecchia
Lavello
Montemilone
Boreano
Lago del Rendina
Masseria Sterpara
Monteverde
Melfi
Rapolla
Masseria Grimolizzi
Santa Maria
Venosa
Abbazia della Trinita'
Palazzo San Gervasio
San Giorgio
Foggianello
M. Vulture
Foggiano
Monticchio Bagni
Abbazia San Michele
Barile
Rionero in Vulture
Laghi di Monticchio
Ginestra
Masseria Mugnolo
Masseria Tufaroli
Ripacandida
Maschito
Gli Sgarroni
Masseria Sant' Antonio
Masseria Gaggiano
Sant' Andrea
Santa Maria degli Angeli
Atella
Fiumara L'Arcidiaconata
Masseria Masciaro
Masseria Lioni
Masseria Civiello
Dugno
Capitoni
Forenza
Grottone
Maio
Scalera
Macchia
Serra Carriero
Masseria Bochicchio
Casone Panni
Pizzutella
Signorella
Carciuso
Mulino
Piano del Conte
Ruvo del Monte
Rapone
Masseria Marianello
Dragonetti
Montesirico
Iscalunga
Carpini
Cecci
Inforchia
Lacciola
Latte
Lella
Piano del Lago
Masseria Bozzelli
Montemarcone
Luponio
Castel Lagopesole
Chicone
Sassano
Stagliozzo
La Mastra
Filiano
Cammarota
Santa Filomena
San Fele
Forcillo
Miracolo
Acerenza
Pierno
Sterpito di Sotto
Sant'Ilario
Ghiasti
San Martino
M. Torretta
Bufolaria
Passo di Crocelle
Madonna di Pierno
Possidente
Cerza Montanara
Lago di Acerenza
Oppido Lucano
Sterpito di Sopra
Favale
Frusci
Canarra
San Giorgio
Priore
Paoladoce
Sorge
M. Santa Croce
M. Caruso
Sant' Angelo
Ramonnino
Pietragalla
Bella
Bagni di San Cataldo
San Cataldo
Matinella
Martiniglio
Giardiniera
Patacca
Limitone
Cesaracchio
Caprancillo
Cancellara
Muro Lucano
Poggiolungo
Cascia
San Nicola
Contrada Carpine
Braida
Marze

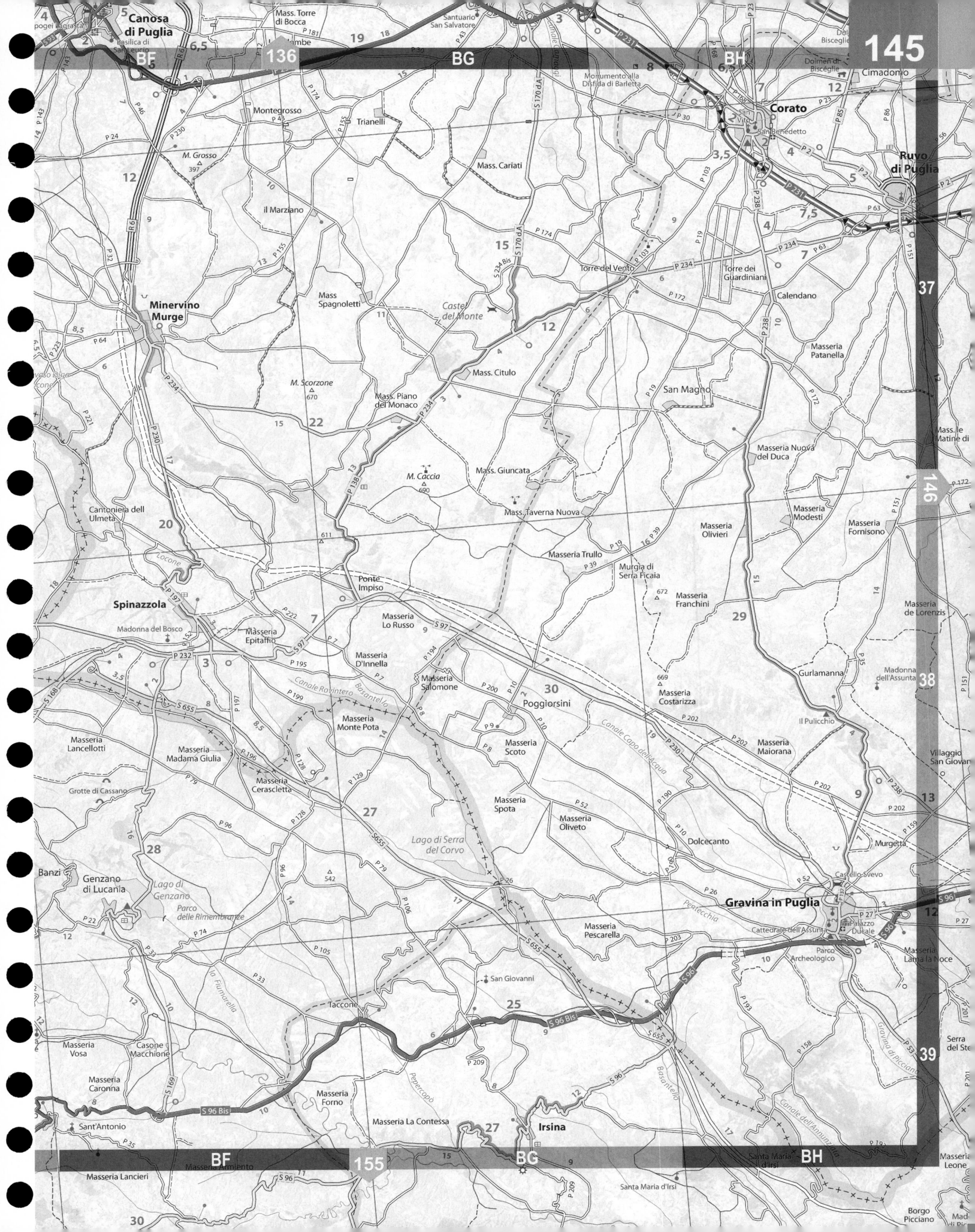
136
155
146
BF
BG
BH
37
38
39
Canosa di Puglia
Basilica di San Leucio
Mass. Torre di Bocca
Santuario San Salvatore
Monumento alla Disfida di Barletta
Corato
San Vito
San Benedetto
Dolmen di Bisceglie
Cimadomo
Ruvo di Puglia
Montegrosso
Trianelli
M. Grosso
397
Mass. Cariati
il Marziano
Torre del Vento
Torre dei Guardiniani
Calendano
Minervino Murge
Mass Spagnoletti
Castel del Monte
Masseria Patanella
Mass. Citulo
M. Scorzone
670
Mass. Piano del Monaco
San Magno
Mass. le Matine di
Masseria Nuova del Duca
M. Caccia
690
Mass. Giuncata
Mass. Taverna Nuova
Masseria Modesti
Masseria Fornisono
Masseria Olivieri
Cantoniera dell Ulmeta
Locone
611
Masseria Trullo
Murgia di Serra Ficaia
672
Masseria Franchini
Spinazzola
Ponte Impiso
Masseria de Lorenzis
Madonna del Bosco
Masseria Epitaffio
Masseria Lo Russo
Masseria D'Innella
Canale Rovintero
Basantello
Masseria Salomone
Poggiorsini
669
Masseria Costarizza
Gurlamanna
Madonna dell'Assunta
Il Pulicchio
Masseria Monte Pota
Masseria Lancellotti
Masseria Madama Giulia
Masseria Scoto
Canale Capo dell'Acqua
Masseria Maiorana
Villaggio San Giovan
Grotte di Cassano
Masseria Cerascletta
Masseria Spota
Masseria Oliveto
Lago di Serra del Corvo
Dolcecanto
Murgetta
Castello Svevo
Banzi
Genzano di Lucania
Lago di Genzano
Parco delle Rimembranze
542
Gravina in Puglia
Pentecchia
Cattedrale dell'Assunta
Palazzo Ducale
Parco Archeologico
Masseria Pescarella
Masseria Lama la Noce
San Giovanni
la Fiumarella
Taccone
Masseria Vosa
Casone Macchione
Serra del Ste
Gravina di Picciano
Masseria Caronna
Masseria Forno
Pepercopo
Canale dell'Annunziata
Sant'Antonio
Masseria La Contessa
Irsina
Masseria Armiento
Masseria Lancieri
Santa Maria d'Irsi
Masseria Leone
Borgo Picciano
S 96 Bis
S 655
S 97
P 234
P 230
R 6
S 170 d A
P 238

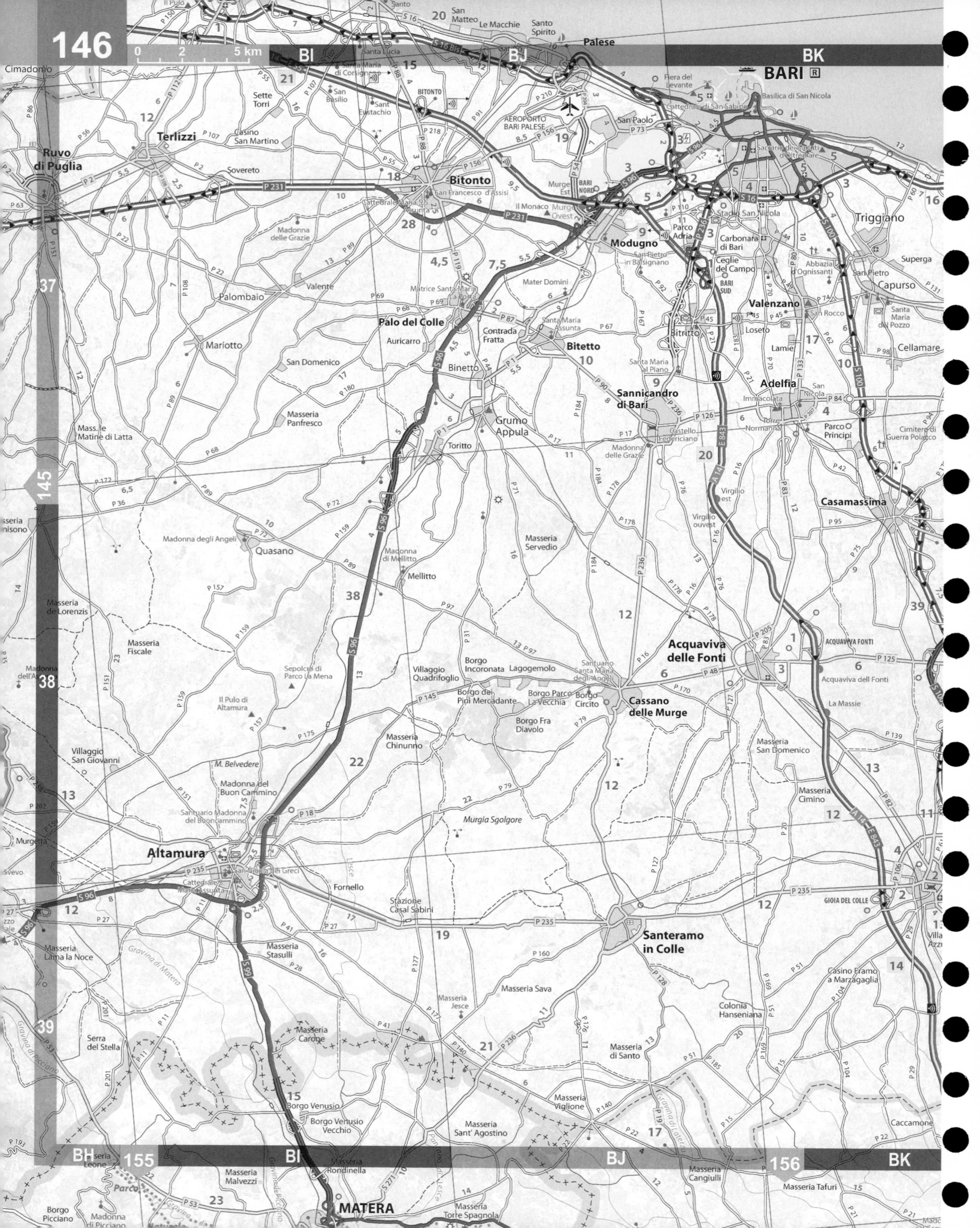
BI
BJ
BK
BARI
Palese
San Matteo
Le Macchie
Santo Spirito
Santa Lucia
Santa Maria di Corsignano
Fiera del Levante
Basilica di San Nicola
Cattedrale di San Sabino
Cimadomo
Sette Torri
San Basilio
Sant Eustachio
AEROPORTO BARI PALESE
San Paolo
Terlizzi
Casino San Martino
Ruvo di Puglia
Sovereto
Bitonto
San Francesco d'Assisi
Cattedrale Maria SS. Assunta
Il Monaco
Murge Ovest
Murge Est
BARI NORD
Stadio San Nicola
Parco Adria
Triggiano
Madonna delle Grazie
Modugno
San Pietro in Balsignano
Carbonara di Bari
Ceglie del Campo
Abbazia d'Ognissanti
Supergа
San Pietro
Capurso
BARI SUD
Valente
Palombaio
Matrice Santa Maria La Porta
Mater Domini
Valenzano
San Rocco
Santa Maria del Pozzo
Palo del Colle
Santa Maria Assunta
Contrada Fratta
Auricarro
Bitetto
Bitritto
Loseto
Lamie
Cellamare
Mariotto
San Domenico
Binetto
Santa Maria al Piano
Sannicandro di Bari
Adelfia
Immacolata
San Nicola
Masseria Panfresco
Grumo Appula
Torre Normanna
Parco Principi
Cimitero di Guerra Polacco
Mass. le Matine di Latta
Toritto
Castello Federiciano
Madonna delle Grazie
Virgilio est
Virgilio ouvest
Casamassima
Madonna degli Angeli
Quasano
Masseria Servedio
Madonna di Mellitto
Mellitto
Masseria de Lorenzis
Masseria Fiscale
Acquaviva delle Fonti
ACQUAVIVA FONTI
Sepolcro di Parco La Mena
Villaggio Quadrifoglio
Borgo Incoronata
Lagogemolo
Santuario Santa Maria degli Angeli
Acquaviva dell Fonti
La Massie
Il Pulo di Altamura
Borgo dei Pini Mercadante
Borgo Parco La Vecchia
Borgo Circito
Cassano delle Murge
Borgo Fra Diavolo
Masseria Chinunno
Villaggio San Giovanni
Masseria San Domenico
M. Belvedere
Madonna del Buon Cammino
Santuario Madonna del Buoncammino
Murgia Sgolgore
Masseria Cimino
Murgetta
Altamura
San Nicola dei Greci
Cattedrale S. Maria Assunta
Fornello
Stazione Casal Sabini
Santeramo in Colle
GIOIA DEL COLLE
Masseria Lama la Noce
Masseria Stasulli
Gravina di Matera
Masseria Sava
Casino Eramo a Marzagaglia
Masseria Jesce
Colonia Hanseniana
Serra del Stella
Masseria Carone
Masseria di Santo
Borgo Venusio
Borgo Venusio Vecchio
Masseria Viglione
Masseria Sant' Agostino
Caccamone
BH
155
156
Masseria Leone
Masseria Rondinella
Masseria Malvezzi
Masseria Cangiulli
Masseria Tafuri
Borgo Picciano
Madonna di Picciano
MATERA
Masseria Torre Spagnola
37
38
39
145

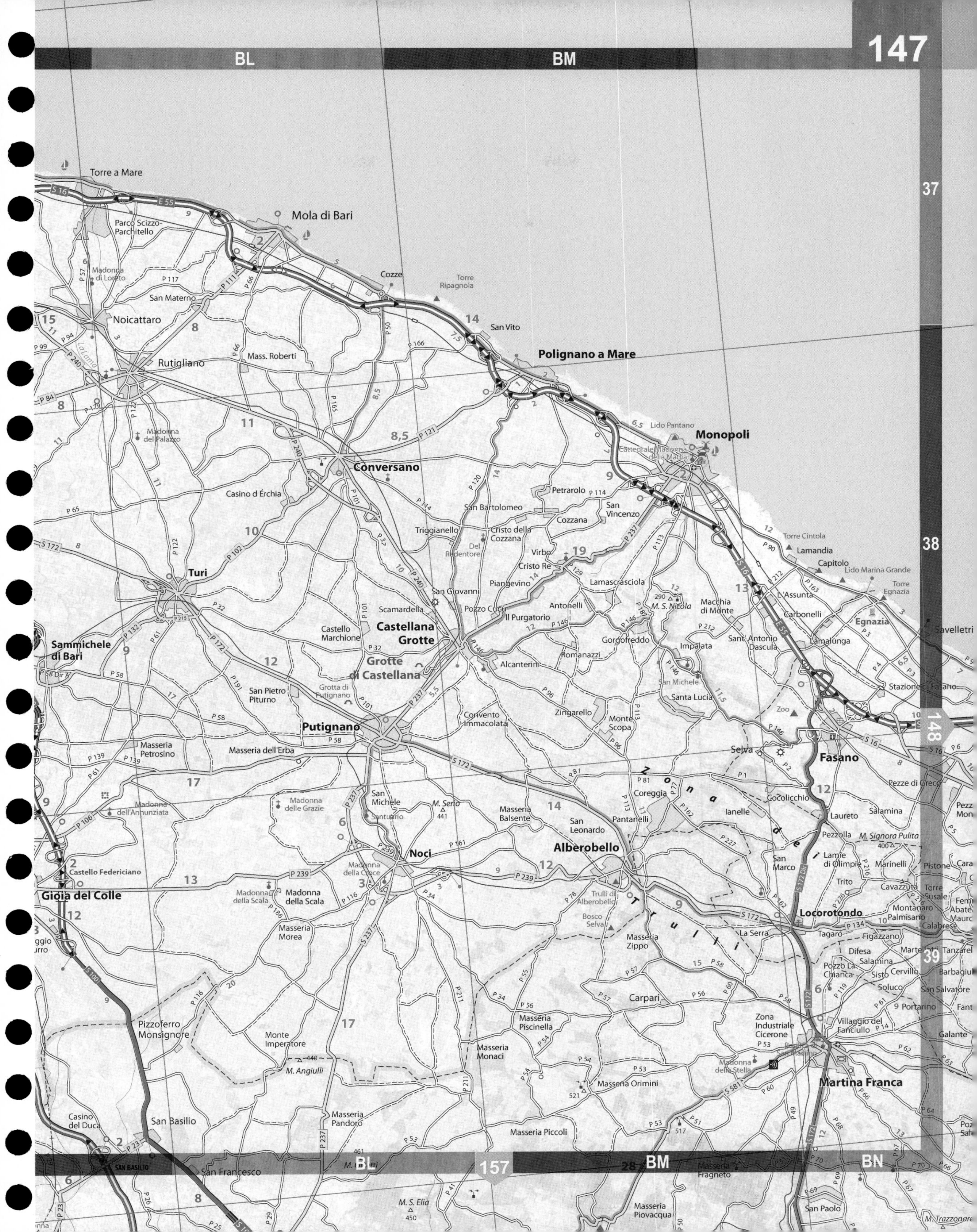
BL
BM
Torre a Mare
Mola di Bari
Parco Scizzo-Parchitello
Madonna di Loreto
Cozze
Torre Ripagnola
San Materno
Noicattaro
San Vito
Polignano a Mare
Rutigliano
Mass. Roberti
Madonna del Palazzo
Lido Pantano
Monopoli
Cattedrale Madonna della Madia
Conversano
Casino d'Erchia
Petrarolo
San Bartolomeo
San Vincenzo
Cozzana
Triggianello
Cristo della Cozzana
Del Redentore
Torre Cintola
Lamandia
Capitolo
Lido Marina Grande
Torre Egnazia
Virbo
Cristo Re
Turi
Piangevino
San Giovanni
Lamascrasciola
L'Assunta
M. S. Nicola
Macchia di Monte
Scamardella
Pozzo Cucù
Antonelli
Carbonelli
Egnazia
Savelletri
Il Purgatorio
Castello Marchione
Castellana Grotte
Gorgofreddo
Sant'Antonio Dascula
Lamalunga
Sammichele di Bari
Impalata
Romanazzi
Grotte di Castellana
Alcanterini
Grotta di Putignano
San Pietro Piturno
San Michele
Santa Lucia
Stazione di Fasano
Convento Immacolata
Zingarello
Monte Scopa
Zoo
Putignano
Masseria Petrosino
Masseria dell'Erba
Selva
Fasano
Zona dei Trulli
Coreggia
Cocolicchio
Pezze di Greco
Madonna dell'Annunziata
Madonna delle Grazie
San Michele
Santuario
M. Serio
Masseria Balsente
San Leonardo
Pantanelli
Ianelle
Laureto
Salamina
Pezzolla
M. Signora Pulita
Alberobello
Noci
San Marco
Lamie di Olimpie
Marinelli
Pistone
Castello Federiciano
Madonna della Croce
Trito
Gioia del Colle
Madonna della Scala
Trulli di Alberobello
Cavazzuta
Torre Susale
Locorotondo
Montanaro
Palmisano
Calabrese
Bosco Selva
Masseria Morea
La Serra
Tagaro
Figazzano
Masseria Zippo
Difesa
Martellotta
Tanzarella
Pozzo La Chianca
Salamina
Sisto
Cervillo
Barbagiulo
Soluco
San Salvatore
Carpari
Portarino
Pizzoferro Monsignore
Masseria Piscinella
Zona Industriale Cicerone
Villaggio del Fanciullo
Galante
Monte Imperatore
M. Angiulli
Masseria Monaci
Madonna della Stella
Masseria Orimini
Martina Franca
Casino del Duca
San Basilio
Masseria Pandoro
Masseria Piccoli
San Francesco
Masseria Fragneto
M. S. Elia
Masseria Piovacqua
San Paolo
M. Trazzonara
BN
148
157
37
38
39

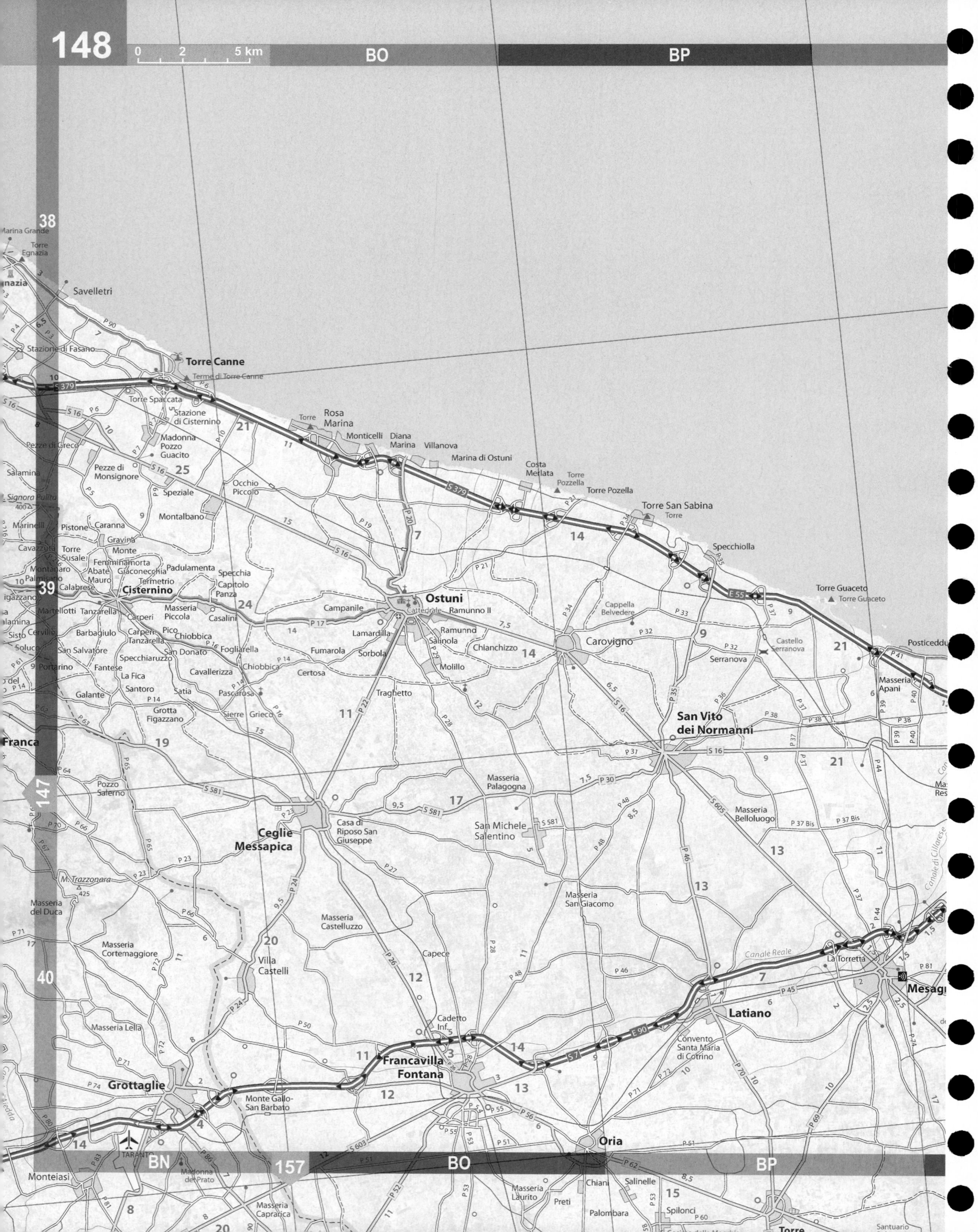

0 2 5 km
BO
BP
Savelletri
Stazione di Fasano
Torre Canne
Terme di Torre Canne
Torre Spaccata
Stazione di Cisternino
Rosa Marina
Monticelli
Diana Marina
Villanova
Marina di Ostuni
Costa Merlata
Torre Pozzella
Torre Pozella
Torre San Sabina
Specchiolla
Torre Guaceto
Posticeddu
Madonna Pozzo Guacito
Pezze di Greco
Pezze di Monsignore
Salamina
Speziale
Occhio Piccolo
Montalbano
Pistone
Caranna
Gravina
Monte
Torre Susale
Femminamorta
Abate
Giaconecchia
Padulamenta
Specchia
Capitolo
Panza
Termetrio
Mauro
Cisternino
Calabrese
Ostuni
Campanile
Cattedrale
Ramunno II
Masseria Piccola
Casalini
Tanzarella
Carperi
Martellotti
Barbagiulo
Chiobbica
Pico
Fogliarella
San Salvatore
San Donato
Specchiaruzzo
Portarino
Fantese
La Fica
Cavallerizza
Santoro
Satia
Pascarosa
Galante
Grotta Figazzano
Sierre
Griego
Lamardilla
Ramunno
Salinola
Chianchizzo
Fumarola
Sorbola
Molillo
Certosa
Traghetto
Cappella Belvedere
Carovigno
Castello Serranova
Serranova
Masseria Apani
San Vito dei Normanni
Franca
Pozzo Salerno
Masseria Palagogna
Ceglie Messapica
Casa di Riposo San Giuseppe
San Michele Salentino
Masseria Belloluogo
M. Trazzonara
Masseria del Duca
Masseria San Giacomo
Masseria Castelluzzo
Masseria Cortemaggiore
Villa Castelli
Capece
Canale Reale
La Torretta
Mesag
Latiano
Masseria Lella
Cadetto Inf.
Francavilla Fontana
Convento Santa Maria di Cotrino
Grottaglie
Monte Gallo-San Barbato
Oria
TARANTO
Monteiasi
Madonna del Prato
Masseria Capraica
Masseria Laurito
Chiani
Salinelle
Preti
Palombara
Spilonci
Torre
Santuario
BN
157
38
39
147
40

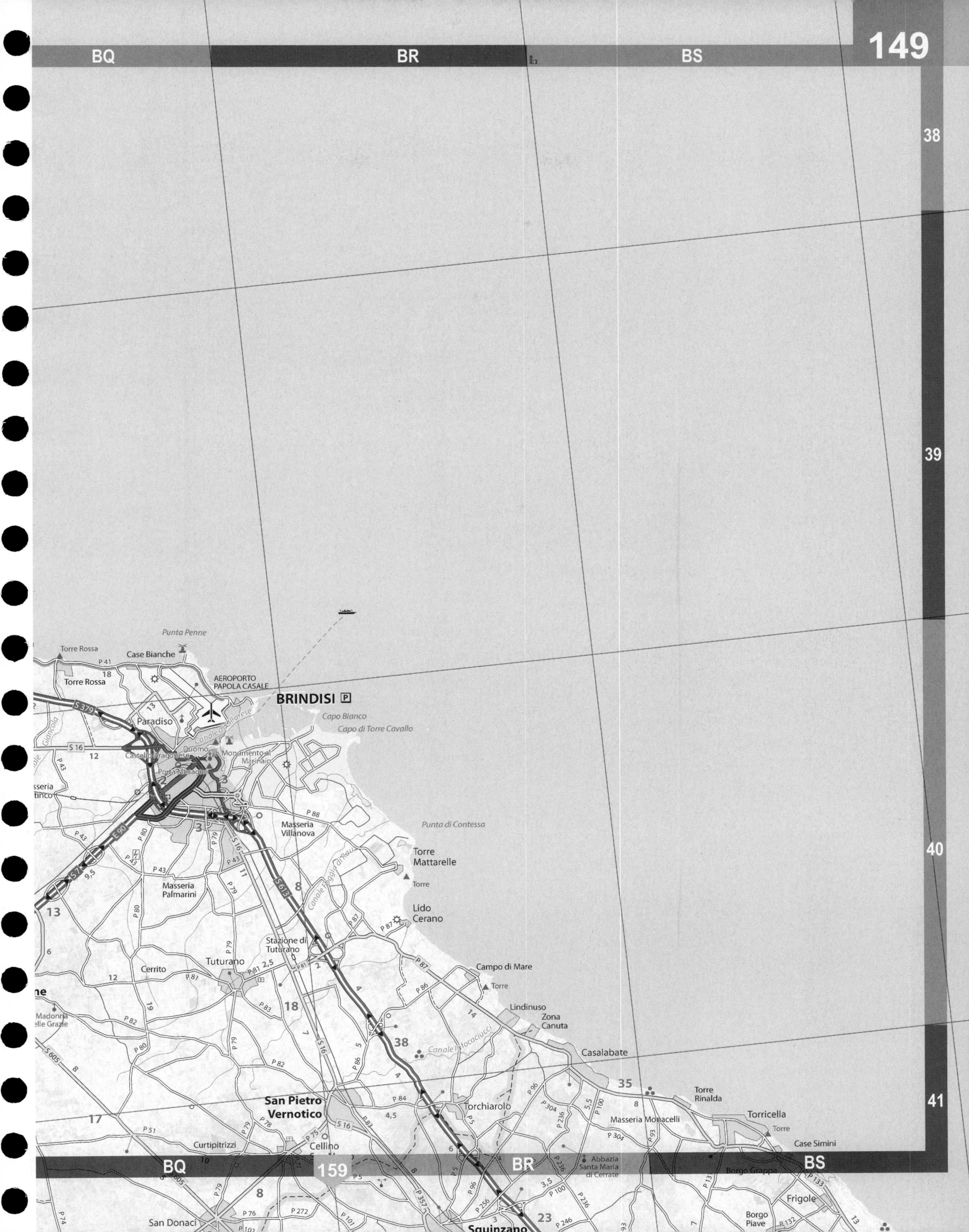

Punta Penne

Torre Rossa
Case Bianche
P 41
Torre Rossa 18
Torre Rossa
AEROPORTO
PAPOLA CASALE
S 379
13
BRINDISI P
Paradiso
Capo Bianco
S 16   12
Capo di Torre Cavallo
Castello Aragonese
Duomo
Monumento al
Marinaio
P 43
Porta Mesagne
Masseria
tinco
2
3
Punta di Contessa
P 88
3
P 79
Masseria
Villanova
P 43
P 43
S 16
11
Torre
Mattarelle
P 79
9,5
P 43
Torre
Masseria
Palmarini
P 80
P 43
P 79
8
Canale Fiume Grande
13
P 79
Lido
Cerano
P 87
6
P 87
Stazione di
Tuturano
P 79
Campo di Mare
12
Cerrito
P 81
Tuturano
P 81 2,5
P 81
Torre
4
P 87
ne
P 83
18
P 79
14
Lindinuso
Zona
Canuta
Madonna
elle Grazie
P 82
19
P 80
7
5
38
Canale Infocaciucci
Casalabate
S 605
8
P 82
P 86
35
17
P 80
**San Pietro
Vernotico**
P 84
Torre
Rinalda
P 51
P 78
4,5
Torchiarolo
P 304
5,5
P 100
8
Torricella
Curtipitrizzi
S 16
6
P 5
Masseria Monacelli
Torre
Cellino
P 304
P 93
Case Simini
P 79
8
Abbazia
Santa Maria
di Cerrate
P 13
Borgo Grappa
San Donaci
P 76
P 272
P 101
P 357
P 256
P 236
Squinzano
23
P 246
Borgo
Piave
Frigole
13

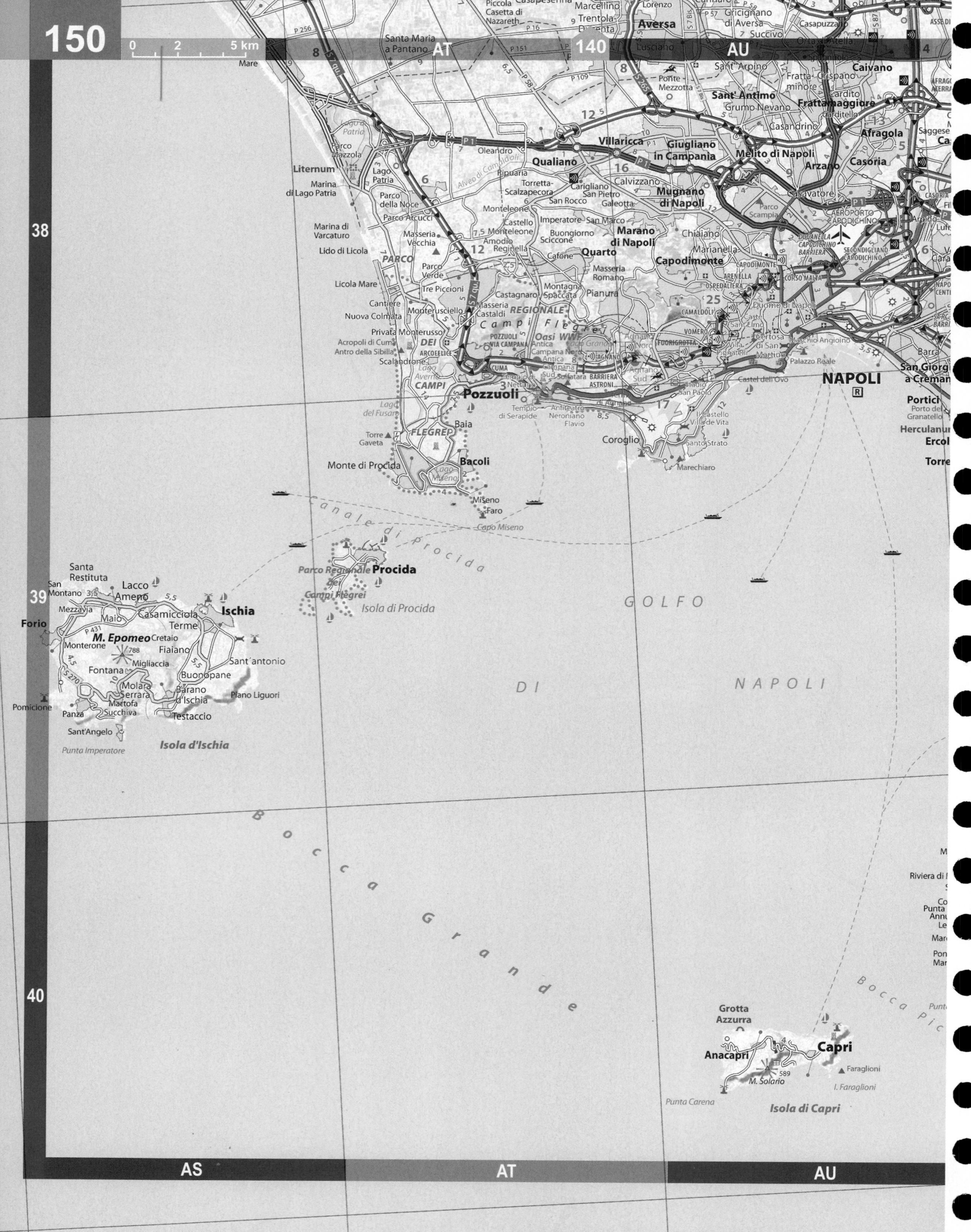

0 2 5 km

38

AT 140 AU 4

Piccola Casapesenna
Casetta di Nazareth Marcellino
Santa Maria Trentola-Ducenta P 16
a Pantano P 151 Ponte Mezzotta Lusciano Aversa Succivo Gricignano di Aversa Casapuzzano
Pascarola Carinaro
San Lorenzo
P 59 P 57

AU Caivano
Sant'Arpino Fratta Crispano minore
Lago di Patria Oleandro Villaricca Giugliano in Campania Sant'Antimo Grumo Nevano Frattamaggiore Afragola
Qualiano 16 Melito di Napoli Arzano Casoria
Liternum Lago Patria Ripuaria Cariglino Calvizzano Mugnano di Napoli Casavatore
Marina di Lago Patria 6 Torretta-Scalzapecora San Pietro Galeotta AEROPORTO CAPODICHINO
Parco della Noce Monteleone Imperatore San Marco P1 CASOR
Parco Arcucci Castello Monteleone 7.5 Buongiorno Sciccone Marano di Napoli Chiaiano DOGANELLA CAPODICHINO BARRIERA SECONDIGLIANO CAPODICHINO 6
Marina di Varcaturo Masseria Vecchia 12 Amodio Reginella Cafone Quarto Marianella
Lido di Licola Masseria Romano Capodimonte ARENELLA OSPEDALIERA
PARCO Parco Verde Montagna Spaccata Masseria Castaldi 25 CAMALDOLI Duomo di Napoli CORSO MALTA
Licola Mare Tre Piccioni REGIONALE Pianura VOMERO Sant'Elmo Certosa Machio Angioino
Cantiere Nuova Colmata Monterusciello Campi Flegrei Oasi WWF Camaldoli FUORIGROTTA Villa di San Martino Palazzo Reale
Privata Monterusso DEI POZZUOLI Agnano Vomero NAPOLI
Acropoli di Cuma Antro della Sibilla ARCOFELICE VIA CAMPANA Antica Campana Nord Agnano Nord Castel dell'Ovo San Giorgio a Cremano
Scalandrone CAMPI 6 CUMA 3 Antica Campana Sud Solfatara BARRIERA ASTRONI Agnano Sud Portici
Lago Averno Tempio di Serapide Nettuno 17 Castel Vita di Vita Porto del Granatello
Pozzuoli Anfiteatro Neroniano Flavio 8.5 San Paolo Herculaneum
Lago del Fusaro Baia Coroglio Santo Strato Ercol
FLEGREP Marechiaro Torre
Torre Gaveta Bacoli
Monte di Procida Lago Miseno 4 2
Miseno Faro
Capo Miseno

Canale di Procida

GOLFO

Santa Restituta San Montano 3.5 Lacco Ameno Parco Regionale Procida
Mezzavia Casamicciola Terme Ischia Campi Flegrei Isola di Procida
Forio 39 P A31 M. Epomeo Cretaio Fiaiano
Monterone 788 Maio DI NAPOLI
Fontana Migliaccia Sant'antonio
Pomicione Molara Serrara Buonopane Plano Liguori
Panza Martofa Succhiva Barano d'Ischia Testaccio
Sant'Angelo Punta Imperatore Isola d'Ischia

Bocca Grande

40 M
Riviera di
Co
Punta Annu
Le
Mare
Pon
Mar

Grotta Azzurra Capri
Anacapri Faraglioni Bocca Pic
589 I. Faraglioni Punta
Punta Carena M. Solario
Isola di Capri

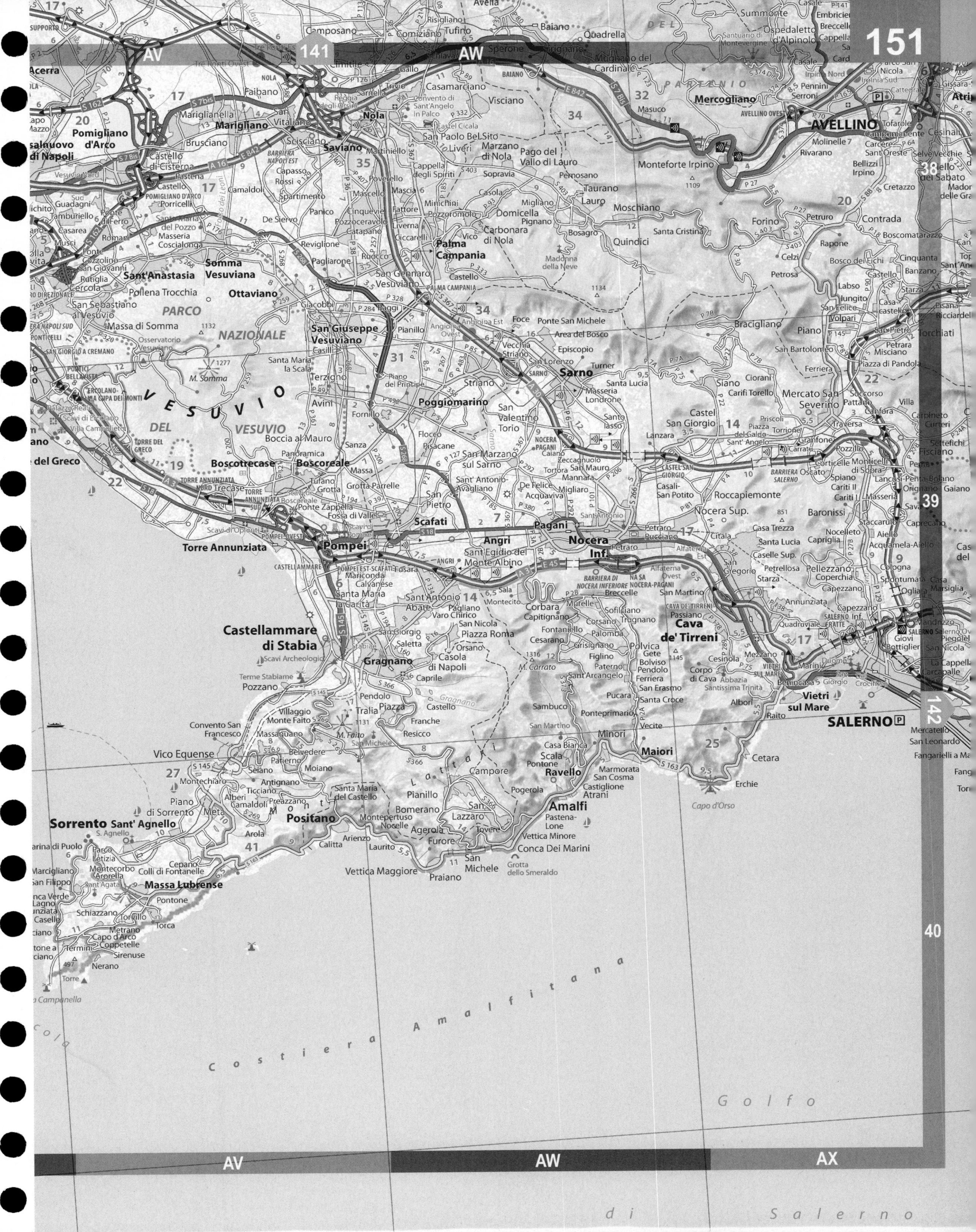
141
AV
AW
AX
38
39
40
142
Avella
Baiano
Quadrella
Summonte
Ospedaletto d'Alpinolo
Camposano
Comiziano
Tufino
Sperone
Mugnano del Cardinale
Acerra
Nola
Cimitile
Casamarciano
Visciano
Mercogliano
AVELLINO
Pomigliano d'Arco
Marigliano
Mariglianella
Saviano
San Paolo Bel Sito
Liveri
Marzano di Nola
Pago del Vallo di Lauro
Monteforte Irpino
Atripalda
Brusciano
Castello di Cisterna
Pernosano
Taurano
Lauro
Moschiano
Forino
Contrada
Domicella
Carbonara di Nola
Palma Campania
Quindici
Santa Cristina
Somma Vesuviana
Sant'Anastasia
Ottaviano
San Gennaro Vesuviano
Cercola
Pollena Trocchia
San Sebastiano al Vesuvio
Massa di Somma
PARCO NAZIONALE DEL VESUVIO
M. Somma
San Giuseppe Vesuviano
Terzigno
Sarno
Striano
Poggiomarino
San Valentino Torio
Bracigliano
Siano
Piano
Mercato San Severino
Castel San Giorgio
Boccia al Mauro
Boscotrecase
Boscoreale
San Marzano sul Sarno
Roccapiemonte
Nocera Sup.
Baronissi
Torre del Greco
Torre Annunziata
Pompei
Scafati
Angri
Pagani
Nocera Inf.
Sant'Egidio del Monte Albino
Cava de' Tirreni
Pellezzano
Castellammare di Stabia
Gragnano
Casola di Napoli
Vietri sul Mare
SALERNO
Vico Equense
Monte Faito
Positano
Ravello
Scala
Amalfi
Atrani
Minori
Maiori
Cetara
Erchie
Capo d'Orso
Praiano
Furore
Agerola
Conca Dei Marini
Grotta dello Smeraldo
Vettica Maggiore
Sorrento
Sant' Agnello
Piano di Sorrento
Meta
Massa Lubrense
Sant'Agata
Termini
Nerano
Torca
Costiera Amalfitana
Golfo di Salerno

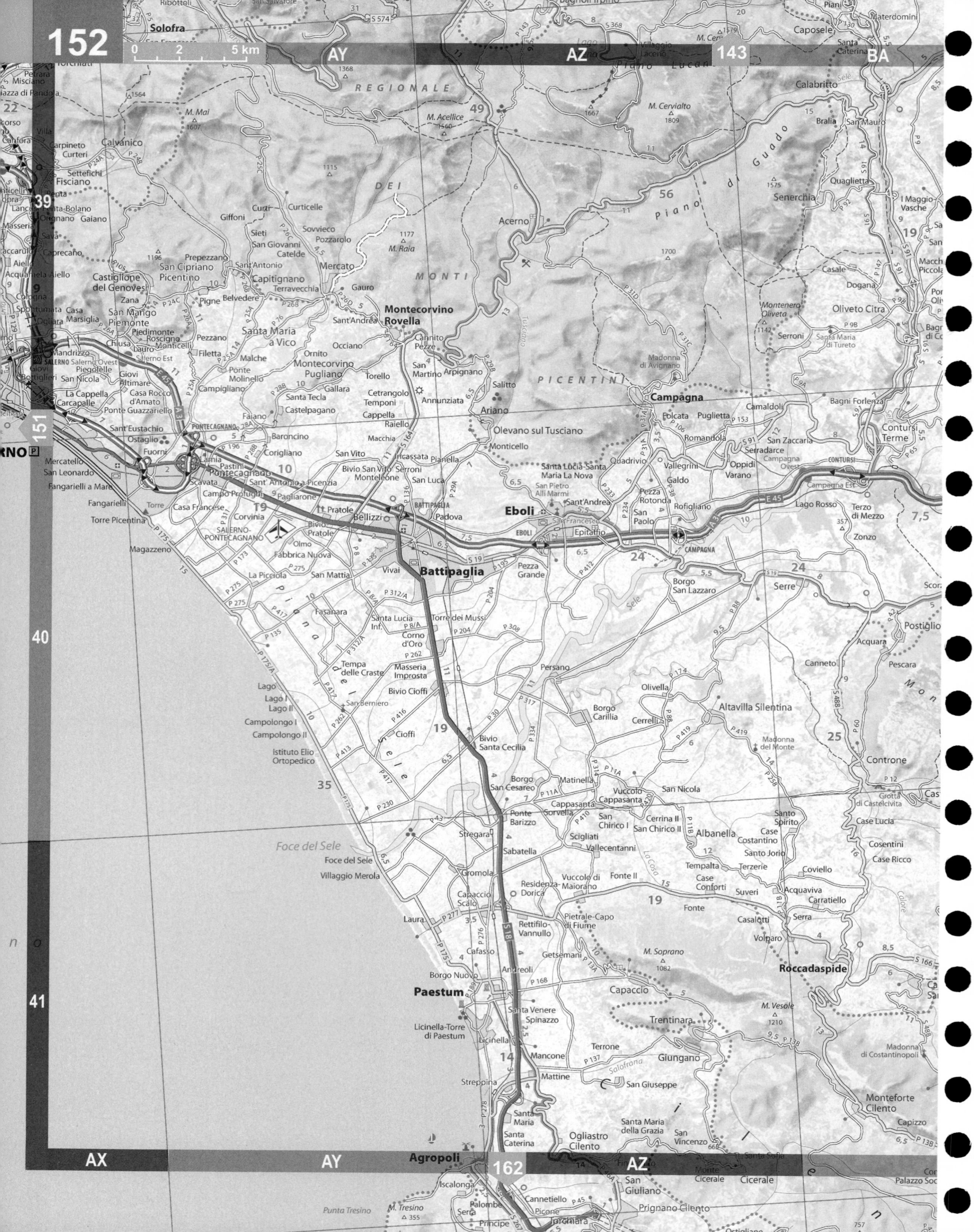
Solofra
0 2 5 km
AY
AZ
143
BA
Caposele
Calabritto
REGIONALE
M. Cervialto
M. Acellice
M. Mai
Calvanico
Fisciano
Giffoni
DEI
MONTI
Acerno
Piano di Guado
Senerchia
Quaglietta
Castiglione del Genovesi
San Cipriano Picentino
Mercato
Montecorvino Rovella
Oliveto Citra
San Mango Piemonte
Santa Maria a Vico
Montecorvino Pugliano
PICENTINI
Campagna
Salerno
Pontecagnano
Olevano sul Tusciano
Contursi Terme
Bellizzi
Battipaglia
Eboli
Serre
Postiglione
Persano
Altavilla Silentina
Controne
Foce del Sele
Albanella
Capaccio Scalo
Roccadaspide
Paestum
Capaccio
Trentinara
Giungano
Ogliastro Cilento
Monteforte Cilento
Agropoli
AX
AY
162
AZ
151
39
40
41

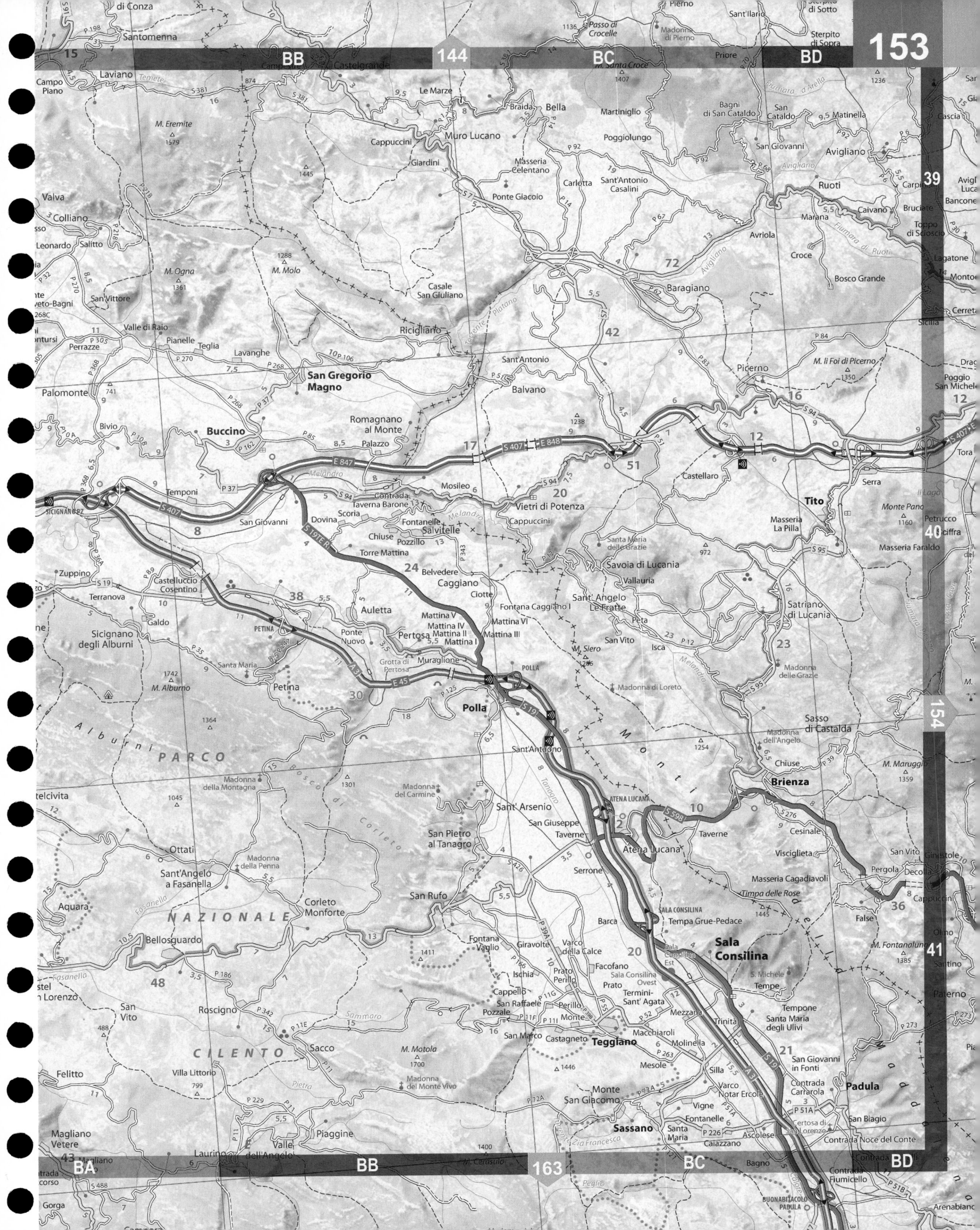

BB
144
BC
BD
BA
163
154
39
40
41
di Conza
Santomenna
Laviano
Castelgrande
Pierno
Sant'Ilario
Passo di Crocelle
Madonna di Pierno
Sterpito di Sotto
Sterpito di Sopra
Priore
M. Santa Croce
Campo Piano
Le Marze
Braida
Bella
Martiniglio
Bagni di San Cataldo
San Cataldo
Matinella
Cascia
M. Eremite
Muro Lucano
Cappuccini
Poggiolungo
San Giovanni
Avigliano
Giardini
Masseria Celentano
Carlotta
Sant'Antonio Casalini
Ruoti
Carpi
Bancone
Valva
Colliano
Ponte Giacoio
Marana
Caivano
Bruciate
Toppo di Scioscio
Leonardo
Salitto
Avriola
Croce
Lagatone
M. Ogna
M. Molo
Casale San Giuliano
Baragiano
Bosco Grande
San Vittore
Valle di Raio
Ricigliano
Pianelle
Teglia
Perrazze
Lavanghe
Sant'Antonio
Picerno
M. li Foi di Picerno
Poggio
San Gregorio Magno
Balvano
Palomonte
Buccino
Romagnano al Monte
Palazzo
Bivio
Tora
Castellaro
Serra
Temponi
Mosileo
Vietri di Potenza
Tito
Contrada Taverna Barone
Monte Pano
Petrucco
San Giovanni
Dovina
Scoria
Fontanelle
Cappuccini
Masseria La Pilla
Salvitelle
Chiuse
Pozzillo
Torre Mattina
Santa Maria delle Grazie
Masseria Faraldo
Zuppino
Belvedere
Caggiano
Savoia di Lucania
Vallauria
Castelluccio Cosentino
Terranova
Ciotte
Fontana Caggiano I
Sant'Angelo Le Fratte
Satriano di Lucania
Galdo
Auletta
Mattina V
Mattina IV
Mattina II
Mattina VI
Mattina III
Mattina I
Peta
Sicignano degli Alburni
Ponte Nuovo
Pertosa
San Vito
Isca
Santa Maria
Grotta di Pertosa
Muraglione
M. Siero
Madonna delle Grazie
M. Alburno
Petina
Polla
Madonna di Loreto
Sasso di Castalda
Alburni
PARCO
Sant'Antuono
Madonna dell'Angelo
Chiuse
M. Maruggio
Madonna della Montagna
Madonna del Carmine
Brienza
Sant' Arsenio
San Giuseppe
Taverne
Cesinale
Taverne
Atena Lucana
San Pietro al Tanagro
Ottati
Visciglieta
Sant'Angelo a Fasanella
Madonna della Penna
Serrone
Pergola
Masseria Cagadiavoli
Timpa delle Rose
San Rufo
Aquara
Corleto Monforte
NAZIONALE
Barca
Tempa Grue-Pedace
Cappuccini
False
Bellosguardo
Fontana Vaglio
Giravolte
Varco della Calce
Sala Consilina
M. Fontanalunga
Ischia
Facofano
Prato Perillo
Prato
S. Michele
Tempe
Cappello
San Raffaele
Pozzale
Termini-Sant' Agata
Perillo
Monte
Roscigno
San Vito
Mezzana
Trinità
Tempone
Santa Maria degli Ulivi
San Marco
Castagneto
Teggiano
Macchiaroli
Molinella
CILENTO
Sacco
M. Motola
Mesole
San Giovanni in Fonti
Felitto
Villa Littorio
Madonna del Monte Vivo
Silla
Varco Notar Ercole
Contrada Carrarola
Padula
Monte San Giacomo
Vigne
Fontanelle
San Biagio
Magliano Vetere
Piaggine
Sassano
Santa Maria
Caiazzano
Ascolese
Certosa di San Lorenzo
Contrada Noce del Conte
Laurino
Valle dell'Angelo
M. Cerasulo
Bagno
Contrada Fiumicello
Gorga
Arenabianca

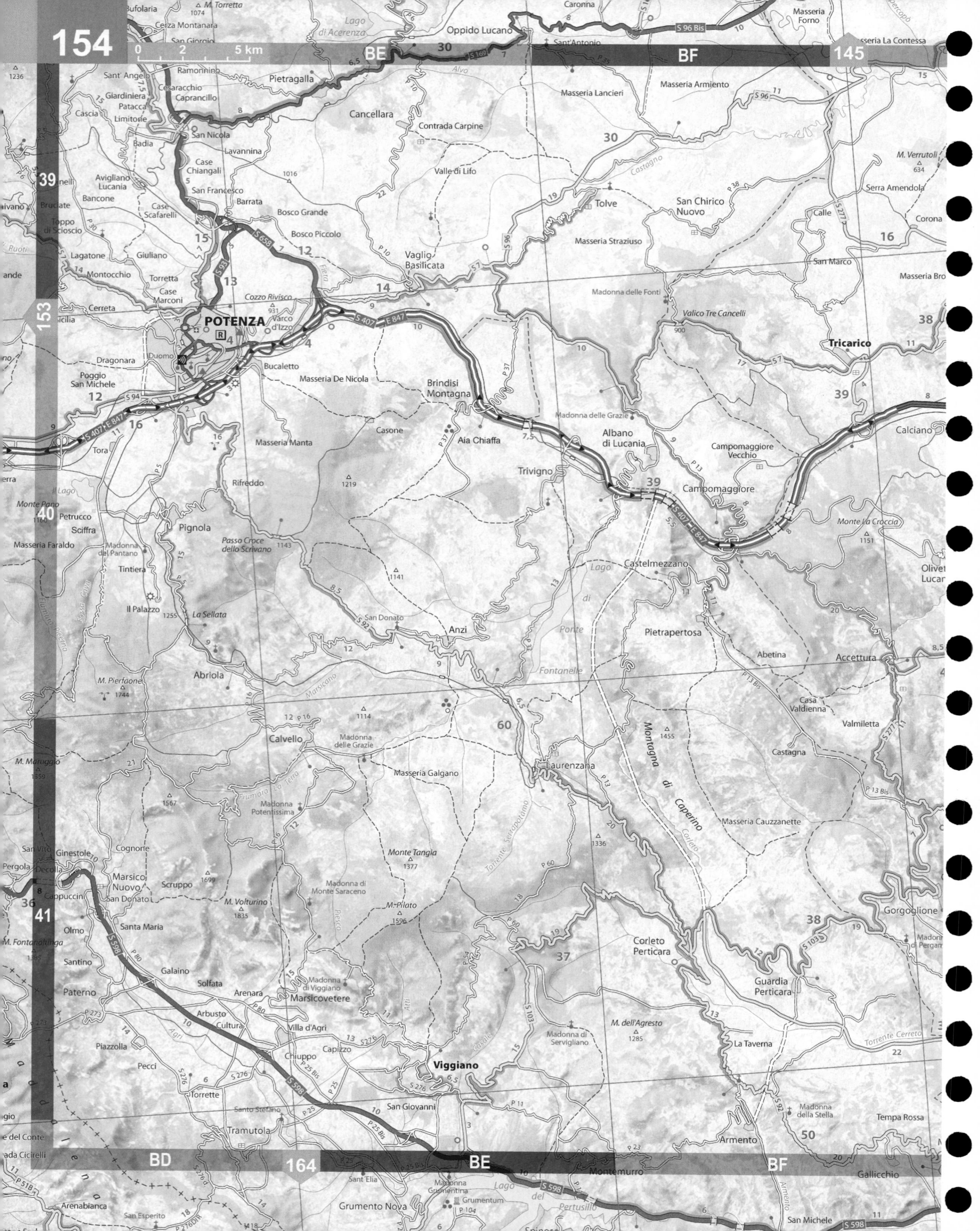
0 2 5 km
BE
BF
145
153
164
BD
39
40
41
POTENZA
Bufolaria
M. Torretta
Cerza Montanara
San Giorgio
Lago di Acerenza
Oppido Lucano
Caronna
Masseria Forno
Masseria La Contessa
Sant'Antonio
Ramonnino
Pietragalla
Sant' Angelo
Cesaracchio
Giardiniera
Caprancillo
Patacca
Cascia
Limitone
Cancellara
Masseria Lancieri
Masseria Armiento
Contrada Carpine
San Nicola
Badia
Lavannina
Case Chiangali
Valle di Lifo
Avigliano Lucania
Bancone
San Francesco
Barrata
Tolve
San Chirico Nuovo
M. Verrutoli
Serra Amendola
Calle
Corona
Case Scafarelli
Bosco Grande
Bosco Piccolo
Toppo di Scioscio
Masseria Straziuso
Lagatone
Giuliano
Vaglio Basilicata
San Marco
Montocchio
Torretta
Masseria Bro
Case Marconi
Cozzo Rivisco
Cerreta
Madonna delle Fonti
Valico Tre Cancelli
Varco d'Izzo
Tricarico
Dragonara
Duomo
Bucaletto
Masseria De Nicola
Brindisi Montagna
Poggio San Michele
Madonna delle Grazie
Albano di Lucania
Campomaggiore Vecchio
Calciano
Tora
Masseria Manta
Casone
Aia Chiaffa
Trivigno
Campomaggiore
Rifreddo
Il Lago
Monte Pano
Petrucco
Sciffra
Monte La Croccia
Pignola
Passo Croce dello Scrivano
Masseria Faraldo
Madonna del Pantano
Tintiera
Castelmezzano
Lago di Ponte Fontanelle
Olivet
Lucan
Il Palazzo
La Sellata
San Donato
Anzi
Pietrapertosa
Abetina
Accettura
M. Pierfaone
Abriola
Marsicano
Casa Valdienna
Valmiletta
Calvello
Madonna delle Grazie
Montagna di Caperino
Castagna
M. Maruggio
Laurenzana
Masseria Galgano
Fiumara La Terra
Madonna Potentissima
Masseria Cauzzanette
Cognone
Monte Tangia
Torrente Serrapotamo
San Vito
Ginestole
Pergola
Decolla
Marsico Nuovo
Scruppo
Madonna di Monte Saraceno
Cappuccini
San Donato
M. Volturino
M. Pilato
Olmo
Santa Maria
Corleto Perticara
Gorgoglione
M. Fontanalunga
Santino
Galaino
Madonna di Viggiano
Guardia Perticara
Solfata
Paterno
Arenara
Marsicovetere
Arbusto
Cultura
M. dell'Agresto
Madonna di Serviglianio
Villa d'Agri
Torrente Cerreto
Piazzolla
Agri
Capizzo
Chiuppo
La Taverna
Pecci
Viggiano
Torrette
Santo Stefano
San Giovanni
Madonna della Stella
Tempa Rossa
Tramutola
Armento
del Conte
Cicirelli
Montemurro
Gallicchio
Sant'Elia
Madonna Grumentina
Grumentum
Lago del Pertusillo
Arenabianca
San Esperito
Grumento Nova
San Michele

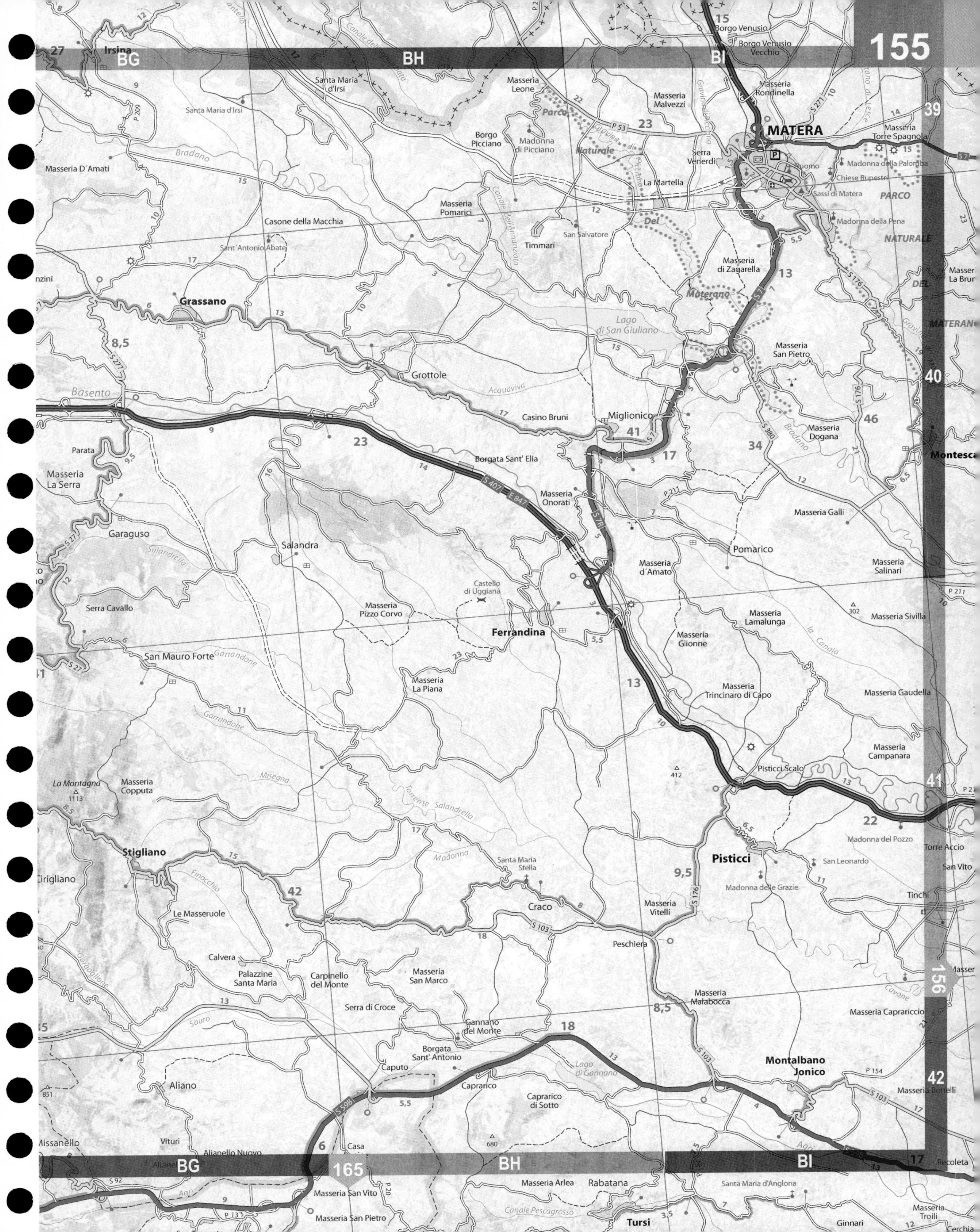

BG
BH
BI
Irsina
Borgo Venusio
Borgo Venusio Vecchio
Santa Maria d'Irsi
Masseria Leone
Masseria Malvezzi
Masseria Rondinella
MATERA
Masseria Torre Spagnola
Borgo Picciano
Madonna di Picciano
Serra Venerdì
Masseria D´Amati
Bradano
La Martella
Duomo
Madonna della Palomba
Chiese Rupestri
Sassi di Matera
PARCO
Masseria Pomarici
Casone della Macchia
San Salvatore
Timmari
Madonna della Pena
NATURALE
Sant´Antonio Abate
Masseria di Zagarella
DEL
MATERANO
Grassano
Lago di San Giuliano
Masseria San Pietro
Grottole
Basento
Acquaviva
Casino Bruni
Miglionico
Masseria Dogana
Montescaglioso
Parata
Borgata Sant´ Elia
Masseria La Serra
Masseria Onorati
Masseria Galli
Garaguso
Salandra
Pomarico
Masseria d´Amato
Masseria Salinari
Castello di Uggiano
Serra Cavallo
Masseria Pizzo Corvo
Masseria Lamalunga
Masseria Sivilla
Ferrandina
Masseria Glionne
San Mauro Forte
Garrandone
Masseria La Piana
Masseria Trincinaro di Capo
Masseria Gaudella
Masseria Campanara
Pisticci Scalo
La Montagna
Masseria Copputa
Misegna
Torrente Salandrella
Madonna del Pozzo
Torre Accio
Stigliano
Santa Maria Stella
Pisticci
San Leonardo
San Vito
Cirigliano
Madonna delle Grazie
Tinchi
Le Masseruole
Craco
Masseria Vitelli
Peschiera
Calvera
Palazzine Santa Maria
Carpinello del Monte
Masseria San Marco
Masseria Malabocca
Serra di Croce
Masseria Caprariccio
Gannano del Monte
Borgata Sant´ Antonio
Caputo
Lago di Gannano
Montalbano Jonico
Aliano
Caprarico
Caprarico di Sotto
Masseria Bonelli
Missanello
Vituri
Alianello Nuovo
Casa
Recoleta
165
Masseria San Vito
Masseria Arlea
Rabatana
Santa Maria d'Anglona
Masseria San Pietro
Canale Pescagrosso
Tursi
Ginnari
Masseria Troili
156

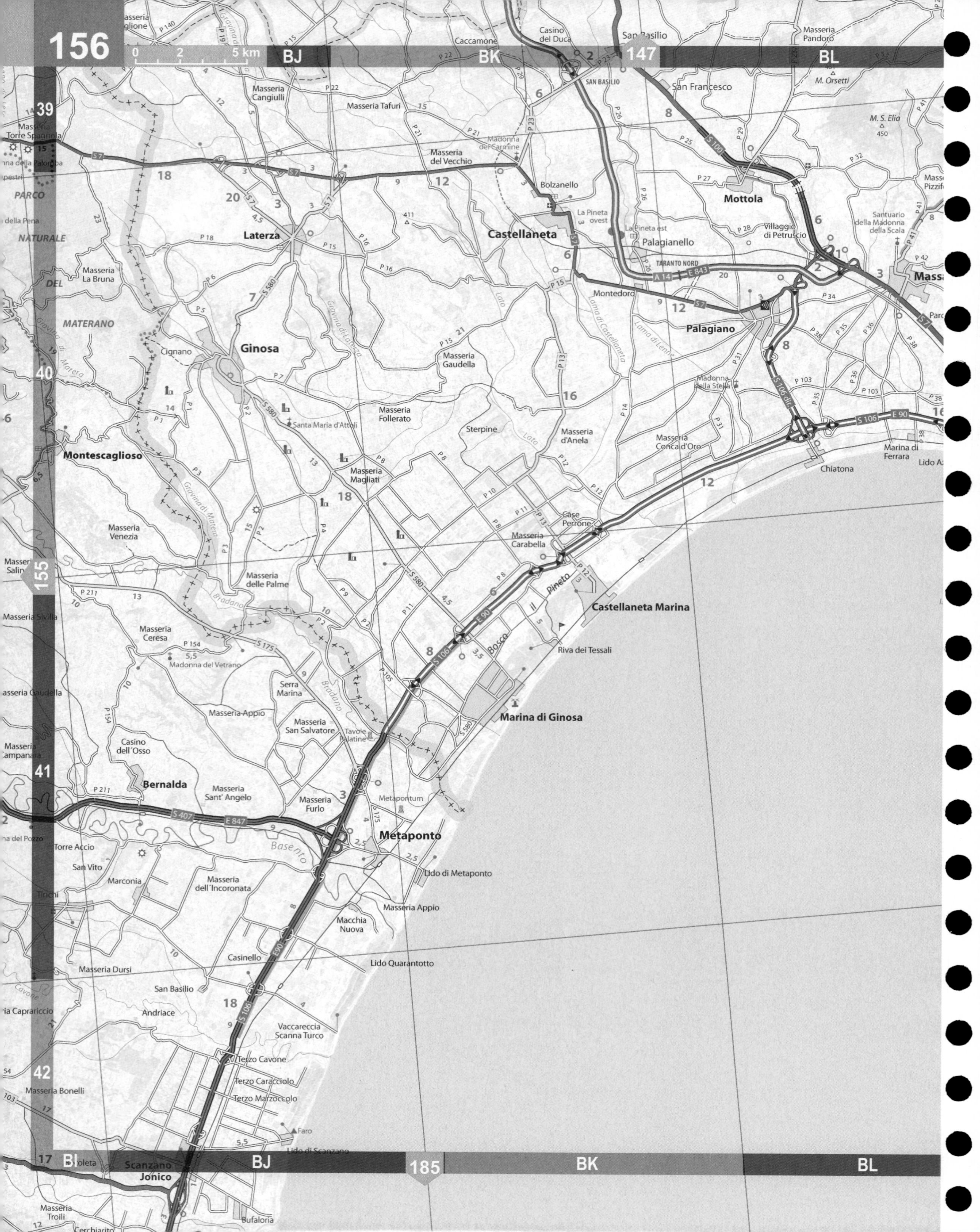

0 2 5 km
BJ
BK
147
BL
San Basilio
Casino del Duca
Caccamone
Masseria Pandoro
San Francesco
M. Orsetti
M. S. Elia
Masseria Cangiulli
Masseria Tafuri
Masseria Torre Spagnola
Masseria del Vecchio
Madonna del Carmine
Bolzanello
Mottola
Laterza
Castellaneta
La Pineta ovest
La Pineta est
Palagianello
Villaggio di Petruscio
Santuario della Madonna della Scala
TARANTO NORD
PARCO
NATURALE
DEL
MATERANO
Masseria La Bruna
Montedoro
Palagiano
Ginosa
Cignano
Masseria Gaudella
Madonna della Stella
Masseria Follerato
Santa Maria d'Attoli
Sterpine
Masseria d'Anela
Masseria Conca d'Oro
Marina di Ferrara
Chiatona
Montescaglioso
Masseria Magliati
Case Perrone
Masseria Carabella
Masseria Venezia
Masseria delle Palme
Castellaneta Marina
Masseria Sivilla
Masseria Ceresa
Madonna del Vetrano
Riva dei Tessali
Serra Marina
Marina di Ginosa
Masseria Appio
Masseria San Salvatore
Tavole Palatine
Casino dell'Osso
Masseria Campanara
Bernalda
Masseria Sant' Angelo
Masseria Furlo
Metapontum
Metaponto
Torre Accio
San Vito
Marconia
Masseria dell'Incoronata
Lido di Metaponto
Masseria Appio
Macchia Nuova
Casinello
Lido Quarantotto
Masseria Dursi
San Basilio
Andriace
Vaccareccia Scanna Turco
Terzo Cavone
Terzo Caracciolo
Terzo Marzocollo
Masseria Bonelli
Faro
Lido di Scanzano
Scanzano Jonico
Masseria Troili
Bufaloria
Cerchiarito
155
BI
BJ
185
BK
BL

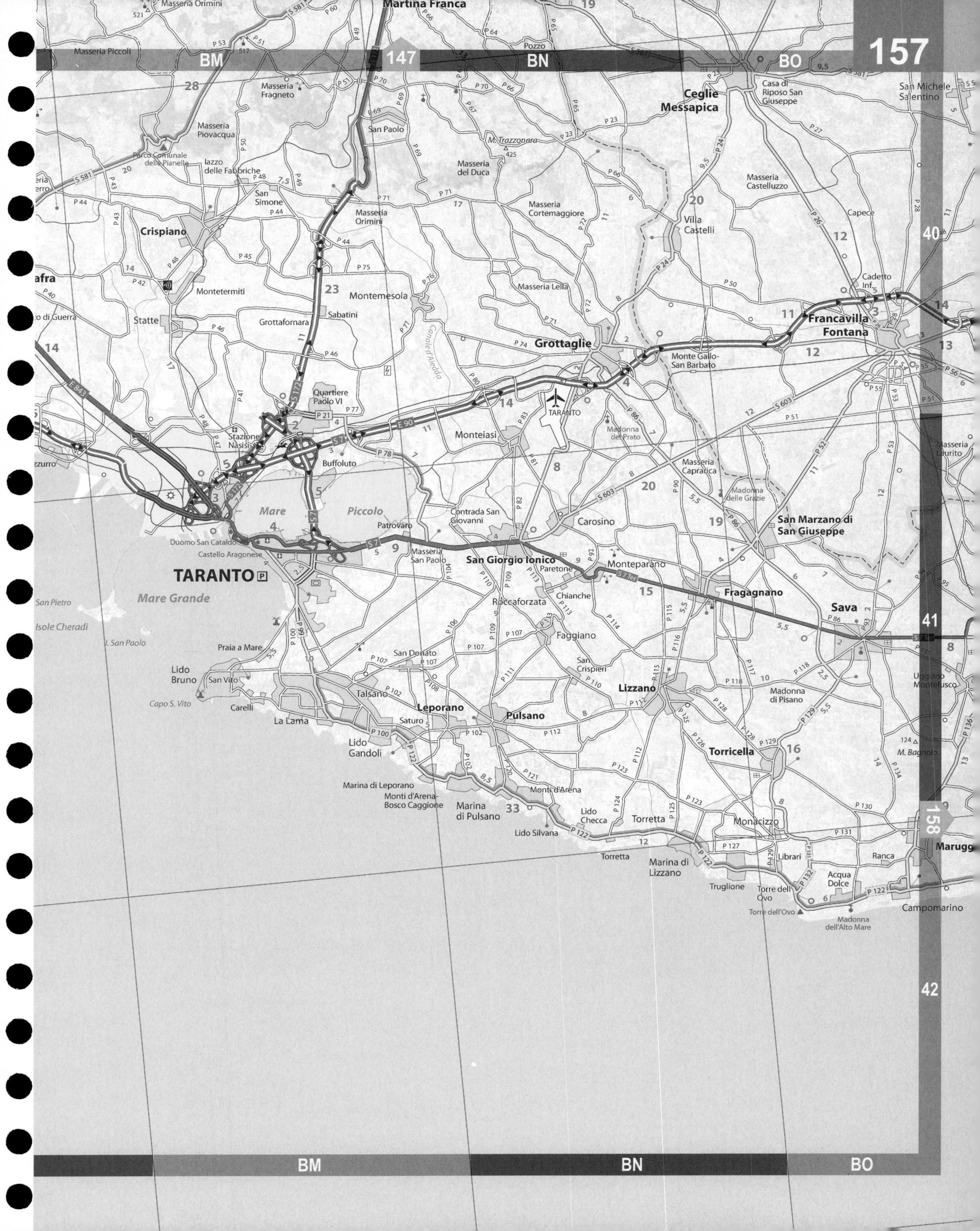

Martina Franca
Ceglie Messapica
Crispiano
Statte
Montemesola
Grottaglie
Francavilla Fontana
Monteiasi
TARANTO
Mare Piccolo
Mare Grande
San Giorgio Ionico
Carosino
San Marzano di San Giuseppe
Monteparano
Fragagnano
Sava
Roccaforzata
Faggiano
Lizzano
Leporano
Pulsano
Torricella
Talsano
Lido Bruno
San Vito
Capo S. Vito
Isole Cheradi
Marina di Pulsano
Marina di Lizzano
Monacizzo
Campomarino
Torre dell'Ovo
BM
BN
BO
147
158

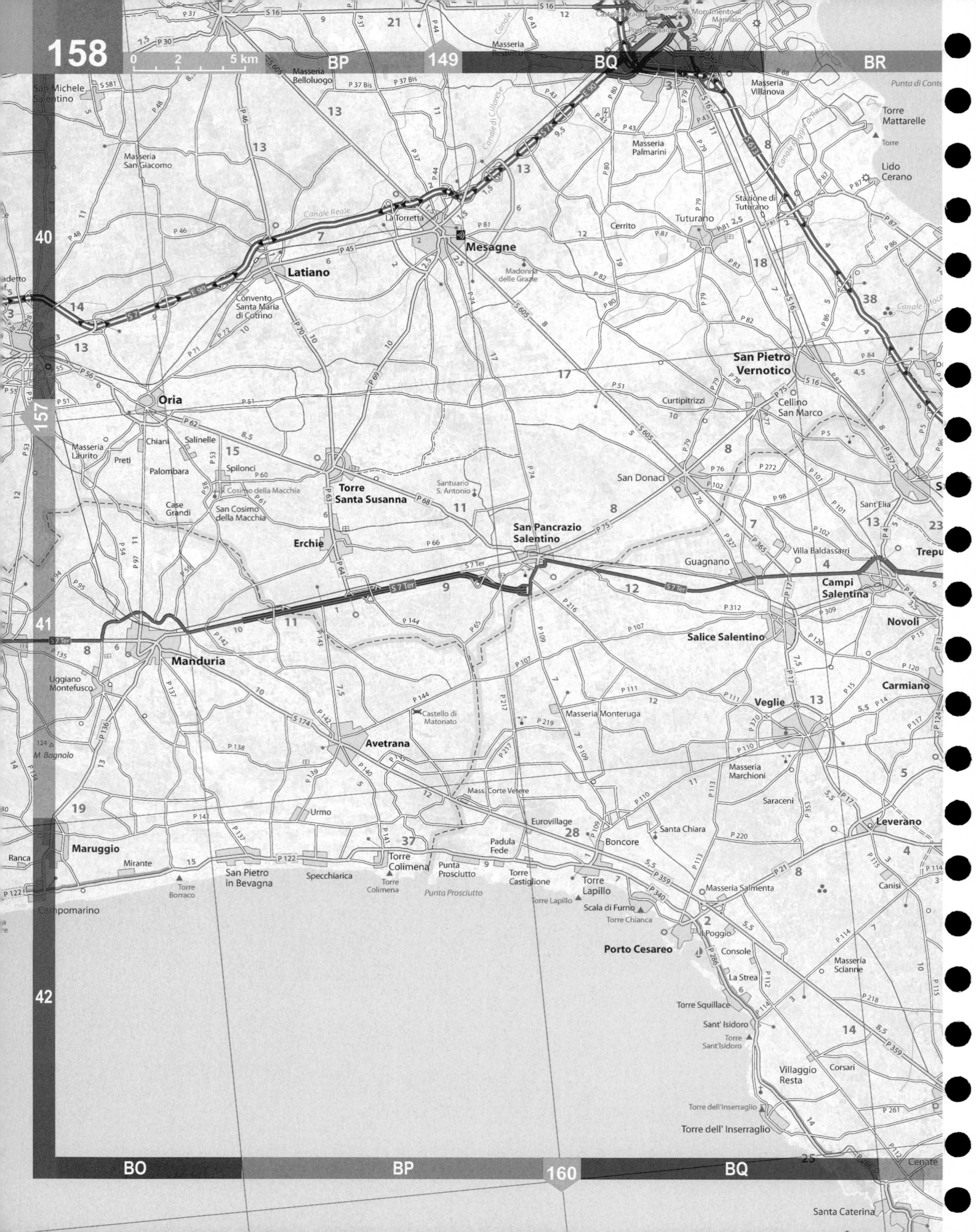

0 2 5 km

San Michele
Salentino

S 581

Masseria
San Giacomo

Masseria
Belloluogo

Masseria
Palmarini

Masseria Villanova

Punta di Conte

Torre
Mattarelle

Lido
Cerano

13

13

Canale di Cillarese

Masseria
Palmarini

Stazione di
Tuturano

Masseria Restinco

Masseria
Bellouogo

Canale Reale

La Torretta

7

Mesagne

Cerrito

Tuturano

18

40

Latiano

Madonna
delle Grazie

14

Convento
Santa Maria
di Cotrino

San Pietro
Vernotico

38

13

17

Curtipitrizzi

Cellino
San Marco

157

Oria

Chiani Salinelle

15

San Donaci

Sant'Elia

13 23

Masseria
Laurito Preti

Palombara

Spilonci

Torre
Santa Susanna

Santuario
S. Antonio

7

Villa Baldassarri

Trepu

Case
Grandi

San Cosimo
della Macchia

Erchie

11

San Pancrazio
Salentino

8

Guagnano

4

Campi
Salentina

9

12 S 7 Ter

Novoli

41

11

Salice Salentino

Manduria

Veglie

13

Carmiano

8

Uggiano
Montefusco

Castello di
Matonato

Masseria Monteruga

5

M. Bagnolo

Avetrana

Masseria
Marchioni

Saraceni

Leverano

19

Urmo

Mass. Corte Vetere

Eurovillage

Santa Chiara

4

Maruggio

Mirante

37

Padula
Fede

28 Boncore

Ranca

San Pietro
in Bevagna

Torre
Colimena

Punta Prosciutto

Torre
Castiglione

Masseria Salmenta

Canisi

Specchiarica

Torre
Colimena

Torre
Lapillo

P 122

Torre
Borraco

Punta Prosciutto

Torre Lapillo

Scala di Furno

Il Poggio

Campomarino

Torre Chianca

2

Masseria
Scianne

Porto Cesareo

Console

La Strea

42

Torre Squillace

Sant' Isidoro

14

Corsari

Torre
Sant'Isidoro

Villaggio
Resta

Torre dell'Inserraglio

Torre dell' Inserraglio

25

Cenate

Santa Caterina

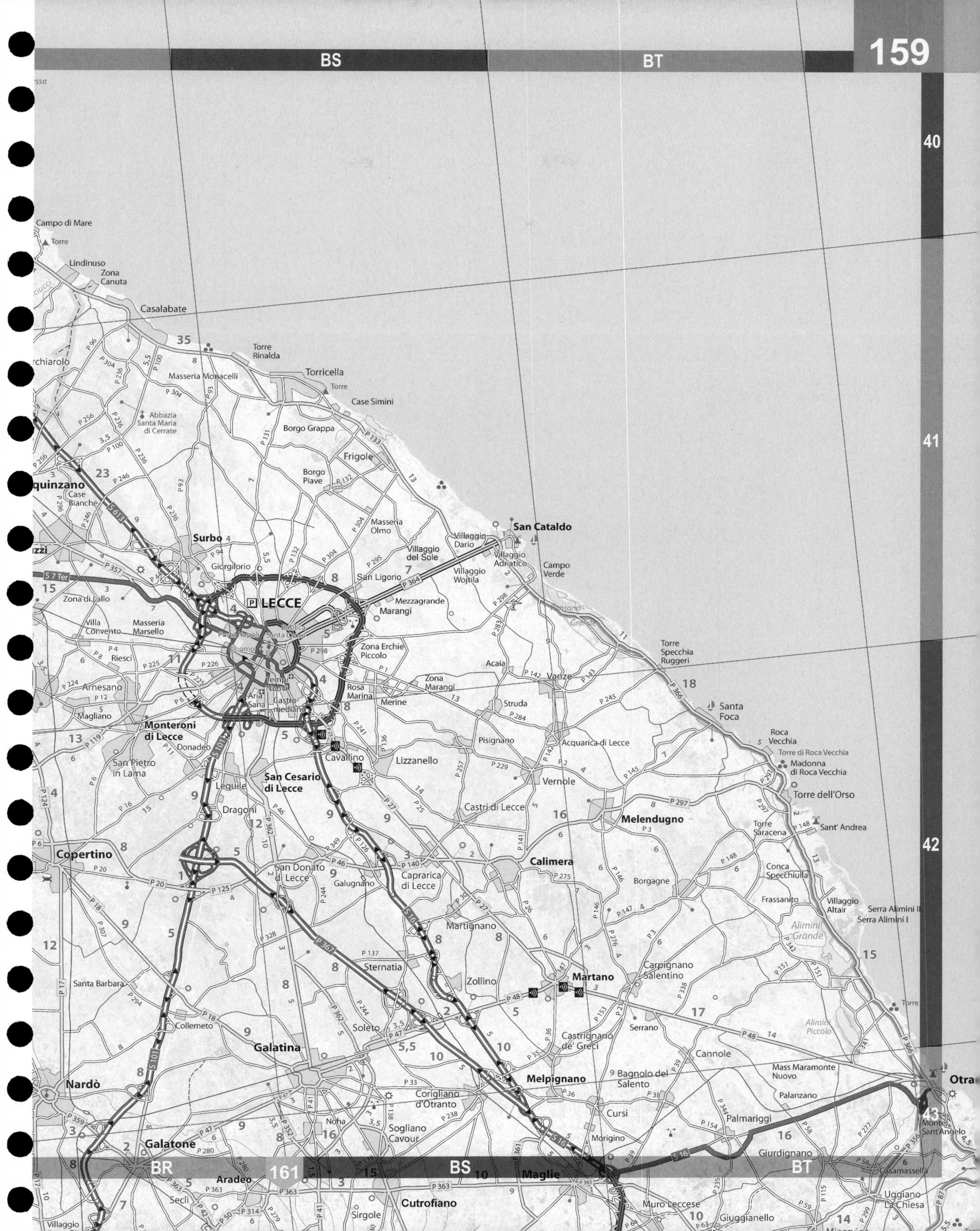

Campo di Mare
▲ Torre
Lindinuso
Zona
Canuta
Casalabate
chiarolo
35
Torre
Rinalda
Torricella
Masseria Monacelli
Torre
Case Simini
quinzano
23
Case
Bianche
Abbazia
Santa Maria
di Cerrate
Borgo Grappa
Frigole
Borgo
Piave
13
Surbo
Masseria
Olmo
Villaggio Dario
San Cataldo
Giorgilorio
Villaggio del Sole
Villaggio
Adriatico
Campo
Verde
zzi
S 7 Ter
7
San Ligorio
7
Villaggio
Wojtila
15
P LECCE
Mezzagrande
Marangi
Zona di Lallo
8
Villa
Convento
Masseria
Marsello
5
Zona Erchie
Piccolo
Torre
Specchia
Ruggeri
18
Arnesano
11
Napoli Santa Giusta
Acaia
Vanze
Santa
Foca
Magliano
Tempi
Nuovi Castro-
mediana
4
Rosa
Marina
Zona
Marangi
Roca
Vecchia
Torre di Roca Vecchia
Monteroni
di Lecce
8
Merine
Struda
Madonna
di Roca Vecchia
13
Donadeo
Cavallino
Pisignano
Acquarica di Lecce
Torre dell'Orso
4
San Pietro
in Lama
5
San Cesario
di Lecce
Lizzanello
Vernole
16
Torre
Saracena
Sant' Andrea
Copertino
9
Lequile
Dragoni
12
14
Castri di Lecce
Melendugno
Calimera
Conca
Specchiulla
5
San Donato
di Lecce
9
Galugnano
Caprarica
di Lecce
Frassanito
Villaggio
Altair
Serra Alimini II
Serra Alimini I
9
Santa Barbara
Martignano
8
8
Carpignano
Salentino
Alimini
Grande
15
12
5
8
Sternatia
Zollino
Martano
17
Alimini
Piccolo
8
8
Serrano
Collemeto
Soleto
2
5
Castrignano
de' Greci
Cannole
Galatina
5,5
10
10
Mass Maramonte
Nuovo
Nardò
8
Melpignano
Bagnolo del
Salento
Palanzano
Otra
Corigliano
d'Otranto
Cursi
Palmariggi
43
Monte
Sant'Angelo
Galatone
Noha
Sogliano
Cavour
16
Giurdignano
Casamassella

Aradeo
15
Secli
Cutrofiano
Sirgole
Morigino
Muro Leccese
Giuggianello
Uggiano
La Chiesa
Villaggio
14

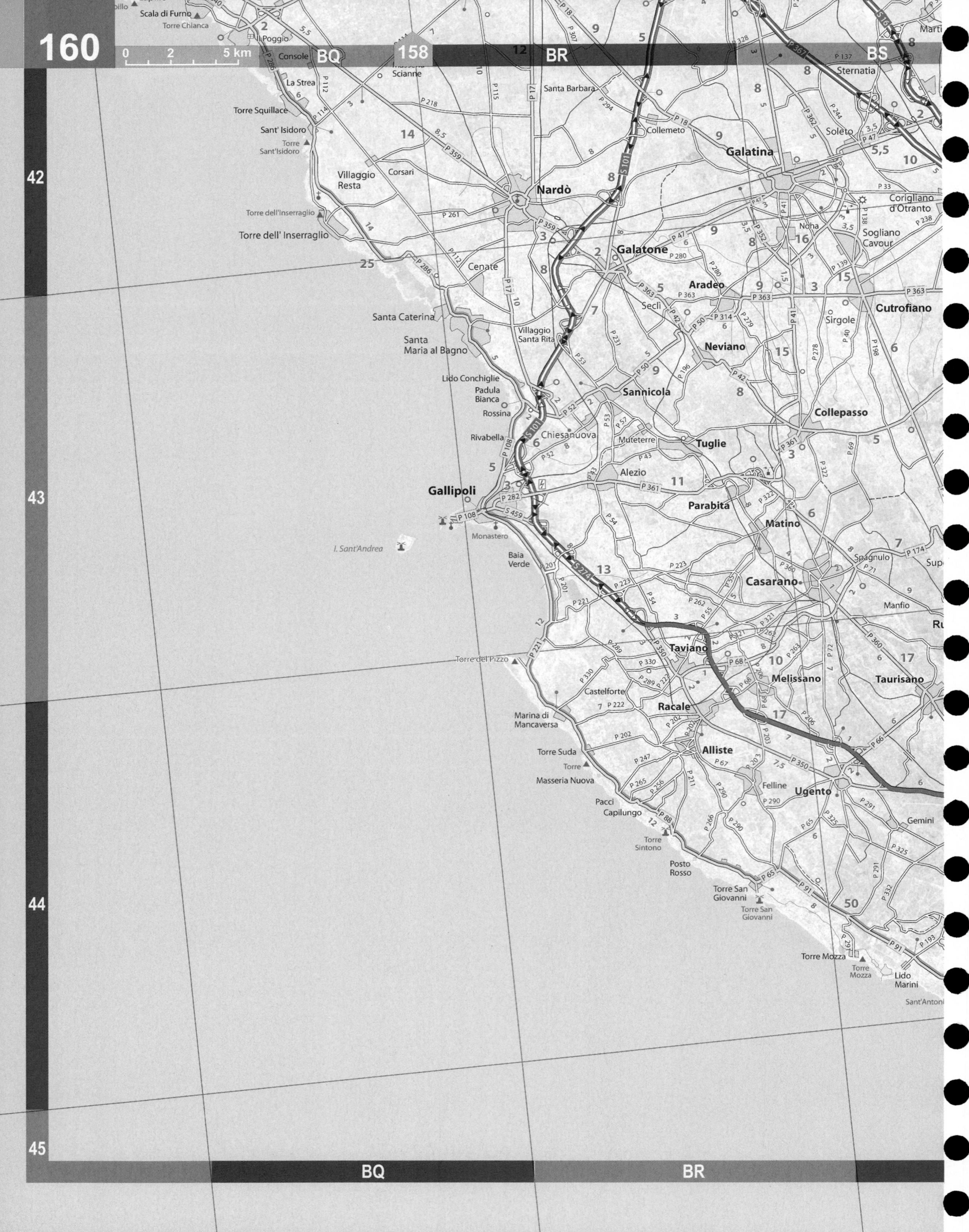

0   2   5 km

42

43

44

45

Lapillo
Scala di Furno
Torre Chlanca
Il Poggio
Console
Scianne
Santa Barbara
Collemeto
Galatina
La Strea
Torre Squillace
Sant' Isidoro
Torre Sant'Isidoro
Corsari
Nardò
Galatone
Noha
Sogliano Cavour
Corigliano d'Otranto
Soleto
Sternatia
Martì
Villaggio Resta
Torre dell'Inserraglio
Torre dell' Inserraglio
Cenate
Aradeo
Secli
Sirgole
Cutrofiano
Santa Caterina
Villaggio Santa Rita
Neviano
Santa Maria al Bagno
Lido Conchiglie
Padula Bianca
Rossina
Sannicola
Collepasso
Rivabella
Chiesanuova
Muteterre
Tuglie
Gallipoli
Alezio
Parabita
Matino
I. Sant'Andrea
Monastero
Spagnulo
Sup
Baia Verde
Casarano
Manfio
Ru
Torre del Pizzo
Taviano
Melissano
Taurisano
Castelforte
Racale
Marina di Mancaversa
Torre Suda
Torre
Masseria Nuova
Alliste
Felline
Ugento
Gemini
Pacci
Capilungo
Torre Sintono
Posto Rosso
Torre San Giovanni
Torre San Giovanni
Torre Mozza
Torre Mozza
Lido Marini
Sant'Anton

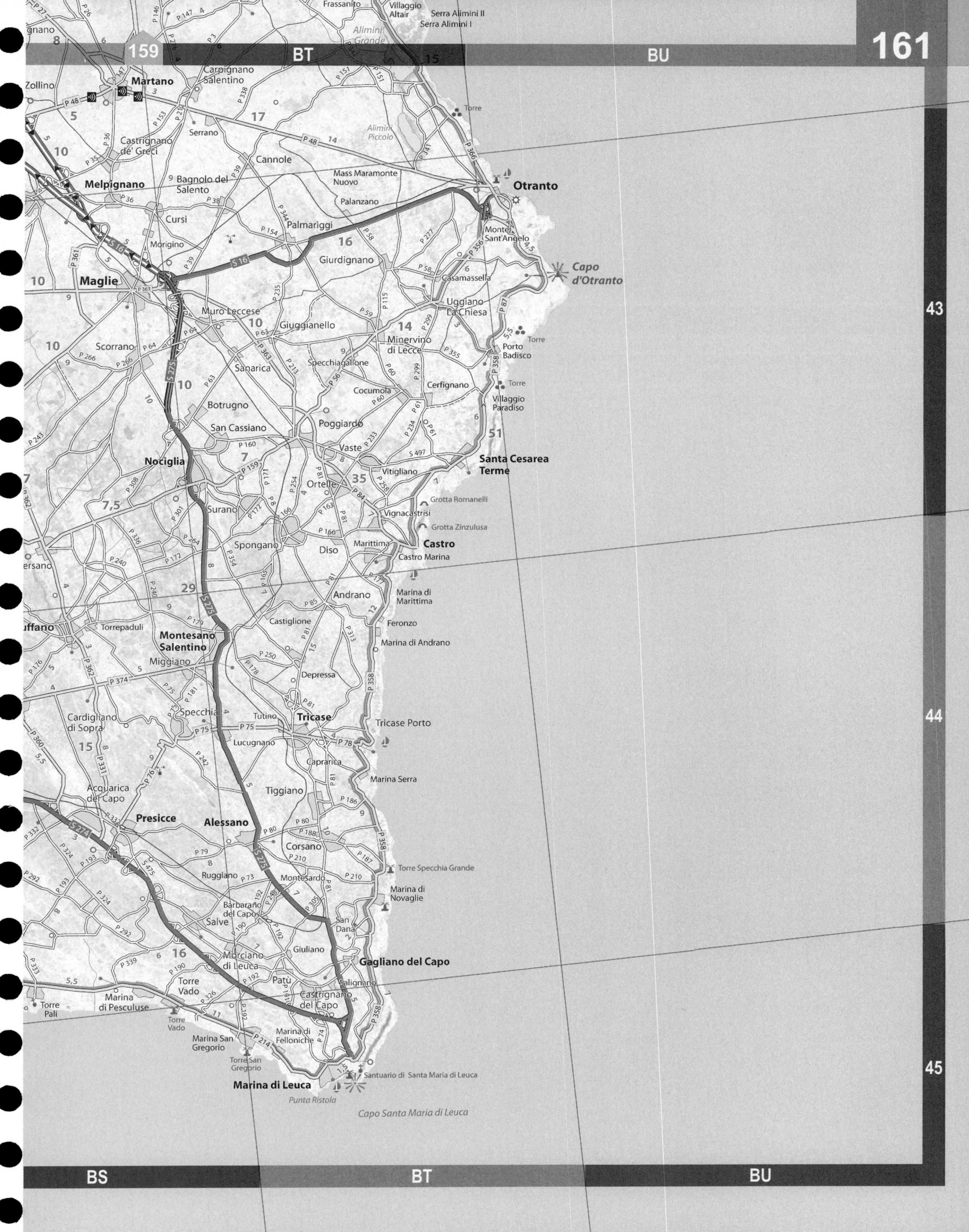
159
BT
BU
43
44
45
BS
BT
BU
Frassanito
Villaggio Altair
Serra Alimini II
Serra Alimini I
Alimini Grande
Alimini Piccolo
Martano
Carpignano Salentino
Zollino
Serrano
Castrignano de' Greci
Cannole
Melpignano
Bagnolo del Salento
Mass Maramonte Nuovo
Palanzano
Otranto
Cursi
Palmariggi
Morigino
Monte Sant'Angelo
Maglie
Giurdignano
Casamassella
Capo d'Otranto
Uggiano La Chiesa
Muro Leccese
Giuggianello
Minervino di Lecce
Scorrano
Porto Badisco
Sanarica
Specchiagallone
Torre
Cocumola
Cerfignano
Botrugno
Villaggio Paradiso
San Cassiano
Poggiardo
Vaste
Nociglia
Santa Cesarea Terme
Vitigliano
Ortelle
Grotta Romanelli
Surano
Vignacastrisi
Grotta Zinzulusa
Spongano
Diso
Marittima
Castro
Castro Marina
Andrano
Marina di Marittima
Torrepaduli
Castiglione
Feronzo
Montesano Salentino
Marina di Andrano
Miggiano
Depressa
Cardigliano di Sopra
Specchia
Tutino
Tricase
Tricase Porto
Lucugnano
Caprarica
Marina Serra
Acquarica del Capo
Tiggiano
Presicce
Alessano
Corsano
Torre Specchia Grande
Ruggiano
Montesardo
Marina di Novaglie
Barbarano del Capo
Salve
San Dana
Giuliano
Morciano di Leuca
Gagliano del Capo
Torre Vado
Patù
Salignano
Marina di Pesculuse
Castrignano del Capo
Torre Pali
Marina San Gregorio
Marina di Felloniche
Torre San Gregorio
Santuario di Santa Maria di Leuca
Marina di Leuca
Punta Ristola
Capo Santa Maria di Leuca
S 16
S 275
S 274
P 358

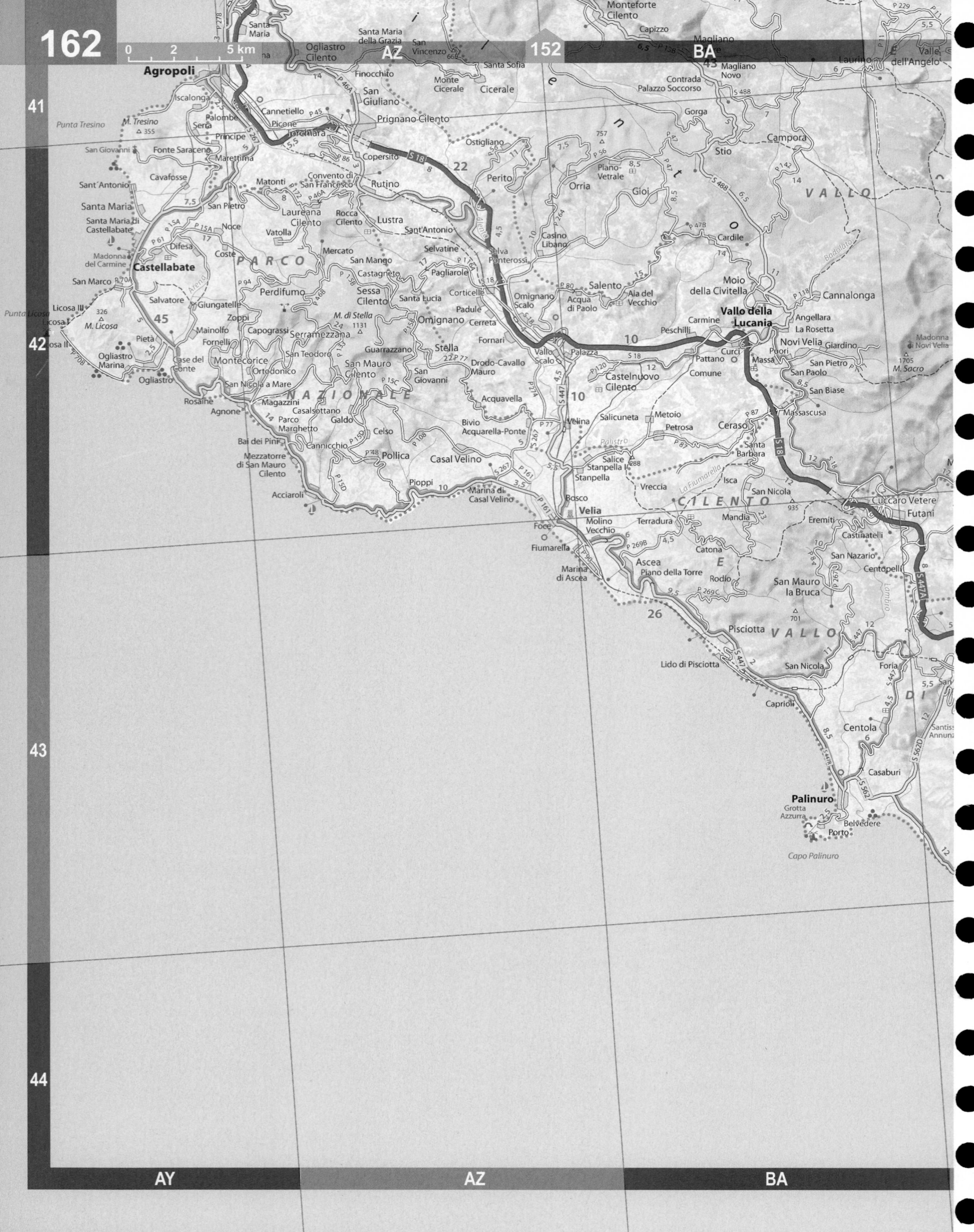

152
AZ
BA
AY
41
42
43
44
0 2 5 km
Agropoli
Streppina
Santa Maria
San Giuseppe
Monteforte Cilento
Capizzo
Ogliastro Cilento
Santa Maria della Grazia
San Vincenzo
Santa Sofia
Magliano Vetere
Magliano Novo
Laurino
Valle dell'Angelo
Finocchito
Monte Cicerale
Cicerale
Contrada Palazzo Soccorso
San Giuliano
Iscalonga
Punta Tresino
M. Tresino
Palombe
Serra
Cannetiello
Picone
Torchiara
Prignano Cilento
Gorga
Campora
Stio
San Giovanni
Fonte Saraceno
Principe
Marettima
Copersito
Ostigliano
Perito
Orria
Piano-Vetrale
Gioi
Cavafosse
Matonti
Convento di San Francesco
Rutino
Sant'Antonio
Santa Maria
San Pietro
Laureana Cilento
Rocca Cilento
Lustra
Santa Maria di Castellabate
Noce
Vatolla
Sant'Antonio
Cardile
Casino Libano
Madonna del Carmine
Difesa
Coste
Mercato
Selvatine
Selva Ponterossi
Castellabate
P A R C O
San Mango
Castagneto
Pagliarole
Salento
San Marco
Perdifumo
Sessa Cilento
Santa Lucia
Corticelle
Omignano Scalo
Acqua di Paolo
Aia del Vecchio
Moio della Civitella
Cannalonga
Salvatore
Giungatelle
Padule
Vallo della Lucania
Carmine
Punta Licosa
Licosa
M. Licosa
Zoppi
M. di Stella
Omignano
Cerreta
Peschilli
Angellara
La Rosetta
Mainolfo
Capograssi
Serramezzana
Fornari
Novi Velia
Giardino
Madonna di Novi Velia
Pietà
Fornelli
San Teodoro
Guarrazzano
Stella
Vallo Scalo
Palazza
Pattano
Curci
Massa
Puoti
San Pietro
San Paolo
M. Sacro
Ogliastro Marina
Case del Conte
Montecorice
Ortodonico
San Mauro Cilento
Drodo-Cavallo
Mauro
Castelnuovo Cilento
Comune
San Biase
Ogliastro
San Nicola a Mare
San Giovanni
Rosaine
N A Z I O N A L E
Acquavella
Massascusa
Agnone
Magazzini
Casalsottano
Parco Marghetto
Galdo
Velina
Salicuneta
Metoio
Ceraso
Petrosa
Bai dei Pini
Cannicchio
Celso
Bivio Acquarella-Ponte
Palistro
Santa Barbara
Mezzatorre di San Mauro Cilento
Pollica
Casal Velino
Salice
Stanpella I
Stanpella
Acciaroli
Pioppi
Marina di Casal Velino
Vreccia
La Fiumarella
Isca
San Nicola
Cuccaro Vetere
Futani
Bosco
Velia
C I L E N T O
Molino Vecchio
Terradura
Mandia
Eremiti
Castinatelli
Foce
Fiumarella
Catona
San Nazario
Centopelli
Marina di Ascea
Ascea
Piano della Torre
Rodio
San Mauro la Bruca
Lambro
Pisciotta
V A L L O
Lido di Pisciotta
San Nicola
Foria
Caprioli
D I
Centola
Casaburi
Palinuro
Grotta Azzurra
Porto
Belvedere
Capo Palinuro

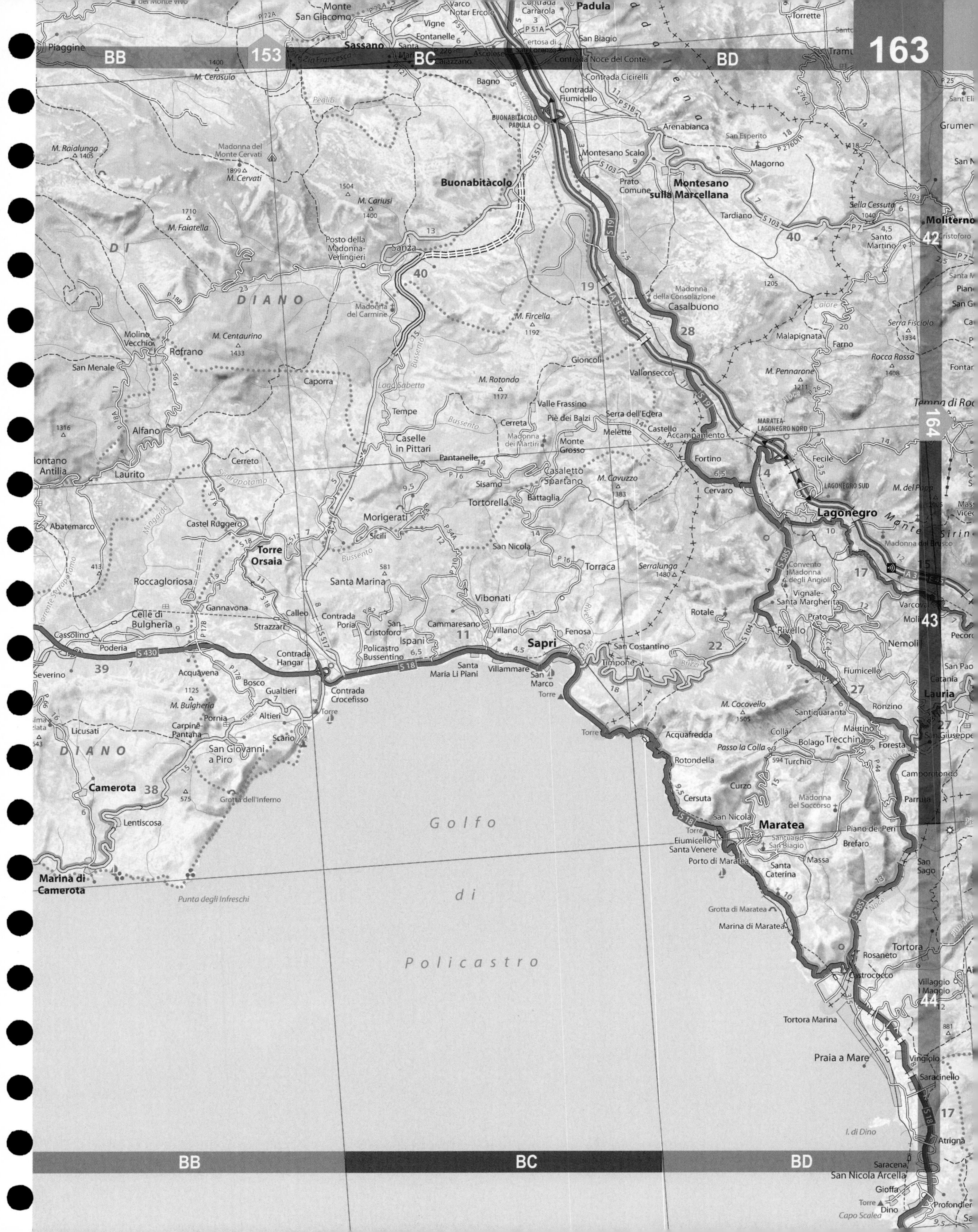

BB
BC
BD
153
164
Padula
Sassano
Buonabitàcolo
Montesano sulla Marcellana
Moliterno
Sanza
Casalbuono
Rofrano
Alfano
Laurito
Caselle in Pittari
Morigerati
Torre Orsaia
Roccagloriosa
Celle di Bulgheria
Santa Marina
Vibonati
Sapri
Tortorella
Casaletto Spartano
Lagonegro
Rivello
Nemoli
Lauria
Trecchina
Maratea
Camerota
Marina di Camerota
San Giovanni a Piro
Golfo
di
Policastro
Praia a Mare
Tortora
Tortora Marina
Castrocucco
Acquafredda
Punta degli Infreschi
Capo Scalea

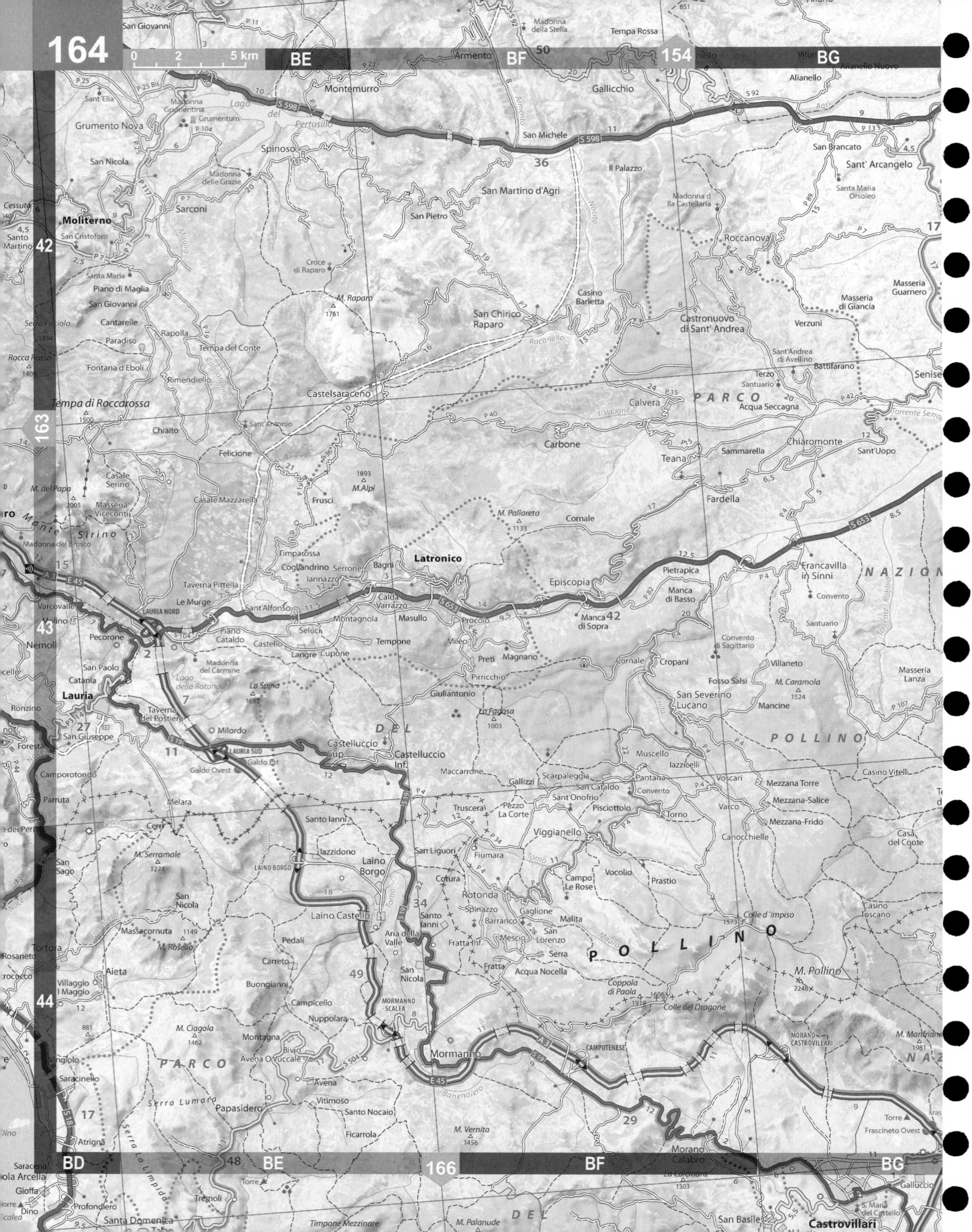

0 2 5 km
BE
BF
BG
154
50
Armento
Madonna della Stella
Tempa Rossa
Alianello
Alianello Nuovo
Montemurro
Gallicchio
S 598
S 92
Agri
San Giovanni
Sant'Elia
Madonna Grumentina
Grumentum
Lago del Pertusillo
Grumento Nova
Spinoso
San Michele
San Brancato
Sant' Arcangelo
Santa Maria Orsoleo
San Nicola
Madonna delle Grazie
Il Palazzo
36
San Martino d'Agri
Sarconi
Moliterno
San Pietro
Madonna della Castellaria
Cessuta
Santo Martino
San Cristoforo
Roccanova
42
Santa Maria
Piano di Maglia
San Giovanni
Croce di Raparo
M. Raparo
1761
Casino Barletta
Masseria Guarnero
Masseria di Giancia
Serra Fisciolo
Cantarelle
Paradiso
Rocca Rossa
Fontana d'Eboli
Rapolla
Tempa del Conte
San Chirico Raparo
Castronuovo di Sant' Andrea
Verzuni
Racanello
Sant'Andrea di Avellino
Battifarano
Rimendiello
Castelsaraceno
Terzo Santuario
Senise
Tempa di Roccarossa
1500
163
PARCO
Calvera
Acqua Seccagna
Il Vallone
Torrente Serrapotamo
Sant'Antonio
Chiaito
Felicione
Carbone
Teana
Sammarella
Chiaromonte
Sant'Uopo
M. del Papa
2005
Casale Serino
M.Alpi
1893
Fardella
Masseria Viceconti
Casale Mazzarella
Frusci
M. Pallareta
1133
Cornale
Monte Sirino
Madonna del Brusco
S 653
Timparossa
Coglandrino
Serrone
Bagni
Latronico
Pietrapica
Francavilla in Sinni
NAZIONALE
Iannazzo
Taverna Pittella
Episcopia
Manca di Basso
Convento
Le Murge
Sant'Alfonso
Calda
Varrazzo
Varcovalle
Molino
LAURIA NORD
Montagnola
Masulo
Procoio
Manca di Sopra
Santuario
43
Nemoli
Pecorone
Piano Cataldo
Seluci
Tempone
Mileo
Convento di Sagittario
Castello
Langre
Cupone
Preti
Magnano
Cornale
Cropani
Villaneto
Masseria Lanza
San Paolo
Madonna del Carmine
Catania
Lauria
Lago della Rotonda
La Spina
1652
Pirricchio
Fosso Salsi
M. Caramola
1524
Giuliantonio
San Severino Lucano
Mancine
Ronzino
Taverna del Postiere
La Falcosa
1003
27
San Giuseppe
Milordo
DEL
POLLINO
Foresta
LAURIA SUD
Galdo Est
Galdo Ovest
Castelluccio Sup.
Castelluccio Inf.
Muscello
Iazzicelli
Casino Vitelli
Camporotondo
Maccarrone
Gallizzi
Scarpaleggia
Pantana
Voscari
Mezzana Torre
San Cataldo
Convento
Parruta
Melara
Sant'Onofrio
Mezzana-Salice
Truscera
Pezzo La Corte
Pisciottolo
Torno
Varco
Santo Ianni
Mezzana-Frido
Cerri
Viggianello
Canocchielle
Casa del Conte
M. Serramale
1274
Iazzidono
San Liguori
Fiumara
LAINO BORGO
Laino Borgo
San Sago
Cotura
Vocolio
Prastio
Campo Le Rose
Rotonda
San Nicola
Laino Castello
Santo Ianni
Spinazzo
Gaglione
Barranco
Malita
Colle d'Impiso
1573
Casino Toscano
Massacornuta
1149
Aria della Valle
Fratta Inf.
Mescio
San Lorenzo
M. Rosello
Serra
Tortora
Pedali
Rosaneto
Carreto
Fratta
Acqua Nocella
M. Pollino
2248
Aieta
San Nicola
49
Coppola di Paola
1919
Colle del Dragone
Villaggio I Maggio
Buongianni
44
Campicello
MORMANNO - SCALEA
Nuppolara
M. Ciagola
1462
MORANO - CASTROVILLARI
M. Manfriana
1981
Montagna
CAMPOTENESE
Vingiolo
Bivio
Avena O Vuccale
Mormanno
Saracinello
PARCO
Avena
Serra Lumara
Papasidero
Banendiero
Vitimoso
Santo Nocaio
29
17
Atrigna
Ficarrola
M. Vernita
1456
Torre
Frascineto Ovest
Morano Calabro
BD
48
BE
166
BF
BG
Saracena
Isola Arcella
Gioffa
Dino
La Calonara
1303
Galluccio
Torre
Tremoli
Profondiero
Santa Domenica
S. Maria del Castello
Timpone Mezzinare
M. Palanude
DEL
San Basile
Castrovillari

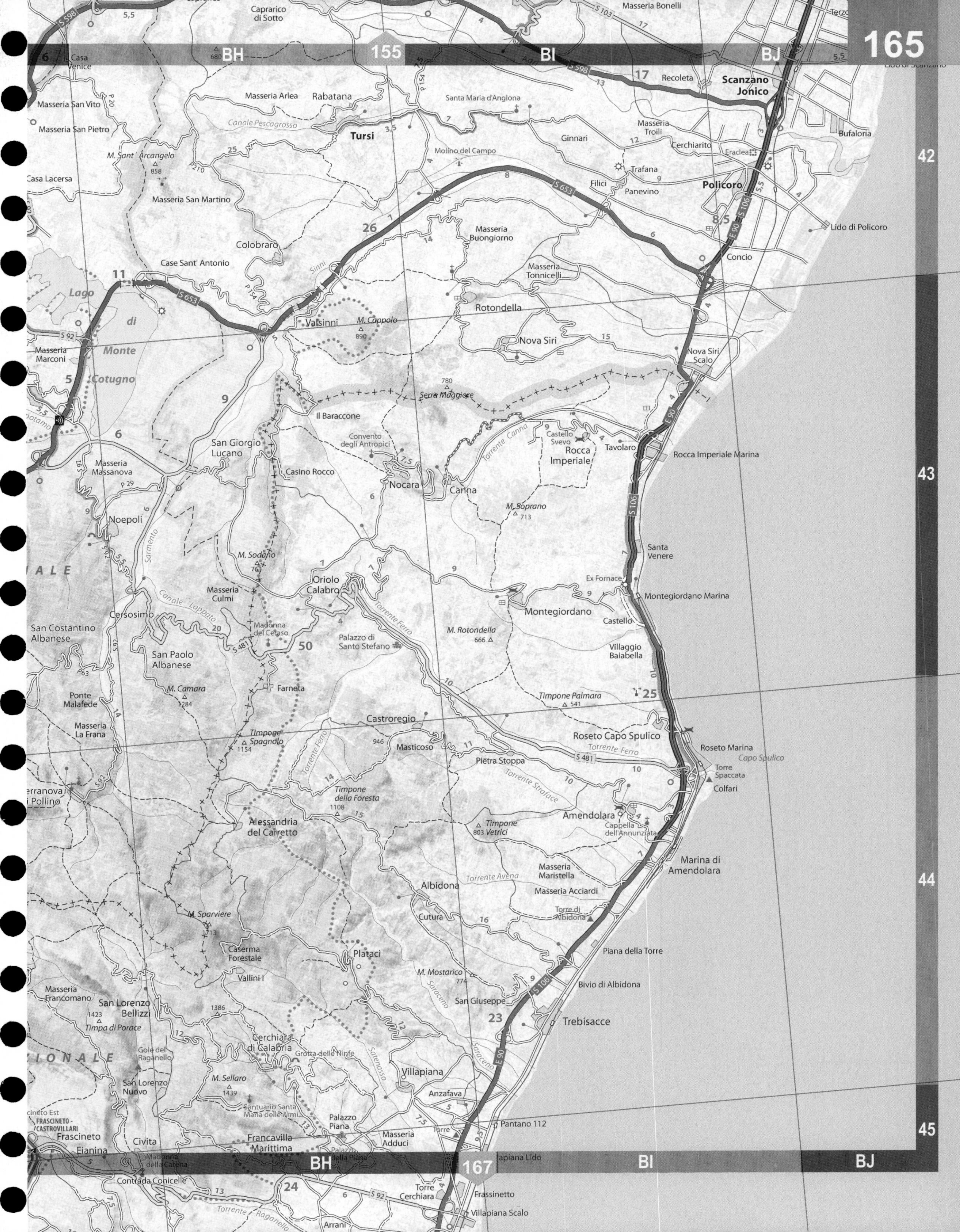

155
BH
BI
BJ
Capraric di Sotto
Masseria Bonelli
Casa Venice
Scanzano Jonico
Recoleta
Masseria Arlea
Rabatana
Santa Maria d'Anglona
Masseria San Vito
Masseria San Pietro
Canale Pescagrosso
Tursi
Masseria Troili
Bufaloria
Ginnari
Cerchiarito
Eraclea
M. Sant' Arcangelo
858
Molino del Campo
Trafana
Casa Lacersa
Filici
Panevino
Policoro
Masseria San Martino
S 653
Masseria Buongiorno
Lido di Policoro
Colobraro
Concio
Case Sant' Antonio
Masseria Tonnicelli
Lago
di
Monte
Cotugno
Sinni
Rotondella
Valsinni
M. Cappolo
890
Nova Siri
Masseria Marconi
Nova Siri Scalo
780
Serra Maggiore
Il Baraccone
Castello Svevo
Rocca Imperiale
Tavolaro
Convento degli Antropici
Torrente Canna
Rocca Imperiale Marina
San Giorgio Lucano
Masseria Massanova
Casino Rocco
Nocara
Canna
Noepoli
M. Soprano
713
Santa Venere
M. Sodano
763
Oriolo Calabro
Ex Fornace
Montegiordano Marina
Masseria Culmi
Montegiordano
Cersosimo
Canale Lappato
Torrente Ferro
Castello
San Costantino Albanese
Madonna del Cefaso
Palazzo di Santo Stefano
M. Rotondella
666
Villaggio Baiabella
San Paolo Albanese
Farneta
Ponte Malafede
M. Camara
1284
Timpone Palmara
541
Castroregio
Masseria La Frana
Timpone Spagnolo
1154
946
Masticoso
Roseto Capo Spulico
Roseto Marina
Torrente Ferro
Capo Spulico
Pietra Stoppa
Torre Spaccata
Colfari
Terranova di Pollino
Torrente Straface
Timpone della Foresta
1108
Amendolara
Alessandria del Carretto
Timpone Vetrici
803
Cappella dell'Annunziata
Marina di Amendolara
Masseria Maristella
Torrente Avena
Albidona
Masseria Acciardi
Cutura
Torre di Albidona
M. Sparviere
1713
Caserma Forestale
Plataci
Piana della Torre
Vallini I
M. Mostarico
774
Bivio di Albidona
Masseria Francomano
San Lorenzo Bellizzi
1423
Timpa di Porace
1386
San Giuseppe
Trebisacce
Saraceno
Gole del Raganello
Cerchiara di Calabria
Grotta delle Ninfe
Villapiana
San Lorenzo Nuovo
M. Sellaro
1439
Santuario Santa Maria delle Armi
Anzafava
Palazzo Piana
Pantano 112
Frascineto Est
FRASCINETO - CASTROVILLARI
Frascineto
Civita
Francavilla Marittima
Masseria Adducci
Torre
Eianina
Madonna della Catena
Palazzo della Piana
Villapiana Lido
167
Contrada Conicelle
Torre Cerchiara
Frassinetto
Villapiana Scalo
Torrente Raganello
Arrani
42
43
44
45

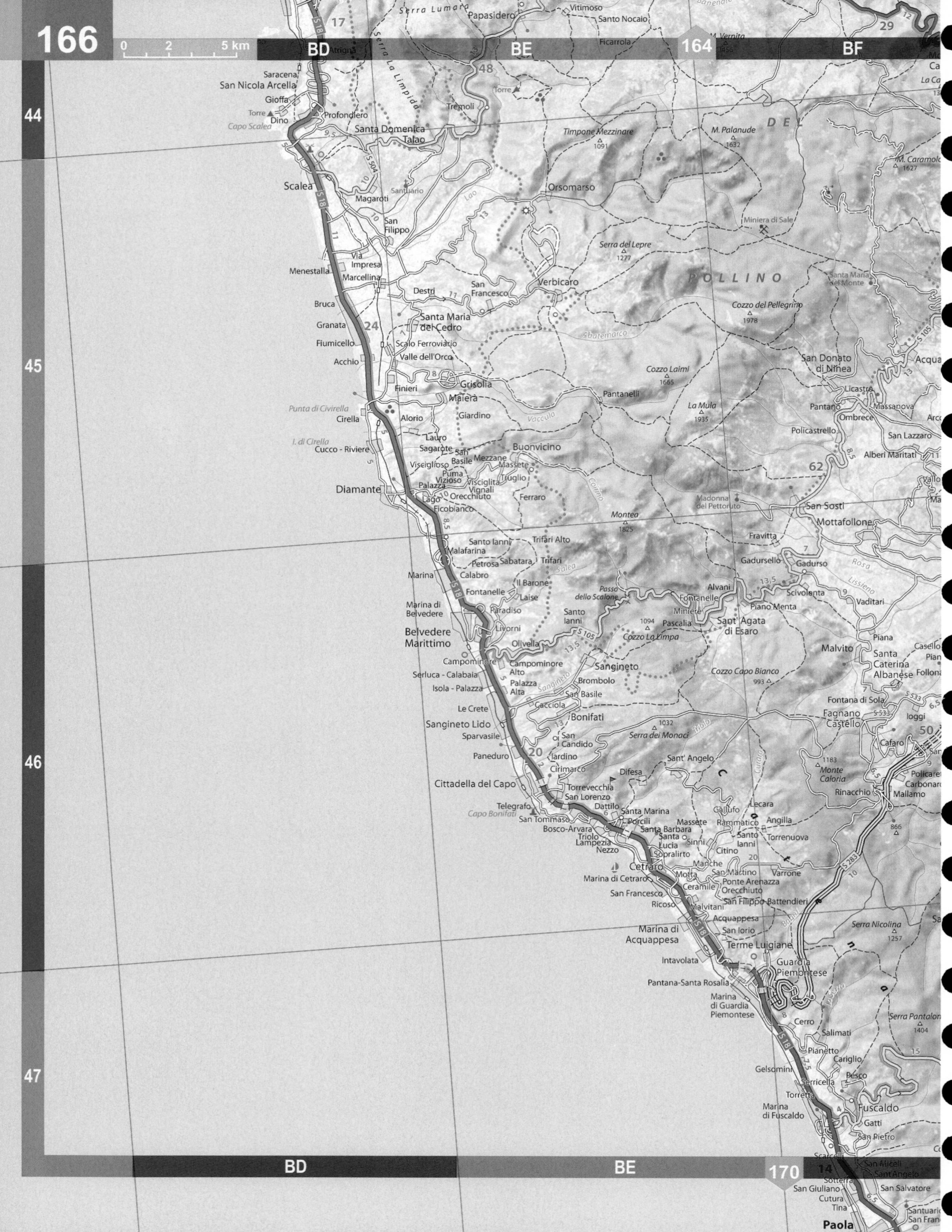
0 2 5 km
BD
BE
164
BF
44
45
46
47
170
Serra Lumara
Papasidero
Vitimoso
Santo Nocaio
Ficarrola
Atrigna
Serra La Limpida
Saracena
San Nicola Arcella
Gioffa
Torre
Dino
Capo Scalea
Profondiero
Tremoli
Santa Domenica Talao
Timpone Mezzinare
1091
M. Palanude
1632
DEL
M. Caramolo
1627
Scalea
Magaroti
Santuario
Orsomarso
San Filippo
Miniera di Sale
Serra del Lepre
1277
Menestalla
Via Impresa
Marcellina
POLLINO
Santa Maria del Monte
Destri
San Francesco
Verbicaro
Bruca
Granata
Santa Maria del Cedro
Cozzo del Pellegrino
1978
Fiumicello
Scalo Ferroviario
Acchio
Valle dell'Orco
Abatemarco
San Donato di Ninea
Acqua
Cozzo Laimi
1665
Finieri
Grisolia
Pantanelli
Licastro
Maiera
Punta di Cirivella
Cirella
Alorio
Giardino
Vaccuta
La Mula
1935
Pantano
Massanova
Ombrece
Policastrello
San Lazzaro
I. di Cirella
Cucco - Riviere
Lauro
Sagarote
San Basile
Mezzane
Buonvicino
Alberi Maritati
Visciglioso
Massete
Puma
Vizioso
Truglio
Diamante
Palazza
Visciglita
Vignali
Lago
Orecchiuto
Ferraro
Madonna del Pettoruto
San Sosti
Ficobianco
Mottafollone
Montea
1825
Santo Ianni
Trifari Alto
Fravitta
Malafarina
Petrosa
Sabatara
Trifari
Gadursello
Gadurso
Marina
Calabro
Il Barone
Alvani
Scivolenta
Vaditari
Fontanelle
Laise
Passo dello Scalone
Fontanelle
Piano Menta
Marina di Belvedere
Paradiso
Santo Ianni
Miniere
1094
Pascalia
Sant' Agata di Esaro
Belvedere Marittimo
Livorni
Cozzo La Limpa
Piana
Olivella
Malvito
Casello
Campominore
Campominore Alto
Sangineto
Santa Caterina Albanese
Serluca - Calabaia
Brombolo
Cozzo Capo Bianco
993
Follona
Isola - Palazza
Palazza Alta
San Basile
Fontana di Sola
Cacciola
Le Crete
Bonifati
Fagnano Castello
Ioggi
Sangineto Lido
1032
Sparvasile
San Candido
Serra dei Monaci
Cafaro
Paneduro
Iardino
Sant' Angelo
1183
Monte Caloria
Cirimarco
Policaretto
Carbonara
Difesa
Cittadella del Capo
Torrevecchia
San Lorenzo
Rinacchio
Mallamo
Telegrafo
Lecara
Capo Bonifati
Dattilo
Gallufo
San Tommaso
Santa Marina
Angilla
Porcili
Massete
Rammatico
Bosco-Arvara
Santa Barbara
866
Santo Ianni
Torrenuova
Triolo
Santa Lucia
Sinni
Lampezia
Nezzo
Sopralirto
Citino
Cetraro
Manche
San Martino
Varrone
Marina di Cetraro
Motta
Ponte Arenazza
Ceramile
Orecchiuto
San Francesco
San Filippo Battendieri
Ricoso
Malvitani
Acquappesa
Serra Nicolina
1257
Marina di Acquappesa
San Iorio
Terme Luigiane
Intavolata
Guardia Piemontese
Pantana-Santa Rosalia
Marina di Guardia Piemontese
Cerro
Serra Pantalone
1404
Salimati
Pianetto
Cariglio
Gelsomini
Pesco
Serricella
Torretta
Marina di Fuscaldo
Fuscaldo
Gatti
San Pietro
Scarcelli
San Miceli
Sant'Angelo
Sotterra
San Giuliano
San Salvatore
Cutura
Tina
Paola
Fanale
Santuario San Francesco

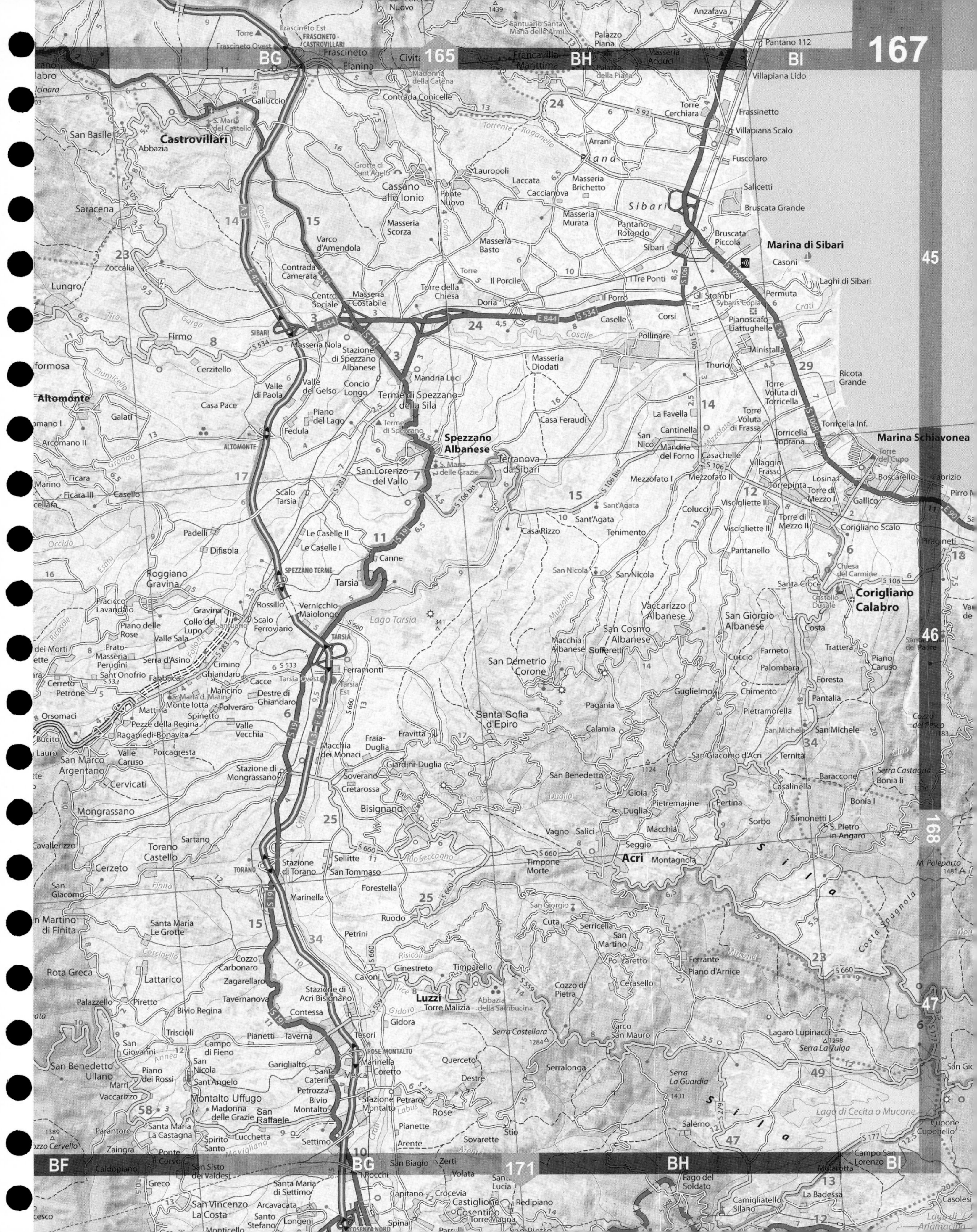

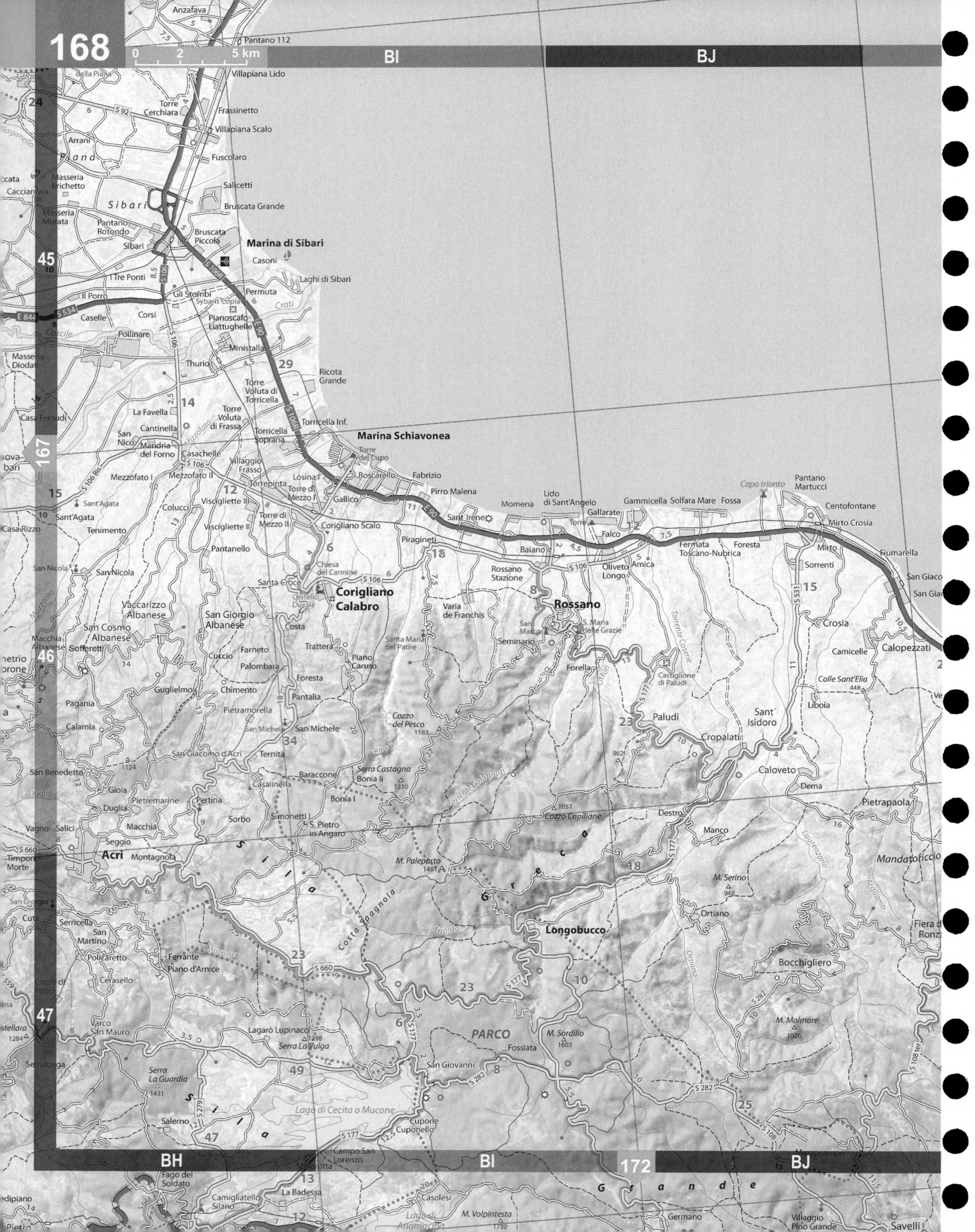
0 2 5 km
BI
BJ
BH
BI
172
BJ
167
24
45
46
47
Anzafava
Pantano 112
Villapiana Lido
Torre Cerchiara
Frassinetto
Villapiana Scalo
Arrani
Piana
Fuscolaro
Masseria Brichetto
Salicetti
Caccianova
Sibari
Bruscata Grande
Masseria Murata
Pantano Rotondo
Bruscata Piccola
Marina di Sibari
Casoni
I Tre Ponti
Laghi di Sibari
Il Porro
Gli Stombi
Permuta
Sybaris Copia
Crati
Caselle
Corsi
Pianoscafo-Liattughelle
Coscile
Pollinare
Ministalla
Masseria Diodati
Thurio
Ricota Grande
Torre Voluta di Torricella
La Favella
Torre Voluta di Frassa
Torricella Inf.
Casa Feraudi
Cantinella
San Nico
Mandria del Forno
Torricella Soprana
Marina Schiavonea
Torre del Cupo
Casachelle
Villaggio Frasso
Mezzofato I
Mezzofato II
Losina I
Boscarello
Fabrizio
Torrepinta
Torre di Mezzo I
Pirro Malena
Sant'Agata
Colucci
Viscigliette III
Gallico
Torre di Mezzo II
Viscigliette II
Corigliano Scalo
Casa Rizzo
Tenimento
Pantanello
Chiesa del Carmine
San Nicola
Santa Croce
Castello Ducale
Corigliano Calabro
Vaccarizzo Albanese
San Giorgio Albanese
San Cosmo Albanese
Costa
Macchia Albanese
Sofferetti
Trattera
Farneto
Piano Caruso
Cuccio
Palombara
Foresta
Guglielmo
Chimento
Pantalia
Pagania
Pietramorella
Calamia
San Michele
San Giacomo d'Acri
Ternità
San Benedetto
Baraccone
Casalinella
Gioia
Duglia
Pietremarine
Pertina
Sorbo
Bonia I
Simonetti I
S. Pietro in Angaro
Vagno
Salici
Macchia
Seggio
Timpone Morte
Acri
Montagnola
San Giorgio
Cuta
Serricella
San Martino
Policaretto
Ferrante
Piano d'Arnice
Mucone
Cerasello
Cozzo di Pietra
Varco San Mauro
Lagarò Lupinaccio
1298
Serra La Vulga
Serralonga
Serra La Guardia
1431
Sila
Salerno
Lago di Cecita o Mucone
Cupone
Cuponello
Campo San Lorenzo
Fago del Soldato
Camigliatello Silano
La Badessa
Casolesi
Lago di Ariamacina
M. Volpintesta
1730
Germano
Villaggio Pino Grande
Savelli
Mezzocampo
Grande
Santa Maria del Patire
Cozzo del Pesco
1183
Serra Castagna
Bonia II
1310
Torrente Colognati
Cino
Costa Spagnola
Trionto
M. Palepartto
1481
Greca
Varia de Franchis
Piragineti
Sant'Irene
Momena
Lido di Sant'Angelo
Gallarate
Torre
Falco
Baiano
Rossano Stazione
Rossano
San Marco
Seminario
S. Maria delle Grazie
Forella
Oliveto Longo
Amica
Gammicella
Solfara Mare
Fossa
Capo trionto
Pantano Martucci
Centofontane
Mirto Crosia
Fermata Toscano-Nubrica
Foresta
Mirto
Fiumarella
Sorrenti
San Giacomo
Crosia
Calopezzati
Camicelle
Torrente Coserie
Castiglione di Paludi
Colle Sant'Elia
448
Liboia
Paludi
Sant' Isidoro
Cropalati
962
Caloveto
Dema
1057
Cozzo Capillane
Destro
Pietrapaola
Manco
Laurenzano
Mandatoriccio
M. Serino
948
Ortiano
Longobucco
Fiera di Ronza
Bocchigliero
M. Malmare
1026
M. Sordillo
1603
PARCO
Fossiata
San Giovanni
S 92
S 106
S 106R
S 106 Bis
S 534
E 844
E 90
S 531
S 177
S 660
S 282
S 279
S 108
S 108 ter
S 559
S 648

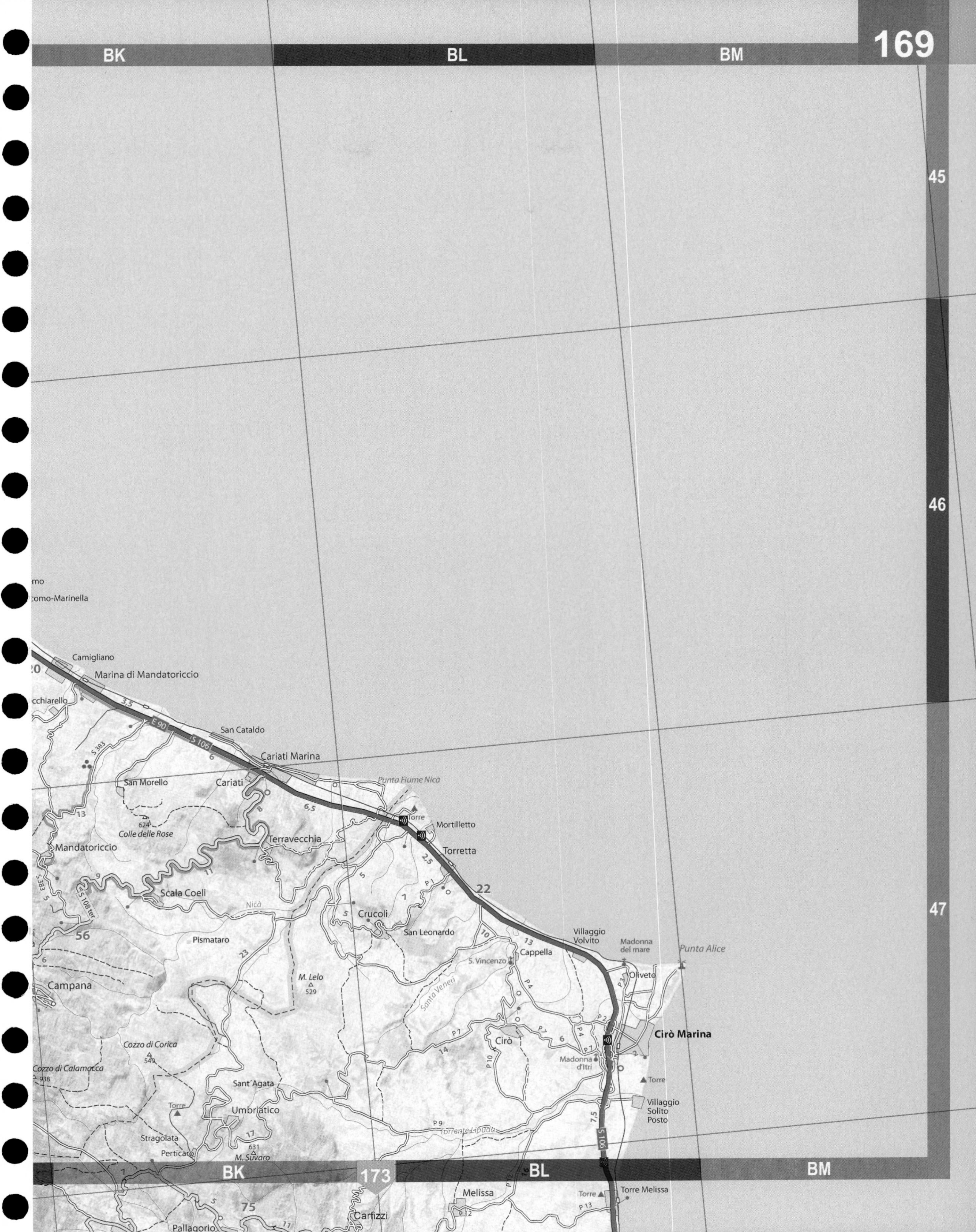

45

46

47

...mo
...como-Marinella

Camigliano
Marina di Mandatoriccio
...cchiarello
20

3,5
E 90
S 106
6
San Cataldo
Cariati Marina
S 383
San Morello
Cariati
13
624
Colle delle Rose
Terravecchia
Mandatoriccio
8
6,5
Punta Fiume Nicà
Torre
Mortilletto
Torretta
2,5
S 383
11
9
Scala Coeli
Nicà
5
5
P 1
7
22
S 108 ter
5
Crucoli
San Leonardo
10
Villaggio
Volvito
Madonna
del mare
Punta Alice
56
Pismataro
23
13
Cappella
S. Vincenzo
Oliveto
M. Lelo
529
P 4
P 3
Campana
Santa Veneri
Cirò Marina
P 7
P 7
P 9
Cirò
6
P 4
Cozzo di Corica
549
14
P 10
Madonna
d'Itri
P 2
2
Cozzo di Calamacca
938
Torre
Sant'Agata
Villaggio
Solito
Posto
Torre
Umbriàtico
7,5
S 106
17
P 9
Torrente Lipuda
Stragolata
631
Perticaro
M. Suvaro
7

Melissa
Torre
Torre Melissa
P 13
75
Carfizzi
Pallagorio

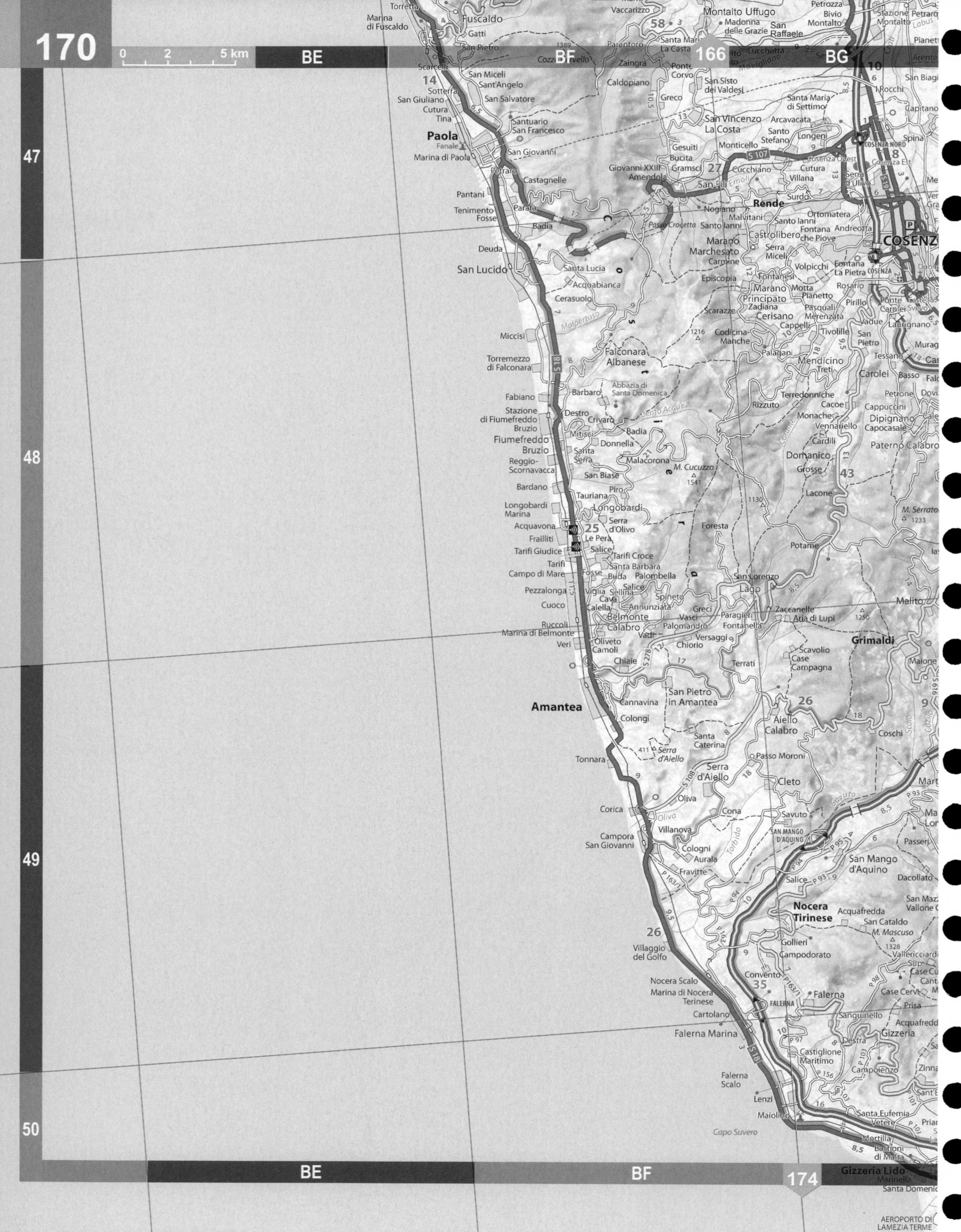

0 2 5 km
BE
BF
166
BG
47
48
49
50
174
Paola
Fuscaldo
Rende
COSENZA
San Lucido
Falconara Albanese
Fiumefreddo Bruzio
Longobardi
Belmonte Calabro
Amantea
San Pietro in Amantea
Aiello Calabro
Grimaldi
Serra d'Aiello
Cleto
Nocera Tirinese
San Mango d'Aquino
Falerna
Falerna Marina
Gizzeria
Gizzeria Lido
AEROPORTO DI LAMEZIA TERME
Capo Suvero
M. Cucuzzo 1541
Mendicino
Carolei
Dipignano
Domanico
Lago
Marano Marchesato
Marano Principato
Cerisano
Castrolibero
San Fili
Montalto Uffugo

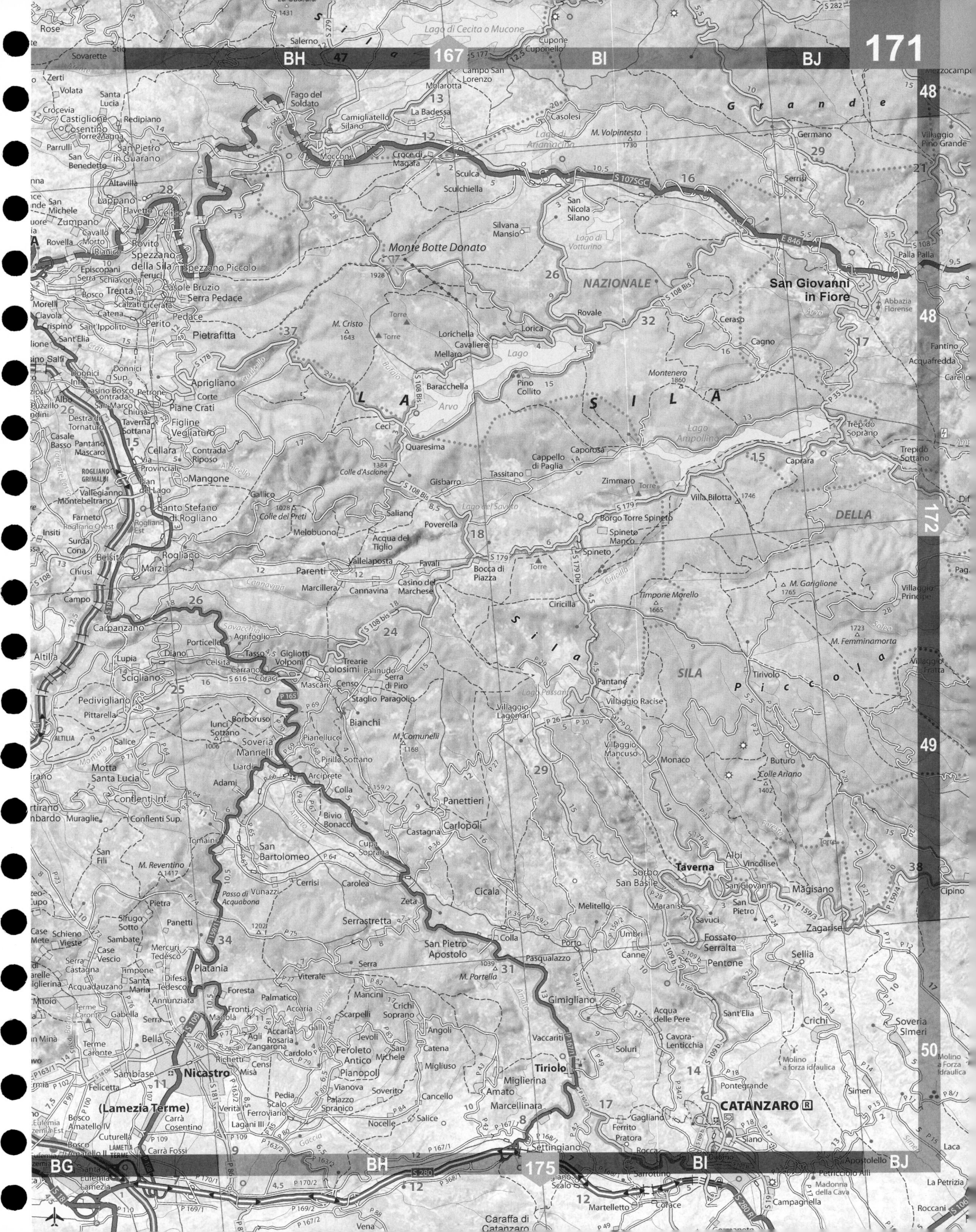

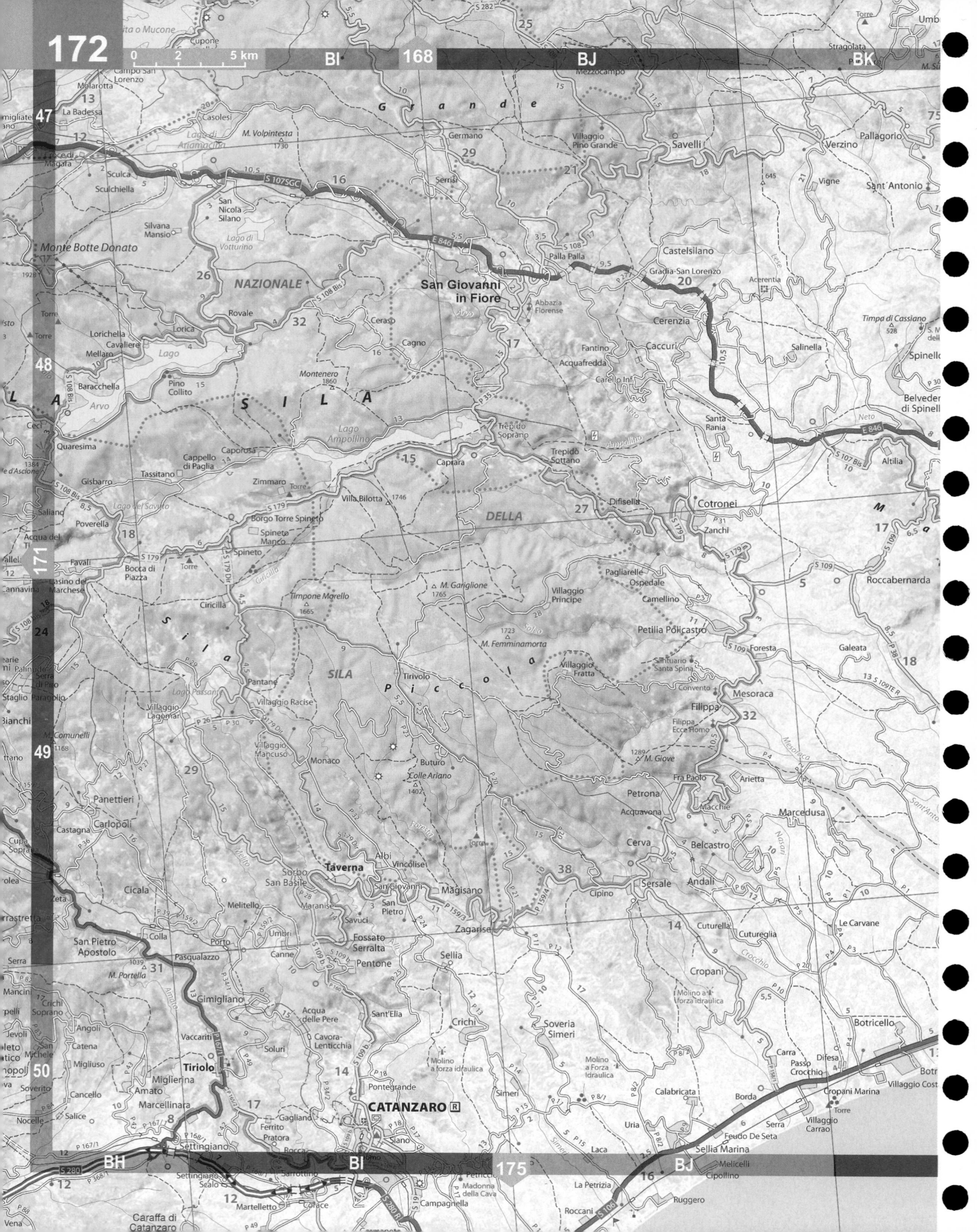
168
175
171
BI
BJ
BK
BH
San Giovanni in Fiore
Cotronei
Petilia Policastro
Mesoraca
Taverna
CATANZARO
Tiriolo
Sellia Marina
Botricello
Cropani
Belcastro
Sersale
Zagarise
Savelli
Castelsilano
Cerenzia
Caccuri
Roccabernarda
Carlopoli
Gimigliano
Lago Ampollino
SILA
NAZIONALE
DELLA
Sila Piccola
Grande
M. Femminamorta
M. Gariglione
Monte Botte Donato

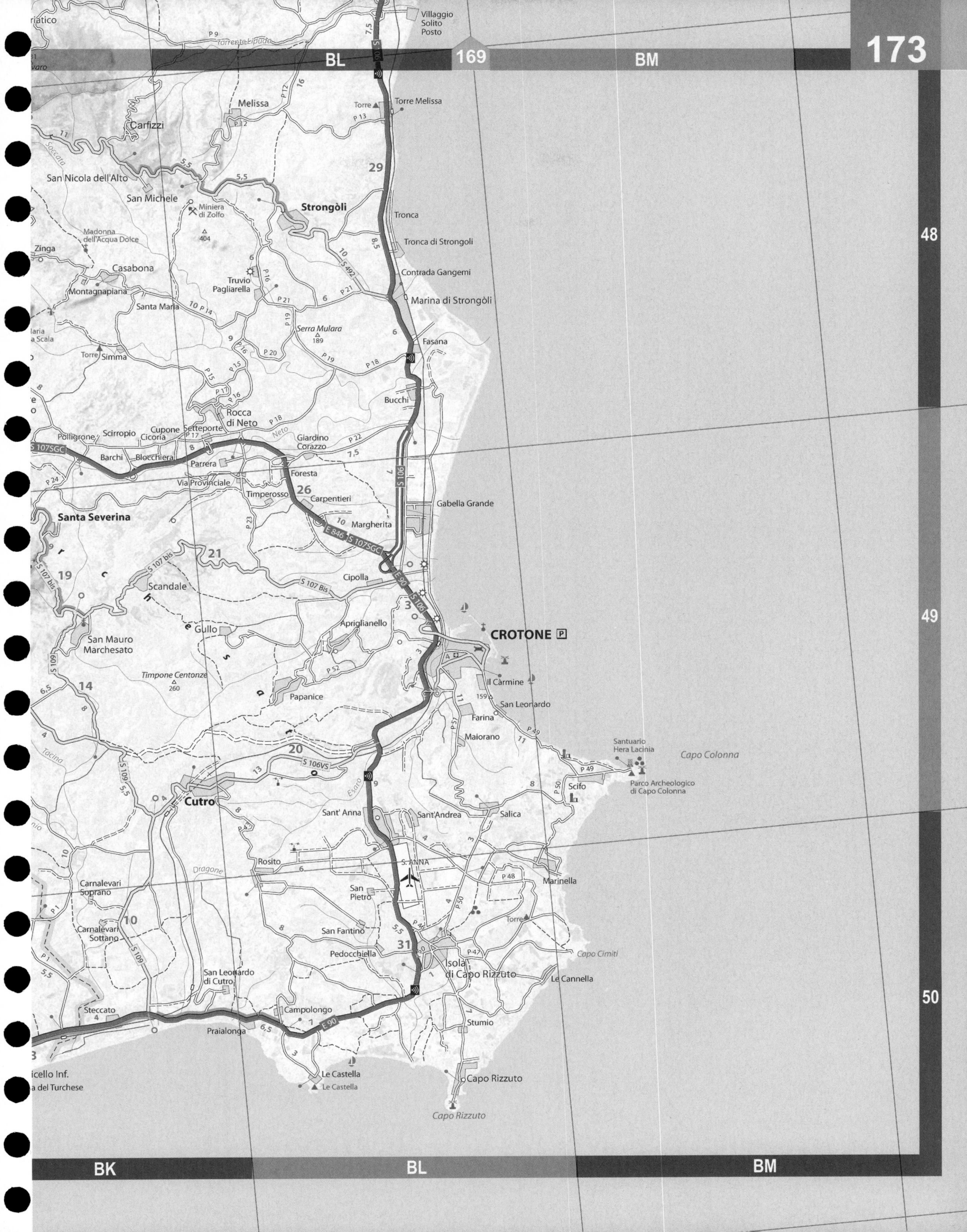

48

riàtico
P 9
Torrente Lipuda

Villaggio
Solito
Posto

Carfizzi
Melissa
P 12
16

Torre
Torre Melissa
P 13

29

San Nicola dell'Alto
San Michele
Miniera
di Zolfo
5,5
5,5

Strongòli

Tronca

Zinga
Madonna
dell'Acqua Dolce
404

Tronca di Strongoli

Casabona
Montagnapiana
Truvio
Pagliarella
P 16

Contrada Gangemi

Santa Maria
10 P 14
P 21
P 21

Marina di Strongòli

iaria
a Scala
Serra Mulara
189
P 20

Fasàna

Torre Simma
P 15
P 15
P 19
P 18

Bucchi

eo
P 17
P 16

Rocca
di Neto
P 18

Polligrone
Scirropio
Cupone Setteporte
Cicoria
P 17
Neto
Giardino
Corazzo
P 22

S 107SGC1
Barchi
Blocchierai
Parrera
7,5

Gabella Grande

Via Provinciale
Foresta
Timperosso
26
Carpentieri

Santa Severina
P 23
Margherita
E 846 S 1075GC1

Cipolla

Scandale
21
S 107 bis
S 107 Bis

19
Apriglianello

CROTONE

14
San Mauro
Marchesato
Gullo
Timpone Centonze
260
Il Càrmine
159
San Leonardo

Papanice
Farina
Maiorano

Santuario
Hera Lacinia
Capo Colonna

20
S 106VS
P 49

Parco Archeologico
di Capo Colonna

Cutro
Sant' Anna
Sant'Andrea
Salica
Scifo

Rosito
S. ANNA
P 48
Marinella

Carnalevari
Soprano
San
Pietro
P 50
P 49

Carnalevari
Sottano
San Fantino
Torre

10
31
Capo Cimiti

San Leonardo
di Cutro
Pedocchiella
Isola
di Capo Rizzùto
Le Cannella

Steccato
Campolongo
E 90
Stumio

cello Inf.
a del Turchese
Praialonga
Le Castella
Le Castella
Capo Rizzuto

Capo Rizzuto

49

50

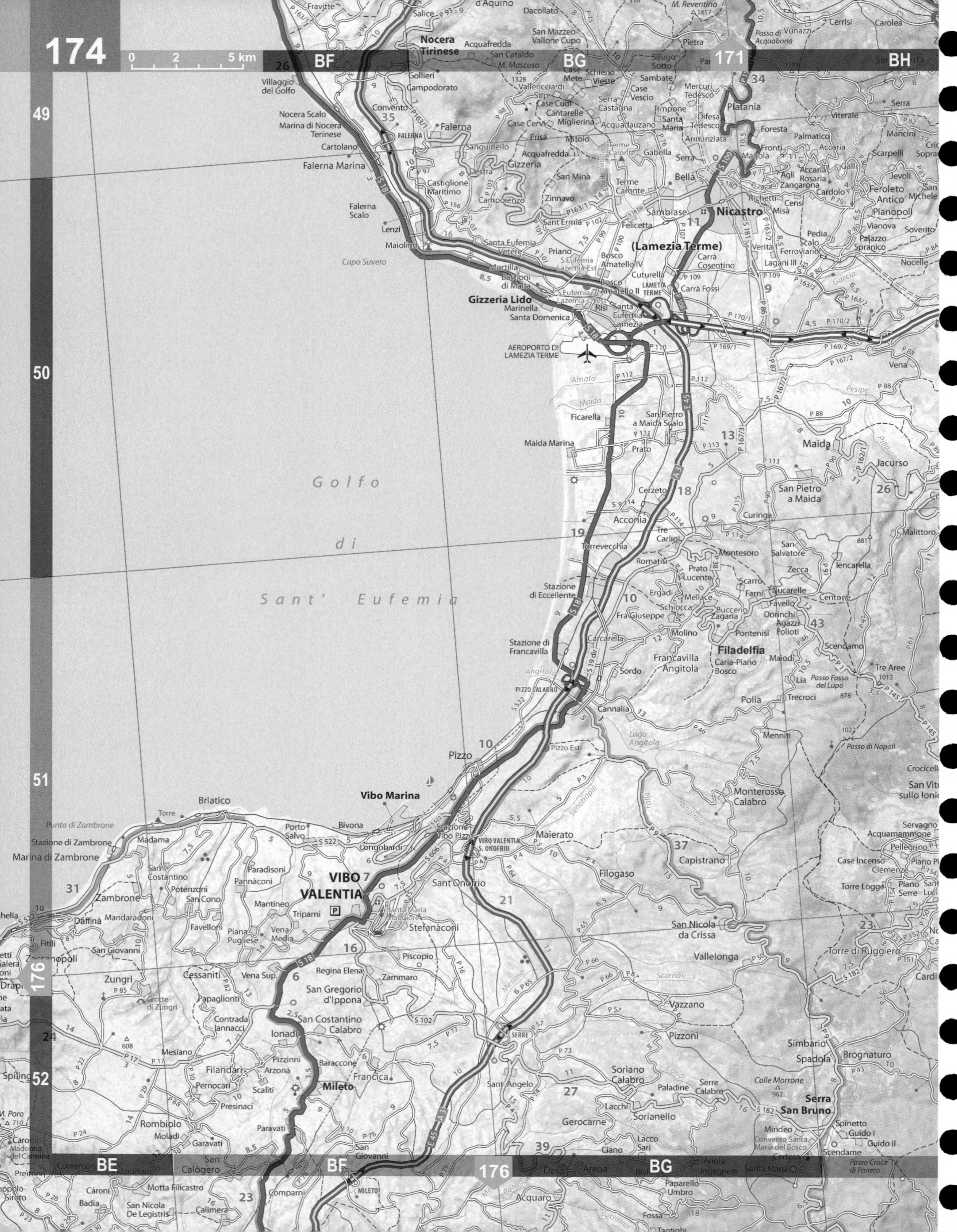

Golfo di Sant' Eufemia
Nocera Tirinese
Falerna
Falerna Marina
Gizzeria
Gizzeria Lido
Nicastro
(Lamezia Terme)
Sambiase
AEROPORTO DI LAMEZIA TERME
Maida
San Pietro a Maida
Curinga
Acconia
Filadelfia
Francavilla Angitola
Pizzo
Vibo Marina
VIBO VALENTIA
Briatico
Zambrone
Stefanàconi
Sant'Onofrio
Maierato
Filogaso
Monterosso Calabro
Capistrano
San Nicola da Crissa
Vallelonga
Vazzano
Pizzoni
Soriano Calabro
Serra San Bruno
Mileto
San Gregorio d'Ippona
San Costantino Calabro
Ionadi
Rombiolo
Gerocarne
Sorianello
Arena
Acquaro
Lago Angitola
Capo Suvero
Punta di Zambrone
BF
BG
BH
BE
171
176

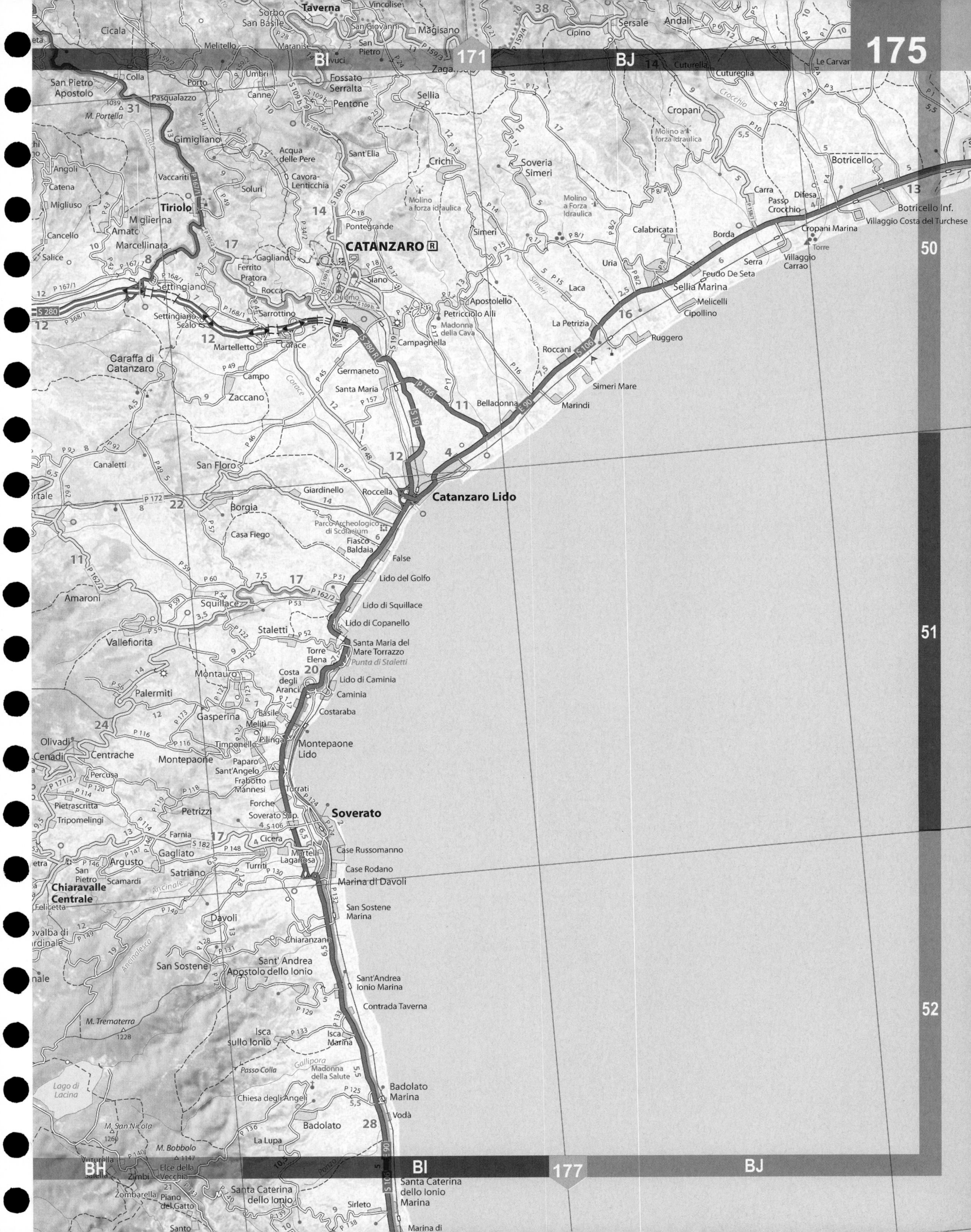

Taverna
Sorbo San Basile
Vincolise
San Giovanni
Magisano
Sersale
Andali
Cicala
Melitello
Maranise
San Pietro
Fossato Serralta
Zagarise
Cipino
Cuturella
Cuturella
Le Carvar
171
BI
BJ
San Pietro Apostolo
Colla
Porto
Umbri
Canne
Pentone
Sellia
Cropani
Pasqualazzo
M. Portella
Gimigliano
Acqua delle Pere
Sant'Elia
Crichi
Soveria Simeri
Botricello
Vaccariti
Soluri
Cavora-Lenticchia
Molino a forza idraulica
Tiriolo
Migliuso
Catena
Angoli
Cancello
Salice
Amato
Miglierina
Marcellinara
Pontegrande
Simeri
CATANZARO
Gagliano
Ferrito
Pratora
Rocca
Siano
Uria
Calabricata
Borda
Carra
Passo Crocchio
Difesa
Botricello Inf.
Villaggio Costa del Turchese
Cropani Marina
Torre
Serra
Villaggio Carrao
Feudo De Seta
Sellia Marina
Melicelli
Cipollino
Laca
Apostolello
Petricciolo Alli
Madonna della Cava
Campagnella
Settingiano
Settingiano Scalo
Sarrottino
Martelletto
Corace
La Petrizia
Roccani
Ruggero
Caraffa di Catanzaro
Germaneto
Santa Maria
Campo
Zaccano
Belladonna
Marindi
Simeri Mare
Canaletti
San Floro
Giardinello
Roccella
Catanzaro Lido
Borgia
Parco Archeologico di Scolacium
Casa Fiego
Fiasco Baldaia
False
Lido del Golfo
Amaroni
Squillace
Lido di Squillace
Lido di Copanello
Staletti
Vallefiorita
Santa Maria del Mare Torrazzo
Torre Elena
Punta di Staletti
Montauro
Costa degli Aranci
Lido di Caminia
Caminia
Palermiti
Costaraba
Gasperina
Basile
Meliti
Olivadi
Cenadi
Centrache
Montepaone
Timponello
Pilinga
Montepaone Lido
Percusa
Paparo
Sant'Angelo
Frabotto
Mannesi
Turrati
Pietrascritta
Tripomelingi
Forche
Soverato Sup.
Soverato
Petrizzi
Farnia
Cicera
Gagliato
Martelli
Laganosa
Case Russomanno
Argusto
Turrini
Case Rodano
San Pietro
Scamardi
Satriano
Marina di Davoli
Chiaravalle Centrale
Felicetta
San Sostene Marina
Davoli
Chiaranzano
San Sostene
Sant' Andrea Apostolo dello Ionio
Sant'Andrea Ionio Marina
Contrada Taverna
M. Trematerra
Isca sullo Ionio
Isca Marina
Passo Colla
Madonna della Salute
Badolato Marina
Lago di Lacina
Chiesa degli Angeli
Vodà
M. San Nicola
Badolato
La Lupa
M. Bobbolo
Elce della Vecchia
Zimbi
Zombarella
Piano del Gatto
Santa Caterina dello Ionio
Santa Caterina dello Ionio Marina
Sirleto
Santo
Marina di
BH
BI
177
BJ
50
51
52

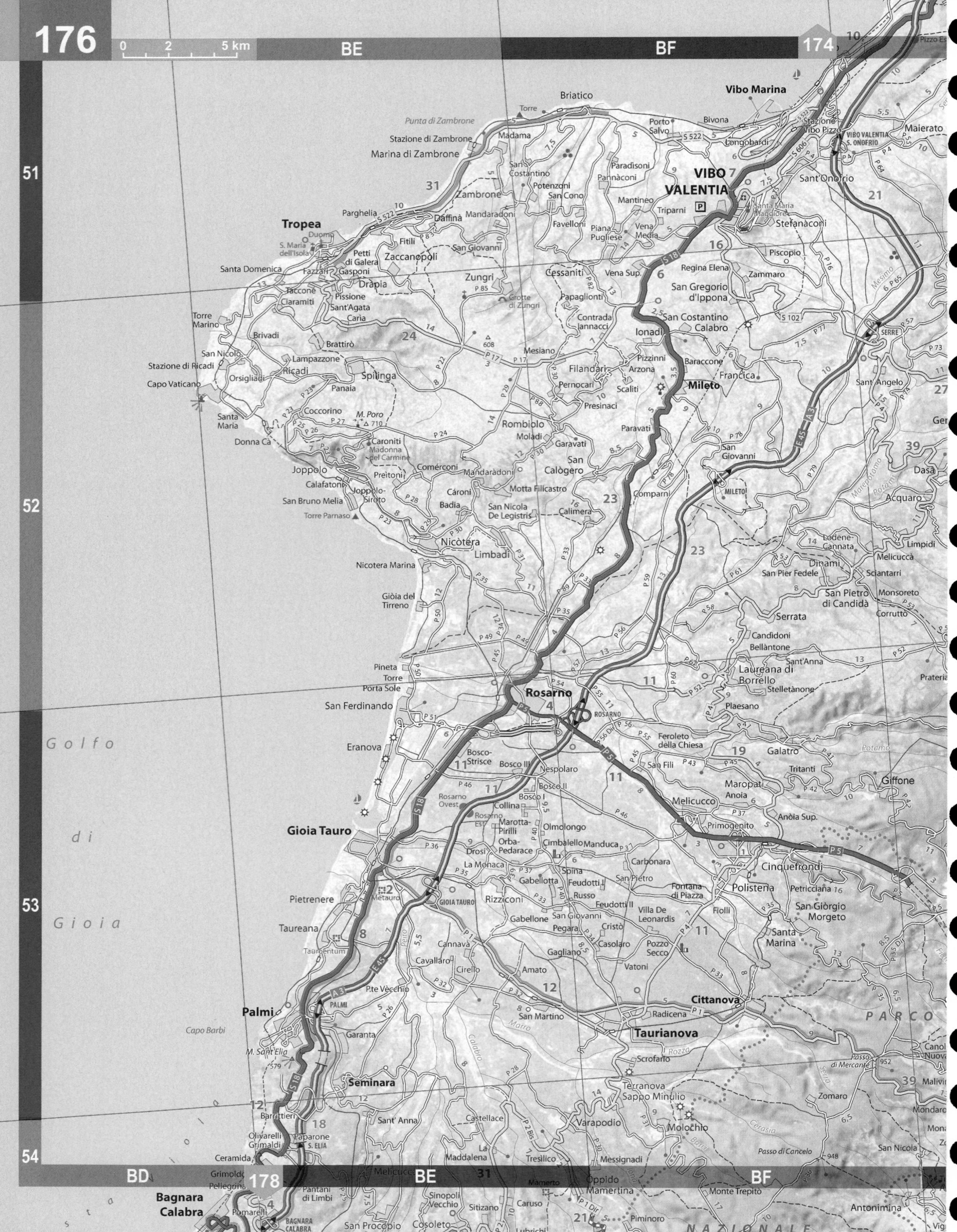
0 2 5 km
BE
BF
174
51
52
53
54
BD
178
Vibo Marina
Briatico
Punta di Zambrone
Stazione di Zambrone
Marina di Zambrone
Porto Salvo
Bivona
Longobardi
VIBO VALENTIA
Sant'Onofrio
Maierato
Tropea
Parghelia
Zambrone
Daffinà
Zaccanopoli
Drapia
Santa Domenica
Zungri
Cessaniti
San Gregorio d'Ippona
San Costantino Calabro
Ionadi
Mileto
Francica
Stefanaconi
Torre Marino
Brivadi
Brattirò
San Nicolò
Stazione di Ricadi
Ricadi
Spilinga
Capo Vaticano
Coccorino
M. Poro
Rombiolo
Santa Maria
Donna Ca
Joppolo
Calafatoni
San Bruno Melia
Torre Parnaso
Nicòtera
Limbadi
Nicotera Marina
Gioia del Tirreno
San Calògero
Comparni
Calimera
Sant'Angelo
Acquaro
Limpidi
Dinami
Melicuccà
San Pier Fedele
San Pietro di Candidà
Serrata
Candidoni
Laureana di Borrello
Pineta
Torre
Porta Sole
San Ferdinando
Rosarno
Eranova
Galatro
Feroleto della Chiesa
San Fili
Melicucco
Maropati
Anoia
Giffone
Golfo di Gioia
Gioia Tauro
Pietrenere
Taureana
Rizziconi
Polistena
Cinquefrondi
San Giorgio Morgeto
Cittanova
Taurianova
Palmi
Capo Barbi
Seminara
Sant' Anna
Castellace
Varapodio
Molochio
Terranova Sappo Minulio
Scrofario
Passo di Mercante
Passo di Cancelo
Bagnara Calabra
Sinopoli Vecchio
San Procopio
Cosoleto
Oppido Mamertina
Messignadi
Tresilico
Piminoro
Monte Trepito
Antonimina
PARCO NAZIONALE

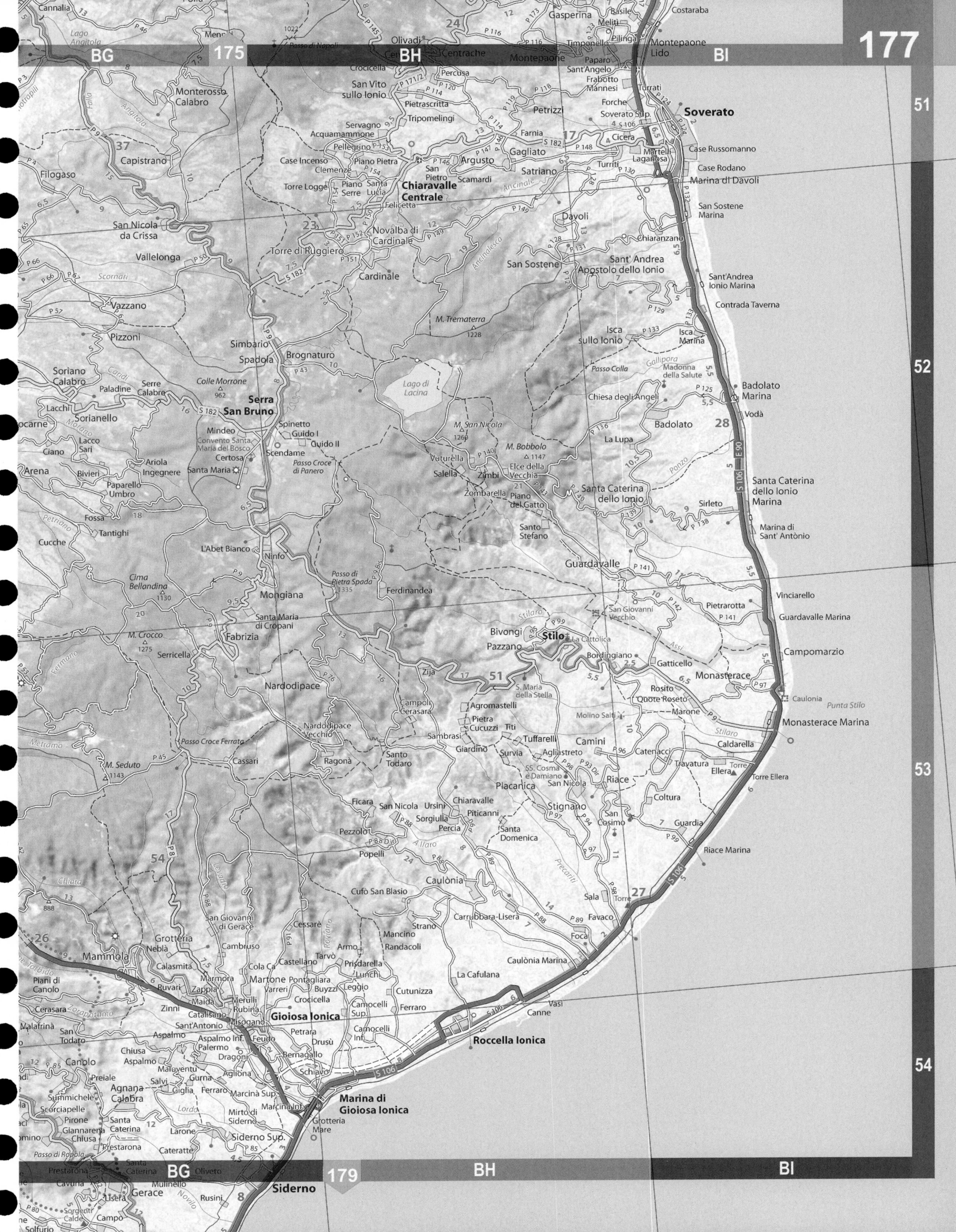
BG
175
BH
BI
51
52
53
54
179
Soverato
Montepaone Lido
Montepaone
Costaraba
Gasperina
Basile
Meliti
Pilinga
Timponello
Paparo
Sant'Angelo
Frabotto
Mannesi
Turrati
Forche
Soverato Sup.
Cicera
Martelli
Laganosa
Case Russomanno
Case Rodano
Marina di Davoli
San Sostene Marina
Davoli
Chiaranzano
San Sostene
Sant' Andrea Apostolo dello Ionio
Sant'Andrea Ionio Marina
Contrada Taverna
Isca sullo Ionio
Isca Marina
Passo Colla
Madonna della Salute
Badolato Marina
Chiesa degli Angeli
Vodà
Badolato
La Lupa
Santa Caterina dello Ionio Marina
Santa Caterina dello Ionio
Sirleto
Marina di Sant' Antònio
Guardavalle
Vinciarello
Pietrarotta
Guardavalle Marina
San Giovanni Vecchio
Stilo
La Cattolica
Bivongi
Pazzano
Bordingiano
Campomarzio
Gatticello
Monasterace
Caulonia
Punta Stilo
Rosito
Quote Roseto
Marone
Molino Salti
Monasterace Marina
Caldarella
Camini
Catenacci
Travatura
Torre
Ellera
Torre Ellera
Riace
Coltura
Guardia
Riace Marina
Stignano
San Cosimo
Sala
Torre
Favaco
Foca
Caulònia Marina
Caulònia
Vasi
Canne
Roccella Ionica
Cafulana
Carrubbara-Lisera
Strano
Mancino
Randacoli
Cutunizza
Ferraro
Gioiosa Ionica
Marina di Gioiosa Ionica
Grotteria Mare
Siderno
Siderno Sup.
Gerace
Rusini
Olivad
Centrache
Crocicella
San Vito sullo Ionio
Percusa
Pietrascritta
Tripomelingi
Petrizzi
Farnia
Gagliato
Argusto
Satriano
Chiaravalle Centrale
Acquamammone
Servagno
Pellegrino
Case Incenso
Clemenze
Piano Pietra
Torre Logge
Piano Serre
Santa Lucia
Felicetta
San Pietro
Scamardi
Novalba di Cardinale
Torre di Ruggiero
Cardinale
M. Trematerra
1228
Simbario
Spadola
Brognaturo
Lago di Lacina
Serra San Bruno
Colle Morrone
962
Spinetto
Guido I
Guido II
Scendame
Mindeo
Convento Santa Maria del Bosco
Certosa
Santa Maria
Passo Croce di Panero
M. San Nicola
1269
M. Bobbolo
1147
Vuturella
Salella
Zimbi
Elce della Vecchia
Zombarella
Piano del Gatto
Santo Stefano
L'Abet Bianco
Ninfo
Passo di Pietra Spada
1335
Ferdinandea
Mongiana
Santa Maria di Cropani
Fabrizia
M. Crocco
1275
Serricella
Cima Bellandina
1130
Nardodipace
Zija
S. Maria della Stella
Agromastelli
Pietra Cucuzzi
Titi
Tuffarelli
Agliastreto
Campoli Gerasara
Sambrasi
Giardino
Survia
SS. Cosma e Damiano
San Nicola
Piacànica
Nardodipace Vecchio
Santo Todaro
Ragonà
Cassari
Passo Croce Ferrata
M. Seduto
1143
Ficara
San Nicola
Ursini
Sorgiulla
Chiaravalle
Piticanni
Percia
Santa Domenica
Pezzolo
Popelli
Cufò San Blasio
Cessarè
San Giovanni di Gerace
Grotteria
Neblà
Cambruso
Armo
Tarvò
Prisdarella
Lunchi
Leggio
Cola Ca
Castellano
Martone
Pontagliara
Varreri
Buyzzi
Crocicella
Camocelli Sup.
Camocelli Inf.
Mammola
Calasmità
Marmora
Zappia
Maida
Merulli
Rubina
Piani di Canolo
Ruvari
Zinni
Catalisano
Misogano
Sant'Antonio
Aspalmo
Aspalmo Inf.
Feudo
Palermo
Dragoni
Petrara
Drusù
Bernagallo
Schiavo
Agliona
Maluventu
Gurna
Salvi
Giglia
Ferraro
Marcinà Sup.
Marcinà Inf.
Mirto di Siderno
Larone
Cateratte
Oliveto
Mulinello
Cerasara
Malafrinà
San Todaro
Chiusa
Aspalmo
Canolo
Preiale
Agnana Calabra
Summichele
Scorciapelle
Pirone
Giannarena
Chiusa
Santa Caterina
Prestarona
Passo di Ropola
Prestarona
Santa Caterina
Cavuria
Lisera
Sorgente Calde
Campo
Solfurio
Polia
Cannalia
Lago Angitola
Menniti
Monterosso Calabro
Capistrano
Filogaso
San Nicola da Crissa
Vallelonga
Vazzano
Pizzoni
Soriano Calabro
Paladine
Serre Calabre
Lacchi
Sorianello
Lacco Sari
Ciano
Arena
Bivieri
Ariola Ingegnere
Paparello Umbro
Fossa
Tantighi
Cucche
888
Passo di Napoli
1022
M. Bobbolo
Angitola
Ancinale
Stilaro
Assi
Precariti
Allaro
Gallipora
Ponzo
Scornari
Caridi
Petriano
Fermano
Metramo
Chiara
Lordo
Novito
Torbido
Zarapotamo
Roviano
S 106
E 90
S 182
S 110
P 93 Dir
P 88 Dir
P 9 Bis
P 171/2

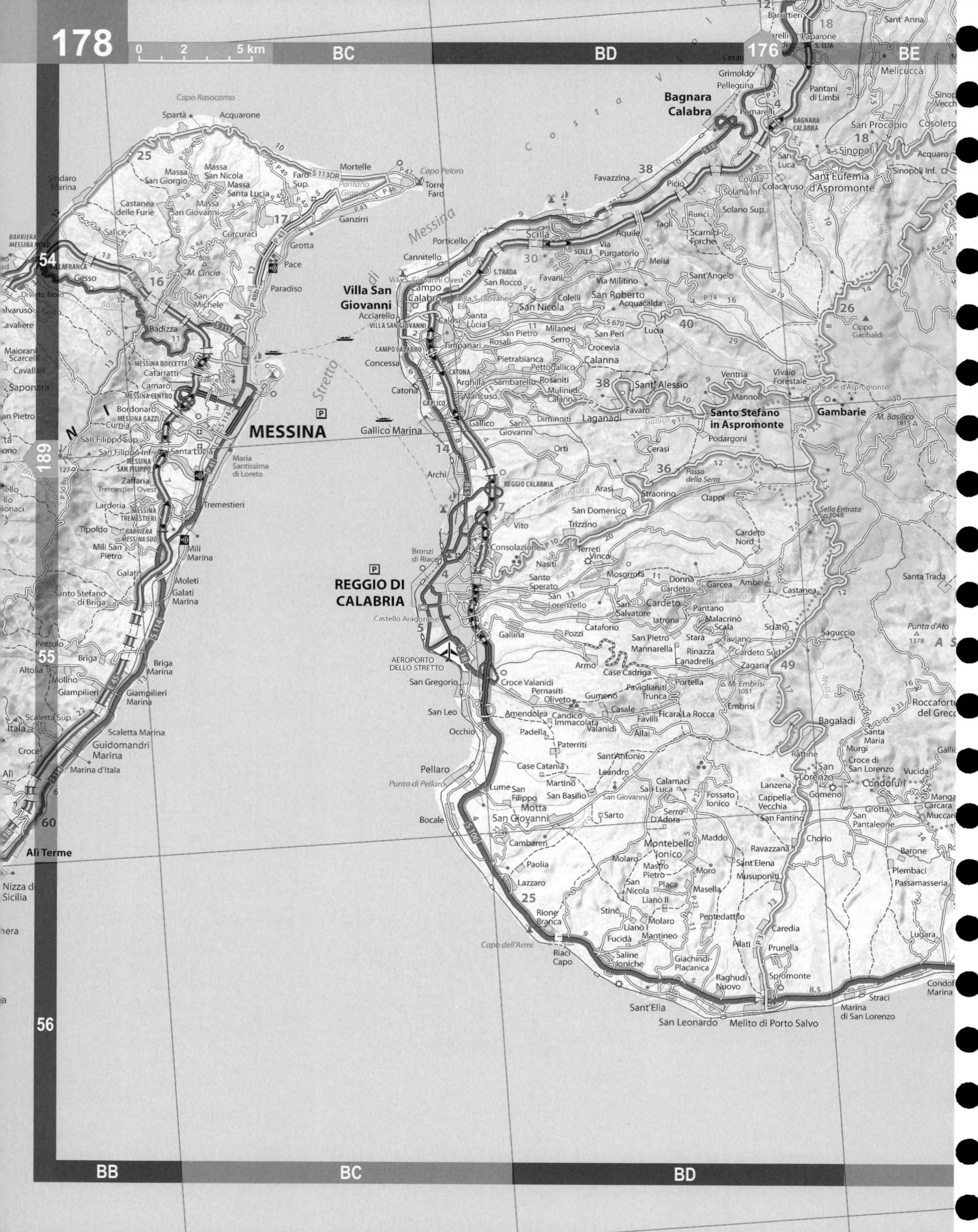
0 2 5 km
BC
BD
BE
176
189
BB
BC
BD
54
55
56
60
Capo Rasocomo
Spartà
Acquarone
Sindaro Marina
Massa San Giorgio
Massa San Nicola
Massa Santa Lucia
Massa San Giovanni
Castanea delle Furie
Salice
Curcuraci
M. Ciccia
Faro Sup.
Mortelle
Capo Peloro
Torre Faro
Pantano Grande
Ganzirri
Grotta
Pace
Paradiso
San Michele
Gesso
Villafranca
Badizza
Messina Boccetta
Catarratti
Camaro
Messina Centro
Bordonaro
Cumia
San Filippo Sup.
San Filippo Inf.
Santa Lucia
Maria Santissima di Loreto
MESSINA
Stretto di Messina
Zafferia
Tremestieri Ovest
Tremestieri
Larderia
Tipoldo
Mili San Pietro
Mili Marina
Galati
Moleti
Galati Marina
Santo Stefano di Briga
Pezzolo
Briga
Briga Marina
Altolia
Molino
Giampilieri
Giampilieri Marina
Scaletta Sup.
Scaletta Marina
Guidomandri Marina
Marina d'Itala
Itala
Croce
Alì
Alì Terme
Nizza di Sicilia
Bagnara Calabra
Costa Viola
Barritteri
Paparone
Ceramida
Grimoldo
Pellegrina
Pomarelli
Pantani di Limbi
Melicuccà
Sant' Anna
San Procopio
Cosoleto
Sinopoli
Acquaro
Sinopoli Inf.
Sant'Eufemia d'Aspromonte
Favazzina
Piciò
Solano Inf.
Solano Sup.
Runci
Scarnici-Forche
Tagli
Aquile
Scilla
Via Purgatorio
Melia
Sant'Angelo
Cannitello
Porticello
Villa S. Giovanni Ovest
San Rocco
Favani
Via Militino
San Roberto
Acquacalda
Villa San Giovanni
Campo Calabro
Acciarello
Santa Lucia
San Nicola
Colelli
Timpanari
Rosali
San Pietro
Milanesi
Serro
Crocevia
San Perì
Lucia
Cippo Garibaldi
Concessa
Pietrabianca
Pettogallico
Calanna
Catona
Arghillà
Sambatello
Rosaniti
Mulinini
Sant' Alessio
Ventria
Vivaio Forestale
Mannoli
Gambarie d'Aspromonte
Gambarie
Santo Stefano in Aspromonte
M. Basilico 1815
Mancuso
Diminniti
Laganadi
Favaro
Gallico
San Giovanni
Gallico Marina
Podargoni
Cerasi
Orti
Archi
Passo della Serra
Straorino
Arasi
Reggio Calabria
Ciappi
San Domenico
Sella Entrata 1048
Vito
Trizzino
Cardeto Nord
Consolazione
Terreti
Vinco
Nasiti
Bronzi di Riace
Santo Sperato
Mosorrofa
Donna
Cardeto
Garcea
Ambele
Castanea
Santa Trada
REGGIO DI CALABRIA
San Lorenzello
San Salvatore
Iatrona
Pantano
Malacrinò
Scala
Sdano
Saguccio
Punta d'Atò 1378
Castello Aragonese
Gallina
Pozzi
Cataforio
San Pietro
Mannarella
Stafà
Taviano
Rinazza
Canadrelis
Cardeto Sud
Aeroporto dello Stretto
Armo
Case Cadriga
Zagaria
San Gregorio
Croce Valanidi
Perniasiti
Oliveto
Gumeno
Paviglianiti
Trunca
Portella
M. Embrisi 1051
Embrisi
Roccaforte del Greco
San Leo
Amendolea
Candico
Immacolata
Valanidi
Casale
Favilli
Ficara
La Rocca
Allai
Bagaladi
Santa Maria
Murgi
Occhio
Padella
Paterriti
Rattine
San Lorenzo
Croce di San Lorenzo
Vucida
Condofuri
Pellaro
Case Catania
Sant'Antonio
Leandro
Punta di Pellaro
Martino
Calamaci
San Luca
Fossato Ionico
Lanzena
Cappella Vecchia
Gomeno
San Filippo
Lume
San Basilio
Motta San Giovanni
Sarto
Serro D'Adora
San Fantino
San Pantaleone
Grotta
Bocale
Cambareri
Montebello Ionico
Maddo
Chorio
Ravazzana
Barone
Molaro
Mastro Pietro
Sant'Elena
Musuponiti
Plembaci
Passamasseria
Paolia
Moro
Lazzaro
San Nicola
Placa
Masella
Lianò II
Stinò
Pentedattilo
Rione Branca
Lianò I
Molaro
Caredia
Lugarà
Fucidà
Mantineo
Pilati
Prunella
Capo dell'Armi
Riaci Capo
Saline Ioniche
Giachindi-Placanica
Raghudì Nuovo
Spromonte
Condofuri Marina
Straci
Marina di San Lorenzo
Sant'Elia
San Leonardo
Melito di Porto Salvo

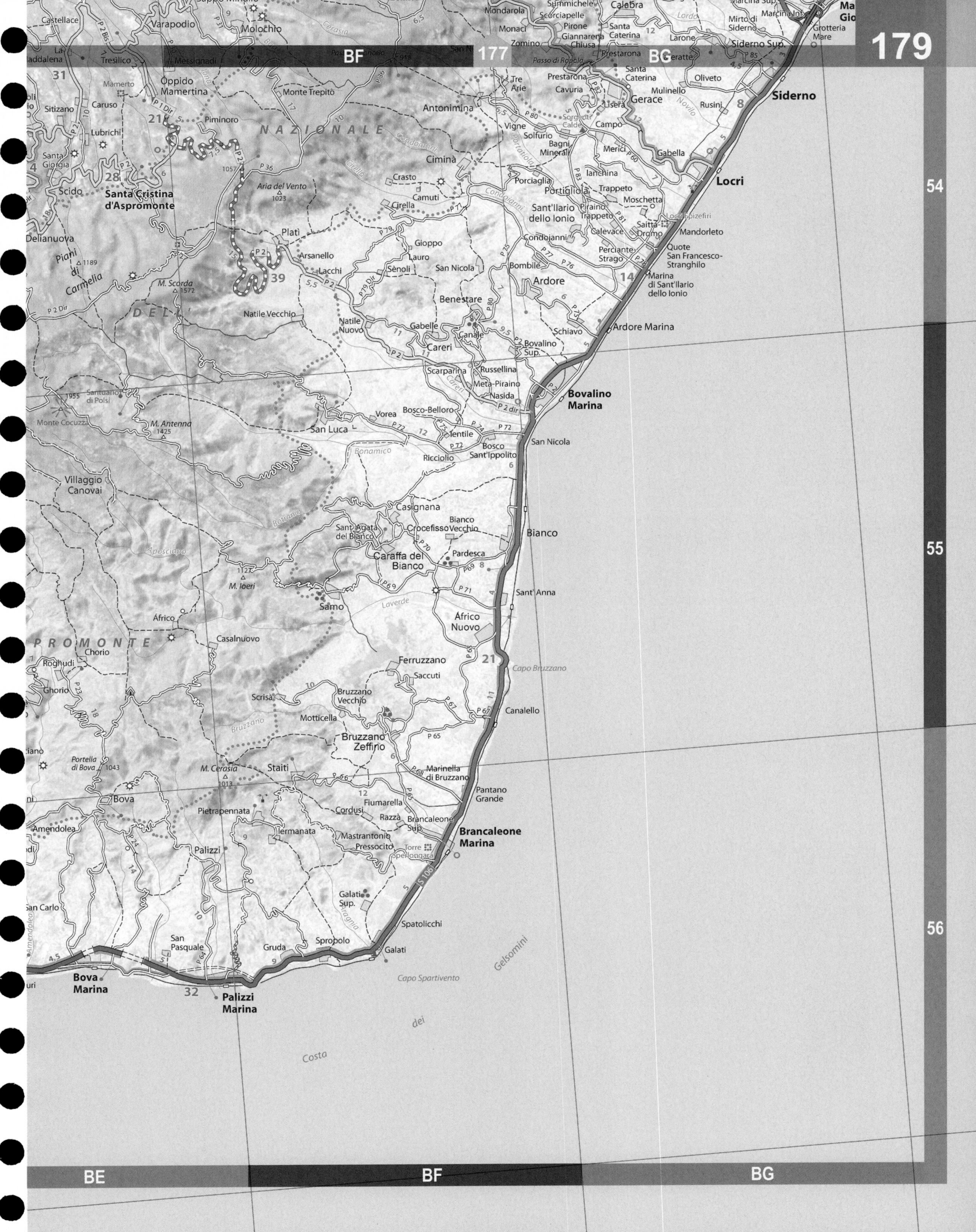

Castellace
La
Maddalena
31
Tresilico
Varapodio
Sappo Minulio
Zomaro
Molochio
Monte Trepitò
Sitizano
Caruso
Oppido
Mamertina
Mamerto
Piminoro
Lubrichi
21
Scido
28
Santa
Giorgia
NAZIONALE
Aria del Vento
1023
Delianuova
Piani
di
Carmelia
1189
M. Scorda
1572
Platì
39
Arsanello
Lacchi
Sènoli
Natile Vecchio
Natile
Nuovo
DELL'
Santuario
di Polsi
1955
Monte Cocuzza
M. Antenna
1425
Careri
Scarparina
Vorea
Bosco-Belloro
San Luca
Bonamico
Tentile
Ricciolio
Villaggio
Canovai
Botteno
M. Ioeri
1127
Casignana
Sant'Agata
del Bianco
Crocefisso
Bianco
Vecchio
Africo
Samo
Laverde
Caraffa del
Bianco
Pardesca
Africo
Nuovo
P R O M O N T E
Chorio
Roghudi
Casalnuovo
Ferruzzano
Saccuti
Ghorio
Scrisà
Bruzzano
Vecchio
Portella
di Bova
1043
M. Cerasia
1013
Staiti
Motticella
Bruzzano
Zeffirio
Bova
Pietrapennata
Fiumarella
Cordusi
Razzà
Amendolea
Palizzi
Termanata
Mastrantonio
Pressocito
Brancaleone
Sup.
Torre
Sperlongata
San Carlo
Galati
Sup.
Spatolicchi
San
Pasquale
Gruda
Spropolo
Galati
Bova
Marina
32
Palizzi
Marina
Capo Spartivento
Costa
dei
Gelsomini

ZOMARO
Mondarola
Summichele
Scorciapelle
Pirone
Calabra
Biglia
Ferraro
Marcinà Sup.
Ma
Gio
Monaci
Zomino
Giannarena
Chiusa
Santa
Caterina
Larone
Mirto di
Siderno
Marcina Inf.
179
Prestarona
Passo di Ropola
Geratte
Siderno Sup.
Grotteria
Mare
BG
Tre
Arie
Prestarona
Cavuria
Santa
Caterina
Gerace
Mulinello
Oliveto
Rusini
8
Siderno
Antonimina
Vigne
Isera
Campo
Merici
Gabella
Locri
Ciminà
Solfurio
Bagni
Minerali
Porciaglia
Portigliola
Trappeto
Moschetta
Locri Epizefiri
Crasto
Camuti
Cirella
Sant'Ilario
dello Ionio
Piraino
Trappeto
Saitta
Dromo
Mandorleto
Gioppo
Lauro
San Nicola
Condojanni
Calevacè
Quote
San Francesco-
Stranghilo
Arsanello
Bombile
Perciante
Strago
Marina
di Sant'Ilario
dello Ionio
14
Benestare
Ardore
Gabelle
Canale
Bovalino
Sup.
Schiavo
Ardore Marina
Russellina
Meta-Piraino
Nasida
Bovalino
Marina
San Nicola
Bosco
Sant'Ippolito
6
Bianco
Vecchio
Bianco
Sant'Anna
21
Capo Bruzzano
Canalello
Marinella
di Bruzzano
Pantano
Grande
Brancaleone
Marina

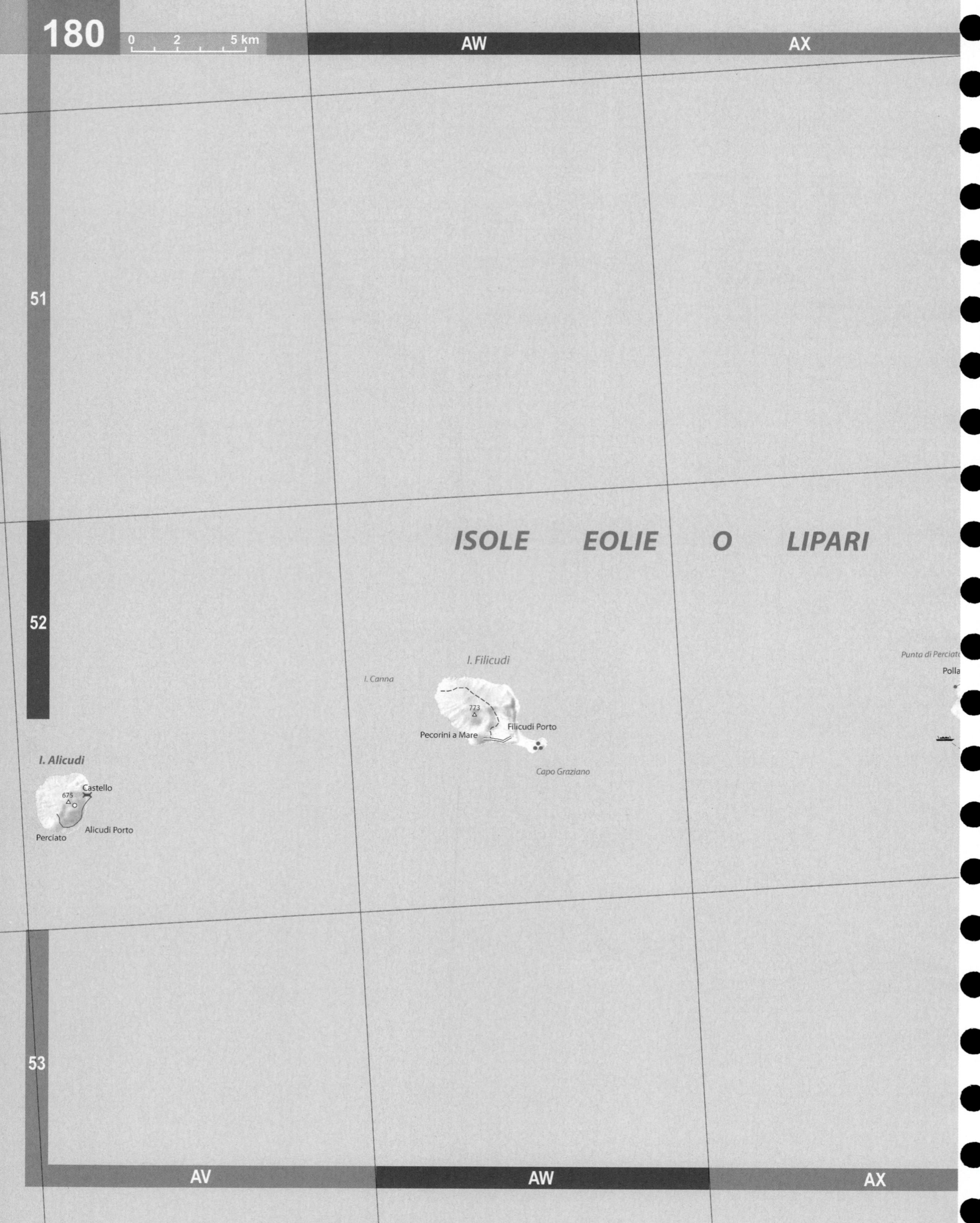

0 2 5 km

AW

AX

ISOLE   EOLIE   O   LIPARI

51

52

I. Filicudi

I. Canna

Punta di Perciato

Polla

773
△

Pecorini a Mare   Filicudi Porto

I. Alicudi

Capo Graziano

Castello
675
△ ○

Perciato   Alicudi Porto

53

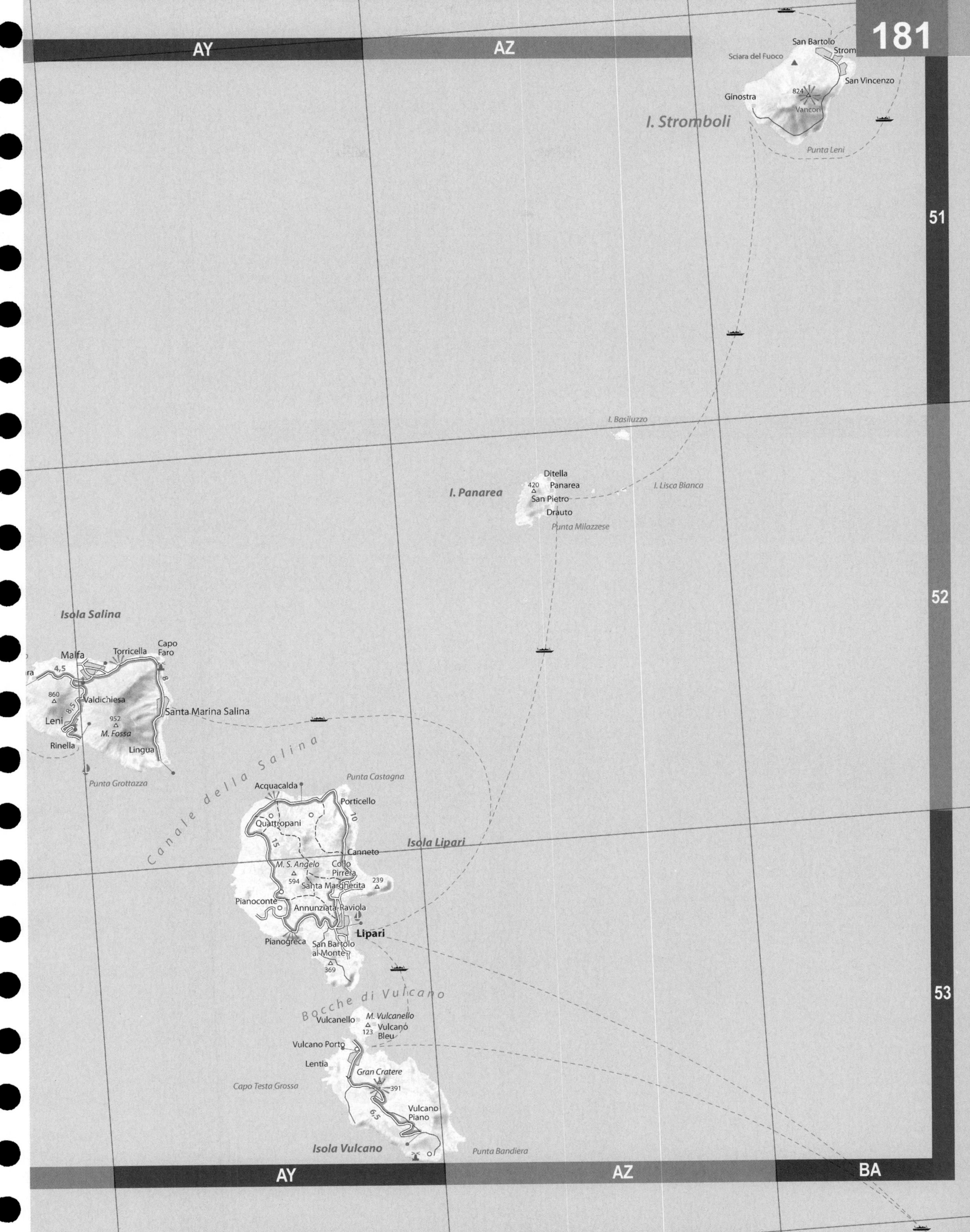

AY
AZ

San Bartolo
Sciara del Fuoco
Ginostra
824
Vancori
I. Stromboli
Strom
San Vincenzo

Punta Leni

51

I. Basiluzzo

Ditella
420 Panarea
I. Panarea San Pietro
Drauto
Punta Milazzese

I. Lisca Bianca

52

Isola Salina

Capo
Malfa Torricella Faro
4,5
860
Valdichiesa
Leni 952
Rinella *M. Fossa* Santa Marina Salina
Lingua

Punta Grottazza

Punta Castagna
Acquacalda
Canale della Salina Porticello
Quattropani 10
Canneto
M. S. Angelo Collo
594 Pirrera 239
Santa Margherita
Pianoconte
Annunziata-Raviola
Lipari
Pianogreca San Bartolo
al Monte
369

Isola Lipari

53

Bocche di Vulcano
M. Vulcanello
Vulcanello 123 Vulcano
Bleu
Vulcano Porto
Lentia
Gran Cratere
Capo Testa Grossa 391
6,5 Vulcano
Piano
Isola Vulcano *Punta Bandiera*

AY
AZ
BA

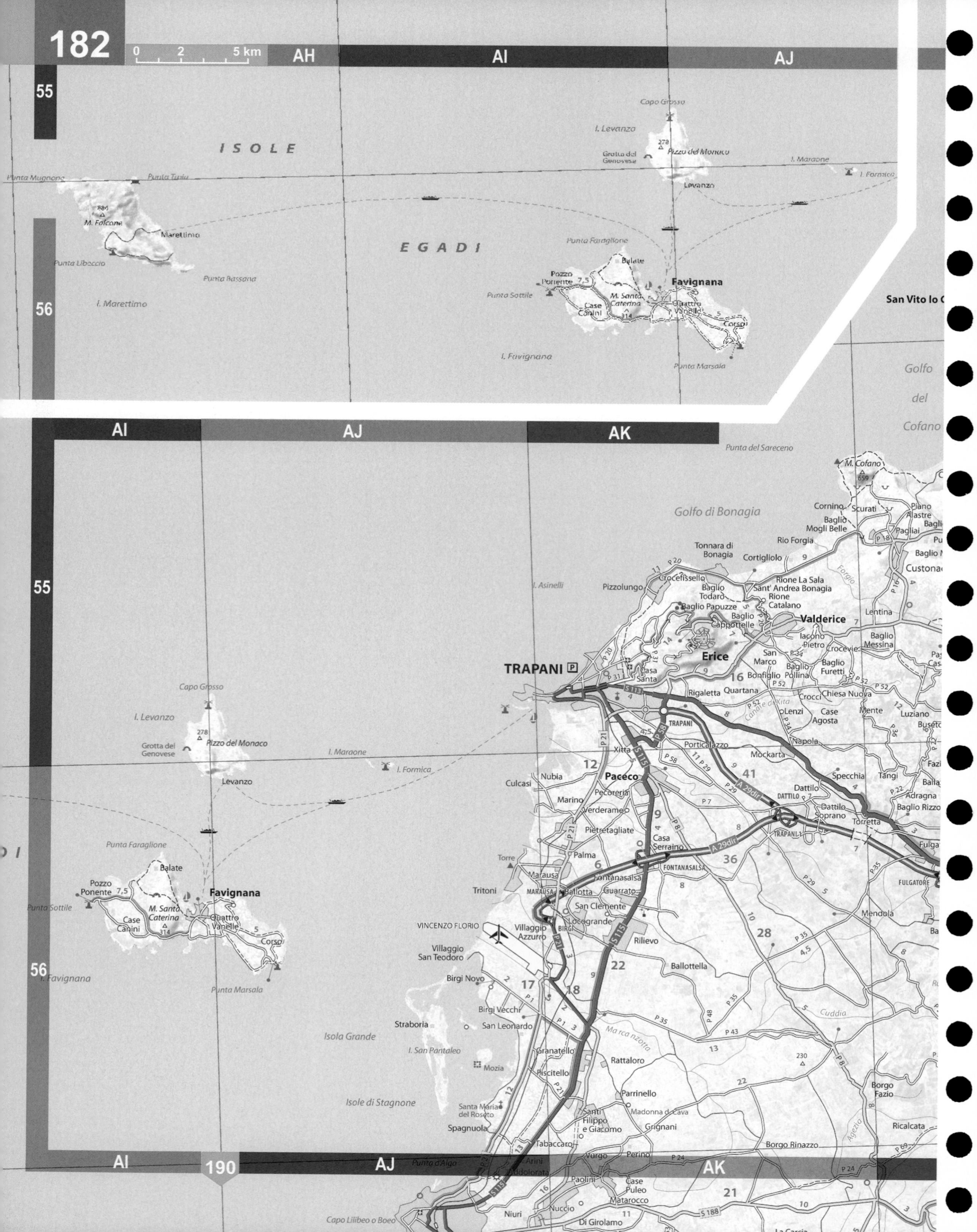

0   2   5 km

AH   AI   AJ

55

ISOLE

Capo Grosso

I. Levanzo
27a △ Pizzo del Monaco
Grotta del Genovese
Levanzo
I. Maraone
I. Formica

EGADI

Punta Faraglione
Balate
Pozzo Ponente 7,5
Punta Sottile
Case Canini
M. Santa Caterina 314
Quattro Vanelle
Corsi
Favignana

56

Punta Mugnone
Punta Tirhu
886 △ M. Falcone
Marettimo
Punta Libeccio
Punta Bassana
I. Marettimo

I. Favignana

Punta Marsala

Golfo
del
Cofano

San Vito lo C

AI   AJ   AK

Punta del Sareceno

▲ M. Cofano
659 △
Cornino Scurati
Baglio Piano Alastre
Mogli Belle Pagliai Pu
Rio Forgia Baglio N
Tonnara di Bonagia Cortigliolo 9 Custonac

Golfo di Bonagia

55

I. Asinelli
Pizzolungo
Crocefissello
Baglio Todaro
Baglio Papuzze
Baglio Cappottelle
Rione La Sala
Sant' Andrea Bonagia
Rione
Catalano
Valderice
Iacono
Pietro
Crocevie
San Marco
Baglio Messina
Crocci
Chiesa Nuova
Erice
Bonfiglio Pollina
16
Rigaletta Quartana
Lenzi
Case Agosta
Luziano
Buseto

Capo Grosso
I. Levanzo
278 △ Pizzo del Monaco
Grotta del Genovese
I. Maraone
Levanzo
I. Formica

TRAPANI P
Casa Santa
S 115
TRAPANI
Porticalazzo
Mockarta
Napola
Specchia Tangi
Fazi
Xitta
S 115
P 58
11 P 29
41
A 29dir
DATTILO
Dattilo
Dattilo Soprano
P 22
Adragna
Baglio Rizzo

12
Nubia
Culcasi
Pacéco
Pecoreria
9
P 63
P 7
TRAPANI 1
Torretta
Fulga

Punta Faraglione
Balate
Pozzo Ponente 7,5
Punta Sottile
Case Canini
M. Santa Caterina 314
Quattro Vanelle
5
Corsi
Favignana

Marino
Verderame
Pietretagliate
6
Palma
Casa Serraino
A 29dir
36
P 29
P 35
FULGATORE

Torre
Marausa
Fontanasalsa
FONTANASALSA
8
Mendola

56
I. Favignana
Punta Marsala

Tritoni
MARAUSA
Ballotta
Guarrato
San Clemente
Locegrande
28
P 35

VINCENZO FLORIO
Villaggio Azzurro
BIRGI
Rilievo
Ballottella
P 35
8

Villaggio San Teodoro
22
P 48
4,5

Birgi Novo
2 17 18
P 1
Cuddia

Birgi Vecchi
9
P 3
10
Straboria
San Leonardo
Ma rca nzotta
13
P 43
230 △
R

Isola Grande
I. San Pantaleo
Mozia
Granatello
Piscitello
13
P 8
Borgo Fazio

Isole di Stagnone
Santa Maria del Roseto
Spagnuola
Parrinello
Madonna d'Cava
Grignani
Ricalcata

Santi Filippo e Giacomo
Tabaccaro
Vargo
Perino
P 24
Borgo Rinazzo

Punta d'Algo
S 115
Niuri Nuccio
Paolini
Matarocco
Case Puleo
21
S 188
10
3
Capo Lilibeo o Boeo
Di Girolamo
La Carcia

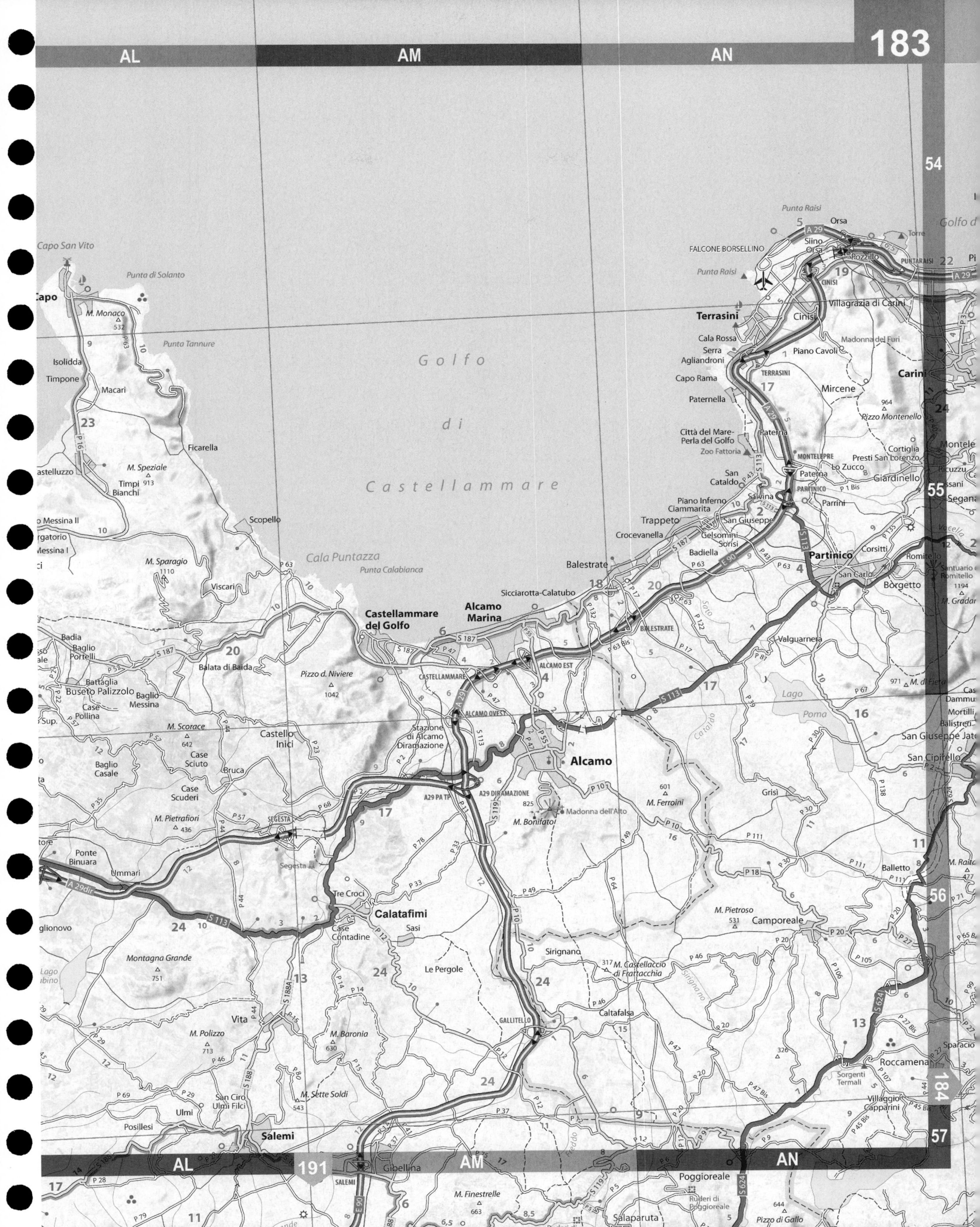

54

Punta Raisi

5 Orsa

Orsa

FALCONE BORSELLINO

Siino
Orsa

Punta Raisi

Rozzillo

PUNTARAISI 22

19

CINISI

Terrasini

Villagrazia di Carini

Cinisi

Cala Rossa

Piano Cavoli

Madonna del Furi

Carini

Serra
Agliandroni

TERRASINI

Capo Rama

17

Mircene

Pizzo Montenello

964

24

Paternella

Città del Mare-
Perla del Golfo

Paterna

Cortiglia

Presti San Lorenzo

Montele

Ricuzzu

Zoo Fattoria

MONTELEPRE

Lo Zucco

Giardinello

Paterna

Golfo
di
Castellammare

San
Cataldo

PARTINICO

Piano Inferno
Ciammarita

Salvina

Parrini

Trappeto

San Giuseppe

55

Segana

Crocevanella

Gelsomini
Sorisi

Partinico

Corsitti

Romitello

Cala Puntazza

Punta Calabianca

Balestrate

Badiella

P 63

Santuario di
Romitello
1194

M. Gradar

Borgetto

Sicciarotta-Calatubo

18

20

BALESTRATE

P 122

Valguarnera

Capo San Vito

M. Monaco
532

Punta di Solanto

Punta Tannure

Isolidda
Timpone

Macari

23

M. Speziale

Timpi
Bianchi 913

Ficarella

Scopello

Viscari

Castellammare
del Golfo

Alcamo
Marina

S 187

6

S 187

P 47

4

ALCAMO EST

4

P 63 Bis

5

17

Lago
Poma

16

971 M. di Fie

Cas
Dammu

Mortilli
Balestren

San Giuseppe Jato

San Cipirello

Badia
Baglio
Portelli

S 187

20

Balata di Baida

Pizzo d. Niviere
1042

CASTELLAMMARE

P 47

ALCAMO OVEST

Stazione
di Alcamo
Diramazione

S 113

Alcamo

P 10

Grisì

Battaglia
Buseto Palizzolo

Baglio
Messina

Case
Pollina

M. Scorace
642

Castello
Inici

Case
Sciuto

Bruca

A29 PA TP

A29 DIRAMAZIONE

825

601

M. Ferroini

Madonna dell'Alto

M. Bonifatoi

Baglio
Casale

Case
Scuderi

M. Pietrafiori
436

SEGESTA

17

M. Pietroso
531

Camporeale

11

Balletto

M. Raito
477

56

Ponte
Binuara

Ummari

A 29dir

S 113

Segesta

Tre Croci

Calatafimi

Case
Contadine

Sasi

Le Pergole

Sirignano

M. Castellaccio
di Frattacchia
317

24

24

Montagna Grande
751

13

Caltafalsa

13

Roccamena

Vita

M. Polizzo
713

M. Baronia
630

GALLITELLO

24

Caltafalsa

15

Villaggio
Capparini

San Ciro
Ulmi Filci

M. Sette Soldi
543

Sorgenti
Termali

Ulmi

Posillesi

24

Salemi

57

184

17

Gibellina

SALEMI

M. Finestrelle
663

Poggioreale

Ruderi di
Poggioreale

644

Pizzo di Gallo

Salaparuta

6

11

Ruderi di

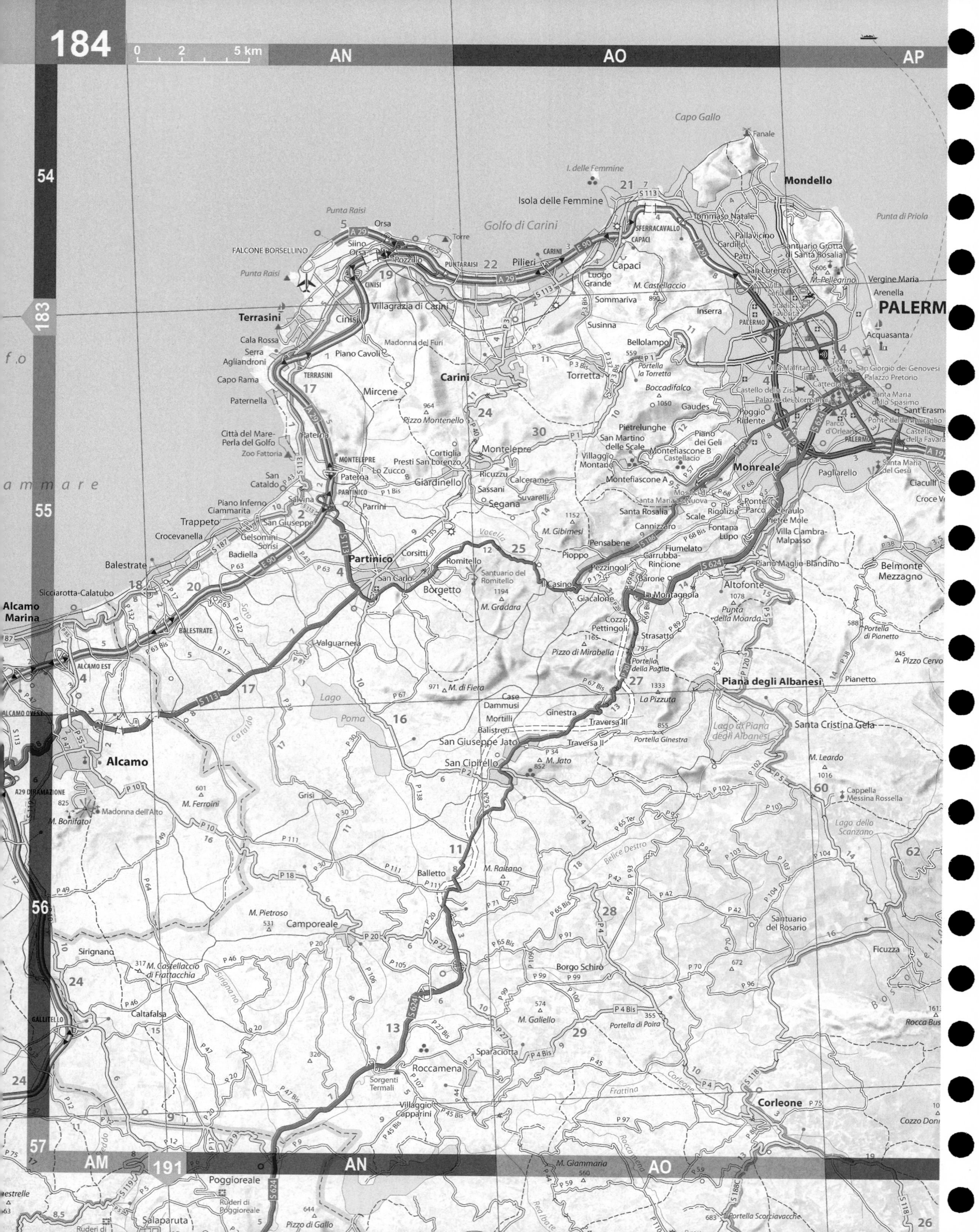
184
0 2 5 km
AN
AO
AP
54
55
56
57
183
191
AM
Capo Gallo
Fanale
I. delle Femmine
Isola delle Femmine
Mondello
Punta Raisi
Golfo di Carini
Orsa
Torre
FALCONE BORSELLINO
Pozzillo
PUNTARAISI
Pilieri
CARINI
Capaci
SFERRACAVALLO
Tommaso Natale
Pallavicino
Cardillo
Patti
San Lorenzo
Santuario Grotta di Santa Rosalia
M. Pellegrino
Punta di Priola
Vergine Maria
Arenella
PALERMO
Acquasanta
Luogo Grande
M. Castellaccio
Sommariva
Inserra
Terrasini
Cinisi
CINISI
Villagrazia di Carini
Susinna
Bellolampo
Cala Rossa
Serra
Agliandroni
Madonna del Furi
Piano Cavoli
Capo Rama
TERRASINI
Carini
Torretta
Portella la Torretta
Boccadifalco
Paternella
Mircene
Gaudes
Poggio Ridente
Città del Mare-Perla del Golfo
Zoo Fattoria
Pizzo Montenello
Montelepre
Pietrelunghe
San Martino delle Scale
Piano dei Geli
Villaggio Montano
Montefiascone B
Castellaccio
Montefiascone A
Monreale
Pagliarello
MONTELEPRE
Presti San Lorenzo
Cortiglia
Lo Zucco
Paterna
Giardinello
Ricuzzu
Calcerame
Sassani
Segana
Suvarelli
San Cataldo
PARTINICO
Salvina
Parrini
Santa Maria la Nuova
Mosaici
Santa Rosalia
Ponte Parco
Scale
Rigolizia
Ceraulo
Pietre Mole
Villa Ciambra-Malpasso
Piano Inferno
Ciammarita
Trappeto
San Giuseppe
Crocevanella
Gelsomini
Sorisi
Badiella
Cannizzaro
Fontana Lupo
M. Gibilmesi
Pensabene
Pioppo
Fiumelato
Carrubba-Rincione
Vocella
Balestrate
Partinico
Corsitti
Romitello
Santuario del Romitello
Pezzingoli
Barone
Piano Maglio-Blandino
Belmonte Mezzagno
Altofonte
Sicciarotta-Calatubo
San Carlo
Borgetto
M. Gradara
Casino
Giacalone
La Montagnola
Punta della Moarda
Alcamo Marina
BALESTRATE
Cozzo Pettingoli
Strasatto
Portella di Pianetto
Valguarnera
Pizzo di Mirabella
Portella della Paglia
Pizzo Cervo
ALCAMO EST
M. di Fiera
Piana degli Albanesi
Pianetto
La Pizzuta
Lago Poma
Case Dammusi
Mortilli
Ginestra
Traversa III
Santa Cristina Gela
ALCAMO OVEST
Balistren
San Giuseppe Jato
Traversa II
Portella Ginestra
Lago di Piana degli Albanesi
Alcamo
M. Jato
San Cipirello
M. Leardo
A29 DIRAMAZIONE
M. Ferroini
Grisi
Cappella Messina Rossella
Madonna dell'Alto
M. Bonifato
Lago dello Scanzano
Belice Destro
Balletto
M. Raitano
M. Pietroso
Camporeale
Santuario del Rosario
Sirignano
M. Castellaccio di Frattacchia
Borgo Schirò
Ficuzza
Caltafalsa
M. Galiello
Portella di Poira
GALLITELLO
Sparacìotta
Rocca Busambra
Roccamena
Sorgenti Termali
Frattina
Corleone
Villaggio Capparini
Cozzo Don
M. Giammaria
Poggioreale
Ruderi di Poggioreale
Salaparuta
Pizzo di Gallo
Portella Scorciavacche
Ruderi di

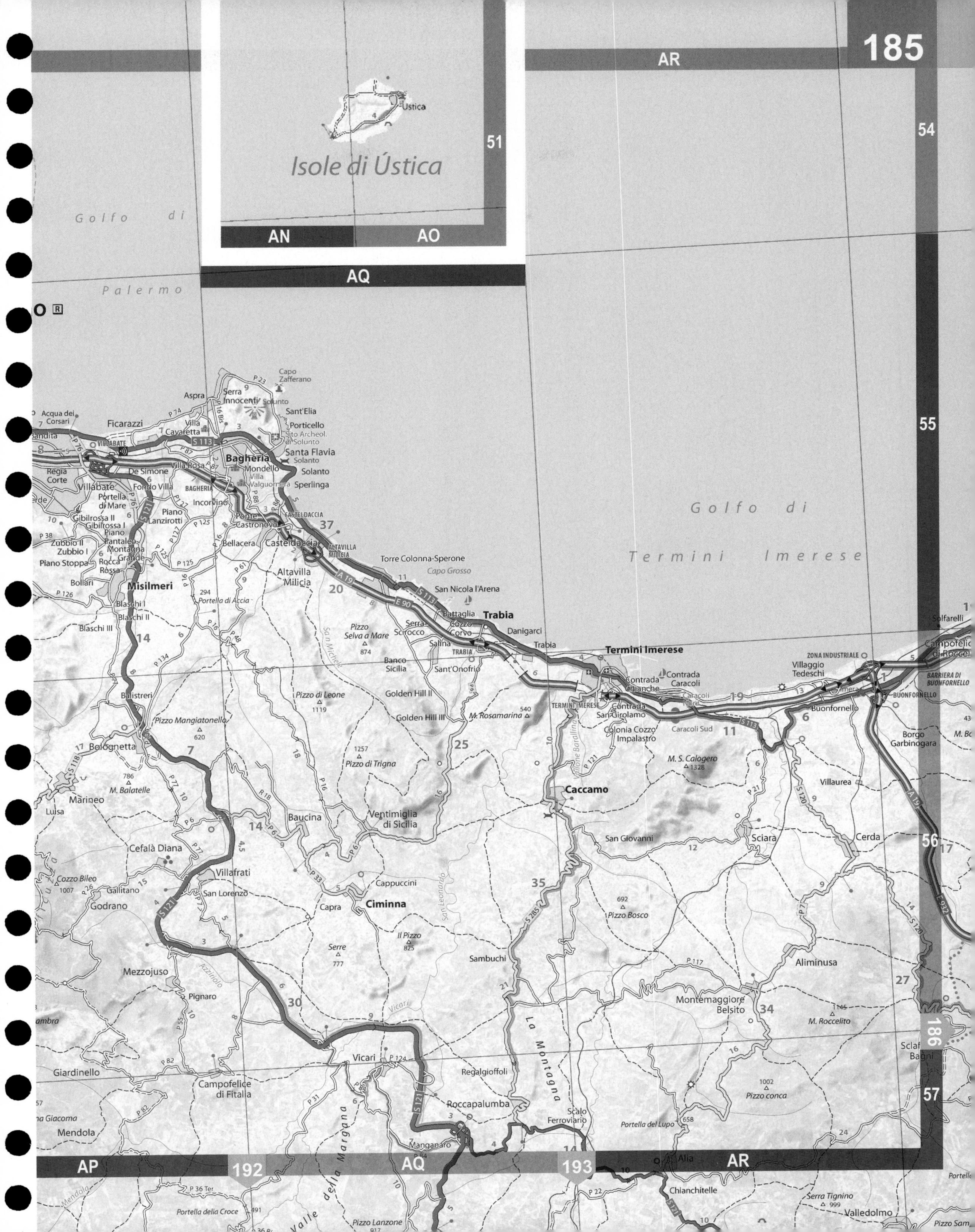

Isole di Ústica

AR

51

54

AN AO

AQ

55

Golfo di

Palermo

O R

Golfo di

Termini Imerese

Capo
Zafferano

Aspra Serra
Innocenti Solunto Sant'Elia

Acqua dei P 74 Villa Porticello
Corsari Ficarazzi Cavaretta Sito Archeol.
andita P 16 Bis di Solunto
8 VILLABATE S 113 Santa Flavia
De Simone Villa Rosa Bagheria Mondello Solanto
Regia Fondo Villa Villa Sperlinga
Corte Villabate BAGHERIA Valguarnera
Portella Incorvino CASTELDACCIA
di Mare Piano Ponte 37
Gibilrossa II Lanzirotti Castronovo
10 Gibilrossa I Piano P 125 Bellacera Casteldaccia
Zubbio II Pantaleo P 125 Altavilla ALTAVILLA
P 38 Zubbio I Montagna P 61 Milicia MILICIA Torre Colonna-Sperone
Piano Stoppa Rocca Grande 20 A 19 Capo Grosso
Bollari Rossa P 16 Altavilla 11 S 131 San Nicola l'Arena
P 126 Misilmeri 294 Milicia E 90
Blaschi I Portella di Accia Battaglia Trabia
14 Blaschi II Serra Gozzo Danigarci
Blaschi III Pizzo Scirocco Corvo Trabia
Selva a Mare Salina TRABIA Termini Imerese
874 Banco ZONA INDUSTRIALE
Balistreri Sicilia Sant'Onofrio Villaggio
Pizzo di Leone Tedeschi
1119 Golden Hill II 4 Campofelic
Pizzo Mangiatonello M. Rosamarina 540 Contrada di Roccel
620 Golden Hill III Chianche Contrada 5
17 Bolognetta Caracoli BARRIERA DI
7 1257 25 TERMINI IMERESE Caracoli BUONFORNELLO
786 Pizzo di Trigna San Girolamo Nord 19
M. Balatelle Contrada 11 Buonfornello BUONFORNELLO
Colonia Cozzo Caracoli Sud 6 43
Marineo 18 Impalastro M. S. Calogero Borgo
Luisa 1328 Garbinogara M. B
14 Baucina Caccamo Villaurea
P 6 Ventimiglia 12 Sciara Cerda
Cefalà Diana di Sicilia San Giovanni 56 17
Cozzo Bileo 15 35 692 P 7
1007 Gallitano Villafrati Cappuccini Pizzo Bosco Aliminusa 27
Godrano San Lorenzo Capra Ciminna Montemaggiore 34
Mezzojuso Serre Sambuchi Belsito M. Roccelito
777 Il Pizzo Pignaro 825 186
30 Vicari 1002
Giardinello Vicari P 124 Regalgioffoli Pizzo conca 57
Campofelice Roccapalumba Scalo
di Fitalia Ferroviario Portella del Lupo 658
Giacoma Mendola Manganaro Alia
AP 192 AQ 193 AR
Portella della Croce Chianchitelle Serra Tignino
Pizzo Lanzone Valledolmo 999

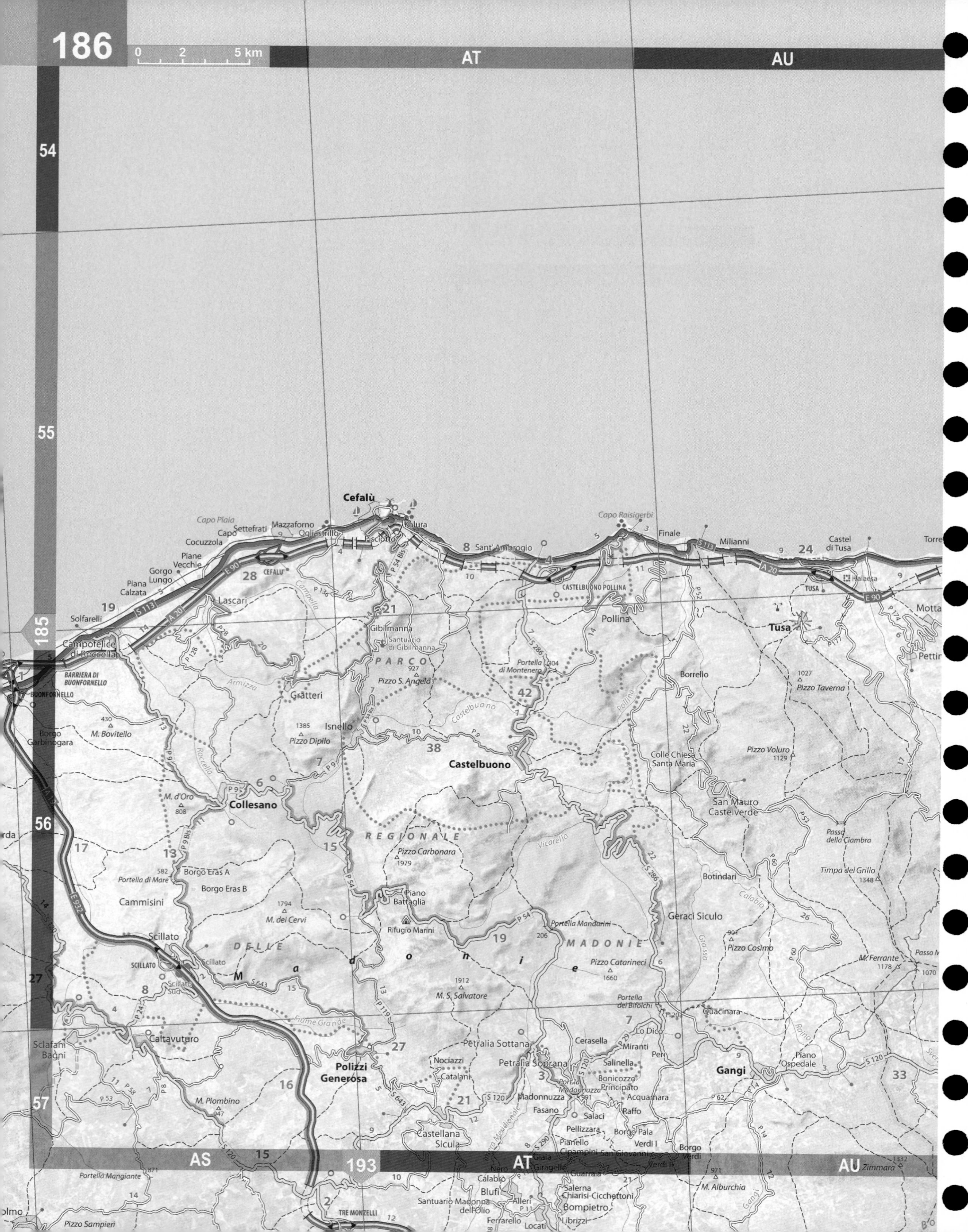
0 2 5 km
AT
AU
54
55
56
57
185
193
AS
Cefalù
Capo Plaia
Settefrati
Mazzaforno
Ogliastrillo
Kalura
Capo
Cocuzzola
Piane Vecchie
Gorgo Lungo
Piana Calzata
Solfarelli
Campofelice di Roccella
BARRIERA DI BUONFORNELLO
BUONFORNELLO
Lascari
Sant'Ambrogio
Capo Raisigerbi
Finale
Milianni
Castel di Tusa
CASTELBUONO POLLINA
TUSA
Pollina
Tusa
Motta
Gibilmanna
Santuario di Gibilmanna
PARCO
Pizzo S. Angelo
Portella di Montenero
Borrello
Pizzo Taverna
Gratteri
M. Bovitello
Borgo Garbinogara
Isnello
Pizzo Dipilo
Castelbuono
Colle Chiesa Santa Maria
Pizzo Voluro
M. d'Oro
Collesano
San Mauro Castelverde
REGIONALE
Passo della Ciambra
Pizzo Carbonara
Portella di Mare
Borgo Eras A
Borgo Eras B
Botindari
Timpa del Grillo
Cammisini
M. dei Cervi
Piano Battaglia
Rifugio Marini
Portella Mandarini
Geraci Siculo
Scillato
SCILLATO
DELLE
MADONIE
Pizzo Cosimo
M. Ferrante
Pizzo Catarineci
M. S. Salvatore
Portella dei Bifolchi
Guacinara
Sclafani Bagni
Caltavuturo
Petralia Sottana
Cerasella
Lo Dico
Miranti
Petralia Soprana
Salinella
Piano Ospedale
Gangi
Polizzi Generosa
Nociazzi
Catalani
Bonicozzo
Principato
Madonnuzza
Acquamara
M. Piombino
Fasano
Salaci
Raffo
Castellana Sicula
Pellizzara
Borgo Pala
Pianello
Verdi I
Cipampini
San Giovanni
Borgo Verdi
Giaia
Giragello
Nero
Calabrò
Guarraia
Blufi
Alleri
Salerna
Chiarisi-Cicchettoni
Santuario Madonna dell'Olio
Bompietro
Ferrarello
Locati
Librizzi
M. Alburchia
Portella Mangiante
TRE MONZELLI
Pizzo Sampieri
Zimmara

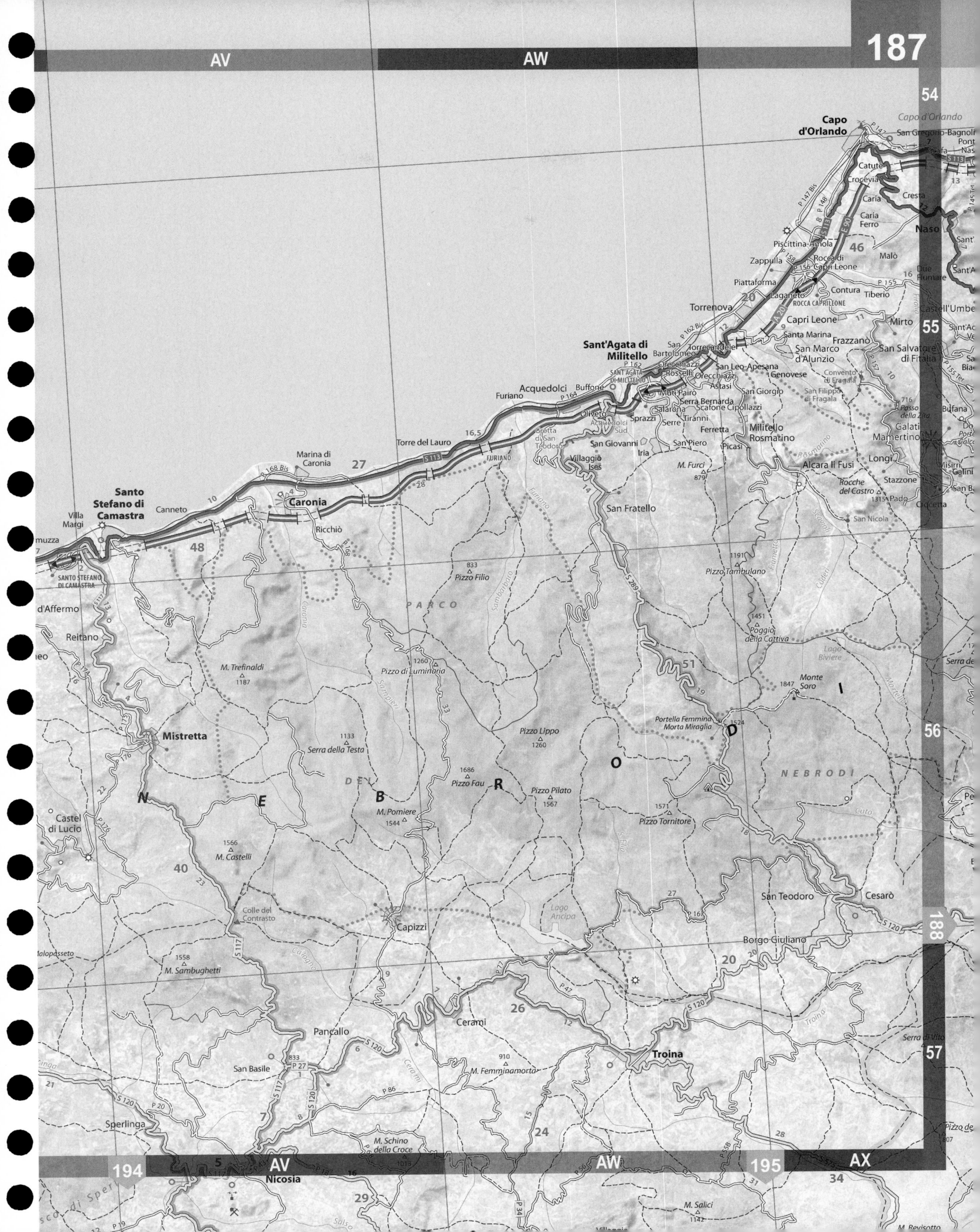
AV
AW
AX
54
55
56
57
188
194
195
Capo d'Orlando
Sant'Agata di Militello
Santo Stefano di Camastra
Caronia
Acquedolci
Torrenova
Capri Leone
Naso
San Fratello
Mistretta
Capizzi
Cerami
Troina
Cesarò
San Teodoro
Nicosia
Sperlinga
San Basile
Pancallo
Borgo Giuliano
Alcara li Fusi
Militello Rosmarino
Longi
Galati Mamertino
Frazzanò
San Marco d'Alunzio
San Salvatore di Fitalia
Mirto
Tortorici
Ucria
Castel di Lucio
Reitano
Torre del Lauro
Marina di Caronia
Canneto
Furiano
Villaggio Ises
PARCO DEI NEBRODI
Monte Soro 1847
Pizzo Fau 1686
M. Castelli 1566
M. Trefinaldi 1187
Pizzo Filio 833
Pizzo di Luminaria 1260
Serra della Testa 1133
M. Pomiere 1544
Pizzo Lippo 1260
Pizzo Pilato 1567
Pizzo Tornitore 1571
Portella Femmina Morta Miraglia 1524
Pizzo Tambulano 1191
Poggio della Cattiva 1451
M. Furci 879
Rocche del Castro 1315
M. Sambughetti 1558
M. Femminamorta 910
M. Schino della Croce 1013
M. Salici 1142
Colle del Contrasto
Lago Ancipa
Lago Biviere

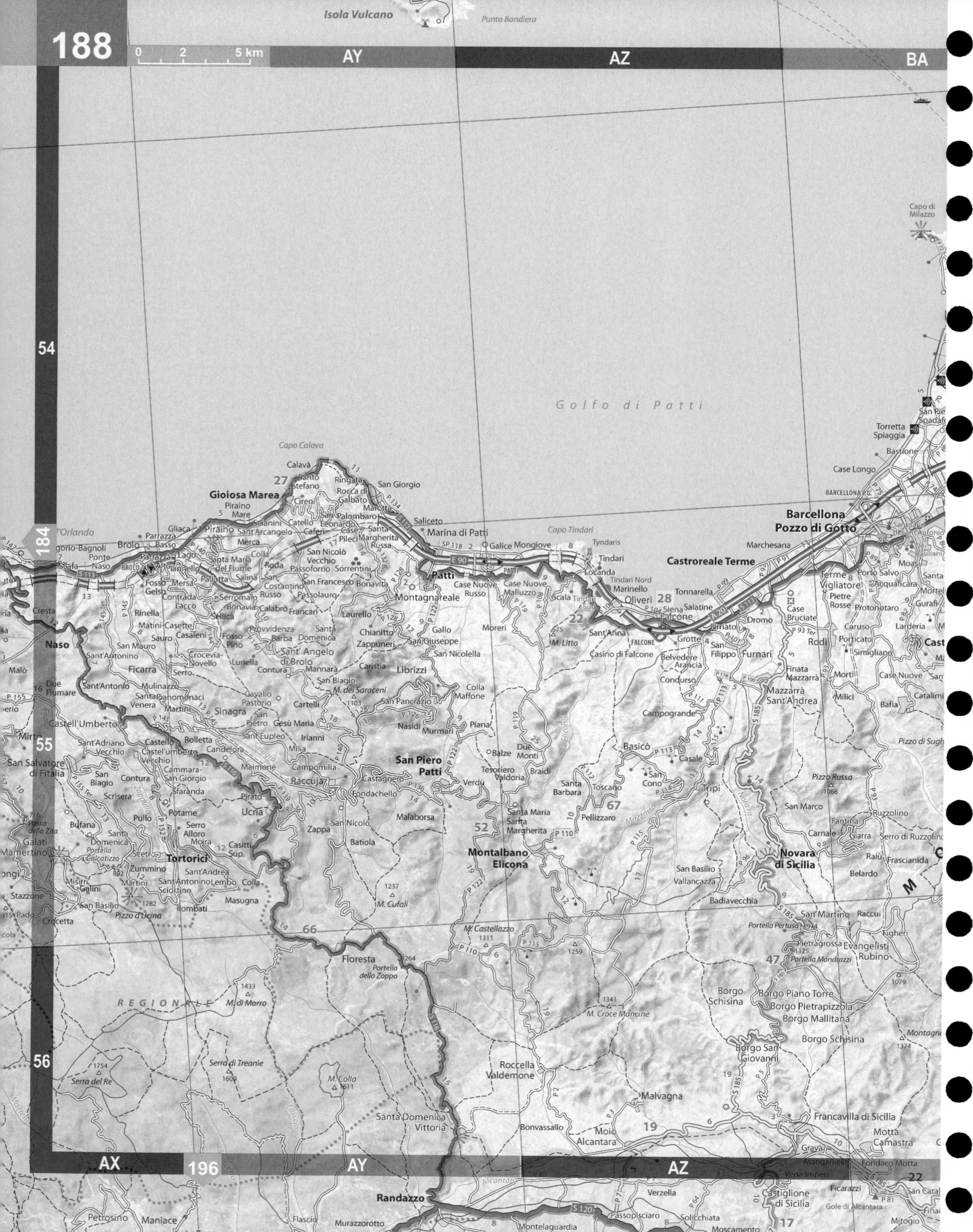

Isola Vulcano
Punta Bandiera
0 2 5 km
AY
AZ
BA
54
55
56
184
196
AX
Capo di Milazzo
Golfo di Patti
Capo Calava
Calavà
Santo Stefano
Gioiosa Marea
San Giorgio
Ringato
Rocca di Galbato
Marotta
Palombaro
Cireni
Piraino Mare
Piraino
Gliaca
Brolo
Parrazzà
Saliceto
Marina di Patti
Galice
Mongiove
Capo Tindari
Tyndaris
Tindari
Locanda
Patti
Case Nuove Russo
Case Nuove Malluzzo
Montagnareale
Tindari Nord
Marinello
Oliveri
Falcone
Castroreale Terme
Marchesana
Barcellona Pozzo di Gotto
Tonnarella
Salatine
Case Bruciate
Torretta Spiaggia
Bastione
Case Longo
Terme Vigliatore
Porto Salvo
Acquaficara
Protonotaro
Rodì
Furnari
San Filippo
Grotte
Belvedere Arancia
Condurso
Mazzarrà Sant'Andrea
Campogrande
Basicò
Casale
San Cono
Tripi
Novara di Sicilia
Naso
Sant'Antonino
Ficarra
Sinagra
Sant' Angelo di Brolo
Librizzi
San Piero Patti
Raccuja
Castell'Umberto
San Salvatore di Fitalia
Galati Mamertino
Tortorici
Ucria
Floresta
Montalbano Elicona
Santa Maria
Santa Margherita
M. Cufali
M. Castellazzo
Portella dello Zoppo
M. di Morro
REGIONALE
Serra di Treanie
Serra del Re
M. Colla
Santa Domenica Vittoria
Roccella Valdemone
Malvagna
Moio Alcantara
Bonvassallo
Francavilla di Sicilia
Motta Camastra
Graniti
Borgo Schisina
Borgo Piano Torre
Borgo Pietrapizzola
Borgo Mallitana
Borgo San Giovanni
M. Croce Mancine
Evangelisti Rubino
Pietragrossa
Portella Mandrazzi
Portella Pertusa
San Martino
Badiavecchia
San Basilio
Vallancazza
Pizzo Russa
San Marco
Fantina
Carnale
Randazzo
Maniace
Petrosino
Flascio
Murazzorotto
Montelaguardia
Passopisciaro
Solicchiata
Verzella
Moscamento
Castiglione di Sicilia
Vena Imperi
Fondaco Motta
Gole di Alcantara
Mitogio

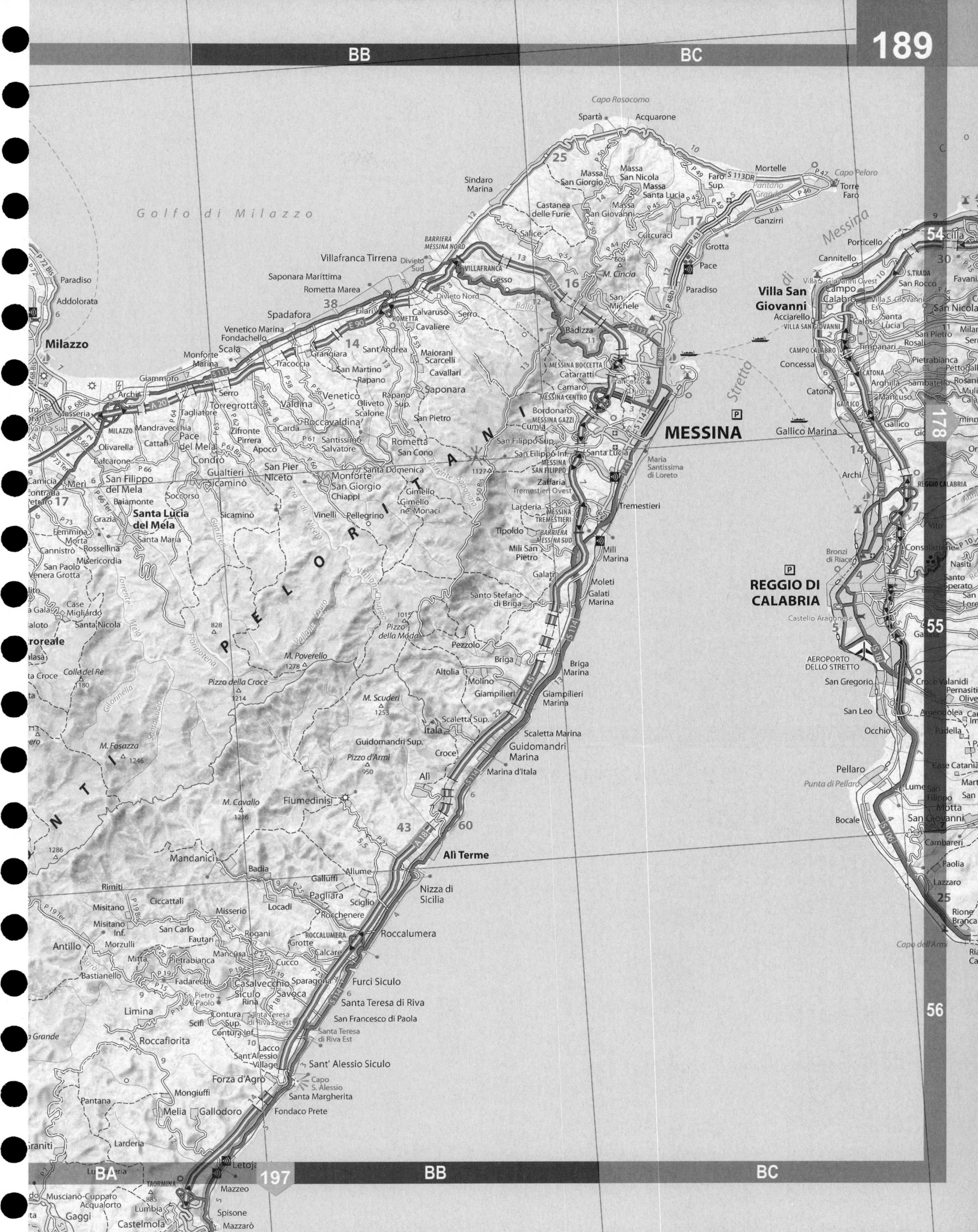
189
BB
BC
Capo Rasocomo
Spartà
Acquarone
Mortelle
Capo Peloro
Torre Faro
Massa San Giorgio
Massa San Nicola
Massa Santa Lucia
Massa San Giovanni
Faro Sup.
Pantano Grande
Ganzirri
Sindaro Marina
Castanea delle Furie
Salice
Curcuraci
Grotta
Pace
Paradiso
M. Ciccia
San Michele
Golfo di Milazzo
Villafranca Tirrena
Divieto Sud
Divieto Nord
BARRIERA MESSINA NORD
VILLAFRANCA
Gesso
Saponara Marittima
Rometta Marea
Spadafora
Filari
ROMETTA
Calvaruso
Serro
Cavaliere
Venetico Marina
Fondachello
Scala
Monforte Marina
Milazzo
Paradiso
Addolorata
Giammoro
Archi
Masseria
MILAZZO
Grangiara
Sant'Andrea
Maiorani
Scarcelli
Cavallari
Tracoccia
San Martino
Rapano
Saponara
Badizza
Venetico
Rapano Sup.
Serro
Torregrotta
Tagliatore
Valdina
Oliveto
Scalone
Roccavaldina
Mandravecchia
Olivarella
Cattafi
Pace del Mela
Zifronte
Pirrera
Apoco
Carda
Santissimo Salvatore
Rometta
San Cono
San Pietro
Calcarone
Condrò
Gualtieri Sicaminò
San Pier Niceto
Monforte San Giorgio
Chiappi
Santa Domenica
San Filippo del Mela
Meri
Contrada Petraro
Baiamonte
Soccorso
Santa Lucia del Mela
Sicaminò
Vinelli
Pellegrino
Gimello
Gimello ne' Monaci
Grazia
Femmina Morta
Cannistrò
Rosselina
Santa Maria
Misericordia
San Paolo
Venera Grotta
Case Migliardo
Santa Nicola
PELORITANI
MESSINA BOCCETTA
Catarratti
Camaro
MESSINA CENTRO
San Francesco
Duomo
Bordonaro
MESSINA GAZZI
Cumia
MESSINA
San Filippo Sup.
San Filippo Inf.
MESSINA SAN FILIPPO
Santa Lucia
Maria Santissima di Loreto
Zafferia
Tremestieri Ovest
Larderia
MESSINA TREMESTIERI
Tremestieri
Tipoldo
BARRIERA MESSINA SUD
Mili San Pietro
Mili Marina
Galati
Moleti
Galati Marina
Santo Stefano di Briga
Pizzo della Moda
Pezzolo
Briga
Briga Marina
Altolia
Molino
Giampilieri
Giampilieri Marina
M. Poverello
Colla del Re
Pizzo della Croce
M. Scuderi
Scaletta Sup.
Itala
Scaletta Marina
Guidomandri Sup.
Guidomandri Marina
Croce
Marina d'Itala
Pizzo d'Armi
M. Fosazza
Alì
M. Cavallo
Fiumedinisi
Alì Terme
Mandanici
Badia
Allume
Galluffi
Nizza di Sicilia
Rimiti
Ciccatalli
Misitano
Misitano Inf.
Pagliara
Scigliò
Locadi
Misserio
Rocchenere
San Carlo
Fautari
Rogani
ROCCALUMERA
Roccalumera
Grotte
Calcare
Antillo
Morzulli
Mitta
Pietrabianca
Mancusa
Cucco
Bastianello
Fadarechi
Casalvecchio Siculo
Sparagonà
Furci Siculo
Savoca
Pietro e Paolo
Limina
Rina
Santa Teresa di Riva
Contura Sup.
Contura Inf.
Santa Teresa di Riva Ovest
San Francesco di Paola
Santa Teresa di Riva Est
Roccafiorita
Lacco
Sant'Alessio Village
Sant' Alessio Siculo
Capo S. Alessio
Forza d'Agro
Santa Margherita
Mongiuffi
Pantana
Melia
Gallodoro
Fondaco Prete
Graniti
Larderia
Letojanni
TAORMINA
Mazzeo
Musciano-Cupparo
Acqualorto
Lumbia
Gaggi
Castelmola
Spisone
Mazzarò
BA
197
BB
BC
Stretto di Messina
Porticello
Scilla
Cannitello
Villa San Giovanni Ovest
Villa San Giovanni
Campo Calabro
Acciarello
VILLA SAN GIOVANNI
CAMPO CALABRO
Concessa
Catona
CATONA
Gallico
GALLICO
Gallico Marina
Archi
REGGIO CALABRIA
Bronzi di Riace
REGGIO DI CALABRIA
Castello Aragonese
AEROPORTO DELLO STRETTO
San Gregorio
San Leo
Occhio
Pellaro
Punta di Pellaro
Bocale
Lazzaro
Capo dell'Armi
54
55
56
178

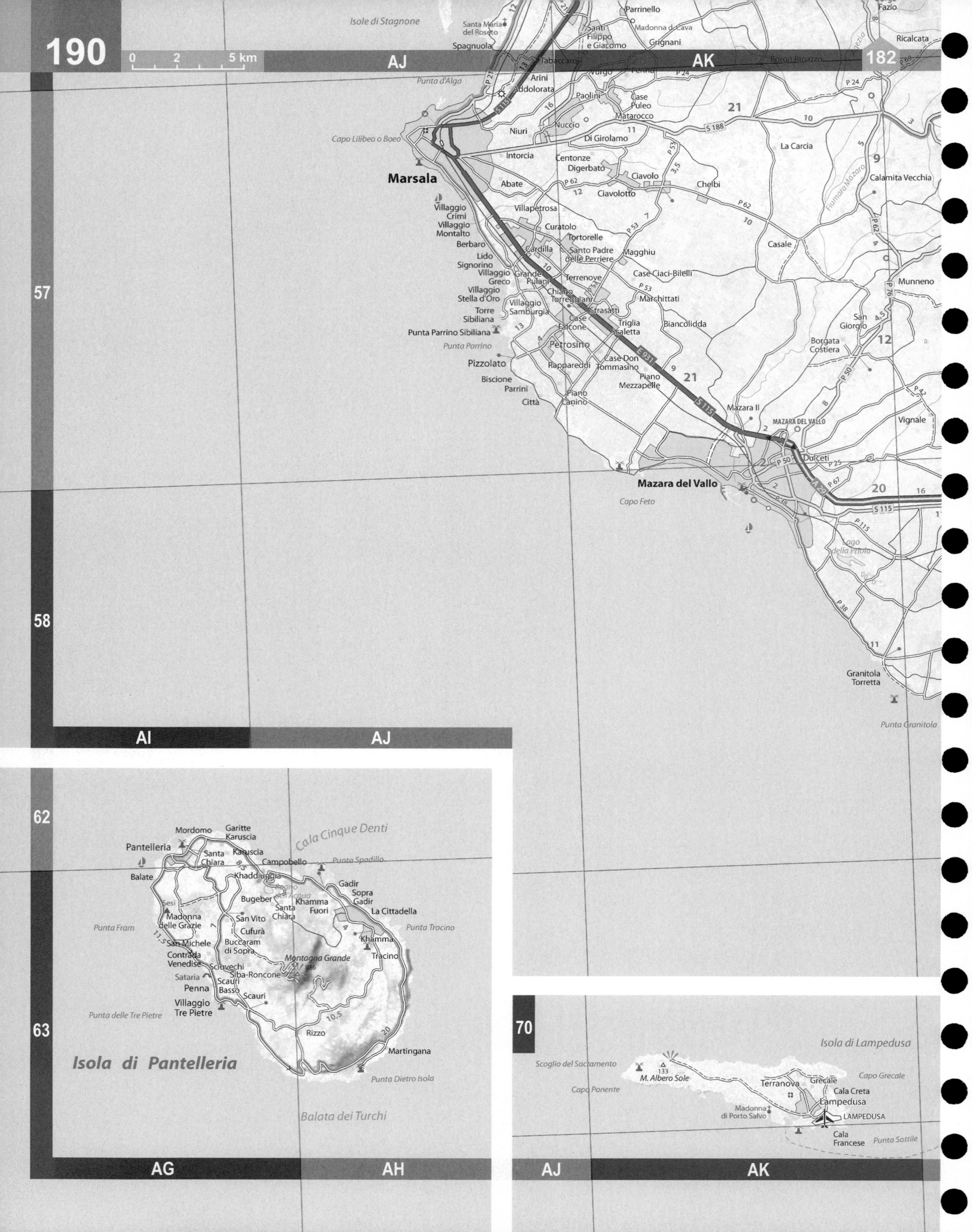

0 2 5 km

AJ AK 182

Isole di Stagnone

Santa Maria del Roseto
Spagnuola

Parrinello
Santa Maria del Cava
Santi Filippo e Giacomo
Grignani

Fazio
Ricalcata

Punta d'Alga
Arini
Addolorata

Tabaccaro
Borgo Binazzo
P 24

Paolini
Caso Puleo
Matarocco

Capo Lilibeo o Boeo
Niuri
Di Girolamo

21
S 188
La Carcia
10

9

Marsala
Intorcia
Centonze
Digerbato

Calamita Vecchia

Abate
Ciavolo
Chelbi

57
Villaggio Crimi
Villaggio Montalto
Berbaro
Villapetrosa
Curatolo
Tortorelle
Ciavolotto
P 62
12
Casale

Lido Signorino
Villaggio Greco
Cardilla
Santo Padre delle Perriere
Magghiu
P 62
Munneno

Villaggio Stella d'Oro
Grande Pulani
Terrenove
Case-Ciaci-Bilelli
P 53
San Giorgio

Torre Sibiliana
Villaggio Samburgia
Chiano Torregbiani
Strasatti
Marchittati
12

Punta Parrino Sibiliana
Case Falcone
Triglia Scaletta
Biancolidda
Borgata Costiera

Punta Parrino
Petrosino
Rappareddi
Piano Mezzapelle
21

Pizzolato
Case Don Tommasino
S 115
Mazara II

Biscione
Parrini
Piano Canino
Mazara del Vallo
Dulceti
20
16

Città
A 29
S 115

58
Capo Feto
Lago della Priola

Vignale

AI AJ

11

Granitola Torretta

Punta Granitola

62
Mordomo
Garitte Karuscia
Cala Cinque Denti

Pantelleria
Santa Chiara
Karuscia
Punta Spadillo

Balate
Campobello

Khaddiuggia
Gadir
Sopra Gadir

Sesi
Bugeber
Santa Chiara
Khamma Fuori
La Cittadella

Punta Fram
Madonna delle Grazie
San Vito
Cufurà

Punta Tracino

San Michele
Buccaram di Sopra
Khamma

Contrada Venedise
Sciuvechi
Montagna Grande
Tracino

Sataria
Siba-Roncone
836

Penna
Scauri Basso
Scauri

63
Villaggio Tre Pietre
Rizzo
10.5

Punta delle Tre Pietre
20

Isola di Pantelleria
Martingana

Punta Dietro Isola

Balata dei Turchi

Isola di Lampedusa

Scoglio del Sacramento
133
M. Albero Sole
Terranova
Grecale
Capo Grecale

Capo Ponente
Cala Creta
Lampedusa

Madonna di Porto Salvo
LAMPEDUSA

Cala Francese
Punta Sottile

AG AH AJ AK

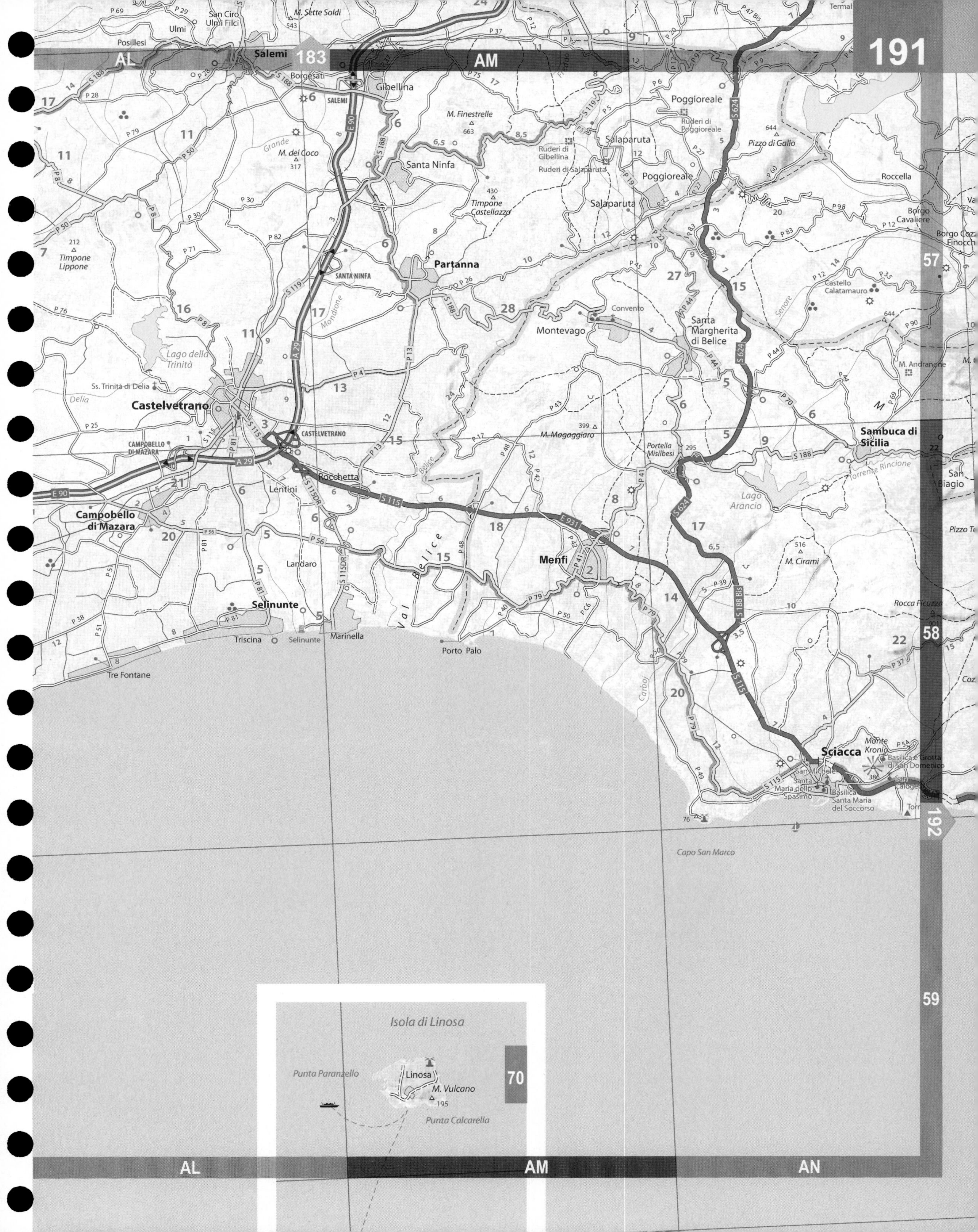

AL
183
AM
Salemi
Gibellina
Poggioreale
Ruderi di Poggioreale
Ruderi di Gibellina
Ruderi di Salaparuta
Salaparuta
Santa Ninfa
M. Finestrelle
M. del Coco
Timpone Castellazzo
Pizzo di Gallo
Roccella
Borgo Cavaliere
Partanna
Montevago
Santa Margherita di Belice
Castello Calatamauro
Lago della Trinità
Ss. Trinità di Delia
Castelvetrano
Campobello di Mazara
Rocchetta
Lentini
Sambuca di Sicilia
Portella Misilbesi
M. Magaggiaro
Lago Arancio
M. Cirami
Menfi
Landaro
Selinunte
Triscina
Marinella
Porto Palo
Tre Fontane
Timpone Lippone
Rocca Ficuzza
Sciacca
Monte Kronio
Basilica e Grotta di San Domenico
Santa Maria dello Spasimo
Basilica Santa Maria del Soccorso
Capo San Marco
57
58
59
192
Isola di Linosa
Punta Paranzello
Linosa
M. Vulcano
Punta Calcarella
70
AL
AM
AN

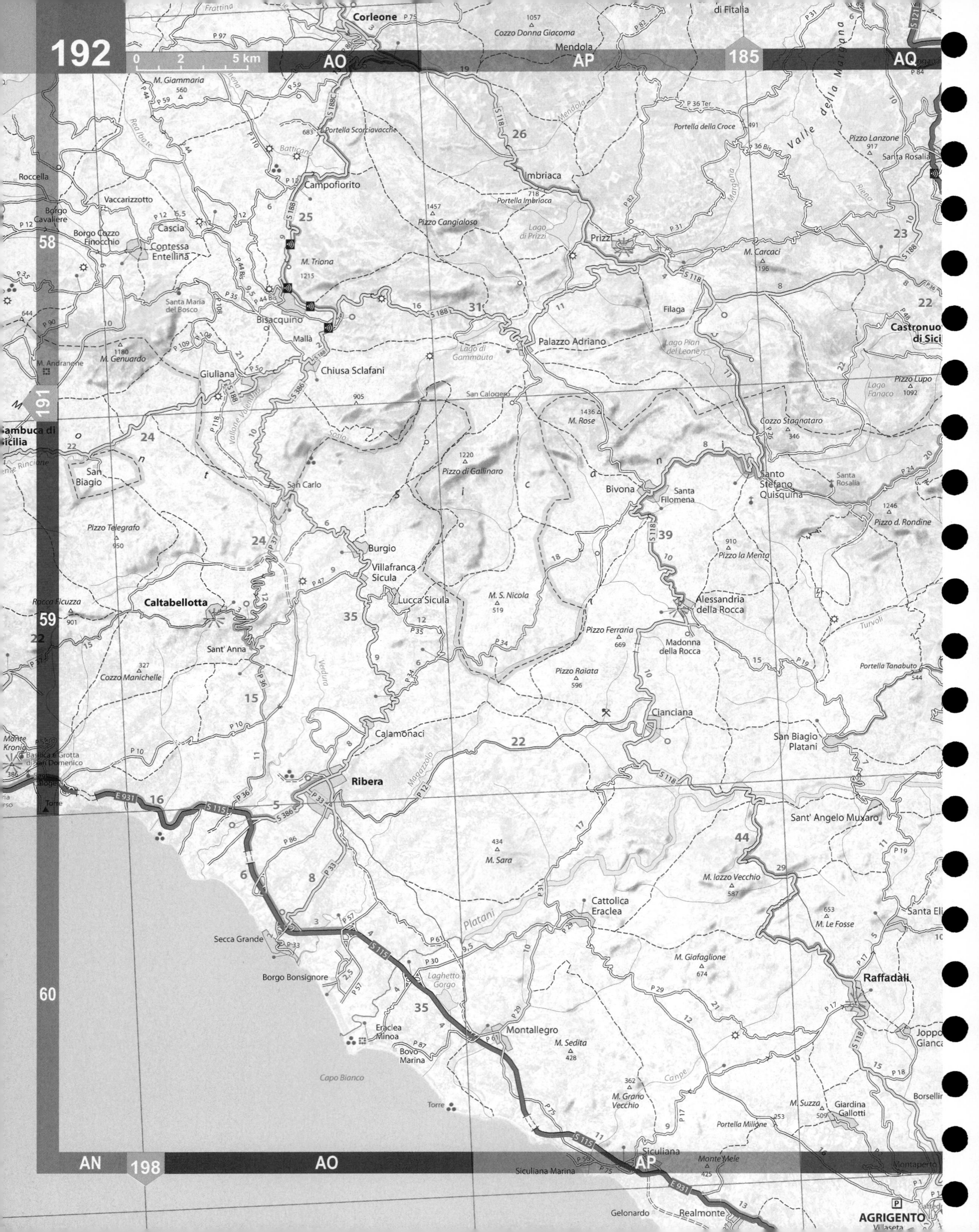

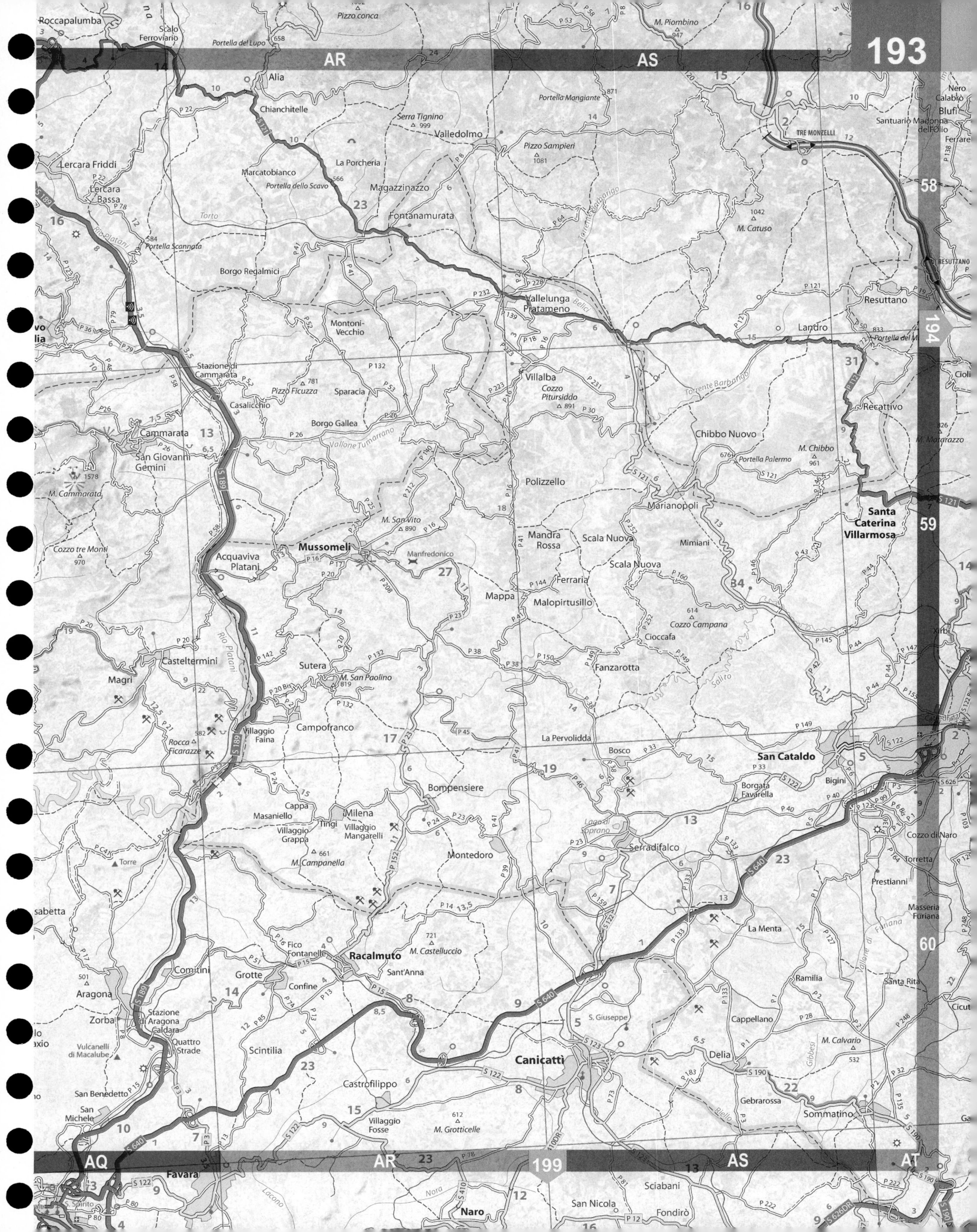
AR
AS
Roccapalumba
Scalo Ferroviario
Portella del Lupo
Pizzo conca
M. Piombino
Alia
Chianchitelle
Portella Mangiante
Serra Tignino
Valledolmo
Pizzo Sampieri
TRE MONZELLI
Nero
Calabrò
Blufi
Santuario Madonna dell'Olio
Ferrare
Lercara Friddi
Lercara Bassa
Marcatobianco
Portella dello Scavo
La Porcheria
Magazzinazzo
Fontanamurata
Portella Scannata
Torrente Belici
M. Catuso
Borgo Regalmici
RESUTTANO
Resuttano
Vallelunga Pratameno
Montoni-Vecchio
Landro
Portella del M.
194
Stazione di Cammarata
Pizzo Ficuzza
Sparacia
Villalba
Cozzo Pitursiddo
Torrente Barbarigo
Casalicchio
Borgo Gallea
Recattivo
Cammarata
San Giovanni Gemini
Vallone Tumarrano
Chibbo Nuovo
M. Chibbo
Portella Palermo
M. Mataràzzo
M. Cammarata
Polizzello
Marianopoli
Santa Caterina Villarmosa
M. San Vito
Mandra Rossa
Scala Nuova
Mimiani
Cozzo tre Monti
Mussomeli
Manfredonico
Acquaviva Platani
Ferraria
Mappa
Malopirtusillo
Cozzo Campana
Cioccafa
Rio Platani
Casteltermini
Sutera
M. San Paolino
Fanzarotta
Salso
Xirbi
Magri
Villaggio Faina
Campofranco
Rocca Ficarazze
La Pervolidda
Bosco
San Cataldo
Bompensiere
Borgata Favarella
Bigini
Cappa
Masaniello
Milena
Tingi
Villaggio Grappa
Villaggio Mangarelli
M. Campanella
Lago di Soprano
Serradifalco
Cozzo di Naro
Torretta
Torre
Montedoro
Prestianni
Masseria Furiana
Vallone di Furiana
La Menta
Fico Fontanelle
Racalmuto
M. Castelluccio
Sant'Anna
Comitini
Grotte
Confine
Aragona
Ramilia
Santa Rita
Zorba
Stazione di Aragona Caldara
Quattro Strade
Vulcanelli di Macalube
S. Giuseppe
Cappellano
Scintilia
Canicattì
Delia
M. Calvario
Gibbesi
Castrofilippo
Gebrarossa
San Benedetto
San Michele
Villaggio Fosse
M. Grotticelle
Sommatino
Riello
AQ
AR
199
AS
AT
Favara
Laconò
Nora
Naro
Sciabani
San Nicola
Fondirò
S. Spirito
58
59
60

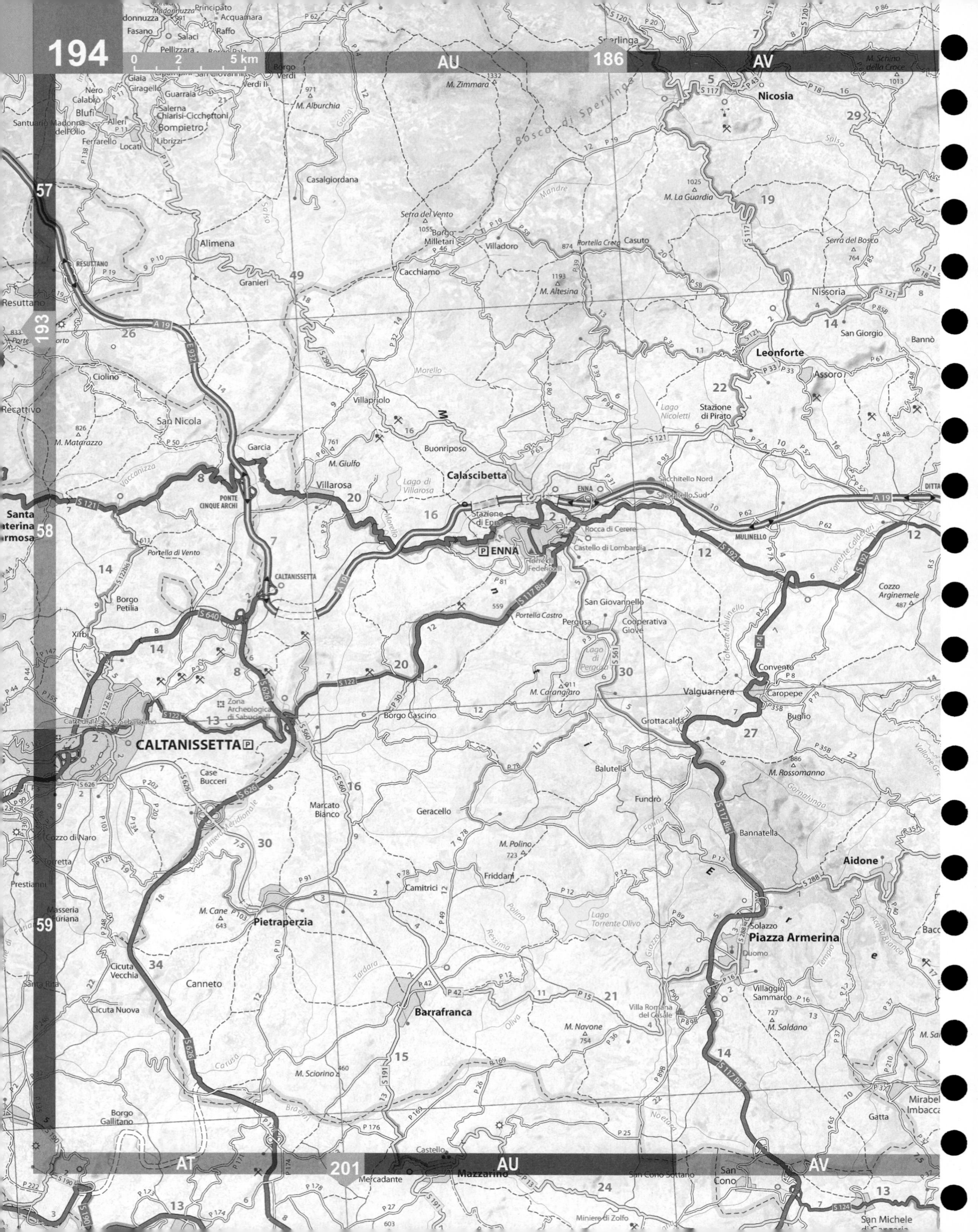
0 2 5 km
AU
186
AV
57
193
58
59
AT
201
AU
AV
Nicosia
Sperlinga
M. Zimmara
M. Alburchia
Bosco di Sperlinga
Casalgiordana
M. La Guardia
Serra del Vento
Borgo Milletari
Villadoro
Portella Creta
Casuto
Serra del Bosco
Alimena
Resuttano
Granieri
Cacchiamo
M. Altesina
Nissoria
San Giorgio
Bannò
Leonforte
Assoro
Ciolino
Recattivo
San Nicola
M. Matarazzo
Villapriolo
Morello
Lago Nicoletti
Stazione di Pirato
Garcia
M. Giulfo
Buonriposo
Calascibetta
Villarosa
Lago di Villarosa
Sacchitello Nord
Sacchitello Sud
PONTE CINQUE ARCHI
Santa Caterina Villarmosa
Portella di Vento
Stazione di Enna
ENNA
Rocca di Cerere
Castello di Lombardia
Torre di Federico II
MULINELLO
Cozzo Arginemele
Borgo Petilia
CALTANISSETTA
San Giovannello
Portella Castro
Pergusa
Cooperativa Giove
Lago di Pergusa
Xirbi
M. Carangiaro
Convento
Caropepe
Valguarnera
Buglio
Zona Archeologica di Sabucina
Borgo Cascino
Grottacalda
Cattedrale
S. Sebastiano
CALTANISSETTA
Case Bucceri
Balutella
M. Rossomanno
Marcato Bianco
Geracello
Fundrò
Bannatella
Cozzo di Naro
Torretta
M. Polino
Aidone
Prestianni
Camitrici
Friddani
Masseria Muriana
M. Cane
Pietraperzia
Lago Torrente Olivo
Solazzo
Piazza Armerina
Duomo
Cicuta Vecchia
Canneto
Santa Rita
Barrafranca
Villaggio Sammarco
Villa Romana del Casale
Cicuta Nuova
M. Navone
M. Saldano
M. Sciorino
Borgo Gallitano
Gatta
Castello
Mercadante
Mazzarino
San Cono Sottano
San Cono
San Michele di Ganzaria
Miniere di Zolfo

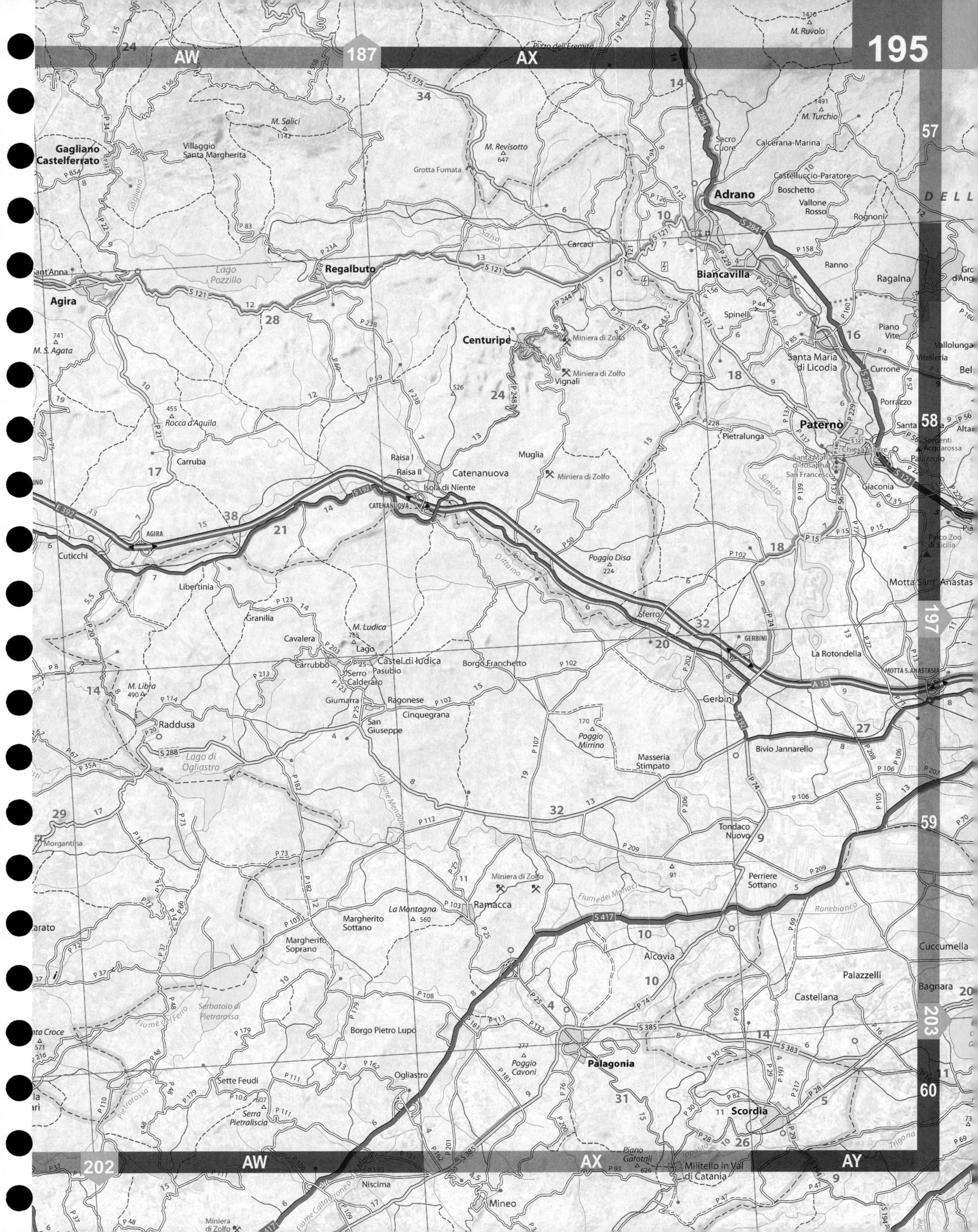

AW
187
AX
195
57
58
197
59
203
60
202
AW
AX
AY
Adrano
Biancavilla
Regalbuto
Agira
Gagliano Castelferrato
Centuripe
Catenanuova
Paternò
Santa Maria di Licodia
Castel di Iudica
Raddusa
Ramacca
Palagonia
Scordia
Militello in Val di Catania
Mineo
Motta Sant'Anastasia
Gerbini
Carcaci
Regalbuto
Lago Pozzillo
Lago di Ogliastro
Sferro
Libertinia
Cutìcchi
Carruba
Rocca d'Aquila
M. Salici
M. Revisotto
Grotta Fumata
Villaggio Santa Margherita
Miniera di Zolfo
Vignali
Muglia
Raisa I
Raisa II
Isola di Niente
Poggio Disa
M. Ludica
Cavalera
Lago
Carrubbo
Serro Calderaro
Pasubio
Giumarra
Ragonese
Cinquegrana
San Giuseppe
Borgo Franchetto
M. Libra
Poggio Mirrino
Masseria Stimpato
Bivio Jannarello
Tondaco Nuovo
Perriere Sottano
La Montagna
Margherito Sottano
Margherito Soprano
Alcovia
Castellana
Palazzelli
Cuccumella
Bagnara
Borgo Pietro Lupo
Poggio Cavoni
Ogliastro
Sette Feudi
Serra Pietraliscia
Niscima
Piano Gatotali
Sacro Cuore
Calcerana-Marina
Castelluccio-Paratore
Boschetto
Vallone Rosso
Rognoni
Ranno
Ragalna
Spinelli
Piano Vite
Vallolunga
Vitelleria
Currone
Porrazzo
Pietralunga
Chiesa Madre
Santa Maria di Josaphat
San Francesco
Giaconia
Parco Zoo di Sicilia
La Rotondella
M. Turchio
M. Ruvolo
Pizzo dell'Eremita
Sant'Anna
M. S. Agata
Granìlia
Morgantina
Serbatoio di Pietrarossa
Fiume del Ferro
Fiume dei Monaci
Ranebianco
Salso
Simeto
Dittaino
Vallone Mendolo
Fiume Caltagirone
E 392
A 19
S 121
S 192
S 284
S 288
S 417
S 385
S 383

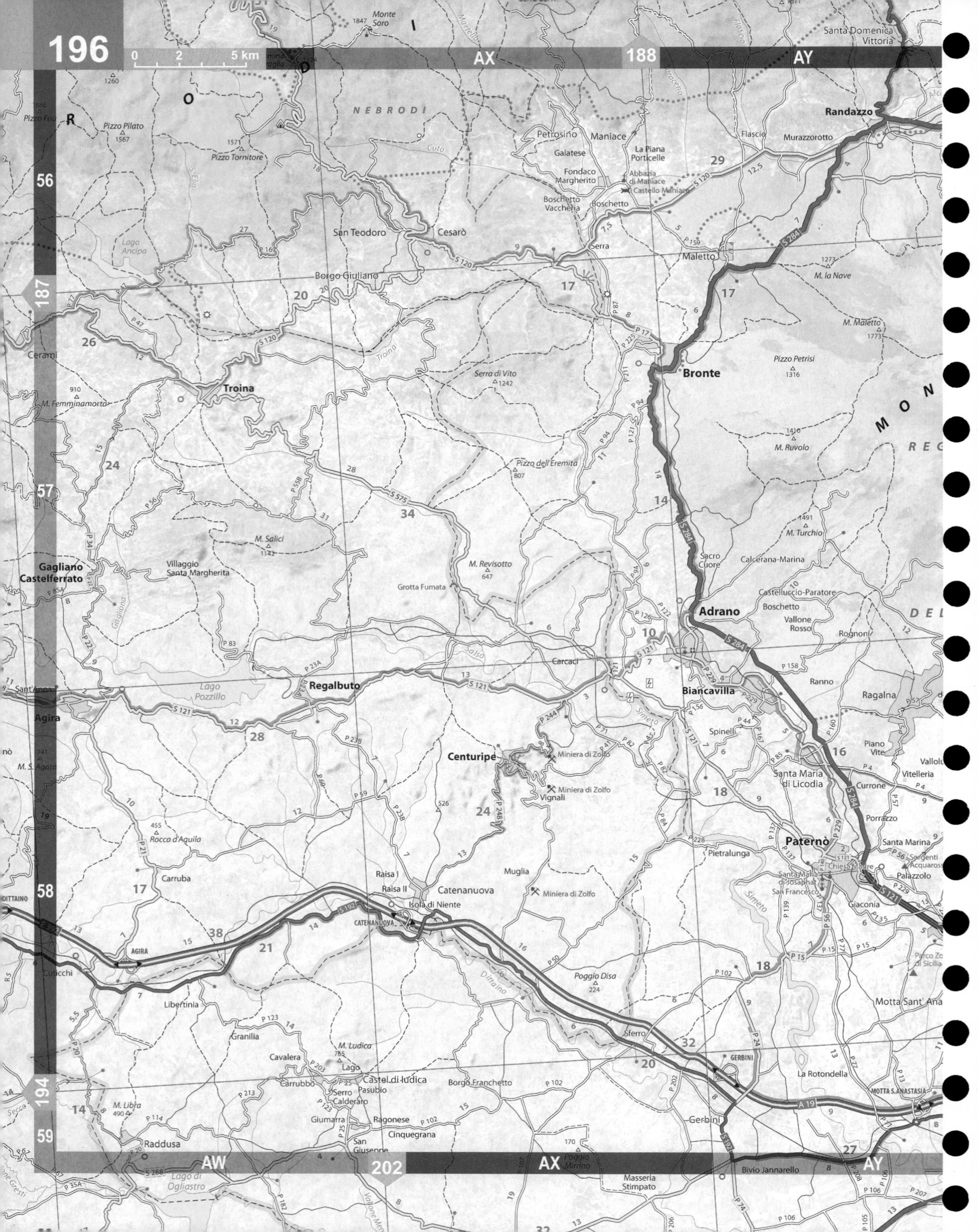

196
0 2 5 km
AX
188
AY
AW
202
56
57
58
59
187
194
Monte Soro
1847
NEBRODI
Santa Domenica Vittoria
Randazzo
Flascio
Murazzorotto
Petrosino
Maniace
Galatese
La Piana Porticelle
Fondaco Margherito
Abbazia di Maniace
Castello Maniace
Boschetto Vaccheria
Boschetto
Pizzo Pilato
1567
Pizzo Tornitore
1571
1260
Lago Ancipa
San Teodoro
Cesarò
Serra
Maletto
M. la Nave
1273
Borgo Giuliano
M. Maletto
1773
Cerami
Troina
Bronte
Pizzo Petrisi
1316
910
M. Femminamorta
Serra di Vito
1242
M. Ruvolo
1410
Pizzo dell'Eremita
807
M. Turchio
1491
M. Salici
1143
Villaggio Santa Margherita
Gagliano Castelferrato
M. Revisotto
647
Grotta Fumata
Sacro Cuore
Calcerana-Marina
Castelluccio-Paratore
Boschetto
Vallone Rosso
Adrano
Rognoni
Carcaci
Regalbuto
Lago Pozzillo
Sant'Anna
Agira
Biancavilla
Ranno
Ragalna
M. S. Agata
Centuripe
Miniera di Zolfo
Vignali
Spinelli
Santa Maria di Licodia
Piano Vite
Vallolu
Vitelleria
Currone
Porrazzo
Paternò
Santa Marina
Sorgenti Acquarossa
Palazzolo
Chiesa Madre
Santa Maria di Josaphat
San Francesco
Giaconia
Pietralunga
455
Rocca d'Aquila
Carruba
Raisa I
Raisa II
Catenanuova
Isola di Niente
Muglia
CATENANUOVA
AGIRA
DITTAINO
Cutocchi
Libertinia
Poggio Disa
224
Parco Zoo di Sicilia
Motta Sant' Anastasia
Granilia
Sferro
M. Ludica
765
Cavalera
Lago
Carrubbo
Castel di Iudica
Pasubio
Serro
Calderaro
Borgo Franchetto
GERBINI
La Rotondella
MOTTA S. ANASTASIA
M. Libra
490
Giumarra
Ragonese
Cinquegrana
Gerbini
Raddusa
San Giuseppe
Poggio Mirrino
170
Lago di Ogliastro
Bivio Jannarello
Masseria Stimpato
Simeto
Dittaino
Salso
Troina
S 120
S 121
S 284
S 575
S 192
S 288
A 19
E 932

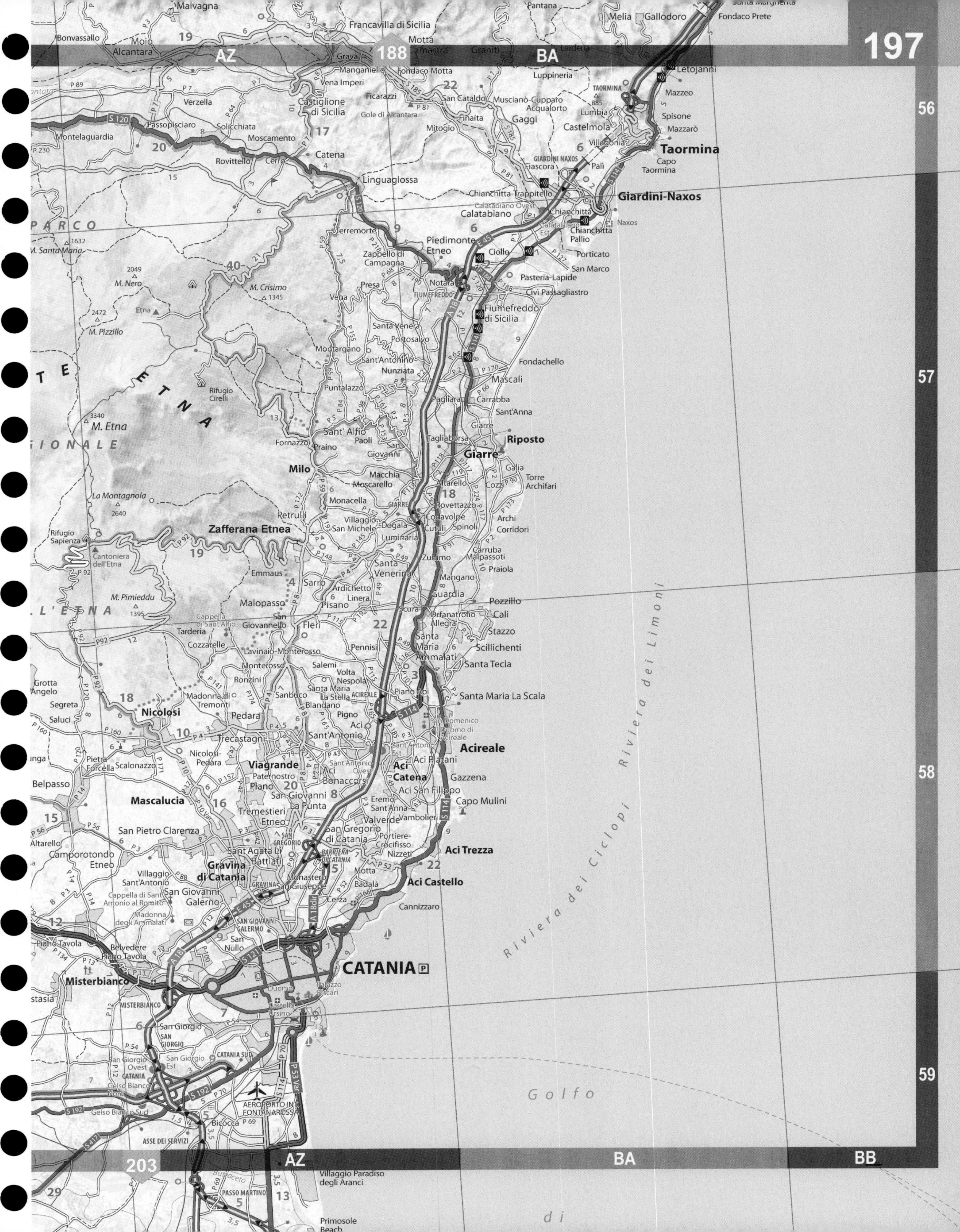
188
AZ
BA
56
57
58
59
203
AZ
BA
BB
Taormina
Giardini-Naxos
Castelmola
Letojanni
Linguaglossa
Piedimonte Etneo
Calatabiano
Fiumefreddo di Sicilia
Fondachello
Mascali
Riposto
Giarre
Milo
Zafferana Etnea
M. Etna
Nicolosi
Viagrande
Mascalucia
Acireale
Aci Catena
Aci Trezza
Aci Castello
Gravina di Catania
Misterbianco
CATANIA
Belpasso
Riviera dei Limoni
Riviera dei Ciclopi
Golfo
di

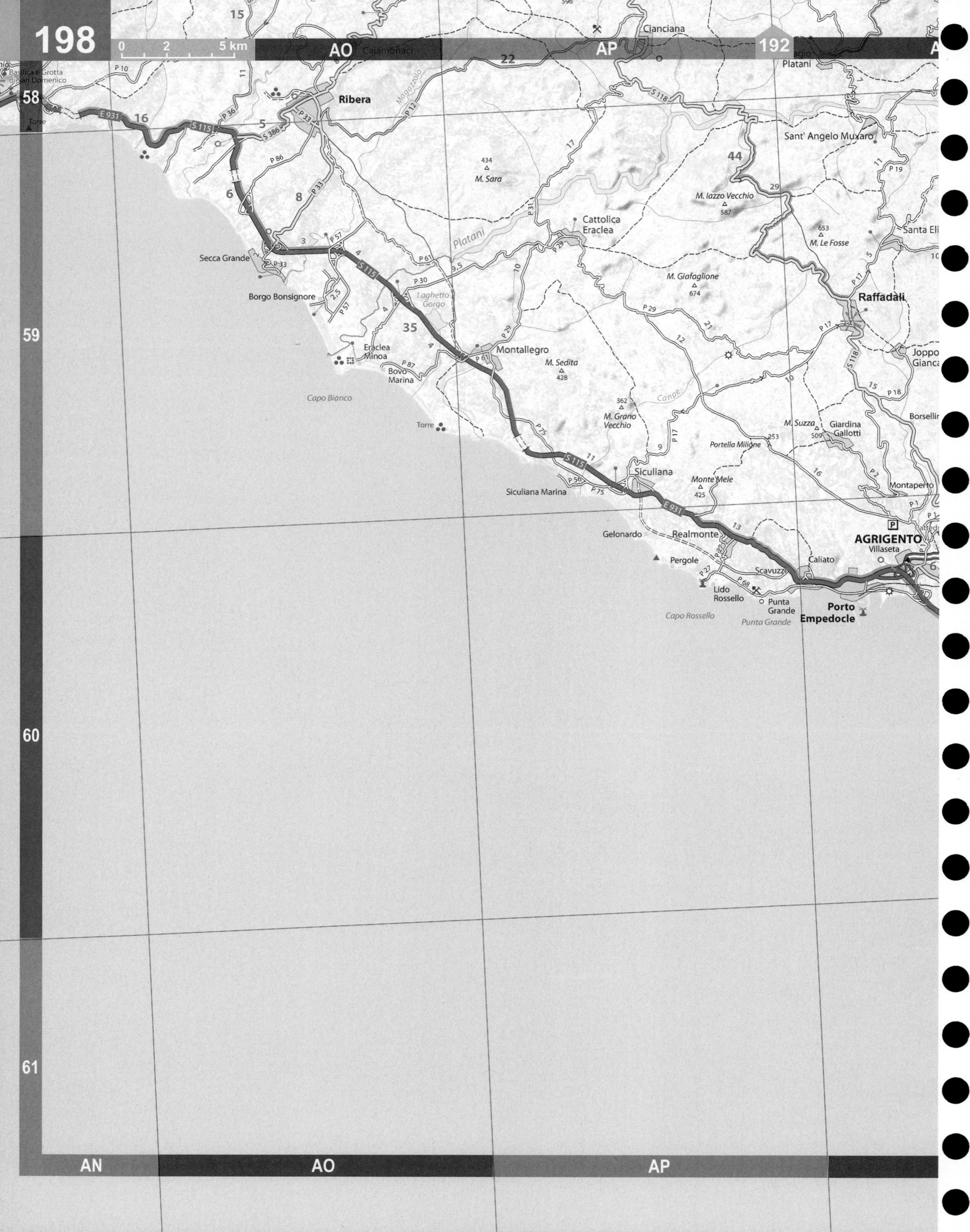
AO
AP
192
AN
58
59
60
61
Ribera
Cianciana
Cattolica Eraclea
Sant' Angelo Muxaro
Raffadali
Secca Grande
Borgo Bonsignore
Eraclea Minoa
Bovo Marina
Capo Bianco
Montallegro
M. Sara
M. Iazzo Vecchio
M. Le Fosse
M. Giafaglione
M. Sedita
M. Grano Vecchio
M. Suzza
Giardina Gallotti
Portella Milione
Monte Mele
Siculiana
Siculiana Marina
Montaperto
Gelonardo
Realmonte
Pergole
AGRIGENTO
Villaseta
Caliato
Scavuzzo
Lido Rossello
Punta Grande
Capo Rossello
Porto Empedocle
Platani
Laghetto Gorgo
Torre
Borsellino
Joppolo Giancaxio
Santa Elisabetta
Basilica e Grotta di San Domenico
S 115
E 931
S 118
S 386

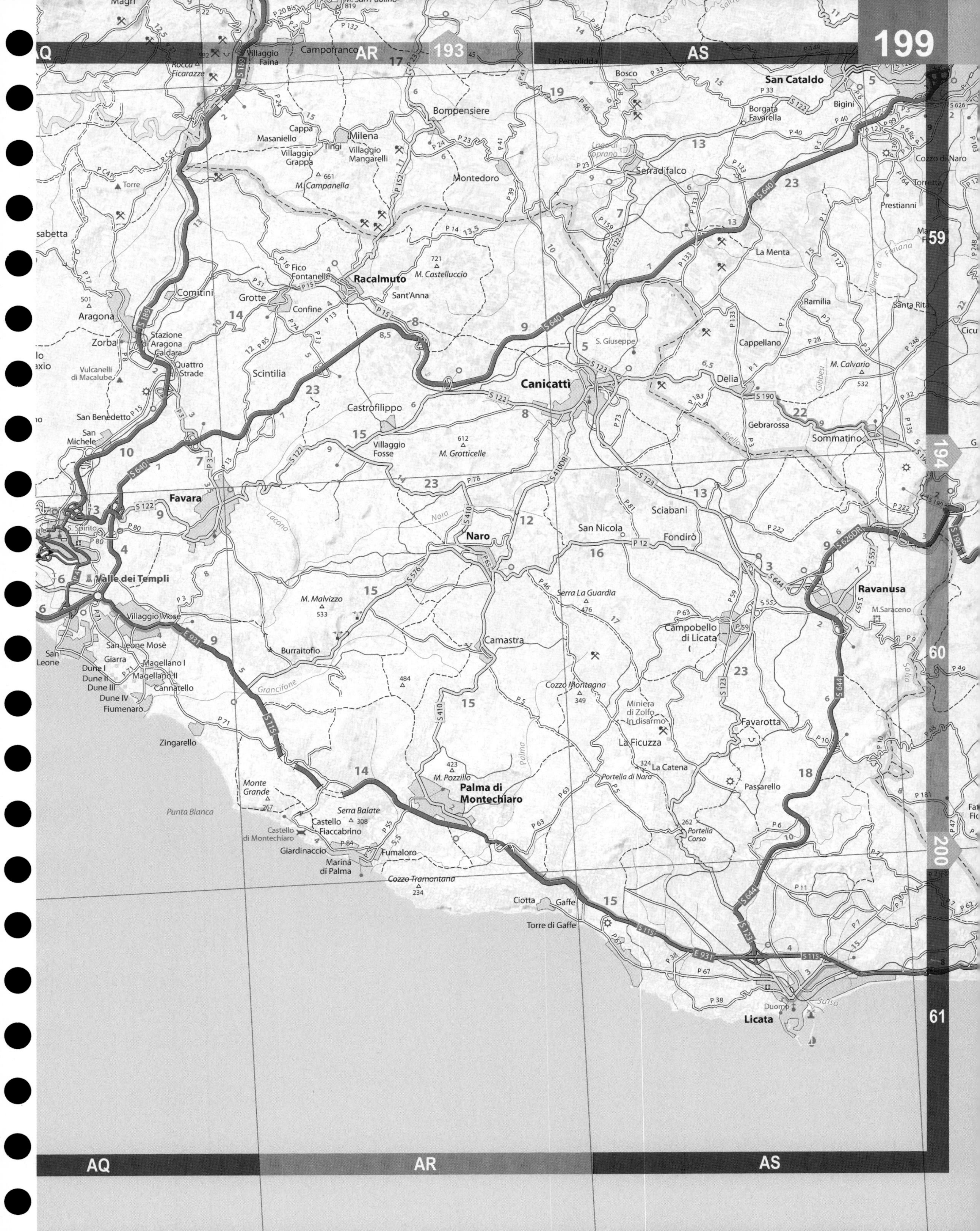
AQ
AR
AS
193
194
200
59
60
61
Magri
Campofranco
Villaggio Faina
Rocca Ficarazze
La Pervolidda
Bosco
San Cataldo
Borgata Favarella
Bigini
Bompensiere
Cappa
Masaniello
Milena
Villaggio Grappa
Tingi
Villaggio Mangarelli
M. Campanella
Montedoro
Lago di Soprano
Serradifalco
Cozzo di Naro
Torretta
Prestianni
Torre
La Menta
M. Castelluccio
Fico Fontanelle
Racalmuto
Sant'Anna
Comitini
Grotte
Confine
Aragona
Zorba
Stazione di Aragona Caldara
Quattro Strade
Vulcanelli di Macalube
Scintilia
Canicattì
S. Giuseppe
Cappellano
Ramilia
Santa Rita
M. Calvario
Delia
Gebrarossa
Sommatino
Castrofilippo
Villaggio Fosse
M. Grotticelle
San Benedetto
San Michele
Favara
S. Spirito
Valle dei Templi
Villaggio Mosè
San Leone Mosè
San Leone
Giarra
Magellano I
Magellano II
Dune I
Dune II
Dune III
Dune IV
Cannatello
Fiumenaro
Zingarello
Naro
Sciabani
San Nicola
Fondirò
Ravanusa
M.Saraceno
Serra La Guardia
M. Malvizzo
Burraitofio
Camastra
Campobello di Licata
Grancifone
Cozzo Montagna
Miniera di Zolfo In disarmo
Favarotta
La Ficuzza
La Catena
Passarello
M. Pozzillo
Palma di Montechiaro
Portella di Naro
Monte Grande
Punta Bianca
Serra Balate
Castello Fiaccabrino
Castello di Montechiaro
Giardinaccio
Marina di Palma
Fumaloro
Cozzo Tramontana
Portella Corso
Ciotta
Gaffe
Torre di Gaffe
Licata
Duomo
Salso
S 640
S 122
S 123
S 115
E 931
S 410
S 644
S 626DR
S 190
S 189
S 576

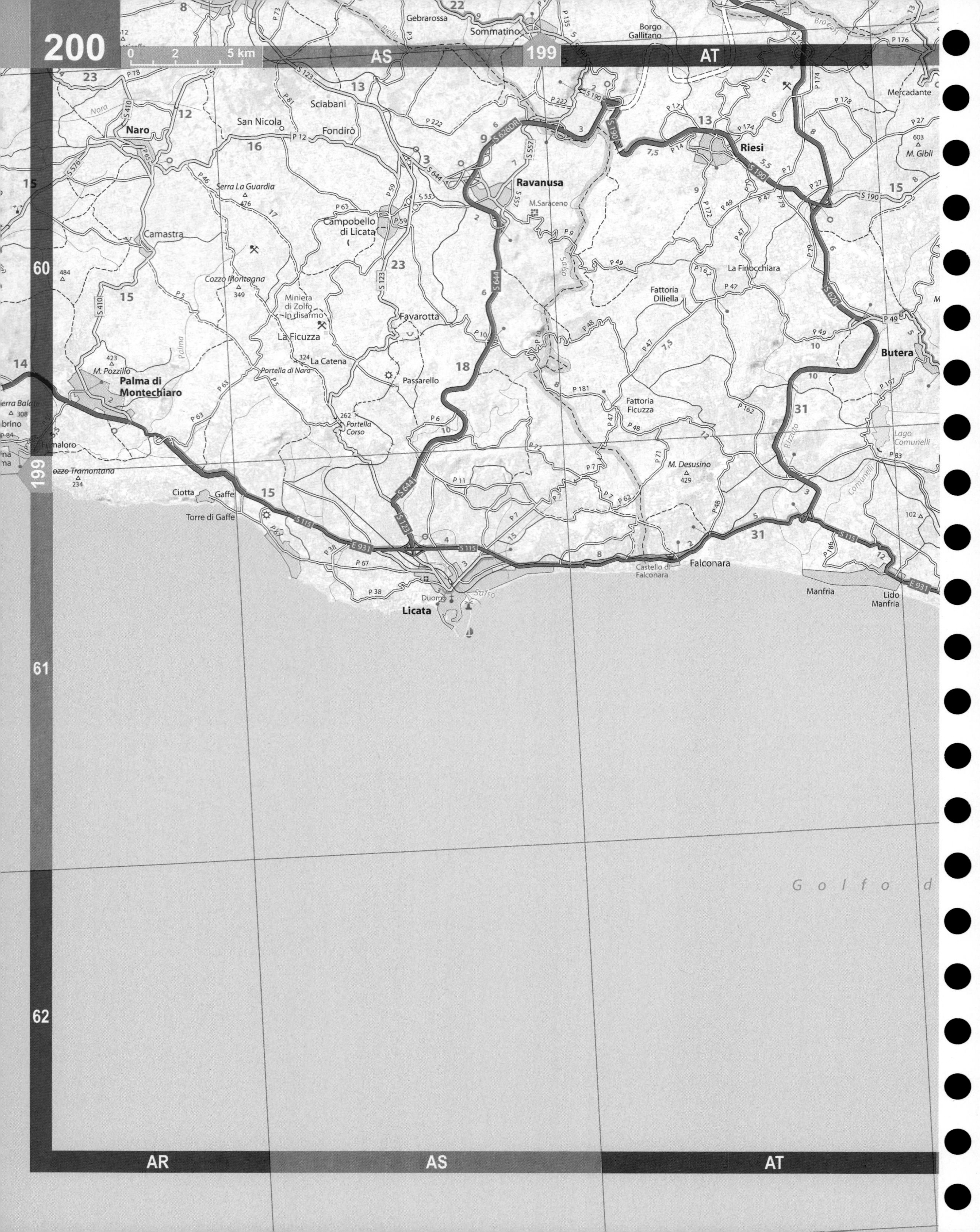
0 2 5 km
AS
199
AT
Gebrarossa
Sommatino
Borgo
Gallitano
Mercadante
Sciabani
Naro
San Nicola
Fondirò
Riesi
M. Gibli
Ravanusa
M.Saraceno
Serra La Guardia
Campobello
di Licata
Camastra
La Finocchiara
Cozzo Montagna
Fattoria
Diliella
Miniera
di Zolfo
In disarmo
Favarotta
La Ficuzza
La Catena
Butera
M. Pozzillo
Portella di Naro
Passarello
Palma di
Montechiaro
Fattoria
Ficuzza
Portella
Corso
Lago
Comunelli
Fumaloro
M. Desusino
Ciotta
Gaffe
Torre di Gaffe
Castello di
Falconara
Falconara
Duomo
Licata
Manfria
Lido
Manfria
Golfo d
60
61
62
AR
AS
AT

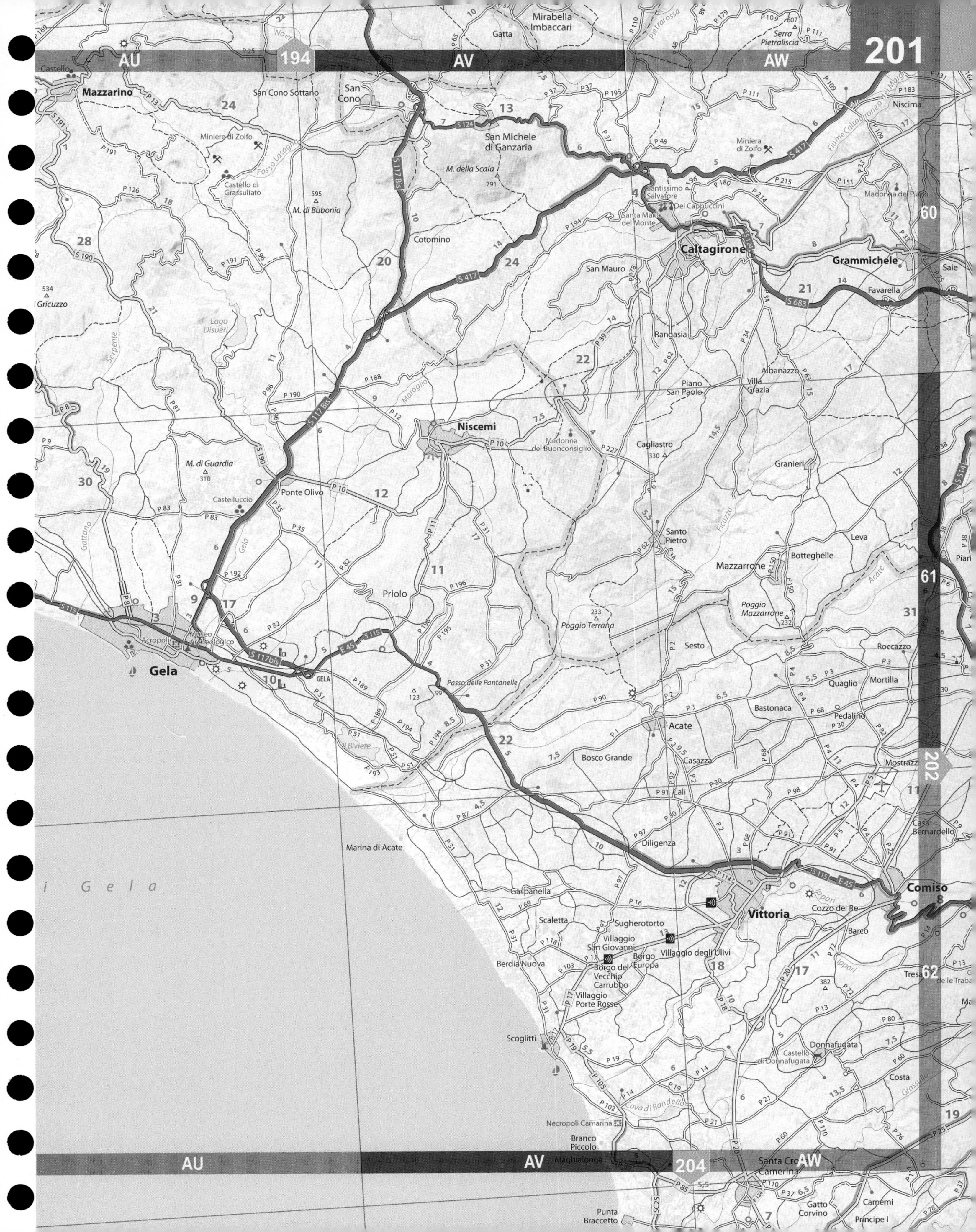
AU
194
AV
AW
Mazzarino
Castello
San Cono Sottano
San Cono
Mirabella Imbaccari
Gatta
Serra Pietralscia
Niscima
San Michele di Ganzaria
Miniere di Zolfo
Castello di Grassuliato
M. della Scala
M. di Bubonia
Santissimo Salvatore
Dei Cappuccini
Santa Maria del Monte
Caltagirone
Miniera di Zolfo
Madonna del Piano
Grammichele
Saie
Favarella
Cotomino
San Mauro
Gricuzzo
Lago Disueri
Rangasia
Albanazzo
Villa Grazia
Piano San Paolo
Niscemi
Madonna del Buonconsiglio
Cagliastro
Granieri
M. di Guardia
Ponte Olivo
Castelluccio
Santo Pietro
Leva
Botteghelle
Mazzarrone
Priolo
Poggio Mazzarrone
Poggio Terrana
Sesto
Roccazzo
Acropoli
Museo Archeologico
Gela
Passo delle Pantanelle
Quaglio
Mortilla
Bastonaca
Pedalino
Acate
Bosco Grande
Casazza
Mostrazzi
Cali
Casa Bernardello
Diligenza
Marina di Acate
Vittoria
Comiso
Cozzo del Re
Gaspanella
Scaletta
Sugherotorto
Villaggio San Giovanni
Borgo Europa
Villaggio degli Ulivi
Berdia Nuova
Borgo del Vecchio Carrubbo
Villaggio Porte Rosse
Bareo
Scoglitti
Castello di Donnafugata
Donnafugata
Costa
Cava di Randello
Necropoli Camarina
Branco Piccolo
Maghialonga
Santa Croce Camerina
Gatto Corvino
Camemi
Principe I
Punta Braccetto
Il Biviere
Golfo di Gela
60
61
62
202
204

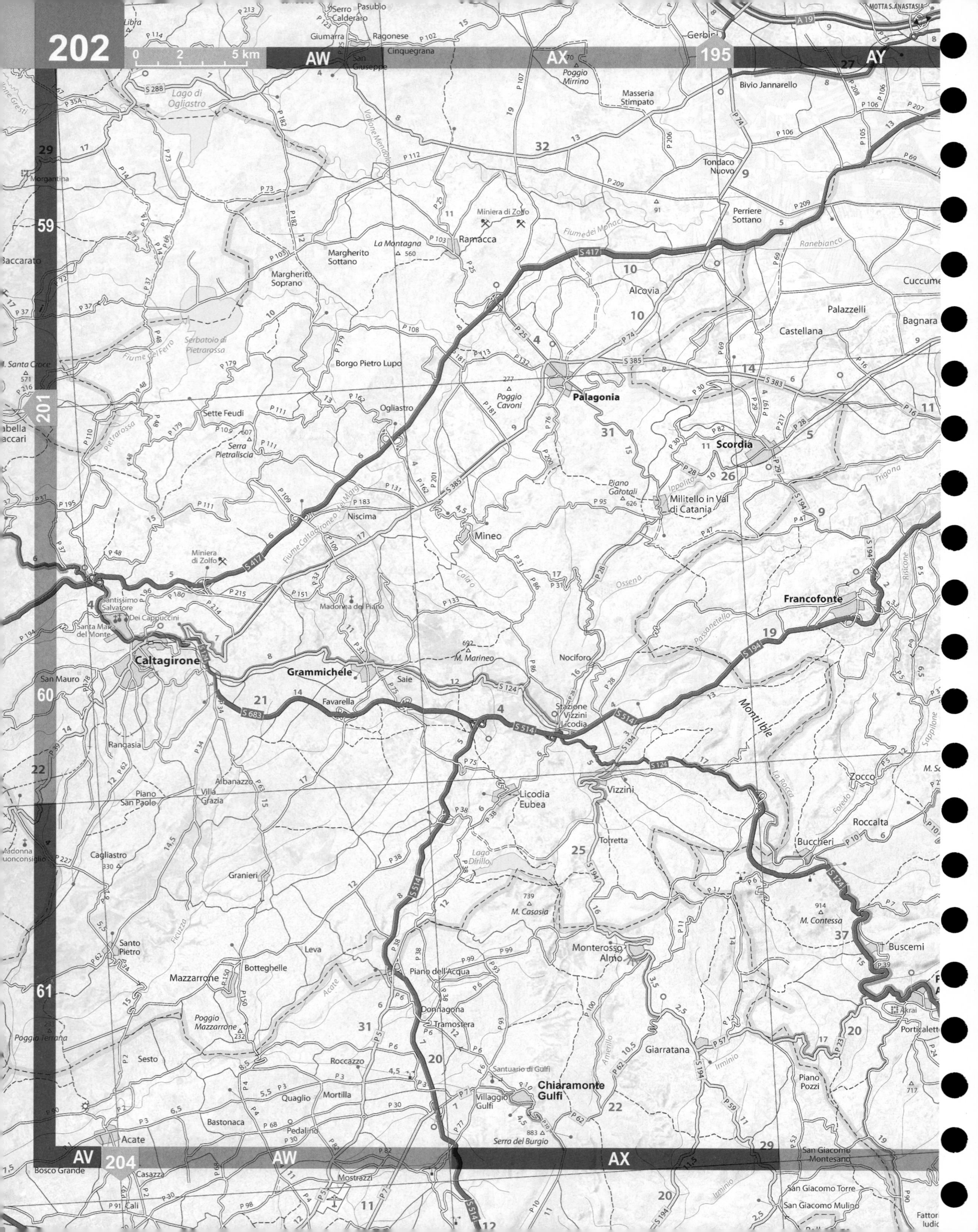
0 2 5 km
AW
AX
195
AY
AV
204
201
Libra
Serro Calderaro
Pasubio
Giumarra
Ragonese
Cinquegrana
San Giuseppe
Gerbini
MOTTA S. ANASTASIA
Poggio Mirrino
Masseria Stimpato
Bivio Jannarello
Lago di Ogliastro
Morgantina
Tondaco Nuovo
Miniera di Zolfo
Perriere Sottano
Fiume dei Monaci
Ramacca
La Montagna
Margherito Sottano
Margherito Soprano
Baccarato
Ranebianco
Alcovia
Cuccume
Palazzelli
Castellana
Bagnara
Serbatoio di Pietrarossa
Fiume del Ferro
M. Santa Croce
Borgo Pietro Lupo
Poggio Cavoni
Palagonia
Sette Feudi
Ogliastro
Serra Pietraliscia
Scordia
Piano Garotali
Militello in Val di Catania
Niscima
Mineo
Trigona
Miniera di Zolfo
Fiume Caltagirone o dei Margi
Ossena
Francofonte
Santissimo Salvatore
Dei Cappuccini
Santa Maria del Monte
Madonna del Piano
M. Marineo
Nociforo
Caltagirone
Grammichele
Saie
Favarella
San Mauro
Stazione Vizzini Licodia
Monti Iblei
Rangasia
Albanazzo
Villa Grazia
Piano San Paolo
Licodia Eubea
Vizzini
Zocco
Roccalta
Buccheri
Torretta
Madonna Buonconsiglio
Cagliastro
Lago Dirillo
Granieri
M. Casasia
M. Contessa
Buscemi
Santo Pietro
Leva
Monterosso Almo
Mazzarrone
Botteghelle
Piano dell'Acqua
Akrai
Poggio Mazzarrone
Donnagona
Tramostera
Porticalette
Poggio Terrana
Sesto
Roccazzo
Giarratana
Santuario di Gulfi
Piano Pozzi
Quaglio
Mortilla
Chiaramonte Gulfi
Villaggio Gulfi
Bastonaca
Pedalino
Serra del Burgio
Acate
Bosco Grande
Casazza
Mostrazzi
San Giacomo Montesano
San Giacomo Torre
San Giacomo Mulino
Cali
Fattoria

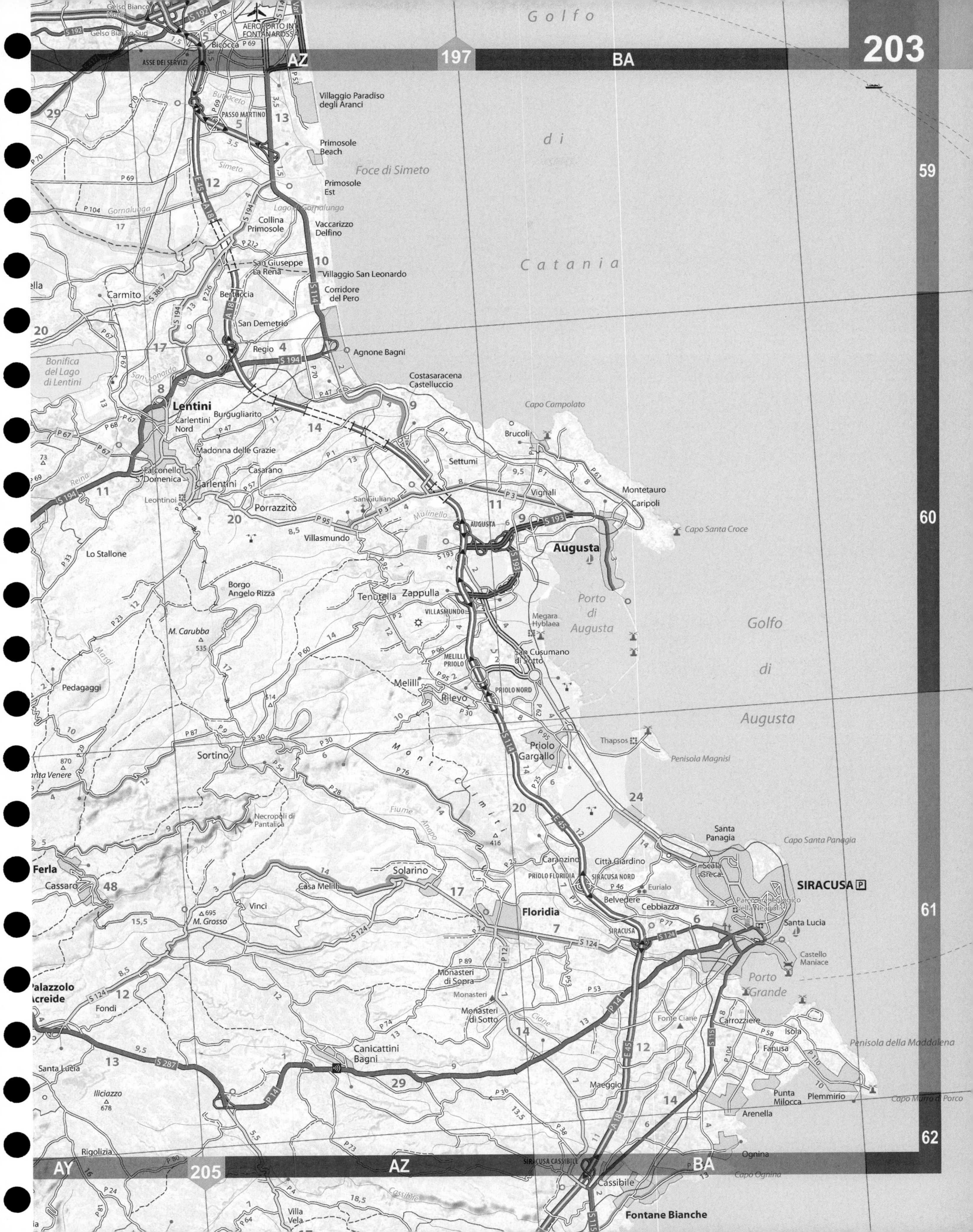
Golfo di Catania
Golfo di Augusta
Porto di Augusta
Foce di Simeto
Aeroporto Int. Fontanarossa
Bicocca
Gelso Bianco Nord
Gelso Bianco Sud
Asse dei Servizi
Villaggio Paradiso degli Aranci
Passo Martino
Primosole Beach
Primosole Est
Lago di Gornalunga
Collina Primosole
Vaccarizzo Delfino
San Giuseppe La Rena
Villaggio San Leonardo
Corridore del Pero
Carmito
Bertuccia
San Demetrio
Agnone Bagni
Regio
Bonifica del Lago di Lentini
Costasaracena Castelluccio
Lentini
Carlentini Nord
Burgugliarito
Capo Campolato
Brucoli
Madonna delle Grazie
Settumi
Falconello S. Domenica
Casarano
Carlentini
Leontinoi
Porrazzito
Vignali
Montetauro
Caripoli
San Giuliano
Villasmundo
Augusta
Capo Santa Croce
Lo Stallone
Borgo Angelo Rizza
Tenutella
Zappulla
Megara Hyblaea
M. Carubba
San Cusumano di Sotto
Melilli
Rilevo
Priolo Nord
Pedagaggi
Thapsos
Penisola Magnisi
Sortino
Priolo Gargallo
Monti Climiti
Necropoli di Pantalica
Santa Panagia
Capo Santa Panagia
Ferla
Cassaro
Solarino
Casa Melilli
Caranzino
Città Giardino
Siracusa Nord
Scala Greca
Eurialo
SIRACUSA
Vinci
M. Grosso
Floridia
Belvedere
Cebbiazza
Parco Archeologico della Neapolis
Santa Lucia
Castello Maniace
Palazzolo Acreide
Fondi
Monasteri di Sopra
Monasteri
Monasteri di Sotto
Porto Grande
Fonte Ciane
Carrozziere
Isola
Penisola della Maddalena
Fanusa
Santa Lucia
Canicattini Bagni
Maeggio
Iliciazzo
Punta Milocca
Plemmirio
Capo Murro di Porco
Arenella
Rigolizia
Ognina
Capo Ognina
Siracusa Cassibile
Cassibile
Villa Vela
Fontane Bianche
197
205
AY
AZ
BA
59
60
61
62

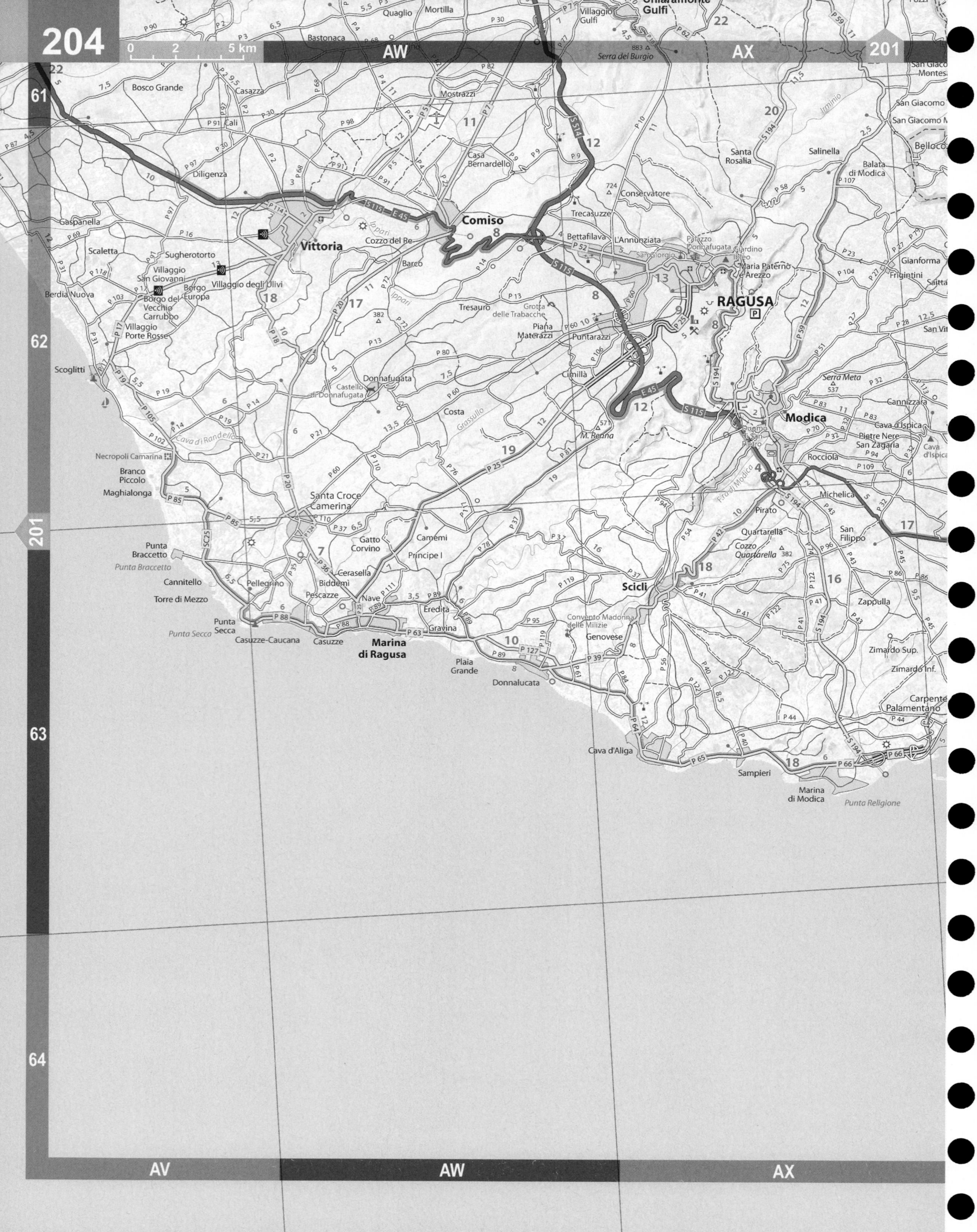
AW
AX
AV
201
61
62
63
64
0 2 5 km
Chiaramonte Gulfi
Villaggio Gulfi
Serra del Burgio
Quaglio
Mortilla
Bastonaca
Pozzi
Bosco Grande
Casazza
Mostrazzi
Cali
Diligenza
Casa Bernardello
Santa Rosalia
Salinella
Balata di Modica
Conservatore
Trecasuzze
Comiso
Vittoria
Gaspanella
Scaletta
Sugherotorto
Villaggio San Giovanni
Borgo Europa
Villaggio degli Ulivi
Berdia Nuova
Borgo del Vecchio Carrubbo
Villaggio Porte Rosse
Cozzo del Re
Barco
Bettafilava
L'Annunziata
Palazzo Donnafugata
Maria Paternò e Arezzo
RAGUSA
Gianforma
Frigintini
Tresauro
Grotta delle Trabacche
Piana Materazzi
Puntarazzi
Cimillà
Scoglitti
Castello di Donnafugata
Donnafugata
Costa
Serra Meta
Cannizzara
Modica
Cava d'Ispica
Pietre Nere
San Zagaria
Rocciola
M. Renna
Necropoli Camarina
Branco Piccolo
Maghialonga
Santa Croce Camerina
Michelica
Pirato
San Filippo
Quartarella
Cozzo Quartarella
Punta Braccetto
Gatto Corvino
Camemi
Principe I
Cerasella
Biddemi
Cannitello
Pellegrino
Torre di Mezzo
Pescazze
Nave
Eredita
Scicli
Zappulla
Punta Secca
Casuzze-Caucana
Casuzze
Marina di Ragusa
Gravina
Convento Madonna delle Milizie
Genovese
Plaia Grande
Donnalucata
Zimardo Sup.
Zimardo Inf.
Carpentere Palamentano
Cava d'Aliga
Sampieri
Marina di Modica
Punta Religione

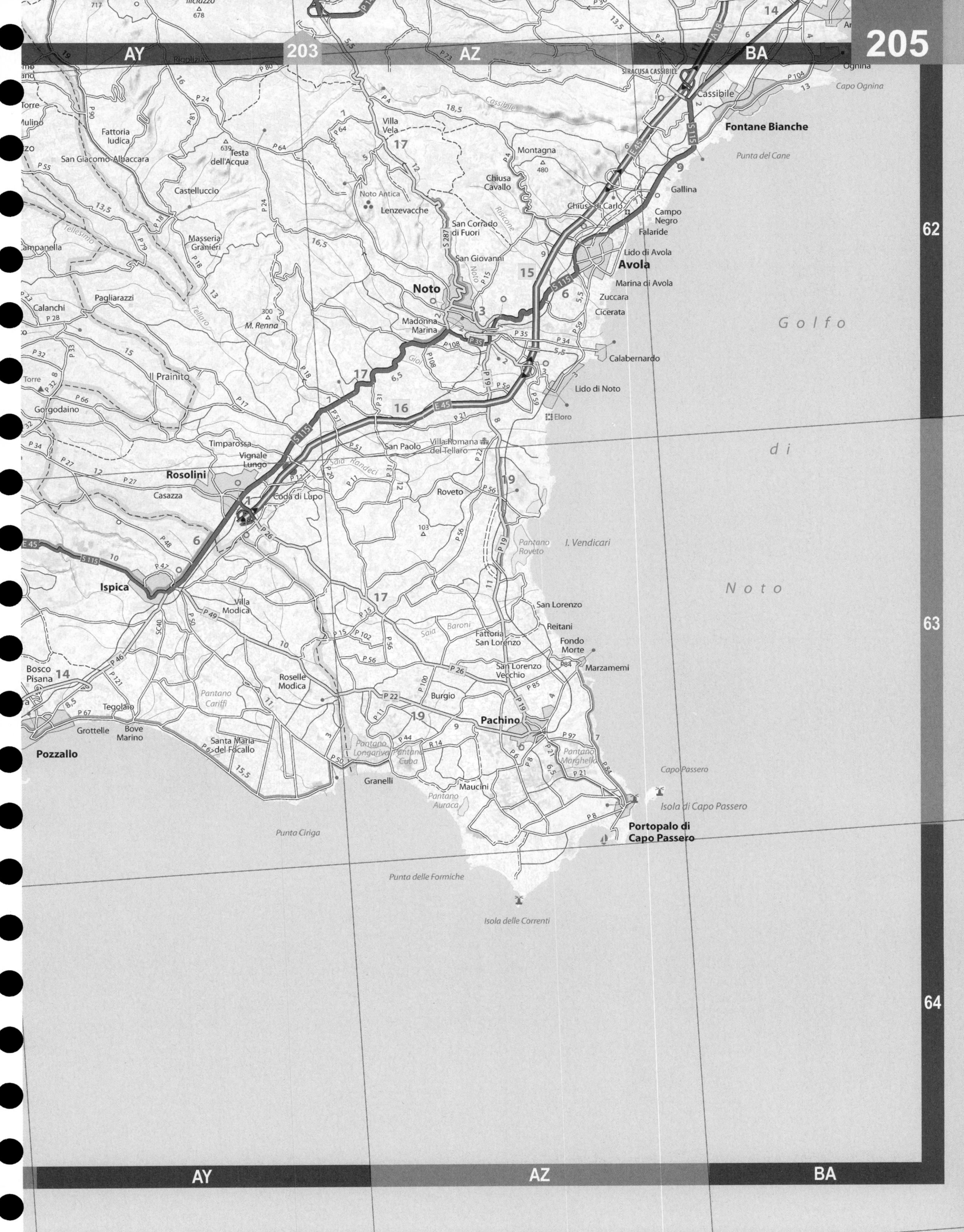
AY
203
AZ
BA
Iliciazzo
Maeggio
Ognina
Capo Ognina
Cassibile
Fontane Bianche
Punta del Cane
Gallina
Villa Vela
Montagna
Fattoria ludica
Testa dell'Acqua
San Giacomo-Albaccara
Castelluccio
Chiusa Cavallo
Noto Antica
Lenzevacche
Chiusa di Carlo
Campo Negro
Falaride
San Corrado di Fuori
Masseria Granieri
Campanella
San Giovanni
Lido di Avola
Avola
Marina di Avola
Zuccara
Cicerata
Noto
Pagliarazzi
Calanchi
M. Renna
Madonna Marina
Golfo
di
Noto
Calabernardo
Lido di Noto
Il Prainito
Gorgodaino
Eloro
Timparossa
Vignale Lungo
San Paolo
Villa Romana del Tellaro
Rosolini
Casazza
Coda di Lupo
Roveto
Pantano Roveto
I. Vendicari
Ispica
Villa Modica
San Lorenzo
Reitani
Fattoria San Lorenzo
Fondo Morte
Marzamemi
San Lorenzo Vecchio
Bosco Pisana
Roselle Modica
Pantano Cariffi
Burgio
Tegolaio
Grottelle
Bove Marino
Pachino
Pantano Marghella
Capo Passero
Santa Maria del Focallo
Pozzallo
Pantano Longarini
Pantano Cuba
Granelli
Maucini
Pantano Auraca
Isola di Capo Passero
Portopalo di Capo Passero
Punta Ciriga
Punta delle Formiche
Isola delle Correnti
62
63
64

0 2 5 km

O P Q

Golfe de Ventilegne

pta di Ventilegne

15 239
Mte Corbo
D 358 D 60 Canali
127 D 60
219 N 196 D 58
90 2.5 D 258
Ponti di a Na
45
104
D 58 89
Gurg
86

Capo di Feno

Bonifacio
©

S. Mulari

CORSE

Ecueil de Lavezzi
+++

B o c c h e   d i   B o

Punta Falcone

35

36

Santa Teresa Gallura
Terravecchia-Portoquadro
Isole

Capo Testa
127 5
La Ficaccia
La Filetta Marazzino
Santa Reparata
Porto Pitrosu
12 SP 125 18
Ruoni
Buoncammino

Porto
Giovan Ma

Ciuchesu

Cala Vall'Alta
Rena Majore Li Pinnenti
Lettichedda S.ra Pauloni
361
Li Li
Campo

Punta di li Francesi
19
Camporotondo
6

Portobello di Gallura
Agnata
Vignola Mare
Punta Cappeddu
314
Chessa
Capriolu
Colti

Naragoni
5
Cala Serraina Greuli Tamburu 9
Malti
9
Bassacutena

Aglientu

Li Vaccaggi
Punta Cruzitta
287
San Pancrazio
Li Ferroli
Ciabattu
Lu M

Rio di Boldu
10

37

Costa Paradiso
Porto Leco Costa Paradiso 5.5 81 Lu Colbu
Falsaggiu
M. Puntaccia
640
16
Crisciuleddu
Luogosanto

Punta li Canneddi
Monte Tinnari
Tinnari
Canneddi 216 3
Isola Rossa
I. Rossa La Marinedda
4
Pischinazza
Paduledda 10
La Scalitta
Trinità d'Agultu e Vignola
Li Junchi
Nigolaeddu
Badesi Mare
Badesi S 574
M. Littigheddu
693
La Tozza
Pirotto Li Frati Muntiggioni
Azzagu
M. Abbaiata
636
S. di lu Tassu
765
41
9
M. Pardu
587

M. S. Pietro
502
L
A

S 133
Prabettu
San Pietro di Ruda
Izzana
La Casedda
La Casedda

38

N O P Q

San Pietro a Mare
Valledoria
Maragnani
La Ciaccia
Li Reni
Viddalba
Tungoni
Punta Selci
Bonaita
Valle della Luna
Aggius
San Filippo
G
Maiori
Nuchis
Luras
Calangianus
TEMPIO

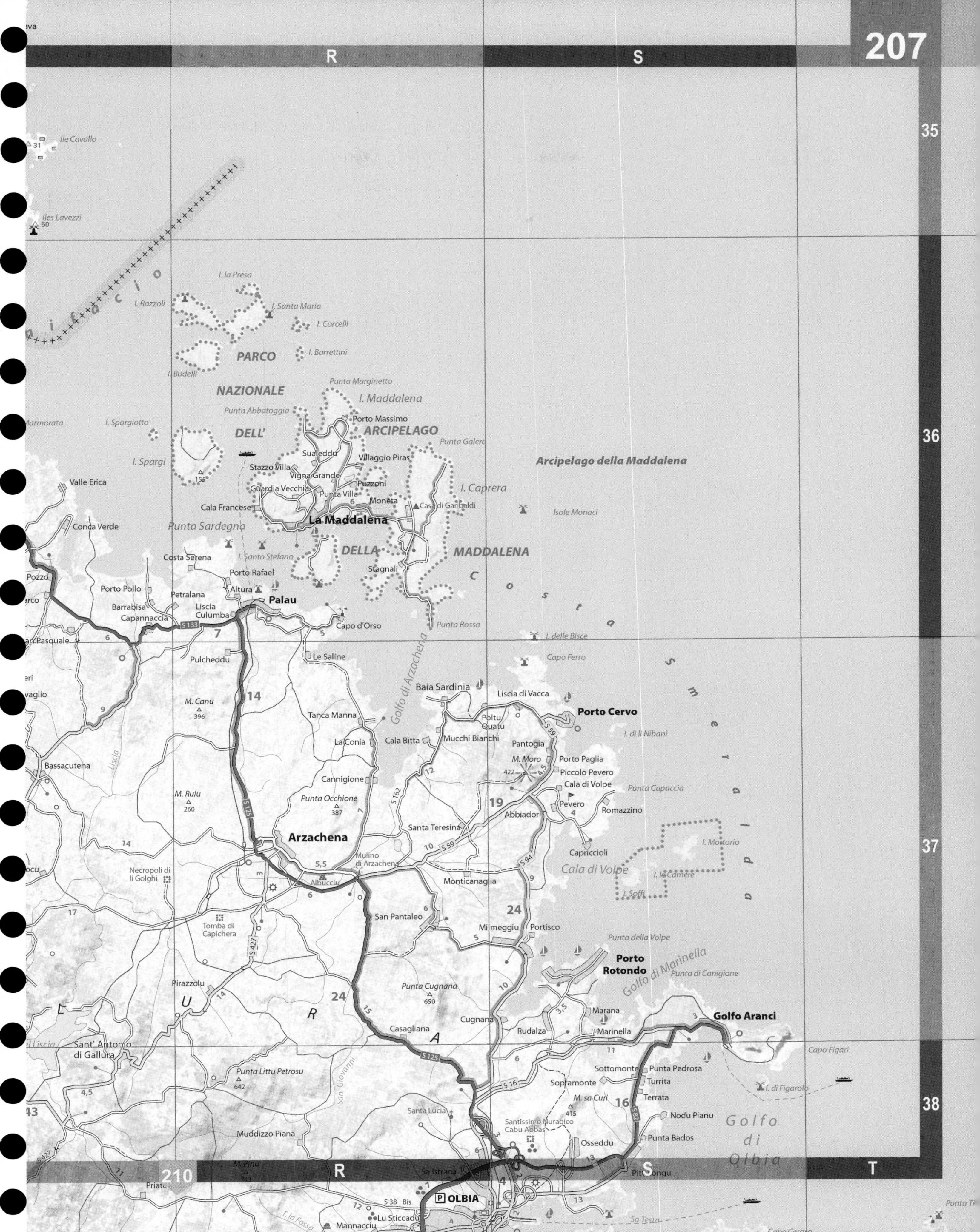

35

36

37

38

de Capiccìola

Ile Cavallo
△ 31

Iles Lavezzi
⚓ 50

Bonifacio

I. la Presa

I. Razzoli

I. Santa Maria

I. Corcelli

PARCO

I. Budelli

I. Barrettini

NAZIONALE

Punta Marginetto

I. Maddalena

Punta Abbatoggia

Porto Massimo

ARCIPELAGO

Punta Galera

DELL'

Arcipelago della Maddalena

Marmorata

I. Spargiotto

I. Spargi

Sualeddu

Villaggio Piras

Punta Galera

△ 155

Stazzo Villa

Vigna Grande

Puzzoni

I. Caprera

Valle Erica

Guardia Vecchia

Punta Villa

Moneta

Cala Francese

△ *Casa di Garibaldi*

Isole Monaci

Conca Verde

Punta Sardegna

La Maddalena

Pozzo

Costa Serena

I. Santo Stefano

DELLA

MADDALENA

Porto Pollo

Porto Rafael

Stagnali

Altura ⚓

Petralana

Palau

Barrabisa

Liscia
Columba

Capannaccia

S 133

7

Capo d'Orso

5

Punta Rossa

I. delle Bisce

San Pasquale

6

Pulcheddu

Le Saline

Capo Ferro

14

M. Canu
△ 396

Baia Sardinia

Liscia di Vacca

9

Tanca Manna

Poltu
Quatu

Porto Cervo

Bassacutena

La Conia

Cala Bitta

Mucchi Bianchi

Pantogia

I. di li Nibani

S 162

12

M. Moro
△ 422

Porto Paglia

Piccolo Pevero

M. Ruiu
△ 260

Cannigione

Cala di Volpe

Punta Capaccia

Punta Occhione
△ 387

19

Pevero
4

Romazzino

Santa Teresina

Abbiadori

14

Arzachena

10

S 59

Capriccioli

I. Mortorio

3

5,5

Mulino
di Arzachena

9

Cala di Volpe

I. la Camere

Necropoli di
li Golghi

Albucciu

6

Monticanaglia

I. Soffi

17

San Pantaleo

6

24

Tomba di
Capichera

Milmeggiu

Portisco

5

Punta della Volpe

Pirazzolu

14

Porto
Rotondo

Golfo di Marinella

U

R

Punta Cugnana
△ 650

24

Punta di Canigione

15

Marana

3,5

Golfo Aranci

Casagliana

Cugnana

A

Rudalza

Marinella

3

Capo Figari

L

Sant'Antonio
di Gallura

Punta Littu Petrosu
△ 642

11

Sottomonte

Punta Pedrosa

I. di Figarolo

4,5

San Giovanni

6

S 16

Sopramonte

Turrita

M. sa Curi
△ 415

Terrata

16

Santa Lucia

S 82

Nodu Pianu

43

Santissimo Nuragico
Cabu Abbas

Osseddu

Punta Bados

Golfo
di
Olbia

Muddizzo Piana

13

M. Pinu

210

R

Sa Istrana

Pittulongu

S 38 Bis

12

P **OLBIA**

13

Lu Sticcadu

4

Sa Testa

Capo Ceraso

Punta Tr

Mannacciu

T la Fossa

T

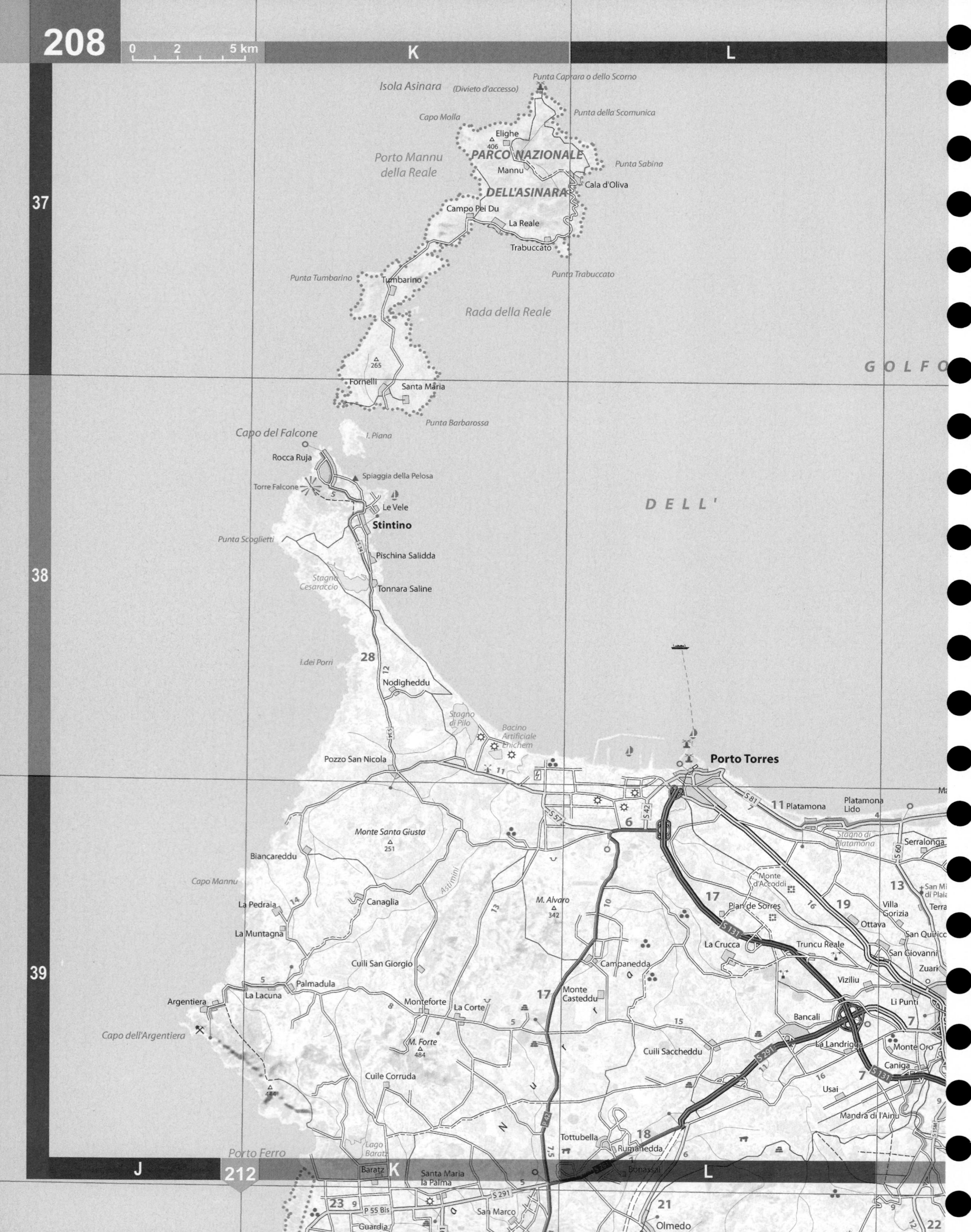
0 2 5 km
K
L
Isola Asinara (Divieto d'accesso)
Punta Caprara o dello Scorno
Punta della Scomunica
Capo Molla
Eliqhe
406
PARCO NAZIONALE DELL'ASINARA
Porto Mannu della Reale
Punta Sabina
Mannu
Cala d'Oliva
Campo Pei Du
La Reale
Trabuccato
Punta Trabuccato
Punta Tumbarino
Tumbarino
Rada della Reale
265
Fornelli
Santa Maria
Punta Barbarossa
GOLFO DELL'
Capo del Falcone
I. Piana
Rocca Ruja
Spiaggia della Pelosa
Torre Falcone
Le Vele
Stintino
Punta Scoglietti
Pischina Salidda
Stagno Cesaraccio
Tonnara Saline
I.dei Porri
Nodigheddu
Stagno di Pilo
Bacino Artificiale Enichem
Pozzo San Nicola
Porto Torres
Platamona
Platamona Lido
Stagno di Platamona
Serralonga
Monte Santa Giusta
251
Biancareddu
Capo Mannu
La Pedraia
Canaglia
M. Alvaro
342
Monte d'Accoddi
Pian de Sorres
Villa Gorizia
Ottava
La Muntagna
La Crucca
Truncu Reale
San Giovanni
Campanedda
Cuili San Giorgio
Viziliu
Palmadula
Monte Casteddu
Argentiera
La Lacuna
Monteforte
La Corte
Li Punti
Bancali
Capo dell'Argentiera
M. Forte
484
Cuili Saccheddu
La Landrigga
Monte Oro
Caniga
Cuile Corruda
Usai
Mandra di l'Ainu
Tottubella
Rumanedda
Porto Ferro
Lago Baratz
Bonassai
Baratz
Santa Maria la Palma
Guardia Grande
San Marco
Olmedo
37
38
39
J
212

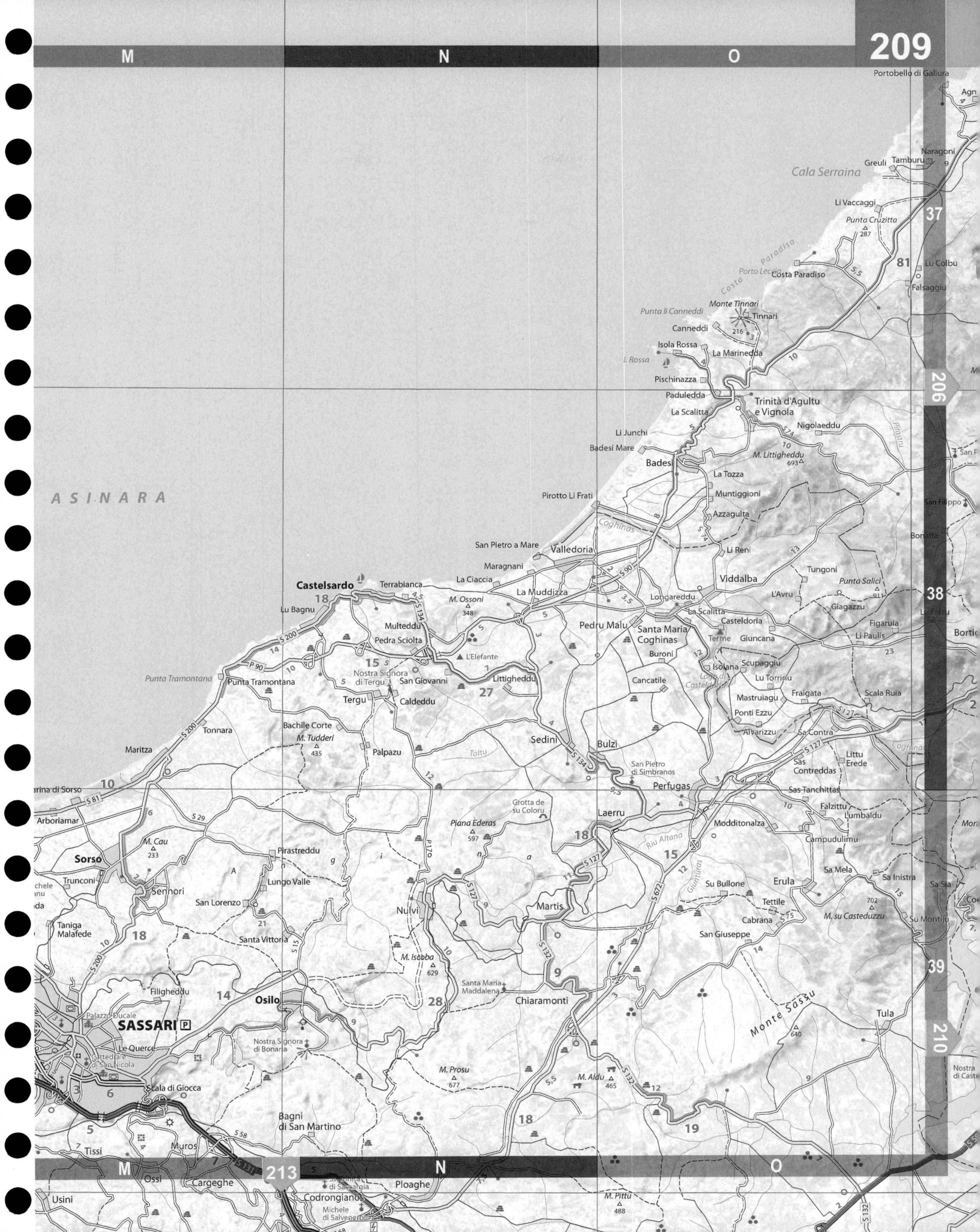

Portobello di Gallura

Agn

Cala Serraina

Greuli   Tamburu   Naragoni

Li Vaccaggi

Punta Cruzitta
287

37

Porto Leccu   Costa Paradiso
Costa Paradiso

81   Lu Colbu

Falsaggiu

Punta li Canneddi   Monte Tinnari
216   3   Tinnari
Tinnari

206

Canneddi

Isola Rossa

I. Rossa   La Marinedda

10

Pischinazza

Paduledda   Trinità d'Agultu
e Vignola

La Scalitta   Nigolaeddu

Li Junchi   10

Badesi Mare   Badesi

M. Littigheddu
693

La Tozza

San Filippo

Pirotto Li Frati   Muntiggioni

Azzagulta

San Pietro a Mare   Valledoria

Li Reni   13

Bonatta

Maragnani

Viddalba   Tungoni

Punta Salici

38

La Ciaccia   La Muddizza

L'Avru   Giagazzu

Castelsardo

Terrabianca   M. Ossoni
348

La Scalitta   Casteldoria

Figaruia

Bortig

Lu Bagnu   18

Pedru Malu   Santa Maria
Coghinas   Terme   Giuncana

Li Paulis   23

Multeddu

Buroni   12   Isolana   Scupaggiu

Pedra Sciolta   L'Elefante

Lago di   Lu Torrinu

Cancatile   Casteld

Mastruiagu   Fraigata   Scala Ruia

2

15

Nostra Signora
di Tergu   San Giovanni   Littigheddu

27

Ponti Ezzu   S 127

Punta Tramontana   Punta Tramontana

Tergu   Caldeddu

Alvarizzu   Sa Contra

Bachile Corte
M. Tudderi
435   Palpazu

Sedini   Bulzi

Sas
Contreddas   Littu
Erede

Tonnara

Maritza   Toltu

S 134   San Pietro
di Simbranos   Perfugas

Sas Tanchittas

rina di Sorso   10   S 81

Grotta de
su Coloru   Laerru

Falzittu   Lumbaldu

Mor

Arboriamar   S 29

Piana Ederas
597   Riu Altana   Modditonalza

Campudulimu

Sorso   M. Cau
233   Pirastreddu

18   15   Su Bullone

Sa Mela   Sa Inistra

Trunconi

Lungo Vale   Erula

Su Sia

Sennori   San Lorenzo

Nulvi   Martis   Tettile
Cabrana   702   M. su Casteduzzu   Su Montiju

Taniga
Malafede   18   Santa Vittoria

San Giuseppe

Filigheddu   14   **Osilo**

M. Iscoba
629   28   Santa Maria
Maddalena   Chiaramonti

Tula

chele
nu   **SASSARI**   Nostra Signora
di Bonaria

39

Le Querce   M. Prosu
677   M. Aldu
465

Cattedrale
di San Nicola   640

Scala di Giocca

Nostra
di Caste

Tissi   Muros   Bagni
di San Martino   18   19

Usini   Codrongianos

Michele
di Salvenero

M. Pittu
488

210

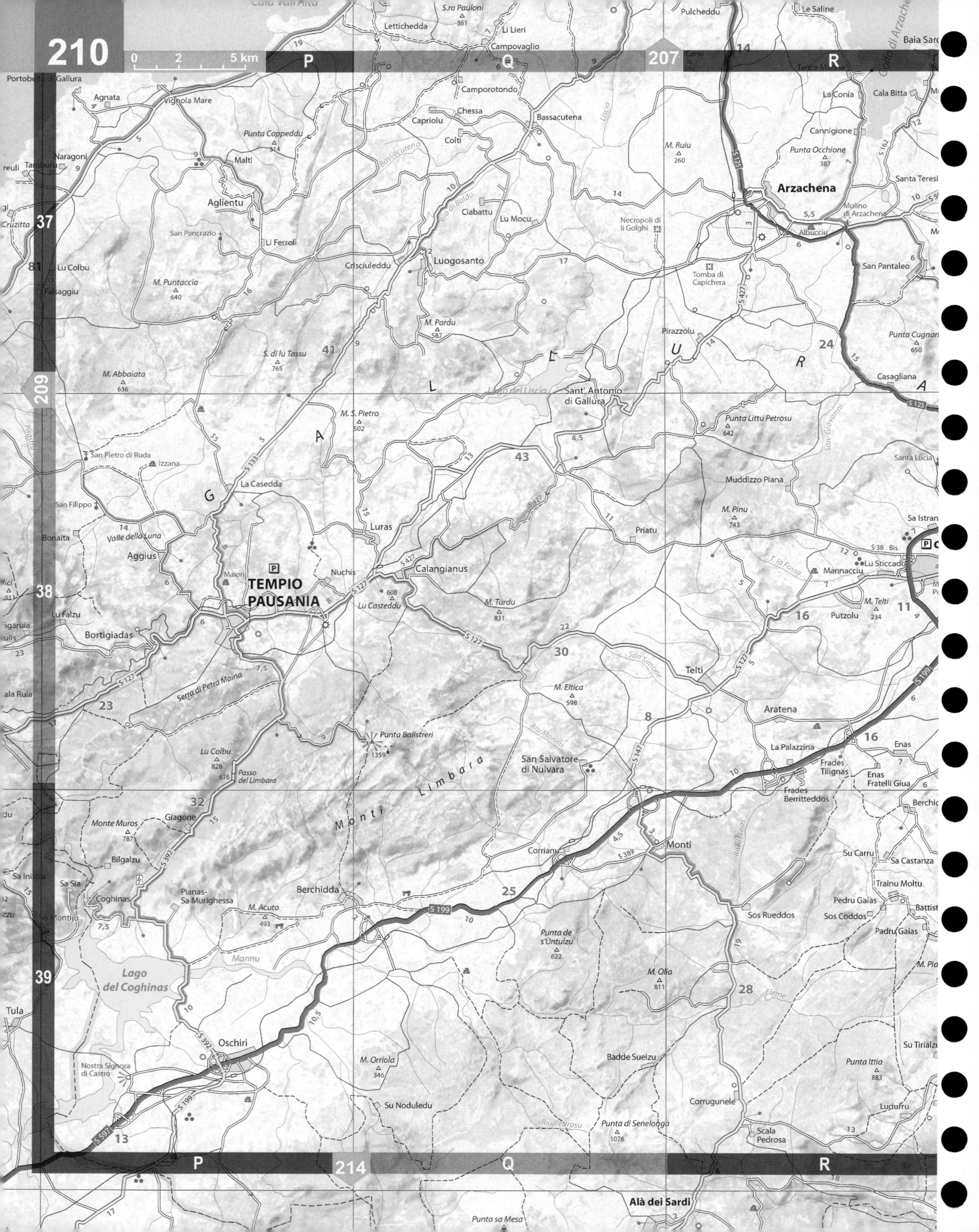

Arzachena
TEMPIO PAUSANIA
Luogosanto
Aglientu
Bassacutena
Sant' Antonio di Gallura
Luras
Calangianus
Nuchis
Aggius
Bortigiadas
Telti
Aratena
San Salvatore di Nulvara
Monti
Berchidda
Oschiri
Lago del Coghinas
Monti Limbara
Punta Balistreri
Alà dei Sardi
Vignola Mare
Portobello di Gallura
Malti
Lago del Liscia
Tula
G A L L U R A

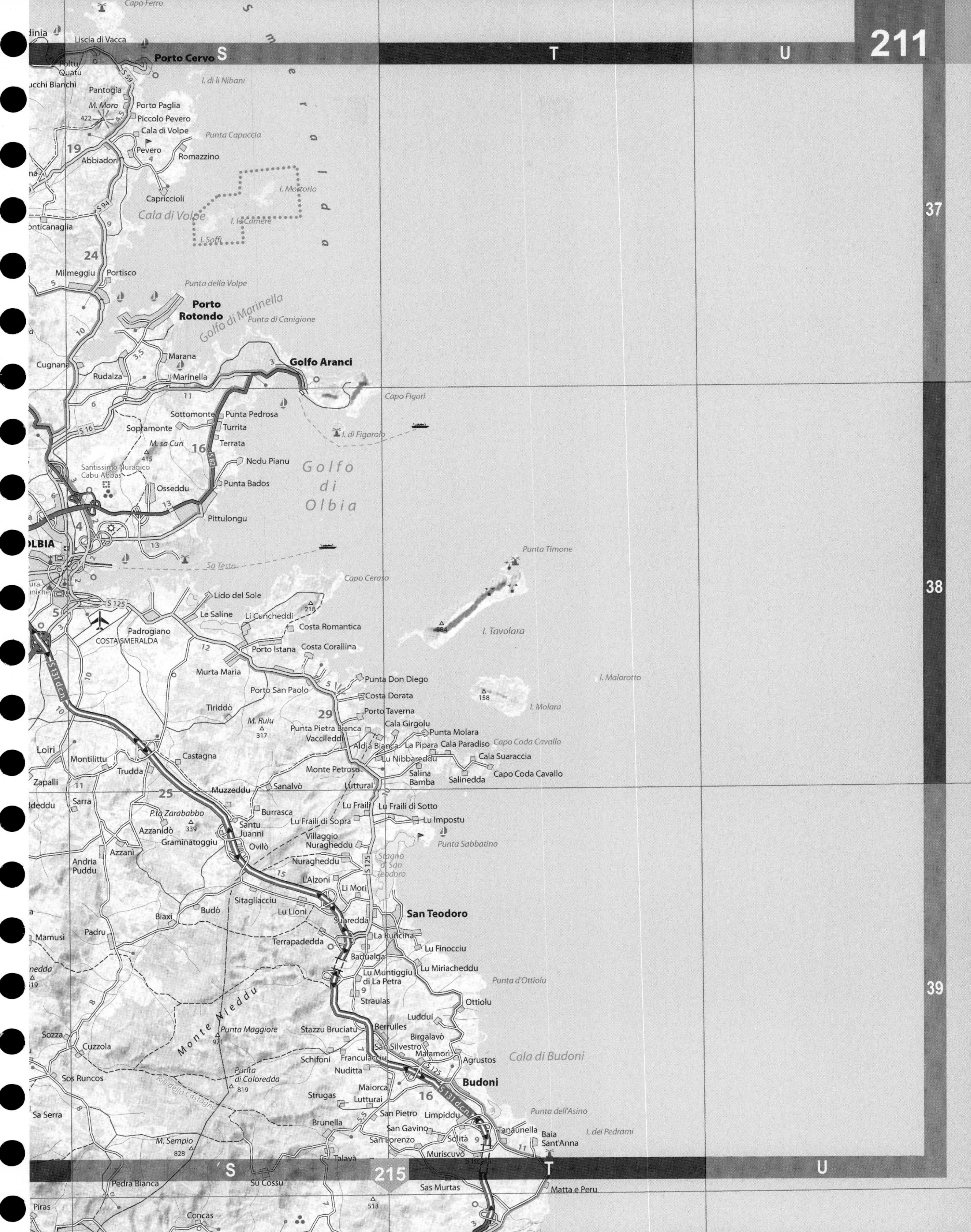

37

38

39

Capo Ferro

Liscia di Vacca

Porto Cervo S

Poltu Quatu
Lucchi Bianchi
Pantogia
M. Moro
422
Porto Paglia
Piccolo Pevero
Cala di Volpe

I. di li Nibani

I. Mortorio

19
Abbiadori
Pevero
4
Romazzino

Capriccioli

I. la Camere

Cala di Volpe
9

I. Soffi

Monticanaglia

24

Milmeggiu Portisco

Punta della Volpe

Porto Rotondo

Golfo di Marinella
Punta di Canigione

Cugnana

Marana

3.5

Rudalza
Marinella
3

Golfo Aranci

Capo Figari

Sottomonte Punta Pedrosa

11

I. di Figarolo

S 16
Sopramonte
Turrita

M. sa Curi
415
Terrata

*Golfo
di
Olbia*

16

Santissimo Nuragico
Cabu Abbas
Nodu Pianu

Osseddu
Punta Bados

13

4

Pittulongu

OLBIA

13

Punta Timone

Sa Testa

Capo Ceraso

Lido del Sole

5
S 125

Le Saline

Li Cuncheddi
218

Costa Romantica

I. Tavolara
584

COSTA SMERALDA
Padrogiano
Porto Istana
Costa Corallina

12

Murta Maria

I. Malorotto

Porto San Paolo

158

Tiriddò

M. Ruiu
317

29

I. Molara

Punta Don Diego
Costa Dorata
Porto Taverna
Cala Girgolu
Punta Pietra Bianca
Vacciléddu
Aldiá Bianca La Pipara Cala Paradiso
Lu Nibbareddu
Punta Molara
Capo Coda Cavallo
Cala Suaraccia
Capo Coda Cavallo

Loiri
Montilittu
Trudda
Castagna

Monte Petrosu
Salina
Bamba
Salinedda

Zapalli

11

Sarra
Muzzeddu
Sanalvò
Lútturai

25

P.ta Zarababbo
339

Burrasca

Lu Fraili
Lu Fraili di Sotto

ddeddu
Andria
Puddu
Azzanidò
Azzani
Santu
Juanni
Graminatoggiu
Ovilò

Lu Fraili di Sopra
Lu Impostu

Villaggio
Nuragheddu

Punta Sabbatino

Nuragheddu

S 125

*Stagno
di San
Teodoro*

15

L'Alzoni

Li Mori

Mamusi
Padru

Sitagliacciu
Lu Lioni

Budò

Biaxi

Suaredda

San Teodoro

La Runcina

Padru

Terrapadedda

Lu Finocciu

nedda
519

Badualga
Lu Muntiggiu
di La Petra
9

Lu Miriacheddu

Punta d'Ottiolu

Straulas

Luddui

Ottiolu

Monte Nieddu

Sozza
Cuzzola

Punta Maggiore
971

Stazzu Bruciatu
Berruiles

Birgalavò

Cala di Budoni

Agrustos

Sos Runcos

*Punta
di Coloredda*
819

Schifoni

Franculacciu
Nuditta

San Silvestro

Malamorì

Sa Serra

Strugas
Maiorca
Lutturai

16

Budoni

S 131 dcn

Punta dell'Asino

Brunella

San Pietro

Limpiddu

Piras

San Gavino
San Lorenzo

Solità
9

Tanaunella
Baia
Sant'Anna

I. dei Pedrami

Muriscuvu

Pedra Bianca

Su Cossu

Talavà

Sas Murtas

Matta e Peru

Concas

513

S   T   U

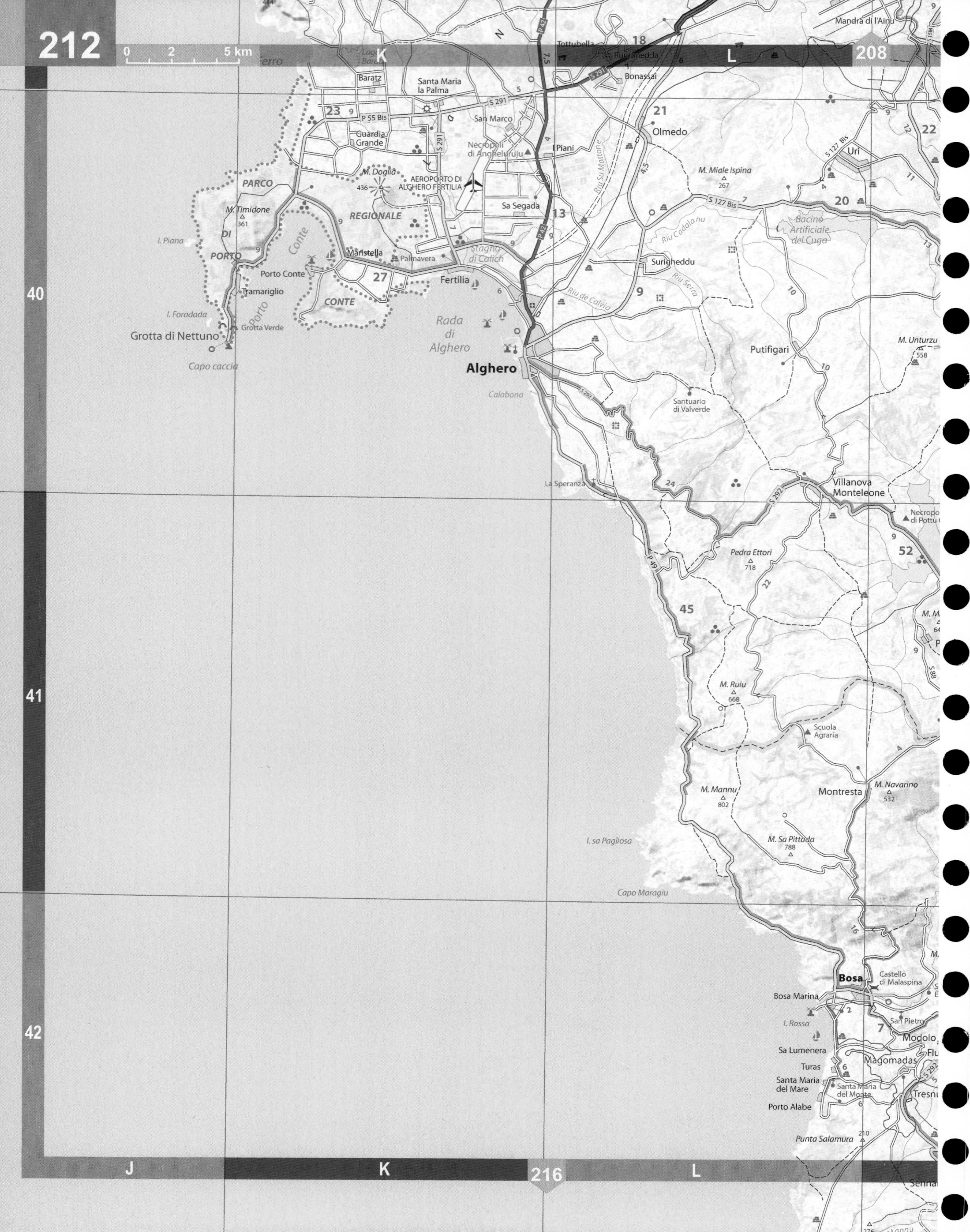

0 2 5 km

K

L

Lago Baratz

Baratz

Santa Maria la Palma

Tottubella

18

Rudas Nedda

Bonassai

S 291

S 291

23   9

P 55 Bis

San Marco

21

Olmedo

22

Guardia Grande

S 291

Necropoli di Anghelunuju

Piani

M. Miale Ispina
267

Uri

Riu su Mattone

S 127 Bis

12

PARCO

M. Doglia
436

AEROPORTO DI
ALGHERO FERTILIA

Sa Segada

13

S 127 Bis

20

M. Timidone
361

REGIONALE

4.5

Bacino Artificiale del Cuga

I. Piana

DI

Conte

9

7

Riu Cadala nu

DI

PORTO

9

Maristella

Palmavera

Stagno di Calich

Surigheddu

9

Riu Serra

10

Porto Conte

27

Fertilia

6

9

Riu de Calvia

9

Putifigari

M. Unturzu
558

Tramariglio

CONTE

Rada di Alghero

10

I. Foradada

Porto

Grotta Verde

Grotta di Nettuno

40

Capo caccia

Alghero

Calabona

Santuario di Valverde

S 292

La Speranza

24

Villanova Monteleone

Necropoli di Pottu

P 49

9

52

Pedra Ettori
718

22

45

M. M.
64

M. Ruiu
668

Scuola Agraria

41

M. Mannu
802

Montresta

M. Navarino
532

I. sa Pagliosa

M. Sa Pittada
788

Capo Maragiu

16

Bosa

Castello di Malaspina

42

Bosa Marina

2

San Pietro

I. Rossa

Modolo

Sa Lumenera

7

Flu

Turas

6

Magomadas

Santa Maria del Mare

Santa Maria del Monte

S 292

Tresnu

Porto Alabe

Punta Salamura

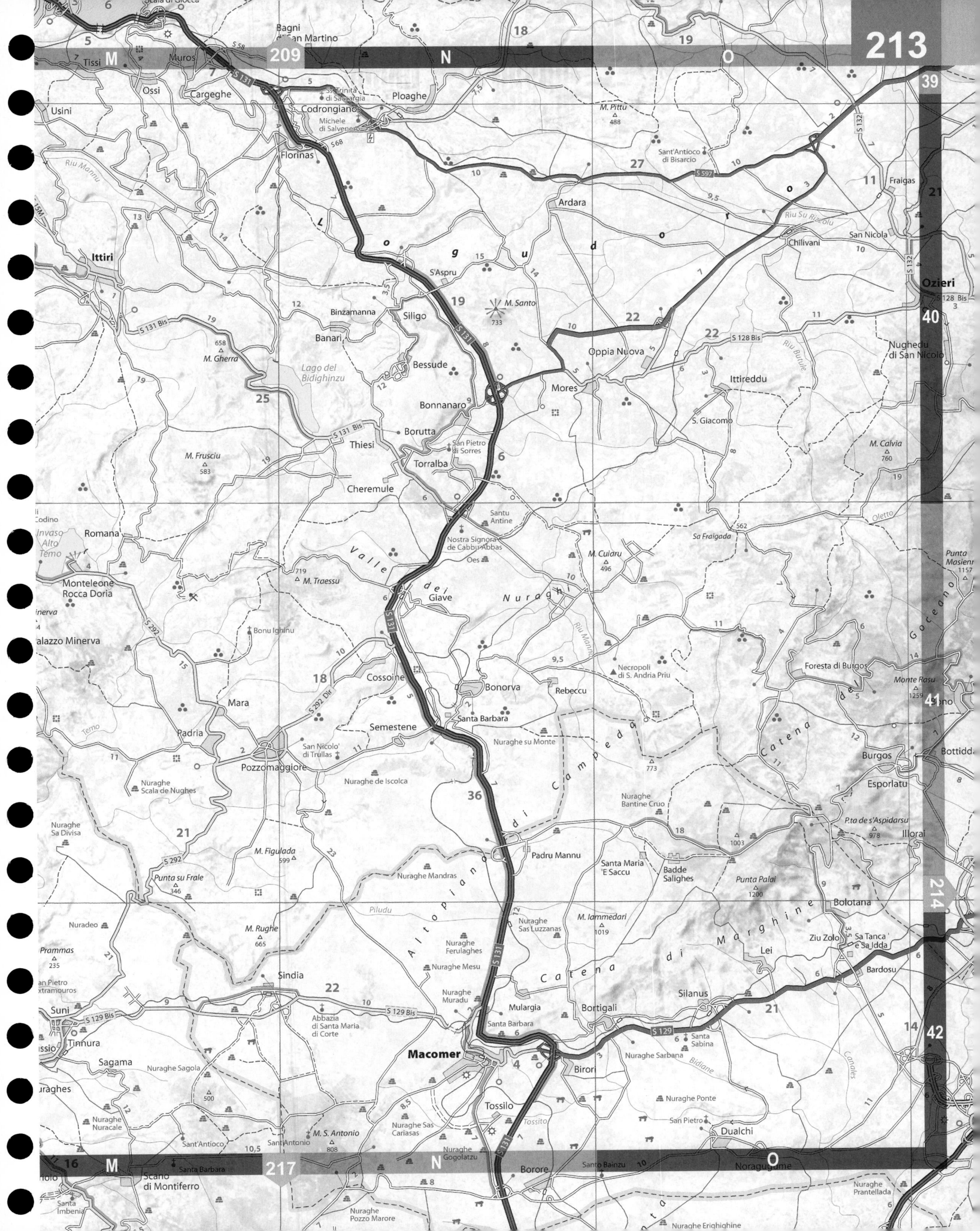
209
M
N
O
39
40
41
42
214
217
16
Tissi
Muros
Ossi
Cargeghe
Usini
Codrongianos
Ploaghe
Florinas
Bagni di San Martino
Michele di Salvenero
Ittiri
Ardara
Chilivani
Ozieri
Fraigas
San Nicola
S'Aspru
Siligo
Banari
Binzamanna
Bessude
Bonnanaro
Borutta
Thiesi
Torralba
Cheremule
Mores
Oppia Nuova
Ittireddu
S. Giacomo
Nughedu di San Nicolò
M. Santo
M. Gherra
Lago del Bidighinzu
M. Frusciu
M. Calvia
M. Pittu
Sant'Antioco di Bisarcio
San Pietro di Sorres
Santu Antine
Nostra Signora de Cabbu Abbas
Oes
Sa Fraigada
M. Cuiaru
Romana
Monteleone Rocca Doria
M. Traessu
Valle dei Nuraghi
Giave
Bonu Ighinu
Cossoine
Bonorva
Rebeccu
Necropoli di S. Andria Priu
Santa Barbara
Semestene
Mara
Padria
Pozzomaggiore
San Nicolo' di Trullas
Nuraghe de Iscolca
Nuraghe su Monte
Foresta di Burgos
Monte Rasu
Burgos
Esporlatu
Illorai
Bottidda
P.ta de s'Aspidarsu
Nuraghe Bantine Cruo
Nuraghe Scala de Nughes
Nuraghe Sa Divisa
M. Figulada
Padru Mannu
Santa Maria 'E Saccu
Badde Salighes
Punta Palai
Bolotana
Nuraghe Mandras
Punta su Frale
Altopiano di Campeda
Catena di Marghine
Catena del Goceano
Nuradeo
M. Rughe
Nuraghe Sas Luzzanas
M. Iammedari
Nuraghe Ferulaghes
Nuraghe Mesu
Ziu Zolo
Sa Tanca 'e Sa Idda
Lei
Bardosu
Sindia
Silanus
Prammas
Nuraghe Muradu
Mulargia
Bortigali
Suni
Tinnura
Abbazia di Santa Maria di Corte
Santa Sabina
Macomer
Birori
Nuraghe Sarbana
Sagama
Nuraghe Sagola
Tossilo
Nuraghe Ponte
Nuraghe Nuracale
M. S. Antonio
Nuraghe Sas Cariasas
San Pietro
Dualchi
Sant'Antioco
Sant'Antonio
Nuraghe Gogolatzu
Santa Barbara
Scano di Montiferro
Borore
Santo Bainzu
Noragugume
Nuraghe Prantellada
Nuraghe Pozzo Marore
Nuraghe Erighighine
S 131
S 597
S 128 Bis
S 131 Bis
S 292
S 129
S 129 Bis
S 132

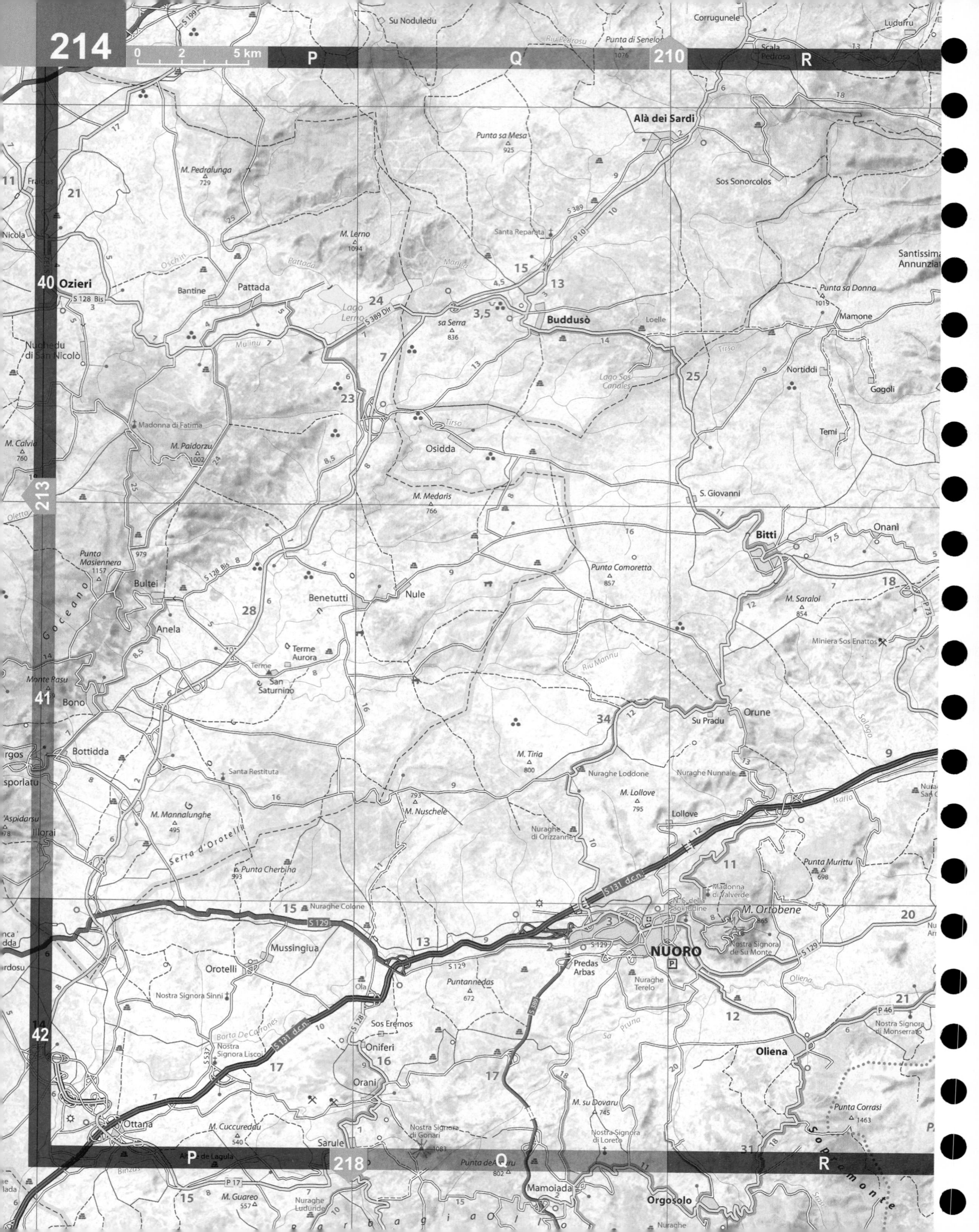

0 2 5 km

Corrugunele
Ludurru
Su Noduledu
Riu Pedrosu
Punta di Senelo
Scala
Pedrosa
1076

Alà dei Sardi

Punta sa Mesa
925
Sos Sonorcolos

M. Pedralunga
729
Santa Reparata
S 389
P 10

11 Fraigas
21
Santissima
Annunziata

Nicola
M. Lerno
1094
Mariea
15
13
Punta sa Donna
1019
Mamone

40 Ozieri
S 128 Bis
3
Bantine
Pattada
Lago
Lerno
24
S 389 Dir
sa Serra
836
3,5
4,5
3
Buddusò
Loelle

Nughedu
di San Nicolò
7
13
14
Tirso
Nortiddi
Gogoli

M. Calvia
760
Mulinu 7
6
23
Lago Sos
Canales
25
Temi

Madonna di Fatima
Tirso
Osidda
S. Giovanni
Bitti
Onanì

M. Paidorzu
1002
8,5
8
M. Medaris
766
16
11
7,5
18

213
Oletto
979
Punta
Masiennera
1157
S 128 Bis
8
4
9
Punta Comoretta
857
12
M. Saraloi
854

Bultei
Goceano
28
6
Benetutti
Nule
Miniera Sos Enattos
11

Anela
5
Terme
Aurora
Terme
San
Saturnino
8
Riu Mannu
12

41 Bono
8,5
6
9
34
12
Su Pradu
Oruna
13
9

Monte Rasu
14
M. Tiria
800
Nuraghe Loddone
Nuraghe Nunnale
Isalla

rgos
Bottidda
Santa Restituta
16
793
9
M. Lollove
795
Lollove
11

sporlatu
8
M. Mannalunghe
495
M. Nuschele
Nuraghe
di Orizzanne
10
12

'Aspidarsu
78
Illorai
6
Serra d'Orotelli
Punta Cherbiha
993
11
10
Nuraghe
di Valverde
Punta Murittu
698
11

15
Nuraghe Colone
S 129
13
9
N.S. della
Solitudine
8
M. Ortobene
865
20

Mussingiua
Ola
S 131 d.c.n.
3
S 129
NUORO
Nostra Signora
de Su Monte
S 129

nca
dda
6
Orotelli
S 129
Predas
Arbas
Nuraghe
Terelo
21

rdosu
Nostra Signora Sinni
Puntannedas
672
Nostra Signora
di Monserrato

42
14
Borta De Carrones
S 131 d.c.n.
10
Sos Eremos
17
12
Oliena

S 527
Nostra
Signora Liscoi
S 128
Oniferi
16
17
18
20
Punta Corrasi
1463

17
Orani
M. Cuccuredau
540
Sa Pruna
M. su Dovaru
745
Nostra Signora
di Loreto
Soprammonte

Ottana
Sarule
Nostra Signora
di Gonari
1083
31
18

Punta de Acuru
802

15
M. Guareo
557
Nuraghe
Ludurde
Mamoiada
Orgosolo
Nuraghe

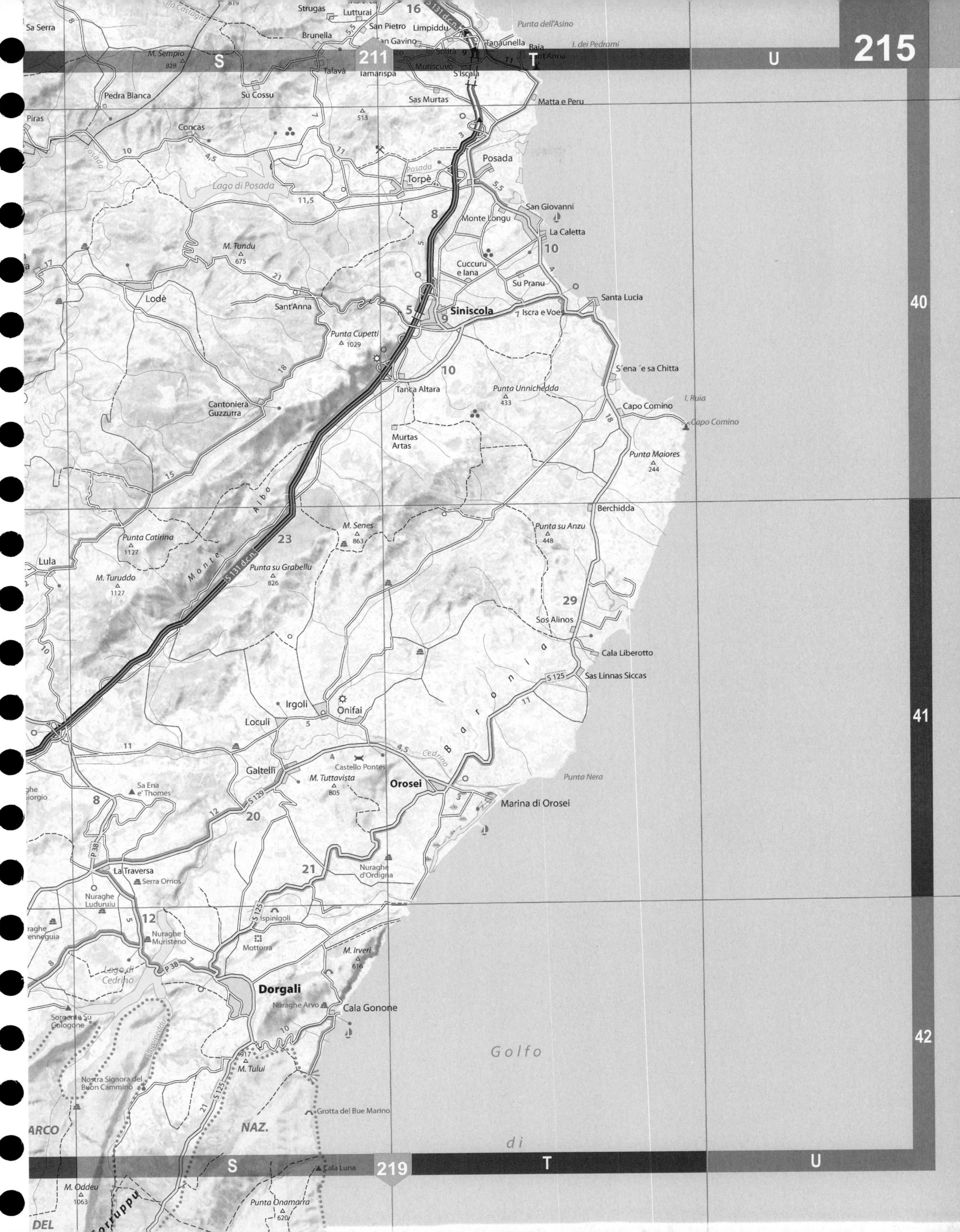

Sa Serra
Strugas
Lutturai
16
Punta dell'Asino
S 131 dic
U

San Pietro
Limpiddu
I. dei Pedrami
Brunella
San Gavino
Tanaunella
Baia
S Iscala
Talavà
Tamarispa
Muriscuvò
S Iscala
T
Sant'Anna

Pedra Bianca
Su Cossu
Sas Murtas
Matta e Peru

Piras
Concas
513
40

Posada
Posada
Torpè

Lago di Posada
8
Monte Longu
San Giovanni
La Caletta

M. Tundu
675
Cuccuru e Iana
10

Lodè
Sant'Anna
Su Pranu
Santa Lucia

5
Siniscola
Iscra e Voes

Punta Cupetti
1029
9
S'ena 'e sa Chitta

Cantoniera Guzzurra
10
Tanca Altara
Punta Unnichedda
433
I. Ruia
Capo Comino
Capo Comino

Murtas Artas
Punta Maiores
244

M. Senes
863
Berchidda

Punta Catirina
1127
23
Punta su Grabellu
826
Punta su Anzu
448

Lula
M. Turuddo
1127

29
Sos Alinos

Cala Liberotto
S 125
Sas Linnas Siccas

41
Irgoli
Onifai
11

Loculi
Cedrino
4,5

Galtellì
Castello Pontes
M. Tuttavista
805
Orosei

Sa Ena e' Thomes
8
20
Marina di Orosei
Punta Nera

La Traversa
Serra Orrios
21
Nuraghe d'Ordigna

Nuraghe Luduruiu
S 125
12
S Ispinigoli

Nuraghe Muristeno
Mottorra
M. Irveri
616

Lago di Cedrino
Dorgali
42

Sorgente Su Gologone
Nuraghe Arvo
Cala Gonone

Nostra Signora del Buon Cammino
917
M. Tului
Golfo

ARCO
NAZ.
Grotta del Bue Marino
di

S
219
T
U

M. Oddeu
1063
Cala Luna

DEL
Punta Onamarra
620

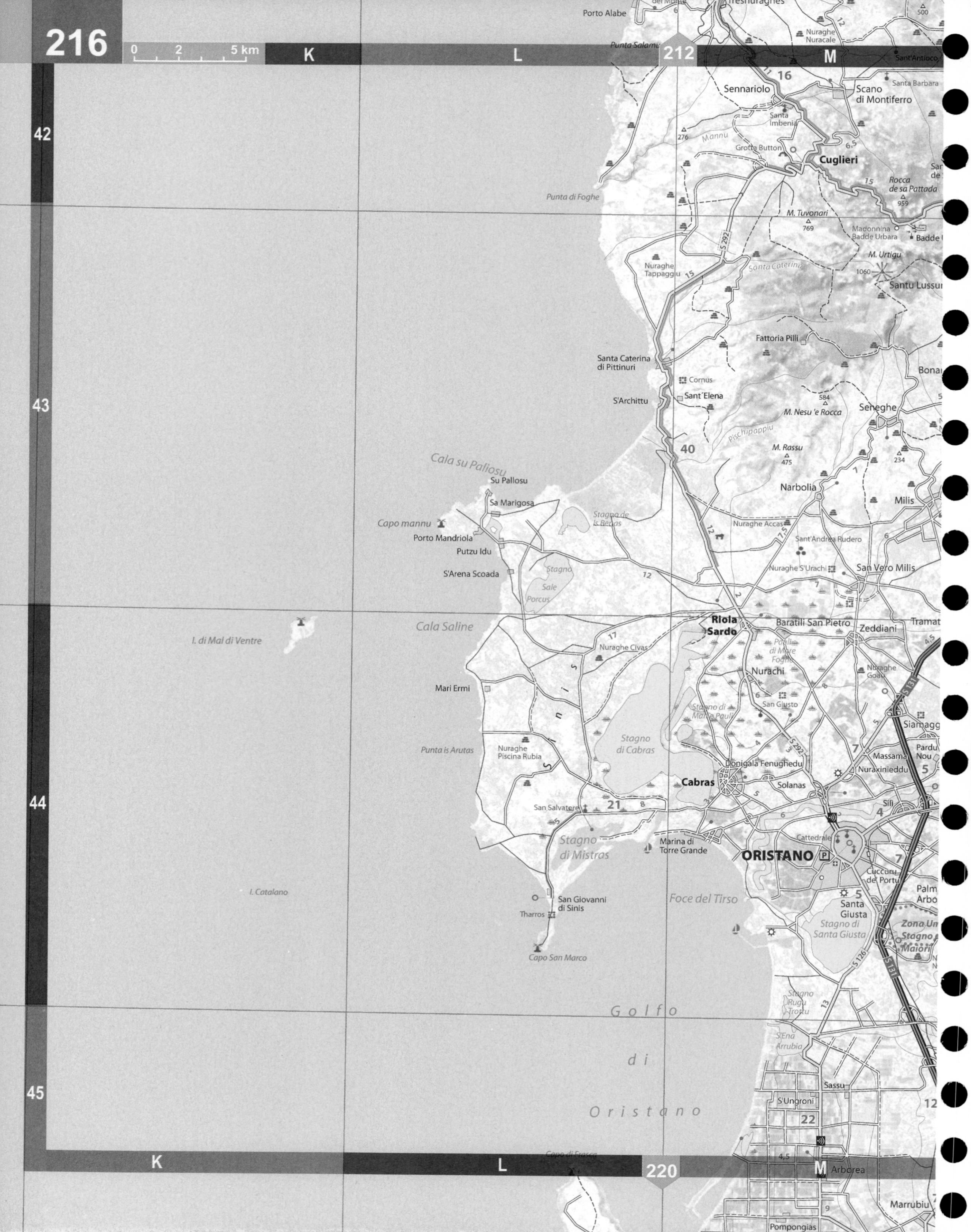
0 2 5 km
K
L
212
M
42
43
44
45
220
Porto Alabe
Tresnuraghes
Punta Salamu
Nuraghe Nuracale
Sant'Antioco
16
Sennariolo
Scano di Montiferro
Santa Barbara
Santa Imbenia
Mannu
Grotta Button
Cuglieri
Rocca de sa Pattada
959
Punta di Foghe
M. Tuvonari
769
Madonnina Badde Urbara
Badde
S 292
M. Urtigu
1060
Nuraghe Tappaggiu
Santa Caterina
Santu Lussu
Fattoria Pilli
Santa Caterina di Pittinuri
Cornus
Sant´Elena
S'Archittu
584
M. Nesu 'e Rocca
Seneghe
Pischipappiu
40
M. Rassu
475
234
Cala su Paliosu
Su Pallosu
Narbolia
Milis
Sa Marigosa
Stagno de is Benas
Capo mannu
Porto Mandriola
Nuraghe Accas
Putzu Idu
Sant'Andrea Rudero
S'Arena Scoada
Stagno Sale Porcus
Nuraghe S'Urachi
San Vero Milis
Cala Saline
Riola Sardo
Baratili San Pietro
Zeddiani
Tramat
I. di Mal di Ventre
Nuraghe Civas
Paulli di Mare Foghe
Nurachi
Nuraghe Goau
Mari Ermi
San Giusto
Stagno di Mar'e Pauli
Siamagg
Stagno di Cabras
Punta is Arutas
Nuraghe Piscina Rubia
Donigala Fenughedu
Massama
Pardu Nou
Nuraxinieddu
Cabras
Solanas
Sili
San Salvatore
21
Stagno di Mistras
Marina di Torre Grande
Cattedrale
ORISTANO
Cuccuru de' Portu
Palm Arbo
Foce del Tirso
I. Catalano
San Giovanni di Sinis
Santa Giusta
Tharros
Stagno di Santa Giusta
Zona Un
Stagno Maiori
Capo San Marco
S 126
S 131
Stagno Rugu Trottu
Golfo di Oristano
S'Ena Arrubia
Sassu
S'Ungroni
22
Capo di Frasca
Arborea
Marrubiu
Pompongias

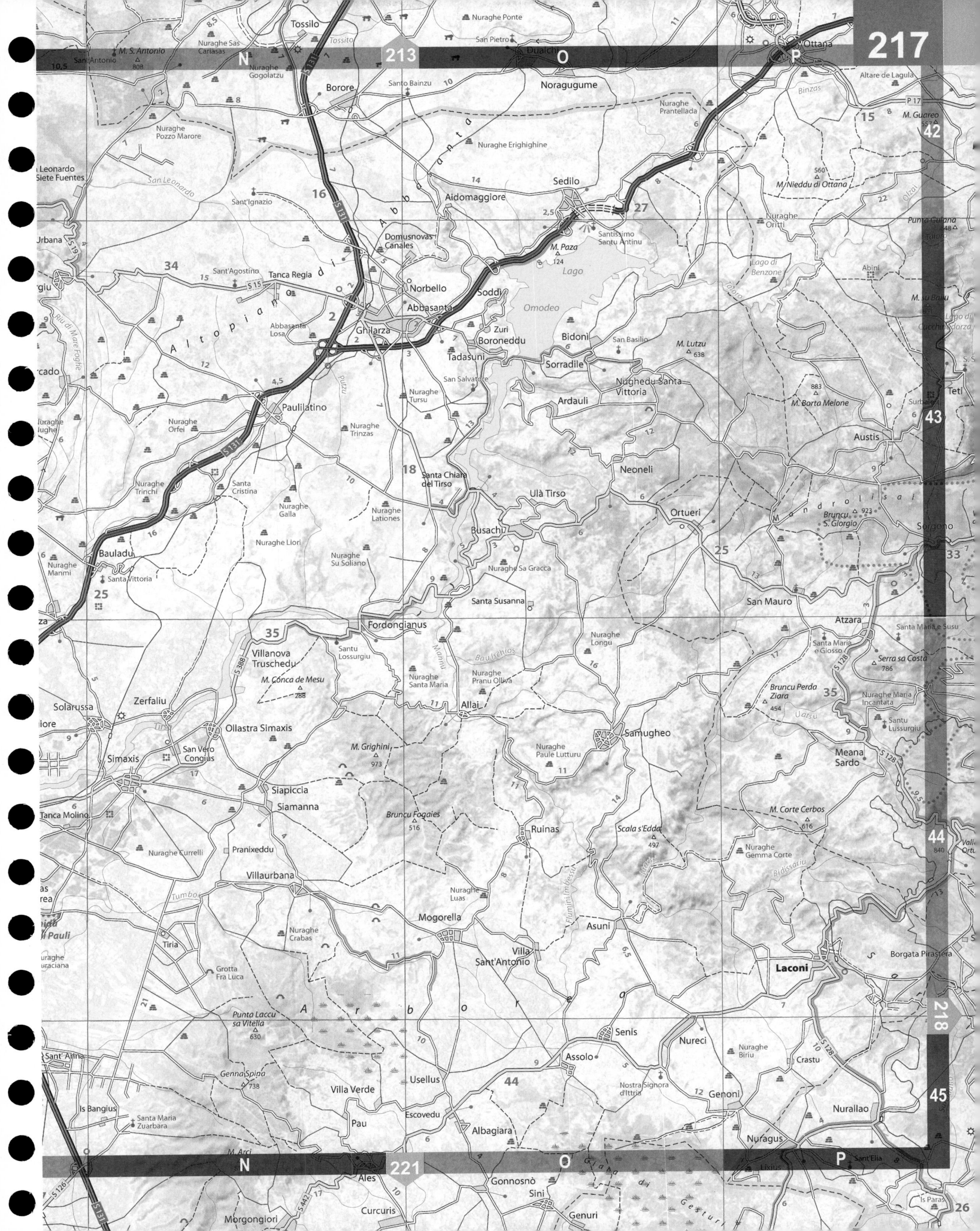

213
221
218
Tossilo
Borore
Dualchi
Noragugume
Ottana
Sedilo
Aidomaggiore
Domusnovas Canales
Norbello
Abbasanta
Ghilarza
Soddì
Zuri
Boroneddu
Tadasuni
Sorradile
Bidoni
Lago Omodeo
Paulilatino
Ardauli
Nughedu Santa Vittoria
Neoneli
Ulà Tirso
Busachi
Ortueri
Austis
Sorgono
Teti
Bauladu
Santa Vittoria
Fordongianus
Villanova Truschedu
Santa Susanna
San Mauro
Atzara
Zerfaliu
Solarussa
Ollastra Simaxis
Simaxis
San Vero Congius
Allai
Samugheo
Meana Sardo
Siapiccia
Siamanna
Ruinas
Tanca Molino
Pranixeddu
Villaurbana
Mogorella
Asuni
Tiria
Villa Sant'Antonio
Laconi
Borgata Pirastera
Senis
Assolo
Nureci
Crastu
Usellus
Villa Verde
Genoni
Nurallao
Pau
Escovedu
Albagiara
Nuragus
Ales
Gonnosnò
Sini
Curcuris
Morgongiori
Genuri
Altopiano di Abbasanta
Arborea
Mandrolisai

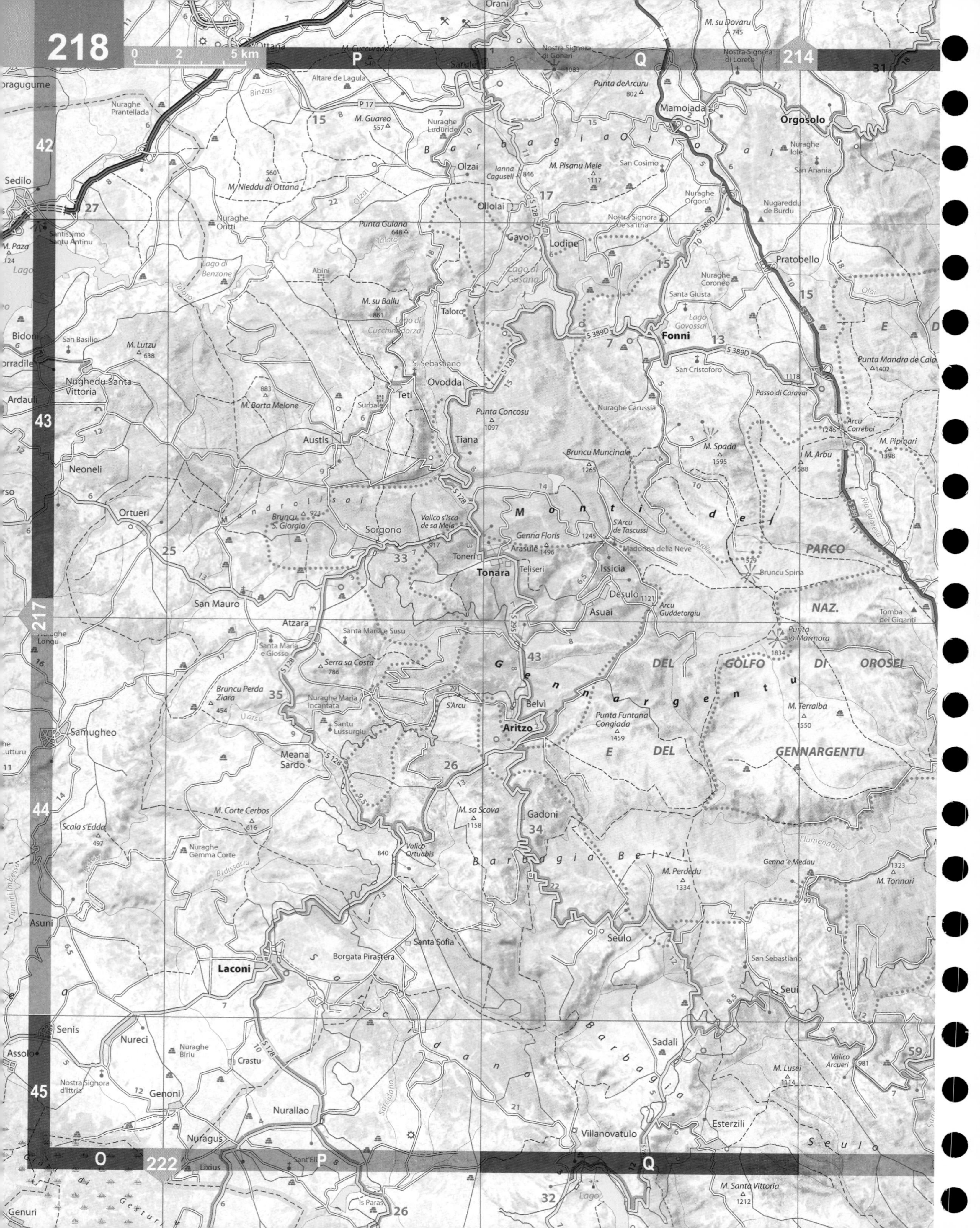
0 2 5 km
P
Q
214
Orani
Ottana
Sarule
Nostra Signora di Gonari
M. su Dovaru
Nostra Signora di Loreto
Mamoiada
Orgosolo
Sedilo
Nuraghe Prantellada
M. Guareo
Nuraghe Ludurìde
Olzai
Ollolai
Gavoi
Lodine
M. Pisanu Mele
San Cosimo
Nuraghe Orgoru'
Nugareddu de Burdu
Nostra Signora de sa Itria
M. Nieddu di Ottana
Nuraghe Oritti
Santissimo Santu Antinu
M. Paza
Punta Gulana
Lago di Benzone
Abini
Lago di Gusana
Pratobello
Nuraghe Coroneo
Santa Giusta
Lago Govossai
M. su Ballu
Lago di Cucchinadorza
Taloro
Fonni
San Cristoforo
Bidoni
San Basilio
M. Lutzu
Nughedu Santa Vittoria
Ardauli
S. Sebastiano
Ovodda
Teti
Surbale
M. Borta Melone
Punta Concosu
Nuraghe Carussia
Passo di Caravai
Punta Mandra de Caia
Austis
Tiana
M. Spada
Arcu Correboi
M. Pipinari
M. Arbu
Brunco Muncinale
Neoneli
Ortueri
Mandrolisai
Bruncu S. Giorgio
Sorgono
Valico s'Isca de sa Mela
Monti del
Genna Floris
S'Arcu de Tascussi
Arasulè
Toneri
Tonara
Teliseri
Issicia
Madonna della Neve
Bruncu Spina
PARCO
NAZ.
Desulo
Asuai
Arcu Guddetorgiu
Tomba dei Giganti
San Mauro
Atzara
Santa Maria e Susu
Punta la Marmora
Nuraghe Longu
Santa Maria e Giosso
Serra sa Costa
Gennargentu
DEL GOLFO DI OROSEI
E DEL GENNARGENTU
Bruncu Perda Ziara
Nuraghe Maria Incantata
S'Arcu
Belvì
Punta Funtana Congiada
M. Terralba
Samugheo
Santu Lussurgiu
Aritzo
Meana Sardo
M. Corte Cerbos
M. sa Scova
Gadoni
Scala s'Edda
Nuraghe Gemma Corte
Valico Ortuabis
Barbagia Belvì
M. Perdedu
Genna 'e Medau
M. Tonnari
Flumendosa
Asuni
Santa Sofia
Seulo
Borgata Pirastera
Laconi
San Sebastiano
Seui
Senis
Nureci
Nuraghe Biriu
Crastu
Sadali
Assolo
Barbagia
Valico Arcueri
M. Lusei
Nostra Signora d'Ittria
Genoni
Nurallao
Esterzili
Nuragus
Villanovatulo
Seulo
O
222
Lixius
Sant'Eli
M. Santa Vittoria
Genuri
Is Paras
Lago
42
43
44
45
217

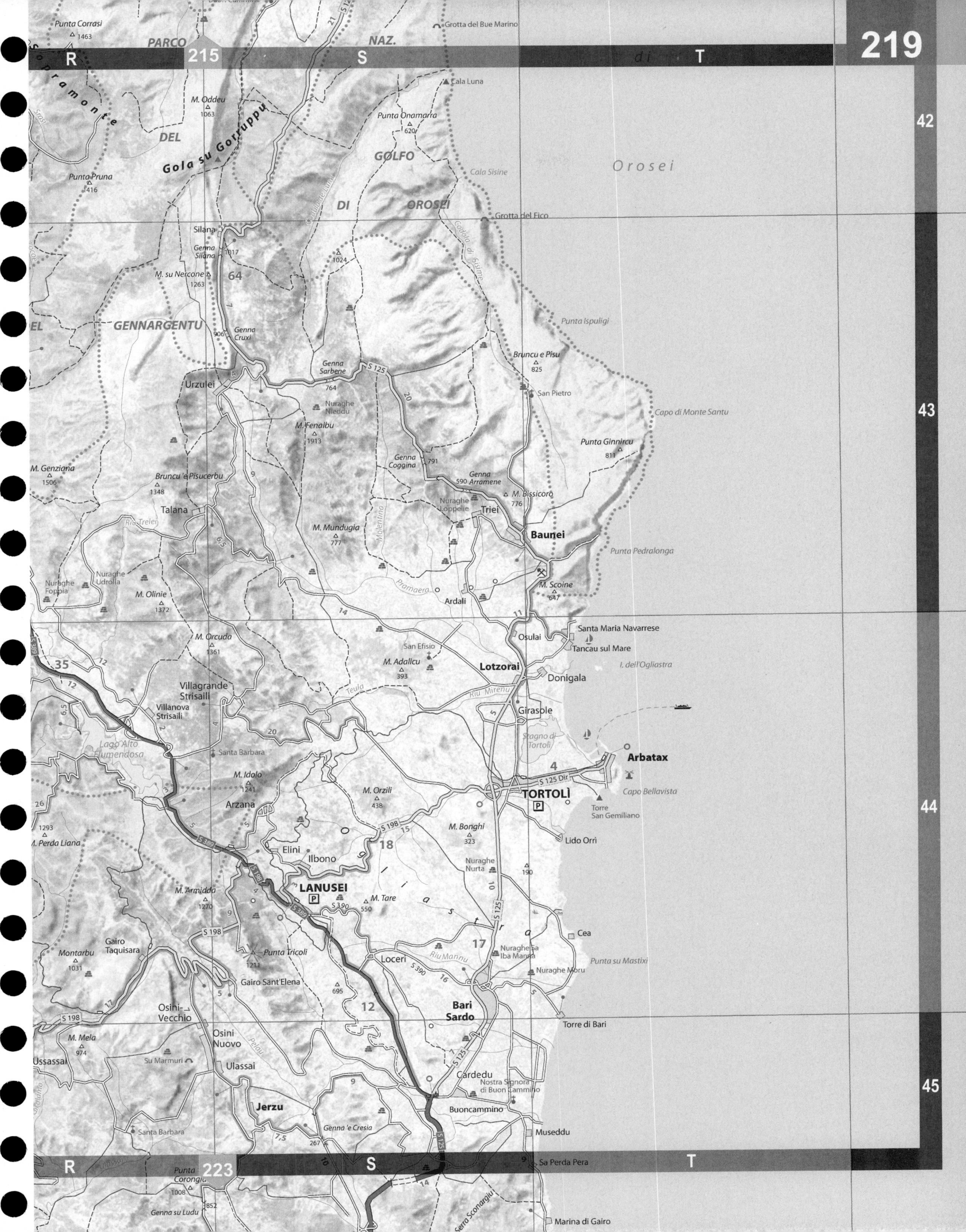

Orosei

PARCO NAZ.

215

Punta Corrasi
△ 1463

Grotta del Bue Marino

Cala Luna

42

S o p r a m o n t e

R

S

di

T

DEL

Gola su Gorruppu

M. Oddeu
1063

GOLFO

Cala Sisine

Punta Onamarra
△ 620

Punta Pruna
△ 1416

DI

OROSEI

Grotta del Fico

Silana

Genna
Silana 1017

Gola di Sisine

43

M. su Nercone
1263

1024

64

GENNARGENTU

Genna
Cruxi
906

Bruncu e Pisu
825

Urzulei

Genna
Sarbene
764

S 125

San Pietro

Capo di Monte Santu

Nuraghe
Nieddu

20

M. Fenaibu
1913

Punta Ginnircu
811

M. Genziana
1506

Genna
Coggina

791

Genna
Arramene
590

M. Bissicoro
776

Bruncu 'e Pisucerbu
1348

9

Nuraghe
Loppelie

Triei

Talana

Molettana

Baunei

Rio Trelei

M. Mundugia
777

6,5

Punta Pedralonga

Nuraghe
Foppia

Nuraghe
Udrolla

M. Olinie
1372

Pramaera

Ardali

M. Scoine
647

14

11

M. Orcuda
1361

San Efisio

Osulai

Santa Maria Navarrese

35

12

M. Adalicu
393

Lotzorai

Tancau sul Mare

12

Teula

Riu Mirenu

Donigala

I. dell'Ogliastra

Villagrande
Strisaili

Giraspie

6,5

Villanova
Strisaili

4

20

Stagno di
Tortoli

Lago Alto
Flumendosa

2

Santa Barbara

M. Idolo
1241

4

Arbatax

26

M. Orzili
438

S 125 Dir

Capo Bellavista

1293

Arzana

TORTOLÌ
P

Torre
San Gemiliano

M. Perda Liana
1008

S 198

15

M. Bonghi
323

Lido Orrì

Elini

18

Ilbono

Nuraghe
Nurta

190

M. Armidda
1270

LANUSEI
P

M. Tare
550

10

S 125

Gairo
Taquisara

S 198

17

Montarbu
1031

Punta Tricoli
1211

Loceri

S 390

Nuraghe Sa
Iba Manna

Cea

Punta su Mastixi

Gairo Sant'Elena

5

16

Nuraghe Moru

Osini
Vecchio

S 198

695

12

Bari
Sardo

Torre di Bari

M. Mela
974

Osini
Nuovo

Ussassai

Su Marmuri

Ulassai

9

Cardedu

Nostra Signora
di Buon Cammino

45

Jerzu

Buoncammino

7,5

Genna 'e Cresia
267

Museddu

R

S

T

223

Punta
Corongiu
1008

9

Sa Perda Pera

Genna su Ludu
852

14

Serra Sconargiu

Marina di Gairo

44

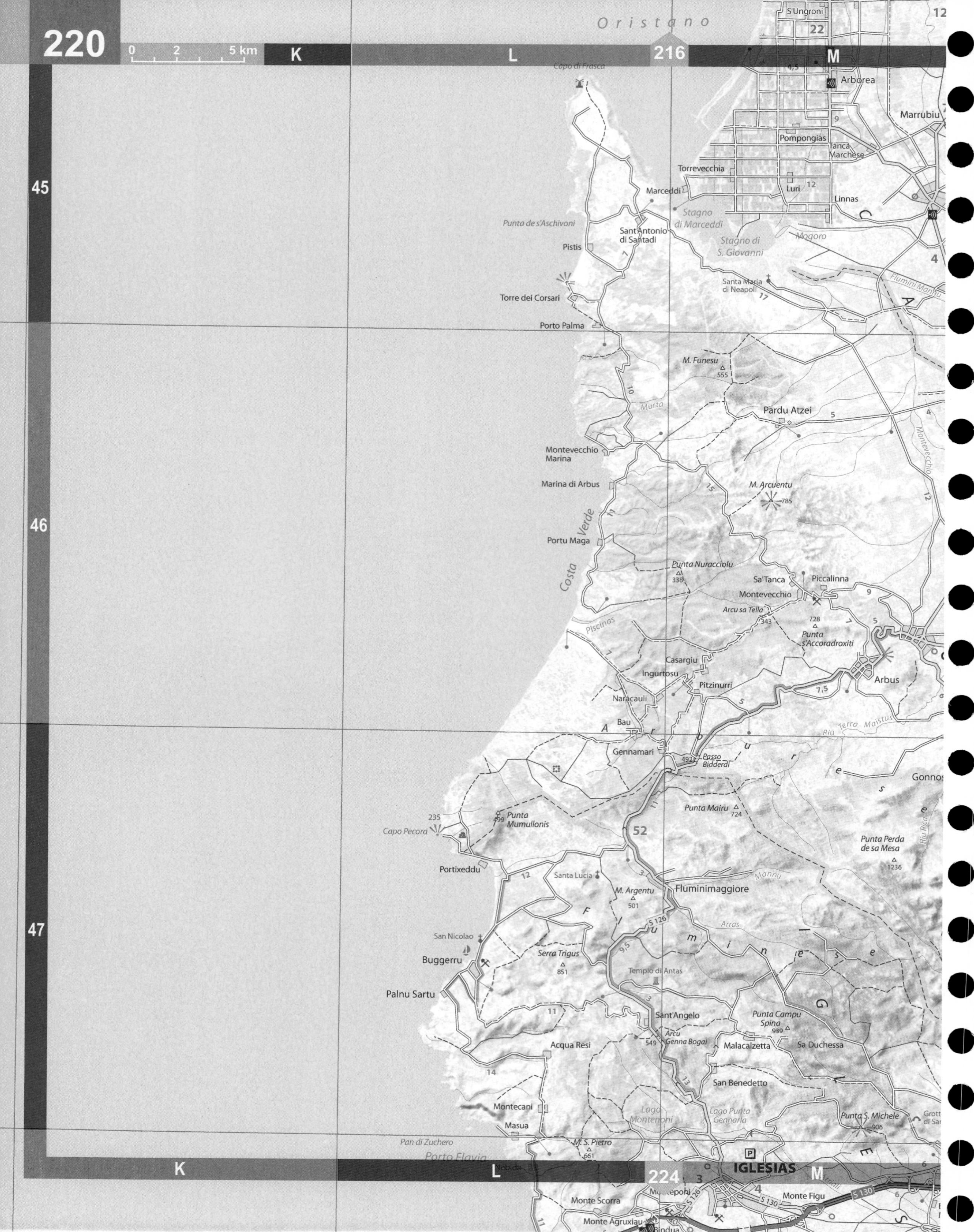

Oristano

S'Ungroni

22

4,5

Arborea

Marrubiu

9

Pompongias

Tanca Marchese

Capo di Frasca

45

Torrevecchia

Luri   12

Linnas

Marceddi

Stagno di Marceddi

Punta de s'Aschivoni

Sant'Antonio di Santadi

Stagno di S. Giovanni

Mogoro

Pistis

Flumini Mannu

Santa Maria di Neapoli   17

Torre dei Corsari

Porto Palma

M. Funesu
555

Pardu Atzei   5

Murta

Montevecchio

46

Montevecchio Marina

M. Arcuentu
785

Marina di Arbus

15

12

Portu Maga

Costa Verde

Punta Nuracciolu
338

Sa'Tanca

Piccalinna

Montevecchio

Arcu sa Tella
343

728

9

Punta s'Accoradroxiti

Piscinas

Casargiu

Ingurtosu

Pitzinurri

7,5

Arbus

Naracauli

Bau

Rio Terra Maistus

Gonnos

Gennamari

492   Passo Bidderdi

Punta Mairu
724

Punta Perda de sa Mesa
1236

235
799   Punta Mumullonis

52

Capo Pecora

Portixeddu   12

Santa Lucia

3

Fluminimaggiore

Mannu

M. Argentu
501

47

S 126

Arras

San Nicolao

9,5

Buggerru

Serra Trigus
851

Tempio di Antas

Palnu Sartu

11

Sant'Angelo

Punta Campu Spina
989

Arcu Genna Bogai
549

Acqua Resi

Malacalzetta

Sa Duchessa

14

13

San Benedetto

Montecani

Lago Monteponi

Lago Punta Gennaria

Punta S. Michele
906

Grotta di Sa

Masua

Pan di Zuchero

M. S. Pietro
561

Porto Flavia

Nobida

IGLESIAS   S 130

Monte Figu

Monte Scorra

Monteponi

3

4

S 130

Monte Agruxiau

Bindua

11

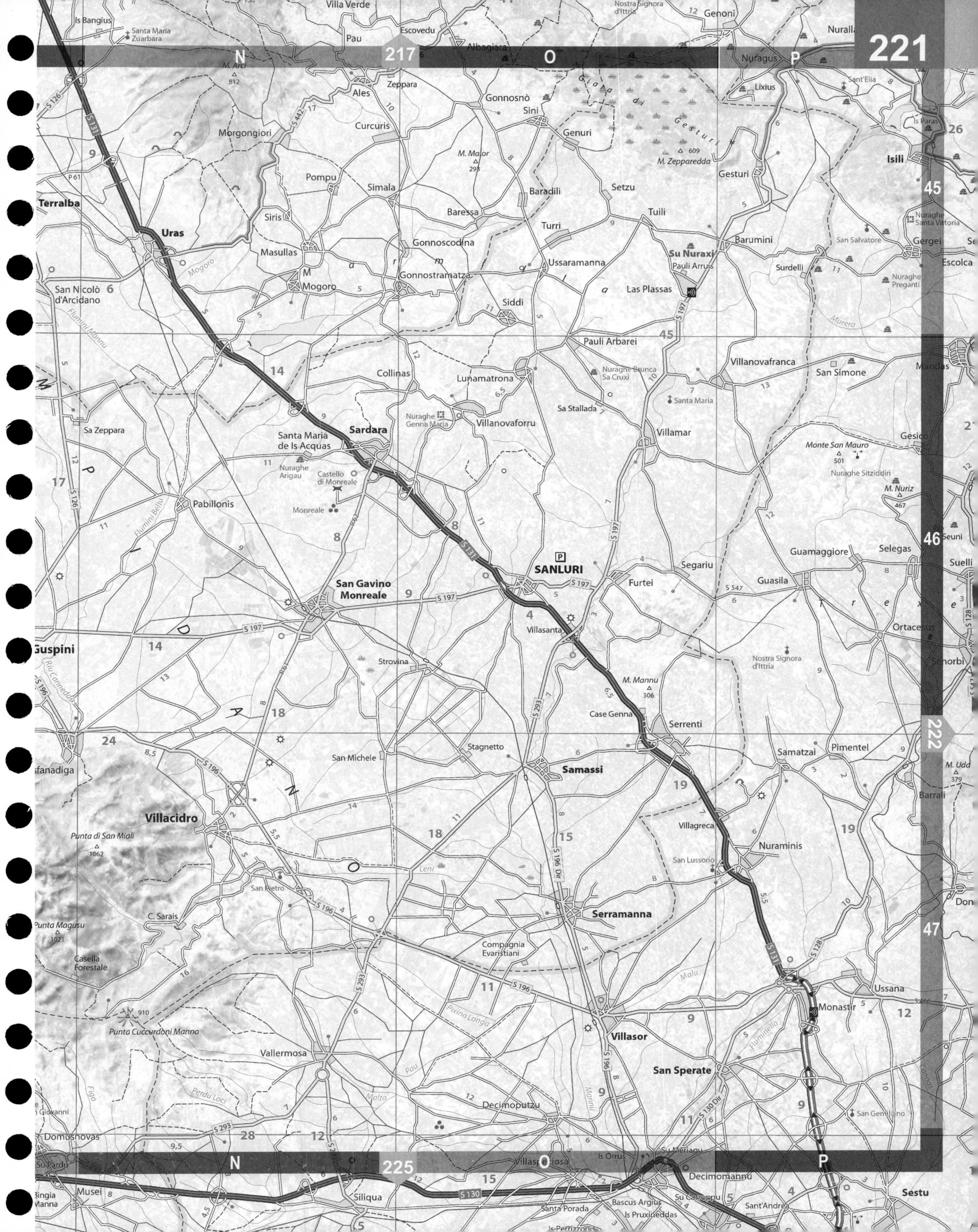
217
225
222
Uras
Terralba
Mogoro
Masullas
Sardara
SANLURI
San Gavino Monreale
Guspini
Villacidro
Samassi
Serrenti
Serramanna
Villasor
San Sperate
Nuraminis
Monastir
Decimomannu
Sestu
Ussana
Barumini
Su Nuraxi
Isili
Villamar
Furtei
Segariu
Guasila
Villanovaforru
Lunamatrona
Pauli Arbarei
Villanovafranca
Pabillonis
Ales
Gonnosnò
Genuri
Gesturi
Tuili
Setzu
Turri
Baradili
Siddi
Gonnostramatza
Gonnoscodina
Pompu
Simala
Siris
Collinas
Villasanta
Samatzai
Pimentel
Barrali
Ortacesus
Senorbì
Selegas
Guamaggiore
Decimoputzu
Vallermosa
Domusnovas
Siliqua
Villaspeciosa
Musei
Las Plassas
Giara di Gesturi
Campidano
Trexenta
Marmilla
S 131
S 197
S 196
S 293
S 130
S 128

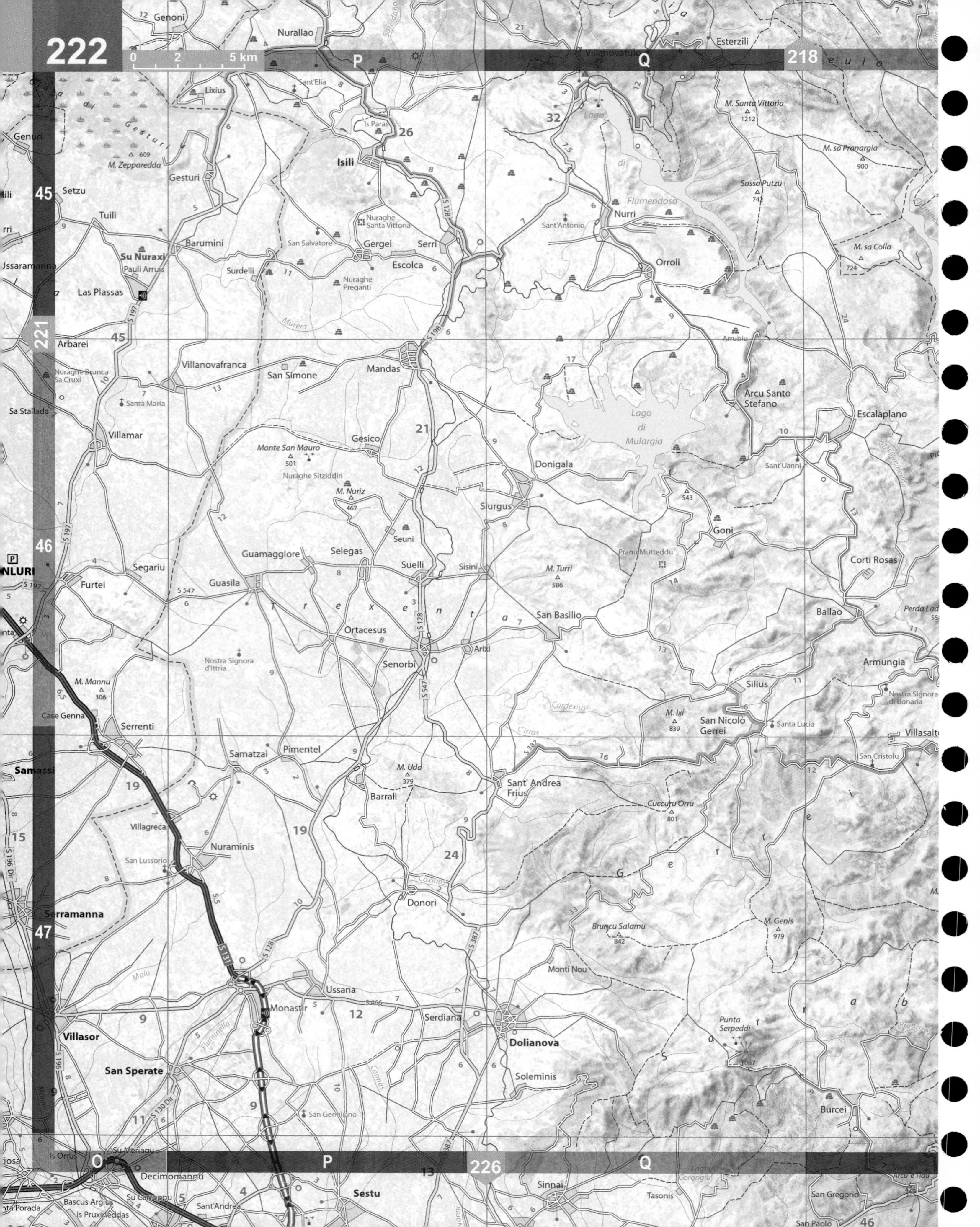
222
0 2 5 km
P
Q
218
221
226
45
46
47
Genoni
Nurallao
Villanovatulo
Esterzili
Lixius
Sant'Elia
Is Paras
Isili
Genuri
M. Zepparedda
Gesturi
Setzu
Tuili
Barumini
Su Nuraxi
Pauli Arruis
Las Plassas
Surdelli
Nuraghe Santa Vittoria
San Salvatore
Gergei
Serri
Escolca
Nuraghe Preganti
Lago di Flumendosa
M. Santa Vittoria
M. sa Pranargia
Sassa Putzu
Nurri
Sant'Antonio
Orroli
M. sa Colla
Arrubiu
Arbarei
Villanovafranca
Nuraghe Brunca Sa Cruxi
San Simone
Mandas
Santa Maria
Sa Stallada
Villamar
Gesico
Monte San Mauro
Nuraghe Sitziddiri
M. Nuriz
Lago di Mulargia
Donigala
Siurgus
Arcu Santo Stefano
Escalaplano
Sant'Uanni
Seuni
Goni
Pranu Mutteddu
Guamaggiore
Selegas
Suelli
Sisini
M. Turri
Corti Rosas
Segariu
Furtei
Guasila
Trexenta
Ortacesus
San Basilio
Ballao
Perda Lada
Senorbì
Arixi
Nostra Signora d'Itria
Armungia
Silius
Nostra Signora di Bonaria
M. Mannu
Case Genna
Serrenti
Cardexius
Cirras
M. Ixi
San Nicolò Gerrei
Santa Lucia
Villasalto
Samassi
Samatzai
Pimentel
San Cristolu
M. Udà
Sant' Andrea Frius
Barrali
Cuccuru Orru
Villagreca
Nuraminis
Gerrei
San Lussorio
Coxinas
Donori
Serramanna
Bruncu Salamu
M. Genis
Monti Nou
Malu
Ussana
Monastir
Serdiana
Dolianova
Villasor
Punta Serpeddì
San Sperate
Sarrabus
Soleminis
San Gemiliano
Burcei
Is Orrus
Su Meriagu
Decimomannu
Sestu
Sinnai
Tasonis
Laghi Corongiu
San Gregorio
Bascus Argiu
Su Carroppu
Is Pruxineddas
Sant'Andrea
San Paolo
O

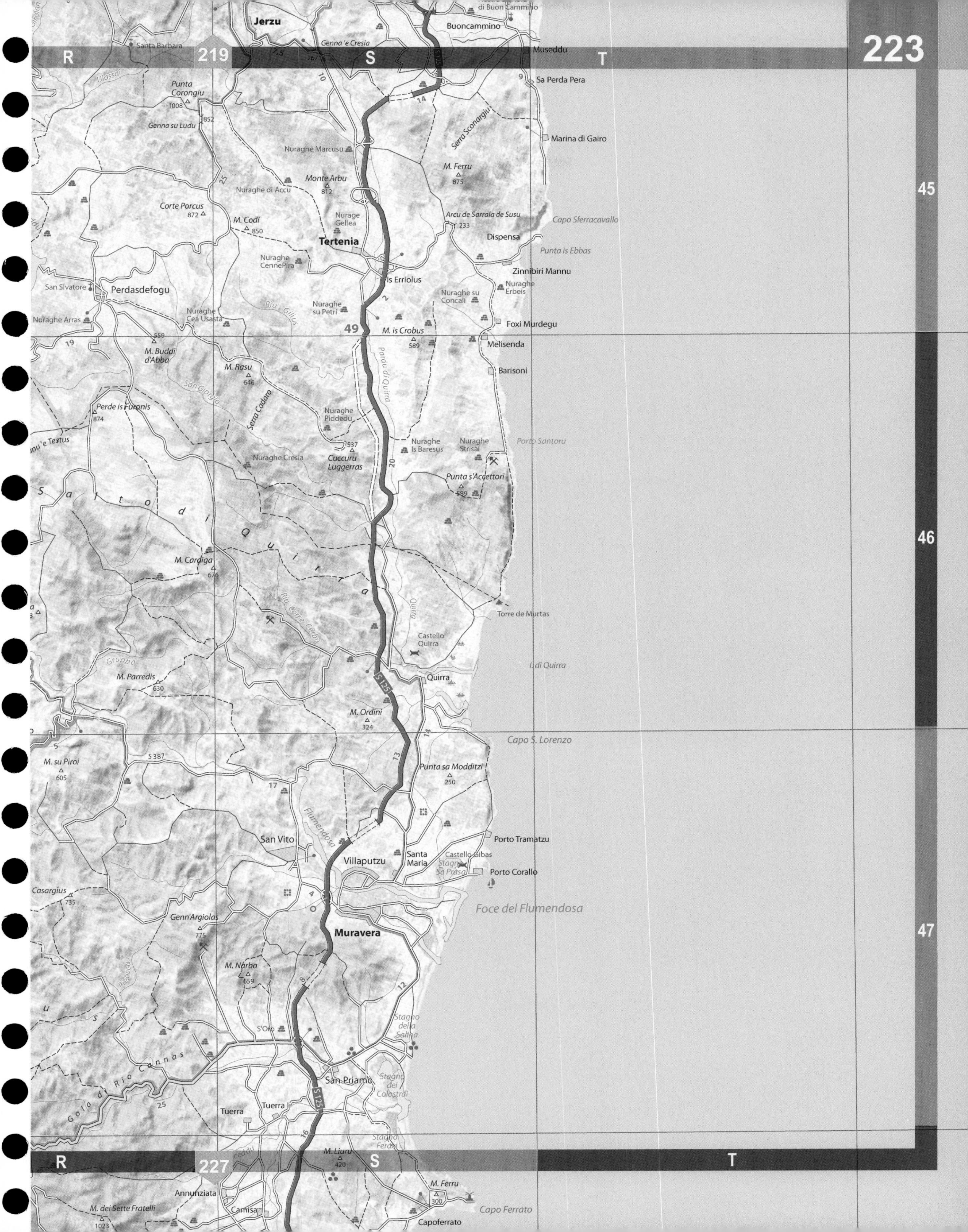

di Buon Cammino
Jerzu
Buoncammino
Santa Barbara
Genna 'e Cresia
Museddu
Punta Corongiu
1008
Sa Perda Pera
Ulassai
9
Genna su Ludu
852
14
Nuraghe Marcusu
Serra Sconargiu
Marina di Gairo
Monte Arbu
812
M. Ferru
875
Nuraghe di Accu
Corte Porcus
872
M. Codi
850
Nurage Gellea
Arcu de Sarrala de Susu
233
Capo Sferracavallo
Dispensa
Tertenia
Punta is Ebbas
Nuraghe CennePira
Zinnibiri Mannu
Is Erriolus
Nuraghe Erbeis
San Sivatore
Perdasdefogu
Nuraghe su Petri
Nuraghe su Concali
Nuraghe Cea Usasta
Foxi Murdegu
Nuraghe Arras
Riu Gibus
2
559
49
M. is Crobus
589
Melisenda
M. Buddi d'Abba
19
Barisoni
M. Rasu
646
San Giorgio
Perde is Furonis
874
Nuraghe Piddedu
Porto Santoru
Serra Caduno
537
Nuraghe Is Baresus
Nuraghe Strisai
manu 'e Testus
Nuraghe Cresia
Cuccuru Luggerras
20
Punta s'Accettori
589
S a l t o d i Q u i r r a
M. Cardiga
670
46
Q u i r r a
M. Parredis
630
Torre de Murtas
Gruppa
Quirra
I. di Quirra
Castello Quirra
Riu Gatte Cerbu
Quirra
M. su Piroi
605
M. Ordini
324
Capo S. Lorenzo
S 387
S 125
14
Punta sa Modditzi
250
13
17
Flumendosa
Porto Tramatzu
San Vito
Santa Maria
Castello Gibas
Stagno Sa Prasa
Porto Corallo
Villaputzu
u s
Casargius
735
Foce del Flumendosa
4
Genn'Argiolas
775
Muravera
47
M. Narba
659
Goia d Rio Cannas
8
12
S'Oro
Stagno della Salina
25
S 125
San Priamo
Stagno del Colostrai
Tuerra
Tuerra
16

M. Liuru
420
Annunziata
M. Ferru
300
M. dei Sette Fratelli
1023
Camisa
Capoferrato
Capo Ferrato

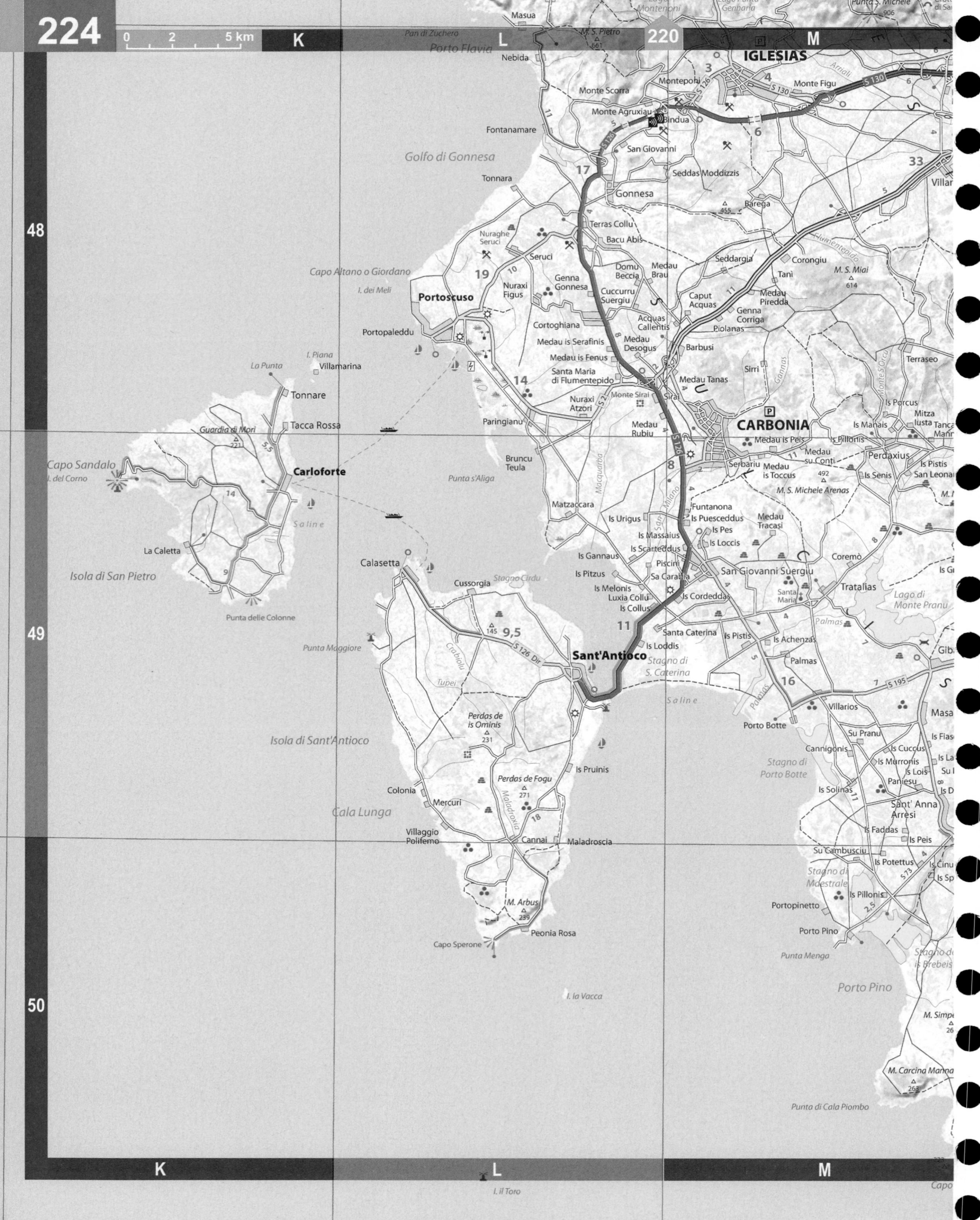
0 2 5 km
K
L
M
220
48
49
50
Montecani
Masua
Lago Montenoni
Lago Punta Genbarla
Punta S. Michele
906
Pan di Zuchero
M. S. Pietro
661
Porto Flavia
Nebida
IGLESIAS
Monteponi
Monte Figu
S 130
S 126
Monte Scorra
Monte Agruxiau
Bindua
Fontanamare
San Giovanni
Golfo di Gonnesa
Tonnara
Seddas Moddizzis
Gonnesa
Barega
Villar
Terras Collu
Nuraghe Seruci
Bacu Abis
Seruci
Seddargia
Corongiu
Flumentepido
Domu Beccia
Medau Brau
Tanì
M. S. Miai
614
Capo Altano o Giordano
I. dei Meli
Nuraxi Figus
Genna Gonnesa
Cuccurru Suergiu
Caput Acquas
Medau Piredda
Portoscuso
Genna Corriga
Acquas Callentis
Piolanas
Cortoghiana
Portopaleddu
Medau is Serafinis
Medau Desogus
Barbusi
Terraseo
I. Piana
Villamarina
Medau is Fenus
La Punta
Santa Maria di Flumentepido
Sirri
Medau Tanas
Tonnare
Monte Sirai
Sirai
Nuraxi Atzori
Is Porcus
Tacca Rossa
Paringianu
CARBONIA
Mitza Iusta
Guardia di Mori
221
Medau Rubiu
Is Manais
Medau is Peis
Is Pillonis
Perdaxius
Capo Sandalo
I. del Corno
Carloforte
Brunco Teula
Serbariu
Medau su Conti
Is Pistis
Medau is Toccus
492
Is Senis
San Leonardo
Punta s'Aliga
M. S. Michele Arenas
Matzaccara
Funtanona
Is Puesceddus
Medau Tracasi
Saline
Is Urigus
Is Pes
Is Massaius
Is Loccis
La Caletta
Is Scarteddus
Coremò
Is Gannaus
Piscini
Calasetta
Is Pitzus
Sa Carabba
San Giovanni Suergiu
Isola di San Pietro
Cussorgia
Stagno Cirdu
Is Melonis
Luxia Collu
Is Cordeddas
Santa Maria
Tratalias
Lago di Monte Pranu
Is Collus
Punta delle Colonne
145
9,5
Santa Caterina
Palmas
Is Pistis
Is Achenzas
Punta Maggiore
Is Loddis
S 126 Dir
Sant'Antioco
Stagno di S. Caterina
Palmas
Gibas
Crabiolu
Tupei
S 195
Saline
Villarios
Perdas de is Ominis
231
Porto Botte
Masa
Isola di Sant'Antioco
Su Pranu
Is Fiascus
Cannigonis
Is Cuccus
Stagno di Porto Botte
Is Pruinis
Is Murronis
Is Lois
Perdas de Fogu
271
Paniesu
Colonia
Is Solinas
Mercuri
Sant' Anna Arresi
Maladroxia
Cala Lunga
Is Faddas
Villaggio Polifemo
Cannai
Maladroscia
Is Peis
Su Cambusciu
Is Potettus
Stagno di Maestrale
Is Pillonis
M. Arbus
239
Portopinetto
Peonia Rosa
Capo Sperone
Porto Pino
Punta Menga
Stagno de is Brebeis
Porto Pino
I. la Vacca
M. Carcina Manna
263
Punta di Cala Piombo
I. il Toro

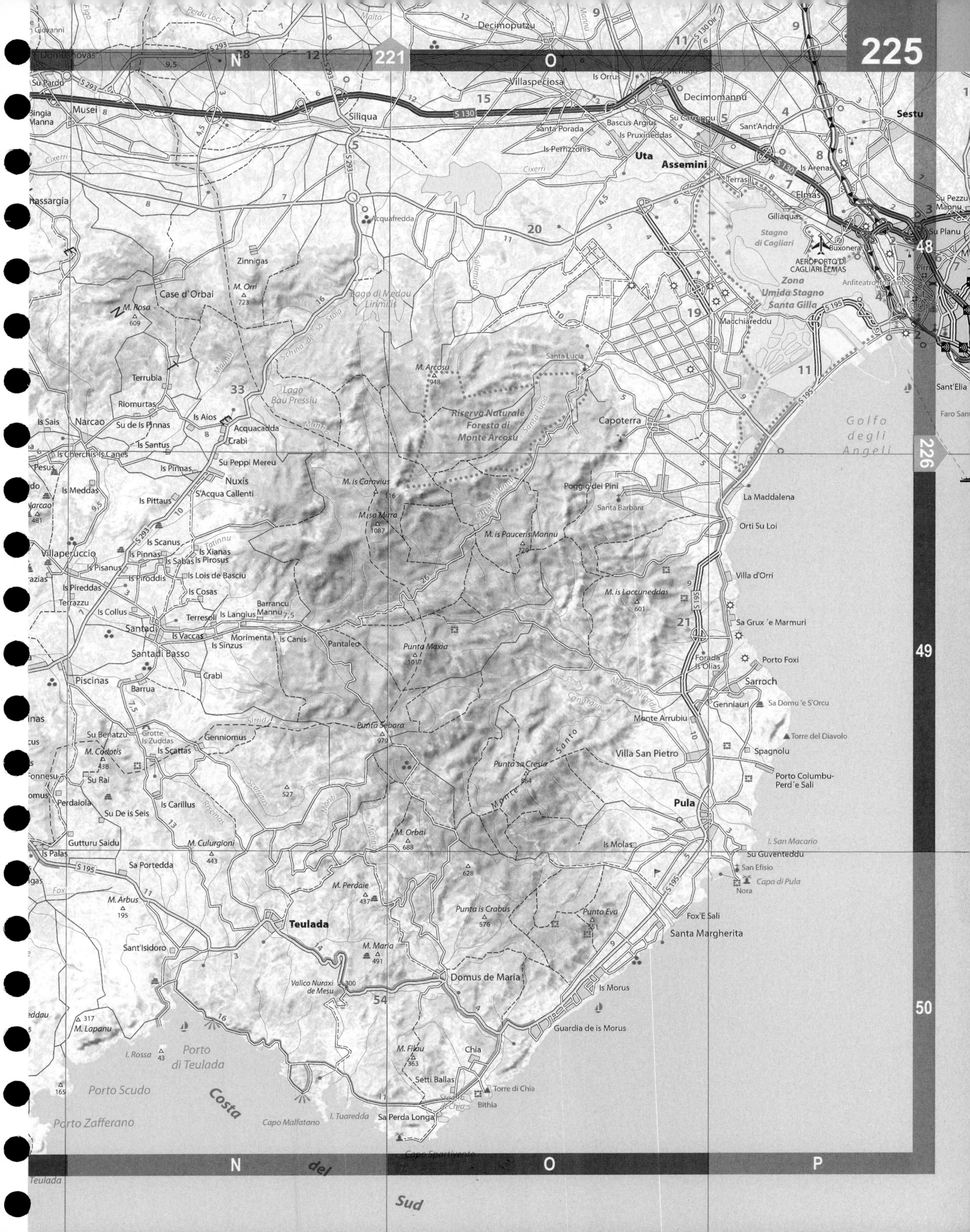

N   O   O   P

48

49

50

Sestu

Decimoputzu

Villaspeciosa

Decimomannu

Is Orrus

Su Menagu

Bascus Argius

Is Pruxineddas

Sant'Andrea

Su Canoppu

Is Perizzonis

Is Arenas

Uta

Assemini

Terrasili

Elmas

Su Pezzu Mannu

Giliaqua

Su Planu

Domusnovas

Su Pardu

S 293

Musei

N 18

12

S 293

Siliqua

S 130

15

S 130

11

S 130 Dir

4

8

9

Bingia Manna

nassargia

Cixerri

8

4,5

5

Acquafredda

Cixerri

20

Salamidu

7

11

Stagno di Cagliari

Buxonera

AEROPORTO DI CAGLIARI ELMAS

Zona Umida Stagno Santa Gilla

Macchiareddu

19

11

S 195

Zinnigas

Case d'Orbai

M. Orri
723

M. Rosa
609

Schino de sa Stoia

Lago di Medau Lirimilis

M. Arcosu
948

Santa Lucia

Terrubia

Mannu

Lago Bau Pressiu

33

Riserva Naturale Foresta di Monte Arcosu

Santa Lucia

Santa Lucia

Capoterra

Golfo degli Angeli

Sant'Elia

Faro San

Riomurtas

Is Sais

Narcao

Su de Is Pinnas

Is Aios

Acquacadda

Crabì

8

Is Cherchis Is Canes

Is Santus

Su Peppi Mereu

Is Pinnas

Nuxis

S'Acqua Callenti

M. is Caravius
116

Poggio dei Pini

La Maddalena

Pesus

Is Meddas

9,5

Is Pittaus

10

M. is Mirra
1087

Santa Barbara

Orti Su Loi

Narcao
481

S 293

Is Scanus

Tatinnu

Is Xianas

M. is Paucerisi Mannu
720

Gutturu Mannu

Villa d'Orri

Villaperuccio

Is Pinnas

Is Sabas Is Pirosus

S 195

razias

Is Pisanus

Is Piroddis

Is Lois de Basciu

M. is Laccunneddas
601

Sa Grux 'e Marmuri

Is Pireddas

Is Cosas

21

Terrazzu

Is Collus

Barrancu Mannu
7,5

Is Langius

Porto Foxi

Santadi

Is Vaccas

Morimenta

Is Canis

Pantaleo

Punta Maxia
1017

Forada Is Olias

Sarroch

Santadi Basso

Is Sinzus

Monte Nieddu

Piscinas

Crabì

Genniauri

Sa Domu 'e S'Orcu

Barrua

Monte Arrubiu

7,5

Su Benatzu

Grotte Is Zuddas

Genniomus

Stridi

Punta Sebara
979

Monte Santo

Villa San Pietro

Torre del Diavolo

inas

M. Codotis
438

Is Scattas

Scarxiu

Punta sa Cresia
864

Spagnolu

onnesu

Su Rai

527

Monti

Porto Columbu-Perd'e Sali

omus

Perdaiola

Su De is Seis

Is Carillus

13

Monte

Rosinaus

Pula

I. San Macario

Gutturu Saidu

M. Culurgioni
443

M. Orbai
688

Is Molas

Su Guventeddu

Is Palas

Sa Portedda

S 195

628

San Efisio

Nora

Capo di Pula

Foxi

S 195

11

M. Arbus
195

Sa Portedda

M. Perdaie
437

Punta is Crabus
576

Punta Eva
651

Fox'E Sali

Santa Margherita

Teulada

Sant'Isidoro

3

M. Maria
491

14

Is Morus

eddau

317

M. Lapanu

Valico Nuraxi de Mesu
300

54

Domus de Maria

4

Guardia de is Morus

I. Rossa
43

Porto di Teulada

16

M. Fikau
363

Chia

165

Porto Scudo

Costa

Setti Ballas

Torre di Chia

Sedini di Chia

Bithia

Porto Zafferano

Capo Malfatano

I. Tuaredda

Sa Perda Longa

N   del   O   Sud   P

Teulada

Capo Spartivento

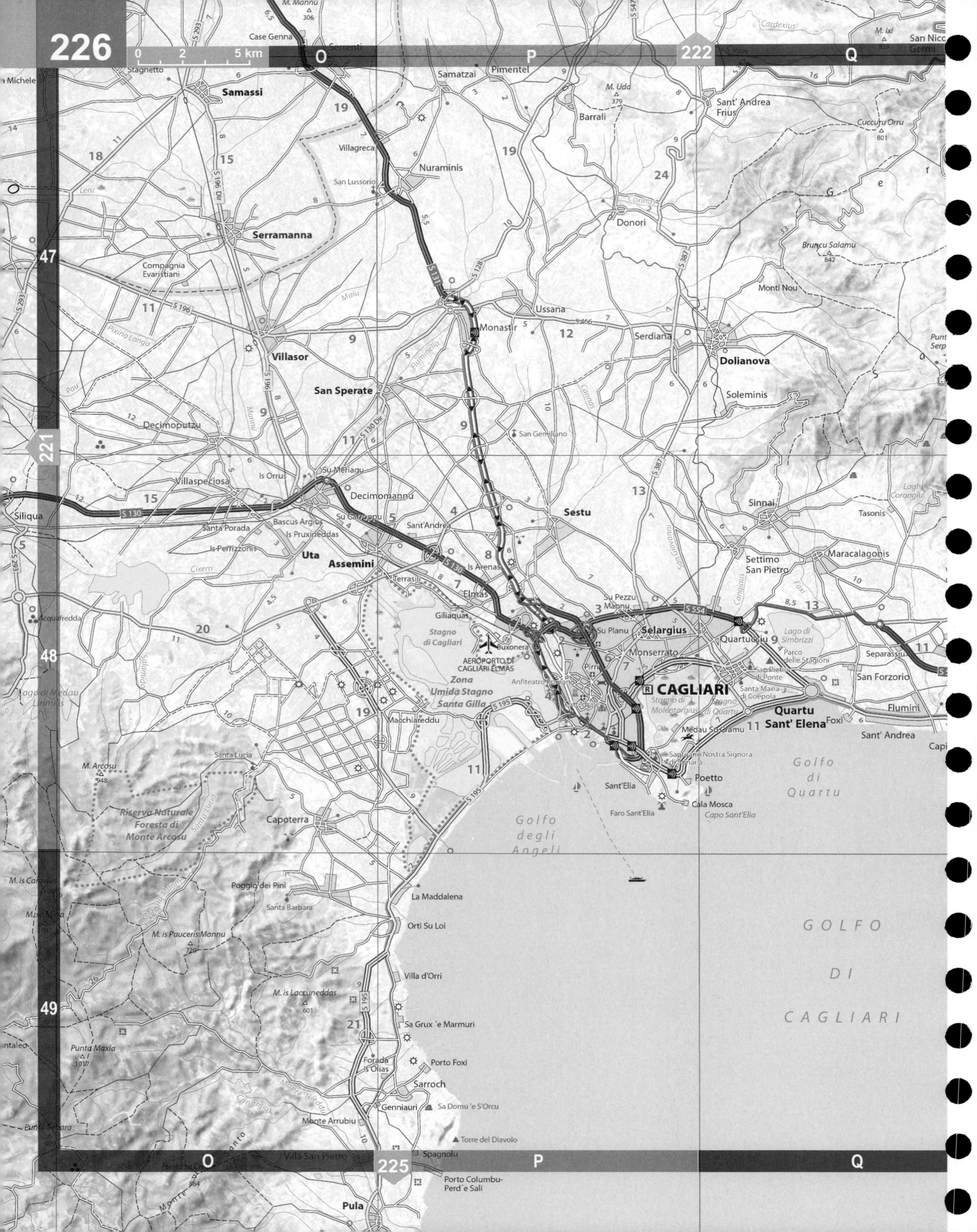

0 2 5 km
O
P
222
Q
M. Mannu
306
Case Genna
Serrenti
Stagnetto
Samassi
Samatzai
Pimentel
M. Udda
379
Barrali
Sant' Andrea Frius
Cardexius
M. Ixi
San Nicolò Gerrei
Villagreca
Nuraminis
San Lussorio
Cuccuru Orru
801
Serramanna
Donori
Bruncu Salamu
842
Compagnia Evaristiani
Monti Nou
Ussana
Monastir
Serdiana
Dolianova
Villasor
San Sperate
Soleminis
Decimoputzu
San Gemiliano
Villaspeciosa
Is Orrus
Su Meriagu
Decimomannu
Sestu
Siliqua
Santa Porada
Bascus Argius
Is Pruxineddas
Su Carroppu
Sant'Andrea
Sinnai
Tasonis
Is Perrizzonis
Uta
Assemini
Is Arenas
Settimo San Pietro
Maracalagonis
Terrasili
Elmas
Su Pezzu Mannu
Acquafredda
Giliaquas
Su Planu
Selargius
Quartucciu
Lago di Simbrizzi
Stagno di Cagliari
Buxonera
Monserrato
Parco delle Stagioni
Separassiu
AEROPORTO DI CAGLIARI ELMAS
Pirri
San Forzorio
Zona Umida Stagno Santa Gilla
Anfiteatro Romano
CAGLIARI
Santa Maria di Coepola
Stagno di Molentargius
Quartu Sant' Elena
Foxi
Flumini
Macchiareddu
Medau Su Cramu
Sant' Andrea
Santa Lucia
Santuario Nostra Signora di Bonaria
Golfo di Quartu
M. Arcosu
948
Poetto
Sant'Elia
Riserva Naturale Foresta di Monte Arcosu
Capoterra
Cala Mosca
Faro Sant'Elia
Capo Sant'Elia
Golfo degli Angeli
47
48
49
221
M. is Caravius
Poggio dei Pini
Santa Barbara
La Maddalena
Orti Su Loi
M. is Pauceris Mannu
720
GOLFO DI CAGLIARI
Villa d'Orri
M. is Laccuneddas
601
Sa Grux 'e Marmuri
Punta Maxia
1017
Porto Foxi
Forada Is Olias
Sarroch
Genniauri
Sa Domu 'e S'Orcu
Monte Arrubiu
Punta Sebera
Torre del Diavolo
Villa San Pietro
Spagnolu
225
Porto Columbu-Perd'e Sali
Pula
S 130
S 131
S 195
S 554
S 387
S 196
S 293

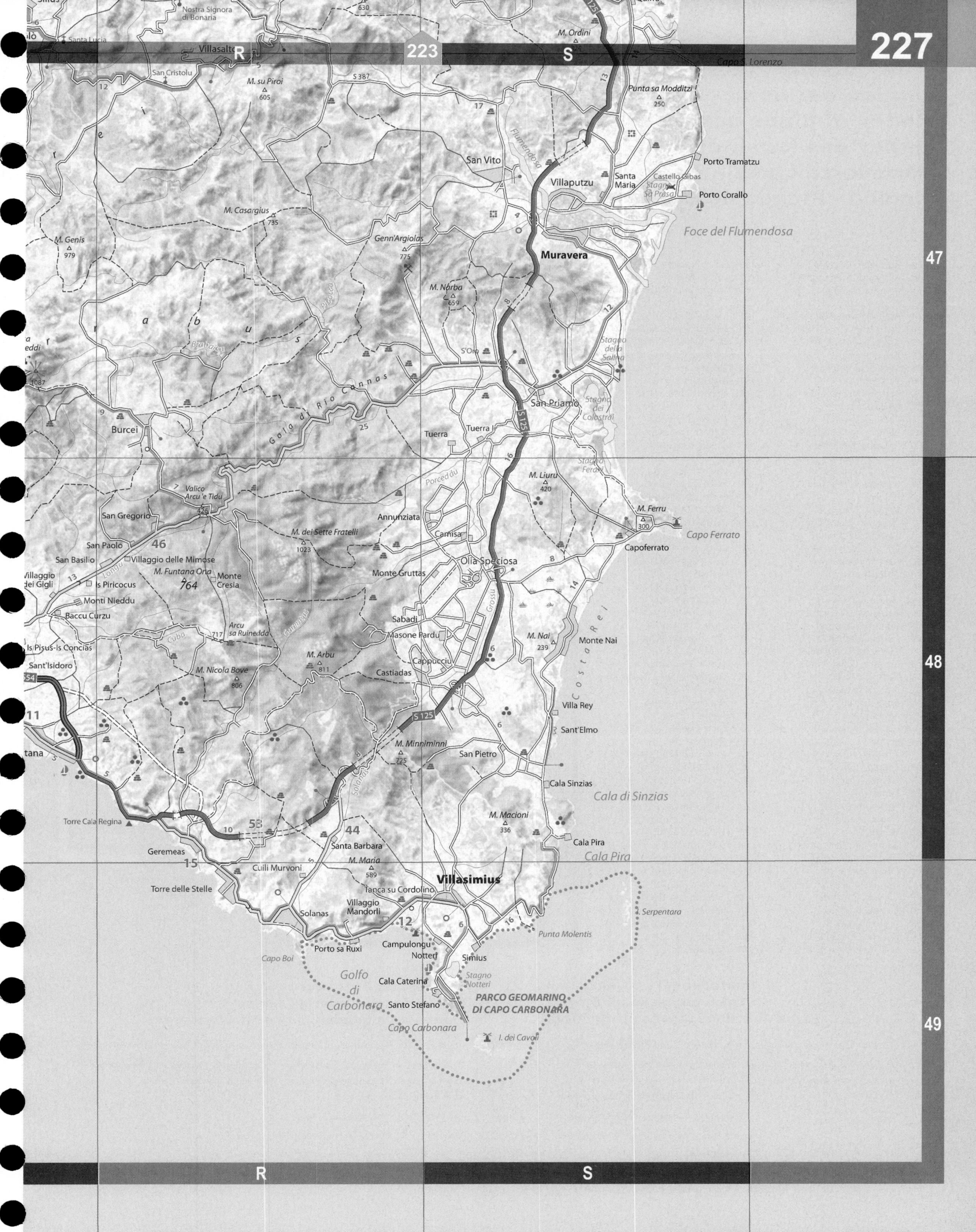

Silius
Nostra Signora di Bonaria
630
Quirra
223
Villasalto
R
S
M. Ordini
Capo S. Lorenzo
Santa Lucia
San Cristolu
M. su Piroi
605
S 387
Punta sa Modditzi
250
Flumendosa
San Vito
Porto Tramatzu
Villaputzu
Santa Maria
Castello Gibas
Stagno Sa Praja
Porto Corallo
M. Casargius
735
Foce del Flumendosa
M. Genis
979
Genn'Argiolas
775
Muravera
M. Narba
659
47
Stagno della Sallna
S'Oro
1087
Gola di Rio Cannas
San Priamo
Burcei
Tuerra
Tuerra II
S 125
Stagno Feraxi
Porceddu
M. Liuru
420
Valico Arcu 'e Tidu
San Gregorio
Annunziata
M. Ferru
300
Capo Ferrato
Capoferrato
M. dei Sette Fratelli
1023
San Paolo
Camisa
San Basilio
Villaggio delle Mimose
Olia Speciosa
Villaggio dei Gigli
M. Funtana Ona
764
Monte Cresia
Monte Gruttas
Is Piricocus
Monti Nieddu
Baccu Curzu
Sabadi
Arcu sa Ruinedda
717
Masone Pardu
M. Nai
239
Monte Nai
Is Pisus-Is Concias
M. Arbu
811
Costa Rei
Cappuccini
Sant'Isidoro
M. Nicola Bove
806
Castiadas
48
Villa Rey
S 125
Sant'Elmo
M. Minniminni
725
San Pietro
Cala Sinzias
Cala di Sinzias
M. Macioni
336
Torre Cala Regina
Cala Pira
Santa Barbara
Geremeas
Cala Pira
M. Maria
589
Cuili Murvoni
Villasimius
Torre delle Stelle
Tanca su Cordolino
I. Serpentara
Villaggio Mandorli
Solanas
Punta Molentis
Porto sa Ruxi
Campulongu
Capo Boi
Notteri
Simius
Golfo di Carbonara
Cala Caterina
Stagno Notteri
PARCO GEOMARINO DI CAPO CARBONARA
Santo Stefano
49
Capo Carbonara
I. dei Cavoli
R
S

Indice dei nomi - Piante di città
Index of place names - Town plans
Index des localités - Plans de ville
Ortsverzeichnis - Stadtpläne
Índice - Planos de ciudades

Sigle delle provinze presenti nell'indice
Abbreviations of province names contained in the index
Sigles des provinces répertoriées au nom
Im Index Vorhandene Kennzeiche
Afkorting van de provincie
Abreviaciones de los nombres de provincias

AG Agrigento (Sicilia)
AL Alessandria (Piemonte)
AN Ancona (Marche)
AO Aosta/Aoste (Valle d'Aosta)
AP Ascoli-Piceno (Marche)
AQ L'Aquila (Abruzzo)
AR Arezzo (Toscana)
AT Asti (Piemonte)
AV Avellino (Campania)
BA Bari (Puglia)
BG Bergamo (Lombardia)
BI Biella (Piemonte)
BL Belluno (Veneto)
BN Benevento (Campania)
BO Bologna (Emilia-R.)
BR Brindisi (Puglia)
BS Brescia (Lombardia)
BT Barletta-Andria-Trani
     (Puglia)
BZ Bolzano
     (Trentino-Alto Adige)
CA Cagliari (Sardegna)
CB Campobasso (Molise)
CE Caserta (Campania)
CH Chieti (Abruzzo)
CI Carbonia-Iglesias
     (Sardegna)
CL Caltanissetta (Sicilia)
CN Cuneo (Piemonte)
CO Como (Lombardia)
CR Cremona (Lombardia)
CS Cosenza (Calabria)
CT Catania (Sicilia)
CZ Catanzaro (Calabria)
EN Enna (Sicilia)
FC Forlì-Cesena
     (Emilia-Romagna))
FE Ferrara
     (Emilia-Romagna)
FG Foggia (Puglia)
FI Firenze (Toscana)
FM Fermo (Marche)
FR Frosinone (Lazio)
GE Genova (Liguria)
GO Gorizia
     (Friuli-Venezia Giulia)
GR Grosseto (Toscana)
IM Imperia (Liguria)
IS Isernia (Molise)
KR Crotone (Calabria)
LC Lecco (Lombardia)
LE Lecce (Puglia)
LI Livorno (Toscana)
LO Lodi (Lombardia)

LT Latina (Lazio)
LU Lucca (Toscana)
MB Monza-Brianza (Lombardia)
MC Macerata (Marche)
ME Messina (Sicilia)
MI Milano (Lombardia)
MN Mantova (Lombardia)
MO Modena (Emilia-Romagna)
MS Massa-Carrara (Toscana)
MT Matera (Basilicata)
NA Napoli (Campania)
NO Novara (Piemonte)
NU Nuoro (Sardegna)
OG Ogliastra (Sardegna)
OR Oristano (Sardegna)
OT Olbia-Tempio (Sardegna)
PA Palermo (Sicilia)
PC Piacenza (Emilia-Romagna)
PD Padova (Veneto)
PE Pescara (Abruzzo)
PG Perugia (Umbria)
PI Pisa (Toscana)
PN Pordenone
     (Friuli-Venezia Giulia)
PO Prato (Toscana)
PR Parma (Emilia-R.)
PT Pistoia (Toscana)
PU Pesaro e Urbino (Marche)
PV Pavia (Lombardia)
PZ Potenza (Basilicata)
RA Ravenna
     (Emilia-Romagna)
RC Reggio Calabria (Calabria)
RE Reggio Emilia
     (Emilia-Romagna)
RG Ragusa (Sicilia)
RI Rieti (Lazio)
RM Roma (Lazio)
RN Rimini (Emilia-Romagna)
RSM San Marino (Rep. di)
RO Rovigo (Veneto)
SA Salerno (Campania)
SI Siena (Toscana)
SO Sondrio (Lombardia)
SP La Spezia (Liguria)
SR Siracusa (Sicilia)
SS Sassari (Sardegna)
SV Savona (Liguria)
TA Taranto (Puglia)
TE Teramo (Abruzzo)
TN Trento
     (Trentino-Alto Adige)
TO Torino (Piemonte)
TP Trapani (Sicilia)

LOMBARDIA
BG Bergamo   MB Monza-Brianza
BS Brescia   MN Mantova
CO Como   MI Milano
CR Cremona   PV Pavia
LC Lecco   SO Sondrio
LO Lodi   VA Varese

TRENTINO-ALTO ADIGE
BZ Bolzano
TR Trento

VENETO
BL Belluno   VE Venezia
PD Padova   VR Verona
RO Rovigo   VI Vicenza
TV Treviso

VALLE D'AOSTA
AO Aosta/Aoste

PIEMONTE
AL Alessandria
AT Asti
BI Biella
CN Cuneo
NO Novara
TO Torino
VB Verbano-Cusio-Ossola
VC Vercelli

LIGURIA
GE Genova
IM Imperia
SP La Spezia
SV Savona

FRIULI-VENEZIA GIULIA
GO Gorizia
PN Pordenone
TS Trieste
UD Udine

EMILIA-ROMAGNA
BO Bologna
FE Ferrara
FC Forlì-Cesena
MO Modena
PR Parma
PC Piacenza
RA Ravenna
RE Reggio Emilia
RN Rimini

San Marino (RSM)

MARCHE
AN Ancona
AP Ascoli Piceno
FM Fermo
MC Macerata
PU Pesaro e Urbino

ABRUZZO
CH Chieti
AQ L'Aquila
PE Pescara
TE Teramo

TOSCANA
AR Arezzo   MS Massa-Carrara
FI Firenze   PI Pisa
GR Grosseto   PT Pistoia
LI Livorno   PO Prato
LU Lucca   SI Siena

UMBRIA
PG Perugia
TR Terni

LAZIO
FR Frosinone
LT Latina
RI Rieti
RM Roma
VT Viterbo

MOLISE
CB Campobasso
IS Isernia

PUGLIA
BA Bari
BR Brindisi
BT Barletta
FG Foggia
LE Lecce
TA Taranto

CAMPANIA
AV Avellino
BN Benevento
CE Caserta
NA Napoli
SA Salerno

BASILICATA
MT Matera
PZ Potenza

SARDEGNA
CA Cagliari
CI Carbonia-Iglesias
NU Nuoro
OG Ogliastra
OR Oristano
OT Olbia-Tempio
VS Medio Campidano
SS Sassari

SICILIA
AG Agrigento
CL Caltanissetta
CT Catania
EN Enna
ME Messina
PA Palermo
RG Ragusa
SR Siracusa
TP Trapani

CALABRIA
CZ Catanzaro
CS Cosenza
KR Crotone
RC Reggio Calabria
VV Vibo Valentia

TR Terni (Umbria)
TS Trieste
     (Friuli-Venezia Giulia)
TV Treviso (Veneto)
UD Udine
     (Friuli-Venezia Giulia)

VA Varese (Lombardia)
VB Verbano-Cusio-Ossola (Piemonte)
VC Vercelli (Piemonte)
VE Venezia (Veneto)
VI Vicenza (Veneto)
VR Verona (Veneto)

VS Medio-Campidano
     (Sardegna)
VT Viterbo (Lazio)
VV Vibo Valentia (Calabria)

Piante: segni convenzionali
Town plans: special signs
Plans de villes : signes particuliers

Stadtpläne: Bezondere zeichen
Plattegronden: overige tekens
Planos de ciudades: signos particulares

Zona a traffico limitato / Area subject to restrictions / Zone à circulation réglementée — Zone mit Verkehrsbeschränkungen / Beperkt opengestel de zone / Zona de transito restringido

Municipio, Museo, Università / Town Hall, Museum, University / Mairie, Musée, Université — Rathaus, Museum, Universität / Stadhuis, Museum, Universiteit / Ayuntamiento, Museo, Universidad

Informazioni turistiche / Tourist information centre / Information touristique — Informationsstelle / Informatie voor toeristen / Oficina de información de Turismo

Ufficio postale / post office / Bureau de poste — Postamt / Hoofdkantoor / Correo

Parcheggio / Car park / Parc de stationnement — Parkplatz / Parkeerplats / Aparcamiento

Ospedale, Stadio / Hospital, Stadium / Hôpital, Stade — Krankenhaus, Stadion / Ziekenhuis, Stadion / Hospital, Estadio

A

Abano Terme *PD*	41	AF 11
Abasse *AL*	61	M 16
Abate *FI*	86	AC 21
Abate *TP*	190	AU 57
Abate Mauro *BR*	148	BN 39
Abatemarco *SA*	163	BB 43
Abazia *AL*	61	L 14
Abazs *AO*	33	H 9
Abbadesse *RA*	68	AG 17
Abbadia *AN*	98	AQ 23
Abbadia *PU*	89	AK 22
Abbadia *SI*	94	AD 24
Abbadia *SI*	95	AF 25
Abbadia Alpina *TO*	59	E 14
Abbadia Cerreto *LO*	52	S 12
Abbadia di Fiastra *MC*	98	AP 24
Abbadia di Valvisciolo *LT*	129	AM 34
Abbadia Isola *SI*	94	AC 23
Abbadia Lariana *LC*	23	R 8
Abbadia San Salvatore *SI*	104	AF 26
Abbadiaccia *PG*	88	AI 22
Abbasanta *OR*	217	N 43
Abbateggio *PE*	116	AT 30
Abbazia *BG*	38	U 9
Abbazia *BO*	67	AE 16
Abbazia *CS*	167	BG 45
Abbazia di Acqualunga *PV*	50	N 13
Abbazia di Monte Oliveto Maggiore *SI*	94	AE 24
Abbazia di Naro *PU*	89	AK 22
Abbazia di Santa Maria in Selva *MC*	98	AP 24
Abbazia di Sasso Vivo *PG*	106	AL 26
Abbazia di Trisulti *FR*	130	AP 33
Abbazia Pisani *PD*	41	AG 10
Abbiadori *OT*	211	S 37
Abbiate Guazzone *VA*	36	O 9
Abbiategrasso *MI*	36	O 11
Abbo *PC*	56	AG 11
Aberstuckl / Sonvigo *BZ*	3	AC 3
Abetaia *BO*	80	AA 18
Abetemozzo *TE*	108	AQ 28
Abetina *PZ*	154	BF 41
Abetito *AP*	108	AP 26
Abeto *FI*	81	AF 19
Abeto *PG*	107	AN 26
Abetone *PT*	79	Y 19
Abriola *PZ*	154	BD 40
Acaia *LE*	159	BS 41
Acate *RG*	202	AV 61
Acatte *CN*	60	I 15
Accadia *FG*	143	BB 37
Accampamento *PZ*	163	BD 42
Accaria *CZ*	171	BH 50
Accaria Rosaria *CZ*	171	BH 50
Acceglio *CN*	58	C 17
Accettura *MT*	154	BF 41
Acchio *CS*	166	BD 45
Acciaiolo *PI*	92	Y 22
Acciano *AQ*	115	AR 30
Acciano-Fossaccio *PG*	97	AI 25
Acciarella *LT*	129	AL 35
Acciarello *RC*	189	BC 54
Acciaroli *SA*	162	AZ 42
Accoli Secondo *AV*	143	AZ 36
Acconia *CZ*	174	BG 50
Accorneri *AT*	49	L 14
Accumoli *RI*	107	AO 27
Acera *PG*	107	AM 27
Acerenza *PZ*	144	BE 39
Acereto *BZ*	5	AG 2
Acerno *SA*	152	AZ 39
Acero *GE*	76	Q 17
Acerra *NA*	151	AV 38
Aci Bonaccorsi *CT*	197	AZ 58
Aci Castello *CT*	197	AZ 58
Aci Catena *CT*	197	AZ 58
Aci Platani *CT*	197	AZ 58
Aci San Filippo *CT*	197	AZ 58
Aci Sant'Antonio *CT*	197	AZ 58
Aci Trezza *CT*	197	AZ 58
Acilia *RM*	128	AJ 33
Acireale *CT*	197	AZ 58
Aclete *UD*	17	AQ 5
Acone *FI*	87	AD 20
Acqua Bianca *LT*	129	AM 35
Acqua Bona *PI*	85	Z 22
Acqua dei Corsari *PA*	185	AP 55
Acqua dei Ranci *IS*	132	AU 33
Acqua del Tiglio *CS*	171	BH 48
Acqua delle Pere *CZ*	171	BI 50
Acqua di Paolo *SA*	162	BA 42
Acqua di Sopra *GE*	76	Q 17
Acqua Dolce *TA*	157	BO 42
Acqua Nocella *PZ*	164	BF 44

Acqua Resi *CI*	220	L 47
Acqua Seccagna *PZ*	164	BG 43
Acqua Solfurea *BN*	142	AY 36
Acqua Solfurea *PU*	89	AJ 21
Acqua Vogliera *TR*	113	AK 28
Acquabianca *CS*	170	BF 48
Acquabianca *SV*	62	M 17
Acquabona *BL*	14	AH 4
Acquabona *LI*	92	X 23
Acquabona *LI*	100	X 27
Acquabona *RE*	78	W 17
Acquabuona *GE*	62	M 16
Acquacadda *CI*	225	N 48
Acquacalda *ME*	181	AY 52
Acquacalda *RC*	178	BD 54
Acquadalto *FI*	81	AE 19
Acquadauzano *CZ*	171	BG 49
Acquaficara *ME*	188	BA 55
Acquafondata *FR*	131	AS 34
Acquaformosa *CS*	166	BF 45
Acquafredda *AV*	142	AY 37
Acquafredda *BN*	142	AX 37
Acquafredda *BS*	53	X 12
Acquafredda *CS*	172	BJ 48
Acquafredda *CZ*	170	BG 49
Acquafredda *CZ*	171	BG 50
Acquafredda *PZ*	163	BD 43
Acquafredda *SV*	74	K 17
Acquaiola-Gratiano *PG*	105	AI 25
Acquaiolo *BG*	38	V 9
Acqualagna *PU*	89	AL 22
Acqualemma *AV*	142	AY 38
Acqualoreto *TR*	106	AJ 27
Acqualorto *ME*	197	BA 56
Acqualunga *BS*	52	U 12
Acqualunga Badona *CR*	52	U 12
Acquamammone *CZ*	174	BH 51
Acquamara *PA*	186	AT 57
Acquamarza Alta *VE*	57	AH 13
Acquamela-Aiello *SA*	151	AX 39
Acquanegra Cremonese *CR*	52	U 12
Acquanegra sul Chiese *MN*	53	X 13
Acquanera *PU*	89	AK 22
Acquapagana *MC*	107	AM 26
Acquapalombo *TR*	113	AL 28
Acquapendente *VT*	105	AG 27
Acquappesa *CS*	166	BE 47
Acquara *AV*	143	AZ 38
Acquara *SA*	152	BA 40
Acquaratola *TE*	108	AQ 27
Acquarelia *VT*	111	AF 29
Acquarica del Capo *LE*	161	BS 44
Acquarica di Lecce *LE*	159	BS 42
Acquaro *RC*	178	BE 54
Acquaro *VV*	176	BG 52
Acquarone *ME*	189	BC 54
Acquarotta *CE*	140	AT 36
Acquas Callentis *CI*	224	M 48
Acquasanta *GE*	75	N 17
Acquasanta *PA*	184	AP 55
Acquasanta *PG*	106	AJ 26
Acquasanta Terme *AP*	108	AP 27
Acquaseria *CO*	23	Q 7
Acquasparta *TR*	106	AK 27
Acquate *LC*	23	R 8
Acquatino *PG*	106	AK 26
Acquavella *SA*	162	AZ 42
Acquavena *SA*	163	BB 43
Acquaviva *AR*	88	AI 22
Acquaviva *BZ*	12	AB 4
Acquaviva *RM*	120	AL 31
Acquaviva *RSM*	89	AJ 20
Acquaviva *SA*	151	AW 39
Acquaviva *SA*	152	AZ 41
Acquaviva *SI*	94	AC 23
Acquaviva *SI*	95	AG 25
Acquaviva *TN*	26	AB 8
Acquaviva Collecroce *CB*	124	AX 32
Acquaviva delle Fonti *BA*	146	BK 38
Acquaviva d'Isernia *IS*	132	AT 33
Acquaviva Picena *AP*	109	AR 26
Acquaviva Platani *CL*	193	AR 58
Acquavive *MC*	98	AP 24
Acquavona *CS*	170	BF 48
Acquavona *CZ*	172	BJ 49
Acque Fredde *AO*	33	E 9
Acquedolci *ME*	187	AW 55
Acquetico *IM*	72	I 19
Acquevive *IS*	132	AV 34
Acqui Terme *AL*	61	L 15
Acquosi *MC*	97	AN 24
Acri *CS*	168	BH 47
Acuto *FR*	130	AO 33
Adami *CZ*	171	BH 49
Addolorata *MC*	99	AQ 23
Addolorata *ME*	189	BA 54
Addolorata *TP*	190	AJ 57

Adegliacco *UD*	30	AO 7
Adelfia *BA*	146	BK 37
Adragna *TP*	182	AL 56
Adrano *CT*	195	AY 58
Adrara San Martino *BG*	38	U 9
Adrara San Rocco *BG*	38	U 9
Adret *TO*	47	E 13
Adria *RO*	56	AH 13
Adro *BS*	38	U 10
Afens / Avenes *BZ*	4	AE 2
Afers / Eores *BZ*	4	AF 3
Affegna *UD*	16	AN 6
Affi *VR*	39	Z 10
Affile *RM*	121	AN 32
Afing / Avigna *BZ*	13	AD 4
Afragola *NA*	150	AU 38
África *RC*	179	BE 55
África Nuovo *RC*	179	BF 55
Afrile *PG*	106	AL 25
Agaggio Superiore *IM*	72	H 20
Agai *BL*	14	AG 5
Agarina *VB*	7	L 6
Agata delle Noci *FG*	143	BB 36
Agazzano *PC*	51	S 14
Agazzara *SI*	94	AC 24
Agazzi *AR*	95	AG 23
Agazzi Polioti *VV*	174	BH 51
Agazzino *PC*	51	S 13
Agelli *AP*	108	AP 26
Agelli *AP*	99	AQ 25
Agello *MC*	98	AN 24
Agello *PG*	105	AI 25
Agello *RN*	89	AK 20
Agerola *NA*	151	AW 40
Aggi *PG*	97	AM 25
Aggio *GE*	76	P 17
Aggius *OT*	210	P 38
Agilati *PT*	85	Z 22
Agira *EN*	195	AW 58
Agli *CZ*	171	BH 50
Agliandroni *PA*	183	AN 55
Agliano *AT*	61	K 15
Agliano *LU*	78	W 18
Agliano *PG*	107	AM 26
Agliastreto *RC*	177	BH 53
Agliate *MI*	36	Q 9
Agliè *TO*	48	H 11
Agliena *PC*	63	R 15
Agliona *RC*	177	BG 54
Aglioni *AQ*	114	AO 28
Agna *AR*	87	AF 21
Agna *FI*	87	AE 20
Agna *MN*	55	AB 13
Agna *PD*	56	AG 12
Agna *PR*	65	V 17
Agnadello *CR*	37	S 11
Agnana Calabra *RC*	177	BG 54
Agnano *PI*	85	X 21
Agnata *OT*	210	P 37
Agnedo *SO*	24	U 7
Agnedo *TN*	27	AE 7
Agnella *MN*	55	AB 13
Agnellengo *NO*	35	M 10
Agnena *CE*	141	AU 37
Agneto *AL*	63	P 16
Agnino *MS*	78	V 18
Agnona *VC*	34	K 9
Agnone *FR*	131	AS 35
Agnone *IS*	123	AV 33
Agnone *SA*	162	AY 42
Agnone Bagni *SR*	203	AZ 60
Agnosine *BS*	39	X 10
Agnova *PG*	108	AQ 28
Agognate *NO*	35	M 11
Agoiolo *CR*	53	X 13
Agolla *MC*	97	AM 25
Agonursi *CE*	140	AS 36
Agordo *BL*	14	AH 6
Agore *AP*	108	AP 27
Agosta *RM*	120	AN 32
Agostinassi *CN*	60	H 15
Agostino *CB*	132	AV 34
Agra *VA*	22	N 7
Agrano *VB*	21	L 8
Agrate *NO*	35	M 9
Agrate Brianza *MB*	37	R 10
Agriano *PG*	107	AN 27
Agrifoglio *CS*	171	BH 49
Agrigento *AG*	198	AQ 60
Agrimonte *PR*	78	V 17
Agromastelli *RC*	177	BH 53
Agrons *UD*	16	AM 5
Agropoli *SA*	162	AY 41
Agrustos *NU*	211	T 39
Aguai *TN*	13	AD 6

Agugliano *AN*	91	AP 22
Agugliaro *VI*	56	AE 12
Aguiaro *RO*	56	AG 14
Agumes *BZ*	11	Y 4
Aguscello *FE*	68	AE 15
Aguzzo *TR*	113	AK 29
Aia al Cerro *PI*	93	Z 24
Aia Chiaffa *PZ*	154	BE 40
Aia Decina *AQ*	121	AQ 31
Aia del Gallo *AV*	143	AZ 37
Aia del Vecchio *SA*	162	BA 42
Aia della Noce *CB*	133	AX 34
Aia Le Monache *RM*	130	AP 33
Aiale *PG*	97	AK 23
Aiano *CH*	117	AU 30
Aica *BZ*	3	AC 3
Aica *BZ*	4	AE 3
Aica di Sopra *BZ*	4	AE 3
Aicurzio *MB*	37	R 10
Aidomaggiore *OR*	217	O 42
Aidone *EN*	194	AV 59
Aie Cosola *AL*	63	Q 15
Aielli *AQ*	122	AQ 31
Aielli Stazione *AQ*	121	AQ 31
Aiello *SA*	151	AX 39
Aiello *TE*	115	AQ 29
Aiello Calabro *CS*	170	BF 49
Aiello del Friuli *UD*	31	AP 8
Aiello del Sabato *AV*	142	AX 38
Aieta *CS*	164	BD 44
Aigovo *IM*	72	H 20
Ailano *CE*	132	AU 35
Ailoche *BI*	34	K 9
Aiola *RE*	65	X 15
Aiola *RE*	65	X 15
Aiola GR	104	AE 26
Aione di Sopra *PR*	64	U 15
Aip *UD*	16	AN 4
Airai *VR*	54	AB 13
Airai *VR*	55	AC 11
Airali *TO*	59	E 14
Airali *TO*	59	E 15
Airali *CE*	36	P 9
Airo *LC*	37	R 9
Airaudi *TO*	59	F 15
Airola *AV*	142	AY 37
Airola *BN*	143	BA 37
Airola Inf. *SP*	77	T 18
Airole *IM*	72	G 20
Airone *TN*	26	Z 7
Airuno *LC*	37	R 9
Aisone *CN*	70	E 18
Al Gallo *BZ*	3	AB 2
Al Piano *BZ*	12	Z 4
Al Ponte *BZ*	3	AD 3
Al Sasso *LU*	84	X 20
Ala *TN*	40	AB 9
Alà dei Sardi *OT*	214	Q 40
Ala di Stura *TO*	47	E 12
Alagna *PV*	50	O 12
Alagna Valsesia *VC*	20	I 8
Alano di Piave *BL*	28	AG 8
Alassio *SV*	73	K 19
Alatri *FR*	130	AP 33

Alba *CN*	60	J 15
Alba *PR*	65	X 14
Alba *TN*	13	AF 5
Alba Adriatica *TE*	109	AS 26
Albacina *AN*	97	AN 23
Albagiara *OR*	217	O 45
Albairate *MI*	36	O 11
Albana *UD*	31	AP 7
Albanazzo *CT*	202	AW 60
Albanella *SA*	152	AZ 41
Albaneto *RI*	114	AN 28
Albano di Lucania *PZ*	154	BF 40
Albano Laziale *RM*	120	AK 33
Albano S. Alessandro *BG*	37	T 9
Albano Vercellese *VC*	35	L 11
Albarasca *AL*	62	O 15
Albarè *VR*	39	Z 10
Albarea *FE*	68	AF 14
Albarea *VE*	42	AH 11
Albareda *SO*	24	U 7
Albaredo *TN*	26	AB 8
Albaredo *TV*	42	AH 9
Albaredo *VI*	27	AD 8
Albaredo Arnaboldi *PV*	51	Q 13
Albaredo d'Adige *VR*	55	AC 12
Albaredo per San Marco *SO*	23	S 7
Albarengo *AT*	49	J 13
Albareto *MO*	66	AA 15
Albareto *PC*	51	R 14
Albareto *PR*	77	T 17
Albareto *RE*	65	X 16
Albaretto *CN*	59	F 17
Albaretto della Torre *CN*	61	J 16
Albaria *VR*	54	AB 13
Albaro *BG*	37	T 9
Albaro Vecchio *VR*	40	AC 11
Albarola *PC*	64	S 14
Albavilla *CO*	22	Q 9
Albazzano *PR*	65	W 16
Albenga *SV*	73	K 19
Albenza Inf. *SP*	37	S 9
Albera *CR*	52	T 11
Albera *MN*	39	Y 11
Albera Ligure *AL*	63	P 15
Alberaccio *PI*	85	Z 21
Alberazzo *FE*	57	AI 14
Alberazzo *RA*	81	AF 18
Alberelli *FM*	99	AR 24
Alberelli *MO*	80	AA 18
Albereria *PD*	41	AE 10
Alberese *GR*	110	AB 27
Alberese Scalo *GR*	110	AB 28
Albereta *AL*	62	M 15
Albereta *RA*	82	AG 18
Alberi *FI*	93	AA 22
Alberi *NA*	151	AV 40

Alberi *PR*	65	W 15
Alberi Maritati *CS*	166	BF 45
Alberino *BO*	68	AE 16
Albero *MO*	79	Y 17
Alberobello *BA*	147	BM 39
Alberona *FG*	134	AZ 35
Alberone *FE*	67	AC 15
Alberone *FE*	56	AG 14
Alberone *MN*	54	Y 14
Alberone *PV*	51	S 13
Alberone *RO*	56	AE 15
Alberone *TV*	41	AG 9
Alberoni *AT*	61	L 14
Alberoni *GO*	31	AQ 9
Alberoni *VE*	42	AI 11
Alberoro *AR*	95	AF 23
Alberti *AR*	95	AE 23
Albes / Albeins *BZ*	4	AE 3
Albese con Cassano *CO*	22	Q 9
Albettone *VI*	41	AE 11
Albi *CZ*	171	BI 49
Albiano *AR*	95	AH 23
Albiano *LU*	78	W 18
Albiano *LU*	79	X 19
Albiano *PO*	86	AB 20
Albiano *TN*	26	AC 7
Albiano d'Ivrea *TO*	34	I 11
Albiano Magra *MS*	78	U 18
Albiate *MB*	36	Q 10
Albidona *CS*	165	BH 44
Albignano *MI*	37	R 10
Albignasego *PD*	42	AG 11
Albina *TV*	29	AJ 9
Albina *TV*	29	AK 8
Albinatico *PT*	85	Z 20
Albinea *RE*	66	Y 16
Albinia *GR*	110	AC 28
Albino *BG*	37	T 9
Albiolo *CO*	22	O 9
Albions *BZ*	13	AE 4
Albisano *VR*	39	Z 10
Albisola Sup. *SV*	75	M 17
Albissola Marina *SV*	75	M 18
Albizzate *VA*	36	N 9
Albo *CS*	171	BG 48
Albo *VB*	21	L 8
Albogasio *CO*	22	P 7
Albone *PC*	52	T 14
Albonese *PV*	50	N 12
Albonico *CO*	23	R 6
Albori *SA*	151	AX 39
Albosaggia *SO*	24	U 7
Albra *CN*	74	I 18
Albrona *PC*	64	S 15
Albuccione *RM*	120	AL 32
Albugnano *AT*	48	I 13
Albusciago *VA*	35	N 9
Abuzzano *PV*	51	Q 12
Alcamo *TP*	183	AM 56
Alcamo Marina *TP*	183	AM 55
Alcanterini *BA*	147	BM 38
Alcara li Fusi *ME*	187	AX 55
Alcenago *VR*	40	AA 10
Alcheda *PN*	15	AK 6
Alcovia *CT*	202	AX 59
Aldein / Aldino *BZ*	13	AD 5

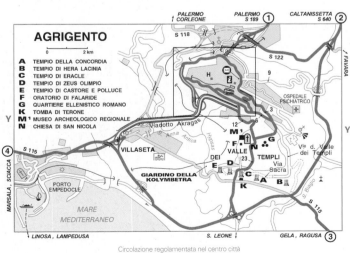

AGRIGENTO

- A TEMPIO DELLA CONCORDIA
- B TEMPIO DI HERA LACINIA
- C TEMPIO DI ERACLE
- D TEMPIO DI ZEUS OLIMPIO
- E TEMPIO DI CASTORE E POLLUCE
- F ORATORIO DI FALARIDE
- G QUARTIERE ELLENISTICO ROMANO
- K TOMBA DI TERONE
- M MUSEO ARCHEOLOGICO REGIONALE
- N CHIESA DI SAN NICOLA

Circolazione regolamentata nel centro città

Crispi (V. F.)	Y	3
La Malfa (V. U.)	Y	6
Papa Luciani (Via)	Y	9
Petrarca (V.)	Y	12
Templi (V. dei)	Y	23

Aldeno **TN** 26 AB 8
Aldia Bianca **NU** 211 S 38
Aldino / Aldein **BZ** 13 AD 5
Alefana **FR** 131 AQ 34
Aleggia **RI** 107 AO 28
Ales **OR** 221 N 45
Alessandria **AL** 62 M 14
Alessandria del Carretto **CS** 165 BH 44
Alessandria della Rocca **AG** 192 AP 58
Alessano **LE** 161 BT 44
Alessio **FC** 88 AI 20
Alesso **UD** 16 AN 6
Aletta **AP** 108 AP 26
Alezio **LE** 160 BR 43
Alfaedo **SO** 23 T 7
Alfano **SA** 163 BB 42
Alfauro **BL** 14 AG 5
Alfeo **CR** 53 W 13
Alfero **FC** 88 AH 20
Alfi **MC** 107 AN 25
Alfianello **BS** 53 V 12
Alfiano Natta **AL** 49 K 13
Alfiano Nuovo **CR** 53 V 12
Alfiano Vecchio **CR** 53 V 12
Alfonsi **AN** 90 AO 22
Alfonsine **RA** 69 AH 16
Alghero **SS** 212 K 40
Algua **BG** 37 T 9
Algund / Lagundo **BZ** 3 AB 3
Alì **ME** 189 BB 55
Alì Terme **ME** 189 BB 55
Alia **PA** 193 AR 57
Alianello **MT** 164 BG 42
Alianello Nuovo **MT** 164 BG 42
Aliano **MT** 155 BG 42
Alica **PI** 85 Z 22
Alice **AL** 62 N 16
Alice Bel Colle **AL** 61 L 15
Alice Castello **VC** 49 J 11
Alice Sup. **TO** 33 H 11
Alicudi Porto **ME** 180 AV 52
Aliena **PG** 107 AN 27
Alifana **CB** 132 AV 34
Alife **CE** 132 AV 36
Aliforni **MC** 98 AN 24
Alimena **PA** 194 AT 57
Aliminusa **PA** 185 AR 56
Alino **BG** 23 S 8
Allai **OR** 217 O 44
Allai **RC** 178 BD 55
Alleghe **BL** 14 AH 5
Allegnidis **UD** 16 AM 5
Allegrezze **GE** 63 R 16
Allein **AO** 19 E 9
Alleri **PA** 194 AT 57
Allerona **TR** 105 AG 27
All'Erta **LU** 85 Y 20
Allesaz **AO** 33 H 9
Alliste **LE** 160 BR 44
Allitz **BZ** 11 Z 4
Allivellatori **TO** 47 F 14
Allume **ME** 189 BB 56
Allumiere **RM** 118 AG 31
Alluoro **IS** 132 AT 34
Alluvioni Cambiò **AL** 50 N 13
Alma **CN** 71 H 18
Almadis **PN** 16 AM 6
Almazzago **TN** 12 AA 6
Almè **BG** 37 S 9
Almellina **CN** 71 G 18
Almenno San Bartolomeo **BG** 37 S 9
Almenno San Salvatore **BG** 37 S 9
Almese **TO** 47 F 13
Almisano **VI** 41 AD 11
Alnicco **UD** 30 AN 7
Alone **BS** 38 W 9
Alonte **VI** 41 AD 11
Alorio **CS** 166 BE 45
Alpage du Berrio Blanc **AO** 32 C 9
Alpago **BL** 29 AJ 7
Alpe **GE** 63 P 16
Alpe **GE** 63 Q 16
Alpe **PR** 64 S 17
Alpe **VI** 40 AC 9
Alpe de Lex Blanche **AO** 32 C 9
Alpe di Crause **AO** 32 D 9
Alpe Sup. de Lex Blanche **AO** 32 B 9
Alpe Tedesco **VA** 22 O 8
Alpette **TO** 33 G 11
Alpi di Chevanne **AO** 32 C 9
Alpiano Superiore **VB** 7 K 6
Alpicella **GE** 63 R 16
Alpicella **SV** 75 M 17
Alpignano **TO** 47 G 13
Alpino **VB** 21 M 8
Alpisella **CN** 72 I 19
Alpo **VR** 40 AA 11
Alseno **PC** 64 U 14
Alserio **CO** 36 Q 9
Altagnana **MS** 78 W 19
Altamura **BA** 146 BI 39
Altana **UD** 31 AQ 7
Altare **SV** 74 L 17
Altarello **CT** 197 AY 58
Altarello **CT** 197 BA 57
Altaura **PD** 55 AD 12
Altavilla **CS** 171 BG 48
Altavilla **TE** 115 AQ 28
Altavilla Irpina **AV** 142 AX 37
Altavilla Milicia **PA** 185 AQ 55
Altavilla Monferrato **AL** 49 L 14
Altavilla Silentina **SA** 152 AZ 40
Altavilla Vicentina **VI** 41 AD 10
Alte Ceccato **VI** 41 AD 11
Altedo **BO** 67 AD 15
Altenburg / Castelvecchio **BZ** 12 AC 5
Altesino **SI** 104 AD 25
Alteta **FM** 85 Z 20
Altidona **FM** 99 AR 25
Altieri **SA** 163 BB 43
Altilia **CB** 133 AW 35
Altilia **CS** 171 BG 49
Altilia **KR** 172 BK 48
Altillone **VB** 7 L 5
Altin / Altino **BZ** 14 AG 4
Altino **AP** 107 AO 26
Altino **CH** 123 AU 31
Altino **VE** 43 AJ 10
Altino / Altin **BZ** 14 AG 4
Altipiani di Arcinazzo **FR** 121 AO 32
Altissimo **VI** 40 AC 10
Altivole **TV** 42 AG 9
Alto **CN** 73 J 19
Altoè **PC** 52 T 14
Altofonte **PA** 184 AO 55
Altoggio **VB** 7 L 6
Altoggio **VB** 7 L 6
Altolia **ME** 189 BB 55
Altolina **PG** 106 AL 26
Altomena **FI** 87 AD 21
Altomonte **CS** 167 BF 45
Altopascio **LU** 85 Z 21
Altore **GR** 104 AE 26
Altovia **TE** 108 AP 28
Altrei / Anterivo **BZ** 13 AD 6
Altrocanto **TR** 113 AK 29
Altura **OT** 207 R 36
Alture **UD** 31 AP 8
Alvaneta **AV** 142 AZ 37
Alvani **CS** 166 BE 46
Alvano **AV** 143 BA 38
Alvari **GE** 76 Q 17
Alvarizzu **OT** 209 O 38
Alvelli **TE** 108 AP 27
Alverà **BL** 14 AH 4
Alvi **TE** 115 AP 28
Alviano **MC** 99 AR 23
Alviano **TR** 112 AI 28
Alvignanello **CE** 141 AV 36
Alvignano **CE** 141 AV 36
Alvisopoli **VE** 30 AM 9
Alvito **FR** 131 AR 33
Alzano **PE** 116 AT 28
Alzano Lombardo **BG** 37 T 9
Alzate **NO** 35 M 10
Alzate Brianza **CO** 36 Q 9
Alzo **NO** 35 L 9
Ama **AP** 108 AR 26
Ama **SI** 94 AD 23
Amalfi **SA** 151 AW 40
Amandola **FM** 108 AP 26
Amantea **CS** 170 BF 49
Amaro **UD** 16 AN 5
Amaroni **CZ** 175 BH 51
Amaseno **FR** 130 AP 35
Amati **BN** 141 AV 36
Amato **CZ** 171 BH 50
Amato **RC** 176 BE 53
Amatrice **RI** 107 AO 28
Amay **AO** 33 H 9
Amazas **TO** 46 B 13
Ambaraga **BS** 38 W 10
Ambele **RC** 178 BD 55
Ambivere **BG** 37 S 9
Amblar **TN** 12 AB 5
Amborzasco **GE** 63 R 16
Ambra **AR** 95 AE 23
Ambria **BG** 23 T 9
Ambria **SO** 24 U 7
Ambrogio **FE** 56 AG 14
Ambrosi **CN** 71 H 17
Ameglia **SP** 78 U 19
Ameglio **CE** 132 AT 36
Amelia **TR** 113 AJ 28
Amendola **CS** 170 BF 47
Amendola **FG** 135 BD 34
Amendola **VI** 41 AD 9
Amendolara **CS** 165 BI 44
Amendolea **RC** 178 BD 55
Amendolea **RC** 179 BE 56
Ameno **NO** 35 L 9
Amianthe **AO** 19 E 8
Amica **CS** 168 BJ 46
Ammeto **PG** 106 AJ 26
Ammonite **RA** 69 AH 17
Amodio **NA** 150 AT 38
Amola **MS** 78 U 18
Amora **BG** 37 T 9
Amore **BO** 80 AB 18
Amorosi **BN** 141 AV 36
Ampezzo **UD** 15 AL 5
Ampiniana **FI** 87 AE 20
Ampio **GR** 103 AA 27
Ampugnano **SI** 94 AC 24
Anacapri **NA** 150 AU 40
Anagni **FR** 130 AN 33

ALESSANDRIA

Bergamo (V.) Z 2
Brigata Ravenna (Viale) Z 3
Carducci (Pza) Y 4
Carlo Marx (Cso) Z 6
Casale (V.) Y 7
Cavallotti (Cso) Z 8
Crimea (Cso) Z 9
Dante Alighieri (V.) Y 10
Fiume (V.) Y 12
Garibaldi (Pza) Z 14
Gobetti (Pza) Y 15
Gramsci (V.) Z 16
Lamarmora (Cso) Z 18
Libertà (Pza della) Y 19
Machiavelli (V.) YZ 20
Magenta (Lungo Tanaro) Y 21
Marini (Cso Virginia) Y 23
Martiri (V. dei) Y 24
Morbelli (V.) Y 26
Pistoia (V. Ernesto) YZ 27
Pontida (V.) YZ 28
Roma (Cso) YZ
Savona (V.) Z 38
Solferino (Lungo Tanaro) Y 39
S. Caterina da Siena (V.) Y 35
S. Dalmazzo (V.) Y 30
S. Giacomo d. Vittoria (V.) YZ 31
S. Maria di Castello (V.) Y 36
S. Martino (Lungo Tanaro) Y 32
S. Pio V (V.) Y 34
Tivoli (V.) Z 40
Tiziano (Via Vecellio) Y 41
Tripoli (V.) YZ 42
Turati (Pza) YZ 43
Valfré (Pza) Z 44
Vittorio Veneto (Pza) Z 45
Vochieri (V.) Y 46
1821 (V.) Y 48

Anatraia **AR** 95 AF 24
Ancaiano **PG** 106 AL 28
Ancaiano **SI** 94 AC 24
Ancarano **TE** 108 AR 26
Ancarano di Sopra **PC** 64 S 14
Ancarano di Sotto **PC** 52 S 14
Ancetti **VI** 41 AD 9
Anchiano **LU** 85 Y 20
Anchione **PT** 85 Z 21
Ancignano **VI** 41 AE 10
Anciolina **AR** 87 AF 22
Ancona **AN** 91 AQ 22
Anconella **BO** 80 AC 18
Anconetta **VI** 41 AE 10
Andagna **IM** 72 H 20
Andali **CZ** 172 BJ 49
Andalo **TN** 26 AB 7
Andalo Valtellino **SO** 23 R 7
Andezeno **TO** 48 I 13
Andolaccio **FI** 86 AC 20
Andonno **CN** 71 F 18
Andora **SV** 73 J 20
Andorno Micca **BI** 34 J 10
Andosso **VB** 7 K 7
Andrano **LE** 161 BT 44
Andrate **TO** 34 I 10
Andraz **BL** 14 AG 5
Andrazza **UD** 15 AK 5
Andreis **PN** 15 AK 6
Andreoli **SA** 152 AZ 41
Andreotta **CS** 170 BG 48
Andretta **AV** 143 BA 38
Andria **BT** 136 BG 36

ANCONA

Garibaldi (Cso) ABZ
Giovanni XXIII (V.) AY 6
Marconi (V.) AZ 8
Pizzecolli (V. Ciriaco) AYZ 13
Plebiscito (Pza) AZ 14
Repubblica (Pza) AZ 17
Roma (Pza) AZ 19
Stamira (Cso) AZ
Stamira (Pza) BZ 20
Thaon de Revel (V.) CZ 21
Vecchini (V.) BZ 22
24 Maggio (Piazzale) BZ 23

Chiesa di Santa Maria della Piazza AZ **B**
Loggia dei Mercanti AZ **F**

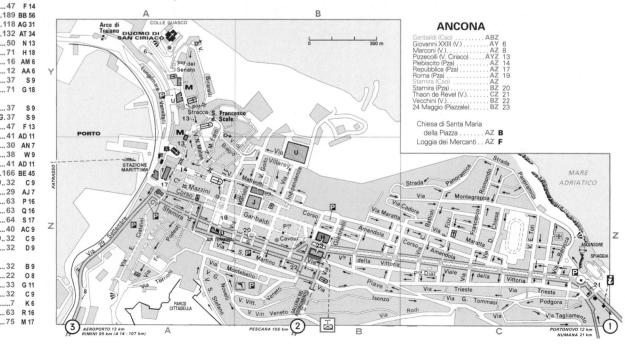

Andria Puddu *OT* .... 211 S 39
Andriace *MT* .... 156 BJ 42
Andrian / Andriano *BZ* ..... 12 AC 4
Andriano / Andrian *BZ* ..... 12 AC 4
Androna *PE* .... 116 AS 30
Anduins *PN* .... 16 AM 6
Anela *SS* .... 214 P 41
Aneta *RE* .... 78 V 17
Aneto *MC* .... 99 AQ 23
Anfo *BS* .... 39 X 9
Anfurro *BS* .... 24 V 8
Angeli *AN* .... 97 AN 23
Angeli *AN* .... 91 AQ 22
Angeli *VI* .... 41 AD 11
Angelica *PI* .... 85 Z 21
Angellara *SA* .... 162 BA 42
Angeloni *FG* .... 135 BE 35
Angera *VA* .... 35 M 9
Anghebeni *TN* .... 26 AB 9
Anghiari *AR* .... 95 AH 22
Angiari *VR* .... 55 AC 12
Angilla *CS* .... 166 BE 46
Angoli *CZ* .... 171 BH 50
Angolo Terme *BS* .... 24 V 8
Angone *BS* .... 24 W 8
Angoris *GO* .... 31 AP 8
Angri *SA* .... 151 AW 39
Angrogna *TO* .... 59 E 14
Anguillara Sabazia *RM* ... 119 AI 31
Anguillara Veneta *PD* .... 56 AG 13
Anita *FE* .... 69 AH 16
Anitrella *FR* .... 130 AQ 34
Annibali *CB* .... 132 AV 34
Annicco *CR* .... 52 U 12
Annifo *PG* .... 107 AM 25
Annone di Brianza *LC* .... 23 Q 9
Annone Veneto *VE* .... 29 AL 9
Annunciata *BS* .... 24 W 8
Annunziata *AT* .... 61 J 15
Annunziata *AV* .... 142 AY 38
Annunziata *CA* .... 227 S 48
Annunziata *CE* .... 141 AV 37
Annunziata *CN* .... 71 H 18
Annunziata *CS* .... 170 BF 48
Annunziata *CZ* .... 171 BG 50
Annunziata *NA* .... 151 AV 40
Annunziata *PG* .... 106 AK 26
Annunziata *SA* .... 151 AX 39
Annunziata *SA* .... 152 AY 39
Annunziata *SV* .... 74 K 18
Annunziata-Raviola *ME* .. 181 AY 53
Anoia *RC* .... 176 BF 53
Anòia Sup. *RC* .... 176 BF 53
Anqua *SI* .... 93 AA 24
Ansedonia *GR* .... 110 AC 29
Ansedonia Sud *GR* .... 111 AD 29
Anselmi *AL* .... 49 J 13
Ansina *AR* .... 95 AH 23
Anson *VR* .... 55 AC 12
Antagnod *AO* .... 19 H 9
Antara *MS* .... 77 T 17
Antea *BG* .... 23 T 8
Antegnate *BG* .... 37 T 11
Antella *FI* .... 86 AC 21
Anterivo / Altrei *BZ* .... 13 AD 6
Antermoia / Untermoi *BZ* ..... 4 AG 3
Anterselva di Mezzo /
Antholz M. *BZ* .... 5 AH 2
Anterselva di Sopra /
Antholz Oberhal *BZ* .... 5 AH 2
Anterselva di Sotto *BZ* .... 5 AH 2
Antesica *PR* .... 65 W 16
Antessio *SP* .... 77 T 18
Antey-Saint-André *AO* .... 19 G 9
Antholz M. /
Anterselva di Mezzo *BZ* .. 5 AH 2
Antholz Oberhal /
Anterselva di Sopra *BZ* ... 5 AH 2
Antica *FR* .... 131 AS 34
Antico *MC* .... 107 AN 25
Antico *PU* .... 88 AI 20
Anticoli Corrado *RM* .... 120 AM 31
Antignano *AT* .... 61 J 14
Antignano *LI* .... 92 W 23
Antignano *NA* .... 151 AV 40
Antillo *ME* .... 189 BA 56
Antirata *PG* .... 96 AI 23
Antisciana *LU* .... 79 X 19
Antognano *LU* .... 78 W 18
Antognano *PC* .... 64 T 15
Antognola *PG* .... 96 AJ 24
Antognola *PR* .... 65 W 16
Antole *BL* .... 28 AH 7
Antona *MS* .... 78 W 19
Antonelli *BA* .... 147 BM 38
Antonimina *RC* .... 179 BF 54
Antraccoli *LU* .... 85 Y 20
Antreola *PR* .... 65 W 16
Antria *AR* .... 95 AG 23
Antria *PG* .... 96 AI 25
Antrodoco *RI* .... 114 AN 29
Antrogna *VB* .... 20 K 7
Antronapiana *VB* .... 6 J 7
Antrona-Schieranco *VB* .... 6 J 7
Antrosano *AQ* .... 121 AP 31
Anversa degli Abruzzi *AQ* .. 122 AR 32
Anzafava *CS* .... 165 BH 44
Anzano *TV* .... 29 AJ 8
Anzano del Parco *CO* .... 36 Q 9
Anzano di Puglia *FG* .... 143 BA 37
Anzasco *TO* .... 34 J 11
Anzi *PZ* .... 154 BE 40
Anzino *VB* .... 20 J 8
Anzio *RM* .... 129 AK 35
Anzo Setta *SP* .... 77 S 18
Anzola *PR* .... 64 S 16
Anzola Dell'Emilia *BO* .... 67 AC 16
Anzola d'Ossola *VB* .... 21 L 8
Anzolla *PR* .... 65 W 17
Anzù *BL* .... 28 AG 7
Aonedis *UD* .... 30 AM 7
Aorivola *CE* .... 140 AT 36
Aosta /Aoste *AO* .... 33 E 9
Aoste / Aosta *AO* .... 33 E 9
Apagni *PG* .... 107 AM 26
Apecchio *PU* .... 89 AJ 22
Apella *MS* .... 78 V 18
Apice Nuovo *BN* .... 142 AY 37
Apice Vecchio *BN* .... 142 AY 37
Apiro *MC* .... 98 AN 23
Apoco *ME* .... 189 BB 54
Apoleggia *RI* .... 114 AM 28
Apollosa *BN* .... 142 AX 37
Apostolello *CZ* .... 175 BI 50
Appalto *AR* .... 95 AG 24
Appalto *FI* .... 85 AA 21
Appalto *MO* .... 66 AA 15
Apparizione *CN* .... 59 H 16
Appecano *TR* .... 113 AK 28
Appenninia *AQ* .... 122 AS 32
Appennino *MC* .... 107 AN 26
Appiano / Eppan *BZ* .... 12 AC 5
Appiano Gentile *CO* .... 36 O 9
Appignano *MC* .... 98 AP 23
Appignano *TE* .... 116 AS 28
Appignano del Tronto *AP* 108 AQ 26
Appolario *AP* .... 108 AQ 26
Aprati *TE* .... 115 AP 28
Aprica *SO* .... 24 V 7
Apricale *IM* .... 72 G 20
Apricena *FG* .... 126 BB 33
Apriglianello *KR* .... 173 BL 49
Aprigliano *CS* .... 171 BH 48
Aprilia *LT* .... 129 AK 34
Aprilia Marittima *UD* .... 44 AN 9
Apriliana *LT* .... 128 AK 34
Apsa *PU* .... 89 AJ 21
Apsella *PU* .... 89 AL 20
Aquara *SA* .... 153 BA 41
Aquila di Arroscia *IM* .... 73 J 19
Aquilano *CH* .... 117 AV 29
Aquilano *TE* .... 115 AQ 28
Aquile *RC* .... 178 BD 54
Aquilea *LU* .... 85 Y 20
Aquileia *UD* .... 31 AP 9
Aquilini *BS* .... 38 V 10
Aquilinia Stramare *TS* ...... 45 AR 10
Aquilio *AQ* .... 115 AP 29
Aquilonia *AV* .... 143 BB 38
Aquino *FR* .... 131 AR 34
Ara *NO* .... 35 K 9
Ara della Croce *AQ* .... 121 AP 32
Ara Grande *UD* .... 30 AO 7
Ara La Stella *FR* .... 130 AN 33
Ara Piccola *UD* .... 30 AO 7
Arabba *BL* .... 14 AG 4
Aradeo *LE* .... 160 BR 43
Aradolo *CN* .... 71 F 18
Arafranco-Pinaco *RI* .... 115 AO 28
Aragno *AQ* .... 115 AP 29
Aragona *AG* .... 193 AQ 59
Aramengo *AT* .... 48 J 13
Aramo *PT* .... 85 Z 20
Arancia *ME* .... 188 AZ 55
Aranco *VC* .... 34 K 9
Aranova *RM* .... 119 AI 32
Arapetrianni *RI* .... 114 AN 30
Arasì *RC* .... 178 BD 55
Arasulè *NU* .... 218 Q 43
Aratena *OT* .... 210 R 38
Arato *AP* .... 108 AP 26
Arba *PN* .... 29 AL 7
Arbatax *OG* .... 219 T 44
Arbaz *AO* .... 33 H 9
Arbengo *BI* .... 34 J 10
Arbi *CN* .... 74 J 17
Arbiglia *AL* .... 61 L 16
Arbizzano *VR* .... 40 AA 11

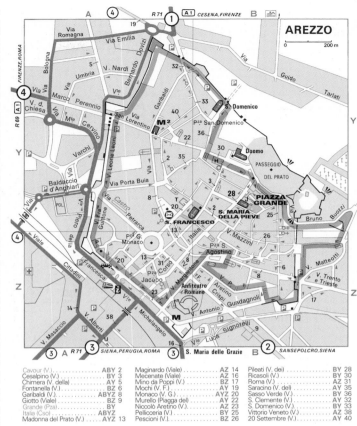

Cavour (V.) .... ABY 2
Cesalpino (V.) .... BY 3
Chimera (V. della) .... AY 5
Fontanella (V.) .... BZ 6
Garibaldi (V.) .... ABYZ 8
Giotto (Viale) .... BZ 9
Grande (Pza) .... BY
Italia (Cso) .... ABYZ
Madonna del Prato (V.) ..... AYZ 13
Maginardo (Viale) .... AZ 14
Mecenate (Viale) .... AZ 16
Mino da Poppi (V.) .... BZ 17
Mochi (V. F.) .... AY 19
Monaco (V. G.) .... AYZ 20
Murello (Piagga del) .... AY 22
Niccolò Aretino (V.) .... AZ 23
Pellicceria (V.) .... BY 25
Pescioni (V.) .... BZ 26
Pileati (V. dei) .... BY 28
Ricasoli (V.) .... BY 30
Roma (V.) .... AZ 31
Saracino (V. del) .... AY 35
Sasso Verde (V.) .... BY 36
S. Clemente (V.) .... AY 32
S. Domenico (V.) .... BY 33
Vittorio Veneto (V.) .... AZ 38
20 Settembre (V.) .... AY 40

Museo d'Arte Medievale e Moderna .... AY M2

Anfiteatro .... Y E Arco di Augusto Y B Ponte .... Y G Porta Pretoria .. Y A Theatro .... Y D

AOSTA

Aubert (V.) .... Z
Conseil des Commis
(Viale) .... Z 8
Croix de Ville (V.) .... Y 10
De Challand (Via) .... Z 12
De Maistre (V. X.) .... Y 13
De Tillier (V.) .... YZ
Giovanni XXIII (Pza) ...... Y 15
Hôtel des États (V.) ...... Y 17
Narbonne (Pza) .... Y 24
Porte Pretoriane (V.) ..... Y 25
S. Anselmo (V.) .... Y
S. Caveri (Pza) .... Y 27
1_ Maggio (Via) .... Z 29

Arboerio *VC* .... 21 K 8
Arbora *GE* .... 76 P 17
Arbora *NO* .... 35 M 9
Arborea *OR* .... 220 M 45
Arborea *TO* .... 48 I 12
Arboriamar *SS* .... 209 M 39
Arborio *VC* .... 35 L 11
Arbus *VS* .... 220 M 46
Arbusto *CE* .... 141 AU 36
Arbusto *PZ* .... 154 BD 41
Arcade *TV* .... 42 AI 9
Arcagna *LO* .... 51 R 11
Arcando *TO* .... 33 G 10
Arcano Inf. *UD* .... 30 AN 7
Arcano Sup. *UD* .... 30 AN 7
Arcavacata *CS* .... 170 BG 47
Arce *FR* .... 130 AQ 34
Arcella *AV* .... 142 AX 38
Arcello *PC* .... 51 R 14
Arcene *BG* .... 37 S 10
Arcesaz *AO* .... 33 H 9
Arceto *RE* .... 66 Z 16
Arcevia *AN* .... 97 AM 22
Archi *CH* .... 123 AV 31
Archi *CT* .... 197 BA 57
Archi *ME* .... 189 BA 54
Archi *RC* .... 189 BC 55
Archi S. Lidano *LT* .... 129 AM 35
Arcidosso *GR* .... 104 AE 26
Arci-Empolitana *RM* .... 120 AL 32
Arcigliano *PT* .... 85 AA 20
Arcille *GR* .... 103 AC 27
Arcinazzo
Romano *RM* .... 121 AN 32
Arciprete *CZ* .... 171 BH 49
Arcisate *VA* .... 22 O 8
Arco *TN* .... 26 AA 8
Arcola *PN* .... 15 AK 6
Arcola *SP* .... 78 U 19
Arcole *VR* .... 40 AC 11
Arcomano I *CS* .... 166 BF 45
Arcomano II *CS* .... 166 BF 45
Arconate *MI* .... 36 O 10
Arcore *MB* .... 37 Q 10
Arcu Santo Stefano *CA* .. 222 Q 46
Arcugnano-Torri *VI* .... 41 AE 11
Arcumeggia *VA* .... 22 N 8
Ardali *OG* .... 219 S 43
Ardara *SS* .... 213 N 40
Ardauli *OR* .... 217 O 43
Ardea *RM* .... 128 AK 34
Ardeatina *RM* .... 128 AK 33
Ardena *VA* .... 22 O 8
Ardenno *SO* .... 23 S 6
Ardenza *LI* .... 92 W 22
Ardesio *BG* .... 24 U 8
Ardichetto *CT* .... 197 AZ 57
Ardola *PR* .... 53 V 13
Ardore *RC* .... 179 BG 54
Ardore Marina *RC* .... 179 BG 54
Are *TO* .... 48 I 12
Area dei Tufi *BN* .... 133 AX 35
Area del Bosco *SA* .... 151 AW 39
Areglio *VC* .... 34 J 11
Aremogna *AQ* .... 122 AT 33
Arena *PC* .... 52 S 13
Arena *PU* .... 89 AL 20
Arena *VV* .... 177 BG 52
Arena Po *PV* .... 51 R 13
Arenabianca *SA* .... 163 BD 42
Arenara *AV* .... 142 AZ 37
Arenara *AV* .... 143 BA 38
Arenara *PZ* .... 154 BD 41
Arenella *GR* .... 110 AA 29
Arenella *PA* .... 184 AP 55
Arenella *SR* .... 203 BA 61
Arente *CS* .... 167 BG 47
Arenzano *GE* .... 75 N 17
Arese *MI* .... 35 N 10
Arese *MI* .... 36 P 10
Arezzo *AR* .... 95 AG 23
Arezzo *GE* .... 63 P 16
Arezzola *PG* .... 106 AK 27
Arfanta *TV* .... 28 AI 8
Argegno *CO* .... 22 P 8
Argelato *BO* .... 67 AD 16
Argenta *FE* .... 68 AG 16
Argentera *CN* .... 70 C 17
Argentera *TO* .... 48 H 12
Argentera *VA* .... 22 O 8
Argentiera *SS* .... 208 J 39
Arghillà *RC* .... 189 BC 54
Argiano *SI* .... 104 AD 26
Argiano *SI* .... 105 AG 25
Argignano *AN* .... 97 AM 24
Argine *NO* .... 35 M 10
Argine *PV* .... 51 P 13
Argine *RE* .... 66 Y 15
Arginello *RO* .... 56 AG 14
Arginone *BO* .... 67 AC 15
Arginone *RO* .... 56 AH 14
Arginotto *MN* .... 54 Z 13
Argnal *VB* .... 7 K 6
Arguello *CN* .... 61 J 16
Argusto *CZ* .... 175 BH 51
Ari *CH* .... 117 AU 30
Aria della Valle *CS* .... 164 BE 44
Aria di Lupi *CS* .... 170 BG 49
Aria Sana *LE* .... 159 BR 41
Ariacchino *AV* .... 143 BA 37
Arianiello *AV* .... 142 AY 38
Ariano *SA* .... 152 AZ 40
Ariano *VR* .... 54 Z 11
Ariano Ferrarese *FE* .... 57 AH 14
Ariano Irpino *AV* .... 143 AZ 37
Ariano nel Polesine *RO* .... 57 AH 14
Ariano Scalo *AV* .... 143 AZ 36
Arianova *CE* .... 132 AU 36
Arias *BS* .... 39 Z 9
Ariccia *RM* .... 129 AL 33
Ariconi *AP* .... 108 AP 26
Arielli *CH* .... 117 AU 30
Arielli *CH* .... 117 AV 29
Arienzo *CE* .... 141 AW 37
Arienzo *SA* .... 151 AV 40
Arietta *CZ* .... 172 BJ 49
Arigna *SO* .... 24 U 7
Arignano *TO* .... 48 I 13
Arigno *AQ* .... 115 AO 28
Ariis *UD* .... 30 AN 8
Arillette *FR* .... 130 AP 34
Arina *BL* .... 27 AF 7
Aringo *FR* .... 130 AP 34
Arini *TP* .... 190 AJ 57
Ariniccia Gallinaro *FR* ..... 131 AR 33
Arino *VE* .... 42 AH 11
Ariola *VV* .... 177 BG 52
Ariolo *RO* .... 57 AI 14
Arischia *AQ* .... 115 AP 29
Aritzo *NU* .... 218 Q 44
Arixi *CA* .... 222 P 46
Arizzano *VB* .... 21 M 8
Arlena di Castro *VT* .... 111 AF 29
Arlesega *PD* .... 41 AF 11
Arlesse *AO* .... 34 I 10
Arlezze *VC* .... 35 L 9
Arli *AP* .... 108 AP 27

A B C D E F G H I J K L M N O P Q R S T U V W X Y Z

ASCOLI PICENO

Adriatico (V.) .... BC
Alighieri (V. D.) ...... C 2
Amadio C
Ariosto (V. L.) C
Arringo (Pza) .... BC 3
Bengasi (V.) .... A
Bonaccorsi (V. del) . BC 5

Buonaparte (V.) ...... C 6
Cairoli (V.) .... B 7
Canterine (V. d.) .... BC
Cappuccini (V. del) .. A
Caro (V. A.) .... A
Castellano Sisto V
(Lungotevere) .... B
Cecco d'Ascoli C
Cecco (Ponte di) C
Corfino (V. di) .... A 10

Dino Angelini
(V.) .... AB
Federici (Viale M.) ... C
Fortezza (V. della) ... A
Lazzari Tullio (V.) .... A 14
Manilia (V.) .... A 15
Matteotti (Pza) ...... C 17
Mazzini (Corso) ..... ABC
Mazzoni (V. A.) .... A
Napoli (Viale) .... A
Pacifici (V. M. E.) .... B
Piave (V.) .... A

Piazzarola (V. d.) ...... B
Ponte Maggiore ...... C 18
Ponte Pta Cartara .. A 20
Ponte Pta Tuffilla
(Nuovo) .... C 21
Popolo (Pza del) ...... B
Porta Tuffilla
(V.) .... A
Pozzetto (Rua del) ... A
Pretoriana (V.) .... A
Ricci (Viale) .... A
Roma (Pza) .... B 22

Sacconi (V. G.) C
Scariglia (V. M.) C
Serafino
da Montegranaro
(V. S.) .... B
Soderini (V. dei) ...... A
Solestà (V. di) .... B 28
Sotto (Corso di) ...... A
S. Agostino
(Pza) .... B 24
S. Angelo (V.) .... A
S. Giuliano (V.) ...... A 26

Templari (V. dei) ..... A 29
Torri (V. delle) .... B
Trebbiani (V.) .... B 32
Trento e Trieste
(Cso) .... B 33
Trivio (V. del) .... B 34
Tucci (V.) .... A
Vellei (Viale) .... A
Vidacilio (V.) .... B 35
Vittorio Emanuele
(Corso) C
20 Settembre (V.) ... B 37

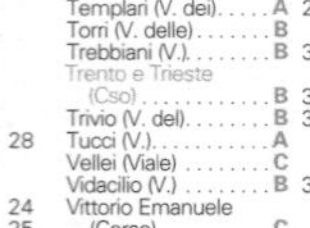

Battistero .... C E   Chiesa dei Santi Vincenzo ed Anastasio ...... B N   Loggia dei Mercanti .... B A

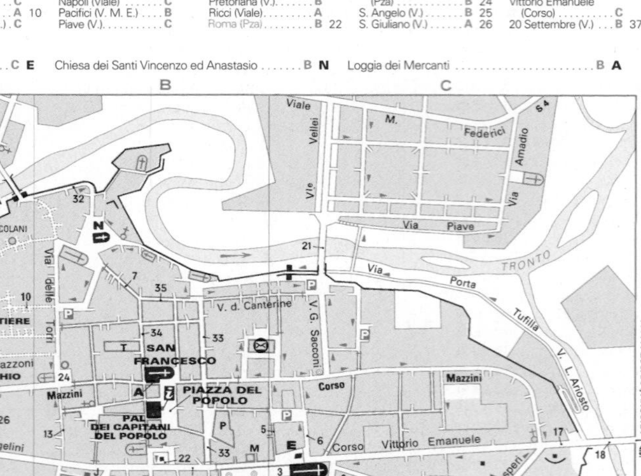

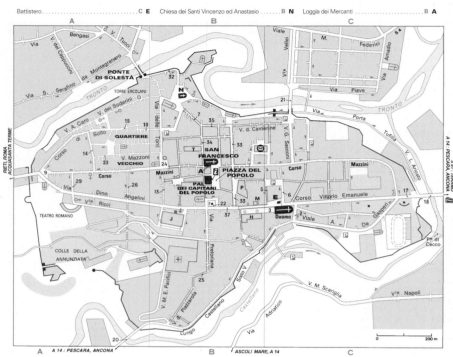

Arlia *MS*..............78 V 18
Arliano *FI*.............87 AD 20
Arlier *AO*.............33 G 9
Arlongo *CN*..........58 E 16
Arlunda *AT*............2 Y 3
Arluno *MI*............36 O 10
Arma di Taggia *IM* .72 I 20
Armaiolo *SI*..........94 AE 24
Armarolo *BO*........67 AD 16
Armasia *PN*..........15 AK 6
Armedola *PD*........41 AE 10
Armeno *NO*..........35 L 9
Armento *PZ*........154 BF 42
Armenzano *PG*....106 AL 25
Armetta *RM*........120 AL 33
Armio *MS*..............22 N 7
Armo *BS*...............39 Y 9
Armo *IM*...............72 I 19
Armo *RC*.............178 BD 55
Armo *RC*.............177 BH 53
Armungia *CA*.......222 R 46
Arnaccio *PI*...........85 X 22
Arnad *AO*..............33 H 10
Arnano *MC*...........97 AN 25
Arnara *FR*...........130 AP 34
Arnate *VA*.............36 N 10
Arnesano *LE*.......159 BR 41
Arni *LU*.................78 W 19
Arniano *SI*............94 AD 24
Arnoga *SO*...........11 W 5
Arnone *CE*..........140 AT 37
Arnouvaz *AO*.........18 D 8
Arnuzzolo *MS*.......78 U 17
Arola *AP*.............108 AP 26
Arola *AP*.............108 AP 27
Arola *NA*.............151 AV 40
Arola *PR*...............65 W 15
Arola *VB*...............35 L 9
Arolo *VA*...............21 M 8
Arona *NO*.............35 M 9
Aroncio *NO*...........35 M 9
Arorella *NA*.........151 AV 40
Arpaia *BN*...........141 AW 37
Arpaise *BN*.........142 AX 37
Arpelles *AO*..........33 E 9
Arpette *AO*...........18 C 9
Arpettes *AO*.........32 C 9
Arpicella *AL*..........62 O 15

Arpignano *SA*.....152 AZ 39
Arpillaz *AO*...........32 D 9
Arpino *FR*...........131 AQ 34
Arpino *NA*...........150 AU 38
Arpinova *FG*.......135 BC 34
Arpiola Pianfurcano *MS*..78 U 18
Arpuilles *AO*.........33 E 9
Arpy *AO*...............32 D 9
Arquà Petrarca *PD*..56 AF 12
Arquà Polesine *RO*....56 AF 13
Arquata del Tronto *AP*...107 AO 27
Arquata Scrivia *AL*....62 O 15
Arquino *SO*...........10 U 6
Arrani *CS*...........168 BH 45
Arre *PD*................56 AG 12
Arro *BI*.................34 J 11
Arrobbio *AT*..........49 L 14
Arrone *TR*...........113 AL 28
Arsago Seprio *VA*...35 N 9
Arsanello *RC*......179 BF 54
Arsego *PD*............42 AG 10
Arsicci *AR*............88 AH 21
Arsie *BL*...............29 AI 6
Arsié *BL*...............27 AF 8
Arsiera *BL*............14 AI 5
Arsiero *VI*............27 AD 9
Arsina *LU*.............85 X 20
Arsines *AO*...........33 H 10
Arsita *TE*............116 AR 28
Artallo *IM*............73 J 20
Artaz *AO*..............19 G 9
Artegna *UD*..........16 AN 6
Arten *BL*..............28 AF 7
Artena *RM*..........120 AM 33
Artesina *CN*..........71 H 18
Artimino *PO*.........86 AB 21
Arto *VB*...............35 L 9
Artogne *BS*..........24 V 8
Arveaco *BS*..........39 X 9
Arvello *PG*.........107 AM 25
Arvier *AO*.............32 E 9
Arvus *AO*.............18 E 8
Arzachena *OT*.....210 R 37
Arzago d'Adda *BG*...37 S 11
Arzana *OG*.........219 S 44
Arzano *LT*...........139 AQ 36
Arzano *NA*..........150 AU 38

Arzarello *PD*.........56 AH 12
Arzaron *PD*...........56 AE 12
Arzaron *RO*...........56 AE 13
Arzelato *MS*...........77 U 17
Arzello *AL*.............61 L 16

Arzene *IM*.............72 I 20
Arzene *PN*............30 AM 7
Arzengio *MS*........78 U 17
Arzeno *GE*............77 R 17
Arzenutto *PN*........30 AM 7

ASSISI

Aretino (V. Borgo) C
Brizi (V.) .... B 2
Carceri (V. Eremo d.) ... C
Colle (V. del) .... A 7
Cristofani (V.) .... B
Fontebella (V.) .... B

Fortini (V. A.) .... B 4
Fosso Cupo (V. del) ... AB 6
Frate Elia (V.) .... A 7
Galeazzo Alessi (V.) .... C 8
Garibaldi (Piazzetta) ... B 9
Giotto (V.) .... B 10
Marconi (Viale) .... A
Matteotti (Pza) C
Mazzini (Corso) .... B 12

Merry del Val (V.) ...... A 13
Metastasio (V.) .... B
Perlici (V.) .... C 14
Porta S. Pietro (Piazzale) .. A
Portica (V.) .... B 16
Rocca (V. della) .... B
San Francesco (V.) ... AB
Seminario (V. del) ..... B 28
S. Agnese (V.) .... B

S. Apollinare (V.) ...... B 17
S. Chiara (Pza) .... BC 19
S. Croce (V.) C
S. Francesco
(V.) .... A 20
S. Gabriele della Addolorata
(V.) .... AB 21
S. Giacomo (V.) .... A 23
S. Paolo (V.) .... B

S. Pietro (Borgo) ...... AB
S. Pietro (Pza) .... A 24
S. Rufino (V.) .... B 26
Torrione (V. del) .... C 30
Umberto I C
(V.) C
Villamena (V.) .... C 31
Vittorio Emanuele II
(Viale) .... ABC

Arzercavalli *PD*.......56 AG 12
Arzergrande *PD*......56 AH 12
Arzeri *TV*................43 AK 9
Arzignano *VI*...........40 AC 10
Arzilla di Novilara *PU*...90 AM 20
Arzo *SO*..................23 S 7
Arzo *VB*..................21 L 8
Arzona *VV*.............174 BF 52
Ascani *MC*..............99 AQ 23
Ascea *SA*..............162 BA 43
Aschbach /
Rio di Lagundo *BZ*...12 AB 4
Aschi Alto *AQ*........122 AR 32
Aschl / Eschio *BZ*....12 AC 4
Ascianello *SI*...........95 AF 25
Asciano *PI*...............85 X 21
Asciano *SI*...............94 AD 24
Ascolese *SA*..........153 BC 42
Ascoli Piceno *AP*...108 AQ 26
Ascoli Satriano *FG*...144 BC 36
Ascona *GE*..............63 R 16
Ascrea *RI*..............114 AM 30
Asei *BI*...................34 K 10
Aselogna *VR*...........55 AC 13
Asia *BO*..................67 AD 15
Asiago *VI*................41 AD 10
Asiago *VI*................27 AE 8
Asigliano Veneto *VI*...55 AD 12
Asigliano Vercellese *VC*...49 L 12
Asinara *AT*..............61 L 14
Asnago *CO*..............36 P 9
Asnenga *BG*............37 T 10
Aso *AP*..................108 AQ 25
Aso Primo *AP*..........99 AR 25
Aso Secondo *AP*......99 AR 25
Aso Terzo *AP*..........99 AR 25
Asola *MN*................53 X 12
Asolo *TV*.................28 AG 9
Aspalmo *RC*..........177 BG 54
Aspalmo *RC*..........177 BG 54
Aspalmo Inf. Palermo *RC*..177 BG 54
Asparetto *VR*...........55 AC 12
Aspes *BS*................38 W 11
Aspice *CR*...............53 V 12
Aspio *AN*.................91 AQ 22
Aspio Terme *AN*.......91 AQ 22
Aspra *PA*...............185 AQ 55
Aspro *BN*...............142 AW 36
Asproli *PG*.............106 AJ 27
Assago *MI*...............36 P 11
Assemini *CA*..........226 P 48
Assenza *VR*.............39 Z 9

Assergi *AQ*............115 AQ 29
Assiano *MI*..............36 P 11
Assignano *PG*.......106 AJ 26
Assisi *PG*..............106 AK 25
Asso *CO*..................23 Q 8
Assolo *OR*.............217 O 45
Assoro *EN*.............194 AV 58
Assura *RM*.............119 AJ 31
Asta *RE*..................79 X 18
Astasi *ME*..............187 AW 55
Asten / Laste *BZ*.......4 AD 3
Astfeld / Campolasta *BZ*...13 AD 4
Asti *AT*....................61 K 14
Astignano *PE*.........116 AT 29
Astorara *AP*...........108 AO 26
Astore *MN*...............39 Y 11
Astrata *AL*...............63 P 15
Astrio *BS*.................25 W 8
Asturi *BG*.................23 S 8
Asuai *NU*...............218 Q 43
Asuni *OR*...............218 O 44
Ateleta *AQ*.............123 AU 32
Atella *PZ*...............144 BC 38
Atena *PG*.................96 AH 22
Atena Lucana *SA*...153 BC 41
Atessa *CH*.............123 AN 31
Atina *FR*................131 AR 34
Atrani *SA*..............151 AW 40
Atri *PG*..................107 AM 27
Atri *TE*..................116 AS 28
Atrigna *CS*............164 BD 44
Atripalda *AV*.........142 AY 38
Attiggio *AN*.............97 AM 24
Attigliano *TR*.........112 AI 28
Attiloni *AP*.............107 AM 26
Attimis *UD*..............16 AO 6
Atzara *NU*.............218 P 44
Audelio *TO*..............48 G 12
Auditore *PU*............89 AK 21
Auduni *CE*.............132 AW 36
Auer / Ora *BZ*.........13 AC 5
Augusta *SR*...........203 BA 60
Auletta *SA*.............153 BB 40
Aulla *MS*.................78 U 18
Aulogna *VB*...............7 L 6
Aulpi *CE*................140 AS 36
Auna Inf. *BZ*............13 AD 4
Auna Sup. / Obedon *BZ*...13 AD 4
Aune *BL*..................28 AF 7
Aunede *BL*..............14 AI 5
Aupa *UD*..................16 AO 4
Aupa *UD*..................16 AO 5
Aurala *CS*.............170 BF 49

Aurano VB 21 M 7
Aurava PN 30 AM 7
Aurelia RM 118 AF 31
Auricarro BA 146 BJ 37
Aurigo IM 72 I 20
Aurisina TS 31 AR 9
Aurito LT 139 AR 36
Auro BS 38 W 9
Aurogna CO 23 R 6
Auronzo di Cadore BL 15 AJ 4
Aurora LC 37 R 9
Aurora MC 99 AR 24
Ausone VB 7 K 6
Ausonia FR 131 AR 35
Aussa-Corno UD 30 AO 9
Ausser Sulden / Solda di Fuori BZ 11 Y 4
Austis NU 218 P 43
Autagne TO 46 B 14
Autamia VB 7 K 7
Auvrascio CO 22 P 8
Avacelli AN 97 AM 23
Avaglio PT 85 Z 20
Avaglio UD 16 AM 5
Avane FI 86 AA 21
Avane PI 85 X 21
Avaro TO 59 E 14
Avasinis UD 16 AN 6
Avausa UD 15 AM 4
Ave BG 24 U 8
Ave Gratia Plena BN 141 AV 37
Aveacco UD 16 AN 6
Avelengo / Hafing BZ 12 AC 4
Avelengo di Sopra BZ 12 AC 4
Avella AV 142 AW 38
Avellana PU 97 AL 23
Avellino AV 151 AX 38
Avena AR 87 AF 21
Avena CS 164 BE 44
Avenale AN 97 AM 23
Avenale MC 98 AO 23
Avendita PG 107 AN 27
Avenes / Afens BZ 4 AE 2
Aveno GE 76 Q 17
Avenone BS 39 X 9
Avenza MS 78 V 19
Averara BG 23 S 8
Avero SO 9 R 5
Aversa CE 141 AU 38
Averta SO 9 S 6
Avesa VR 40 AA 11
Avetrana TA 158 BP 41
Avetta TO 34 J 11
Avezzano AQ 121 AP 31
Avezzano CE 140 AS 36
Aviano PN 29 AK 7
Aviatico BG 37 T 9
Avigliana TO 47 F 13
Avigliano PZ 153 BD 39
Avigliano Lucania PZ 154 BD 39
Avigliano Umbro TR 106 AJ 28
Avigna / Afing BZ 13 AD 4
Avigno VA 22 N 8
Avilla UD 16 AN 6
Avini NA 151 AV 39
Avio TN 40 AA 9
Avise AO 32 D 9
Avisod AO 33 F 9
Avola SR 205 AZ 62
Avolasca AL 62 O 15
Avolasio BG 23 S 8
Avosacco UD 16 AN 5
Avoscan BL 14 AG 5
Avriola PZ 153 BC 39
Avuglione TO 48 I 13
Ayas AO 19 H 9
Ayez AO 19 E 9
Aymavilles AO 32 E 9
Azaria TO 33 G 10
Azeglio TO 34 I 11
Azienda Beccarini FG 135 BE 35
Azoglio BI 34 K 9
Azzago VR 40 AB 10
Azzagulta OT 209 O 38
Azzanello CR 52 U 12
Azzanello PN 29 AK 9
Azzanì OT 211 S 39
Azzanidò OT 211 S 39
Azzano CO 22 Q 8
Azzano CR 37 S 11
Azzano LU 84 W 19
Azzano PC 63 R 14
Azzano PG 106 AL 27
Azzano UD 31 AP 7
Azzano VR 54 AA 11
Azzano d'Asti AT 61 K 14
Azzano Decimo PN 29 AL 8
Azzano Mella BS 38 V 11
Azzano San Paolo BG 37 T 10
Azzarone FG 127 BD 33
Azzate VA 35 N 9
Azzida UD 31 AP 7
Azzinano TE 115 AQ 28
Azzio VA 22 N 8
Azzone BG 24 V 8
Azzonica BG 37 S 9

B

Babano TO 59 F 15
Babato PD 42 AG 11
Babbaccio LT 129 AM 34
Baccaiano FI 86 AB 22
Baccano RM 119 AJ 31
Baccano SP 78 U 19
Baccarato EN 194 AV 59
Baccarecce RI 114 AN 30
Bacchereto PO 86 AA 21
Baccinello GR 104 AD 27
Bacciolino FC 82 AI 19
Baccu Curzu CA 227 Q 48
Bacedasco PC 64 U 14
Baceno VB 7 K 6
Bachile Corte SS 209 N 38
Baciano AR 88 AG 22
Baciardi PU 89 AK 22
Baco PT 86 AA 20
Bacoli NA 150 AT 39
Bacu Abis CI 224 L 48
Bacugno RI 114 AN 28
Bad / Bagni BZ 5 AJ 3
Bad Bergfall / Bagni di Pervalle BZ 5 AH 3
Bad Rahmwald / Bagni di Selva BZ 4 AG 3
Bad Ratzes Frommer / Bagni di Razzes BZ 13 AE 4
Bad Salomonsbrunn / Bagni di Salomone BZ 5 AH 3
Badagnano PC 64 T 14
Badaiuz UD 16 AO 5
Badalà CT 197 AZ 58
Badalucco IM 72 I 20
Badani SV 75 L 17
Badde Salighes NU 213 O 41
Badde Suelzu OT 210 Q 39
Badde Urbana OR 216 M 43
Badesi OT 209 O 38
Badesi Mare OT 209 O 38
Badesse PV 51 P 13
Badesse SI 94 AC 23
Badetto BS 25 X 8
Badi BO 80 AB 19
Badia AL 62 M 15
Badia BO 80 AB 17
Badia BZ 14 AG 4
Badia CH 124 AW 33
Badia CS 170 BF 48
Badia CS 170 BF 48
Badia FC 82 AI 19
Badia FE 68 AF 15
Badia GE 62 M 16
Badia ME 189 BB 56
Badia PG 105 AH 25
Badia PG 96 AJ 24
Badia PG 97 AK 25
Badia PZ 154 BD 39
Badia TP 183 AL 55
Badia VV 176 BE 52
Badia a Cerreto FI 93 AB 22
Badia a Coneo SI 93 AB 23
Badia a Passignano FI 86 AC 22
Badia a Ripoli FI 86 AC 21
Badia a Ruoti AR 95 AE 23
Badia a Taona PT 86 AA 19
Badia Agnano AR 95 AE 23
Badia Agnano FI 87 AE 20
Badia al Pino AR 95 AF 23
Badia Ardenga SI 104 AD 25
Badia Bagnaturo AQ 122 AS 31
Badia Calavena VR 40 AB 10
Badia Coltibuono SI 94 AD 23
Badia della Valle FI 81 AF 19
Badia di Dulzago NO 35 M 10
Badia di San Bartolomeo PE 116 AR 29
Badia Mont'Ercole PU 88 AI 20
Badia Pavese PV 51 R 13
Badia Petroia PG 96 AI 23
Badia Polesine RO 55 AD 13
Badia Prataglia AR 88 AG 21
Badia Tedalda AR 88 AI 21
Badia Tega AR 87 AF 22
Badiaccia PG 95 AH 24
Badiaccia a Montemuro SI 94 AD 22
Badiavecchia ME 188 AZ 55
Badicorte AR 95 AF 24
Badie PI 92 X 23
Badiella PA 183 AN 55
Badile MI 51 P 11
Badiola GR 103 AA 27
Badiola PG 105 AI 25
Badione PI 92 Y 23
Badizza ME 189 BC 54
Badoere TV 42 AH 10
Badolato CZ 175 BI 52
Badolato Marina CZ 175 BI 52
Badolo BO 80 AC 17
Badualga NU 211 S 39
Baesse VR 39 Z 10
Baffadi RA 81 AE 18
Baffo PE 116 AS 29
Bafia ME 188 BA 55
Bagaggiolo TV 43 AJ 10
Bagaladi RC 178 BD 55
Baganzola PR 65 W 14
Bagatte BS 39 X 11
Bagazzano MO 66 AB 16
Baggio CO 23 Q 6
Baggio MI 36 P 11
Baggio PT 86 AA 20
Baggiovara MO 66 AA 16
Bagheria PA 185 AQ 55
Bagini SO 23 S 7
Baglio Cappottelle TP 182 AK 55
Baglio Casale TP 183 AL 56
Baglio Furetti TP 182 AK 55
Baglio Messina TP 182 AL 55
Baglio Messina TP 183 AL 55
Baglio Messina I TP 182 AL 55
Baglio Messina II TP 182 AL 55
Baglio Mogli Belle TP 182 AK 55
Baglio Papuzze TP 182 AK 55
Baglio Pollina TP 182 AK 55
Baglio Portelli TP 183 AL 55
Baglio Rizzo TP 182 AL 56
Baglio Todaro TP 182 AK 55
Baglionovo TP 182 AL 56
Bagnacavallo RA 82 AG 17
Bagnaia LI 100 X 27
Bagnaia PG 105 AI 25
Bagnaia SI 94 AC 24
Bagnaia VT 112 AH 29
Bagnara BN 142 AX 37
Bagnara CR 53 V 13
Bagnara FR 130 AP 33
Bagnara PG 97 AM 25
Bagnara SR 202 AY 59
Bagnara VE 30 AM 8
Bagnara VI 41 AD 10
Bagnara VI 27 AE 9
Bagnara Calabra RC 178 BD 54
Bagnara di Romagna RA 81 AF 17
Bagnaria PV 63 P 15
Bagnaria Arsa UD 30 AO 8
Bagnarola BO 67 AD 16
Bagnarola FC 82 AJ 19
Bagnarola PN 30 AM 8
Bagnasco AT 49 J 14
Bagnasco CN 74 J 18
Bagnatica BG 37 T 10
Bagnatoio FI 80 AC 19
Bagnena AR 87 AF 22
Bagni BZ 13 AD 4
Bagni MS 78 U 18
Bagni PN 16 AM 6
Bagni PZ 164 BE 43
Bagni SI 93 AB 24
Bagni TR 105 AH 27
Bagni / Bad BZ 5 AJ 3
Bagni Braies Vecchia BZ 5 AH 3
Bagni del Masino SO 9 S 6
Bagni di Contursi SA 152 BA 39
Bagni di Lucca LU 85 Y 19
Bagni di Lusnizza UD 17 AP 4
Bagni di Mezzo / Mitterbad BZ 12 AB 4
Bagni di Mommialla FI 93 AA 23
Bagni di Montalceto SI 95 AE 24
Bagni di Pervalle / Bad Bergfall BZ 5 AH 3
Bagni di Petriolo SI 103 AC 25
Bagni di Piandimaio BZ 5 AI 3
Bagni di Razzes / Bad Ratzes Frommer BZ 13 AE 4
Bagni di Riomolino BZ 5 AH 2
Bagni di Salomone / Bad Salomonsbrunn BZ 5 AH 3
Bagni di San Candido BZ 5 AI 3
Bagni di San Cataldo PZ 153 BC 39
Bagni di San Martino SS 209 N 39
Bagni di Saturnia GR 111 AE 28
Bagni di Selva / Bad Rahmwald BZ 4 AG 3
Bagni di Stigliano RM 118 AH 31
Bagni di Tabiano PR 64 V 15
Bagni di Tivoli RM 120 AL 32
Bagni di Traiano RM 118 AG 31
Bagni di Vicarello RM 119 AI 31
Bagni di Vinadio CN 70 D 18
Bagni di Viterbo VT 112 AH 29
Bagni Forlenza SA 152 BA 40
Bagni Minerali RC 179 BG 54
Bagni S. Agostino VT 118 AF 30
Bagni San Filippo SI 104 AF 26
Bagni Termali SI 105 AG 26
Bagnile FC 82 AI 18
Bagno AQ 115 AP 30
Bagno FC 82 AG 19
Bagno FG 126 BD 32
Bagno RE 66 Z 16
Bagno SA 163 BC 42
Bagno a Ripoli FI 86 AC 21
Bagno di Gavorrano GR 103 AA 26
Bagno di Piano BO 67 AC 16
Bagno di Romagna FC 88 AG 20
Bagno Roselle GR 103 AB 27
Bagno Vignoni SI 104 AE 25
Bagnola MC 98 AQ 23
Bagnole VR 55 AD 12
Bagnoletto PD 56 AG 12
Bagnoli BN 141 AV 37
Bagnoli FC 82 AH 18
Bagnoli GR 104 AE 26
Bagnoli del Trigno IS 132 AV 33
Bagnoli della Rosandra TS 45 AS 10
Bagnoli di Sopra PD 56 AG 12
Bagnoli Irpino AV 143 AZ 38
Bagnoli-Sassa LT 130 AO 35
Bagnolo AR 95 AH 23
Bagnolo FC 82 AG 18
Bagnolo FC 82 AH 18
Bagnolo GR 103 AC 25
Bagnolo GR 104 AE 26
Bagnolo LC 23 R 9
Bagnolo PC 64 S 14
Bagnolo PO 86 AB 20
Bagnolo TV 28 AI 8
Bagnolo VI 41 AD 11
Bagnolo VR 54 AA 12
Bagnolo VR 54 AB 12
Bagnolo VT 113 AJ 29
Bagnolo Cremasco CR 52 S 11
Bagnolo del Salento LE 161 BT 43
Bagnolo di Po RO 55 AE 13
Bagnolo in Piano RE 66 Z 15
Bagnolo Mella BS 38 W 11
Bagnolo Piemonte CN 59 E 15
Bagnolo San Vito MN 54 AA 13
Bagnolo-Cantagallo FI 86 AC 21
Bagnon TV 42 AJ 9
Bagnone MS 78 U 18
Bagnore GR 104 AE 26
Bagnoregio VT 112 AH 28
Bagnoro AR 95 AG 23
Bagno-Sprizze LI 100 W 27
Bagolino BS 25 X 9
Bagucci BO 80 AC 19
Bai dei Pini SA 162 AZ 42
Baia CE 132 AU 36
Baia MO 55 AC 14
Baia NA 150 AT 39
Baia Azzurra-Levagnole CE 139 AS 37
Baia delle Zagare FG 127 BF 33
Baia Domizia CE 139 AR 36
Baia Sant'Anna NU 211 T 39
Baia Sardinia OT 207 R 37
Baia Verde LE 160 BR 43
Baiamonte ME 189 BA 55
Baiano AV 142 AW 38
Baiano CS 168 BI 46
Baiardo IM 72 H 20
Baiedo LC 23 R 8
Baigno BO 80 AB 19
Baio Dora TO 34 H 10
Bairo TO 33 H 11
Baiso RE 66 Y 17
Baite MN 53 Y 12
Baitoni TN 25 Y 9
Balangero CN 59 E 16
Balangero TO 47 G 12
Balata di Baida TP 183 AL 55
Balata di Modica RG 204 AX 62
Balate TP 190 AG 63
Balate TP 182 AI 56
Balatro FI 86 AC 21
Balbi CN 61 K 15
Balbiano MI 37 R 11
Balbo TO 59 G 14
Balconcello MN 54 Z 13
Balconevisi PI 85 AA 22
Baldaria VR 55 AD 12
Baldesco AL 50 M 13
Baldichieri d'Asti AT 61 J 14
Baldignano AR 88 AH 22
Baldissero Canavese TO 33 H 11
Baldissero d'Alba CN 60 I 15
Baldissero Torinese TO 48 H 13
Baldone BS 53 W 12
Balduina PD 56 AE 13
Balduini PG 106 AK 27
Balestrate PA 183 AN 55
Balestrino AT 61 K 14
Balestrino SV 73 K 19
Balignano FC 82 AJ 19
Balistreri PA 184 AO 56
Balistreri PA 185 AP 56
Ballabio Inf. LC 23 R 8
Ballabio Sup. LC 23 R 8
Ballao CA 222 R 46
Ballata TP 182 AL 56
Balletto PA 183 AN 56
Ballino BS 39 Y 11
Ballino TN 26 Z 8
Ballò VE 42 AH 11
Ballone PR 65 V 17
Ballotta TP 182 AK 56
Ballottella TP 182 AK 56
Balma BI 34 J 10
Balma TO 47 D 13
Balma TO 47 F 12
Balma VC 20 I 8
Balme TO 47 E 12
Balmuccia VC 34 J 9
Balocco VC 34 K 11
Balossa Bigli PV 50 O 13
Balossa Savoia PV 50 O 13
Balsorano Nuovo AQ 121 AQ 33
Balsorano Vecchio AQ 122 AQ 33
Baltigati BI 34 K 10
Balutella EN 194 AU 59
Balvano PZ 153 BC 40
Balze FC 88 AH 21
Balze ME 188 AY 55
Balzi CE 141 AV 37
Balziglia TO 46 D 14
Balzo AP 108 AO 26
Balzola AL 49 L 12
Banale TN 26 AA 7
Banari SS 213 N 40
Banca BN 141 AW 36
Bancali SS 208 L 39
Banchette BI 34 J 10
Banchetto VR 40 AA 10
Banco TN 12 AB 5
Banco Sicilia PA 185 AQ 56
Bancole MN 54 Z 12
Bancone PZ 154 BD 39
Bandello PI 92 Y 24
Bandita AL 62 M 16
Bandita PA 184 AP 55
Bandita SI 95 AF 24
Bandita VT 112 AH 30
Bandita Cilleni PG 97 AL 25
Banditaccia SI 104 AF 26
Banditaccia VT 113 AJ 30
Banditella GR 110 AC 28
Banditella PG 95 AH 25
Banditelle LI 102 Y 25
Bandito CN 60 H 15
Bando FE 68 AG 16
Bando PN 30 AM 8
Bando VE 30 AL 9
Banengo AT 49 J 13
Bani BG 24 U 8
Banna TO 48 I 14
Bannatella EN 194 AV 59
Bannera Primo BN 133 AY 35
Bannera Secondo BN 133 AY 35
Banni TO 48 H 12
Bannia PN 29 AL 8
Bannio VB 20 J 8
Bannò EN 194 AV 58
Bannone PR 65 X 16
Bantine SS 214 P 40
Banzano AV 151 AX 38
Banzena AR 88 AG 21
Banzi PZ 145 BF 38
Banzola PR 65 V 15
Banzola RE 65 X 16
Bànzola PR 64 V 15
Baone PD 56 AF 12
Bar Cenisio TO 46 C 12
Barabana BO 68 AF 16
Barabò VR 55 AB 12
Baracche VI 41 AF 9
Baracche di Tarano RI 113 AK 29
Baracchella CS 171 BH 48
Baracchino CR 52 U 13
Baracco CN 71 H 18
Baraccone CN 61 J 15
Baraccone CS 168 BI 46
Baraccone VV 174 BF 52
Baradella CB 133 AW 34
Baradili OR 221 O 45
Baragazza BO 80 AC 19
Baraggia NO 35 L 9
Baraggia NO 35 L 11
Baraggia VA 21 M 8
Baraggia VA 22 O 8
Baraggia VA 22 O 9
Baraggia Sotto NO 35 M 10
Baraggione NO 35 L 10
Baragiano PZ 153 BC 39
Baragiola CO 36 O 9
Baragiotta NO 35 L 9
Baranello CB 133 AW 34
Barano AQ 115 AO 30
Barano d'Ischia NA 150 AS 39
Barasso VA 22 N 8
Barate MI 36 P 11
Baratili San Pietro OR 216 M 44
Barattano PG 106 AK 26
Baratti LI 102 Y 26
Baratz SS 212 K 39
Barauda TO 48 H 14
Baravex AO 19 E 9
Barazzetto UD 30 AN 7
Barazzone BI 34 J 10
Barba BN 142 AX 37
Barba ME 188 AY 55
Barba PT 86 AA 20
Barbagelata GE 63 Q 17
Barbagiulo BR 148 BN 39
Barbaiana MI 36 P 10
Barbanera FR 131 AQ 34
Barbania AL 61 L 16
Barbania TO 48 G 12
Barbano VI 41 AF 11
Barbanti PU 89 AM 22
Barbara AN 90 AN 22
Barbarano BS 39 Y 10
Barbarano del Capo LE 161 BS 44
Barbarano Romano VT 112 AH 30
Barbarano Vicentino VI 41 AE 11
Barbarasco MS 78 U 18
Barbaresco CN 61 J 15
Barbaricina PI 84 X 21
Barbariga BS 38 V 11
Barbaro CS 170 BF 48
Barbarolo BO 80 AD 18
Barbassiria SV 74 J 18
Barbasso MN 54 AA 13
Barbassolo MN 54 AA 13
Barbata BG 37 T 11
Barbavara PV 50 N 11
Barbè VB 21 M 7
Barbeano PN 30 AM 7
Barbellotta AL 62 N 15
Barbere VR 55 AB 12
Barberi PE 116 AT 29
Barberini PU 88 AI 20
Barberino di Mugello FI 86 AC 19
Barberino Val d'Elsa FI 94 AC 22
Barbetta BL 27 AF 7
Barbi SI 104 AE 25
Barbialla FI 86 AA 22
Barbianello PV 51 Q 13
Barbiano AR 87 AE 21
Barbiano BZ 13 AE 4
Barbiano PR 65 W 15
Barbiano RA 81 AG 17
Barbide TN 13 AE 5
Barbisano TV 28 AI 8
Barbischio SI 94 AD 23
Barbiselle CR 53 V 12
Barbiselle di Mezzo CR 53 V 12
Barbona PD 56 AF 13
Barboniga VB 7 K 7
Barbotto FC 88 AI 20
Barbuglio RO 56 AE 13
Barbusi CI 224 M 48
Barbuste AO 33 G 9
Barbuzzera CR 37 S 11
Barca AL 62 P 14
Barca PR 64 U 16
Barca SA 153 BC 41
Barca SI 94 AD 23
Barcaccia RE 65 X 16
Barcaglione AN 91 AP 22

Barcanello AL 62 N 15
Barcara AT 49 K 14
Barcarola VI 27 AD 8
Barcellona Pozzo di Gotto ME 188 BA 55
Barche BS 38 V 10
Barche PD 41 AF 10
Barchei IM 72 H 19
Barchessa BO 68 AE 16
Barchessa PD 41 AF 10
Barchi BS 53 V 12
Barchi CN 74 I 19
Barchi KR 173 BK 48
Barchi LT 138 AO 36
Barchi MN 53 X 12
Barchi PC 63 Q 16
Barchi PU 90 AM 21
Barchi VI 27 AD 8
Barcis PN 15 AK 6
Barco BS 38 U 11
Barco FI 81 AD 19
Barco LC 23 R 8
Barco MI 36 O 11
Barco MS 78 U 18
Barco PN 29 AL 9
Barco RE 65 X 15
Barco RG 204 AW 62
Barco TN 26 AB 6
Barco TN 27 AD 7
Barco TV 28 AI 9
Barco VI 41 AE 9
Barco VR 40 AC 10
Barcola TS 45 AR 9
Barcon TV 42 AH 9
Barcuzzi BS 39 X 11
Bard AO 33 H 10
Bardalone PT 79 AA 19
Bardano CS 170 BF 48
Bardano TR 105 AH 27
Bardassano TO 48 I 13
Bardella AT 48 I 13
Bardelle CR 53 V 13
Bardelle MN 54 AA 13
Bardello VA 22 N 8
Bardi PR 64 T 16
Bardine MS 78 V 19
Bardineto SV 74 J 18
Bardino Nuovo SV 74 K 18
Bardino Vecchio SV 74 K 18
Bardolino VR 39 Z 10
Bardone PR 65 V 16
Bardonecchia TO 46 B 13
Bardonetto TO 33 F 11
Bardoney AO 33 F 10
Bardosu NU 213 O 42
Barega CI 224 M 48
Bareggio MI 36 O 11
Barello TO 47 G 12
Barengo NO 35 M 10
Barengo TO 48 I 12
Baresi BG 24 T 8
Baressa OR 221 O 45
Barete AQ 115 AO 29
Bareto FC 88 AI 20
Barga LU 79 X 19
Bargagli GE 76 P 17
Bargana MS 78 V 19
Bargano LO 51 R 12
Barge CN 59 E 15
Bargecchia LU 84 W 20
Bargecchia LU 79 X 19
Bargellino BO 67 AC 16
Barghe BS 39 X 9
Bargi BO 80 AB 19
Bargi PT 86 AA 20
Bargino FI 86 AC 22
Bargnana BS 38 V 10
Bargnano BS 38 V 11
Bargni PU 90 AM 21
Bargone GE 77 R 18
Bari BA 146 BK 37
Bari Sardo OG 219 S 44
Bariano BG 37 T 10
Bariano RO 55 AC 13
Baricella BO 67 AE 16
Baricetta RO 56 AG 13
Barigazzo MO 79 Y 18
Barile PZ 144 BD 38
Barisano FC 82 AH 18
Barisciano AQ 115 AQ 30
Barisello MS 78 V 18
Barisoni OG 223 S 46
Barlassina MB 36 P 10
Barletta BT 136 BG 36
Barliard AO 19 E 8
Barmasso AO 34 H 9
Barna CO 23 Q 7
Barni CO 23 Q 8
Barnico BS 39 X 9
Baroli CN 60 I 15
Barolo CN 60 I 16
Barona MI 36 Q 11
Barona PV 51 Q 12
Baroncino SA 152 AY 40
Barone PA 184 AO 55
Barone RC 178 BE 56
Barone TE 115 AR 28
Barone Canavese TO 48 I 12
Baroni TO 47 D 13
Baronissi SA 151 AX 39
Barquedo NO 35 L 9
Barra NA 150 AU 38
Barrabisa OT 207 Q 36
Barrafranca EN 194 AU 59
Barrali CA 221 P 47
Barranco PZ 164 BF 44
Barrancu Mannu CI 225 N 49
Barrata PZ 154 BD 39
Barrea AQ 131 AS 33
Barri PG 106 AL 26
Barriera TV 28 AI 8
Barrittieri RC 176 BE 54
Barrua CI 225 N 49
Barrucchella TV 42 AI 9
Bartesate LC 23 R 9
Bartoli LU 85 X 20
Baruccana MI 36 Q 10
Baruccio AN 97 AL 23
Baruchella RO 55 AD 13
Baruchella RO 56 AF 14
Baruffini SO 10 W 6
Barullo AR 95 AG 24
Barumini VS 221 P 45
Barussa BS 38 U 11
Barza VA 35 M 9
Barzago LC 37 Q 9
Barzaniga CR 52 U 12
Barzanò LC 37 Q 9
Barzesto BG 24 V 7
Barzio LC 23 R 8
Barzizza BG 24 U 9
Barzola VA 35 M 9
Barzona VB 20 J 8
Basagliapenta UD 30 AN 8
Basaldella PN 29 AL 7
Basaldella UD 30 AO 7
Basalghelle TV 29 AK 8
Basalica BS 39 X 11
Basaluzzo AL 62 N 15
Basanello AQ 114 AO 29
Bascapè PV 51 Q 12
Baschi TR 105 AI 27
Bascianella TE 115 AR 28
Basciano SI 94 AC 23
Basciano TE 108 AR 28
Bascio PU 88 AI 21
Bascus Argius CA 226 O 48
Basedo PN 29 AL 8
Baseglia PN 30 AM 7
Baseleone BN 133 AY 36
Baselga TN 12 AA 5
Baselga TN 26 AB 7
Baselga di Pinè TN 26 AC 7
Baselica PC 52 S 14
Baselica PR 64 U 16
Baselica PV 51 P 12
Baselica PV 51 Q 13
Baselicaduce PC 52 U 14
Baselice BN 133 AY 35
Basella BG 37 T 10
Basetti LU 85 Z 20
Basiago RA 82 AG 18
Basiano MI 37 R 10
Basiasco LO 52 S 12
Basicò ME 188 AZ 55
Basiglio MI 51 P 11
Basile CZ 175 BI 51
Basiliano UD 30 AN 7
Basilicagoiano PR 65 X 15
Basilicanova PR 65 X 15
Baslan BZ 12 AB 4
Basoia PN 15 AK 6
Basovizza TS 45 AS 10
Bassa CN 60 I 16
Bassa FI 86 AA 21
Bassa PR 65 W 16
Bassa VR 40 AA 10
Bassa di Mai PR 53 V 14
Bassacutena OT 210 Q 37
Bassana VR 39 Y 11
Bassanega BS 26 Z 9
Bassanico SV 73 J 19
Bassano AN 97 AM 24
Bassano VA 22 N 7
Bassano Bresciano BS 53 V 12
Bassano del Grappa VI 27 AF 9
Bassano in Teverina VT 113 AI 29
Bassano Romano VT 112 AI 30
Basse di Caldana GR 103 AA 26
Bassi SV 74 L 18
Bassiano LT 129 AN 34
Bassiello AV 142 AZ 36
Bassignana AL 50 N 13
Basso CS 170 BG 48
Basso Fadalto TV 29 AI 7
Bassone MS 77 U 17
Bassone VR 40 AA 11
Bastardo PG 106 AK 26
Bastelli PR 65 V 14
Bastia AN 97 AL 23
Bastia BL 29 AJ 7
Bastia FG 143 BB 37
Bastia MN 54 AB 13
Bastia MS 78 V 18
Bastia PC 52 S 13
Bastia PD 41 AE 11
Bastia PG 106 AK 25
Bastia PR 78 V 17
Bastia SV 73 K 19
Bastia TO 46 D 13
Bastia VC 35 K 11
Bastia VI 27 AF 8
Bastia Mondovì CN 71 I 17
Bastianello ME 189 BA 56
Bastida de' Dossi PV 50 O 13
Bastida Pancarana PV 51 P 13
Bastiglia MO 66 AA 15
Bastiglia MO 55 AB 14
Bastiola PG 106 AK 25
Bastione ME 188 BA 54
Bastioni di Malta CZ 174 BG 50
Bastita CN 59 G 17
Basto TE 108 AQ 27
Bastonaca RG 202 AW 61
Bastremoli SP 77 U 19
Batano LU 85 Y 20
Batignano GR 103 AC 26
Batiola ME 188 AY 55
Battaglia PA 185 AQ 55
Battaglia SA 163 BC 43
Battaglia TE 108 AQ 27
Battaglia TP 183 AL 55
Battaglia UD 30 AN 7
Battaglia VR 40 AA 11
Battaglia Terme PD 56 AF 12
Battagliosi AL 62 M 16
Battaias PN 16 AM 6
Battifarano PZ 164 BG 43
Battiferro TR 113 AL 28
Battifolle AR 87 AF 21
Battifolle AR 95 AF 23
Battifollo AR 95 AG 24
Battifollo CN 74 J 18
Battiloro FI 87 AD 20
Battipaglia SA 152 AY 40
Battista OT 210 R 39
Battistei PD 41 AF 9
Battistella RM 119 AH 31
Battistini PD 41 AF 10
Battuda PV 51 P 12
Bau VS 220 L 47
Baucca PG 96 AI 23
Baucche VT 113 AJ 29
Baucina PA 185 AQ 56
Baudenasca TO 59 F 14
Bauducchi TO 48 H 14
Bauglione PE 116 AS 29
Bauladu OR 217 N 43
Baunei OG 219 T 43
Baura FE 68 AF 14
Bausone TO 48 I 13
Baussan TO 59 E 15
Bava CN 72 I 19
Bavantore AL 62 O 15
Bavantorino AL 62 O 15
Bavareto MC 97 AM 25
Bavari GE 76 P 17
Bavastrelli GE 63 Q 16
Bavastri GE 63 Q 16
Baveno VB 21 M 8
Baver TV 29 AJ 8
Baveria TV 28 AI 9
Bavorosso TR 105 AH 26
Bazza MN 54 AA 12
Bazzana AT 61 L 15
Bazzanella MI 36 P 11
Bazzano AQ 115 AP 29
Bazzano BO 67 AB 16
Bazzano MC 107 AN 25
Bazzano PR 65 X 16
Bazzano Inf. PG 106 AL 27
Bazzano Sup. PG 106 AL 27
Bazzari PC 63 R 14
Bazzoffie IS 132 AU 34
Beano UD 30 AN 8
Beatrice AV 142 AY 37
Beaulard TO 46 B 13
Beaume TO 46 B 13
Beazzone VR 55 AC 12
Bebbe VE 57 AI 13
Bebbio RE 79 Y 17
Beccacivetta VR 54 AA 11
Beccalzù PV 51 R 12
Becetto CN 59 E 16
Bedero Valcuvia VA 22 N 8
Bedero Valtravaglia VA 22 N 8
Bedizzano MS 78 V 19
Bedizzole BS 39 X 10
Bedoglio SO 10 U 6
Bedolina SO 9 R 6
Bedollo TN 27 AC 7
Bedonia PR 64 S 16
Bedulita BG 23 S 9
Beduzzo PR 65 W 16
Bee VB 21 M 8
Befaro TE 115 AR 28
Beffi AQ 115 AR 30
Begaro GE 76 O 17
Begliano GO 31 AP 9
Begosso VR 55 AD 13
Begozzo MN 54 Z 14
Begozzo PR 65 W 16
Beinasco TO 47 G 13
Beinette CN 71 G 17
Beivars UD 30 AO 7
Belardo ME 188 BA 55
Belbrolo MN 54 Z 12
Belcastro CZ 172 BJ 49
Belcolle VT 112 AH 29
Belereda PV 50 O 12
Belfiore PG 106 AL 26
Belfiore VE 29 AL 9
Belfiore VR 40 AC 11
Belfiore VR 55 AC 12
Belfiore VR 55 AC 13
Belfiore VR 55 AD 12
Belforte MN 54 Y 13
Belforte PG 107 AM 26
Belforte PR 64 U 16
Belforte PU 89 AJ 21
Belforte SI 93 AB 24
Belforte del Chienti MC 98 AO 25
Belforte Monferrato AL 62 N 16
Belgiardino TV 42 AI 9
Belgioioso PV 51 Q 13
Belgirate VB 21 M 8
Belgrado UD 30 AM 8
Bella CZ 171 BG 50
Bella PZ 153 BC 39
Bella Farnia LT 138 AM 35
Bella Venezia TV 42 AG 9
Bellacera PA 185 AQ 55
Belladonna CZ 175 BI 50
Bellagio CO 23 Q 8
Bellaguarda MN 54 Y 14
Bellaguarda MN 54 Z 13
Bellaluce PU 89 AL 22
Bellamonte TN 13 AE 6
Bellano LC 23 Q 7
Bellante TE 109 AR 27
Bellàntone RC 176 BF 53
Bellaria AL 62 N 15
Bellaria MN 53 X 12
Bellaria MO 66 AA 14
Bellaria MO 66 AA 16
Bellaria PR 64 T 15
Bellaria PU 89 AK 22
Bellaria RE 66 Z 15
Bellaria RN 83 AJ 19
Bellaria SI 104 AE 25
Bellariva RN 83 AK 19
Bellasola PR 78 V 17
Bellavalle PT 80 AA 19
Bellavista AR 95 AE 23
Bellavista BZ 13 AE 4
Bellavista GR 103 AA 25
Bellavista GR 103 AB 27
Bellavista LI 92 X 22
Bellavista RM 129 AK 34
Bellavista SI 94 AB 23
Bellecombe AO 33 G 9
Bellegra RM 120 AN 32
Bellena PR 65 W 14
Bellevere VR 55 AB 12
Bellini PC 64 T 15
Bellinzago Lombardo MI 37 R 10
Bellinzago Novarese NO 35 M 10
Bellisio Alto PU 97 AL 22
Bellisio Solfare PU 97 AL 22
Bellissimi IM 72 I 20
Bellizzi SA 152 AY 40
Bellizzi Irpino AV 151 AX 38
Belloca PU 89 AL 21
Belloca VR 40 AC 10
Bellocchi PU 90 AM 21
Bellocozzo RG 204 AY 62
Bellolampo PA 184 AO 55
Bellombra RO 56 AH 13
Bellona CE 141 AU 37
Belloni CN 59 E 17
Bellori VR 40 AA 10
Bellosguardo SA 153 BA 41
Bellotti BL 27 AF 7
Bellugello PG 96 AK 24
Belluno BL 28 AI 7

BARI

Amendola (V. Giovanni) DZ 3
Battisti (Pza Cesare) CDZ 5
Carmine (Strada del) DY 15
Cavour (Cso) DYZ
Cognetti (V. Salvatore) DY 17
Crociate (Strada delle) DY 22
De Cesare (V. Raffaele) DZ 24
De Giosa (V.) DZ 26
Diaz (Pza Armando) DY 28
Federico II (Pza) CY 30
Ferrarese (Pza del) DY 32
Fragigena (Rua) DY 35
Gimma (V. Abate) CDY 39
Isabella d'Aragona (Giardini) CY 41
Latilla (V.) CY 43
Luigi di Savoia (Pza) DZ 44
Martinez (Strada) DY 48
Massari (Pza G.) CY 49
Mercantile (Pza) DY 51
Odegitria (Pza dell') CDY 54
Petroni (V. Prospero) DZ 62
Piccini (V.) CY
Putignani (V.) CDYZ 65
Salandra (Viale) CZ 69
Sonnino (Cso Sidney) DZ 75
Sparano (V.) DYZ 76
S. Francesco d'Assisi (V.) CY 70
S. Marco (Strada) DY 72
S. Pietro (Pza) DY 74
Unità d'Italia (V.) DZ 78
Venezia (V.) DY 80
Vittorio Emanuele II (Cso) CDY 82
Zuppetta (V. Luigi) DZ 83
20 Settembre (Ponte) DZ 85
24 Maggio (V.) DY 86

Cathedrale DY B

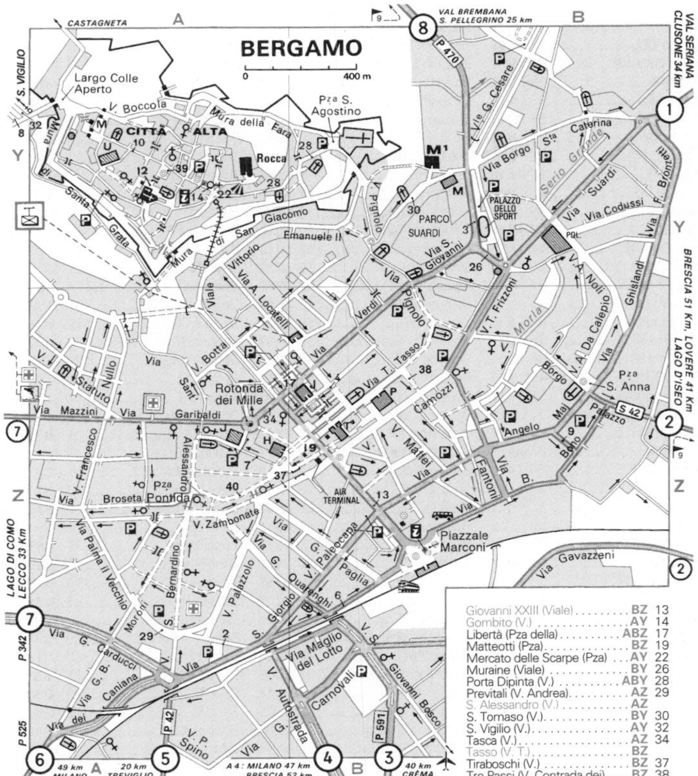
BERGAMO
CITTÀ ALTA
Rocca
Largo Colle Aperto
Pza S. Agostino
PARCO SUARDI
PALAZZO DELLO SPORT
Rotonda dei Mille
AIR TERMINAL
Piazzale Marconi
VAL BREMBANA S. PELLEGRINO 25 km
VAL SERIANA CLUSONE 34 km
BRESCIA 51 Km LOVERE 41 Km LAGO D'ISEO
LAGO DI COMO LECCO 33 Km
A 4 : MILANO 47 km BRESCIA 52 km
40 km CREMA
20 km TREVIGLIO
49 km MILANO

Baschenis (V. Evaristo) ...... AZ 2
Battisti (V. C.) ...... BY 3
Belotti (Largo Bortolo) ...... BZ 4
Bonomelli (V. G.) ...... BZ 6
Borfuro (V.) ...... AZ 7
Borgo Canale (V.) ...... AY 8
Brembate (V. P. da) ...... BZ 9
Camozzi (V.) ...... BZ
Colleoni (V.) ...... AY 10
Duomo (Pza del) ...... AY 12
Giovanni XXIII (Viale) ...... BZ 13
Gombito (V.) ...... AY 14
Libertà (Pza della) ...... ABZ 17
Matteotti (Pza) ...... BZ 19
Mercato delle Scarpe (Pza) ...... AY 22
Muraine (Viale) ...... BY 26
Porta Dipinta (V.) ...... ABY 28
Previtali (V. Andrea) ...... AZ 29
S. Alessandro (V.) ...... AZ
S. Tomaso (V.) ...... BY 30
S. Vigilio (V.) ...... AY 32
Tasca (V.) ...... AZ 34
Tasso (V. T.) ...... BZ
Tiraboschi (V.) ...... BZ 37
Tre Passi (V. Contrada dei) ...... BZ 38
Vecchia (Pza) ...... AY 39
20 Settembre (V.) ...... AZ 40

Accademia Carrara .... BY M^1

Belluno Veronese **VR** 40 AA 9
Bellusco **MB** 37 R 10
Belmonte **FI** 81 AD 18
Belmonte Calabro **CS** 170 BF 49
Belmonte Castello **FR** 131 AR 34
Belmonte del Sannio **IS** 123 AV 33
Belmonte in Sabina **RI** 114 AM 30
Belmonte Mezzagno **PA** 184 AP 55
Belmonte Piceno **FM** 98 AQ 25
Belpasso **CT** 197 AY 58
Belpiano **GE** 76 R 17
Belprato **BS** 39 X 9
Belprato /Schonau **BZ** 3 AB 2
Belricetto **RA** 68 AG 16
Belsedere **SI** 95 AE 24
Belsito **CS** 171 BG 48
Beltiglio **BN** 142 AX 37
Belvedere **AN** 97 AM 24
Belvedere **BL** 28 AG 7
Belvedere **BL** 28 AH 7
Belvedere **BO** 80 AB 19
Belvedere **BO** 67 AD 15
Belvedere **BO** 81 AD 18
Belvedere **BS** 38 V 10
Belvedere **BS** 39 X 10
Belvedere **BS** 39 Y 11
Belvedere **FE** 57 AH 14
Belvedere **GE** 77 R 17
Belvedere **GR** 103 AB 25
Belvedere **GR** 104 AE 27
Belvedere **LI** 102 Z 25
Belvedere **ME** 188 AZ 55
Belvedere **MN** 54 Y 12
Belvedere **MN** 53 Y 13
Belvedere **MN** 54 Z 12
Belvedere **MN** 54 Z 12
Belvedere **MO** 66 AA 14
Belvedere **NA** 151 AV 40
Belvedere **PC** 52 S 13
Belvedere **PC** 52 U 14
Belvedere **PG** 96 AI 23
Belvedere **PG** 97 AK 23
Belvedere **PG** 96 AK 24
Belvedere **PG** 106 AK 27
Belvedere **PG** 106 AL 28
Belvedere **PN** 30 AM 8
Belvedere **PU** 89 AL 21
Belvedere **PV** 51 Q 13
Belvedere **RE** 65 Y 15
Belvedere **RM** 119 AK 31
Belvedere **RM** 120 AL 33
Belvedere **SA** 152 AY 39
Belvedere **SA** 162 BA 43
Belvedere **SA** 153 BB 40
Belvedere **SI** 104 AE 26
Belvedere **SR** 203 BA 61
Belvedere **TN** 26 AB 7
Belvedere **TR** 105 AG 26
Belvedere **TV** 42 AH 9
Belvedere **UD** 31 AP 9
Belvedere **VA** 36 O 9
Belvedere **VI** 41 AF 9
Belvedere **VR** 55 AD 13
Belvedere di Spinello **KR** 172 BK 48
Belvedere di Statto **PC** 64 S 14
Belvedere Fogliense **PU** 89 AL 20
Belvedere Langhe **CN** 60 I 17
Belvedere Marittimo **CS** 166 BE 46
Belvedere Ostrense **AN** 90 AN 22
Belvedere
Piano Tavola **CT** 197 AY 58
Belveglio **AT** 61 K 15
Belvì **NU** 218 Q 44
Belvigrate **LO** 52 S 12
Bema **SO** 23 S 7
Benabbio **LU** 85 Y 20
Benano **TR** 105 AH 27
Bene Lario **CO** 22 Q 7
Bene Vagienna **CN** 60 H 16
Beneceto **PR** 65 X 15
Benedello **MO** 79 AA 17
Benestare **RC** 179 BF 54
Benetutti **SS** 214 Q 41
Benevello **CN** 61 J 16
Benevento **BN** 142 AX 37
Benevento **FC** 82 AH 19
Beniamino Gigli **MC** 99 AQ 23
Benincasa **SA** 151 AX 39
Benna **BI** 34 J 10
Benna **VC** 34 K 11
Benne **TO** 47 G 12
Benne **TO** 59 G 15
Benot **TO** 47 E 12
Bentivoglio **BO** 42 AD 16
Bentivoglio **RO** 55 AE 14
Benvenuto **AV** 142 AZ 36
Benvignante **FE** 68 AF 15
Benzi **AL** 61 M 16
Beorchia **PN** 29 AK 7
Berana **BS** 39 X 10
Berardelli **RI** 113 AK 29
Berardinone **FG** 134 BA 35
Berbaro **TP** 190 AJ 57
Berbenno **BG** 23 S 9
Berbenno di Valtellina **SO** 24 T 6
Berceto **PR** 64 U 16
Berchidda **NU** 215 T 41
Berchidda **OT** 210 P 39
Berchiddeddu **OT** 210 R 39
Berchiotto **TO** 33 G 11
Berda **UD** 31 AQ 7
Berdia Nuova **RG** 204 AV 62
Beregazzo **CO** 36 O 9
Bereguardo **PV** 50 P 12
Berenzi **MN** 53 X 12
Bergagiolo **AL** 61 L 16
Bergalla **SV** 73 J 19
Bergamasco **AL** 61 L 15
Bergamo **BG** 37 T 9
Bergantino **AL** 49 L 13
Bergantino **RO** 55 AC 13
Bergassana **SP** 77 T 18
Bergazzi **PR** 64 T 16
Bergeggi **SV** 75 L 18
Bergemoletto **CN** 70 E 18
Bergeretti **TO** 47 E 13
Bergia **CN** 70 F 17
Bergiola Maggiore **MS** 78 V 19
Bergoglio **CN** 60 I 15
Bergogno **RE** 65 X 16
Bergolo **CN** 61 K 16
Bergoro **VA** 36 O 9
Bergotto **PR** 64 U 16
Berguarina **RO** 55 AD 13
Bergugliara **MS** 77 T 17
Bergullo **BO** 81 AF 18
Berlasco **PC** 51 R 13
Berleta **FC** 87 AG 20
Berlinghetto **BS** 38 V 10
Berlingo **BS** 38 V 10
Berlini **PR** 64 T 16
Bernagallo **RC** 177 BG 54
Bernalda **MT** 156 BJ 41
Bernarda **RO** 56 AE 13
Bernardella **AP** 108 AQ 26
Bernardi **BL** 27 AF 8
Bernardi **VI** 40 AC 9
Bernardi **VR** 40 AB 10
Bernardotto **VE** 30 AL 9
Bernareggio **MB** 37 R 10
Bernate **CO** 36 P 9
Bernate **VA** 35 N 9
Bernate Ticino **MI** 36 N 11
Bernezzo **CN** 71 F 17
Bernolda **RE** 66 Z 14
Bernuffi **VI** 41 AD 10
Beroide **PG** 106 AL 27
Berra **FE** 56 AG 14
Berri **CN** 60 I 16
Berriaz **AO** 33 H 9
Berrioli **SV** 74 J 19
Berroni **AL** 49 L 13
Berruiles **NU** 211 S 39
Bersagliera **BO** 80 AB 17
Bersani **PC** 64 T 15
Bersano **PC** 52 V 14
Bersezio **CN** 70 C 17
Bersia **CN** 59 E 16
Bersone **TN** 25 Y 8
Bertassi **TO** 47 F 13
Berteri **CN** 60 I 15
Bertesina **VI** 41 AE 10
Bertesseno **TO** 47 F 12
Berthod **AO** 33 F 9
Berti Bassi **VI** 41 AD 10
Bertigaro **GE** 76 R 17
Bertigo **VI** 27 AE 8
Bertine **AR** 95 AH 22
Bertinoro **FC** 82 AH 19
Bertiolo **UD** 30 AN 8
Bertipaglia **PD** 56 AG 12
Bertocchi **MO** 80 AA 18
Bertoglia **AT** 49 L 14
Bertoldi **TN** 27 AC 8
Bertolini Soprani **CN** 71 H 18
Bertolini Sottani **CN** 71 H 17
Bertonazzi **PR** 64 T 16
Bertoncello **PD** 42 AG 10
Bertone **MN** 54 Z 12
Bertoneria **TV** 42 AH 10
Bertonico **LO** 52 T 12
Bertorella **PR** 64 T 17
Bertuccia **SR** 203 AZ 59
Berzano di San Pietro **AT** 48 I 13
Berzano di Tortona **AL** 62 O 14
Berzantina **BO** 80 AB 19
Berzi **IM** 72 H 20
Berzieri **PR** 64 U 15
Berzin **AO** 19 G 9
Berzo **BS** 25 X 7
Berzo Inf. **BS** 25 W 8
Berzo San Fermo **BG** 38 U 9
Bes **BL** 28 AH 7
Besagno **TN** 26 AA 8
Besana in Brianza **MB** 36 Q 9
Besanigo **RN** 89 AK 20
Besano **VA** 22 O 8
Besate **MI** 50 O 12
Besenello **TN** 26 AB 8
Besenzano al Serio **BG** 37 T 9
Besenzone **PC** 52 U 14
Besnate **VA** 35 N 9
Besozzo **VA** 21 N 8
Besse **TO** 46 C 14
Bessica **TV** 41 AG 9
Bessimo **BS** 24 V 8
Bessude **SS** 213 N 40
Bestagno **IM** 73 J 20
Bestazzo **MI** 36 P 11
Betlemme **TO** 48 I 12
Bettafilava **RG** 204 AX 62
Bettale **VI** 26 AC 9
Bette **SO** 9 R 6
Bettegno **BS** 53 V 12
Bettenesco **CR** 52 V 12
Bettola **BL** 27 AF 7
Bettola **BS** 39 X 11
Bettola **MI** 50 P 12
Bettola **MI** 37 Q 11
Bettola **MI** 37 R 10
Bettola **MO** 66 AA 15
Bettola **MS** 78 U 18
Bettola **PC** 64 S 15
Bettola **RE** 65 Y 16
Bettola **VB** 21 L 8
Bettola **VC** 21 K 9
Bettola **VR** 40 AB 10
Bettole **AL** 62 O 15
Bettole **BG** 37 T 10
Bettole **BS** 38 V 10
Bettole **BS** 38 W 11
Bettole **VC** 35 K 9
Bettole di Pozzolo **AL** 62 N 15
Bettolelle **AN** 90 AO 22
Bettoletto **BS** 39 X 10
Bettolino **BS** 38 V 10
Bettolino **BS** 38 V 10
Bettolino **BS** 25 W 7
Bettolino **CO** 36 Q 9
Bettolino **MI** 37 R 10
Bettolino **MO** 66 AA 17
Bettolino **PV** 50 O 13
Bettolino **RE** 66 Z 14
Bettolle **SI** 95 AF 24
Bettona **PG** 106 AJ 25
Bettuno **BG** 24 U 8
Beura **VB** 7 K 7
Bevadoro **PD** 41 AF 10
Bevagna **PG** 106 AK 26
Bevalle / Pievalle **BZ** 13 AE 5
Bevazzana **VE** 44 AN 9
Bevera **IM** 72 G 21
Bevera **LC** 37 R 9
Beverara **MN** 53 X 12
Beverare **RO** 56 AG 13
Beverate **LC** 37 R 9
Beverino **SP** 77 T 18
Beverone **SP** 77 T 18
Bevia **TN** 12 AA 5
Bevilacqua **FE** 67 AC 15
Bevilacqua **VR** 55 AD 12
Bevola **VB** 7 K 6
Bezze **PR** 53 X 14
Bezzecca **TN** 25 Z 8
Bezzetti **MN** 54 Y 11
Bezzo **SV** 73 J 19
Biacesa **TN** 26 Z 8
Biacis **UD** 31 AP 7
Biadene **TV** 28 AH 9
Biagasco **AL** 63 P 14
Biagi **MC** 98 AO 24
Biagioni **BO** 80 AA 19
Biagioni **LU** 85 Z 21
Biana **PC** 64 S 15
Biancacamicia **SI** 104 AF 25
Biancade **TV** 42 AJ 10
Biancalana **PU** 88 AJ 22
Biancanigo **RA** 81 AF 18
Biancano **BN** 141 AV 37
Biancareddu **SS** 208 K 39
Biancavilla **CT** 195 AY 58
Bianche **CN** 74 I 18
Bianchi **AT** 48 I 14
Bianchi **CN** 59 E 16
Bianchi **CS** 171 BH 49
Bianchi **PR** 64 T 16
Bianchi **SO** 10 U 6
Bianchi **SV** 74 K 18
Bianchi **TV** 42 AI 10
Bianco **BI** 34 J 10
Bianco **PD** 56 AG 12
Bianco **RC** 179 BF 55
Bianco Vecchio **RC** 179 BF 55
Biancolidda **TP** 190 AK 57
Bianconese **PR** 65 W 14
Biandrate **NO** 35 L 11
Biandronno **VA** 22 N 9
Bianica **BG** 38 V 9
Bianzano **BG** 38 U 9
Bianzé **VC** 49 J 12
Bianzone **SO** 24 V 6
Biassa **SP** 77 T 19
Biassono **MB** 36 Q 10
Biauzzo **UD** 30 AM 8
Biaxi **OT** 211 S 39
Bibano **TV** 29 AJ 8
Bibbiana **FI** 81 AE 19
Bibbiano **AR** 87 AF 22
Bibbiano **FI** 87 AD 21
Bibbiano **RE** 65 X 16
Bibbiano **SI** 93 AB 23
Bibbiano **SI** 94 AD 25
Bibbiena **AR** 87 AF 21
Bibbona **LI** 92 Y 24
Bibiana **TO** 59 E 15
Bibione **VE** 44 AN 10
Bibione Pineda **VE** 44 AN 10
Bibola **MS** 78 U 18
Bibulano **BO** 80 AC 18
Biccari **FG** 134 BA 35
Bicchiere di Sopra **PT** 79 Z 19
Bicciano **AR** 87 AF 22
Biceghi **VI** 40 AC 10
Bichl / Colle **BZ** 3 AC 2
Biciccera **VA** 36 O 9
Bicinicco **UD** 30 AO 8
Bicocca **BZ** 4 AG 4
Bicocca **CT** 197 AZ 59
Bicocca **NO** 35 M 11
Bicocca **TO** 59 F 14
Bidasio **TV** 28 AI 9
Biddemi **RG** 204 AW 63
Bidonì **OR** 217 O 43
Biecina **LU** 85 Y 20
Biegno **VA** 22 N 7
Biel **AO** 33 H 10
Bielciuken **AO** 34 I 9
Biella **BI** 34 J 10
Biellese **TO** 47 F 13
Bielmonte **BI** 34 J 10
Bienate **MI** 36 N 10
Bienca **TO** 34 I 10
Bienno **BS** 25 W 8
Bieno **TN** 27 AE 7
Bieno **VB** 21 M 8
Bientina **PI** 85 Y 21
Bier **PN** 15 AL 6
Bierno **SV** 74 K 18
Biettole **VE** 42 AH 11
Biforco **AR** 88 AG 21
Biforco **FI** 81 AE 19
Bigarello **MN** 54 AA 12
Bigini **CL** 193 AS 59
Biglio **MS** 78 U 17
Bigolina **VI** 41 AE 10
Bigolino **TV** 28 AH 8
Bigurro **AR** 95 AG 24
Bilegno **PC** 51 R 14
Bilgalzu **OT** 210 P 39
Biliemme **VC** 49 L 12
Billerio **UD** 16 AO 6
Binago **CO** 36 O 9
Binanuova **CR** 53 W 12
Binasco **MI** 51 P 12
Bindo **LC** 23 R 7
Bindua **CI** 224 L 48
Binetto **BA** 146 BJ 37
Bingia Manna **CI** 224 M 48
Binio **TN** 26 Z 7
Binzago **BS** 39 X 10
Binzago **MI** 36 P 10
Binzamanna **SS** 213 N 40
Bioc **BZ** 4 AG 4
Biodola **LI** 100 W 27
Bioglio **BI** 34 J 10
Bioley **TO** 33 H 10
Biolla **BI** 34 K 9
Biolo **SO** 23 S 6
Bionaz **AO** 19 F 8
Bionde di Visegna **VR** 55 AB 12
Biondi **AP** 108 AR 25
Bionzo **AT** 61 K 15
Birago **MI** 36 P 10
Birandola **RA** 82 AG 18
Birbesi **MN** 54 Y 12
Birchabruck /
Ponte Nova **BZ** 13 AD 5
Birgalavò **NU** 211 T 39
Birgi Novo **TP** 182 AJ 56
Birgi Vecchi **TP** 182 AJ 56
Birori **NU** 213 N 42
Birti **BZ** 13 AC 5
Bisaccia **AV** 143 BB 37
Bisaccia Nuova **AV** 143 BB 37
Bisacquino **PA** 192 AO 57
Bisano **BO** 81 AD 18
Bisanti-Fortinelli **CE** 131 AS 36
Biscaccia **GE** 75 N 17
Bisceglie **BT** 137 BI 36
Bisciarello **FR** 131 AQ 34
Biscina **PG** 97 AK 24
Biscina **PU** 89 AL 22
Bisciola **VE** 29 AL 9
Biscione **TP** 190 AJ 57
Bisdonio **TO** 33 G 11
Biselli **PG** 107 AM 27
Bisenti **TE** 116 AR 28
Bisentrate **MI** 37 R 11
Bisenzio **BS** 39 X 9
Biserno **FC** 87 AG 20
Bisignano **AP** 108 AP 26
Bisignano **CS** 167 BG 46
Bisio **MC** 107 AO 25
Bisnate **LO** 37 R 11
Bisone **BG** 37 R 9
Bisous **AO** 19 H 9
Bissoggio **VB** 7 K 7
Bissone **PV** 51 R 13
Bistagno **AL** 61 L 16
Bistrigna **GO** 31 AQ 9
Bisuschio **VA** 22 O 8
Bitetto **BA** 146 BJ 37
Bitonto **BA** 146 BJ 37
Bitritto **BA** 146 BJ 37
Bitti **NU** 214 R 41
Bivai **BL** 28 AH 7
Biverone **VE** 43 AL 9
Bivieri **VV** 177 BG 52
Bivigliano **FI** 86 AC 20
Bivio **FR** 131 AR 33
Bivio **SA** 153 BA 40

Bivio *TN* ..... 13 AD 6
Bivio Acquarella-Ponte *SA* . 162 AZ 42
Bivio Arsita *TE* ..... 116 AR 28
Bivio Avena O Vuccale *CS* . 164 BE 44
Bivio Bonacci *CZ* ..... 171 BH 49
Bivio Cascinare *AP* ..... 99 AR 24
Bivio Casone *PE* ..... 116 AT 29
Bivio Cioffi *SA* ..... 152 AY 40
Bivio Colonnetta *RM* ..... 120 AL 31
Bivio Corropoli *TE* ..... 109 AS 27
Bivio Coseat *UD* ..... 30 AM 8
Bivio Costa *VI* ..... 41 AE 9
Bivio Cupoli *PE* ..... 116 AS 29
Bivio di Albidona *CS* ..... 165 BI 44
Bivio di Cantagallo *MC* ..... 98 AO 24
Bivio di Capanelle *RM* ..... 119 AK 31
Bivio di Formello *RM* ..... 119 AJ 31
Bivio di Ravi *GR* ..... 103 AA 26
Bivio Gallo *MC* ..... 108 AP 25
Bivio Giustimana *AP* ..... 108 AP 27
Bivio Jannarello *CT* ..... 202 AY 59
Bivio Montalto *CS* ..... 167 BG 47
Bivio Montegelli *FC* ..... 82 AI 19
Bivio Mortola *CE* ..... 131 AS 35
Bivio Moscardini *PG* ..... 106 AK 26
Bivio Regina *CS* ..... 167 BF 47
Bivio San Polo *RM* ..... 120 AL 32
Bivio San Vito *SA* ..... 152 AY 40
Bivio Santa Cecilia *SA* ..... 152 AZ 40
Bivio Strada Vecchia *AP* .. 99 AR 24
Bivio-Pratole *SA* ..... 152 AY 40
Bivona *AG* ..... 192 AP 58
Bivona *VV* ..... 174 BF 51
Bivongi *RC* ..... 177 BH 53
Bizzarone *CO* ..... 22 O 8
Bizzarria *TO* ..... 47 G 13
Bizzi *PG* ..... 96 AI 23
Bizzozero *VA* ..... 22 O 9
Bizzuno *RA* ..... 68 AG 17
Blandano *CT* ..... 197 AZ 58
Blandri *SV* ..... 61 K 17
Blangetti *CN* ..... 71 H 17
Blaschi I *PA* ..... 185 AP 55
Blaschi II *PA* ..... 185 AP 55
Blaschi III *PA* ..... 185 AP 55
Blavy *AO* ..... 33 F 9
Blavy *AO* ..... 19 F 9
Bleggio Inf. *TN* ..... 26 AA 7
Bleggio Sup. *TN* ..... 26 Z 7
Bleia *AO* ..... 34 H 9
Blello *BG* ..... 23 S 9
Blera *VT* ..... 112 AH 30
Blessaglia *VE* ..... 29 AL 9
Blessagno *CO* ..... 22 P 8
Blessano *UD* ..... 30 AN 7
Blevio *CO* ..... 22 P 8
Blocchiera *KR* ..... 173 BK 48
Blockhaus *PE* ..... 116 AT 31
Blufi *PA* ..... 194 AT 57
Blumau /
Prato all'Isarco *BZ* ..... 13 AD 5
Boara *FE* ..... 68 AF 14
Boara Pisani *PD* ..... 56 AF 13
Boarezzo *VA* ..... 22 O 8
Boaria Canella *PD* ..... 55 AD 13
Boaria Guerra *RO* ..... 55 AE 14
Boarie *VR* ..... 40 AC 10
Boario *BG* ..... 24 U 8
Boario Terme *BS* ..... 24 W 8
Boasi *GE* ..... 76 P 17
Bobbiano *PC* ..... 63 R 14
Bobbiate *VA* ..... 22 N 9
Bobbio *PC* ..... 63 R 15
Bobbio Pellice *TO* ..... 58 D 15
Boca *NO* ..... 35 L 9
Bocale *RC* ..... 189 BC 55
Bocca Callalta *TV* ..... 43 AJ 9
Bocca Chiavica *MN* ..... 54 Y 13
Bocca della Selva *BN* ..... 132 AW 35
Bocca di Fiume *LT* ..... 138 AN 35
Bocca di Magra *SP* ..... 78 U 19
Bocca di Piazza *CS* ..... 171 BH 49
Bocca di Serra *TV* ..... 28 AG 8
Bocca di Valle *CH* ..... 116 AU 30
Bocca Fossa *VE* ..... 43 AL 10
Bocca Serriola *PG* ..... 96 AJ 22
Boccadasse *GE* ..... 76 O 17
Boccadiganda *MN* ..... 54 Z 13
Boccaia *LU* ..... 79 X 18
Boccaldo *TN* ..... 26 AB 8
Boccaleone *FE* ..... 68 AF 16
Boccasette *RO* ..... 57 AJ 14
Boccassuolo *MO* ..... 79 Y 18
Boccea *RM* ..... 119 AI 32
Boccheggiano *GR* ..... 103 AB 25
Bocchere *MN* ..... 53 Y 12
Bocchetta D'arbala *VB* ..... 7 K 5
Bocchigliero *CS* ..... 168 BJ 47
Bocchignano *RI* ..... 113 AL 30
Bocchino *AV* ..... 143 AZ 38
Boccia al Mauro *NA* ..... 151 AV 39
Bocciolaro *VC* ..... 21 K 8
Boccioleto *VC* ..... 20 J 9
Bocco *GE* ..... 76 Q 17
Boccolo Dei Tassi *PR* ..... 64 T 15
Boccolo Noce *PC* ..... 64 S 15
Boccon *PD* ..... 56 AE 12
Bocconi *FC* ..... 87 AF 19
Bocenago *TN* ..... 26 Z 7
Boceto *PR* ..... 64 T 17
Boceto *TE* ..... 108 AR 27
Bodeina *TO* ..... 58 D 15
Bodengo *SO* ..... 9 Q 6
Bodigoi *UD* ..... 31 AQ 7
Bodio *VA* ..... 22 N 9
Bodria *PR* ..... 65 W 17
Boesimo *RA* ..... 81 AF 19
Boetti *SV* ..... 74 K 19
Boffalora *PV* ..... 51 Q 13
Boffalora d'Adda *LO* ..... 51 R 11
Boffalora Sopra Ticino *MI* . 36 O 11
Boffetto *SO* ..... 24 U 7
Bogli *PC* ..... 63 Q 16
Bogliaco *BS* ..... 39 Y 9
Bogliano *TO* ..... 47 F 12
Bogliasco *GE* ..... 76 P 17
Boglietto *AT* ..... 61 K 15
Boglio *CN* ..... 74 J 17
Bognanco *VB* ..... 7 K 7
Bognassi *PV* ..... 63 Q 15
Bogogno *NO* ..... 35 M 10
Bogolese *PR* ..... 65 X 14
Boiago *TV* ..... 42 AI 10
Boidi *AT* ..... 61 L 15
Bois de Clin *AO* ..... 32 E 10
Boissano *SV* ..... 73 K 19
Bojano *CB* ..... 132 AV 35
Bojon-Lova *VE* ..... 42 AH 11
Bola *MS* ..... 78 U 18
Bolago *BL* ..... 28 AH 7
Bolago *PZ* ..... 163 BD 43
Bolano *SP* ..... 78 U 18
Bolbeno *TN* ..... 25 Z 7
Bolca *VR* ..... 40 AC 10
Boldara *VE* ..... 30 AM 9
Boldeniga *BS* ..... 38 V 11
Bolella *FC* ..... 83 AJ 18
Bolentina *TN* ..... 12 AA 5
Boleto *VB* ..... 35 L 9
Bolgare *BG* ..... 37 T 10
Bolgheri *LI* ..... 93 Y 24
Bolgheri *PC* ..... 64 S 15
Bolgiano *MI* ..... 36 Q 11
Bolgione *SI* ..... 94 AD 23
Bolla *AT* ..... 49 K 13
Bolladello *VA* ..... 36 O 9
Bolladore *SO* ..... 11 W 6
Bollano *SI* ..... 94 AE 24
Bollari *PA* ..... 185 AP 55
Bollate *MI* ..... 36 P 10
Bollella *BN* ..... 133 AX 35
Bollengo *TO* ..... 34 I 11
Bollone *BS* ..... 39 Y 9
Bologna *BO* ..... 67 AD 16
Bologna *PV* ..... 51 P 12
Bolognana *LU* ..... 79 X 19
Bolognano *AP* ..... 108 AQ 26
Bolognano *PE* ..... 116 AS 30
Bolognano *TN* ..... 26 AA 8
Bolognetta *PA* ..... 185 AP 56
Bolognina *BO* ..... 67 AB 15
Bolognola *MC* ..... 107 AO 25
Bolognola *PV* ..... 51 R 12
Bolotana *NU* ..... 213 O 42
Bolsena *VT* ..... 112 AG 28
Boltiere *BG* ..... 37 S 10
Bolviso *SA* ..... 151 AW 39
Bolzanello *TA* ..... 156 BK 40
Bolzaneto *GE* ..... 76 O 17
Bolzano *PN* ..... 30 AM 8
Bolzano / Bozen *BZ* ..... 13 AD 5
Bolzano Novarese *NO* ..... 35 L 9
Bolzano Vicentino *VI* ..... 41 AE 10
Bolzone *CR* ..... 52 S 11
Bolzonella *PD* ..... 41 AF 10
Bomarzo *VT* ..... 112 AI 29
Bomba *CH* ..... 123 AV 31
Bombiana *BO* ..... 80 AA 18
Bombile *RC* ..... 179 BG 54
Bombone *FI* ..... 87 AD 21
Bomerano *NA* ..... 151 AW 40
Bominaco *AQ* ..... 115 AQ 30
Bompensiere *CL* ..... 193 AR 59
Bompensiero *BS* ..... 52 U 11
Bompietro *PA* ..... 194 AT 57
Bomporto *MO* ..... 66 AB 15
Bonaita *OT* ..... 210 P 38
Bonalaccia-Filetto *LI* ..... 100 W 27
Bonaldo *VR* ..... 55 AD 11
Bonaposta *LI* ..... 92 X 23
Bonarcado *OR* ..... 217 M 43
Bonassai *SS* ..... 212 L 39
Bonassola *SP* ..... 77 S 18
Bonate Sopra *BG* ..... 37 S 9
Bonate Sotto *BG* ..... 37 S 9
Bonaudi *TO* ..... 48 H 12
Bonavia *ME* ..... 188 AY 55
Bonavicina-Borgo *VR* ..... 55 AC 12
Bonavigo *VR* ..... 55 AC 12
Bonavilla *UD* ..... 30 AO 7
Bonavita *ME* ..... 188 AY 55
Bonazza *FI* ..... 86 AC 22
Bonazza *VE* ..... 43 AL 9
Boncellino *RA* ..... 82 AG 17
Boncio *PU* ..... 89 AL 20
Bonconvento *BO* ..... 67 AC 16
Bondanello *MN* ..... 54 AA 14
Bondegno *BS* ..... 25 X 9
Bondeno *FE* ..... 67 AD 14
Bondeno *MN* ..... 54 AA 14
Bondione *BG* ..... 24 V 7
Bondo *BG* ..... 24 U 8
Bondo *TN* ..... 25 Z 8
Bondo Petello *BG* ..... 37 T 9
Bondolo *RE* ..... 79 X 17
Bondone *TN* ..... 25 Y 8
Bondone *TN* ..... 25 Y 9
Bonea *BN* ..... 142 AW 37
Bonefro *CB* ..... 133 AY 33
Boneggio *PG* ..... 106 AJ 25
Bonelli *RO* ..... 69 AJ 14
Bonemerse *CR* ..... 53 V 13
Bonera *VA* ..... 22 N 8
Bonetto *PD* ..... 42 AG 10
Bonetto *TO* ..... 47 E 14
Bonferraro *VR* ..... 54 AB 12
Bonfiglio *TP* ..... 182 AK 55
Bongiovanni *CN* ..... 71 H 17
Boni *BO* ..... 80 AA 19
Boni *VI* ..... 27 AC 9
Bonia I *CS* ..... 168 BI 46
Bonia Ii *CS* ..... 168 BI 46
Bonicozzo-Principato *PA* ..... 186 AT 57
Bonifati *CS* ..... 166 BE 46
Bonina *AL* ..... 49 L 13
Bonini *CN* ..... 60 H 15
Bonirola *MI* ..... 36 P 11
Bonisiolo *TV* ..... 42 AI 10
Bonito *AV* ..... 142 AZ 37
Bonizzo *MN* ..... 55 AC 13
Bonnanaro *SS* ..... 213 N 40
Bonne *AO* ..... 32 D 10
Bono *SS* ..... 214 P 41
Bono *TN* ..... 26 AA 7
Bonomini *VI* ..... 40 AC 9
Bonorva *SS* ..... 213 N 41
Bonsciano *PG* ..... 96 AI 23
Bonvassallo *ME* ..... 188 AZ 56
Bonvicino *CN* ..... 60 J 16
Bonzicco *UD* ..... 30 AM 7
Bonzo *TO* ..... 33 E 11
Bora *FC* ..... 82 AI 19
Bora *RE* ..... 78 W 17
Borassi *AL* ..... 62 P 16
Boratella *FC* ..... 82 AH 19
Borbona *RI* ..... 114 AN 28
Borbone *BS* ..... 38 V 10
Borboruso *CS* ..... 171 BH 49
Borca *VB* ..... 20 I 8
Borca di Cadore *BL* ..... 14 AI 5

BOLOGNA

Amaseo (V. R.) ..... GU 6
Arno (V.) ..... HV 9
Artigiano (V. d.) ..... GU 10
Bandiera (V. I.) ..... FV 12
Barbieri (V. F.) ..... GU 13
Barca (V. d.) ..... FV 15
Battaglia (V. d.) ..... HU 16
Bentivogli (V. G.) ..... GV 19
Beverara (V. della) ..... FU 20
Cadriano (V.) ..... GHU 21
Castiglione (V.) ..... HU 25
Cavazzoni (V. F.) ..... HV 27
Codivilla (V.) ..... GV 31
Colombo (V. C.) ..... FU 34
Coubertin (V. de) ..... FV 36
Dagnini (V. G.) ..... GV 39
Firenze (V.) ..... HV 42
Foscherara (V. d.) ..... GV 43
Gagarin (V. Y.) ..... FU 45
Gandhi (Viale M. K.) ..... FU 49
Marconi (V.) ..... EV 61
Marco Polo
(V.) ..... FU 60
Mario (V. A.) ..... GV 63
Martelli (V. T.) ..... HV 66
Matteotti (V.) ..... GU 67
Mazzini (V.) ..... GV 69
Mezzofanti (V. G.) ..... GV 70
Montefiorino
(V.) ..... FV 73
Ospedaletto (V. d.) ..... EU 79
Palagi (V. P.) ..... GV 81
Panigale (V.) ..... EU 82
Persicetana Vecchia
(V.) ..... EU 85
Persicetana (V.) ..... EU 84
Pietra (V. d.) ..... EU 88
Pirandello (V. L.) ..... HU 90
Porrettana (V.) ..... FVE 91
Putti (V. V.) ..... GV 96
Sabbioni (V. d.) ..... GV 100
Sabotino (V.) ..... FUV 102
Saffi (V. A.) ..... FU 103
Sigonio (V. C.) ..... GV 111
Sturzo (V. Don L.) ..... FV 112
S. Barbara (V.) ..... GV 105
S. Mamolo
(V.) ..... FV 108
Timavo (V. d.) ..... FU 115
Tolmino (V.) ..... FV 117
Tosarelli (V. B.) ..... HU 118

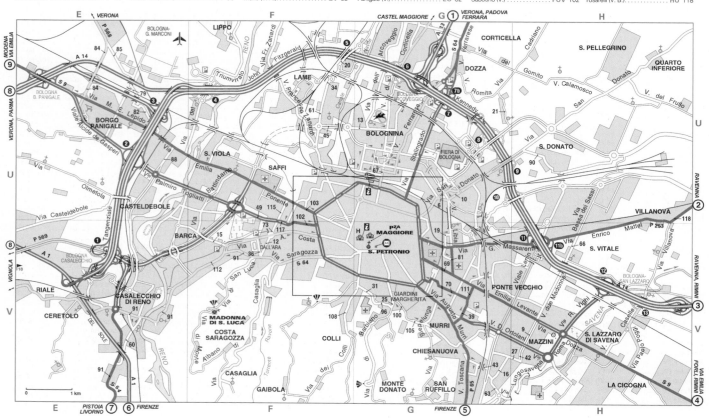

Aldrovandi (Pza) . . . . CY 3
Alessandrini (V.) . . . . CX 4
Archiginnasio (V. d.) . . . . . CY 7
Bassi (V. U.) . . . . BY
Belmeloro (V.) . . . . DY 18
Cairoli (V.) . . . . BX 22
Castagnoli (V. de) . . . . . . CY 24

Cavour (Pza) . . . . CY 28
Clavature (V.) . . . . CY 30
Collegio di Spagna (V.) . . BY 33
D'Azeglio (V. M.) . . . . BZ 37
Falegnami (V. d.) . . . . CY 40
Galileo (Pza) . . . . BY 46
Galvani (Pza) . . . . CY 48

Garibaldi (V.) . . . . CZ 51
Grada (V. della) . . . . AY 52
Guinizelli (V.) . . . . DZ 54
Indipendenza (V. d.) . . . . . CXY
Lana (V. J. della) . . . . DZ 55
Maggiore (Pza) . . . . CY 57
Malpighi (Pza) . . . . BY 58

Marconi (V. G.) . . . . BXY
Marsili (V. A.) . . . . BYZ 64
Matteotti (V.) . . . . CX 67
Mezzofanti (V. G.) . . . . . . DZ 70
Mille (V. dei) . . . . CY 72
Murri (V. A.) . . . . DZ 75
Nettuno (Pza d.) . . . . CY 76

Oberdan (V.) . . . . CY 78
Petroni (V. G.) . . . . CY 87
Portanova (V.) . . . . BY 94
Porta Ravegnana (Pza di) . CY 93
Ranzani (V.) . . . . DXY 97
Rizzoli (V.) . . . . CY 99
Selmi (V.) . . . . DY 109

S. Giacomo (V.) . . . . DY 106
Tagliapietre (V.) . . . . BYZ 114
Trombetti (V.) . . . . CDY 120
Urbana (V.) . . . . BY 121
Val d'Aposa (V.) . . . . BY 123
Venezian (V. G.) . . . . BY 124
4 Novembre (V.) . . . . BY 126

A B C D E F G H I J K L M N O P Q R S T U V W X Y Z

BOLOGNA

0 — 400m

Fontana del Nettuno . . . . CY F   Loggia della Mercanzia . . . . CY C   Museo Civico Archeologico . . . . . . CY M¹   Palazzo Comunale . . . . BY H   Torri pendenti . . . . CY R

Borche TO . . . . . . 47 G 12
Borda CZ . . . . . 175 BJ 50
Borda SV . . . . 74 K 18
Bordano UD . . . . . 16 AN 6
Bordella TO . . . . . 59 E 15
Bordiana TN . . . . . 12 AA 5
Bordighera IM . . . . 72 G 21
Bordignana PV . . . . 50 M 12
Bordignano FI . . . . 81 AD 18
Bordin PD . . . . 55 AE 12
Bordingiano RC . . 177 BH 53
Bordogna BG . . . . . 23 T 8
Bordolano CR . . . . . 52 U 12
Bordonaro ME . . . 189 BC 54
Bordonchio RN . . . . 83 AJ 19
Bordoney AO . . . . . 32 E 10
Bordoni AT . . . . . . 61 K 14
Bordoni CN . . . . . . 60 I 15
Bore PR . . . . 64 T 15
Bore RE . . . . 79 Y 18
Boreano PZ . . . . . 144 BE 37
Borelletta LU . . . . . 78 X 19
Borello CN . . . . . . 71 I 18
Borello FC . . . . . . 82 AI 19
Borello IM . . . . 72 H 20

Borello RA . . . . 81 AF 17
Boresasco PR . . . . . 77 S 17
Boretta VB . . . . 20 K 7
Boretto RE . . . . 66 Y 14
Borgaccio FI . . . . . . 86 AC 21
Borgaccio PU . . . . . 90 AM 21
Borgagne LE . . . . . 159 BT 42
Borganzo IM . . . . . . 73 J 20
Borgarello PV . . . . . 51 P 12
Borgaretto TO . . . . . 47 G 13
Borgaria TR . . . . . 113 AK 29
Borgaro Torinese TO . 48 G 13
Borgata Canova RO . 55 AD 14
Borgata Costiera TP . 190 AK 57
Borgata Favarella CL . 193 AS 59
Borgata Forcella RI . 113 AL 29
Borgata Pirastera OR . 218 P 44
Borgata Sant'Antonio MT . 155 BH 42
Borgata Sant' Elia MT . 155 BH 40
Borgata Sottana CN . 74 I 17
Borgata Vernetta CN . 61 J 16
Borgatello SI . . . . . 93 AB 23
Borgazzo RE . . . . . . 66 Z 15
Borgesati TP . . . . . 191 AM 57
Borgetto CN . . . . . . 71 G 17

Borgetto PA . . . . . 183 AN 55
Borghesana VR . . . . 55 AC 13
Borghese PR . . . . . 53 V 14
Borghetto AN . . . . . 90 AO 22
Borghetto PG . . . . . 97 AL 24
Borghetto PR . . . . . 65 V 15
Borghetto all'adige TN . 40 AA 9
Borghetto d'Arroscia IM . 73 I 19
Borghetto di Borbera AL . 62 O 15
Borghetto di Fenigli PU . 89 AL 22
Borghetto di Vara SP . 77 T 18
Borghetto Lodigiano LO . 51 R 12
Borghetto Primo RA . 82 AI 18
Borghetto San Nicolò IM . 72 G 21
Borghetto San Vito PU . 90 AM 22
Borghetto Santo Spirito SV . 73 K 19
Borghetto Secondo RA . 82 AI 18
Borghi FC . . . . 82 AJ 19
Borghi SV . . . . 74 L 18
Borghigiana PI . . . . . 85 AA 22
Borghignon CN . . . . 70 E 18
Borgia CZ . . . . . . 175 BI 51
Borgiallo TO . . . . . . 33 H 11
Borgiano MC . . . . . 98 AO 25
Borgiano PG . . . . . 106 AL 27

Borgio SV . . . . 74 K 19
Borgnana VA . . . . . 22 O 8
Borgnano GO . . . . . 31 AP 8
Borgo CN . . . . 58 D 15
Borgo FR . . . . . . 131 AR 33
Borgo PG . . . . . . 107 AN 26
Borgo PR . . . . 65 W 15
Borgo a Buggiano PT . 85 Z 20
Borgo a Mozzano LU . 85 Y 20
Borgo Adorno AL . . . 63 P 15
Borgo alla Collina AR . 87 AF 21
Borgo Ampiano PN . . 30 AM 7
Borgo Anese TV . . . . 28 AI 8
Borgo Angelo Rizza SR . 203 AZ 60
Borgo Antiga TV . . . . 28 AI 8
Borgo Appio CE . . . 140 AT 37
Borgo Bainsizza LT . 129 AL 35
Borgo Bellussi TV . . . 29 AJ 9
Borgo Berga VI . . . . 41 AE 10
Borgo Bianchi TV . . . 29 AJ 9
Borgo Bisano BO . . . 81 AD 18
Borgo Bonsignore AG . 192 AO 59
Borgo Botticino FE . . 68 AF 15
Borgo Canalet TV . . . 29 AJ 8
Borgo Capanne BO . . 80 AA 19

Borgo Carillia SA . . 152 AZ 40
Borgo Carso LT . . . 129 AM 34
Borgo Cascino EN . . 194 AU 59
Borgo Castelletto MN . 54 AA 13
Borgo Cavaliere PA . 191 AN 57
Borgo Celano FG . . 126 BC 33
Borgo Centore CE . . 139 AR 36
Borgo Cerreto PG . . 107 AN 27
Borgo Chiari TV . . . . 29 AJ 8
Borgo Chiusini UD . . 16 AN 5
Borgo Circito BA . . 146 BJ 38
Borgo Colesei TV . . . 29 AI 7
Borgo Colli RI . . . . 114 AM 29
Borgo Cornalese TO . . 60 H 14
Borgo Cortili FE . . . 68 AE 16
Borgo Cozzo Finocchio PA . 192 AN 57
Borgo d'Ale VC . . . . 49 J 11
Borgo dei Pini
Mercadante BA . . 146 BJ 38
Borgo del Castellaccio PG . 105 AH 26
Borgo del Vecchio
Carrubbo RG . . . 204 AV 62
Borgo
della Consolazione AN . 90 AN 21
Borgo dell'anime RA . 69 AH 17

Borgo di Ranzo IM . . 73 J 19
Borgo di Ronta FC . . 82 AI 18
Borgo di Sopra TV . . 29 AJ 8
Borgo di Sopra UD . . 17 AP 6
Borgo di Sotto PC . . . 64 S 14
Borgo di Stazione
Montecorsaro MC . . 99 AQ 24
Borgo di Terzo BG . . 38 U 9
Borgo Doimo TV . . . 28 AI 8
Borgo d'Oneglia IM . . 73 J 20
Borgo Emilio AN . . . 90 AM 22
Borgo Eras A PA . . 186 AS 56
Borgo Eras B PA . . 186 AS 56
Borgo Ermada LT . . 138 AO 36
Borgo Europa RG . . 204 AV 62
Borgo Faiti LT . . . . 138 AM 35
Borgo Fazio TP . . . 182 AK 56
Borgo Flora LT . . . 129 AL 34
Borgo Fonterosa FG . 135 BD 35
Borgo Fornari GE . . . 62 O 16
Borgo Fosso Ghiaia RA . 82 AI 17
Borgo Fra Diavolo BA . 146 BJ 38
Borgo Franchetto CT . 195 AX 59
Borgo Frassine PD . . 55 AD 12
Borgo Fusara RA . . . 82 AH 17

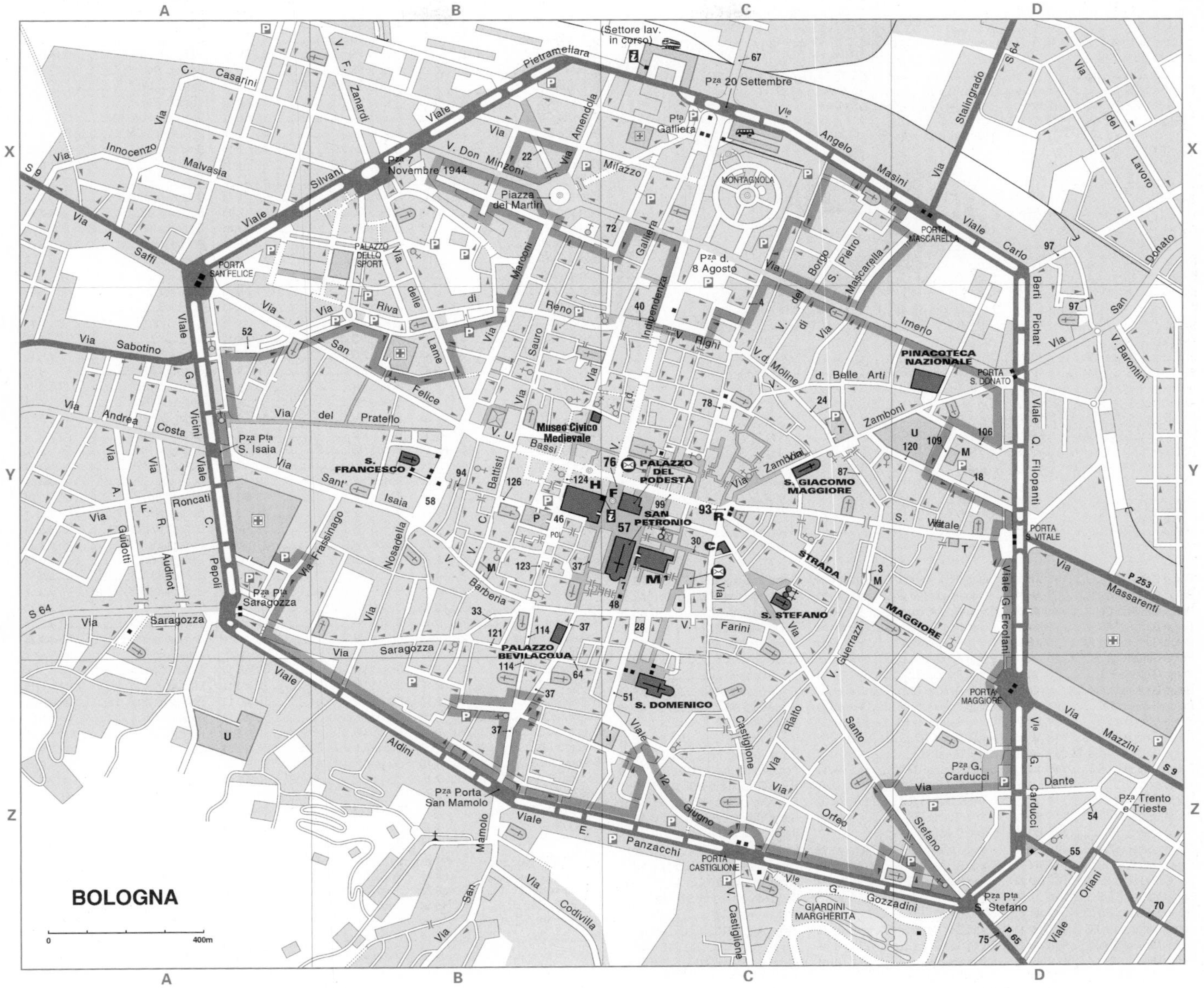

A
B
C
D
E
F
G
H
I
J
K
L
M
N
O
P
Q
R
S
T
U
V
W
X
Y
Z

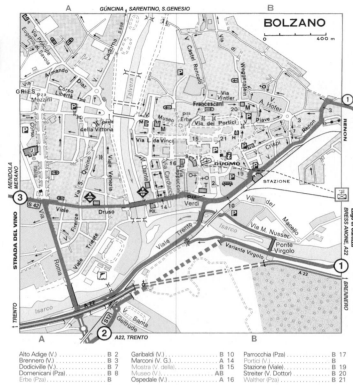

Alto Adige (V.) B 2
Brennero (V.) B 3
Dodiciville (V.) B 7
Domenicani (Pza) B 8
Erbe (Pza) B
Garibaldi (V.) B 10
Marconi (V. G.) A 14
Mostra (V. della) B 15
Museo (V.) AB
Ospedale (V.) A 16
Parrocchia (Pza) B 17
Portici (V.) B
Stazione (Viale) B 19
Streiter (V. Dottor) B 20
Walther (Pza) B 21

Borgo Gallea *AG* 193 AR 58
Borgo Gallina *RA* 69 AH 16
Borgo Gallitano *CL* 194 AT 60
Borgo Galluzzo *AN* 90 AO 21
Borgo Garbinogara *PA* 185 AS 56
Borgo Gardin *TV* 29 AI 8
Borgo Giglione *PG* 96 AI 24
Borgo Giovanni XXIII *AN* 90 AM 22
Borgo Giuliano *ME* 187 AX 57
Borgo Grappa *LE* 159 BS 41
Borgo Grappa *LT* 138 AM 35
Borgo Grotta Gigante *TS* 31 AR 9
Borgo Incoronata *BA* 146 BJ 38
Borgo Isonzo *LT* 129 AM 35
Borgo Lampertico *VI* 41 AD 9
Borgo Le Taverne *AV* 143 BA 38
Borgo Libertà *FG* 144 BD 36
Borgo Liverano *RA* 81 AG 18
Borgo Lotti *RM* 128 AK 33
Borgo Maggiore *RSM* 89 AJ 20
Borgo Mallitana *ME* 188 AZ 56
Borgo Massano *PU* 89 AK 21
Borgo Mezzanone *FG* 135 BD 35
Borgo Milletari *EN* 194 AU 57
Borgo Miriam *AP* 108 AR 26
Borgo Moia *RO* 56 AF 14
Borgo Molino *TV* 28 AI 8
Borgo Molino *TV* 43 AJ 9
Borgo Montello *LT* 129 AL 34
Borgo Montenero *LT* 138 AN 36
Borgo Municipio *TV* 29 AJ 8
Borgo Nobili *TV* 29 AJ 8
Borgo Nuovo *PU* 89 AL 21
Borgo Nuovo *RN* 83 AJ 19
Borgo Nuovo *SA* 152 AZ 41
Borgo Olara *VI* 41 AE 9
Borgo Olivi *TV* 28 AI 7
Borgo Ottomila *AQ* 121 AQ 31
Borgo Pace *PU* 88 AI 22
Borgo Paglia *FC* 82 AI 19
Borgo Pala *PA* 186 AT 57
Borgo Palù *TV* 29 AJ 8
Borgo Panigale *BO* 67 AC 16
Borgo Parco La Vecchia *BA* 146 BJ 38
Borgo Pasini *RA* 82 AI 18
Borgo Passera *AN* 90 AO 21
Borgo Pasubio *LT* 138 AN 35
Borgo Perinot *TV* 29 AI 8
Borgo Petilia *CL* 194 AT 58
Borgo Piano Torre *ME* 188 AZ 56
Borgo Piave *LE* 159 BS 41
Borgo Piave *LT* 129 AM 35
Borgo Picciano *MT* 155 BH 39
Borgo Pietrapizzola *ME* 188 AZ 56
Borgo Pietro Lupo *CT* 202 AW 59
Borgo Pineto *RM* 119 AJ 31
Borgo Pipa *RA* 82 AI 18
Borgo Podgora *LT* 129 AM 34
Borgo Poncarale *BS* 38 W 11
Borgo Ponte *UD* 16 AO 6
Borgo Priolo *PV* 51 P 14
Borgo Quinzio *RI* 120 AL 31
Borgo Redentore *VI* 41 AD 10
Borgo Regalmici *PA* 193 AR 57
Borgo Regio *TO* 48 I 12
Borgo Revel *TO* 49 J 12
Borgo Rinazzo *TP* 182 AK 57
Borgo S. Mara del Soccorso *RM* 119 AK 32
Borgo S. Maria *PU* 89 AL 20
Borgo S. Maria Immacolata *TE* 109 AT 28
Borgo S. Vittore *FC* 82 AI 19
Borgo Sabbioni *FE* 56 AG 14
Borgo Sabotino *LT* 129 AL 35
Borgo Salano *UD* 16 AN 5
Borgo San Cesareo *SA* 152 AZ 40
Borgo San Dalmazzo *CN* 71 F 18
Borgo San Giacomo *BS* 52 U 11
Borgo San Giorgio *FE* 68 AE 15
Borgo San Giovanni *LO* 51 R 12
Borgo San Giovanni *MC* 107 AN 26
Borgo San Giovanni *MC* 98 AO 25
Borgo San Giovanni *ME* 188 AZ 56
Borgo San Giusto *FG* 134 BB 35
Borgo San Lazzaro *SA* 152 AZ 40
Borgo San Lorenzo *FI* 87 AD 20
Borgo San Marco *PD* 55 AD 12
Borgo San Martino *AL* 49 M 13
Borgo San Mauro *UD* 31 AP 7
Borgo San Michele *LT* 138 AM 35
Borgo San Michele *PU* 89 AL 20
Borgo San Pietro *RI* 114 AM 29
Borgo San Pietro *RI* 114 AN 30
Borgo San Siro *PV* 50 O 12
Borgo Santa Margherita *TV* 28 AH 9
Borgo Santa Maria *LT* 129 AL 35
Borgo Santa Maria *MC* 98 AO 25
Borgo Santa Maria *RM* 120 AL 31
Borgo Santa Rita *GR* 104 AD 26
Borgo Santa Rita *RM* 128 AJ 34
Borgo Sant'Agata *IM* 73 J 20
Borgo Sant'Anna *FE* 68 AF 15
Borgo Sant'Anna *VI* 41 AF 9
Borgo Sant'Antonio *MC* 107 AN 26
Borgo Santerno *FI* 81 AD 19
Borgo Saraceno *FE* 68 AE 16
Borgo Schirò *PA* 184 AO 56
Borgo Schisina *ME* 188 AZ 56
Borgo Schisina *ME* 188 AZ 56
Borgo Seganti *RA* 69 AH 16
Borgo Segezia *FG* 135 BB 35
Borgo Segezia *FG* 135 BC 35
Borgo Selva *AN* 90 AO 22
Borgo Serragli *TV* 41 AF 9
Borgo Serraglio *RA* 68 AF 17
Borgo Sisa *RA* 82 AH 18
Borgo Ticino *NO* 35 M 9
Borgo Ticino *PV* 51 P 12
Borgo Tocchet *TV* 29 AJ 8
Borgo Torre Spineto *CS* 171 BI 48
Borgo Tossignano *BO* 81 AE 18
Borgo Val di Taro *PR* 64 T 17
Borgo Valeriani *FE* 68 AE 15
Borgo Valle *VE* 30 AM 9
Borgo Valsugana *TN* 27 AD 7
Borgo Velino *RI* 114 AN 29
Borgo Venusio *MT* 146 BI 39
Borgo Venusio Vecchio *MT* 146 BI 39
Borgo Vercelli *VC* 49 L 11
Borgo Verde *TV* 42 AI 10
Borgo Verdi *PA* 194 AT 57
Borgo Via Nuova *AQ* 121 AP 31
Borgo Vidali *TV* 43 AK 9
Borgo Villa *TV* 29 AJ 8
Borgo Vodice *LT* 138 AN 35
Borgo Zurini *UD* 16 AO 6
Borgoforte *FI* 93 AA 22
Borgoforte *MN* 54 Z 13
Borgoforte *PD* 56 AG 13
Borgofranco d'Ivrea *TO* 34 I 10
Borgofranco sul Po *MN* 55 AC 13
Borgolavezzaro *NO* 50 N 12
Borgomale *CN* 61 J 16
Borgomanero *NO* 35 L 9
Borgomaro *IM* 72 I 20
Borgomasino *TO* 48 I 11
Borgonato *BS* 38 V 10
Borgone *BZ* 4 AE 2
Borgone Susa *TO* 47 E 13
Borgonovo *CN* 61 J 15
Borgonovo *GE* 76 R 17
Borgonovo *LU* 85 Y 20
Borgonovo *PC* 52 U 13
Borgonovo *PR* 53 W 14
Borgonovo *TE* 108 AQ 28
Borgonovo Val Tidone *PC* 51 R 13
Borgonuovo *AR* 88 AG 22
Borgonuovo *AR* 95 AG 24
Borgonuovo *BL* 28 AG 7
Borgonuovo *BO* 80 AC 17
Borgonuovo *BS* 25 W 7
Borgonuovo *CR* 52 U 12
Borgonuovo *PN* 29 AK 8
Borgonuovo *SO* 9 R 6
Borgonuovo *TO* 59 G 14
Borgoratto Alessandrino *AL* 62 M 14
Borgoratto Mormorolo *PV* 51 Q 14
Borgoricco *PD* 42 AG 10
Borgorose *RI* 114 AO 30
Borgosatollo *BS* 38 W 11
Borgosesia *VC* 34 K 9
Borgostorto *PD* 55 AD 13
Borgovecchio *AT* 61 J 14
Borlasca *GE* 62 O 16
Bormida *CN* 74 J 17
Bormida *SV* 74 K 17
Bormio *SO* 11 X 5
Bormio 2000 *SO* 11 X 5
Bormiola *SV* 74 K 17
Bornago *MI* 37 R 10
Bornago *NO* 35 N 10
Bornasco *BI* 34 I 10
Bornasco *PV* 51 Q 12
Bornate *VC* 35 K 9
Bornato *BS* 38 V 10
Borniga *IM* 72 H 19
Bornio *RO* 56 AE 13
Borno *BS* 24 W 8
Borno *TO* 33 E 11
Boroneddu *OR* 217 O 43
Borore *NU* 217 N 42
Borra *PV* 51 P 13
Borrano *TE* 108 AR 27
Borrello *CH* 123 AU 32
Borrello *CH* 124 AV 33
Borrello *PA* 186 AU 56
Borretti *CN* 60 H 15
Borri *FI* 87 AD 22
Borriana *BI* 34 J 10
Borro *AR* 95 AF 22
Borsano *PR* 65 V 16
Borsano *VA* 36 O 10
Borsea *RE* 65 X 16
Borseda *SP* 77 T 18
Borselli *FI* 87 AE 21
Borsellino *AG* 192 AQ 59
Borsigliana *LU* 78 W 18
Borso del Grappa *TV* 28 AF 9
Bortigali *NU* 213 O 42
Bortigiadas *OT* 210 P 38
Bortolacelli *MO* 79 Z 17
Bortolani *BO* 80 AB 17
Bortolotto *SO* 9 R 6
Borutta *SS* 213 N 40
Borzago *TN* 25 Z 7
Borzano *RE* 66 Y 16
Borzano Chiesa *RE* 65 X 16
Borzoli *GE* 75 O 17
Borzonasca *GE* 76 R 17
Bosa *OR* 212 L 42
Bosa Marina *OR* 212 L 42
Bosagro *AV* 151 AW 38
Bosaro *RO* 56 AF 14
Boscagnone *PU* 88 AH 21
Boscarello *CS* 168 BI 46
Boscarini *PN* 29 AL 6
Boscarola *VR* 55 AC 12
Boscarso *BZ* 3 AC 3
Boscazzo *BI* 34 J 10
Boschetta *FE* 55 AC 14
Boschetta *TV* 42 AI 10
Boschetti *MN* 54 Z 14
Boschetti *PD* 55 AE 12
Boschetti *PD* 56 AG 12
Boschetti di Brenta *PD* 41 AF 10
Boschetto *AN* 97 AM 22
Boschetto *AT* 61 J 14
Boschetto *AV* 142 AY 37
Boschetto *BO* 67 AC 16
Boschetto *CR* 52 V 13
Boschetto *CT* 196 AX 56
Boschetto *CT* 195 AY 57
Boschetto *FE* 68 AF 15
Boschetto *LT* 129 AM 33
Boschetto *PD* 56 AG 12
Boschetto *PG* 97 AL 24
Boschetto *PR* 77 T 17
Boschetto *PR* 65 W 16
Boschetto *PV* 50 O 13
Boschetto *PV* 51 P 12
Boschetto *TO* 48 I 12
Boschetto *VE* 29 AL 9
Boschetto *VR* 55 AB 12
Boschetto Vaccheria *CT* 196 AX 56
Boschetto Vecchio *PG* 105 AI 25
Boschi *BO* 80 AA 19
Boschi *BO* 67 AB 15
Boschi *BO* 68 AE 15
Boschi *CN* 60 I 14
Boschi *MO* 79 Y 18
Boschi *PC* 63 R 16
Boschi *PC* 52 U 13
Boschi *PR* 65 V 15
Boschi *PR* 64 V 16
Boschi *PV* 51 Q 13
Boschi *RE* 66 Z 14
Boschi *TO* 47 G 12
Boschi *VR* 54 AB 12
Boschi *VR* 55 AB 13
Boschi di Bardone *PR* 65 V 16
Boschi San Marco *VR* 55 AD 12
Boschi Sant'Anna *VR* 55 AD 12
Boschietto *TO* 33 F 10
Boschietto *TO* 33 F 11
Boschietto *TO* 47 F 11
Boschirolle *VR* 55 AC 12
Boschirolo *CN* 59 E 16
Bosco *AL* 49 K 13
Bosco *BN* 133 AY 35
Bosco *BO* 67 AE 15
Bosco *BS* 39 Y 11
Bosco *CL* 193 AS 59
Bosco *CS* 171 BG 48
Bosco *MN* 54 AA 13
Bosco *PD* 41 AF 11
Bosco *PD* 56 AH 12
Bosco *PG* 96 AJ 25
Bosco *PR* 78 V 17
Bosco *PR* 65 W 16
Bosco *PV* 50 M 12
Bosco *PV* 51 S 13
Bosco *RE* 66 Y 16
Bosco *RE* 66 Z 16
Bosco *RO* 55 AD 13
Bosco *SA* 162 AZ 42
Bosco *SA* 163 BB 43
Bosco *SV* 74 J 18
Bosco *TN* 26 AC 7
Bosco *TN* 27 AD 7
Bosco *TO* 33 G 11
Bosco *TV* 42 AI 10
Bosco *TV* 43 AJ 9
Bosco *VA* 21 M 8
Bosco *VB* 7 K 7
Bosco *VE* 43 AL 9
Bosco *VI* 27 AD 8
Bosco *VR* 40 AB 10
Bosco *VR* 55 AB 11
Bosco *VR* 55 AC 12
Bosco *VR* 55 AC 12
Bosco *VR* 39 Z 11
Bosco Amatello II *CZ* 174 BG 50
Bosco Amatello IV *CZ* 171 BG 50
Bosco Chiesanuova *VR* 40 AB 10
Bosco dei Fichi *AV* 151 AX 38
Bosco di Nanto *VI* 41 AE 11
Bosco di Rossano *MS* 77 T 18
Bosco Ex Parmigiano *CR* 52 V 13
Bosco Fontana *MN* 54 Z 12
Bosco Grande *PZ* 153 BD 39
Bosco Grande *PZ* 154 BE 39
Bosco Grande *RG* 204 AV 61
Bosco I *RC* 176 BE 53
Bosco II *RC* 176 BE 53
Bosco III *RC* 176 BE 53
Bosco Marengo *AL* 62 N 15
Bosco Mesola *FE* 69 AI 14
Bosco Panaro *BN* 142 AX 37
Bosco Piazza *CR* 53 W 13
Bosco Piccolo *PZ* 154 BE 39
Bosco Pisana *RG* 205 AY 63
Bosco San Pietro *AV* 142 AZ 37
Bosco Sant'Elia *AV* 142 AZ 37
Bosco Sant'Ippolito *RC* 179 BF 55
Bosco Torre *AV* 142 AZ 37
Bosco Tosca *PC* 51 R 13
Bosco Valentino *LO* 52 T 12
Bosco Valtravaglia *VA* 22 N 8
Bosco-Arvara *CS* 166 BE 46
Bosco-Belloro *RC* 179 BF 55
Boscochiaro *VE* 57 AH 13
Boscolungo *PT* 79 Z 19
Boscomare *IM* 72 I 20
Boscomatarazzo *AV* 151 AX 38
Boscona *SI* 93 AB 23
Boscone *CO* 22 O 9
Boscone Cusani *PC* 52 S 13
Bosconero *TO* 48 H 12
Boscoreale *NA* 151 AV 39
Boscoriva *BZ* 4 AD 3
Bosco-Strisce *RC* 176 BE 53
Boscotrecase *NA* 151 AV 39
Bosentino *TN* 26 AC 7
Boset *AO* 33 G 10
Bosia *CN* 61 J 16
Bosini *PR* 64 S 15
Bosio *AL* 62 N 16
Bosisio Parini *LC* 23 Q 9
Bosmenso Sup. *PV* 63 Q 15
Bosnasco *PV* 51 R 13
Bosplans *PN* 15 AK 6
Bossaneto *SV* 73 J 19
Bossea *CN* 71 I 18
Bossi *SI* 94 AD 23
Bossi Cellaio *AR* 95 AG 23
Bossico *BG* 24 V 9
Bossieta *CN* 72 I 19
Bossola *BI* 34 I 10
Bossolaschetto *CN* 61 J 16
Bossolasco *CN* 61 J 16
Bossoleto *SV* 73 J 19
Botasi *GE* 77 R 17
Botindari *PA* 186 AU 56
Botontano *MC* 98 AO 23
Botricello *CZ* 175 BK 50
Botricello Inf. *CZ* 175 BK 50
Botrugno *LE* 161 BS 43
Botta *BG* 23 S 8
Botta *BG* 37 S 9
Botta *PD* 56 AH 12
Botta *RO* 56 AF 14
Botta *SV* 74 L 17
Botta *SV* 75 L 17
Botta *VE* 56 AH 13
Bottagna *SP* 77 U 19
Bottaiano *CR* 37 T 11
Bottaione *PV* 51 Q 13
Bottanuco *BG* 37 S 10
Bottarolo *PV* 51 Q 13
Bottarone *PV* 51 P 13
Bottazzella *IS* 132 AT 34
Botte *VT* 112 AH 30
Bottega *PU* 89 AL 20
Bottega Nuova *FI* 87 AD 21
Bottega Nuova *MO* 66 AB 16
Bottegaccia *PT* 86 AA 20
Botteghe *CR* 53 V 13
Botteghelle *CT* 202 AW 61
Botteghino di Zocca *BO* 81 AD 17
Bottegone *GR* 103 AB 27
Bottegone *MO* 67 AB 15
Bottegone *PT* 86 AA 20
Bottenicco *UD* 31 AP 7
Bottero *CN* 60 I 16
Botti *AL* 61 L 15
Botti Barbarighe *VE* 56 AH 13
Botticela *PU* 88 AI 20
Botticino *BS* 38 W 10
Botticino *LU* 85 Y 20
Bottidda *SS* 214 P 41
Bottilli *AV* 142 AX 37
Bottinaccio *FI* 86 AB 21
Bottini *TO* 47 G 11
Bottione *PR* 64 U 16
Botto *TR* 105 AH 27
Bottrighe *RO* 57 AH 13
Boury *AO* 34 I 9
Bousson *TO* 46 B 14
Bova *FE* 68 AF 15
Bova *RC* 179 BE 56
Bova *VR* 40 AC 11
Bova Marina *RC* 179 BE 56
Bovalino Marina *RC* 179 BG 55
Bovalino Sup. *RC* 179 BF 54
Bovara *PG* 106 AL 26
Bove Marino *RG* 205 AY 63
Bovecchia *AP* 108 AP 26
Boveglio *LU* 85 Y 20
Bovegno *BS* 25 W 9
Boves *CN* 71 G 18
Boveto *PG* 107 AM 26
Bovezzo *BS* 38 W 10
Bovile *TO* 47 D 14
Boville Ernica *FR* 130 AP 34
Bovina *RO* 56 AG 13
Bovino *FG* 134 BB 36
Bovino *FI* 87 AE 20
Bovisio Masciago *MB* 36 P 10
Bovo Marina *AG* 192 AO 59
Bovolenta *PD* 56 AG 12
Bovolone *VR* 55 AB 12
Bozen / Bolzano *BZ* 13 AD 5
Bozzana *TN* 12 AA 5
Bozzole *AL* 50 M 13
Bozzolo *MN* 53 X 13
Bozzolo *SP* 77 T 18
Bra *CN* 60 I 15
Brabbia *NO* 35 M 9
Bracca *BG* 23 T 9
Braccagni *GR* 103 AB 26
Braccano *MC* 97 AN 24
Bracchiello *TO* 47 F 12

Bracchio VB 21 L 8
Bracciano FC 82 AH 19
Bracciano RM 119 AI 31
Bracciano SI 94 AC 23
Bracco GE 77 S 18
Bracelli SP 77 T 18
Bracigliano SA 151 AX 39
Braga PD 56 AG 12
Braga VR 39 Z 10
Bragioli CN 74 J 17
Braglia RE 79 X 17
Braglia RO 56 AH 14
Braglie RE 65 X 16
Bragno SV 74 K 17
Braia MS 77 U 17
Braia PR 65 V 17
Braia TO 49 J 13
Braida CN 70 F 17
Braida PZ 153 BC 39
Braida Bottari PN 30 AM 8
Braidacurti PN 30 AL 8
Braidi ME 188 AZ 55
Braies / Prags BZ 5 AH 3
Braila TN 26 AA 8
Bralen / Brie BZ 13 AD 5
Bralia AV 152 BA 39
Brallo AT 61 K 16
Brallo PV 63 Q 15
Bramairate AT 61 J 14
Bran AO 33 E 9
Brana PT 86 AA 20
Branca PG 97 AL 24
Brancaglia VR 55 AC 13
Brancaleone Marina RC 179 BF 56
Brancaleone Sup. RC 179 BF 56
Brancato TO 47 E 14
Brancere CR 53 V 13
Brancialino AR 88 AH 22
Branco Piccolo RG 204 AV 62
Brancon VR 54 AB 13
Brandeglio LU 85 Y 20
Brandet BS 24 W 7
Brandico BS 38 V 11
Brandizzo TO 47 F 13
Brandizzo TO 48 I 12
Branduzzo PV 51 P 13
Branzi BG 24 T 7
Branzola CN 71 H 17
Branzolino FC 82 AH 18
Branzoll / Bronzolo BZ 13 AC 5
Branzone PR 64 U 16
Braone BS 25 X 8
Brarola VC 49 M 12
Brasi SV 75 M 17
Brasse CN 59 G 15
Brassi TO 48 G 14
Bratta SO 10 V 6
Brattirò VV 176 BE 52
Bratto BG 24 V 8
Bratto MS 77 U 17
Braulins UD 16 AN 6
Brazzacco UD 30 AN 7
Brazzano GO 31 AP 8
Brazzolo FE 68 AG 14
Brazzova CO 23 Q 8
Brazzuoli CR 53 V 12
Brè PR 53 V 14
Brebbia VA 21 M 9
Breccelle BN 141 AV 36
Breccelle IS 132 AU 34
Breccelle SA 151 AW 39
Breccelle I AV 142 AX 38
Breccia RM 119 AI 32
Brecciarola CH 116 AT 30
Brecciarola CH 117 AU 30
Breccione PG 96 AI 23
Brecciosa CB 133 AW 35
Breda CR 52 U 12
Breda MN 54 Y 11
Breda TV 29 AJ 8
Breda Azzolini CR 53 X 13
Breda Cisoni MN 53 Y 13
Breda de' Bugni CR 52 U 12
Breda di Piave TV 42 AI 9
Breda Libera BS 53 V 11
Brefaro PZ 163 BD 44
Brega VI 41 AF 9
Bregagnina MN 53 Y 14
Bregalla IM 72 H 19
Bregano VA 35 N 9
Breganze VI 41 AE 9
Breganzina VI 41 AE 9
Bregazzana VA 22 N 8
Breglia CO 23 Q 7
Bregni AL 63 P 15
Breguzzo TN 25 Z 7
Breia PR 64 T 17
Breia VC 35 K 9
Brembate BG 37 S 10
Brembate di Sopra BG 37 S 9
Brembilla BG 23 S 9
Brembio LO 52 S 12
Breme PV 50 M 13
Brendibusio BS 25 W 8
Brendola VI 41 AD 11
Brenna CO 36 Q 9
Brenna SI 94 AC 24
Brenna VA 21 M 8
Brenner / Brennero BZ 4 AE 1
Brennero / Brenner BZ 4 AE 1
Brenno Useria VA 22 O 8
Breno BS 25 W 8
Breno PC 51 R 13
Breno TO 33 E 11
Brenta BL 14 AG 5
Brenta TN 27 AC 7
Brenta VA 21 N 8
Brenta d'Abbà PD 57 AH 12
Brentanella TV 42 AG 10
Brentasecca
Sabbioncello PD 42 AG 11
Brentassi AL 63 P 15
Brentatori TO 47 F 14
Brentelle TV 41 AG 9
Brentelle TV 42 AG 9
Brentino VR 40 AA 10
Brenton VR 40 AC 10
Brentonico TN 26 AA 9
Brenzeglio CO 22 Q 7
Brenzone VR 39 Z 9
Breo CN 71 H 17
Breolungi CN 71 H 17
Breonio VR 40 AA 10
Brescello RE 65 Y 14
Brescia BS 38 W 10
Bresciadega SO 9 S 6
Bresega PD 56 AE 12
Bresenara VR 54 AB 13
Bresparola RO 56 AF 14
Bressa UD 30 AN 7
Bressana Bottarone PV 51 P 13
Bressani VI 41 AF 9
Bressanone / Brixen BZ 4 AE 3
Bressanvido VI 41 AE 10
Bresso MI 36 Q 10
Breuil AO 18 D 9
Breuil Cervinia AO 19 G 8
Brevia LO 52 U 13
Brez TN 12 AB 5
Brezza CE 140 AT 37
Brezzo VA 22 N 8
Briaglia CN 71 I 17
Briale BS 38 W 9
Briallo NO 35 L 9
Brian VE 43 AL 10
Briana VE 42 AH 10
Briano BS 39 Y 9
Brianza MB 36 Q 9
Briatico VV 174 BF 51
Briavacca MI 37 R 11
Bribano BL 28 AH 7
Brica LU 78 X 18
Bricciana FI 87 AD 20
Briccioli CH 123 AV 31
Briccioso IS 132 AU 33
Bricco AL 61 L 16
Bricco AT 48 J 13
Bricco AT 61 K 14
Bricco Bosetto AT 61 K 15
Bricco di Neive CN 61 J 15
Bricco Favole CN 60 H 16
Bricco Morra AT 49 K 14
Briccolino AT 49 K 14
Bricherasio TO 59 E 15
Brie / Bralen BZ 13 AD 5
Brieis CN 58 D 17
Brienno CO 22 P 8
Brienza PZ 153 BC 41
Briga ME 189 BB 55
Briga Marina ME 189 BB 55
Briga Novarese NO 35 L 9
Brignano AL 63 P 15
Brignano Gera d'Adda BG 37 S 10
Brigneta SV 74 J 18
Brignole GE 63 R 16
Brigola BO 80 AC 18
Brigoli VE 44 AN 9
Brillante TO 59 G 14
Brilli MC 107 AO 25
Brindisi BR 148 BQ 40
Brindisi Montagna PZ 154 BE 40
Brinzio VA 22 N 8
Briona NO 35 L 10
Brione BG 38 U 9
Brione CN 58 D 16
Brione TN 25 Y 8
Brione TO 47 F 13
Briosco MB 36 Q 9
Brische TV 29 AK 9
Brischis UD 17 AP 6
Brisighella RA 81 AF 18
Brissago Valtravaglia VA 22 N 8
Brissogne AO 33 F 9
Bristie TS 31 AR 9
Brittoli PE 116 AS 30
Brivadi VV 176 BE 52
Brivio LC 37 R 9
Brixen / Bressanone BZ 4 AE 3
Brizzolara GE 76 R 17
Broccaro PG 97 AL 24
Brocco FR 131 AQ 33
Broccostella FR 131 AQ 33
Brogliano VI 41 AD 10
Broglie VR 39 Y 11
Brognaturo VV 174 BH 52
Brolazzo MN 54 Z 12
Brolio AR 95 AG 24
Brollo FI 87 AD 22
Brolo ME 188 AX 55
Brolo RE 78 X 17
Brolo VB 21 L 8
Brolpasino CR 53 W 13
Brombolo CS 166 BE 46
Brondello CN 59 F 16
Brondoleto MC 97 AN 24
Brondolo VE 57 AI 12
Broni PV 51 Q 13
Bronte CT 196 AY 57
Bronzacco UD 16 AN 6
Bronzo PU 89 AK 21
Bronzola PD 42 AG 10
Bronzolo / Branzoll BZ 13 AC 5
Brossa TO 60 I 14
Brossasco CN 59 F 16
Brosso TO 34 H 11
Brovello VB 21 M 8
Brovida SV 74 K 17
Broz BL 29 AJ 7
Brozzo BS 38 W 9
Bruca CS 166 BD 45
Bruca TP 183 AL 56
Brucciano LU 79 X 19
Brucciano SI 94 AC 24
Brucianesi FI 86 AB 21
Bruciate PZ 153 BD 39
Bruciati AT 61 L 15
Brucoli SR 203 BA 60
Bruera TO 47 F 14
Bruere TO 47 G 13
Brufa PG 106 AJ 25
Brugai BG 24 V 8
Brugaro VC 21 K 8
Brugarolo LC 37 R 9
Brugazzo MI 36 Q 9
Bruggi AL 63 Q 15
Brugherio MB 36 Q 10
Brughiera BG 37 S 9
Brughiera CO 22 O 9
Brughiera VA 36 O 9
Brugine PD 56 AG 12
Brugna AL 50 O 14
Brugnato SP 77 T 18
Brugnera PN 29 AK 8
Brugneto PC 63 R 15
Brugneto PV 63 Q 14
Brugneto RE 54 Z 14
Brugnetto AN 90 AN 22
Brugnolo CR 53 Y 13
Brugnoni GE 63 Q 17
Bruil AO 32 D 10
Bruino TO 47 F 13
Brulin AO 32 D 9
Brumano BG 23 S 8
Bruna PG 106 AL 27
Bruna TV 29 AJ 8
Brunate CO 22 P 9
Bruncu Teula CI 224 L 49
Bruneck / Brunico BZ 5 AG 3
Brunella NU 211 S 39
Brunelli PR 64 T 16
Brunello VA 35 N 9
Brunetta PG 96 AJ 24
Bruni CN 60 I 17
Bruni PC 63 R 15
Bruni TN 26 AB 9
Brunico / Bruneck BZ 5 AG 3
Bruno AT 61 L 15
Bruntino BG 37 S 9
Brusa del Plan TO 46 C 14
Brusadaz BL 14 AH 5
Brusadure PD 56 AG 12
Brusago TN 27 AC 6
Brusaporto BG 37 T 9
Brusasca AL 49 K 13
Brusaschetto AL 49 K 12
Brusasco TO 49 J 13
Brusatasso MN 54 Z 14
Bruscarolo SP 77 U 18
Bruscata Grande CS 168 BH 45
Bruscata Piccola CS 168 BH 45
Bruschi PR 77 S 17
Brusciano NA 151 AV 38
Brusciano RI 114 AN 30
Bruscoli FI 80 AC 19
Brusegana PD 41 AG 11
Brusimpiano VA 22 O 8
Brusino TN 26 AA 8
Brusnengo BI 34 K 10
Bruso VE 57 AH 12
Brussa VE 44 AM 10
Brusson AO 33 H 9
Bruzolo TO 47 E 13
Bruzzano Vecchio RC 179 BF 55
Bruzzano Zeffirio RC 179 BF 55
Bruzzelle LO 52 T 13
Bruzzetti PC 64 S 15
Bruzzi PC 64 S 15
Bubano BO 81 AF 17
Bubbiano MI 50 P 12
Bubbio AT 61 K 16
Bubegno CO 22 P 7
Bucaferrara PU 89 AL 21
Bucaletto PZ 154 BE 40
Buccaram di Sopra TP 190 AG 63
Buccella PV 50 O 11
Buccerio VV 174 BG 51
Buccheri SR 202 AY 61
Bucchi KR 173 BL 48
Bucchianico CH 116 AU 30
Bucchio FC 88 AH 20
Bucciano BN 141 AW 37
Bucciano PI 85 Z 22
Bucciano SI 94 AD 24
Buccieri PE 116 AT 29
Buccinasco MI 36 P 11
Buccino SA 153 BB 40
Bucine AR 95 AE 23
Bucine LU 84 X 20
Bucita CS 170 BF 47
Bucito CS 167 BF 46
Buda BO 68 AF 16
Buda CS 170 BF 48
Buda PG 107 AN 28
Buddusò OT 214 Q 40
Budino PG 106 AK 26
Budò OT 211 S 39
Budoia PN 29 AK 7
Budoni NU 211 T 39
Budrie BO 67 AC 16
Budrio BO 67 AE 16
Budrio RA 81 AE 18
Budrio RA 82 AG 17
Budrio RE 66 Z 15
Budrione MO 66 AA 15
Bueggio BG 24 V 8
Buerlis UD 16 AO 6
Bufalara CB 124 AX 32
Bufali RO 56 AG 13
Bufaloria MT 165 BJ 42
Bufalotta RM 119 AK 32
Bufana ME 188 AX 55
Bufeto MC 97 AM 24
Buffa TO 47 F 13
Buffalora BS 38 W 11
Buffoluto TA 157 BM 41
Buffone ME 187 AW 55
Bufolaria PZ 144 BD 39
Bugano VI 41 AE 11
Bugeber TP 190 AG 63
Buggerru CI 220 L 47
Buggiana FC 88 AG 20
Buggiano PG 107 AM 26
Buggiano PT 85 Z 20
Buggina LU 79 X 19
Buggio IM 72 H 20
Bugiolo CO 22 P 7
Bugiallo CO 23 R 6
Bugiana AR 95 AF 23
Bugliaga VB 7 K 6
Buglio EN 194 AV 59
Buglio in Monte SO 23 T 6
Bugnara AQ 122 AS 31
Bugnate NO 35 L 9
Bugnins UD 30 AM 8
Bugno RO 55 AC 13
Bugo MI 50 O 11

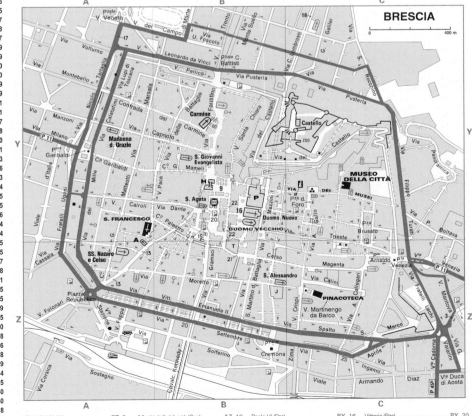

BRESCIA

Castellini (V. N.) CZ 3
Fratelli Porcellaga (V.) BY 7
Loggia (Pza della) BY 9
Martiri della Libertà (Cso) AZ 13
Mercato (Pza del) BY 15
Palestro (Cso) BY
Paolo VI (Pza) BY 16
Pastrengo (V.) AY 17
S. Crocifissa di Rosa (V.) CY 18
Vittoria (Pza) BY 20
Zanardelli (Cso) BZ 21
10 Giornate (V. delle) BY 22

A B C D E F G H I J K L M N O P Q R S T U V W X Y Z

BRINDISI

Amena (V.) .... Y 4
Annunziata (V.) .... Y 6
Betolo (V.) .... Z 9
Cappellini (V.) .... Z 15
Cittadella (V.) .... Y 19
Colonne (V.) .... Y 21
Commenda (Viale) .... Z 22

De Marco (V. C.) .... Z 24
Garibaldi (Cso) .... Y
Madonna della Neve ...... Y 31
Madonna della Scala (V.) .. Z 33
Matteotti (Pza) .... Y 39
Montenegro (V.) .... Y 40
Osanna (V.) .... Z 42
Pozzo Traiano (V.) .... Y 47
Provinciale San Vito (V.) .. Y 48

Regina Margherita
(Lungomare) .... Y 49
Santi (V.) .... Y 60
Sauro (V. Nazario) .... Z 61
S. Barbara (V.) .... Y 54
S. Dionisio (V.) .... Y 55
S. Margherita (V.) .... Y 58
Tarantini (V.) .... Y 64
Tunisi (V.) .... Y 69
Umberto I (Cso) .... YZ

Colonna Romana .... Y A

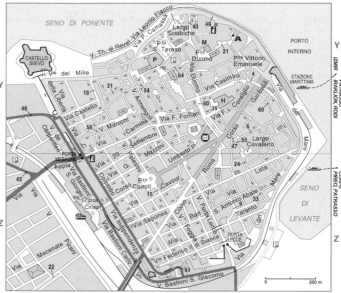

Buguggiate VA 36   N 9
Buia UD 16   AN 6
Buiano AR .... 87 AF 21
Buillet AO 32   E 9
Buisson AO 19   G 8
Bulciago LC 36   Q 9
Bulciano AR .... 88 AH 21
Bulera PI .... 93 AA 24
Bulgaria FC .... 82 AI 19
Bulgarnò FC .... 82 AJ 19
Bulgarograsso CO 36   P 9
Bulgorello CO 36   P 9
Buliciano SI .... 93 AB 23
Bulla BZ .... 13 AE 4
Bulliana BI 34   J 10
Bultei SS 214   P 41
Bulzi SS .... 209 N 38
Bundschen / Ponticino BZ .. 13 AD 4
Buodano AV .... 142 AZ 36
Buonabitàcolo SA .... 163 BC 42
Buonacompra FE .... 67 AD 15
Buonacquisto TR .... 114 AL 28
Buonalbergo BN .... 142 AY 36
Buonanotte TO 59   E 14
Buoncammino OG 219   S 45
Buonconvento SI .... 94 AD 25
Buonfornello PA .... 185 AR 56
Buongarzone CH .... 117 AV 30
Buongianni CS .... 164 BE 44
Buongiorno NA .... 150 AT 38
Buonopane NA .... 150 AS 39
Buonriposo AN .... 194 AU 58
Buonriposo PI 93   Z 23
Buonvicino CS .... 166 BE 45
Buoro VE .... 57 AH 13
Buotano PG .... 97 AK 23
Burago di Molgora MB 37   R 10
Burana FE .... 55 AD 14
Burano BO .... 81 AD 17
Burano CO 23   R 6
Burano RE 78   X 17
Burano VE .... 43 AJ 11
Burattini AN .... 91 AQ 22
Burcei CA .... 222 R 47
Burchio FI .... 87 AD 21
Burdini TO 47   F 14
Bure RM .... 40 AA 10
Burello AN .... 90 AN 22
Buretto CN 60   H 16
Burgeis / Burgusio BZ 2   Y 3
Burgio AG .... 192 AO 58
Burgio SR .... 205 AZ 63
Burgos SS 213   O 41

Burgstall / Postal BZ ..... 12 AC 4
Burguliarito SR .... 203 AZ 60
Burgusio / Burgeis BZ 2   Y 3
Buriano GR .... 103 AA 26
Buriasco TO 59   F 14
Burligo BG 37   S 9
Burolo TO 34   I 11
Buroni SS 209   O 38
Buronzo VC 34   K 11
Burraitofio AG .... 199 AR 60
Burrasca OT 211   S 39
Burzanella BO .... 80 AB 18
Busa BG 37   T 9
Busa GE 62   N 17
Busa MN .... 54 AB 13
Busa TV .... 42 AI 10
Busa VI .... 27 AE 8
Busachi OR .... 217 O 43
Busalla GE 62   O 16
Busana BS 25   X 9
Busana RE 78   W 17
Busano TO 48   G 12
Busatica MS 77   U 18
Busatti VI .... 26 AC 8
Busatto VE .... 42 AI 10
Busca CN 59   F 16
Busca PV .... 51 Q 13
Buscaiolo PV 50   M 12
Buscar VI .... 27 AD 8
Buscarella PV 50   O 13
Buscate MI 36   N 10
Buscemi SR .... 202 AY 61
Busche BL .... 28 AG 7
Busche PG .... 97 AL 24
Buschi PV 50   P 13
Busci CN 61   J 15
Busco TV .... 28 AI 9
Busco TV .... 43 AK 9
Buscoldo MN 54   Z 13
Busdagno LU .... 85 X 19
Buse TN .... 26 AC 8
Buseto Palizzolo TP ...... 183 AL 55
Buseto Sup. TP .... 183 AL 55
Busi PU .... 88 AH 21
Busiago PD .... 41 AG 10
Busnago MB 37   R 10
Buso RO .... 56 AG 13
Buso Borella RO .... 56 AG 13
Busona SI .... 94 AC 23
Busonengo VC 35   K 11
Busovecchio RO .... 56 AF 13
Bussacchetti MN 54   Z 11
Bussana IM 72   I 21

Bussana Vecchia IM 72   H 20
Bussero MI 37   R 10
Busseto PC 63   R 14
Busseto PR 52   V 14
Bussi TO 59   G 15
Bussi sul Tirino PE .... 116 AR 30
Busso CB .... 133 AW 34
Bussolengo VR .... 40 AA 11
Bussoleno TO 47   D 13
Bussolino TO 48   I 13
Bussonico AP .... 108 AP 26
Busta TV .... 42 AG 9
Bustighera MI 37   R 11
Busto Arsizio VA 36   O 10
Busto Garolfo MI 36   O 10
Butera CL .... 200 AU 60
Buthier AO 19   E 9
Buti PI 85   Y 21
Butino PG .... 107 AM 28
Butiotti TO 48   G 12
Butittapietra VR .... 54 AB 11
Butteri TE .... 108 AQ 28
Buttigliera Alta TO 47   F 13
Buttigliera d'Asti AT 48   I 13
Buttogno VB 7   L 7
Buttoli FI .... 80 AC 19
Buttrio UD .... 31 AP 7
Buturo CZ .... 171 BI 49
Buxonera CA 226   P 48
Buyzzi RC .... 177 BG 53
Buzzacarina PD .... 55 AE 12
Buzzo VC 34   I 9
Buzzò PR 77   T 17
Buzzoletto MN 54   Y 14
By AO 19   E 8

C

C. Sarais VS 221   N 47
Ca' Mora RO .... 57 AI 14
Ca'Agostini PU .... 90 AM 21
Ca'Angeletti PU .... 88 AI 20
Ca'Angelino PU .... 89 AK 21
Ca'Antonio PU .... 89 AJ 21
Ca'Baldone PU .... 88 AI 20
Cabanne GE 63   R 17
Cabannoni AL 62   N 14
Ca'Barbaro TV .... 42 AI 10
Ca'Bardaia PU .... 88 AI 20
Ca'Basse PC 52   T 14
Cadeo PC 52   T 14
Ca'Bastianelli AR .... 88 AH 21
Cabatarcio PU .... 88 AH 21
Ca'd'Ercole PU .... 97 AL 22
Ca'Bazzone BO .... 81 AD 17

Cabbia AQ .... 114 AO 29
Cabbiano AP .... 108 AR 26
Cabella Ligure AL 63   P 15
Cabelle MO .... 66 AB 16
Cabelli FC .... 87 AG 20
Cabernardi AN .... 97 AM 22
Ca'Bertacchi RE 66   Y 16
Ca'Bertello PU .... 88 AI 20
Cabia UD .... 16 AN 5
Ca'Bianca AL .... 62 O 15
Ca'Bianca BG 24   T 7
Ca'Bianca BS 25   W 8
Ca'Bianca CO 23   Q 7
Ca'Bianca FE .... 68 AG 14
Ca'Bianca MO .... 67 AC 15
Ca'Bianca PD .... 56 AF 13
Ca'Bianca VE .... 57 AI 12
Ca'Bianca VI .... 41 AD 9
Cabianco BS 39   X 10
Cabiano AP .... 108 AR 26
Cabiate CO 36   Q 9
Caboara PR 64   T 16
Ca'Bortolucci MO 79   Z 17
Cabrana SS .... 209 O 39
Cabras OR .... 216 M 44
Ca'Bredo PD .... 57 AH 12
Ca'Briani VE .... 57 AH 13
Cabriolo PR 65   V 14
Cabrozzo BG 37   S 9
Ca'Cappellino RO .... 57 AI 14
Ca'Cappello RO .... 57 AI 14
Caccamo PA .... 185 AQ 56
Caccamo sul Lago MC .... 98 AO 25
Caccamone TA .... 146 BK 39
Caccavelli CB .... 132 AV 34
Cacce CS .... 167 BG 46
Cacchiano EN .... 194 AU 57
Cacchiano SI .... 94 AD 23
Caccia al Piano LI 93   Y 24
Cacciana NO 35   L 10
Cacciano AR .... 95 AF 23
Cacciano BN .... 142 AW 37
Cacciano PG .... 106 AJ 26
Caccianova CS .... 167 BH 45
Cacciarasca PR 77   S 17
Cacciola CS .... 166 BE 46
Cacciola RE 66   Z 16
Caccivio CO 36   O 9
Caccuri KR .... 172 BJ 48
Cacoe CS .... 170 BG 48
Ca'Corner VE .... 43 AJ 10
Ca'Corniani VE .... 43 AM 10
Ca'Cottoni VE .... 43 AL 10
Ca'da La Voleca RM ...... 120 AM 33
Cadagnolo MO 79   Y 18
Ca'd'Andrea CR 53   W 13
Cadarese VB 7   L 6
Caddo VB 7   K 7
Cadè RE 65   Y 15
Cadè RE 65   Y 15
Ca'de Bonavogli CR 53   W 13
Ca'de Caggi CR 53   W 13
Ca'de Corti CR 53   V 13
Ca'de Fabbri BO .... 67 AD 16
Ca'de Gatti CR 53   V 13
Ca'de' Mari CR 53   V 13
Ca'de Novelli CR 53   W 13
Ca'de Pinci CR 53   X 12
Ca'de Quinzani CR 53   V 13
Ca'de Soresini CR 53   W 13
Ca'de Staoli CR 53   V 13
Ca'de Stefani CR 53   V 12
Ca'de Varani CR 53   W 13
Ca'de Zecchi LO 51   R 12
Cadecoppi MO .... 67 AC 15
Ca'degli Oppi VR .... 55 AB 12
Cadelbosco di Sopra RE .. 66   Y 15
Cadelbosco di Sotto RE .. 66   Y 15
Cadelfoglia BG 23   S 9
Ca'del Bosco LO 52   S 12
Ca'del Costa BO .... 80 AC 18
Ca'del Ferro PU .... 55 AB 12
Ca'del Fosso PV .... 51 Q 14
Ca'del Monte VA 22   O 8
Ca'del Vento PU .... 88 AI 20
Ca'del vescovo UD .... 31 AO 9
Ca'della Terra PV .... 51 Q 12
Cadelmonte PC 52   T 14
Cadelverzo di Sopra BL .. 14 AH 4
Cadenabbia CO 23   Q 8
Cadeo PC 52   T 14
Cadepiaggio AL 62   N 15
Ca'd'Ercole PU .... 97 AL 22
Caderzone TN 26   Z 7

Cadetto Inf. BR .... 148 BO 40
Ca'd'Eusepio PU .... 97 AL 22
Ca'di David VR .... 40 AA 11
Ca'di Giannasi MO 79   Y 18
Ca'di Giulietta BO .... 80 AC 18
Ca'di Landino BO .... 80 AC 19
Ca'di Lanzo VC 20   I 9
Ca'di Lugo RA .... 68 AG 17
Ca'di Macici VR .... 40 AB 11
Ca'di Malanca RA .... 81 AE 19
Ca'di Sola MO .... 66 AA 16
Ca'di Tosti MC .... 98 AN 23
Ca'di Vico PU .... 88 AI 20
Cadibona SV 74   L 17
Cadignano BS 53   V 11
Cadignano MO 79   Z 18
Cadignano RE 79   Y 18
Cadilana LO 51   S 12
Cadimarco BS 53   X 12
Cadin di Sopra BL .... 14 AH 4
Cadine TN .... 26 AB 7
Cadipietra / Steinhaus BZ .. 5 AG 2
Cadiroggio RE 66   Z 16
Cadirossi GR .... 104 AE 27
Ca'Doffin VI .... 41 AF 9
Ca'Dolfin RO .... 57 AJ 14
Cadoneghe PD .... 42 AG 11
Cadorago CO 36   P 9
Cadorossi VE .... 57 AH 13
Cadotto SV 74   K 18
Cadrezzate VA 35   M 9
Cadria BS 25   Y 9
Cadriano BO .... 67 AD 16
Cadugnella UD .... 30 AN 7
Cadunea UD .... 16 AN 5
Ca'Emo RO .... 57 AJ 14
Caerano di San Marco TV .. 42 AH 9
Cafaggio LI 92   X 23
Cafaggio LI 102   Y 25
Cafaggio PO .... 86 AB 20
Cafaggiolo FI .... 86 AC 20
Ca'Falier TV .... 42 AH 9
Cafaro CS .... 166 BF 46
Cafasse TO 47   G 12
Cafasso SA .... 152 AZ 41
Caferì ME .... 188 AY 55
Ca'Ferrari RE 78   X 17
Caffaraccia PR 64   T 16
Caffarena GE 63   Q 16
Cafone NA .... 150 AT 38
Ca'Francescone PU .... 88 AI 20
Ca'Frizzo PD .... 41 AF 10
Ca'Fulvi PU .... 90 AM 22
Ca'Gaiotto VE .... 43 AL 9
Ca'Gallo PU .... 89 AK 21
Ca'Gentilli PU .... 105 AI 25
Caggiano SA .... 153 BB 40
Caggio di Mezzo SI .... 94 AC 24
Ca'Giovaccolo PU .... 89 AK 22
Ca'Giovannino PU .... 89 AJ 21
Cagli PU .... 89 AK 22
Cagliano BI 34   J 11
Cagliano LC 37   R 9
Cagliari CA 226   P 48
Cagliari RM .... 12 AA 5
Cagliastro CT .... 202 AW 61
Caglieglia MS 78   W 19
Caglio CO 23   Q 8
Cagnagno PG .... 96 AK 23
Cagnano SI .... 94 AC 23
Cagnano VC .... 35 AD 12
Cagnano Amiterno AQ ... 114 AO 29
Cagnatico BS 39   X 10
Cagni BN .... 141 AW 37
Cagno CO 22   O 9
Cagno CS .... 171 BI 48
Cagnò TN .... 12 AB 5
Cagnola PD .... 56 AG 12
Cagnoletti SO 10   U 6
Cagnoli BG 24   T 8
Ca'Gostino PU .... 89 AJ 20
Ca'Grignella RO .... 57 AH 13
Caia Borsa BR .... 133 AW 35
Caianello CE .... 140 AT 36
Caiano AR .... 87 AE 21
Caiano SA .... 151 AW 39
Caiano TE .... 108 AQ 28
Caiazzano SA .... 153 BC 42
Caiazzo CE .... 141 AW 36
Caicaccia PU .... 97 AL 22
Caicchia BN .... 133 AW 36
Caidate VA 35   N 9
Cailina BS 38   W 10
Caimarini PU .... 96 AK 23
Caimariotti PG .... 96 AK 23
Caimercati PU .... 96 AK 22
Càines / Kuens BZ .... 3 AC 3

Caino BS 38   W 10
Caino CO 23   R 7
Caioletto PU .... 88 AI 21
Caiolo SO 24   T 7
Caionvica BS 38   W 10
Caira FR .... 131 AR 34
Cairano AV .... 143 BB 38
Cairate VA 36   O 9
Caire CN 60   H 15
Cairo PU .... 89 AM 21
Cairo Montenotte SV 74   K 17
Caivano NA .... 141 AU 38
Caivano PZ .... 153 BD 39
Caivola PU .... 90 AM 21
Cal Monte PU .... 89 AK 21
Cala Bitta OT .... 210 R 37
Cala Caterina CA 227   S 49
Cala Creta AG .... 191 AK 70
Cala di Volpe OT 211   S 37
Cala d'Oliva SS 208   L 37
Cala Francese AG .... 191 AK 71
Cala Francese OT 207   R 36
Cala Girgolu NU 211   T 38
Cala Gonone NU 215   S 42
Cala Liberotto NU 215   T 41
Cala Moresca GR .... 110 AB 29
Cala Mosca CA 226   P 48
Ca'la Ninetta PU .... 89 AK 21
Cala Paradiso NU 211   T 38
Ca'la Petra PU .... 88 AI 21
Cala Pianorum RM .... 119 AI 31
Cala Piccola GR .... 110 AB 29
Cala Pira CA 227   S 48
Cala Rossa PA .... 183 AN 55
Cala Sinzias CA 227   S 48
Ca'la Suaraccia NU 211   T 38
Ca'Labaglia PU .... 89 AL 21
Calabernardo SR .... 205 AZ 62
Calabrese BR .... 148 BN 39
Calabricata CZ .... 175 BJ 50
Calabricito CE .... 141 AV 37
Calabrina FC .... 82 AI 18
Calabritto AV .... 152 BA 39
Calabritto CE .... 131 AS 35
Calabro CS .... 166 BE 46
Calabrò ME .... 188 AY 55
Calabrò PA .... 194 AT 57
Calafatoni VV .... 176 BE 52
Calafuria LI 92   W 23
Calaggio AV .... 143 BB 37
Ca'Lagostina PU .... 89 AK 22
Calalzo di Cadore BL ..... 15 AJ 5
Calamaci RC .... 178 BD 55
Calamandrana AT 61   L 15
Calamecca PT 85   Z 20
Calambrone PI 84   W 22
Calamecca PT 85   Z 20
Calamia CS .... 168 BH 46
Calamita Vecchia TP ..... 190 AK 57
Calamonaci AG .... 192 AO 58
Calanchi RG .... 205 AY 62
Calandrone MI 37   R 11
Calangianus OT .... 210 Q 38
Calanna RC .... 178 BD 54
Calaone PD .... 56 AE 12
Calariccia PU .... 89 AJ 21
Calasca-Bannio-Anzino VB .. 20 J 8
Calascibetta EN .... 194 AU 58
Calasca AQ .... 115 AR 30
Calasetta CI .... 224 L 49
Calasmita RC .... 177 BG 53
Calatabiano CT .... 197 BA 57
Calatafimi TP .... 183 AM 56
Calavà ME .... 188 AY 54
Calavino TN .... 26 AA 7
Calazzotto CH .... 123 AU 31
Calbenzano AR .... 88 AG 22
Calbi AR .... 95 AG 23
Calboli FC .... 82 AG 19
Calceferro LU 84   W 20
Calcara BO .... 67 AB 16
Calcara MC .... 107 AN 26
Calcara VI .... 41 AD 10
Calcare ME .... 189 BB 56
Calcarella CB .... 133 AW 34
Calcariola RI .... 114 AM 29
Calcarole VR .... 40 AA 10
Calcarone AV .... 142 AY 38
Calcarone BA .... 189 BA 54
Calcata RM .... 113 AJ 30
Calcata Vecchia RM ...... 113 AJ 30

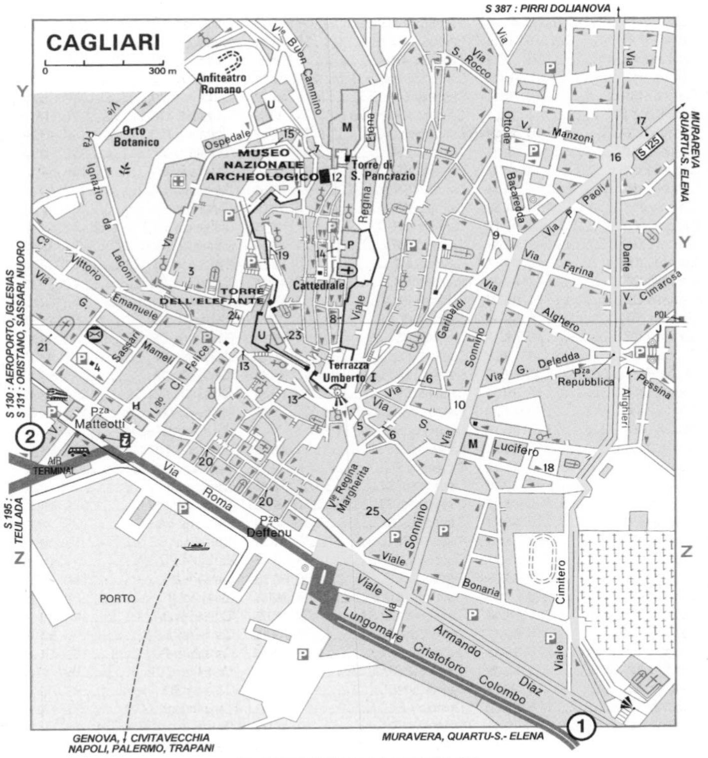
CAGLIARI
0
300 m
S 387 : PIRRI DOLIANOVA
Anfiteatro Romano
Orto Botanico
Ospedale
MUSEO NAZIONALE ARCHEOLOGICO
Torre di S. Pancrazio
TORRE DELL'ELEFANTE
Cattedrale
Terrazza Umberto I
Pza Matteotti
Pza Deffenu
Pza Repubblica
PORTO
Via Roma
Viale Regina Margherita
Viale Bonaria
Lungomare Cristoforo Colombo
Viale Armando Diaz
Cimitero
MURAREVA QUARTU-S. ELENA
S 130 : AEROPORTO, IGLESIAS
S 131 : ORISTANO, SASSARI, NUORO
S 195 : TEULADA
GENOVA, CIVITAVECCHIA
NAPOLI, PALERMO, TRAPANI
MURAVERA, QUARTU-S.- ELENA

Circolazione regolamentata nel centro città

Azuni (V.) . . . . . . Y 3
Carlo Felice (Largo) . . . . . . Z
Carmine (Pza) . . . . . . Z 4
Costituzione (Pza) . . . . . . Z 5
D'Arborea (V. E.) . . . . . . Z 6
Fiume (V.) . . . . . . Y 7
Fossario (V.) . . . . . . Y 8
Garibaldi (Pza) . . . . . . Y 9
Gramsci (Pza) . . . . . . Z 10
Indipendenza (Pza) . . . . . . Y 12
Manno (V. G.) . . . . . . Z 13
Martini (V.) . . . . . . Y 14
Porceli (V.) . . . . . . Y 15
Roma (V.) . . . . . . Z
Sardegna (V.) . . . . . . Z 20
S. Benedetto (Pza) . . . . . . Y 16
S. Benedetto (V.) . . . . . . Y 17
S. Cosimo (Pza) . . . . . . Z 18
S. Croce (V.) . . . . . . Y 19
Trieste (Viale) . . . . . . Z 21
Università (V.) . . . . . . Z 23
Yenne (Pza) . . . . . . Y 24
20 Settembre (V.) . . . . . . Z 25

Calcerame **PA** ... 184 AO 55
Calcerana-Marina **CT** ... 195 AY 57
Calceranica al Lago **TN** ... 26 AC 7
Calchera Frontale **BG** ... 23 S 9
Calchesio **CN** ... 58 E 16
Calci **PI** ... 85 Y 21
Calciano **MT** ... 154 BG 40
Calcificio Falcone **FG** ... 126 BB 33
Calcina **MC** ... 97 AN 25
Calcinaia **FI** ... 86 AC 22
Calcinaia **GE** ... 76 Q 17
Calcinaia **PI** ... 85 Y 21
Calcinara **GE** ... 76 P 17
Calcinara **PC** ... 51 R 13
Calcinate **BG** ... 37 T 10
Calcinate del Pesce **VA** ... 22 N 9
Calcinatello **BS** ... 39 X 11
Calcinato **BS** ... 39 X 11
Calcinelli **PU** ... 90 AM 21
Calcinere **CN** ... 59 E 15
Calcini **AT** ... 49 L 14
Calcio **BG** ... 38 U 10
Calcione **AR** ... 95 AF 24
Calciurro **PU** ... 89 AK 21
Calco **LC** ... 37 R 9
Calco Sup. **LC** ... 37 R 9
Calda **PZ** ... 164 BE 43
Caldamura **VR** ... 55 AD 11
Caldana **GR** ... 103 AA 26
Caldana **LI** ... 102 Y 25
Caldana **VA** ... 21 N 8
Caldane **CN** ... 58 D 16
Caldarani **CE** ... 132 AT 36
Caldarella **RC** ... 177 BI 53
Caldarello **MC** ... 98 AP 25
Caldaro / Kaltern **BZ** ... 12 AC 5
Caldarola **MC** ... 98 AO 25
Caldarola **PC** ... 63 R 14
Caldasio **AL** ... 61 L 16
Caldè **VA** ... 21 N 8
Caldeddu **SS** ... 209 N 38
Calderano **TV** ... 29 AK 8
Calderara **IM** ... 72 I 19
Calderara di Reno **BO** ... 67 AC 16
Calderino **BO** ... 67 AC 17
Caldes **TN** ... 12 AA 5
Caldiero **VR** ... 40 AC 11
Caldine **FI** ... 86 AC 20
Caldirola **AL** ... 63 P 15
Caldogno **VI** ... 41 AE 10
Caldonazzo **TN** ... 27 AC 8
Caldonazzo **VI** ... 41 AE 10
Caldopiano **CS** ... 170 BF 47
Calea **TO** ... 34 H 11
Caleipo **BL** ... 28 AI 7
Calella **CS** ... 170 BF 49
Calendano **BA** ... 137 BH 37
Calendasco **PC** ... 52 S 13
Calendini **CS** ... 170 BG 48
Calenzano **FI** ... 86 AB 20
Calenzano **PC** ... 63 S 15
Calenzano **PI** ... 86 AA 21
Caleppio **MI** ... 37 R 11
Ca'Lepri **PU** ... 90 AM 20
Caleri **RO** ... 57 AI 13
Calerno **RE** ... 65 X 15
Calestano **PR** ... 65 V 16
Caletta **LI** ... 92 X 23
Calevace **RC** ... 179 BG 54
Calgaretto **UD** ... 16 AM 4
Calghera **PV** ... 63 Q 14
Cali **CT** ... 197 BA 58
Cali **RG** ... 204 AW 62
Caliato **AG** ... 198 AQ 60
Calice **PR** ... 64 S 16
Calice **VB** ... 7 K 7
Calice al Cornoviglio **SP** ... 77 U 18
Calice Ligure **SV** ... 74 K 18
California **BL** ... 14 AG 6
Caligiana **PG** ... 96 AI 24
Calignano **PV** ... 51 Q 12
Calimera **LE** ... 159 BS 42
Calimera **VV** ... 176 BF 52
Calino **BS** ... 38 V 10
Ca'Lino **VE** ... 57 AI 13
Calise **BN** ... 133 AY 36
Calisese **FC** ... 82 AI 19
Calistri **BO** ... 80 AA 19
Calitri **AV** ... 143 BB 38
Calitta **SA** ... 151 AV 40
Calizzano **SV** ... 74 J 18
Calla **PU** ... 89 AJ 22
Calla **UD** ... 17 AP 6
Callabiana **BI** ... 34 J 10
Calle **MT** ... 154 BF 39
Calleo **SA** ... 163 BB 43
Calleta **AR** ... 87 AF 22
Calli **AV** ... 143 BB 37
Callianetto **AT** ... 49 K 14
Calliano **AT** ... 49 K 13
Calliano **TN** ... 26 AB 8
Calliera **MN** ... 54 Y 12
Callieri **CN** ... 70 D 18
Calma **TO** ... 47 G 12
Calmana **PD** ... 56 AE 12
Calmasino **VR** ... 39 Z 10
Calmazzo **PU** ... 89 AK 21
Calmazzo **PU** ... 89 AL 21
Calnago **MI** ... 37 R 10
Calnova **TV** ... 43 AK 9
Calo' **MI** ... 36 Q 9
Calogna **VB** ... 21 M 8
Calolziocorte **LC** ... 23 R 9
Calonega **PD** ... 41 AF 10
Calopezzati **CS** ... 168 BJ 46
Calore **AV** ... 142 AY 37
Calore **AV** ... 142 AY 37
Calore Sandriani **BN** ... 142 AY 37
Calosi **RC** ... 189 BC 54
Calosso **AT** ... 61 K 15
Caloveto **CS** ... 168 BJ 46
Calozzo Mianico **CO** ... 23 Q 7
Calpino **PU** ... 89 AK 21
Calsazio **TO** ... 33 G 11
Caltabellotta **AG** ... 192 AO 58
Caltafalsa **PA** ... 183 AM 56
Caltagirone **CT** ... 202 AW 60
Caltana **VE** ... 42 AH 11
Caltanissetta **CL** ... 194 AT 59
Caltavuturo **PA** ... 186 AS 57
Caltignaga **NO** ... 35 M 10
Calto **RO** ... 55 AD 14
Calto **VI** ... 41 AD 11
Caltrano **VI** ... 27 AD 9
Caltron **TN** ... 12 AB 5
Caluga **VI** ... 27 AF 9
Ca'Lupara **PG** ... 96 AK 23
Caluri **VR** ... 40 AA 11
Calusco d'Adda **BG** ... 37 R 9
Caluso **TO** ... 48 I 12
Calvagese della Riviera **BS** ... 39 X 10
Calvanese **NA** ... 151 AW 39
Calvanico **SA** ... 152 AX 39
Calvano **BN** ... 142 AY 37
Calvarese **AP** ... 108 AP 26
Calvari **GE** ... 76 P 17
Calvari **GE** ... 76 Q 17
Calvario **CB** ... 133 AW 34
Calvario **CH** ... 117 AU 30
Calvaruso **ME** ... 189 BB 54
Calvatone **CR** ... 53 X 13
Calvecchia **VE** ... 43 AK 10
Calvello **PZ** ... 154 BE 41
Calvene **VI** ... 27 AE 9
Calvenzano **BG** ... 37 S 11
Calvenzano **BO** ... 80 AB 18
Calvenzano **LO** ... 51 R 12
Calvera **MT** ... 155 BG 41
Calvera **PZ** ... 164 BF 43
Calvesegno **CO** ... 23 Q 7
Calvetro **RE** ... 66 Z 15
Calvi **BO** ... 67 AE 15
Calvi **SV** ... 74 K 18
Calvi dell'Umbria **TR** ... 113 AK 29
Calvi Risorta **CE** ... 140 AT 36
Calvi Vecchia **CE** ... 141 AT 36
Calvignano **PV** ... 51 Q 14
Calvignasco **MI** ... 50 P 12
Calvillano **PU** ... 88 AJ 21
Calvisano **BS** ... 53 X 11
Calvisi **CE** ... 132 AV 36
Calvizzano **NA** ... 150 AU 38
Calvo **IM** ... 72 G 21
Calzaiolo **FI** ... 86 AC 22
Calzavitello **MS** ... 77 T 17
Calzisi **AV** ... 142 AY 38
Calzolaro **PG** ... 96 AI 23
Calzoppo **PU** ... 89 AJ 21
Camagna **AL** ... 49 L 13
Ca'Maiano **AN** ... 97 AM 23
Camaiore **LU** ... 84 W 20
Camairago **LO** ... 52 T 12
Camalavicina **VR** ... 39 Z 11
Camaldoli **AR** ... 87 AF 21
Camaldoli **GE** ... 76 O 17
Camaldoli **NA** ... 151 AV 38
Camaldoli **NA** ... 151 AV 40
Camaldoli **SA** ... 152 BA 40
Camalò **TV** ... 42 AI 9
Ca'Mancino **PU** ... 89 AJ 21
Camandona **BI** ... 34 J 10
Camarda **AQ** ... 115 AP 29
Camaro **ME** ... 189 BC 54
Ca'Marone **PU** ... 89 AJ 20
Camartina **AP** ... 107 AO 27
Camarza **GE** ... 62 O 16
Camasco **VC** ... 21 K 8
Camastra **AG** ... 199 AR 60
Camastriglio **PU** ... 89 AJ 21
Camatta **MN** ... 54 AA 13
Camatte **MN** ... 54 Z 13
Camatte **VR** ... 55 AD 12
Ca'Matte **RO** ... 56 AG 13
Ca'Matte **VE** ... 57 AH 13
Camavina **MC** ... 98 AP 25
Ca'Mazzasette **PU** ... 89 AK 21
Camazzole **PD** ... 41 AF 10
Cambareri **RC** ... 189 BD 56
Cambiago **MI** ... 37 R 10
Cambiano **FI** ... 86 AA 22
Cambiano **TO** ... 48 H 14
Cambiasca **VB** ... 21 M 8
Cambio **RO** ... 56 AG 13
Cambiò **PV** ... 50 N 13
Cambroso **PD** ... 57 AH 12
Cambruso **RC** ... 177 BG 53
Camburzano **BI** ... 34 J 10
Camellino **KR** ... 172 BJ 49
Ca'Mello **RO** ... 57 AJ 14
Camemi **RG** ... 204 AW 63
Camera Bianca **LT** ... 139 AQ 36
Camerano **AN** ... 91 AQ 22
Camerano **AT** ... 49 J 14
Camerano **RN** ... 83 AJ 19
Camerata **PG** ... 106 AJ 27
Camerata Cornello **BG** ... 23 S 8
Camerata Nuova **RM** ... 121 AN 31
Camerata Picena **AN** ... 91 AP 22
Camere **IS** ... 132 AV 34
Cameri **NO** ... 35 M 10
Cameriano **NO** ... 35 M 11
Camerin **TV** ... 29 AI 8
Camerino **MC** ... 98 AN 25
Camerota **SA** ... 163 BB 43
Ca'Messenio **GO** ... 31 AP 9
Camica **TV** ... 29 AJ 9
Ca'Micci **PU** ... 89 AJ 20
Camicelle **CS** ... 168 BJ 46
Camicia **ME** ... 189 BA 54
Camigliano **CE** ... 141 AU 36
Camigliano **CS** ... 169 BK 46
Camigliano **SI** ... 104 AD 25
Camigliatello Silano **CS** ... 171 BH 47
Ca'Migliore **PU** ... 88 AI 20
Camin **PD** ... 42 AG 11
Caminata **GE** ... 77 R 17
Caminata **PC** ... 63 Q 14
Caminata **PC** ... 63 Q 15
Caminata **PC** ... 64 S 15
Caminata **PC** ... 64 T 14
Caminata **PC** ... 64 T 14
Caminata / Kematen **BZ** ... 4 AE 2
Caminata Boselli **PC** ... 63 R 15
Caminata di Tures **BZ** ... 5 AG 2
Caminate **PU** ... 90 AN 21
Caminetto **UD** ... 31 AP 7
Camini **RC** ... 177 BH 53
Caminia **CZ** ... 175 BI 51
Camino **AL** ... 49 K 13
Camino **CE** ... 131 AS 35
Camino **PG** ... 107 AM 26
Camino **PU** ... 89 AJ 21
Camino **UD** ... 31 AP 8
Camino al Tagliamento **UD** ... 30 AM 8
Camisa **CA** ... 227 S 48
Camisano **CR** ... 37 T 11
Camisano Vicentino **VI** ... 41 AF 10
Camisasca **CO** ... 36 Q 9
Camissinone **BG** ... 23 S 9
Camitrici **EN** ... 194 AU 59
Cammara-San Giorgio **ME** 188 AX 55
Cammarata **AG** ... 193 AQ 58
Cammaresano **SA** ... 163 BC 43
Cammarota **PZ** ... 144 BD 39
Cammattole **SI** ... 104 AF 26
Camminata **CR** ... 53 X 13
Cammisini **PA** ... 186 AS 56
Cammoro **PG** ... 107 AM 26
Camo **CN** ... 61 K 15
Camocelli Inf. **RC** ... 177 BH 54
Camocelli Sup. **RC** ... 177 BH 53
Camogli **GE** ... 76 P 17
Camoglieres **CN** ... 59 E 16
Camoli **CS** ... 170 BF 49
Ca'Molin **PD** ... 56 AG 12
Ca'Montegherardello **PU** ... 89 AL 22
Ca'Morosini **PD** ... 56 AE 13
Camorsciano **MC** ... 97 AN 25
Camp **AO** ... 34 H 10
Camp Fiamena **TN** ... 27 AF 6
Campaccio **AR** ... 87 AF 22
Campaccio **AR** ... 95 AH 24
Campaegli **RM** ... 121 AN 32
Campagna **BL** ... 27 AF 7
Campagna **BS** ... 38 V 10
Campagna **CR** ... 52 U 12
Campagna **LO** ... 52 T 13
Campagna **PC** ... 63 R 15
Campagna **PN** ... 29 AL 7
Campagna **SA** ... 152 AZ 39
Campagna **SO** ... 10 V 6
Campagna **VA** ... 21 M 8
Campagna **VC** ... 49 J 12
Campagna Lupia **VE** ... 42 AH 11
Campagna Sopra **BS** ... 39 X 11
Campagna Sotto **BS** ... 39 X 11
Campagnana **PO** ... 80 AB 19
Campagnano **VA** ... 22 N 7
Campagnano di Roma **RM** 119 AJ 31
Campagnari **VI** ... 41 AF 9
Campagnatico **GR** ... 103 AC 26
Campagnazza **RO** ... 56 AF 13
Campagnella **CZ** ... 175 BI 50
Campagni **CE** ... 141 AV 36
Campagnino **TO** ... 59 G 14
Campagnola **BI** ... 34 J 11
Campagnola **BS** ... 39 X 10
Campagnola **BS** ... 39 X 11
Campagnola **CE** ... 140 AT 36
Campagnola **CR** ... 52 V 12
Campagnola **NO** ... 35 M 9
Campagnola **PD** ... 56 AG 12
Campagnola **RO** ... 56 AG 14
Campagnola **VA** ... 22 O 9
Campagnola **VE** ... 57 AH 13
Campagnola **VI** ... 40 AC 10
Campagnola **VI** ... 41 AF 9
Campagnola **VR** ... 54 Z 11
Campagnola Cremasca **CR** . 37 T 11
Campagnola Emilia **RE** ... 66 Z 14
Campagnole **CN** ... 59 F 16
Campagnolo **BS** ... 39 X 11
Campagrina **LU** ... 78 W 19
Campaiana **LU** ... 79 X 18
Campalano **VR** ... 55 AB 12
Campaldaio **PT** ... 80 AB 19
Campalestro **PV** ... 50 N 12
Campalto **LI** ... 102 Y 25
Campalto **VE** ... 42 AI 11
Campalto **VR** ... 40 AB 11
Campana **AL** ... 63 P 15
Campana **AQ** ... 115 AQ 30
Campana **CS** ... 169 BJ 47
Campana **FI** ... 94 AC 22
Campana **VI** ... 27 AD 8
Campanarello **AV** ... 142 AY 37
Campanari **AN** ... 99 AQ 23
Campanedda **SS** ... 208 L 39
Campanella **AT** ... 61 K 14
Campanella **BS** ... 38 V 10
Campanella **RG** ... 204 AY 62
Campanella **VI** ... 40 AC 10
Campanella **VI** ... 27 AE 8
Campanelle **MC** ... 98 AP 25
Campanelle **TV** ... 29 AJ 8
Campanile **BR** ... 148 BO 39
Campanile **FR** ... 130 AQ 34
Campanile **PU** ... 90 AM 21
Campanotico **MC** ... 107 AO 25
Camparada **MB** ... 37 Q 10
Campatello **FC** ... 81 AF 19
Campazzo **BS** ... 53 V 12
Campazzo **MO** ... 66 AB 15
Campazzo **PR** ... 65 V 14
Campea **TV** ... 28 AH 8
Campedei **BL** ... 28 AH 7
Campedello **PR** ... 53 W 14
Campedello **SO** ... 9 R 6
Campeggio **BO** ... 80 AD 18
Campegine **RE** ... 65 Y 15
Campegli **GE** ... 77 R 18
Campeglio **UD** ... 31 AP 7
Campeglio **VB** ... 7 N 7
Campelli **BG** ... 24 V 8
Campelli **RO** ... 56 AH 13
Campello Alto **PG** ... 106 AL 27
Campello Monti **VB** ... 21 K 8
Campello sul Clitunno **PG** ... 106 AL 27
Campeo **LT** ... 139 AR 36
Campertogno **VC** ... 34 J 9
Campese **VI** ... 27 AF 9
Campestre **PZ** ... 153 BB 39
Campestri **FI** ... 87 AD 20
Campestrin **TN** ... 13 AF 5
Campestrini **TN** ... 27 AD 7
Campetto **AN** ... 90 AO 22
Campi **AR** ... 87 AG 21
Campi **AR** ... 95 AG 23
Campi **BN** ... 141 AV 37
Campi **GE** ... 75 M 17
Campi **PG** ... 107 AN 26
Campi **PR** ... 64 T 17
Campi **SI** ... 94 AD 23
Campi **TN** ... 26 Z 8
Campi Bisenzio **FI** ... 86 AB 21
Campi Marzi **CB** ... 132 AV 34
Campi Resi **PU** ... 89 AK 21
Campi Salentina **LE** ... 158 BR 41
Campi Vécchio **PG** ... 107 AN 26
Campia **LU** ... 79 X 19
Campiano **GR** ... 103 AB 25
Campiano **PU** ... 88 AI 20
Campiano **RA** ... 81 AF 18
Campiano **RA** ... 82 AI 18
Campiano **VR** ... 40 AC 10
Campicello **CS** ... 164 BE 44
Campicino **MC** ... 107 AO 25
Campidello / Kampidell **BZ** ... 13 AC 4
Campiferro **PU** ... 89 AL 22
Campiglia **SP** ... 77 T 19
Campiglia Cervo **BI** ... 34 I 10
Campiglia dei Berici **VI** ... 55 AE 11
Campiglia dei Foci **SI** ... 93 AB 23
Campiglia d'Orcia **SI** ... 104 AF 26
Campiglia Marittima **LI** ... 102 Y 25
Campiglia Soana **TO** ... 33 G 10
Campigliano **SA** ... 152 AY 39
Campiglio **MO** ... 66 AA 17
Campiglio **PT** ... 85 AA 20
Campiglione **AP** ... 99 AR 24
Campiglione **CN** ... 58 D 16
Campiglione **MS** ... 78 V 18
Campiglione **TO** ... 59 E 15
Campiglioni **FI** ... 87 AE 21
Campigna **FC** ... 87 AF 20
Campigno **FI** ... 81 AE 19
Campigo **TV** ... 42 AG 10
Campigotti **BL** ... 27 AF 7
Campino **GR** ... 103 AC 27
Campino **VB** ... 21 M 8
Campioli **VB** ... 20 J 8
Campiolo **UD** ... 16 AN 5
Campion **TV** ... 29 AJ 8
Campione **MN** ... 54 Z 13
Campione del Garda **BS** ... 39 Z 9

Campione d'Italia CO 22 O 8
Campitelle LI 100 W 27
Campitelli FR 131 AR 35
Campitello BL 15 AK 4
Campitello MN 54 Y 13
Campitello PG 97 AL 23
Campitello TR 113 AK 28
Campitello di Fassa TN 13 AF 5
Campitello Matese CB 132 AV 35
Campivolo UD 16 AM 4
Campizze AV 142 AW 37
Campli TE 108 AR 27
Campo BL 28 AG 8
Campo BL 28 AH 7
Campo BZ 3 AC 3
Campo BZ 4 AG 4
Campo CE 131 AS 35
Campo CS 171 BG 49
Campo CZ 175 BI 50
Campo PI 85 X 21
Campo PU 88 AJ 21
Campo RC 179 BG 54
Campo SO 9 R 6
Campo SO 23 T 7
Campo TN 26 AN 6
Campo TO 33 H 11
Campo VC 20 J 8
Campo VI 27 AF 8
Campo VR 39 Z 9
Campo al Melo LI 92 X 22
Campo Calabro RC 189 BC 54
Campo del Pero VT 112 AI 28
Campo della Pietra TO 32 E 11
Campo dell'Osso RM 121 AO 32
Campo di Carne LT 129 AK 34
Campo di Fano AQ 122 AS 31
Campo di Fieno CS 167 BG 47
Campo di Giove AQ 122 AT 31
Campo di Mare BR 149 BR 40
Campo di Mare CS 170 BF 48
Campo di Nusco AV 143 AZ 38
Campo di Pietra TV 43 AK 9
Campo di Roma CH 116 AU 30
Campo di Sopra BL 14 AH 4
Campo di Sopra MS 78 U 18
Campo di Trens / Freienteld BZ 4 AD 2
Campo Felice CE 139 AS 36
Campo Inglese LT 138 AM 38
Campo Le Rose PZ 164 BF 44
Campo Lemini RM 128 AJ 34
Campo Ligure GE 62 N 16
Campo Magno PT 79 AA 19
Campo Morino VT 105 AG 27
Campo Negro SR 205 AZ 62
Campo Nuovo VT 112 AG 28
Campo Pei Du SS 208 K 37
Campo Piano SA 153 BA 39
Campo Profughi SA 152 AY 40
Campo Reggiano PG 96 AJ 23
Campo Rosso PU 88 AI 20
Campo San Lorenzo CS 168 BH 47
Campo San Martino PD 41 AF 10
Campo San Pietro BL 28 AH 7
Campo Selva RM 128 AJ 34
Campo Soriano LT 130 AO 35
Campo Staffi FR 121 AP 32
Campo Tizzoro PT 79 AA 19
Campo Tures / Sand i. Taufers BZ 5 AG 2
Campo Verde LE 159 BS 41
Campobasso CB 133 AX 34
Campobello TP 190 AG 63
Campobello di Licata AG 199 AS 60
Campobello di Mazara TP 191 AL 58
Campobernardo TV 43 AK 9
Campobonomo MC 107 AN 25
Campocatino FR 121 AP 32
Campocavallo AN 98 AP 23
Campochiaro CB 132 AW 35
Campochiesa SV 73 K 19
Campocroce TV 42 AI 10
Campocroce VE 42 AH 11
Campodalbero VI 40 AC 10
Campodarco PU 89 AJ 20
Campodarsego PD 42 AG 10
Campodenno TN 12 AB 6
Campodiegoli AN 97 AL 24
Campodimele LT 130 AQ 35
Campodino TE 108 AR 27
Campodipietra CB 133 AX 34
Campodivivo LT 139 AR 36
Campodolcino SO 9 R 5
Campodolio MO 79 Z 17
Campodonico AN 97 AM 24
Campodonico GE 76 Q 17
Campodorato CZ 170 BF 49
Campodoro PD 41 AF 11
Campofelice di Fitalia PA 185 AP 57
Campofelice di Roccella PA 186 AS 56
Campoferro PV 51 P 13
Campofilone FM 99 AR 25
Campofiorito PA 192 AO 57
Campofondo PG 106 AK 26
Campofontana VR 40 AB 10
Campoforano TO 46 D 14
Campoformido UD 30 AN 7
Campoforogna RI 114 AM 29
Campofranco CL 193 AR 58
Campogalliano MO 66 AA 15
Campogialli AR 95 AF 22
Campogiallo FI 87 AD 21
Campogrande ME 188 AZ 55
Campogrande TE 109 AR 27
Campoienzo CZ 170 BG 50
Campolano RI 114 AN 30
Campolaro BS 25 X 8
Campolarzo MC 98 AN 25
Campolasalza TO 46 D 14
Campolasta / Astfeld BZ 13 AD 4
Campolattaro BN 133 AX 36
Campolemisi LU 85 X 19
Campoleone LT 129 AK 34
Campoli Appennino FR 131 AR 33
Campoli Cerasara RC 177 BH 53
Campoli del Monte Taburno BN 142 AW 37
Campolieto CB 133 AX 34
Campolo BO 80 AB 18
Campolonghetto UD 30 AO 8
Campolongo BL 15 AK 4
Campolongo BN 142 AY 36
Campolongo CE 131 AS 35
Campolongo KR 173 BL 50
Campolongo TN 26 AC 7
Campolongo TV 29 AI 8
Campolongo VE 43 AJ 10
Campolongo VI 41 AD 11
Campolongo al Torre UD 31 AP 8
Campolongo I SA 152 AY 40
Campolongo II SA 152 AY 40
Campolongo Maggiore VE 56 AH 12
Campolongo sul Brenta VI 27 AF 9
Campoluci AR 95 AG 22
Campolungo AP 108 AR 26
Campolungo CN 74 J 17
Campolungo FE 68 AG 15
Campolungo LO 51 R 12
Campolungo PU 88 AI 20
Campolungo RE 79 X 17
Campolungo VT 112 AH 29
Campomaggio MC 98 AP 24
Campomaggiore PZ 154 BF 40
Campomaggiore Vecchio PZ 154 BF 40
Campomanente AV 151 AX 38
Campomarino CB 125 AZ 32
Campomarino TA 157 BO 42
Campomarzio RC 177 BI 53
Campomezzavia VI 27 AE 9
Campomilia ME 188 AY 55
Campominore CS 166 BE 46
Campominore Alto CS 166 BE 46
Campomolino CN 70 E 17
Campomolino TV 29 AK 8
Campomolle UD 30 AN 8
Campomorone GE 62 O 16
Campomorto PV 51 Q 12
Campomulo VI 27 AE 8
Campon BL 29 AJ 7
Campone LO 52 T 13
Campone PN 16 AL 6
Campone SO 10 W 6
Campone VB 21 L 8
Camponi FR 131 AQ 34
Camponocecchio AN 97 AM 23
Camponogara VE 42 AH 11
Camponuovo SV 74 J 17
Campopalazzi SI 94 AD 25
Campopiano GE 76 Q 17
Campopiano PT 85 AA 20
Campopino IS 132 AT 35
Campora PR 65 W 16
Campora SA 162 BA 42
Campora San Giovanni CS 170 BF 49
Camporaghena MS 78 W 18
Camporanda LU 78 X 18
Camporbiano FI 93 AA 23
Campore NA 151 AW 40
Campore SP 77 S 17
Camporeale PA 183 AN 56
Camporella RE 78 W 17
Camporgiano LU 78 X 19
Campori GE 76 R 17
Campori LU 79 X 19
Camporinaldo PV 51 R 13
Camporipano PT 85 AA 20
Camporoppolo PG 106 AL 27
Camporosso IM 72 G 21
Camporosso in Valcanale UD 17 AQ 4
Camporotondo AQ 121 AO 32
Camporotondo GE 76 P 17
Camporotondo IM 73 J 20
Camporotondo OT 210 Q 37
Camporotondo PZ 163 BD 43
Camporotondo di Fiastrone MC 98 AO 25
Camporotondo Etneo CT 197 AZ 58
Camporovere VI 27 AD 8
Camporsevoli SI 105 AG 26
Camposaccone IS 132 AV 34
Camposampiero PD 42 AG 10
Camposano NA 141 AW 38
Camposanto BO 67 AB 15
Camposasco GE 76 Q 17
Camposilvano GE 62 O 17
Camposilvano TN 40 AB 9
Camposilvano VR 40 AB 10
Camposonaldo FC 88 AG 20
Campospinoso PV 51 Q 13
Campo-Starza LT 130 AO 35
Campostrino VI 55 AD 12
Campotamaso VI 40 AC 10
Campotino PE 116 AT 29
Campotosto AQ 115 AP 28
Campotto FE 68 AF 16
Campovaglio OT 206 Q 37
Campovalano TE 108 AQ 27
Campovecchio AR 87 AF 22
Campoverde BS 39 X 10
Campoverde LT 129 AL 34
Campovico SO 23 S 7
Campozillone CE 131 AT 35
Campremoldo Sopra PC 51 S 14
Campremoldo Sotto PC 52 S 13
Campretto PD 42 AG 10
Campriano AR 95 AG 22
Campsirago LC 37 R 9
Campudulimu SS 209 O 39
Campulongu CA 227 S 49
Camputari BN 141 AV 36
Camucia AR 95 AG 24
Camugliano PI 85 Y 22
Camugnano BO 80 AB 18
Camugno AL 61 L 16
Camurano FI 81 AE 19
Camuti RC 179 BF 54
Cana GR 104 AD 27
Canà MS 77 U 17
Canadello PC 63 S 16
Canadrelis RC 178 BD 55
Canaghello PC 51 R 13
Canaglia SS 208 K 39
Canaglia VI 41 AE 9
Canal di Grivò UD 17 AP 6
Canal San Bovo TN 27 AF 7
Canala FE 67 AD 14
Canalara FR 131 AR 34
Canale AV 142 AY 38
Canale CN 71 G 17
Canale CN 60 I 15
Canale GE 63 Q 16
Canale MS 78 U 17
Canale MS 78 U 18
Canale RC 179 BF 54
Canale RO 56 AG 13
Canale d'Agordo BL 14 AG 5
Canale Monterano RM 118 AH 31
Canale Nuovo TR 105 AH 27
Canale San Cristoforo TN 26 AC 7
Canale Vecchio TR 105 AH 27
Canalecce PG 96 AK 23
Canalello RC 179 BF 55
Canale-Musignano PG 105 AH 26
Canaletti CZ 175 BH 50
Canaletto BO 67 AD 16
Canaletto MO 67 AB 15
Canaletto MO 67 AC 14
Canali AV 142 AZ 38
Canalicchio PG 106 AJ 26
Canalnuovo RO 56 AG 14
Canalutto UD 31 AP 7
Canalvecchio RO 57 AI 13
Canapile CN 60 H 15
Canarazzo PV 51 P 12
Canareggio PD 56 AF 12
Canareggio RO 56 AH 13
Canaro RO 56 AF 14
Canarra PZ 144 BD 39
Canavaccio PU 89 AL 21
Canavera PV 51 Q 14
Canavere Alte CN 60 H 16
Canazei TN 13 AF 5
Cancatile SS 209 O 38
Cancellade BL 14 AH 6
Cancellara PG 106 AL 26
Cancellara PZ 154 BE 39
Cancelleria BN 142 AY 37
Cancelli AN 97 AM 24
Cancelli AV 142 AY 38
Cancelli FI 87 AE 21
Cancello BN 141 AW 36
Cancello CE 140 AT 37
Cancello CE 141 AV 38
Cancello CZ 171 BH 50
Cancello FR 131 AR 34
Cancello VR 40 AB 10
Cancia BL 14 AI 5
Canda RO 55 AE 13
Candeggio PG 96 AI 23
Candeglia PT 86 AA 20
Candela FG 143 BC 37
Candelaro AV 143 AZ 37
Candeli FI 86 AD 21
Candelo BI 34 J 10
Candelora ME 188 AY 55
Candelora PE 116 AS 30
Candelù TV 42 AJ 9
Canderico AN 97 AL 23
Candia AN 91 AP 22
Candia Canavese TO 48 I 12
Candia Lomellina PV 50 M 12
Candiana PD 56 AG 12
Candico RC 178 BD 55
Candida AV 142 AY 38
Candide BL 15 AK 4
Candidoni RC 176 BF 52
Candiolo TO 47 G 14
Candoglia VB 21 L 8
Canè BS 11 X 6
Canebola UD 17 AP 6
Canedo PV 63 Q 15
Canedole MN 54 AA 12
Ca'Negra RO 57 AI 13
Canegrate MI 36 O 10
Canelli AT 61 K 15
Canepa GE 76 P 17
Canepari MS 78 V 19
Canepina MC 97 AN 25
Canepina VT 112 AI 29
Canepinetta VT 112 AH 29
Canesano PR 65 V 16
Caneso PR 64 S 17
Canetolo PR 78 V 17
Canetra RI 114 AN 29
Caneva AL 61 L 15
Caneva PN 29 AJ 8
Caneva UD 16 AM 5
Canevara MS 78 W 19
Canevare MO 79 Z 18
Canevella Venaro SP 77 U 18
Canevino PV 51 Q 14
Canfinello VB 20 J 8
Canfittori PT 85 Z 20
Canfora SA 151 AX 39
Canfriolo PD 41 AF 10
Canicattì AG 193 AS 59
Canicattini Bagni SR 203 AZ 61
Canicossa MN 54 Y 13
Caniga SS 208 M 39
Canigiano LU 78 X 18
Canille SI 94 AC 24
Caninago CO 22 P 9
Canino VT 111 AF 29
Canischio TO 33 G 11
Canisi LE 158 BR 42
Canistro Inferiore AQ 121 AP 32
Canistro Superiore AQ 121 AP 32
Canizzano TV 42 AI 10
Canna CS 165 BI 43
Cannai CI 224 L 50
Cannaiola PG 106 AL 26
Cannalia VV 174 BG 51
Cannalonga SA 162 BA 42
Cannara PG 106 AK 26
Cannara PG 106 AK 27
Cannatello AG 199 AQ 60
Cannavà RC 176 BE 53
Cannavina BN 142 AY 36
Cannavina CS 170 BF 49
Cannavina CS 171 BH 49
Canne BT 136 BF 36
Canne CS 167 BG 46
Canne CZ 171 BI 50
Canne RC 177 BH 54
Canneddi OT 209 O 37
Canneggia MC 97 AM 25
Cannella AN 90 AO 21
Cannella AP 99 AR 25
Cannella II CH 123 AY 31
Cannelle GR 110 AA 29
Cannero Riviera VB 21 N 7
Cannetiello SA 162 AZ 42
Canneto BS 38 W 11
Canneto BS 39 X 10
Canneto EN 194 AT 59
Canneto IM 72 I 20
Canneto ME 187 AV 55
Canneto ME 181 AY 53
Canneto MS 78 V 18
Canneto PG 96 AJ 24
Canneto PI 86 AA 22
Canneto PI 93 Z 24
Canneto PO 86 AB 20
Canneto PU 89 AL 22
Canneto SA 152 BA 40
Canneto SV 73 J 19
Canneto Pavese PV 51 Q 13
Canneto sull'Oglio MN 53 X 13
Cannetola FC 81 AF 19
Canneto PR 65 V 14
Cannicchio SA 162 AZ 42
Cannigione OT 210 R 37
Cannigonis CI 224 M 49
Cannine IS 132 AT 34
Cannistrò ME 189 BA 55
Cannitello RC 189 BC 54
Cannitello RG 204 AV 63
Cannito Pezze SA 152 AY 39
Cannizzara RG 204 AY 62
Cannizzaro CT 197 AZ 58
Cannizzaro PA 184 AO 55
Cannobio VB 22 N 7
Cannole LE 161 BT 42
Cannuccio SI 94 AC 24
Cannuzzo RA 82 AI 18
Canocchielle PZ 164 BG 44
Ca'Noghera VE 42 AJ 10
Canolo RC 177 BG 54
Canolo RE 66 Z 15
Canolo Nuova RC 176 BF 54
Canonica CB 132 AV 34
Canonica FI 93 AB 22
Canonica MI 36 Q 10
Canonica PG 106 AJ 27
Canonica RN 83 AJ 19
Canonica TR 105 AH 27
Canonica a Cerreto SI 94 AD 23
Canonica d'Adda BG 37 S 10
Canosa di Puglia BT 136 BF 36
Canosa Sannita CH 117 AU 30
Canoscio PG 96 AI 23
Canosio CN 58 D 17
Canossa MS 78 U 18
Canossa RE 65 X 16
Canossa RE 66 Y 14
Canossi SV 73 J 20
Canova CR 52 T 12
Canova CR 53 W 13
Canova FE 56 AG 14
Canova FI 87 AE 22
Canova GE 76 P 17
Canova LC 37 R 9
Canova MN 55 AB 13
Canova MS 78 V 18
Canova PC 64 S 15
Canova PV 51 P 13
Canova PV 51 P 13
Canova PV 63 Q 15
Canova RE 78 W 17
Canova SV 74 K 18
Canova VI 41 AD 9
Canova VI 41 AD 9
Canova VI 41 AF 9
Canova VR 55 AD 11
Canova / Neuhaus BZ 5 AH 1
Canova Inferiore VI 41 AD 10
Canova Ponte PC 64 S 14
Canove BS 53 V 12
Canove BS 53 W 12
Canove CN 61 J 15
Canove VR 55 AD 12
Canove di Roana VI 27 AD 8
Cansano AQ 122 AT 31
Cansatessa AQ 115 AP 29
Cansero CR 53 W 13
Cansoli LU 84 W 19
Cantagallina PG 105 AH 25
Cantagallo BO 81 AE 18
Cantagallo PO 86 AB 19
Cantagrillo PT 86 AA 20
Cantagufo CH 116 AU 31
Cantalice RI 114 AM 29
Cantalupa TO 47 E 14
Cantalupi BN 141 AV 37
Cantalupo AL 62 M 14
Cantalupo AN 98 AO 23
Cantalupo CO 22 O 9
Cantalupo GE 75 N 17
Cantalupo IM 73 I 20
Cantalupo MI 36 O 10
Cantalupo PG 106 AK 26
Cantalupo in Sabina RI 113 AK 30
Cantalupo Ligure AL 63 P 15
Cantalupo nel Sannio IS 132 AV 34
Cantalupo Selice BO 81 AF 17
Cantarana AT 61 J 14
Cantarana CN 72 I 19
Cantarana PV 51 R 13
Cantarana VE 57 AH 12
Cantarane CR 52 U 12
Cantarelle AV 142 AY 38
Cantarelle CZ 171 BG 49
Cantarelle PZ 164 BE 42
Cantarelli CH 124 AW 32
Cantarelli dei Boschi CN 60 I 15
Cantarino AN 97 AM 22
Cantello BG 23 S 8
Cantello VA 22 O 9
Canterano RM 120 AN 32
Cantevria VA 22 N 8
Cantia AN 97 AM 23
Cantiano PU 97 AK 23
Cantiere NA 150 AT 38
Cantina LU 84 W 19
Cantinella BN 141 AV 37
Cantinella CS 168 BH 46
Cantinone PG 106 AK 26
Cantogno TO 59 F 15
Cantoira TO 47 F 11
Cantombacci LU 79 X 19
Canton Basso RO 56 AH 13
Canton di Sotto TV 41 AG 9
Canton Vittore BI 34 K 10
Cantonazzo RO 56 AF 13
Cantone MI 37 R 10
Cantone PC 51 R 14
Cantone PG 88 AI 22
Cantone TR 105 AH 26
Cantone Tre Miglia PV 51 P 12
Cantoni AT 60 I 14
Cantoni BG 24 T 8
Cantoni CR 53 W 13
Cantoni PD 41 AF 10
Cantoniera VT 112 AG 28
Cantoniera dell Ulmeta BT 145 BF 37
Cantoniera Guzzurra NU 215 S 40
Cantrina BS 39 X 10
Cantù CO 36 P 9
Cantun CN 59 F 16
Canuggione NO 35 L 9
Ca'Nuova del Gallo CR 53 V 13
Canussio UD 30 AM 8
Canza VB 7 L 5
Canzano TE 109 AR 28
Canzo CO 23 Q 8
Cao Malnisio PN 29 AK 7
Ca'Oddo PD 56 AF 12
Ca'Oliviero PU 89 AJ 21
Caonada TV 42 AH 9
Ca'Orecchiona VI 41 AE 9
Caorera BL 28 AG 8
Ca'Orezzi PC 64 S 15
Caoria TN 27 AF 6
Caorle VE 44 AM 10
Caorso PC 52 U 13
Capaccio SA 152 AZ 41
Capaccio Scalo SA 152 AZ 41
Capaci PA 184 AO 54
Capalbio GR 111 AD 29
Capalbio Stazione GR 111 AD 29
Capanna del Ceppo TE 108 AP 27
Capannacce RM 113 AJ 30
Capannaccia OT 207 Q 36
Capannaguzzo FC 82 AJ 18
Capanne GR 104 AE 27
Capanne LU 84 W 20
Capanne MS 84 V 19
Capanne PG 96 AH 22
Capanne PG 105 AI 25
Capanne di Careggine LU 78 W 19
Capanne di Lera MS 78 V 17
Capanne di Marcarolo AL 62 N 16
Capanne di Roca Porena PG 107 AM 27
Capanne di Sillano LU 78 W 18
Capanne di Sotto PT 85 Z 19
Capanne Tornini MS 78 V 17
Capannella MS 78 U 18
Capannette di Pey PC 63 Q 15

Capannole AR 95 AE 23
Capannoli PI 93 Z 22
Capannone MO 79 Y 18
Capannori LU 85 Y 20
Capannuccia FI 86 AB 21
Capannuccia FI 86 AC 21
Caparucci AN 97 AM 23
Ca'Pasqua VE 57 AI 12
Capassero BG 23 S 9
Capasso NA 151 AV 38
Capatelli BG 23 S 8
Capece BR 148 BO 40
Capeleti PD 41 AF 10
Capella CR 53 X 13
Capellegrino BG 23 S 9
Capelli CN 60 I 15
Capena RM 119 AK 31
Capergnanica CR 52 S 11
Capestrano AQ 116 AR 30
Capezzano LU 84 W 20
Capezzano PO 86 AA 21
Capezzano SA 151 AX 39
Capezzano Inf. SA 151 AX 39
Capezzano le Pianore LU 84 W 20
Capiago CO 36 P 9
Capileggi BN 133 AX 35
Capilungo LE 160 BR 44
Ca'Pirani VE 43 AK 10
Ca'Pisani RO 57 AI 14
Capistrano VV 174 BG 51
Capistrello AQ 121 AP 32
Capitan Loreto PG 106 AK 25
Capitana CA 227 Q 48
Capitano CS 170 BG 47
Capitello RO 56 AE 14
Capitello VR 55 AB 12
Capitignano AQ 115 AO 28
Capitignano SA 151 AW 39
Capitignano SA 152 AY 39
Capitolo BA 147 BN 38
Capitolo BR 148 BN 39
Capitolo SV 73 J 19
Capitone BN 141 AV 37
Capitone TR 113 AJ 28
Capitoni PZ 144 BD 38
Capizzi ME 187 AV 56
Capizzo PZ 154 BE 41
Capizzo SA 152 BA 41
Capizzone BG 37 S 9
Capo PA 186 AS 55
Capo Coda Cavallo NU 211 T 38
Capo Comino NU 215 T 40
Capo Contessa PG 96 AI 24
Capo Croce-Fontanelle CH 116 AU 30
Capo d'Acqua PG 97 AM 24
Capo d'Arco LI 102 X 27
Capo d'Arco NA 151 AV 40
Capo d'Argine BO 67 AD 16
Capo d'Argine VE 43 AK 10
Capo di China FR 131 AR 34
Capo di Ponte BS 25 X 7
Capo di Rio MC 98 AO 23
Capo d'Orlando ME 187 AX 55
Capo d'Orso OT 207 R 36
Capo Faro ME 181 AY 52
Capo Le Prata FR 130 AO 34
Capo Mazzo NA 151 AV 38
Capo Mulini CT 197 BA 58
Capo Rama PA 183 AN 55
Capo Rizzuto KR 173 BL 50
Capo Taormina ME 197 BA 56
Capo Vaticano VV 176 BD 52
Capobianco VT 112 AH 28
Capocasale CS 170 BG 48
Capocavallo PG 96 AI 25
Capocroce FR 130 AN 33
Capocroce FR 131 AQ 35
Capocroce LT 130 AO 35
Capodacqua AP 107 AO 27
Capodacqua AQ 116 AR 30
Capodacqua MC 107 AN 25
Capodacqua MC 107 AN 26
Capodacqua PG 106 AL 25
Capodarco AP 99 AR 24
Capodimonte BS 38 W 11
Capodimonte NA 150 AU 38
Capodimonte VT 112 AG 28
Capodipiano AP 108 AP 26
Capodirigo AP 108 AP 27
Capodisopra UD 31 AP 9
Capodrise CE 141 AU 37
Capoferrato CA 227 S 48
Capoggi AN 97 AM 23
Capograssi SA 162 AZ 42
Capoiaccio CB 133 AX 35
Capoiale FG 126 BC 32
Capoianca BN 133 AY 36
Capolago VA 22 N 9
Capolapiaggia MC 98 AN 25
Capolavilla AN 97 AM 23
Capolcastro PD 56 AF 12
Capolegrotti CH 116 AU 31
Capoli LU 78 W 18
Capoliveri LI 100 X 27
Capolli RI 114 AL 30
Capolona AR 88 AG 22
Capometa CE 132 AT 36
Caponago MB 37 R 10
Caponara RM 120 AL 32
Caponi AV 142 AY 37
Capoponte PR 65 W 16
Capoposta CH 117 AU 31
Caporciano AQ 115 AR 30
Caporiacco UD 30 AN 7
Caporio IS 132 AV 34
Caporio RI 114 AM 29
Caporosa CS 171 BI 48
Caporosso CH 116 AU 30
Caporra SA 163 BC 42
Caporumiatti RO 56 AE 14
Caposele AV 143 BA 39
Caposelvi AR 94 AE 23
Caposile VE 43 AK 10
Caposotto MN 55 AC 14
Capoterra CA 226 O 48
Capotrio IS 132 AT 34
Capovalle AP 107 AO 26
Capovalle BG 24 T 8
Capovilla MN 55 AC 13
Capovilla VI 41 AE 9
Capovilla VI 41 AE 10
Capovilla VR 40 AB 11
Capoville PU 89 AL 21
Cappa CL 193 AR 59
Cappadocia AQ 121 AO 31
Capparuccia AP 99 AQ 25
Cappasanta SA 152 AZ 41
Cappella AV 142 AX 38
Cappella AV 142 AX 38
Cappella KR 169 BL 47
Cappella SA 152 AY 40
Cappella TN 27 AC 8
Cappella VE 42 AH 10
Cappella VR 55 AD 12
Cappella de' Picenardi CR 53 W 13
Cappella degli Spiriti NA 151 AW 38
Cappella del Bosco TO 59 F 15
Cappella Fasani VR 40 AA 10
Cappella Madonna di Pompei AV 142 AY 36
Cappella Maggiore TV 29 AJ 8
Cappella San Nicola Trignano AV 142 AZ 37
Cappella Vecchia RC 178 BD 55
Cappellano CL 193 AS 59
Cappellazzi VI 40 AC 9
Cappellazzo CN 60 H 16
Cappelle AQ 121 AP 31
Cappelle CE 140 AS 36
Cappelle CR 52 U 12
Cappelle sul Tavo PE 116 AT 29
Cappelletta MN 54 Z 13
Cappelletta PC 63 S 15
Cappelletta VE 42 AH 10
Cappelletta VR 40 AB 10
Cappelli CN 60 H 15
Cappelli CS 170 BG 48
Cappello CN 74 I 18
Cappello SA 153 BB 41
Cappello di Paglia CS 171 BI 48
Cappellone BN 141 AV 37
Cappelluotto FR 131 AQ 33
Cappiello CB 132 AV 34
Cappone PU 89 AL 21
Capponi AP 108 AQ 26
Cappuccini BN 133 AW 36
Cappuccini BS 25 W 8
Cappuccini CS 170 BG 48
Cappuccini FR 121 AO 33
Cappuccini MC 98 AN 25
Cappuccini PA 185 AQ 56
Cappuccini PG 106 AJ 27
Cappuccini PG 96 AK 23
Cappuccini PZ 153 BB 39
Cappuccini PZ 153 BC 40
Cappuccini PZ 154 BD 41
Cappuccini RI 114 AM 29
Cappuccini RM 119 AH 31
Cappuccini SP 78 U 19
Cappuccini TR 105 AH 26
Cappuccini VC 49 L 12
Cappuccini Vecci TR 113 AK 28
Cappucciu CA 227 S 48
Capra PA 185 AQ 56
Capracotta IS 123 AU 33
Capradosso AP 108 AQ 26
Capradosso RI 114 AN 30
Caprafico TE 108 AR 28
Capraglia AL 50 N 13
Capragrassa I CH 123 AV 31
Capraia AR 87 AF 22
Capraia FI 86 AB 21
Capraia LI 92 U 25
Capraia LU 79 X 19
Capralba CR 37 S 11
Caprancillo PZ 154 BD 39
Capranica PG 106 AL 25
Capranica VT 112 AI 30
Capranica Prenestina RM 120 AM 32
Capranica-Scalo VT 112 AH 30
Caprara BO 80 AC 18
Caprara KR 171 BI 48
Caprara PG 97 AL 24
Caprara PU 88 AJ 21
Caprara RE 65 Y 15
Caprara d'Abruzzo PE 116 AT 29
Caprarelle BN 142 AX 36
Caprarica LE 161 BT 44
Caprarica di Lecce LE 159 BS 42
Caprarico MT 155 BH 42
Caprarico di Sotto MT 155 BH 42
Caprarola VT 112 AI 30
Caprauna CN 72 I 19
Caprazzino PU 89 AJ 21
Caprecano SA 151 AX 39
Capreno GE 76 P 17
Caprese Michelangelo AR 88 AG 22
Capretta TR 105 AI 27
Caprezzo VB 21 M 8
Capri NA 150 AU 40
Capri Leone ME 187 AX 55
Capriana TN 13 AD 6
Capriano MI 36 Q 9
Capriano del Colle BS 38 V 11
Capriata d'Orba AL 62 N 15
Capriate San Gervasio BG 37 S 10
Capriati a Volturno CE 132 AT 35
Capricchia LU 78 W 19
Capricchia RI 108 AO 28
Capriccioli OT 211 S 37
Caprie TO 47 E 13
Capriglia AV 142 AX 38
Capriglia CH 123 AU 31
Capriglia LU 84 W 20
Capriglia MC 107 AN 25
Capriglia SA 151 AX 39
Capriglio AT 48 J 13
Capriglio PR 65 W 17
Caprigliola MS 78 U 18
Caprignana LU 78 W 18
Caprignano AP 108 AQ 26
Caprile AR 88 AH 21
Caprile BG 23 S 7
Caprile BI 34 K 9
Caprile BL 14 AH 5
Caprile FE 69 AI 14
Caprile FR 131 AR 34
Caprile GE 63 Q 16
Caprile NA 151 AW 39
Caprile PC 63 R 14
Caprile PG 97 AL 23
Caprile PR 64 T 16
Caprile PU 97 AL 23
Caprile RE 78 X 17
Caprile di Tesino / Gfril BZ 12 AB 4
Caprino Bergamasco BG 37 R 9
Caprino Veronese VR 39 Z 10
Caprio MS 78 U 17
Caprioli SA 162 BA 43
Capriolo BS 38 U 10
Capriolu OT 210 Q 37
Ca'Priuli PD 56 AE 13
Capriva del Friuli GO 31 AQ 8
Caprizi UD 15 AL 5
Capro PG 106 AK 26
Caprona PI 85 Y 21
Caprone / Kapron BZ 2 Y 3
Capronno VA 35 M 9
Capsano TE 115 AR 28
Capua CE 141 AU 37
Capuccini PU 90 AM 22
Capugnano BO 80 AA 19
Capurso BA 146 BK 37
Caput Acquas CI 224 M 48
Caputo MT 155 BH 42
Caraceto BI 34 K 10
Caracoi Agoin BL 14 AG 5
Caraffa del Bianco RC 179 BF 55
Caraffa di Catanzaro CZ 175 BH 50
Caraglio CN 71 F 17
Caragna SV 74 J 18
Ca'Rainati TV 41 AG 9
Carale VB 7 K 7
Caralte BL 15 AJ 5
Caramagna Ligure IM 73 I 20
Caramagna Piemonte CN 60 H 15
Caramanico Terme PE 116 AT 31
Ca'Rando PU 89 AJ 20
Caranna BR 148 BN 39
Carano CE 140 AS 36
Carano LT 129 AL 34
Carano TN 13 AD 6
Caranza SP 77 S 17
Caranzano AL 61 M 15
Caranzino SR 203 BA 61
Carapelle FG 135 BD 35
Carapelle Calvisio AQ 115 AR 30
Ca'Rapetti MS 78 U 18
Carasco GE 76 R 17
Carassai AP 108 AR 25
Carassone CN 71 H 17
Carate Brianza MB 36 Q 9
Carate Lario CO 22 P 8
Caratta PC 52 S 14
Caravaggio BG 37 S 11
Caravate VA 21 M 8
Caravini VC 49 J 12
Caravino TO 34 I 11
Caravita NA 151 AV 38
Caravonica IM 72 I 20
Carazza VI 55 AE 11
Carazzai BL 28 AH 7
Carazzole VR 40 AA 10
Carbignano TO 49 J 13
Carbognano VT 112 AI 30
Carbona PN 30 AM 8
Carbonara FE 67 AD 14
Carbonara PD 41 AE 11
Carbonara PD 56 AF 13
Carbonara PU 90 AM 21
Carbonara RC 176 BF 53
Carbonara VI 41 AF 9
Carbonara al Ticino PV 51 P 12
Carbonara di Bari BA 146 BK 37
Carbonara di Nola NA 151 AW 38
Carbonara di Po MN 55 AC 13
Carbonara Scrivia AL 62 O 14
Carbonare TN 26 AC 8
Carbonaro CS 166 BF 46
Carbonata LU 85 Y 21
Carbonate CO 36 O 9
Carbone PZ 164 BF 43
Carbonelli BR 147 BN 38
Carbonera BG 24 V 8
Carbonera TV 42 AI 9
Carbonere Nuove TV 43 AK 9
Carbonesca PG 97 AK 24
Carbonetti CO 36 O 9
Carboni PG 96 AJ 22
Carbonia CI 224 M 48
Carbonifera LI 102 Z 26
Carbonile FI 87 AD 21
Carbonile FI 87 AE 20
Carbonin / Schluderbach BZ 5 AI 4
Carbuta SV 74 K 18
Carcaci EN 195 AX 58
Carcano CO 22 Q 9
Carcapalle SA 152 AX 39
Carcara RC 178 BE 56
Carcare SV 74 K 17
Carcarella VV 174 BG 51
Carcarelle VT 112 AH 29
Carcegna NO 35 L 9
Carcente CO 23 Q 7
Carcere Sant'Oreste AV 151 AX 38
Carceri AQ 123 AU 32
Carceri PD 56 AE 12
Carceri PG 106 AJ 26
Carceri Basse AQ 123 AU 32
Carchitti RM 120 AL 33
Carciato TN 12 AA 6
Carcina BS 38 W 10
Carciuso PZ 144 BD 38
Carcoforo VC 20 J 8
Carda AR 87 AF 22
Cardà ME 189 BB 54
Cardagnano MC 108 AO 25
Cardalani AV 142 AX 38
Cardana VA 21 M 8
Cardano BZ 13 AD 5
Cardano TR 113 AK 29
Cardano al Campo VA 35 N 10
Cardazzo PV 51 R 13
Carde CN 59 F 15
Cardedu OG 219 S 45
Cardella PU 89 AK 22
Cardeto RC 178 BD 55
Cardeto RC 178 BD 55
Cardeto Nord RC 178 BD 55
Cardeto Sud RC 178 BD 55
Cardezza VB 7 K 7
Cardigliano di Sopra LE 161 BS 44
Cardile SA 162 BA 42
Cardilli CS 170 BG 48
Cardilla TP 190 AJ 57
Cardillo PA 184 AO 54
Cardinale CZ 174 BH 52
Cardini CN 71 I 18
Cardini GE 77 R 18
Carditello CE 141 AU 37
Carditello NA 150 AU 38
Cardito BN 133 AY 36
Cardito FR 131 AR 36
Cardito FR 131 AS 34
Cardito FR 131 AS 35
Cardito NA 150 AU 38
Cardolo CZ 171 BH 50
Cardona AL 49 K 13
Cardoni CE 132 AT 36
Cardoso LU 84 W 19
Cardoso LU 85 X 19
Caredia RC 178 BD 56
Carega VC 35 K 9
Careggine LU 78 W 19
Carelli TA 157 BM 41
Carello Inf. CS 172 BJ 48
Carema TO 34 H 10
Carengo VC 49 L 12
Carenno LC 23 R 9
Careno CO 22 P 8
Carentino AL 61 L 15
Careola MS 77 U 17
Careri RC 179 BF 54
Carersee / Carezza BZ 13 AE 5
Caresana TS 45 AS 10
Caresana VC 49 M 12
Caresanablot VC 49 L 11
Careste FC 88 AH 20
Carestello PG 96 AK 24
Caresto PU 89 AJ 22
Caretto TO 33 H 11
Carezza / Carersee BZ 13 AE 5
Carezzano Maggiore AL 62 O 15
Carezze VR 55 AD 12
Carfagnoi BL 28 AH 7
Carfizzi KR 173 BK 48
Carfon BL 14 AG 5
Cargalla MS 78 U 17
Cargeghe SS 213 M 39
Cargnacco UD 30 AO 7
Caria ME 187 AX 55
Caria VV 176 BE 52
Caria Ferro ME 187 AX 55
Caria-Piano Bosco VV 174 BG 51
Cariati CS 169 BK 47
Cariati Marina CS 169 BK 47
Caricatore BS 38 V 10
Carie PG 106 AL 25
Carifano-Mastralessio FG 143 BA 37
Carife AV 143 BA 37
Carifi Torello SA 151 AX 39
Carigie Alta GR 111 AD 29
Carigie Bassa GR 111 AD 29
Carigliano NA 150 AT 38
Cariglio CS 166 BF 47
Carignano FG 134 BA 35
Carignano LU 85 X 20
Carignano MS 78 U 19
Carignano PR 65 W 15
Carignano PU 90 AM 21
Carignano TO 47 F 13
Carignano TO 59 H 14
Carignone PC 64 T 15
Carimate CO 36 P 9
Carinaro CE 141 AU 38
Carini PA 184 AO 55
Carini PC 64 T 15
Carinola CE 140 AS 36
Caripoli SR 203 BA 60
Caris VR 39 Z 9
Carisasca PC 63 Q 15
Cariseto PC 63 R 16
Carisio VC 34 K 11
Carisolo TN 26 Z 6
Caristia ME 188 AY 55
Carità TV 42 AI 9
Cariti I SA 151 AX 39
Cariti II SA 151 AX 39
Carlantino FG 133 AY 34
Carlazzo CO 22 P 7
Carlentini SR 203 AZ 60
Carlentini Nord SR 203 AZ 60
Carletti IM 72 G 21
Carleveri CN 71 H 17
Carlino UD 30 AO 9
Carlo Pasqua FG 127 BE 34
Carloforte CI 224 K 49
Carlona AL 62 N 15
Carlopoli CZ 171 BH 49
Carlotta PZ 153 BC 39
Carmagnola TO 60 H 14
Carmasciano AV 143 BA 38
Carmerlona RA 69 AH 17
Carmiano LE 158 BR 41
Carmiano PC 64 S 14
Carmignanello PO 86 AB 20
Carmignano FE 56 AG 14
Carmignano PD 56 AE 13
Carmignano PO 86 AB 21
Carmignano di Brenta PD 41 AF 10
Carmine AR 88 AH 22
Carmine CS 170 BG 48
Carmine PV 63 Q 14
Carmine SA 162 BA 42
Carmine SV 75 L 17
Carmine TV 42 AH 9
Carmine VB 22 N 7
Carmito SR 203 AY 59
Carnago VA 36 O 9
Carnaiola TR 105 AH 26
Carnale ME 188 AZ 55
Carnalevari Soprano KR 173 BK 50
Carnalevari Sottano KR 173 BK 50
Carnalez TN 12 AB 5
Carnate MB 37 R 10
Carnello FR 131 AQ 33
Carnia UD 16 AN 5
Carniana RE 79 X 17
Carniglia PR 64 S 17
Carnino CN 71 H 19
Carnola RE 79 X 17
Carnovale SV 74 K 17
Carobbio PR 65 V 16
Carobbio degli Angeli BG 38 T 9
Carolea CZ 171 BH 49
Carolei CS 170 BG 48
Caroli BG 23 S 9
Ca'Romano PU 88 AI 21
Ca'Romano Primo PU 89 AK 22
Carona AL 63 P 14
Carona BG 24 T 7
Carona SO 24 V 7
Càroni VV 176 BE 52
Caronia ME 187 AV 55
Caroniti VV 176 BE 52
Caronno VA 36 P 10
Caronno Varesino VA 36 N 9
Caropepe EN 194 AV 59
Carosina di Sopra AV 143 BA 37
Carosino TA 157 BN 41
Carotte SO 10 T 6
Carovigno BR 148 BO 39
Carovilli IS 132 AU 33
Carozzo SP 77 U 19
Carpacco UD 30 AM 7
Carpana PR 64 T 16
Carpane PD 42 AG 10
Carpanè VI 27 AF 8
Carpanea VR 55 AC 13
Carpaneto PR 65 W 16
Carpaneto Piacentino PC 64 T 14
Carpani LI 100 W 27
Carpani TE 108 AQ 27
Carpanzano CS 171 BG 49
Carpari TA 147 BM 39
Carpasio IM 72 I 20
Carpe SV 74 J 19
Carpegna PU 88 AI 21
Carpello FR 131 AR 33
Carpen BL 28 AG 8
Carpena FC 82 AH 18
Carpena SP 77 T 19
Carpenara GE 75 N 17
Carpeneda BS 39 X 10
Carpeneda TN 26 AB 8
Carpenedo TV 42 AH 9
Carpenedo VE 42 AI 10
Carpenedolo BS 53 X 11
Carpeneta CN 61 K 16
Carpeneto AL 62 M 15
Carpeneto GE 63 Q 16
Carpeneto GE 76 Q 17
Carpeneto SV 74 K 17
Carpeneto UD 30 AO 8
Carpeneto VC 49 K 12
Carpenetta CN 59 G 15
Carpenetto TO 48 G 14
Carpentera RG 205 AY 63
Carpentieri KR 173 BL 49
Carpenzago MI 36 O 11
Carperi BR 148 BN 39
Carperi-Tanzarella BR 148 BN 39

Carpesica TV 29 AI 8
Carpi MO 66 AA 15
Carpi VR 55 AD 13
Carpiano MI 51 Q 11
Carpiano PG 96 AK 24
Carpignalle FI 86 AC 22
Carpignano AV 142 AZ 37
Carpignano MC 98 AO 24
Carpignano Salentino LE 161 BT 42
Carpignano Sesia NO 35 L 10
Carpine FR 130 AP 34
Carpinelli LU 78 W 18
Carpinelli PZ 153 BD 39
Carpinello FC 82 AH 18
Carpinello GE 75 O 17
Carpinello del Monte MT 155 BG 41
Carpine-Pantana SA 163 BB 43
Carpineta BO 80 AB 18
Carpineta FC 82 AI 19
Carpineta PT 80 AB 19
Carpinete IS 132 AT 34
Carpineti RE 79 Y 17
Carpineto AP 108 AQ 27
Carpineto RM 119 AI 30
Carpineto SA 151 AX 39
Carpineto SI 94 AC 24
Carpineto della Nora PE 116 AS 29
Carpineto Romano RM 129 AN 34
Carpineto Sinello CH 124 AW 31
Carpini PG 96 AJ 23
Carpini PZ 144 BD 39
Carpiniello AV 143 AZ 37
Carpino FG 127 BE 32
Carpinone IS 132 AU 34
Carra CZ 175 BJ 50
Carrà Cosentino CZ 171 BG 50
Carrà Fossi CZ 171 BG 50
Carrabba CT 197 BA 57
Carraia FI 86 AC 20
Carraia LU 85 Y 21
Carraia PG 105 AH 25
Carraia PI 85 X 21
Carraie RA 82 AI 18
Carrano CS 171 BH 49
Carrara AL 61 L 15
Carrara AL 62 M 15
Carrara LT 129 AM 34
Carrara MS 78 V 19
Carrara PU 90 AM 21
Carrara Santo Stefano PD 56 AF 12
Carrare RO 56 AF 13
Carraria UD 31 AP 7
Carratiello SA 152 BA 41
Carratù SA 151 AX 39
Carré VI 41 AD 9
Carrega Ligure AL 63 Q 16
Carreto CS 164 BE 44
Carreto PG 96 AI 23
Carretti AT 61 K 14
Carretto SV 74 K 17
Carrito AQ 122 AR 31
Carro CN 61 J 16
Carro CN 74 J 17
Carro PV 63 Q 15
Carro SP 77 S 18
Carrobbio MN 54 Y 13
Carrobioli RE 66 Z 14
Carrodano SP 77 S 18
Carrodano Superiore SP 77 S 18
Carrone TO 48 I 11
Carrosio AL 62 N 16
Carrozziere SR 203 BA 61
Carrù CN 60 I 17
Carruba CT 197 BA 57
Carruba EN 195 AW 58
Carrubbara-Liserà RC 177 BH 53
Carrubba-Rincione PA 184 AO 55
Carrubbo CT 195 AW 59
Carrufo AQ 116 AR 30
Carsi GE 63 P 16
Carsoducci MC 107 AO 25
Carsoli AQ 120 AN 31
Carsuga PG 96 AH 23
Cartagenova GE 76 O 17
Cartari IM 72 I 19
Cartasegna AL 63 Q 16
Carteano PO 86 AB 20
Cartella PU 90 AM 21
Cartelli ME 188 AY 55
Cartiera FR 130 AO 33
Cartiera LU 85 Y 20
Cartiera MO 66 AA 16
Cartiera PR 65 X 15
Cartiera TV 42 AG 10
Cartiera TV 43 AJ 9
Cartigliano VI 41 AF 9
Cartignano CN 59 E 17
Cartoceto PU 89 AL 22
Cartoceto PU 90 AM 21
Cartolano CZ 170 BF 50
Cartosio AL 61 L 16
Cartura PD 56 AG 12
Carturo PD 41 AF 10
Carugate MI 37 R 10
Carugo CO 36 Q 9
Carunchio CH 124 AW 32
Caruso ME 188 BA 55
Caruso RC 179 BE 54
Carvacco UD 16 AN 6
Carvagnano CO 22 P 8
Carvanno BS 39 Y 9
Carve BL 28 AH 7
Carviano BO 80 AB 18
Carvico BG 37 R 9
Carzaghetto MN 53 X 12
Carzago BS 39 X 10
Carzano BS 38 V 9
Carzano TN 27 AD 7
Carzeto PR 53 V 14
Casà GE 63 P 16
Casa Apponi FR 130 AP 35
Casa Archignano TR 112 AI 28
Casa Arsa AV 142 AZ 38
Casa Basilico SI 93 AB 24
Casa Bastella RN 89 AL 20
Casa Belvedere PU 89 AK 22
Casa Bernardello RG 204 AW 62
Casa Betti RM 120 AL 31
Casa Biagio MS 77 T 17
Casa Bianca RI 114 AN 29
Casa Bianca SA 151 AW 40
Casa Bidagoria PG 96 AI 24
Casa Bocca
di Pantano AQ 122 AS 32
Casa Boccetta TR 105 AH 27
Casa Bruscara PU 88 AJ 22
Casa Cagnilla di Sotto FG 125 BB 32
Casa Campanozzi FG 126 BC 33
Casa Campi VT 112 AI 30
Casa Campomorto VT 111 AE 29
Casa Cantalupo MC 97 AM 24
Casa Cantoniera RI 113 AK 30
Casa Capitan Celli RM 129 AL 33
Casa Carbonara VT 112 AH 28
Casa Carelia FG 135 BC 35
Casa Carloni FI 81 AE 19
Casa Castalda PG 97 AK 24
Casa Castiglioni PI 93 Z 24
Casa Cerralti SI 104 AD 25
Casa Cioci RI 114 AM 30
Casa Cividia UD 15 AL 5
Casa Coletta AP 108 AO 26
Casa Conti GR 103 AB 25
Casa Corazza AP 108 AP 26
Casa d' Ercole CH 124 AW 31
Casa de Minicis AP 98 AQ 25
Casa de Pema FG 127 BE 32
Casa dei Guardiani AQ 121 AQ 31
Casa del Conte PZ 164 BG 44
Casa del Corto SI 104 AF 27
Casa del Duca LI 100 W 27
Casa di Cura VT 119 AI 30
Casa di Loia MS 77 U 18
Casa di Monte PT 85 Z 19
Casa di Piano LT 129 AN 35
Casa di Pietra GR 103 AA 26
Casa di Ponterotto VT 112 AI 30
Casa di Riposo
San Giuseppe BR 148 BO 40
Casa Doccia PI 93 Z 23
Casa Faini GR 104 AF 27
Casa Fattorale VT 111 AF 29
Casa Fedele UD 17 AP 6
Casa Feraudi CS 168 BH 45
Casa Fiego CZ 175 BI 51
Casa Fiorelli PG 106 AK 27
Casa Fontana
del Prato LT 129 AM 34
Casa Forestale FG 127 BE 33
Casa Francese SA 152 AY 40
Casa Gaetufo VT 113 AJ 30
Casa Galeotti PV 63 P 15
Casa Ghita PV 50 O 12
Casa Giannino MS 78 W 18
Casa Giusti PI 92 Y 24
Casa Gravina FG 126 BC 33
Casa Guida FG 127 BE 33
Casa Il Caglio LI 102 Z 25
Casa la Bruca GR 104 AE 26
Casa Lacersa PZ 164 BG 42
Casa Maggi PG 106 AK 27
Casa Marchese PV 63 Q 14
Casa Maria UD 30 AN 9
Casa Marsiglia SA 152 AX 39
Casa Martelli RI 114 AN 30
Casa Matti PV 63 Q 15
Casa Mattoni FR 130 AP 34
Casa Meana RM 113 AK 30
Casa Melilli SR 203 AZ 61
Casa Metilde FG 126 BC 32
Casa Montanara AN 97 AM 23
Casa Monte Salaiole PG 96 AK 24
Casa Morella PG 96 AK 24
Casa Morotti PT 80 AA 19
Casa Napoli PG 106 AL 27
Casa Nuova PU 89 AJ 22
Casa Pace CS 167 BG 45
Casa Palombaro VT 105 AG 27
Casa Paolinami PG 105 AH 25
Casa Papa Giovanni AP 99 AR 24
Casa Pasquali RM 120 AL 31
Casa Paterno PG 96 AI 22
Casa Pecol PN 16 AM 6
Casa Perazza TR 105 AH 27
Casa Piccoli Operai VT 113 AJ 30
Casa Piemontino PG 96 AJ 24
Casa Pioppai PC 52 U 13
Casa Plaiani TE 109 AS 26
Casa Poggetti GR 103 AA 25
Casa Poggialti GR 104 AD 27
Casa Ponte PV 63 P 14
Casa Poppi GR 103 AC 25
Casa Quadrozzi FR 130 AP 34
Casa Ranchetti PG 97 AL 24
Casa Recino FR 130 AP 34
Casa Renzi MC 99 AQ 24
Casa Rimininello VT 111 AE 29
Casa Riva Lunga GO 31 AQ 9
Casa Rizzo CS 167 BH 46
Casa Rocco d'Amato SA 152 AX 39
Casa Rosalini VT 112 AH 28
Casa Saggese FG 126 BC 32
Casa San Lazzaro VT 112 AG 28
Casa San Pietro GR 103 AC 25
Casa Sant' Erasmo AQ 115 AP 30
Casa Santa TP 182 AK 55
Casa Santa Lucia SI 94 AD 24
Casa Santa Maria VT 112 AI 28
Casa Sant'Amante GR 103 AB 25
Casa Sconfitta GR 111 AF 28
Casa Sergiacomi AP 108 AR 26
Casa Serraino TP 182 AK 56
Casa Servelli VT 112 AI 30
Casa Sinibaldi VT 112 AI 29
Casa Sorgnano PG 106 AJ 26
Casa Stizza AP 99 AQ 24
Casa Taurana RM 113 AK 30
Casa Testi GR 104 AE 27
Casa Torricella PG 96 AJ 24
Casa Tosoni AP 99 AQ 24
Casa Trezza SA 151 AX 39
Casa Valdienna MT 154 BF 41
Casa Valle Dossi GO 31 AP 9
Casa Varrea PG 96 AJ 23
Casa Venice PZ 165 BG 42
Casa Ventre RI 107 AO 28
Casa Zucchini GR 103 AB 25
Casabasciana LU 85 Y 19
Casabianca AT 61 J 14
Casabianca GE 63 P 16
Casabianca GR 103 AB 27
Casabianca PC 52 T 13
Casabianca PI 92 X 22
Casabianca SI 95 AE 24
Casabianca SI 104 AF 25
Casabianca TE 116 AS 28
Casabianca TO 48 I 12
Casabocci SI 94 AC 24
Casabona IS 132 AT 33
Casabona KR 173 BK 48
Casaburi SA 162 BA 43
Casacagnano AP 108 AP 26
Casacalenda CB 124 AY 33
Casacanditella CH 116 AU 30
Casa-castello AV 151 AX 39
Casacce AR 95 AG 23
Casacce BS 53 V 12
Casacce PG 96 AK 24
Casacce PG 97 AL 23
Casaccia PG 106 AJ 26
Casaccia RM 119 AI 31
Casachelle CS 168 BH 46
Casacorba TV 42 AH 10
Casada BL 15 AK 4
Casadio BO 67 AC 16
Casafredda CE 140 AT 36
Casagiove CE 141 AU 37
Casaglia BO 67 AC 17
Casaglia BO 80 AC 18
Casaglia BS 38 V 10
Casaglia FE 55 AE 14
Casaglia FI 81 AE 19
Casaglia PG 96 AJ 25
Casaglia PI 93 Y 23
Casaglia SI 93 AB 23
Casagliana OT 210 R 37
Casaglio BS 38 V 10
Casal BL 14 AI 5
Casal Boccone RM 119 AK 32
Casal Borsetti RA 69 AI 16
Casal Cermelli AL 62 M 14
Casal di Mezzo PG 106 AL 28
Casal di Mondo li RM 120 AM 33
Casal di Principe CE 141 AT 37
Casal Malombra CR 53 V 13
Casal Nuovo VT 112 AG 30
Casal Nuovo VT 112 AI 29
Casal Palocco RM 128 AJ 33
Casal Thaulero TE 109 AS 28
Casal Traiano LT 138 AN 35
Casal Velino SA 162 AZ 42
Casala PU 89 AJ 22
Casalabate LE 149 BR 41
Casalanguida CH 123 AV 31
Casalappi LI 102 Z 25
Casalàttico FR 131 AR 34
Casalazara LT 128 AK 34
Casalbarbato PR 65 V 14
Casalbaroncolo PR 65 X 15
Casalbellotto CR 53 X 14
Casalbeltrame NO 35 L 11
Casalbergo VR 54 AB 12
Casalbordino CH 124 AW 31
Casalbore AV 142 AZ 36
Casalborgone TO 48 I 13
Casalbuono SA 163 BD 42
Casalbuttano ed Uniti CR 52 U 12
Casalcassinese FR 131 AS 34
Casalciprano CB 132 AW 34
Casaldonato PC 63 R 16
Casalduni BN 142 AX 36
Casale AN 97 AM 23
Casale AP 108 AP 26
Casale AR 88 AI 21
Casale AV 142 AX 38
Casale AV 142 AX 38
Casale BG 38 U 9
Casale BI 34 I 10
Casale BN 142 AX 36
Casale BO 80 AA 19
Casale BS 39 X 10
Casale CB 132 AV 33
Casale CE 131 AS 35
Casale CE 132 AT 35
Casale CE 140 AT 36
Casale CE 140 AT 36
Casale FC 81 AF 18
Casale FC 82 AI 19
Casale FI 87 AE 20
Casale FR 131 AR 36
Casale GE 62 O 16
Casale GE 77 R 18
Casale IM 73 I 19
Casale IS 132 AV 34
Casale LT 130 AN 35
Casale MC 97 AN 25
Casale ME 188 AZ 55
Casale MN 54 AA 13
Casale MN 54 Y 13
Casale MN 39 Z 11
Casale MO 79 Z 17
Casale PC 63 R 15
Casale PC 64 T 15
Casale PE 116 AS 29
Casale PG 106 AK 26
Casale PG 106 AL 26
Casale PR 65 W 15
Casale PR 65 X 14
Casale PU 97 AK 23
Casale PV 63 R 14
Casale RA 81 AF 18
Casale RC 178 BD 55
Casale RE 79 X 17
Casale RE 78 X 17
Casale SA 152 BA 39
Casale SI 93 AB 23
Casale SP 77 T 18
Casale TO 48 I 12
Casale TP 190 AK 57
Casale VI 27 AD 9
Casale Abbruciate RM 128 AK 33
Casale Antonelli RI 114 AN 30
Casale Basso CS 171 BG 48
Casale Belvedere CR 52 U 12
Casale Buccitto FR 130 AO 33
Casale Carcarella VT 112 AG 29
Casale Colle Fiorito RM 119 AJ 32
Casale Corte Cerro VB 21 L 8
Casale Cremasco CR 37 T 11
Casale dei Molini CN 60 H 16
Casale del Bosco SI 104 AD 25
Casale della Cesarina
Vecchia RM 119 AK 32
Casale delle Palme LT 129 AM 34
Casale di Pari GR 103 AC 25
Casale di Scodosia PD 55 AD 12
Casale Fiammingo RM 129 AL 34
Casale Fiorentini VT 112 AI 29
Casale Giminiani FR 121 AN 33
Casale Litta VA 35 N 9
Casale Loreto UD 30 AM 8
Casale Macchia
del Conte VT 112 AG 29
Casale Marittimo PI 92 Y 24
Casale Marzili FR 120 AN 33
Casale Masè CH 123 AU 32
Casale Mazzarella PZ 164 BE 43
Casale Mogliane VT 112 AH 29
Casale Monaci AV 142 AY 38
Casale Monferrato AL 49 L 13
Casale Nuovo RM 120 AK 31
Casale Nuovo
di Presciano RM 129 AL 34
Casale Panicotti CH 123 AU 32
Casale Pazielli VT 113 AI 30
Casale Pian delle Rose VT 119 AJ 30
Casale Pisello VT 112 AG 29
Casale Poggio Martino VT 111 AF 29
Casale Quarticciolo VT 111 AF 29
Casale Raimondi CH 124 AW 31
Casale S. Colomba RM 119 AK 31
Casale Salto RI 114 AN 30
Casale San Giuliano PZ 153 BB 39
Casale San Nicola TE 115 AQ 29
Casale San Savino VT 112 AG 29
Casale Serino PZ 164 BE 43
Casale Soffano CN 60 I 16
Casale Soprano CN 60 I 16
Casale Staffora PV 63 Q 15
Casale Sugarello VT 111 AF 29
Casale sul Sile TV 42 AI 10
Casale Teta AV 143 AZ 38
Casale Trinità VT 112 AG 29
Casale Vecchio AN 90 AN 21
Casale Vepre VT 111 AF 28
Casale Zenti VT 112 AG 29
Casalecchio AR 87 AG 22
Casalecchio FC 88 AH 20
Casalecchio PU 88 AI 20
Casalecchio RA 81 AF 17
Casalecchio RE 65 X 17
Casalecchio RN 83 AK 19
Casalecchio dei conti BO 81 AE 17
Casalecchio di Reno BO 67 AC 17
Casaleggio PC 51 R 14
Casaleggio Boiro AL 62 N 16
Casaleggio Novara NO 35 L 11
Casalena AP 108 AQ 26
Casalene CB 133 AW 35
Casaleni ME 188 AY 55
Casaleno TE 108 AR 27
Casaleone VR 55 AC 12
Casaleto PR 64 S 16
Casalette Norchia VT 112 AG 29
Casaletti Mattei RM 119 AJ 32
Casaletto AL 49 K 13
Casaletto AQ 120 AN 31
Casaletto MN 54 Y 14
Casaletto VI 41 AE 10
Casaletto VT 112 AH 30
Casaletto Ceredano CR 52 S 12
Casaletto di Sopra CR 37 T 11
Casaletto di Sotto RM 119 AI 31
Casaletto Lodigiano LO 51 R 12
Casaletto Spartano SA 163 BC 43
Casaletto Vaprio CR 37 S 11
Casalfiumanese BO 81 AE 18
Casalfoschino PR 53 W 14
Casalgiate NO 35 M 11
Casalgiordana PA 194 AU 57
Casalgrande RE 66 Z 16
Casalgrande Alto RE 66 Z 16
Casalgrasso CN 59 G 15
Casali AP 108 AQ 25
Casali AQ 122 AR 31
Casali FI 80 AD 19
Casali FR 131 AR 35
Casali MC 107 AO 26
Casali PC 64 T 15
Casali PE 116 AT 29
Casali RI 113 AK 30
Casali TR 112 AI 28
Casali d' Aschi AQ 122 AR 32
Casali di Serravalle PG 107 AN 27
Casali di Sotto RI 114 AO 28
Casali Franceschinis UD 30 AN 8
Casali Marianis UD 30 AN 9
Casali Natali RI 114 AN 29
Casali Santa Maria
Maddalena AQ 122 AR 32
Casalicchio AG 193 AR 58
Casalicchio AP 107 AO 26
Casaliggio PC 52 S 14
Casalina MS 78 U 17
Casalina PG 106 AJ 26
Casalincontrada CH 116 AT 30
Casaline AQ 114 AO 29
Casalinella CS 168 BH 46
Casalini BR 148 BN 39
Casalini PG 105 AH 25
Casalini VI 41 AD 9
Casalino AL 49 K 13
Casalino AR 87 AF 21
Casalino AR 95 AF 23
Casalino GE 62 P 16
Casalino GR 104 AD 26
Casalino NO 49 M 11
Casalino PG 105 AI 26
Casalino PR 64 U 15
Casalino RE 65 X 16
Casalino RE 78 X 18
Casalino TN 26 AC 7
Casalino VR 55 AC 12
Casali-San Potito SA 151 AX 39
Casalmaggiore CR 53 X 14
Casalmaiocco LO 51 R 11
Casalmartino AQ 121 AQ 31
Casalmorano CR 52 U 12
Casalmoro MN 53 X 12
Casalnoceto AL 62 O 14
Casalnuovo RC 179 BE 55
Casalnuovo di Napoli NA 151 AV 38
Casalnuovo
Monterotaro FG 134 AZ 34
Casaloldo MN 53 X 12
Casalone VT 112 AI 29
Casalorzo CR 53 W 13
Casalorzo Geroldi CR 53 W 13
Casalotti RM 119 AJ 32
Casalotti SA 152 AZ 41
Casalotto AT 61 L 15
Casalotto CB 132 AV 34
Casalpiano LI 102 Y 25
Casalpo RE 65 Y 14
Casalpoglio MN 53 X 12
Casalporino PR 64 S 16
Casalpusterlengo LO 52 S 12
Casalromano MN 53 X 12
Casalrosso VC 49 L 12
Casalserugo PD 56 AG 12
Casalsigone CR 52 V 12
Casalsottano SA 162 AZ 42
Casalta PG 106 AJ 26
Casaltondo PG 105 AH 25
Casaltone PR 65 X 15
Casaluce CE 141 AU 37
Casalupa BZ 3 AD 2
Casalvatico CB 133 AX 35
Casalvecchio AL 62 O 14
Casalvecchio di Puglia FG 134 AZ 34
Casalvecchio Siculo ME 189 BA 56
Casalvento AN 97 AL 23
Casalvieri FR 131 AR 34
Casalvolone NO 35 L 11
Casalzuigno VA 22 N 8
Casamaggiore PG 105 AG 25
Casamaina AQ 115 AP 30
Casamarciano NA 151 AW 38
Casamare CE 139 AS 36
Casamari FR 130 AP 33
Casamarone PT 85 Z 19
Casamassella LE 161 BT 43
Casamassima BA 146 BK 38
Casamicciola Terme NA 150 AS 39
Casamona AR 87 AF 22
Casamora AR 87 AE 22
Casamostra CE 140 AT 36
Casamurana AP 108 AQ 26
Casan BL 29 AI 6
Casandrino NA 150 AU 38
Casania MS 78 W 19
Casano SP 78 V 19
Casanola RA 81 AF 18
Casanova BN 141 AV 37
Casanova CE 140 AS 36
Casanova FC 81 AF 19
Casanova FR 130 AP 35
Casanova GE 76 O 17
Casanova GE 63 Q 16
Casanova PC 51 R 14
Casanova PC 51 S 13
Casanova PI 93 Z 22

Casanova PR 64 T 16
Casanova RI 114 AM 28
Casanova SI 94 AC 24
Casanova TE 108 AQ 28
Casanova TN 13 AD 6
Casanova TO 60 H 14
Casanova UD 16 AN 5
Casanova del Morbasco CR 52 U 13
Casanova di Destra PV 63 Q 15
Casanova di Sinistra PV 63 Q 15
Casanova di Torre PG 97 AK 24
Casanova d'Offredi CR 53 W 13
Casanova Elvo VC 35 K 11
Casanova Lerrone SV 73 J 19
Casanova Lonati PV 51 Q 13
Casanuova FI 86 AA 21
Casanuova FI 80 AD 19
Casanuova SI 95 AF 24
Casanuovo dell'alpe FC 88 AG 20
Casape RM 120 AM 32
Casapesenna CE 141 AT 38
Casapinta BI 34 K 10
Casaprota RI 114 AL 30
Casapulla CE 141 AU 37
Casapullo CE 141 AU 37
Casapuzzano CE 141 AU 38
Casarano LE 160 BR 43
Casarano SR 203 AZ 60
Casarea NA 151 AV 38
Casareale-Cipriani CE 140 AT 36
Casaregnano AP 108 AP 26
Casarello AL 49 K 13
Casargiu VS 220 M 46
Casargo LC 23 R 7
Casarile MI 51 P 12
Casarini RI 113 AK 29
Casarini Primo MC 98 AN 23
Casarini Secondo MC 98 AN 23
Casarinoli CE 140 AS 36
Casario CN 74 J 18
Casarnese TR 113 AJ 28
Casarola PR 78 V 17
Casarotti VI 40 AC 9
Casarsa della Delizia PN 30 AM 8
Casarza Ligure GE 77 R 18
Casasco AL 62 P 15
Casasco AT 49 J 14
Casasco Intelvi CO 22 P 8
Casaselvatica PR 65 V 16
Casaso UD 16 AN 4
Casasola PN 15 AL 6
Casasola UD 16 AN 6
Casasola UD 16 AO 5
Casastieri SI 94 AC 23
Casastrada FI 86 AA 22
Casate CO 23 Q 8
Casate MI 36 N 11
Casate MN 54 Z 13
Casateia / Gasteig BZ 3 AD 2
Casatenovo LC 37 Q 9
Casati RM 120 AL 31
Casatico LU 78 W 19
Casatico MN 53 Y 13
Casatico PR 65 W 16
Casatico PV 51 P 12
Casatisma PV 51 P 13
Casatta TN 13 AD 6
Casavatore NA 150 AU 38
Casavecchia AR 95 AF 22
Casavecchia FI 86 AC 21
Casavecchia GE 62 M 16
Ca'Savio VE 43 AJ 11
Casazza BG 38 U 9
Casazza BI 34 J 10
Casazza MN 55 AC 14
Casazza PC 52 U 13
Casazza RG 204 AW 61
Casazza RO 56 AE 14
Casazza SR 205 AY 63
Casazza SV 74 K 17
Casazze MN 54 Y 13
Casazze VR 39 Z 11
Cascano CE 140 AS 36
Cascano LT 130 AO 35
Caschino BS 39 X 10
Cascia FI 87 AE 21
Cascia MC 98 AP 23
Cascia PA 192 AO 57
Cascia PG 107 AN 27
Cascia PZ 154 BD 39
Casciago VA 22 N 9
Casciana LU 78 W 18
Casciana MS 78 V 18
Casciana Alta PI 92 Y 22
Casciana Terme PI 92 Y 22
Cascianella LU 78 W 18
Casciano SI 94 AC 24
Casciano SI 94 AC 25
Cascina IM 73 J 19
Cascina PI 85 Y 21
Cascina PR 65 W 16
Cascina RA 82 AG 18
Cascina Albrate PV 50 M 12
Cascina Belvedere PV 50 N 13
Cascina Bettole NO 35 N 11
Cascina Bosco Bovi CR 53 V 13
Cascina Boscolevato BS 38 U 10
Cascina Camilla AL 62 M 14
Cascina Casale di Sopra PV 50 M 12
Cascina Casale di Sotto PV 50 M 12
Cascina Castelletto Sera BS 52 U 12
Cascina Castello CR 37 S 11
Cascina Centalupa PV 50 M 12
Cascina Centrale RM 119 AI 32
Cascina Colombaie
Centro BS 53 X 12
Cascina Colombara BS 38 U 10
Cascina Colombara CR 37 S 11
Cascina Colombara PD 41 AF 10
Cascina Colombara VA 36 P 10
Cascina Colombare BG 38 U 11
Cascina Costa VA 35 N 10
Cascina Dado PV 50 M 12
Cascina della Comunità PV 50 M 12
Cascina dell'Ebreo VC 35 L 11
Cascina di Castel
Campanile RM 119 AI 32
Cascina di Monte
Migliore RM 128 AK 33
Cascina di Perna RM 128 AJ 33
Cascina Elisa VA 36 N 10
Cascina Favorita BG 37 T 10
Cascina Ferrera NO 35 L 10
Cascina Finiletti BG 38 T 11
Cascina Fornaci BG 37 T 11
Cascina Forzata BG 37 T 10
Cascina Gerre CR 53 V 13
Cascina Gioietta CR 37 T 11
Cascina Guizza PV 50 M 12
Cascina Guizzafame PV 50 M 12
Cascina La Castellana PV 50 N 12
Cascina la Riccia RM 119 AI 31
Cascina Lasso MI 50 O 12
Cascina le Caselle CR 53 V 13
Cascina Luisiana PV 51 P 13
Cascina Mercandone BS 53 W 11
Cascina Moscona BI 34 J 11
Cascina Nuova MI 36 P 10
Cascina Nuova MI 36 P 10
Cascina Nuova NO 35 M 11
Cascina Nuova PV 50 M 12
Cascina Nuova PV 50 N 12
Cascina Nuova PV 50 O 12
Cascina Oca PV 50 M 12
Cascina Paggi RM 119 AK 31
Cascina Pergolesca PV 50 N 12
Cascina Ponetta PV 50 M 12
Cascina Reghinera LO 52 T 12
Cascina Remondina BS 53 V 11
Cascina Restelli CO 36 O 9
Cascina Ribolla BG 38 U 11
Cascina Roggera TO 59 F 15
Cascina S. Lorenzo RM 128 AK 34
Cascina San Bassano CR 52 T 12
Cascina San Vittore PV 50 O 12
Cascina Santa Maria PV 50 O 12
Cascina Sbarra NO 50 N 12
Cascina Taranta BG 37 S 10
Cascina Vallazza PV 50 N 12
Cascina Valle CR 52 U 11
Cascina Vallunga PV 50 N 12
Cascina Vernico BS 53 X 12
Cascina Visconta VA 36 O 9
Cascina Volpara PV 51 P 13
Cascinale Peruzzi VT 111 AF 29
Cascinali Chiampeis UD 16 AM 5
Cascinare AP 99 AR 24
Cascinassa VC 35 K 11
Cascinazza LO 52 T 13
Cascinazza MI 36 O 11
Cascine CN 74 I 19
Cascine GE 62 O 16
Cascine GE 62 O 16
Cascine MC 107 AM 26
Cascine PI 85 Y 21
Cascine PR 65 W 14
Cascine TO 34 I 11
Cascine Bertana AL 49 K 13
Cascine Candelina VC 49 L 12
Cascine Capri CR 37 S 11
Cascine Gandini CR 37 S 11
Cascine Gianotti NO 35 L 10
Cascine Nuove AL 50 O 13
Cascine Nuove PI 84 X 21
Cascine San Carlo CR 52 S 12
Cascine San Pietro BS 38 V 10
Cascine Strà VC 49 L 12
Cascine Tagliente RM 120 AL 33
Cascine Vecchie PI 84 X 21
Cascine Vergani AL 49 L 14
Cascinetta NO 35 M 9
Cascinette d'Ivrea TO 34 I 11
Cascinino PV 50 O 13
Cascinotta CO 23 Q 6
Cascinotto Mensa PV 50 O 13
Cascio LU 79 X 19
Casco dell'Acqua PG 106 AL 26
Case BS 38 W 10
Case SV 73 J 19
Case UD 31 AP 8
Case Agosta TP 182 AK 55
Case Babini RA 82 AG 17
Case Barboni AR 88 AI 21
Case Basse PG 106 AL 26
Case Becci AN 90 AO 21
Case Belardi GR 104 AD 27
Case Bellangelo AV 142 AZ 37
Case Benedetti AN 90 AO 21
Case Bergamin PD 42 AG 10
Case Bertulli PU 90 AM 20
Case Bettone PD 56 AF 13
Case Bianche BO 67 AD 16
Case Bianche BR 149 BQ 39
Case Bianche LE 159 BR 41
Case Bianche RM 119 AI 32
Case Bifolchini GR 104 AE 27
Case Boni BO 80 AA 19
Case Borgatti FE 68 AE 15
Case Borra BO 68 AF 16
Case Brilli PG 106 AK 25
Case Brioschi PC 52 T 14
Case Bruciate AQ 122 AS 31
Case Bruciate GE 76 P 17
Case Bruciate ME 188 AZ 55
Case Bruciate MO 67 AB 15
Case Bruciate PC 64 S 15
Case Bruciate PC 64 T 14
Case Bruciate PU 89 AL 20
Case Bucceri CL 194 AT 59
Case Cadriga RC 178 BD 55
Case Calò AN 90 AO 22
Case Calvaiano SI 93 AB 24
Case Campagna CS 170 BG 49
Case Canini TP 182 AI 56
Case Carloni AN 97 AM 24
Case Carradori AN 91 AQ 22
Case Castagna IM 72 H 19
Case Castiglione VT 112 AH 29
Case Catania RC 178 BD 55
Case Cervi CZ 170 BG 49
Case Chiangali PZ 154 BD 39
Case Chiavarini PE 116 AS 28
Case Ciaci-Bilelli TP 190 AK 57
Case Ciaramella AN 97 AM 23
Case Cocchi FR 130 AP 33
Case Cocconi RE 65 Y 15
Case Colbottoni MC 98 AO 25
Case Colle FR 130 AO 34
Case Colle PG 97 AK 24
Case Conforti SA 152 AZ 41
Case Contadine TP 183 AM 56
Case Conti AN 97 AM 22
Case Costantino SA 152 AZ 41
Case Cudi CZ 171 BG 49
Case da Zara PD 56 AG 12
Case Dammusi PA 184 AO 56
Case De Filippis LT 130 AP 35
Case del Bosco CN 60 H 15
Case del Conte PV 50 P 14
Case del Conte SA 162 AY 42
Case del Molino PV 63 P 14
Case del Principe FG 134 AZ 34
Case del Riglio PC 64 T 14
Case dell'Asta PR 64 U 15
Case di Gosto PI 85 X 22
Case di Malo VI 41 AE 9
Case di Norcia AQ 122 AQ 33
Case di Sopra SO 23 S 7
Case di Sotto TE 115 AQ 28
Case di Trento TE 109 AS 27
Case di Val Paghera BS 25 X 8
Case di Viso BS 11 Y 6
Case Don Tommasino TP 190 AK 57
Case d'Orbai CI 225 N 48
Case Dordone PR 65 V 15
Case Draga AN 90 AO 22
Case Faggi PR 64 U 15
Case Falcone TP 190 AJ 57
Case Fioravanti AP 108 AQ 26
Case Fornaci PG 97 AL 24
Case Garbatini AN 90 AN 21
Case Genna VS 221 O 46
Case Giampeo AN 97 AM 24
Case Gioia VE 43 AK 10
Case Giorgi PG 95 AG 25
Case Grandi BR 158 BO 41
Case Guerra PD 55 AD 13
Case i Palazzi PG 106 AJ 25
Case i Prati TR 113 AL 29
Case il Poggio PG 106 AJ 27
Case Il Troncolo PI 84 W 21
Case Incenso CZ 174 BH 51
Case Incile AQ 121 AP 32
Case Iommi AQ 122 AS 31
Case la Valle MC 97 AM 24
Case Laguantonio PE 116 AS 29
Case Lancione TR 113 AK 29
Case Lengueglia SV 73 J 19
Case Lidora SV 74 K 17
Case Longo ME 188 BA 54
Case Lucia SA 152 BA 41
Case Lunghe PG 105 AI 25
Case Mabili AV 142 AX 36
Case Malaguti BO 67 AD 15
Case Marconi PD 42 AG 10
Case Marconi PR 65 W 15
Case Marconi PZ 154 BD 39
Case Matte RO 56 AG 13
Case Mealla TR 105 AH 27
Case Meschine MC 98 AO 25
Case Mete CZ 171 BG 49
Case Meucci AV 142 AZ 37
Case Migliardo ME 189 BA 55
Case Mocaiana PG 96 AK 23
Case Molino d'Elsa SI 93 AB 24
Case Molle VI 41 AD 11
Case Monti SI 94 AC 23
Case Monticchio AV 142 AZ 37
Case Morolo RM 119 AJ 30
Case Murate LT 130 AO 35
Case Mustaiole PG 106 AL 27
Case Nanni PU 89 AJ 21
Case Nove PG 97 AM 24
Case Nuove BL 15 AK 4
Case Nuove CE 132 AT 35
Case Nuove FI 86 AA 22
Case Nuove LO 51 R 12
Case Nuove MC 98 AO 24
Case Nuove ME 188 BA 55
Case Nuove MO 66 AA 15
Case Nuove MO 66 AA 15
Case Nuove PC 64 T 14
Case Nuove PR 65 W 14
Case Nuove PR 65 X 15
Case Nuove PR 65 X 15
Case Nuove PU 89 AJ 20
Case Nuove PU 89 AK 21
Case Nuove PU 89 AL 22
Case Nuove PV 51 P 13
Case Nuove PV 51 P 14
Case Nuove RE 65 Y 15
Case Nuove RE 66 Z 15
Case Nuove RI 113 AL 30
Case Nuove RN 89 AK 20
Case Nuove RO 56 AE 13
Case Nuove TR 105 AI 27
Case Nuove VA 35 N 10
Case Nuove VR 40 AA 11
Case Nuove VT 112 AI 28
Case Nuove Malluzzo ME 188 AZ 55
Case Nuove Russo ME 188 AY 55
Case Ocaro RO 57 AJ 14
Case Orazio AP 108 AQ 26
Case Oriani BS 39 X 11
Case Orsi PC 64 U 15
Case Orsolina BL 15 AJ 4
Case Paolangeli PG 107 AM 26
Case Perrone TA 156 BK 41
Case Pettenuzzo PD 41 AG 10
Case Pian dei Bighi GR 103 AB 26
Case Picognola PG 97 AK 23
Case Pileci ME 188 AY 55
Case Pollina TP 183 AL 55
Case Ponticelli TR 113 AK 28
Case Puleo TP 190 AK 57
Case Puntone PI 85 Y 21
Case Querina PD 55 AD 13
Case Ricco SA 152 BA 41
Case Rocchi GR 104 AF 27
Case Rodano CZ 175 BI 51
Case Romagnoli AN 90 AO 22
Case Rondena FE 67 AC 14
Case Rosa PD 42 AG 10
Case Rosa PR 65 V 16
Case Rosse IM 72 I 19
Case Rosse LT 129 AN 35
Case Rosse PR 65 W 15
Case Rossi AV 142 AX 38
Case Rossi BS 39 X 10
Case Rossi SO 23 T 7
Case Rossi SV 74 K 17
Case Rossi SV 74 K 17
Case Rossi TV 42 AH 9
Case Russomanno CZ 175 BI 51
Case S. Martino TR 106 AJ 28
Case San Cristoforo TR 113 AJ 28
Case San Martino MC 98 AO 24
Case San Mauro TR 113 AJ 28
Case Sant' Antonio MT 165 BH 42
Case Sant'Erasmo PG 97 AK 24
Case Sartori TV 42 AJ 9
Case Scafarelli PZ 154 BD 39
Case Sciuto TP 183 AL 56
Case Scuderi TP 183 AL 56
Case Siconolfi AV 143 BA 38
Case Simini LE 159 BS 41
Case Soligo TV 42 AH 9
Case Soligo TV 42 AI 9
Case Stangaletto AN 97 AM 23
Case Stillo AV 143 AZ 37
Case Susi II AQ 122 AS 31
Case Svizzere AV 143 AZ 38
Case Terzi PG 96 AJ 23
Case Tosti PG 106 AJ 26
Case Trava FE 68 AG 15
Case Turchetti RA 82 AH 17
Case Venzi FC 82 AH 19
Case Vescio CZ 171 BG 49
Case Vespada TV 29 AJ 8
Case Vighen PR 64 T 17
Case Zampieri PD 42 AG 11
Case Zanoni PD 42 AH 10
Casebianche AP 108 AP 27
Casedi Sopra RE 65 X 17
Casei Gerola PV 50 O 13
Caseificio CR 53 W 13
Caseificio PR 65 W 14
Caseita VT 112 AI 29
Caselette TO 47 F 13
Casella GE 62 O 16
Casella GR 103 AD 25
Casella PC 63 R 14
Casella PC 63 R 16
Casella PC 64 U 14
Casella PG 96 AI 24
Casella PR 64 U 16
Casella PU 89 AL 20
Casella RE 78 X 17
Casella RE 66 Y 17
Casella SI 95 AG 25
Casella SP 77 T 19
Casella TV 42 AG 9
Casella VR 55 AB 12
Casella Forestale VS 221 M 47
Caselle CS 168 BH 45
Caselle PR 65 V 15
Caselle TV 42 AG 9
Caselle VI 55 AE 12
Caselle VR 55 AD 12
Caselle d'Isola VR 54 AB 12
Caselle in Pittari SA 163 BC 42
Caselle Landi LO 52 T 13
Caselle Lurani LO 51 R 12
Caselle Scuole PC 64 U 14
Caselle Sup. SA 151 AX 39
Caselle Torinese TO 48 G 12
Caselline GE 63 P 16
Casello AT 61 L 15
Casello CS 167 BF 46
Casello LC 37 R 9
Casello PR 53 X 14
Casello PR 65 X 15
Casello PU 97 AL 22
Casello dei Morti CS 167 BF 46
Caselunghe MC 98 AP 25
Ca'Selva PN 15 AL 6
Casemascio PG 105 AI 27
Casembola PR 64 T 16
Casemurate RA 82 AI 18
Casenda SO 9 R 6
Casenove PG 106 AK 27
Casenove PG 107 AM 26
Casenove PV 51 Q 13
Casenovole GR 103 AC 25
Casentino AQ 115 AQ 30
Casenuove AN 98 AP 23
Casenuove AR 88 AG 21
Casenuove LO 52 T 13
Casenuove e Paradisino BS 38 W 11
Caseo PV 51 Q 14
Casera Bozzia PN 15 AJ 6
Casera Chiarpegnis PN 15 AL 5
Casera le Valli PN 29 AK 7
Casera Liron PN 15 AJ 6
Casera Lius UD 16 AO 4
Casera Lodina PN 15 AJ 6
Casera Losa UD 15 AL 5
Casera Pian delle More PN 29 AK 7
Casera Pian di Mea UD 16 AP 6
Casera Ramaz UD 16 AN 4
Casera Razzo BL 15 AK 5
Casera Sauch PN 29 AK 7
Casera Somp la Mont PN 15 AL 5
Casera Tragonia UD 15 AK 5
Casera Tuglia UD 15 AL 4
Casera Tuglia UD 15 AL 5
Casere BL 28 AF 8
Casere PD 42 AG 10
Casere VA 21 M 8
Casere / Casern BZ 5 AH 1
Casere Cregnedul UD 17 AQ 5
Caserma PC 52 S 13
Caserma RA 82 AI 18
Caserma Forestale CS 165 BH 44
Casern / Casere BZ 5 AH 1
Caserta CE 141 AV 37
Caserta LC 23 R 8
Caserta-vecchia CE 141 AV 37
Casetta GR 104 AF 27
Casetta di Cornia LI 102 Z 25
Casette UD 44 AN 9
Casette Antonelli MC 99 AQ 23
Casette d'Ete AP 99 AR 24
Casette Montegallo AN 91 AP 22
Casette Torresi MC 99 AQ 23
Casetti BO 67 AC 16
Casetti FE 67 AC 15
Casetti RA 82 AG 18
Casetti TO 33 F 11
Casetti Prazzolo RN 83 AK 19
Casevecchie PG 106 AL 26
Casevecchie TO 47 F 14
Casez TN 12 AB 5
Casi CE 140 AT 36
Casi FI 87 AE 21
Casiacco PN 16 AM 6
Casier TV 42 AI 10
Casigliano TR 106 AK 27
Casignana RC 179 BF 55
Casignano FI 86 AC 21
Casignano / Gschnon BZ 13 AC 6
Casigno BO 80 AB 18
Casigno BO 80 AB 18
Casilina CE 132 AT 35
Casilina FR 130 AO 34
Casilli NA 151 AW 39
Casina RE 65 Y 16
Casina SV 75 L 18
Casinalbo MO 66 AA 16
Casine AN 90 AN 22
Casine MO 79 Z 18
Casine di Paterno AN 91 AP 22
Casinello MT 156 BJ 42
Casini FI 87 AD 20
Casini FI 87 AE 20
Casini FI 85 Z 21
Casini PT 86 AB 20
Casini RI 114 AM 30
Casini di Corie LU 78 X 18
Casinina PU 89 AK 21
Casino BG 24 U 9
Casino RE 78 X 17
Casino SV 75 L 17
Casino Barletta PZ 164 BF 42
Casino Bosco CS 171 BG 48
Casino Bruni MT 155 BH 40
Casino d'Erchia BA 147 BL 38
Casino del Duca TA 147 BK 39
Casino del Marchese CS 171 BH 49
Casino dell'Osso MT 156 BJ 41
Casino di Falcone ME 188 AZ 55
Casino di Monsignore BT 136 BH 36
Casino di Terra PI 93 Y 24
Casino Eramo
a Marzagaglia BA 146 BK 39
Casino Libano SA 162 AZ 42
Casino Rocco CS 165 BH 43
Casino Salfi CS 171 BG 48
Casino San Martino BA 146 BI 37
Casino Savini TE 109 AS 27
Casino Toscano PZ 164 BG 44
Casino Vezzani CH 117 AV 30
Casino Vitelli PZ 164 BG 44
Casirate d'Adda BG 37 S 11
Casirate Olona MI 51 P 12
Casitti Sup. ME 188 AY 55
Casletto LC 23 Q 9
Caslino al Piano CO 36 P 9
Caslino d'Erba CO 23 Q 8
Casnate CO 36 P 9
Casnigo BG 24 U 9
Caso PG 107 AM 27

Caso SV........ 73 J 19
Casola AV........ 151 AW 38
Casola BO........ 80 AA 19
Casola BZ........ 5 AH 3
Casola CE........ 141 AV 37
Casola MO........ 79 Y 17
Casola PR........ 65 V 16
Casola Canina BO........ 81 AD 17
Casola Canina BO........ 81 AF 17
Casola Canossa RE........ 65 X 16
Casola di Napoli NA........ 151 AW 39
Casola in Lunigiana MS... 78 W 18
Casola Querciola RE........ 66 Y 16
Casola Valsenio RA........ 81 AE 18
Casolaro RC........ 176 BF 53
Casole FI........ 87 AD 20
Casole FI........ 94 AD 22
Casole Bruzio CS........ 171 BG 48
Casole d'Elsa SI........ 93 AB 23
Casolesi CS........ 171 BI 47
Casoli CH........ 123 AU 31
Casoli LU........ 84 W 20
Casoli LU........ 79 Z 19
Casoli TE........ 109 AS 28
Casolla CE........ 141 AV 37
Casolta LO........ 51 R 11
Cason PD........ 56 AF 12
Casona VE........ 57 AH 13
Casone BZ........ 2 Y 3
Casone FC........ 81 AG 19
Casone FC........ 82 AH 18
Casone FG........ 134 BB 34
Casone FI........ 86 AB 21
Casone GR........ 111 AF 28
Casone LI........ 92 Y 25
Casone LU........ 79 X 18
Casone MC........ 98 AP 23
Casone MI........ 36 P 10
Casone PD........ 42 AG 11
Casone PG........ 97 AL 24
Casone PV........ 50 P 13
Casone PV........ 63 Q 15
Casone PZ........ 154 BE 40
Casone SO........ 9 R 5
Casone SV........ 75 L 17
Casone VR........ 40 AA 11
Casone della Macchia MT. 155 BH 39
Casone Macchione PZ... 145 BF 39
Casone Panni PZ........ 144 BE 39
Casoni BL........ 28 AH 7
Casoni BL........ 14 AI 6
Casoni BO........ 67 AD 16
Casoni CS........ 168 BI 45
Casoni FE........ 67 AC 15
Casoni GE........ 63 Q 16
Casoni GE........ 63 R 17
Casoni LO........ 51 R 12
Casoni MN........ 55 AC 13
Casoni MO........ 67 AB 15
Casoni MO........ 79 Y 18
Casoni PC........ 51 R 13
Casoni PC........ 52 T 14
Casoni PD........ 41 AF 10
Casoni PR........ 64 U 16
Casoni PT........ 80 AA 19
Casoni PV........ 51 R 13
Casoni RE........ 54 Z 14
Casoni TV........ 42 AG 9
Casoni TV........ 42 AG 10
Casoni TV........ 43 AK 9
Casoni VI........ 41 AF 9
Casoni VI........ 41 AF 10
Casoni VR........ 40 AB 11
Casoni VR........ 40 AC 11
Casoni del Terzo GR........ 103 AB 27
Casoni di Valsalega BL... 15 AJ 4
Casoni Sant'Antonio PV... 50 N 12
Casorate Primo PV........ 50 P 12
Casorate Sempione VA... 35 N 9
Casorbica AR........ 95 AG 24
Casore del Monte PT........ 85 Z 20
Casorezzo MI........ 36 O 10
Casori AQ........ 122 AS 33
Casoria NA........ 150 AU 38
Casorzo AT........ 49 L 13
Casotti CR........ 53 V 13
Casotti PT........ 79 Z 19
Casotti PV........ 51 P 13
Casotti RO........ 56 AF 14
Casotti VR........ 54 AA 12
Casotti VR........ 40 AC 11
Casotti VR........ 55 AC 12
Casotti VR........ 55 AC 12
Casotto AT........ 49 K 14
Casotto BS........ 38 V 10
Casotto PV........ 51 P 14
Casotto TV........ 28 AI 8
Casotto VI........ 27 AD 8
Caspano SO........ 23 S 6
Casperia RI........ 113 AL 29
Caspessa PU........ 89 AM 22
Ca'Spezie PU........ 89 AK 21
Ca'Spina RN........ 83 AJ 19
Caspoggio SO........ 10 U 6
Caspoli CE........ 131 AS 35
Caspri AR........ 87 AE 22
Casaccio UD........ 16 AO 6
Cassagna GE........ 77 R 17
Cassago Brianza LC........ 36 Q 9
Cassana MS........ 77 U 18
Cassana SP........ 77 T 18
Cassana TN........ 12 AA 5
Cassanesi GE........ 76 Q 17
Cassanigo RA........ 82 AG 17
Cassano AV........ 142 AX 37
Cassano BN........ 141 AV 37
Cassano BO........ 81 AD 18
Cassano MO........ 79 Z 17
Cassano NO........ 35 L 9
Cassano PC........ 64 S 14
Cassano allo Ionio CS... 167 BG 45
Cassano d'Adda MI........ 37 S 10
Cassano delle Murge BA... 146 BJ 38
Cassano Irpino AV........ 142 AZ 38
Cassano Magnago VA........ 36 N 9
Cassano Spinola AL........ 62 O 15
Cassano Valcuvia VA........ 22 N 8
Cassarese PT........ 85 Z 19
Cassari VV........ 177 BG 53
Cassaro SR........ 203 AY 61
Cassavrolo SO........ 11 W 5
Cassegliano GO........ 31 AP 8
Cassella RO........ 69 AJ 14
Cassero AN........ 91 AP 22
Cassiano AN........ 90 AO 22
Cassibile SR........ 205 BA 62
Cassiglio BG........ 23 S 8
Cassignanica MI........ 37 R 11
Cassignano PG........ 107 AM 25
Cassimoreno PC........ 64 S 16
Cassina de' Pecchi MI........ 37 R 10
Cassina Rizzardi CO........ 36 P 9
Cassina Valsassina LC........ 23 R 8
Cassinasco AT........ 61 K 15
Cassinazza PV........ 50 M 12
Cassine AL........ 61 M 15
Cassinelle AL........ 62 M 16
Cassinetta GE........ 63 Q 16
Cassinetta PV........ 50 M 12
Cassinetta di Lugagnano MI. 36 O 11
Cassingheno GE........ 63 Q 16
Cassino FR........ 131 AR 35
Cassino MI........ 36 P 11
Cassino PC........ 52 T 13
Cassino RI........ 107 AO 27
Cassino VB........ 21 M 7
Cassino d'Alberi LO........ 37 R 11
Cassio PR........ 64 V 16
Casso PN........ 15 AI 6
Cassola VI........ 41 AF 9
Cassolana MS........ 78 V 18
Cassolino SA........ 163 BB 43
Cassolnovo PV........ 50 N 11
Cassolo PC........ 63 R 15
Cassone VR........ 39 Z 9
Castaglione Secondo AV 142 AZ 36
Castagna AN........ 97 AM 22
Castagna CZ........ 171 BH 49
Castagna GE........ 62 O 17
Castagna MC........ 97 AM 24
Castagna OT........ 211 S 38
Castagna PZ........ 154 BF 41
Castagna TR........ 113 AL 28
Castagnacupa PG........ 106 AK 27
Castagnara PD........ 42 AG 11
Castagnaretta CN........ 71 G 17
Castagnaro NA........ 150 AT 38
Castagnaro VR........ 55 AD 13
Castagnè VR........ 40 AB 11
Castagnea BI........ 34 J 9
Castagneia VB........ 35 K 9
Castagnelle CS........ 170 BF 47
Castagnera Alta TV........ 42 AH 9
Castagnero ME........ 188 AY 55
Castagneto MO........ 79 AA 17
Castagneto RE........ 78 W 17
Castagneto RE........ 66 Y 17
Castagneto RI........ 113 AL 29
Castagneto SA........ 162 AZ 42
Castagneto SA........ 153 BC 41
Castagneto TE........ 108 AQ 27
Castagneto Carducci LI... 92 Y 25
Castagneto Po TO........ 48 I 13
Castagnetoli MS........ 77 U 17
Castagni LI........ 102 X 27
Castagnito CN........ 61 J 15
Castagno FI........ 81 AE 19
Castagno PT........ 86 AA 19
Castagno SI........ 94 AC 23
Castagno d'Andrea FI........ 87 AE 20
Castagnola AL........ 62 O 16
Castagnola AL........ 63 P 15
Castagnola GE........ 76 P 17
Castagnola GE........ 77 R 17
Castagnola LU........ 78 W 18
Castagnola MO........ 79 Z 18
Castagnola PC........ 63 R 16
Castagnola PG........ 106 AK 26
Castagnola PR........ 64 S 16
Castagnola PR........ 65 X 15
Castagnola RM........ 128 AK 34
Castagnola SP........ 77 S 18
Castagnola VC........ 35 L 9
Castagnole AT........ 61 K 15
Castagnole TV........ 42 AI 9
Castagnole delle Lanze AT.. 61 J 15
Castagnole Monferrato AT... 49 K 14
Castagnole Piemonte TO. 59 G 14
Castagnoli SI........ 94 AD 23
Castagnolo BO........ 67 AB 16
Castagnolo Minore BO........ 67 AD 16
Castagnone AL........ 49 K 13
Castaldia VE........ 43 AK 10
Castana PV........ 51 Q 13
Castana VI........ 27 AC 9
Castanea RC........ 178 BD 55
Castanea delle Furie ME... 189 BC 54
Castano Primo MI........ 35 N 10
Ca'Stantini RE........ 79 X 18
Castasegna SO........ 9 S 6
Casteggio PV........ 51 P 13
Castegnato BS........ 38 V 10
Castegne FR........ 130 AO 33
Castegnero VI........ 41 AE 11
Castel Arcione RM........ 120 AL 32
Castel Baronia AV........ 143 BA 37
Castel Boglione AT........ 61 L 15
Castel Bolognese RA........ 81 AF 18
Castel Campagnano CE. 141 AV 36
Castel Castagna TE........ 115 AR 28
Castel Castagnaio AR........ 87 AE 21
Castel Cellesi VT........ 112 AH 28
Castel Cerreto BG........ 37 S 10
Castel Colonna AN........ 90 AN 21
Castel Condino TN........ 25 Y 8
Castel d'Aiano BO........ 80 AB 18
Castel d'Alfero FC........ 88 AH 20
Castel d'Alfiolo PG........ 97 AK 24
Castel d'Ario MN........ 54 AA 12
Castel d'Asso VT........ 112 AH 29
Castel d'Azzano VR........ 54 AA 11
Castel de' Ratti AL........ 62 O 15
Castel dei Britti BO........ 81 AD 17
Castel dei Ceveri RM........ 119 AJ 31
Castel del Bosco PI........ 85 Z 22
Castel del Bosco TO........ 47 D 14
Castel del Giudice IS........ 123 AU 32
Castel del Monte AQ........ 115 AR 29
Castel del Piano GR........ 104 AE 26
Castel del Piano PG........ 105 AI 25
Castel del Rio BO........ 81 AE 18
Castel dell'alpe FC........ 87 AF 20
Castel dell'Alpi BO........ 80 AC 18
Castel dell'Aquila TR........ 113 AJ 28
Castel d'Emilio AN........ 91 AP 22
Castel di Casio BO........ 80 AB 19
Castel di Cisterna CE........ 141 AU 36
Castel di Croce AP........ 108 AQ 26
Castel di Decima RM........ 128 AJ 33
Castel di Fiori TR........ 105 AH 26
Castel di Guido RM........ 119 AI 32
Castel di Ieri AQ........ 122 AR 31
Castel di Iudica CT........ 195 AW 59
Castel di Lama AP........ 108 AR 26
Castel di Leva RM........ 128 AK 33
Castel di Lucio ME........ 187 AU 56
Castel di Nocco PI........ 85 Y 21
Castel di Sangro AQ........ 123 AT 33
Castel di Sette CH........ 117 AV 30
Castel di Tora RI........ 114 AM 30
Castel di Tusa ME........ 186 AU 55
Castel Focognano AR........ 87 AF 22
Castel Frentano CH........ 117 AV 30
Castel Gabbiano CR........ 37 T 11
Castel Gandolfo RM........ 120 AK 33
Castel Gilardi AR........ 95 AH 24
Castel Ginnetti LT........ 129 AL 34
Castel Giocondo SI........ 104 AD 25
Castel Giòrgio TR........ 105 AG 27
Castel Giubileo RM........ 119 AK 32
Castel Giuliano RM........ 118 AH 31
Castel Goffredo MN........ 53 X 12
Castel Guelfo PG........ 96 AJ 22
Castel Guelfo di Bologna BO........ 81 AF 17
Castel Lagopesole PZ........ 144 BD 39
Castel Lambro PV........ 51 Q 12
Castel Madama RM........ 120 AM 32
Castel Madruzzo TN........ 26 AA 7
Castel Maggiore BO........ 67 AD 16
Castel Malnome RM........ 119 AI 32
Castel Mella BS........ 38 V 11
Castel Nuovo FI........ 87 AE 21
Castel Nuovo TS........ 31 AQ 9
Castel Porziano RM........ 128 AJ 33
Castel Rigone PG........ 96 AI 24
Castel Rinaldi PG........ 106 AJ 27
Castel Ritaldi PG........ 106 AL 27
Castel Rocchero AT........ 61 L 15
Castel Romano RM........ 128 AJ 33
Castel Rozzone BG........ 37 S 10
Castel Rubello TR........ 105 AH 27
Castel Ruggero SA........ 163 BB 43
Castel San Benedetto RI... 114 AM 29
Castel San Felice PG........ 107 AM 27
Castel San Gimignano SI. 93 AB 23
Castel San Giorgio SA... 151 AX 39
Castel San Giovanni PC... 51 R 13
Castel San Giovanni PG 106 AL 27
Castel San Giovanni PG 107 AN 27
Castel San Lorenzo SA.. 152 BA 41
Castel San Pietro AL........ 49 K 13
Castel San Pietro AP........ 108 AP 26
Castel San Pietro MC........ 98 AN 24
Castel San Pietro RI........ 113 AL 30
Castel San Pietro Romano RM........ 120 AM 32
Castel San Pietro Terme BO 81 AE 17
Castel San Venanzo MC.. 98 AN 24
Castel San Vincenzo IS.. 132 AT 34
Castel Santa Maria MC........ 97 AN 24
Castel Sant'Angelo MC........ 98 AO 23
Castel Sant'Angelo RI........ 114 AN 29
Castel Sant'Elia VT........ 113 AJ 30
Castel Taranto BZ........ 12 AB 4
Castel Trosino AP........ 108 AQ 27
Castel Venzago BS........ 39 Y 11
Castel Viscardo TR........ 105 AH 27
Castel Vittorio IM........ 72 H 20
Castel Volturno CE........ 140 AS 37
Castelbaldo PD........ 55 AD 13
Castelbasso TE........ 109 AS 28
Castelbelforte MN........ 54 AA 12
Castelbellino AN........ 98 AN 23
Castelbello / Kastelbell BZ... 12 AA 4
Castelbianco SV........ 73 J 19
Castelbottaccio CB........ 124 AX 33
Castelbuono PA........ 186 AT 56
Castelbuono PG........ 106 AK 26
Castelcanafurone PC........ 63 R 15
Castelcerino VR........ 40 AC 11
Castelceriolo AL........ 62 N 14
Castelcies TV........ 28 AG 8
Castelcivita SA........ 152 BA 41
Castelcovati BS........ 38 U 10
Castelcucco TV........ 28 AG 9
Castelcucco TV........ 42 AI 10
Casteldaccia PA........ 185 AQ 55
Casteldarne / Ehrenburg BZ... 4 AF 3
Casteldelci PU........ 88 AH 21
Casteldelfino CN........ 58 D 16
Casteldelmonte TR........ 106 AK 27
Casteldicroce IS........ 123 AV 33
Casteldidone CR........ 53 X 13
Casteldilago TR........ 113 AL 28
Casteldimezzo PU........ 89 AL 20
Casteldoria SS........ 209 O 38
Castelfalfi FI........ 93 AA 22
Castelferrato CH........ 116 AU 29
Castelferretti AN........ 91 AP 22
Castelferro AL........ 62 M 15
Castelfidardo AN........ 98 AQ 23
Castelfiorentino FI........ 86 AA 22
Castelfondo TN........ 12 AB 5
Castelforte LE........ 160 BR 44
Castelforte LT........ 139 AR 36
Castelfranci AV........ 142 AZ 38
Castelfranco BG........ 24 V 8
Castelfranco FE........ 55 AD 14
Castelfranco RI........ 114 AM 29
Castelfranco di Sopra AR. 87 AE 22
Castelfranco di Sotto PI... 85 Z 21
Castelfranco d'Oglio CR... 53 X 13
Castelfranco Emilia MO... 67 AB 16
Castelfranco in Miscano BN........ 134 AZ 36
Castelfranco Veneto TV... 42 AG 9
Castel-gomberto VI........ 41 AD 10
Castelgonelle BS........ 38 V 11
Castelgrande PZ........ 143 BB 39
Castelgrimaldo MN........ 54 Y 12
Castelguglielmo RO........ 55 AE 13
Castelguidone CH........ 124 AW 33
Castella TV........ 28 AI 8
Castellabate SA........ 162 AY 42
Castellaccio FC........ 83 AJ 19
Castellaccio FR........ 120 AN 33
Castellaccio LI........ 92 X 23
Castellaccio PG........ 106 AK 25
Castellacciola AR........ 88 AI 22
Castellace RC........ 176 BE 54
Castellafiume AQ........ 121 AP 32
Castellaicardi PR........ 65 W 14
Castell'Alfero AT........ 49 K 14
Castellalto TE........ 109 AR 27
Castellammare del Golfo TP........ 183 AM 55
Castellammare di Stabia NA........ 151 AV 39
Castellamonte TO........ 33 H 11
Castellana BG........ 37 T 10
Castellana IS........ 123 AV 32
Castellana PC........ 64 S 15
Castellana PC........ 64 T 15
Castellana PC........ 64 U 14
Castellana PE........ 116 AT 29
Castellana RE........ 65 X 15
Castellana SR........ 202 AY 59
Castellana VA........ 35 N 10
Castellana VE........ 42 AH 10
Castellana Grotte BA........ 147 BL 38
Castellana Sicula PA........ 186 AT 57
Castellaneta TA........ 156 BK 40
Castellaneta Marina TA.. 156 BK 41
Castellani VI........ 40 AC 9
Castellania AL........ 62 O 15
Castellano AP........ 108 AQ 26
Castellano AP........ 99 AR 24
Castellano AP........ 108 AR 25
Castellano FR........ 121 AN 33
Castellano PE........ 116 AS 28
Castellano RC........ 177 BG 53
Castellano TN........ 26 AB 8
Castell'Anselmo LI........ 92 X 22
Castellanza VA........ 36 O 10
Castell'Apertole VC........ 49 K 12
Castellar CN........ 59 F 16
Castellar CN........ 71 G 18
Castellar Guidobono AL... 62 O 14
Castellar Ponzano AL........ 62 O 15
Castellarano RE........ 66 Z 16
Castellare PG........ 97 AL 24
Castellare PT........ 85 Z 20
Castellaro AN........ 97 AN 23
Castellaro AN........ 90 AO 22
Castellaro BO........ 80 AA 19
Castellaro CB........ 133 AW 34
Castellaro CN........ 58 E 17
Castellaro FC........ 82 AJ 19
Castellaro FE........ 68 AF 14
Castellaro IM........ 72 I 20
Castellaro MN........ 53 X 12
Castellaro MO........ 79 Y 17
Castellaro MO........ 79 Z 18
Castellaro PD........ 41 AF 10
Castellaro PR........ 64 U 15
Castellaro PR........ 64 U 16
Castellaro PV........ 50 N 13
Castellaro PV........ 51 P 14
Castellaro PV........ 63 Q 15
Castellaro PZ........ 153 BC 40
Castellaro RE........ 65 X 17
Castellaro RE........ 78 X 17
Castellaro SV........ 73 J 19
Castellaro SV........ 73 J 19
Castellaro SV........ 74 K 17
Castellaro TE........ 116 AR 28
Castellaro de' Giorgi PV... 50 N 13
Castellaro Lagusello MN.. 39 Y 11
Castell'Arquato PC........ 64 U 14
Castell'Azzara GR........ 104 AF 27
Castellazzo AL........ 49 K 13
Castellazzo AT........ 49 K 14
Castellazzo BI........ 34 I 10
Castellazzo PV........ 51 P 13
Castellazzo RE........ 66 Z 15
Castellazzo TO........ 59 F 15
Castellazzo Bormida AL... 62 M 14
Castellazzo dei Barzi MI... 36 O 11
Castellazzo Novarese NO... 35 L 10
Castelleale RN........ 89 AK 20
Castellelce CB........ 124 AX 32
Castellengo BI........ 34 K 10
Castelleone CR........ 52 T 12
Castelleone PG........ 106 AJ 26
Castelleone di Suasa AN. 90 AM 22
Castellero AT........ 49 J 14
Castellero AT........ 61 K 15
Castelletta AN........ 97 AN 23
Castelletta MC........ 98 AP 24
Castelletta MC........ 99 AQ 23
Castelletti VR........ 40 AA 9
Castelletto AT........ 61 J 15
Castelletto AT........ 61 J 15
Castelletto BO........ 67 AB 16
Castelletto BO........ 80 AB 17
Castelletto BS........ 53 W 12
Castelletto CN........ 71 F 17
Castelletto CN........ 60 I 15
Castelletto CR........ 52 U 11
Castelletto LU........ 78 W 18
Castelletto MI........ 36 O 11
Castelletto MN........ 54 Z 12
Castelletto NO........ 35 M 10
Castelletto PC........ 52 S 14
Castelletto PD........ 56 AH 12
Castelletto PR........ 65 X 14
Castelletto PT........ 85 AA 21
Castelletto SI........ 94 AB 24
Castelletto TN........ 12 AB 6
Castelletto VI........ 27 AD 8
Castelletto VI........ 41 AD 11
Castelletto VR........ 54 AA 12
Castelletto VR........ 40 AC 11
Castelletto VR........ 55 AD 12
Castelletto Brusca CN........ 59 F 17
Castelletto Busca CN........ 59 F 17
Castelletto Cervo BI........ 34 K 10
Castelletto d'Erro AL........ 61 L 16
Castelletto di Brenzone VR... 39 Z 9
Castelletto d'Orba AL........ 62 N 15
Castelletto Molina AT........ 61 L 15
Castelletto Monferrato AL 50 M 14
Castelletto Po PV........ 51 P 13
Castelletto Sopra Ticino NO.. 35 M 9
Castelletto Stura CN........ 71 G 17
Castelletto Uzzone CN........ 61 K 17
Castelletto Villa VC........ 34 K 10
Castelli TE........ 115 AR 29
Castelli TV........ 28 AG 8
Castellina FI........ 86 AA 21
Castellina LO........ 52 T 13
Castellina PR........ 65 V 14
Castellina PT........ 85 AA 20
Castellina PU........ 89 AJ 21
Castellina RA........ 81 AF 18
Castellina RI........ 113 AL 29
Castellina in Chianti SI... 94 AC 23
Castellina Marittima PI... 92 Y 23
Castellina Scalo SI........ 94 AC 23
Castellinaldo CN........ 61 J 15
Castellino AL........ 49 M 13
Castellino AT........ 49 K 13
Castellino MO........ 80 AA 17
Castellino del Biferno CB..... 133 AX 33
Castellino Nuovo CB........ 133 AX 33
Castellino Tanaro CN........ 74 I 17
Castelliri FR........ 130 AQ 33
Castelliviero VE........ 42 AH 10
Castello AG........ 199 AR 60
Castello AL........ 63 P 15
Castello AP........ 108 AP 26
Castello AP........ 108 AQ 26
Castello AQ........ 115 AQ 30
Castello AT........ 61 J 14
Castello AV........ 151 AX 38
Castello BN........ 142 AY 36
Castello BS........ 38 V 11
Castello BS........ 39 X 10
Castello BS........ 39 Y 10
Castello BZ........ 11 Y 4
Castello CN........ 58 D 16
Castello CN........ 59 F 16
Castello CN........ 74 I 18
Castello CO........ 22 P 7
Castello CO........ 36 P 9
Castello CR........ 37 T 11
Castello CS........ 165 BI 43
Castello FC........ 82 AH 19
Castello FC........ 88 AH 20
Castello FE........ 67 AE 15
Castello FI........ 86 AC 21
Castello FR........ 131 AR 33
Castello FR........ 131 AR 34
Castello GE........ 76 Q 17
Castello IS........ 132 AT 34
Castello IS........ 132 AV 34
Castello MC........ 97 AM 24
Castello MC........ 107 AN 25
Castello ME........ 180 AV 52
Castello ME........ 188 AX 55
Castello MO........ 66 AA 15

Castello MO 79 Y 18
Castello MO 79 Z 18
Castello MS 77 T 17
Castello MS 78 U 18
Castello NA 151 AV 38
Castello NA 151 AW 38
Castello NA 151 AW 39
Castello PC 63 R 15
Castello PG 96 AI 25
Castello PR 64 V 16
Castello PR 65 X 15
Castello PU 88 AI 20
Castello PU 89 AJ 20
Castello PU 89 AL 20
Castello PV 51 Q 13
Castello PZ 164 BE 43
Castello RE 66 Z 15
Castello SA 163 BD 43
Castello SO 23 S 7
Castello SP 77 S 18
Castello SP 77 T 18
Castello SP 77 U 18
Castello SV 73 J 20
Castello TN 26 AB 7
Castello TN 27 AC 7
Castello TN 12 Z 6
Castello TV 42 AI 9
Castello UD 30 AN 7
Castello UD 30 AO 8
Castello VA 21 N 8
Castello VI 41 AD 10
Castello VI 41 AE 10
Castello VI 56 AE 11
Castello VR 40 AC 10
Castello Cabiaglio VA 22 N 8
Castello d'Agogna PV 50 N 12
Castello d'Argile BO 67 AC 15
Castello del Lago AV 142 AY 37
Castello della Marsiliana GR 102 Z 25
Castello della Pieve PU 88 AI 22
Castello dell'Acqua SO 24 V 7
Castello delle Forme PG 106 AJ 26
Castello delle Formiche TR 113 AJ 29
Castello di Annone AT 61 K 14
Castello di Bonavalle CN 59 G 15
Castello di Br. LC 37 R 9
Castello di Brenzone VR 39 Z 9
Castello di Campeggi BO 67 AC 16
Castello di Casola PR 65 V 16
Castello di Cavallino PU 89 AK 21
Castello di Cisterna NA 151 AV 38
Castello di Corno RI 114 AN 29
Castello di Fiemme TN 13 AD 6
Castello di Folignano AP 108 AQ 27
Castello di Godego TV 42 AG 9
Castello di Morgnano PG 106 AL 27
Castello di Poggio PU 90 AM 21
Castello di Ravarano PR 65 V 16
Castello di San Lorenzo LI 102 Z 25
Castello di Serravalle BO 80 AB 17
Castello di Tocchi SI 94 AC 25
Castello Inici TP 183 AM 56
Castello La Rancia MC 98 AP 24
Castello Lavazzo BL 14 AI 6
Castello Liteggio BG 37 T 10
Castello Marchetti PT 86 AB 20
Castello Marchione BA 147 BL 38
Castello Matese CE 132 AV 35
Castello Monteleone NA 150 AT 38
Castello Paganica AQ 115 AO 29
Castello Ramici TR 112 AI 28
Castello Roganzuolo TV 29 AJ 8
Castello Tesino TN 27 AE 7
Castellonalto TR 114 AL 28
Castellonchio PR 64 V 16
Castellone CB 132 AV 35
Castellone FR 130 AO 34
Castellonorato LT 139 AR 36
Castell'Ottieri GR 104 AF 27
Castellucchio MN 54 Y 13
Castelluccio AR 95 AF 22
Castelluccio BO 80 AA 19
Castelluccio CH 117 AV 31
Castelluccio LT 139 AS 36
Castelluccio MO 80 AA 18
Castelluccio PG 107 AO 27
Castelluccio RI 114 AN 30
Castelluccio SI 104 AF 25
Castelluccio SR 205 AY 62
Castelluccio TR 113 AJ 29
Castelluccio Cosentino SA 153 BB 40
Castelluccio dei Sauri FG 135 BB 36
Castelluccio Inf. PZ 164 BE 43
Castelluccio Sup. PZ 164 BE 43
Castelluccio Valmaggiore FG 134 BA 35
Castelluccio-Paratore CT 195 AY 57
Castell'Umberto ME 188 AX 55
Castellunchio TR 105 AI 27
Castelluzzo TP 183 AL 55
Castelmaggiore PI 85 Y 21
Castelmagno CN 70 E 17
Castelmarte CO 23 Q 9
Castelmassa RO 55 AC 13
Castelmassimo FR 130 AP 33
Castelmauro CB 124 AX 33
Castelmenardo RI 114 AO 30
Castelmerlino VC 49 K 12
Castelmezzano PZ 154 BF 40
Castelminio TV 42 AG 10
Castelmola ME 197 BA 56
Castelmonte UD 31 AQ 7
Castelmorrone CE 141 AV 37
Castelmozzano PR 65 W 16
Castelmuzio SI 95 AF 25
Castelnovate VA 35 N 10
Castelnovetto PV 50 M 12
Castelnovo PC 51 R 14
Castelnovo VI 41 AD 10
Castelnovo a Sera PR 65 W 14
Castelnovo Bariano RO 55 AC 13
Castelnovo del Friuli PN 16 AM 6
Castelnovo di Sotto RE 66 Y 15
Castelnovo ne' Monti RE 79 X 17
Castelnuovo AQ 121 AP 31
Castelnuovo AQ 115 AQ 30
Castelnuovo AR 87 AF 22
Castelnuovo AR 95 AG 22
Castelnuovo AR 88 AH 22
Castelnuovo BO 80 AB 18
Castelnuovo MC 98 AQ 23
Castelnuovo MN 53 X 12
Castelnuovo MN 54 Z 13
Castelnuovo PD 56 AF 12
Castelnuovo PG 106 AK 25
Castelnuovo PO 86 AB 21
Castelnuovo PU 88 AJ 20
Castelnuovo PU 89 AK 20
Castelnuovo RA 81 AF 17
Castelnuovo TN 27 AD 7
Castelnuovo al Volturno IS 131 AT 34
Castelnuovo Belbo AT 61 L 15
Castelnuovo Berardenga SI 94 AE 23
Castelnuovo Bocca d'Adda LO 52 U 13
Castelnuovo Bormida AL 62 M 15
Castelnuovo Bozzente CO 36 O 9
Castelnuovo Calcea AT 61 K 15
Castelnuovo Cilento SA 162 BA 42
Castelnuovo dei Sabbioni AR 94 AD 22
Castelnuovo del Garda VR 39 Z 11
Castelnuovo del Vescovo CR 53 W 12
Castelnuovo del Zappa CR 52 U 12
Castelnuovo della Daunia FG 134 AZ 34
Castelnuovo della Misericordia LI 92 X 23
Castelnuovo dell'Abate SI 104 AE 26
Castelnuovo d'Elsa FI 86 AA 22
Castelnuovo di Ceva CN 74 J 17
Castelnuovo di Conza SA 143 BA 39
Castelnuovo di Farfa RI 113 AL 30
Castelnuovo di Garfagnana LU 79 X 19
Castelnuovo di Porto RM 119 AK 31
Castelnuovo di Val di Cecina PI 93 AA 24
Castelnuovo Don Bosco AT 48 I 13
Castelnuovo Fogliani PC 64 U 14
Castelnuovo Ghirardi CR 53 V 12
Castelnuovo Magra SP 78 V 19
Castelnuovo Nigra TO 33 H 11
Castelnuovo Parano FR 131 AR 35
Castelnuovo Rangone MO 66 AA 16
Castelnuovo Scrivia AL 50 O 14
Castelnuovo Vomano TE 109 AS 28
Castelo di Montaldo SI 94 AE 23
Castelpagano SA 152 AY 39
Castel-pagano BN 133 AX 35
Castelpetroso IS 132 AV 34
Castelpietra BZ 4 AD 2
Castelpizzuto IS 132 AU 34
Castelplanio AN 97 AN 23
Castelpoggio MS 78 V 19
Castelponzone CR 53 W 13
Castelporniglio PR 64 U 16
Castelpoto BN 142 AX 37
Castelpriore FC 88 AH 21
Castelraimondo MC 97 AN 24
Castelromano IS 132 AU 34
Castelrosino AN 98 AO 23
Castelrosso TO 48 I 12
Castelrotto AV 142 AY 38
Castelrotto CN 60 J 15
Castelrotto PU 90 AM 22
Castelrotto VR 40 AA 11
Castelrotto / Kastelruth BZ 13 AE 4
Castelsantangelo sul Nera MC 107 AN 26
Castelsaraceno PZ 164 BE 43
Castelsardo SS 209 N 38
Castelseprio VA 36 O 9
Castelsilano KR 172 BJ 48
Castelspina AL 62 M 15
Casteltermini AG 193 AQ 58
Casteltodino TR 106 AK 28
Castel'umberto Vecchio ME 188 AX 55
Castelvecchio AQ 121 AO 31
Castelvecchio BS 53 W 12
Castelvecchio FI 81 AD 18
Castelvecchio LU 85 Y 21
Castelvecchio MO 79 Z 17
Castelvecchio PC 64 S 14
Castelvecchio PG 106 AK 26
Castelvecchio PT 85 Z 20
Castelvecchio PU 90 AN 21
Castelvecchio RE 79 Y 17
Castelvecchio RE 66 Y 17
Castelvecchio TO 48 H 13
Castelvecchio TR 113 AK 29
Castelvecchio VI 40 AC 10
Castelvecchio VT 112 AI 28
Castelvecchio / Altenburg BZ 12 AC 5
Castelvecchio Calvisio AQ 115 AR 30
Castelvecchio di Rocca Barbena SV 73 J 19
Castelvecchio Pascoli LU 79 X 19
Castelvecchio Subequo AQ 122 AR 31
Castelvenere BN 141 AW 36
Castelverde CR 52 U 12
Castelvero AT 49 J 13
Castelvero VR 40 AC 10
Castelverrino IS 123 AV 33
Castelvetere in Val Fortore BN 133 AY 35
Castelvetere sul Calore AV 142 AY 38
Castelvetrano TP 191 AL 57
Castelvetro di Modena MO 66 AA 16
Castelvetro Piacentino PC 52 U 13
Castelvieto PG 96 AI 25
Castelvisconti CR 52 U 12
Castenaso BO 67 AD 16
Castenedolo BS 38 W 11
Casterna VR 40 AA 10
Casternago LC 37 R 9
Casterno MI 36 O 11
Castiadas CA 227 R 48
Castiglia BO 67 AC 16
Castiglia BO 67 AC 16
Castiglia BO 67 AD 17
Castiglion Fibocchi AR 95 AF 22
Castiglion Fiorentino AR 95 AG 23
Castiglion Fosco PG 105 AI 26
Castiglioncello LI 92 X 23
Castiglioncello LI 93 Y 24
Castiglioncello MS 78 W 18
Castiglioncello PI 85 X 21
Castiglioncello Bandini GR 104 AD 26
Castiglioncello del Trinoro SI 104 AF 26
Castiglione AN 97 AM 24
Castiglione AQ 122 AR 31
Castiglione AR 95 AE 23
Castiglione AT 49 K 14
Castiglione CN 58 D 16
Castiglione FC 82 AI 19
Castiglione GE 77 S 18
Castiglione IS 132 AT 33
Castiglione IS 132 AU 33
Castiglione LE 161 BT 44
Castiglione MS 78 U 18
Castiglione PR 64 U 15
Castiglione PU 89 AJ 22
Castiglione RE 79 X 18
Castiglione RI 113 AL 29
Castiglione RI 113 AL 29
Castiglione SA 151 AW 40
Castiglione TO 47 F 12
Castiglione TV 41 AG 9
Castiglione VR 40 AB 11
Castiglione a Casauria PE 116 AS 30
Castiglione Cosentino CS 171 BG 47
Castiglione d'Adda LO 52 T 12
Castiglione dei Pepoli BO 80 AB 19
Castiglione del Bosco SI 104 AD 25
Castiglione del Genovesi SA 152 AY 39
Castiglione del Lago PG 95 AH 25
Castiglione della Pescaia GR 103 AA 27
Castiglione della Valle PG 105 AI 25
Castiglione della Valle TE 115 AR 28
Castiglione delle Stiviere MN 39 X 11
Castiglione di Cervia RA 82 AI 18
Castiglione di Garfagnana LU 79 X 19
Castiglione di Ravenna RA 82 AI 18
Castiglione di Sicilia CT 197 AZ 56
Castiglione d'Intelvi CO 22 P 8
Castiglione d'Orcia SI 104 AE 25
Castiglione d'Ossola VB 21 K 7
Castiglione Falletto CN 60 I 16
Castiglione in Teverina VT 105 AI 28
Castiglione Mantovano MN 54 Z 12
Castiglione Maritimo CZ 170 BF 50
Castiglione Messer Marino CH 123 AV 32
Castiglione Messer Raimondo TE 116 AS 28
Castiglione Olona VA 36 O 9
Castiglione Tinella CN 61 K 15
Castiglione Torinese TO 48 H 13
Castiglione Ubertini AR 95 AE 22
Castiglione Vara SP 77 T 18
Castiglione Vèrrico AQ 114 AO 28
Castiglioni AN 97 AL 23
Castiglioni AN 97 AN 22
Castiglioni AP 108 AQ 26
Castiglioni FI 86 AB 21
Castiglioni FI 87 AE 20
Castiglioni IS 132 AT 34
Castiglioni PG 97 AM 25
Castiglioni SI 94 AB 23
Castiglioni TR 113 AL 28
Castiglioni Basso SI 94 AB 23
Castiglionne AQ 114 AO 30
Castignano AP 108 AQ 26
Castignola BG 23 S 9
Castilenti TE 116 AS 28
Castinatelli SA 162 BA 43
Castino CN 61 K 16
Castiòn BL 28 AI 7
Castion Veronese VR 39 Z 10
Castione LC 23 R 8
Castione PC 64 T 14
Castione PR 65 W 15
Castione TN 26 AA 8
Castione TV 41 AG 9
Castione Andevenno SO 24 T 6
Castione de Baratti PR 65 X 16
Castione della Presolana BG 24 V 8
Castione Marchesi PR 64 V 14
Castionetto SO 24 V 6
Castions PN 29 AL 8
Castions Delle Mura UD 30 AO 8
Castions di Strada UD 30 AO 8
Castiraga LO 51 R 12
Casto BS 38 W 9
Castoglio MS 77 T 18
Castoglio PR 64 U 16
Castoi BL 28 AI 7
Castorano AP 108 AP 26
Castorano AP 108 AR 26
Castracani CH 124 AW 30
Castreccioni MC 98 AN 23
Castrezzato BS 38 U 10
Castrezzone BS 39 X 10
Castri di Lecce LE 159 BS 42
Castrignano PR 65 W 16
Castrignano de' Greci LE 161 BS 42
Castrignano del Capo LE 161 BT 44
Castro AP 108 AO 26
Castro BG 24 V 9
Castro LE 161 BT 43
Castro dei Volsci FR 130 AP 34
Castro Marina LE 161 BT 43
Castro San Martino FI 80 AC 19
Castrocaro Terme FC 82 AG 18
Castrocielo FR 131 AR 34
Castrocucco PZ 163 BD 44
Castrofilippo AG 193 AR 59
Castrolibero CS 170 BG 48
Castro-mediano LE 159 BS 42
Castroncello AR 95 AG 24
Castronno VA 36 N 9
Castronuovo di Sant' Andrea PZ 164 BG 42
Castronuovo di Sicilia PA 193 AQ 57
Castropignano CB 133 AW 34
Castroreale ME 188 BA 55
Castroreale Terme ME 188 AZ 55
Castroregio CS 165 BH 44
Castrovalva AQ 122 AR 32
Castrovillari CS 167 BG 45
Casumaro FE 67 AD 14

CATANIA

Angelo Custode (V.) DZ 3
Benedetto (Pza A. d.) DZ 11
Biondi (V.) EY 12
Bovio (Pza G.) EY 15
Carlo Alberto (Pza) EY 19
Castello Ursino (V.) DZ 21
Conte di Torino (V.) EY 25
Currò (Pza) DZ 26
Cutelli (Pza) EZ 27
Dante (Pza) DY 29
Etnea (V.) DXY
Giuffrida (V. Vincenzo) EX 39
Guardie (Pza delle) EY 42
Imbriani (V. M. R.) DEX 43
Landolina (V.) EZ 45
Lupo (Pza Pietro) EY 47
Museo Biscari (V.) EZ 57
Orlando (V. Vitt. E.) EX 60
Porticello (V.) EZ 68
Rabbordone (V.) EY 69
Rapisardi (V. Michele) EY 70
Rotonda (V. d.) DYZ 77
Spirito Santo (Pza) EY 87
Stesicoro (Pza) DY 91
S. Anna (V.) DZ 79
S. Francesco d'Assisi (Pza) DZ 80
S. Gaetano alle Grotte (V.) DEY 81
S. Giuseppe al Duomo (V.) DZ 82
Teatro Massimo (V.) EYZ 92
Trento (Pza) EX 95
Umberto I (V.) DEX
Università (Pza dell') DZ 96
Verga (Pza) EX 98
Vittorio Emanuele III (Pza) EY 100

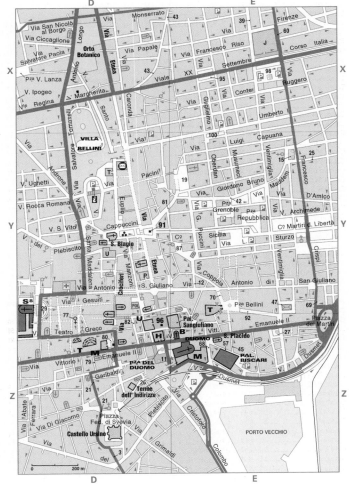

Casuto EN 194 AV 57
Casuzze RG 204 AW 63
Casuzze-Caucana RG 204 AW 63
Catabbio GR 104 AE 27
Cataeggio SO 9 S 6
Cataforio RC 178 BD 55
Catagnana LU 79 X 19
Catailli CE 131 AS 35
Catalani CN 74 K 17
Catalani PA 186 AT 57
Cataldi AV 142 AY 38
Catalimita ME 188 BA 55
Catalisano RC 177 BG 53
Catania CT 197 AZ 58
Catania PZ 164 BE 43
Catanzaro CZ 171 BI 50
Catanzaro Lido CZ 175 BI 51
Catapano NA 151 AW 38
Catarratti ME 189 BC 54
Catasco CO 23 Q 7
Catelde SA 152 AY 39
Catello ME 188 AY 55
Catena CS 171 BG 48
Catena CT 197 AZ 56
Catena CZ 171 BH 50
Catena PE 116 AT 29
Catena TV 42 AI 9
Catenacci RC 177 BI 53
Catenaccio FG 135 BB 36
Catenanuova EN 195 AX 58
Cateratte RC 177 BG 54
Caterè BN 133 AY 35
Ca'Tiepolo RO 57 AJ 14
Catigliano AR 95 AH 22
Catignano FI 93 AA 22
Catignano PE 116 AS 29
Catino BA 137 BJ 37
Catobagli AN 97 AM 23
Catona RC 189 BC 54
Catona SA 162 BA 43
Catone CE 141 AU 37
Catornaro PU 97 AL 23
Catozzi AN 97 AM 23
Ca'Tron TV 43 AJ 10
Cattafi ME 189 BA 54
Cattagno VB 7 K 6
Cattai TV 29 AJ 8
Cattanea-Casoni dei Peri PV 50 N 12
Cattaragna PC 63 R 16
Cattignano VR 40 AC 10
Cattolica RN 89 AL 20
Cattolica Eraclea AG 192 AP 59
Ca'Turcata VE 43 AK 10
Catutè ME 187 AX 55
Caudino AN 97 AM 22
Caulònia RC 177 BH 53
Caulònia Marina RC 177 BH 53
Caupo BL 28 AG 8
Cauria / Gfrill BZ 13 AC 6
Cauria i Là BZ 13 AC 6
Causà TO 47 G 13
Causolo AL 61 L 15
Caussi VI 40 AC 10
Cautano BN 142 AW 37
Cauzaro CB 133 AW 35
Cava CS 170 BF 48
Cava VE 43 AL 9
Cava VT 112 AH 28
Cava d'Aliga RG 204 AX 63
Cava de' Tirreni SA 151 AX 39
Cava d'Ispica RG 204 AY 62
Cava Manara PV 51 P 13
Cavacurta LO 52 T 12
Cavafosse SA 162 AY 42
Cavaglià BI 34 J 11
Cavagliano NO 35 M 10
Cavaglietto NO 35 M 10
Cavaglio VB 7 M 7
Cavaglio d'A. NO 35 L 10
Cavagnano AQ 114 AO 28
Cavagnano VA 22 O 8
Cavagnera PV 51 Q 12
Ca'Vagnino PU 89 AK 21
Cavagnolo TO 49 J 13
Cavaion Veronese VR 39 Z 10
Cavaione MI 37 R 11
Cavaione TN 26 Z 7
Cavaizza PD 55 AE 12
Cavalcanese PU 89 AJ 20
Cavalcaselle VR 39 Z 11
Cavalera CT 195 AW 58
Cavalese TN 13 AD 6
Cavalicco UD 30 AO 7
Cavalier TV 43 AK 9
Cavaliera BO 80 AC 18
Cavaliera VC 35 K 11
Cavaliere AQ 120 AN 31
Cavaliere CS 171 BH 48
Cavaliere ME 189 BB 54
Cavalieri PC 64 T 15
Cavalieri TE 116 AT 28
Cavallana MS 78 U 17
Cavallano SI 93 AB 23
Cavallara MN 54 Y 14
Cavallari AQ 114 AO 28
Cavallari AQ 115 AO 29
Cavallari ME 189 BB 54
Cavallari SI 94 AC 23
Cavallaro RC 176 BE 53
Cavallaro VI 27 AC 9
Cavallasca CO 22 P 9
Cavalleri-Fumeri TO 60 H 15
Cavallerizza BR 148 BN 39
Cavallerizze Nuove CE 141 AT 37
Cavallerizzo CS 167 BF 46
Cavallerleone CN 59 G 15
Cavallermaggiore CN 59 H 15
Cavallina FI 86 AC 20
Cavallino AL 49 L 13
Cavallino FI 87 AE 20
Cavallino LE 159 BS 42
Cavallino PU 89 AK 21
Cavallino RN 89 AK 20
Cavallino VE 43 AK 11
Cavallirio NO 35 L 10
Cavallo TO 60 I 14
Cavallo Morto CS 171 BG 48
Cavallo Pastorio ME 188 AY 55
Cavallone AQ 115 AQ 30
Cavallotta CN 59 G 16
Cavalo VR 40 AA 10
Ca'Vandi PU 88 AJ 21
Cavandone VB 21 M 8
Cavanella VE 30 AM 9
Cavanella d'Adige VE 57 AI 13
Cavanella Po RO 57 AH 13
Cavanella Vara SP 77 T 18
Cavanna PR 64 T 17
Cavanna SV 74 L 17
Ca'Vanni MO 79 Y 18
Cavarena BN 141 AW 36
Cavareno TN 12 AB 5
Cavargna CO 22 P 7
Cavaria
con Premezzo VA 35 N 9
Cavarzano PO 80 AB 19
Cavarzerani VE 30 AM 9
Cavarzere VE 57 AH 13
Cavasagra TV 42 AH 10
Cavaso del Tomba TV 28 AG 8
Cavasso Nuovo PN 15 AL 6
Cavatassi TE 109 AS 27
Cavatelle FR 130 AP 35
Cavatigozzi CR 52 U 13
Cavatore AL 61 L 16
Cavazzale VI 41 AE 10
Cavazzana RO 56 AE 13
Cavazzo Carnico UD 16 AN 5
Cavazzola PR 64 V 16
Cavazzona MO 67 AB 16
Cavazzone RE 66 Y 16
Cavazzuta BA 147 BN 39
Cave AQ 114 AO 29
Cave CE 131 AT 35
Cave RM 120 AM 33
Cave VA 22 N 8
Cave del Predil UD 17 AQ 5
Ca'Vecchia MN 54 Z 13
Cavedago TN 26 AB 6
Cavedine TN 26 AA 8
Cavelle CE 131 AS 35
Cavelonte TN 13 AE 6
Cavenago d'Adda LO 52 S 12
Cavenago di Brianza MB 37 R 10
Ca'Venier RO 57 AJ 14
Cavenzano UD 31 AP 8
Cavernago BG 37 T 10
Cavessago BL 28 AI 7
Cavezzana d'Antena MS 78 U 17
Cavezzo BS 53 W 12
Cavezzo MO 66 AB 14
Cavi IM 72 I 20
Caviaga LO 52 S 12
Ca'Vico VI 41 AF 9
Caviglia AL 61 M 16
Cavignaca PR 64 S 16
Cavina RA 81 AF 18
Cavinati PD 42 AG 10
Cavino VE 42 AH 10
Caviola BL 14 AG 5
Cavion VI 40 AC 9
Cavirano PR 65 W 16
Cavizzana TN 12 AA 5
Cavizzano SP 77 S 17
Cavo LI 102 X 26
Cavo Diversivo MN 55 AC 13
Cavola RE 79 Y 17
Cavoleto PU 89 AJ 21
Cavoletto MI 51 P 11
Cavoli LI 100 W 27
Cavona VA 22 N 8
Cavoni CS 167 BG 47
Cavora-Lenticchia CZ 171 BI 50
Cavoretto TO 48 H 13
Cavorsi GE 63 P 17
Cavour PD 41 AF 10
Cavour TO 59 F 15
Cavrari VI 27 AD 8
Cavrasto TN 26 Z 7
Cavrenno FI 80 AD 18
Cavriago RE 65 Y 15
Cavriana MN 54 AA 14
Cavriana MN 54 Y 11
Cavriè TV 42 AJ 9
Cavriglia AR 94 AD 22
Cavuccia TE 108 AQ 28
Cavuria RC 179 BG 54
Ca'Zennare VE 57 AH 12
Ca'Zuliani RO 57 AJ 14
Cazzago Brabbia VA 22 N 9
Cazzago San Martino BS 38 U 10
Cazzago San Martino BS 38 V 10
Cazzanino BG 37 S 9
Cazzano BO 67 AD 16
Cazzano di Tramigna VR 40 AC 11
Cazzano Sant'Andrea BG 24 U 9
Cazzanore CO 22 P 8
Cazzaso UD 16 AM 5
Cazzaso Nuova UD 16 AM 5
Cazzola PR 65 X 16
Cea OG 219 T 44
Cebbiazza SR 203 BA 61
Cecalocco TR 113 AL 28
Cecanibbi PG 106 AJ 27
Ceccano FR 130 AO 34
Cecchetti VI 40 AC 9
Cecchetto PT 79 Z 19
Cecchignola RM 128 AJ 33
Cecchina RM 129 AK 33
Cecchini PN 29 AK 8
Cecci PZ 144 BC 39
Ceccobello PG 106 AJ 26
Ceci CS 171 BH 48
Ceciliano AR 95 AG 23
Cecima PV 63 P 14
Cecina BS 39 Y 10
Cecina LI 92 Y 24
Cecina MS 78 V 19
Cecina PT 85 AA 20
Cecino BS 39 Y 9
Ceda PR 78 V 17
Cedarchis UD 16 AN 5
Cedda SI 94 AC 23
Cedegolo BS 25 X 7
Cedogno PR 65 X 16
Cedrasco SO 24 T 7
Cedrecchia BO 80 AC 18
Cedri PI 93 Z 22
Cefalà Diana PA 185 AP 56
Cefalicchio BT 136 BF 37
Cefalicchio BN 142 AY 36
Cefalù PA 186 AT 55
Ceggia VE 43 AK 9
Ceglie del Campo BA 146 BK 37
Ceglie Messapica BR 148 BO 40
Cegliolo AR 95 AG 24
Ceirole AT 61 K 15
Celalba PG 96 AI 22
Celamonti SI 104 AE 25
Celana PR 65 W 15
Celano AQ 121 AQ 31
Celante
di Castelnuovo PN 16 AM 6
Celat BL 14 AG 5
Celatica Tolari BG 38 U 10
Celeano MC 98 AN 24
Celentano FG 134 BB 34
Celentino TN 11 Z 6
Celenza sul Trigno CH 124 AW 32
Celenza Valfortore FG 133 AY 34
Celeseo PD 42 AH 11
Celestrino PG 106 AK 26
Celico CS 171 BH 48
Celincordia FC 82 AI 19
Cella FC 81 AG 19
Cella FC 88 AI 19
Cella FC 82 AJ 18
Cella PV 63 Q 15
Cella RE 66 Y 15
Cella UD 15 AK 5
Cella UD 16 AM 5
Cella Costamezzana PR 65 V 15
Cella Dati CR 53 W 13
Cella Monte AL 49 L 13
Cella Simbeni RN 89 AL 20
Cellamare BA 146 BK 37
Cellara AV 143 AZ 37
Cellara CS 171 BH 48
Cellarengo AT 60 I 14
Cellatica BS 38 W 10
Celle CN 58 D 16
Celle FC 87 AF 20
Celle FI 87 AE 20
Celle LU 85 X 20
Celle PG 96 AH 23
Celle PG 107 AM 26
Celle PT 85 AA 20
Celle RA 81 AG 18
Celle TO 47 F 13
Celle di Bulgheria SA 163 BB 43
Celle di Macra CN 58 E 17
Celle di San Vito FG 134 BA 36
Celle Enomondo AT 61 J 14
Celle Ligure SV 75 M 17
Celle sul Rigo SI 104 AF 26
Celledizzo TN 11 Z 5
Cellena GR 104 AE 27
Celleno VT 112 AH 28
Cellerano PG 97 AM 24
Cellere VT 111 AF 28
Celli PI 93 Z 22
Cellina VA 21 M 8
Cellino PN 15 AJ 6
Cellino Attanasio TE 116 AS 28
Cellino di Sotto PN 15 AJ 6
Cellino San Marco BR 149 BQ 41
Cellio VC 35 K 9
Cellole CE 139 AS 36
Cellole SI 93 AB 23
Cellore VR 40 AB 10
Cellore VR 40 AC 11
Celpenchio PV 50 M 12
Celsita CS 171 BH 49
Celso SA 162 AZ 42
Celzi AV 151 AX 38
Cembra TN 26 AC 6
Cembrano SP 77 S 17
Cemmo BS 25 W 7
Cenacchio BO 67 AD 15
Cenadi CZ 175 BH 51
Cenaia PI 85 Y 22
Cenaia Vecchia PI 85 Y 22
Cenate LE 160 BR 43
Cenate di Sopra BG 38 T 9
Cencenighe Agordino BL 14 AG 5
Cencerate PV 63 Q 15
Cenciani VT 113 AJ 30
Cenciara RI 114 AM 29
Cendon TV 42 AI 10
Cendraro CO 23 Q 8
Cendrole TV 42 AG 9
Cene TO 48 I 12
Cene di Sopra BG 24 T 9
Cene di Sotto BG 38 T 9
Cenerente PG 96 AJ 25
Ceneselli RO 55 AD 13
Cenesi SV 73 J 19
Cengio SV 74 K 17
Cengio Alto SV 74 K 17
Cengles / Tschenels BZ 11 Y 4
Ceniga TN 26 AA 8
Cenina AR 87 AF 22
Cennina AR 94 AE 23
Cenova IM 72 I 19
Censi CZ 171 BH 50
Censo CS 171 BH 49
Centa UD 31 AP 7
Centa San Nicolò TN 26 AC 8
Centallo CN 59 G 16
Centenaro BS 39 Y 11
Centenaro PD 42 AG 10
Centenaro Castello PC 63 S 16
Centeno VT 104 AF 27
Centimolo CE 132 AV 36
Centinarola PU 90 AM 21
Cento BO 67 AE 16
Cento FC 82 AI 19
Cento FE 67 AC 15
Cento Croci MO 79 Y 18
Cento-buchi AP 109 AS 26
Centocelle RM 119 AK 32
Centocroci PU 90 AN 21
Centofinestre AN 98 AP 23
Centofontane CS 168 BJ 46
Centoira AR 95 AG 24
Centola SA 162 BA 43
Centomani IS 132 AV 34
Centonara BO 68 AE 16
Centone CZ 174 BH 51
Centonze TP 190 AK 57
Centopelli SA 162 BA 43
Centora PC 52 S 13
Centovera PC 64 T 14
Centovie TE 109 AS 27
Centrache CZ 175 BH 51
Centrale AP 108 AP 27
Centrale BG 24 U 8
Centrale BN 142 AY 36
Centrale BZ 4 AD 2
Centrale TN 27 AC 7
Centrale VI 41 AD 9
Centrale Fontenoce MC 98 AQ 23
Centrale S I T VT 113 AJ 29
Centro VR 40 AB 10
Centro Giovanni XXIII VT 112 AH 29
Centro Sociale CS 167 BG 45
Centro Tre Cannelle
Barbabianca RM 119 AI 32
Centro Tre Denari RM 119 AI 32
Centuripe EN 195 AX 58
Ceolara VR 40 AA 11
Ceolini PN 29 AK 8
Cepagatti PE 116 AT 29
Cepano NA 151 AV 40
Ceparana SP 77 U 18
Cepina SO 11 X 5
Cepletischis UD 17 AQ 6
Ceppagna IS 131 AT 35
Ceppaiano PI 85 Y 22
Ceppaloni BN 142 AX 37
Cepparano AP 108 AQ 26
Cepparo RI 114 AM 28
Ceppeda LO 51 S 12
Ceppine VA 36 O 9
Ceppo Morelli VB 20 J 8
Ceprano FR 130 AQ 34
Ceradello LO 52 S 12
Cerageto LU 79 X 18
Ceraino VR 39 Z 10
Ceralto PG 106 AJ 26
Cerami EN 187 AW 57
Ceramida RC 176 BD 54
Ceramile CS 166 BE 46
Ceranesi GE 62 O 16
Cerano NO 35 N 11
Cerano d'Intelvi CO 22 P 8
Ceranova PV 51 Q 12
Cerasa LU 79 X 18
Cerasa PE 116 AT 29
Cerasa PG 97 AL 24
Cerasa PU 90 AN 21
Cerasara RC 177 BG 53
Cerasella PA 186 AT 57
Cerasella RG 204 AW 63
Cerasello CS 168 BH 47
Cerasi RC 178 BD 55
Cerasito IS 132 AV 34
Cerasito Inferiore IS 132 AV 34
Ceraso CS 171 BI 48
Ceraso SA 162 BA 42
Cerasola PG 107 AM 27
Cerasolo RN 89 AK 20
Cerasomma LU 85 X 21
Cerasuolo CS 170 BF 48
Cerasuolo IS 131 AT 34
Ceratelli MS 78 W 18
Ceratello BG 24 V 8
Ceraulo PA 184 AO 55
Cerbaia FI 86 AB 21
Cerbaia SI 94 AC 24
Cerbaia SI 103 AC 25
Cerbaiola PI 93 AA 24
Cerbaiola RN 83 AK 20
Cerbaiolo AR 88 AH 21
Cerbara PG 96 AI 22
Cerbara PU 90 AM 21
Cercemaggiore CB 133 AX 35
Cercenasco TO 59 G 14
Cerceno CO 23 R 6
Cercepiccola CB 133 AW 35
Cercetole AR 88 AH 21
Cerchiara RI 113 AL 29
Cerchiara TE 115 AQ 28
Cerchiara di Calabria CS 165 BH 44
Cerchiarito MT 165 BI 42
Cerchiate MI 36 P 10
Cerchio AQ 122 AQ 31
Cercino SO 23 S 7
Cercivento UD 16 AM 4
Cercola NA 151 AV 38
Cercolone-Centimolo
Cuccaro CE 141 AU 37
Cercomano VR 54 AB 12
Cerda PA 185 AR 56
Cerdevol PN 16 AM 6
Cerdomare RI 114 AM 30
Cerea BI 34 I 10
Cerea VR 55 AC 12
Cereda VI 40 AC 10
Cereda VI 41 AD 10
Ceredello VR 39 Z 10
Ceredo VR 40 AA 10
Ceregallo LC 37 R 9
Cereglio BO 80 AB 18
Ceregnano RO 56 AG 13
Cereie BI 34 K 10
Cerellaz AO 32 D 9
Cerena SO 11 Y 5
Cerenzia KR 172 BJ 48
Ceres TO 47 F 12
Ceresa TO 33 G 11
Ceresara MN 54 Y 12
Ceresara VI 41 AD 9
Ceresarea TO 58 D 14
Cerese MN 54 Z 13
Cereseto AL 49 K 13
Cereseto PR 64 T 16
Ceresetto UD 30 AN 7
Ceresey TO 47 E 13
Ceresola AN 97 AM 24
Ceresola AP 108 AP 26
Ceresola BG 23 S 9
Ceresola GE 75 O 17
Ceresole Alba CN 60 H 15
Ceresole Reale TO 32 E 11
Cereta MN 54 Y 12
Cerete Alto BG 24 U 8
Cerete Basso BG 24 U 8
Cereto BS 53 W 11
Cereto BS 39 X 10
Ceretoli MS 78 U 17
Ceretolo PR 65 W 16
Ceretta VI 41 AD 10
Ceretti TO 48 G 12
Ceretto CN 59 F 16
Ceretto TO 59 G 14
Ceretto Lomellina PV 50 N 12
Cerfignano LE 161 BT 43
Cergnago PV 50 N 12
Cergnai BL 28 AH 7
Cergneu Inf. UD 16 AO 6
Cergneu Sup. UD 16 AO 6
Ceri RM 118 AH 32
Ceri RM 119 AH 32
Ceriale SV 73 K 19
Ceriana IM 72 H 20
Ceriano RN 83 AJ 20
Ceriano Laghetto MB 36 P 10
Ceriara LT 130 AN 35
Ceriati PR 64 U 15
Cerignale PC 63 R 15
Cerignola FG 135 BE 36
Cerignola Campagna FG 135 BE 36
Cerina VR 40 AC 10
Ceriolo CN 59 H 17
Cerisano CS 170 BG 48
Cerisciolo AP 108 AP 26
Cerise AO 33 G 9
Cerisey AO 18 E 9
Cerisola CN 74 J 19
Cerlongo MN 54 Y 12
Cermenate CO 36 P 9
Cermes BZ 12 AB 4
Cermignano TE 116 AR 28
Cermitosa PU 88 AI 20
Cerna VR 40 AA 10
Cernadoi BL 14 AG 5
Cernapenc UD 17 AP 5
Cerneglons UD 30 AO 7
Cernobbio CO 22 P 8
Cernobbio CO 23 Q 8
Cernusca PC 63 S 14
Cernusco Lombardone LC 37 R 9
Cernusco sul Naviglio MI 37 Q 10
Ceroglie dell'Ermada TS 31 AQ 9
Cerone TO 34 I 11
Cerqueta CE 132 AU 35
Cerqueta FR 130 AQ 34
Cerquete AN 97 AN 24
Cerquetella MC 98 AP 23
Cerqueto AN 97 AM 23
Cerqueto MC 107 AO 25
Cerqueto PG 105 AI 26
Cerqueto PG 106 AK 27
Cerqueto PG 97 AL 24
Cerqueto PU 89 AL 22
Cerqueto RM 118 AH 31
Cerqueto TE 108 AQ 27
Cerqueto TE 115 AQ 28
Cerqueto TR 105 AH 26
Cerquito CE 132 AT 35
Cerquone TE 115 AQ 28

Cerracchieto FR 131 AR 33
Cerracchio BN 142 AY 36
Cerratina PE 116 AT 29
Cerratino IS 132 AT 34
Cerre' RE 78 X 17
Cerredolo RE 79 Y 17
Cerreggio RE 78 W 17
Cerrelli SA 152 AZ 40
Cerreta BN 141 AW 37
Cerreta CE 141 AU 37
Cerreta PZ 154 BD 40
Cerreta RI 114 AN 30
Cerreta SA 162 AZ 42
Cerreta SA 163 BC 42
Cerretana AP 108 AP 26
Cerrete PG 106 AK 26
Cerreto AP 108 AP 26
Cerreto AP 99 AQ 25
Cerreto AP 108 AR 26
Cerreto AV 142 AY 38
Cerreto BS 25 X 9
Cerreto CS 167 BF 46
Cerreto FR 131 AR 33
Cerreto IS 131 AT 34
Cerreto IS 132 AT 34
Cerreto IS 132 AU 33
Cerreto MC 97 AM 25
Cerreto MC 98 AO 25
Cerreto MO 66 Z 17
Cerreto PC 63 Q 16
Cerreto PI 93 Z 23
Cerreto PR 64 T 16
Cerreto PR 65 W 16
Cerreto PU 96 AK 22
Cerreto PU 90 AM 20
Cerreto RE 78 X 17
Cerreto RN 89 AK 20
Cerreto SA 163 BB 42
Cerreto SI 94 AC 24
Cerreto Alto LT 129 AM 35
Cerreto Castello BI 34 J 10
Cerreto d'Asti AT 49 J 13
Cerreto dell'Alpi RE 78 W 18
Cerreto d'Esi AN 97 AM 24
Cerreto di Spoleto PG 107 AM 27
Cerreto Grue AL 62 O 14
Cerreto Guidi FI 86 AA 21
Cerreto Landi PC 52 T 14
Cerreto Langhe CN 61 J 16
Cerreto Laziale RM 120 AM 32
Cerreto Maggio FI 86 AC 20
Cerreto Ratti AL 62 O 15
Cerreto Rossi PC 63 R 16
Cerreto Sannita BN 133 AW 36
Cerreto Selva SI 94 AC 24
Cerretta CN 61 J 16
Cerretti PI 85 Z 21
Cerri CS 164 BE 44
Cerri PE 116 AT 29
Cerri PI 85 Z 21
Cerri SP 78 U 19
Cerri SV 74 L 18
Cerri d'Antonio BN 142 AY 36
Cerrina AL 49 K 13
Cerrina II SA 152 AZ 41
Cerrione BI 34 J 11
Cerrisi CZ 171 BH 49
Cerrito BR 149 BQ 40
Cerro AQ 115 AP 30
Cerro BG 37 S 10
Cerro CS 166 BF 47
Cerro CT 197 AZ 56
Cerro FR 131 AS 34
Cerro GE 63 P 16
Cerro GE 63 R 16
Cerro PG 106 AJ 26
Cerro PG 106 AL 27
Cerro SP 77 S 17
Cerro al Lambro MI 51 R 12
Cerro al Volturno IS 132 AT 34
Cerro del Tasca SI 104 AE 26
Cerro Lago Maggiore VA 21 M 8
Cerro Maggiore MI 36 O 10
Cerro Tanaro AT 61 L 14
Cerro Veronese VR 40 AB 10
Cerrogrosso FR 131 AS 34
Cerrone AL 49 K 13
Cerrone PE 116 AS 30
Cerrone PV 51 Q 13
Cerrone VC 49 J 12
Cerruti BI 34 K 10
Cersosimo PZ 165 BH 43
Cersuta PZ 163 BD 43
Certaldo FI 93 AB 22
Certalto PU 89 AJ 21
Certardola MS 78 V 18
Certignano AR 87 AE 22
Certino PU 97 AL 22
Certosa BR 148 BO 39
Certosa VV 174 BG 52
Certosa / Kartheus BZ 3 AA 3
Certosa di Pavia PV 51 P 12
Certosino MI 36 P 11
Certosino PR 65 X 14
Cerudina BS 38 U 11
Cerva CZ 172 BJ 49
Cerva VC 20 J 9
Cervara AP 108 AP 27
Cervara MS 77 T 17
Cervara PG 107 AN 26
Cervara PR 65 W 14
Cervara di Roma RM 120 AN 32
Cervarese Santa Croce PD 41 AF 11
Cervaro FG 135 BC 35
Cervaro FR 131 AS 35
Cervaro PZ 163 BD 43
Cervaro SV 74 L 18
Cervaro TE 115 AP 28
Cervarolo RE 79 X 18
Cervarolo VC 21 K 8
Cervasca CN 71 F 17
Cervatto VC 20 J 8
Cervazzera RE 78 X 17
Cervelli TO 47 E 13
Cerveno BS 25 W 7
Cervere CN 60 H 16
Cervesina PV 50 P 13
Cerveteri RM 118 AH 32
Cervetto TO 47 D 13
Cervi VI 26 AC 9
Cervia RA 82 AJ 18
Cervia VR 40 AC 11
Cervicati CS 167 BF 46
Cervidone MC 98 AO 23
Cervignano d'Adda LO 51 R 11
Cervignano del Friuli UD 31 AP 9
Cervignasco CN 59 G 15
Cervillo BN 141 AW 36
Cervillo BR 147 BN 39
Cervinara AV 142 AW 37
Cervinara FR 120 AN 33
Cervino CE 141 AV 37
Cervo IM 73 J 20
Cervognano SI 104 AG 25
Cervoto TO 49 J 13
Cerza CT 197 AZ 58
Cerza Montanara PZ 144 BD 39
Cerzeto CS 167 BF 46
Cerzeto CZ 174 BG 50
Cerzitello CS 167 BG 45
Cesa AR 95 AF 24
Cesa BL 28 AH 7
Cesa BZ 4 AF 2
Cesa CE 141 AU 38
Cesacaraccio BN 133 AY 36
Cesacastina TE 115 AP 28
Cesale TR 113 AK 29
Cesalonga FR 130 AP 34
Cesaminiera CE 132 AU 35
Cesana Brianza LC 23 Q 9
Cesana Torinese TO 46 B 14
Cesane BS 39 X 9
Cesani CN 58 D 16
Cesano AN 90 AO 21
Cesano RM 119 AJ 31
Cesano TE 108 AQ 27
Cesano Boscone MI 36 P 11
Cesano Maderno MB 36 P 10
Cesaplana CH 123 AU 32
Cesaproba AQ 114 AO 29
Cesara VB 21 L 8
Cesaracchio PZ 154 BD 39
Cesarano CE 141 AV 37
Cesarano SA 151 AW 39
Cesariello CE 141 AV 36
Cesariis UD 16 AO 6
Cesarina BS 38 U 11
Cesarò ME 187 AX 56
Cesarolo VE 30 AN 9
Cesate MI 36 P 10
Cescatto VR 40 AA 10
Cescheto CE 140 AS 36
Cesclans UD 16 AN 5
Cese AP 108 AP 25
Cese AP 108 AP 26
Cese AQ 115 AO 29
Cese AQ 121 AP 31
Cese CE 140 AS 36
Cese CE 141 AU 36
Cese CH 117 AV 30
Cese FR 131 AR 35
Cese FR 131 AS 34
Cese LT 129 AL 34
Cese PG 106 AL 27
Cese San Manno BN 141 AV 36
Ceselli PG 107 AL 27
Cesena FC 82 AI 19
Cesena SP 77 S 17
Cesenatico FC 83 AJ 18
Ceserana LU 79 X 19
Ceserano MS 78 V 18
Cesi MC 107 AM 25
Cesi TR 113 AK 28
Cesinale PZ 153 BC 41
Cesinali AV 142 AX 38
Cesine AV 142 AY 37
Cesine AV 142 AZ 36
Cesine AV 143 BA 37
Cesine BN 142 AY 37
Cesine I AV 142 AY 38
Cesinelle AV 142 AY 38
Cesinola SA 151 AX 39
Cesio IM 73 I 19
Cesiomaggiore BL 28 AG 7
Cesiominore BL 28 AG 7
Cesnola TO 34 H 10
Cesole MN 54 Y 13
Cesoli AQ 122 AR 31
Cesolo MC 98 AO 24
Cesolo VC 35 K 9
Cesoni RI 114 AM 29
Cesovo BS 38 W 9
Cessalto TV 43 AK 9
Cessaniti VV 174 BF 52
Cessapalombo MC 98 AO 25
Cessarè RC 177 BG 53
Cessole AT 61 K 16
Cesta FE 56 AG 14
Cesto NO 35 M 10
Cesuna VI 27 AD 8
Cesure MC 107 AN 25
Cet BL 28 AI 7
Cetara SA 151 AX 40
Cetica AR 87 AE 21
Cetina FI 87 AD 22
Cetina Grossa SI 93 AB 24
Cetinale SI 94 AC 24
Ceto BS 25 X 7
Cetona SI 105 AG 26
Cetrangolo SA 152 AY 39
Cetraro CS 166 BE 46
Cetta IM 72 H 20
Ceva CN 74 J 17
Ceves BZ 3 AD 2
Ceves BZ 13 AE 4
Cevo BS 25 X 7
Cevo SO 23 S 6
Cevo SO 10 V 6
Cevolabbate RN 89 AK 20
Cevoli LU 85 Y 19
Cevoli PI 92 Y 22
Cevoli VT 112 AH 28
Challancin AO 32 D 9
Challand St Anselme AO 33 H 9
Chamanod AO 19 F 9
Chambave AO 33 G 9
Chambonniers AO 32 D 9
Chambons TO 46 D 13
Chamin AO 32 D 9
Champagnod AO 19 G 9
Champdepraz AO 33 G 9
Champlan AO 33 E 9
Champlas du Col TO 46 C 14
Champlas Seguin TO 46 B 14
Champlong AO 33 F 10
Champlong AO 33 G 9
Champoluc AO 19 H 9
Champorcher AO 33 G 10
Champriond AO 34 I 9
Champsil Inf. AO 34 I 9
Champsil Sup. AO 34 I 9
Chanaley AO 33 H 9
Chanavey AO 32 D 10
Chante AO 19 E 8
Chanton AO 32 C 9
Chardon BI 34 I 10
Chardonney AO 33 G 10
Charrere AO 32 E 9
Charvaz AO 32 D 9
Charvensod AO 33 E 9
Chasteriran TO 46 D 14
Chateau AO 33 G 10
Chateau TO 46 B 13
Chatelard AO 32 D 9
Châtillon AO 33 G 9
Chaudenne AO 32 D 10
Chaval AO 20 H 8
Chaz Nuova AO 18 E 8
Checi LU 85 Z 21
Chef Lieu AO 33 F 9
Cheglio VA 35 M 9
Chegnerone RI 114 AN 28
Cheirano SV 74 K 18
Chelbi TP 190 AK 57
Chemonal AO 34 H 9
Cheneil AO 19 G 8
Chenet BL 14 AG 5
Chentre AO 19 F 8
Cherasco CN 60 I 16
Cheremule SS 213 N 40
Cheresoulaz AO 19 G 9
Chero PC 52 T 14
Cherubine VR 55 AC 12
Cherz BL 14 AG 4
Chesio VB 21 L 8
Chessa OT 210 Q 37
Chesta CN 59 E 16
Cheverel AO 32 D 9
Chevrere AO 32 E 10
Chevril AO 32 E 9
Chez Croiset AO 33 F 9
Chezal TO 46 C 14
Chia CA 225 O 50
Chia VT 112 AI 29
Chiabrano TO 46 D 14
Chiaiamari FR 130 AQ 34
Chiaiano NA 150 AU 38
Chiaicis UD 16 AM 5
Chiaie CS 170 BF 49
Chiaito PZ 164 BE 43
Chialambertetto TO 47 E 12
Chialamberto TO 47 F 11
Chialina UD 16 AM 5
Chialminis UD 16 AO 6
Chialvetta CN 70 D 17
Chiamorio TO 47 F 12
Chiampano UD 16 AM 5
Chiampernotto TO 47 F 12
Chiampetto TO 47 E 12
Chiampo VI 40 AC 10
Chianacce AR 95 AG 24
Chianale CN 58 C 16
Chiancarelle LT 138 AO 36
Chianche AV 142 AX 37
Chianche TA 157 BN 41
Chianchitelle PA 193 AR 57
Chianchitta ME 197 BA 57
Chianchitta Pallio ME 197 BA 57
Chianchitta-
Trappitello ME 197 BA 57
Chianchizzo BR 148 BO 39
Chianciano SI 104 AF 25
Chianciano Terme SI 104 AF 25
Chiandarens UD 15 AK 5
Chiandusseglio TO 47 E 12
Chiani AR 95 AF 23
Chiani BR 158 BO 41
Chianitto ME 188 AY 55
Chianni PI 93 Y 23
Chiano TP 190 AJ 57
Chianocco TO 47 E 13
Chiapero TO 47 F 13
Chiapili TO 32 E 11
Chiappa CN 61 K 16
Chiappa GE 63 P 16
Chiappa IM 73 J 20
Chiappa SP 77 S 18
Chiapparolo AL 62 O 15
Chiappellino CN 59 F 16
Chiappera CN 58 C 17
Chiappi CN 70 E 17
Chiappi ME 189 BB 55
Chiappini BL 27 AF 7
Chiappino AL 61 L 16
Chiapuzzo BL 14 AI 5
Chiara TO 33 H 10
Chiaramonte Gulfi RG 202 AX 61
Chiaramonti SS 209 N 39
Chiaranda UD 16 AO 5
Chiarano TV 43 AK 9
Chiaranzano CZ 175 BI 52
Chiaravalle AN 90 AO 22
Chiaravalle RC 177 BH 53
Chiaravalle Centrale CZ 175 BH 51
Chiaravalle
della Colomba PC 52 U 14
Chiaravalle Milanese MI 36 Q 11
Chiareggio SO 10 T 6
Chiarenzo FR 131 AQ 33
Chiari BS 38 U 10
Chiarini AP 108 AR 26
Chiarini BS 39 X 11
Chiarini TV 29 AJ 8
Chiarino MC 99 AQ 23
Chiarisi-Cicchettoni PA 194 AT 57
Chiarmacis UD 30 AN 8
Chiaromonte PZ 164 BG 43
Chiarone PC 63 R 14
Chiaserna PU 97 AK 23
Chiasiellis UD 30 AO 8
Chiasottis UD 30 AO 8
Chiassa AR 95 AG 22
Chiassaia AR 87 AF 22
Chiassis UD 16 AM 5
Chiastre PR 65 V 16
Chiatona TA 156 BL 40
Chiatri LU 84 X 20
Chiauci IS 132 AV 33
Chiaulis UD 16 AM 5
Chiaulis UD 16 AN 5
Chiavano PG 107 AN 28
Chiavari GE 76 Q 18
Chiavazza BI 34 J 10
Chiavenna SO 9 R 6
Chiavenna Landi PC 52 U 13
Chiavenna Rocchetta PC 64 T 14
Chiaverano TO 34 I 11
Chiaveretto AR 95 AG 22
Chiaves TO 47 F 12
Chiavica PR 53 V 14
Chiavica Pignatta RO 56 AH 13
Chiavicone LO 52 T 13
Chiavicone PD 56 AE 12
Chiavicone RO 55 AE 14
Chiavoni TE 115 AR 28
Chiazale CN 58 D 16
Chiazzano PT 86 AA 20
Chiazzuola CN 72 I 19
Chibbo Nuovo PA 193 AS 58
Chicone PZ 144 BD 39
Chieci SI 94 AD 23
Chiecinella PI 85 Z 22
Chienes / Kiens BZ 4 AG 3
Chienis TN 26 AA 8
Chientina PI 93 Y 22
Chieri TO 48 H 13
Chies d'Alpago BL 29 AJ 7
Chiesa BG 38 U 9
Chiesa BL 14 AH 5
Chiesa CN 58 D 16
Chiesa FE 67 AD 15
Chiesa FE 67 AE 15
Chiesa GE 62 O 16
Chiesa PR 53 X 14
Chiesa RE 65 X 16
Chiesa RO 56 AF 14
Chiesa SV 73 J 19
Chiesa SV 74 K 18
Chiesa TN 26 AC 8
Chiesa VB 7 L 5
Chiesa VC 21 K 9
Chiesa degli Angeli CZ 175 BI 52
Chiesa di Lucoli AQ 115 AP 30
Chiesa di Vivaro VI 41 AE 10
Chiesa Gambara VE 42 AH 11
Chiesa in Valmalenco SO 10 U 6
Chiesa Nuova FE 67 AD 15
Chiesa Nuova GE 76 Q 17
Chiesa Nuova LU 85 Y 20
Chiesa Nuova PD 55 AE 12
Chiesa Nuova SP 77 S 18
Chiesa Nuova TP 182 AK 55
Chiesa Nuova
di Marzaglia MO 66 Z 16
Chiesa Nuova S. Luigi BL 28 AF 8
Chiesa Vecchia PD 56 AF 12
Chiesa Vecchia VI 41 AE 11
Chiesanuova FI 86 AC 21
Chiesanuova LE 160 BR 43
Chiesanuova PD 41 AF 11
Chiesanuova PD 41 AF 11
Chiesanuova PI 85 Y 22
Chiesanuova RA 68 AF 16
Chiesanuova RSM 89 AJ 20
Chiesanuova TO 33 G 11
Chiesanuova VE 43 AK 10
Chiesanuova di S. Vito MC 98 AO 23
Chiesina BO 79 AA 18
Chiesina PT 85 Z 20
Chiesina Uzzanese PT 85 Z 20
Chiesino AR 95 AF 23
Chiesiola FG 127 BF 32
Chiesone VR 54 AB 13
Chiessi LI 100 V 27
Chiesuol del Fosso FE 68 AE 15
Chiesuola BS 53 V 12
Chiesuola RA 82 AH 17
Chiesuola VR 40 AC 11
Chiesuolo LO 52 T 13
Chieti CH 116 AU 29
Chieuti FG 125 AZ 32
Chieve CR 52 S 11
Chieve VR 40 AA 10
Chievolis PN 15 AL 6
Chiezzo VB 7 K 6
Chifenti LU 85 Y 20
Chigiano MC 98 AN 24
Chignolo BG 23 S 8
Chignolo BG 24 T 8
Chignolo d'Isola BG 37 S 9
Chignolo Po PV 51 R 13
Chilivani SS 213 O 40
Chimento CS 168 BH 46
Chioano PG 106 AJ 27
Chiobbica BR 148 BN 39
Chiobbica BR 148 BN 39
Chiocchio FI 86 AC 22
Chiocciolaio GR 103 AB 27
Chioggia VE 57 AI 12
Chioma LI 92 X 23
Chiomonte TO 46 C 13
Chions PN 29 AL 8
Chiopris UD 31 AP 8
Chioraira CN 71 I 19
Chiorano RI 113 AK 29
Chiorio CS 170 BF 49
Chiose GE 76 Q 17
Chioso MS 77 T 18
Chioso VB 7 L 6
Chioso VC 34 J 9
Chiosso CN 58 D 16
Chiotti CN 70 E 17
Chiotti CN 70 F 17
Chiotti TO 47 D 14
Chiotto CN 58 D 17
Chiotto CN 58 E 17
Chiout UD 16 AO 5
Chiout Cali UD 17 AP 5
Chiout di Puppe UD 16 AO 5
Chiout Zuouin UD 17 AP 5
Chiove BL 14 AH 4
Chiovitti CB 132 AV 35
Chiozza LU 79 X 19
Chiozza RE 66 Z 16
Chiozza TV 42 AG 9
Chiozzola PR 65 X 15
Chirachiuccoli PE 116 AS 29
Chitignano AR 88 AG 22
Chiuduno BG 38 U 10
Chiugiana PG 96 AI 25
Chiulano PC 64 S 14
Chiuppano VI 27 AD 9
Chiuppo PZ 154 BD 41
Chiuro SO 24 U 6
Chiusa BZ 12 AC 4
Chiusa CS 171 BG 48
Chiusa PC 52 U 14
Chiusa RC 177 BG 54
Chiusa RC 177 BG 54
Chiusa SA 152 AY 39
Chiusa VT 113 AJ 30
Chiusa / Klausen BZ 13 AE 4
Chiusa Cavallo SR 205 AZ 62
Chiusa di Carlo SR 205 AZ 62
Chiusa di Pesio CN 71 H 18
Chiusa di San Michele TO 47 E 13
Chiusa Ferranda PR 65 V 14
Chiusa Nuova PU 89 AL 20
Chiusa Sclafani PA 192 AO 57
Chiusa Viarola PR 65 V 14
Chiusaforte UD 16 AO 5
Chiusani PV 63 P 14
Chiusanico IM 73 I 20
Chiusano d'Asti AT 49 J 14
Chiusano di
San Domenico AV 142 AY 38
Chiusavecchia IM 73 I 20
Chiusdino SI 93 AB 25
Chiuse PZ 153 BC 41
Chiuse SA 153 BB 40
Chiuselle IS 132 AT 34
Chiusi CS 171 BG 48
Chiusi SI 105 AG 25
Chiusi della Verna AR 88 AG 21
Chiusi Scalo SI 105 AG 26
Chiusita MC 107 AM 26
Chiusola SP 77 T 17
Chiusoli PO 86 AB 20
Chiusura BO 81 AF 17
Chiusura MO 79 Y 18
Chiusure SI 94 AE 24
Chiusurli LU 85 X 20
Chivasso TO 48 I 12
Chivo BZ 4 AF 3
Chizzola TN 26 AB 9
Chizzoline BS 39 Y 10
Chorio RC 178 BD 56
Chorio RC 179 BE 55
Ciabattu OT 210 Q 37
Ciabaudo IM 72 H 20
Ciaculli PA 184 AP 55
Ciagnano BO 81 AD 17

Ciago PN 15 AL 6
Ciago TN 26 AB 7
Ciaixe IM 72 G 21
Cialla UD 31 AP 7
Ciammarita PA 183 AN 55
Ciampie TN 13 AF 5
Ciampiello FR 131 AR 34
Ciampino RM 128 AK 33
Cianaluca CB 125 AZ 32
Cianciana AG 192 AP 58
Ciannavera BN 133 AY 36
Ciano MO 80 AB 17
Ciano TV 28 AH 9
Ciano VV 174 BG 52
Ciano d'Enza RE 65 X 16
Ciappi RC 178 BD 55
Ciaramiti VV 176 BE 52
Ciardelli Sup. AV 142 AX 37
Ciardes BZ 12 AA 4
Ciardullo BN 141 AW 37
Ciarelli TE 108 AQ 27
Ciariscelli TE 116 AR 28
Ciatti SV 75 L 18
Ciavarra FR 131 AQ 33
Ciavola CS 171 BG 48
Ciavolo TP 190 AK 57
Ciavolone AV 143 AZ 37
Ciavolotto TP 190 AK 57
Cibeno MO 66 AA 15
Cibiana di Cadore BL 14 AI 5
Cibottola PG 105 AI 26
Cicagna GE 76 Q 17
Cicala CZ 171 BH 49
Ciccarelli NA 151 AW 38
Ciccattali ME 189 BA 56
Cicciano NA 141 AW 38
Cicconi MC 107 AN 25
Ciccotondo AV 143 BA 36
Cicengo AL 49 J 13
Cicera CZ 175 BI 51
Cicerale SA 162 AZ 41
Cicerata CS 171 BH 48
Cicerata SR 205 AZ 62
Cicerchia LT 129 AM 35
Cicerone LT 139 AQ 36
Cicese RO 56 AG 13
Cichetti TE 109 AS 27
Ciciano SI 93 AB 25
Cicignano RI 113 AK 29
Ciciliano RM 120 AM 32
Cicogna AR 95 AE 22
Cicogna PD 55 AD 12
Cicogna VB 21 L 7
Cicognaia AR 88 AI 21
Cicognara MN 53 X 14
Cicogni PC 63 R 14
Cicognola LC 37 R 9
Cicognolo CR 53 W 13
Cicola BG 38 U 10
Ciconia TR 105 AH 27
Ciconicco UD 30 AN 7
Ciconio TO 48 H 12
Cicoria KR 173 BK 48
Cicuta Nuova CL 194 AT 59
Cicuta Vecchia CL 194 AT 59
Cievole SI 94 AD 24
Cifo PG 107 AM 26
Cigarello RE 65 Y 17
Cigiano AR 95 AF 23
Cigiana LU 79 X 19
Cigliano FI 86 AC 21
Cigliano FI 87 AE 21
Cigliano MC 98 AQ 24
Cigliano VC 49 J 12
Ciglié CN 74 I 17
Ciglione AL 61 L 16
Cignano BS 38 V 11
Cignano FI 81 AF 19
Cignano MC 98 AN 25
Cignano PC 52 U 13
Cignano TA 156 BJ 40
Cigno FC 88 AH 20
Cignone CR 52 U 12
Cigognola PV 51 Q 13
Cigole BS 53 W 12
Cigoli PI 85 Z 21
Cilavegna PV 50 N 12
Ciliano SI 95 AF 25
Ciliverghe BS 39 X 11
Cillian AO 33 G 9
Cima CO 22 P 7
Cima Gogna BL 15 AJ 4
Cimabanche BL 5 AI 4
Cimabanche BZ 5 AI 4
Cimadolmo TV 29 AJ 9
Cimadomo BT 137 BH 36
Cimafava PC 64 T 14
Cimaferle AL 61 L 16
Cimamulera VB 21 K 7
Cimano UD 16 AN 6
Cimapiasole TO 47 G 11
Cimasappada BL 15 AL 4
Cimavilla TV 29 AJ 8
Cimbalello RC 176 BE 53
Cimbano PG 105 AH 25
Cimbergo BS 25 X 7
Cimbriolo MN 54 Y 13
Cimbro VA 35 N 9
Cime GO 31 AP 7
Cimego TN 25 Y 8
Cimena TO 48 I 12
Cimetta TV 29 AJ 8
Cimillà RG 204 AX 62
Ciminà RC 179 BF 54
Ciminna PA 185 AQ 56
Cimino CS 167 BG 46
Cimirlo TN 26 AC 7
Cimitelle TR 113 AL 29
Cimitile NA 151 AW 38
Cimmo BS 38 W 9
Cimnago MI 36 P 9
Cimolais PN 15 AJ 6
Cimpello PN 29 AL 8
Cinaglietta Sopra e Sotto BS 38 V 10
Cinaglio AT 49 J 14
Cinciano SI 94 AC 22
Cinecittà RM 119 AK 32
Cinelli FI 85 Z 21
Cinelli VT 112 AG 30
Cineto Romano RM 120 AM 31
Cinghianello MO 79 Z 17
Cinghia de' Botti CR 53 W 13
Cingoli MC 98 AO 23
Cinigiano GR 104 AD 26
Cinisello Balsamo MI 36 Q 10
Cinisi PA 183 AN 55
Cino SO 23 R 7
Cinquale LU 84 V 20
Cinquanta AV 151 AX 38
Cinquanta BO 67 AD 16
Cinque Confini RI 114 AM 29
Cinquecerri RE 78 X 17
Cinquefrondi RC 176 BF 53
Cinquegrana AV 142 AZ 37
Cinquegrana CT 195 AX 59
Cinquegrana I AV 142 AZ 37
Cinquevie NA 151 AW 38
Cinquina RM 119 AK 32
Cintano TO 33 H 11
Cinte Tesino TN 27 AE 7
Cintello VE 30 AM 9
Cinto VI 41 AD 10
Cinto Caomaggiore VE 29 AL 9
Cinto Euganeo PD 56 AE 12
Cintoia FI 86 AD 22
Cintoia Alta FI 86 AD 22
Cintolese PT 85 Z 20
Cintorelli AQ 115 AR 30
Cinzano CN 60 I 15
Cinzano TO 48 I 13
Cioccafa CL 193 AS 58
Cioccaro AT 49 K 13
Ciocchini CN 60 I 16
Cioffi SA 152 AY 40
Ciola FC 82 AG 18
Ciola FC 88 AH 20
Ciola Araldi FC 82 AI 19
Ciolino CL 194 AT 58
Ciolla Fama CN 71 F 18
Ciollo CT 197 BA 57
Ciommarino FG 143 BB 36
Cioni FI 85 Z 21
Ciorani SA 151 AX 39
Ciorlano CE 132 AT 35
Ciotta AG 199 AR 61
Ciotte SA 153 BC 40
Cipampini PA 194 AT 57
Cipino CZ 172 BJ 49
Cipolla KR 173 BL 49
Cipollaie CR 53 W 12
Cipollara AV 142 AZ 38
Cipolleto PG 96 AK 24
Cipollino CZ 175 BJ 50
Cipressa IM 72 I 20
Cipressi LU 78 X 19
Cipressi PE 116 AT 28
Cirano BG 24 U 9
Circello BN 133 AX 35
Circondariale LT 138 AO 36
Cireggio VB 21 L 8
Cireglio PT 85 AA 20
Ciregna PC 63 R 15
Cirella CS 166 BD 45
Cirella RC 179 BF 54
Cirello RC 176 BE 53
Cireni ME 188 AY 54
Ciriano PC 64 T 14
Cirichiello PE 116 AR 30
Ciricilla CZ 171 BI 49
Ciriè TO 47 G 12
Cirigliano MT 154 BG 41
Cirignano BN 142 AW 37
Cirimarco CS 166 BE 46
Cirimido CO 36 P 9
Cirlano Tschirland BZ 12 AA 4
Cirò KR 169 BL 47
Cirò Marina KR 169 BL 47
Cirvoi BL 28 AI 7
Cis TN 12 AB 5
Cisano BS 39 Y 10
Cisano VR 39 Z 10
Cisano Bergamasco BG 37 R 9
Cisano sul Neva SV 73 J 19
Ciscati VI 27 AE 9
Ciseran AO 33 H 9
Ciserano BG 37 S 10
Ciseriis UD 16 AO 6
Cisgne UD 31 AQ 7
Cisiano GE 76 P 17
Cisiano di Sotto PC 64 S 14
Cisigliana MS 78 V 18
Cislago VA 36 O 10
Cislano BS 38 V 9
Cisliano MI 36 O 11
Cismon del Grappa VI 27 AF 8
Cison di Valmarino TV 28 AH 8
Cissone CN 60 J 16
Cisterna FR 131 AQ 33
Cisterna PG 106 AJ 26
Cisterna TN 26 AB 8
Cisterna UD 30 AM 7
Cisterna d'Asti AT 60 J 15
Cisterna di Latina LT 129 AL 34
Cisterni CE 131 AS 35
Cisternino BR 148 BN 39
Cistio FI 87 AD 20
Citala SA 151 AX 39
Citerna PG 96 AH 23
Citerna PR 64 V 16
Citerno FI 86 AD 21
Citerno TR 105 AG 27
Citernone GR 103 AD 26
Citino CS 166 BE 46
Città TO 47 E 13
Città TP 190 AJ 57
Città del Mare-Perla del Golfo PA 183 AN 55
Città del Vaticano RM 119 AJ 32
Città della Pieve PG 105 AH 26
Città di Castello PG 96 AI 23
Città di Contra AV 143 BA 37
Città Giardino SR 203 BA 61
Città Sant'Angelo PE 116 AT 28
Cittadella AL 49 L 14
Cittadella BO 68 AE 16
Cittadella MN 54 AA 13
Cittadella MN 54 Z 12
Cittadella MN 54 Z 13
Cittadella NO 35 M 11
Cittadella PD 41 AF 10
Cittadella TV 29 AI 8
Cittadella del Capo CS 166 BE 46
Cittaducale RI 114 AM 29
Cittanova RC 176 BF 53
Cittanova VE 43 AK 10
Cittareale RI 107 AN 28
Cittiglio VA 21 M 8
Ciuchesu OT 206 Q 36
Ciummiento CE 141 AV 37
Civago RE 79 X 18
Civalleri CN 71 G 17
Civate LC 23 R 9
Civé PD 57 AH 12
Civenna CO 23 Q 8
Civezza IM 72 I 20
Civezzano TN 26 AC 7
Civi Passaghastro CT 197 BA 57
Civiasco VC 35 K 9
Cividale MO 67 AB 14
Cividale del Friuli UD 31 AP 7
Cividale Mantovano MN 53 X 13
Cividate al Piano BG 38 T 10
Cividate Camuno BS 25 W 8
Cividino BG 38 U 10
Civiglio CO 22 P 9
Civine BS 38 V 10
Civita AQ 120 AN 31
Civita AV 143 BA 37
Civita CS 167 BG 45
Civita FR 130 AP 33
Civita PG 107 AN 27
Civita VT 112 AH 28
Civita Campomarano CB 124 AX 33
Civita Castellana VT 113 AJ 30
Civita d'Antino AQ 121 AP 32
Civita di Bagno AQ 115 AP 30
Civita Superiore CB 132 AV 35
Civitaluparella CH 123 AU 32
Civitanova Alta MC 99 AR 24
Civitanova del Sannio IS 132 AV 33
Civitanova Marche MC 99 AR 24
Civitaquana PE 116 AS 30
Civitaretenga AQ 115 AR 30
Civitatomassa AQ 115 AO 29
Civitavecchia FR 131 AQ 34
Civitavecchia RM 118 AF 31
Civitella CE 132 AT 36
Civitella MC 107 AM 26
Civitella PG 107 AL 27
Civitella PG 107 AM 26
Civitella RI 114 AO 30
Civitella RM 120 AM 31
Civitella Alfedena AQ 122 AS 33
Civitella Benazzone PG 96 AJ 24
Civitella Casanova PE 116 AS 29
Civitella Cesi VT 112 AH 30
Civitella d'Agliano VT 112 AI 28
Civitella d'Arno PG 96 AJ 25
Civitella de'Conti TR 105 AI 26
Civitella del Lago TR 105 AI 27
Civitella del Tronto TE 108 AR 27
Civitella di Romagna FC 82 AG 19
Civitella in Val di Chiana AR 95 AF 23
Civitella Licinio BN 133 AW 36
Civitella Marittima GR 103 AC 26
Civitella Ranieri PG 96 AJ 24
Civitella Roveto AQ 121 AP 32
Civitella San Paolo RM 113 AK 30
Civitella Vèrrico AQ 114 AO 28
Civitello MC 98 AO 23
Civo SO 23 S 7
Civorio FC 88 AH 20
Cizzago BS 38 U 11
Cizzolo MN 54 Y 13
Claino CO 22 P 7
Clanezzo BG 37 S 9
Clap UD 17 AP 6
Clapasson AO 34 I 10
Classe RA 82 AI 17
Clastra UD 31 AQ 7
Clauiano UD 31 AP 8
Claut PN 15 AK 6
Clauzetto PN 16 AM 6
Clavais UD 16 AM 5
Clavarezza GE 63 P 16
Clavesana CN 60 I 17
Clavière TO 46 B 14
Clementi AV 142 AX 37
Clementi CZ 174 BH 51
Clenia UD 31 AP 7
Cleran BZ 4 AF 3
Cles TN 12 AB 5
Cleto CS 170 BF 49
Cleulis UD 16 AN 4
Cleva PN 16 AM 6
Cleva TN 13 AF 5
Clez PN 15 AL 6
Clibbio BS 39 X 10
Clivio VA 22 O 8
Clivo Formello RM 129 AL 33
Clodig UD 17 AQ 7
Clotes TO 58 C 14
Cloutra AO 33 G 9
Cloz TN 12 AB 5
Cludinico UD 16 AM 5
Clusane sul Lago BS 38 V 10
Clusaz AO 18 E 9
Clusio / Schleis BZ 2 Y 3
Clusone BG 24 U 8
Coagneli LT 129 AL 35
Coarezza VA 35 M 9
Coasco SV 73 J 19
Coassolo TO 47 F 12
Coatti RO 55 AD 14
Cozzano MI 51 P 12
Cozze MN 54 AA 14
Cozze MN 55 AB 13
Cozze TO 47 E 13
Cozzolo AT 61 J 15
Cobieta MS 77 T 17
Cocaglio BS 38 U 10
Coccanile FE 56 AG 14
Coccau Alto UD 17 AQ 4
Coccau di Sopra UD 17 AQ 4
Cocche VR 39 Z 10
Cocciagrasso PE 116 AT 29
Coccioli CH 123 AU 31
Cocciorro AQ 114 AO 30
Cocco VI 40 AC 10
Coccolia RA 82 AH 18
Cocconato AT 49 J 13
Coccorano PG 97 AK 24
Coccore AN 97 AL 23
Coccorino VV 176 BE 52
Coce FR 121 AN 33
Cocetta AL 50 N 13
Cocianzi UD 17 AP 6
Cocola BN 141 AV 37
Cocolicchio BR 147 BM 39
Cocquio VA 22 N 8
Cocquo VA 35 M 9
Cocullo AQ 122 AR 31
Cocumola LE 161 BT 43
Cocuruzzo CE 131 AS 35
Cocuzzola PA 186 AS 55
Coda VR 40 AA 10
Coda della Muccia MC 97 AN 25
Coda di Lupo SR 205 AY 63
Codacchio CB 132 AV 34
Codarda LT 130 AN 35
Codaruina SS 209 N 38
Codavolpe CT 197 BA 57
Codemondo RE 66 Y 15
Codena MS 78 V 19
Codera SO 9 R 6
Coderno UD 30 AM 7
Codesino LC 23 R 7
Codevigo PD 57 AH 12
Codevilla CN 71 I 18
Codevilla PV 51 P 14
Codevilla SV 74 K 18
Codicina-Manche CS 170 BG 48
Codigoro FE 69 AH 15
Codiponte MS 78 V 18
Codisotto RE 54 Z 14
Codissago BL 15 AI 6
Codivara SP 77 S 17
Codiverno PD 42 AG 11
Codogna CO 23 Q 7
Codogne TV 29 AJ 8
Codogno LO 52 T 13
Codogno PR 77 S 17
Codolo MS 77 T 17
Codolo di Sotto MS 77 U 17
Codorso PR 77 S 17
Codoville CN 74 I 17
Codrea FE 68 AF 15
Codrignano BO 81 AE 18
Codroipo UD 30 AM 8
Codromaz UD 31 AQ 7
Codrongianos SS 213 N 40
Coenzo RE 65 X 14
Coette VE 56 AH 13
Coffia AR 87 AF 21
Coggiola BI 34 K 9
Coghinas OT 210 P 39
Cogliandrino PZ 164 BE 43
Cogliate MB 36 P 10
Cogna LT 128 AK 34
Cogna LU 78 W 18
Cognaro VE 42 AG 11
Cogne AO 33 F 10
Cognento RE 66 Z 15
Cogno CN 59 E 17
Cogno PD 41 AF 10
Cognola TN 26 AB 7
Cognon CN 59 E 16
Cognone PZ 154 BD 41
Cogoleto GE 75 M 17
Cogollo RA 82 AH 17
Cogollo VR 40 AB 10
Cogollo del Cengio VI 27 AD 9
Cogolo TN 11 Z 5
Cogorno GE 76 R 18
Cogozzo BS 38 W 10
Cogozzo BS 39 X 10
Cogozzo MN 53 Y 14
Cogruzzo RE 66 Y 15
Coi BL 14 AH 5
Coia UD 16 AO 6
Coiano FI 86 AA 22
Coiano PO 86 AB 20
Coimo VB 7 L 7
Coiromonte NO 21 L 8
Cojana BL 14 AH 4
Col BL 14 AH 4
Col BL 28 AI 7
Col del Fico LT 130 AO 35
Col di Luco LU 84 X 19
Col di Morro AR 96 AH 24
Col di Pietra MC 98 AO 25
Col di Prà BL 14 AG 6
Col di Rocca BL 14 AG 5
Col di Salce BL 28 AI 7
Col di San giovanni TO 47 F 12
Col Francesco PG 96 AJ 24
Col Giacone TR 106 AK 28
Col Piccione PG 96 AI 24
Col Rialto BN 133 AX 35
Col San Martino TV 28 AH 8
Cola RE 78 X 17
Colà VR 39 Z 11
Cola Ca RC 177 BG 53
Colacaruso RC 178 BD 54
Colanonni IS 132 AU 34
Colantuono CB 132 AV 34
Colapietro FR 130 AP 34
Colardoni IS 132 AV 33
Colarete BG 24 U 8
Colasante PE 116 AS 29
Colazza NO 35 L 9
Colbassano PG 97 AL 24
Colbertaldo TV 28 AH 8
Colbordolo PU 89 AL 21
Colbuccaro MC 98 AP 24
Colcavagno AT 49 J 13
Colcellalto AR 88 AI 21
Colcello AN 97 AM 23
Colcerasa MC 98 AO 24
Colcerver BL 14 AH 5
Coldazzo PU 89 AL 21
Coldellaio MC 107 AO 25
Coldellanoce AN 97 AL 23
Colderù BL 28 AH 7
Coldigioco MC 98 AN 23
Coldirodi IM 72 H 21
Coldorso PU 97 AL 22
Coldragone FR 131 AQ 34
Coldrano / Goldrain BZ 12 Z 4
Colelli RC 178 BD 54
Colere BG 24 V 8
Colfano MC 98 AO 25
Colfari CS 165 BI 44
Colferraio MC 97 AN 24
Colfiorito PG 107 AM 25
Colforcella PG 107 AN 27
Colfosco TV 28 AI 8
Colfosco / Kelfushog BZ 14 AG 4
Colfulignano PG 97 AL 25
Coli PC 63 R 15
Colico LC 23 R 7
Colignola AR 95 AG 22
Colitti PE 116 AS 29
Colla CZ 171 BH 49
Colla CZ 171 BH 49
Colla ME 188 AY 55
Colla ME 188 AY 55
Colla MN 53 X 12
Colla MS 78 V 18
Colla PZ 163 BD 43
Colla di Netro BI 34 I 10
Colla Maffone ME 188 AY 55
Colla Muggiasca BG 23 S 8
Collabassa IM 72 G 20
Collacchia GR 103 AB 26
Collagna RE 78 W 17
Collaiello MC 98 AN 24
Collalbo BZ 13 AD 4
Collalbrigo TV 28 AI 8
Collalto SI 93 AB 23
Collalto SI 95 AF 24
Collalto TV 28 AI 8
Collalto UD 16 AO 6
Coll'Alto IS 131 AT 34
Collalto Sabino RI 120 AN 31
Collamato AN 97 AM 24
Collarmele AQ 122 AQ 31
Collaspro BZ 4 AG 2
Collatea RI 114 AL 28
Collatoni MC 107 AM 26
Collattoni MC 107 AN 25
Collazzone PG 106 AJ 26
Collazzoni PG 107 AN 26
Colle AN 97 AL 24
Colle AN 97 AM 24
Colle AP 107 AO 26
Colle AP 108 AO 27
Colle AP 108 AP 26
Colle AP 108 AQ 27
Colle AP 108 AQ 27
Colle AP 108 AR 26
Colle AQ 115 AO 29
Colle BG 38 U 9
Colle BZ 13 AF 4
Colle CE 131 AS 35
Colle CH 124 AW 32
Colle CN 59 E 17
Colle LU 78 X 19
Colle LU 85 X 20
Colle MC 98 AN 25
Colle MC 98 AO 25

Colle PG 106 AJ 25
Colle PG 97 AL 24
Colle PG 97 AL 24
Colle PN 29 AL 7
Colle PN 29 AL 8
Colle RI 113 AK 29
Colle SI 94 AD 23
Colle SI 95 AE 24
Colle SP 77 S 18
Colle TR 105 AH 26
Colle TR 113 AK 28
Colle / Bichl BZ 3 AC 2
Colle Alberti FI 85 AA 21
Colle Alto FR 130 AQ 34
Colle Alto FR 131 AS 35
Colle Alto VI 27 AF 9
Colle Aprico AN 97 AM 22
Colle Aprico PG 97 AM 25
Colle Barone CH 116 AU 30
Colle Bianco CH 117 AU 30
Colle Bisenzio PO 86 AB 20
Colle Bove CB 133 AW 34
Colle Calvo AQ 114 AO 28
Colle Calzolaro PG 105 AH 25
Colle Canne FR 131 AS 35
Colle Carafa RM 113 AK 30
Colle Carino FR 131 AQ 33
Colle Case CH 123 AV 31
Colle Castagno AQ 114 AO 30
Colle Castagno FR 130 AP 34
Colle Cavaliere LT 129 AL 34
Colle Cavaliere PE 116 AS 29
Colle Chiesa
Santa Maria PA 186 AT 56
Colle Ciollo RM 120 AL 31
Colle Comare RM 120 AM 33
Colle Croce IS 132 AU 34
Colle Croce PG 107 AM 25
Colle Curioso PG 107 AM 27
Colle d'Anchise CB 132 AW 34
Colle d'Antico PG 96 AJ 22
Colle del Fagiano RM 119 AK 31
Colle del Marchese PG 106 AK 27
Colle della Corte CB 133 AW 34
Colle della Fonte RI 113 AL 29
Colle della Sponga RI 114 AN 30
Colle della Stella CB 124 AY 32
Colle dell'Api CB 133 AX 34
Colle di Avendita PG 107 AN 27
Colle di Cicerone RM 129 AL 34
Colle di Compito LU 85 Y 21
Colle di Dentro BZ 5 AI 3
Colle di Fuori RM 120 AL 33
Colle di Fuori /
Pichl Ausser BZ 5 AI 3
Colle di Lucoli AQ 115 AP 30
Colle di Palombaia LI 100 W 27
Colle di Preturo AQ 115 AO 29
Colle di Procchio LI 100 W 27
Colle di Roio AQ 115 AP 29
Colle di Sassa AQ 115 AO 29
Colle di Sora I FR 131 AQ 33
Colle di Tora RI 114 AM 30
Colle di Vaccina RM 118 AH 32
Colle di Val d'Elsa SI 94 AB 23
Colle Diana VT 112 AI 30
Colle Dito TR 113 AJ 28
Colle Doddo RM 120 AM 32
Colle d'Orano LI 100 V 27
Colle Farelli AQ 114 AO 30
Colle Farnese VT 113 AI 30
Colle Fiorito RM 119 AI 31
Colle Florido PE 116 AT 29
Colle Grotte IS 132 AT 34
Colle Guardia AP 108 AR 26
Colle Isarco / Gossensab BZ 4 AD 2
Colle Leoncini PG 96 AI 24
Colle Longo CB 133 AW 34
Colle Luna TE 109 AS 27
Colle Malamerenda SI 94 AD 24
Colle Manno FR 130 AP 34
Colle Marino AQ 115 AQ 30
Colle Marino PE 116 AU 29
Colle Marrollo CH 124 AW 31
Colle Mastroianni FR 131 AR 33
Colle Mattarello FR 130 AP 34
Colle Mausoleo FR 130 AP 34
Colle Mezzano LI 92 Y 23
Colle Micotti TR 113 AK 29
Colle Monte CB 133 AY 33
Colle Monte Varmine AP 108 AQ 25
Colle Noveri AQ 114 AO 28
Colle Organo RI 114 AM 28
Colle Paganello AN 97 AM 24
Colle Paganica AQ 114 AO 28
Colle Pagnotto CH 116 AU 30
Colle Palme RM 120 AM 33
Colle Passero RM 120 AM 32
Colle Pecce CE 131 AS 35
Colle Pian Fienile PG 106 AL 26
Colle Piuccio LT 138 AN 36
Colle Plinio PG 96 AI 22
Colle Ponte FR 130 AQ 35
Colle Primo AN 97 AM 23
Colle Rinaldo RI 114 AN 29
Colle Rosa FR 120 AN 33
Colle Rotondo LT 130 AN 35
Colle S. Maria FR 130 AP 34
Colle San Clemente PG 106 AK 26
Colle San Giacomo AQ 121 AO 31
Colle San Leonardo CH 123 AU 31
Colle San Lorenzo PG 106 AL 26
Colle San Magno FR 131 AR 34
Colle San Marco AP 108 AQ 27
Colle San Paolo PG 105 AH 25
Colle San Pietro LT 130 AO 35
Colle Sannita BN 133 AX 35
Colle Santa Lucia BL 14 AH 5
Colle Santa Maria TE 108 AR 27
Colle Santa Procula RM 128 AK 33
Colle Sant'Alberto SI 105 AG 26
Colle Sant'Angelo TR 113 AL 28
Colle Sant'Antimo RI 114 AL 29
Colle Santo PG 96 AI 25
Colle Secco TR 106 AJ 27
Colle Spina RM 120 AM 33
Colle Spinello RM 120 AL 31
Colle Talli SI 93 AB 24
Colle Tenuto MC 97 AN 24
Colle Tronco FR 131 AQ 35
Colle Umberto PG 96 AI 24
Colle Umberto TV 29 AJ 8
Colle Vallerano RM 120 AM 33
Colle Verde RM 119 AK 32
Colle Vèrrico AQ 114 AO 28
Colle Vertiere PE 116 AS 30
Colle Viglia RI 114 AM 29
Collebaccaro RI 113 AL 29
Collebaldo PG 105 AI 26
Collebarucci FI 86 AC 20
Collebeato BS 38 W 10
Colleberardi FR 130 AP 33
Colleberardo RI 113 AK 29
Collebrincioni AQ 115 AP 29
Collecavallo FR 130 AP 34
Collecazzillo FR 131 AS 34
Collecchio GR 110 AB 28
Collecchio PR 65 W 15
Colleciccangelo MC 107 AO 25
Collecinciero PE 116 AT 29
Collecorvino PE 116 AT 29
Collecurti MC 107 AM 26
Colledara TE 115 AQ 28
Colledimacine CH 123 AU 31
Colledimezzo CH 123 AV 32
Colledonico TE 115 AQ 28
Colledoro TE 115 AR 28
Collefalciano AP 108 AP 27
Collefava IS 132 AT 33
Colleferro RM 120 AN 33
Colleferro Scalo RM 120 AN 33
Collefosso FR 131 AQ 34
Collefracido AQ 115 AO 30
Collegalli FI 85 AA 22
Collegentilesco RI 107 AO 28
Collegiglioni AN 97 AM 23
Collegio Leoniano FR 130 AN 33
Collegiove RI 114 AN 30
Collegno TO 47 G 13
Colleiano-Roccareonile AP 108 AP 26
Collelicino TR 113 AL 28
Collelongo AQ 122 AQ 32
Colleluce MC 98 AO 24
Collelungo PG 106 AL 26
Collelungo PI 85 Z 22
Collelungo RI 114 AL 30
Collelungo TR 105 AI 26
Collelungo TR 106 AJ 27
Colle-Lungo AP 108 AQ 26
Collemacchia IS 132 AT 34
Collemacina RI 113 AK 29
Collemaggiore RI 114 AO 30
Collemancio PG 106 AK 26
Collemare AQ 115 AO 30
Collemare RI 114 AM 29
Collemarino BN 142 AX 36
Collemarraco CB 133 AW 35
Collematteo IS 132 AT 34
Collemese MC 98 AN 25
Collemeto LE 160 BR 42
Collemincio PG 97 AL 24
Colleminuccio TE 108 AR 27
Collemontanino PI 92 Y 22
Collemoresco RI 107 AO 28
Collemoro AP 108 AP 26
Collenasso RI 114 AN 28
Collenoci li FR 130 AQ 34
Colleoli PI 85 Z 22
Collepagliaro IS 132 AU 34
Collepardo FR 130 AP 33
Collepasso LE 160 BR 43
Collepepe PG 106 AJ 26
Collepietra / Steinegg BZ 13 AD 5
Collepietro AQ 116 AR 30
Collepietro TE 109 AS 27
Collepino PG 106 AL 25
Collepizzuto CH 124 AX 31
Collepizzuto TR 113 AK 28
Colleponi AN 97 AM 23
Colleponte TR 107 AL 28
Colleposta FR 131 AS 34
Colleregnone AP 108 AO 26
Colleretto Castelnuovo TO 33 H 11
Colleretto Giacosa TO 34 H 11
Colleri PV 63 Q 15
Collerumiz UD 16 AO 6
Collesalvetti LI 85 X 22
Collesano PA 186 AS 56
Collesanto MC 107 AN 25
Collescipoli TR 113 AK 28
Collesecco AR 95 AG 23
Collesecco CH 117 AU 30
Collesecco PG 106 AK 26
Collesino MS 78 V 18
Collesorbo IS 132 AV 34
Collespada RI 107 AO 27
Collestatte TR 113 AL 28
Collestrada PG 106 AJ 25
Colletara AQ 114 AO 29
Colletaverna FR 131 AS 35
Colletorto CB 133 AY 33
Colletta CN 71 F 18
Colletta GE 63 P 16
Colletta SV 73 J 19
Colletta VR 40 AB 10
Colletto CN 70 E 17
Collevalenza PG 106 AJ 27
Collevalle MC 98 AO 24
Collevecchio MC 98 AN 25
Collevecchio RI 113 AK 30
Collevecchio TE 108 AQ 28
Colleverde RI 114 AN 28
Collevico RI 113 AK 30
Colli AL 49 K 13
Colli AQ 114 AO 29
Colli CE 131 AS 35
Colli CN 70 F 18
Colli FR 130 AQ 34
Colli LU 78 W 19
Colli MC 97 AN 24
Colli MC 98 AN 25
Colli PE 116 AT 29
Colli PE 116 AT 30
Colli RI 113 AK 30
Colli SI 94 AC 23
Colli SP 77 S 18
Colli TE 115 AR 28
Colli a Volturno IS 132 AT 34
Colli del Sole LT 128 AK 34
Colli del Tronto AP 108 AR 26
Colli di Fontanelle NA 151 AV 40
Colli di Montebove AQ 121 AN 31
Colli sul Velino RI 113 AL 28
Colliano SA 153 BA 39
Colliberti TE 115 AR 28
Collicelle RI 114 AO 28
Collicelli MC 98 AO 24
Collicello AQ 114 AO 29
Collicello PG 106 AK 25
Collicello TR 113 AJ 28
Collicello VI 27 AF 8
Collicello-Corbara AP 108 AP 26
Collimento AQ 115 AP 30
Collina AN 98 AO 23
Collina AP 108 AP 26
Collina AP 108 AP 27
Collina AP 108 AR 26
Collina BO 80 AB 18
Collina FC 88 AG 20
Collina FC 82 AH 18
Collina LU 85 Y 21
Collina MC 98 AN 24
Collina PE 116 AS 28
Collina PT 86 AA 19
Collina PT 86 AA 20
Collina PU 88 AI 20
Collina RC 176 BE 53
Collina RI 114 AM 29
Collina UD 15 AM 4
Collina Nuova AP 108 AQ 25
Collina Primosole CT 203 AZ 59
Collinas VS 221 O 46
Collinello FC 82 AH 19
Collinetta UD 15 AM 4
Collinverno CE 131 AS 35
Collio BS 25 X 9
Collio BS 39 Y 10
Collo del Lupo CS 167 BG 46
Collo di Casaglio FI 81 AD 19
Collo Pirrera ME 181 AY 53
Collobiano VC 35 L 11
Collobie VC 35 L 10
Collodi PT 85 Y 20
Colloredo UD 31 AP 7
Colloredo VI 55 AE 11
Colloredo di M. Albano UD 16 AN 7
Colloredo di Prato UD 30 AN 7
Colloro VB 21 K 7
Colloto AP 108 AP 27
Colma AL 49 L 13
Colma BI 34 J 10
Colma VB 21 L 9
Colma VC 35 L 9
Colmaggiore MC 97 AM 24
Colmaggiore TV 28 AI 8
Colmano FC 82 AG 19
Colmata LI 102 Y 26
Colmegna VA 22 N 7
Colmello TV 42 AH 10
Colmello VE 42 AI 10
Colmine VB 7 K 6
Colmirano BL 28 AG 8
Colmurano MC 98 AP 25
Colobraro MT 165 BH 42
Cologna FE 56 AG 14
Cologna SA 151 AX 39
Cologna SO 10 W 6
Cologna TE 109 AS 27
Cologna TN 26 AA 8
Cologna TN 25 Y 8
Cologna UD 16 AO 6
Cologna Marina TE 109 AS 27
Cologna Spiaggia TE 109 AS 27
Cologna Veneta VR 55 AD 12
Cologne BS 38 U 10
Cologni CS 170 BF 49
Cologno al Serio BG 37 T 10
Cologno Monzese MI 36 Q 10
Colognola BG 38 U 9
Colognola MC 98 AO 23
Colognola PG 96 AJ 24
Colognola ai Colli VR 40 AC 11
Colognole FI 87 AE 20
Colognole LI 92 X 22
Colognole PI 85 X 21
Colognolo del Piano BG 37 S 9
Colognora LU 85 X 20
Colognora LU 85 Y 20
Colombaia PT 86 AA 20
Colombaia RE 79 Y 17
Colombaie Averoldi BS 38 V 11
Colombaiolo SI 94 AC 23
Colombano RO 55 AE 13
Colombara AL 61 L 16
Colombara CR 52 U 12
Colombara PC 64 U 15
Colombara PD 41 AF 10
Colombara PD 56 AG 12
Colombara PR 65 V 14
Colombara PU 89 AJ 22
Colombara PU 97 AL 22
Colombara PV 63 P 14
Colombara PV 63 P 14
Colombara PV 51 P 14
Colombara VC 49 K 12
Colombara VI 40 AC 10
Colombara VI 27 AE 9
Colombara VI 41 AE 9
Colombara VI 41 AF 9
Colombara VR 55 AD 12
Colombara Orlandini BS 39 X 11
Colombare CR 52 T 12
Colombare MN 54 Y 12
Colombare PD 55 AE 13
Colombare VI 41 AD 9
Colombare VR 54 AA 12
Colombare VR 40 AB 11
Colombare VR 39 Z 10
Colombarini PC 52 T 14
Colombaro BS 38 U 10
Colombaro MO 66 AA 16
Colombaro TO 48 I 13
Colombaro Rossi CN 59 G 16
Colombarolo CR 53 W 13
Colombarolo PV 51 P 13
Colombarone MO 66 Z 16
Colombarone PR 53 W 14
Colombassi AL 63 P 15
Colombata CN 58 C 17
Colombella PG 96 AJ 25
Colombera BS 38 V 10
Colombera SV 73 K 19
Colombera TV 42 AI 9
Colombi CN 61 J 17
Colombiera Molicciara SP 78 V 19
Colombiere TO 46 B 14
Colombina BS 38 V 10
Colombina MN 54 Y 13
Colombit AO 34 I 10
Colombrara PU 97 AL 23
Colongi CS 170 BF 49
Colonia CI 224 L 49
Colonia Cozzo
Impalastro PA 185 AR 56
Colonia Hanseniana BA 146 BJ 39
Colonna AP 108 AQ 27
Colonna PV 50 O 13
Colonna RM 120 AL 32
Colonna di Grillo SI 94 AE 24
Colonna San Giovanni AV 142 AY 37
Colonnata AP 108 AQ 26
Colonnata FI 86 AC 20
Colonnata MS 78 V 19
Colonne AL 63 P 15
Colonnella TE 109 AS 26
Colonnetta RI 114 AM 30
Colonnetta di Prodo TR 105 AI 27
Colonnetta La Memoria RI 113 AK 30
Colonno CO 22 P 8
Colordesoli SI 93 AB 25
Coloreto PR 65 X 15
Coloretta MS 77 T 17
Colorina SO 24 T 7
Colorio FC 88 AH 21
Colorno PR 53 X 14
Colosimi CS 171 BH 49
Colotto MC 98 AO 24
Colpalombo PG 97 AK 24
Colpetrazzo PG 106 AK 27
Colsaino PG 97 AL 25
Colsano BZ 12 AA 4
Coltano Radio PI 85 X 22
Coltaro PR 53 W 14
Coltavolino PG 96 AJ 24
Colterenzio BZ 13 AC 5
Colti OT 210 Q 37
Coltodino RI 113 AL 30
Coltrancui TV 29 AJ 9
Coltrini VR 40 AC 10
Coltura PN 29 AJ 7
Coltura RC 177 BI 53
Coltura TN 26 Z 7
Colturano MI 37 R 11
Colubro RM 120 AM 33
Colucci CS 168 BH 46
Colugna UD 30 AO 7
Coluonni BN 142 AX 37
Colza UD 16 AM 5
Colzate BG 24 U 9
Colzè VI 41 AE 11
Comabbio VA 35 N 9
Comacchio FE 69 AI 15
Comacchio VA 22 N 8
Comano MS 78 V 18
Comano TN 26 AA 7
Comasine TN 11 Z 6
Comazzo LO 37 R 11
Comba TO 59 E 15
Combagarino TO 47 D 14
Combai TV 28 AH 8
Combala CN 59 E 17
Combattuta BS 39 X 10
Combe CN 58 D 17
Combe CN 71 H 17
Combes AO 32 D 9
Comeana PO 86 AB 21
Comeglians UD 16 AM 4
Comelico Sup. BL 15 AJ 4
Comenduno BG 37 T 9
Comèrconi VV 176 BE 52
Comerio VA 22 N 8
Comerlati VR 40 AB 10
Comerlati VR 40 AB 10
Comero BS 38 W 9
Comerzo UD 16 AN 6
Comezzano BS 38 U 11
Comians AO 19 G 8
Comighello TN 26 AA 7
Comignago NO 35 M 9
Comigno UD 16 AN 6
Cominelli VR 54 Z 12
Cominello BS 39 X 11
Cominio AQ 115 AP 30
Comino CH 116 AU 30
Comiso RG 204 AW 62
Comitini AG 193 AQ 59
Comiziano NA 141 AW 38
Commenda AP 98 AQ 25
Commenda RE 66 Z 14
Commenda TO 48 G 12
Commenda VT 112 AH 29
Commessaggio MN 53 Y 13
Comnago NO 21 M 8
Como CO 22 P 9
Comone d'Enea NO 35 L 10
Compagnia Evaristiani VS 221 O 47
Comparine VR 55 AC 11
Comparni VV 176 BF 52
Compart SO 10 V 4
Comparte BS 25 X 7
Compiano PR 64 S 17
Compiano RE 65 X 16
Compignano LU 85 X 20
Compignano PG 105 AI 26
Compiobbi FI 86 AD 21
Compione MS 78 V 18
Compito AR 88 AG 21
Compresso PG 96 AJ 24
Comugne VE 30 AM 9
Comugni AR 95 AF 22
Comun Nuovo BG 37 S 10
Comuna BI 34 J 11
Comuna Bellis MN 55 AC 13
Comunaglia PG 96 AI 23
Comunanza AP 108 AP 26
Comunanza AP 109 AR 26
Comune SA 162 BA 42
Comuneglia SP 77 S 17
Comunella TV 41 AG 9
Comunetto TV 42 AG 10
Comungrande MO 79 AA 17
Cona CH 123 AV 31
Cona CS 170 BF 49
Cona CS 171 BG 48
Cona FE 68 AF 15
Cona LT 129 AM 33
Cona PE 116 AS 30
Cona VE 56 AH 12
Cona VR 40 AA 10
Cona Faiete TE 108 AQ 27
Conaprato PE 116 AS 29
Conca AQ 122 AS 31
Conca PU 89 AJ 20
Conca Casale IS 131 AT 34
Conca Dei Marini SA 151 AW 40
Conca della Campania CE 131 AS 35
Conca Specchiulla LE 159 BT 42
Conca Verde NA 151 AV 40
Conca Verde OT 207 Q 36
Conca Verde SV 75 L 18
Concadirame RO 56 AF 13
Concagno CO 22 O 9
Concas NU 215 S 40
Concenedo LC 23 R 8
Concerviano RI 114 AM 30
Concesio BS 38 W 10
Concessa RC 189 BC 54
Conche PD 57 AI 12
Conche TV 43 AK 9
Conche VI 55 AD 12
Conci AP 98 AP 25
Concio MT 165 BI 42
Concio Longo CS 167 BG 45
Conco VI 27 AE 9
Concordia Sagittaria VE 30 AM 9
Concordia sulla Secchia MO 54 AA 14
Concorezzo MB 37 R 10
Condemine AO 19 E 9
Condino TN 25 Y 8
Condofuri RC 178 BE 55
Condofuri Marina RC 178 BE 56
Condojanni RC 179 BG 54
Condove TO 47 E 13
Condrò ME 189 BA 54
Condurso ME 188 AZ 55
Conegliano TV 29 AI 8
Conetta VE 56 AG 12
Confenti VR 40 AC 10
Confiengo TO 47 G 14
Confienza PV 50 M 12
Configni RI 113 AK 29
Configni TR 106 AK 27
Configno RI 107 AO 28
Confin TV 28 AI 8
Confine AG 193 AR 59
Confini AP 108 AR 27
Confini BN 142 AX 37
Conflenti Inf. CZ 171 BG 49
Conflenti Sup. CZ 171 BG 49
Confos BL 28 AI 7
Confreria CN 71 G 17

A B C D E F G H I J K L M N O P Q R S T U V W X Y Z

A B C D E F G H I J K L M N O P Q R S T U V W X Y Z

COMO

Ambrosoli (V.)	Z 2	Gallio (V. T.)	Y 14	Recchi (V.)	Y 29
Battisti (Vle Cesare)	Z 3	Garibaldi (V.)	Y 15	Rosselli (Viale F.)	Y 30
Carcano (V.)	Y 5	Giulio Cesare (Vle)	Z 16	S. Bartolomeo (Pza)	Z 32
Castelnuovo (V.)	Z 6	Leoni (V. Leone)	Z 18	S. Rochetto (Pzale)	Y 33
Cattaneo (Viale C.)	Z 7	Lucini (V.)	Y 19	Trento (Largo Lario)	Y 36
Cavallotti (Viale)	Y 8	Manzoni (V.)	Y 21	Trieste (Largo Lario)	Y 37
		Masia (Viale M.)	Y 22	Vittorio Emanuele II (V.)	Y 40
		Piave (V.)	Y 27	Volta (Pza)	Y 42
		Plinio (V.)	Y 26		

Brioletto .... Y A

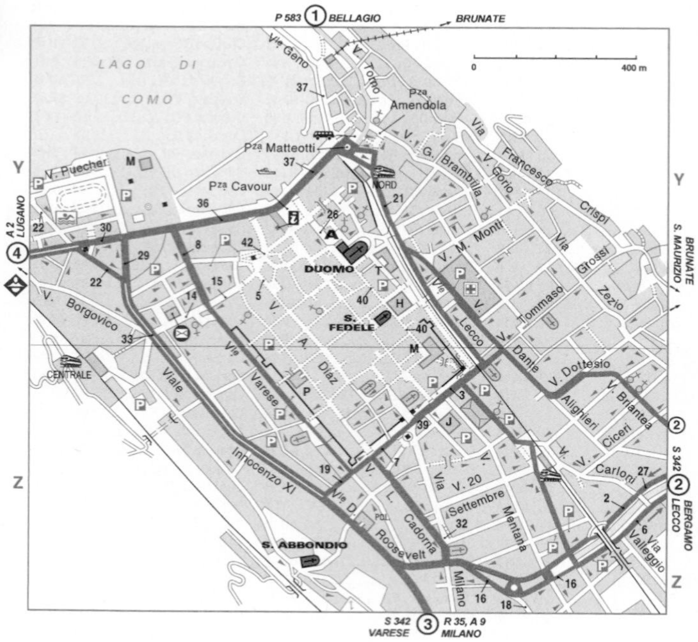

[Map of COMO — LAGO DI COMO, BELLAGIO, BRUNATE, DUOMO, S. FEDELE, S. ABBONDIO, CENTRALE, 400 m scale, routes to VARESE, MILANO, BERGAMO, LECCO, LUGANO]

Congiunti PE......116 AT 29
Coni PC......64 S 14
Coniale FI......81 AD 19
Conigo MI......51 P 11
Conio IM......72 I 20
Coniolo AL......49 L 13
Coniolo BS......38 U 11
Conna SV......73 J 20
Connio AL......63 Q 16
Conocchia IS......132 AU 34
Conogliano UD......16 AO 6
Consalvi CH......117 AU 31
Conscente SV......73 J 19
Conscenti GE......76 R 17
Conscio TV......42 AI 10
Conselice RA......68 AF 16
Conselve PD......56 AG 12
Conservatore RG......204 AX 62
Consolazione RC......189 BD 55
Console LE......158 BQ 42
Consovero CN......60 H 17
Consuma FI......87 AE 21
Consuma PT......79 Z 19
Contane FE......56 AH 14
Contarina RO......57 AI 13
Contea FI......87 AE 20
Contea RO......56 AG 13
Conterico MI......37 R 11
Contessa CS......167 BG 47
Contessa Entellina PA......192 AO 57
Conti AP......98 AP 26
Conti TN......27 AC 7
Contigliano RI......113 AL 29
Contignaco Cella PR......64 U 15
Contignano SI......104 AF 26
Contile PR......64 U 16
Contra AV......151 AX 38
Contra CN......74 J 17
Contra SV......74 L 18
Contrada Abbazia CB......133 AX 34
Contrada Camerata CS......167 BG 45
Contrada Caracoli PA......185 AR 56
Contrada Carpine PZ......154 BE 39
Contrada Carrarola SA......153 BE 41
Contrada Chianche PA......185 AR 56
Contrada Cicirelli SA......163 BC 42
Contrada Conicelle CS......167 BG 45
Contrada Crocefisso SA......163 BC 43
Contrada della Chiesa PR 52 V 14
Contrada Fiumicello SA......163 BC 42
Contrada Fratta BA......146 BJ 37
Contrada Gangemi KR......173 BL 48

Contrada Garletti BS......39 X 11
Contrada Hangar SA......163 BB 43
Contrada Iannacci VV......174 BF 52
Contrada Lacco ME......188 AY 55
Contrada Malepasso AV 143 BB 38
Contrada Noce del Conte SA......153 BC 42
Contrada Palazzo Soccorso SA......162 BA 41
Contrada Petraro ME......188 BA 55
Contrada Poria SA......163 BC 43
Contrada Pratelli AN......97 AN 23
Contrada Riposo CS......171 BH 48
Contrada San Giovanni TA......157 BN 41
Contrada San Girolamo PA......185 AR 56
Contrada San Marco CS 171 BG 48
Contrada Taverna CZ......175 BI 52
Contrada Taverna Barone SA......153 BB 40
Contrada Tenna AP......99 AQ 25
Contrada Venedise TP......190 AQ 63
Contrapò FE......68 AF 14
Contrebbia PC......52 S 13
Contrin BL......14 AG 4
Contro MC......98 AP 25
Controguerra TE......109 AR 26
Contron PN......15 AJ 6
Contura VI......41 AD 11
Contura ME......187 AX 55
Contura ME......188 AX 55
Contura ME......188 AY 55
Contura Inf. ME......189 BB 56
Contura Sup. ME......188 BA 56
Conturbia NO......35 M 9
Contursi Terme SA......152 BA 40
Convalle LU......85 X 20
Conventi di San Giuliano AQ......115 AP 29
Conventino RM......120 AK 31
Convento BO......81 AE 18
Convento CZ......170 BF 49
Convento EN......194 AV 58
Convento FE......147 AH 14
Convento MC......98 AP 24
Convento PN......92 Y 23
Convento PR......65 X 15
Convento RI......114 AM 30
Convento Cappuccini FG......134 AZ 34
Convento di San Francesco SA......162 AZ 42

Convento di San Giacomo RI......114 AM 28
Convento di Santa Vittoria PU......90 AM 22
Convento Fonte Colombo RI......114 AL 29
Convento Immacolata BA......147 BM 38
Convento Lo Speco TR......113 AK 29
Convento Padri Passionisti GR......110 AB 29
Convento Passionisti AN......90 AO 22
Convento San Francesco NA......151 AV 39
Convento Santa Maria di Cotrino BR......148 BP 40
Convento Suore Consolata VT......119 AI 30
Conversano BA......147 BL 38
Converselle RA......82 AG 18
Conza della Campania AV......143 BB 38
Conzano AL......49 L 13
Conze IS......132 AV 33
Cooperativa Giove EN......194 AU 58
Copece PN......30 AM 8
Copellaro LT......129 AM 34
Copelletra RM......120 AN 32
Coperchia SA......151 AX 39
Coperchiata IS......132 AV 33
Copersito SA......162 AZ 42
Coperso AP......108 AQ 27
Copertino LE......159 BR 42
Copezzato PR......53 W 14
Copiano PV......51 Q 12
Copogna MC......97 AM 25
Coppa di Cielo FG......127 BF 32
Copparo FE......56 AF 14
Coppe TR......113 AK 29
Coppetelle NA......151 AV 40
Coppi AL......49 L 13
Coppieri TO......59 E 15
Coppitella FG......127 BF 32
Coppito AQ......115 AP 29
Coppo AN......91 AQ 22
Coppoli BN......141 AV 36
Corace CZ......175 BI 50
Coraci CS......171 BH 49
Corana PV......50 O 13
Corano GR......111 AE 28
Corano PC......51 R 14
Corato BA......137 BH 37
Corato VE......57 AH 12
Corazzano PI......85 AA 22

Corbanese TV......28 AI 8
Corbara SA......151 AW 39
Corbara TR......105 AI 27
Corbellino AQ......115 AQ 30
Corbesassi PV......63 Q 15
Corbesate PV......51 Q 12
Corbet AO......19 H 9
Corbetta MI......36 O 11
Corbezzi PT......86 AA 20
Corbiglia TO......47 F 13
Corbiolo VR......40 AB 10
Corbiolo VR......55 AC 12
Corbola RO......57 AH 13
Corbolone VE......43 AL 9
Corcagnano PR......65 W 15
Corchia PR......64 U 17
Corchiano VT......113 AJ 29
Corcia PG......97 AL 24
Corciano PG......96 AI 25
Corcolle RM......120 AL 32
Corcrevà RO......56 AH 13
Corcumello AQ......121 AP 31
Cordani PC......64 S 15
Cordellon BL......28 AH 7
Cordenazzetti VE......57 AH 12
Cordenazzo VE......57 AH 12
Cordenons PN......29 AL 8
Cordigliano PG......96 AJ 25
Cordignano TV......29 AJ 8
Cordivino MC......98 AN 23
Cordova TO......48 H 13
Cordovado PN......30 AM 8
Cordusi RC......179 BF 56
Coredo TN......12 AB 5
Coremò CI......224 M 49
Corenno Plinio LC......23 Q 7
Coreno Ausonio FR......131 AR 35
Corese Terra RI......120 AL 30
Coretto CS......167 BG 47
Corezzo AR......88 AG 21
Corfinio AQ......122 AS 31
Corfino LU......78 X 19
Corgeno VA......35 N 9
Corgna PG......96 AH 24
Corgneto MC......107 AM 26
Corgnolaz AO......19 G 8
Corgnolo BO......80 AB 19
Corgnolo UD......30 AO 8
Corgnul UD......16 AN 6
Coriano FC......82 AH 18
Coriano RE......65 X 17
Coriano RE......79 X 18
Coriano RN......89 AK 20
Coriano VR......55 AC 12
Coriasco TO......48 H 12
Corica CS......170 BF 49
Coriconi AP......108 AP 26
Coriemano IS......132 AU 34
Corigliano CE......140 AS 36
Corigliano SA......152 AY 40
Corigliano Calabro CS......168 BI 46
Corigliano d'Otranto LE......161 BS 43
Corigliano Scalo CS......168 BI 46
Corinaldo AN......90 AN 22
Corio TO......47 G 12
Coritis UD......17 AP 5
Corlaga MS......78 U 18
Corlanzone VI......41 AD 11
Corleone PA......184 AO 57
Corleto FG......144 BC 36
Corleto RA......82 AG 18
Corleto Monforte SA......153 BB 41
Corleto Perticara PZ......154 BF 41
Corlo FE......68 AF 14
Corlo MO......66 Z 16
Corlo PG......96 AI 23
Cormaiano CB......124 AY 31
Cormano MI......36 P 10
Cormons GO......31 AP 8
Corna Imagna BG......23 S 9
Cornacchiaia FI......80 AD 19
Cornacchiano TE......108 AQ 27
Cornacervina FE......68 AG 15
Cornadella TV......42 AI 9
Cornaglie AL......50 M 14
Cornalba BG......24 T 8
Cornale AL......49 K 13
Cornale CN......61 J 15
Cornale PV......50 O 13
Cornale PZ......164 BF 43

Cornale PZ......164 BF 43
Cornalea AT......61 L 14
Cornaleto CR......52 T 12
Cornaleto GE......63 R 16
Cornaletto CN......70 E 18
Cornappo UD......17 AP 6
Cornarè TV......29 AK 8
Cornaredo MI......36 P 10
Cornaro PC......63 R 15
Cornarotta TV......42 AG 9
Cornarotta TV......42 AH 10
Cornate d'Adda MB......37 R 10
Cornazzai UD......30 AN 8
Cornazzano RM......119 AI 31
Cornè TV......26 AA 9
Corneda MS......78 U 18
Cornedo all'isarco / Kafneld BZ......13 AD 5
Cornedo Vicentino VI......40 AD 10
Cornegliana PD......56 AG 12
Cornegliano Laudense LO......51 R 12
Corneliano Bertario MI......37 R 11
Corneliano d'Alba CN......60 I 15
Cornelle RI......114 AO 28
Corneto AP......108 AP 27
Corneto BS......38 V 10
Cornetti TO......47 E 12
Cornia GE......76 Q 17
Corniana PR......65 V 16
Corniano MN......54 Z 12
Cornice SP......77 T 18
Corniga CO......22 P 8
Cornigian BL......14 AI 5
Corniglia SP......77 T 19
Cornigliano Ligure GE......75 O 17
Corniglio PR......65 V 17
Cornillo Nuovo RI......108 AP 28
Cornillo Vecchio RI......108 AO 28
Cornino TP......182 AK 55
Cornino UD......16 AN 6
Cornio VE......42 AH 11
Corniola PC......51 R 13
Corniola FC......87 AF 20
Corniolo FI......87 AD 20
Corniolo PT......80 AA 19
Cornizza PN......29 AK 8
Corno AL......49 L 12
Corno CN......60 I 16
Corno TO......59 H 15
Corno VR......39 Z 10
Corno di Rosazzo UD......31 AP 8
Corno d'Oro SA......152 AV 40
Corno Giovine LO......52 T 13
Cornocchio RE......65 X 15
Cornola LU......78 X 19
Cornolo PC......64 T 15
Cornolo PR......64 S 16
Cornovecchio LO......52 T 13
Cornuda TV......28 AH 9
Corobolli VI......40 AC 9
Coroglio NA......150 AU 39
Corona AQ......121 AP 31
Corona BO......80 AA 18
Corona CE......140 AS 36
Corona GO......31 AP 8
Corona MT......154 BG 39
Corona VI......41 AD 11
Corona / Graun BZ......12 AC 6
Corone BG......23 T 8
Corone BL......14 AG 5
Corone PG......107 AN 26
Corone TV......42 AH 9
Coronella FE......67 AC 15
Corongiu CI......224 M 48
Corpi Santi CH......123 AU 31
Corpo di Cava SA......151 AX 39
Corpo Reno FE......67 AC 15
Corpo Santo SI......94 AC 23
Corpolo RN......83 AJ 19
Corposano PG......88 AI 22
Corradino AP......98 AP 25
Corraduccio PG......97 AL 24
Correano FR......131 AR 35
Correggi FE......68 AG 15
Correggio RE......66 Z 15
Correggioli MN......55 AC 13
Correggioverde MN......54 Y 14
Correzzana MB......37 Q 10
Correzzana FE......68 AG 15
Correzzo PD......56 AF 13
Correzzo VR......55 AB 13
Correzzola PD......56 AH 12

Corridori CT......197 BA 57
Corrieri PT......79 AA 19
Corroccioni AQ......114 AQ 29
Corropoli TE......109 AR 27
Corrubbio VR......40 AA 11
Corrubbioli VR......55 AC 11
Corrubio VR......40 AA 10
Corrubio VR......40 AB 10
Corrugunele OT......210 AP 39
Corruttò RC......176 BF 52
Corsaglia CN......71 I 18
Corsagna LU......85 Y 20
Corsalone AR......87 AG 21
Corsanico LU......84 W 20
Corsano MS......84 W 19
Corsano AV......142 AY 36
Corsano LE......161 BT 44
Corsano SA......151 AW 39
Corsano SI......94 AD 24
Corsari LE......160 BQ 42
Corsciano MC......98 AN 24
Corsella PU......89 AK 22
Corsi CS......168 BH 45
Corsiano MI......36 P 11
Corsiglia GE......76 Q 17
Corsione AT......49 J 13
Corsitti PA......183 AN 55
Corso TP......182 AJ 56
Corso VR......40 AA 10
Corso VR......55 AC 12
Cort TN......26 Z 7
Cortabbio LC......23 R 8
Cortaccia / Kurtatsch BZ......12 AC 6
Cortale CZ......174 BH 50
Cortale UD......16 AO 7
Cortalta VR......54 AA 12
Cortandone AT......49 J 14
Cortanze AT......49 J 13
Cortazzone AT......49 J 14
Corte AT......61 K 15
Corte BL......14 AG 5
Corte BL......28 AH 7
Corte BL......14 AI 5
Corte BZ......4 AG 3
Corte CS......171 BH 48
Corte GE......77 R 17
Corte IM......72 H 20
Corte MO......66 AA 14
Corte MS......78 V 18
Corte PD......56 AH 12
Corte VB......20 J 8
Corte VC......21 K 8
Corte VI......41 AD 9
Corte VR......39 Z 11
Corte Bragagnani VR......55 AB 12
Corte Brigafatta Nuova VR..54 AA 12
Corte de' Cortesi CR......52 U 12
Corte de' Frati CR......53 V 12
Corte della Chiesa PV......50 M 12
Corte Franca BS......38 U 10
Corte Madama CR......52 T 12
Corte Miniscalchi VR......55 AB 12
Corte Palasio LO......52 S 12
Corte Prestinari MN......54 Z 12
Corte Re CO......22 O 9
Corte Ronchi MN......54 Z 13
Corte Sant'Andrea LO......52 S 13
Corte Terza SO......9 Q 6
Corte Tezzoli MN......54 Z 12
Corte Vescovado PR......53 W 14
Cortecorbo AV......142 AZ 38
Cortejoanna AV......142 AY 38
Cortellazzo BS......39 X 11
Cortellazzo VE......43 AL 10
Cortello UD......30 AO 8
Cortemaggiore PC......52 U 14
Cortemilia CN......61 K 16
Cortenedolo BS......25 W 6
Corteno Golgi BS......25 W 7
Cortenova LC......23 R 8
Cortenova MS......78 U 18
Cortenuova BG......37 T 10
Cortenuova di Sopra BG..37 T 10
Corteolona PV......51 R 13
Cortereggio TO......48 H 12
Cortesano TN......26 AB 7
Cortetano CR......52 U 12
Corti BZ......4 AG 3
Corti PC......64 T 15
Corti SO......9 R 5
Corti Rosas CA......222 R 46
Cortia LU......78 W 18
Corticella BO......67 AD 16
Corticella BZ......3 AA 3
Corticella RE......66 Z 16
Corticelle SA......151 AX 39

Corticelle SA	162 AZ 42	Corvara SP	77 T 18	Cosseria SV	74 K 17
Corticelle Pieve BS	38 V 11	Corvara in Badia /		Cossignano AP	108 AR 26
Cortiglia Presti		Kurfar BZ	14 AG 4	Cossila San Grato BI	34 J 10
San Lorenzo PA	183 AN 55	Corvara in Passiria /		Cossito RI	107 AO 27
Cortigliolo TP	182 AK 55	Rabenstein BZ	3 AB 2	Cossogno VB	21 M 8
Cortiglione AT	49 J 13	Corvara RI	115 AO 30	Cossoine SS	213 N 41
Cortiglione AT	61 L 15	Corvarola MS	78 U 18	Cossombrato AT	49 J 14
Cortigno PG	107 AM 27	Corveglia AT	48 I 14	Costa AL	62 M 16
Cortila MS	78 V 18	Corvella BO	80 AA 18	Costa AL	61 M 16
Cortile MO	66 AA 15	Corvi CN	71 H 17	Costa AL	62 O 14
Cortile Falzoni MN	54 Z 12	Corviale RM	119 AJ 32	Costa AN	97 AM 23
Cortile Spanora RM	119 AI 31	Corvinia SA	152 AY 40	Costa AN	98 AN 23
Cortili dell'Acquaro PG	107 AN 26	Corvino PV	51 P 13	Costa BG	23 S 8
Cortina PC	64 U 14	Corvino San Quirico PV	51 Q 13	Costa BG	23 S 8
Cortina RA	82 AH 17	Corvione BS	53 W 12	Costa BL	27 AF 7
Cortina RO	55 AC 13	Corzano BS	38 V 11	Costa BL	14 AH 5
Cortina TN	11 Z 6	Corzati VI	40 AC 9	Costa BL	15 AK 4
Cortina VR	39 Z 10	Corzes BZ	11 Z 4	Costa BS	38 U 10
Cortina / Kurtinig BZ	12 AC 6	Cosa PN	30 AM 7	Costa BS	39 Y 9
Cortina d'Ampezzo BL	14 AH 4	Cosana CN	74 K 17	Costa BS	39 Y 10
Cortina di Giais PN	29 AK 7	Cosasca VB	7 K 7	Costa BZ	12 AA 4
Cortine BS	38 W 10	Coschi CS	170 BG 49	Costa CN	61 J 16
Cortine BS	39 X 10	Coscogno MO	79 AA 17	Costa CN	74 K 17
Cortine FI	94 AC 22	Coseano UD	30 AN 7	Costa CN	74 J 17
Cortine MN	54 Y 12	Cosentini SA	152 BA 41	Costa CN	74 J 17
Cortine SI	94 AD 24	Cosenza CS	170 BG 48	Costa CS	168 BH 46
Cortino TE	108 AQ 28	Cosina RA	82 AG 18	Costa GE	63 P 16
Cortino VB	7 L 6	Cosio di Arroscia IM	72 H 19	Costa IM	72 H 20
Cortivo VI	40 AC 10	Cosio Valtellino SO	23 S 7	Costa IM	72 I 20
Cortivo VR	40 AC 10	Cosizza UD	31 AQ 7	Costa MC	107 AM 26
Cortoghiana CI	224 L 48	Cosniga-Zoppè TV	29 AJ 8	Costa MC	97 AN 24
Cortogno RE	65 X 16	Cosoleto RC	179 BE 54	Costa PC	63 Q 16
Cortona AR	95 AG 24	Cosona SI	104 AE 25	Costa PC	63 R 16
Corva PN	29 AK 8	Cospaia PG	88 AI 22	Costa PC	52 S 14
Corvaiano TR	113 AK 29	Cossano Belbo CN	61 K 15	Costa PC	64 S 15
Corvara PE	116 AS 30	Cossano Canavese TO	34 I 11	Costa PC	64 T 14
		Cossato BI	34 K 10	Costa PC	64 T 15

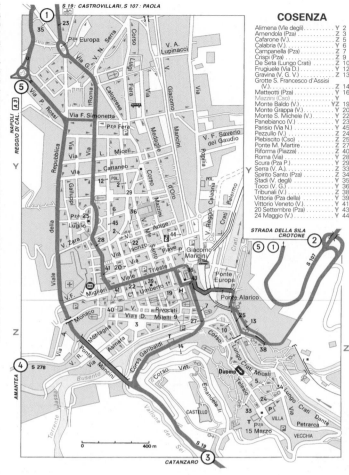

COSENZA

Alimena (Vle degli)	Y 2
Amendola (Pza)	Z 3
Cafarone (V.)	Z 5
Calabria (V.)	Y 6
Campanella (Pza)	Z 7
Crispi (Pza)	Z 9
De Seta (Lungo Crati)	Z 10
Frugiuele (Via D.)	Y 12
Gravina (V. G. V.)	Z 13
Grotte S. Francesco d'Assisi (V.)	Z 14
Matteotti (Via)	Y 16
Mazzini (Cso)	Y
Monte Baldo (V.)	YZ 19
Monte Grappa (V.)	Y 20
Monte S. Michele (V.)	Y 22
Panebianco (V.)	Y 23
Parisio (Via N.)	Y 45
Pezzullo (V.)	Z 24
Plebiscito (Cso)	Z 25
Ponte M. Martire	Z 27
Riforma (Piazza)	Z 40
Roma (Via)	Z 28
Scura (Pza P.)	Z 29
Serra (V. A.)	Z 33
Spirito Santo (Pza)	Z 34
Stadi (V. degli)	Y 35
Tocci (V. G.)	Y 36
Tribunali (V.)	Z 38
Vittoria (Pza della)	Y 39
Vittorio Veneto (V.)	Y 41
20 Settembre (Pza)	Y 43
24 Maggio (V.)	Y 44

A B C D E F G H I J K L M N O P Q R S T U V W X Y Z

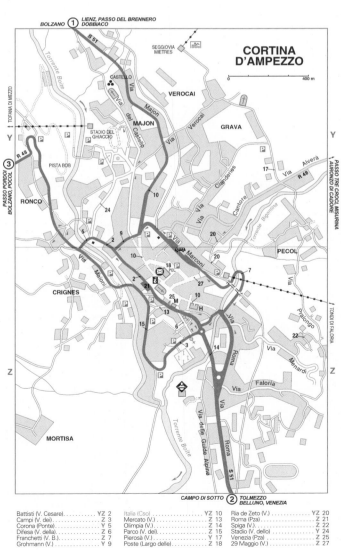

CORTINA D'AMPEZZO

Battisti (V. Cesare)	YZ 2
Campi (V. dei)	Z 3
Corona (Ponte)	Y 5
Difesa (V. della)	Z 6
Franchetti (V. B.)	Z 7
Grohmann (V.)	Y 9
Italia (Cso)	YZ 10
Mercato (V.)	YZ 13
Olimpia (V.)	Z 14
Parco (V. del)	Z 15
Pierosa (V.)	Y 17
Poste (Largo delle)	Z 18
Ria de Zeto (V.)	YZ 20
Roma (Pza)	Z 21
Spiga (V.)	Z 22
Stadio (V. dello)	Y 24
Venezia (Pza)	Z 25
29 Maggio (V.)	Z 27

Costa PD	41 AF 10	Costa di Rovigo RO	56 AF 13	Costalunga VI	27 AE 9
Costa PG	97 AL 25	Costa di Serina BG	24 T 9	Costalunga VR	40 AC 11
Costa PN	29 AK 7	Costa di Sopra VI	27 AD 9	Costalunga / Karer TN	13 AE 5
Costa PR	64 S 16	Costa di Sotto VI	27 AD 9	Costamagna CN	60 I 16
Costa PR	64 S 16	Costa di Trex PG	97 AK 25	Costamala MS	78 U 18
Costa PR	64 U 15	Costa d'Oneglia IM	73 J 20	Costamartina MC	99 AR 24
Costa PR	78 V 17	Costa Dorata OT	211 S 38	Costamolino UD	16 AO 5
Costa PR	65 W 16	Costa Fontana GE	62 O 16	Costamora VR	40 AA 10
Costa RA	81 AF 18	Costa Inf. RO	56 AF 13	Costano PG	106 AK 25
Costa RE	65 X 17	Costa La Traglia LT	130 AO 35	Costanti BS	39 X 10
Costa RG	204 AW 62	Costa Masnaga LC	36 Q 9	Costantini AV	143 AZ 37
Costa SP	77 S 17	Costa Merlata BR	148 BO 39	Costanzana VC	49 L 12
Costa SP	77 S 18	Costa Mezzana PR	65 V 15	Costaraba CZ	175 BI 51
Costa SV	74 J 18	Costa Montefedele PV	51 R 13	Costarainera IM	72 I 20
Costa SV	73 J 19	Costa Montemartino PV	63 Q 15	Costa-Rustigazzo PC	64 T 15
Costa SV	73 J 19	Costa Paradiso OT	209 O 37	Costasaracena	
Costa SV	74 K 17	Costa Pavesi PR	65 V 15	Castelluccio SR	203 AZ 60
Costa SV	74 K 17	Costa Romantica OT	211 S 38	Coste AN	98 AO 23
Costa SV	75 M 17	Costa San Paolo AV	143 AZ 36	Coste AP	99 AQ 24
Costa SV	75 M 17	Costa San Savino PG	97 AL 23	Coste CB	133 AW 35
Costa TN	26 AB 8	Costa San Severo MC	97 AN 25	Coste MC	98 AP 25
Costa TN	26 AB 8	Costa Sant'Abramo CR	52 U 12	Coste SA	162 AY 42
Costa TN	26 AB 9	Costa Serena OT	207 R 36	Coste TV	28 AG 9
Costa TN	26 AC 8	Costa Toffol BL	15 AH 5	Coste VI	27 AF 8
Costa TO	47 F 14	Costa Valle Imagna BG	23 S 9	Coste VR	40 AA 10
Costa TV	29 AI 8	Costa Vescovato AL	62 O 15	Coste VT	112 AH 28
Costa UD	17 AQ 7	Costa Volpino BG	24 V 8	Coste di Oratino CB	133 AW 34
Costa VC	20 J 8	Costabianca AN	99 AQ 23	Coste di Sopra IS	132 AV 33
Costa VI	27 AD 8	Costa-bissara VI	41 AD 10	Coste San Paolo PG	106 AL 26
Costa VI	40 AD 10	Costabona RE	79 X 17	Costeggiola VR	40 AA 10
Costa VI	27 AE 8	Costacalda CN	71 I 18	Costeggiola VR	40 AC 11
Costa VI	27 AE 9	Costacciaro PG	97 AL 23	Costeons UD	16 AN 4
Costa VI	27 AE 9	Costadedoi BZ	14 AG 4	Costermano VR	39 Z 10
Costa VI	27 AF 8	Costafinale GE	63 Q 17	Costey AO	34 I 10
Costa Bacelega IM	73 J 19	Costafiore MC	107 AN 25	Costigliola AL	62 O 15
Costa Carnara IM	72 I 20	Costalissoio BL	15 AK 4	Costigliole d'Asti AT	61 K 15
Costa Casale CB	132 AW 34	Costalovara BL	13 AD 4	Costigliole Saluzzo CN	59 F 16
Costa Cavalieri PV	63 Q 14	Costalpino SI	94 AC 24	Costituzione AP	98 AP 25
Costa Corallina OT	211 S 38	Costalta BL	15 AK 4	Costoia BL	14 AG 5
Costa Croce FR	121 AN 33	Costalta PC	63 R 14	Costorio BS	38 W 10
Costa d'Antola BL	15 AK 4	Costalta VI	27 AE 8	Costozza BO	80 AB 19
Costa d'Arvelio PG	107 AM 25	Costalunga CN	74 J 17	Costozza VI	41 AE 11
Costa de' Nobili PV	51 R 13	Costalunga GE	63 P 16	Costrignano MO	79 Y 17
Costa degli Aranci CZ	175 BI 51	Costalunga GE	63 Q 16	Cotignola RA	82 AG 17
Costa di Monticelli BG	37 T 10	Costalunga UD	31 AP 7	Cotomino CT	201 AV 60

A B C D E F G H I J K L M N O P Q R S T U V W X Y Z

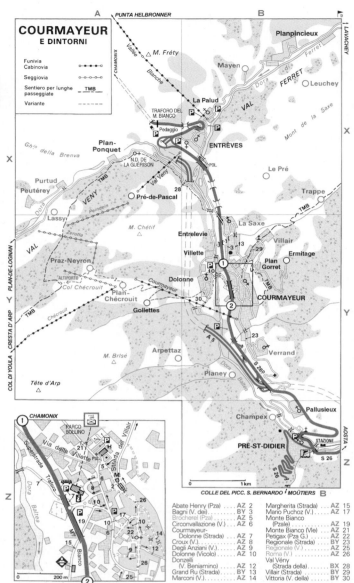

COURMAYEUR E DINTORNI

Funivia Cabinovia
Seggiovia
Sentiero per lunghe passeggiate — TMB
Variante

Abate Henry (Pza) . . . AZ 2
Bagni (V. dei) . . . . BY 3
Brocherel (Pza)
Circonvallazione (V.) . . AZ 6
Courmayeur-
Dolonne (Strada) . . AZ 7
Croux (V.) . . . . AZ 8
Degli Anziani (V.) . . . . AZ 9
Dolonne (Vicolo) . . . . AZ 10
Donzelli
(V. Beniamino) . . . AZ 12
Grand Ru (Strada) . . . BY 13
Marconi (V.) . . . . AZ 14

Margherita (Strada) . . . AZ 15
Mario Puchoz (V.) . . . . AZ 17
Monte Bianco
(V.le) . . . . AZ 19
Monte Bianco (Vle) . . . AZ 21
Petigax (Pza G.) . . . . . AZ 22
Regionale (Strada) . . . BY 23
Regionale (V.) . . . . AZ 25
Roma (V.) . . . . AZ 26
Val Vény
(Strada della) . . . . . BX 28
Villair (Strada) . . . . . . BY 29
Vittoria (V. della) . . . . BY 30

Cotronei KR............172 BJ 49
Cottà CN...............61 J 15
Cottanello RI..........113 AL 29
Cotti CH...............117 AV 31
Cotti RI...............114 AM 30
Cottignola RA..........81 AF 18
Cotto MS...............78 V 18
Cotugno AV............143 BA 37
Cotura PZ.............164 BF 44
Courmayeur AO.........18 C 9
Courtil AO.............33 H 10
Covala RC.............178 BD 54
Covelano BZ...........11 Z 4
Covelo BS.............38 V 10
Covelo TN.............26 AB 7
Covelo TN.............26 AB 8
Coviello SA...........152 BA 41
Covigliaio FI..........80 AC 19
Coviolo RE............66 Y 15
Covo BG...............37 T 11
Covolo TV.............28 AH 8
Covolo VI.............41 AD 10
Cozza AV.............142 AZ 37
Cozzana BA...........147 BM 38
Cozzano AR...........95 AG 23
Cozzano PG...........95 AG 25
Cozzano PR...........65 W 16
Cozzarelle CT.........197 AZ 58
Cozze BA.............147 BL 37
Cozzi CT.............197 BA 57
Cozzile PT............85 Z 20
Cozzo PR.............65 W 16
Cozzo PV.............50 M 12

Cozzo Carbonaro CS...167 BG 47
Cozzo Corvo PA.......185 AQ 55
Cozzo del Re RG......204 AW 62
Cozzo di Naro CL......193 AT 59
Cozzo di Pietra CS....168 BH 47
Cozzo Pettingoli PA...184 AO 55
Cozzuolo PN...........29 AJ 7
Cozzuolo TV...........28 AI 8
Crabi CI.............225 N 48
Crabì CI.............225 N 49
Cracchi VI............41 AD 10
Cracchi VR............40 AC 10
Craco MT.............155 BH 41
Crana VB...............7 L 7
Crandola Valsassina LC...23 R 7
Craoretto UD..........31 AP 7
Cras UD...............17 AQ 6
Crasciana LU..........85 Y 19
Crasto RC.............179 BF 54
Crastu OR............218 P 45
Crauglio UD...........31 AP 8
Crava BI.............34 K 10
Crava CN.............71 H 17
Cravagliana VC........21 K 8
Cravanzana CN.........61 J 16
Cravasco GE...........62 O 16
Craveggia VB...........7 L 7
Cravegna VB............7 K 6
Cravioli CN...........60 I 15
Crava AO.............19 E 9
Crea VE..............42 AH 11
Crealla VB.............7 M 7

Creazzo VI............41 AD 10
Crebbio LC............23 R 8
Crebini AL............62 N 15
Creda BO.............80 AC 18
Creda VR.............55 AB 12
Credaro BG............38 U 10
Credera CR............52 S 12
Crema CR.............52 T 11
Cremadasca PR.........64 S 16
Cremenaga VA..........22 N 8
Cremeno GE............62 O 17
Cremeno LC............23 R 8
Cremia CO.............23 Q 7
Cremignane BS.........38 V 10
Cremnago CO...........36 Q 9
Cremolino AL..........62 M 16
Cremona CR............52 U 13
Cremosano CR..........37 S 11
Crenna VA.............35 N 9
Creola-Vecchia PD.....41 AF 11
Crepaldo VE...........43 AL 10
Crepin AO.............19 E 9
Creppo IM.............72 H 19
Crescentino VC........49 J 12
Crescenzago MI........36 Q 10
Cresole VI............41 AE 10
Crespano del Grappa TV...28 AG 9
Crespellano BO........67 AB 16
Crespiatica LO........52 S 11
Crespignaga TV........28 AG 9

Crespignano PI.........85 Y 21
Crespina PI...........92 Y 22
Crespino RO...........56 AG 14
Crespino del Lamone FI...81 AE 19
Cressa NO.............35 M 10
Cressogno CO..........22 P 7
Cresta ME............187 AX 55
Cresta VB.............21 K 7
Cresto TO.............47 E 12
Cresto VB..............7 K 7
Creta AV.............142 AZ 36
Creta PC.............51 R 13
Cretaio GR............103 AA 25
Cretaio NA............150 AS 39
Cretarola AP...........99 AR 24
Cretarossa CS.........167 BG 46
Cretaz AO.............33 F 10
Cretazzo AV...........151 AX 38
Creti AR..............95 AG 24
Creto GE..............62 P 17
Creto TN..............25 Y 8
Creton AO.............32 E 10
Creton AO.............19 G 8
Cretone FR............131 AR 33
Cretone RM............120 AL 31
Croce a Uzzo PT.......86 AA 20
Crevacuore BI.........34 K 9
Crevada TV............28 AI 8
Crevalcore BO.........67 AB 15
Crevari GE............75 N 17
Crevenna CO...........23 Q 9
Crevola Sesia VC......34 K 9
Crevoladossola VB......7 K 7
Crichi CZ............171 BI 50
Crichi Soprano CZ....171 BH 50
Crino VB..............7 K 6
Crisci CE............141 AV 37
Criscia CE...........132 AV 36
Crisciuleddu OT.......210 Q 37
Crispa Nuova FE.......68 AG 14
Crispano NA...........150 AU 38
Crispiano TA..........157 BM 40
Crispiero MC..........98 AN 24
Crispino CS...........171 BG 48
Crissolo CN...........58 D 15
Crist BS..............25 W 8
Cristini CN...........60 H 15
Cristo VB.............7 L 6
Cristò RC............178 BF 53
Cristo della Cozzana BA...147 BM 38
Cristo Re BA..........147 BM 38
Crivario CS...........170 BF 48
Crivelle AT...........48 I 14
Croara BO.............80 AD 17
Croara BO.............81 AE 18
Crocci TP............182 AK 55

Croce AL..............61 L 15
Croce AR..............95 AF 24
Croce CE.............141 AU 36
Croce CN..............59 E 15
Croce CO..............23 Q 7
Croce FR.............131 AS 34
Croce LU..............78 X 19
Croce MC.............107 AN 26
Croce MC..............98 AO 25
Croce ME.............189 BB 55
Croce MN..............53 X 12
Croce MS..............77 U 18
Croce MS..............78 V 18
Croce NO..............35 L 10
Croce PC..............51 R 14
Croce PZ.............153 BD 39
Croce RE..............65 X 15
Croce RE..............79 X 17
Croce RN..............89 AK 20
Croce TV..............29 AK 9
Croce VE..............57 AH 13
Croce VE..............43 AK 10
Croce VR..............40 AB 10
Croce VR..............40 AB 10
Croce Anselice AV....142 AZ 37
Croce Daniele RA......81 AE 19
Croce di Casale AP....108 AP 26
Croce di Casale CE....140 AT 36
Croce di Casale CE....140 AT 36
Croce di Castiglione PG...96 AI 23
Croce di Magara CS....171 BH 48
Croce di San Lorenzo RC...178 BD 55
Croce di Via AP.......99 AQ 25
Croce Lagrimosa AV...142 AZ 37
Croce Moschitto RC....129 AN 34
Croce Nera AP........108 AQ 26
Croce Nuova VT.......118 AH 30
Croce Penta AV.......143 BB 38
Croce Rossa AP.......108 AQ 26
Croce Santo Spirito PC...52 U 13
Croce Valanidi RC....178 BD 55
Croce Verde PA.......185 AP 55
Croceferro PG........106 AL 27
Crocefieschi GE.......62 P 16
Crocefissello TP......182 AK 55
Crocefisso PG........106 AK 26
Crocefisso RC........179 BF 55
Crocella CB..........133 AX 35
Crocemarroggia PG....106 AK 27
Crocepietra VI.......117 AE 11
Croceta CH...........117 AU 30
Crocetta AT...........61 L 14
Crocetta BO...........67 AB 15
Crocetta BO...........68 AF 17

Crocetta FC...........82 AH 18
Crocetta FE...........67 AC 15
Crocetta GE...........62 O 16
Crocetta GE...........76 Q 17
Crocetta GE...........76 R 18
Crocetta ME..........187 AX 55
Crocetta MO...........79 AA 17
Crocetta MS...........77 U 18
Crocetta PC...........52 T 14
Crocetta PR...........65 W 15
Crocetta RO...........55 AD 13
Crocetta TO...........60 H 15
Crocetta VR...........40 AB 10
Crocetta del Montello TV...28 AH 8
Crocette AN...........98 AQ 23
Crocette MN...........54 Z 13
Crocette MO...........79 AA 17
Crocette VR...........40 AC 11
Crocevanella PA......183 AN 55
Crocevia AV..........142 AW 37
Crocevia CS..........171 BH 51
Crocevia ME..........187 AX 55
Crocevia MN...........53 Y 11
Crocevia RA...........82 AI 18
Crocevia TP..........182 AK 55
Crocevie AV..........143 AZ 37
Crocevia-Novello ME...188 AY 55
Croci di Calenzano FI...86 AC 20
Crociale BO...........80 AA 18
Crociale BS...........39 Y 10
Crociale FE...........55 AD 14
Crociali PT...........85 AA 20
Crociarone RA.........82 AI 18
Crociarone RO.........57 AH 14
Crocicchie RM........119 AI 31
Crocicella PA........182 AK 55
Crocicella RC........177 BG 53
Crociera AT...........61 L 15
Crocifisso CH........116 AT 30
Crociglia PV..........63 Q 14
Crociletto PR.........53 W 14
Crocino LI............92 X 9
Croda TV..............28 AH 8
Crodo VB..............7 K 6
Croesio CN............59 E 16
Crofeno SI............94 AE 24
Crognaleto TE........115 AP 28
Crone BS..............39 X 9
Cropalati CS.........168 BJ 46
Cropani CZ...........175 BJ 50
Cropani PZ...........164 BF 43
Cropani Marina CZ....175 BJ 50
Croppo VB.............7 K 7
Crosa BI.............34 K 10
Crosa PC.............52 U 14

CREMONA

Boccaccino (V.) . . . . BZ 3
Cadorna (Pza L.) . . . . AZ 4
Campi (Cso) . . . . BYZ
Cavour (Cso) . . . . BZ 6
Comune (Pza del) . . . . BZ 7
Garibaldi (Cso) . . . . AYZ
Geromini (V. Felice) . . . . BY 9
Ghinaglia (V. F.) . . . . AY 12
Ghisleri (V. A.) . . . . BY 13

Libertà (Pza della) . . . . BY 14
Mantova (V.) . . . . BY 17
Manzoni (V.) . . . . BY 18
Marconi (Pza) . . . . BZ 19
Marmolada (V.) . . . . BZ 22
Matteotti (Cso) . . . . BYZ
Mazzini (Cso) . . . . BZ 23
Melone (V. Altobello) . . . . BZ 24
Mercatello (V.) . . . . BZ 25
Monteverdi (V. Claudio) . . . . . BZ 27
Novati (V.) . . . . BZ 28
Risorgimento (Pza) . . . . AY 29

Spalato (V.) . . . . AY 35
Stradivari (Pza) . . . . BZ 37
S. Maria in Betlem (V.) . . . . . . BZ 32
S. Rocco (V.) . . . . BZ 33
Tofane (V.) . . . . BZ 39
Ugolani Dati (V.) . . . . BY 40
Vacchelli (Cso) . . . . BZ 42
Verdi (V.) . . . . BZ 43
Vittorio Emanuele II
(Cso) . . . . AZ 45
4 Novembre (Pza) . . . . BZ 46
20 Settembre (Cso) . . . . BZ 48

Battistero . . . . BZ L   Chiesa di Sant'Agostino . . . AZ B   Palazzo Fodri . . . . BZ D

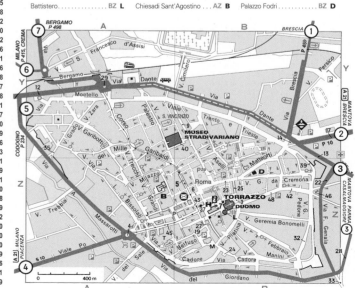

Crosa *SV* 73 J 19
Crosa *SV* 74 K 18
Crosano *TN* 26 AA 9
Crosara *PD* 55 AD 12
Crosara *PD* 56 AE 12
Crosara *PD* 56 AF 13
Crosara *RO* 56 AF 13
Crosara *VI* 27 AC 9
Crosara *VI* 27 AE 9
Crosara *VI* 41 AE 9
Crosara *VI* 41 AE 10
Crosara *VI* 41 AE 11
Crosara *VI* 41 AF 9
Crosara *VR* 54 AB 12
Crosara *VR* 55 AD 12
Crosarazza *PD* 56 AE 12
Crosare *VI* 27 AD 9
Crosare *VI* 27 AF 8
Crosare *VR* 55 AD 12
Crosare *VR* 55 AB 12
Crosia *CS* 168 BJ 46
Crosio della Valle *VA* 35 N 9
Crostù *UD* 31 AQ 7
Crot *TO* 47 E 12
Crotone *KR* 173 BL 49
Crotta *PV* 63 Q 14
Crotta d'Adda *CR* 52 U 13
Crotte *TO* 46 D 13
Crotte *TO* 34 I 11
Crotto *CO* 22 Q 8
Crova *GE* 77 R 18
Crova *VC* 49 K 12
Crovara *RE* 65 X 16
Croveo *VB* 7 K 6
Croviana *TN* 12 AA 5
Cruci *AV* 142 AY 38
Cruci *RM* 120 AM 33
Cruciano *RI* 114 AM 29
Crucoli *KR* 169 BL 47
Crugnola *VA* 35 N 9
Cruser *RA* 69 AI 16
Crusinallo *VB* 21 L 8
Cuasso al Monte *VA* 22 O 8
Cuasso al Piano *VA* 22 O 8
Cuccagna *MC* 98 AO 24
Cuccana *UD* 30 AO 8
Cuccarello *MS* 78 V 18
Cuccaro *AP* 108 AP 26
Cuccaro Monferrato *AL* 49 L 14
Cuccaro Vetere *SA* 162 BA 43
Cucche *VV* 177 BG 52
Cucchetta *BS* 53 W 11
Cucchiales *CN* 58 D 16
Cucchiano *CS* 170 BG 47
Cucciago *CO* 36 P 9
Cucciano *BN* 142 AY 37
Cucciano *PT* 85 AA 20
Cuccio *CS* 168 BH 46
Cucco *BO* 67 AD 15
Cucco *ME* 189 BB 56
Cucco *UD* 17 AP 4
Cucco *VA* 22 N 8
Cucco -Riviere *CS* 166 BD 45
Cuccumella *SR* 202 AY 59
Cuccurano *PU* 90 AM 21
Cuccurru Suergiu *CI* 224 L 48
Cuccuru de' Portu *OR* 216 M 44
Cuccuru e Iana *NU* 215 T 40
Cuceglio *TO* 48 H 11
Cucuzzi *RC* 177 BH 53
Cudacchi *BN* 133 AY 35
Cuffia *TO* 48 H 11
Cuffiano *BN* 133 AX 35
Cuffiano *RA* 81 AF 18
Cufò San Blasio *RC* 177 BH 53
Cufurà *TP* 190 AG 63
Cuggiono *MI* 36 N 10
Cugliate Fabiasco *VA* 22 N 8
Cuglieri *OR* 216 M 42
Cugnan *BL* 28 AI 7
Cugnana *OT* 211 S 37
Cugnoli *PE* 116 AS 30
Cuile Corruda *SS* 208 K 39
Cuili Murvoni *CA* 227 R 49
Cuili Saccheddu *SS* 208 L 39
Cuili San Giorgio *SS* 208 K 39
Cuirone *VA* 35 N 9
Culcasi *TP* 182 AJ 56
Culla *LU* 84 W 20
Cultura *PZ* 154 BD 41
Cumerlotti *TN* 26 AB 9
Cumia *ME* 189 BB 54
Cumiana *TO* 47 F 14
Cumignano sul Naviglio *CR* 52 U 11
Cumulata *RI* 114 AN 28
Cuna *SI* 94 AD 24
Cunaccia *VC* 20 J 8
Cunardo *VA* 22 N 8
Cuncia *MS* 78 U 18
Cune *LU* 85 Y 20
Cuneo *CN* 71 G 17
Cuneo *SV* 73 J 19
Cunevo *TN* 12 AB 6
Cunico *AT* 49 J 13
Cuoco *CS* 170 BF 48
Cuorgnè *TO* 33 G 11
Cuorno *AV* 142 AY 37
Cupa *CE* 140 AS 36
Cupa *MC* 98 AN 25
Cupa *PU* 89 AJ 21
Cupa del Medico *BN* 133 AY 35
Cupa Soprana *CZ* 171 BH 49
Cupacci *PG* 106 AL 25
Cupano *AN* 97 AM 23
Cupe *PU* 89 AL 22
Cupello *CH* 124 AW 33
Cupello *CH* 124 AX 31
Cupi *GR* 110 AB 28
Cupi *MC* 107 AN 25
Cupigliolo *PG* 107 AM 26
Cupo *AN* 97 AL 23
Cupoli *PE* 116 AR 29
Cupoli *PG* 106 AL 26
Cupone *CS* 168 BI 47
Cupone *KR* 173 BK 48
Cupone *PZ* 164 BE 43
Cuponello *CS* 168 BI 47
Cupra Marittima *AP* 109 AS 25
Cupramontana *AN* 98 AN 23
Cuquello *AL* 62 O 15
Cura *VT* 112 AH 30
Curà *RO* 55 AD 14
Cura Carpignano *PV* 51 Q 12
Cura Nuova *GR* 102 Z 26
Curano *VE* 42 AH 11
Curanuova *BI* 34 J 10
Curasci *PG* 107 AM 26
Curatico *PR* 65 V 16
Curatolo *TP* 190 AJ 57
Curavecchia *VC* 34 K 10
Curci *SA* 162 BA 42
Curcio *LC* 23 R 7
Curcuraci *ME* 189 BC 54
Curcuris *OR* 221 N 45
Cureggio *NO* 35 L 9
Curenna *SV* 73 J 19
Curetta *AP* 108 AP 25
Curiano *SI* 94 AD 24
Curiglia *VA* 22 N 7
Curinga *CZ* 174 BG 51
Curino *BI* 34 K 10
Curiona Bossoleto *AT* 61 L 14
Curletti *PC* 63 R 16
Curno *BG* 37 S 9
Curogna *TV* 28 AG 8
Curon Venosta / Graun Vinschgau *BZ* 2 Y 3
Currone *CT* 195 AY 58
Cursi *LE* 161 BS 43
Cursolo *VB* 7 M 7
Curtaccia *BZ* 2 Y 3
Curtarolo *PD* 41 AG 10
Curtatone *MN* 54 Z 13
Curteri *SA* 152 AX 39
Curti *BL* 14 AG 6
Curti *CE* 141 AU 37
Curti *CE* 132 AV 36
Curti *SA* 152 AY 39
Curticelle *SA* 152 AY 39
Curtipitrizzi *BR* 149 BQ 41
Curzo *PZ* 163 BD 43
Cusago *MI* 36 P 11
Cusalo *BS* 38 V 9
Cusano *AV* 142 AZ 36
Cusano *PN* 29 AL 8
Cusano Milanino *MI* 36 Q 10
Cusano Mutri *BN* 132 AW 35
Cusciano *TE* 115 AQ 28
Cusercoli *FC* 82 AH 19
Cusico *MI* 51 P 11
Cusighe *BL* 28 AI 7
Cusignana *TV* 28 AI 9
Cusignano *PI* 85 AA 22
Cusinati *VI* 41 AF 9
Cusino *CO* 22 P 7
Cusio *BG* 23 S 8
Cusona *SI* 93 AB 23
Cussignacco *UD* 30 AO 7
Cussorgia *CI* 224 L 49
Custonaci *TP* 182 AL 55
Custoza *VR* 39 Z 11
Cuta *CS* 167 BH 47
Cuticchi *EN* 195 AW 58
Cutigliano *PT* 79 Z 19
Cutino *FG* 135 BD 35
Cutoni *IS* 132 AU 34
Cutro *KR* 173 BK 49
Cutrofiano *LE* 160 BS 43
Cutuli *CT* 197 BA 57
Cutunizza *RC* 177 BH 53
Cutura *CS* 170 BF 47
Cutura *CS* 170 BG 47
Cutura *CS* 165 BH 44
Cutureglia *CZ* 175 BJ 50
Cuturella *CZ* 171 BG 50
Cuturella *CZ* 175 BJ 50
Cuveglio *VA* 22 N 8
Cuvio *VA* 22 N 8
Cuviolo *BO* 81 AD 18
Cuzzago *VB* 21 L 8
Cuzzego *VB* 7 K 7
Cuzzola *OT* 211 S 39

D

Dacollato *CZ* 170 BG 49
Dadomo *PC* 64 T 15
D'Adora *RC* 178 BD 56
Daffinà *VV* 174 BE 51
Daglio *AL* 63 P 16
Dagnente *NO* 35 M 9
Daiano *TN* 13 AD 6
Dailleu *AO* 32 E 9
Dailley *AO* 32 D 9
Dairago *MI* 36 O 10
Dal Cerro *LU* 85 Y 21
Dal Pozzo *VA* 36 P 10
Dalla Vecchia *VI* 41 AD 10
Dalli Sopra *LU* 78 W 18
Dalli Sotto *LU* 78 W 18
Dalmassi *TO* 47 F 13
Dalmazzi *CN* 60 H 17
Dalmine *BG* 37 S 10
Dalovio *VB* 7 L 7
Dama *AR* 88 AG 21
Dambel *TN* 12 AB 5
Dan *BZ* 4 AF 2
Dandini *FR* 130 AN 33
Dandolo *PN* 29 AL 7
Danesi di Sopra *VR* 40 AC 11
Dangri *CO* 23 Q 6
Dani *AT* 61 K 15
Danigarci *PA* 185 AQ 56
Danta *BL* 15 AK 4
Dao *CN* 58 D 16
Daone *TN* 25 Y 8
Dardago *PN* 29 AK 7
Darè *TN* 25 Z 7
Darfo *BS* 24 W 8
Darola *VC* 49 K 12
Darzo *TN* 25 Y 8
Dasà *VV* 176 BG 52
Dascio *CO* 23 R 6
Dasindo *TN* 26 AA 7
Dasio *CO* 22 P 7
Data *TO* 47 G 11
Dattilo *CS* 166 BE 46
Dattilo *TP* 182 AK 56
Dattilo Soprano *TP* 182 AK 56
Davagna *GE* 76 P 17
Davaras *UD* 15 AK 5
Davedino *BL* 14 AG 5
Davena *BS* 11 X 6
Daverio *PD* 56 AF 12
Daverio *VA* 35 N 9
Davestra *BL* 15 AI 6
Davino *AL* 49 L 13
Davoli *CZ* 175 BH 52
Dayllon *AO* 19 E 9
Dazio *SO* 23 S 7
Dazio *TN* 26 AC 8
De Costanzi *CN* 58 D 16
De Felice *SA* 151 AW 39
De Franceschi *PD* 41 AG 10
De Furia *AV* 142 AZ 36
De Gregorio *BN* 142 AY 37
De Matthaeis *FR* 130 AP 34
De Siervo *NA* 151 AV 38
De Simone *PA* 185 AP 55
Debal *BZ* 13 AD 6
Debbia *RE* 79 Y 17
Debbio *SP* 77 T 18
Debellis *UD* 16 AO 6
Debicò *MS* 78 V 18
Deccio *LU* 85 Y 20
Deccio *VB* 21 M 8
Decima *BO* 67 AC 15
Decima *PG* 96 AJ 23
Decimomannu *CA* 226 O 48
Decimoputzu *CA* 221 O 47

CUNEO

Alba (V.) Y 2
Audiffredi (Largo) Y 3
Bellavista (V.) Y 4
Boves (Pza) Y 6
De Amicis (Largo Edmondo) Y 8
Dronero (V.) Y 10
Foro Boario (Pza) Y 12
Galimberti (Pza) Z 13
Garibaldi (Cso) Z 14
Giovanni XXIII (Lungo Gesso) YZ 15
Martiri d. Libertà (Pza) Z 16
Mondovi (Via) Y 7
Nizza (Cso) Z
Roma (V.) Y 21
Santa Maria (V.) Y 23
Savigliano (V.) Y 24
Virginio (Pza) Y 26

Decolla *PZ* 154 BD 41
Decontra *PE* 116 AT 30
Decontra *PE* 116 AT 30
Decorata *BN* 133 AY 35
Defensola *FG* 127 BF 32
Deggiano *TN* 12 AA 6
Degioz *AO* 32 E 10
Deglio Faraldi *IM* 73 J 20
Degna *SV* 73 J 19
Dego *PV* 63 P 15
Dego *SV* 74 K 17
Degolla *SV* 73 J 19
Deiva Marina *SP* 77 S 18
Del *AO* 33 G 9
Del Rio *BZ* 4 AD 3
Delebio *SO* 23 R 7
Delia *CL* 193 AS 59
Delianuova *RC* 178 BE 54
Delicata *FR* 131 AR 33
Deliceto *FG* 143 BB 36
Dello *BS* 38 V 11
Delmo *BS* 38 V 10
Dema *CS* 168 BJ 47
Demo *BS* 25 X 7
Demonte *CN* 70 E 18
Dendalo *CH* 116 AU 30
Denice *AL* 61 L 16
Denno *TN* 12 AB 6
Denore *FE* 68 AG 15
Denzano *MO* 66 AA 17
Deppo *BL* 15 AJ 5
Depressa *LE* 161 BT 44
Derby *AO* 32 D 9
Dercogna *GE* 76 P 17
Dermulo *TN* 12 AB 5
Dernago *BS* 38 W 10
Dernice *AL* 63 P 15
Derovere *CR* 53 W 13
Deruta *PG* 106 AJ 26
Dervio *LC* 23 Q 7
Desana *VC* 49 L 12
Dese *PU* 88 AI 21
Dese *VE* 42 AI 10
Desedan *BL* 14 AI 6
Desenzano del Garda *BS* 39 Y 11
Deserto *BN* 141 AV 37
Deserto *PD* 56 AF 12
Deserto *RO* 57 AI 13
Deserto *SV* 75 M 17
Desio *MB* 36 Q 10
Destra *CZ* 170 BG 50
Destra di Tornaturo *CS* 171 BG 48
Destre *CS* 167 BG 47
Destre di Ghiandaro *CS* 167 BG 46
Destri *CS* 166 BE 45
Destro *CS* 170 BF 48
Destro *CS* 168 BJ 47
Desulo *NU* 218 Q 43
Deuda *CS* 170 BF 48
Deusi *RE* 79 X 18
Deutschnofen / Nova Ponente *BZ* 13 AD 5
Deval *AO* 33 F 9
Deversi *CN* 74 I 18
Devesio *NO* 35 L 11
Devetachi *GO* 31 AQ 8
Deveys *TO* 46 C 13
Dezzo di Scalve *BG* 24 V 8
Dho *CN* 71 H 18
Di Girolamo *TP* 190 AK 57
Di Nallo *FR* 131 AS 35
Di Nisio *CH* 116 AU 29
Di Prato Sopralacroce *GE* 77 R 17
Diacceto *FI* 87 AE 21
Diaccialone *GR* 111 AD 29
Dialley *AO* 19 E 9
Diamante *CS* 166 BD 45
Diamanti *PR* 64 T 16
Diana Marina *BR* 148 BO 39
Diano *CS* 171 BG 49
Diano Arentino *IM* 73 J 20
Diano Borello *IM* 73 J 20
Diano Castello *IM* 73 J 20
Diano d'Alba *CN* 61 J 16
Diano Evigno *IM* 73 J 20
Diano Marina *IM* 73 J 20
Diano San Pietro *IM* 73 J 20
Dicomano *FI* 87 AE 20
Didiero *TO* 46 D 14
Diecimo *LU* 85 Y 20
Diegaro *FC* 82 AI 19
Dieneri *TN* 26 AB 8
Dierico *UD* 16 AN 4
Difesa *AV* 143 BA 37
Difesa *BN* 142 AX 36
Difesa *BR* 147 BN 39
Difesa *CS* 166 BE 46
Difesa *CZ* 175 BJ 50
Difesa *SA* 162 AY 42
Difesa Grande *AV* 142 AZ 37
Difesa Tedesco *CZ* 171 BG 49
Difisella *KR* 172 BJ 49
Difisola *CS* 167 BG 46
Diga Salto *RI* 114 AN 30
Digerbato *TP* 190 AK 57
Dignano *MC* 107 AM 25
Dignano *UD* 30 AM 7
Digonera *BL* 14 AG 5
Diligenza *RG* 204 AV 62
Dilignidis *UD* 15 AL 5
Dimaro *TN* 12 AA 6
Diminniti *RC* 178 BD 54
Dinami *VV* 176 BF 52
Dinazzano *RE* 66 Z 16
Dino *CS* 166 BD 44
Diolaguardia *FC* 82 AI 19
Diolo *PR* 53 V 14
Dionigi *AL* 49 L 13
Dipignano *CS* 170 BG 48
Disconesi *SP* 77 S 17
Disconzi-Stempellati *VI* 40 AC 10
Diso *LE* 161 BT 43
Dispensa *OG* 223 S 45
Dissimo *VB* 7 M 7
Disvetro *MO* 66 AB 14
Ditella *ME* 181 AZ 52
Divignano *NO* 35 M 10
Divisa *PV* 51 P 12
Dizzasco *CO* 22 P 8
Dobbia *GO* 31 AP 9
Dobbiaco / Toblach *BZ* 5 AI 3
Dobbiaco Nuovo / Neu Toblach *BZ* 5 AI 3
Dobbiate *VA* 35 N 9
Doberdò del Lago *GO* 31 AQ 8
Doccia *FI* 87 AD 21
Doccio *VC* 34 K 9
Dodici Morelli *FE* 67 AC 15
Dogala *CT* 197 AZ 57
Dogaletto *VE* 42 AI 11
Dogana *FI* 86 AA 22
Dogana *GR* 103 AC 26
Dogana *RSM* 89 AJ 20
Dogana *SA* 152 BA 39
Dogana *SP* 78 V 19
Dogana Nuova *MO* 79 Y 19
Doganaccia *PT* 79 Z 19
Doganella *GR* 110 AC 28
Doganella *LT* 129 AM 34
Dogaro *MO* 67 AC 15
Dogato *FE* 68 AG 15
Dogli *PE* 116 AS 30
Dogli *SV* 61 L 17
Dogliani *CN* 60 I 16
Doglio *AN* 97 AM 22
Doglio *PG* 105 AI 27

Dogliola CH 124 AW 32
Dogna BL 15 AI 6
Dogna UD 16 AO 5
Dolcè VR 40 AA 10
Dolceacqua IM 72 G 20
Dolcecanto BA 145 BH 38
Dolcedo IM 72 I 20
Dolciano SI 105 AG 25
Dolegna UD 31 AQ 7
Dolegna del Collio GO 31 AP 7
Dolegnano UD 31 AP 8
Dolfina VE 57 AI 13
Dolianova CA 222 Q 47
Dolo VE 42 AH 11
Dolonne AO 18 C 9
Dolzago LC 37 R 9
Domagnano RSM 89 AJ 20
Domanico CS 170 BG 48
Domanins PN 30 AL 7
Domaso CO 23 R 7
Domazzano LU 85 X 20
Domegge di Cadore BL 15 AJ 5
Domicella AV 151 AW 38
Domio TS 45 AR 10
Domo AN 97 AN 23
Domo MC 98 AO 23
Domodossola LO 51 R 12
Domodossola VB 7 K 7
Domu Beccia CI 224 L 48
Domus de Maria CA 225 O 50
Domusnovas CI 221 M 48
Domusnovas
Canales OR 217 O 43
Don BL 14 AG 6
Don TN 12 AB 5
Don Luca LT 129 AM 34
Donada RO 57 AI 13
Donadeo LE 159 BR 42
Donato BI 34 I 10
Donceto PC 63 R 15
Dondenaz AO 33 G 10
Donego VB 21 M 7
Donelasco PV 51 Q 13
Donetta GE 63 P 16
Dongo CO 23 Q 7
Donicilio FC 88 AH 20
Donigala CA 222 Q 46
Donigala OG 219 T 44
Donigala Fenughedu OR 216 M 44
Donna RC 178 BD 55
Donna Cà VV 176 BE 52
Donnafugata RG 204 AW 62
Donnagona RG 202 AW 61
Donnalucata RG 204 AW 63
Donnas AO 33 H 10
Donnella CS 170 BF 48
Donnici Inf. CS 171 BG 48
Donnici Sup. CS 171 BG 48
Donnini FI 87 AE 21
Donoratico LI 92 Y 24
Donori CA 222 P 47
Dont BL 14 AH 5
Donzella RO 57 AI 14
Donzella VR 39 Z 11
Doppi PC 64 U 14
Dorà TN 13 AD 6
Dorbie NO 35 M 9
Dordolla UD 16 AO 5
Dorf / Villa BZ 5 AI 2
Dorga BG 24 V 8
Dorgagnano FC 82 AH 19
Dorgali NU 215 S 42
Doria CS 167 BH 45
Doria GE 76 P 17
Dorigo TV 28 AH 8
Dorinchi VV 174 BH 51
Dorio LC 23 Q 7
Dormelletto NO 35 M 9
Dornere CN 61 K 15
Dorno PV 50 O 13
Dorsino TN 26 AA 7
Dorzano BI 34 J 11
Dosa di Sotto TV 43 AK 9
Dosdega VR 40 AA 11
Dosimo CR 53 V 12
Dosolo MN 54 Y 14
Dossello BG 38 U 9
Dossena BG 23 T 8
Dossi AL 49 L 13
Dossi BG 24 U 7
Dossi BS 24 V 8
Dossi BS 53 V 12
Dossi BS 53 W 11
Dossi BS 25 X 8
Dossi CR 52 T 12
Dossi MN 53 X 13
Dossi PD 55 AE 12
Dossi TO 34 I 11
Dossi VC 49 L 11
Dossi VR 54 AB 12
Dosso BG 38 U 9
Dosso BG 38 U 9
Dosso BG 24 V 8
Dosso BS 38 V 10
Dosso BS 38 W 9
Dosso BS 39 X 11
Dosso BZ 12 AA 5
Dosso BZ 4 AD 2
Dosso CO 22 O 9
Dosso FE 67 AD 15
Dosso MI 37 Q 10
Dosso MN 53 Y 12
Dosso MN 54 Z 12
Dosso SO 11 X 5
Dosso SP 77 S 18
Dosso TN 26 AB 8
Dosso TN 26 AB 9
Dosso VI 27 AD 8
Dosso VR 40 AB 10
Dosso Baroardo CR 52 U 12
Dosso de' Frati CR 53 W 13
Dosso del Liro CO 23 Q 7
Dosso dell'Inferno MN 55 AC 14
Dossobuono VR 40 AA 11
Dossolo BS 39 X 9
Dosson TV 42 AI 10
Doues AO 19 E 9
Dova IM 72 H 19
Dova Inf. AL 63 P 16
Dova Sup. AL 63 P 16
Dovadola FC 82 AG 19
Dovena TN 12 AB 5
Dovera CR 51 S 11
Dovina SA 153 BB 40
Doviziosi CS 170 BG 48
Dozza BO 81 AE 17
Dozzano MS 77 U 17
Draga Sant'Elia TS 45 AS 10
Draghi VI 27 AC 9
Dragonara PZ 154 BD 40
Dragoncello MN 55 AC 14
Dragone AP 108 AQ 26
Dragonetti PZ 144 BD 39
Dragonetto BN 142 AY 36
Dragoni LE 159 BR 42
Dragoni RC 177 BG 54
Dragoniere CN 59 E 16
Drapia VV 176 BE 52
Drasso MN 54 Z 12
Drauto ME 181 AZ 52
Dreccia CN 70 D 18
Drena TN 26 AA 8
Drenchia UD 17 AQ 6
Dresano MI 51 R 11
Dresio VB 21 K 7
Drezzo CO 22 O 9
Driolassa UD 30 AN 8
Drizzona CR 53 X 13
Dro TN 26 AA 8
Drodo-Cavallo Mauro SA 162 AZ 42
Dromo ME 188 AZ 55
Droneretto CN 59 E 16
Dronero CN 59 F 17
Drosi RC 176 BE 53
Drubiaglio TO 47 F 13
Druento TO 47 G 13
Druetto BI 34 J 9
Druges AO 33 F 9
Drugolo BS 39 X 10
Druogno VB 7 L 7
Drusacco TO 33 H 11
Drusco PR 64 S 16
Drusù RC 177 BG 54
Dualchi NU 213 O 42
Duanera La Rocca FG 135 BC 34
Dubbione TO 47 E 14
Dubino SO 23 R 7
Duc TO 46 C 14
Duca FR 131 AR 34
Ducato Fabriago RA 68 AG 17
Ducentola FE 68 AF 15
Dudda FI 87 AD 22
Duddova AR 94 AE 23
Due Bandiere PC 63 S 15
Due Carrara PD 56 AF 12
Due Casette RM 118 AH 31
Due Cossani VA 22 N 7
Due Fiumare ME 188 AX 55
Due Maestà RE 66 Y 16
Due Monti ME 188 AZ 55
Due Ponti GE 63 Q 16
Due Ponti MO 66 AA 17
Due Santi PG 106 AJ 27
Due Santi RM 120 AK 33
Due Strade AV 142 AX 38
Due Sture AL 49 L 12
Dueville VI 41 AE 10
Dugali di Sotto BS 39 X 11
Dugenta BN 141 AV 37
Dughera VC 34 J 9
Duglia CS 168 BH 46
Dugliolo BO 68 AE 16
Duino- TS 31 AQ 9
Dulceti TP 190 AK 58
Dumengoni BG 38 U 9
Dumenza VA 22 N 7
Duna Verde VE 43 AL 10
Dunarobba TR 106 AJ 27
Dune I AG 199 AQ 60
Dune II AG 199 AQ 60
Dune III AG 199 AQ 60
Dune IV AG 199 AQ 60
Duno VA 22 N 8
Duomo BS 38 V 10
Durando FG 135 BD 36
Durante IS 132 AU 34
Duranti AL 61 L 16
Durazzanino FC 82 AH 18
Durazzano BN 141 AV 37
Durazzano RA 82 AH 18
Durines PN 16 AM 6
Durini CO 36 Q 9
Durlo VI 40 AC 10
Durna in Selva / Durnwald BZ 5 AI 3
Durnholz / Valdurna BZ 4 AD 3
Durnwald /
Durna in Selva BZ 5 AI 3
Duronia CB 132 AV 34
Dusino AT 48 I 14
Dussoi BL 28 AI 7
Dzovennoz AO 19 F 8

E

E.U.R. RM 119 AJ 33
Ebbio PC 64 S 15
Eboli SA 152 AZ 40
Eca CN 74 I 18
Ecche BL 15 AL 4
Echallod AO 33 H 10
Echallogne AO 33 H 10
Echarlod AO 32 D 9
Echevennoz AO 18 E 9
Eclause TO 46 C 13
Edifizio TV 42 AG 9
Edolo BS 25 W 6
Eggi PG 106 AL 27
Eglio LU 79 X 19
Egna / Neumarkt BZ 12 AC 6
Egro VB 35 L 9
Ehrenburg / Casteldarne BZ 4 AF 3
Eia PR 65 W 15
Eianina CS 167 BG 45
Elce TE 108 AQ 28
Elce della Vecchia CZ 177 BH 52
Elcito MC 98 AN 24
Elevaz AO 32 C 9
Elice PE 116 AS 28
Elighe SS 208 K 37
Elini OG 219 S 44
Ellera RC 177 BI 53
Ellera SV 75 L 17
Ello LC 37 R 9
Elmas CA 226 P 48
Elmo GR 104 AF 27
Elpidiense AP 99 AR 24
Elvas BZ 4 AF 3
Emarèse AO 33 H 9
Embriciera AV 142 AX 38
Embrisi RC 178 BD 55
Emmaus CT 197 AZ 57
Emo VB 7 K 6
Empoli FI 86 AA 21
Enas OT 210 R 38
Enas Fratelli Giua OT 210 R 38
Endenna BG 23 T 9
Endine Gaiano BG 24 U 9
Enego VI 27 AF 8
Enego 2000 VI 27 AE 8
Enemonzo UD 16 AM 5
Engazzà-Crosara VR 54 AB 12
Engheda BZ 12 AC 4
Enguiso TN 25 Z 8
Enna EN 194 AU 58
Enna VI 40 AC 9
Eno BS 39 Y 9
Ente Maremma
Valle Lunga RM 119 AK 31
Entesano UD 30 AN 7
Entrà MO 67 AC 15
Entracine CN 61 K 16
Entracque CN 70 F 18
Entrampo UD 16 AM 4
Entratico BG 38 U 9
Entrel AO 18 C 9
Entrèves AO 18 C 9
Envie CN 59 F 15
Enzano PR 65 X 14
Eores /Afers BZ 4 AF 3
Epinel AO 33 E 10
Epineys AO 32 D 9
Episcopani CS 171 BG 48
Episcopia CS 170 BF 48
Episcopia PZ 164 BF 43
Episcopio SA 151 AW 39
Epitaffio BN 142 AX 37
Epitaffio SA 152 AZ 40
Epitàffio CB 133 AW 35
Eppan / Appiano BZ 12 AC 5
Equi Terme MS 78 V 18
Era SO 9 R 6
Eraclea VE 43 AL 10
Eraclea Mare VE 43 AL 10
Eraclea Minoa AG 192 AO 59
Eranova RC 176 BE 53
Erasca CN 59 E 15
Erba CO 23 Q 9
Erbanno BS 24 W 8
Erbareti VC 21 K 8
Erbè VR 54 AA 12
Erbezzo UD 17 AP 6
Erbezzo VR 40 AB 10
Erbonne CO 22 P 8
Erbusco BS 38 U 10
Erchie BR 158 BP 41
Erchie SA 151 AX 40
Ercolano NA 151 AV 39
Eredità RG 204 AW 63
Eremita PU 96 AK 22
Eremiti SA 162 BA 43
Eremo RM 118 AH 31
Eremo Sant'Anna CT 197 AZ 58
Eresaz AO 33 H 9
Ergadi CZ 174 BG 51
Erice TP 182 AK 55
Eridania FG 135 BB 34
Erli SV 73 J 19
Erno CO 22 Q 8
Errano RA 81 AF 18
Erto PN 15 AJ 6
Ertola GE 63 R 16
Erula SS 209 O 39
Erve LC 23 R 9
Esanatoglia MC 97 AM 24
Escalaplano CA 222 R 46
Esche AV 142 AZ 37
Eschio / Aschl BZ 12 AC 4
Escolca CA 222 P 45
Escovedu OR 217 O 45
Esemon di Sopra UD 16 AM 5
Esemon di Sotto UD 16 AM 5
Esenta BS 39 X 11
Esigo VB 7 K 6
Esine BS 25 W 8
Esino Lario LC 23 R 8
Esio VB 21 M 8
Esmate BG 24 V 9
Esperia FR 131 AR 35
Esporlatu SS 213 O 41
Este PD 56 AE 12
Esterzili CA 218 Q 45
Estoul AO 33 H 9
Ete AP 99 AQ 25
Ete AP 99 AR 25
Eternon AO 18 E 9
Etirol AO 19 G 9
Etroubles AO 18 E 9
Ela CN 71 H 17
Eupilio CO 23 Q 9
Eurovillage LE 158 BP 42
Evangelisti LI 92 X 23
Evangelisti Rubino ME 188 BA 56
Eveques AO 19 E 8
Excenex AO 33 E 9
Exilles TO 46 C 13
Extrepieraz AO 19 H 9

F

Fabbiano LU 84 W 19
Fabbiano PC 51 R 14
Fabbiano PC 64 S 14
Fabbrecce PG 96 AI 23
Fabbrece VT 113 AJ 30
Fabbrega VI 41 AD 10
Fabbreria BO 67 AC 16
Fabbreria BO 67 AD 16
Fabbreria PG 106 AL 27
Fabbreria di Sala BO 67 AC 16
Fabbri PG 106 AK 26
Fabbri PG 106 AL 26
Fabbrica BO 81 AE 18
Fabbrica CE 132 AU 35
Fabbrica CS 167 BG 46
Fabbrica FI 86 AC 22
Fabbrica PC 63 R 16
Fabbrica PD 56 AG 12
Fabbrica Bettolino AL 62 O 15
Fabbrica Curone AL 63 P 15
Fabbrica di Peccioli PI 93 Z 22
Fabbrica Nuova SA 152 AY 40
Fabbricaccia SI 94 AC 24
Fabbricata BN 133 AY 36
Fabbriche FC 81 AF 19
Fabbriche LU 85 Y 19
Fabbriche PI 93 Z 24
Fabbriche VR 54 AB 12
Fabbriche di Vallico LU 85 X 20
Fabbrico RE 66 Z 14
Fabiana BO 80 AB 18
Fabiano AL 49 K 13
Fabiano CS 170 BF 48
Fabio PO 86 AB 20
Fabrezza BS 25 X 7
Fabriano AN 97 AM 23
Fabrica di Roma VT 112 AI 29
Fabrizia VV 177 BG 53
Fabrizio CS 168 BI 46
Fabro TR 105 AH 26
Fabro Scalo TR 105 AH 26
Facco PD 41 AF 10
Facen BL 28 AG 7
Facofano SA 153 BC 41
Fadalto TV 29 AJ 7
Fadarechi ME 189 BA 56
Fado GE 62 N 17
Fae BL 14 AG 5
Faè BL 14 AI 6
Faè TV 43 AJ 9
Faedis UD 30 AP 7
Faedo PD 56 AF 12
Faedo TN 26 AB 6
Faedo VI 41 AD 10
Faedo Valtellina SO 24 U 7
Faenza RA 81 AG 18
Faetano RSM 89 AJ 20
Faete AP 108 AO 27
Faeto AR 87 AF 22
Faeto FG 134 AZ 36
Faeto RE 65 X 16
Faetto TO 47 D 14
Fagagna UD 30 AN 7
Fagarè TV 43 AJ 9
Fagge RI 114 AO 30
Faggeto Lario CO 22 P 8
Faggia GR 104 AE 26
Faggiano BN 141 AW 37
Faggiano RE 66 Y 16
Faggiano TA 157 BN 41
Faggio PR 64 S 16
Faggiona SP 77 T 18
Faggianeria CE 141 AU 37
Fagioli VR 55 AD 12
Fagnano BO 80 AB 17
Fagnano MI 36 O 11
Fagnano SI 94 AD 23
Fagnano VR 54 AA 12
Fagnano Castello CS 166 BF 46
Fagnano Olona VA 36 O 9
Fagnigola PN 29 AL 8
Fago del Soldato CS 171 BH 47
Fai della Paganella TN 26 AB 6
Faia SV 74 L 18
Faiano AP 108 AQ 26
Faiano SA 152 AY 39
Faiano TE 115 AQ 28
Faibano NA 151 AV 38
Faicchio BN 141 AV 36
Faida TN 26 AC 7
Faidello MO 79 Y 19
Faidona PN 15 AL 6
Faie SV 75 M 17
Faiete TE 109 AS 28
Faieto TE 108 AQ 28
Faiolo TR 105 AH 26
Faito CB 132 AV 34
Faito FR 130 AO 34
Falaride SR 205 AZ 62
Falcade BL 14 AG 5
Falcemagna TO 47 D 13
Falchetto CN 60 H 15
Falciani FI 86 AC 21
Falciano AR 88 AG 22
Falciano RSM 89 AK 20
Falciano del Massico CE 140 AS 36
Falcinello SP 78 U 19
Falcineto Secondo PU 90 AM 21
Falcioni AN 97 AM 23
Falciraga PU 90 AM 20
Falco CS 171 BG 48
Falco CS 168 BI 46
Falcognana RM 128 AK 33
Falconara CL 200 AT 61
Falconara Albanese CS 170 BF 48
Falconara Alta AN 91 AP 22
Falconara Marittima AN 91 AP 22
Falcone ME 188 AZ 55
Falconello
S. Domenica SR 203 AZ 60
Faldo BO 80 AC 18
Falera FC 88 AH 21
Faleri VT 113 AJ 30
Faleria VT 113 AJ 30
Faleriense AP 99 AR 24
Falerna CZ 170 BG 50
Falerna Marina CZ 170 BF 50
Falerna Scalo CZ 170 BF 50
Falerone FM 98 AP 25
Falgano FI 87 AE 21
Falicetto CN 59 G 16
Fallascoso CH 123 AU 31
Fallavecchia MI 50 O 12
Fallena FR 131 AR 34
Faller BL 28 AF 7
Fallo CH 123 AU 32
Falmenta VB 7 M 7
Falsaggiu OT 209 O 37
False AV 143 AZ 38
False CZ 175 BI 51
False FI 86 AD 20
False FR 131 AQ 34
False PZ 153 BD 41
Falsettaio GR 104 AD 26
Faltignano FI 86 AC 21
Faltona AR 87 AF 22
Faltona FI 86 AD 20
Faltugnano PO 86 AB 20
Falvaterra FR 130 AQ 34
Falzè TV 42 AH 9
Falzè di Piave TV 28 AI 8
Falzes / Pfalzen BZ 4 AG 3
Falzittu SS 209 O 39
Famolasco TO 59 E 15
Fanano MO 79 Z 18
Fanano PU 89 AL 20
Fanciullata PG 106 AJ 26
Fandetta FG 135 BC 35
Fane BS 24 V 9
Fane VR 40 AA 10
Fangaccio PT 86 AB 20
Fangarielli SA 152 AY 40
Fangarielli a Mare SA 152 AX 40
Fanghetto IM 72 G 20
Fanna PN 15 AL 6
Fano PU 90 AN 20
Fano a Corno TE 115 AQ 29
Fano Adriano TE 115 AQ 28
Fanovo BG 24 U 9
Fantasina BS 38 W 10
Fantecolo BS 38 V 10
Fantella FC 81 AG 19
Fantese BR 148 BN 39
Fantina ME 188 BA 55
Fantina Prima FG 125 AZ 32
Fantino CS 172 BJ 48
Fantino FI 81 AE 19
Fantuzza BO 68 AF 17
Fanusa SR 203 BA 61
Fanzaghe PD 56 AF 12
Fanzarotta CL 193 AS 58
Fanzolo TV 42 AG 9
Fara Filiorum Petri CH 116 AU 30
Fara Gera d'Adda BG 37 S 10
Fara in Sabina RI 113 AL 30
Fara Novarese NO 35 L 10
Fara Olivana BG 37 T 11
Fara San Martino CH 123 AU 31
Fara Vicentino VI 41 AE 9
Faraona VA 35 N 9
Faraone TE 108 AR 27
Fardella PZ 164 BG 43
Farenzena BL 14 AH 6
Fares AP 99 AR 25
Farettaz AO 34 I 10
Farfa RI 113 AL 30
Farfanaro PR 64 T 16
Farfareta FI 87 AE 19
Farfengo BS 52 U 11
Farfengo CR 52 U 12
Farigliano CN 60 I 16
Farina KR 173 BL 49
Farinate CR 37 S 11

Farindola **PE** 116 AR 29
Farini **PC** 64 S 15
Faris **UD** 16 AO 6
Farla **UD** 16 AN 6
Farnese **VT** 111 AF 28
Farneta **AR** 87 AF 21
Farneta **AR** 95 AG 24
Farneta **CS** 165 BH 43
Farneta **FR** 130 AP 34
Farneta **MO** 79 Y 17
Farneta **SI** 93 AB 23
Farneta di Riccò **MO** 79 AA 17
Farnetella **SI** 95 AF 24
Farneto **BO** 81 AD 17
Farneto **BO** 81 AD 17
Farneto **CE** 131 AS 35
Farneto **CS** 171 BG 48
Farneto **CS** 168 BH 46
Farneto **PG** 96 AJ 25
Farneto **PU** 89 AK 20
Farneto **PU** 89 AL 21
Farnetozzo Montebello **LT** 129 AL 34
Farnetta **TR** 106 AJ 28
Farni **VV** 174 BG 51
Farnia **CZ** 175 BH 51
Farniole **AR** 95 AF 24
Farno **AP** 108 AP 27
Farno **PZ** 163 BD 42
Farnocchia **LU** 84 W 20
Faro **NA** 150 AT 39
Faro **SV** 73 K 19
Faro **VR** 55 AD 12
Faro Sup. **ME** 189 BC 54
Farra **BL** 28 AG 7
Farra **BL** 28 AH 7
Farra **TV** 28 AG 9
Farra d'Alpago **BL** 29 AJ 7
Farra di Soligo **TV** 28 AH 8
Farra d'Isonzo **GO** 31 AQ 8
Farro **TV** 28 AH 8
Farsiche **PI** 92 Y 23
Fasana **KR** 173 BL 48
Fasana Polesine **RO** 56 AH 13
Fasanara **SA** 152 AY 40
Fasani **CE** 140 AS 36
Fasanina **BO** 68 AE 17
Fasano **BR** 147 BN 38
Fasano **PA** 186 AT 57
Fascia **GE** 63 Q 16
Fascia di Carlo **GE** 63 P 16
Fasciano **AR** 95 AG 24
Fascionella **RI** 114 AM 29
Fasciot **CN** 59 E 16
Faserno **TN** 25 Y 8
Fassinoro **RI** 114 AM 29
Fastello **VT** 112 AH 28
Fastro **BL** 27 AF 8
Fatagliano **PI** 93 AA 23
Fatiga **CN** 70 E 17
Fattore **CH** 117 AV 30
Fattore **NA** 151 AW 38
Fattori **CE** 132 AV 36
Fattoria Acquisti **GR** 103 AB 26
Fattoria Aiali **GR** 103 AB 27
Fattoria Banditaccia **GR** 103 AC 26
Fattoria Catorniano **SI** 94 AB 24
Fattoria Colle Lupa **GR** 103 AB 26
Fattoria Colle Lupo **GR** 111 AD 28
Fattoria Cornocchia **SI** 93 AB 24
Fattoria dei Roscetti **PG** 96 AI 23
Fattoria dell'Aratrice **GR** 103 AC 26
Fattoria di Vicarello **PI** 93 AA 23
Fattoria Diliella **CL** 200 AT 60
Fattoria Ficuzza **CL** 200 AT 60
Fattoria Iudica **SR** 205 AY 62
Fattoria Marsiliana **GR** 102 Z 25
Fattoria Paganina **PI** 93 AA 24
Fattoria Pergolacce **GR** 111 AE 28
Fattoria Pilli **OR** 216 M 43
Fattoria Poggio
Montone **TR** 105 AH 27
Fattoria Reniere **SI** 94 AC 24
Fattoria San Lorenzo **SR** 205 AZ 63
Fattoria Sterpeto **GR** 103 AB 27
Fauglia **PI** 92 Y 22
Fauglis **UD** 30 AO 8
Faugnacco **UD** 30 AN 7
Faule **CN** 59 G 15
Faure **TO** 47 D 14
Fautari **ME** 189 BA 56
Favaco **RC** 177 BH 53
Favalanciata **AP** 108 AP 27
Favale **MO** 79 Y 18
Favale **PC** 64 T 15
Favale **PZ** 144 BD 39
Favale **TE** 108 AR 27
Favale di Malvaro **GE** 76 Q 17
Favali **BN** 142 AY 36
Favali **CS** 171 BH 49
Favani **RC** 178 BD 54
Favara **AG** 199 AQ 60
Favarella **CT** 202 AW 60
Favari **TO** 60 H 14
Favaro **BI** 34 J 10
Favaro **RC** 178 BD 54
Favaro **VE** 42 AI 10
Favaro Veneto **VE** 42 AI 10
Favarotta **AG** 199 AS 60
Favazzina **RC** 178 BD 54
Favella **TO** 47 F 13
Favello **VV** 174 BG 51
Favelloni **VV** 174 BF 51
Faver **TN** 26 AC 6
Faverga **BL** 28 AI 7
Faverzano **BS** 38 V 11
Favete **MC** 98 AN 23
Faveto **AP** 108 AP 26
Faviano **PR** 65 W 16
Favignana **TP** 182 AI 56
Favilli **RC** 178 BD 55
Favischio **RI** 114 AN 28
Favogna di Sotto /
Oberfennberg **BZ** 12 AC 6
Favogna di Sotto /
Unterfennberg **BZ** 12 AC 6
Favria **TO** 48 H 12
Faye **AO** 34 H 10
Fazio **TP** 182 AL 56
Fazzano **MS** 78 V 18
Fazzano **RE** 66 Z 15
Fazzari **VV** 176 BE 52
Fe **TN** 25 Z 7
Fè **TO** 47 F 12
Febbio **RE** 79 X 18
Fecchia **CO** 36 P 9
Fecchiera **VI** 40 AC 9
Fecile **PZ** 163 BD 43
Fedai **TN** 28 AG 7
Feder **BL** 28 AG 5
Federa **TV** 28 AI 8
Federavecchia **BL** 14 AI 4
Federici **AV** 142 AY 38
Fedi **PT** 86 AA 20
Fedio **CN** 70 E 18
Fedula **CS** 167 BG 45
Fegatara **AP** 98 AQ 25
Feglino **SV** 74 K 18
Fego **PV** 63 Q 15
Feilley **AO** 33 H 9
Feilongo **TO** 33 G 11
Feisoglio **CN** 61 J 16
Felcete **VT** 112 AG 28
Felci **FR** 131 AR 35
Felcine **AN** 97 AM 23
Felcino **PU** 88 AI 22
Felcioni **AN** 97 AM 23
Feldthurns / Velturno **BZ** 4 AE 3
Felecarelle **BN** 133 AY 35
Felegara **PR** 65 V 15
Felettano **UD** 30 AO 7
Felette **AV** 142 AY 37
Felettis **UD** 30 AO 8
Feletto **TO** 48 H 12
Feletto Umberto **UD** 30 AO 7
Felicetta **CZ** 171 BG 50
Felicetta **CZ** 174 BH 52
Felicione **PZ** 164 BE 43
Feligara **PV** 63 Q 15
Felina **RE** 79 X 17
Felino **PR** 65 W 15
Felisio **RA** 81 AG 17
Felitto **SA** 153 BA 41
Felizzano **AL** 61 L 14
Fellegara **RE** 66 Z 16
Fellette **VI** 41 AF 9
Fellicarolo **MO** 79 Z 18
Felline **LE** 160 BR 44
Fello **AT** 61 K 15
Felonica **MN** 55 AD 14
Feltre **BL** 28 AG 7
Feltrone **UD** 15 AL 5
Feluca **TR** 112 AI 28
Fematre **MC** 107 AN 26
Femmina Morta **ME** 189 BA 55
Femminamorta **BR** 148 BN 39
Femminamorta **PT** 85 Z 20
Fenegrò **CO** 36 O 9
Fener **BL** 28 AG 8
Fenestrelle **TO** 46 D 13
Fengo **CR** 52 U 12
Fenigli **PU** 89 AL 22
Fenile **BG** 37 T 9
Fenile **PU** 90 AM 20
Fenile **SO** 23 S 7
Fenile **TO** 59 E 15
Fenili Belasi **BS** 38 V 11
Fenille **AO** 32 E 10
Fenilllaz **AO** 33 H 9
Fenilone **CR** 53 X 13
Fenils **TO** 46 B 14
Fenis **AO** 33 F 9
Fenogli **CN** 61 J 16
Fenosa **SA** 163 BC 43
Fercole **GR** 103 AC 25
Ferdinandea **RC** 177 BH 52
Ferentillo **TR** 113 AL 28
Ferentino **FR** 130 AO 33
Ferie **CR** 52 T 12
Feriole **PD** 41 AF 11
Feriolo **AL** 62 O 15
Feriolo **RE** 79 X 17
Feriolo **VB** 21 L 8
Ferla **SR** 203 AY 61
Fermata Toscano-
Nubrica **CS** 168 BJ 46
Fermignano **PU** 89 AK 21
Fermo **FM** 99 AR 25
Fernetti **TS** 45 AR 9
Ferno **VA** 35 N 10
Feroleto Antico **CZ** 171 BH 50
Feroleto della Chiesa **RC** 176 BF 53
Feronzo **LE** 161 BT 44
Ferracane **AT** 49 K 14
Ferrada **GE** 76 Q 17
Ferraglia **FI** 86 AC 20
Ferrai-Legatti **PC** 64 U 15
Ferraiolo **SI** 94 AD 23
Ferramonti **CS** 167 BG 46
Ferrandina **MT** 155 BH 41
Ferrania **SV** 74 K 18
Ferrano **FI** 87 AE 21
Ferrante **CS** 168 BH 47
Ferranzano **CE** 141 AU 37
Ferrara **FE** 68 AF 15
Ferrara **PN** 15 AL 6
Ferrara / Schmieden **BZ** 5 AH 3
Ferrara di Monte Baldo **VR** 40 AA 9
Ferrarello **PA** 194 AT 57
Ferrari **AL** 61 L 16
Ferrari **PC** 63 R 15
Ferrari **PR** 65 V 15
Ferrari **SO** 24 V 7
Ferrari **SV** 74 K 18
Ferrari **TN** 26 AC 7
Ferrari **VI** 41 AF 10
Ferrari **VR** 40 AC 10
Ferraria **CL** 193 AS 58
Ferraris **AT** 61 L 15
Ferrarisi **BN** 142 AW 36
Ferraro **CS** 166 BE 45
Ferraro **RC** 177 BG 54
Ferraro **RC** 177 BH 54
Ferrarola **RE** 66 Z 14
Ferrate **VC** 20 J 8
Ferrauto **PE** 116 AS 29
Ferrazzano **CB** 133 AX 34
Ferreché **AO** 18 D 8
Ferrera **VC** 21 K 8
Ferrera di Varese **VA** 22 N 8
Ferrera Erbognone **PV** 50 O 13
Ferrere **AT** 60 I 14
Ferrere **CN** 70 C 17
Ferreta **ME** 187 AW 55
Ferretto **FI** 85 Z 21
Ferretto **PG** 95 AG 24
Ferri **MN** 54 Z 12
Ferriera **AV** 151 AX 39
Ferriera **SA** 151 AW 39
Ferriera **SV** 75 L 17
Ferriera **TO** 47 F 13
Ferriera di Codevilla **SV** 74 K 18
Ferriere **GE** 76 P 17
Ferriere **PC** 63 R 16
Ferrito **CZ** 171 BI 50
Ferruccia **PT** 86 AA 20
Ferruzzano **RC** 179 BF 55
Fertilia **SS** 212 K 40
Feruci **CS** 171 BG 48
Fervento **VC** 20 J 8
Festà **MO** 80 AA 17
Festarona **VB** 20 J 8
Festi Rasini **BG** 24 U 8
Festiona **CN** 70 F 18
Festola **AV** 142 AY 38
Fetovaia **LI** 100 V 27
Feudi **TE** 116 AS 28
Feudo **CB** 133 AX 34
Feudo **CH** 117 AV 29
Feudo **RC** 177 BG 54
Feudo Cortesano **AV** 142 AZ 37
Feudo De Seta **CZ** 175 BJ 50

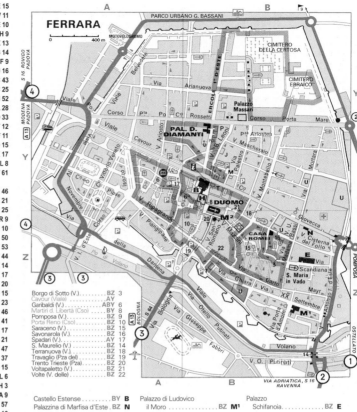

FERRARA

Borgo di Sotto (V.) BZ 3
Cavour (Viale) AY
Garibaldi (V.) ABY 6
Martiri d. Libertà (Cso) BY 8
Pomposa (V.) BZ 9
Porta Reno (Cso) BZ 10
Saraceno (V.) BZ 15
Savonarola (V.) BZ 16
Spadari (V.) AY 17
S. Maurelio (V.) BZ 14
Terranuova (V.) BZ 18
Travaglio (Pza del) BZ 19
Trento Trieste (Pza) BZ 20
Voltapaletto (V.) BZ 21
Volte (V. delle) BZ 22

Castello Estense BY **B**
Palazzina di Marfisa d'Este BZ **N**
Palazzo di Ludovico il Moro BZ **M1**
Palazzo Schifanoia BZ **E**

Feudo della Paglia **FG** 135 BD 34
Feudotti I **RC** 176 BF 53
Feudotti II **RC** 176 BF 53
Fezzana **FI** 86 AB 22
Fezzano **SP** 77 T 19
Fiaccabrino **AG** 199 AR 60
Fiaiano **NA** 150 AS 39
Fiaiola **TR** 113 AK 28
Fiamenga **CN** 71 I 17
Fiamenga **PG** 106 AK 26
Fiames **BL** 14 AH 4
Fiamignano **RI** 114 AN 30
Fiammoi **BL** 28 AI 6
Fianello **RI** 113 AK 29
Fiano **FI** 86 AB 22
Fiano **LU** 85 X 20
Fiano **PG** 107 AN 27
Fiano **TO** 47 G 12
Fiano II **PE** 116 AR 29
Fiano Romano **RM** 119 AK 30
Fiasca **RO** 55 AD 14
Fiaschetteria **BG** 38 U 10
Fiaschetti **PN** 29 AJ 8
Fiasco Baldaia **CZ** 175 BI 51
Fiascora **ME** 197 BA 56
Fiattone **LU** 79 X 19
Fiavé **TN** 26 AA 7
Fibbialla **LU** 84 X 20
Fibbialla **PT** 85 Z 20
Fibbiana **FI** 86 AA 21
Fibbiano **LU** 85 X 20
Ficara **CS** 167 BF 45
Ficara **RC** 177 BH 53
Ficara III **CS** 167 BF 46
Ficara La Rocca **RC** 178 BD 55
Ficarazzi **CT** 197 BA 56
Ficarazzi **PA** 185 AP 55
Ficarella **CZ** 174 BG 50
Ficarella **TP** 183 AL 55
Ficareto **PG** 106 AJ 26
Ficareto **SI** 94 AC 23
Ficarolo **RO** 55 AD 14
Ficarra **ME** 188 AX 55
Ficarrola **CS** 164 BE 44
Ficiarà **AP** 99 AR 25
Fico Fontanelle **AG** 193 AR 59
Ficobianco **CS** 166 BE 45
Ficoncella **VT** 118 AH 30
Ficucelle **AV** 143 AZ 36
Ficulle **TR** 105 AH 27
Ficuzza **PA** 184 AP 56
Fidelini **SV** 61 L 17
Fidenza **PR** 65 V 14
Fiè allo Sciliar /
Vals em Schlem **BZ** 13 AD 4
Fielis **UD** 16 AN 5
Fienil del Turco **RO** 56 AG 13
Fienil Nuovo **BS** 38 W 11
Fienil Nuovo **RE** 66 Z 14
Fienile Bosco **BS** 38 V 11
Fienile Canetti **PD** 55 AE 13
Fienile Castella **BS** 38 W 11
Fienile Confortino **BS** 53 V 11
Fienile Mirabella **BS** 53 W 11
Fienile Osteria Nuova **BS** 53 W 12
Fienile Rescato **BS** 53 W 11
Fienile Salvelle **BS** 53 W 11
Fienile Solaro **BS** 53 W 12
Fienili **CR** 37 T 11
Fienili **LT** 130 AO 35
Fienili **MN** 55 AB 13
Fienili **MN** 54 Z 12
Fienili **PC** 52 U 13
Fienili **RN** 89 AK 20
Fienili **RN** 89 AL 20
Fienilone **FE** 56 AH 14
Fiera di Primiero **TN** 28 AF 6
Fiera di Ronza **CS** 168 BJ 47
Fiera di Viterbo **VT** 112 AH 29
Fiernaz **AO** 19 G 9
Fierozzo **TN** 27 AC 7
Fiesco **CR** 52 T 11
Fiesole **FI** 86 AC 21
Fiesole **SI** 104 AE 25
Fiesse **BS** 53 W 12
Fiesso **BO** 67 AD 16
Fiesso **VE** 42 AH 11
Fiesso Umbertiano **RO** 56 AE 14
Fietri **SI** 94 AE 23
Fietta **TV** 28 AG 8
Fietta **VR** 40 AB 10
Figadelli **BG** 38 U 9
Figarolo **GE** 76 Q 17
Figaruia **OT** 209 O 38
Figazzano **BR** 147 BN 39
Figheri **ME** 188 BA 56
Fighille **PG** 96 AH 22
Fighine **SI** 105 AG 26
Figiglola **TE** 115 AQ 28
Figino **AL** 63 P 15
Figino **MI** 36 P 11
Figino **RI** 114 AN 28
Figino Serenza **CO** 36 P 9
Figliano **FI** 87 AD 20
Figliaro **CO** 36 O 9
Figlieri **CN** 70 E 17
Figline **PO** 86 AB 20
Figline Valdarno **FI** 87 AD 22
Figline Vegliaturo **CS** 171 BG 48
Figlino **SA** 151 AW 39
Fignola **MO** 79 Z 18
Figuretta Bassa **AN** 98 AQ 23
Filacciano **RM** 113 AK 30
Filadelfia **VV** 174 BG 51
Filaga **PA** 192 AP 57
Filago **BG** 37 S 10
Filanda **MO** 66 AA 16
Filandari **VV** 174 BF 52
Filari **ME** 189 BB 54
Filattiera **MS** 78 U 18
Filecchio **LU** 79 X 19
Filetta **SA** 152 AY 39
Filetta **SI** 94 AC 24
Filette **AV** 142 AZ 37
Filette **AV** 143 AZ 37
Filette **CE** 132 AV 36
Filettino **FR** 121 AO 32
Filetto **AN** 90 AO 22
Filetto **AQ** 115 AQ 29
Filetto **CH** 117 AU 30
Filetto **MS** 78 U 18
Filetto **RA** 82 AH 18
Filettole **PI** 85 X 21
Filia **TO** 33 H 11
Filiano **PZ** 144 BD 39
Filicaia **LU** 78 X 19
Filichito **NA** 151 AV 38
Filici **MT** 165 BI 42
Filicudi Porto **ME** 180 AW 52
Filigare **FI** 80 AD 18
Filigheddu **SS** 209 M 39
Filighera **PV** 51 Q 12
Filignano **IS** 132 AT 34
Filippa **KR** 172 BJ 49
Filippantò **MC** 99 AR 24
Filippi **PR** 64 U 16
Filippona **AL** 50 N 14
Filipponi **PE** 116 AS 29
Filo **FE** 68 AG 16
Filogaso **VV** 174 BG 51

A B C D E F G H I J K L M N O P Q R S T U V W X Y Z

Filorsi CE	140 AS 36	Fiumicino RM	128 AI 33
Filottrano AN	98 AP 23	Fiuminata MC	97 AM 24
Fimon VI	41 AE 11	Fiunco MC	98 AN 25
Finaita ME	197 BA 56	Fivizzano MS	78 V 18
Finale PA	186 AT 55	Fizzonasco MI	51 Q 11
Finale PD	56 AF 13	Flaccadori BG	38 U 9
Finale VI	56 AE 12	Flaccanico BG	24 V 9
Finale di Rero FE	68 AG 15	Flacchi VT	112 AI 30
Finale Emilia MO	67 AC 14	Flading / Gaude BZ	3 AC 2
Finale Ligure SV	74 L 18	Flagogna UD	16 AM 6
Finata Mazzarrà ME	188 AZ 55	Flaibano UD	30 AM 7
Finero VB	7 M 7	Flaines BZ	4 AD 2
Finestre CE	141 AV 37	Flaio TE	109 AR 27
Finetti VR	40 AC 10	Flaipano UD	16 AO 6
Finieri CS	166 BD 45	Flambro UD	30 AN 8
Finiletti BG	38 U 11	Flambruzzo UD	30 AN 8
Finiletti BS	38 V 10	Flammignano TE	115 AQ 28
Finiletti Mattina BS	38 W 11	Flascio CT	196 AY 56
Finimondo FR	130 AQ 33	Flassin AO	18 E 9
Fino del Monte BG	24 U 8	Flavetto CS	171 BG 48
Fino Mornasco CO	36 P 9	Flavon TN	12 AB 6
Finocchietana RI	113 AK 29	Fleccia TO	47 E 14
Finocchieto TR	113 AK 29	Fleno AP	108 AP 27
Finocchio RM	120 AL 32	Fleres / Pflersch BZ	3 AD 2
Finocchito SA	162 AZ 41	Fleri CT	197 AZ 58
Fiobbio BG	38 T 9	Flero BS	38 W 11
Fiola TO	47 F 13	Fleuran AO	33 H 10
Fiolera CN	71 G 18	Flocco NA	151 AW 39
Fioli TE	108 AP 28	Floresta ME	188 AY 56
Fiolli RC	176 BF 53	Floriano TE	108 AR 27
Fiondi AL	50 N 14	Floriano TE	116 AS 28
Fiorana FE	68 AG 16	Floridia SR	203 AZ 61
Fiorana TO	34 I 11	Florinas SS	213 M 40
Fioranello RM	128 AK 33	Floronzo BZ	4 AG 3
Fiorano al Serio BG	24 U 9	Flumeri AV	143 AZ 37
Fiorano Canavese TO	34 H 11	Flumignano UD	30 AN 8
Fiorano Modenese MO	66 Z 16	Flumini CA	226 Q 48
Fiordipiano PU	90 AM 21	Fluminimaggiore CI	220 M 47
Fiore PG	106 AJ 27	Fluno BO	81 AF 17
Fiorentina BO	68 AE 16	Flussio OR	213 M 42
Fiorentina LI	102 Y 26	Fobello VB	7 L 7
Fiorentine VI	94 AD 24	Fobello VC	20 J 8
Fiorentino RSM	89 AJ 20	Focà RC	177 BH 53
Fiorenzuola d'Arda PC	52 U 14	Focchia LU	85 X 20
Fiorenzuola di Focara PU	89 AL 20	Foce AN	97 AM 23
Fioretta RM	119 AK 31	Foce AP	107 AO 26
Fiorine BG	24 U 8	Foce MS	78 U 18
Fiorino GE	75 N 17	Foce PU	97 AL 22
Fiorino PI	92 Y 24	Foce SA	151 AW 39
Firenze FI	86 AC 21	Foce SA	162 AZ 43
Firenzuola FI	80 AD 19	Foce SP	77 S 18
Firenzuola TR	106 AK 27	Foce SP	77 T 19
Firmano UD	31 AP 7	Foce TR	113 AJ 28
Firmo CS	167 BG 45	Foce del Sele SA	152 AY 41
Firriato ME	188 AZ 55	Foce di Varano FG	126 BD 32
Fisciano SA	151 AX 39	Foce Vecchia VT	111 AD 29
Fisrengo NO	35 L 11	Focene RM	128 AI 33
Fisto TN	25 Z 7	Foci IS	132 AT 33
Fitili VV	176 BE 51	Fodico RE	66 Y 14
Fittà VR	40 AC 11	Foén BL	28 AG 7
Fiuggi FR	121 AO 33	Foenna SI	95 AF 24
Fiugni AQ	114 AO 29	Fogana MS	77 U 18
Fiumalbo MO	79 Y 18	Fogare MN	54 Y 14
Fiumana FC	82 AG 19	Fogarole PC	52 U 13
Fiumane FC	81 AF 19	Foggetta TE	109 AT 28
Fiumara AV	143 BA 37	Foggia FG	135 BC 35
Fiumara BT	136 BG 35	Foggiamare FG	135 BE 35
Fiumara FC	164 BF 44	Foggianello PZ	144 BC 38
Fiumara Grande RM	128 AI 33	Foggiano PZ	144 BC 38
Fiumarella CS	168 BJ 46	Foglia RI	113 AJ 30
Fiumarella RC	179 BF 56	Foglianise BN	142 AX 36
Fiumarella SA	162 AZ 43	Fogliano MO	66 AA 16
Fiumaretta di Ameglia SP	78 U 19	Fogliano MO	66 Z 16
Fiumata RI	114 AN 30	Fogliano PG	107 AN 27
Fiumazzo RA	68 AH 16	Fogliano PV	50 O 12
Fiume MC	107 AN 25	Fogliano RE	66 Y 16
Fiume PG	96 AI 22	Fogliano Redipuglia GO	31 AP 8
Fiume TE	108 AQ 28	Fogliarella BR	148 BN 39
Fiume Veneto PN	29 AL 8	Foglizzo TO	48 H 12
Fiumedinisi ME	189 BB 55	Fognano FI	81 AD 19
Fiumefreddo Bruzio CS	170 BE 48	Fognano PI	93 Z 23
Fiumefreddo di Sicilia CT	197 BA 57	Fognano PR	65 W 15
Fiumelato PA	184 AO 55	Fognano PT	86 AB 20
Fiumelatte LC	23 Q 8	Fognano RE	81 AF 18
Fiumenaro AG	199 AQ 60	Fognana PD	57 AH 12
Fiumenero BG	24 U 7	Foi AL	61 L 16
Fiumes BZ	4 AB 4	Foiana / Voilan BZ	12 AB 4
Fiumesino AN	91 AP 22	Foiano della Chiana AR	95 AF 24
Fiumesino PN	29 AL 8	Foiano di Val Fortore BN	133 AY 35
Fiumetto LU	84 W 20	Folchi CN	71 G 18
Fiumicello CS	166 BD 45	Folchi Vigi AN	90 AO 21
Fiumicello FC	87 AF 20	Folciano CO	23 R 6
Fiumicello PN	163 BD 43	Folega RO	56 AE 14
Fiumicello Santa Venere PZ	163 BD 44	Folegnano MS	78 V 18
Fiumicino FC	83 AJ 19	Folgara FR	130 AQ 33

Folgaria TN	26 AC 8	Fontanabona UD	30 AO 7
Folignano AP	108 AQ 27	Fontanachiosa PR	64 S 16
Folignano PC	64 S 14	Fontanachiusa AL	63 Q 16
Foligno PG	106 AL 26	Fontanafratta FR	130 AP 33
Follina TV	28 AH 8	Fontanafredda CE	140 AS 36
Follo BL	28 AH 7	Fontanafredda PD	56 AE 12
Follo PC	64 T 14	Fontanafredda PN	29 AK 8
Follo PD	41 AF 10	Fontanaluccia MO	79 Y 18
Follo SP	77 U 18	Fontanamare CI	224 L 48
Follonara CS	167 BF 46	Fontanamurata PA	193 AR 57
Follonica GR	102 Z 26	Fontanaradina CE	140 AS 36
Folonara AV	142 AZ 37	Fontanarosa AV	142 AZ 37
Folta PR	77 T 17	Fontanarossa GE	63 Q 16
Folzano BS	38 W 11	Fontanasalsa TP	182 AK 56
Fonaco AR	96 AH 23	Fontanasse AL	62 M 15
Fondaccio AR	95 AG 23	Fontanavecchia BN	142 AX 36
Fondachello CT	197 BA 57	Fontanazzo TN	13 AF 5
Fondachello ME	188 AY 55	Fontane BS	38 W 10
Fondachello ME	189 BB 54	Fontane CN	71 I 18
Fondaco Margherito CT	196 AX 56	Fontane MN	39 Y 11
Fondaco Motta ME	197 BA 56	Fontane PR	65 W 14
Fondaco Prete ME	189 BB 56	Fontane SO	11 X 5
Fondagno LU	85 X 20	Fontane TO	46 D 14
Fondelci MC	98 AO 24	Fontane TV	42 AG 9
Fondi LT	130 AP 35	Fontane TV	42 AI 9
Fondi PG	106 AL 25	Fontane TV	43 AJ 9
Fondiano RE	66 Y 16	Fontane VA	36 O 9
Fondiglie AN	97 AL 23	Fontane VB	20 J 8
Fondillo CE	141 AU 37	Fontane Bianche SR	205 BA 62
Fondirò AG	199 AS 60	Fontanedo MS	78 U 18
Fondo FE	57 AI 14	Fontanefredde / Kaltanbrunn BZ	13 AD 6
Fondo PC	64 T 14	Fontanegli GE	76 P 17
Fondo TN	12 AB 5	Fontanelice BO	81 AE 18
Fondo Morte SR	205 AZ 63	Fontanella BG	37 T 11
Fondo Muri VT	41 AD 10	Fontanella BO	67 AC 17
Fondo Villa PA	185 AP 55	Fontanella CS	170 BF 49
Fondola CE	141 AU 36	Fontanella FI	86 AA 22
Fondotoce VB	21 L 8	Fontanella MN	53 W 12
Fondovalle VB	7 L 5	Fontanella Ozino BI	34 J 10
Fondufaux TO	46 D 13	Fontanellato PR	65 W 14
Fongara VI	40 AC 9		
Fonigo MI	36 Q 9		
Fonni NU	218 Q 43		
Fonni PG	107 AM 26		
Fontainemore AO	34 I 10		
Fontalcarpine GR	103 AC 27		
Fontalcinaldo GR	103 AA 25		
Fontana AP	99 AR 25		
Fontana BO	80 AC 17		
Fontana BS	38 V 10		
Fontana BS	38 W 10		
Fontana CO	36 O 9		
Fontana CR	53 W 13		
Fontana GR	111 AF 28		
Fontana LO	51 S 12		
Fontana NA	150 AS 39		
Fontana PC	63 R 15		
Fontana PD	56 AE 12		
Fontana PD	56 AF 12		
Fontana PG	96 AI 25		
Fontana RE	66 Z 15		
Fontana TN	12 AA 5		
Fontana TV	28 AH 8		
Fontana VI	40 AC 10		
Fontana VI	27 AD 8		
Fontana VI	41 AD 10		
Fontana VI	41 AD 11		
Fontana VI	27 AE 9		
Fontana Babola AV	143 AZ 36		
Fontana Caggiano I SA	153 BB 40		
Fontana che Piove CS	170 BG 48		
Fontana Cicchetta FR	131 AS 34		
Fontana Conti FR	130 AO 34		
Fontana d'Agli AV	142 AY 37		
Fontana d'Eboli PZ	164 BE 42		
Fontana dell'Olmo AV	143 AZ 38		
Fontana di Papa RM	129 AK 33		
Fontana di Piazza RC	176 BF 53		
Fontana di Sola CS	166 BF 46		
Fontana Fredda PC	52 U 14		
Fontana La Pietra CS	170 BG 48		
Fontana Levara AV	142 AZ 37		
Fontana Liri Inf. FR	130 AQ 34		
Fontana Liri Sup. FR	130 AQ 34		
Fontana Livia-Solfegna FR	131 AR 35		
Fontana Lupo PA	184 AO 55		
Fontana Mandrini FR	130 AO 34		
Fontana Monaci FR	131 AR 35		
Fontana Pasquale BN	133 AX 36		
Fontana Pradosa PC	51 R 13		
Fontana Scurano FR	130 AP 33		
Fontana Vaccaia PT	79 Z 19		
Fontana Vaglio SI	153 BB 41		
Fontana Vecchia BN	141 AV 36		
Fontana Vecchia TE	109 AR 27		

Fontanelle AP	108 AR 26	Fontaniva PD	41 AF 10
Fontanelle AR	88 AG 21	Fontarello RI	114 AN 28
Fontanelle BL	14 AG 5	Fontazzi SI	94 AC 24
Fontanelle BO	80 AC 18	Fonte CB	133 AW 34
Fontanelle BS	39 X 10	Fonte SA	152 AZ 41
Fontanelle CE	140 AT 36	Fonte TV	42 AG 9
Fontanelle CE	132 AV 36	Fonte al Melo GR	103 AC 27
Fontanelle CH	116 AU 29	Fonte alla Roccia / Trinkstein BZ	5 AH 1
Fontanelle CN	71 G 17	Fonte Amica CB	133 AW 35
Fontanelle FE	68 AG 14	Fonte Arrigo AP	108 AQ 26
Fontanelle FI	86 AD 20	Fonte Cannella PU	90 AM 22
Fontanelle FR	130 AO 34	Fonte Cerreto AQ	115 AQ 29
Fontanelle MC	98 AP 23	Fonte d'Amore AQ	122 AS 31
Fontanelle PR	53 W 14	Fonte del Campo RI	107 AO 27
Fontanelle PU	89 AK 21	Fonte della Regina SI	104 AG 25
Fontanelle SA	153 BB 40	Fonte dell'Usignolo VT	112 AI 30
Fontanelle SA	153 BC 41	Fonte d'Ercole AP	108 AQ 26
Fontanelle SI	94 AE 24	Fonte d'Olio AN	91 AQ 22
Fontanelle TE	109 AS 28	Fonte di Brescia MC	97 AM 25
Fontanelle TV	29 AJ 8	Fonte di Frontignano MC	107 AN 26
Fontanelle VA	36 O 9	Fonte di Mare AP	99 AR 24
Fontanelle VR	40 AC 11	Fonte di Papa RM	119 AK 31
Fontanelle di Selvotta RM	128 AK 33	Fonte Giardino CH	116 AU 30
Fontanellette TV	29 AJ 9	Fonte Il SA	152 AZ 41
Fontanesi CS	170 BG 48	Fonte La Cesa CB	133 AW 35
Fontaneto LU	84 W 20	Fonte La Noce CB	133 AX 35
Fontaneto TO	46 H 14	Fonte Paciano PG	105 AH 25
Fontanetto Po VC	49 K 12	Fonte Polo CB	133 AW 34
Fontaney AO	33 H 9	Fonte Romana AQ	122 AT 31
Fontanicchio VT	112 AH 28	Fonte Sant'Angelo IS	132 AU 34
Fontaniello SA	151 AW 39	Fonte Sant'Angelo PG	95 AH 24
Fontanigorda GE	63 Q 16	Fonte Saraceno SA	162 AY 42
Fontanile AT	61 L 15	Fonte Serpe AP	99 AR 24
		Fonte Vetriana SI	105 AG 26
		Fonte Vivola VT	112 AI 30
		Fonteavignone AQ	115 AQ 30
		Fonteblanda GR	110 AC 28

FIRENZE

Agnelli (V. Giovanni)	BS 4	Paoli (V.)	AS 103
Alberti (Pza L. B.)	BS 6	Paoli (Viale Pasquale)	BS 105
Aretina (V.)	BS 13	Pietro Leopoldo (Pza)	BR 114
Chiantigiana (V.)	BS 36	Poggio Imperiale (Viale del)	BS 118
Colombo (Lungarno C.)	BS 37	Pollaiuolo (V. A. del)	AS 121
D'Annunzio (V. G.)	BS 41	Salviati (V.)	BR 144
De Amicis (Viale E.)	BS 45	S. Domenico (V.)	BR 147
Europa (Viale)	BS 49	Villamagna (V. di)	BS 196
Giannotti (Viale D.)	BS 58		
Guidoni (Viale A.)	AR 67		
Mariti (V. G. F.)	BR 81		
Novoli (V. di)	AR 91		
Panche (V. delle)	BR 100		

Cenacolo di San Salvi .... BS G

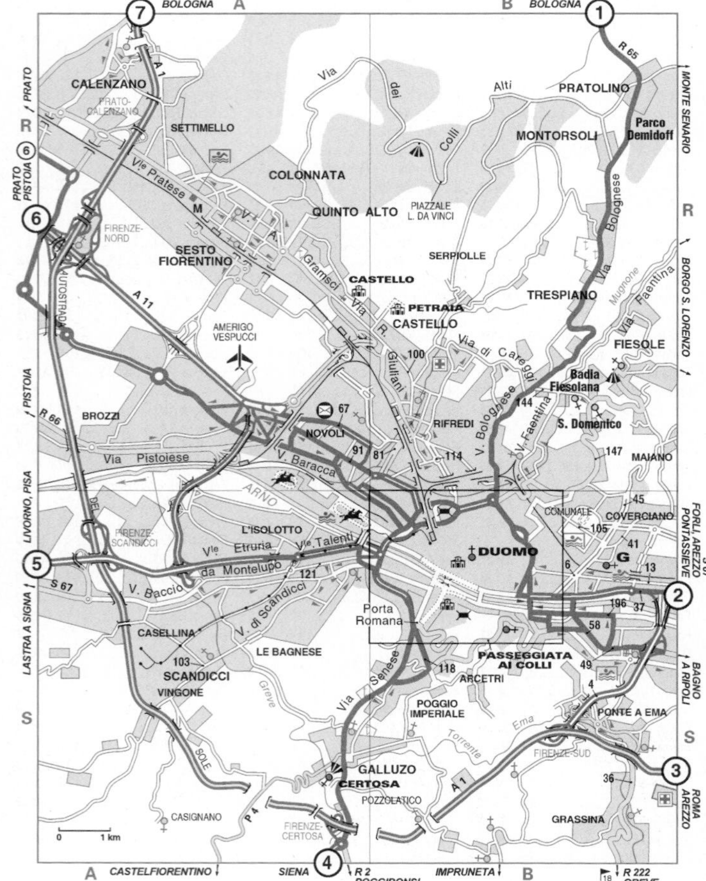

Fontebona *PU* .... 90 AM 22
Fontebuona *FI* .... 86 AC 20
Fontecchio *AQ* .... 115 AQ 30
Fontechel *TN* .... 26 AA 9
Fontechiari *FR* .... 131 AR 33
Fontecorniale *PU* .... 89 AL 21
Fontecurello Vaglie *IS* .... 132 AU 33
Fontegreca *CE* .... 132 AU 35
Fonteiaova *CB* .... 132 AW 35
Fonteil *AO* .... 33 F 9
Fontelacasa *CH* .... 124 AW 32
Fontelunga *AR* .... 95 AF 24
Fontemaggio *PG* .... 97 AL 23
Fonteno *BG* .... 38 V 9
Fontenoce *MC* .... 98 AQ 23
Fonterossi *CH* .... 123 AU 31
Fonterutoli *SI* .... 94 AC 23
Fontespina *MC* .... 99 AR 24
Fonteviva *IS* .... 132 AT 33
Fontevivo *PR* .... 65 W 14
Fonti *BG* .... 38 U 9
Fonti *VB* .... 7 K 7
Fontia *MS* .... 78 V 19
Fontiano *AR* .... 95 AG 23
Fonticelle *CH* .... 123 AU 32
Fonticelli *CH* .... 117 AV 29
Fontignano *PG* .... 105 AI 25
Fontigo *TV* .... 28 AH 8
Fontisterni *FI* .... 87 AD 21
Fontitune *FR* .... 131 AS 34
Fonzaso *BL* .... 28 AF 7
Foppa *SO* .... 23 S 7
Foppaluara *LC* .... 37 R 9
Foppiano *GE* .... 63 Q 16
Foppiano *PR* .... 64 S 17
Foppiano *TN* .... 26 AB 8
Foppiano *VB* .... 7 L 5
Foppo *SO* .... 9 R 6
Foppolo *BG* .... 24 T 7
Forada Is Olias *CA* .... 226 P 49
Forame *UD* .... 17 AP 6
Forani *CN* .... 70 E 18
Forano *RI* .... 113 AK 30
Forbesina *SO* .... 10 T 6
Forca *AP* .... 108 AP 27
Forca Canapine *AP* .... 107 AO 27
Forca di Penne *AQ* .... 116 AS 30
Forca di Valle *TE* .... 115 AQ 28
Forca Sant'Angelo *RM* .... 120 AN 31
Forcarigoli *RO* .... 57 AH 13
Forcatura *MC* .... 97 AM 25
Forcatura *PG* .... 107 AM 25
Force *AP* .... 108 AP 26
Forcella *AP* .... 108 AP 27
Forcella *AP* .... 108 AP 27
Forcella *FR* .... 131 AQ 33
Forcella *MC* .... 107 AM 26
Forcella *TE* .... 108 AR 28
Forcelle *RI* .... 107 AO 28
Forcelli *BO* .... 67 AC 16
Forcello *CR* .... 53 V 13
Forche *CZ* .... 175 BI 51
Forchia *BN* .... 141 AW 37
Forchia *CE* .... 141 AV 37
Forcillo *PZ* .... 144 BD 39
Forcola *TO* .... 47 G 12
Forcole *SO* .... 24 T 6
Forcoli *PI* .... 85 Z 22
Fordongianus *OR* .... 217 N 44
Forella *CS* .... 168 BI 46
Forenza *PZ* .... 144 BE 38
Foresi *MC* .... 98 AO 23
Foresta *AV* .... 143 AZ 37
Foresta *BZ* .... 12 AB 4
Foresta *CS* .... 170 BF 48
Foresta *CS* .... 168 BH 46
Foresta *CS* .... 168 BJ 46
Foresta *CZ* .... 171 BG 50
Foresta *IS* .... 132 AT 34
Foresta *KR* .... 172 BJ 49
Foresta *KR* .... 173 BL 49
Foresta *PZ* .... 163 BD 43
Foresta di Burgos *SS* .... 213 O 41
Foresta-Sidonio *FR* .... 131 AS 35
Forestella *CS* .... 167 BG 47
Forestella *FR* .... 130 AP 34
Foresti *AL* .... 61 M 16
Foresti *CN* .... 59 F 17
Foresto *BG* .... 37 S 9
Foresto *CN* .... 58 D 16
Foresto *CN* .... 60 H 15
Foresto *LU* .... 78 W 19
Foresto *MN* .... 54 Y 12
Foresto *TO* .... 46 D 13
Foresto *VE* .... 56 AH 12
Foresto Sesia *VC* .... 34 K 9
Foresto Sparso *BG* .... 38 U 9
Forette *VR* .... 54 AA 11
Forfi *PG* .... 107 AM 26
Forgaria nel Friuli *UD* .... 16 AM 6
Foria *SA* .... 162 BA 43
Forino *AV* .... 151 AX 38
Forio *NA* .... 150 AS 39
Forlì *FC* .... 82 AH 18
Forli' del Sannio *IS* .... 132 AU 33
Forlimpopoli *FC* .... 82 AH 18
Forma *RM* .... 129 AN 33
Formaga *BS* .... 39 Y 9
Formazza *VB* .... 7 L 5
Forme *AQ* .... 121 AP 31
Forme Cerati *VI* .... 27 AD 8
Formeaso *UD* .... 16 AN 5
Formegan *BL* .... 28 AH 7
Formelle *CB* .... 133 AW 35
Formello *RM* .... 119 AJ 31
Formeniga *TV* .... 28 AI 8
Formia *LT* .... 139 AQ 36
Formica *BO* .... 67 AB 17
Formica *MN* .... 55 AB 13
Formica *MO* .... 66 AB 17
Formicola *CE* .... 141 AU 36
Formigara *CR* .... 52 T 12
Formigine *MO* .... 66 AA 16
Formigliana *VC* .... 35 K 11
Formignana *FE* .... 68 AG 14
Formignano *FC* .... 82 AH 19
Formignano *SI* .... 94 AC 24
Formigosa *MN* .... 54 AA 13
Formole *AR* .... 88 AH 22
Forna *BN* .... 133 AY 35
Fornaca *CN* .... 59 G 15
Fornaca *CN* .... 74 J 18
Fornacchia *VT* .... 112 AI 29
Fornace *AL* .... 61 M 15
Fornace *AN* .... 97 AM 23
Fornace *AN* .... 90 AN 22
Fornace *AN* .... 97 AN 22
Fornace *BG* .... 37 S 10
Fornace *BG* .... 38 U 9
Fornace *BN* .... 141 AW 36
Fornace *BO* .... 67 AB 17
Fornace *BO* .... 81 AD 18
Fornace *CE* .... 141 AU 36
Fornace *CO* .... 22 O 9
Fornace *CR* .... 52 U 12
Fornace *CR* .... 52 U 13
Fornace *FI* .... 86 AB 21
Fornace *FI* .... 87 AE 20
Fornace *FR* .... 131 AR 34
Fornace *GR* .... 111 AD 28
Fornace *LU* .... 85 Y 20
Fornace *MC* .... 98 AN 23
Fornace *PC* .... 52 T 14
Fornace *PT* .... 86 AA 20
Fornace *PU* .... 89 AL 22
Fornace *PV* .... 51 P 13

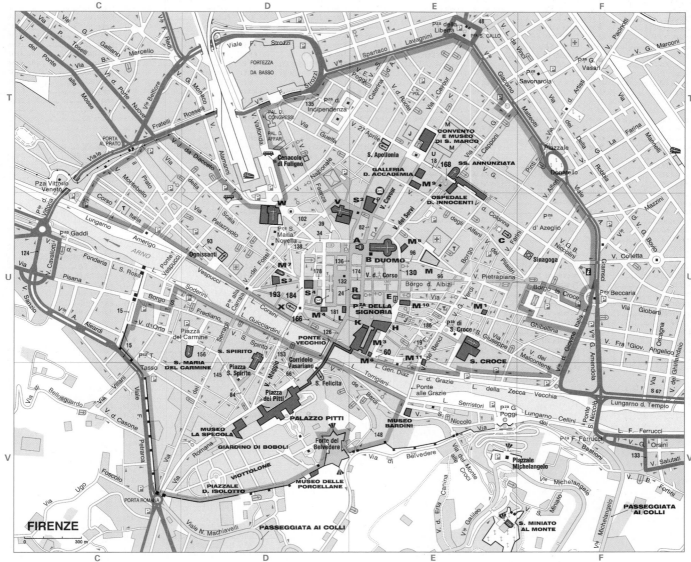

Ariosto (Viale F.) .... CU 15
Battisti (V. C.) .... ET 18
Bentaccordi (V.) .... EU 19
Calimala (V.) .... DU 24
Cerretani (V. de') .... DU 34
Conti (V. de') .... DU 39
Don G. Minzoni (Viale) .... ET 48
Giudici (Pza dei) .... EU 60
Guicciardini (V. de') .... DV 66
Martelli (V. de') .... EU 82
Mazzetta (V.) .... DV 84
Ognissanti (Borgo) .... DU 93
Oriuolo (V. d.) .... EU 96
Panzani (V.) .... DU 102
Ponte Sospeso (V. del) .... CU 124
Por S. Maria (V.) .... DU 126
Proconsolo (V. del) .... EU 130
Repubblica (Pza della) .... DU 132
Ricorborli (V. di) .... FV 133
Ridolfi (V. C.) .... DT 135
Roma (V.) .... DU 136
Rondinelli (V. de') .... DU 138
Santissima Annunziata (Pza della) .... ET 168
Santi Apostoli (Borgo) .... DU 166
Speziali (V. degli) .... EU 174
Strozzi (V. degli) .... DU 178
S. Agostino (V.) .... DV 145
S. Giorgio (Costa di) .... EV 148
S. Jacopo (Borgo) .... DU 153
S. Monaca (V.) .... DU 156
Terme (V. delle) .... DU 181
Tornabuoni (V.) .... DTU 184
Torta (V.) .... EU 186
Vigna Nuova (V. della) .... DU 193

Battistero .... EU A
Campanile .... EU B
Casa Buonarroti .... EU M^1
Crocifissione del Perugino .... EU C
Galleria degli Uffizi .... EU M^3
La Badia .... EU E
Loggia della Signoria .... EU K
Loggia del Mercato Nuovo .... DU L
Museo della Casa Fiorentina Antica .... DU M^4
Museo dell'Opera del Duomo .... EU M^5
Museo di Storia della Scienza .... EU M^6
Museo Horne .... EU M^{11}
Museo Marino Marini .... DU M^7
Opificio delle Pietre dure .... ET M^9
Orsanmichele .... EU R^2
Palazzo e museo del Bargello .... EU M^{10}
Palazzo Medici-Riccardi .... EU S^2
Palazzo Rucellai .... DU S^3
Palazzo Strozzi .... DU S^4
Palazzo Vecchio .... EU H
Santa Maria Novella .... DU W
Santa Trinita .... DU X

Fornace PV 51 Q 14
Fornace PV 51 R 13
Fornace RM 118 AG 31
Fornace RN 83 AJ 19
Fornace TN 26 AC 7
Fornace TV 28 AG 8
Fornace VE 30 AL 9
Fornace VI 41 AD 10
Fornace VR 54 AB 12
Fornace Felina PC 52 U 14
Fornace Ferracuti AP 99 AR 25
Fornace Giuliodori AN 98 AP 23
Fornace Guerrino BO 68 AF 17
Fornace Laterizi SI 104 AE 25
Fornace Zarattini RA 82 AH 17
Fornacelle PO 86 AB 20
Fornacelle SI 94 AC 23
Fornacette PG 97 AK 23
Fornacette PI 85 Y 21
Fornaci LO 52 T 12
Fornaci TV 43 AJ 10
Fornaci di Barga LU 79 X 19
Fornaciai PT 86 AA 20
Fornacino TO 48 H 13
Fornacione AL 49 K 13
Fornalis UD 31 AP 7
Fornari SA 162 AZ 42
Fornase VR 39 Z 10
Fornasetta PD 41 AE 11
Fornasette BG 37 T 10
Fornasette BS 38 W 11
Fornasette PD 56 AF 12
Fornasette VA 22 N 8
Fornasette VR 55 AD 12
Fornazzano RA 81 AE 19
Fornazzo CT 197 AZ 57
Fornelle CB 133 AW 35
Fornelle MC 98 AN 23
Fornelli IS 132 AT 34
Fornelli SA 162 AY 42
Fornelli SS 208 K 38
Fornelli UD 30 AO 8
Fornello AR 87 AE 21
Fornello BA 146 BI 39
Fornello FI 86 AA 21
Fornello FI 87 AD 20
Fornello MS 78 W 19
Fornello PC 51 R 13
Fornello SP 77 T 18
Forner TV 28 AG 8
Fornero VB 21 L 8
Fornesighe BL 14 AI 5
Fornetti TO 33 F 11
Forni AT 61 K 14
Forni VI 27 AD 8
Forni Avoltri UD 15 AL 4
Forni dell'Accesa GR 103 AA 26
Forni di Sopra UD 15 AK 5
Forni di Sotto UD 15 AL 5
Fornico BS 39 Y 9
Fornillo BN 142 AX 37
Fornillo NA 151 AW 39
Fornio PR 64 V 14
Fornione BO 81 AE 18
Fornisco TE 108 AP 27
Forno LT 138 AN 35
Forno MO 80 AA 18
Forno MS 78 W 19
Forno PC 52 V 13
Forno PN 16 AM 6
Forno TN 13 AE 5
Forno TO 47 E 12
Forno TO 47 E 13
Forno VB 21 K 8
Forno VI 41 AE 11
Forno Alpi Graie TO 32 E 11
Forno Canavese TO 47 G 11
Forno della Gaiana BO 68 AE 16
Forno di Canale BL 14 AG 5
Forno di Zoldo BL 14 AI 5
Forno d'Ono BS 39 X 9
Forno Nuovo BG 23 S 8
Fornole TR 113 AJ 28
Fornoli LU 85 Y 19
Fornoli MS 78 U 18
Fornoli li LT 130 AN 34
Fornolo RE 78 W 17
Fornolosa TO 33 F 11
Fornovo di Taro PR 65 V 15
Fornovo San Giovanni BG 37 T 11
Fornovolasco LU 84 X 19
Foro CH 117 AU 29
Foro CH 117 AV 29
Forone PT 85 Z 20
Foroni VR 54 Z 11
Forotondo AL 63 Q 15
Forsivo PG 107 AN 27
Forte BI 34 K 10
Forte dei Marmi LU 84 W 20
Forte Filippo GR 110 AC 29
Forte Maggiore TO 48 I 14
Fortezza FE 68 AF 15
Fortezza / Franzensfeste BZ 4 AE 3
Forti CN 70 D 17
Fortino PZ 163 BD 43
Fortogna BL 14 AI 6
Fortunago PV 63 Q 14
Fortunati CH 123 AU 32
Forza d'Agrò ME 189 BA 56
Forzo TO 33 F 10
Foscalina MS 78 V 19
Fosciandora LU 79 X 19
Fosdinovo MS 78 V 19
Fosdondo RE 66 Z 15
Fosini SI 93 AA 24
Fossa AQ 115 AP 30
Fossa BS 39 X 11
Fossa BZ 13 AD 5
Fossa CS 168 BJ 46
Fossa MO 54 AB 14
Fossa PR 53 W 13
Fossa TV 43 AJ 9
Fossa VV 177 BG 52
Fossa di Valle NA 151 AV 39
Fossa Guazzona CR 53 W 13
Fossabiuba TV 29 AK 9
Fossacaprara CR 53 X 14
Fossacesia CH 117 AV 30
Fossacesia Marina CH 117 AW 30
Fossalon di Grado GO 31 AP 9
Fossalta FE 68 AF 14
Fossalta PD 42 AH 10
Fossalta VR 55 AC 12
Fossalta VR 39 Z 11
Fossalta di Piave VE 43 AK 10
Fossalta di Portogruaro VE 30 AM 9
Fossalta Maggiore TV 43 AK 9
Fossalto CB 133 AW 33
Fossalunga TV 42 AH 9
Fossamerlo TV 29 AI 8
Fossano CN 60 H 16
Fossanova LT 130 AO 35
Fossanova
di San Marco FE 68 AE 15
Fossaragna PD 56 AG 12
Fossarmato PV 51 Q 12
Fossatello TR 105 AI 27
Fossatillo AQ 114 AO 29
Fossato BS 38 U 10
Fossato MN 54 Y 12
Fossato PO 80 AB 19
Fossato PU 89 AK 22
Fossato PU 97 AK 23
Fossato SP 77 S 18
Fossato SV 73 J 19
Fossato Cupo CB 133 AW 34
Fossato di Vico PG 97 AL 24
Fossato Ionico RC 178 BD 55
Fossato Serralta CZ 171 BI 50
Fossatone BO 68 AE 17
Fossaz AO 32 D 9
Fosse BZ 4 AE 2
Fosse BZ 4 AG 2
Fosse CS 170 BF 47
Fosse CS 170 BF 48
Fosse TN 27 AF 7
Fosse VI 27 AF 8
Fosse VR 40 AA 10
Fosseno NO 35 M 9
Fossiata CS 168 BI 47
Fossignano LT 128 AK 34
Fosso FR 131 AR 33
Fosso PU 97 AL 23
Fosso VE 42 AH 11
Fosso di Bosco BN 133 AY 36
Fosso di San Giuliano RM 120 AL 32
Fosso Gelso ME 188 AX 55
Fosso Pino ME 188 AY 55
Fosso Salsi PZ 164 BG 43
Fosso Sejore PU 90 AM 20
Fossola MS 78 V 19
Fossola PR 65 W 16
Fossola SP 77 T 19
Fossoli MO 66 AA 15
Fossolo RA 82 AG 17
Fossombrone PU 89 AL 21
Fossona PD 41 AF 11
Fossopietroso RM 119 AI 31
Fosto PU 89 AK 22
Fox'E Sali CA 225 O 50
Foxi CA 226 Q 48
Foxi TN 26 AB 9
Foxi Murdegu OG 223 S 45
Foza VI 27 AE 8
Fra Giuseppe VV 174 BG 51
Fra Paolo CZ 172 BJ 49
Frabosa Soprana CN 71 H 18
Frabosa Sottana CN 71 H 18
Frabotto Mannesi CZ 175 BI 51
Fracassi VI 40 AC 9
Fraccano PG 96 AI 22
Fracchia CR 51 R 11
Fracchie VB 7 L 5
Frachey AO 19 H 8
Frachiamo TO 33 G 11
Fracicco-Lavandaio CS 167 BG 46
Fracina CR 51 R 11
Fraciscio SO 9 R 5
Fraconalto AL 62 O 16
Frades Berritteddos OT 210 R 38
Frades Tilignas OT 210 R 38
Fraelacco UD 16 AO 6
Fraforeano UD 30 AM 9
Fragagnano TA 157 BN 41
Fragaiolo AR 88 AG 22
Fragheto PU 88 AH 21
Fragnete IS 132 AU 34
Fragnete IS 132 AV 34
Fragneto L'Abate BN 142 AX 36
Fragneto Monforte BN 142 AX 36
Fragno PR 65 V 16
Fragone TN 25 Y 8
Fraia PG 107 AM 26
Fraia-Duglia CS 167 BG 46
Fraigas SS 213 O 40
Fraigata OT 209 O 38
Frailliti CS 170 BF 48
Fraine BS 24 V 9
Fraine CH 123 AV 32
Fraine VR 40 AA 9
Fraioli FR 131 AQ 34
Fraire CN 59 F 15
Frais TO 46 C 13
Fraisse TO 46 C 13
Fraita TO 47 E 14
Franca PG 106 AL 26
Francari ME 188 AY 55
Francavilla AN 90 AN 21
Francavilla al Mare CH 117 AU 29
Francavilla Angitola VV 174 BG 51
Francavilla Bisio AL 62 N 15
Francavilla d'Ete FM 98 AQ 24
Francavilla di Sicilia ME 188 AZ 56
Francavilla Fontana BR 148 BO 40
Francavilla in Sinni PZ 164 BG 43
Francavilla
Marittima CS 167 BH 45
Francenigo TV 29 AK 8
Francesco VR 40 AB 10
Franche NA 151 AW 39
Franchini AL 49 L 14
Franchini PC 64 U 15
Franchini PR 64 T 16
Franchi-Salvi PR 64 T 15
Franchitti IS 132 AT 34
Francia TO 59 E 14
Francica VV 174 BF 52
Francocci PG 106 AK 27
Francofonte SR 202 AY 60
Francolane LT 130 AO 35
Francolini TN 26 AC 8
Francolino FE 56 AE 14
Francolise CE 140 AT 36
Franculacciu NU 211 S 39
Frangellini RI 113 AJ 29
Franscia SO 10 U 6
Fransedo SO 9 R 6
Frantolo FI 86 AA 21
Franzensfeste /
Fortezza BZ 4 AE 3
Franzese Secondo BN 133 AY 35
Fraore PR 65 W 15
Frapiero PD 56 AG 12
Frasca AQ 115 AR 30
Frascara AQ 115 AQ 30
Frascaro AL 62 M 15
Frascaro PG 107 AN 27
Frascaro RE 78 X 17
Frascarolo PV 50 N 13
Frascata AL 63 P 15
Frascate PV 63 P 14
Frascati RM 120 AL 33
Frascheia BI 34 J 10
Fraschette FR 130 AO 33
Frascianida ME 188 BA 55
Frascineto CS 165 BG 44
Frascino AV 142 AZ 36
Frassaneit PN 15 AL 6
Frassanito LE 159 BT 42
Frassené BL 14 AG 6
Frassenè BL 28 AF 7
Frassenetto UD 15 AL 4
Frassi FR 130 AQ 34
Frassi PC 63 R 16
Frassignoni PT 80 AA 19
Frassilongo TN 27 AC 7
Frassinara PR 65 X 14
Frassine GR 102 Z 25
Frassinedolo RE 78 X 17
Frassinelle Polesine RO 56 AF 14
Frassinello Monferrato AL 49 L 13
Frassineta AN 97 AL 23
Frassineta AR 88 AG 21
Frassineta BO 80 AD 18
Frassineti MO 79 Z 17
Frassineto AR 95 AG 23
Frassineto BO 81 AD 17
Frassineto GE 63 P 16
Frassineto PR 64 S 16
Frassineto / Verschneid BZ 12 AC 4
Frassineto Po AL 50 M 13
Frassinetto CS 168 BH 45
Frassinetto TO 33 G 11
Frassiney AO 32 D 10
Frassini SI 94 AB 24
Frassino CN 59 E 16
Frassinoro MO 79 Y 18
Frasso PR 64 T 17
Frasso Sabino RI 114 AL 30
Frasso Telesino BN 141 AW 37
Frassoneta SV 74 K 17
Frassuolo SO 10 W 5
Frati MC 107 AM 25
Fraticciola AR 95 AG 24
Fratta FC 82 AH 19
Fratta GO 31 AP 8
Fratta PG 106 AL 26
Fratta PN 29 AJ 8
Fratta PN 15 AL 6
Fratta PU 89 AJ 22
Fratta PU 89 AL 20
Fratta PZ 164 BF 44
Fratta RE 65 X 16
Fratta TV 28 AI 8
Fratta VE 30 AM 9
Fratta Inf. PZ 164 BF 44
Fratta Polesine RO 56 AE 13
Fratta Todina PG 106 AJ 26
Frattaguida TR 105 AI 26
Frattamaggiore NA 150 AU 38
Fratta-minore NA 150 AU 38
Frattavecchia PG 105 AG 25
Fratte AV 142 AX 38
Fratte FI 80 AC 19
Fratte IS 132 AV 33
Fratte PD 42 AG 10
Fratte PE 116 AS 29
Fratte PG 96 AI 24
Fratte PU 89 AK 20
Fratte TN 27 AD 7
Fratte TV 29 AJ 8
Fratte di Cimpello PN 29 AL 8
Fratte Rosa PU 90 AM 22
Fratticello Stazione
di Filetto CH 117 AU 30
Fratticiola Selvatica PG 96 AK 24
Frattina PN 29 AK 9
Frattina VE 42 AH 11
Frattins UD 16 AO 6
Frattocchie RM 120 AK 33
Frattoli TE 115 AP 28
Frattuccia TR 113 AJ 28
Frattura AQ 122 AS 32
Fraveggio TN 26 AA 7
Fraviano TN 11 Z 6
Fravica PC 51 R 14
Fravitta CS 166 BF 46
Fravitta CS 167 BG 48
Fravitte CS 170 BF 49
Frazzanò ME 187 AX 55
Freccioni PO 86 AB 20
Frecco PG 97 AL 24
Fredda PD 56 AF 12
Fredda VR 39 Z 11
Fregene RM 119 AI 32
Freggina AR 87 AF 21
Fregona BL 14 AG 5
Fregona TV 29 AJ 7
Freienteld /
Campo di Trens BZ 4 AD 2
Freinetto TO 47 E 13
Frena BZ 4 AG 3
Frena BZ 4 AG 4
Freney AO 18 C 9
Frere CN 58 D 17
Frerola BG 24 T 8
Fresagrandinaria CH 124 AW 32
Frescada TV 42 AI 10
Frescarolo PR 53 V 14
Fresciano AR 88 AH 21
Frescondino AL 50 M 14
Fresine BS 25 X 7
Fresine FR 130 AO 33
Fresis UD 16 AM 5
Fresonara AL 62 N 15
Fresonara SP 77 U 19
Friddani EN 194 AU 59
Frigento AV 143 AZ 37
Friggiali SI 104 AD 25
Frighi VI 27 AC 9
Frigintini RG 204 AX 62
Frignane PD 56 AG 12
Frignani RO 69 AI 14
Frignano CE 141 AU 38
Frigole LE 159 BS 41
Frinco AT 49 K 13
Friola-Belvedere VI 41 AF 9
Frisa CH 117 AV 30
Frisanchi TN 26 AC 8
Frisanco PN 15 AL 6
Frisolino GE 77 R 18
Frisoni VI 27 AE 8
Frocco CN 71 I 17
Frondarola TE 108 AQ 28
Frondigliosi AN 97 AN 22
Front TO 48 G 12
Frontale MC 98 AN 23
Frontale SO 11 X 5
Fronti CZ 171 BH 50
Frontignano BS 38 V 11
Frontignano PG 106 AJ 26
Frontignano SI 94 AC 24
Frontillo MC 107 AN 25
Frontino PU 89 AJ 21
Frontino di Naro PU 89 AK 22
Frontone PU 97 AL 22
Fronzola AR 87 AF 21
Frosini SI 94 AB 24
Frosinone FR 130 AO 34
Frosolone IS 132 AV 34
Frossasco TO 47 F 14
Fruci BN 142 AY 37
Frugarolo AL 62 N 14
Fruges RA 82 AF 17
Frullo PU 88 AI 21
Frusci PZ 144 BD 39
Frusci PZ 164 BE 43
Frusta VE 42 AH 10
Fubina TO 47 F 12
Fubine AL 49 L 14
Fucecchio FI 85 Z 21
Fucidà RC 178 BD 56
Fucignano TE 108 AQ 27
Fucigno FR 130 AO 33
Fucina CO 23 Q 8
Fucina VE 42 AH 10
Fucine BS 24 W 8
Fucine TN 11 Z 6
Fucine TO 47 F 12
Fucito FG 127 BE 32
Fuetto CN 60 I 15
Fugazzolo PR 64 V 16
Fuipiano al Brembo BG 23 S 8
Fuipiano Valle Imagna BG 23 S 8
Fulcheri CN 71 G 17
Fulgatore TP 182 AL 56
Fumaloro AG 199 AR 60
Fumane VR 40 AA 10
Fumarogo SO 11 X 5
Fumarola BR 148 BO 39
Fumeri GE 62 O 16
Fumero SO 11 X 5
Fumone FR 130 AO 33
Fundres / Pfunders BZ 4 AF 2
Fundrò EN 194 AV 59
Funes BL 29 AJ 6
Funes / Villnoss BZ 13 AF 4
Fungaia SI 94 AC 23
Funo BO 67 AD 16
Funtanacia BZ 14 AG 4
Funtanona CI 224 M 49
Fuore Via CS 170 BG 48
Fuorlo IS 132 AV 33
Fuorni SA 152 AY 40
Furato MI 36 O 10
Furci CH 124 AW 31
Furci Siculo ME 189 BB 56
Furiano ME 187 AW 55
Furlo PU 89 AL 22
Furnari ME 188 AZ 55
Furnolo CE 140 AT 36
Furtei VS 221 O 46
Fusara NA 151 AW 39
Fusaro AV 142 AW 38
Fuscaldo CS 166 BF 47
Fuschi BN 133 AX 36
Fuscolaro CS 168 BH 45
Fusea UD 16 AM 5
Fusere TV 28 AG 8
Fusignano RA 68 AG 17
Fusina VE 42 AI 11
Fusine SO 24 T 7
Fusine VI 27 AC 9
Fusine VI 41 AD 10
Fusine in Valromana UD 17 AQ 5

FORLÌ

Albicini (V.) 2
Biondo (V.) 3
Cairoli (V.) 4
Duomo (Pza del) 6
Maroncelli (V.) 7
Repubblica (Cso della)
Romanello da Forlì (V.) 8
Saffi (Pza Aurelio) 9
Saffi (V. Giorgina) 10
Torri (V. delle) 12

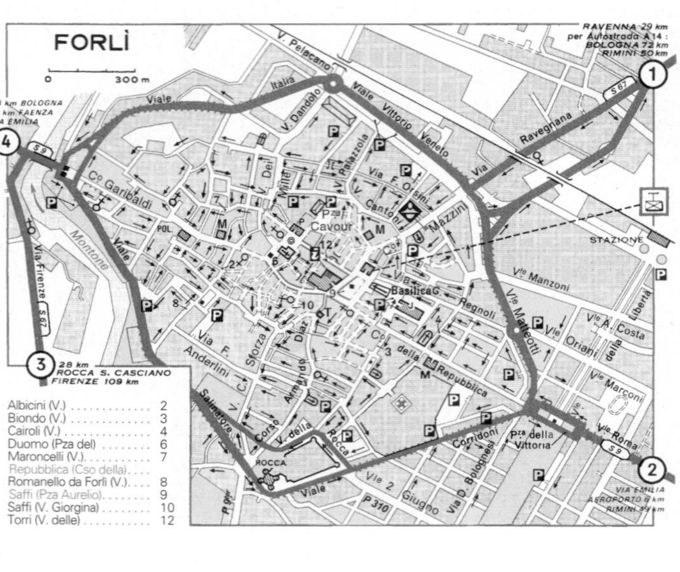

261

Fusine Laghi UD 17 AR 4
Fusino SO 11 W 6
Futani SA 162 BA 43

G

Gabba MC 107 AO 25
Gabbia TE 108 AQ 27
Gabbia VR 54 AB 12
Gabbiana MN 54 Y 13
Gabbiana MS 78 V 18
Gabbiano AP 108 AP 26
Gabbiano AP 98 AQ 25
Gabbiano BO 80 AC 18
Gabbiano FI 86 AC 19
Gabbiano PC 63 R 14
Gabbiano TE 108 AQ 27
Gabbiano Vecchio AR 95 AG 24
Gabbiolo TN 26 AB 7
Gabbione PV 63 Q 14
Gabbione PV 51 Q 14
Gabbioneta CR 53 W 12
Gabbro LI 92 X 23
Gabeletta TR 113 AK 28
Gabeletta VT 111 AF 28
Gabella AN 90 AO 22
Gabella CZ 171 BG 50
Gabella MO 66 AA 14
Gabella RC 179 BG 54
Gabella Grande KR 173 BL 49
Gabella Nuova MC 107 AO 25
Gabelle RC 179 BF 54
Gabelletta VT 113 AI 30
Gabelli PR 64 U 16
Gabellino GR 103 AB 25
Gabellone RC 176 BE 53
Gabellotta RC 176 BE 53
Gabiano AL 49 K 13
Gabicce Mare RN 89 AL 20
Gabicce Monte PU 89 AL 20
Gabria GO 31 AQ 8
Gabrielassi CN 60 H 15
Gabrovizza San Primo TS 31 AR 9
Gabutti CN 74 J 17
Gaby AO 34 I 9
Gad TO 46 C 13
Gadana PU 89 AK 21
Gadesco CR 53 V 13
Gadignano PC 63 R 14
Gadir TP 190 AH 63
Gadoni NU 218 Q 44
Gadursello CS 166 BF 46
Gadurso CS 166 BF 46
Gaeta LT 139 AQ 36
Gaeta MO 66 AA 14
Gaffe AG 199 AR 61
Gaffuro MN 54 Y 12
Gagarengo NO 35 L 11
Gaggi ME 197 BA 56
Gaggianese MI 50 P 11
Gaggiano MI 36 P 11
Gaggiano SI 94 AC 23
Gaggina AL 62 M 15
Gaggino CO 22 O 9
Gaggio BO 81 AE 18
Gaggio MO 66 AB 16
Gaggio TN 27 AC 6
Gaggio VA 22 N 7
Gaggio VA 22 N 7
Gaggio VA 22 N 9
Gaggio VA 35 N 9
Gaggio VE 42 AI 10
Gaggio Montano BO 80 AA 18
Gaggiola AN 90 AP 22
Gaggiolo FC 82 AH 19
Gaggiolo VA 22 O 8
Gagliana FI 87 AD 22
Gaglianico BI 34 J 10
Gagliannuovo MC 98 AO 24
Gagliano CZ 171 BI 50
Gagliano RC 176 BE 53
Gagliano TE 108 AR 27
Gagliano UD 31 AP 7
Gagliano Aterno AQ 122 AR 31
Gagliano Castelferrato EN 195 AW 57
Gagliano del Capo LE 161 BT 44
Gaglianvecchio MC 98 AO 24
Gagliato CZ 175 BH 51
Gaglietole PG 106 AJ 26
Gagliole MC 98 AN 24
Gaglioli PG 106 AK 26
Gaglione PZ 164 BF 44
Gagnago NO 35 M 9
Gagno LI 102 Y 26
Gagnone VB 7 L 7
Gai TV 28 AI 8
Gaiana BO 68 AE 17
Gaianello MO 79 Z 18
Gaianigo PD 41 AF 10
Gaiano AL 49 K 13
Gaiano PR 65 W 15
Gaiano RA 81 AF 17
Gaiano RN 89 AK 20
Gaiano SA 152 AX 39
Gaiarine TV 29 AJ 8
Gaiato MO 79 AA 18
Gaiba RO 55 AD 14
Gaibana FE 68 AE 15
Gaibanella FE 68 AE 15
Gaibola BO 67 AC 17
Gaiche PG 105 AI 26
Gaico AP 108 AP 26
Gaida RE 65 Y 15
Gaidi TO 60 H 14
Gaietto CN 70 F 18
Gaifana PG 97 AL 24
Gainago PR 65 X 14
Gainazzo MO 80 AA 17
Gaini AL 61 L 16
Gaino BS 39 Y 10
Gaio PN 30 AM 7
Gaiofana RN 83 AK 19
Gaiola CN 71 F 17
Gaiola PD 41 AF 11
Gaiole in Chianti SI 94 AD 23
Gaione PR 65 W 15
Gairo Sant'Elena OG 219 S 44
Gairo Taquisara OG 219 R 44
Gais BZ 5 AG 2
Galaino PZ 154 BD 41
Galante BR 148 BN 39
Galanti AL 62 M 16
Galantina RI 113 AK 30
Galardo FI 87 AD 20
Galatese CT 196 AX 56
Galati CS 167 BF 45
Galati ME 189 BB 55
Galati RC 179 BF 56
Galati Mamertino ME 188 AX 55
Galati Marina ME 189 BC 55
Galati Sup. RC 179 BF 56
Galatina LE 160 BS 42
Galatone LE 160 BR 43
Galatro RC 176 BF 53
Galatrona AR 94 AE 23
Galazia CE 141 AV 37
Galbiate LC 23 R 9
Galciana PO 86 AB 20
Galdina NO 35 N 10
Galdo SA 152 AZ 40
Galdo SA 162 AZ 42
Galdo SA 153 BA 40
Galeata FC 88 AG 20
Galeata KR 172 BK 49
Galeazza BO 67 AC 15
Galeotta NA 150 AT 38
Galeotti PU 89 AK 22
Galera PG 96 AI 24
Galgagnano LO 51 R 11
Galgata PG 96 AK 24
Galgi VI 27 AE 9
Galia CT 197 BA 57
Galice ME 188 AZ 55
Galiga FI 87 AD 20
Galini ME 188 AX 55
Gallano MC 107 AN 25
Gallano PG 106 AL 25
Gallara SA 152 AY 39
Gallarate CS 168 BI 46
Gallarate VA 35 N 10
Gallareto AT 49 J 13
Gallatoio LU 84 X 19
Gallazzano MC 98 AN 25
Gallena LU 84 W 20
Gallena SI 94 AB 24
Galleno BS 24 W 6
Galleno FI 85 Z 21
Galleria MO 66 AA 15
Galleria del Sempione VB 6 J 6
Galleriano UD 30 AN 8
Gallese TV 42 AH 10
Gallese VR 55 AC 12
Gallese VT 113 AJ 29
Galletti SV 74 L 17
Galli CZ 171 BH 50
Galli MC 98 AP 23
Galli UD 30 AO 9
Galli VC 49 J 12
Gallia PV 51 O 13
Galliana FI 87 AF 19
Galliano FI 86 AC 19
Galliate NO 35 N 11
Galliate Lombardo VA 35 N 9
Galliavola PV 50 N 13
Gallicano LU 79 X 19
Gallicano nel Lazio RM 120 AL 32
Gallicchio PZ 164 BF 42
Gallicianò RC 178 BE 55
Gallico CS 171 BH 48
Gallico CS 168 BI 46
Gallico RC 189 BC 54
Gallico Marina RC 189 BC 55
Galliera BO 67 AD 15
Galliera Veneta PD 41 AF 10
Gallignana PR 65 W 16
Gallignano AN 91 AP 22
Gallignano CR 38 U 11
Gallina BG 37 S 9
Gallina CN 61 J 15
Gallina RC 178 BD 55
Gallina SR 205 BA 62
Gallinarga BG 38 V 9
Gallinaro FR 131 AR 34
Gallinaro IM 72 I 20
Gallinazza UD 30 AO 9
Gallio TN 26 AA 7
Gallio VI 27 AE 8
Gallipoli LE 160 BQ 43
Gallisterna RA 81 AF 18
Gallitano PA 185 AP 56
Gallivaggio SO 9 R 5
Gallizzi PZ 164 BF 44
Gallo AL 49 J 13
Gallo AQ 121 AO 31
Gallo BO 81 AE 17
Gallo CE 140 AS 36
Gallo CE 132 AU 35
Gallo CH 123 AU 31
Gallo FE 68 AE 15
Gallo ME 188 AY 55
Gallo NA 151 AW 38
Gallo PD 42 AG 10
Gallo PD 42 AG 10
Gallo PV 51 P 13
Gallo RI 113 AL 30
Gallo RN 89 AK 20
Gallo d'Alba CN 60 I 16
Gallodoro ME 189 BA 56
Gallorano CR 52 V 12
Galluccio CE 131 AS 35
Galluccio CS 167 BG 45
Galluffi ME 189 BB 56
Gallufo CS 166 BE 46
Galluzzo FI 86 AC 21
Galta VE 42 AH 11
Galtelli NU 215 S 41
Galugnano LE 159 BS 42
Galvagnina MN 54 AA 14
Galvana FE 56 AH 14
Galzignano PD 56 AF 12
Gamalero AL 62 M 15
Gambacane AN 90 AN 22
Gambaccio PU 88 AI 20
Gambara BS 53 W 12
Gambarana PV 50 N 13
Gambarie RC 178 BE 55
Gambaro PC 63 R 16
Gambaro RO 56 AE 14
Gambaroncia AR 95 AG 23
Gambasca CN 59 F 16
Gambassi Terme FI 93 AA 22
Gambatesa CB 133 AY 34
Gambellara RA 82 AH 18
Gambellara VI 40 AD 11
Gamberale CH 123 AU 32
Gambettola FC 82 AJ 19
Gambina MN 53 X 12
Gambolò PV 50 O 12
Gambugliano VI 41 AD 10
Gambulaga FE 68 AF 15
Gameragna SV 75 M 17
Gaminara PV 51 P 14
Gammicella CS 168 BJ 46
Ganaceto MO 66 AA 15
Gand / Ganda BZ 12 Z 4
Ganda SO 10 U 6
Ganda / Gand BZ 12 Z 4
Gandazzolo FE 68 AE 15
Gandellino BG 24 U 8
Gandino BG 24 U 9
Gandosso BG 38 U 10
Ganfardine VR 40 AA 11
Ganga PU 90 AM 22
Gangaglietti CN 60 H 15
Ganghereto AR 95 AE 22
Gangi PA 186 AU 57
Ganna VA 22 N 8
Gannano del Monte MT 155 BH 42
Gannavona SA 163 BB 43
Ganzanigo BO 68 AE 17
Ganzirri ME 189 BC 54
Garabiolo VA 22 N 7
Garadassi AL 63 P 15
Garaguso MT 155 BG 40
Garanta RC 176 BE 53
Garassini CN 60 I 16
Garassini CN 74 J 17
Garassini SV 73 J 20
Garavagna CN 71 H 17
Garavati VV 174 BF 52
Garaventa GE 63 Q 16
Garavicchio GR 111 AD 29
Garbagna AL 62 O 15
Garbagna Novarese NO 35 M 11
Garbagnate LC 36 Q 9
Garbagnate Milanese MI 36 P 10
Garbana PV 50 N 12
Garbaoli AT 61 K 16
Garbarini AL 61 L 16
Garbarini GE 76 Q 17
Garbarino GE 63 Q 16
Garbatella RM 119 AK 32
Garbugliaga SP 77 T 18
Garcea RC 178 BD 55
Garcia CL 194 AT 58
Garda BS 25 X 7
Garda VR 39 Z 10
Gardata BG 24 T 8
Gardigiano VE 42 AI 10
Gardino LO 37 R 11
Gardola BS 39 Z 9
Gardolo TN 26 AB 7
Gardoncino BS 39 Y 10
Gardone Riviera BS 39 Y 10
Gardone Val Trompia BS 38 W 9
Gardun VR 40 AB 10
Garella di Fondo BI 34 K 10
Gares BL 14 AG 6
Garessio CN 74 J 18
Garfagnolo RE 78 X 17
Gargallo MO 66 AA 15
Gargallo NO 35 L 9
Gargazon / Gargazzone BZ 12 AC 4
Gargazzone / Gargazon BZ 12 AC 4
Gargnano BS 39 Z 9
Gargonza AR 95 AF 23
Gargozzi PI 85 AA 21
Garibala VE 43 AM 9
Gariello AV 142 AY 38
Gariga PC 52 T 14
Gariglialto CS 167 BG 47
Garino CN 70 D 17
Garino TO 47 G 14
Garitte Karuscia TP 190 AG 62
Garlasco PV 50 O 12
Garlate LC 23 R 9
Garlenda SV 73 J 19
Garliano AR 87 AF 21
Garna d'Alpago BL 29 AJ 7
Garniga Terme TN 26 AB 7
Garniga Vecchia TN 26 AB 7
Garofali CE 140 AS 36
Garofano MO 66 AB 17
Garofolo RO 56 AF 14
Garolda MN 54 AA 13
Garonzi VR 40 AB 10
Garoppi AL 49 K 13
Garrano TE 108 AQ 27
Garrufo TE 108 AQ 27
Garrufo TE 108 AR 27
Garulla MC 107 AO 26
Garzano CE 141 AV 37
Garzano TN 26 AC 7
Garzara PD 55 AE 12
Garzeno CO 23 Q 7
Garzera RO 57 AH 14
Garzi Sottano SV 74 L 18
Garziere VI 41 AD 9
Garzigliana TO 59 F 14
Gasparella RG 204 AV 62
Gasparrino PI 85 Z 22
Gasperina CZ 175 BI 51
Gasponi VV 176 BE 52
Gassano MS 78 V 18
Gassino Torinese TO 48 H 13
Gasteig / Casateia BZ 3 AD 2
Gastra AR 87 AE 21
Gatta EN 194 AV 60
Gatta LO 51 S 12
Gatta RE 79 X 17
Gattaia FI 87 AD 20
Gattaiola LU 85 X 21
Gattara PU 88 AI 21
Gattarella FG 127 BG 32
Gattatico RE 65 X 15
Gattico FC 83 AJ 19
Gatteo a Mare FC 83 AJ 18
Gattera VC 35 K 9
Gatti CS 166 BF 47
Gatti MN 54 Z 12
Gatticello RC 177 BI 53
Gàttico NO 35 M 9
Gattinara PV 51 Q 12
Gattinara VC 35 L 10
Gatto Corvino RG 204 AW 63
Gattolina FC 82 AI 18
Gattolino CR 52 S 11
Gattorna GE 76 Q 17
Gattuccio AN 97 AM 23
Gaude / Flading BZ 3 AC 2
Gaudello NA 141 AV 38
Gaudes PA 184 AO 55
Gaudi CE 131 AS 35
Gaudiano PZ 144 BE 37
Gaudiciello AV 143 AZ 36
Gaudisciano CE 140 AT 36
Gaudo CB 133 AW 34
Gaudovito IS 132 AV 34
Gauna TO 33 H 11
Gauro SA 152 AY 39
Gauta IS 132 AV 34
Gauzza BS 53 V 12
Gavardo BS 39 X 10
Gavarno Rinnovata BG 37 T 9
Gavaseto BO 67 AD 15
Gavassa RE 66 Z 15
Gavasseto RE 66 Z 16
Gavaz BL 14 AH 5
Gavazzana AL 62 O 15
Gavazzo BG 24 U 7
Gavazzo PR 65 X 16
Gavazzo TN 26 AA 8
Gavazzoli PO 86 AC 19
Gavedo MS 78 U 18
Gavelle VI 27 AE 8
Gavelli PG 107 AM 27
Gavello FE 55 AC 14
Gavello MO 66 AA 14
Gavello MO 55 AC 14
Gavello RO 56 AG 13
Gavenola IM 73 I 19
Gaverina Terme BG 38 U 9
Gavi AL 62 N 15
Gavignano AR 95 AE 23
Gavignano RM 129 AN 33
Gavignano Sabino RI 113 AK 30
Gavigno PO 80 AB 19
Gaville AN 97 AL 23
Gaville FI 87 AD 22
Gavinana PT 79 Z 19
Gavirate VA 22 N 8
Gavoi NU 218 Q 43
Gavonata Fontaniale AL 62 M 15
Gavorrano GR 103 AA 26
Gavotti LT 138 AO 35
Gazo AT 61 K 14
Gazoldo degli Ippoliti MN 54 Y 12
Gazzada VA 36 N 9
Gazzadina TN 26 AB 7
Gazzane BS 39 X 10
Gazzane BS 39 Y 10
Gazzaniga BG 24 U 9
Gazzano RE 79 Y 18
Gazzaro RE 65 X 15
Gazzata RE 66 Z 15
Gazzelli IM 73 I 20
Gazzena CT 197 BA 58
Gazzo CR 53 W 13
Gazzo GE 75 M 17
Gazzo IM 72 I 19
Gazzo MN 54 AA 12
Gazzo MN 54 AA 13
Gazzo PD 56 AE 12
Gazzo PD 41 AF 10
Gazzo PD 56 AG 12
Gazzo PR 64 T 16
Gazzo SV 74 J 19
Gazzo Veronese VR 55 AB 13
Gazzola AL 50 O 13
Gazzola PC 52 S 14
Gazzola PC 64 T 15
Gazzoli VR 39 Z 10
Gazzolo BS 38 U 10
Gazzolo CR 53 V 13
Gazzolo GE 62 O 16
Gazzolo GE 63 P 16
Gazzolo GE 76 R 17
Gazzolo RE 78 W 17
Gazzolo RE 65 X 16
Gazzolo VR 40 AC 11
Gazzuoli MN 53 X 12
Gazzuolo MN 54 Y 13
Gebbo VB 7 K 6
Gebrarossa CL 193 AS 59
Gecchelini VI 40 AC 9
Gecchelini VI 27 AE 8
Gela CL 201 AU 61
Gelagna Alta MC 97 AN 25
Gelagna Bassa MC 97 AN 25
Gello AR 88 AG 21
Gello AR 95 AG 22
Gello LU 85 X 20
Gello PI 85 X 21
Gello PI 85 Y 22
Gello PI 85 Z 22
Gello PT 86 AA 20
Gello Biscardo AR 87 AF 22
Gello Mattaccino PI 92 Y 22
Gelonardo AG 198 AP 60
Gelsa LU 85 Z 21
Gelsi CE 131 AS 35
Gelsomini CS 166 BF 47
Gelsomini Sorisi PA 183 AN 55
Gemerello TO 59 F 15
Gemini LE 160 BS 44
Geminiano PR 64 S 16
Gemmano RN 89 AK 20
Gemmiano RN 83 AJ 19
Gemona del Friuli UD 16 AN 6
Gemonio VA 21 N 8
Gena BL 28 AH 6
Genazzano RM 120 AM 33
Genca BN 142 AY 37
Genepreto PC 63 R 14
Genga AN 97 AM 23
Genga PG 97 AL 24
Genghe-Caturchio PU 88 AJ 21
Genicciola MS 77 U 18
Genivolta CR 52 U 11
Genna Corriga CI 224 M 48
Genna Gonnesa CI 224 L 48
Gennamari VS 220 L 47
Genniauri CA 226 O 49
Genniomus CA 225 N 49
Genola CN 59 G 16
Genoni OR 218 P 45
Genova GE 76 O 17
Genova-Rulli CH 124 AX 30
Genovese ME 187 AX 55
Genovese RG 204 AX 63
Genuri VS 221 O 45
Genzana CN 58 D 16
Genzano AQ 115 AO 29
Genzano di Lucania PZ 145 BF 38
Genzano di Roma RM 129 AL 33
Genzone PV 51 R 12
Geo Canonero GE 62 O 17
Geppa PG 107 AM 27
Geppetto FI 86 AB 21
Gera BL 15 AK 4
Gera Lario CO 23 R 6
Gerace RC 179 BG 54
Geracello EN 194 AU 59
Geraci Siculo PA 186 AT 56
Gerano RM 120 AM 32
Gerbi CN 59 G 17
Gerbidi AL 50 O 14
Gerbido PC 52 T 13
Gerbido TO 48 I 12
Gerbido di Costagrande TO 47 E 14
Gerbini CT 195 AY 59
Gerbo CN 59 G 16
Gerbo CO 22 O 9
Gerbola CN 59 G 16
Gerbola CN 59 G 16
Gerbole TO 47 G 14
Gerbole TO 49 J 13
Gerchia PN 16 AM 6
Gere LO 52 T 13
Geremeas CA 227 R 48
Gerenzago PV 51 R 12
Gerenzano VA 36 O 10
Gerfalco GR 93 AA 25
Gergei CA 221 P 45
Gerlotto AL 50 M 14
Germagnano TO 47 F 12
Germagno VB 21 L 8
Germanedo LC 23 R 8
Germaneto CZ 175 BI 50
Germano CS 171 BI 48
Germasino CO 23 Q 7
Germignaga VA 22 N 8
Gerno MI 36 Q 10
Gerocarne VV 174 BG 52
Gerola Alta SO 23 S 7
Gerola Nuova PV 50 O 13
Gerolanuova BS 38 V 11
Geroli TN 26 AC 8
Gerosa AP 108 AP 26
Gerosa BG 23 S 8
Gerre de' Caprioli CR 53 V 13
Gerrone LO 52 T 13

A B C D E F G H I J K L M N O P Q R S T U V W X Y Z

Gerrone PU 89 AK 20
Gesico CA 222 P 46
Gesina BN 133 AY 36
Gessate MI 37 R 10
Gessi RN 89 AJ 20
Gesso AT 49 K 13
Gesso BO 67 AC 17
Gesso BO 81 AE 18
Gesso ME 189 BB 54
Gesso PU 89 AK 20
Gesso TE 108 AQ 27
Gesso Bianco CE 131 AS 35
Gessopalena CH 123 AU 31
Gestino RM 119 AI 32
Gesturi VS 221 P 45
Gesù Maria ME 188 AY 55
Gesualdo AV 143 AZ 37
Gesuiti CS 170 BF 47
Gete SA 151 AW 39
Getsemani SA 152 AZ 41
Gettaz AO 33 G 9
Gfril / Caprile di Tesino BZ 12 AB 4
Gfrill / Cauria BZ 13 AC 6
Ghedi BS 38 W 11
Gheit CN 58 D 17
Ghemme NO 35 L 10
Gherardi FE 68 AG 14
Gherba AT 60 I 14
Gherghenzano BO 67 AD 15
Ghetto FE 56 AF 14
Ghetto FE 56 AH 14
Ghetto MN 54 AA 14
Ghetto PD 41 AF 11
Ghetto PD 56 AF 12
Ghetto PU 90 AM 20
Ghetto TV 42 AI 10
Ghetto VR 54 AB 12
Ghetto Abbazia RN 89 AL 20
Ghetto Cinque Quattrini RN 89 AL 20
Ghetto Randuzzi RN 83 AK 19
Ghetto Tamagnino RN 83 AK 20
Ghevio NO 35 M 9
Ghezzano PI 85 X 21
Ghiaie BG 37 S 9
Ghiaie PV 50 O 13
Ghiandaro CS 167 BG 46
Ghiara PR 65 W 14
Ghiardo RE 65 Y 16
Ghiare PR 64 U 16
Ghiare PR 64 U 16
Ghiare Madonna AT 61 L 15
Ghiasti PZ 144 BD 39
Ghibullo RA 82 AH 17
Ghidone CN 60 H 16
Ghiffa VB 21 M 8
Ghiglieri TO 33 F 11
Ghigo TO 58 D 14
Ghilardino PU 90 AM 21
Ghilarza OR 217 O 43
Ghirano PN 29 AK 8
Ghirla VA 22 N 8
Ghirlanda GR 103 AA 25
Ghisalba BG 37 T 10
Ghisalerio BG 23 S 9
Ghisiolo MN 54 AA 12
Ghisione MN 55 AB 13
Ghislarengo VC 35 L 10
Ghisola CN 59 E 15
Ghisone FI 86 AB 22
Ghivizzano LU 85 Y 19
Ghizzano PI 93 Z 22
Ghizzole VI 41 AE 11
Ghizzole VI 41 AE 11
Ghorio RC 179 BE 55
Giacalone PA 184 AO 55
Giaccherino PT 85 AA 20
Giacchini SV 74 K 18
Giacciano RO 55 AD 13
Giacco CN 60 J 16
Giachindi-Placanica RC 178 BD 56
Giacobbi AP 108 AQ 25
Giacobbi NA 151 AV 38
Giacomuzzi VI 41 AD 11
Giaconecchia BR 148 BN 39
Giaconia CT 195 AY 58
Giagazzu SS 209 O 38
Giaglione TO 46 D 13
Giagone OT 210 P 39
Giai VE 29 AL 9
Giai VE 30 AL 9
Giaia PA 194 AT 57
Giaiette GE 77 R 17
Giais PN 29 AK 7
Giammartino TE 109 AS 27
Giammoro ME 189 BA 54
Giamosa BL 28 AI 7
Giampereta AR 88 AG 21
Giampereto MC 107 AO 25
Giampierone PT 85 Z 20
Giampilieri ME 189 BB 55
Giampilieri Marina ME 189 BB 55
Gianforma RG 204 AY 62
Giani VI 40 AC 10
Gianico BS 24 W 8
Giannarena RC 177 BG 54
Giannini LU 79 X 19
Giannotti VT 112 AH 28
Giannottola LT 129 AL 34
Giano dell' Umbria PG 106 AK 27
Gianoglio CN 60 H 15
Gianola AT 61 L 15
Gianoli CN 60 I 14
Giaon BL 28 AI 7
Giardina Gallotti AG 192 AQ 59
Giardinaccio AG 199 AR 60
Giardinello CZ 175 BI 51
Giardinello PA 183 AN 55
Giardinello PA 185 AP 57
Giardinetto FG 134 BB 36
Giardinetto BT 136 BF 35
Giardinetto Nuovo FG 134 BB 36
Giardinetto-Ponte Maggio LU 79 Z 19
Giardini CB 133 AX 33
Giardini PZ 153 BB 39
Giardini-Duglia CS 167 BG 46
Giardiniera PU 88 AH 21
Giardiniera PZ 154 BD 39
Giardini-Naxos ME 197 BA 57
Giardino AV 142 AY 37
Giardino BO 81 AF 17
Giardino BS 38 U 11
Giardino BS 38 W 11
Giardino CS 166 BE 45
Giardino FG 136 BE 35
Giardino MN 53 Y 13
Giardino RA 68 AG 17
Giardino RC 177 BH 53
Giardino SA 162 BA 42
Giardino Buonaccorsi MC 99 AR 23
Giardino Corazzo KR 173 BL 48
Giardino della Galla PU 89 AK 21
Giardoni BN 141 AV 37
Giare PD 41 AF 11
Giare RO 56 AE 13
Giare RO 55 AE 13
Giare VE 56 AH 12
Giare VR 40 AA 10
Giarette RO 57 AJ 14
Giarola PV 63 Q 15
Giarole AL 50 M 13
Giarole VR 39 Z 10
Giarolo AL 63 P 15
Giarone AL 49 L 12
Giaroni BL 28 AF 8
Giarra AG 199 AQ 60
Giarra ME 188 BA 55
Giarratana RG 202 AX 61
Giarre CT 197 BA 57
Giarre CT 197 BA 57
Giarre MN 55 AC 14
Giarre VR 55 AD 12
Giarrocco CH 117 AV 31
Gias Creusa Soprano CN 71 G 18
Gias Creusa Sottano CN 71 G 18
Giasinozza TN 28 AG 7
Giassico GO 31 AP 8
Giave SS 213 N 41
Giavenale VI 41 AD 9
Giaveno TO 47 F 13
Giavera del Montello TV 28 AI 9
Giavone VR 55 AD 12
Giavons UD 30 AN 7
Giazza BS 39 X 11
Giazza VR 40 AB 10
Giazzoi BL 28 AH 7
Giba CI 224 M 49
Gibellina TP 191 AM 57
Giberto AT 49 K 14
Gibilmanna PA 186 AT 56
Gibilrossa I PA 185 AP 55
Gibilrossa II PA 185 AP 55
Gidoni VE 42 AH 11
Gidora CS 167 BG 47
Gifflenga BI 34 K 11
Giffone RC 176 BF 53
Giffoni SA 152 AY 39
Gigioni LU 85 Y 21
Giglia RC 177 BG 54
Gigliana MS 78 U 17
Giglio AR 95 AF 24
Giglio Campese GR 110 AA 29
Giglio Castello GR 110 AA 29
Giglio Porto GR 110 AA 29
Gigliola FE 69 AI 14
Gigliola FI 86 AB 22
Gigliotti CS 171 BH 49
Gignese VB 21 M 8
Gignod AO 19 E 9
Gilba Inf. CN 59 F 16
Gilba Sup. CN 59 E 16
Gildone CB 133 AX 34
Giliaquas CA 226 P 48
Giliotto CB 132 AV 34
Gimello ME 189 BB 55
Gimello ne' Monaci ME 189 BB 55
Gimigliano AP 108 AQ 26
Gimigliano CZ 171 BI 50
Gimillan AO 33 F 10
Ginepreto RE 79 X 17
Ginestole PZ 154 BD 41
Ginestra PA 184 AO 56
Ginestra PZ 144 BD 38
Ginestra degli Schiavoni BN 134 AZ 36
Ginestra Fiorentina FI 86 AB 21
Ginestra Sabina RI 114 AM 30
Ginestreto CS 167 BG 47
Ginestreto FC 88 AI 20
Ginestreto PU 89 AL 21
Ginevra BS 38 W 11
Ginnari MT 165 BI 42
Ginosa TA 156 BJ 40
Ginostra ME 181 BA 51
Giocagni BN 133 AW 36
Gioffa CS 166 BD 44
Giogo BG 38 U 9
Giogo BZ 4 AG 3
Gioi SA 162 BA 42
Gioia CS 168 BH 46
Gioia dei Marsi AQ 122 AR 32
Gioia del Colle BA 146 BK 39
Giòia del Tirreno VV 176 BE 52
Gioia Sannitica CE 132 AV 36
Gioia Tauro RC 176 BE 53
Gioia Vecchio AQ 122 AR 32
Gioiella PG 105 AG 25
Gioiello PG 96 AI 23
Gioiosa Ionica RC 177 BG 53
Gioiosa Marea ME 188 AY 54
Giomici PG 97 AK 24
Giona AR 88 AG 21
Gioncoli SA 163 BC 42
Gionghi TN 27 AC 8
Gionzana NO 35 M 11
Gioppo RC 179 BF 54
Giordani TO 47 D 13
Giorgilorio LE 159 BR 41
Giorgio di Scarperia FI 81 AD 19
Giosio VB 7 L 7
Giovagallo MS 77 U 18
Giovan Marco OT 207 Q 36
Giovancorso SI 105 AG 25
Giovanni XXIII CS 170 BF 47
Giove BL 14 AH 6
Giove MC 98 AN 25
Giove PG 96 AI 23
Giove TR 113 AI 28
Giovecca RA 68 AG 16
Gioveto PG 105 AH 25
Giovi AR 95 AG 22
Giovi GE 62 O 16
Giovi Altimare SA 152 AY 39
Giovi Bottiglieri SA 152 AX 39
Gioviano LU 85 Y 19
Giovinazzo BA 137 BJ 36
Gioz BL 28 AI 7
Giragello PA 194 AT 57
Giralba BL 15 AJ 4
Girardi RM 119 AK 31
Girardi TN 26 AC 8
Girardi TO 47 F 13
Girasole AL 61 M 15
Girasole OG 219 S 44
Giratola FI 86 AC 19
Giravolte SA 153 BC 41
Girgenti RI 114 AN 30
Girini SV 74 L 17
Girlan / Cornaiano BZ 12 AC 5
Girola AP 99 AQ 25
Girola MC 98 AP 25
Gironico al Monte CO 22 O 9
Gironico al Piano CO 22 P 9
Gisbarro CS 171 BH 48
Gisola TO 47 F 12
Gissara-Starze AV 142 AY 38
Gissi CH 124 AW 31
Gisuole CN 61 J 16
Giucano MS 78 V 19
Giuggianello LE 161 BT 43
Giugliano in Campania NA 150 AU 38
Giugnola BO 81 AD 18
Giulia LT 138 AM 35
Giuliana PA 192 AO 57
Giulianello LT 129 AM 33
Giuliani AL 61 L 16
Giuliani MC 98 AP 23
Giuliano AR 88 AG 22
Giuliano LE 161 BT 44

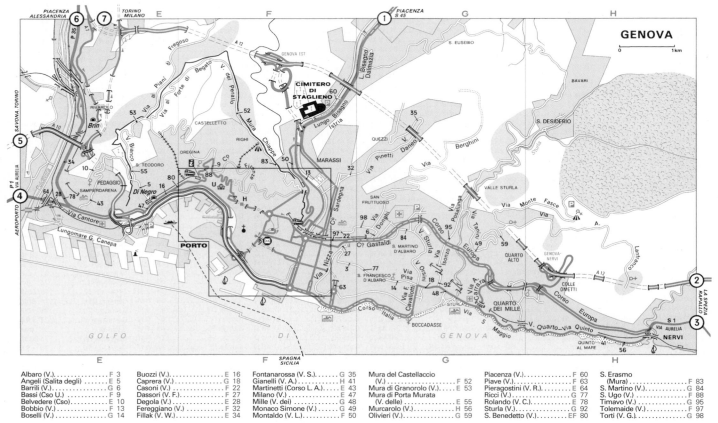

Albaro (V.) F 3
Angeli (Salita degli) E 5
Barrili (V.) G 6
Bassi (Cso U.) F 9
Belvedere (Cso) E 10
Bobbio (V.) F 13
Boselli (V.) G 14
Buozzi (V.) E 16
Caprera (V.) G 18
Casoni (V.) F 22
Dassori (V. F.) F 27
Degola (V.) E 28
Fereggiano (V.) F 32
Fillak (V. W.) E 34
Fontanarossa (V. S.) G 35
Gianelli (V. A.) H 41
Martinetti (Corso L. A.) E 43
Milano (V.) E 47
Mille (V. dei) G 48
Monaco Simone (V.) G 49
Montaldo (V. L.) F 50
Mura del Castellaccio (V.) F 52
Mura di Granorolo (V.) E 53
Mura di Porta Murata (V. delle) E 55
Murcarolo (V.) H 56
Olivieri (V.) G 59
Piacenza (V.) F 60
Piave (V.) F 63
Pieragostini (V. R.) E 64
Ricci (V.) G 77
Rolando (V. C.) E 78
Sturla (V.) G 92
S. Benedetto (V.) EF 80
S. Erasmo (Mura) F 83
S. Martino (V.) G 84
S. Ugo (V.) F 88
Timavo (V.) G 95
Tolemaide (V.) F 97
Torti (V. G.) G 98

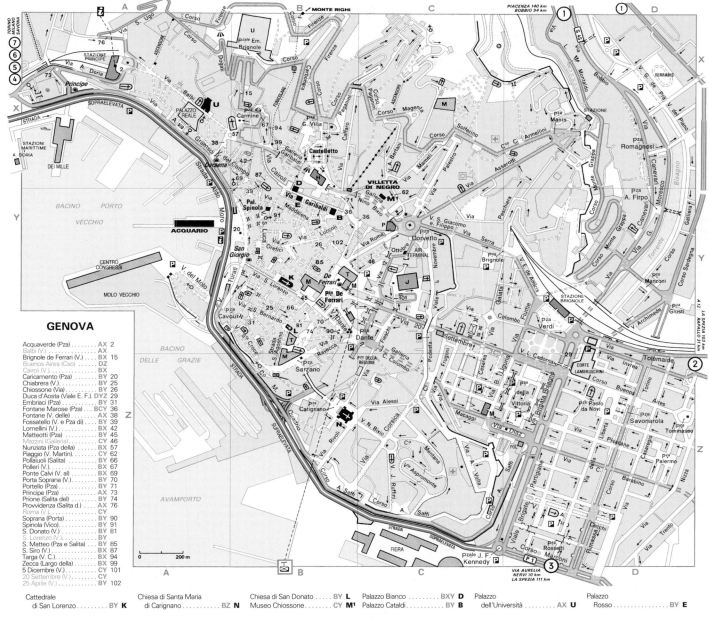

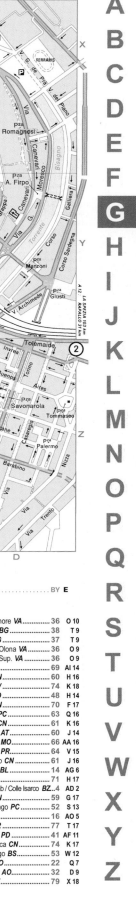

GENOVA

Acquaverde (Pza) . . . . AX 2
Balbi (V.) . . . . AX
Brignole de Ferrari (V.) . . . BX 15
Buenos Aires (Cso) . . . . . . DZ
Cairoli (V.) . . . . BX
Caricamento (Pza) . . . . . . BY 20
Chiabrera (V.) . . . . BY 25
Chiossone (Via) . . . . BY 26
Duca d'Aosta (Viale E. F.) . DYZ 29
Embriaci (Pza) . . . . BY 31
Fontane Marose (Pza) . . BCY 36
Fontane (V. delle) . . . . AX 38
Fossatello (V. e Pza di) . . . BY 39
Lomellini (V.) . . . . BX 42
Matteotti (Pza) . . . . CY 45
Mazzini (Galleria) . . . . CY 46
Nunziata (Pza della) . . . . . BX 57
Piaggio (V. Martini) . . . . . . CY 62
Pollaiuoli (Salita) . . . . BY 66
Polleri (V.) . . . . BX 67
Ponte Calvi (V. al) . . . . BX 69
Porta Soprana (V.) . . . . . . BY 70
Portello (Pza) . . . . BY 71
Principe (Pza) . . . . AX 73
Prione (Salita del) . . . . BY 74
Provvidenza (Salita d.) . . . AX 76
Roma (V.) . . . . CY
Soprana (Porta) . . . . BY 90
Spinola (Vico) . . . . BY 91
S. Donato (V.) . . . . BY 81
S. Lorenzo (V.) . . . . BY
S. Matteo (Pza e Salita) . . BY 85
S. Siro (V.) . . . . BX 87
Targa (V. C.) . . . . BX 94
Zecca (Largo della) . . . . . . BX 99
5 Dicembre (V.) . . . . CY 101
20 Settembre (V.) . . . . CY
25 Aprile (V.) . . . . BY 102

Cattedrale di San Lorenzo . . . . BY **K**
Chiesa di Santa Maria di Carignano . . . . BZ **N**
Chiesa di San Donato . . . . . BY **L**
Museo Chiossone . . . . CY **M¹**
Palazzo Bianco . . . . BXY **D**
Palazzo Cataldi . . . . BY **B**
Palazzo dell'Università . . . . AX **U**
Palazzo Rosso . . . . BY **E**

Giuliano PZ . . . . . 154 BD 39
Giuliano di Roma FR . . . . . . 130 AO 34
Giuliano Teatino CH . . . . 117 AU 30
Giulianova TE . . . . . . 109 AS 27
Giulianova Lido TE . . . . 109 AS 27
Giuliantonio PZ . . . . . 164 BF 43
Giuliodori MC . . . . . . 98 AP 23
Giuliopoli CH . . . . . . 123 AV 32
Giulo MC . . . . 107 AN 25
Giumarra CT . . . . . . 195 AW 59
Giumello LC . . . . 23 R 7
Giuncana SS . . . . . . 209 O 38
Giuncano Scalo TR . . 106 AK 28
Giuncarico GR . . . . . 103 AA 26
Giuncugnano LU . . . . . 78 W 18
Giungano SA . . . . . . 152 AZ 41
Giungatelle SA . . . . . 162 AY 42
Giunzione RE . . . . . . 79 Y 18
Giurdignano LE . . . . . 161 BT 43
Giusiani Opaco CN . . . 59 E 16
Giussago PV . . . . 51 P 12
Giussago VE . . . . 30 AM 9
Giussano MB . . . . 36 Q 9
Giustimana AP . . . . . 108 AP 27
Giustino TN . . . . 26 Z 7
Giusvalla SV . . . . 74 L 17
Givigliana UD . . . . . . 16 AM 4
Givoletto TO . . . . 47 F 13

Gizzeria CZ . . . . . . 170 BG 50
Gizzeria Lido CZ . . . . 174 BG 50
Glacier AO . . . . 19 E 8
Glaunicco UD . . . . . . 30 AM 8
Gleise TO . . . . 46 B 13
Glen / Gleno BZ . . . . . 13 AC 6
Gleno / Glen BZ . . . . . 13 AC 6
Glera PN . . . . 29 AK 7
Gleris PN . . . . 30 AM 8
Gli Ondini BI . . . . 34 I 9
Gli Sgarroni PZ . . . . . 144 BC 38
Gli Stombi CS . . . . . . 168 BH 45
Gliaca ME . . . . 188 AY 55
Glorenza / Glurns BZ . . . 2 Y 3
Glori IM . . . . 72 I 20
Gloriani CE . . . . 140 AT 36
Glorie RA . . . . 69 AH 17
Glurns / Glorenza BZ . . . 2 Y 3
Gnignano MI . . . . 51 Q 12
Gniva UD . . . . 16 AO 5
Gnive CN . . . . 71 G 18
Gnocca RO . . . . 57 AJ 14
Gnocchetto AL . . . . . . 62 N 16
Gobbera TN . . . . 27 AF 7
Godega di Sant'Urbano TV 29 AJ 8
Godenza RE . . . . 66 Y 14
Godi PC . . . . 64 T 14
Godia UD . . . . 30 AO 7

Godiasco PV . . . . 63 P 14
Godio AL . . . . 49 K 13
Godo RA . . . . 82 AH 17
Godrano PA . . . . 185 AP 56
Goggianello BO . . . . . 81 AF 18
Goglio VB . . . . 7 K 6
Gogna AT . . . . 48 I 13
Gogoli NU . . . . 214 R 40
Goia VI . . . . 41 AD 11
Goido PV . . . . 50 N 13
Goito MN . . . . 54 Z 12
Golasecca VA . . . . . . 35 M 9
Golden Hill II PA . . . . 185 AQ 56
Golden Hill III PA . . . . 185 AQ 56
Goldrain / Coldrano BZ . 12 Z 4
Goledo SP . . . . 77 T 18
Goletta CN . . . . 70 E 18
Golferenzo PV . . . . . . 51 Q 14
Golfo Aranci OT . . . . 211 S 37
Golia BN . . . . 133 AY 36
Golizzis UD . . . . 16 AO 5
Gollieri CZ . . . . 170 BF 49
Golometto GO . . . . . . 31 AQ 9
Gomagoi BZ . . . . 11 Y 4
Gombio BS . . . . 38 V 9
Gombio RE . . . . 65 X 16
Gombitelli LU . . . . . . 84 X 20
Gombito CR . . . . 52 T 12
Gombo PI . . . . 84 W 21

Gombola MO . . . . 79 Z 17
Gomeno RC . . . . 178 BD 55
Gomion BZ . . . . 3 AC 3
Gonars UD . . . . 30 AO 8
Gonella AT . . . . 61 J 14
Goni CA . . . . 222 Q 46
Gonnesa CI . . . . 224 L 48
Gonnoscodina OR . . . 221 O 45
Gonnosfanadiga VS . . 221 M 47
Gonnosnò OR . . . . . . 221 O 45
Gonnostramatza OR . . 221 O 45
Gonte VB . . . . 21 M 8
Gonzaga MN . . . . 54 Z 14
Gonzagone BO . . . . . . 80 AD 17
Gonzati VI . . . . 40 AC 10
Gonzati VI . . . . 41 AD 9
Goraiolo PT . . . . 85 Z 20
Gorandaccio PO . . . . . 80 AB 19
Gorasco MS . . . . 78 V 18
Gorciti AR . . . . 87 AE 22
Gordena AL . . . . 63 P 16
Gordona SO . . . . 9 R 6
Gorei BN . . . . 34 K 11
Gorfigliano LU . . . . . . 78 W 19
Gorga RM . . . . 130 AN 34
Gorga BS . . . . 38 V 10
Gorghi TN . . . . 26 AA 8
Gorghi TN . . . . 26 AA 8
Gorgo BS . . . . 38 V 10

Gorgo FE . . . . 68 AE 15
Gorgo MN . . . . 54 AA 13
Gorgo PD . . . . 56 AG 12
Gorgo RO . . . . 55 AD 13
Gorgo UD . . . . 30 AN 9
Gorgo VE . . . . 30 AM 9
Gorgo VR . . . . 39 Z 11
Gorgo al Monticano TV . 29 AK 9
Gorgo dei Molini TV . . 29 AK 9
Gorgo Lungo PA . . . . 186 AS 55
Gorgodaino RG . . . . . 205 AY 62
Gorgofreddo BA . . . . 147 BM 38
Gorgoglicino LT . . . . 129 AM 35
Gorgoglione MT . . . . 154 BF 41
Gorgona Scalo LI . . . . 92 U 23
Gorgonzola MI . . . . . . 37 R 10
Goria CN . . . . 58 D 16
Goriano Sicoli AQ . . . 122 AR 31
Goricizza UD . . . . 30 AM 8
Gorina AL . . . . 63 P 16
Gorino Sullani RO . . . . 69 AJ 14
Gorino Veneto FE . . . . 69 AJ 15
Gorino Veneto RO . . . . 69 AJ 14
Gorisi RE . . . . 66 Z 14
Gorizia BO . . . . 80 AC 17
Gorizia GO . . . . 31 AQ 8
Gorizzo UD . . . . 30 AM 8
Gorla Maggiore VA . . . 36 O 10
Gorla Minore VA . . . . 36 O 10

Gorlago BG . . . . 38 T 9
Gorle BG . . . . 37 T 9
Gornate Olona VA . . . . 36 O 9
Gornate Sup. VA . . . . 36 O 9
Goro FE . . . . 69 AI 14
Gorra CN . . . . 60 H 16
Gorra SV . . . . 74 K 18
Gorra TO . . . . 48 H 14
Gorré CN . . . . 70 F 17
Gorreto PC . . . . 63 Q 16
Gorrino CN . . . . 61 K 16
Gorzano AT . . . . 60 J 14
Gorzano MO . . . . 66 AA 16
Gorzano PR . . . . 64 V 15
Gorzegno CN . . . . . . 61 J 16
Gosaldo BL . . . . 14 AG 6
Gosi CN . . . . 71 H 17
Gossensab / Colle Isarco BZ 4 AD 2
Gossi CN . . . . 59 G 17
Gossolengo PC . . . . . 52 S 13
Gost UD . . . . 16 AO 5
Gotra PR . . . . 77 T 17
Gottardo PD . . . . 41 AF 11
Gottasecca CN . . . . . 74 K 17
Gottolengo BS . . . . . . 53 W 12
Gottro CO . . . . 22 Q 7
Goubelin AO . . . . 32 D 9
Gova RE . . . . 79 X 18

264

A B C D E F G H I J K L M N O P Q R S T U V W X Y Z

Governolo MN 54 AA 13
Govone CN 61 J 15
Govoni CN 71 H 17
Gozza BS 11 X 6
Gozzano NO 35 L 9
Gozzolina MN 53 X 11
Gr. Bruson AO 33 G 9
Gr. Golette AO 32 C 9
Gr. Haury AO 32 D 9
Grabiasca BG 24 U 7
Gracciano SI 95 AF 25
Gracciano d'Elsa SI 94 AB 23
Gracco UD 16 AM 4
Gradara PU 89 AL 20
Gradaro MN 54 AA 13
Gradella CR 37 S 11
Gradia-San Lorenzo KR 172 BJ 48
Gradina AN 91 AQ 22
Gradisca PN 30 AM 7
Gradisca UD 30 AM 7
Gradisca d'Isonzo GO 31 AQ 8
Gradiscutta UD 30 AM 8
Gradizza FE 68 AG 14
Grado GO 44 AP 9
Grado Lido GO 45 AP 9
Grado Pineta GO 45 AP 9
Gradoli VT 112 AG 28
Graffignana CR 52 U 12
Graffignana LO 51 R 12
Graffignane BG 37 T 10
Graffignano VT 112 AI 28
Graglia BI 34 I 10
Graglia Piana VB 21 M 8
Gragliana LU 85 X 19
Graglio VA 22 N 7
Gragnana BO 80 AD 18
Gragnana LU 78 W 18
Gragnana MS 78 V 19
Gragnanella LU 78 X 19
Gragnanino PC 52 S 13
Gragnano AR 88 AH 22
Gragnano LU 85 Y 20
Gragnano NA 151 AW 39
Gragnano Trebbiense PC 52 S 13
Gragnola MS 78 V 18
Graines AO 33 H 9
Gramignana CR 52 T 12
Gramignana VT 112 AI 29
Gramignazzo PR 53 W 14
Graminatoggiu OT 211 S 39
Gramizzola PC 63 Q 16
Grammatica PR 78 V 17
Grammichele CT 202 AW 60
Gramolazzo LU 78 W 19
Grampa VC 34 J 9
Gramsci CS 170 BF 47
Gramugnana PI 92 Y 22
Gran Faetto TO 47 D 13
Gran Praz AO 34 I 9
Grana AT 49 K 14
Grana BG 24 V 8
Grana SV 75 M 17
Granaglione BO 80 AA 19
Granaiola LU 85 Y 19
Granaiolo FI 86 AA 22
Granaione GR 103 AC 27
Granare BO 81 AE 17
Granari RI 113 AL 30
Granarola PU 89 AL 20
Granarolo FC 82 AG 18
Granarolo RA 82 AG 17
Granarolo dell'Emilia BO 67 AD 16
Granarone RO 55 AD 13
Granata CS 166 BD 45
Granatello TP 182 AK 56
Grancare VI 41 AE 11
Grancetta AN 90 AO 22
Grancetta AN 91 AP 22
Grancia GR 103 AB 27
Grancona VI 41 AD 11
Grand Brissogne AO 33 F 9
Grand Pollein AO 33 F 9
Grand Puy TO 46 C 13
Grand Rosier AO 33 G 10
Grand Villa AO 19 G 9
Grandate CO 36 P 9
Grande TP 190 AJ 57
Grande Chaux AO 33 F 10
Granella VI 41 AF 9
Granelli SR 205 AZ 63
Granerolo VB 21 L 8
Granfone SA 151 AX 39
Grange TO 48 H 12
Grange Arpillas AO 32 E 9
Grange Buttigliera TO 46 C 13
Grange di Brione TO 47 F 13
Grange di Fiano TO 47 G 12
Grange di Nole TO 47 G 12
Grange La Rho TO 46 B 13
Granges TO 46 C 13
Grangette AO 33 E 10
Grangia TO 47 F 13
Grangia TO 33 G 11
Grangia di Gazzo AL 49 M 12
Grangiara ME 189 BB 54
Grangie CN 70 C 17
Granieri CT 202 AW 61
Granieri PA 194 AT 57
Graniga VB 7 K 7
Granigo TV 28 AG 8
Granilia CT 195 AW 58
Graniti ME 189 BA 56
Granitola Torretta TP 190 AK 58
Grano BS 11 X 6
Granozzo NO 50 M 11
Grantola VA 22 N 8
Grantortino PD 41 AF 10
Grantorto PD 41 AF 10
Granvilla BL 15 AL 4
Granze PD 55 AD 12
Granze PD 55 AD 13
Granze PD 55 AE 12
Granze PD 56 AF 12
Granze PD 56 AF 13
Granze RO 56 AF 13
Granze VR 55 AD 12
Granze
di Frassenelle PD 41 AF 11
Grasaura VC 21 K 8
Grasciano TE 109 AS 27
Grassaga San Giorgio VE 43 AK 9
Grassano MT 155 BG 40
Grasseghella TV 43 AJ 9
Grassina Ponte a Ema FI 86 AC 21
Grasso BG 23 S 8
Grasso BG 23 S 8
Grassobbio BG 37 T 10
Grassona VB 35 L 9
Grastiello AV 142 AX 38
Gratacasolo BS 24 V 9
Grati PT 85 Z 20
Graticelle BS 25 W 9
Gratillon AO 32 E 9
Grattacoppa RA 69 AH 16
Gratteri PA 186 AS 56
Gratteria CN 71 H 17
Graun / Corona BZ 12 AC 6
Graun Vinschgau / Curon
Venosta BZ 2 Y 3
Grauno TN 13 AC 6
Grauzaria UD 16 AO 5
Grava AL 50 N 14
Gravà CT 188 AZ 56
Gravagna San Rocco MS 78 U 17
Graveccio BZ 13 AE 4
Gravedona CO 23 Q 7
Graveglia GE 76 R 17
Graveglia SP 77 T 19
Gravellona PV 50 N 12
Gravellona Toce VB 21 L 8
Gravellone PV 51 P 12
Gravere TO 46 D 13
Graves PN 16 AM 6
Gravina BR 148 BN 39
Gravina CS 167 BG 46
Gravina RG 204 AW 63
Gravina di Catania CT 197 AZ 58
Gravina in Puglia BA 145 BH 39
Grazia ME 189 BA 55
Graziana VC 35 K 11
Grazie MC 107 AO 25
Grazie MN 54 Z 13
Grazie VT 112 AH 28
Graziola RA 82 AG 18
Grazioli MN 54 Y 11
Grazzanise CE 140 AT 37
Grazzano Badoglio AT 49 K 13
Grazzano Visconti PC 52 T 14
Grazzi PV 63 R 15
Grea BL 15 AJ 5
Grecale AG 191 AK 70
Grecchia Gabba BO 80 AA 18
Grecciano LI 85 X 22
Greccio RI 113 AL 29
Greci AV 134 BA 36
Greci CS 170 BF 49
Greco CS 170 BF 47
Greggio VC 35 L 11
Grello PG 97 AL 24
Gremiasco AL 63 P 15
Greppolischieto PG 105 AH 26
Gressa AR 87 AF 21
Gressan AO 33 E 9
Gressoney-la-Trinité AO 20 H 9
Gressoney-St-Jean AO 34 H 9
Greti FI 86 AC 22
Greuli OT 209 O 37
Greve in Chianti FI 86 AC 22
Grevo BS 25 X 7
Grezzago MI 37 R 10
Grezzana VR 40 AB 10
Grezzano FI 87 AD 19
Grezzano VR 54 AA 12
Grezzo PR 64 T 16
Griante CO 23 Q 8
Gricciano FI 86 AB 22
Gricigliana PO 86 AB 19
Gricignano AR 96 AH 22
Gricignano FI 86 AD 20
Gricignano FI 87 AD 21
Gricignano di Aversa CE 141 AU 38
Gricilli LT 130 AN 35
Grieci AV 142 AY 37
Grieco BR 148 BN 39
Gries BZ 13 AC 4
Gries BZ 13 AE 4
Gries TN 13 AF 5
Griez VR 40 AB 10
Griffe VR 55 AB 12
Griffoglieto GE 62 O 16
Grignaghe BS 24 V 9
Grignani TP 182 AK 56
Grignano SI 94 AC 22
Grignano TS 31 AR 9
Grignano II AV 143 AZ 37
Grignano Polesine RO 56 AF 13
Grignasco NO 35 L 9
Grigno TN 27 AE 7
Grillano AL 62 M 16
Grillara RO 57 AI 14
Grilli GR 103 AA 26
Grillo PG 97 AL 25
Grimacco UD 17 AQ 7
Grimaldi CS 170 BG 49
Grimaldi IM 72 G 21
Grimaldo BZ 4 AG 3
Grimana RO 57 AI 13
Grimoldo RC 178 BD 54
Grinzane Cavour CN 60 I 16
Grinzano CN 60 H 16
Grions UD 30 AM 7
Grions del Torre UD 30 AO 7
Gris UD 30 AO 8
Grisciano RI 107 AO 27
Grisì PA 183 AN 56
Grisignano FC 82 AH 18
Grisignano SA 151 AW 39
Grisignano di Zocco VI 41 AF 11
Griso VI 26 AC 9
Grisoglio TO 49 J 13
Grisolia CS 166 BE 45
Grissiano BZ 12 AC 4
Grizzana BO 80 AB 18
Grizzo PN 29 AK 7
Grognardo AL 61 L 16
Grole MN 39 Y 11
Gromignana LU 79 Y 19
Gromlongo BG 37 S 9
Gromo BG 24 U 8
Gromo San Marino BG 24 U 8
Gromola SA 152 AY 41
Grompo RO 56 AF 13
Gron BL 28 AH 7
Grona CO 22 Q 7
Gronda BI 34 K 10
Gronda MS 78 W 19
Grondana PR 77 R 17
Grondari CB 132 AV 34
Grondo VC 20 K 8
Grondola MS 77 U 17
Grondona AL 62 O 15
Grondone Sopra PC 63 R 15
Grondone Sotto PC 63 R 16
Grone BG 38 U 9
Grontardo CR 53 V 12
Grontorto CR 52 U 12
Gropada TS 45 AS 10
Gropello Cairoli PV 50 O 12
Gropello d'Adda MI 37 S 10
Gropina AR 87 AE 22
Groppallo PC 64 S 15
Gropparello PC 64 T 14
Groppizioso PR 65 W 17
Groppo MO 79 Y 18
Groppo MS 78 U 18
Groppo MS 78 V 18
Groppo PC 64 U 15
Groppo PR 65 W 16
Groppo RE 78 X 17
Groppo SP 77 S 18
Groppo SP 77 T 19
Groppo Ducale PC 64 S 15
Groppodalosio MS 78 U 17
Groppoli MS 78 U 17
Groppoli MS 78 V 18
Groppolo MS 78 W 18
Groppovisdomo PC 64 T 15
Gros Passet TO 46 D 14
Groscavallo TO 32 E 11
Grosio SO 11 W 6
Grosotto SO 11 W 6
Grossa PD 41 AF 10
Grossaix AO 33 G 9
Grosse CS 170 BG 48
Grosseto GR 103 AB 27
Grosso TO 47 G 12
Grotta ME 189 BC 54
Grotta NA 151 AV 39
Grotta PR 64 U 15
Grotta RC 178 BE 56
Grotta TN 26 AA 8
Grotta Amare AQ 115 AP 29
Grotta d'Angelo CT 196 AY 58
Grotta del Pianoro RM 119 AI 31
Grotta dell'Acqua FG 127 BF 32
Grotta Figazzano BR 148 BN 39
Grotta Giusti PT 85 Z 20
Grotta Parrelle NA 151 AV 39
Grottacalda EN 194 AV 59
Grottaccia MC 98 AO 23
Grottaferrata RM 120 AK 33
Grottafornara TA 157 BM 40
Grottaglie TA 148 BN 40
Grotta-minarda AV 142 AZ 37
Grottammare AP 109 AS 26
Grottazzolina FM 99 AQ 25
Grotte AG 193 AR 59
Grotte AV 143 AZ 38
Grotte ME 188 AZ 55
Grotte ME 189 BB 56
Grotte PU 90 AM 20
Grotte Cavalieri GR 104 AE 27
Grotte Colle di Lice FR 131 AR 33
Grotte di Castro VT 105 AG 27
Grotte Santo Stefano VT 112 AI 28
Grottelle RG 205 AY 63
Grotteria RC 177 BG 53
Grotteria Mare RC 177 BG 54
Grotte-Sotto Le Noci AN 97 AN 23
Grotti PG 107 AL 27
Grotti RI 114 AM 29
Grotti RI 121 AO 31
Grotti SI 94 AC 24
Grotti VI 27 AD 8
Grotticella FR 130 AO 34
Grottino AN 90 AO 22
Grottola CE 132 AT 36
Grottole BN 133 AW 36
Grottole MT 155 BH 40
Grottolella AV 142 AX 38
Grottone PZ 144 BD 38
Grovella VB 7 L 5
Grozzana TS 45 AS 10
Gruaro VE 30 AM 8
Gruccia SI 94 AC 23
Gruda RC 179 BF 56
Gruettaz AO 18 D 8
Grugliasco TO 47 G 13
Grugnaleto AN 90 AO 22
Grugno PR 65 W 14
Grumale PG 96 AI 22
Grumale PU 97 AL 22
Grumello BS 25 W 7
Grumello BS 38 W 9
Grumello VI 41 AD 10
Grumello Cremonese CR 52 U 12
Grumello del Monte BG 38 U 10
Grumento Nova PZ 164 BE 42
Grumes TN 13 AC 6
Grumi VI 41 AD 10
Grumo LC 23 Q 8
Grumo Appula BA 146 BJ 37
Grumo Nevano NA 150 AU 38
Grumolo RO 56 AG 13
Grumolo VI 41 AD 9
Grumolo delle Abbadesse VI 41 AE 10
Grun AO 33 H 9
Grunuovo-Campomaggiore
San Luca LT 139 AR 36
Grupignano UD 31 AP 7
Grusiner TO 33 F 11
Grutti PG 106 AJ 26
Gschnon / Casignano BZ 13 AC 6
Guadagni NA 151 AV 38
Guadagnolo RM 120 AM 32
Guadamello TR 113 AJ 29
Guadetto CR 53 W 13
Guadine MS 78 W 19
Guado Tufo RM 119 AJ 31
Guagnano LE 158 BQ 41
Guaifola VC 34 J 9
Gualdo AN 90 AO 22
Gualdo AR 87 AE 21
Gualdo FC 82 AH 19
Gualdo FC 82 AI 19
Gualdo FE 68 AF 15
Gualdo LU 84 X 20
Gualdo MC 107 AO 26
Gualdo MC 98 AP 25
Gualdo TR 113 AJ 29
Gualdo Cattaneo PG 106 AK 26
Gualdo Tadino PG 97 AL 24
Gualdrasco PV 51 Q 12
Gualina PV 50 N 12
Gualtieri RE 66 Y 14
Gualtieri SA 163 BB 43
Gualtieri Sicaminò ME 189 BA 55
Guamaggiore CA 221 P 46
Guamo LU 85 Y 21
Guanzate CO 36 P 9
Guarana BN 142 AY 36
Guarcino FR 121 AO 33
Guarda BO 68 AE 16
Guarda TV 28 AH 8
Guarda Ferrarese FE 56 AF 14
Guarda Veneta RO 56 AF 14
Guardabosone VC 34 K 9
Guardamiglio LO 52 T 13
Guardasone PR 65 X 16
Guardavalle CZ 177 BI 52
Guardavalle SI 95 AF 24
Guardavalle Marina CZ 177 BI 53
Guardea TR 112 AI 28
Guardia AL 62 M 16
Guardia CT 197 AZ 57
Guardia GE 62 O 17
Guardia RC 177 BI 53
Guardia TN 26 AB 8
Guardia de is Morus CA 225 O 50
Guardia Grande SS 212 K 40
Guardia Lombardi AV 143 BA 38
Guardia Perticara PZ 154 BF 41
Guardia Piemontese CS 166 BE 47
Guardia Sanframondi BN 141 AW 36
Guardia Vecchia OT 207 R 36
Guardia Vomano TE 109 AS 28
Guardiabruna CH 124 AW 32
Guardiagrele CH 116 AU 30
Guardialfiera CB 124 AX 33
Guardiaregia CB 133 AW 35
Guardie AV 142 AX 37
Guardiola AV 143 BA 37
Guardiola CH 124 AW 31
Guardiole CE 132 AT 35
Guardistallo PI 93 Y 24
Guarene AT 60 J 14
Guarene CN 61 J 15
Guarenna Nuova CH 117 AV 31
Guarniera CH 124 AW 31
Guarraia PA 194 AT 57
Guarrato TP 182 AK 56
Guarrazzano SA 162 AZ 42
Guasila CA 221 P 46
Guastalla RE 54 Y 14
Guastameroli CH 117 AV 30
Guasti VR 55 AC 12
Guasticce LI 85 X 22
Guasto IS 132 AU 34
Guazzano TE 108 AQ 27
Guazzino SI 95 AF 24
Guazzolo AL 49 K 13
Guazzora AL 50 O 13
Gubbio PG 96 AK 23
Gudo Gambaredo MI 36 P 11
Gudo Visconti MI 50 P 11
Guello CO 23 Q 8
Guerci MC 98 AP 25
Guerra PC 63 S 15
Gugi VR 40 AB 11
Gugliano LU 85 X 20
Guglielmi FR 131 AQ 34
Guglielmo CS 168 BH 46
Guglieri PC 64 S 15
Gugliete BN 133 AX 36
Guglionesi CB 124 AY 32
Gugnano LO 51 Q 12
Guia TV 28 AH 8
Guia VC 21 K 8
Guia VC 21 K 8
Guidizzolo MN 54 Y 12
Guido I VV 174 BH 52
Guido II VV 174 BH 52
Guidomandri Marina ME 189 BB 55
Guidomandri Sup. ME 189 BB 55
Guidonia RM 120 AL 32
Guietta TV 28 AH 8
Guiglia MO 80 AA 17
Guilmi CH 123 AV 32
Guinadi MS 77 U 17
Guinza PU 88 AI 22
Guisa Pepoli BO 67 AC 15
Guisano LC 23 Q 8
Guistrigona SI 94 AD 24
Guitto BN 133 AW 36
Guizza PD 42 AG 11
Guizza TV 28 AI 8
Guizza VI 41 AD 9
Guizze TV 42 AI 9
Gullo KR 173 BL 49
Gumeno RC 178 BD 55
Gummer /
San Valentino BZ 13 AD 5
Gurafi ME 188 BA 55
Gurata CR 53 W 13
Gurlamanna BA 145 BH 38
Gurna RC 177 BG 54
Gurone VA 22 O 9
Gurro VB 7 M 7
Gurrone VB 7 M 7
Gurzone RO 56 AE 14
Gusano PC 64 T 14
Guselli PC 64 T 15
Guspini VS 220 M 46
Gussago BS 38 V 10
Gussola CR 53 X 13
Gusti CE 140 AS 36
Gutturu Saidu CA 225 N 49
Guzzafame LO 52 S 13
Guzzano BO 80 AB 19
Guzzano BO 80 AC 17
Guzzano LU 85 Y 20
Guzzano TE 109 AR 28

H - I

Hafing / Avelengo BZ 12 AC 4
Hers AO 33 F 9
Hohlen / Olmi BZ 13 AD 5
Hone AO 33 H 10
Huiben BZ 5 AI 2
I Ballotti PG 105 AG 25
I Bertonili PG 95 AH 25
I Biuson PV 51 P 13
I Boschetti GR 93 AA 25
I Cappuccini PG 105 AH 26
I Cappuccini PG 107 AN 27
I Carani CE 140 AS 36
I Casetti BO 67 AC 16
I Casoni BO 68 AE 16
I Casotti VR 54 AA 12
I Cerri IS 123 AU 33
I Colli PE 116 AS 30
I Conti LT 138 AM 38
I Dossi RO 55 AD 14
I Fabbri AR 95 AG 24
I Fornaciari PG 105 AI 25
I Forni LI 102 Z 25
I Grottini RM 118 AG 31
I Gulfi PI 93 Y 23
I Maggio-Vasche SA 152 BA 39
I Mandorli FI 86 AB 22
I Martiri AV 143 AZ 37
I Masi FR 130 AP 34
I Mistris PN 29 AL 6
I Monti AN 98 AP 23
I Narei BL 28 AI 6
I Nonni PG 95 AH 25
I Passeri PR 64 U 15
I Piani SS 212 K 40
I Pieracci PG 95 AG 25
I Piloni GR 103 AC 25
I Pini AR 95 AF 23
I Poggi PG 105 AH 25
I Pozzi FR 130 AO 33
I Quattro Pini VT 111 AE 29
I Renai FI 87 AD 21
I Rocchi CS 170 BG 47
I Ronchi MO 79 Y 18
I Ronchi TV 42 AJ 9
I Saldi MS 78 U 18
I Santi VR 55 AC 12
I Serafini TO 47 F 14
I Solaioli GR 111 AD 28
I Torami PG 105 AH 25
I Trampani RI 114 AM 30
I Tre Ponti CS 168 BH 45
I Tre Rivi PC 52 T 13
I Vaccari PC 52 T 14
Iacco LU 84 W 20
Iacono Pietro TP 182 AK 55
Iacovelli FR 131 AR 34
Iadanza BN 133 AX 36

Iainich UD 31 AQ 7
Ialmicco UD 31 AP 8
Iamanti FR 131 AQ 33
Ianelle BA 147 BM 39
Iannazzo PZ 164 BE 43
Iannello ME 188 AY 55
Iano FI 93 AA 22
Iano PT 86 AA 20
Iano RE 66 Y 16
Iantosca AV 142 AY 38
Iardino AV 142 AX 37
Iardino CS 166 BE 46
Iassa CS 171 BG 48
Iatrona RC 178 BD 55
Iavre' TN 25 Z 7
Iazzicelli PZ 164 BF 44
Iazzidono CS 164 BE 44
Iazzo delle Fabbriche TA 157 BM 40
Icciano PG 106 AK 27
Iddiano MO 79 AA 17
Idice BO 67 AD 17
Idro BS 39 X 9
Iebba BN 142 AY 37
Iella BN 133 AX 36
Iencarella CZ 174 BH 51
Ientile RC 179 BF 55
Iera MS 78 V 18
Iermanata RC 179 BF 56
Ierna PG 105 AH 26
Iesizza UD 31 AQ 7
Igea Marina RN 83 AJ 19
Iggio PR 64 U 15
Iglesias CI 224 M 48
Igliano CN 74 J 17
Ignago VI 41 AD 10
Ignazia BN 142 AY 36
Igne BL 14 AI 6
Il Baraccone CS 165 BH 43
Il Barone CS 166 BE 46
Il Belagaio GR 103 AC 25
Il Bocchino GR 102 AA 25
Il Borgo BO 67 AD 15
Il Borgo MO 66 AA 15
Il Borgo PU 97 AK 22
Il Bosco MS 78 U 18
Il Caldese PU 89 AK 21
Il Calvario CH 123 AV 31
Il Canto TR 113 AJ 28
Il Capannone PI 93 AA 23
Il Cardo BL 14 AI 5
Il Cardon LI 100 V 28
Il Càrmine KR 173 BL 49
Il Carrubo GR 110 AC 29
Il Casale AN 90 AN 21
Il Casale MN 54 Y 14
Il Casaleccio VT 112 AG 30
Il Casalone RM 112 AG 30
Il Casalone VT 112 AG 29
Il Casalotto FR 121 AN 33
Il Casato SI 95 AF 24
Il Casino BO 68 AE 16
Il Casino PA 184 AO 55
Il Casino PI 93 Z 23
Il Casino PU 88 AI 20
Il Casone LI 92 Y 24
Il Casone RE 65 X 17
Il Castagno FI 93 AA 23
Il Castagno LT 129 AN 34
Il Castellaccio RM 119 AI 32
Il Castello BO 81 AE 18
Il Castellone LT 129 AM 34
Il Centro RM 119 AJ 32
Il Ciocco LU 79 X 19
Il Colle PG 96 AI 25
Il Colle PG 107 AM 28
Il Colle RI 113 AK 29
Il Colle TR 113 AJ 28
Il Colle VB 21 M 7
Il Conte BO 67 AC 15
Il Conventino VT 112 AI 29
Il Convento FC 81 AF 19
Il Cristo MO 66 AB 15
Il Cristo PD 56 AF 12
Il Crocione PC 52 U 13
Il Fabbro PO 86 AB 20
Il Ferraccio LT 129 AN 34
Il Ferrone FI 86 AC 22
Il Fondo RN 83 AJ 19
Il Gallo PU 89 AL 21
Il Gelso AN 90 AO 22
Il Ghetto BO 67 AD 15
Il Ghetto MO 66 AA 16
Il Giardinetto AL 50 M 14
Il Giardino LI 92 X 23
Il Giardino PT 80 AB 19
Il Giovannello GR 103 AC 26
Il Luogo GR 103 AD 27
Il Marziano BT 136 BG 37
Il Mascherino GR 110 AC 29
Il Merlo SI 93 AB 23
Il Molinaccio SI 94 AC 25
Il Molino AP 99 AQ 25
Il Molino AP 99 AR 24
Il Montale PU 89 AL 21
Il Monte MO 55 AB 14
Il Mozzo PU 90 AM 20
Il Muraccio VT 112 AI 29
Il Palazzaccio LI 92 Y 24
Il Palazzo AN 90 AN 22
Il Palazzo AP 108 AP 26
Il Palazzo FI 87 AE 20
Il Palazzo PU 89 AK 21
Il Palazzo PV 50 N 12
Il Palazzo PZ 154 BD 40
Il Palazzo PZ 164 BF 42
Il Palazzo SI 94 AC 24
Il Palazzone RA 68 AG 16
Il Palone LI 92 Y 24
Il Pellegrino VT 112 AI 28
Il Pero FI 86 AB 22
Il Piano AR 95 AE 22
Il Piano BZ 12 AB 4
Il Pino AR 95 AG 24
Il Pino FI 93 AB 22
Il Pino RM 119 AJ 31
Il Poderetto GR 104 AF 27
Il Poggetto PT 85 Z 20
Il Poggio FC 87 AF 20
Il Poggio FI 86 AB 22
Il Poggio FI 81 AD 18
Il Poggio FI 87 AD 20
Il Poggio GR 103 AA 25
Il Poggio GR 103 AC 27
Il Poggio GR 104 AE 27
Il Poggio GR 102 Z 25
Il Poggio LE 158 BQ 42
Il Poggio MO 66 AA 17
Il Poggio MO 79 Z 17
Il Poggio PC 64 S 14
Il Poggio PI 92 Y 23
Il Poggio PU 89 AL 22
Il Poggio RE 65 Y 16
Il Poggio SP 77 U 18
Il Poggiolo AR 94 AE 23
Il Poggione GR 103 AB 27
Il Ponte BO 67 AE 17
Il Ponterotto AP 109 AS 26
Il Porcile CS 167 BH 45
Il Porro CS 168 BH 45
Il Prainito SR 205 AY 62
Il Purgatorio BA 147 BM 38
Il Rengone PG 105 AG 25
Il Ronco AL 49 L 13
Il Ronzone AL 49 L 13
Il Rosi FI 86 AB 20
Il Santo SI 95 AF 24
Il Santo SI 95 AG 25
Il Signorino PT 86 AA 19
Il Sodo SI 95 AF 24
Il Terriccio PI 92 Y 23
Il Torrino FI 86 AC 20
Il Torrione SI 95 AG 24
Il Vallo PG 106 AK 26
Ilbono OG 219 S 44
Ilci PG 106 AJ 26
Ilici AV 142 AY 37
Ilistra BZ 4 AF 3
Illasi VR 40 AC 11
Illica PR 64 S 16
Illica RI 107 AO 27
Illice AP 108 AP 26
Illorai SS 213 P 41
Illuminati MC 98 AP 24
Ilombati ME 188 AX 55
Imbersago LC 37 R 9
Imbratti FR 130 AP 34
Imbrecciata AN 98 AP 23
Imbriaca PA 192 AP 57
Imer TN 28 AF 7
Immacolata RC 178 BD 55
Imola BO 81 AF 17
Impalata BA 147 BM 38
Imperato CB 132 AV 34
Imperatore NA 150 AT 38
Imperia IM 73 J 20
Impero AT 61 L 15
Imponzo UD 16 AN 5
Imposte TE 108 AQ 27
Impostino GR 110 AC 28
Impostino GR 110 AC 28
Impruneta FI 86 AC 21
in Casies Valbassa /
San Martino BZ 5 AI 3
Inarzo VA 35 N 9
Incasate CO 36 Q 9
Incassata SA 152 AY 40
Incino BL 27 AF 8
Incisa in Val d'Arno FI 87 AD 22
Incoronata AV 142 AZ 37
Incoronata CH 124 AX 31
Incoronata FG 135 BC 35
Incoronata IS 132 AV 34
Incorvino PA 185 AP 55
Incudine al Solivo BS 11 X 6
Incudine al Vago BS 11 X 6
Incugnate MI 37 R 11
Indicatore AR 95 AF 23
Indiritto TO 47 E 13
Indovero LC 23 R 7
Induno Olona VA 22 O 8
Inesio LC 23 R 7
Infernetto RM 128 AJ 33
Inforchia PZ 144 BD 39
Ingegnere VV 177 BG 52
Inglagna PN 15 AL 6
Ingria TO 33 G 11
Ingurtosu VS 220 M 46
Innamorati AP 108 AP 26
Innichen /
San Candido BZ 5 AI 3
Inno FI 86 AB 21
Inserra PA 184 AO 55
Insiti CS 171 BG 48
Intavolata CS 166 BE 47
Intermesoli TE 115 AQ 28
Interneppo UD 16 AN 6
Intignano FR 130 AP 33
Intimiano CO 36 P 9
Intissans UD 16 AM 5
Intorcia TP 190 AJ 57
Intra VB 21 M 8
Intragna VB 21 M 8
Intresiglio FG 127 BF 32
Intriglione MC 98 AP 23
Intro d'Acqua PE 116 AS 30
Introbio LC 23 R 8
Introd AO 32 E 9
Introdacqua AQ 122 AS 31
Introini MI 36 P 10
Introzzo LC 23 R 7
Inveriaghi PV 51 Q 14
Inverigo CO 36 Q 9
Inverno PV 51 R 12
Inverso TO 33 H 10
Inverso Pinasca TO 47 E 14
Inverso Porte TO 59 E 14
Inveruno MI 36 O 10
Invico BS 38 W 9
Invillino UD 16 AM 5
Inviolata RM 120 AL 32
Invorio Inf. NO 35 L 9
Invorio Sup. NO 35 L 9
Invrea SV 75 M 17
Inzago MI 37 R 10
Inzino BS 38 W 9
Ioannis UD 31 AP 8
Ioggi CS 166 BF 46
Iolo PO 86 AB 20
Iomba VI 40 AC 10
Ionadi VV 174 BF 52
Iontapede CB 133 AW 34
Ipplis UD 31 AP 7
Ippocampo FG 135 BE 34
Irgoli NU 215 S 41
Iria ME 187 AW 55
Irianni ME 188 AY 55
Irma BS 38 W 9
Irsina MT 145 BG 39
Is Achenzas CI 224 M 49
Is Aios CI 225 N 48
Is Arenas CA 226 P 48
Is Bangius OR 217 N 45
Is Canis CI 225 N 49
Is Carillus CA 225 N 49
Is Cherchis-Is Canes CI 225 M 49
Is Cinus CI 224 M 50
Is Collus CI 224 L 49
Is Collus CI 225 N 49
Is Cordeddas CI 224 M 49
Is Cosas CI 225 N 49
Is Cuccus CI 224 M 49
Is Domus CI 224 M 49
Is Erriolus OG 223 S 45
Is Faddas CI 224 M 49
Is Fiascus CI 224 M 49
Is Gannaus CI 224 L 49
Is Grazias CI 225 M 49
Is Lais CI 224 M 49
Is Langius CI 225 N 49
Is Loccis CI 224 M 49
Is Loddis CI 224 L 49
Is Lois CI 224 M 49
Is Lois de Basciu CI 225 N 49
Is Manais CI 224 M 48
Is Massaius CI 224 M 49
Is Meddas CI 225 N 49
Is Melonis CI 224 L 49
Is Molas CA 225 O 50
Is Morus CA 225 O 50
Is Murronis CI 224 M 49
Is Orrus CA 226 O 48
Is Palas CA 225 M 50
Is Peis CI 224 M 50
Is Perrizzonis CA 226 O 48
Is Pes CI 224 M 49
Is Pillonis CI 224 M 49
Is Pillonis CI 224 M 50
Is Pinnas CI 225 N 49
Is Pinnas CI 225 N 49
Is Pireddas CI 225 N 49
Is Piricocus CA 227 Q 48
Is Piroddis CI 225 N 49
Is Pirosus CI 225 N 49
Is Pisanus CI 225 N 49
Is Pistis CI 224 M 49
Is Pistis CI 224 M 49
Is Pisus-Is Concias CA 226 Q 48
Is Pittaus CI 225 N 49
Is Pitzus CI 224 L 49
Is Porcus CI 224 M 48
Is Potettus CI 224 M 50
Is Pruinis CI 224 L 49
Is Pruxineddas CA 226 O 48
Is Puesceddus CI 224 M 49
Is Sabas CI 225 N 49
Is Sais CI 225 M 48
Is Santus CI 225 N 49
Is Scanus CI 225 N 49
Is Scarteddus CI 224 M 49
Is Scattas CI 225 N 49
Is Senis CI 224 M 49
Is Sinzus CI 225 N 49
Is Solinas CI 224 M 49
Is Spigas CA 224 M 50
Is Urigus CI 224 L 49
Is Vaccas CI 225 N 49
Is Xianas CI 225 N 49
Isarno NO 35 M 10
Isasca CN 59 F 16
Isca AV 143 BB 38
Isca BN 142 AX 36
Isca BN 133 AY 35
Isca PZ 153 BC 40
Isca SA 162 BA 42
Isca Marina CZ 175 BI 52
Isca sullo Ionio CZ 175 BI 52
Iscalonga SA 162 AY 41
Iscalunga PZ 144 BD 39
Ischia NA 150 AS 39
Ischia SA 153 BC 41
Ischia TN 26 AC 7
Ischia Cardone AV 143 AZ 37
Ischia di Castro VT 111 AF 28
Ischia-Mezzana FG 134 AZ 35
Ischitella FG 127 BE 32
Iscit NO 35 M 10
Iscra e Voes NU 215 T 40
Isella NO 35 L 9
Isella VB 7 M 7
Iselle VB 7 K 6
Isengo CR 38 U 11
Iseo BS 38 V 10
Isera TN 26 AB 8
Isernia IS 132 AU 34
Isiata VE 43 AK 10
Isili CA 222 P 45
Isnello PA 186 AT 56
Isola BG 37 T 9
Isola BS 25 W 8
Isola BS 25 X 7
Isola CN 60 H 16
Isola FC 88 AG 20
Isola GE 63 Q 16
Isola LU 79 X 18
Isola MC 98 AN 23
Isola MC 98 AN 25
Isola PG 97 AL 25
Isola PI 86 AA 21
Isola PR 64 S 17
Isola PR 65 W 16
Isola PR 78 W 17
Isola RA 81 AF 18
Isola SO 9 Q 5
Isola SO 10 W 4
Isola SP 77 U 19
Isola SR 203 BA 61
Isola SV 75 L 17
Isola UD 16 AO 6
Isola VC 34 K 9
Isola Albarella RO 57 AJ 13
Isola Bella LT 129 AL 34
Isola d'Arbia SI 94 AD 24
Isola d'Asti AT 61 K 15
Isola del Cantone GE 62 O 16
Isola del Gran Sasso
d'Italia TE 115 AQ 28
Isola del Liri FR 130 AQ 33
Isola del Piano PU 89 AL 21
Isola della Scala VR 54 AB 12
Isola delle Femmine PA 184 AO 54
Isola di Borgonovo GE 77 R 17
Isola di Capo Rizzuto KR 173 BL 50
Isola di Carturo PD 41 AF 10
Isola di Fano PU 90 AM 22
Isola di Niente EN 195 AX 58
Isola Dovarese CR 53 W 12
Isola Farnese RM 119 AJ 31
Isola Fossara PG 97 AL 23
Isola Morosini GO 31 AP 9
Isola -Palazza CS 166 BE 46
Isola Perosa CN 74 I 19
Isola Pescaroli CR 53 W 13
Isola Rizza VR 55 AC 12
Isola Rossa OT 209 O 37
Isola San Biagio AP 107 AO 26
Isola Sant' Antonio AL 50 O 13
Isola Santa LU 78 W 19
Isola Vicentina VI 41 AD 10
Isolabella TO 60 I 14
Isolabona IM 72 G 20
Isolabuona GE 62 O 16
Isolaccia SO 11 W 5
Isolagrande SV 74 J 18
Isolalta VR 54 AA 11
Isolana SS 209 O 38
Isolano MS 78 V 19
Isole AL 61 K 16
Isole SV 73 J 19
Isolella RO 56 AH 13
Isolella VC 34 K 9
Isolella VR 55 AC 12
Isolello CR 53 W 13
Isolello VC 34 I 9
Isoletta FR 130 AQ 34
Isoletta SV 74 J 18
Isolidda TP 183 AL 55
Isolina CH 123 AU 31
Isollaz AO 33 H 9
Isolona GE 76 Q 17
Isorella BS 53 W 12
Isorella GE 62 O 17
Isorelle GE 62 O 16
Isoverde GE 62 O 16
Ispani SA 163 BC 43
Ispica RG 205 AY 63
Ispra VA 35 M 9
Issengo / Issing BZ 4 AG 3
Issicia NU 218 Q 43
Issiglio TO 33 H 11
Issime AO 34 I 9
Issing / Issengo BZ 4 AG 3
Isso BG 37 T 11
Issogne AO 33 H 10
Ist Santa Maria
degli Angeli RM 119 AJ 32
Istia d'Ombrone GR 103 AC 27
Istiria CN 70 E 17
Istituto Elio Ortopedico SA 152 AY 40
Istrago PN 30 AM 7
Istrana TV 42 AH 9
Itala ME 189 BB 55
Italba FE 57 AH 14
Itieli TR 113 AK 29
Itri LT 139 AQ 36
Ittireddu SS 213 O 40
Ittiri SS 213 M 40
Iuliani AV 142 AX 37
Iunci Sottano CZ 171 BH 49
Iungito AV 151 AX 39
Iuris PN 16 AM 6
Ivano Fracena TN 27 AE 7
Ivrea TO 34 I 11
Izano CR 52 T 11
Izzalini PG 106 AJ 27
Izzo BN 141 AW 36

J

Jacurso CZ 174 BH 50
Jamiano GO 31 AQ 9
Jelsi CB 133 AX 34
Jenesian / San Genesio
Atesino BZ 13 AC 4
Jenne RM 121 AO 32
Jerago VA 35 N 9
Jerenzer TO 33 F 11
Jerzu OG 219 S 45
Jesi AN 90 AO 22
Jesina AN 98 AQ 23
Jesolo VE 43 AK 10
Jevoli CZ 171 BH 50
Jolanda di Savoia FE 68 AG 14
Joppolo VV 176 BE 52
Joppolo Giancaxio AG 192 AQ 59
Joppolo-Siroto VV 176 BE 52
Jossaud TO 46 C 14
Jouvenceaux TO 46 C 13
Jovencan AO 33 E 9
Jovençan AO 18 D 9

K

Kafneld /
Cornedo all'isarco BZ 13 AD 5
Kaltanbrunn /
Fontanefredde BZ 13 AD 6
Kaltern / Caldaro BZ 12 AC 5
Kalura PA 186 AT 55
Kampidell / Campidello BZ 13 AC 4
Kapron / Caprone BZ 2 Y 3
Karer / Costalunga TN 13 AE 5
Kartheus / Certosa BZ 3 AA 3
Karuscia TP 190 AG 63
Kastelbell / Castelbello BZ 12 AA 4
Kastelruth / Castelrotto BZ 13 AE 4
Katharinaberg /
Santa Caterina BZ 3 AA 3
Kelfushog / Colfosco BZ 14 AG 4
Kematen / Caminata BZ 4 AE 2
Khaddiuggia TP 190 AG 63
Khamma TP 190 AH 63
Khamma Fuori TP 190 AH 63
Kiens / Chienes BZ 4 AG 3
Klausen / Chiusa BZ 13 AE 4
Knutten Alm /
Malga dei Dossi BZ 5 AH 2
Kraut / Novale BZ 12 AC 4
Kuens / Càines BZ 3 AC 3
Kuppelwies / Pracupola BZ 12 AA 4
Kurfar / Corvara in Badia BZ 14 AG 4
Kurtatsch / Cortaccia BZ 12 AC 6
Kurtinig / Cortina BZ 12 AC 6
Kurzras / Maso Corto BZ 2 Z 3

L

L'Abbandonato GR 104 AD 26
L'Abet Bianco VV 177 BG 52
L'Acqua PO 80 AB 19
L'Acquerino PT 86 AB 19
L'Addolorata BZ 5 AI 3
L'Ago SP 77 T 18
L'Aiale PT 85 Z 19
L'Aiale SI 105 AG 26
L'Aiola PI 93 Y 23
L'Albergo AR 95 AF 23
L'Albergo SI 95 AF 24
L'Alzoni NU 211 S 39
L'Ambrogina GR 104 AD 26
L'Angelina MO 67 AC 14
L'Annunziata FG 135 BD 34
L'Annunziata FR 130 AQ 33
L'Annunziata RG 204 AX 62
L'Aquila AQ 115 AP 29
L'Assunta BA 147 BM 38
L'Avru SS 209 O 38
L'Eyele AO 33 F 10
L'Immacolata MC 98 AP 25
L'Immacolata RM 119 AI 31
L'Imposto GR 103 AC 25
L'Imposto SI 103 AC 25
L'Incontro FI 87 AD 21
L'Isola AN 97 AM 23
L'Olmo BO 67 AC 16
L'Olmo BO 68 AE 16
L'Olmo PG 96 AI 25
L'Olmo RO 56 AF 13
L'Opera Pia PG 106 AL 25
L'Osteriaccia TR 105 AG 26
L'Ugolino FI 86 AC 21
La Badessa CS 171 BH 47
La Badia FR 130 AO 34
La Badia PG 105 AH 25
La Badia PG 97 AL 23
La Badia PO 80 AB 19
La Balma VB 6 J 6
La Balme AO 32 C 9
La Banchina
di Sopra RO 56 AG 13
La Bandita LI 102 Y 25
La Banditella TR 105 AG 26
La Baracca RI 114 AN 29

A B C D E F G H I J K L M N O P Q R S T U V W X Y Z

La Baraccola AN ....91 AQ 22
La Barbona MO ....79 Z 17
La Barca del Grazi GR ...110 AC 28
La Barcaccia PG ....97 AK 24
La Bassa RE ....66 Z 15
La Beccia AR ....88 AG 21
La Befa SI ....94 AD 25
La Bella PI ....93 AA 22
La Berga PT ....86 AA 21
La Bertole MN ....54 AB 14
La Berzigala MO ....79 Z 17
La Bettola PD ....56 AE 13
La Bettola VR ....40 AB 10
La Bianca RM ....118 AG 31
La Bicocca SI ....94 AC 24
La Bigattiera PI ....84 X 21
La Borghesiana RM ....120 AL 32
La Borra PI ....85 Y 22
La Botte PI ....85 Y 21
La Botteghetta PD ....56 AG 12
La Braia MS ....77 T 17
La Briglia PO ....86 AB 20
La Buca BO ....67 AC 15
La Buca FI ....86 AB 22
La Buca VT ....111 AF 28
La Bufolara RM ....128 AJ 33
La Bugnotta PI ....85 X 21
La Busa del Veris UD ...30 AO 7
La Bussola FG ....135 BE 34
La Ca' BO ....80 AC 18
La Ca' PC ....63 R 16
La Ca' RE ....79 Y 17
La Cafulana RC ....177 BH 53
La Caletta CI ....224 K 49
La Caletta NU ....215 T 40
La California LI ....92 Y 24
La Calle PG ....96 AH 23
La Camosciara AQ ....131 AS 33
La Campana AP ....108 AR 25
La Campana RM ....129 AL 34
La Campana SI ....94 AC 24
La Campigliola GR ....111 AE 28
La Capanna BZ ....3 AB 2
La Capanna PT ....85 Z 21
La Capannella VT ....112 AI 30
La Capannina PI ....93 Y 22
La Cappella SA ....152 AX 39
La Cappelletta CN ....61 J 16
La Capraccia VT ....112 AH 28
La Carcia TP ....190 AK 57
La Casa PI ....92 Y 22
La Casaccia VT ....113 AJ 29
La Casazza MO ....55 AC 14
La Cascina FE ....68 AG 15
La Cascinassa PV ....50 O 13
La Casedda OT ....210 P 38
La Casella PU ....96 AK 23
La Casetta VT ....112 AH 29
La Casina PI ....85 X 21
La Casina VT ....104 AF 27
La Casona VE ....42 AI 11
La Cassa TO ....47 G 12
La Catena AG ....199 AS 60
La Catena PR ....65 X 15
La Cava GR ....103 AC 26
La Cava PG ....106 AJ 25
La Cava PI ....85 Y 22
La Celletta PU ....89 AK 21
La Cerchiaia SI ....94 AD 24
La Cerqua TR ....113 AK 28
La Cetina SI ....94 AC 24
La Chiesolina RO ....55 AD 13
La Chiocciola FI ....87 AD 21
La Chiostra PI ....93 Z 23
La Chiusa AN ....90 AO 22
La Chiusa FC ....82 AH 19
La Chiusa MO ....66 Z 16
La Chiusa RA ....82 AI 17
La Ciaccia SS ....209 N 38
La Cinquantina LI ....92 Y 24
La Cittadella TP ....190 AH 63
La Clusaz AO ....32 D 9
La Colombara TV ....41 AG 9
La Comina PN ....29 AK 8
La Cona LT ....130 AN 34
La Conia OT ....210 R 37
La Corsina SI ....93 AB 23
La Corte AL ....62 M 16
La Corte SS ....208 K 39
La Corte VC ....49 K 12
La Costa AL ....49 L 13
La Costa BG ....23 S 8
La Costa CO ....22 P 9
La Costa GE ....76 P 17
La Costa GE ....77 R 17
La Costa LO ....52 U 13
La Costa LU ....78 X 18

La Costa PC ....64 S 14
La Costa PG ....105 AH 25
La Costa PG ....106 AK 27
La Costa PO ....65 V 15
La Costa PR ....65 V 16
La Costa PR ....65 V 16
La Costa PR ....65 X 16
La Costa RE ....78 W 17
La Costa SO ....24 T 7
La Costa SV ....74 K 17
La Costa VA ....40 AB 11
La Costa VI ....27 AD 8
La Croce AN ....90 AN 21
La Croce AP ....108 AQ 25
La Croce MO ....79 Y 18
La Croce PG ....41 AF 11
La Croce PU ....90 AN 21
La Croce RE ....66 Y 14
La Croce RI ....114 AL 28
La Croce VI ....55 AE 12
La Crocetta AQ ....115 AP 30
La Crocetta FC ....82 AJ 19
La Crocina GR ....104 AD 27
La Crosara RO ....56 AF 14
La Crosetta TV ....29 AJ 7
La Crucca SS ....208 L 39
La Cugna PT ....86 AA 20
La Dispensa GR ....104 AE 27
La Dogana PG ....96 AI 24
La Dogana PO ....86 AB 19
La Dora PU ....90 AM 21
La Fabbrica AR ....95 AF 22
La Fabbrica BO ....68 AE 17
La Farnesiana RM ....118 AG 30
La Fattoria PI ....85 X 21
La Favella CS ....165 BH 45
La Fenice FG ....135 BB 35
La Fica BR ....148 BN 39
La Ficaccia OT ....206 Q 36
La Ficuzza AG ....199 AS 60
La Filandra AR ....95 AG 23
La Filetta OT ....206 Q 36
La Finge MO ....79 AA 17
La Finocchiara CL ....200 AT 60
La Fiora LT ....138 AO 35
La Foce LI ....100 W 27
La Foce SI ....104 AF 25
La Fonte CH ....123 AU 31
La Fonte PG ....96 AH 24
La Forcella FE ....56 AG 14
La Foresta RI ....114 AM 29
La Forma FR ....121 AN 32
La Fornace MO ....67 AB 16
La Fornace PR ....65 X 16
La Fornace PU ....89 AJ 21
La Fornace RE ....65 X 16
La Fornace RE ....65 Y 16
La Fossa AR ....87 AG 21
La Fossa RE ....65 X 15
La Fossetta VE ....43 AJ 10
La Francesca BN ....142 AX 36
La Fratta FC ....64 T 14
La Fratta PT ....86 AA 20
La Fratta SI ....95 AF 24
La Frattina RO ....56 AF 14
La Fressy AO ....32 D 10
La Frizza MN ....54 AA 14
La Frua VB ....7 L 5
La Gabellina RE ....78 W 18
La Gabriella AN ....80 Z 18
La Gala ME ....188 BA 55
La Ginestra FI ....87 AD 20
La Gioia AL ....63 P 15
La Giorgina AQ ....121 AO 31
La Giudecca VE ....42 AI 11
La Giustiniana RM ....119 AJ 32
La Gnighera VT ....112 AG 29
La Gobba GR ....104 AE 27
La Goga PG ....96 AI 24
La Grancia AQ ....121 AP 32
La Greta MS ....78 V 18
La Guardia AQ ....122 AR 32
La Guardia LI ....100 V 27
La Guardia MO ....79 AA 17
La Lacuna SS ....208 K 39
La Lama AR ....87 AE 22
La Lama TA ....157 BM 41
La Landrigga SS ....208 L 39
La Lechère AO ....19 F 8
La Lena GR ....103 AC 26
La Loggia TO ....48 H 14
La Lucca FR ....130 AQ 34
La Luce AP ....99 AR 24
La Lupa CZ ....175 BI 52
La Macchia PT ....85 Z 20

La Macchia
  della Madonna AR ....95 AG 24
La Maddalena CA ....226 P 49
La Maddalena GE ....62 N 16
La Maddalena OT ....207 R 36
La Maddalena RC ....176 BE 54
La Madonna SI ....94 AD 23
La Madonnella VT ....111 AF 29
La Madonna AN ....91 AQ 22
La Madonna BZ ....13 AD 4
la Madonnina FR ....130 AP 33
La Madonna RE ....66 Y 15
La Maestà PG ....106 AK 27
La Magdeleine AO ....19 G 9
La Magione FR ....130 AP 33
La Magione VT ....112 AH 28
La Maina UD ....15 AL 5
La Malpensata TO ....47 G 12
La Mandra FR ....131 AR 34
La Mandria GR ....111 AD 29
La Marana PD ....56 AG 13
La Marchesa FG ....134 BA 34
La Marchesa PR ....65 V 15
La Marchesa VC ....34 K 11
La Marinedda OT ....209 O 37
La Marta RM ....110 AC 28
La Martella MT ....155 BI 40
La Martina BO ....80 AD 18
La Mastra PZ ....144 BC 39
La Menta CL ....193 AS 59
La Mola RM ....118 AG 30
La Molaccia RM ....113 AK 30
La Moletta RI ....113 AL 30
La Molinella AN ....90 AN 22
La Molla SI ....105 AG 26
La Monaca RC ....176 BE 53
La Monachina RM ....119 AJ 32
La Mondezza FE ....68 AG 14
La Montagnola PA ....184 AO 55
La Montata RE ....65 X 16
La Montesca PG ....96 AI 23
La Morentella AN ....97 AL 23
La Morra CN ....60 I 16
La Motticella RC ....134 BB 34
La Mozza GR ....103 AC 27
La Muda BL ....14 AH 6
La Muddizza SS ....209 N 38
La Muntagna SS ....208 K 39
La Muraiola PI ....92 Y 22
La Nave AR ....95 AG 24
La Noce PC ....52 S 13
La Pachenia FE ....68 AG 14
La Palazza AR ....88 AH 22
La Palazzetta PG ....106 AJ 25
La Palazzina FI ....86 AB 21
La Palazzina GR ....103 AB 26
La Palazzina MO ....67 AC 14
La Palazzina OT ....210 R 38
La Palazzina PC ....52 U 14
La Palazzina PI ....84 W 21
La Palazzina PI ....85 Z 22
La Paura LT ....130 AN 35
La Pavona VC ....35 K 10
La Pedraia SS ....208 K 39
La Pervolidda CL ....193 AS 59
La Pescaia PI ....93 Y 23
La Pescia FG ....135 BD 35
La Petrizia CZ ....175 BJ 50
La Petrora VT ....112 AH 28
La Piana CE ....132 AU 35
La Piana LT ....138 AM 38
La Piana VC ....20 J 8
La Piana Porticelle CT ...196 AX 56
La Pianaccia GR ....111 AD 28
La Piastra MS ....78 U 18
La Picciola SA ....152 AY 40
La Pietra AV ....142 AW 37
La Pietra PN ....29 AK 8
La Pietra RO ....55 AE 13
La Pietra TO ....48 J 13
La Pieve FI ....87 AD 22
La Pieve GR ....110 AC 28
La Pieve PU ....89 AL 21
La Pineta PG ....97 AL 23
La Pineta SI ....75 L 17
La Pineta TO ....48 I 12
La Pipara NU ....211 T 38
La Pisana RM ....119 AJ 32
La Polverosa GR ....110 AC 28
La Porcheria PA ....193 AR 57
La Posta AN ....97 AM 23
La Posta FI ....80 AD 18
La Presura FI ....86 AC 21
La Principina GR ....103 AB 27
La Punta PI ....84 X 21
La Punta VR ....40 AB 11

La Querce PO ....86 AB 20
La Quercia BO ....80 AC 18
La Rasega BS ....25 X 7
La Reale SS ....208 K 37
La Ripa FI ....86 AB 22
La Ripa SI ....94 AC 23
La Riposa TO ....46 D 12
La Rocca CN ....60 I 16
La Rocca MO ....66 AA 15
La Rocca PG ....106 AJ 26
La Rocca RE ....66 Y 15
La Rocca SV ....75 M 17
La Rocca TV ....42 AH 10
La Rocca VT ....112 AG 29
La Rojata PN ....29 AK 7
La Rosa PI ....93 Z 22
La Rosetta SA ....162 BA 42
La Rota PU ....90 AM 22
La Rotondella CT ....195 AY 59
La Rotta FE ....69 AH 16
La Rotta GR ....111 AF 28
La Rotta MN ....55 AB 13
La Rotta PI ....85 Y 22
La Rotte TR ....113 AJ 28
La Runcina NU ....211 S 39
La Sabatina GR ....103 AC 27
La Salute di Livenza VE .43 AL 10
La Salvadega PD ....56 AF 13
La Santa MN ....54 Z 13
La Santina PC ....52 U 13
La Santona MO ....79 Z 18
La Saxe AO ....18 C 9
La Sbarra MN ....55 AC 14
La Sbarra VT ....105 AG 27
La Scalitta OT ....209 O 38
La Scalitta SS ....209 O 38
La Schezza PI ....93 Z 24
La Scogliara TR ....113 AK 28
La Sdriscia LI ....102 Y 26
La Secchia PT ....79 Z 19
La Seggiana PD ....56 AG 13
La Selce AR ....95 AF 24
La Selva AR ....94 AE 23
La Selva FR ....120 AN 33
La Selva GR ....130 AQ 33
La Selva FR ....131 AS 34
La Selva SI ....93 AB 25
La Selviata RM ....119 AJ 31
La Serra BA ....147 BM 39
La Serra LI ....100 W 27
La Serra MO ....79 Z 18
La Serra PI ....85 Z 22
La Sesta SI ....104 AD 26
La Sgrilla GR ....111 AD 28
La Siligata PU ....89 AL 20
La Souche AO ....32 C 9
La Spagna PT ....86 AA 20

La Spezia SP ....77 T 19
La Stanga BL ....14 AH 6
La Stanza AQ ....121 AQ 31
La Sterza PI ....93 Z 23
La Storta RM ....119 AJ 31
La Strea LE ....160 BQ 42
La Sturara PD ....56 AE 13
La Taverna IS ....132 AU 34
La Taverna PZ ....154 BF 41
La Thuile AO ....32 C 9
La Torba GR ....110 AC 29
La Torraccia LI ....102 Y 25
La Torre AR ....94 AE 23
La Torre FC ....83 AJ 19
La Torre FI ....86 AC 21
La Torre FI ....86 AD 20
La Torre FR ....130 AO 34
La Torre MO ....80 AA 17
La Torre MO ....84 AA 17
La Torre PD ....56 AG 12
La Torre PU ....89 AL 21
La Torre PV ....50 M 12
La Torre SI ....94 AB 24
La Torre SI ....104 AF 25
La Torretta BR ....148 BP 40
La Torretta CH ....124 AW 32
La Torricelle PG ....105 AI 25
La Tozza OT ....209 O 38
La Traggiara MS ....78 V 18
La Trappa BI ....34 I 10
La Trappe AO ....18 C 9
La Trappola MO ....80 AB 18
La Traversa NU ....215 S 41
La Trinità PC ....64 U 15
La Trinità PG ....96 AI 25
La Truna CN ....71 G 18
La Turchia PG ....85 Y 22
La Turchia RA ....68 AG 16
La Valle PG ....96 AI 25
La Valle PV ....50 M 12
La Valle RE ....79 Y 17
La Valle TV ....28 AG 8
La Valle / Wengen BZ ....4 AG 4
La Valle Agordina BL ....14 AH 6
La Vecchia LT ....130 AP 35
La Vecchia RE ....65 Y 16
La Vecchia SI ....93 AB 25
La Vela TR ....105 AJ 27
La Vella PR ....53 V 14
La Vena AP ....108 AP 26
La Vena GR ....103 AC 26
La Vergine PT ....85 AA 20
La Verna AR ....88 AG 21
La Verna MO ....79 Y 17
La Via SP ....77 T 18
La Villa AN ....98 AP 23
La Villa AQ ....115 AR 31
La Villa AR ....87 AF 22
La Villa BO ....80 AC 16
La Villa BO ....80 AC 18

La Villa BO ....80 AC 18
La Villa FI ....94 AD 22
La Villa GE ....63 R 16
La Villa MC ....98 AO 25
La Villa MO ....67 AB 15
La Villa PC ....52 T 14
La Villa PG ....105 AG 25
La Villa PO ....80 AB 19
La Villa PR ....65 X 16
La Villa PU ....89 AJ 21
La Villa SV ....74 K 17
La Villa / Stern BZ ....14 AG 4
La Villaccia-Monastero AR ... 95 AF 24
La Villetta MO ....54 AB 14
La Vipera BN ....142 AX 37
La Visaille AO ....18 C 9
La Zecchinetta PD ....56 AF 13
Laas / Lasa BZ ....11 Z 4
Laatsch / Laudes BZ ....2 Y 3
Labante BO ....80 AB 18
Labico RM ....120 AM 33
Labro RI ....113 AL 28
Labso AV ....151 AX 38
Laca CZ ....175 BJ 50
Lacca BG ....37 T 9
Laccata CS ....167 BH 45
Lacchi RC ....179 BF 54
Lacchi VV ....174 BG 52
Lacchiarella MI ....51 P 12
Laccio GE ....63 P 17
Lacciola PZ ....144 BD 39
Lacco ME ....189 BB 56
Lacco Ameno NA ....150 AS 39
Lacco Sari VV ....174 BG 52
Lacedonia AV ....143 BB 37
Laces / Latsch BZ ....12 AA 4
Lachelle VC ....49 K 12
Lacinigo BZ ....12 AA 4
Lacona LI ....100 W 27
Lacone CS ....170 BG 48
Laconi OR ....218 P 44
Lacugnano PG ....105 AJ 25
Laculo RI ....114 AN 29
Ladino FC ....82 AG 18
Ladispoli RM ....118 AH 32
Laerru SS ....209 O 39
Lagacci PT ....80 AA 19
Lagadello PR ....64 U 16
Laganadi RC ....178 BD 54
Laganeto ME ....187 AX 55
Lagani III CZ ....171 BH 50
Laganosa CZ ....175 BI 51
Lagaro BO ....80 AC 18
Lagarò Lupinacci CS ....168 BH 47
Lagatone PZ ....154 BD 39
Lagdei PR ....78 V 17
Laggera CN ....60 I 15
Laggio di Cadore BL ....15 AJ 4
Laghetti / Laag BZ ....12 AC 6
Laghetto RM ....120 AL 32

RIETI, ASCOLI PICENO ROMA · Centro storico chiuso alla circolazione automobilistica · ARAGNO COLLEBRINCIONI · ASCOLI PICENO ROMA / PESCARA · POPOLI, PESCARA · PESCARA, SULMONA

L'AQUILA

Arco Pizzoli (V.) .... Y 2
Bafile (V. A.) .... Y 3
Federico II (Cso) .... Z
Fontesecco (V.) .... Z 6
Fortebraccio (V.) .... Z 6
Guasto (V. del) .... Y 7
Indipendenza (V.) .... Z
Palazzo (Pza del) .... Y 13
Principe Umberto (Cso) .... Y 14
S. Agostino (V.) .... Z 17
S. Chiara d'Aquila (V.) .... Z 18
Tre Marie (V.) .... Z 19
Vittorio Emanuele (Cso) .... YZ

0 · 300 m

S SB15: AVEZZANO

Laghi AN 98 AQ 23
Laghi PD 41 AF 9
Laghi TV 28 AI 8
Laghi VE 30 AM 9
Laghi VI 27 AC 9
Laghi di Sibari CS 168 BI 45
Laghina PR 64 T 17
Laghi-Valle AV 143 AZ 37
Laglesie UD 16 AP 4
Laglio CO 22 P 8
Lagna NO 35 L 9
Lagnasco CN 59 G 16
Lagni AV 143 BA 37
Lago AP 108 AP 26
Lago AP 108 AQ 26
Lago AV 142 AX 37
Lago AV 143 AZ 38
Lago BG 23 T 8
Lago CS 166 BE 45
Lago CS 170 BF 48
Lago CT 195 AW 59
Lago FC 81 AF 19
Lago GE 76 P 17
Lago ME 188 AY 55
Lago MO 79 Y 18
Lago MO 79 Y 18
Lago PC 63 R 15
Lago PR 65 V 17
Lago PU 97 AL 22
Lago RE 65 Y 15
Lago SA 152 AY 40
Lago TN 13 AE 6
Lago TV 28 AI 8
Lago VI 40 AC 10
Lago VI 27 AD 9
Lago Acquapartita FC 88 AH 20
Lago del Conte-Ca' Mafuccio PU 89 AJ 21
Lago I SA 152 AY 40
Lago II SA 152 AY 40
Lago Patria NA 150 AT 38
Lago Patrono AL 63 P 16
Lago Rosso SA 152 BA 40
Lago Villagrande PU 88 AJ 20
Lago-Cancello AP 99 AR 25
Lagogemolo BA 146 BJ 38
Lagonegro PZ 163 BD 43
Lagoni GR 93 AA 25
Lagoni GR 93 AB 24
Lagoni IS 131 AT 34
Lagoni PI 93 AA 24
Lagoni del Sasso PI 93 AA 24
Lagoni Rossi PI 93 Z 25
Lagora BO 80 AC 19
Lagosanto FE 69 AH 15
Lagoscillo FR 130 AO 34
Lagrimone PR 65 W 17
Laguccio FR 130 AP 33
Lagundo / Algund BZ 3 AB 3
Lagusello BL 14 AH 5
Laiano BN 141 AW 37
Laiano PI 85 X 21
Laigueglia SV 73 J 20
Lainate MI 36 P 10
Lainn / Lajen BZ 13 AE 4
Laino CO 22 P 8
Laino Borgo CS 164 BE 44
Laino Castello CS 164 BE 44
Laipacco UD 30 AO 7
Laise CS 166 BE 46
Laiter BZ 13 AD 5
Laives / Leifers BZ 13 AD 5
Lajatico PI 93 Z 23
Lajen / Lainn BZ 13 AE 4
Lajetto TO 47 E 13
Lalatta PR 78 W 17
Lállio BG 37 S 10
Lama AR 88 AG 22
Lama BO 80 AC 18
Lama PG 96 AI 22
Lama PR 65 V 16
Lama PV 63 Q 15
Lama RO 56 AE 13
Lama SI 103 AC 25
Lama SI 104 AE 25
Lama SP 78 V 19
Lama dei Peligni CH 123 AU 31
Lama di Monchio MO 79 Z 17
Lama di Reno BO 80 AC 17
Lama Mocogno MO 79 Z 18
Lama Pezzoli RO 56 AG 13
Lamalunga BT 136 BE 37
Lamalunga BA 147 BN 38
Lamalunga MO 79 Y 17
Lamandia BA 147 BN 38
Lamardilla BR 148 BO 39
Lamascrasciola BA 147 BM 38
Lambicco BN 142 AW 36
Lambrinia PV 51 S 13
Lambrugno UD 16 AN 4
Lambrugo CO 36 Q 9
Lame PC 64 U 14
Lame PI 92 Y 23
Lame TE 108 AP 28
Lamen BL 28 AG 7
Lamezia Terme CZ 174 BG 50
Lamia BN 141 AW 37
Lamia SA 152 AY 40
Lamie BA 146 BK 37
Lamie di Olimpie BA 147 BN 39
Lammari LU 85 Y 20
Lamole FI 94 AD 22
Lamoli PU 88 AI 22
Lamon BL 27 AF 7
Lamosano BL 29 AJ 6
Lampazzone VV 176 BE 52
Lampedusa AG 191 AK 71
Lampezia CS 166 BE 46
Lamporecchio PT 86 AA 21
Lamporo VC 49 J 12
Lana BZ 12 AB 4
Lanaro PU 89 AL 22
Lanca NO 35 M 10
Lancenigo TV 42 AI 9
Lanchina RC 179 BG 54
Lanciafame PG 97 AL 23
Lanciaia PI 93 AA 24
Lanciano CH 117 AV 30
Lanciano FI 87 AE 20
Lanciano PG 97 AL 25
Lanciatoio AP 108 AP 26
Lanciole PT 85 Z 20
Lancisa PT 79 Z 19
Lancusi-Penta-Bolano SA 151 AX 39
Landaro TP 191 AL 58
Landi RM 129 AL 34
Landiona NO 35 L 11
Landò BS 25 W 7
Landriano PV 51 Q 12
Landro PA 193 AS 58
Lanfredi SV 73 J 20
Langa CN 74 J 17
Langa Soprana CN 61 K 16
Langasco GE 62 O 16
Langhirano PR 65 W 16
Langosco PV 50 M 12
Langra CN 58 E 16
Langre PZ 164 BE 43
Lano BO 80 AC 17
Lano SI 93 AB 23
Lanusei OG 219 S 44
Lanuvio RM 129 AL 33
Lanza TN 12 AB 5
Lanzada SO 10 U 6
Lanzano MI 37 R 11
Lanzara SA 151 AX 39
Lanzé VI 41 AE 10
Lanzena RC 178 BD 55
Lanzetta PD 56 AE 12
Lanzo d'Intelvi CO 22 P 8
Lanzo Torinese TO 47 F 12
Laorca LC 23 R 8
Lapedona FM 99 AR 25
Lapio AV 142 AY 38
Lapio VI 41 AE 11
Lappago di Sopra / Oberlappach BZ 4 AF 2
Lappago di Sotto / Niederlappach BZ 4 AF 2
Lappano CS 171 BG 48
Lappeggi FI 86 AC 21
Larciano FC 88 AG 20
Larciano PT 86 AA 21
Larcione TN 13 AF 6
Lardara LO 52 T 13
Lardaro TN 25 Y 8
Larderello PI 93 AA 24
Larderia ME 188 BA 55
Larderia ME 189 BA 56
Larderia ME 189 BB 55
Lardirago PV 51 Q 12
Larghetto RI 114 AL 29
Largisi CE 141 AV 37
Largnano PG 106 AL 25
Largo Moricone RI 114 AM 30
Largolungo FG 126 BD 32
Lari PI 92 Y 22
Lariano RM 120 AM 33
Larino CB 124 AY 33
Larizzate VC 49 L 12
Larone RC 177 BG 54
Laroscia CH 117 AV 31
Larzana TN 25 Z 7
Larzonei BL 14 AG 5
Las Plassas VS 221 O 45
Lasa / Laas BZ 11 Z 4
Lascari PA 186 AS 56
Lases TN 26 AC 7
Lasg / Laghetti BZ 12 AC 6
Lasinetto TO 33 G 10
Lasino TN 26 AA 7
Lasira BL 29 AJ 7
Lasiz UD 17 AP 7
Lasnigo CO 23 Q 8
Lassolaz AO 33 G 9
Lasta BZ 4 AF 3
Laste / Asten BZ 4 AD 3
Laste di Sopra BL 14 AG 5
Lastebasse VI 27 AC 8
Lastra a Signa FI 86 AB 21
Lateis UD 15 AL 5
Latera VT 111 AF 28
Latereto AR 95 AF 22
Laterina AR 95 AF 22
Laterza TA 156 BJ 40
Latiano BR 148 BP 40
Latignano PI 85 Y 22
Latina CE 141 AU 36
Latina LT 138 AM 35
Latina Scalo LT 129 AM 34
Latisana UD 30 AM 9
Latronico PZ 164 BF 43
Latsch / Laces BZ 12 AA 4
Lattani CE 140 AS 36
Lattarico CS 167 BF 47
Latte PZ 144 BD 39
Latte di Ventimiglia IM 72 G 21
Latzfons / Lazfons BZ 4 AE 3
Lauco UD 16 AM 5
Laudes / Laatsch BZ 2 Y 3
Launeto RN 89 AK 20
Laura AV 142 AY 38
Laura SA 152 AY 41
Laureana Cilento SA 162 AZ 42
Laureana di Borrello RC 176 BF 53
Lauregno BZ 12 AB 5
Laurello ME 188 AY 55
Laurenzana PZ 154 BE 41
Laureto BA 147 BN 39
Lauria PZ 164 BE 43
Lauriano TO 48 I 13
Laurignano CS 170 BG 48
Laurino SA 162 BB 41
Laurito SA 151 AW 40
Laurito SA 163 BB 42
Lauro AV 151 AW 38
Lauro CE 140 AS 36
Lauro CS 166 BD 45
Lauro RC 179 BF 54
Lauro SA 152 AY 39
Lauro TV 42 AG 9
Lauropoli CS 167 BH 45
Lautoni CE 141 AU 36
Laux TO 46 D 13
Lauzacco UD 30 AO 8
Lauzzana UD 30 AN 7
Lava AP 108 AR 26
Lava BS 25 W 7
Lavachey AO 18 D 8
Lavaggiorosso SP 77 S 18
Lavagna GE 76 R 18
Lavagna LO 37 R 11
Lavagno VR 40 AB 11
Lavaiano PI 85 Y 22
Laval TO 46 C 14
Lavancher AO 32 D 9
Lavanghe SA 153 BB 39
Lavannina PZ 154 BD 39
Lavarda VI 41 AE 9
Lavariano UD 30 AO 8
Laveggiolo SO 23 S 7
Lavello PC 51 R 13
Lavello PZ 144 BD 37
Lavena Ponte Tresa VA 22 O 8
Laveno BS 25 W 8
Laveno-Mombello VA 21 M 8
Lavenone BS 39 X 9
Laverda VI 27 AE 9
Laverinello MC 97 AM 25
Laverino MC 97 AM 25
Lavezzola RA 68 AG 16
Lavezzole AT 61 J 15
Laviano PG 95 AG 25
Laviano SA 153 BA 39
Lavina BG 23 S 8
Lavina BL 29 AJ 7
Lavina IM 72 I 19
Lavinaio-Monterosso CT 197 AZ 58
Lavinia Bianca / Wellblahn BZ 13 AE 5
Lavinio RM 128 AK 34
Lavino BS 38 W 9
Lavino di Mezzo BO 67 AC 16
Lavino di Sotto BO 67 AC 16
Lavis TN 26 AB 7
Lavone BS 38 W 9
Lavoria PI 85 Y 22
Lavrio SV 74 K 18
Lazel AO 32 D 9
Lazfons / Latzfons BZ 4 AE 3
Lazise VR 39 Z 10
Lazzacco UD 30 AO 7
Lazzano BS 39 X 9
Lazzaretti VI 27 AE 8
Lazzaretti VI 41 AE 9
Lazzaretto BS 38 V 10
Lazzaretto CH 117 AU 29
Lazzaretto FE 56 AF 14
Lazzaretto LO 52 T 13
Lazzaretto PD 56 AF 13
Lazzaretto PD 56 AG 12
Lazzaretto PV 51 P 13
Lazzaretto TS 45 AR 10
Lazzaretto VE 43 AK 10
Lazzaro RC 178 BD 56
Lazzate MB 36 P 9
Lazzeretto FI 85 AA 21
Le Bolle FI 86 AC 22
Le Botteghe FI 85 Z 21
Le Brande MO 66 Z 17
Le Caggiole SI 95 AF 25
Le Cannella KR 173 BL 50
Le Capannacce AR 95 AG 24
Le Capanne FC 88 AH 21
Le Capanne PR 65 V 15
Le Carvane CZ 172 BJ 50
Le Cascine PO 86 AB 21
Le Cascine PG 107 AN 28
Le Case MC 98 AP 25
Le Case di Risolaia FI 81 AD 19
Le Case Nove VT 112 AH 28
Le Caselle AR 95 AG 24
Le Caselle MO 66 AA 15
Le Caselle NA 151 AV 40
Le Caselle PG 105 AI 27
Le Caselle I CS 167 BG 46
Le Caselle II CS 167 BG 46
Le Caselline PI 85 X 21
Le Casette AN 98 AP 23
Le Casette MC 98 AO 24
Le Casette MO 66 AA 16
Le Casette MO 67 AC 14
Le Casette PD 56 AG 12
Le Casette RI 113 AL 29
Le Casette RM 120 AL 31
Le Casette RN 83 AK 20
Le Casette RO 56 AF 13
Le Casine AR 95 AG 24
Le Castagne AP 108 AP 26
Le Castella KR 173 BL 50
Le Castella LT 129 AL 34
Le Catese FI 86 AC 20
Le Cave AN 97 AL 23
Le Cave BZ 12 AA 5
Le Cave BZ 4 AE 3
Le Cetine SI 94 AC 24
Le Champ AO 32 D 9
Le Chiaviche MN 54 Y 13
Le Colombaie PI 93 AA 23
Le Colonne GR 103 AB 27
Le Combe TO 47 E 12
Le Compre FR 131 AQ 33
Le Conche PI 92 Y 23
Le Conie SI 104 AF 26
Le Corti FI 87 AD 21
Le Corti FI 94 AD 22
Le Corti FI 85 Z 21
Le Corti MN 54 Y 12
Le Cosole GR 103 AD 26
Le Coste LU 78 X 19
Le Coste MO 79 AA 17
Le Cozze AN 90 AO 22
Le Crete CS 166 BE 46
Le Croci BO 80 AA 19
Le Croci FI 86 AC 19
Le Croci RE 66 Y 16
Le Cupe PG 96 AI 25
Le Due Torri RM 119 AJ 31
Le Ettie RI 114 AM 28
Le Farine VT 112 AH 29
Le Ferriere AO 19 F 8
Le Ferriere LT 129 AL 34
Le Focette LU 84 W 20
Le Foci PU 97 AK 22
Le Forna LT 138 AM 38
Le Fornacelle VT 112 AG 30
Le Fornacette FI 86 AB 22
Le Fornacette GR 103 AB 27
Le Fornaci AQ 122 AT 31
Le Fornaci MC 107 AN 26
Le Fornaci NO 35 M 10
Le Fornaci PO 86 AB 20
Le Fornaci RO 55 AC 13
Le Fornaci VB 7 L 7
Le Forri PT 85 Z 19
Le Fosse AR 95 AG 24
Le Fratte BL 14 AG 5
Le Ghiare PR 65 V 16
Le Gorghe AR 95 AF 24
Le Gotte FR 130 AQ 34
Le Grazie AN 91 AQ 22
Le Grazie AP 99 AQ 25
Le Grazie BL 14 AH 5
Le Grazie MC 98 AO 24
Le Grazie PT 85 AA 20
Le Grazie SP 77 U 19
Le Grette AQ 122 AR 32
Le Grotte VI 41 AD 11
Le Lacque MC 98 AO 24
Le Lastre AR 95 AG 23
Le Logge PU 89 AM 20
Le Macchie BA 137 BJ 36
Le Macchie GR 104 AE 26
Le Maggiola PI 85 X 21
Le Marche TV 42 AJ 9
Le Marze PZ 153 BB 39
Le Maschere FI 86 AC 20
Le Masseruole MT 155 BG 41
Le Miniere GR 110 AC 29
Le Moie AN 90 AM 22
Le Moie PR 77 T 17
Le Mole PR 65 W 16
Le Molina FI 86 AC 20
Le Molina PT 85 Z 20
Le Moline PC 64 S 16
Le Monache LT 130 AO 35
Le Monache RI 114 AL 29
Le Morgie CH 117 AW 30
Le Moriccia AR 87 AE 20
Le Morre RM 120 AN 32
Le Mose PC 52 T 13
Le Motte VE 57 AI 13
Le Mule SV 74 K 17
Le Murate AN 90 AN 22
Le Murge PZ 164 BE 43
Le Palombe BA 136 BF 36
Le Pantanele RM 119 AJ 32
Le Pastine LT 129 AM 34
Le Pastinelle FR 131 AS 35
Le Pera CS 170 BF 48
Le Perete PI 93 Z 24
Le Pergole TP 183 AM 56
Le Perle CE 139 AS 37
Le Piagge PG 96 AI 25
Le Pianacce GR 104 AF 27
Le Pianacce LU 85 Y 20
Le Pianche CN 71 H 19
Le Piane AQ 123 AT 32
Le Piane BI 34 I 9
Le Piane LU 79 X 19
Le Piane SP 77 T 19
Le Piane VC 34 I 9
Le Piane VC 21 K 8
Le Poggere VT 112 AH 28
Le Poggiacce AR 95 AG 23
Le Poggiole AR 95 AF 23
Le Porte PU 88 AI 20
Le Pozze PT 86 AA 20
Le Prata PG 106 AL 25
Le Prese AP 99 AQ 25
Le Prese SO 11 X 5
Le Prese TR 105 AH 27
Le Pulci PG 96 AJ 24
Le Quattro Strade FI 86 AC 22
Le Querce CE 131 AS 36
Le Querce LT 130 AP 35
Le Querce PT 86 AA 20
Le Querce SS 209 M 39
Le Rase FR 130 AO 34
Le Regine PT 79 Z 19
Le Rocche PR 65 V 14
Le Rose BO 80 AB 19
Le Rote MC 107 AM 25
Le Rovine BO 80 AB 18
Le Ruine AO 32 D 9
Le Saline OT 207 R 37
Le Saline OT 211 S 38

LA SPEZIA

Battisti (Pza Cesare) AB 2
Beverini (Pza G.) A 3
Brin (Pza Benedetto) A 4
Caduti del Lavoro (Piazzale) A 6
Cavour (Cso e Pza) AB
Chiodo (Pza e V. Domenico) B 8
Colli (V. dei) AB 9
Da Passano (V.) B 10
Europa (Pza) B 12
Fieschi (Viale Nicolò) A 13
Fiume (V.) A 14
Manzoni (V.) B 15
Milano (V.) A 16
Mille (V. dei) A 17
Napoli (V.) A 18
Prione (V. del) AB
Rosselli (V. Fratelli) A 20
Spallanzani (V. e Salita) A 22
Verdi (Pza Giuseppe) B 23
20 Settembre (V.) B 24
27 Marzo (V.) AB 26

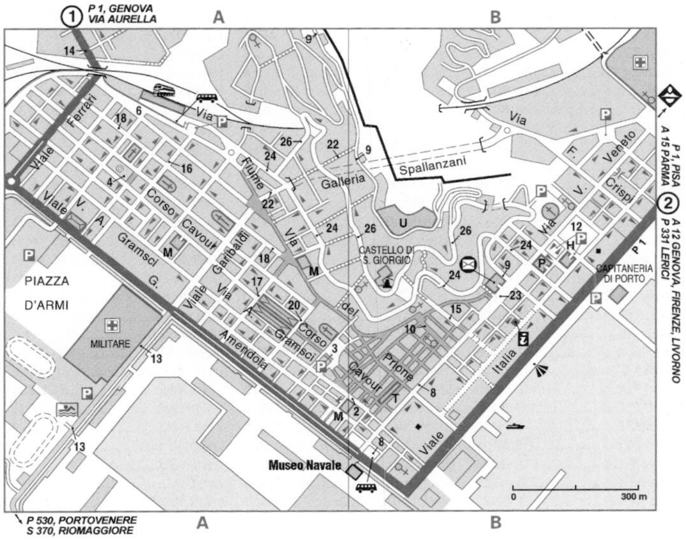

Le Scotte *SI* ..... 94 AD 23
Le Sei Vie *MN* ..... 54 Z 12
Le Selve *AR* ..... 95 AG 24
Le Selve *RM* ..... 120 AN 32
Le Sodole *FI* ..... 86 AB 21
Le Sorbolaro *RO* ..... 56 AF 13
Le Sterpare *FR* ..... 130 AP 34
Le Tagliole *MO* ..... 79 Y 19
Le Tolfe *SI* ..... 94 AD 23
Le Tombe *PI* ..... 85 Z 22
Le Tombe *RO* ..... 57 AH 14
Le Tombine *RO* ..... 57 AH 14
Le Tore *LT* ..... 139 AR 36
Le Torri *FG* ..... 136 BE 36
Le Torri *PG* ..... 106 AJ 26
Le Torri *PG* ..... 106 AK 26
Le Torri *PO* ..... 86 AB 21
Le Torri *RA* ..... 69 AH 17
Le Torri *TE* ..... 109 AR 27
Le Tour *AO* ..... 32 C 9
Le Tre Strade *RI* ..... 114 AM 29
Le Trezze *VE* ..... 43 AJ 10
Le Vallette *LI* ..... 92 Y 24
Le Valli *CR* ..... 52 T 12
Le Valli *FI* ..... 80 AD 19
Le Valli *TR* ..... 113 AK 29
Le Valli *TV* ..... 41 AG 9
Le Vanne *PO* ..... 86 AB 20
Le Vegre *TV* ..... 41 AG 9
Le Vele *SS* ..... 208 K 38
Le Vendute *FI* ..... 85 Z 21
Le Versegge *GR* ..... 103 AB 26
Le Vigne *AN* ..... 90 AO 21
Le Vigne *IS* ..... 132 AT 33
Le Ville *AR* ..... 95 AH 23
Le Ville *FC* ..... 88 AH 21
Le Ville *MC* ..... 98 AQ 24
Le Ville *PI* ..... 93 Y 24
Le Ville *RE* ..... 66 Z 16
Le Ville di Corsano *SI* ..... 94 AD 24
Le Volte *CN* ..... 74 J 18
Le Volte *SI* ..... 94 AC 24
Leandro *RC* ..... 178 BD 55
Leano *TN* ..... 26 Z 8
Leazzano *TR* ..... 113 AL 28
Leca *SV* ..... 73 K 19
Lecara *CS* ..... 166 BE 46
Lecce *LE* ..... 159 BR 41
Lecce nei Marsi *AQ* ..... 122 AR 32
Lecceto *SI* ..... 94 AC 24
Lecchi *SI* ..... 94 AC 23
Lecchi *SI* ..... 94 AD 23
Lecchiore *IM* ..... 72 I 20
Leccia *PI* ..... 93 AA 24
Leccia *PU* ..... 97 AL 23
Leccio *FI* ..... 87 AD 21
Leccio *GR* ..... 103 AC 25
Leccio *GR* ..... 104 AE 26
Leccioli *SI* ..... 93 AA 24
Lecco *LC* ..... 23 R 8
Leda *LT* ..... 129 AL 34
Leffe *BG* ..... 24 U 9
Leggiana *PG* ..... 106 AL 26
Leggio *RC* ..... 177 BH 53
Leggio-Ferrè *PC* ..... 63 S 15
Leggiuno *VA* ..... 21 M 8
Legnago *VR* ..... 55 AC 12
Legnano *MI* ..... 36 O 10
Legnaro *BG* ..... 24 U 7
Legnaro *PD* ..... 42 AG 11
Legnaro *SP* ..... 77 S 18
Legogne *PG* ..... 107 AN 27
Legoli *PI* ..... 93 Z 22
Legos *TN* ..... 26 Z 8
Leguigna *RE* ..... 65 X 16
Lei *NU* ..... 213 O 42
Leifers / Laives *BZ* ..... 13 AD 5
Leini *TO* ..... 48 H 12
Leitisetto *TO* ..... 47 F 12
Leivi *GE* ..... 76 Q 17
Leizettas *AO* ..... 33 E 9
Lella *PZ* ..... 144 BD 39
Lembo *ME* ..... 188 AY 55
Lemie *TO* ..... 47 E 12
Lemignano *PR* ..... 65 W 15
Lemizzone *RE* ..... 66 Z 15
Lemma *CN* ..... 59 F 16
Lemmi *AL* ..... 62 P 15
Lemna *CO* ..... 22 P 8
Lemprato *BS* ..... 39 X 9
Lemura *PG* ..... 105 AH 25
Lendinara *RO* ..... 56 AE 13
Lengstein / Longostagno *BZ* ..... 13 AD 4
Lenguin *VR* ..... 40 AA 10
Leni *ME* ..... 181 AX 52
Lenna *BG* ..... 23 T 8
Lenno *CO* ..... 22 Q 8
Lennova *PR* ..... 64 U 16
Leno *BS* ..... 53 W 11
Lenola *LT* ..... 130 AP 35
Lenta *VC* ..... 35 L 10
Lentate sul Seveso *MI* ..... 36 P 9
Lentate Verbano *VA* ..... 35 M 9
Lentella *CH* ..... 124 AX 31
Lentesco *CH* ..... 117 AV 30
Lentia *ME* ..... 181 AY 53
Lentiai *BL* ..... 28 AH 7
Lentigione *RE* ..... 65 X 14
Lentina *TP* ..... 182 AL 55
Lentini *SR* ..... 203 AY 60
Lentini *TP* ..... 191 AL 58
Lentiscosa *SA* ..... 163 BB 43
Lenzevacche *SR* ..... 205 AZ 62
Lenzi *CZ* ..... 170 BF 50
Lenzi *TN* ..... 27 AD 7
Lenzi *TP* ..... 182 AK 55
Lenzima *TN* ..... 26 AA 8
Lenzone *UD* ..... 16 AM 5
Lenzumo *TN* ..... 25 Z 8
Leofara *TE* ..... 108 AQ 27
Leofreni *RI* ..... 114 AN 30
Leognano *TE* ..... 115 AR 28
Leonacco *UD* ..... 30 AO 7
Leonardi *PR* ..... 64 U 16
Leone *IS* ..... 131 AT 34
Leonessa *PZ* ..... 144 BC 37
Leonessa *RI* ..... 114 AM 28
Leonforte *EN* ..... 194 AV 58
Leonina *SI* ..... 94 AD 24
Leonore *PD* ..... 55 AE 13
Leporano *CE* ..... 141 AU 36
Leporano *TA* ..... 157 BN 41
Lepreno *BG* ..... 24 T 8
Leproso *UD* ..... 31 AP 7
Lequile *LE* ..... 159 BR 42
Lequio Berria *CN* ..... 61 J 16
Lequio Tanaro *CN* ..... 60 I 16
Lera *BG* ..... 23 S 9
Lerano *BG* ..... 38 U 9
Lerca *GE* ..... 75 M 17
Lercara Bassa *PA* ..... 193 AQ 57
Lercara Friddi *PA* ..... 193 AQ 57
Lerchi *PG* ..... 96 AI 23
Lerici *IM* ..... 73 I 19
Lerici *SP* ..... 77 S 18
Lerici *SP* ..... 78 U 19
Lerino *VI* ..... 41 AE 10
Lerma *AL* ..... 62 N 16
Les Arnauds *TO* ..... 46 B 13
Les Ecules *AO* ..... 18 D 9
Les Granges *TO* ..... 46 B 13
Les Ors *AO* ..... 18 D 9
Les Perreres *AO* ..... 19 G 8

LECCE

Aragona (V. F. d') ..... YZ 3
Caracciolo (V. Roberto) ..... Z 7
Cavallotti (Viale F.) ..... Y 8
Fazzi (V. Vito) ..... Y 12
Imperatore Adriano (V.) ..... Y 14
Imperatore Augusto (V.) ..... Y 15
Jacobis (V. Agostino de) ..... Z 17
Ludovico (V.) ..... Y 21
Marche (Viale) ..... Z 22
Orsini del Balzo (V.) ..... Z 25
Palazzo dei Conti di Lecce (V. del) ..... Z 26
Pietro (V. M. de) ..... Y 28
Realino (V. Bernardino) ..... Z 29
Rubichi (V. Francesco) ..... Y 32
S. Oronzo (Pza) ..... Y
Taranto (V.) ..... Y 38
Trinchese (V. Salvatore) ..... Y
Vitt. Emanuele II (V.) ..... Y 42
Vitt. Emanuele (Pza) ..... Y 43
25 Luglio (V.) ..... Y 44

Museo Provinciale ..... Z **M**

Lesa *NO* ..... 35 M 9
Lesca *FR* ..... 120 AN 32
Lesegno *CN* ..... 74 I 17
Lesignana *MO* ..... 66 AA 15
Lesignano de' Bagni *PR* ..... 65 W 16
Lesignano Palmia *PR* ..... 65 V 16
Lesina *FG* ..... 125 BB 32
Lesina *VI* ..... 41 AD 9
Lesis *PN* ..... 15 AK 6
Lesmo *MI* ..... 37 Q 10
Lessi *UD* ..... 16 AN 6
Lessolo *TO* ..... 34 H 11
Lessona *BI* ..... 34 K 10
Lestans *PN* ..... 30 AM 7
Lestizza *UD* ..... 30 AN 8
Letee *LC* ..... 23 R 7
Letegge *MC* ..... 98 AN 25
Leticastelli *SI* ..... 94 AE 24
Letino *CE* ..... 132 AU 35
Letojanni *ME* ..... 189 BA 56
Lettichedda *OT* ..... 206 Q 37
Lettomanoppello *PE* ..... 116 AT 30
Lettopalena *CH* ..... 123 AT 31
Leumann *TO* ..... 47 G 13
Leuso *SV* ..... 73 J 19
Leva *CT* ..... 202 AW 61
Levà *GE* ..... 76 P 17
Levada *PD* ..... 42 AH 10
Levada *TV* ..... 29 AJ 8
Levada *TV* ..... 43 AJ 9
Levada *TV* ..... 42 AJ 9
Levada *VE* ..... 30 AL 9
Levada *TV* ..... 29 AJ 8
Levaldigi *CN* ..... 59 G 16
Levane *AR* ..... 95 AE 23
Levane *SI* ..... 94 AD 24
Levanella *AR* ..... 94 AE 22
Levanto *SP* ..... 77 S 18
Levanzo *TP* ..... 182 AJ 56
Levata *AL* ..... 61 L 16
Levata *AL* ..... 62 N 14
Levata *CN* ..... 70 E 17
Levata *CR* ..... 53 V 12
Levata *MN* ..... 54 Z 13
Levata *UD* ..... 31 AP 9
Levate *BG* ..... 37 S 10
Levego *BL* ..... 28 AI 7
Levei *PC* ..... 64 T 15
Leverano *LE* ..... 158 BR 42
Leverone *IM* ..... 73 I 19
Levice *CN* ..... 61 J 16
Levico Terme *TN* ..... 27 AC 7
Levigliani *LU* ..... 84 W 19
Levizzano *MO* ..... 66 AA 17
Levizzano *RE* ..... 66 Y 17
Levo *VB* ..... 21 M 8
Levone *TO* ..... 47 G 12
Levrange *BS* ..... 39 X 9
Levratti *PC* ..... 63 R 15
Lezza *BS* ..... 25 W 7
Lezzara *PR* ..... 64 T 16
Lezzaruole *GE* ..... 76 Q 17
Lezze *VE* ..... 56 AH 13
Lezzeno *CO* ..... 22 Q 8
Li Cuncheddi *OT* ..... 211 S 38
Li Ferroli *OT* ..... 210 P 37
Li Junchi *OT* ..... 209 O 38
Li Lieri *OT* ..... 206 Q 37
Li Mori *NU* ..... 211 S 39
Li Paulis *OT* ..... 209 O 38
Li Pinnenti *OT* ..... 206 Q 36
Li Punti *SS* ..... 208 M 39
Li Reni *SS* ..... 209 O 38
Li Vaccaggi *OT* ..... 209 O 37
Lia *VV* ..... 174 BG 51
Liano *BO* ..... 81 AE 17
Liano *BS* ..... 39 Y 9
Lianò I *RC* ..... 178 BD 56
Lianò II *RC* ..... 178 BD 56
Liardi *CZ* ..... 171 BH 49
Liariis *UD* ..... 16 AM 5
Libano *BL* ..... 28 AH 7
Libbia *PR* ..... 64 S 16
Libbia *PR* ..... 64 U 15
Libbiano *PI* ..... 93 Z 22
Libbiano *PI* ..... 93 Z 24
Libbiano *SI* ..... 93 AA 23
Liberani *RI* ..... 120 AN 31
Liberi *CE* ..... 141 AU 36
Libertinia *CT* ..... 195 AW 58
Libiano *PU* ..... 88 AI 20
Libiano *PU* ..... 88 AJ 20
Libiola *GE* ..... 77 R 18
Libiola *MN* ..... 55 AB 13
Liboia *CS* ..... 168 BJ 46
Libolla *FE* ..... 68 AG 15
Librari *TA* ..... 157 BN 42
Librizzi *ME* ..... 188 AY 55
Librizzi *PA* ..... 194 AT 57
Licastro *CS* ..... 166 BF 45
Licata *AG* ..... 199 AS 61
Licciana Nardi *MS* ..... 78 V 18
Licco *CB* ..... 132 AV 34
Licenza *RM* ..... 120 AM 31
Liceto *AN* ..... 97 AL 23
Licinella *SA* ..... 152 AY 41
Licinella-Torre di Paestum *SA* ..... 152 AY 41
Licodia Eubea *CT* ..... 202 AX 61
Licola Mare *NA* ..... 150 AT 38
Liconi *AO* ..... 18 D 9
Licosa I *SA* ..... 162 AY 42
Licosa II *SA* ..... 162 AY 42
Licosa III *SA* ..... 162 AY 42
Licusati *SA* ..... 163 BB 43
Lidarno *PG* ..... 96 AJ 25
Lido *LI* ..... 100 X 27
Lido Adriano *RA* ..... 82 AI 17
Lido Azzurro *TA* ..... 157 BL 40
Lido Campomarino *CB* ..... 125 AZ 32
Lido Cerano *BR* ..... 149 BR 40
Lido Checca *TA* ..... 157 BN 41
Lido Conchiglie *LE* ..... 160 BR 43
Lido degli Estensi *FE* ..... 69 AI 16
Lido degli Scacchi *FE* ..... 69 AI 15
Lido dei Pini *RM* ..... 128 AK 34
Lido del Golfo *CZ* ..... 175 BI 51
Lido del Sole *FG* ..... 126 BD 32
Lido del Sole *OT* ..... 211 S 38
Lido Delle Nazioni *FE* ..... 69 AI 15
Lido di Avola *SR* ..... 205 AZ 62
Lido di Camaiore *LU* ..... 84 W 20
Lido di Caminia *CZ* ..... 175 BI 51
Lido di Casalbordino *CH* ..... 117 AW 30
Lido di Classe *RA* ..... 82 AJ 18
Lido di Copanello *CZ* ..... 175 BI 51
Lido di Dante *RA* ..... 82 AI 17
Lido di Enea *RM* ..... 128 AK 34
Lido di Fermo *AP* ..... 99 AR 24
Lido di Jesolo *VE* ..... 43 AL 10
Lido di Licola *NA* ..... 150 AT 38
Lido di Metaponto *MT* ..... 156 BK 41
Lido di Noto *SR* ..... 205 AZ 62
Lido di Ostia *RM* ..... 128 AI 33
Lido di Pisciotta *SA* ..... 162 BA 43
Lido di Policoro *MT* ..... 165 BJ 42
Lido di Pomposa *FE* ..... 69 AI 15
Lido di Portonuovo *FG* ..... 127 BG 32
Lido di Rivoli *FG* ..... 135 BE 35
Lido di Sant'Angelo *CS* ..... 168 BI 46
Lido di Savio *RA* ..... 82 AJ 18
Lido di Scanzano *MT* ..... 156 BJ 42
Lido di Siponto *FG* ..... 135 BE 34
Lido di Spina *FE* ..... 69 AI 16
Lido di Squillace *CZ* ..... 175 BI 51
Lido di Torre Mileto *FG* ..... 126 BC 32
Lido di Venezia *VE* ..... 43 AJ 11
Lido di Volano *FE* ..... 69 AI 15
Lido Gandoli *TA* ..... 157 BM 41
Lido Manfria *CL* ..... 200 AT 61
Lido Marini *LE* ..... 160 BS 44
Lido Orrì *OG* ..... 219 T 44
Lido Quarantotto *MT* ..... 156 BJ 42
Lido Riccio *CH* ..... 117 AV 29
Lido Rossello *AG* ..... 198 AP 60
Lido Signorino *TP* ..... 190 AJ 57
Lido Silvana *TA* ..... 157 BN 41
Liedolo *TV* ..... 41 AF 9
Lierna *AR* ..... 87 AF 21
Lierna *LC* ..... 23 Q 8
Lignan *AO* ..... 19 F 9
Lignana *VC* ..... 49 L 12
Lignano Pineta *UD* ..... 44 AN 9
Lignano Riviera *UD* ..... 44 AN 10
Lignano Sabbiadoro *UD* ..... 44 AN 9
Lignera *CN* ..... 74 K 17
Lignod *AO* ..... 19 H 9
Ligo *SV* ..... 73 J 19
Ligonchio *RE* ..... 78 X 18
Ligosullo *UD* ..... 16 AN 4
Ligugnana *PN* ..... 30 AM 8
Ligurno *VA* ..... 22 N 8
Illegio *UD* ..... 16 AN 5
Lilla *TO* ..... 33 F 11
Lillaz *AO* ..... 33 F 9
Lillaz *AO* ..... 33 F 10
Lillianes *AO* ..... 34 I 10
Lilliano *SI* ..... 94 AC 23
Lillini *MC* ..... 98 AP 23
Limana *BL* ..... 28 AH 7
Limano *LU* ..... 79 Z 19
Limata *CE* ..... 140 AS 37
Limatella *FR* ..... 131 AR 35
Limatola *BN* ..... 141 AV 37
Limbadi *VV* ..... 176 BE 52
Limbiate *MB* ..... 36 P 10
Limena *PD* ..... 41 AG 11
Limestre *PT* ..... 79 Z 19
Limidi *MO* ..... 66 AA 15
Limido Comasco *CO* ..... 36 O 9
Limigiano *PG* ..... 106 AK 26
Limina *ME* ..... 189 BA 56
Limisano *FC* ..... 81 AG 19
Limisano *RA* ..... 81 AF 18
Limite *FI* ..... 86 AA 21
Limiti *PG* ..... 106 AK 26
Limiti di Greccio *RI* ..... 113 AL 29
Limitone *PZ* ..... 154 BD 39
Limone *BS* ..... 39 X 10
Limone Piemonte *CN* ..... 71 G 18
Limone sul Garda *BS* ..... 26 Z 9
Limonetto *CN* ..... 71 G 18
Limonta *LC* ..... 23 Q 8
Limosano *CB* ..... 133 AW 33
Limpiddu *NU* ..... 211 T 39
Limpidi *VV* ..... 176 BG 52
Linari *BO* ..... 80 AB 19
Linari *FI* ..... 94 AB 23
Linari *SI* ..... 94 AE 23
Linaro *BO* ..... 81 AE 18
Linaro *FC* ..... 88 AH 20
Linarolo *PV* ..... 51 Q 13
Linate *MI* ..... 36 Q 11
Lindinuso *BR* ..... 149 BR 40
Linera *CT* ..... 197 AZ 58
Lingua *ME* ..... 181 AY 52
Linguaglossa *CT* ..... 197 AZ 56
Lingueglietta *IM* ..... 72 I 20
Linnas *OR* ..... 220 M 45
Linosa *AG* ..... 191 AM 68
Linzanico *LC* ..... 23 R 8
Lio Piccolo *VE* ..... 43 AJ 11
Lion *PD* ..... 56 AG 11
Lioni *AV* ..... 143 BA 38
Lipari *ME* ..... 181 AY 53
Lipomo *CO* ..... 22 P 9
Lippiano *PG* ..... 96 AH 23
Lippo *BO* ..... 67 AC 16
Lirio *PV* ..... 51 Q 14
Lirone *SO* ..... 9 R 5
Lisanza *VA* ..... 35 M 9
Liscate *MI* ..... 37 R 11
Liscedo *SO* ..... 24 V 7
Lischiazze *UD* ..... 16 AO 5
Liscia *CH* ..... 124 AW 32
Liscia Culumba *OT* ..... 207 R 36
Liscia di Vacca *OT* ..... 207 S 37
Lisciano *AP* ..... 108 AP 26
Lisciano *AP* ..... 108 AQ 27
Lisciano *RI* ..... 114 AM 29
Lisciano di Colloto *AP* ..... 108 AP 27
Lisciano Niccone *PG* ..... 96 AH 24
Liserà *RC* ..... 179 BG 54
Liserna *BO* ..... 80 AB 18
Lisiera *VI* ..... 41 AE 10
Lisignago *TN* ..... 26 AC 7
Lisio *CN* ..... 74 I 18
Lison *VE* ..... 43 AL 9
Lisoni *BN* ..... 133 AY 35
Lissago *VA* ..... 22 N 9
Lissaro *PD* ..... 41 AF 11
Lissolo *LC* ..... 37 R 9
Lissone *MB* ..... 36 Q 10
Lista *VC* ..... 34 K 11
Listolade *BL* ..... 14 AH 6
Lities *TO* ..... 47 F 11
Litoranea *LT* ..... 129 AM 35
Litta Parodi *AL* ..... 62 N 14
Littigheddu *SS* ..... 209 N 38
Littu Erede *SS* ..... 209 O 38
Liussa *TO* ..... 58 D 15
Liveglia *PR* ..... 64 S 16
Livellazzo *BS* ..... 39 X 11
Livelli *BS* ..... 39 X 10
Livelli *BS* ..... 39 X 11
Livelli *PD* ..... 55 AE 13
Livelli *PV* ..... 63 P 14
Livelli *RO* ..... 57 AH 14
Livelli Inferiori *CR* ..... 53 W 13
Livelli Superiori *CR* ..... 53 W 13
Livemano *SI* ..... 94 AD 23
Livemmo *BS* ..... 39 X 9
Liverani *LT* ..... 130 AP 35
Livergnano *BO* ..... 80 AD 18
Liveri *NA* ..... 151 AW 38
Liverna *NA* ..... 151 AW 38
Liviera *VI* ..... 41 AD 9
Livignano *LU* ..... 78 W 18
Livigno *SO* ..... 10 V 4
Livo *CO* ..... 23 Q 6
Livo *TN* ..... 12 AB 5

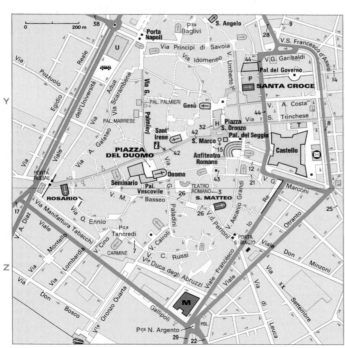

Livorni CS 166 BE 46
Livorno LI 92 W 22
Livorno Ferraris VC 49 J 12
Livraga LO 52 S 12
Livraschino CR 52 V 12
Livrasco CR 52 V 12
Livrio BS 39 X 9
Lixius CA 221 P 45
Lizzana TN 26 AB 8
Lizzanello LE 159 BS 42
Lizzano FC 82 AI 19
Lizzano PT 79 Z 19
Lizzano TA 157 BN 41
Lizzano in Belvedere BO 80 AA 19
Lizzo BO 80 AB 19
Lizzola BG 24 V 7
Lizzola Bassa BG 24 V 7
Lo Dico PA 186 AT 57
Lo Sbarcatello GR 110 AC 29
Lo Stallone SR 203 AY 60
Lo Zucco PA 183 AN 55
Loanella TE 108 AQ 28
Loano SV 73 K 19
Loazzolo AT 61 K 15
Lobbi AL 50 N 14
Lobia PD 41 AF 10
Lobia VR 40 AD 11
Locadi ME 189 BB 56
Località Chianello VT 112 AI 30
Località Santanna BL 15 AJ 5
Locana TO 33 F 11
Locanda GR 103 AB 26
Locanda ME 188 AZ 55
Locara VR 40 AD 11
Locarno VC 34 K 9
Locasca VB 6 J 7
Locate di Triulzi MI 51 Q 11
Locate Varesino CO 36 O 9
Locatello BG 23 S 8
Locati PA 194 AT 57
Locca TN 25 Z 8
Loceri OG 219 S 44
Loch UD 17 AP 6
Lochere TN 27 AC 8
Loco Sotto GE 63 Q 16
Locogrande TP 182 AK 56
Loconia BT 136 BE 37
Locorotondo BA 147 BM 39
Locri RC 179 BG 54
Loculi NU 215 S 41
Lod AO 19 G 9
Lodè NU 215 S 40
Lodene-Cannata VV 176 BF 52
Lodetto BS 38 V 10
Lodi FE 68 AF 15
Lodi LO 51 R 12
Lodi Vecchio LO 51 R 12
Lodine NU 218 Q 43
Lodisio SV 61 K 17
Lodolo MN 53 X 12
Lodonero RI 114 AN 29
Lodrignano PR 65 W 16
Lodrone TN 25 Y 9
Loggio AR 95 AG 24
Loggio CO 22 P 7
Loghetto FE 67 AE 15
Logna PG 107 AN 27
Logognano AP 99 AQ 25
Lograto BS 38 V 11
Loiano BO 80 AC 18
Loirano MI 36 P 11
Loiri OT 211 R 38
Lollove NU 214 R 41
Lomagna MI 36 P 9
Lomaniga LC 37 R 9
Lomazzo CO 36 P 9
Lomba AV 142 AY 38
Lombai UD 17 AQ 7
Lombara VI 27 AF 8
Lombardara BN 133 AX 36
Lombardi VT 118 AF 30
Lombardore TO 48 H 12
Lombriasco TO 59 G 14
Lombrici LU 84 W 20
Lombriciano AR 95 AG 24
Lombro BS 25 W 6
Lomello PV 50 N 13
Lomnago VA 35 N 9
Lonaro AQ 114 AO 28
Lonate Ceppino VA 36 O 9
Lonate Pozzolo VA 35 N 10
Lonato BS 39 X 11
Lonca UD 30 AN 8
Loncon VE 43 AL 9
Loncon VE 43 AL 9
Londa FI 87 AE 20
Loneriacco UD 16 AO 6
Longa VI 41 AE 9
Longagne BI 34 J 10
Longana RA 82 AH 17
Longano BL 28 AH 7
Longano IS 132 AU 34
Longara BO 67 AC 16
Longara VI 41 AE 10
Longardore CR 53 V 13
Longare VI 41 AE 11
Longareddu SS 209 O 38
Longarone BL 14 AI 6
Longastrino FE 68 AH 16
Longega /
Zwischenwasser BZ 4 AG 3
Longeni CS 170 BG 47
Longera TS 45 AR 10
Longhena BS 38 V 11
Longhere TV 28 AI 7
Longhi VI 27 AC 8
Longi ME 187 AX 55
Longiano FC 82 AI 19
Longobardi CS 170 BF 48
Longobardi VV 174 BF 51
Longobardi Marina CS 170 BF 48
Longobucco CS 168 BI 47
Longoio-Mobbiano LU 85 Y 19
Longomoso BZ 13 AD 4
Longone al Segrino CO 23 Q 9
Longone Sabino RI 114 AM 30
Longoni BG 37 S 9
Longostagno /
Lengstein BZ 13 AD 4
Lonigo VI 41 AD 11
Lonnano AR 87 AF 21
Lonno BG 37 T 9
Lontignano AP 108 AP 26
Lonzano GO 31 AP 7
Loo Inf. AO 34 I 9
Loo Sup. AO 34 I 9
Lopi PG 105 AG 25
Loppeglia-Fiano LU 85 X 20
Loppia LU 79 X 19
Loppiano FI 87 AD 22
Loppio TN 26 AA 8
Lora RE 66 Y 15
Lora VI 41 AD 10
Lora VR 40 AA 11
Lorano MS 78 V 18
Loranzè TO 34 H 11
Lore VI 27 AE 9
Loreggia PD 42 AG 10
Loreggiola PD 42 AG 10
Loreggiola TV 42 AG 9
Loreglia VB 21 L 8
Lorenteggio MI 36 P 11
Lorentino LC 23 R 9
Lorenzago di Cadore BL 15 AJ 5
Lorenzana MS 78 U 18
Lorenzana PI 92 Y 22
Lorenzaso UD 16 AN 5
Lorenzatico BO 67 AC 16
Loreo RO 57 AI 13
Loretello AN 90 AM 22
Loreto AL 61 L 16
Loreto AN 99 AQ 23
Loreto AT 61 K 15
Loreto BO 80 AC 17
Loreto BO 68 AE 17
Loreto GE 76 R 17
Loreto IM 72 H 20
Loreto NO 35 M 10
Loreto PG 96 AJ 23
Loreto PG 106 AJ 26
Loreto Aprutino PE 116 AS 29
Loreto Grande AQ 122 AQ 32
Loria TV 42 AG 9
Lorica CS 171 BI 48
Loricco TE 115 AR 28
Lorichella CS 171 BI 48
Lorie CN 74 I 18
Loritto BS 25 W 7
Lornano SI 94 AC 23
Loro VB 21 K 8
Loro Ciuffenna AR 87 AE 22
Loro Piceno MC 98 AP 25
Lorsica GE 76 Q 17
Lortallo NO 35 L 9
Losana PV 51 Q 13
Losanche AO 19 G 8
Loscove AR 87 AF 21
Losego BL 28 AI 7
Loseto BA 146 BK 37
Losina I CS 168 BI 46
Losine BS 25 W 8
Losso PC 63 Q 16
Losson della Battaglia VE 43 AJ 10
Loto GE 77 R 18
Lottano CN 59 E 17
Lottizzazione RI 113 AL 30
Lottulo CN 59 E 17
Lotzorai OG 219 S 44
Lova VE 57 AH 12
Lovadina TV 42 AI 9
Lovara VI 41 AD 10
Lovari GE 63 R 16
Lovari PD 41 AG 10
Lovaria UD 30 AO 7
Lovati VI 40 AC 9
Lovati VI 40 AC 10
Lovea UD 16 AN 5
Lovegno IM 72 I 19
Loveno BS 25 W 7
Lovera CN 60 J 16
Lovere BG 24 V 9
Lovero SO 10 W 6
Lovertino VI 56 AE 11
Lovetti PC 63 R 15
Lovoleto BO 67 AD 16
Lovolo VI 41 AE 11
Lozio BS 25 W 8
Lozza VA 36 O 9
Lozzo VA 22 N 7
Lozzo Atestino PD 56 AE 12
Lozzo di Cadore BL 15 AJ 5
Lozzola PR 64 U 16
Lozzole FI 81 AE 19
Lozzolo VC 35 K 10
Lu AL 49 L 13
Lu Bagnu SS 209 N 38
Lu Colbu OT 209 P 37
Lu Falzu OT 210 P 38
Lu Finocciu NU 211 T 39
Lu Fraili NU 211 S 39
Lu Fraili di Sopra NU 211 S 39
Lu Fraili di Sotto NU 211 T 39
Lu Impostu NU 211 T 39
Lu Lioni NU 211 S 39
Lu Miriacheddu NU 211 T 39
Lu Mocu OT 210 Q 37
Lu Muntiggiu
di La Petra NU 211 S 39
Lu Nibbareddu NU 211 S 38
Lu Sticcadu OT 210 R 38
Lu Torrinu OT 209 O 38
Lubriano VT 112 AH 28
Lubrichi RC 179 BE 54
Luca TV 29 AJ 7
Lucagnano PI 85 Y 22
Lucardo FI 86 AB 22
Lucarelli SI 94 AC 22
Lucca LU 85 Y 20
Lucca VI 27 AD 8
Lucca Sicula AG 192 AO 58
Lucchetta CS 167 BG 47
Lucchi CN 60 H 16
Lucchio LU 79 Z 19
Lucciana SI 93 AB 23
Lucciano MC 107 AN 25
Lucciano PT 86 AA 20
Luce MO 66 AA 15
Lucedio VC 49 K 12
Lucemburgo AR 88 AI 21
Lucente FI 87 AD 21
Lucente VV 174 BG 51
Lucera FG 134 BB 34
Lucerena SI 94 AC 24
Lucerna LT 130 AO 35
Lucernate MI 36 P 10
Lucia RC 178 BD 54
Luciana FI 86 AC 22
Luciana PI 92 X 22
Luciana PO 80 AB 19
Luciani LU 85 Z 20
Lucignana LU 79 Y 19
Lucignano AR 95 AF 24
Lucignano FI 86 AB 22
Lucignano d'Arbia SI 94 AD 24
Lucignano d'Asso SI 95 AE 25
Lucinasco IM 72 I 20
Lucinico GO 31 AQ 8
Lucino CO 36 P 9
Lucino MI 37 R 11
Lucito CB 124 AX 33
Luco AP 108 AP 27
Luco dei Marsi AQ 121 AP 32
Luco Mugello FI 87 AD 19
Lucolena FI 87 AD 22
Lùcoli AQ 115 AP 30
Lucoli Alto AQ 115 AP 30
Lucrezia PU 90 AM 21
Lucugnano LE 161 BS 44
Ludaria UD 15 AM 4
Luddui NU 211 T 39
Ludizzo BS 25 W 9
Ludriano BS 38 U 11
Ludrigno BG 24 U 8
Ludurru OT 210 R 39
Lufrano NA 150 AV 38
Lugagnano PR 78 V 17
Lugagnano VR 40 AA 11
Lugagnano Val d'Arda PC 64 T 15
Lugana BS 39 Y 11
Lugara RC 178 BE 56
Lugherzano PC 64 S 15
Lughetto VE 42 AH 11
Lughezzano VR 40 AB 10
Lughignano TV 42 AJ 10
Lugnacco TO 34 H 11
Lugnano PG 96 AI 23
Lugnano PI 85 Y 21
Lugnano RI 114 AM 29
Lugnano in Teverina TR 113 AI 28
Lugnola RI 113 AK 29
Lugo RA 82 AG 17
Lugo RE 79 Y 17
Lugo VE 42 AH 11
Lugo VR 40 AA 10
Lugo di Vicenza VI 41 AE 9
Lugugnana VE 30 AM 9
Luicciana PO 80 AB 19
Luignano CR 52 U 12
Luincis UD 16 AM 4
Luino VA 22 N 7
Luint UD 16 AM 5
Luisa PA 185 AP 56
Luisago CO 36 P 9
Luisetta TO 48 H 11
Luisetti TO 47 F 14
Lula NU 215 R 41
Lumarzo GE 76 P 17
Lumbaldu SS 209 O 39
Lumbia ME 197 BA 56
Lume RC 189 BC 55
Lumellogno NO 35 M 11
Lumiere LI 102 Y 25
Lumignacco UD 30 AO 8
Lumignano VI 41 AE 11
Luminaria CT 197 AZ 57
Luminasio BO 80 AC 17
Lumini VR 39 Z 10
Lunamatrona VS 221 O 46
Lunano PU 89 AJ 21
Lunassi AL 63 Q 15
Lunata LU 85 Y 20
Lunchi RC 177 BH 53
Lundo TN 26 AA 7
Lunecco VB 7 M 7
Lunella ME 188 AY 55
Luneo VE 42 AH 10
Lunes BZ 5 AG 3
Lungagnana FI 86 AB 22
Lungarella AV 143 BA 37
Lungavilla PV 51 P 13
Lunghezza RM 120 AL 32
Lungo FI 86 AA 21
Lungo Sisto III LT 138 AN 36
Lungo Valle SS 209 M 39
Lungolago RM 119 AI 31
Lungomare AN 90 AO 22
Lungomare
di Sabaudia LT 138 AN 36
Lungotenna AP 99 AR 24
Lungro CS 167 BF 45
Luogo Grande PA 184 AO 55
Luogomano PO 86 AB 19
Luogosano AV 142 AY 38
Luogosanto OT 210 Q 37
Lupaiolo PU 89 AJ 21
Lupara BO 68 AE 16
Lupara CB 124 AX 33
Lupara CB 133 AX 34
Lupara FG 135 BE 35
Lupara GE 76 Q 17
Lupazzano PR 65 W 16
Lupazzo RE 79 Y 17
Lupi PC 63 R 15
Lupia CS 171 BG 49
Lupia VI 41 AE 10
Lupicino / Wolfl BZ 13 AD 5
Lupinaia LU 79 X 19
Lupompesi SI 94 AD 24
Luponio PZ 144 BD 39
Luppia PD 55 AE 12
Luppia VR 55 AC 12
Luppineria ME 197 BA 56
Lura CO 22 P 8
Lurago d'Erba CO 36 Q 9

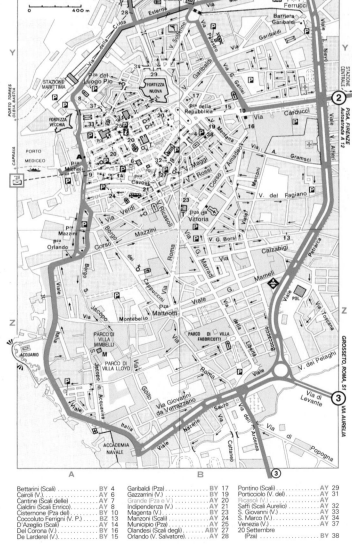

Bettarini (Scali) BY 4
Cairoli (V.) AY 6
Cantine (Scali delle) AY 7
Cialdini (Scali Enrico) AY 8
Cisternone (Pza del) BY 10
Coccoluto Ferrigni (V. P.) BZ 13
D'Azeglio (Scali) AY 14
Del Corona (V.) BY 16
De Larderel (V.) BY 15
Garibaldi (Pza) BY 17
Gazzarrini (V.) BY 19
Grande (Pza e V.) AY 20
Indipendenza (V.) AY 21
Magenta (V.) BY 23
Manzoni (Scali) AY 24
Municipio (Pza) AY 25
Olandesi (Scali degli) ABY 27
Orlando (V. Salvatore) AY 28
Pontino (Scali) AY 29
Porticciolo (V. del) AY 31
Ricasoli (V.) AY
Saffi (Scali Aurelio) AY 32
S. Giovanni (V.) AY 33
S. Marco (V.) AY 34
Venezia (V.) AY 37
20 Settembre (Pza) BY 38
Monumentato a Ferdinando I de' Medici AY A

Circolazione regolamentata nel centro città

Anfiteatro (Pza dell') C 2
Angeli (V. degli) B 3
Antelminelli (Pza) C 4
Asili (V. degli) B 5
Battisti (V. C.) B 7
Beccheria (V.) B 8
Bernardini (Pza dei) C 9
Boccherini (Pza L.) A 10
Cadorna (Viale) D 12
Calderia (V.) B 13
Catalani (V.) A 15
Civitali (V. M.) C 17
Fillungo (V.) BC
Fratta (V. della) C 18
Garibaldi (Cso) AB 20
Giglio (Pza del) B 21
Guinigi (V.) C 22
Indipendenza (Pza dell') B 23
Mordini (V. A.) C 24
Napoleone (Pza) B 25
Pascoli (Viale) B 26
Portico (V. del) C 27
Quarquonia (V. della) D 28
Repubblica (Viale) B 29
Risorgimento (Pzale) B 30
Roma (V.) B 31
Servi (Pza dei) C 42
S. Andrea (V.) C 32
S. Gemma Galgani (V.) C 33
S. Giorgio (V.) B 34
S. Giovanni (Pza) B 35
S. Martino (Pza) B 36
S. Michele (Pza) C 38
S. Pietro (Pza) C 40
Varanini (Pza L.) D 43
Verdi (Pzale G.) A 45
Vittorio Emanuele II (V.) AB 47
Vittorio Veneto (Via) B 50

Lurago Marinone ***CO*** 36 O 9
Lurano ***BG*** 37 S 10
Luras ***OT*** 210 Q 38
Lurate Caccivio ***CO*** 36 O 9
Luri ***OR*** 220 M 45
Luriano ***SI*** 103 AB 25
Lurisia ***CN*** 71 H 18
Lusana ***MS*** 78 V 18
Lusciano ***CE*** 141 AU 38
Luscignano ***MS*** 78 V 18
Lusen / Luson ***BZ*** 4 AF 3
Luserna ***TN*** 27 AC 8
Luserna ***TO*** 59 E 15
Lusernetta ***TO*** 59 E 15
Lusevera ***UD*** 16 AO 6
Lusia ***RO*** 56 AE 13
Lusiana ***VI*** 27 AE 9
Lusiglié ***TO*** 48 H 12
Lusignana ***RE*** 79 X 17
Luson / Lusen ***BZ*** 4 AF 3
Lussello ***AL*** 49 K 13
Lussito ***AL*** 61 L 16
Lustignano ***PI*** 93 Z 24
Lustra ***SA*** 162 AZ 42
Lustrola ***BO*** 80 AA 19
Lusuolo ***MS*** 78 U 18
Lusurasco ***PC*** 64 U 14
Lutago / Luttach ***BZ*** 4 AG 2
Lutago di Sopra / Oberluttach ***BZ*** 4 AG 2
Lutiano Nuovo ***FI*** 87 AD 20
Lutirano ***FI*** 81 AF 19
Lutizzo ***UD*** 30 AM 8
Lutrano ***TV*** 29 AJ 9
Luttach / Lutago ***BZ*** 4 AG 2
Lutturai ***NU*** 211 S 38
Lutturai ***NU*** 211 S 39
Luviera ***SO*** 24 U 7
Luvigliano ***PD*** 56 AF 11
Luvinate ***VA*** 22 N 8
Luxia Collu ***CI*** 224 L 49
Luziano ***TP*** 182 AL 55
Luzzana ***BG*** 38 U 9
Luzzano ***BN*** 141 AW 37
Luzzano ***PV*** 51 R 13
Luzzara ***RE*** 54 Z 14
Luzzena ***FC*** 82 AH 19
Luzzi ***CS*** 167 BG 47
Luzzogno ***VB*** 21 L 8

M

Macanno ***RN*** 83 AK 19
Macari ***TP*** 183 AL 55
Maccabei ***BN*** 142 AX 37
Maccacari ***VR*** 55 AB 13
Maccagno ***VA*** 22 N 7
Maccantone ***PG*** 97 AL 24
Maccarese ***RM*** 119 AI 32
Maccaretolo ***BO*** 67 AD 15
Maccaronere ***AV*** 142 AZ 38
Maccarrone ***PZ*** 164 BF 43
Maccastorna ***LO*** 52 U 13
Macchia ***CS*** 168 BH 46
Macchia ***CT*** 197 AZ 57
Macchia ***PG*** 107 AM 27
Macchia ***PZ*** 144 BD 38
Macchia ***RI*** 107 AO 27
Macchia ***SA*** 152 AY 40
Macchia ***TO*** 47 G 12
Macchia ***AV*** 143 AZ 38
Macchia Albanese ***CS*** 168 BH 46
Macchia da Sole ***TE*** 108 AQ 27
Macchia dei Monaci ***CS*** 167 BG 46
Macchia di Mauro ***FG*** 127 BF 32
Macchia di Monte ***BA*** 147 BM 38
Macchia d'Isernia ***IS*** 132 AU 34
Macchia Grande ***LT*** 129 AL 35
Macchia Nuova ***MT*** 156 BJ 41
Macchia Piccola ***SA*** 152 BA 39
Macchia Rotonda ***FG*** 135 BD 35
Macchia Valfortore ***CB*** 133 AY 34
Macchiagodena ***IS*** 132 AV 34
Macchialunga ***TR*** 113 AL 28
Macchiareddu ***CA*** 226 P 48
Macchiarelli ***CB*** 124 AW 33
Macchiarello ***AV*** 142 AZ 37
Macchiaroli ***SA*** 153 BC 41
Macchiascandona ***GR*** 103 AA 27
Macchiatornella ***TE*** 108 AP 28
Macchie ***CB*** 133 AW 35
Macchie ***CH*** 123 AU 31
Macchie ***CZ*** 172 BJ 49
Macchie ***MC*** 107 AO 26
Macchie ***MC*** 98 AP 25
Macchie ***PG*** 105 AH 25
Macchie ***TR*** 113 AJ 28
Macchino ***PT*** 85 Z 20
Macchione ***CB*** 132 AW 34
Macchioni ***FR*** 130 AP 34
Macchitella ***AV*** 143 BA 37
Macciano ***PG*** 106 AK 26
Macciano ***SI*** 105 AG 25
Maccio ***CO*** 36 P 9
Maccoli ***BN*** 142 AX 37
Macella ***BN*** 142 AX 36
Macellai ***CN*** 60 I 15
Macellara ***CS*** 166 BF 46
Macello ***TO*** 59 F 14
Macerata ***MC*** 98 AP 24
Macerata ***PI*** 85 Y 22
Macerata Campania ***CE*** 141 AU 37
Macerata Feltria ***PU*** 89 AJ 21
Maceratoi ***VR*** 55 AD 12
Maceratola ***PG*** 106 AL 26
Macere ***RM*** 120 AM 33
Macereto ***PG*** 105 AH 26
Macerie ***FR*** 130 AN 33
Macerone ***FC*** 82 AI 19
Macesina ***BS*** 39 X 10
Macherio ***MB*** 36 Q 10
Maciano ***PU*** 88 AI 20
Macie ***SI*** 94 AC 23
Macina ***BO*** 80 AD 17
Macina ***BS*** 38 U 10
Macina ***BS*** 38 W 11
Macina ***MC*** 98 AQ 24
Macine Borgo Loreto ***AN*** 98 AN 23
Macini ***CE*** 131 AT 36
Maciolla ***PU*** 89 AK 21
Maclino ***BS*** 39 Y 10
Maclodio ***BS*** 38 V 11
Macomer ***NU*** 213 N 42
Macra ***CN*** 58 E 17
Macugnaga ***VB*** 20 I 8
Madama ***VV*** 174 BE 51
Maddalena ***AT*** 61 L 14
Maddalena ***BN*** 133 AY 36
Maddalena ***BS*** 39 X 10
Maddalena ***CN*** 58 D 16
Maddalena ***CN*** 58 D 17
Maddalena ***MC*** 98 AN 25
Maddalena ***SV*** 61 L 16
Maddalena ***TO*** 47 E 13
Maddalena ***VA*** 35 N 10
Maddalene ***CN*** 59 G 16
Maddalene ***TO*** 47 F 12
Maddalene ***VI*** 41 AE 10
Maddaloni ***CE*** 141 AV 37
Maddaloni Sup. ***CE*** 141 AV 37
Maddo ***RC*** 178 BD 56
Madesimo ***SO*** 9 R 5
Madignano ***CR*** 52 T 11
Madone ***BG*** 37 S 10
Madonna ***AP*** 98 AP 25
Madonna ***AT*** 49 J 14
Madonna ***BO*** 67 AD 17
Madonna ***PD*** 56 AG 12
Madonna ***PE*** 116 AU 29
Madonna ***PV*** 50 N 13
Madonna ***PV*** 51 P 13
Madonna ***UD*** 16 AN 6
Madonna ***VB*** 21 K 7
Madonna ***VI*** 41 AD 11
Madonna ***VR*** 54 AB 12
Madonna Boschi ***RA*** 69 AH 16
Madonna Bruna ***AP*** 99 AR 25
Madonna degli Angeli ***LT*** 129 AN 34
Madonna degli Angeli ***PE*** 116 AS 28
Madonna degli Angeli ***RI*** 113 AJ 29
Madonna degli Orti ***TO*** 59 G 15
Madonna dei Boschi ***FE*** 67 AD 15
Madonna dei Fornelli ***BO*** 80 AC 18
Madonna dei Pini ***TR*** 113 AJ 28
Madonna dei Tre Fiumi ***FI*** 87 AD 19
Madonna del Bagno ***CE*** 132 AV 36
Madonna del Barco ***VT*** 112 AI 30
Madonna del Buon Cammino ***BA*** 146 BI 38
Madonna del Campo ***PV*** 50 N 12
Madonna del Carmine ***PU*** 97 AK 23
Madonna del Colletto ***CN*** 70 F 18
Madonna del Lago ***AP*** 108 AQ 26
Madonna del Latte ***LT*** 130 AP 35
Madonna del Mattone ***RI*** 113 AL 30
Madonna del Monte ***AQ*** 115 AO 29
Madonna del Monte ***MC*** 98 AP 23
Madonna del Monte ***SV*** 75 L 18
Madonna del Passo ***RI*** 114 AM 29
Madonna del Piano ***AN*** 90 AN 22
Madonna del Piano ***FR*** 130 AP 34
Madonna del Piano ***PU*** 90 AM 22
Madonna del Piano ***RI*** 113 AK 30
Madonna del Piano ***RI*** 113 AL 29
Madonna del Piano ***VT*** 112 AI 29
Madonna del Poggio ***BO*** 67 AC 16
Madonna del Porto ***TR*** 112 AI 28
Madonna del Roseto ***CH*** 123 AU 31
Madonna del Sasso ***PU*** 97 AL 22
Madonna del Soccorso ***LT*** 129 AM 34
Madonna del Soccorso ***VT*** 113 AJ 29
Madonna del Sole ***AN*** 90 AO 22
Madonna del Sorbo ***RM*** 119 AJ 31
Madonna della Cona ***MC*** 107 AO 26
Madonna della Libera ***BN*** 133 AW 36
Madonna della Libera ***FG*** 127 BE 33
Madonna della Luce ***RI*** 113 AL 28
Madonna della Neve ***IM*** 72 H 21
Madonna della Pace ***PE*** 116 AT 28
Madonna della Pace ***RM*** 120 AN 32
Madonna della Pia ***PG*** 106 AK 26
Madonna della Puglia ***PG*** 106 AJ 26
Madonna della Quercia ***VT*** 105 AG 27
Madonna della Rocca ***AG*** 192 AP 58
Madonna della Salute ***TV*** 42 AG 9
Madonna della Salute ***TV*** 43 AJ 10
Madonna della Sanità ***PG*** 105 AH 26
Madonna della Scala ***BA*** 147 BL 39
Madonna della Scala ***TO*** 48 H 13
Madonna della Stella ***FR*** 130 AO 33
Madonna della Stella ***PG*** 106 AL 26
Madonna della Strada ***AQ*** 114 AO 29
Madonna dell'Acqua ***PI*** 84 X 21
Madonna dell'Albero ***RA*** 82 AI 17
Madonna delle Bozzole ***PV*** 50 O 12
Madonna delle Grazie ***AN*** 91 AP 22
Madonna delle Grazie ***AV*** 142 AY 37
Madonna delle Grazie ***AV*** 142 AY 38
Madonna delle Grazie ***AV*** 142 AZ 37
Madonna delle Grazie ***CS*** 167 BG 47
Madonna delle Grazie ***FR*** 130 AO 33
Madonna delle Grazie ***LI*** 100 X 27
Madonna delle Grazie ***PG*** 106 AK 26
Madonna delle Grazie ***PG*** 107 AM 26
Madonna delle Grazie ***PV*** 50 N 13
Madonna delle Grazie ***RM*** 113 AK 30
Madonna delle Grazie ***SR*** 203 AZ 60
Madonna delle Grazie ***TP*** 190 AG 63
Madonna delle Grazie ***TV*** 42 AI 10
Madonna Delle Piane ***CH*** 116 AT 29
Madonna dell'Eschio ***VT*** 111 AF 28
Madonna dell'Oca ***CN*** 59 E 15
Madonna dell'Olmo ***CN*** 71 G 17
Madonna dell'Uva Secca ***VR*** 54 AA 11
Madonna di Baiano ***PG*** 106 AL 27
Madonna di Braccino ***RM*** 119 AJ 31
Madonna di Buonviaggio ***SP*** 77 U 19
Madonna di Campiglio ***TN*** 12 Z 6
Madonna di Curagna ***CN*** 73 J 19
Madonna di Loreto ***RI*** 113 AK 29
Madonna di Loreto ***VT*** 112 AI 29
Madonna di Pietravolta ***MO*** 79 Y 18
Madonna di Pisano ***TA*** 157 BO 41
Madonna di Pugliano ***PU*** 88 AJ 20
Madonna di Rocca Vecchia ***LE*** 159 BT 42
Madonna di San Sebastiano ***TR*** 105 AI 28
Madonna di Senales / Unserfrau in Schnals ***BZ*** 2 AA 3
Madonna di Tirano ***SO*** 10 V 6
Madonna di Tremonti ***CT*** 197 AZ 58
Madonna Ete ***AP*** 99 AR 25
Madonna Immacolata ***BN*** 141 AW 37
Madonna Manù ***AP*** 99 AR 25
Madonna Manu Primo ***AP*** 99 AR 25
Madonna Marina ***SR*** 205 AZ 62
Madonna Pietracquaria ***AQ*** 121 AP 31
Madonna Pozzo Guacito ***BR*** 148 BN 39
Madonna Scoperta ***BS*** 39 Y 11
Madonna Scoperta ***TR*** 113 AK 29
Madonna Valleluogo ***AV*** 143 AZ 36
Madonna Valverde ***MN*** 54 AA 13
Madonnella ***BN*** 141 AW 36
Madonnella ***CB*** 132 AV 34
Madonnetta ***AP*** 98 AQ 25
Madonnetta ***AP*** 108 AR 25
Madonnetta ***TV*** 42 AI 9
Madonnetta ***TV*** 28 AI 9

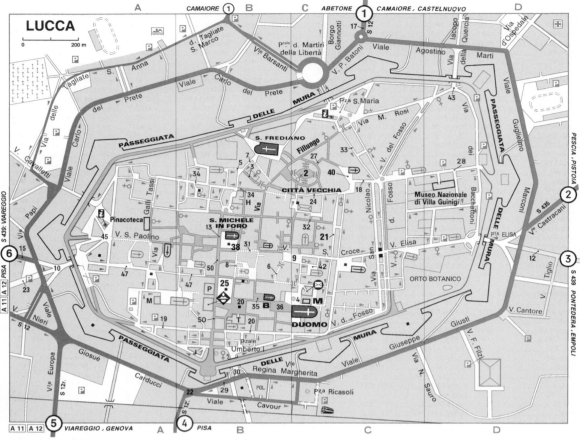

Madonnina AN 91 AP 22
Madonnina RM 128 AK 34
Madonnina RO 56 AG 13
Madonnina TO 48 I 12
Madonnino SI 95 AF 25
Madonnuzza PA 186 AT 57
Madrano TN 26 AC 7
Madrisio UD 30 AM 8
Madrisio UD 30 AN 7
Maè AO 33 H 9
Maeggio SR 203 BA 61
Maenza LT 130 AO 34
Maerne VE 42 AH 10
Maestà AN 97 AM 23
Maestà MC 98 AP 24
Maestà dei Saldi MS 78 V 18
Maestà della Villa MS 78 V 19
Maestra FE 69 AH 15
Maestrazza RO 57 AJ 14
Maestrello PG 96 AI 24
Mafalda CB 124 AX 32
Maffea VR 40 AB 11
Maffioli BG 37 T 9
Maffiotto TO 47 E 13
Mafuca PG 105 AH 25
Magaroti CS 166 BD 45
Magasa BS 25 Y 9
Magazzeno SA 152 AY 40
Magazzinazzo CL 193 AR 57
Magazzini RO 57 AI 14
Magazzini SA 162 AZ 42
Magazzini Alberese GR 103 AB 27
Magazzini-Schiopparello LI 100 X 27
Magazzino BO 67 AB 16
Magellano I AG 199 AQ 60
Magellano II AG 199 AQ 60
Magenta MI 36 O 11
Magera TV 29 AK 9
Magghiu TP 190 AK 57
Maggiana CO 23 Q 7
Maggiana LC 23 R 8
Maggianico LC 23 R 8
Maggiate Sup. NO 35 L 9
Maggio BO 81 AE 17
Maggio LC 23 R 8
Maggiora NO 35 L 9
Magherno PV 51 Q 12
Maghialonga RG 204 AV 62
Magione BO 81 AE 17
Magione PG 96 AI 25
Magisano CZ 171 BI 49
Magli MC 108 AP 25
Magliana RM 119 AJ 32
Maglianello RI 114 AM 29
Maglianello Basso RI 114 AM 29
Magliano CN 60 I 15
Magliano FI 94 AB 22
Magliano LE 159 BR 41
Magliano LU 78 W 18
Magliano MS 78 V 18
Magliano PU 90 AM 21
Magliano TE 108 AQ 27
Magliano Alfieri CN 61 J 15
Magliano Alpi CN 71 H 17
Magliano De' Marsi AQ 121 AP 31
Magliano di Tenna FM 99 AQ 25
Magliano in Toscana GR 110 AC 28
Magliano Novo SA 162 BA 41
Magliano Romano RM 119 AJ 30
Magliano Sabina RI 113 AJ 29
Magliano Sottano CN 71 H 17
Magliano Vetere SA 153 BA 41
Maglie LE 161 BS 43
Maglietola MS 78 V 18
Maglio BO 81 AF 17
Maglio BS 38 V 10
Maglio BS 39 X 11
Maglio MN 54 Z 12
Maglio PD 41 AF 9
Maglio PD 42 AG 10
Maglio TV 42 AH 9
Maglio VI 40 AC 10
Maglio VI 27 AE 9
Maglio Giavenale VI 41 AD 9
Magliolo SV 74 K 18
Maglione TO 48 J 11
Magnacavallo MN 55 AC 13
Magnadola TV 43 AK 9
Magnadorsa AN 97 AM 22
Magnago MI 36 N 10
Magnago TN 26 AC 7
Magnalardo RI 114 AM 30
Magnaldi CN 71 H 18
Magnanella TE 108 AQ 27
Magnanins UD 16 AM 4
Magnano BI 34 J 11
Magnano LU 78 X 19
Magnano PZ 164 BF 43
Magnano in Riviera UD 16 AO 6
Magnas TO 34 H 11
Magnasco GE 63 R 16
Magneaz AO 19 H 9
Magno BS 38 W 9
Magno BS 38 W 9
Magnola BS 53 W 11
Magnolina RO 56 AG 13
Magnonevolo BI 34 J 11
Mago TO 47 F 14
Magognino VB 21 M 8
Magolà CZ 171 BG 50
Magomadas OR 212 M 42
Magorno SA 163 BD 42
Magrano VR 40 AB 10
Magras TN 12 AA 5
Magrassi AL 62 O 15
Magrè VI 40 AD 9
Magrè / Magreid BZ 12 AC 6
Magredis UD 30 AO 7
Magreglio CO 23 Q 8
Magreid / Magrè BZ 12 AC 6
Magreta MO 66 Z 16
Magri AG 193 AQ 58
Magrignana MO 79 Z 18
Magugnano VR 39 Z 9
Magugnano VT 112 AI 28
Maguzzano BS 39 Y 11
Maia Alta BZ 12 AC 4
Maiano CE 139 AS 36
Maiano FI 86 AC 21
Maiano PG 106 AL 27
Maiano PU 88 AI 20
Maiano TN 12 AB 5
Maiano di Sopra CE 139 AS 36
Maiano Monti RA 68 AG 17
Maias BL 15 AJ 5
Maiaso UD 16 AM 5
Maida CZ 174 BH 50
Maida RC 177 BG 53
Maida Marina CZ 174 BG 50
Maie CN 74 I 17
Maierà CS 166 BE 45
Maierato VV 174 BG 51
Maiern / Masseria BZ 3 AC 2
Maiero FE 68 AF 15
Maimone ME 188 AY 55
Mainizza GO 31 AQ 8
Mainolfo SA 162 AY 42
Maio NA 150 AS 39
Maio PZ 144 BD 38
Maiocca LO 52 T 12
Maiodi VV 174 BH 51
Maiola RE 65 X 17
Maiolati Spontini AN 98 AN 23
Maiolino CZ 170 BF 50
Maiolo PC 64 S 15
Maione CS 170 BG 49
Maiorani ME 189 BB 54
Maiorano KR 173 BL 49
Maiorano di Monte CE 141 AU 36
Maiorca NU 211 T 39
Maiori SA 151 AW 40
Maiorisi CE 140 AT 36
Mairago LO 52 S 12
Mairano BS 38 V 11
Mairano LO 51 R 12
Mairano MI 51 P 11
Mairano PV 51 P 13
Maisonasse AO 32 E 10
Maissana SP 77 S 17
Majano UD 16 AN 6
Mala TN 27 AC 7
Malaborsa ME 188 AY 55
Malacalzetta CI 220 M 47
Malacappa BO 67 AC 16
Malacorona CS 170 BF 48
Malacosta MS 78 V 18
Malacrinò RC 178 BD 55
Maladroscia CI 224 L 50
Malafarina CS 166 BE 46
Malafesta VE 30 AM 9
Malafrinà RC 177 BG 53
Malagatti SV 74 K 18
Malagnino CR 53 V 13
Malalbergo BO 67 AE 15
Malamocco VE 42 AJ 11
Malamorì NU 211 T 39
Malandriano PR 65 X 15
Malandrone PI 92 Y 23
Malandroni AT 49 J 14
Malanghero TO 48 G 12
Malapignata PZ 163 BD 42
Malarolo PR 65 W 15
Malasà ME 188 BA 55
Malavedo LC 23 R 8
Malaventre PI 84 X 21
Malavicina MN 53 Y 12
Malavicina MN 54 Z 12
Malavolta LI 92 X 23
Malborghetto FE 67 AD 14
Malborghetto RM 119 AJ 31
Malborghetto UD 17 AP 4
Malborghetto UD 31 AP 9
Malborghetto
di Correggio FE 68 AF 14
Malcantone MN 54 AA 14
Malcantone MN 55 AC 14
Malcantone PR 65 X 14
Malcesine VR 39 Z 9
Malche SA 152 AY 39
Malchina TS 31 AQ 9
Malciaussia TO 47 D 12
Malcontenta VE 42 AI 11
Malé TN 12 AA 5
Malefosse TO 46 C 13
Malegno BS 25 W 8
Malemaseria UD 16 AO 6
Maleo LO 52 T 12
Maleon PN 15 AL 6
Malesco VB 7 M 7
Maletto CT 196 AY 57
Malfa ME 181 AY 52
Malga Ciapela BL 14 AG 5
Malga dei Dossi /
Knutten Alm BZ 5 AH 2
Malga Pudio / Pidig Alm BZ 5 AI 2
Malga Saisera UD 17 AP 5
Malgasott BZ 12 AB 4
Malgesso VA 35 N 9
Malgolo TN 12 AB 5
Malgrate LC 23 R 8
Malgrate MS 78 U 18
Malignano SI 94 AC 24
Malintrada TV 43 AK 9
Malisana UD 30 AO 9
Maliscia AP 108 AQ 25
Maliseti PO 86 AB 20
Malita PZ 164 BF 44
Malito CS 170 BG 49
Malittoro CZ 174 BH 51
Malivindi RC 177 BG 54
Mallà PA 192 AO 57
Mallamo CS 166 BF 46
Mallare SV 74 K 18
Malles Venosta / Mals BZ 2 Y 3
Malmantile FI 86 AB 21
Malmissole FC 82 AH 18
Malnate VA 22 O 9
Malnisio PN 29 AK 7
Malo VI 41 AD 9
Malò ME 187 AX 55
Malocchio PT 85 Z 20
Malocco Sotto BS 39 X 11
Malon BL 15 AJ 4
Malongola CR 53 V 13
Malonno BS 25 W 7
Malopasso CT 197 AZ 57
Malopirtusillo CL 193 AS 58
Malosco TN 12 AB 5
Maloto ME 188 BA 55
Malpaga BG 37 T 10
Malpaga BS 53 W 11
Malpaga BS 39 X 9
Malpaga PC 52 S 13
Malpaga VE 42 AH 11
Malpasso BG 23 S 8
Malpasso BO 80 AB 18
Malpasso MN 55 AB 13
Malpassoti CT 197 BA 57
Malpertus TO 58 D 15
Malpotremo CN 74 J 17
Mals / Malles Venosta BZ 2 Y 3
Malti OT 210 P 37
Maltignano AP 108 AR 27
Maltignano PG 107 AN 27
Maltraverso SI 94 AB 23
Maluventu RC 177 BG 54
Malvaglio MI 35 N 10
Malvagna ME 188 AZ 56
Malvezza BO 68 AE 16
Malviano AN 90 AO 22
Malvicino AL 61 L 16
Malvino AL 62 O 15
Malvisi PC 64 T 15
Malvitani CS 166 BE 46
Malvitani CS 170 BG 48
Malvito AV 142 AY 38
Malvito CS 166 BF 46
Malvizza AV 142 AZ 36
Malvizza di Sopra AV 142 AZ 36
Malvizza di Sotto AV 142 AZ 36
Mamago PC 52 S 13
Mambrotta VR 40 AB 11
Mamiano PR 65 X 15
Mammiano PT 79 Z 19
Mammola RC 177 BG 53
Mamoiada NU 218 Q 42
Mamone NU 214 R 40
Mamurrano LT 139 AQ 36
Mamusi OT 210 R 39
Manacore FG 127 BF 32
Manarola SP 77 T 19
Manazzons PN 16 AM 6
Manca di Basso PZ 164 BF 43
Manca di Sopra PZ 164 BF 43
Mancamento VI 41 AF 11
Manche CS 166 BE 46
Manciano GR 111 AE 28
Mancine PZ 164 BG 43
Mancinelli MC 98 AP 23
Mancini CB 133 AY 35
Mancini CH 117 AV 30
Mancini CZ 171 BH 50
Mancino CS 167 BG 46
Mancino RC 177 BH 53
Manco CS 168 BJ 47
Mancone SA 152 AZ 41
Mancusa ME 189 BA 56
Mancuso RC 189 BD 54
Mandanici ME 189 BA 55
Mandaradoni VV 174 BE 51
Mandaràdoni VV 176 BE 52
Mandas CA 222 P 46
Mandatoriccio CS 169 BK 47
Mandela RM 120 AM 31
Mandello VR 54 AB 12
Mandello del Lario LC 23 Q 8
Mandello Vitta NO 35 L 11
Mandia SA 162 BA 43
Mandolesi MC 99 AQ 24
Mandoleto PG 105 AI 27
Mandolossa BS 38 V 10
Mandorleto RC 179 BG 54
Mandra di l'Ainu SS 208 M 39
Mandra Rossa CL 193 AS 58
Mandravecchia ME 189 BA 54
Mandrea TN 26 AA 8
Mandria PD 41 AF 11
Mandria TO 48 I 12
Mandria del Forno CS 168 BH 46
Mandria Luci CS 167 BG 45
Mandrino AL 62 M 14
Mandrino PV 51 Q 12
Mandrio RE 66 Z 15
Mandriola AN 90 AO 21
Mandriola RM 128 AJ 33
Mandriole RA 69 AI 16
Mandrioli CH 124 AW 31
Mandriolo RE 66 Z 15
Mandrione FG 127 BF 32
Mandriou AO 19 H 9
Mandrizzo SA 152 AX 39
Mandrogne AL 62 N 14
Mandroni BN 133 AY 35
Manduca RC 176 BF 53
Manduria TA 158 BO 41
Manela PR 64 U 15
Manera CN 61 J 16
Manera CO 36 P 9
Manerba del Garda BS 39 Y 10
Manerbio BS 53 V 11
Manesseno GE 62 O 17
Manfio LE 160 BS 43
Manfredonia FG 135 BE 34
Manfria CL 200 AT 61
Manganaro PA 185 AQ 57
Mangani RC 178 BE 56
Manganiello ME 197 AZ 56
Mangano CT 197 BA 57
Mangia SP 77 T 18
Mango CN 61 J 15
Mangona FI 80 AC 19
Mangone CS 171 BG 48
Maniace CT 196 AX 56
Maniaglia UD 16 AN 6
Maniago PN 29 AL 6
Maniga CN 60 H 15
Manigi PG 107 AN 27
Maniglia TO 46 D 14
Mannacciu OT 210 R 38
Mannara SA 151 AW 39
Mannarà ME 188 AY 55
Mannarella RC 178 BD 55
Mannoli RC 178 BD 54
Mannu SS 208 K 37
Manocalzati AV 142 AY 38
Manocchio CB 133 AX 35
Manoppello PE 116 AT 30
Manoppello Scalo PE 116 AT 30
Mansué TV 29 AK 9
Manta CN 59 F 16
Mantana BZ 4 AG 3
Mantegazza MI 36 O 10
Mantello SO 23 R 7
Mantie VC 50 M 12
Mantignana PG 96 AI 25
Mantineo RC 178 BD 56
Mantineo VV 174 BF 51
Mantova MN 54 Z 12
Mantovana AL 62 M 15
Manuli LT 139 AR 36
Manune VR 40 AA 10
Manzana PG 95 AH 23
Manzana TV 28 AI 8
Manzano AR 95 AG 24
Manzano PR 65 W 16
Manzano UD 31 AP 8
Manzi AR 88 AH 22
Manziana RM 118 AH 31
Manzinello UD 31 AP 8
Manzolino MO 67 AB 16
Mapello BG 37 S 9
Mappa CL 193 AR 58
Mappano TO 48 H 13
Mara BZ 4 AE 3
Mara SS 213 M 41
Mara VA 22 N 8
Maracalagonis CA 226 Q 48
Maragnani SS 209 N 38
Maragnole VI 41 AE 9
Maraldi PN 15 AL 6
Marana AQ 114 AO 29
Marana OT 211 S 37
Marana PZ 153 BD 39
Marana VI 40 AC 10
Marandola FR 131 AS 35
Marane AQ 122 AS 31
Maranello MO 66 AA 16
Maranello MO 79 Z 17
Marangana NO 35 M 11
Marangi LE 159 BS 41
Marangona VI 41 AF 9
Maranise CZ 171 BI 49
Marano BO 80 AB 18
Marano BO 67 AD 16
Marano PE 116 AS 30
Marano PR 65 X 15
Marano TN 26 AB 8
Marano VE 42 AH 11
Marano dei Marsi AQ 121 AO 31
Marano di Napoli NA 150 AU 38
Marano di Valpolicella VR 40 AA 10
Marano Equo RM 120 AN 32
Marano Lagunare UD 30 AO 9
Marano Marchesato CS 170 BG 48
Marano Principato CS 170 BG 48
Marano sul Panaro MO 66 AA 17
Marano Ticino NO 35 M 10
Marano Vicentino VI 41 AD 9
Maranola LT 139 AQ 36
Maranza / Maranzen BZ 4 AE 3
Maranzana AT 61 L 15
Maranzana UD 16 AM 4
Maranzano PG 105 AH 26
Maranzen / Maranza BZ 4 AE 3
Maras BL 28 AH 7
Marasa CB 124 AW 33
Maraschina VR 39 Y 11
Maratea PZ 163 BD 44
Maratello FC 82 AH 19
Maratta AN 91 AQ 22
Maratta TR 113 AK 28
Marausa TP 182 AK 56
Marazzino OT 206 Q 36
Marcallo MI 36 O 11
Marcandindoli BN 133 AY 35
Marcantonio CB 133 AX 35
Marcaria MN 53 Y 13
Marcato Bianco EN 194 AU 59
Marcatobianco PA 193 AR 57
Marceddì OR 220 M 45
Marcedusa CZ 172 BK 49
Marcellano PG 106 AK 26
Marcelli AN 99 AQ 23
Marcellina CS 166 BD 45
Marcellina RM 120 AL 31
Marcellinara CZ 171 BH 50
Marcellise VR 40 AB 11
Marcena AR 95 AG 22
Marcena TN 12 AB 5
Marcetelli RI 114 AN 30
Marcheno BS 38 W 9
Marchesa Augusta RI 113 AK 29
Marchesana ME 188 AZ 55
Marchesino VR 40 AB 11
Marchetti AT 49 L 14
Marchetti TO 59 E 14
Marchetti VI 27 AE 9
Marchiazza VC 35 L 10
Marchirolo VA 22 O 8
Marchittai TP 190 AK 57
Marchitti BN 141 AW 37
Marciaga VR 39 Z 10
Marcialla FI 86 AB 22
Marciana LI 100 W 27
Marciana Marina LI 100 W 27
Marcianise CE 141 AU 37
Marciano AR 87 AG 21
Marciano NA 151 AU 40
Marciano SP 78 V 19
Marciano della Chiana AR 95 AF 24
Marciano Freddo CE 141 AV 36
Marciaso MS 78 V 19
Marcignago PV 51 P 12
Marcignana FI 86 AA 21
Marcignano PG 96 AH 23
Marcillera CS 171 BH 49
Marcinà Inf. RC 177 BG 54
Marcinà Sup. RC 177 BG 54
Marciola FI 86 AB 21
Marco TN 26 AB 8
Marco TN 13 AD 6
Marco Simone RM 120 AK 32
Marcoiano FI 80 AC 19
Marcon VE 42 AI 10
Marconi PD 56 AF 13
Marconi TE 109 AS 26
Marconia MT 156 BJ 41
Marcorengo TO 49 J 13
Marcosignori AN 90 AO 21
Marcottini GO 31 AQ 8
Marcucci MC 98 AO 24
Mardimago RO 56 AG 13
Mare VI 27 AE 9
Marebello RN 83 AK 19
Marega VR 55 AD 12
Maregnago VR 40 AA 10
Mareit / Mareta BZ 3 AD 2
Marena PR 64 U 15
Marendole PD 56 AF 12
Marene CN 60 H 16
Marengo CN 60 J 16
Marengo MN 54 Z 12
Mareno di Piave TV 29 AJ 8
Marentino TO 48 I 13
Mareri RI 114 AN 30
Mares BL 28 AI 7
Maresca PT 79 AA 19
Mareson BL 14 AH 5
Maresso LC 37 R 9
Mareta GE 63 P 16
Mareta / Mareit BZ 3 AD 2
Mareto PC 63 S 15
Marettima SA 162 AY 42
Marettimo TP 182 AH 56
Maretto AT 49 J 14
Marezzane VR 40 AC 11
Marfoli RM 128 AK 33
Marga BZ 4 AF 2
Margani MC 107 AO 25
Margarita CN 71 H 17
Margarola PV 50 P 12
Marghera VE 42 AI 11
Margherita KR 173 BL 49
Margherita di Savoia BT 136 BF 35
Margherito CE 131 AT 35
Margherito Soprano CT 202 AW 59
Margherito Sottano CT 202 AW 59
Margine AV 143 BB 38
Margine di Momigno PT 85 Z 20
Marginone LU 85 Z 20
Margnier AO 33 G 9
Margno LC 23 R 7
Margone TN 26 AA 7
Margone TO 47 E 12
Margutti RO 55 AD 14
Marguzzo BS 39 X 10
Mari Ermi OR 216 L 44
Maria Paternò
e Arezzo RG 204 AX 62
Mariae PN 15 AK 6
Mariana Mantovana MN 53 X 12
Marianella NA 150 AU 38
Marianitto RI 114 AO 28
Mariano PR 64 T 16
Mariano PR 65 X 15
Mariano al Brembo BG 37 S 10
Mariano Comense CO 36 Q 9
Mariano del Friuli GO 31 AP 8
Marianopoli CL 193 AS 58
Mariconda NA 151 AW 39
Mariglianella NA 151 AV 38
Marigliano NA 151 AV 38

A
B
C
D
E
F
G
H
I
J
K
L
M
N
O
P
Q
R
S
T
U
V
W
X
Y
Z

MANTOVA

Accademia (V.) BY 2
Acerbi (V.) AZ 3
Broletto (V. e Pza) BZ 4
Canossa (Pza) AY 5
Don Leoni (Pza) AZ 6
Don Tazzoli (V. Enrico) BZ 7
Erbe (Pza delle) BZ 8
Fratelli Cairoli (V.) BY 10
Libertà (Cso) AZ 12
Mantegna (Pza Andrea) BZ 13
Marconi (Pza) ABZ 15
Martiri di Belfiore (Pza) AZ 16
Matteotti (V.) AZ 17
Roma (V.) AZ
Sordello (Pza) BY 21
S. Giorgio (V.) BY 20
Umberto (Cso) AZ
Verdi (V. Giuseppe) AZ 24
Virgilio (V.) AY 25
20 Settembre (V.) BZ 27

Rotonda di San Lorenzo BZ **B**

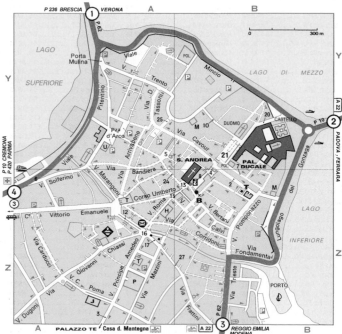

Marignana *PN* 30 AL 8
Marignano *PC* 64 U 14
Marilleva 1400 *TN* 12 Z 6
Marilleva 900 *TN* 12 Z 6
Marin *BL* 14 AH 5
Marina *CS* 166 BE 46
Marina *PD* 56 AH 12
Marina *PE* 116 AT 28
Marina *VE* 44 AM 9
Marina dei Ronchi *MS* 84 V 20
Marina di Acate *RG* 201 AV 62
Marina di Acquappesa *CS* 166 BE 47
Marina di Altidona *AP* 99 AS 25
Marina di Amendolara *CS* 165 BI 44
Marina di Andora *SV* 73 J 20
Marina di Andrano *LE* 161 BT 44
Marina di Arbus *VS* 220 L 46
Marina di Ardea *RM* 128 AK 34
Marina di Ascea *SA* 162 BA 43
Marina di Avola *SR* 205 AZ 62
Marina di Belmonte *CS* 170 BF 49
Marina di Belvedere *CS* 166 BE 46
Marina di Bibbona *LI* 92 Y 24
Marina di Camerota *SA* 163 BB 43
Marina di Campo *LI* 100 W 27
Marina di Caronia *ME* 187 AV 55
Marina di Carrara *MS* 84 V 19
Marina di Casal Velino *SA* 162 AZ 42
Marina di Castagneto Carducci *LI* 92 Y 24
Marina di Cecina *LI* 92 X 24
Marina di Cerveteri *RM* 118 AH 32
Marina di Cetraro *CS* 166 BE 46
Marina di Chieuti *FG* 125 AZ 32
Marina di Davoli *CZ* 175 BI 51
Marina di Felloniche *LE* 161 BS 45
Marina di Ferrara *TA* 156 BL 40
Marina di Fuscaldo *CS* 166 BF 47
Marina di Gairo *OG* 223 T 45
Marina di Ginosa *TA* 156 BK 41
Marina di Gioiosa Ionica *RC* 177 BG 54
Marina di Grosseto *GR* 103 AA 27
Marina di Guardia Piemontese *CS* 166 BE 47
Marina di Lago Patria *CE* 150 AT 38
Marina di Leporano *TA* 157 BM 41
Marina di Lesina *FG* 125 BA 32
Marina di Leuca *LE* 161 BT 45
Marina di Lizzano *TA* 157 BN 42
Marina di Mancaversa *LE* 160 BR 44
Marina di Mandatoriccio *CS* 169 BK 46
Marina di Maratea *PZ* 163 BD 44
Marina di Marittima *LE* 161 BT 44
Marina di Massa *MS* 84 V 19
Marina di Massignano *AP* 99 AS 25
Marina di Minturno *LT* 139 AR 36
Marina di Modica *RG* 204 AX 63
Marina di Montemarciano *AN* 91 AP 22
Marina di Montenero *CB* 124 AX 31
Marina di Nocera Terinese *CZ* 170 BF 49
Marina di Novaglie *LE* 161 BT 44
Marina di Orosei *NU* 215 T 41
Marina di Ostuni *BR* 148 BO 39
Marina di Palma *AG* 199 AR 60
Marina di Paola *CS* 170 BF 47
Marina di Patti *ME* 188 AY 55
Marina di Pietrasanta *LU* 84 W 20
Marina di Pisa *PI* 84 W 21
Marina di Pulsano *TA* 157 BN 41
Marina di Puolo *NA* 151 AV 40
Marina di Ragusa *RG* 204 AW 63
Marina di Ravenna *RA* 69 AI 17
Marina di Salivoli *LI* 102 X 26
Marina di San Lorenzo *RC* 178 BE 56
Marina di San Salvo *CH* 124 AX 31
Marina di San Vito *CH* 117 AV 30
Marina di Sant'Antonio *CZ* 177 BI 52
Marina di Santa Croce *VE* 43 AL 10
Marina di Sant'Ilario dello Ionio *RC* 179 BG 54
Marina di Sibari *CS* 168 BH 45
Marina di Sorso *SS* 209 M 39
Marina di Strongoli *KR* 173 BL 48
Marina di Tarquinia *VT* 111 AF 30
Marina di Torre del Lago *LU* 84 W 21
Marina di Torre Grande *OR* 216 M 44
Marina di Varcaturo *NA* 150 AT 38
Marina di Vasto *CH* 124 AX 31
Marina di Zambrone *VV* 174 BE 51
Marina d'Itala *ME* 189 BB 55
Marina Faleriensa *AP* 99 AR 24
Marina Julia *GO* 31 AQ 9
Marina Palmense *AP* 99 AR 25
Marina Romea *RA* 69 AI 16
Marina San Gregorio *LE* 161 BS 45
Marina Schiavonea *CS* 168 BI 46
Marina Serra *LE* 161 BT 44
Marina Velca *VT* 111 AF 30
Marindi *CZ* 175 BJ 50
Marine *AO* 34 H 10
Marinella *CS* 167 BG 47
Marinella *CS* 167 BG 47
Marinella *CZ* 174 BG 50
Marinella *KR* 173 BL 50
Marinella *LU* 84 W 20
Marinella *OT* 211 S 38
Marinella *TP* 191 AM 58
Marinella *VE* 44 AN 9
Marinella di Bruzzano *RC* 179 BF 56
Marinella di Sarzana *SP* 78 V 19
Marinelli *BR* 147 BN 39
Marinello *ME* 188 AZ 55
Marinello *VT* 111 AF 28
Marineo *PA* 185 AP 56
Marini *IS* 132 AU 34
Marini *SA* 151 AX 39
Marini *VI* 41 AF 9
Marini *VI* 41 AF 9
Marini Giavarra *PD* 56 AF 12
Marino *RM* 120 AK 33
Marino *SV* 73 J 20
Marino *TP* 182 AK 56
Marino del Tronto *AP* 108 AQ 26
Marinoni *BG* 24 U 8
Marinoni *VE* 42 AH 11
Marins *PN* 16 AM 6
Marinsalta *MC* 98 AP 23
Marinuccia *AN* 98 AP 23
Mariotto *BA* 146 BI 37
Marischio *AN* 97 AM 23
Maristella *CR* 53 V 13
Maristella *SS* 212 K 40
Marittima *LE* 161 BT 43
Maritza *SS* 209 M 38
Marlengo / Marling *BZ* 12 AB 4
Marlia *LU* 85 Y 20
Marliana *PT* 85 Z 20
Marliano *FI* 86 AB 21
Marling / Marlengo *BZ* 12 AB 4
Marlino *BS* 38 V 10
Marmassana *GE* 62 O 16
Marmi *LI* 100 W 27
Marmigliano *LI* 92 X 22
Marmirolo *MN* 54 Z 12
Marmirolo *RE* 66 Z 16
Marmo *AT* 61 K 15
Marmora *CN* 58 D 17
Marmora *RC* 177 BG 53
Marmoraia *SI* 94 AC 24
Marmorassi *SV* 75 L 17
Marmorata *SA* 151 AW 40
Marmore *AV* 143 AZ 38
Marmore *TR* 113 AL 28
Marmoreo *SV* 73 J 19
Marmoreto *RE* 78 W 17
Marmorito *AT* 48 J 13
Marmorta *BO* 68 AF 16
Marnate *VA* 36 O 10
Marniga *VR* 39 Z 9
Maro *RE* 79 X 17
Marocchi *TO* 48 H 14
Marocchina *BS* 38 U 11
Marocchino *VI* 41 AE 10
Marocco *TV* 42 AI 10
Maroggia *SO* 23 T 6
Marola *RE* 65 X 17
Marola *RO* 55 AD 13
Marola *SP* 77 T 19
Marola *VI* 41 AD 9
Marola *VI* 41 AE 10
Maron *PN* 29 AK 8
Marone *BS* 38 V 9
Marone *RC* 177 BI 53
Maropati *RC* 176 BF 53
Marore *PR* 65 X 15
Marostica *VI* 41 AE 9
Marotta *AV* 142 AY 37
Marotta *ME* 188 AY 54
Marotta *PU* 90 AN 21
Marotta-Pirilli *RC* 176 BE 53
Marozzo *FE* 69 AH 15
Marpione *CB* 133 AY 35
Marra *PR* 78 V 17
Marradi *FI* 81 AE 19
Marrado *FI* 93 AA 22
Marrara *FE* 68 AF 15
Marrautti *BN* 142 AY 36
Marrazzano *PT* 85 AA 20
Marri *CS* 167 BF 47
Marrona *GR* 104 AE 26
Marroneto *GR* 104 AE 26
Marrubiu *OR* 220 M 45
Marsaglia *BZ* 2 Y 3
Marsaglia *PC* 63 R 15
Marsaglia *TO* 47 F 11
Marsaglia *TO* 47 G 12
Marsala *TP* 190 AJ 57
Marsan *AO* 33 F 9
Marsan *VI* 27 AF 9
Marsango *PD* 41 AG 10
Marsano di Strada *UD* 30 AO 8
Marsciano *PG* 106 AJ 26
Marsecana *FR* 130 AO 33
Marseiller *AO* 33 G 9
Marsella *CE* 131 AS 35
Marsia *AP* 108 AP 26
Marsia *AQ* 121 AO 31
Marsiai *BL* 28 AH 7
Marsico Nuovo *PZ* 154 BD 41
Marsicovetere *PZ* 154 BD 41
Marsiglia *GE* 76 P 17
Marsiletti *MN* 54 Z 12
Marsili *VI* 40 AC 9
Marsiliana *GR* 111 AD 28
Marsure *PN* 29 AK 7
Marsure di Sopra *UD* 30 AO 7
Marsure di Sotto *UD* 30 AO 7
Marta *SV* 73 J 19
Marta *VT* 112 AG 28
Martano *LE* 161 BS 42
Martassina *TO* 47 E 12
Marteggia *VE* 43 AJ 10
Martellago *VE* 42 AH 10
Martelletto *CZ* 175 BI 50
Martelli *CZ* 175 BI 51
Martelli *FR* 130 AO 33
Martelli *MN* 54 Z 12
Martellotti *BR* 147 BN 39
Marter *TN* 27 AD 7
Marti *PI* 85 Z 22
Martigliano *AR* 88 AI 21
Martignacco *UD* 30 AN 7
Martignana *FI* 86 AA 21
Martignana di Po *CR* 53 X 13
Martignano *LE* 159 BS 42
Martignano *PG* 96 AH 24
Martignano *TN* 26 AB 7
Martin *BL* 14 AG 5
Martina *BG* 37 S 10
Martina *BG* 38 U 9
Martina *PC* 51 R 14
Martina *SV* 62 M 17
Martina Franca *TA* 147 BN 39
Martinazzo *UD* 16 AO 6
Martincelli *TN* 27 AF 8
Martine *CB* 133 AW 34
Martinella *TV* 42 AH 9
Martinelle *VE* 57 AH 13
Martinenghe *BS* 52 U 11
Martinengo *AL* 49 K 13
Martinengo *BG* 37 T 10
Martinetti *TO* 47 E 13
Martinetto *SV* 74 K 17
Martingana *TP* 190 AH 63
Martini *AL* 49 M 13
Martini *ME* 188 AX 55
Martini *ME* 188 AY 55
Martini *TO* 47 F 14
Martiniana Po *CN* 59 F 16
Martiniello *NA* 151 AW 38
Martiniglio *PZ* 153 BC 39
Martino *CN* 58 E 15
Martino *RC* 178 BD 55
Martinsicuro *TE* 109 AS 26
Martirano *CZ* 171 BG 49
Martirano Lombardo *CZ* 170 BG 49
Martis *SS* 209 N 39
Martofa *NA* 150 AS 39
Martone *RC* 177 BG 53
Martorano *FC* 82 AI 18
Martorano *PR* 65 X 15
Marubbi *PR* 64 U 15
Marudo *LO* 51 R 12
Maruggio *TA* 158 BO 42
Marza *PV* 50 N 12
Marzabotto *BO* 80 AC 17
Marzaglia *MO* 66 Z 16
Marzalengo *CR* 52 U 12
Marzalesco *NO* 35 L 10
Marzamemi *SR* 205 AZ 63
Marzanello *CE* 132 AT 36
Marzanello *PR* 53 V 14
Marzano *GE* 63 P 16
Marzano *LO* 37 R 11
Marzano *PR* 65 V 16
Marzano *PV* 51 Q 12
Marzano di Nola *AV* 151 AW 38
Marzeno *RA* 81 AG 18
Marzi *CS* 171 BG 48
Marzi li *FR* 130 AQ 34
Marziai *BL* 28 AG 8
Marziele *VI* 27 AE 9
Marzinis *PN* 29 AL 8
Marzio *VA* 22 O 8
Marzioni *MC* 98 AP 23
Marzocca *AN* 90 AO 21
Marzolara *BO* 80 AB 18
Marzolara *PR* 65 W 16
Marzonago *PC* 63 R 14
Mas *BL* 14 AG 5
Mas *BL* 28 AH 7
Masainas *CI* 224 M 49
Masaniello *CL* 193 AR 59
Masano *BG* 37 T 10
Masanti *PR* 64 S 16
Masarè *BL* 14 AH 5
Masariè *BL* 14 AI 5
Masarolis *UD* 17 AP 6
Masate *MI* 37 R 10
Mascali *CT* 197 BA 57
Mascalucia *CT* 197 AZ 58
Mascari *CS* 171 BH 49
Mascello *NA* 151 AW 38
Maschito *PZ* 144 BD 38
Mascia *NA* 151 AW 38
Masciaga *BS* 39 X 10
Masciago Primo *VA* 22 N 8
Mascionchie *PG* 97 AL 25
Mascione *CB* 133 AX 34
Mascioni *AQ* 115 AP 28
Mascioni *CE* 141 AV 37
Mascognaz *AO* 19 H 9
Masella *RC* 178 BD 56
Maser *TV* 28 AG 9
Masera *VB* 7 K 7
Maserà di Padova *PD* 56 AG 12
Maserada sul Piave *TV* 42 AI 9
Masereto *PR* 64 U 16
Maseria Spaventa *CH* 117 AV 31
Maseris *UD* 30 AM 7
Masetti *TN* 27 AC 8
Masi *BZ* 4 AF 3
Masi *BZ* 5 AI 3
Masi *PD* 55 AD 13
Masi *TN* 40 AA 9
Masi *TN* 27 AD 7
Masi *VI* 27 AD 9
Masi di Cavalese *TN* 13 AD 6
Masi di Vigo *TN* 12 AB 6
Masi San Giacomo *FE* 68 AF 15
Masi Torello *FE* 68 AF 15
Masiello Tordiglione *AV* 142 AY 37
Masiera *RA* 68 AG 17
Masieri *VI* 41 AD 10
Masina *VC* 34 K 11
Masineri *CN* 70 F 17
Masino *SO* 23 S 7
Masino *TO* 34 I 11
Masio *AL* 61 L 14
Masio *TO* 48 I 14
Maslianico *CO* 22 P 8
Masnago *VA* 22 N 9
Maso *BZ* 12 AC 5
Maso *VI* 40 AC 9
Maso *VI* 40 AC 9
Maso *VI* 27 AD 8
Maso *VI* 27 AE 9
Maso *VR* 40 AA 10
Maso *VR* 40 AA 10
Maso Corto / Kurzras *BZ* 2 Z 3
Maso di Sopra *BZ* 12 Z 4
Mason *PD* 41 AF 11
Mason *PN* 29 AL 7
Mason Vicentino *VI* 41 AE 9
Masone *GE* 62 N 16
Masone *PR* 65 V 14
Masone *RE* 66 Z 15
Masone Pardu *CA* 227 S 48
Maspiano *BS* 38 V 9
Mass Maramonte Nuovo *LE* 161 BT 43
Mass Spagnoletti *BA* 136 BG 37
Mass. Cariati *BT* 136 BG 37
Mass. Chieffo *FG* 143 BC 37
Mass. Ciminarella *BT* 136 BF 36
Mass. Citulo *BT* 145 BG 37
Mass. Contedi Noia *FG* 135 BD 36
Mass. Coppe di Maltempo *BT* 136 BE 37
Mass. Ferranti *FG* 135 BC 36
Mass. Giuncata *BA* 145 BG 37
Mass. il Pidocchio *FG* 144 BC 37
Mass. Inacguata *FG* 135 BE 35
Mass. le Matine di Latta *BA* 146 BH 37
Mass. Mezzana Grande *FG* 134 BA 35
Mass. Monaco Cappelli *FG* 135 BC 34
Mass. Paolillo *FG* 135 BD 36
Mass. Piano del Monaco *BT* 145 BG 37
Mass. Piscicelli *FG* 125 AZ 33
Mass. Roberti *BA* 147 BL 37
Mass. San Vincenzo *BA* 136 BG 36
Mass. Spagnoletti *BA* 136 BG 37
Mass. Taverna Nuova *BA* 145 BG 38
Mass. Torre di Bocca *BT* 136 BF 36
Mass. Torretta *FG* 144 BD 36
Massa *BN* 141 AW 36
Massa *FC* 82 AI 19
Massa *FC* 82 AI 19
Massa *FI* 87 AD 22
Massa *LU* 79 X 18
Massa *MC* 97 AM 24
Massa *MS* 84 V 19
Massa *NA* 151 AV 39
Massa *PT* 85 Z 20
Massa *PU* 96 AK 22
Massa *PZ* 163 BD 44
Massa *RA* 82 AH 18
Massa *RE* 79 Y 17
Massa *SA* 162 BA 42
Massa d'Albe *AQ* 121 AP 31
Massa di Somma *NA* 151 AV 38
Massa Fermana *FM* 98 AP 25
Massa Finalese *MO* 67 AC 14
Massa Fiscaglia *FE* 68 AH 15
Massa Lombarda *RA* 68 AF 17
Massa Lubrense *NA* 151 AV 40
Massa Macinaia *LU* 85 Y 21
Massa Marittima *GR* 103 AA 25
Massa Martana *PG* 106 AK 27
Massa San Giorgio *ME* 189 BC 54
Massa San Giovanni *ME* 189 BC 54
Massa San Nicola *ME* 189 BC 54
Massa Santa Lucia *ME* 189 BC 54
Massacci *RI* 114 AL 30
Massaciuccoli *LU* 84 X 20
Massacornuta *CS* 164 BE 44
Massafra *TA* 156 BL 40
Massalengo *LO* 51 R 12
Massama *OR* 216 M 44
Massamanente *FC* 88 AI 20
Massanova *CS* 166 BF 45
Massanzago *PD* 42 AH 10
Massaprofoglio *MC* 107 AN 25
Massaquano *NA* 151 AV 40
Massarella *FI* 85 Z 21

Massarini *AL* 50 N 14
Massarosa *LU* 84 X 20
Massasco *GE* 77 R 18
Massascusa *SA* 162 BA 42
Massazza *BI* 34 J 11
Massello *TO* 46 D 14
Masselo *PO* 86 AB 20
Massenzatica *FE* 57 AI 14
Massenzatico *RE* 66 Z 15
Masseranga *BI* 34 K 9
Masserano *BI* 34 J 10
Masserano *BI* 34 K 10
Masseri *TE* 108 AR 27
Masseria *ME* 189 BA 54
Masseria *SA* 151 AX 39
Masseria / Maiern *BZ* 3 AC 2
Masseria Acciardi *CS* 165 BI 44
Masseria Acquevive *IS* 123 AV 33
Masseria Adduci *CS* 165 BH 45
Masseria Antenna *FG* 135 BD 34
Masseria Apani *BR* 148 BP 39
Masseria Appio *MT* 156 BJ 41
Masseria Appio *MT* 156 BJ 41
Masseria Arlea *MT* 165 BH 42
Masseria Armiento *PZ* 154 BF 39
Masseria Arnieci *BT* 136 BG 36
Masseria Azzardatore *FG* 125 BA 33
Masseria Balsente *BA* 147 BM 39
Masseria Barretta *FG* 135 BD 34
Masseria Basto *CS* 167 BH 45
Masseria Battista *CB* 124 AY 32
Masseria Belloluogo *BR* 148 BP 40
Masseria Bernardo *CB* 133 AY 34
Masseria Billarella *CB* 133 AY 34
Masseria Bochicchio *PZ* 144 BE 38
Masseria Bonelli *MT* 155 BI 42
Masseria Bozzelli *PZ* 144 BD 39
Masseria Bramante *FG* 135 BD 34
Masseria Brichetto *CS* 168 BH 45
Masseria Bronzini *MT* 155 BG 40
Masseria Buongiorno *MT* 165 BI 42
Masseria Cagadiavoli *PZ* 135 BC 41
Masseria Calapane *PZ* 144 BC 37
Masseria Campanara *MT* 155 BI 41
Masseria Campetello *RI* 114 AO 30
Masseria Candelaro *FG* 135 BD 34
Masseria Cangiulli *TA* 156 BJ 39
Masseria Capoiazzo *AV* 143 BA 36
Masseria Caprarica *TA* 157 BN 41
Masseria Capriccio *MT* 156 BI 42
Masseria Capruccia *IS* 132 AU 34
Masseria Carabella *TA* 156 BK 40
Masseria Caracciolo *FG* 135 BD 34
Masseria Carbone *CE* 141 AV 37
Masseria Carone *MT* 146 BI 39
Masseria Caronna *PZ* 145 BF 39
Masseria Casanova *FG* 134 BA 35
Masseria Cascigno *BN* 133 AX 35
Masseria Casella *PZ* 144 BD 37
Masseria Castaldi *NA* 150 AT 38
Masseria Castelluzzo *BR* 148 BO 40
Masseria Catalano *BN* 142 AX 37
Masseria Cauzzanette *PZ* 154 BF 41
Masseria Celentano *PZ* 153 BC 39
Masseria Cerascletta *PZ* 145 BF 38
Masseria Ceresa *MT* 156 BJ 41
Masseria Checchia *FG* 134 BA 34
Masseria Chinunno *BA* 146 BI 38
Masseria Ciaferri-
Marcocci *BN* 133 AX 35
Masseria Ciccoporcari *BN* 133 AX 35
Masseria Cimino *BA* 146 BK 38
Masseria Cipoletti *CB* 124 AX 33
Masseria Civiello *PZ* 144 BE 38
Masseria Colagiovanni *CB* 124 AY 32
Masseria Colantonio *CH* 123 AW 31
Masseria Conca d'Oro *TA* 156 BK 40
Masseria Coppe
di Rose *FG* 125 BA 33
Masseria Copputa *MT* 155 BG 41
Masseria Cornello *FG* 127 BE 33
Masseria Cornicione *CB* 125 AZ 33
Masseria
Cortemaggiore *TA* 148 BN 40
Masseria Coscialonga *NA* 151 AV 38
Masseria Costabile *CS* 167 BG 45
Masseria Costarizza *BA* 145 BG 38
Masseria Creta *AV* 142 AZ 37
Masseria Croce *CH* 123 AU 32
Masseria Crocegrossa *CH* 124 AW 32
Masseria Cuccioni *CB* 124 AX 32
Masseria Culmi *PZ* 165 BH 43
Masseria Cutello *CB* 124 AX 31
Masseria Dalcino *PZ* 144 BE 37
Masseria D'Amati *MT* 155 BG 39
Masseria d'Amato *MT* 155 BI 40
Masseria d'Anela *TA* 156 BK 40
Masseria d'Ardes *FG* 134 AZ 34
Masseria de Gregorio *BN* 142 AX 37
Masseria De Lilia *FG* 125 AZ 32
Masseria de Lillo *AV* 143 AZ 37
Masseria de Lorenzis *BA* 146 BH 38
Masseria de Marco *CH* 123 AV 31
Masseria De Nicola *PZ* 154 BE 40
Masseria del Duca *TA* 148 BN 40
Masseria del
Finocchito *FG* 134 AZ 34
Masseria del Ponte *BN* 142 AX 36
Masseria del Vecchio *TA* 156 BK 40
Masseria
della Chiesa *BZ* 4 AG 2
Masseria dell'Arciprete *CB* 124 AW 33
Masseria delle Palme *TA* 156 BJ 41
Masseria dell'Erba *BA* 147 BL 38
Masseria
dell'Incoronata *MT* 156 BJ 41
Masseria di Giancia *PZ* 164 BG 42
Masseria di Rio *IS* 132 AV 35
Masseria di Santo *BA* 146 BJ 39
Masseria di Stefano *BN* 133 AX 35
Masseria di Tronco *FG* 125 AZ 33
Masseria di Zagarella *MT* 155 BI 40
Masseria D'Innella *BT* 145 BG 38
Masseria Diodati *CS* 167 BH 45
Masseria Dogana *MT* 155 BI 40
Masseria Don Gennaro *FG* 135 BD 34
Masseria Dursi *MT* 156 BI 41
Masseria Epitaffio *BT* 145 BF 38
Masseria Faraldo *PZ* 154 BD 40
Masseria Fiscale *BA* 146 BI 38
Masseria Flamia *FG* 144 BC 37
Masseria Flammia *AV* 143 AZ 37
Masseria Follerato *TA* 156 BJ 40
Masseria
Fonteromano *FG* 134 AZ 34
Masseria Fornisono *BA* 145 BH 38
Masseria Forno *MT* 145 BF 39
Masseria Forno *PZ* 144 BE 37
Masseria Fraccacreta *FG* 126 BC 33
Masseria Fragneto *TA* 157 BM 40
Masseria Franchini *BA* 145 BH 38
Masseria Francomano *CS* 165 BG 44
Masseria Furiana *CL* 193 AT 59
Masseria Furlo *MT* 156 BJ 41
Masseria Gaggiano *PZ* 144 BE 38
Masseria Galgano *PZ* 154 BE 41
Masseria Galli *MT* 155 BI 40
Masseria Gaudella *MT* 156 BI 41
Masseria Gaudella *TA* 156 BK 40
Masseria Ginistrelli *PZ* 144 BD 37
Masseria Glionne *MT* 155 BI 41
Masseria Grande *BN* 142 AY 37
Masseria Granieri *SR* 205 AY 62
Masseria Grimolizzi *PZ* 144 BD 38
Masseria Grotte *FG* 125 BB 33
Masseria Guarnero *PZ* 164 BG 42
Masseria i Lauri *FG* 134 BA 35
Masseria Ievoli *BN* 141 AV 37
Masseria Improsta *SA* 152 AY 40
Masseria La Bruna *MT* 156 BJ 40
Masseria La Contessa *MT* 145 BF 39
Masseria La Frana *PZ* 165 BG 43
Masseria la Macchia *FG* 136 BE 36
Masseria la Marchesa *FG* 125 AZ 33
Masseria La Marchesa *PZ* 144 BE 37
Masseria La Palmenta *BN* 142 AX 37
Masseria La Piana *MT* 155 BH 41
Masseria La Pilla *PZ* 153 BC 40
Masseria La Ripa *BN* 133 AX 35
Masseria La Serra *MT* 155 BG 40
Masseria Lama
la Noce *BA* 146 BH 39
Masseria Lamalunga *MT* 155 BI 41
Masseria Lancellotti *PZ* 145 BF 38
Masseria Lancieri *PZ* 154 BF 39
Masseria Lanza *PZ* 164 BG 43
Masseria Lauria *FG* 125 BA 33
Masseria Laurito *BR* 158 BO 41
Masseria Lella *TA* 148 BN 40
Masseria Leone *CB* 124 AY 32
Masseria Leone *MT* 155 BH 39
Masseria Limporchi *CB* 124 AX 32
Masseria Lioni *PZ* 144 BD 38
Masseria Lo Russo *BT* 145 BG 38
Masseria Londrone *SA* 151 AW 39
Masseria Madama
Giulia *PZ* 145 BF 38
Masseria Magliati *TA* 156 BK 40
Masseria Maiorana *BA* 145 BH 38
Masseria Maiorano *AV* 143 BA 38
Masseria Malabocca *MT* 155 BI 42
Masseria Malandra *CH* 116 AT 30
Masseria Malvezzi *MT* 155 BI 39
Masseria Manta *PZ* 154 BE 40
Masseria Marchioni *LE* 158 BQ 42
Masseria Marchittari *BN* 142 AY 36
Masseria Marconi *PZ* 165 BG 43
Masseria Maresca *FG* 125 BA 32
Masseria Marianello *PZ* 144 BD 39
Masseria Maristella *CS* 165 BI 44
Masseria Marroni *CB* 133 AX 34
Masseria Marsello *LE* 159 BR 41
Masseria Martini *CB* 124 AY 32
Masseria Masciaro *PZ* 144 BE 38
Masseria Massanova *PZ* 165 BG 43
Masseria Mastinizio *BN* 133 AX 35
Masseria Mastrangelo *CB* 134 AZ 33
Masseria Menna *CH* 124 AW 31
Masseria Menolecchia *PZ* 144 BD 37
Masseria Mezzanelle *FG* 134 BB 35
Masseria Modesti *BA* 145 BH 38
Masseria Mole Perito *LT* 139 AP 36
Masseria Monacelli *LE* 149 BR 41
Masseria Monaci *TA* 147 BL 39
Masseria Monaco *AV* 142 AZ 37
Masseria Monte Pota *PZ* 145 BF 38
Masseria Monteforte *BN* 141 AV 37
Masseria Monteruga *LE* 158 BQ 41
Masseria Morea *BA* 147 BL 39
Masseria Morello *FG* 144 BD 37
Masseria Mugnolo *PZ* 144 BD 38
Masseria Murata *CS* 168 BH 45
Masseria Nola *CS* 167 BG 45
Masseria Nuova *LE* 160 BR 44
Masseria Nuova
del Duca *BA* 145 BH 37
Masseria Oliveto *BA* 145 BG 38
Masseria Olivieri *BA* 145 BH 38
Masseria Olmo *LE* 159 BS 41
Masseria Onorati *MT* 155 BH 40
Masseria Orimini *TA* 147 BM 39
Masseria Orimini *TA* 157 BM 40
Masseria Pagliarone *FG* 135 BD 36
Masseria Palagogna *BR* 148 BO 40
Masseria Palmarini *BR* 149 BQ 40
Masseria Palmeri *CB* 125 AZ 33
Masseria Pandoro *TA* 147 BL 39
Masseria Panella *CE* 132 AV 35
Masseria Panfresco *BA* 146 BI 37
Masseria Paolino *FG* 127 BE 33
Masseria Parasacco *PZ* 144 BD 37
Masseria Parisa *FG* 134 BA 34
Masseria Parlante *AV* 142 AY 36
Masseria Patanella *BA* 145 BH 37
Masseria Pazienza *FG* 134 BA 34
Masseria Pescarella *BA* 145 BG 39
Masseria Pesce *CB* 125 AZ 32
Masseria Petrosino *BA* 147 BK 38
Masseria Petrulli *FG* 134 BA 34
Masseria Piccola *BR* 148 BN 39
Masseria Piccoli *TA* 147 BM 39
Masseria
Pietra Cipolle *FG* 125 BA 33
Masseria Pilotti *TE* 109 AR 27
Masseria Piovacqua *TA* 157 BM 40
Masseria Piscinella *TA* 147 BM 39
Masseria Pizziferro *TA* 156 BL 40
Masseria Pizzo Corvo *MT* 155 BH 41
Masseria Pollice *CB* 125 AZ 32
Masseria Polluce *FG* 135 BC 34
Masseria Pomarici *MT* 155 BH 40
Masseria Quarantiello *BN* 142 AX 37
Masseria Renzi *CB* 133 AY 35
Masseria Restinco *BR* 149 BQ 40
Masseria Ricci *CB* 124 AY 33
Masseria Risicata *FG* 144 BE 36
Masseria Rivolta *FG* 125 BA 32
Masseria Rodisani *FG* 125 BB 33
Masseria Romane *FG* 134 BA 34
Masseria Romano *NA* 150 AT 38
Masseria Rondinella *MT* 155 BI 39
Masseria Rucconi *CH* 117 AV 31
Masseria Russo *FG* 135 BD 34
Masseria Salinari *MT* 155 BI 40
Masseria Salmenta *LE* 158 BQ 42
Masseria Salomone *BT* 145 BG 38
Masseria San Chirico *FG* 135 BD 34
Masseria
San Domenico *BA* 146 BK 38
Masseria
San Francesco *FG* 134 BA 35
Masseria
San Giacomo *BR* 148 BO 40
Masseria
San Lorenzo *FG* 136 BE 35
Masseria San Marco *MT* 155 BH 41
Masseria
San Martino *MT* 165 BH 42
Masseria
San Nazario *FG* 126 BB 32
Masseria San Paolo *TA* 157 BM 41
Masseria San Pietro *AV* 142 AZ 36
Masseria San Pietro *MT* 155 BI 40
Masseria San Pietro *PZ* 165 BH 42
Masseria San Sabino *FG* 125 BB 33
Masseria
San Salvatore *MT* 156 BJ 41
Masseria San Vitale *BN* 142 AX 37
Masseria San Vito *PZ* 165 BG 42
Masseria
Sant' Agostino *MT* 146 BJ 39
Masseria
Sant' Angelo *MT* 156 BJ 41
Masseria
Sant' Antonio *PZ* 144 BD 38
Masseria
Santa Cecilia *FG* 135 BB 35
Masseria Santa Maria *FG* 134 BA 35
Masseria Santelle *CB* 133 AX 34
Masseria Sava *BA* 146 BJ 39
Masseria Scianne *LE* 158 BQ 42
Masseria Scorza *CS* 167 BG 45
Masseria Scoto *BA* 145 BG 38
Masseria Serramanno *CB* 124 AY 32
Masseria Servedio *BA* 146 BJ 38
Masseria Sivilla *MT* 155 BI 41
Masseria Spensieri *CB* 133 AW 34
Masseria Spota *BA* 145 BG 38
Masseria Stasulli *BA* 146 BI 39
Masseria Sterpara *PZ* 144 BE 38
Masseria
Sterparapiana *FG* 134 AZ 34
Masseria Stilla *FG* 134 BA 34
Masseria Stimpato *CT* 202 AX 59
Masseria Straziuso *PZ* 154 BF 39
Masseria Tabasso *CE* 141 AT 36
Masseria Tafuri *TA* 156 BK 39
Masseria Tonnicelli *MT* 165 BI 42
Masseria Torre
Spagnola *MT* 155 BJ 39
Masseria Trincinaro
di Capo *MT* 155 BI 41
Masseria Troili *MT* 165 BI 42
Masseria Trullo *BA* 145 BG 38
Masseria Tufaroli *PZ* 144 BE 38
Masseria Urgenti *FG* 134 BB 35
Masseria Vecchia *NA* 150 AT 38
Masseria Venezia *MT* 156 BJ 40
Masseria Viceconti *PZ* 164 BE 43
Masseria Viggiani *PZ* 144 BE 37
Masseria Viglione *BA* 146 BJ 39
Masseria Vigliotti *BN* 141 AV 37
Masseria Villanova *BR* 149 BQ 40
Masseria Visciglieto *FG* 134 BB 34
Masseria Vitelli *MT* 155 BI 41
Masseria Vitolo *FG* 134 BB 34
Masseria Volpicella *FG* 135 BC 34
Masseria Vosa *PZ* 145 BF 39
Masseria Zippo *TA* 147 BM 39
Masserie Belladonna *IS* 123 AV 33
Masserie di Cristo *IS* 123 AU 33
Masserie Griguoli *CB* 124 AW 33
Masserie Guglielmo *AV* 143 BB 38
Masserie Lotto *IS* 132 AU 34
Masserie
Mastroiacovo *CB* 124 AW 33
Masserie Nigro *AV* 143 BA 38
Masserie Porfilio *IS* 123 AV 32
Masserie Rattini *BN* 133 AX 35
Masserie Tedeschi *CB* 132 AW 34
Masserini *BG* 24 T 9
Masseris *UD* 17 AQ 6
Massete *CS* 166 BE 45
Massete *CS* 166 BE 46
Masseto *FI* 87 AD 21
Massi *MC* 108 AP 25
Massignani *VI* 40 AC 10
Massignani *VI* 41 AD 10
Massignano *AN* 91 AQ 22
Massignano *AP* 99 AR 25
Massimbona *MN* 54 Z 12
Massimeno *TN* 26 Z 7
Massimina *RM* 119 AJ 32
Massimino *SV* 74 J 18
Massina *VA* 36 O 10
Massinigo *PV* 63 Q 15
Massino Visconti *NO* 35 M 9
Massiola *VB* 21 K 8
Masso *GE* 77 R 18
Massone *TN* 26 AA 8
Massumatico *BO* 67 AD 15
Mastanico *BS* 39 X 9
Mastari *PE* 116 AS 29
Mastena *CO* 23 Q 7
Mastiano *LU* 85 X 20
Masticoso *CS* 165 BH 44
Mastramici di Sotto *BN* 133 AW 36
Mastrantonio *RC* 179 BF 56
Mastrati *CE* 132 AT 35
Mastrello *CO* 22 O 9
Mastri *TO* 48 H 12
Mastro *FC* 88 AI 20
Mastro Pietro *RC* 178 BD 56
Mastroiacovo *AQ* 122 AS 31
Mastroleoni *IS* 132 AT 34
Mastromarco *FI* 85 AA 21
Mastruiagu *OT* 209 O 38
Masua *CI* 220 L 48
Masuco *AV* 151 AX 38
Masugna *ME* 188 AY 55
Masullas *OR* 221 N 45
Masullo *PZ* 164 BF 43
Matarocco *TP* 190 AK 57
Matassino *AR* 87 AD 22
Matassone *TN* 26 AB 9
Matelica *MC* 97 AN 24
Matera *AP* 108 AP 27
Matera *MT* 155 BI 39
Materdomini *AV* 143 BA 39
Mathi *TO* 47 G 12
Matigge *PG* 106 AL 26
Matinella *PZ* 153 BD 39
Matinella *SA* 152 AZ 40
Matini-Casette *ME* 188 AY 55
Matino *LE* 160 BR 43
Matonti *SA* 162 AZ 42
Matraia *LU* 85 Y 20
Matrice *CB* 133 AX 34
Matrice *FR* 130 AO 33
Matsch / Mazia *BZ* 2 Y 3
Matta e Peru *NU* 215 T 40
Mattaleto *PR* 65 W 16
Mattarana *SP* 77 S 18
Mattarello *TN* 26 AB 7
Mattere *TE* 108 AQ 27
Mattia *FI* 86 AC 20
Mattie *TO* 46 D 13
Mattina *BS* 38 W 10
Mattina *CS* 167 BF 46
Mattina I *SA* 153 BB 40
Mattina II *SA* 153 BB 40
Mattina III *SA* 153 BB 40
Mattina IV *SA* 153 BB 40
Mattina V *SA* 153 BB 40
Mattina VI *SA* 153 BB 40
Mattinata *FG* 127 BF 33
Mattinatella *FG* 127 BF 33
Mattine *AV* 143 AZ 37
Mattine *SA* 152 AZ 41
Mattinella *AV* 143 BA 38
Mattinello *VI* 41 AF 9
Matzaccara *CI* 224 L 49
Maucini *SR* 205 AZ 63
Mauletta *NO* 35 L 10
Mauls / Mules *BZ* 4 AE 2
Maurengo *CN* 58 D 17
Maurino *PZ* 163 BD 43
Maxena *GE* 76 P 17
Mazara del Vallo *TP* 190 AK 58
Mazara II *TP* 190 AK 57
Mazia / Matsch *BZ* 2 Y 3
Mazod *AO* 19 G 9
Mazzabue *PR* 65 X 14
Mazzacornuda *LT* 129 AM 34
Mazzaforno *PA* 186 AS 55
Mazzalasino *RE* 66 Y 16
Mazzangrugno *AN* 90 AO 22
Mazzano *BS* 39 X 10
Mazzano Romano *RM* 113 AJ 30
Mazzanta *LI* 92 X 24
Mazzanta *VR* 55 AC 12
Mazzantica *VR* 54 AB 12
Mazzarelli *AL* 62 N 16
Mazzarino *CL* 201 AU 60
Mazzarò *ME* 197 BA 56
Mazzarrà
Sant'Andrea *ME* 188 AZ 55
Mazzarrone *CT* 202 AW 61
Mazzè *TO* 48 I 12
Mazzeo *ME* 197 BA 56
Mazzi *FC* 88 AH 20
Mazzi *VR* 54 Z 12
Mazzin *TN* 13 AF 5
Mazzincollo *AV* 143 AZ 36
Mazzini *PR* 64 U 15
Mazzini *RM* 120 AL 33
Mazzo di Valtellina *SO* 11 W 6
Mazzocca *BN* 133 AY 35
Mazzocco *TE* 109 AS 27
Mazzola *PR* 65 X 16
Mazzolada *VE* 30 AL 9
Mazzole *AR* 88 AG 22
Mazzoleni *BG* 23 S 9
Mazzolla *PI* 93 AA 23
Mazzone *BZ* 13 AC 6
Mazzorbo *VE* 43 AJ 11
Mazzorno *RO* 57 AH 13
Mazzorno Sinistro *RO* 57 AH 13
Mazzunno *BS* 24 V 8
Mazzurega *VR* 40 AA 10
Mea *RO* 57 AI 13
Meana *TR* 105 AG 27
Meana di Susa *TO* 46 D 13
Meana Sardo *NU* 218 P 44
Meano *BL* 28 AH 7
Meano *BS* 38 V 11
Meano *TN* 26 AB 7
Meano *TO* 47 E 14
Mecca *TO* 47 F 12
Mecciano *MC* 97 AN 24
Mechel *TN* 12 AB 5
Meco *GE* 76 P 17
Meda *MB* 36 P 10
Meda *VI* 27 AD 9
Medassino *PV* 50 O 14
Medau Brau *CI* 224 L 48
Medau Desogus *CI* 224 L 48
Medau is Fenus *CI* 224 L 48
Medau is Peis *CI* 224 M 49
Medau is Serafinis *CI* 224 L 48
Medau is Toccus *CI* 224 M 49
Medau Piredda *CI* 224 M 48
Medau Rubiu *CI* 224 L 48
Medau su Conti *CI* 224 M 49
Medau Su Cramu *CA* 226 P 48
Medau Tanas *CI* 224 M 48
Medau Tracasi *CI* 224 M 49
Mede *PV* 50 N 13
Medea *GO* 31 AP 8
Medeazza *TS* 31 AQ 9
Medelana *BO* 80 AC 17
Medelana *FE* 68 AG 15
Medesano *PR* 65 V 15
Medeuzza *UD* 31 AP 8
Mediano *PR* 65 W 16
Medicina *BO* 68 AE 17
Medicina *PT* 85 Z 20
Mediglia *MI* 37 Q 11
Mediis *UD* 15 AL 5
Medil *TN* 13 AE 5
Medina *BN* 142 AX 37
Medolago *BG* 37 R 9
Medole *MN* 53 Y 12
Medolla *MO* 67 AB 14
Meduna di Livenza *TV* 29 AK 9
Meduno *PN* 15 AL 6
Meggiano *PG* 106 AL 27
Meggiano *PG* 107 AM 27
Meggiano *VR* 40 AC 11
Megliadino
San Fidenzio *PD* 55 AE 12
Megliadino San Vitale *PD* 55 AE 12
Megognano *SI* 94 AB 23
Megolo *VB* 21 K 8
Mehouve *AO* 18 E 8
Meiern *BZ* 12 Z 4
Meina *NO* 35 M 9
Meirot *CN* 59 E 15
Mel *BL* 28 AH 7
Mela *AV* 142 AY 38
Mela *FI* 86 AB 21
Melag / Melago *BZ* 2 Y 2
Melago / Melag *BZ* 2 Y 2
Melano *AN* 97 AM 23
Melara *PZ* 164 BE 44
Melara *RO* 55 AC 13
Melara *SP* 78 U 19
Melarolo *UD* 31 AO 8
Melazzo *AL* 61 L 16
Meldola *FC* 82 AH 19
Mele *GE* 75 N 17
Meledo *VI* 41 AD 11
Melegnanello *LO* 52 S 12
Melegnano *MI* 51 Q 11
Melendugno *LE* 159 BS 42
Meleta *GR* 103 AB 25
Meleti *LO* 52 U 13
Meleto *AN* 97 AM 23
Meleto *AR* 87 AD 22
Meleto *FI* 86 AA 22
Meleto *RN* 89 AL 20
Meleto *SI* 94 AD 23
Meleto *SI* 104 AE 25
Meletole *RE* 66 Y 14
Melette *SA* 163 BD 42
Melette *VI* 41 AE 10
Mélezet *TO* 46 B 13
Melezzole *TR* 106 AJ 27
Melfa *FR* 131 AQ 34
Melfi *PZ* 144 BC 38
Melia *ME* 189 BA 56
Melia *RC* 178 BD 54

A B C D E F G H I J K L M N O P Q R S T U V W X Y Z

Column 1

Melicelli *CZ*..............175 BJ 50
Meliciano *AR*.............95 AF 22
Melicuccà *RC*............178 BE 54
Melicuccà *VV*............176 BF 52
Melicucco *RC*............176 BF 53
Melilli *SR*................203 AZ 60
Melirolo *SO*.............10 U 6
Melisenda *OG*..........223 S 46
Melissa *KR*..............173 BL 48
Melissano *LE*...........160 BR 44
Melitello *CZ*............171 BI 49
Meliti *CZ*.................175 BI 51
Melito di Napoli *NA*...150 AU 38
Melito di Porto Salvo *RC*..178 BD 56
Melito Irpino *AV*.......142 AZ 37
Melizzano *BN*..........141 AW 37
Mellace *VV*..............174 BG 51
Mellame *BL*.............27 AF 8
Mellana *CN*.............71 G 17
Mellani *CN*..............60 H 16
Mellaredo *VE*...........42 AG 11
Mellaro *CS*..............171 BH 48
Melle *CN*.................59 E 16
Melle *CR*.................53 W 12
Mellea *CN*...............59 G 16
Mellicciano d'Elsa *PI*..86 AA 22
Mellier *AO*...............33 G 10
Mellitto *BA*..............146 BI 38
Mello *SO*.................23 S 7
Melo *PT*..................79 Z 19
Melobuono *CS*..........171 BH 48
Melogno *CH*.............74 K 17
Melogno *SV*.............74 K 18
Melone *CH*..............117 AU 30
Melotta *CR*..............37 T 11
Melpignano *LE*.........161 BS 43
Mels *UD*..................16 AN 6
Meltina / Melton *BZ*...12 AC 4
Melton / Meltina *BZ*...12 AC 4
Melzo *MI*.................37 R 10
Memmo *BS*..............25 W 9
Memola *SP*..............77 T 18
Mena *UD*.................16 AN 5
Menà *VR*.................55 AD 13
Menabò *AT*..............60 I 14
Menaggio *CO*...........23 Q 7
Menago *VR*..............55 AC 13
Menara *VI*................27 AC 9
Menarola *SO*............9 R 6
Mencaro *CB*............133 AW 35
Menci *AR*................95 AG 24
Menconico *PV*..........63 Q 15
Mendatica *IM*...........72 H 19
Mendicino *CS*..........170 BG 48
Mendola *PA*.............185 AP 57
Mendola *TP*.............182 AK 56
Mendosio *MI*............36 O 11
Menesello *PD*...........55 AE 12
Menestalla *CS*.........166 BD 45
Menfi *AG*................191 AM 58
Mengaccini *AR*.........96 AH 24
Mengara *PG*.............96 AK 24
Mengarone *PT*..........86 AA 20
Menin *BL*................28 AG 7
Menin *VI*.................40 AC 10
Menin *VI*.................41 AE 10
Menna *CS*...............170 BG 48
Mennella *IS*.............132 AT 34
Menniti *VV*..............174 BG 51
Menocchia *AP*..........108 AR 25
Menolzio *TO*............46 D 13
Menosio *SV*.............73 J 19
Mensanello *SI*..........94 AB 23
Mensano *SI*.............93 AB 24
Mentana *RM*...........120 AK 31
Mente *TP*...............182 AL 55
Mentoulles *TO*.........46 D 13
Menulla *TO*..............47 F 11
Menzano *AQ*............114 AO 29
Menzino *BS*.............38 V 9
Meolo *VE*...............43 AJ 10
Meran / Merano *BZ*...12 AC 4
Merana *AL*..............61 K 16
Merangeli *CE*...........141 AU 36
Merano / Meran *BZ*...12 AC 4
Merate *LC*...............37 R 9
Merca *ME*...............188 AY 55
Mercadante *CL*........200 AU 60
Mercallo *VA*.............35 N 9
Mercatale *BO*...........81 AD 17
Mercatale *BO*...........81 AD 18
Mercatale *PG*...........96 AH 24
Mercatale *PO*...........80 AB 19
Mercatale *PU*...........89 AJ 21
Mercatale *RA*...........81 AE 18
Mercatale Val di Pesa *FI*..86 AC 22
Mercatale Valdarno *AR*..94 AE 23

Column 2

Mercatello *PG*..........105 AI 26
Mercatello *PG*..........106 AL 26
Mercatello *SA*..........152 AX 40
Mercatello
 sul Metauro *PU*......88 AJ 22
Mercatino Conca *PU*..89 AJ 20
Mercato *PR*.............65 W 16
Mercato *PU*.............88 AH 21
Mercato *PU*.............89 AL 20
Mercato *SA*.............152 AY 39
Mercato *SA*.............162 AZ 42
Mercato San Severino *SA*..151 AX 39
Mercato Saraceno *FC*..88 AI 20
Mercato Vecchio *PU*...89 AJ 21
Mercenasco *TO*........48 I 11
Mercogliano *AV*........151 AX 38
Mercore *PC*.............52 U 14
Mercurago *NO*.........35 M 9
Mercuri *CI*...............224 L 49
Mercuri Tedesco *CZ*...171 BG 49
Meredo *MS*.............78 U 18
Merendaore *VI*.........40 AC 9
Mereta *SV*...............74 J 18
Mereto di Capitolo *UD*..30 AO 8
Mereto di Tomba *UD*...30 AN 7
Mergnano *MC*..........97 AN 24
Mergnano San Savino *MC*..97 AN 25
Mergo *AN*...............97 AN 23
Mergozzo *VB*...........21 L 8
Merì *ME*.................189 BA 55
Merici *RC*...............179 BG 54
Meridiana *AT*............49 J 14
Merine *LE*...............159 BS 41
Merizzana *MO*..........79 Y 18
Merizzo *MS*.............78 U 18
Merlana *UD*.............30 AO 8
Merlano *BO*.............80 AB 17
Merlara *PD*..............55 AD 13
Merlaschio *RA*.........82 AG 18
Merlate *MI*..............51 P 12
Merlazza *AT*.............61 J 14
Merle *VR*................55 AB 12
Merlengo *TV*............42 AI 9
Merlini *AT*...............61 K 15
Merlino *LO*..............37 R 11
Merlino *TO*..............47 F 13
Merlo *CN*................71 H 17
Merlo *VI*.................41 AE 9
Merlo *VI*.................27 AF 8
Merlo *VI*.................27 AF 9
Mernicco *GO*...........31 AP 7
Merone *CO*.............36 Q 9
Merosci *CH*.............117 AV 31
Mersa *ME*...............188 AY 55
Merso di Sotto *UD*....31 AQ 7
Merso Soprano *UD*....31 AQ 7
Merulli *RC*..............177 BG 53
Meruzzano *CN*.........61 J 15
Mesa *LT*.................130 AN 35
Mesagne *BR*............148 BP 40
Mesca *CS*...............167 BG 47
Meschia *AP*.............108 AP 26
Mescio *PZ*..............164 BF 44
Mescolino Minelle *TV*..29 AJ 8
Mese *SO*.................9 R 6
Mesenzana *VA*.........22 N 8
Mesero *MI*..............36 O 10
Mesiano *VV*.............174 BF 52
Mesola *FC*..............82 AI 19
Mesola *FE*...............57 AI 14
Mesole *SA*..............153 BC 41
Mesonette *TO*..........33 F 11
Mesoraca *KR*..........172 BJ 49
Messaga *BS*............39 Y 10
Messenano *PG*.........106 AK 27
Messercola *CE*.........141 AV 37
Messignadi *RC*.........179 BE 54
Messina *ME*............189 BC 54
Mestre *VE*...............42 AI 11
Mestriago *TN*..........12 AA 6
Mestrino *PD*............41 AF 11
Meta *AQ*.................121 AP 32
Meta *NA*.................151 AV 40
Meta-Piraino *RC*.......179 BF 55
Metaponto *MT*.........156 BJ 41
Metato *PI*................84 X 21
Metello *LU*..............78 X 18
Metello *LU*..............78 X 19
Metoio *SA*..............162 BA 42
Metra *LU*................78 W 18
Metrano *NA*............151 AV 40
Metsino *UD*.............17 AP 6
Metti *MS*................78 U 18
Metti *PR*................64 T 15
Mettien *AO*.............34 I 9
Meugliano *TO*..........34 H 11
Mevale *MC*.............107 AM 26

Column 3

Meyen *AO*...............18 C 9
Mezzago *MB*............37 R 10
Mezzagrande *LE*......159 BS 41
Mezzana *LU*............78 X 19
Mezzana *PI*.............85 X 21
Mezzana *SA*............153 BC 41
Mezzana *TO*............48 J 13
Mezzana Bigli *PV*.....50 O 13
Mezzana Casati *LO*...52 T 13
Mezzana Corti *PV*....51 P 13
Mezzana Perazza *AV*..143 BA 37
Mezzana Piano *TN*....12 Z 6
Mezzana Rabattone *PV*..50 P 13
Mezzana Sup. *VA*.....35 N 9
Mezzana Torre *PZ*....164 BG 44
Mezzanego *GE*.........62 O 16
Mezzaniello *CE*........131 AS 35
Mezzanino *AL*..........50 N 14
Mezzanino *LO*..........52 T 13
Mezzanino *PV*..........51 Q 13
Mezzano *MI*............51 Q 11
Mezzano *PC*............52 U 13
Mezzano *PV*............50 O 13
Mezzano *PV*............51 R 13
Mezzano *RA*............69 AH 17
Mezzano *RO*............56 AG 13
Mezzano *SA*............151 AX 39
Mezzano *SV*............75 M 17
Mezzano *TN*............28 AF 7
Mezzano *VT*............111 AF 28
Mezzano di Sopra *LO*..52 T 13
Mezzano di Sotto *LO*..52 T 13
Mezzano Inf. *PR*.......65 X 14
Mezzano Rondani *PR*..53 X 14
Mezzano Scotti *PC*...63 R 15
Mezzano Siccomario *PV*..51 P 13
Mezzano Sup. *PR*.....53 X 14
Mezzano Vigoleno *PC*..52 S 13
Mezzanone *LO*.........52 T 13
Mezzanotte *PU*........90 AM 22
Mezzaroma *VT*.........112 AI 30
Mezzaselva *TN*.........26 AC 8
Mezzaselva /
 Mittewald *BZ*..........4 AE 3
Mezzaselva di Roana *VI*..27 AD 8
Mezzate *MI*.............36 Q 11
Mezzatorre di San Mauro
 Cilento *SA*.............162 AZ 42
Mezzavalle *GE*.........76 R 17
Mezzavia *AR*...........95 AG 24
Mezzavia *BZ*............13 AD 4
Mezzavia *NA*...........150 AS 39
Mezzavia *PD*............56 AF 12
Mezzavia *PG*............96 AI 23
Mezzavia *RO*............56 AF 14
Mezzavilla *RO*..........57 AH 14
Mezzavilla *TV*...........29 AJ 7
Mezzema *SP*............77 S 18
Mezzenile *TO*...........47 F 12
Mezzeno *RA*............82 AG 18
Mezzi Po *TO*............48 H 13
Mezzo *TO*...............47 F 14
Mezzocampo *KR*......168 BJ 47
Mezzocanale *BL*.......14 AI 6
Mezzocorona *TN*......26 AB 6
Mezzofato I *CS*........168 BH 46
Mezzofato II *CS*.......168 BH 46
Mezzogoro *FE*..........57 AH 14
Mezzojuso *PA*..........185 AP 56
Mezzogo *TN*............26 Z 8
Mezzolara *BO*..........68 AE 16
Mezzoldo *BG*...........23 S 7
Mezzolombardo *TN*...26 AB 6
Mezzolpiano *SO*.......9 R 6
Mezzomerico *NO*......35 M 10
Mezzomonte *FI*........86 AC 21
Mezzomonte *LT*.......138 AN 36
Mezzomonte *PN*.......29 AJ 7
Mezzomonte *TN*.......26 AB 8
Mezzovalle *TN*.........13 AE 5
Miagliano *BI*............34 J 10
Mialley *AO*..............32 C 9
Miane *TV*................28 AH 8
Miano *PR*...............65 V 15
Miano *PR*...............65 V 17
Miano *TE*................108 AR 28
Miasino *NO*.............35 L 9
Miazzina *VB*............21 M 8
Micarone *PE*............116 AS 29
Micciani *RI*.............114 AM 29
Micciano *AR*............88 AH 21

Column 4

Micciano *PI*..............93 Z 24
Miccisi *CS*...............170 BF 48
Miceno *MO*.............79 Z 17
Michele delle Badesse *PD*..42 AG 10
Michelica *RG*............204 AX 63
Michellorie *VR*..........55 AD 12
Micheloni *GE*............76 Q 17
Micheloni *LU*............85 Y 21
Micheloni *TV*............28 AF 9
Michi *LU*.................85 Z 20
Micigliano *RI*............114 AN 29
Micottis *UD*.............16 AO 6
Miculan *LT*..............129 AL 34
Miega *VR*................55 AC 12
Mieli *CE*..................131 AS 35
Mieli *UD*.................16 AM 4
Miemo *PI*................93 Z 23
Migiana *LE*..............161 BS 44
Migiana *PG*..............96 AI 25
Migiana di Monte Tezio *PG*..96 AJ 24
Migiandone *VB*.........21 L 8
Migiondo *SO*............11 W 6
Migliaccia *NA*...........150 AS 39
Migliaiolo *PG*............105 AH 25
Migliana *PO*.............86 AB 20
Migliandola *PT*..........85 Z 20
Migliandolo *AT*..........49 K 14
Miglianico *CH*...........117 AU 29
Miglianello *LU*...........84 X 20
Migliano *AV*..............151 AW 38
Migliano *LU*..............84 X 20
Migliano *PG*..............105 AI 26
Migliara *RE*..............65 X 17
Migliarelli *AP*............108 AP 27
Migliarese *BN*...........133 AY 35
Migliari *FI*................80 AC 19
Migliarina *GE*............62 O 16

Column 5

Migliarina *MO*...........66 AA 15
Migliarina *MS*...........78 U 17
Migliarina *PR*...........65 V 17
Migliarino *FE*............68 AG 15
Migliarino *PI*.............84 W 21
Migliaro *CR*..............52 V 13
Migliaro *FE*..............68 AG 15
Migliaro *GE*..............77 S 18
Migliaro *SA*..............151 AW 39
Migliere *TO*..............33 E 11
Miglierina *CZ*............171 BG 49
Miglierina *CZ*............171 BH 50
Millan *BZ*.................4 AE 3
Migliorini *GR*............103 AC 26
Migliorini *PT*.............79 Z 19
Migliuso *CZ*..............171 BH 50
Mignagola *TV*...........42 AI 9
Mignaio *PC*..............64 T 15
Mignanego *GE*..........62 O 16
Mignano *AR*.............88 AH 21
Mignano di Monte
 Lungo *CE*...............131 AS 35
Mignegno *MS*...........77 U 17
Mignete *LO*..............37 R 11
Migneto *FI*...............80 AC 19
Mignone *VT*.............118 AF 30
Milanere *TO*.............47 F 13
Milanesi *RC*.............178 BD 54
Milani *MI*.................36 Q 11
Milano *MI*................36 Q 11
Milano Marittima *RA*..82 AJ 18
Milano San Felice *MI*..37 Q 11
Milazzo *ME*..............189 BA 54
Milena *CL*................193 AR 59
Mileo *PZ*.................164 BF 43
Mileto *GE*................63 R 17

Column 6

Mileto *VV*................174 BF 52
Mili Marina *ME*........189 BC 55
Mili San Pietro *ME*....189 BB 55
Milia *ME*.................188 AY 55
Milianni *ME*.............186 AU 55
Milici *ME*.................188 BA 55
Milies *TV*................28 AG 8
Milis *OR*.................216 M 43
Militello in Val
 di Catania *CT*.........202 AX 60
Militello Rosmarino *ME*..187 AX 55
Millan *BZ*.................4 AE 3
Millesimo *SV*...........74 K 17
Milmeggiu *OT*..........211 S 37
Milo *CT*..................197 AZ 57
Milordo *PZ*..............164 BE 43
Milzanello *BS*..........53 W 11
Milzano *BS*.............53 W 12
Mimiani *CL*..............193 AS 58
Mina *BI*..................34 K 10
Minazzana *LU*..........84 W 19
Minceto *GE*.............62 O 16
Minco di Lici *CH*......117 AV 31
Mindeo *VV*..............174 BG 52
Mindino *CN*.............74 I 18
Minella *PD*..............56 AE 12
Mineo *CT*................202 AX 60
Minerbe *VR*.............55 AC 12
Minerbio *BO*............67 AD 16
Minervino di Lecce *LE*..161 BT 43
Minervino Murge *BT*..145 BF 37
Mingarelli *TE*...........109 AS 28
Minichini *NA*............151 AW 38
Minicozzi *BN*...........142 AY 36
Miniera *PU*..............88 AI 20
Miniera *PU*..............89 AK 21

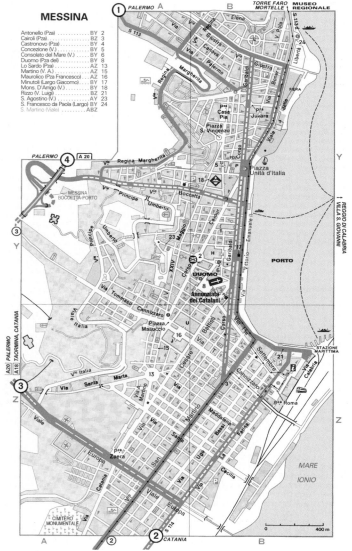

MESSINA

Antonello (Pza) . . . . BY 2
Cairoli (Pza) . . . . BZ 3
Castronovo (Pza) . . . . BY 4
Concezione (V.) . . . . BY 5
Consolato del Mare (V.) . . . . . . BY 6
Duomo (Pza del) . . . . BY 8
Lo Sardo (Pza) . . . . AZ 15
Martino (V. A.) . . . . AZ 16
Maurolico (Pza Francesco) . . . . AZ 16
Minutoli (Largo Giacomo) . . . . BY 17
Mons. D'Arrigo (V.) . . . . BY 18
Rizzo (V. Luigi) . . . . BZ 21
S. Agostino (V.) . . . . AY 23
S. Francesco da Paola (Largo) BY 24
S. Martino (Viale) . . . . ABZ

Miniera di Murlo *SI* 94 AD 25
Miniere *CS* 166 BE 46
Ministalla *CS* 168 BH 45
Minoprio *CO* 36 P 9
Minori *SA* 151 AW 40
Minotte *PD* 55 AD 13
Minozzo *RE* 79 X 17
Minturno *LT* 139 AR 36
Minucciano *LU* 78 W 18
Mioglia *SV* 61 L 17
Miogliola *AL* 61 L 16
Miola *TN* 26 AC 7
Mione *TN* 12 AB 5
Mione *UD* 16 AM 5
Miosa *TO* 47 F 13
Mira *VE* 42 AH 11
Mirabella *PG* 105 AH 25
Mirabella *VI* 41 AE 9
Mirabella Eclano *AV* 142 AY 37
Mirabella Imbaccari *CT* 194 AV 60
Mirabello *FE* 67 AD 15
Mirabello *LO* 52 S 13
Mirabello *PV* 51 P 12
Mirabello *SI* 94 AD 24
Mirabello *VA* 22 O 8
Mirabello *VA* 36 O 10
Mirabello Ciria *CR* 52 U 12
Mirabello Monferrato *AL* 49 M 13
Mirabello Sannitico *CB* 133 AX 34
Miracoli *CH* 124 AW 31
Miracolo *PZ* 144 BD 39
Miradolo *TO* 59 E 14
Miradolo Terme *PV* 51 R 12
Mirafiori *TO* 47 G 13
Miralago *CE* 132 AV 35
Miralbello *PU* 90 AM 22
Miralduolo *PG* 106 AJ 25
Miramare *RN* 83 AK 19
Miramonti *FI* 86 AC 20
Miranda *IS* 132 AU 34
Miranda *TR* 113 AL 28
Mirandola *BO* 67 AD 17
Mirandola *BS* 38 U 10
Mirandola *FI* 87 AD 20
Mirandola *MO* 67 AB 14
Mirandola *PC* 64 T 14
Mirandola *VA* 22 N 8
Mirano *VE* 42 AH 11
Mirante *TA* 158 BO 42
Miranti *PA* 186 AT 57
Mirasole *MN* 54 AA 13
Mirasole *NO* 35 M 10
Mirasole *TO* 59 F 14
Mirasole *VA* 21 M 8
Miratoio *PU* 88 AI 21
Miravalle *AT* 49 K 14
Miravalle *BO* 68 AE 16
Miravalle *BS* 25 W 7
Mircene *PA* 183 AN 55
Miroglio *CN* 71 H 18
Mirovano *CO* 36 Q 9
Mirra *BN* 142 AY 37
Mirri *PE* 116 AR 29
Mirteto *MS* 78 V 19
Mirto *CS* 168 BJ 46
Mirto *ME* 187 AX 55
Mirto Crosia *CS* 168 BJ 46
Mirto di Siderno *RC* 177 BG 54
Mis *BL* 14 AG 6
Mis *BL* 28 AH 7
Misà *CZ* 171 BH 50
Misano Adriatico *RN* 89 AL 20
Misano di Gera d'Adda *BG* 37 S 11
Misano Monte *RN* 89 AK 20
Miscecco *UD* 31 AQ 7
Misciano *AR* 95 AG 23
Misciano *AR* 88 AH 22
Misciano *AV* 151 AX 39
Misciano *PG* 107 AN 27
Miscoso *RE* 78 W 17
Miseno *NA* 150 AT 39
Misericordia *AP* 99 AR 25
Misericordia *AR* 95 AG 23
Misericordia *ME* 189 BA 55
Misericordia *RI* 113 AK 30
Misilmeri *PA* 185 AP 55
Misinto *MB* 36 P 10
Misirri *ME* 188 AX 55
Misitano *ME* 189 BA 56
Misitano Inf. *ME* 189 BA 56
Misogano *RC* 177 BG 53
Missaglia *LC* 37 R 9
Missanello *PZ* 164 BF 42
Missano *GE* 77 S 18
Missano *MO* 80 AA 17
Missano *PC* 64 S 15
Misserio *ME* 189 BA 56
Missian / Missiano *BZ* 12 AC 5
Missiano *PG* 105 AH 25
Missiano / Missian *BZ* 12 AC 5
Missone *BS* 38 W 9
Misterbianco *CT* 197 AZ 58
Mistretta *ME* 187 AV 56
Mistrorighi *VI* 40 AC 10
Misurina *BL* 14 AI 4
Mitsici *CS* 170 BF 48
Mitogio *CT* 197 BA 56
Mitoio *CZ* 171 BG 50
Mitta *ME* 189 BA 56
Mitterbad / Bagni di Mezzo *BZ* 12 AB 4
Mittertal / Val di Mezzo *BZ* 3 AD 2
Mittewald / Mezzaselva *BZ* 4 AE 3
Mitza Iusta *CI* 224 M 48
Mizzole *VR* 40 AB 11
Mo *VI* 41 AE 9
Moano *IM* 72 I 19
Moasca *AT* 61 K 15
Moasi *ME* 188 BA 55
Mocali *PG* 107 AM 26
Mocasina *BS* 39 X 10
Mocchi *TN* 26 AA 8
Mocchie *TO* 47 E 13
Moccone *CS* 171 BH 47
Mocelana *PG* 96 AJ 23
Mocenigo *TN* 12 AB 5
Mochignano *MS* 78 V 18
Mochignano di Sotto *MS* 78 V 18
Mockarta *TP* 182 AK 56
Mocogno *MO* 79 Z 18
Mocomero *PC* 64 T 15
Mocrone *MS* 78 U 18
Modalo *BL* 28 AI 7
Modanella *SI* 95 AF 24
Modditonalza *SS* 209 O 39
Modena *MO* 66 AA 16
Modica *RG* 204 AX 62
Modigliana *FC* 81 AF 19
Modigliana *RA* 81 AG 18
Modignano *LO* 51 R 11
Modine *AR* 87 AE 22
Modolena *RE* 66 Y 15
Modolo *OR* 212 M 42
Modon *VR* 55 AC 12
Modotto *UD* 30 AN 7
Modugno *BA* 146 BJ 37
Moè *BL* 14 AG 5
Moena *TN* 13 AE 5
Moerna *BS* 39 Y 9
Moggessa *UD* 16 AN 5
Mogginano *AR* 88 AH 21
Moggio *LC* 23 R 8
Moggio di Sopra *UD* 16 AO 5
Moggio di Sotto *UD* 16 AO 5
Moggio Udinese *UD* 16 AO 5
Moggiona *AR* 87 AF 21
Moglia *AL* 61 K 16
Moglia *AL* 62 M 15
Moglia *AT* 61 K 14
Moglia *BS* 39 X 10
Moglia *MN* 54 AA 14
Moglia *MN* 55 AC 13
Moglia *PC* 63 R 16
Moglia *PV* 63 P 15
Moglia d'Inverno *CN* 60 I 16
Moglianello *MC* 98 AP 24
Mogliano *MC* 98 AP 24
Mogliano Veneto *TV* 42 AI 10
Moglietta *AP* 108 AO 26
Mogliotti *AT* 61 L 14
Mogne *BO* 80 AB 19
Mogno *MO* 79 Y 17
Mogol *TO* 49 J 13
Mogorella *OR* 217 O 44
Mogoro *OR* 221 N 45
Moia *SO* 24 U 7
Moia *UD* 16 AM 5
Moiano *BN* 141 AW 37
Moiano *IM* 72 I 20
Moiano *NA* 151 AV 40
Moiano *PG* 105 AH 25
Moie *AN* 98 AN 22
Moimacco *UD* 31 AP 7
Moio Alcantara *ME* 188 AZ 56
Moio de' Calvi *BG* 23 T 8
Moio della Civitella *SA* 162 BA 42
Moiola *CN* 70 F 18
Moira *ME* 188 AY 55
Moirano *AL* 61 L 15
Moj *BG* 38 U 9
Mola *LI* 100 X 27
Mola di Bari *BA* 147 BL 37
Moladi *VV* 174 BF 52
Molar *TO* 59 E 15
Molara *LT* 129 AM 34
Molara *NA* 150 AS 39
Molara *RM* 120 AL 33
Molare *AL* 62 M 16
Molaretto *TO* 46 C 12
Molaro *RC* 178 BD 56
Molaro *RC* 178 BD 56
Molarotta *CS* 171 BH 47
Molassa *PN* 15 AK 6
Molassana *GE* 76 O 17
Molazzana *LU* 79 X 19
Moldai *BL* 28 AH 7
Mole *RM* 128 AK 33
Molè *TO* 47 E 13

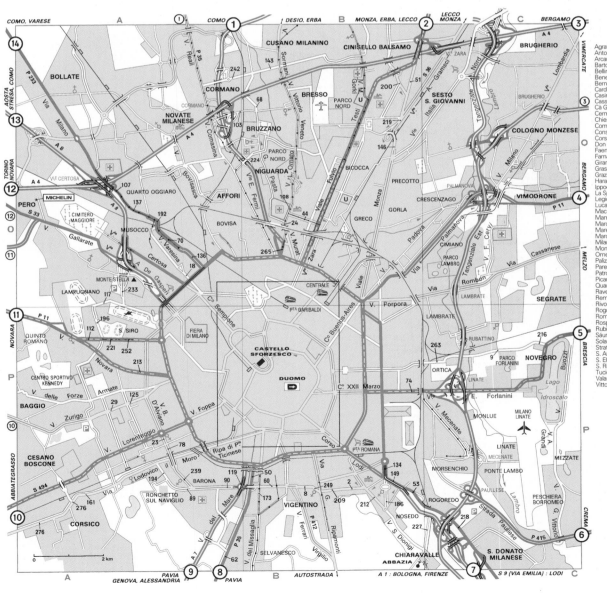

MILANO

Agrate (V. M. d') BP 2
Antonini (V. G.) BP 8
Arcangelo Corelli (V.) CP 9
Bartolini (V.) AO 18
Bellini (V. G.) AP 23
Benefattori dell' Ospedale (V.) BO 24
Berna (V.) AP 29
Cardinale A. Sforza (V.) BP 50
Casiraghi (Vle F.) BO 51
Cassinis (V. G. B.) BP 53
Cà Granda (Viale) BO 44
Cermenate (V. G. da) BP 60
Chiesa Rossa (V.) AP 62
Comasinella (V.) BO 68
Console Marcello (V.) AO 70
Corsica (Viale) BP 74
Don L. Milani (Cavalcavia) AP 78
Faenza (Viale) AP 89
Famagosta (Viale) AP 90
Girardengo (V.) AO 103
Grassi (V. G. B.) AO 107
Graziano Imperatore BO 108
Harar (V.) AP 112
Ippodromo (V.) AOP 117
La Spezia (V.) AP 119
Legioni Romane (Viale) AP 125
Lucania (Viale) BP 134
Mac Mahon (Via) AO 136
Mambretti (V.) AO 137
Marconi (V. G.) BO 143
Marelli (Vle) BO 146
Marochetti (V.) BP 149
Milano (V.) AP 161
Montegani (V.) BP 173
Omero (Viale) BP 186
Palizzi (V.) AO 192
Parenzo (V.) AP 194
Patroclo (V.) AP 196
Picardi (V. F.) BO 200
Quaranta (V. B.) BP 209
Ravenna (V.) BP 212
Rembrandt (V.) AP 213
Rivoltana (Strada) CP 216
Rogoredo (V.) CP 218
Roma (V.) BO 219
Rospigliosi (V. dei) AP 221
Rubicone (Viale) BO 224
Sáuro (V. N.) AO 242
Solaroli (V.) BP 249
Stratico (V. S.) AP 252
S. Arialdo (V.) CP 227
S. Elia (V. A.) AO 233
S. Rita da Cascia (V.) AP 239
Tucidide (V.) CP 263
Valassina (V.) BO 265
Vittorio Emanuele (V.) AP 276

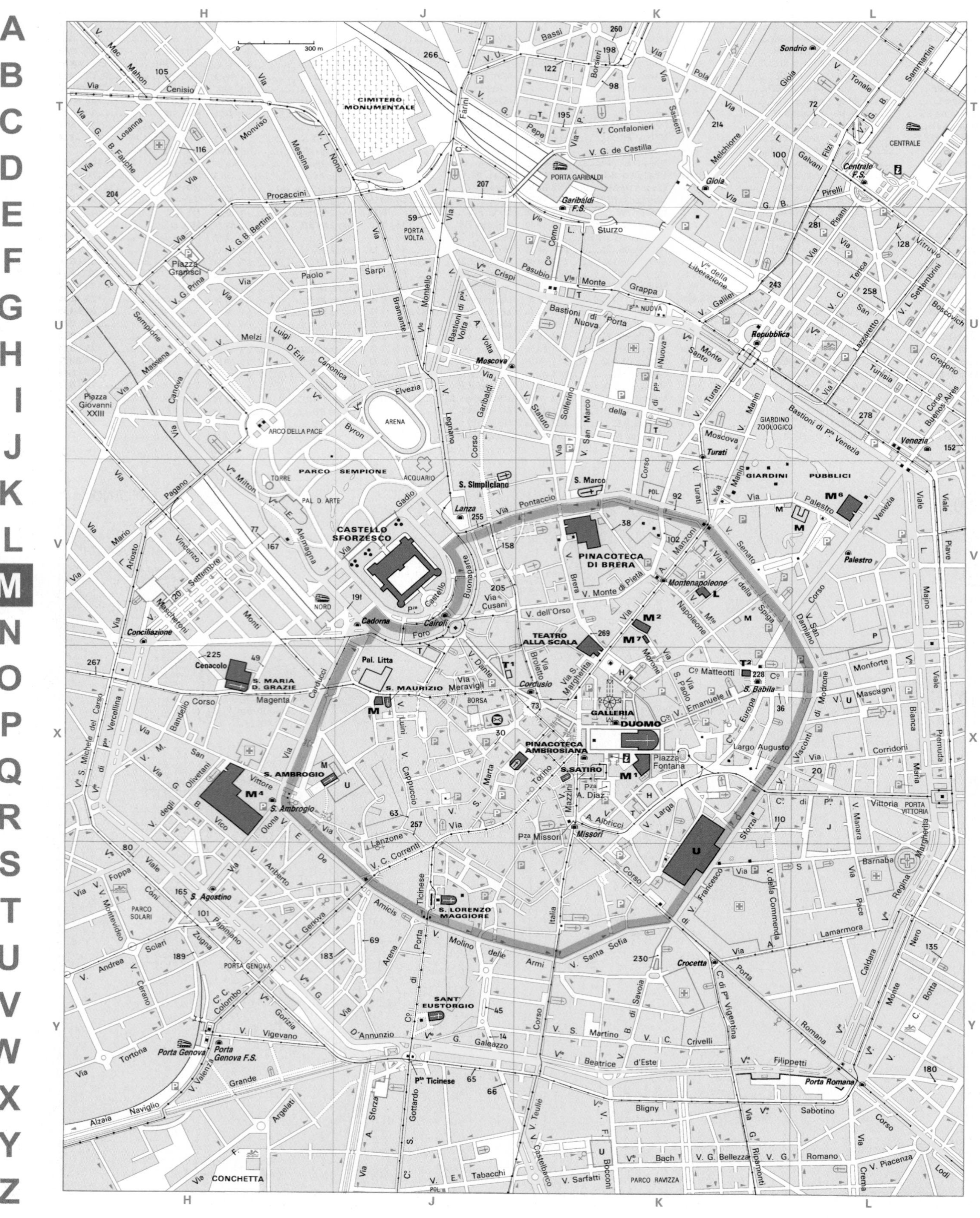
CIMITERO MONUMENTALE
PORTA GARIBALDI
CENTRALE
CASTELLO SFORZESCO
PARCO SEMPIONE
ARCO DELLA PACE
ARENA
PINACOTECA DI BRERA
TEATRO ALLA SCALA
GALLERIA
DUOMO
PINACOTECA AMBROSIANA
S. MARIA D. GRAZIE
S. AMBROGIO
S. LORENZO MAGGIORE
SANT' EUSTORGIO
GIARDINI PUBBLICI
PORTA GENOVA
CONCHETTA

MILANO

Aurispa (V.) .... JY 14
Battisti (V. C.) .... KLX 20
Bocchetto (V.) .... JX 30
Borgogna (V.) .... KX 36
Borgonuovo (V.) .... KV 38
Calatafimi (V.) .... JY 45
Caradosso (V.) .... HX 49
Ceresio (V.) .... JU 59
Circo (V.) .... JX 63
Col di Lana (Viale) .... JY 65
Col Moschin (V.) .... JY 66
Conca del Naviglio (V.) .... JY 69
Copernico (V.) .... LT 72
Cordusio (Pza) .... KX 73
Curie (Viale P. M.) .... HV 77
Dante (V.) .... JX
Dugnani (V.) .... HY 80
Fatebenefratelli (V.) .... KV 92
Gardini (V. dei) .... KV 102
Garigliano (V.) .... KT 98
Generale Fara (V.) .... KT 100
Ghisleri (V. A.) .... HY 101
Gran S. Bernardo (V.) .... HT 105
Gustalla (V.) .... KX 110
Induno (V. Flli) .... HT 116
Lambertenghi (V. P.) .... KT 122
Lepetit (V.) .... LTU 128
Maffei (V. A.) .... LY 135
Manzoni (V. A.) .... KV
Melzo (V.) .... LU 152
Mercato (V.) .... JV 158
Modestino (V.) .... HY 165
Moliere (Viale E.) .... HV 167
Monte Napoleone (V.) .... KV
Muratori (V. L.) .... LY 180
Oggiono (V. M. d') .... HJY 183
Orseolo (V.) .... HY 189
Paleocapa (V.) .... JV 191
Pastrengo (V.) .... KT 195
Perasto (V.) .... KT 198
Poliziano (V.) .... HTU 204
Ponte Vetero (V.) .... JV 205
Quadrio (V. M.) .... JT 207
Restelli (Viale F.) .... KT 214
Ruffini (V. Flli) .... HX 225
Savoia (Viale F. di) .... KU 243
Spiga (V. della) .... KV
S. Babila (Pza) .... KX 228
S. Calimero (V.) .... KY 230
Tivoli (V.) .... HV 255
Torchio (V.) .... JX 257
Torino (V.) .... MZ
Torriani (V. N.) .... LU 258
Trau (V.) .... KT 260
Valtellina (V.) .... JT 266
Vercelli (Cso) .... HX 267
Verdi (V.) .... KV 269
Vittorio Emanuele II (Cso) .... NZ
Vittorio Veneto (Viale) .... KLU 278
Zezon (V.) .... LU 281

Casa di Manzoni .... KV M7
Conservatorio .... KX T2
Museo Civico di Storia Naturale .... LV M6
Museo della Scienza e della Tecnologia .... HX M4
Museo del Duomo .... KX M1
Museo Poldi Pezzoli .... KV M2
Palazzo Bagatti Valsecchi .... KV L
Università .... KY U

Molella LT .... 138 AN 36
Moleti ME .... 189 BC 55
Moleto AL .... 49 L 13
Moleto PU .... 88 AI 20
Molette TO .... 47 E 12
Molevana PN .... 16 AM 6
Molezzano FI .... 87 AD 20
Molfetta BA .... 137 BI 36
Molillo BR .... 148 BO 39
Molin Nuovo PT .... 86 Z 20
Molin Rotto VE .... 42 AH 11
Molina BL .... 15 AJ 5
Molina CO .... 22 P 8
Molina PG .... 97 AL 25
Molina SO .... 11 X 5
Molina TN .... 13 AD 6
Molina VI .... 41 AD 9
Molina VR .... 40 AA 10
Molina Aterno AQ .... 115 AR 31
Molina di Ledro TN .... 26 Z 8
Molina di Quosa PI .... 85 X 21
Molinaccio AN .... 97 AL 23
Molinaccio BO .... 80 AB 18
Molinaccio LU .... 78 W 18
Molinaccio PT .... 85 Z 20
Molinaccio PU .... 90 AM 21
Molinaccio Umbro PG .... 97 AM 24
Molinara BN .... 133 AY 36
Molinara PV .... 51 P 13
Molinari PC .... 63 S 15
Molinat PN .... 29 AL 7
Molinazzo PC .... 52 S 14
Moline CN .... 71 I 17
Molinella BO .... 68 AF 16
Molinella CE .... 141 AU 37
Molinella FG .... 127 BF 32
Molinella RO .... 56 AE 13
Molinella SA .... 153 BC 41
Molinelle AV .... 151 AX 38
Molinelli AR .... 95 AG 23
Molinello BL .... 28 AG 7
Molinello FC .... 88 AG 20
Molinello MN .... 53 X 12
Molinello PC .... 63 R 16
Molinello PD .... 55 AD 12
Molinello PV .... 51 Q 14
Molinetto AL .... 62 M 14
Molinetto BS .... 39 X 10
Molinetto MC .... 99 AQ 24
Molinetto MI .... 36 O 11
Molinetto PR .... 65 W 14
Molinetto VC .... 49 K 12
Molinetto Piani RA .... 81 AG 17
Molini AL .... 62 M 14
Molini AL .... 62 O 16
Molini AN .... 91 AQ 22
Molini AV .... 143 BA 37
Molini BG .... 24 T 8
Molini BL .... 29 AJ 6
Molini BS .... 39 X 11
Molini BZ .... 13 AC 6
Molini BZ .... 4 AG 3
Molini GE .... 63 R 16
Molini IM .... 72 I 20
Molini PD .... 42 AG 10
Molini PG .... 107 AM 26
Molini PV .... 50 O 12
Molini SV .... 74 L 18
Molini TN .... 12 AA 5
Molini TN .... 12 AA 5
Molini TN .... 26 AB 6
Molini TN .... 26 AB 9
Molini TN .... 27 AD 7
Molini TN .... 27 AE 7
Molini VB .... 21 K 7
Molini VI .... 27 AC 9
Molini VI .... 41 AF 9
Molini VR .... 40 AA 9
Molini del Bucine VT .... 112 AG 28
Molini di Colognola BG .... 38 U 9
Molini di Faenza PV .... 50 N 12
Molini di Tenna AP .... 99 AR 24
Molini di Triora IM .... 72 H 20
Molini di Tures / Muhlen BZ .... 4 AG 2
Molini d'Isola AT .... 61 K 15
Molinis UD .... 16 AO 6
Molino AL .... 49 L 13
Molino AN .... 90 AN 21
Molino AN .... 90 AN 22
Molino AN .... 91 AP 22
Molino AP .... 99 AQ 25
Molino AP .... 99 AQ 25
Molino AP .... 99 AR 25
Molino AP .... 99 AR 25
Molino AP .... 109 AS 26
Molino BG .... 37 T 9
Molino BG .... 24 V 9
Molino BS .... 39 X 9
Molino CN .... 61 J 15
Molino MC .... 98 AP 24
Molino MC .... 108 AP 25
Molino ME .... 189 BB 55
Molino PR .... 65 V 15
Molino PV .... 51 Q 13
Molino PZ .... 164 BD 43
Molino RM .... 120 AL 31
Molino SP .... 77 S 18
Molino SV .... 73 J 19
Molino SV .... 61 K 17
Molino TO .... 47 F 13
Molino TV .... 42 AH 10
Molino TV .... 43 AK 9
Molino UD .... 16 AN 6
Molino VC .... 20 J 8
Molino VI .... 27 AD 8
Molino VV .... 174 BG 51
Molino Alto GE .... 62 O 16
Molino Basilicati TE .... 116 AR 29
Molino Caporilli FR .... 130 AP 33
Molino Cesare BO .... 80 AC 17
Molino Corte BN .... 141 AV 37
Molino dei Torti AL .... 50 O 13
Molino del Calcione AR .... 95 AF 24
Molino del Conte PV .... 50 N 11
Molino del Pallone BO .... 80 AA 19
Molino del Piano FI .... 87 AD 21
Molino del Sasso PG .... 96 AI 23
Molino della Costa BS .... 38 W 11
Molino dell'Attole PG .... 106 AK 26
Molino di Berignone PI .... 93 AA 24
Molino di Bucine AR .... 95 AE 23
Molino di Campagna PN .... 29 AL 7
Molino di Camporeggiano PG .... 96 AJ 23
Molino di Mezzo AR .... 95 AE 23
Molino di Paci GR .... 103 AD 25
Molino di Punta TO .... 47 F 13
Molino di Silla TR .... 113 AJ 28
Molino di Sotto PC .... 52 U 13
Molino di Vionica VT .... 105 AH 28
Molino d'Isella PV .... 50 O 12
Molino Malla PU .... 89 AL 21
Molino Nuovo BG .... 37 T 10
Molino Nuovo GE .... 76 P 17
Molino Nuovo MN .... 54 Y 12
Molino Nuovo SV .... 73 J 20
Molino Ornate SI .... 94 AC 25
Molino Primo AP .... 108 AR 26
Molino Renzini PU .... 89 AK 20
Molino San Antimo TE .... 109 AT 28
Molino Santa Maria PV .... 50 N 12
Molino Teodoro PC .... 64 T 15
Molino Vecchio GE .... 63 P 16
Molino Vecchio PU .... 90 AN 21
Molino Vecchio SA .... 162 BA 43
Molino Vecchio SA .... 163 BB 42
Molino Vecchio VI .... 40 AC 9
Molino Vitelli PG .... 96 AI 24
Molino Zeoli BN .... 133 AX 34
Molise CB .... 132 AV 34
Moliterno PZ .... 164 BE 42
Mollar dei Franchi TO .... 47 F 13
Mollaro TN .... 12 AB 6
Molleone PU .... 89 AL 22
Molli SI .... 94 AC 24
Mollia VC .... 34 J 9
Mollières TO .... 46 B 14
Molmentet UD .... 16 AO 6
Molo di Borbera AL .... 62 O 15
Molochio RC .... 176 BF 54
Mologno LU .... 79 X 19
Moltedo IM .... 73 J 20
Molteno LC .... 36 Q 9
Moltrasio CO .... 22 P 8
Molvena VI .... 41 AE 9
Molveno TN .... 26 AA 7
Molviano TE .... 108 AR 27
Molvina BS .... 39 X 10
Molzano CO .... 22 P 7
Mombaldone AT .... 61 K 16
Mombarcaro CN .... 61 J 17
Mombaroccio PU .... 90 AM 21
Mombarone AT .... 49 J 14
Mombaruzzo AT .... 61 L 15
Mombasiglio CN .... 74 I 17
Mombelli PV .... 63 Q 14
Mombello di Torino TO .... 48 I 13
Mombello Lago Maggiore VA .... 21 M 8
Mombello Monferrato AL .... 49 K 13
Mombercelli AT .... 61 K 15
Momeliano PC .... 51 S 14
Momena CS .... 168 BI 46
Momigno PT .... 85 Z 20
Mommio MS .... 78 W 18
Mommio Castello LU .... 84 W 20
Momo NO .... 35 M 10
Mompantero TO .... 46 D 13
Mompellato TO .... 47 F 12
Mompeo RI .... 113 AL 30
Momperone AL .... 63 P 14
Mompiano BS .... 38 W 10
Mompiano CN .... 61 J 16
Monaca BN .... 142 AW 37
Monacella CT .... 197 AZ 57
Monache CS .... 170 BG 48
Monachino PT .... 86 AB 19
Monaci FR .... 131 AS 35
Monaci RC .... 177 BG 54
Monaciano SI .... 94 AD 23
Monacilioni CB .... 133 AX 34
Monacizzo TA .... 157 BN 42
Monaco CZ .... 171 BI 49
Monale AT .... 49 J 14
Monasterace RC .... 177 BI 53
Monasterace Marina RC .... 177 BI 53
Monasteri di Sopra SR .... 203 AZ 61
Monasteri di Sotto SR .... 203 AZ 61
Monastero AR .... 94 AD 22
Monastero CN .... 59 F 17
Monastero CN .... 71 H 17
Monastero MC .... 98 AO 25
Monastero PD .... 55 AD 12
Monastero PU .... 89 AJ 21
Monastero TR .... 105 AI 28
Monastero UD .... 31 AP 9
Monastero Bormida AT .... 61 K 16
Monastero di Lanzo TO .... 47 F 12
Monastero d'Ombrone SI .... 94 AE 23
Monastero San Giuseppe CT .... 197 AZ 58
Monasterolo CR .... 52 V 12
Monasterolo CR .... 53 W 13
Monasterolo LO .... 52 S 12
Monasterolo TO .... 47 G 12
Monasterolo Casotto CN .... 74 I 18
Monasterolo del Castello BG .... 38 U 9
Monasterolo di Savigliano CN .... 59 G 15
Monastier di Treviso TV .... 43 AJ 10
Monastiero PD .... 42 AG 10
Monastir CA .... 221 P 47
Monate VA .... 35 N 9
Monbianco TO .... 33 G 11
Moncalieri TO .... 48 H 13
Moncalvo AT .... 49 K 13
Moncenisio TO .... 46 C 12
Moncerrato MO .... 79 Z 17
Moncestino AL .... 49 J 13
Moncestino AT .... 49 K 14
Monchiero CN .... 60 I 16
Monchio PR .... 65 W 16
Monchio Delle Corti PR .... 78 V 17
Monchio delle Olle RE .... 65 X 16
Moncigoli MS .... 78 V 18
Moncioni AR .... 94 AE 23
Monclassico TN .... 12 AA 5
Moncolombone TO .... 47 F 12
Moncrivello VC .... 48 I 12
Moncucco CN .... 60 I 17
Moncucco CO .... 22 P 9
Moncucco MI .... 51 P 12
Moncucco MI .... 36 Q 9
Moncucco Torinese AT .... 48 I 13
Mondadizza SO .... 11 X 5
Mondagnola CN .... 71 I 18
Mondaino RN .... 89 AL 20
Mondaniga RA .... 68 AG 17
Mondara BS .... 38 W 9
Mondarello CN .... 59 E 15
Mondarola RC .... 177 BG 54
Mondavio PU .... 90 AM 21
Mondel PN .... 16 AM 6
Mondelli VB .... 20 J 8
Mondello PA .... 184 AO 54
Mondello PA .... 185 AQ 55
Mondolfo PU .... 90 AN 21
Mondondone PV .... 51 P 14
Mondoni CN .... 74 J 17
Mondonico LC .... 37 R 9
Mondonico PV .... 51 R 13
Mondonico VA .... 22 N 8
Mondonio AT .... 48 I 13
Mondonovo VE .... 57 AH 13
Mondonovo VI .... 40 AC 9
Mondonuovo BO .... 68 AE 15
Mondovì CN .... 71 H 17
Mondrago CO .... 22 P 7
Mondrago VR .... 40 AA 10
Mondragone CE .... 140 AS 37
Mondrone TO .... 47 E 12
Moneglia GE .... 77 R 18
Mònesi di Triora IM .... 72 H 19
Monesiglio CN .... 74 J 17
Monestirolo FE .... 68 AF 15
Moneta OT .... 207 R 36
Monetto CO .... 36 O 9
Monfalcone GO .... 31 AQ 9
Monfallito AT .... 61 K 14
Monfestino MO .... 79 Z 17
Monfol TO .... 46 C 13
Monforte FR .... 131 AR 34
Monforte d'Alba CN .... 60 I 16
Monforte Marina ME .... 189 BB 54
Monforte San Giorgio ME .... 189 BB 55
Monfumo TV .... 28 AG 9
Mongabia VR .... 39 Z 11
Mongardino AT .... 61 K 14
Mongardino BO .... 80 AC 17
Monghidoro BO .... 80 AC 18
Mongiana VV .... 177 BG 52
Mongiardino AL .... 62 N 16
Mongiardino Ligure AL .... 63 P 16
Mongiorgio BO .... 80 AB 17
Mongiove ME .... 188 AZ 55
Mongiuffi ME .... 189 BA 56
Mongnod AO .... 19 G 9
Mongoni TE .... 116 AR 28
Mongovone AT .... 61 K 15
Mongrando BI .... 34 J 10
Mongrassano CS .... 167 BF 46
Mongreno TO .... 48 H 13
Monguelfo / Welsberg BZ .... 5 AH 3

MODENA

Acc. Militare (Cso) .... BY 2
Canalino (V.) .... BZ 5
Canal Chiaro (Cso) .... AYZ
Duomo (Cso) .... AY 7
Emilia (V.) .... ABYZ
Farini (V.) .... BY
Fonteraso (V.) .... BY 8
Giannone (V. P.) .... AZ 9
Luca (Calle di) .... AZ 10
Mazzini (Pza) .... BY 13
Nonantolana (V.) .... BY 15
Porta S. Agostino (Largo) .... AY 17
Rismondo (V. F.) .... ABY 18
Risorgimento (Piazzale) .... AZ 19
Storchi (V. G.) .... AY 24
S. Carlo (V.) .... BZ 21
S. Francesco (Piazzale) .... AZ 22
S. Giovanni del Cantone (V.) .... BY 23
3 Febbraio (V.) .... BY 25

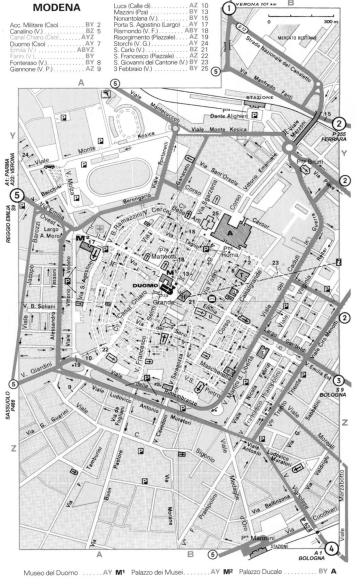

Museo del Duomo .... AY M1 Palazzo dei Musei .... AY M2 Palazzo Ducale .... BY A

A B C D E F G H I J K L M N O P Q R S T U V W X Y Z

Monguzzo *CO* 36 Q 9
Moniego *VE* 42 AH 10
Moniga del Bosco *BS* 39 X 10
Moniga del Garda *BS* 39 Y 10
Monitola *RM* 120 AL 32
Monleale *AL* 62 O 14
Monno *BS* 11 X 6
Monopoli *BA* 147 BM 38
Monreale *PA* 184 AO 55
Monrupino *TS* 31 AR 9
Monsagrati *LU* 85 X 20
Monsampietro Morico *FM* 99 AQ 25
Monsampolo del Tronto *AP* 108 AR 26
Monsano *AN* 90 AO 22
Monsano *FI* 94 AC 23
Monselice *PD* 56 AF 12
Monsello *PI* 84 X 21
Monserrato *CA* 226 P 48
Monsigliolo *AR* 95 AG 24
Monsola *CN* 59 G 16
Monsole *VE* 56 AH 12
Monsoreto *VV* 176 BF 52
Monsummano Terme *PT* 85 Z 20
Monta *PD* 41 AG 11
Montá *CN* 60 I 15
Montabone *AT* 61 L 15
Montacchita *PI* 85 Z 22
Montaciano *VT* 112 AH 28
Montacuto *AL* 63 P 15
Montacuto *AN* 91 AQ 22
Montacuto *PG* 96 AI 24
Montacuto *PV* 63 Q 14
Montacuto *SI* 94 AD 24
Montadamo *AP* 108 AQ 26
Montafia *AT* 48 J 14
Montagano *CB* 133 AX 34
Montagliano *RI* 120 AN 31
Montaglioni *PG* 107 AN 26
Montagna *AR* 88 AI 22
Montagna *CB* 124 AW 33
Montagna *CH* 123 AV 31
Montagna *CS* 164 BE 44
Montagna *SR* 205 AZ 62
Montagna *SV* 74 L 18
Montagna / Montan *BZ* 13 AC 6
Montagna Flassin Superiore *AO* 18 E 9
Montagna Grande *PA* 185 AP 55
Montagna in Valtellina *SO* 24 U 6
Montagna Spaccata *NA* 150 AT 38
Montagnaga *TN* 26 AC 7
Montagnana *FI* 86 AB 21
Montagnana *MO* 66 Z 17
Montagnana *PD* 55 AD 12
Montagnana *PT* 85 Z 20
Montagnano *AR* 95 AF 23
Montagnano *PC* 64 T 14
Montagnapiana *KR* 173 BK 48
Montagnareale *ME* 188 AY 55
Montagnola *AQ* 122 AS 33
Montagnola *CS* 168 BH 47
Montagnola *GE* 62 O 16
Montagnola *PG* 105 AH 26
Montagnola *PZ* 164 BE 43
Montagnola *RA* 69 AH 17
Montagnone *BS* 38 W 10
Montaguto *AV* 134 BA 36
Montaguzzo *FC* 82 AI 19
Montaiate *PU* 89 AL 22
Montaio *AR* 94 AD 22
Montaione *FI* 93 AA 22
Montalbano *BR* 148 BN 39
Montalbano *FE* 68 AE 15
Montalbano *FI* 80 AD 18
Montalbano *MO* 80 AA 17
Montalbano *MO* 66 AB 14
Montalbano *RN* 83 AJ 19
Montalbano *RN* 89 AL 20
Montalbano Elicona *ME* 188 AZ 55
Montalbano Jonico *MT* 155 BI 42
Montalbo *PC* 51 R 14
Montalbo *PG* 107 AM 26
Montalcide *LT* 130 AO 35
Montalcinello *SI* 93 AB 24
Montalcino *SI* 104 AD 25
Montaldeo *AL* 62 N 15
Montaldo *AL* 49 K 13
Montaldo *AL* 61 L 16
Montaldo *MN* 54 Z 12
Montaldo *SV* 74 K 17
Montaldo Bormida *AL* 62 M 15
Montaldo Cosola *AL* 63 Q 15
Montaldo di Mondovì *CN* 71 I 18
Montaldo Roero *CN* 60 I 15
Montaldo Scarampi *AT* 61 K 15
Montaldo Torinese *TO* 48 I 13
Montale *AN* 90 AM 22
Montale *MO* 66 AA 16
Montale *MS* 78 V 18
Montale *PC* 52 T 13
Montale *PR* 65 V 16
Montale *PR* 78 V 17
Montale *PT* 86 AB 20
Montale *RE* 65 X 16
Montale *SP* 77 S 18
Montale *SP* 77 S 18
Montale *SP* 77 T 18
Montale *SP* 78 U 19
Montalenghe *TO* 48 I 11
Montaletto *RA* 82 AJ 18
Montalfano *CH* 124 AX 31
Montalfina *TR* 105 AG 27
Montalfoglio *PU* 90 AM 22
Montalfoni *AR* 95 AF 23
Montali *PG* 105 AI 25
Montalla *AR* 95 AH 24
Montallegro *AG* 192 AP 59
Montallese *SI* 105 AG 25
Montalone *AR* 88 AG 21
Montaltino *BT* 136 BG 36
Montaltino *FG* 136 BE 35
Montalto *CO* 23 R 6
Montalto *FC* 88 AH 20
Montalto *IS* 132 AT 33
Montalto *MC* 98 AO 25
Montalto *MO* 80 AA 18
Montalto *PG* 96 AI 24
Montalto *RE* 66 Y 16
Montalto *VR* 54 AB 12
Montalto delle Marche *AP* 108 AQ 26
Montalto di Castro *VT* 111 AE 29
Montalto Dora *TO* 34 I 11
Montalto Ligure *IM* 72 I 20
Montalto Marina *VT* 111 AE 30
Montalto Pavese *PV* 51 Q 14
Montalto Tarugo *PU* 89 AL 22
Montalto Uffugo *CS* 167 BF 47
Montalvello *MC* 98 AN 23
Montan / Montagna *BZ* 13 AC 6
Montanara *CR* 53 V 13
Montanara *MN* 54 Z 13
Montanare *AR* 95 AH 24
Montanaro *BR* 148 BN 39
Montanaro *CE* 140 AT 36
Montanaro *PC* 52 T 14
Montanaro *TO* 48 I 12
Montanaso Lombardo *LO* 51 R 11
Montane *AP* 108 AO 25
Montanello *MC* 98 AP 24
Montaner *TV* 29 AJ 8
Montanera *CN* 71 G 17
Montanes *BL* 29 AJ 6
Montanina *VI* 27 AD 9
Montanino *FI* 87 AD 22
Montano *CO* 22 P 9
Montano Antilia *SA* 163 BB 43
Montaperti *PI* 93 AA 23
Montaperto *AG* 198 AQ 60
Montaperto *AV* 142 AY 37
Montappone *FM* 98 AP 25
Montaquila *IS* 132 AT 34
Montaratro *FG* 134 BA 35
Montardone *MO* 66 Z 17
Montardone *RM* 120 AL 31
Montaretto *SP* 77 S 18
Montargano *CT* 197 AZ 57
Montariolo *AL* 50 N 14
Montariolo *PV* 50 N 13
Montarolo *VC* 49 K 12
Montarossa *CN* 60 H 16
Montarsiccio *PR* 64 S 16
Montasico *BO* 80 AB 17
Montasola *RI* 113 AL 29
Montassilone *BZ* 5 AG 3
Montatrice *MC* 99 AQ 23
Montattico *FR* 131 AR 34
Montauro *CZ* 175 BI 51
Montauto *SI* 93 AB 23
Montazzoli *CH* 123 AV 32
Montazzolino *AP* 108 AP 26
Monte *AL* 50 M 13
Monte *AP* 108 AQ 26
Monte *BN* 142 AX 36
Monte *BR* 148 BN 39
Monte *BS* 25 X 7
Monte *BZ* 13 AC 5
Monte *BZ* 12 AC 5
Monte *CB* 133 AX 34
Monte *MN* 54 Y 11
Monte *MO* 79 Y 18
Monte *MO* 79 Y 18
Monte *PC* 64 T 15
Monte *PU* 88 AI 20
Monte *PU* 89 AJ 20
Monte *RE* 79 Y 18
Monte *SA* 153 BC 41
Monte *SO* 11 X 5
Monte *SV* 61 K 17
Monte *SV* 74 K 18
Monte *VA* 36 N 9
Monte *VB* 7 K 7
Monte *VC* 49 J 12
Monte *VI* 27 AE 9
Monte *VI* 41 AE 9
Monte *VR* 40 AA 10
Monte *VR* 40 AC 11
Monte a Pescia *PT* 85 Z 20
Monte Agruxiau *CI* 224 L 48
Monte Albino *FI* 86 AB 22
Monte Altavelio *PU* 89 AK 20
Monte Amiata *SI* 104 AE 26
Monte Antico *GR* 103 AD 26
Monte Armato *BO* 81 AD 17
Monte Arrubiu *CA* 226 O 49
Monte Benedetto *PU* 88 AI 20
Monte Bicchieri *PI* 85 Z 22
Monte Buono *PG* 105 AI 25
Monte Calderaro *BO* 81 AD 17
Monte Calderone *VT* 113 AI 30
Monte Calgara *RM* 119 AJ 31
Monte Calvo *BN* 142 AX 37
Monte Cardeto *RM* 119 AK 31
Monte Casteddu *SS* 208 L 39
Monte Castello *FC* 88 AI 20
Monte Castello *PI* 85 Z 22
Monte Castello di Vibio *PG* 106 AJ 26
Monte Catone *BO* 81 AE 17
Monte Cavo *RM* 120 AL 33
Monte Cerignone *PU* 89 AJ 20
Monte Ciapellano *PU* 90 AN 21
Monte Cicerale *SA* 162 AZ 41
Monte Ciuffo *RM* 120 AL 33
Monte Colombo *RN* 89 AK 20
Monte Corona *PG* 96 AJ 24
Monte Cremasco *CR* 52 S 11
Monte Cresia *CA* 227 R 48
Monte Cretaccio *AP* 109 AS 26
Monte Croce *TN* 27 AF 7
Monte Cucco *GR* 103 AC 26
Monte degli Elci *AN* 91 AP 22
Monte del Fico *RM* 119 AI 32
Monte del Lago *PG* 96 AH 25
Monte del Re *BO* 81 AE 17
Monte di Fò *FI* 80 AC 19
Monte di Leva *RM* 128 AJ 33
Monte di Malo *VI* 41 AD 10
Monte di Nese *BG* 37 T 9
Monte di Procida *NA* 150 AT 39
Monte di Terlago *TN* 26 AB 7
Monte di Tramontana *BZ* 12 Z 4
Monte d'Oro *TS* 45 AR 10
Monte Farneto *RN* 89 AK 20
Monte Figu *CI* 224 M 48
Monte Fiolo *RI* 113 AL 30
Monte Fiume *PG* 97 AK 23
Monte Forno *PU* 89 AJ 22
Monte Franco *RM* 119 AI 31
Monte Gallo-San Barbato *BR* 148 BN 40
Monte Gherardo *PU* 89 AL 22
Monte Giberto *FM* 99 AQ 25
Monte Giove *PU* 90 AM 21
Monte Giove *RM* 129 AK 33
Monte Grosso *SA* 163 BC 42
Monte Gruttas *CA* 227 S 48
Monte Imperatore *BA* 147 BL 39
Monte Iotta *CS* 167 BG 46
Monte La Pieve *BO* 81 AE 18
Monte Lattaia *GR* 103 AB 26
Monte Livata *RM* 121 AN 32
Monte Longu *NU* 215 T 40
Monte Lottone *FC* 88 AH 20
Monte Lungo *RM* 119 AJ 31
Monte Maggio *TR* 113 AK 28
Monte Magrè *VI* 40 AD 9
Monte Marcone *CH* 117 AV 31
Monte Marenzo *LC* 37 R 9
Monte Martello *PU* 89 AL 22
Monte Mauro *BN* 142 AX 37
Monte Melino *PG* 96 AI 25
Monte Mezzo *VI* 41 AD 10
Monte Nai *CA* 227 S 48
Monte Nuovo *MC* 98 AQ 24
Monte Obizzo *MO* 79 Z 18
Monte Ombraro *MO* 80 AB 17
Monte Oro *SS* 208 M 39
Monte Orsello *MO* 80 AA 17
Monte Paganuccio *PU* 89 AL 22
Monte Petrano *PU* 97 AK 22
Monte Petriolo *PG* 105 AI 25
Monte Petrosu *NU* 211 S 38
Monte Piccolo *RM* 113 AK 30
Monte Pietra Pertusa *RM* 119 AJ 31
Monte Pilorci *LT* 129 AN 34
Monte Porzio *PU* 90 AN 21
Monte Porzio Catone *RM* 120 AL 33
Monte Rigorio *RM* 119 AK 31
Monte Rinaldo *FM* 108 AQ 25
Monte Roberto *AN* 98 AN 23
Monte Romano *VT* 112 AG 30
Monte Rota *BZ* 5 AI 3
Monte Rotondo *FR* 131 AR 34
Monte S. Giovanni Campano *FR* 130 AQ 34
Monte S. Giovanni in Sabina *RI* 113 AL 30
Monte S. Maria Tiberina *PG* 96 AH 23
Monte S. Vito *AN* 90 AO 22
Monte Sabinese *AQ* 121 AN 31
Monte San Biagio *LT* 130 AP 35
Monte San Giacomo *SA* 153 BC 41
Monte San Giovanni *BO* 80 AB 17
Monte San Giovanni *PU* 90 AM 21
Monte San Giusto *MC* 99 AQ 24
Monte San Martino *MC* 108 AP 25
Monte San Pietrangeli *FM* 99 AQ 24
Monte San Pietro *BO* 80 AB 17
Monte San Pietro *BZ* 13 AD 5
Monte San Quirico *LU* 85 Y 20
Monte San Savino *AR* 95 AF 24
Monte San Vito *PG* 107 AM 27
Monte Santa Maria *PU* 89 AL 21
Monte Santa Maria *RI* 113 AL 30
Monte Sant'Angelo *FG* 127 BE 33
Monte Sant'Angelo *LE* 161 BT 43
Monte Santissima Maria *SI* 94 AE 24
Monte Sasso *FC* 88 AI 20
Monte Scopa *BA* 147 BM 38
Monte Scorra *CI* 224 L 48
Monte Sopra Rondine *AR* 95 AF 23
Monte Sperello *PG* 96 AI 25
Monte Stallonara *RM* 119 AJ 32
Monte Tauro *RN* 89 AK 20
Monte Trepitò *RC* 179 BF 54
Monte Urano *FM* 99 AR 24
Monte Vibiano *PG* 105 AI 26
Monte Vidon Combatte *FM* 108 AQ 25
Monte Vidon Corrado *FM* 98 AP 25
Monteacuto *BO* 80 AB 18
Monteacuto dell'Alpi *BO* 80 AA 19
Monteacuto Vallese *BO* 80 AC 18
Montealfeo *PV* 63 P 14
Monteaperta *UD* 16 AO 6
Monteaperti *SI* 94 AD 24
Montebamboli *GR* 102 Z 25
Montebaranzone *MO* 66 Z 17
Montebello *AL* 62 O 15
Montebello *BL* 28 AG 7
Montebello *FI* 93 AB 22
Montebello *PG* 106 AJ 25
Montebello *PU* 96 AK 22
Montebello *PU* 90 AM 21
Montebello *RN* 88 AJ 20
Montebello *SP* 77 U 18
Montebello *VT* 111 AF 29
Montebello della Battaglia *PV* 51 P 13
Montebello di Bertona *PE* 116 AS 29
Montebello Ionico *RC* 178 BD 56
Montebello sul Sangro *CH* 123 AU 32
Montebello Vicentino *VI* 41 AD 11
Montebelluna *TV* 42 AH 9
Montebeltrano *CS* 171 BG 48
Montebeni *FI* 86 AD 21
Montebenichi *AR* 94 AE 23
Montebibico *PG* 106 AL 28
Montebollo *AN* 97 AL 23
Montebonello *FI* 87 AD 21
Montebonello *MO* 79 Z 17
Montebono *LU* 79 Y 19
Monteboro *FI* 86 AA 21
Montebradoni *PI* 93 AA 23
Montebruno *GE* 63 Q 16
Montebudello *BO* 67 AB 17
Montebufo *PG* 107 AN 27
Montebuglio *VB* 21 L 8
Montebuoni *FI* 86 AC 21
Montebuono *GR* 104 AE 27
Montebuono *RI* 113 AK 29
Montecagno *RE* 78 X 18
Montecalende *PU* 89 AK 21
Montecalvello *VT* 112 AI 28
Montecalvo *BO* 80 AD 17
Montecalvo *IM* 73 I 19
Montecalvo in Foglia *PU* 89 AK 21
Montecalvo Irpino *AV* 142 AZ 36
Montecalvo Versiggia *PV* 51 Q 14
Montecalvoli *PI* 85 Y 21
Montecalvoli *SI* 95 AE 24
Montecampano *TR* 113 AJ 28
Montecampione *BS* 24 W 9
Montecanepino *MC* 99 AQ 23
Montecani *CI* 220 L 47
Montecanne *GE* 62 O 16
Montecapraro *AL* 63 P 15
Montecapri *SP* 77 T 19
Montecapriano *BN* 142 AY 36
Montecarelli *FI* 80 AC 19
Montecarlo *LU* 85 Z 20
Montecarotto *AN* 90 AN 22
Montecarulli *SI* 93 AA 22
Montecassiano *MC* 98 AP 23
Montecassino (Abbazia di) *FR* 131 AR 34
Montecastelli *PG* 96 AI 23
Montecastelli Pisano *PI* 93 AA 24
Montecastello *AL* 50 N 14
Montecastello *BS* 37 Z 9
Montecastrilli *TR* 106 AJ 28
Montecatini *TS* 31 AQ 9
Montecatini Alto *PT* 85 Z 20
Montecatini Terme *PT* 85 Z 20
Montecatini Val di Cecina *PI* 93 Z 23
Montecavallo *RI* 113 AL 30
Montecavolo *RE* 65 Y 16
Montecchia di Crosara *VR* 40 AC 11
Montecchiane *VR* 40 AB 10
Montecchio *AP* 108 AQ 26
Montecchio *AR* 87 AG 21
Montecchio *AR* 95 AG 24
Montecchio *AR* 95 AG 24
Montecchio *BS* 24 W 8
Montecchio *CR* 37 T 11
Montecchio *FC* 82 AG 19
Montecchio *PG* 95 AH 24
Montecchio *PG* 106 AK 26
Montecchio *PG* 97 AL 25
Montecchio *PI* 93 Z 22
Montecchio *PU* 88 AI 20
Montecchio *PU* 89 AL 20
Montecchio *RA* 81 AF 18
Montecchio *SI* 94 AC 24
Montecchio *TR* 105 AI 28
Montecchio *VI* 41 AE 9
Montecchio *VR* 40 AA 10
Montecchio *VR* 39 Z 10
Montecchio Emilia *RE* 65 X 15
Montecchio Maggiore *VI* 41 AD 10
Montecchio Precalcino *VI* 41 AE 10
Montecelio *RM* 120 AL 31
Montecenere *MO* 79 Z 18
Montecerboli *PI* 93 AA 24
Montecerreto *MO* 79 Z 17
Montechiaro *BZ* 11 Y 4
Montechiaro *NA* 151 AV 40
Montechiaro *SI* 94 AD 24
Montechiaro d'Acqui *AL* 61 L 16
Montechiaro d'Asti *AT* 49 J 13
Montechiaro Piana *AL* 61 L 16
Montechiarugolo *PR* 65 X 15
Montechino *PC* 64 T 15
Monteciccardo *PU* 89 AL 21
Montecilfone *CB* 124 AY 32
Montecito *SA* 151 AW 39
Montecodruzzo *FC* 82 AI 19
Montecolognola *PG* 96 AI 25
Montecompatri *RM* 120 AL 33
Montecorbo *NA* 151 AV 40
Montecorice *SA* 162 AY 42
Montecoronaro *FC* 88 AH 21
Montecorone *MO* 80 AA 17
Montecorsaro *MC* 99 AQ 24
Montecorvino Pugliano *SA* 152 AY 39
Montecorvino Rovella *SA* 152 AY 39
Montecosaro *MC* 99 AQ 24
Montecrestese *VB* 7 K 7
Montecreto *MO* 79 Z 18
Montecucco *PC* 51 R 14
Montecucco *PU* 90 AN 21
Montecuccoli *FI* 86 AC 19
Montecuccolo *MO* 79 Z 18
Montecurto *MS* 78 V 18
Montecurto *VR* 40 AB 11
Montedale *PU* 88 AI 22
Montedecoro *CE* 141 AV 37
Montedinove *AP* 108 AQ 26
Montedivalli *MS* 77 U 18
Montedomenico *GE* 77 R 18
Montedoro *BN* 133 AY 36
Montedoro *CL* 193 AR 59
Montedoro *TA* 156 BK 40
Montefabbri *PU* 89 AL 21
Montefalcione *AV* 142 AY 38
Montefalco *PG* 106 AK 26
Montefalcone *PI* 85 Z 21
Montefalcone *RI* 113 AL 30
Montefalcone Appennino *FM* 108 AP 26
Montefalcone di Val Fortore *BN* 134 AZ 36
Montefalcone nel Sannio *CB* 124 AW 32
Montefalconi *SI* 93 AB 23
Montefano *MC* 98 AP 23
Montefanovecchio *MC* 98 AP 23
Montefatucchio *AR* 88 AG 21
Montefegatesi *LU* 79 Y 19
Montefelcino *PU* 89 AM 21
Monteferrante *CH* 123 AV 32
Montefiascone *VT* 112 AH 28
Montefiascone A *PA* 184 AO 55
Montefiascone B *PA* 184 AO 55
Montefiesole *FI* 87 AD 21
Montefino *TE* 116 AS 28
Montefioralle *FI* 86 AC 22
Montefiore *MC* 98 AP 23
Montefiore *MS* 78 W 18
Montefiore Conca *RN* 89 AK 20
Montefiore dell'Aso *AP* 99 AR 25
Montefiorello *PG* 107 AM 27
Montefiorentino *PU* 88 AJ 21
Montefiorino *MO* 79 Y 17
Montefiridolfi *FI* 86 AC 22
Monteflavio *RM* 120 AM 31
Montefollonico *SI* 95 AF 25
Monteforte *SS* 208 K 39
Monteforte Cilento *SA* 152 BA 41
Monteforte d'Alpone *VR* 40 AC 11
Monteforte Irpino *AV* 151 AX 38
Montefortino *AN* 97 AM 22
Montefortino *FM* 108 AP 26
Montefosca *UD* 17 AP 6
Montefoscoli *PI* 93 Z 22
Montefotogno *PU* 88 AJ 20
Montefranco *BZ* 12 AA 4
Montefranco *PG* 113 AL 28
Montefranco *TR* 113 AL 28
Monte-fredane *AV* 142 AX 38
Montefreddo *SV* 74 K 18
Monte-freddo *AN* 91 AQ 22
Montefredente *BO* 80 AC 18
Montefresco *SI* 94 AE 24
Montefusco *AV* 142 AY 37
Montegabbione *TR* 105 AH 26
Montegalda *VI* 41 AF 11
Montegaldella *VI* 41 AF 11
Montegallo *AN* 91 AP 22
Montegallo *AP* 108 AO 26
Montegaudio *PU* 89 AL 21
Montegelli *FC* 88 AI 20
Montegemoli *PI* 93 Z 23
Monteggiori *LU* 84 W 20
Monteghirfo *GE* 76 Q 17
Montegiano *PU* 90 AM 21
Montegibbio *MO* 66 Z 16
Montegioco *AL* 62 O 14
Montegiordano *CS* 165 BI 43
Montegiordano Marina *CS* 165 BI 43
Montegiorgio *FM* 98 AQ 25
Montegiove *TO* 48 I 12
Montegiove *TR* 105 AH 26
Montegiovi *AR* 95 AG 22
Montegiovi *GR* 104 AE 26
Montegiusto *LO* 52 U 13
Montegonzi *AR* 94 AD 22
Montegranaro *FM* 99 AQ 24
Montegranelli *FC* 88 AG 20
Montegrazie *IM* 73 I 20
Montegridolfo *RN* 89 AL 20
Montegrimano *PU* 89 AJ 20
Montegrino Valtravaglia *VA* 22 N 8
Montegroppo *PR* 77 T 17
Montegrosso *AT* 49 J 14
Montegrosso *BT* 136 BF 36
Montegrosso *GE* 63 R 16
Montegrosso *IM* 72 H 19
Montegrosso *TO* 47 F 14
Montegrosso d'Asti *AT* 61 K 15
Montegrosso Pian Latte *IM* 72 H 19
Montegrotto Terme *PD* 56 AF 12
Montegrottone *RI* 113 AL 30
Montegualtieri *TE* 109 AR 28
Monteguardia *BN* 142 AX 37
Montegufoni *FI* 86 AB 21
Monteguidi *FC* 88 AG 20
Monteguidi *SI* 93 AB 24
Monteguiduccio *PU* 89 AL 21

Monteiasi *TA* 157 BN 40
Montelabate *PG* 96 AJ 24
Montelabbate *PU* 89 AL 20
Montelabreve *AR* 88 AI 21
Montelago *AN* 97 AL 23
Montelago *RE* 79 Y 17
Montelaguardia *CT* 197 AY 56
Montelama *MS* 77 T 18
Montelanico *RM* 129 AN 34
Montelapiano *CH* 123 AV 32
Montelaterone *GR* 104 AE 26
Monteleone *FC* 82 AI 19
Monteleone *MO* 79 Z 17
Monteleone *NA* 150 AT 38
Monteleone *PV* 51 R 12
Monteleone *SA* 152 AY 40
Monteleone di Fermo *FM* 108 AQ 25
Monteleone di Puglia *FG* 143 BA 36
Monteleone di Spoleto *PG* 107 AM 28
Monteleone d'Orvieto *TR* 105 AH 26
Monteleone Rocca Doria *SS* 213 M 41
Monteleone Sabino *RI* 114 AM 30
Montelepre *PA* 184 AO 55
Montelera *TO* 47 F 13
Monteleto *PG* 96 AK 23
Montelibretti *RM* 120 AL 31
Montelicciano *PU* 89 AJ 20
Montelifrè *SI* 95 AE 24
Montella *AV* 142 AZ 38
Montello *BG* 37 T 9
Montello *PD* 57 AH 12
Montelongo *CB* 124 AY 33
Montelonti *SI* 94 AB 23
Montelopio *PI* 93 Z 22
Montelovesco *PG* 96 AJ 24
Montelparo *FM* 108 AQ 25
Monteluco *PG* 106 AL 27
Montelungo *AR* 87 AE 22
Montelungo *GE* 76 P 17
Montelungo *MS* 78 U 17
Montelupo Albese *CN* 61 J 16
Montelupo Fiorentino *FI* 86 AB 21
Montelupone *MC* 99 AQ 23
Monteluro *PU* 89 AL 20
Montemaggio *GE* 62 P 16
Montemaggio *PU* 89 AJ 20
Montemaggiore *BO* 67 AB 17
Montemaggiore *FC* 82 AG 19
Montemaggiore *RM* 120 AL 31
Montemaggiore *UD* 17 AP 6
Montemaggiore *UD* 17 AQ 6
Montemaggiore al Metauro *PU* 90 AM 21
Montemaggiore Belsito *PA* 185 AR 56
Montemagno *AT* 49 K 14
Montemagno *LU* 84 X 20
Montemagno *PI* 85 Y 21
Montemagno *PT* 86 AA 20
Montemale di Cuneo *CN* 70 F 17
Montemanno *AL* 63 P 16
Montemarano *AV* 142 AY 38
Montemarcello *SP* 78 U 19
Montemarciano *AN* 90 AO 22
Montemarciano *AR* 87 AE 22
Montemarcone *PZ* 144 BD 39
Montemarino *AP* 99 AR 24
Montemartano *PG* 106 AK 27
Montemartino *PC* 63 R 14
Montemarzino *AL* 62 O 14
Montemarzo *AT* 61 K 14
Montemassi *GR* 103 AB 26
Montemerano *GR* 111 AD 28
Montemerlo *PD* 41 AF 11
Montemesola *TA* 157 BN 40
Montemezzano *MO* 79 Z 18
Montemignaio *AR* 87 AE 21
Montemiletto *AV* 142 AY 37
Montemilone *PZ* 144 BE 37
Montemiscoso *RE* 78 W 17
Montemitro *CB* 124 AW 32
Montemoggio *GE* 77 R 17
Montemolino *PG* 106 AJ 27
Montemonaco *AP* 108 AO 26
Montemontanaro *PU* 89 AL 21
Montemorli *SI* 94 AB 23
Montemoro *SV* 75 L 18
Montemorosino *BO* 81 AE 18
Montemurlo *PO* 86 AB 20
Montemurro *PZ* 164 BE 42
Montenars *UD* 16 AN 6
Montenegro *CN* 71 H 19
Montenero *GR* 104 AD 26
Montenero *IM* 72 H 21
Montenero *LI* 92 X 23
Montenero *PG* 106 AJ 27
Montenero di Bisaccia *CB* 124 AX 32
Montenero Sabino *RI* 114 AL 30
Montenero Val Cocchiara *IS* 132 AT 33
Montenerodomo *CH* 123 AU 32
Montenotte Inf. *SV* 75 L 17
Montenotte Sup. *SV* 75 L 17
Montenovo *FC* 82 AI 19
Monteodorisio *CH* 124 AW 31
Monteorsaro *RE* 79 X 18
Monteortone *PD* 41 AF 11
Montepagano *TE* 109 AS 27
Montepaldi *FI* 86 AB 21
Montepaone *CZ* 175 BH 51
Montepaone Lido *CZ* 175 BI 51
Monteparano *TA* 157 BN 41
Montepastore *BO* 80 AB 17
Montepegli *GE* 76 Q 17
Montepennino *PG* 106 AK 26
Montepertuso *SA* 151 AV 40
Montepescali *GR* 103 AB 26
Montepescini *SI* 103 AD 25
Montepetra *FC* 88 AI 20
Montepiano *PO* 80 AB 19
Montepiano *TO* 33 F 11
Montepiano *VI* 27 AC 8
Monteplair *BZ* 2 Y 3
Montepo *GR* 103 AD 27
Montepolesco *AN* 98 AP 23
Montepoli *FI* 80 AC 19
Monteponi *CI* 224 M 48
Monteprandone *AP* 109 AS 26
Monteprat *UD* 16 AM 6
Monteprato *UD* 16 AO 6
Montepulciano *SI* 104 AF 25
Monte-pulciano *AN* 98 AP 23
Montepulciano Stazione *SI* 95 AG 25
Montepulgo *VI* 41 AD 10
Montepulico *FI* 87 AD 20
Monterado *AN* 90 AN 21
Monterano *AR* 88 AI 21
Monterano *RM* 118 AH 31
Monterappoli *FI* 86 AA 21
Monterchi *AR* 96 AH 23
Montereale *AQ* 114 AO 28
Montereale *FC* 82 AI 19
Montereale Valcellina *PN* 29 AK 7
Montereggi *FI* 86 AD 20
Montereggio *MS* 77 U 18
Montereggio *PC* 64 S 16
Monterenzio *BO* 81 AD 18
Monteresi *SI* 94 AC 23
Montericco *PD* 56 AF 12
Montericco *RE* 66 Y 16
Monteriggioni *SI* 94 AC 23
Monteriolo *FC* 88 AH 20
Monterivoso *TR* 114 AL 28
Monteroduni *IS* 132 AU 34
Monterolo *PU* 90 AM 22
Monteromano *AR* 88 AI 21
Monterone *AR* 88 AJ 21
Monterone *NA* 150 AS 39
Monterongriffoli *SI* 94 AE 25
Monteroni d'Arbia *SI* 94 AD 24
Monteroni di Lecce *LE* 159 BR 42
Monteroseo *BS* 39 X 11
Monterosi *VT* 113 AI 30
Monterosso *BZ* 3 AD 3
Monterosso *CO* 36 O 9
Monterosso *CT* 197 AZ 58
Monterosso *NO* 35 L 9
Monterosso *PD* 41 AF 11
Monte-rosso *AN* 97 AL 23
Monterosso al Mare *SP* 77 S 19
Monterosso Almo *RG* 202 AX 61
Monterosso Calabro *VV* 174 BG 51
Monterosso Grana *CN* 70 E 17
Monterosso Stazione *AN* 97 AL 23
Monterotondo *BS* 38 V 10
Monterotondo *LU* 78 X 19
Monterotondo *RM* 119 AK 31
Monterotondo Marittimo *GR* 93 AA 25
Monterotto *PU* 89 AJ 20
Monterubbiano *FM* 99 AR 25
Monterubiaglio *TR* 105 AH 27
Monterusciello *NA* 150 AT 38
Montes *TN* 12 AA 5
Montesano Salentino *LE* 161 BS 44
Montesano Scalo *SA* 163 BC 42
Montesano sulla Marcellana *SA* 163 BD 42
Montesanto *FE* 68 AF 15
Montesanto *PG* 107 AM 26
Montesarchio *BN* 142 AW 37
Montesardo *LE* 161 BT 44
Montescaglioso *MT* 156 BI 40
Montescano *PV* 51 Q 13
Montescheno *VB* 7 K 7
Montescudaio *PI* 93 Y 24
Montescudo *RN* 89 AK 20
Montese *MO* 80 AA 18
Montesecco *PU* 90 AM 22
Montesegale *PV* 63 P 14
Monteselvoli *SI* 94 AD 24
Monte-sicuro *AN* 91 AP 22
Montesilvano *PE* 116 AT 28
Montesilvano Colle *PE* 116 AT 29
Montesilvano Marina *PE* 116 AT 28
Montesinaro *BI* 34 I 9
Montesirico *PZ* 144 BC 38
Montesiro *MI* 36 Q 9
Montesoffio *PU* 89 AK 21
Montesolaro *CO* 36 P 9
Montesole *BZ* 12 Z 4
Montesoro *VV* 174 BG 51
Montespaccato *RM* 119 AJ 32
Montespecchio *MO* 79 AA 18
Montespertoli *FI* 86 AB 22
Montespino *RN* 89 AK 20
Montespluga *SO* 9 R 5
Montessoro *GE* 62 P 16
Mont'Est *RM* 120 AL 33
Montestigliano *SI* 94 AC 24
Montestrutto *TO* 34 I 10
Montet *AO* 32 D 9
Montetauro *SR* 203 BA 60
Montetermiti *TA* 157 BM 40
Montetiffi *FC* 88 AI 20
Montetto *FG* 134 AZ 34
Montetune *BO* 81 AD 18
Monteu da Po *TO* 48 J 13
Monteu Roero *CN* 60 I 15
Montevaccino *TN* 26 AB 7
Montevago *AG* 191 AM 57
Montevalese *MS* 78 V 18
Montevarchi *AR* 94 AE 22
Montevecchia *LC* 37 R 9
Montevecchietto *PU* 97 AL 22
Montevecchio *FC* 88 AH 20
Montevecchio *PU* 97 AL 22
Montevecchio *PU* 90 AM 22
Montevecchio *VS* 220 M 46
Montevecchio Marina *VS* 220 L 46
Monteveglio *BO* 67 AB 17
Monteveglio Alto *BO* 67 AB 17
Monteventano *PC* 63 R 14
Monteverde *AP* 98 AQ 25
Monteverde *AV* 143 BC 37
Monteverde *CB* 132 AV 34
Monteverde *CB* 133 AW 35
Monteverde *PG* 96 AK 25
Monteverde Nuovo *RM* 119 AJ 32
Monteverdi Marittimo *PI* 93 Z 24
Montevescovo *FC* 82 AH 19
Montevettolini *PT* 85 AA 20
Monteviale *VI* 41 AD 10
Monteviasco *VA* 22 N 7
Montevila *BZ* 5 AG 3
Montevirginio *RM* 118 AH 31
Montevitozzo *GR* 104 AF 27
Montevrola *RE* 66 Y 17
Montey *AO* 33 H 10
Montezemolo *CN* 74 J 17
Monti *AL* 49 L 13
Monti *BG* 24 V 8
Monti *MS* 78 U 17
Monti *MS* 78 V 18
Monti *MS* 78 V 19
Monti *OT* 210 Q 39
Monti *SI* 93 AB 23
Monti *SP* 78 U 19
Monti *SV* 74 K 17
Monti *TO* 47 F 12
Monti *VI* 41 AD 9
Monti d'Arena *TA* 157 BN 41
Monti d'Arena-Bosco Caggione *TA* 157 BN 41
Monti di Villa *LU* 85 Y 19
Monti Nieddu *CA* 227 Q 48
Monti Nou *CA* 222 Q 47
Montiano *FC* 82 AI 19
Montiano *GR* 110 AC 28
Monticanaglia *OT* 211 R 37
Monticchiello *SI* 104 AF 25
Monticchio *AQ* 115 AP 30
Monticchio *LT* 129 AM 34
Monticchio *LT* 138 AN 36
Monticchio *LT* 138 AO 36
Monticchio Bagni *PZ* 144 BC 38
Monticchiolo *RI* 114 AL 29
Monticelle *BS* 38 U 11
Monticelli *AL* 62 P 14
Monticelli *AN* 97 AM 23
Monticelli *BR* 148 BO 39
Monticelli *BS* 38 U 10
Monticelli *FE* 57 AI 14
Monticelli *FR* 131 AQ 35
Monticelli *GE* 76 R 17
Monticelli *LO* 51 R 12
Monticelli *LO* 52 S 12
Monticelli *PC* 64 S 15
Monticelli *PD* 56 AF 12
Monticelli *PG* 105 AI 25
Monticelli *PG* 105 AI 25
Monticelli *PR* 64 T 17
Monticelli *PV* 63 P 14
Monticelli *RE* 65 X 16
Monticelli *SA* 152 AY 39
Monticelli *VC* 49 J 12
Monticelli *VR* 40 AB 11
Monticelli Brusati *BS* 38 V 10
Monticelli di Borgona *BG* 37 T 9
Monticelli di Sopra *SA* 151 AX 39
Monticelli d'Oglio *BS* 52 V 12
Monticelli d'Ongina *PC* 52 U 13
Monticelli Pavese *PV* 51 S 13
Monticelli Ripa d'Oglio *CR* 53 W 12
Monticelli Terme *PR* 65 X 15
Monticello *AR* 95 AE 22
Monticello *BI* 34 I 10
Monticello *CO* 36 P 9
Monticello *CS* 170 BG 47
Monticello *GO* 31 AP 8
Monticello *GR* 104 AD 26
Monticello *LC* 37 Q 9
Monticello *MO* 80 AA 18
Monticello *NO* 50 M 11
Monticello *PC* 63 S 14
Monticello *PG* 106 AJ 27
Monticello *RE* 79 X 17
Monticello *RM* 119 AI 31
Monticello *SA* 152 AZ 40
Monticello *SV* 74 K 18
Monticello *VI* 41 AD 11
Monticello *VI* 41 AE 11
Monticello Conte Otto *VI* 41 AE 10
Monticello d'Alba *CN* 60 I 15
Monticello di Fara *VI* 41 AD 11
Montichiari *BS* 39 X 11
Monticiano *SI* 94 AC 25
Monticolo / Montigl *BZ* 12 AC 5
Montiego *PU* 89 AK 22
Montieri *GR* 93 AB 25
Montieri *SI* 104 AF 26
Montigl / Monticolo *BZ* 12 AC 5
Montiglio *AT* 49 J 13
Montignano *AN* 90 AO 21
Montignano *PG* 106 AK 27
Montignano Ugnano *FI* 86 AC 21
Montignoso *FI* 93 AA 23
Montignoso *MS* 84 W 19
Montigallo *FC* 82 AJ 19
Montilittu *OT* 211 S 38
Montina *UD* 31 AP 7
Montincello *FG* 127 BF 32
Montinelle *BS* 39 Y 10
Montingegnoli *SI* 93 AB 24
Montione *AR* 95 AG 23
Montione *FC* 88 AG 21
Montione *PU* 89 AK 22
Montione *PU* 97 AK 22
Montioni *LI* 102 Z 25
Montirone *BS* 38 W 11
Montisi *SI* 95 AE 25
Montisola Primo *RI* 113 AL 29
Montisola Secondo *RI* 113 AL 29
Montjove *AO* 33 G 9
Montocchio *PZ* 154 BD 39
Montodine *CR* 52 T 12
Montoggio *GE* 63 P 16
Montonate *VA* 35 N 9
Montone *AP* 99 AQ 25
Montone *PG* 96 AI 23
Montone *TE* 109 AS 27
Montonero *VC* 49 L 12
Montoni-Vecchio *AG* 193 AR 57
Montopo di Sabina *RI* 113 AL 30
Montopoli in Val d'Arno *PI* 85 Z 21
Montorfano *CO* 36 P 9
Montorfano *VB* 21 L 8
Montorgiali *GR* 103 AC 27
Montorio *BO* 80 AC 18
Montorio *GR* 104 AF 27
Montorio *PT* 86 AA 21
Montorio al Vomano *TE* 115 AQ 28
Montorio in Valle *RI* 120 AM 31
Montorio nei Frentani *CB* 124 AY 33
Montorio Romano *RM* 120 AL 31
Montorio Veronese *VR* 40 AB 11
Montoro *AN* 98 AP 23
Montoro *TR* 113 AJ 28
Montorsaio *GR* 103 AC 26
Montorsi *BN* 142 AX 37
Montorso *AN* 99 AQ 23
Montorso *MO* 79 AA 18
Montorso Vicentino *VI* 41 AD 11
Montorsoli *FI* 86 AC 20
Montosero *PC* 64 S 15
Montoso *CN* 59 E 15
Montosoli *SI* 104 AD 25
Montotto *AP* 99 AR 25
Montotto *AP* 99 AR 25
Montottone *FM* 99 AQ 25
Montozzi *AR* 95 AE 23
Montpont *TO* 33 G 11
Montramito *LU* 84 W 20
Montresta *OR* 212 L 41
Montrigiasco *NO* 35 M 9
Montruccone *BI* 34 J 11
Montù Beccaria *PV* 51 Q 13
Monvalle *VA* 21 M 8
Monza *MB* 36 Q 10
Monzambano *MN* 39 Z 11
Monzone *MO* 79 Z 18
Monzone *MS* 78 V 19
Monzoro *MI* 36 P 11
Monzuno *BO* 80 AC 18
Moos / Moso *BZ* 3 AC 3
Moos / San Giuseppe *BZ* 5 AJ 3
Mopolino *AQ* 115 AO 28
Mora *PG* 97 AK 25
Moracchino *VI* 41 AE 10
Moraduccio *FI* 81 AD 18
Moranda *TO* 47 F 13
Moranda *VR* 55 AD 12
Moranego *GE* 63 P 17
Morano Calabro *CS* 164 BF 44
Morano Madonnuccia *PG* 97 AL 24
Morano sul Po *AL* 49 L 12
Moransengo *AT* 49 J 13
Moranzani *VE* 42 AI 11
Moraro *GO* 31 AP 8
Morasco *PC* 63 R 14
Moraso *VB* 7 K 7
Morazzone *VA* 36 N 9
Morbegno *SO* 23 S 7
Morcella *PG* 105 AI 26
Morciano di Leuca *LE* 161 BS 44
Morciano di Romagna *RN* 89 AK 20
Morcicchia *PG* 106 AK 27
Morcone *BN* 133 AW 35
Mordano *BO* 81 AF 17
Mordomo *TP* 190 AG 62
Moregnano *AP* 99 AQ 25
Moreletti *FE* 67 AD 14
Morelli *CS* 171 BG 48
Morelli *FI* 85 Z 21
Morelli *MC* 107 AO 25
Morelli *TO* 46 D 13
Morello *AN* 97 AL 23
Morello *AP* 98 AP 25
Morello e Gualdo *FI* 86 AC 20
Morena *CN* 59 E 15
Morena *PG* 96 AJ 23
Morena *RM* 120 AK 33
Morengo *BG* 37 T 10
Moreri *ME* 188 AZ 55
Moreri *TO* 59 E 14
Mores *SS* 213 N 40
Moresco *FM* 99 AR 25
Moreto *PI* 92 Y 24
Moretta *CN* 59 G 15
Moretta *PC* 51 R 13
Moretta *PR* 65 V 16
Moretti *AL* 61 M 16
Moretto *UD* 30 AO 7
Morfasso *PC* 64 T 15
Morgano *TV* 42 AH 10
Morge *AO* 32 D 9
Morgex *AO* 32 D 9
Morghengo *NO* 35 M 10
Morgia *CB* 132 AV 34
Morgia Campanaro *CB* 124 AW 33
Morgnaga *BS* 39 Y 10
Morgnano *PG* 106 AL 27
Morgonaz *AO* 33 F 9
Morgongiori *OR* 221 N 45
Mori *MC* 99 AR 23
Mori *TN* 26 AA 8
Mori *VI* 27 AE 8
Moria *PU* 86 AK 22
Moriago della Battaglia *TV* 28 AH 8
Morialdo *AT* 48 I 13
Moriano *FI* 87 AD 21
Moriano *PG* 106 AK 27
Morichella *MC* 98 AO 25
Morico *MC* 98 AO 25
Morico *MC* 98 AP 24
Moricone *RM* 120 AL 31
Moricone *TR* 113 AK 29
Morigerati *SA* 163 BC 43
Morigino *LE* 161 BS 43
Morigliassi *AL* 63 P 15
Moriglione *CN* 60 I 16
Morignano *AP* 108 AQ 26
Morignone *SO* 11 X 5
Morigozzi *MC* 98 AN 23
Morimenta *CI* 225 N 49
Morimondo *MI* 50 O 11
Morinesio *CN* 58 D 16
Morini *MN* 53 X 12
Morino *AQ* 121 AP 32
Morino Vecchio *AQ* 121 AP 32
Moriondo *TO* 48 I 13
Moriondo Torinese *TO* 48 I 13
Morla *MC* 98 AP 24
Morleschio *PG* 96 AJ 24
Morliere *TO* 46 C 13
Morlupo *RM* 119 AK 31
Mormanno *CS* 164 BE 44
Mormorola *PR* 64 U 16
Mornago *VA* 35 N 9
Mornese *AL* 62 N 16
Mornico *PV* 51 Q 13
Mornico al Serio *BG* 37 T 10
Moro *RC* 178 BD 56
Moro di Locate *MI* 51 Q 11
Morolo *FR* 130 AO 34
Moron *AO* 33 G 9
Moroni *SO* 24 T 6
Moronico *RA* 81 AG 18
Morosolo *VA* 22 N 9
Morozzo *CN* 71 H 17
Morra *PG* 96 AH 23
Morra de Sanctis *AV* 143 BA 38
Morra del Villar *CN* 59 F 17
Morra San Giovanni *CN* 59 F 16
Morrano Nuovo *TR* 105 AH 27
Morrano Vecchio *TR* 105 AH 27
Morre *TR* 106 AJ 27
Morrea *AQ* 121 AQ 32
Morretto *CH* 123 AU 31
Morrice *TE* 108 AP 27
Morricone *TE* 115 AR 28
Morro *MC* 97 AN 25
Morro *PG* 107 AM 26
Morro d'Alba *AN* 90 AO 22
Morro d'Oro *TE* 109 AS 28
Morro Reatino *RI* 114 AL 28
Morrocco *FI* 94 AC 22
Morrona *PI* 93 Y 22
Morrone del Sannio *CB* 133 AX 33
Morroni *AV* 142 AY 37
Morroni *RI* 113 AK 29
Morrovalle *MC* 99 AQ 24
Morruzze *TR* 106 AI 27
Morsano al Tagliamento *PN* 30 AM 8
Morsasco *AL* 62 M 16
Morsella *PV* 50 N 12
Morsenchio Rogoredo *MI* 36 Q 11
Morsone *BS* 39 X 10
Mortaiolo *LI* 85 X 22
Mortano *FC* 88 AG 20
Mortara *PV* 50 N 12
Mortaso *TN* 25 Z 7
Mortegliano *UD* 30 AO 8
Mortelle *ME* 189 BC 54
Mortellito *ME* 188 BA 55
Morteo *SV* 73 K 19
Morter *BZ* 12 Z 4
Morterone *LC* 23 R 8
Morti *ME* 188 BA 55
Mortigliano *LI* 100 V 27
Mortilla *CZ* 170 BG 50
Mortilla *RG* 202 AW 61
Mortilletto *KR* 169 BL 47
Mortilli *PA* 184 AO 56
Mortina *BN* 133 AY 36
Mortisa *BL* 14 AH 4
Mortisa *VI* 27 AE 9
Mortizza *PC* 52 T 13
Mortizzuolo *MO* 67 AB 14
Mortola Inf. *IM* 72 G 21
Mortola Sup. *IM* 72 G 21
Moruri *VR* 40 AB 10
Moruzzo *UD* 30 AN 7
Morzano *BI* 34 J 11
Morzulli *ME* 189 BA 56
Mosana *TN* 26 AB 7
Moscamento *CT* 197 AZ 56
Moscano *AN* 97 AM 23
Moscardo *UD* 16 AN 4

Moscarella BN 141 AV 37
Moscarello CT 197 AZ 57
Moscazzano CR 52 T 12
Moscheri TN 26 AB 8
Moscheta FI 81 AD 19
Moschetta RC 179 BG 54
Moschiano AV 151 AW 38
Moscia BN 133 AY 35
Mosciano FI 86 AB 21
Mosciano PG 107 AM 25
Mosciano Sant'Angelo TE 109 AS 27
Mosciano Stazione TE 109 AS 27
Moscona CR 52 U 12
Moscosi MC 98 AN 23
Moscufo PE 116 AT 29
Moscuso CE 131 AS 35
Mosetti TO 48 H 14
Mosezzo NO 35 M 11
Mosicchio RI 107 AO 28
Mosileo PZ 153 BB 40
Mosio MN 53 X 13
Mosnigo TV 28 AH 8
Moso / Moos BZ 3 AC 3
Mosorrofa RC 178 BD 55
Mossa GO 31 AQ 8
Mossa MC 98 AP 24
Mossale PR 78 V 17
Mossano VI 41 AE 11
Mosse VT 112 AH 28
Mossini SO 24 U 6
Mosso Santa Maria BI 34 J 10
Mosson CN 70 E 18
Mosson VI 27 AD 9
Mostiola MI 51 S 12
Mostrapiedi AP 99 AQ 24
Mostrazzi RG 204 AW 61
Motella BS 52 V 11
Motolano AR 88 AI 21
Motrone LU 85 X 19
Motta AT 61 J 15
Motta BN 142 AX 37
Motta CN 60 H 15
Motta CS 166 BE 46
Motta CS 170 BG 48
Motta CT 197 AZ 58
Motta FE 55 AC 14
Motta MN 55 AD 14
Motta MN 54 Y 12
Motta MO 66 AA 15
Motta PD 56 AF 12
Motta PV 51 Q 12
Motta SO 9 R 5
Motta SO 10 U 6
Motta SO 24 V 6
Motta TO 59 H 15
Motta VI 41 AD 10
Motta VR 54 AB 12
Motta VR 55 AC 12
Motta Baluffi CR 53 W 13
Motta Camastra ME 188 BA 56
Motta d'Affermo ME 186 AU 56
Motta de Conti VC 49 M 12
Motta di Livenza TV 29 AK 9
Motta Filicastro VV 176 BE 52
Motta Gastaldi CN 59 G 15
Motta Montecorvino FG 134 AZ 34
Motta San Fermo CR 53 X 14
Motta San Giovanni RC 178 BD 55
Motta Sant'Anastasia CT 197 AY 58
Motta Santa Lucia CZ 171 BG 49
Motta Vigana LO 51 S 12
Motta Visconti MI 50 O 12
Mottafollone CS 166 BF 46
Mottalciata BI 34 K 10
Mottarelle PD 56 AF 12
Mottaziana PC 51 S 13
Motte CR 53 W 12
Motteggiana MN 54 Z 13
Mottella MN 54 AA 13
Mottera TO 33 F 11
Mottes AO 18 D 9
Motticella RC 179 BF 54
Mottola TA 156 BL 40
Mottura TO 59 G 15
Moulin AO 32 C 9
Mozzagrogna CH 117 AV 30
Mozzanella LU 78 X 19
Mozzanica BG 37 T 11
Mozzano AP 108 AQ 27
Mozzano MS 78 V 18
Mozzano PR 65 W 16
Mozzate CO 36 O 9
Mozzecane VR 54 Z 12
Mozzio VB 7 K 6
Mozzo BG 37 S 9
Mozzo PD 41 AF 10
Mu BS 25 X 6
Muccari RC 178 BE 56
Mucchi IS 123 AV 33
Mucchi Bianchi OT 210 R 37
Mucchia AR 95 AG 24
Muccia MC 97 AN 25
Mucciacciaro BN 133 AX 36
Mucciana FI 86 AB 22
Mucciano FI 87 AD 20
Mucciatella RE 66 Y 16
Muccignano PG 96 AH 23
Muceno VA 22 N 8
Mucigliani SI 94 AD 24
Mucinasso PC 52 T 13
Mucini PD 55 AE 12
Muda UD 17 AQ 5
Muda-Maè BL 14 AI 6
Muddizzo Piana OT 210 R 38
Mudronno CO 23 Q 8
Muffa BO 67 AB 16
Muffa PG 105 AH 25
Mugarone AL 50 N 13
Muggia TS 45 AR 10
Muggiano MI 36 P 11
Muggiano NO 35 M 9
Muggiò MB 36 Q 10
Mugiasco LC 23 Q 8
Muglia EN 195 AX 58
Mugliano AR 95 AF 23
Mugnai BL 28 AG 7
Mugnano PG 105 AI 25
Mugnano VT 112 AI 28
Mugnano del Cardinale AV 142 AW 38
Mugnano di Napoli NA 150 AU 38
Mugniva CN 59 E 15
Mühlbach / Rio di Pusteria BZ 4 AF 3
Mühlbach / Riomolino BZ 5 AG 2
Muhlen / Molini di Tures BZ 4 AG 2
Mühtwald / Selva dei Molini BZ 4 AG 2
Muina UD 16 AM 5
Mulargia NU 213 N 42
Mulazzana LO 52 T 12
Mulazzano LO 51 R 11
Mulazzano RN 89 AK 20
Mulazzano Monte PR 65 W 16
Mulazzo MS 77 U 18
Mulera BG 23 T 8
Mules / Mauls BZ 4 AE 2
Mulina LU 84 W 20
Mulinaccio FI 86 AD 20
Mulinazzo ME 188 AX 55
Mulinello RC 179 BG 54
Mulini CO 22 O 9
Mulini di Calanna RC 178 BD 54
Mulino PZ 144 BD 39
Mulino Bunello UD 30 AN 7
Muliparte TV 28 AG 9
Multeddu SS 209 N 38
Mungherino PT 86 AA 20
Munneno TP 190 AL 57
Muntiggioni OT 209 O 38
Mura BS 39 X 9
Mura BS 39 Y 10
Mura FI 93 AA 22
Mura TV 28 AH 8
Muracciola RM 120 AM 33
Muradello PC 52 T 13
Muradolo PC 52 U 13
Muraglia PU 90 AM 20
Muraglie CZ 171 BG 49
Muraglie TE 116 AS 28
Muraglione CS 171 BG 48
Muraglione FI 87 AE 20
Muraglione SA 153 BB 40
Murano VE 42 AJ 11
Murasse TO 47 F 12
Murata FR 131 AQ 34
Murata RSM 89 AJ 20
Murata Alta CH 117 AV 30
Muratella BG 37 T 10
Muratello BS 38 W 10
Muratori CN 60 I 16
Muratori IM 73 J 20
Muravalle TN 40 AB 9
Muravera CA 223 S 47
Murazzano AN 97 AM 23
Murazzano CN 60 J 17
Murazzetta VE 43 AL 10
Murazzo CN 59 G 17
Murazzorotto CT 196 AY 56
Murci GR 104 AD 27
Mure PN 30 AL 8
Mure TV 29 AK 9
Mure VI 41 AE 9
Murella RM 113 AJ 30
Murelle PD 42 AG 11
Murelle SA 151 AW 39
Murello CN 59 G 15
Murenz CN 70 D 17
Murge AV 143 AZ 37
Murgetta BA 145 BH 38
Murgi RC 178 BE 55
Murgia di Serra Ficaia BA 145 BG 38
Muriaglio TO 33 H 11
Muris TO 59 E 15
Muris UD 16 AM 6
Muriscuvò NU 211 T 39
Murisenghi TO 59 F 14
Murisengo AL 49 J 13
Murlis PN 29 AL 8
Murlo SI 94 AD 25
Murlongo VR 39 Z 10
Murmari ME 188 AY 55
Muro BS 39 Y 10
Muro VC 34 J 9
Muro Leccese LE 161 BT 43
Muro Lucano PZ 153 BB 39
Muros SS 213 M 39
Mursecco CN 74 J 18
Murta Maria OT 211 S 38
Murtas Artas NU 215 T 40
Murzalis UD 16 AN 4
Musadino VA 22 N 8
Musaga BS 39 Y 9
Musano FC 82 AJ 19
Musano TV 42 AH 9
Musarone AR 95 AG 24
Muscello PZ 164 BF 43
Muschieto SV 74 J 18
Musci NA 151 AV 38
Musciano PI 85 Z 22
Muscianò-Cuppari ME 197 BA 56
Muscletto UD 30 AN 8
Muscoli UD 31 AP 8
Muscoline BS 39 X 10
Muse UD 16 AN 4
Museddu OG 219 S 45
Musei CI 225 N 48
Musella FC 88 AH 20
Musellaro PE 116 AS 30
Muserale PG 105 AH 25
Musestre TV 43 AJ 10
Musi UD 16 AO 6
Musiara PR 65 W 17
Musicile CE 141 AU 37
Musigliano AL 63 P 15
Musignano VA 22 N 7
Musignano VT 111 AF 29
Musile di Piave VE 43 AK 10
Muslone BS 39 Z 9
Musocco MI 36 Q 10
Musone AN 99 AQ 23
Mussatico PR 65 W 16
Mussetta di Sopra VE 43 AK 10
Mussi CN 71 H 17
Mussingiua NU 214 P 42
Musso CN 71 H 19
Musso CO 23 Q 7
Mussolente VI 41 AF 9
Mussolina MN 54 Y 12
Mussolina VI 41 AE 11
Mussolini PD 42 AG 10
Mussomeli CL 193 AR 58
Mussons PN 30 AM 8
Mussotto CN 60 J 15
Mustaccio CB 132 AV 34
Musuponiti RC 178 BD 56
Muteterre LE 160 BR 43
Muti Pairò ME 187 AW 55
Mutigliano LU 85 X 20
Mutignano TE 109 AT 28
Mutino PU 89 AJ 21
Muzio IM 72 I 19
Muzza LO 51 R 12
Muzzana del Turgnano UD 30 AN 9
Muzzano BI 34 I 10
Muzzano LO 37 R 11
Muzzeddu OT 211 S 39

N

Nadalini VR 54 Z 11
Nadro BS 25 X 7
Naggio CO 22 Q 7
Nago TN 26 AA 8
Nàlles / Nals BZ 12 AC 4
Nals / Nàlles BZ 12 AC 4
Nanno TN 12 AB 6
Nanto VI 41 AE 11
Napola TP 182 AK 56
Napoleone FR 130 AQ 34
Napoli NA 141 AU 38
Nar TN 25 Y 9
Naracauli VS 220 L 46
Naragoni OT 210 P 37
Narano BZ 12 AB 4
Narbolia OR 216 M 43
Narbona CN 70 E 17
Narcao CI 225 N 48
Nardelli PG 95 AG 25
Nardi AR 94 AD 22
Nardi PI 85 Z 21
Nardi VI 41 AD 11
Nardini PT 86 AA 20
Nardò LE 160 BR 42
Nardodipace VV 177 BH 53
Nardodipace Vecchio VV 177 BH 53
Nardoni CB 133 AX 35
Nardoni PI 85 Y 21
Naregno LI 102 X 27
Narnali PO 86 AB 20
Narni TR 113 AK 28
Narni Scalo TR 113 AK 28
Naro AG 199 AR 60
Narzole CN 60 I 16
Nasari CN 59 F 17
Nasca VA 21 N 8
Nascio CN 74 I 18
Nascio GE 77 R 17
Nasida RC 179 BF 55
Nasidi ME 188 AY 55
Nasino SV 73 J 19
Nasiti RC 178 BD 55
Naso ME 188 AX 55
Nasolino BG 24 U 8
Nasseto FC 88 AH 20
Nasuti CH 117 AV 30
Natile Nuovo RC 179 BF 54
Natile Vecchio RC 179 BF 54
Naturno / Naturns BZ 12 AB 4
Naturns / Naturno BZ 12 AB 4
Natz / Naz BZ 4 AF 3
Naunina UD 16 AN 4
Nava BG 37 T 10
Nava IM 72 I 19
Nava LC 37 R 9
Nava VB 7 L 6
Navacchio PI 85 X 21
Navarons PN 15 AL 6
Navate BS 38 V 11
Navazzo BS 39 Y 9
Nave BL 28 AH 7
Nave BS 38 W 10
Nave LU 85 X 20
Nave RG 204 AW 63
Nave S.Felice TN 26 AB 7
Nave San Rocco TN 26 AB 6
Navedano CO 36 P 9
Navelli AQ 115 AR 30
Navene VR 26 AA 9
Navetta TO 33 G 11
Navezze BS 38 V 10
Navezze BS 39 X 9
Naviante CN 60 I 17
Navicello MO 66 AA 16
Naviledo VB 7 L 7
Navola MS 77 T 17
Navolè TV 29 AK 9
Navono BS 38 W 9
Naz / Natz BZ 4 AF 3
Nazzano MS 78 V 19
Nazzano PV 51 P 14
Nazzano RM 113 AK 30
Nazzari AQ 123 AU 32
Ne GE 76 R 17
Nebbiano AN 97 AM 23
Nebbiano FI 94 AB 22
Nebbiano FI 86 AB 22
Nebbiano SI 94 AD 23
Nebbione VC 34 K 11
Nebbiù BL 15 AJ 5
Nebbiuno NO 35 M 9
Nebida CI 224 L 48
Neblà RC 177 BG 53
Negi IM 72 H 20
Negrar VR 40 AA 10
Negrisia TV 43 AJ 9
Negrisoli MN 53 Y 12
Negrone BG 37 T 9
Negruzzo PV 63 Q 15
Neirone GE 76 Q 17
Neive CN 61 J 15
Nembro BG 37 T 9
Nembro VB 7 K 6
Nemeggio BL 28 AG 7
Nemi MC 107 AN 25
Nemi RM 129 AL 33
Nemoli PZ 163 BD 43
Nenno GE 62 P 16
Neoneli OR 218 O 43
Nepezzano TE 108 AR 27
Nepi VT 113 AJ 30
Nera Montoro TR 113 AJ 29
Neraissa Inf. CN 70 D 18
Neraissa Inferiore CN 70 D 18
Nerano NA 151 AV 40
Nerbisci PG 96 AJ 23
Nerbon TV 42 AI 10
Nereto TE 109 AR 27
Neri AP 108 AR 26
Nerito TE 115 AP 28
Nero PA 194 AT 57
Nero TO 33 G 11
Nerola RM 120 AL 31
Nervesa della Battaglia TV 28 AI 9
Nervi GE 76 P 17
Nerviano MI 36 O 10
Nesce RI 114 AO 30
Nespolaro RC 176 BE 53
Nespoledo UD 30 AN 8
Nespoli FC 82 AG 19
Nespolo RI 120 AN 31
Nesso CO 22 P 8
Nestore PG 96 AI 23
Netro BI 34 I 10
Nettuno RM 129 AL 35
Neu Toblach / Dobbiaco Nuovo BZ 5 AI 3
Neuhaus / Canova BZ 5 AH 1
Neumarkt / Egna BZ 12 AC 6
Neupasserg / Nova Passua BZ 13 AE 4
Neustift / Novacella BZ 4 AE 3
Nevegal BL 28 AI 7
Neviano LE 160 BR 43
Neviano de' Rossi PR 65 V 16
Neviano degli Arduini PR 65 W 16
Neviglie CN 61 J 15
Nevissano AT 48 I 13
Neyron AO 18 C 8
Nezzo CS 166 BE 46
Niana AO 34 I 10
Niardo BS 25 X 8
Nibbia NO 35 M 11
Nibbiaia LI 92 X 23
Nibbiano PC 63 Q 14
Nibbio VB 21 L 8
Nibbiola NO 50 M 11
Nibionno LE 36 Q 9
Nicastro CZ 171 BG 50
Nicchio PI 93 Y 24
Nicciano LU 78 W 18
Nicciano TR 106 AL 28
Niccioleta GR 103 AA 25
Niccoloni BG 37 T 9
Niccone PG 96 AI 24
Nicelli PC 63 R 15
Nichelino TO 48 G 14
Nichesola VR 55 AD 12
Nicola SP 78 V 19
Nicoletti VI 41 AD 10
Nicolosi CT 197 AZ 58
Nicolosi-Pedara CT 197 AZ 58
Nicorvo PV 50 N 12
Nicosia EN 194 AV 57
Nicòtera VV 176 BE 52
Nicotera Marina VV 176 BE 52
Nidastore AN 90 AM 22
Nieberlappach / Lappago di Sotto BZ 4 AF 2
Niederdorf / Villabassa BZ 5 AI 3
Niederolang / Valdaora di Sotto BZ 5 AH 3
Niederrasen / Rasun di Sotto BZ 5 AH 3
Niel AO 34 I 9
Niella Belbo CN 61 J 16
Niella Tanaro CN 74 I 17
Nigolaeddu OT 209 O 38
Nigoline BS 38 U 10
Nigone RE 78 W 17
Nigra TO 33 H 11
Niguarda MI 36 Q 10
Nimis UD 16 AO 6
Ninfo VV 177 BG 52
Niquidetto TO 47 F 6
Nirano MO 66 Z 16
Nirasca IM 72 I 19
Nirone PR 78 W 17
Niscemi CL 201 AV 61
Niscima CT 202 AW 60
Nismozza RE 78 W 17
Nisporto LI 100 X 27
Nissod AO 33 G 9
Nissoria EN 194 AV 58
Niuri TP 190 AJ 57
Niviano MO 79 AA 18
Niviano PC 52 S 14
Nivione PV 63 Q 15
Nizza di Sicilia ME 189 BB 56
Nizza Monferrato AT 61 L 15
Nizza Sup. PV 63 P 14
Nizzeti CT 197 AZ 58
Noach BL 14 AH 6
Noale VE 42 AH 10
Noasca TO 33 E 11
Nobiallo CO 23 Q 7
Nobile CO 36 Q 9
Noboli BS 38 W 10
Nocara CS 165 BH 43
Nocchi LU 84 X 20
Nocchi TN 26 AC 8
Nocchieto RI 113 AK 30
Nocciano PE 116 AS 30
Nocciola AT 49 J 14
Nocco VB 21 M 8
Noce BO 81 AD 17
Noce FI 86 AB 22
Noce MS 77 T 17
Noce PC 63 R 16
Noce RE 79 X 17
Noce SA 162 AY 42
Nocella TE 108 AR 27
Nocella-Morra-Pioppo Montieri FG 143 BA 37
Nocelle CZ 171 BH 50
Nocelle SA 151 AW 40
Nocelleto CE 140 AT 36
Nocelleto MC 107 AN 26
Nocelletto SA 151 AX 39
Nocera Inf. SA 151 AW 39
Nocera Scalo CZ 170 BF 49
Nocera Scalo PG 97 AL 25
Nocera Sup. SA 151 AX 39
Nocera Tirinese CZ 170 BF 49
Nocera Umbra PG 97 AL 25
Noceto CN 74 J 17
Noceto GE 62 O 16
Noceto GE 63 P 16
Noceto MS 78 V 19
Noceto PR 65 W 15
Noceto SV 74 K 17
Nocetolo RE 65 Y 15
Noche AT 61 K 15
Noci BA 147 BL 39
Noci Garioni CR 53 V 12
Nociaccia AV 142 AY 37
Nociazzi PA 186 AT 57
Nocicchia FR 130 AO 33
Nociforo CT 202 AX 60
Nociglia LE 161 BT 43
Nociveglia PR 64 S 16
Nocolino PI 92 Y 23
Nocria MC 107 AN 26
Nodica PI 84 X 21
Nodigheddu SS 208 K 38
Nodu Pianu OT 211 S 38
Noepoli PZ 165 BG 43
Noffo BS 38 W 9
Nogara VR 55 AB 12
Nogara VR 55 AC 12
Nogara VR 55 AD 13
Nogarazza VI 41 AE 10
Nogare VI 40 AD 9
Nogarè TN 26 AC 7
Nogarè TV 28 AH 9
Nogaredo SO 9 R 6
Nogaredo TN 26 AB 8
Nogaredo al Torre UD 31 AP 8
Nogaredo di Corno UD 30 AN 7
Nogaredo di Prato UD 30 AN 7
Nogarole Rocca VR 54 AA 12
Nogarole Vicentino VI 40 AC 10
Nogarolo TV 28 AI 8
Nogheredo PN 29 AK 7
Nogiano CS 170 BG 48
Nogna PG 96 AJ 23
Noha LE 160 BR 43
Noiaretto UD 16 AM 4
Noiaris UD 16 AM 5
Noicattaro BA 147 BK 37
Nola NA 151 AW 38
Nole TO 47 G 12
Noli GE 62 O 16
Noli SV 75 L 18
Nomadelfia MO 66 AA 15
Nomaglio TO 34 I 10
Nomi TN 26 AB 8
Nommisci RI 114 AO 28
Nona BG 24 V 7
Nonantola MO 66 AB 15
None TO 47 G 14
Nongruella UD 16 AO 6

Nonio *VB* 21 L 8
Nonta *UD* 16 AM 5
Noragugume *NU* 217 O 42
Norbello *OR* 217 N 43
Norcen *BL* 28 AG 7
Norcia *PG* 107 AN 27
Nordham / Villa *BZ* 13 AD 4
Norea *CN* 71 H 18
Norge Polesine *RO* 57 AI 13
Norma *LT* 129 AM 34
Nortiddi *NU* 214 R 40
Nortosce *PG* 107 AM 27
Nosadello *CR* 37 S 11
Nosate *MI* 35 N 10
Nosedole *MN* 54 AA 13
Notara *CT* 197 BA 57
Notaresco *TE* 109 AS 28
Noto *SR* 205 AZ 62
Notteri *CA* 227 S 49
Nottola *SI* 95 AF 25
Nottoria *PG* 107 AO 27
Noussan *AO* 19 G 9
Nova *SO* 10 W 6
Nova Levante /
  Welschnofen *BZ* 13 AE 5
Nova Milanese *MB* 36 Q 10
Nova Passua /
  Neupasseg *BZ* 13 AE 4
Nova Ponente /
  Deutschnofen *BZ* 13 AD 5
Nova Siri *MT* 165 BI 43
Nova Siri Scalo *MT* 165 BI 43
Novacella / Neustift *BZ* 4 AE 3
Novafeltria *PU* 88 AI 20
Novagli Campagna *BS* 39 X 11
Novagli Mattina *BS* 39 X 11
Novagli Sera *BS* 39 X 11
Novaglie *VR* 40 AB 11
Novaglio *VB* 21 M 8
Novalba di Cardinale *CZ* 174 BH 52
Novale *BZ* 12 AA 4
Novale *BZ* 4 AE 2
Novale *BZ* 13 AE 4
Novale *BZ* 11 Z 4
Novale *VI* 40 AC 10
Novale / Kraut *BZ* 12 AC 4
Novale / Rauth *BZ* 13 AD 5
Novale / Ried *BZ* 4 AD 2
Novale / Ried *BZ* 5 AH 3
Novale Basso *BZ* 4 AD 2
Novaledo *TN* 27 AD 7
Novalesa *TO* 46 D 12
Novara *NO* 35 M 11
Novara di Sicilia *ME* 188 AZ 55
Novaretto *TO* 47 F 13
Novate Mezzola *SO* 9 R 6
Novate Milanese *MI* 36 P 10
Novate Roglieri *PC* 52 T 13
Novazza *BG* 24 U 8
Nove *VI* 41 AF 9
Novedo *PV* 51 Q 12
Novedrate *CO* 36 P 9
Novegigola *MS* 78 U 18
Noveglia *PR* 64 T 16
Noveiva *AT* 49 K 14
Novele *AP* 108 AP 27
Novella II *CH* 117 AV 30
Novellano *RE* 79 X 18
Novellara *RE* 66 Z 14
Novelle *BS* 25 X 7
Novelli *CN* 74 J 17
Novello *CN* 60 I 16
Novello *PD* 42 AG 10
Noventa *PD* 42 AG 11
Noventa di Piave *VE* 43 AK 10
Noventa Vicentina *VI* 55 AE 12
Noverasco *MI* 36 Q 11
Novezio *BG* 24 U 8
Novi di Modena *MO* 66 AA 14
Novi Ligure *AL* 62 N 15
Novi Velia *SA* 162 BA 42
Noviglio *MI* 51 P 11
Novilara *PU* 90 AM 20
Novoledo *VI* 41 AE 10
Novoli *FI* 86 AC 20
Novoli *LE* 158 BR 41
Nozarego *GE* 76 Q 18
Nozon *AO* 19 G 9
Nozza *BS* 39 X 9
Nozzano *LU* 85 X 20
Nubia *TP* 182 AK 56
Nucarelle *VV* 174 BG 51
Nuccio *TP* 190 AJ 57
Nucetto *CN* 74 J 17
Nuchis *OT* 210 P 38
Nuditta *NU* 211 S 39
Nugareto *BO* 80 AC 17
Nughedu di San Nicolò *SS* 214 P 40
Nughedu
  Santa Vittoria *OR* 218 O 43
Nugola *LI* 92 X 22
Nule *SS* 214 Q 41
Nulvi *SS* 209 N 39
Numana *AN* 91 AQ 22
Nunziata *CT* 197 AZ 57
Nunziatella *GR* 111 AD 29
Nuoitas *UD* 15 AK 5
Nuoro *NU* 214 Q 42
Nuova Cliternia *CB* 125 AZ 32
Nuova Colmata *NA* 150 AT 38
Nuova Olonio *SO* 23 R 6
Nuppolara *CS* 164 BE 44
Nurachi *OR* 216 M 44
Nuragheddu *NU* 211 S 39
Nuragus *CA* 218 P 45
Nurallao *CA* 218 P 45
Nuraminis *CA* 221 P 47
Nuraxi Atzori *CI* 224 L 48
Nuraxi Figus *CI* 224 L 48
Nuraxinieddu *OR* 216 M 44
Nureci *OR* 218 O 45
Nurri *CA* 222 Q 45
Nus *AO* 33 F 9
Nusco *AV* 143 AZ 38
Nusenna *SI* 94 AE 23
Nusone *PC* 51 R 13
Nuvolato *MN* 54 AB 13
Nuvolento *BS* 39 X 10
Nuvolera *BS* 39 X 10
Nuxis *CI* 225 N 49

O

Obedon / Auna Sup. *BZ* 13 AD 4
Obenetto *UD* 17 AQ 7
Obenplanken /
  Planca di Sopra *BZ* 5 AI 3
Ober Olang /
  Valdaora di Sopra *BZ* 5 AH 3
Ober Wielenbach /
  Villa di Sopra *BZ* 5 AH 3
Oberbozen /
  Soprabolzano *BZ* 13 AD 4
Obereggen /

NAPOLI

Augusto (Viale) AU 10
Capodichino (Calata) CT 16
Caravaggio (V. Michelangelo Da) AU 19
Casoria (Str. Prov.) CT 21
Cilea (V. Francesco) BU 26
Claudio (V.) AU 28
De Amicis (V. Tommaso) BT 41
De Pinedo (V.) CT 44
Di Vittorio (Pza) CT 45
Domiziana (V.) AU 46
Don Bosco (V.) CT 47
Europa (Cso) BU 52
Ferraris (V. Galileo) CTU 54
Garibaldi (Cso G.) DU 62
Gianturco (V. E.) CTU 64
Giulio Cesare (V.) AU 66
Imparato (V. F.) CTU 68
Jannelli (V. Gabriele) BT 69
Kennedy (Viale J. F.) AU 70
Maddalena (Viale U.) CT 71
Miraglia (V. Nicola) CT 79
Napoli Capodimonte (V.) BT 92
Nicolini (V. Nicola) CT 95
Orazio (V.) BU 103
Piave (V.) AU 112
Pietravalle (V. M.) BT 114
Pigna (V.) BU 116
Ponti Rossi (V.) BT 122
Reggia di Portici (V.) CU 128
Riposo (V. del) CT 132
S. Giovanni a Teduccio (Cso) CU 141
Taddeo da Sessa (V.) CT 157
Tasso (V. Torquato) BU 158
Tecchio (Piazzale V.) AU 160
Traccia a Poggioreale (V.) CT 164
Volta (V. A.) CU 173

Palazzo e Galleria di Capodimonte BT M[1]

A B C D E F G H I J K L M N O P Q R S T U V W X Y Z

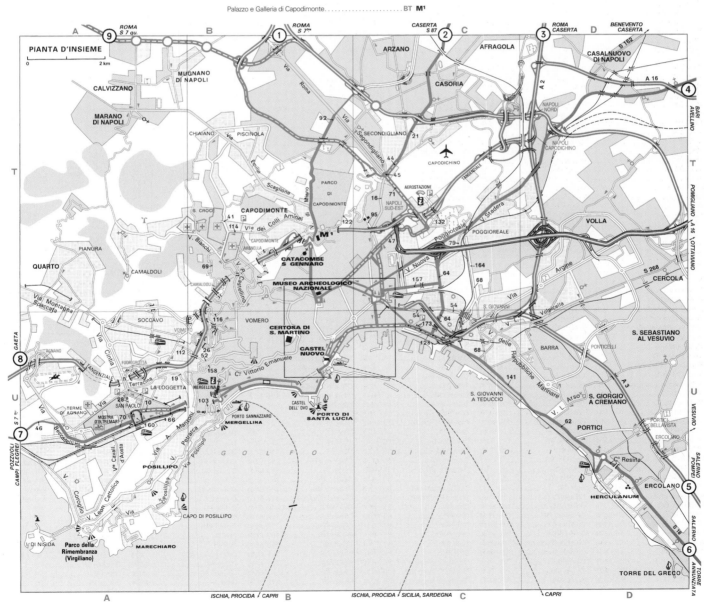

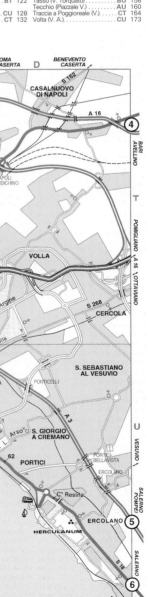

A B C D E F G H I J K L M N O P Q R S T U V W X Y Z

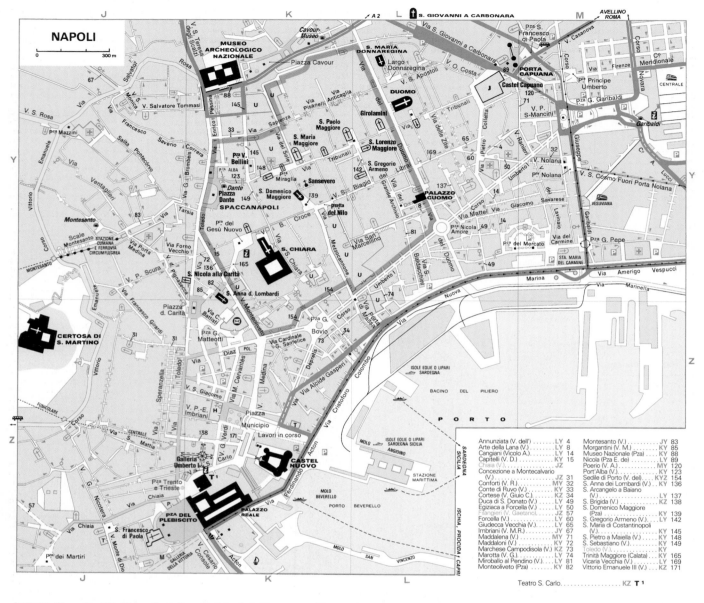

NAPOLI

Annunziata (V. dell')	LY	4
Arte della Lana (V.)	LY	8
Cangiani (Vicolo A.)	LY	14
Capitelli (V. D.)	KY	15
Chiaia (V.)	JZ	
Concezione a Montecalvario	JZ	31
Conforti (V. R.)	MY	32
Conte di Ruvo (V.)	KY	33
Cortese (V. Giuio C.)	KZ	34
Duca di S. Donato (V.)	LY	49
Egiziaca a Forcella (V.)	LY	50
Filangieri (V. Gaetano)	JZ	57
Forcella (V.)	LY	60
Giudecca Vecchia (V.)	LY	65
Imbriani (V. M.R.)	JY	67
Maddalena (V.)	MY	71
Maddaloni (V.)	KY	72
Marchese Campodisola (V.)	KZ	73
Marotta (V. G.)	LY	74
Miroballo al Pendino (V.)	LY	81
Monteoliveto (Pza)	KY	82
Montesanto (V.)	JY	83
Morgantini (V. M.)	KY	85
Museo Nazionale (Pza)	KY	88
Nicola (Pza E. de)	KY	89
Poerio (V. A.)	MY	120
Port'Alba (V.)	KY	123
Sedile di Porto (V. del)	KYZ	154
S. Anna dei Lombardi (V.)	KY	136
S. Arcangelo a Baiano	LY	137
S. Brigida (V.)	KZ	138
S. Domenico Maggiore (Pza)	KY	139
S. Gregorio Armeno (V.)	LY	142
S. Maria di Costantinopoli (V.)	KY	145
S. Pietro a Maiella (V.)	KY	148
S. Sebastiano (V.)	KY	149
Toledo (V.)	KY	
Trinità Maggiore (Calata)	KY	165
Vicaria Vecchia (V.)	LY	169
Vittorio Emanuele III (V.)	KZ	171

Teatro S. Carlo .... KZ T¹

Name	No.	Ref
San Floriano BZ	13	AE 5
Oberfennberg / Favogna di Sotto BZ	12	AC 6
Oberlappach / Lappago di Sopra BZ	4	AF 2
Oberluttach / Lutago di Sopra BZ	4	AG 2
Oberrasen / Rasun di Sopra BZ	5	AH 3
Obervierschach / Versciaco di Sopra BZ	5	AI 3
Obledo TV	28	AG 8
Oblizza UD	31	AQ 7
Obolo PC	64	S 15
Oborza UD	31	AQ 7
Obranchi UD	17	AQ 7
Oca BO	80	AB 17
Oca RO	57	AI 14
Oca VA	35	M 9
Oca VR	55	AD 12
Occagno CO	22	P 8
Occhetti CN	60	I 15
Occhieppo Inf. BI	34	J 10
Occhieppo Sup. BI	34	J 10
Occhio RC	189	BC 55
Occhio Piccolo BR	148	BN 39
Occhiobello RO	56	AE 14
Occiano SA	152	AY 39
Occimiano AL	49	M 13
Ocenelli PG	106	AK 27
Ocosce PG	107	AM 27
Ocre RI	114	AM 28
Odalengo Grande AL	49	K 13
Odalengo Piccolo AL	49	K 13
Odecla BS	25	W 7
Odeno BS	39	X 9
Oderzo TV	29	AJ 9
Odolo BS	39	X 10
Ofanto I AV	143	AZ 38
Ofanto II AV	143	AZ 38
Ofena AQ	116	AR 30
Offagna AN	91	AP 22
Offanengo CR	37	T 11
Offeio RI	114	AN 30
Offida AP	108	AR 26
Offlaga BS	38	V 11
Offredi PU	89	AJ 22
Oga SO	11	X 5
Oggebbio VB	21	M 8
Oggia CO	22	P 7
Oggiogno VB	21	N 7
Oggiona VA	36	N 9
Oggiono LC	23	R 9
Ogie CN	70	E 17
Ogliano TV	29	AI 8
Ogliara SA	152	AX 39
Ogliastrillo PA	186	AS 55
Ogliastro CT	202	AW 60
Ogliastro SA	162	AY 42
Ogliastro Cilento SA	162	AZ 41
Ogliastro Marina SA	162	AY 42
Ogna BG	24	U 8
Ognato BS	38	V 11
Ognina SR	205	BA 62
Ognio GE	76	Q 17
Ognissanti CR	53	W 13
Ognola CN	60	H 15
Oillan AO	33	G 9
Oira VB	7	K 6
Oira VB	21	L 8
Oitana TO	59	G 14
Ola SV	74	K 18
Ola BG	24	T 8
Olantreghe BL	14	AI 6
Olba SV	74	K 18
Olbia OT	211	S 38
Olbicella AL	62	M 16
Olcenengo VC	49	K 11
Olcio LC	23	Q 8
Olda BG	23	S 8
Oldelle VI	41	AE 9
Oldenico VC	35	L 11
Oldesio BS	39	Z 9
Oleandro NA	150	AT 38
Olecenello BN	133	AY 36
Oleggio NO	35	M 10
Oleggio Castello NO	35	M 9
Oleificio Panichi AP	108	AQ 26
Oleis UD	31	AP 7
Olena FI	94	AC 22
Olena PV	51	Q 12
Olengo NO	35	M 11
Olera BG	37	T 9
Olesi PV	51	P 14
Olevano di Lomellina PV	50	N 12
Olevano Romano RM	120	AN 32
Olevano sul Tusciano SA	152	AZ 40
Olevole TR	105	AH 26
Oley AO	33	G 9
Olfino MN	39	Z 11
Olgia VB	7	M 7
Olgiasca LC	23	Q 7
Olgiata RM	119	AJ 31
Olgiate Comasco CO	36	O 9
Olgiate Molgora LC	37	R 9
Olgiate Olona VA	36	O 10
Olginate LC	23	R 9
Olia Speciosa CA	227	S 48
Olibra Incinante AP	108	AP 26
Olibra Incinesca AP	108	AQ 26
Oliena NU	214	R 42
Oliero VI	27	AF 8
Olina LC	23	R 8
Oliosi VR	39	Z 11
Olle TN	27	AD 7
Oliva CS	170	BF 49
Oliva Gessi PV	51	Q 13
Olivadi CZ	175	BH 51
Olivara AV	142	AZ 36
Olivarella ME	189	BA 54
Olivarelli Grimaldi RC	176	BE 54
Olive VR	40	AB 11
Olivella CS	166	BE 46
Olivella FR	131	AS 34
Olivella SA	152	AZ 40
Olivella ME	188	AZ 55
Oliveri ME	188	BA 54
Oliveto AN	90	AO 22
Oliveto AR	95	AF 23
Oliveto BO	67	AB 17
Oliveto CS	170	BF 49
Oliveto KR	169	BL 47
Oliveto ME	187	AW 55
Oliveto ME	189	BB 54
Oliveto RC	178	BD 55
Oliveto RC	179	BG 54
Oliveto RI	114	AM 30
Oliveto SV	74	K 18
Oliveto Citra SA	152	BA 39
Oliveto Lario LC	23	Q 8
Oliveto Longo CS	168	BJ 46
Oliveto Lucano MT	154	BG 40
Olivetta IM	72	G 20
Olivola AL	49	L 13
Olivola MS	78	V 18
Ollasca CN	70	F 17
Ollastra Simaxis OR	217	N 44
Ollolai NU	218	Q 42
Ollomont AO	19	E 8
Olmeda CO	22	P 9
Olmedo SS	212	L 40
Olmeneta CR	52	V 12
Olmeto BZ	3	AB 2
Olmeto PG	105	AI 26
Olmeto TE	108	AQ 27
Olmetti RM	119	AJ 31
Olmi CH	123	AV 32
Olmi / Hohlen BZ	13	AD 5
Olmini PG	105	AH 25
Olmitello PG	96	AI 22
Olmo AP	108	AR 26
Olmo AR	95	AG 23
Olmo AT	61	J 15
Olmo BS	53	W 11
Olmo FI	86	AD 20
Olmo LO	51	S 12
Olmo PC	64	S 15
Olmo PZ	154	BD 41
Olmo RE	65	X 15
Olmo SA	152	AY 40
Olmo SO	9	R 5
Olmo SV	75	L 17
Olmo TV	28	AF 9
Olmo VE	42	AI 10
Olmo VI	41	AD 10
Olmo VR	55	AB 13
Olmo VR	55	AC 12
Olmo VR	55	AD 12
Olmo al Brembo BG	23	S 8
Olmo di Bagnoli PD	56	AG 12
Olmo Gentile AT	61	K 16
Olmo Lungo MN	54	AA 13
Olmobello LT	129	AL 34
Olmolongo RC	176	BE 53
Olsano BS	39	X 9
Oltra BL	27	AF 7
Oltre TN	26	AB 7
Oltre il Colle BG	24	T 8
Oltreacqua UD	17	AQ 4
Oltrerugo PN	16	AM 6
Oltrevara SP	77	T 18
Oltris UD	15	AL 5
Oltrona VA	22	N 9

Oltrona di San Mamette CO	36 O 9	Opera Pelagallo AP	109 AS 26
Olza LO	52 S 12	Opi AQ	115 AQ 30
Olza PC	64 T 15	Opi AQ	122 AR 33
Olza PC	52 U 13	Opicina TS	31 AR 9
Olzai NU	218 P 42	Oppeano VR	55 AC 12
Olzano BS	38 V 9	Oppi VR	55 AC 12
Olzano CR	52 T 12	Oppi VR	55 AC 12
Olzo CR	53 W 13	Oppia Nuova SS	213 O 40
Ombrece CS	166 BF 45	Oppidi SA	152 AZ 40
Ombriano BS	38 W 9	Oppido Lucano PZ	145 BE 39
Ombrone VT	112 AH 28	Oppido Mamertina RC	179 BE 54
Ome BS	38 V 10	Oppilo MS	77 U 17
Omegna VB	21 L 8	Oppio PT	79 AA 19
Omignano SA	162 AZ 42	Oppio VT	43 AK 9
Omignano Scalo SA	162 AZ 42	Ora / Auer BZ	13 AC 5
Onani NU	214 R 41	Oradoro SP	77 T 18
Onano VT	104 AF 27	Orago VA	36 N 9
Onara PD	41 AF 10	Orani NU	214 Q 42
Oncedis UD	16 AN 6	Orasso VB	7 M 7
Oncino CN	58 E 15	Oratino CB	133 AW 34
Onè TV	42 AG 9	Oratorio CR	53 X 14
Oneda VA	35 M 9	Oratorio PE	116 AS 30
Oneglia IM	73 J 20	Oratorio RE	78 W 18
Onelli PG	107 AN 27	Oratorio TV	43 AK 9
Oneta BG	24 T 8	Orba-Pedarace RC	176 BE 53
Oneta LU	85 Y 20	Orbassano TO	47 G 13
Oneto PC	63 R 15	Orbeillaz AO	33 H 9
Onferno RN	89 AK 20	Orbetello GR	110 AC 29
Onfiano RE	66 Y 17	Orbetello Scalo GR	110 AC 29
Ongarie TV	42 AH 10	Orbicciano LU	85 X 20
Ongaro VT	40 AC 9	Orbregno AL	61 M 16
Ongina PR	53 V 13	Orcenico Inf. PN	29 AL 8
Oni VR	55 AD 12	Orcenico Sup. PN	30 AL 8
Onies BZ	4 AG 3	Orchi CE	131 AT 36
Onifai NU	215 S 41	Orciano di Pesaro PU	90 AM 21
Oniferi NU	214 Q 42	Orciano Pisano PI	92 Y 23
Onigo TV	28 AG 8	Orciatico PI	93 Z 23
Onna AQ	115 AP 29	Orco SV	74 L 18
Onno LC	23 Q 8	Ordona FG	135 BC 36
Ono Degno BS	39 X 9	Orecchiazzi ME	187 AW 55
Ono San Pietro BS	25 W 7	Orecchiazzi Rosselli ME	187 AW 55
Onore BG	24 V 8	Orecchiella LU	78 X 18
Ontagnano UD	30 AO 8	Orecchiuto CS	166 BE 45
Ontaneta FC	87 AF 19	Orecchiuto CS	166 BE 46
Ontignano FI	86 AD 21	Oreno MI	37 N 10
Ontraino PI	85 Z 21	Orentano PI	85 Y 21
Onzato BS	38 W 11	Orero GE	76 Q 17
Onzo SV	73 J 19	Orezola e Orezzoletta CR	53 W 13
Opaco FI	86 AD 20	Orezzo BG	37 T 9
Opaco PG	107 AN 27	Orezzoli PC	63 R 16
Opagna PG	107 AN 28	Orfanatrofio Allegra CT	197 AZ 58
Opera MI	36 Q 11	Orfanatrofio LT	128 AK 34
		Orfanatrofio Rosa LT	129 AM 34
		Orfengo NO	35 M 11

Orgare AO	32 C 9	Orroli CA	222 Q 45
Orgia SI	94 AC 24	Orsa PA	183 AN 54
Orgiano VI	41 AD 11	Orsago TV	29 AJ 8
Orgnano UD	30 AN 7	Orsaiola PU	89 AK 22
Orgnano VR	40 AC 11	Orsano NA	151 AW 39
Orgnese PN	15 AL 6	Orsano PG	107 AM 26
Orgosolo NU	218 R 42	Orsara BO	81 AE 18
Oria BR	148 BO 40	Orsara Bormida AL	62 M 15
Oria Nova FG	135 BD 35	Orsara di Puglia FG	134 BA 36
Oriago VE	42 AH 11	Orsaria UD	31 AP 7
Oriano BS	52 V 11	Orsenigo CO	36 Q 9
Oriano BS	52 V 11	Orsigliadi VV	176 BE 52
Oriano PR	64 V 16	Orsigna PT	80 AA 19
Oriano Brianza LC	36 Q 9	Orsomaci CS	167 BF 46
Oriano Ticino VA	35 M 9	Orsomarso CS	166 BE 45
Oricola AQ	120 AN 31	Orsucci LU	79 X 19
Origgio VA	36 P 10	Orta FR	130 AQ 34
Orignano SA	151 AX 39	Orta di Atella CE	141 AU 38
Orino VA	22 N 8	Orta Nova FG	135 BD 36
Orio Canavese TO	48 I 11	Orta San Giulio NO	35 L 9
Orio Litta LO	52 S 13	Ortacesus CA	221 P 46
Oriolo BS	39 X 10	Ortale AR	88 AI 21
Oriolo BS	39 Y 10	Ortano LI	102 X 27
Oriolo PG	106 AL 27	Orte VT	113 AJ 29
Oriolo PV	50 P 13	Orte Scalo VT	113 AJ 29
Oriolo RA	82 AG 18	Ortelle FR	130 AO 34
Oriolo Calabro CS	165 BH 43	Ortelle LE	161 BT 43
Oriolo Romano VT	118 AH 31	Ortesei SO	10 W 6
Oriomosso BI	34 J 10	Ortezzano FM	108 AQ 25
Oris BZ	11 Y 4	Orti BO	80 AA 19
Oristano OR	216 M 44	Orti RO	55 AE 13
Ormagnano MC	97 AN 24	Orti VR	55 AC 12
Ormanico TN	28 AG 6	Orti Su Loi CA	226 P 49
Ormea CN	74 I 19	Ortiano CS	168 BJ 47
Ormelle TV	29 AJ 9	Ortica MI	36 Q 11
Ornago MB	37 N 10	Orticelli RO	56 AH 13
Ornano Grande TE	115 AQ 28	Ortichella AV	143 BA 36
Ornaro RI	114 AM 30	Ortignano AR	87 AF 21
Ornaro Basso RI	114 AM 30	Ortigoso VC	34 J 9
Ornato PN	16 J 16	Ortisei / St.Ulrich BZ	13 AF 4
Ornavasso VB	21 L 8	Orto AT	61 K 15
Ornella BL	14 AG 5	Ortodonico SA	162 AZ 42
Orneta AV	143 AZ 37	Ortola CE	141 AV 36
Ornica BG	23 S 8	Ortolano AQ	115 AP 28
Ornina AR	87 AF 22	Ortomatera CS	170 BG 48
Ornito SA	152 AY 39	Orton PN	16 AM 6
Orno BT	136 BF 35	Orton di Sopra PN	16 AM 6
Oro PG	105 AH 26	Ortona CH	117 AV 29
Oropa BI	34 I 10	Ortona dei Marsi AQ	122 AR 31
Orosei NU	215 T 41	Ortonovo SP	78 V 19
Orotelli NU	214 P 42	Ortovero SV	73 J 19
Orria SA	162 BA 42	Ortucchio AQ	122 AQ 32

Ortueri NU	218 O 43	Ospanesco RI	114 AN 30
Orturano MS	78 U 18	Ospedale KR	172 BJ 49
Orune NU	214 R 41	Ospedaletti IM	72 H 21
Orvano MC	107 AN 26	Ospedaletto AR	88 AH 21
Orvieto TR	105 AH 27	Ospedaletto FC	88 AG 20
Orvinio RI	120 AM 31	Ospedaletto FC	82 AH 18
Orzaglia LU	78 W 18	Ospedaletto LT	129 AM 34
Orzale PR	65 W 16	Ospedaletto PG	107 AN 27
Orzano UD	31 AP 7	Ospedaletto PI	85 X 21
Orzes BL	28 AH 7	Ospedaletto RN	89 AK 20
Orzinuovi BS	38 U 11	Ospedaletto TN	27 AE 7
Orzivecchi BS	38 U 11	Ospedaletto TR	105 AI 26
Osa TR	105 AI 27	Ospedaletto TV	42 AH 10
Osacca PR	64 T 16	Ospedaletto UD	16 AN 6
Osarella TR	105 AI 27	Ospedaletto VR	40 AA 10
Osasco TO	59 F 14	Ospedaletto d'Alpinolo AV	142 AX 38
Osasio TO	59 G 14	Ospedaletto Euganeo PD	56 AE 12
Oscano PG	96 AJ 25	Ospital Monacale FE	68 AF 16
Oscasale CR	52 T 12	Ospitale FC	67 AD 14
Oscata AV	143 BA 37	Ospitale MO	79 Z 19
Oscato SA	151 AX 39	Ospitale di Brenta PD	41 AF 10
Oschiena VC	49 K 12	Ospitale di Cadore BL	15 AI 6
Oschiri OT	210 P 39	Ospitaletto BS	38 V 10
Oseacco UD	16 AO 5	Ospitaletto MN	54 Y 13
Oselle TO	60 H 15	Ospitaletto RE	78 W 18
Osidda NU	214 Q 40	Ospitaletto RO	56 AE 14
Osiglia SV	74 K 18	Ospitaletto MO	80 AA 17
Osigo CO	23 Q 8	Ospizio AR	95 AG 24
Osigo TV	29 AJ 7	Ossago Lodigiano LO	51 S 12
Osilo SS	209 N 39	Ossaia AR	95 AH 24
Osimo AN	98 AP 23	Ossalengo CR	52 V 12
Osimo Stazione AN	98 AQ 23	Ossana TN	11 Z 6
Osini Nuovo OG	219 R 45	Ossanesga BG	37 S 9
Osini-Vecchio OG	219 R 45	Ossano RA	81 AF 18
Osio Sopra BG	37 S 10	Osseddu OT	211 S 38
Osio Sotto BG	37 S 10	Ossegna SP	77 S 17
Oslavia GO	31 AQ 8	Ossenigo VR	40 AA 9
Osmate VA	35 M 9	Ossi SS	213 M 39
Osnago LC	37 R 9	Ossiach UD	17 AQ 6
Osoli AP	108 AP 26	Ossimo Inf. BS	25 W 8
Osoppo UD	16 AN 6	Ossimo Sup. BS	24 W 8
		Osso VB	7 K 6
		Ossola LC	37 R 9
		Ossolaro CR	52 U 12
		Ossona MI	36 O 10
		Ossuccio CO	22 Q 8
		Osta AL	49 K 13
		Ostaglio SA	152 AY 40
		Ostana CN	58 E 15
		Ostellato FE	68 AG 15
		Osteno CO	22 P 7
		Osteria AN	90 AN 22
		Osteria AR	95 AG 24
		Osteria BO	67 AD 16
		Osteria BS	53 W 12
		Osteria FE	68 AE 15
		Osteria MO	66 AA 14
		Osteria MO	79 Z 19
		Osteria PU	97 AL 22
		Osteria RA	82 AI 18
		Osteria RI	113 AK 29
		Osteria RN	83 AJ 19
		Osteria RO	55 AC 13
		Osteria TV	28 AG 9
		Osteria VR	40 AB 11
		Osteria Capannacce VT	112 AI 29
		Osteria del Bagno RN	83 AJ 19
		Osteria del Colle PG	96 AI 24
		Osteria del Gatto PG	97 AL 24
		Osteria del Sambuco AQ	114 AO 29
		Osteria della Fontana FR	130 AN 33
		Osteria delle Macchie SI	103 AB 25
		Osteria dell'Osa RM	120 AL 32
		Osteria di Biagio TR	105 AH 27
		Osteria di Morano PG	97 AL 24
		Osteria Grande BO	81 AE 17
		Osteria Moricone RM	120 AL 31
		Osteria Nuova BO	67 AC 16
		Osteria Nuova PC	64 U 14
		Osteria Nuova PU	89 AL 20
		Osteria Nuova RI	114 AL 30
		Osteria Nuova RM	118 AH 32
		Osteria Nuova RM	119 AI 31
		Osteria Nuova RM	120 AL 31
		Osteria Nuova RN	89 AK 20
		Osterianova MC	98 AP 23
		Osteriola BO	67 AD 16
		Osteriola RE	66 Z 15
		Osteriola RE	66 Y 15
		Osteriola VT	104 AF 27
		Ostia RM	128 AI 33
		Ostia Antica RM	128 AI 33
		Ostia Parmense PR	64 U 16

Ostiano CR	53 W 12		
Ostiglia MN	55 AB 13	Pabillonis VS	221 N 46
Ostiglia PD	42 AG 10	Pacchione LI	92 Y 23
Ostigliano SA	162 AZ 42	Pacci LE	160 BR 44
Ostina FI	87 AE 22	Paccone BN	133 AX 36
Ostra AN	90 AN 22	Pace ME	189 BC 54
Ostra Vetere AN	90 AN 22	Pace MN	54 Z 12
Ostuni BR	148 BO 39	Pace RI	114 AN 30
Osulai OG	219 S 44	Pace del Mela ME	189 BA 54
Otra VB	21 K 8	Paceco TP	182 AK 56
Otra VC	34 J 9	Pacengo VR	39 Z 11
Otranto LE	161 BT 43	Pacentro AQ	122 AS 31
Otricoli TR	113 AJ 29	Pachino SR	205 AZ 63
Ottaggi PG	107 AM 26	Paciano PG	105 AH 25
Ottana NU	214 P 42	Pacigliano MC	98 AQ 24
Ottano IM	72 I 19	Padana PU	90 AN 21
Ottati SA	153 BA 41	Padaro TN	26 AA 8
Ottava SS	208 L 39	Padella RC	178 BD 55
Ottava Presa VE	43 AM 10	Padella TR	105 AH 27
Ottavia RM	119 AJ 32	Padella-Rubino FR	130 AQ 33
Ottaviano NA	151 AV 38	Padelli CS	167 BG 46
Ottavo FI	87 AD 22	Padenghe sul Garda BS	39 Y 10
Ottiglio AL	49 L 13	Padergnone BG	37 T 10
Ottignana FC	81 AF 19	Padergnone TN	26 AA 7
Ottiolu NU	211 T 39	Paderna AL	62 O 15
Ottobiano PV	50 N 13	Paderna PC	52 T 14
Ottone LI	100 X 27	Paderna PR	65 X 16
Ottone PC	63 R 16	Paderna RE	66 Y 16
Ottone Soprano PC	63 R 16	Paderna RE	65 Y 16
Oulme TO	46 C 13	Padernello BS	52 U 11
Oulx TO	45 C 13	Padernello TV	42 AH 9
Ova AL	50 O 14	Paderno BG	37 T 9
Ovada AL	62 M 16	Paderno BL	28 AH 7
Ovanengo BS	52 U 11	Paderno BO	80 AC 17
Ovaro UD	16 AM 5	Paderno FC	82 AI 19
Ovasta UD	16 AM 5	Paderno FC	88 AI 20
Ovedasso UD	16 AO 5	Paderno UD	42 AI 9
Ovedino IS	132 AV 34	Paderno UD	30 AO 7
Oviglia TO	48 I 14	Paderno UD	31 AP 7
Oviglio AL	61 L 14	Paderno d'Adda LC	37 R 9
Ovile Nazionale FG	135 BB 35	Paderno del Grappa TV	28 AG 9
Ovilò OT	211 S 39		
Ovindoli AQ	121 AQ 31		
Ovodda NU	218 P 43		
Ovoledo PN	29 AL 8		
Oyace AO	19 F 8		
Ozegna TO	48 H 11		
Ozein AO	32 E 9		
Ozzanello PR	65 V 16		
Ozzano PR	65 V 15		
Ozzano dell'Emilia BO	67 AD 17		
Ozzano Monferrato AL	49 L 13		
Ozzero MI	50 O 11		

A B C D E F G H I J K L M N O **P** Q R S T U V W X Y Z

P

NOVARA

BORGOMANERO 30 km · R 229 · LAGO MAGGIORE 33 km · AUTOSTRADA A4 : MILANO 57 km · 59 km VARALLO AUTOSTRADA A4 TORINO 95 km · P 299 · 23 km VERCELLI · R 11 · VARESE 52km S 341 · MILANO 47 Km R 11 · VIGEVANO · PAVIA 62 km. · R 211

GAUDENZIO · STAZIONE · Duomo · CASTELLO · BROLETTO · MACELLO

Antonelli (V.)	A 2	Galilei (V. Galileo)	A 7	San Francesco d'Assisi (V.)	B 15
Bellini (Largo)	A 3	Italia (Cso)	AB	San Gaudenzio (V.)	A 17
Cavallotti (Cso F.)	B 4	Martiri dlle Libertà (Pza)	A 8	Trieste (Cso)	B 18
Cavour (Cso)	A	Mazzini (Cso)	B	Vittoria (Cso della)	A 19
Don Minzoni (Largo)	A 5	Puccini (V.)	A 13	20 Settembre (Cso)	A 20
Ferrari (V. G.)	A 6	Risorgimento (Cso)	A 14		

Paderno Dugnano MI 36 P 10
Paderno Franciacorta BS 38 V 10
Paderno Ponchielli CR 52 U 12
Padiglione AN 98 AP 23
Padiglione PU 89 AL 20
Padivarma SP 77 T 18
Pado ME 187 AX 55
Padola BL 15 AJ 4
Padonchia AR 95 AH 23
Padova PD 42 AG 11
Padova SA 152 AY 40
Padria SS 213 M 41
Padriciano TS 45 AS 10
Padrogiano OT 211 S 38
Padru OT 211 S 39
Padru Gaias OT 210 R 39
Padru Mannu NU 213 N 41
Padula SA 153 BC 41
Padula TE 108 AP 28
Padula Bianca LE 160 BR 43
Padula Fede LE 158 BP 42
Padulamenta BR 148 BN 39
Padule CH 123 AV 32
Padule LU 85 Y 21
Padule PG 97 AK 24
Padule SA 162 AZ 42
Paduledda OT 209 O 38
Paduli BN 142 AY 36
Padulle BO 67 AC 16
Paesana CN 59 E 15
Paese TV 42 AH 9
Paestum SA 152 AZ 41
Pagadelli MN 53 Y 13
Paganelli PG 107 AN 27
Pagani SA 151 AW 39
Pagani VR 40 AB 10
Pagania CS 168 BH 46
Paganica AQ 115 AP 29
Paganico FC 88 AG 20
Paganico GR 103 AC 26
Paganico PU 89 AJ 21
Paganico Sabino RI 114 AM 30
Paganina VR 55 AC 12
Pagannoni Alto TE 108 AR 27
Pagazzano BG 37 T 10
Pagazzano PR 64 U 16
Pagella AL 62 N 14
Paggese AP 108 AP 27
Paggi GE 76 R 17
Paghezzana MS 78 U 19
Pagiano FI 87 AE 21
Pagino PU 89 AL 21
Pagino PU 89 AM 22
Paglia RA 81 AF 18
Pagliadiccio MS 77 U 18
Pagliai TP 182 AL 55
Pagliaine PT 85 Z 20
Pagliana FI 80 AD 19
Pagliano MC 97 AM 24
Pagliano NA 151 AW 39
Paglianza FG 127 BF 32
Pagliara AQ 121 AO 31
Pagliara AV 143 AZ 37
Pagliara CT 197 BA 57
Pagliara ME 189 BB 56
Pagliara RI 114 AO 30
Pagliarazzi SR 205 AY 62
Pagliare AP 108 AR 26
Pagliare AQ 115 AO 29
Pagliare del Tione AQ 115 AQ 30
Pagliare di Fontecchio AQ 115 AQ 30
Pagliarelle KR 172 BJ 49
Pagliarelli CH 124 AX 31
Pagliarello PA 184 AP 55
Pagliari BG 24 T 7
Pagliaro BG 23 T 9
Pagliaro Inf. AL 63 P 15
Pagliaro Sup. AL 63 P 15
Pagliarole SA 162 AZ 42
Pagliaroli TE 108 AQ 28
Pagliarone AV 134 AZ 36
Pagliarone NA 151 AW 38
Pagliarone SA 152 AY 40
Pagliarono IS 132 AU 33
Pagliate NO 35 M 11
Paglieres CN 59 E 17
Pagliericcio AR 87 AF 21
Pagliero CN 59 E 16
Paglieta CH 117 AW 30
Pagnacco UD 30 AO 7
Pagnano RA 81 AE 18
Pagnano TV 28 AG 9
Pagno CN 59 F 16
Pagno FC 88 AH 20
Pagnolle FI 86 AD 20
Pagnona LC 23 R 7
Pago del Vallo
di Lauro AV 151 AW 38
Pago Veiano BN 142 AY 36
Pagogna BL 28 AH 7
Pai VR 39 Z 10
Paiedo SO 9 R 6
Paiere TO 47 F 13
Paiesco VB 7 L 7
Paina MI 36 Q 9
Pairana PV 51 Q 12
Pairola IM 73 J 20
Paisco BS 25 W 7
Paitone BS 39 X 10
Pala VB 21 M 8
Paladina BG 37 S 9
Paladine VV 174 BG 52
Paladini TE 115 AR 28
Palagani CS 170 BG 48
Palagano MO 79 Y 18
Palagianello TA 156 BK 40
Palagiano TA 156 BL 40
Palagio FI 93 AA 23
Palagio PI 85 Z 22
Palagnana LU 84 X 20
Palagonia CT 202 AX 60
Palaia PI 85 Z 22
Palamentano RG 204 AY 63
Palanche PI 85 X 21
Palanzano LE 161 BT 43
Palanzano PR 78 W 17
Palanzo CO 22 P 8
Palata BO 67 AC 15
Palata CB 124 AX 32
Palau OT 207 R 36
Palazza CS 166 BE 45
Palazza SA 162 AZ 42
Palazza Alta CS 166 BE 46
Palazzaggo BG 37 S 9
Palazzata MC 98 AO 24
Palazzatto GO 31 AP 9
Palazzelli SR 202 AY 59
Palazzello CS 167 BF 47
Palazzetti AR 95 AG 23
Palazzetto PG 97 AL 24
Palazzetto RO 56 AH 13
Palazzetto SI 94 AB 25
Palazzetto VE 43 AK 10
Palazzetto VE 30 AM 9
Palazzi AR 88 AI 21
Palazzi PG 105 AH 25
Palazzi PI 85 X 22
Palazzi PU 89 AJ 22
Palazzi TN 26 AB 7
Palazzi TV 29 AK 9
Palazzi di Diamantina FE 67 AE 14
Palazzina AL 62 O 14
Palazzina SI 94 AD 24
Palazzina VR 40 AB 11
Palazzina VR 55 AD 12
Palazzina d' Ete AP 99 AR 25
Palazzine BS 53 W 12
Palazzine RO 56 AE 13
Palazzine TN 26 AB 7
Palazzine
Santa Maria MT 155 BG 41
Palazzo AL 62 O 14
Palazzo AN 90 AM 22
Palazzo BG 23 S 8
Palazzo BO 80 AB 18
Palazzo BS 39 Y 11
Palazzo CR 53 X 13
Palazzo CZ 171 BH 50
Palazzo GE 76 Q 17
Palazzo LI 100 X 27
Palazzo MC 97 AM 24
Palazzo MN 55 AC 13
Palazzo PG 96 AK 25
Palazzo PG 97 AL 25
Palazzo PU 97 AK 23
Palazzo PV 50 M 12
Palazzo PV 51 Q 13
Palazzo SA 153 BB 40
Palazzo SV 75 L 17
Palazzo Adriano PA 192 AP 57
Palazzo Bovarino TR 105 AI 26
Palazzo Canavese TO 34 I 11
Palazzo Ceccoli PG 97 AL 24
Palazzo Corni RO 56 AG 13
Palazzo d'Ascoli FG 135 BC 36
Palazzo dei Mucci PU 88 AI 22
Palazzo del Pero AR 95 AG 23
Palazzo del Piano PU 89 AL 21
Palazzo di Ferro PU 89 AJ 21
Palazzo Doria SV 75 L 17
Palazzo Guelfi GR 102 Z 26
Palazzo Magrano PG 97 AK 24
Palazzo Mancinelli PG 97 AL 24
Palazzo Massaini SI 104 AF 25
Palazzo Minerva SS 212 M 41
Palazzo Mocenigo PD 55 AE 13
Palazzo Piana CS 165 BH 45
Palazzo Pignano CR 37 S 11
Palazzo Rossi BO 80 AC 17
Palazzo
San Gervasio PZ 144 BE 38
Palazzo San Martino LT 130 AO 35
Palazzo Terzano PG 96 AJ 24
Palazzo Torlonia PG 97 AK 24
Palazzo Venturi SI 94 AE 24
Palazzolo CT 195 AY 58
Palazzolo FI 87 AD 21
Palazzolo PG 97 AL 24
Palazzolo RM 120 AL 33
Palazzolo VR 39 Z 11
Palazzolo Acreide SR 202 AY 61
Palazzolo dello Stella UD 30 AN 9
Palazzolo sull'Oglio BS 38 U 10
Palazzolo Vercellese VC 49 K 12
Palazzon RO 56 AH 13
Palazzon TV 42 AG 9
Palazzon TV 42 AI 9
Palazzon VI 41 AE 9
Palazzon VI 41 AE 10
Palazzone FC 82 AI 18
Palazzone FE 68 AG 15
Palazzone PG 96 AI 23
Palazzone SI 104 AE 25
Palazzone SI 105 AG 26
Palazzuolo AR 95 AE 23
Palazzuolo Alto AR 95 AE 23
Palazzuolo sul Senio FI 81 AE 19
Palcano PU 97 AK 23
Palchisce GO 31 AQ 8
Pale PG 106 AL 26
Palè TO 47 E 13
Palena CH 123 AT 32
Palentuccio MC 97 AN 25
Palera TO 48 H 14
Palermiti CZ 175 BH 51
Palermo CN 60 H 14
Palermo PA 184 AP 55
Palese BA 146 BJ 37
Palestrina RM 120 AM 32
Palestrina TO 47 E 14
Palestro PV 50 M 12
Palì ME 197 BA 56
Paliano FR 120 AN 33
Palidano MN 54 Z 14
Palidoro RM 119 AI 32
Palinudo CS 171 BH 49
Palinuro SA 162 BA 43
Palizzi RC 179 BE 56
Palizzi Marina RC 179 BE 56
Palla Palla CS 171 BJ 48
Pallagorio KR 172 BK 48
Pallailla-I Santi PG 107 AM 26
Pallanfre CN 71 F 18
Pallanza VB 21 M 8
Pallanzeno VB 7 K 7
Pallare SV 74 K 18
Pallareto SV 74 J 18
Pallaud AO 32 D 10
Pallavicino AL 63 P 15
Pallavicino PA 184 AO 54
Pallerone MS 78 V 18
Palline BS 24 V 8
Pallino Secondo PU 89 AK 21
Pallone VT 112 AI 29
Pallotta CB 132 AV 35
Pallotta ME 188 AY 55
Pallotta PG 106 AJ 26
Pallusieux AO 18 C 9
Palma TP 182 AK 56
Palma Campania NA 151 AW 38
Palma di Montechiaro AG 199 AR 60
Palmadula SS 208 K 39
Palmanova UD 30 AO 8
Palmariggi LE 161 BT 43
Palmarola Nuova RM 119 AJ 32
Palmas CI 224 M 49
Palmas Arborea OR 217 M 44
Palmata LU 85 Y 20
Palmatico CZ 171 BH 50
Palmi RC 176 BE 53
Palmiano AP 108 AP 26
Palmirano FE 68 AF 15
Palmisano BA 147 BN 39
Palmoli CH 124 AW 32
Palmori FG 134 BB 34
Palmschoss / Plancios BZ 4 AF 3
Palnu Sartu CI 220 L 47
Palo RM 118 AH 32
Palo SV 62 M 17
Palo TN 25 Z 8
Palo del Colle BA 146 BJ 37

PADOVA

Altinate (V.)	DYZ		Filiberto (V. E.)	DY 24		Ponti Romani (Riviera dei)	DYZ 53
Carmine (V. del)	DY 10		Frutta (Pza della)	DZ 25		Roma (V.)	DZ
Cavour (Pza e V.)	DY 15		Garibaldi (Cso)	DY 27		S. Canziano (V.)	DZ 57
Cesarotti (V. M.)	DZ 17		Garibaldi (Pza)	DY 28		S. Fermo (V.)	DY
Dante (V.)	CY		Gasometro (V. dell' ex)	DY 29		S. Lucia (V.)	DY 59
Erbe (Pza delle)	DZ 20		Guariento (V.)	DY 35		Vandelli (V. D.)	CZ 66
Eremitani (Pza)	DY 21		Insurrezione (Pza)	DY 39		Verdi (V. G.)	CY 67
			Monte di Pietà (V. del)	CZ 45		Vittorio Emanuele II (Cso)	CZ 70
			Petrarca (V.)	CY 50		8 Febbraio (V.)	DZ 74
			Ponte Molino (Vicolo)	CY 52		58 Fanteria (V.)	DZ 75

Museo civico agli Eremitani .... DY **M**
Oratorio di San Giorgio e Scuola di Sant'Antonio .... DZ **B**
Palazzo della Regione .... DZ **J**
Statua equestre del Gattamelata .... DZ **A**

Palomandro CS 170 BF 49
Palomba SA 151 AW 39
Palombaia AV 143 BA 38
Palombaio BA 146 BI 37
Palombara BR 158 BO 41
Palombara CS 168 BH 46
Palombara PU 90 AM 20
Palombara RI 114 AM 30
Palombara TE 115 AR 29
Palombara TR 113 AK 28
Palombara Sabina RM 120 AL 31
Palombare AN 97 AM 23
Palombare AN 97 AN 23
Palombare TR 113 AL 28
Palombaro CH 117 AU 31
Palombaro ME 188 AY 54
Palombe SA 162 AZ 42
Palombella CS 170 BF 48
Palomonte SA 153 BA 40
Palosco BG 38 T 10
Palpazu SS 209 N 38
Palse PN 29 AK 8
Palù BZ 4 AG 3
Palù PD 56 AG 12
Palù VR 55 AB 12
Palù VR 39 Z 10
Palù del Fersina TN 27 AD 7
Paluan PD 56 AE 12
Palucco AT 61 J 14
Palude FG 126 BD 32
Palude Mezzane FG 127 BF 32
Paludea PN 16 AM 6
Paludi BL 29 AI 7
Paludi CS 168 BJ 46
Paludo di Latisana UD 30 AN 9
Paluello VE 42 AH 11
Palugana PD 56 AE 12
Palumbo FR 131 AS 35
Palus San Marco BL 14 AI 4
Paluzza UD 16 AN 4
Pampaluna UD 30 AO 8
Pamparato CN 74 I 18
Pampeago TN 13 AE 5
Pamperduto MC 99 AR 23
Pampuro VR 54 AB 12
Panaccio FR 131 AQ 34
Panaccioni FR 131 AR 35
Panaia VV 176 BE 52
Panarea ME 181 AZ 52
Panarella RO 57 AH 14
Panarotti VR 40 AC 10
Panascascio AQ 123 AT 32
Panatniello IS 132 AU 34
Pancalieri TO 59 G 14
Pancallo EN 187 AV 57
Pancarana PV 51 P 13
Panchià TN 13 AE 6
Pancole GR 103 AC 27
Pancole SI 93 AB 22
Pandino CR 37 S 11
Paneduro CS 166 BE 46
Panelli BN 142 AX 37
Panetti CZ 171 BG 49
Panettieri CS 171 BH 49
Paneveggio TN 13 AF 6
Panevino MT 165 BI 42
Paniaie VC 49 L 11
Panicaglia FI 87 AD 20
Panicagliora PT 85 Z 20
Panicale LU 84 X 20
Panicale MS 78 V 18
Panicale PG 105 AH 25
Panicale PG 96 AI 22
Panicali MC 98 AO 23
Panicarola PG 105 AH 25
Panico BO 80 AC 17
Panico NA 151 AV 38
Paniesu CI 224 M 49
Panigà PV 63 Q 14
Panigai PN 29 AL 9
Panigaletto MS 78 V 18
Panighina FC 82 AH 18
Paninventre MC 107 AN 25
Panna FI 80 AC 19
Pannàconi VV 174 BF 51
Pannarano BN 142 AX 37
Pannesi GE 76 P 17

Panni *FG* 143 BA 36
Pannone *TN* 26 AA 8
Panocchia *PR* 65 W 15
Panoramica *NA* 151 AV 39
Pantaleo *AQ* 121 AP 32
Pantaleo *CI* 225 N 49
Pantalia *CS* 168 BH 46
Pantalla *PG* 106 AJ 26
Pantán Monastero *RM* 119 AJ 32
Pantana *ME* 189 BA 56
Pantana *PU* 89 AM 22
Pantana *PZ* 164 BF 44
Pantana-Santa Rosalia *CS* 166 BE 47
Pantane *CZ* 171 BI 49
Pantane *FR* 130 AP 34
Pantane *FR* 131 AR 35
Pantane *TE* 116 AR 29
Pantanelle *LT* 129 AL 34
Pantanelle *RM* 120 AK 33
Pantanelle *SA* 163 BC 43
Pantanelli *BA* 147 BM 39
Pantanelli *CS* 166 BE 45
Pantanelli *TR* 106 AJ 27
Pantanello *CS* 168 BH 46
Pantaneto *MC* 107 AM 26
Pantaneto *PU* 88 AI 20
Pantani *CS* 170 BF 47
Pantani di Limbi *RC* 178 BE 54
Pantanielli *BN* 142 AW 37
Pantaniello *IS* 132 AU 34
Pantano *CE* 141 AU 36
Pantano *CS* 166 BF 45
Pantano *FR* 121 AO 32
Pantano *FR* 130 AO 34
Pantano *PG* 96 AI 24
Pantano *PI* 93 Y 23
Pantano *RC* 178 BD 55
Pantano *RE* 65 Y 17
Pantano *TR* 113 AK 28
Pantano 112 *CS* 165 BH 45
Pantano Borghese *RM* 120 AL 32
Pantano d'Inferno *LT* 129 AM 35
Pantano Grande *RC* 179 BF 56
Pantano Martucci *CS* 168 BJ 46
Pantano Mascaro *CS* 171 BG 48
Pantano Rotondo *CS* 168 BH 45
Pantaro *RE* 65 X 15
Pantasina *IM* 72 I 20
Pantelleria *TP* 190 AG 63
Pantianicco *UD* 30 AN 7
Pantiara *LO* 51 S 12
Pantiere *AN* 98 AO 22
Pantiere *PU* 89 AL 21
Pantigliate *LO* 51 S 12
Pantigliate *MI* 37 R 11
Pantogia *OT* 211 S 37
Panza *BR* 148 BN 39
Panza *NA* 150 AS 39
Panzano *FI* 94 AC 22
Panzano *GO* 31 AQ 9
Panzano *MO* 66 AB 16
Panzano *MO* 66 Z 15
Panzano Bagni *GO* 31 AQ 9
Paola *CS* 170 BF 47
Paoladoce *PZ* 144 BD 39
Paolantonio *TE* 108 AR 27
Paoletti *VT* 112 AH 28
Paoli *CE* 140 AS 36
Paoli *CT* 197 AZ 57
Paolia *RC* 178 BD 56
Paolicchie *TR* 112 AI 28
Paolini *BN* 141 AW 37
Paolini *FI* 86 AC 22
Paolini *TP* 190 AK 57
Paolisi *BN* 141 AW 37
Paoloni *AP* 99 AQ 25
Paoloni *AV* 142 AY 37
Paolorio *CN* 60 H 15
Paolucci *BN* 133 AY 35
Papacqua *PI* 92 Y 23
Papaglionti *VV* 174 BF 52
Papanice *KR* 173 BL 49
Paparello *VV* 177 BG 52
Papariano *UD* 31 AP 9
Paparo *CZ* 175 BI 51
Paparone *RC* 176 BE 54
Paparotti *UD* 30 AO 7
Papasidero *CS* 164 BE 44
Papiago *PV* 51 P 12
Papiano *AR* 87 AF 21
Papiano *PG* 106 AJ 26
Papili Lingua d'Oca *RM* 119 AI 33
Papozze *RO* 56 AH 14
Paquier *AO* 19 G 8
Para *FC* 82 AH 19
Parabiago *MI* 36 O 10
Parabita *LE* 160 BR 43
Paradisi Sup. *AP* 108 AP 26
Paradiso *BR* 149 BQ 40
Paradiso *CR* 52 V 12
Paradiso *CS* 166 BE 46
Paradiso *ME* 189 BA 54
Paradiso *ME* 189 BC 54
Paradiso *PV* 51 R 13
Paradiso *PZ* 164 BE 42
Paradiso *UD* 30 AN 8
Paradiso *VI* 55 AD 12
Paradisoni *VV* 174 BF 51
Paradiso-Prata *MC* 97 AN 24
Paraggi *GE* 76 Q 18
Paragieri *CS* 170 BF 49
Paragolio *CS* 171 BH 49
Parana *MS* 77 U 18
Paranesi *TE* 108 AQ 27
Parantoro *CS* 167 BF 47
Paranzano *RI* 113 AK 30
Parasacco *FE* 68 AG 15
Parasacco *PV* 50 O 12
Parata *CS* 170 BF 47
Parata *MT* 155 BG 40
Paratico *BS* 38 U 10
Paravanico Chiesa *GE* 62 O 16
Paravati *VV* 174 BF 52
Paravento *PU* 97 AL 22
Parazzuolo *GE* 63 Q 17
Parchiule *PU* 88 AI 22
Parcines / Partschins *BZ* 3 AB 3
Parcineto *VB* 20 J 8
Parco Adria *BA* 146 BJ 37
Parco Arcucci *NA* 150 AT 38
Parco della Noce *NA* 150 AT 38
Parco di Guerra *TA* 157 BL 40
Parco Letizia *NA* 151 AV 40
Parco Marghetto *SA* 162 AZ 42
Parco Mazzola *NA* 150 AT 38
Parco Principi *BA* 146 BK 38
Parco San Nicola *AV* 151 AX 38
Parco Scizzo-
Parchitello *BA* 147 BK 37
Parco Verde *NA* 150 AT 38
Pardella *BO* 81 AD 18
Pardesca *RC* 179 BF 55
Pardu Atzei *VS* 220 M 46
Pardu Nou *OR* 216 M 44
Parè *CO* 22 P 9
Parella *AT* 61 K 14
Parenti *CS* 171 BH 49
Parete *CE* 150 AT 38
Pareti *LI* 100 X 27
Pareto *AL* 61 L 16
Pareto *GE* 63 P 16
Pareto *GE* 63 R 16
Pareto *PR* 64 T 16
Paretola *MS* 77 T 18
Paretola *MS* 78 V 18
Paretone *TA* 157 BN 41
Parghelia *VV* 176 BE 51
Pari *GR* 103 AC 25
Pariana *LU* 85 Y 20
Parigi *CN* 59 F 16
Paringianu *CI* 224 L 48
Parlapiani *BN* 133 AX 35
Parlascio *PI* 92 Y 22
Parlasco *LC* 23 R 7
Parlati *VI* 40 AC 9
Parlati *VI* 41 AD 10
Parleaz *AO* 33 F 9
Parleaz *AO* 33 G 9
Parlesca *PG* 96 AJ 24
Parma *PR* 65 X 15
Parmetta *PR* 53 X 14
Parnacciano *PG* 88 AI 22
Parnetz *BZ* 11 Z 4
Parodi Ligure *AL* 62 N 15
Parola *PR* 65 V 14
Paroldo *CN* 74 J 17
Parole *BS* 39 Y 9
Paroletta *PR* 65 V 14
Parolise *AV* 142 AY 38
Parolito *MC* 98 AO 24
Parona *AT* 49 J 13
Parona *PV* 50 N 12
Parona *VR* 40 AA 11
Parone *VC* 34 K 9
Parpanese *PV* 51 R 13
Parpinasca *VB* 7 L 7
Parrana San Martino *LI* 92 X 22
Parrana-San Giusto *LI* 92 X 22
Parrano *PG* 106 AL 26
Parrano *TR* 105 AH 26
Parravicino *CO* 23 Q 9
Parrazzà Alto *ME* 188 AY 55
Parrazzà Basso *ME* 188 AY 55
Parre *BG* 24 U 8
Parrera *KR* 173 BL 48
Parrinello *TP* 182 AK 56
Parrini *PA* 183 AN 55
Parrini *TP* 190 AJ 57
Parrocchia *CN* 59 E 17
Parrocchia *TN* 26 AB 9
Parrulli *CS* 171 BG 47
Parruta *PZ* 163 BD 43
Partanna *TP* 191 AM 57
Particelle *LU* 85 Y 20
Partidor *PN* 29 AL 7
Partigliano *LU* 85 X 20
Partina *AR* 87 AF 21
Partinico *PA* 183 AN 55
Partino *PI* 85 Z 22
Partistagno *UD* 16 AO 6
Partitore *RE* 65 X 15
Partschins / Parcines *BZ* 3 AB 3
Paruzza *CN* 74 I 17
Paruzzaro *NO* 35 M 9
Parzanica *BG* 38 V 9
Parzano *CO* 36 Q 9
Parzano *PV* 50 N 13
Pasa *BL* 28 AH 7
Pascalia *CS* 166 BE 46
Pascaretto *TO* 59 F 14
Pascarola *NA* 141 AU 38
Pascarosa *BR* 148 BN 39
Pasce *CN* 72 H 19
Pascellata *TE* 108 AP 27
Pascelupo *PG* 97 AL 23
Paschera *CN* 71 F 17
Paschero *CN* 58 D 16
Paschero *TO* 47 F 14
Pasciano *RI* 107 AO 28
Pascione *FR* 130 AN 33
Pasco *CN* 59 G 15
Pascolano *AQ* 121 AP 31
Pascolare Alto *RM* 129 AK 34
Pascolare Basso *RM* 129 AK 34
Pascoli *BL* 15 AI 6
Pascoli *BL* 28 AI 6
Pascoli *TV* 42 AI 9
Pascomonti *CN* 71 I 17
Pasconi *CH* 123 AU 32
Pascoso *LU* 84 X 20
Pasero *CN* 71 G 17
Pasian di Prato *UD* 30 AO 7
Pasiano *PN* 29 AK 8
Pasini *VI* 41 AD 10
Paspardo *BS* 25 X 7
Pasqualazzo *CZ* 171 BH 50
Pasquali *VI* 40 AC 10
Pasquali *VR* 39 Z 11
Pasquali-Merenzata *CS* 170 BG 48
Pasquana *AT* 61 K 15
Pasquarelli *BN* 142 AX 37
Pasquarelli *CH* 123 AU 32
Pasquaro *TO* 48 H 12
Pasquero *CN* 71 H 17
Passaggio *PG* 106 AK 25
Passaggio d'Assisi *PG* 106 AK 25
Passamasseria *RC* 178 BE 56
Passano *RN* 89 AK 20
Passarella *VE* 43 AK 10
Passarella di Sotto *VE* 43 AK 10
Passarello *AG* 199 AS 60
Passarera *CR* 52 S 12
Passarera Corte *LO* 52 S 12
Passariano *UD* 30 AN 8
Passatempo *AN* 98 AP 23
Passerano *AT* 48 J 13
Passerano *RM* 120 AL 32
Passeri *CZ* 170 BG 49
Passerini *FI* 82 AE 20
Passetto *AN* 90 AN 22
Passetto *VE* 56 AH 13
Passiano *SA* 151 AX 39
Passignano *LT* 130 AP 35
Passignano
sul Trasimeno *PG* 96 AH 24
Passionisti *MC* 99 AQ 24
Passirana *MI* 36 P 10
Passirano *BS* 38 V 10
Passo *PU* 90 AM 21
Passo Casale *TP* 183 AL 55
Passo Colmurano Nord *MC* 98 AP 24
Passo Corese *RM* 120 AK 31
Passo Crocchio *CZ* 175 BJ 50
Passo del Convento *PU* 90 AM 21
Passo della Fogolana *PD* 57 AH 12
Passo di Ripe *AN* 90 AN 22
Passo di Treia *MC* 98 AO 24
Passo di Vezzena *TN* 27 AD 8
Passo d'Orta *FG* 135 BD 35
Passo Lanciano *PE* 116 AT 30
Passo Monterolo *PU* 90 AM 22
Passo Moroni *CS* 170 BF 49
Passo Oscuro *RM* 119 AH 32
Passo San Domenico *AN* 90 AN 22
Passo San Leonardo *AQ* 122 AT 31
Passo Sant'Andrea *PU* 90 AM 22
Passo Sant'Angelo *MC* 98 AP 25
Passocordone *PE* 116 AS 29
Passodoppio *RO* 56 AG 14
Passoforno *ME* 188 AY 55
Passogatto *RA* 68 AG 16
Passolauro *ME* 188 AY 55
Passons *UD* 30 AO 7
Passopisciaro *CT* 197 AZ 56
Passosegni *BO* 68 AE 15
Pastanelle *CE* 141 AU 36
Pastena *FR* 130 AP 35
Pastena *IS* 132 AU 34
Pastena *NA* 151 AV 38
Pastena-Lone *SA* 151 AW 40
Pastene *BN* 142 AX 37
Pasteria-Lapide *CT* 197 BA 57
Pastina *AP* 108 AP 26
Pastina *PG* 97 AL 24
Pastina *PI* 92 Y 23
Pastine *FI* 94 AB 22
Pastini *SA* 152 AY 40
Pastorano *BN* 141 AW 37
Pastorano *CE* 141 AU 36
Pastorello *PR* 65 W 16
Pastrengo *VR* 39 Z 11
Pasturago *MI* 51 P 12
Pasturana *AL* 62 N 15
Pasturera *TO* 33 G 11
Pasturo *LC* 23 R 8
Pasubio *CT* 195 AW 59
Patacca *PZ* 154 BD 39
Patalecchia *AR* 95 AG 24
Patanocco *LI* 93 Y 24
Patarico *RI* 107 AO 28
Patarnione *SI* 105 AG 26
Pateresso *AR* 94 AE 22
Paterna *AR* 87 AE 22
Paterna *PA* 183 AN 55
Paterna *PA* 183 AN 55
Paternella *PA* 183 AN 55
Paterno *AN* 97 AM 24
Paterno *AN* 91 AP 22
Paterno *AP* 107 AO 26
Paterno *AQ* 115 AO 28
Paterno *AQ* 121 AP 31
Paterno *FI* 86 AC 20
Paterno *FI* 87 AE 21
Paterno *MC* 98 AO 24
Paterno *MC* 98 AO 24
Paterno *PG* 107 AM 27
Paterno *PZ* 154 BD 41
Paterno *RI* 114 AN 29
Paterno *TE* 108 AR 27
Paternò *CT* 195 AY 58
Paterno Calabro *CS* 171 BG 48
Paterno
Sant'Arcangelo *SA* 151 AW 39
Paternopoli *AV* 142 AZ 38
Paternostro *CT* 197 AZ 58
Pateriti *RC* 178 BD 55
Patierno *AV* 143 AZ 37
Patierno *NA* 151 AV 40
Patigno *MS* 77 T 17
Patoc *UD* 17 AP 5

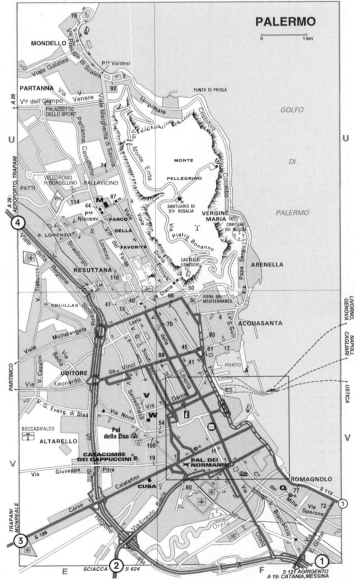

Al-Sadat (V. A.) . . . . FV 3
Ammiraglio Rizzo (V. L.) . . . . FV 4
Brigata Verona (V.) . . . . . EV 15
Cantieri (V. dei) . . . . FV 17
Cappuccini (V.) . . . . EV 19
Croce Rossa (V.) . . . . . . EUV 40
Dalla Chiesa (V. C. A.) . . FV 41
Duca degli Abruzzi (Viale) . . . . EU 44
Duca della Verdura (V.) . . FV 45
Empedocle Restivo (V.) . . EV 47
Favorita (V. della) . . . . . FUV 50
Finocchiaro Aprile (Cso C.) . . . . EV 54
Giachery (Pza) . . . . FV 61
Imperatore Federico (V.) . . . . FV 66
Marchese di Villabianca (V.) . . . . . FV 70
Maresciallo Diaz (V.) . . . . FV 72
Mater Dolorosa (V.) . . . . . EU 74
Messina Marine (V.) . . . . . FV 77
Mondello (V.) . . . . EU 78
Montegrappa (V.) . . . . FV 80
Monte Pellegrino (V.) . . . . . FV 83
Museo Etnografico (Vle) . . . . EU 87
Notarbartolo (V. E.) . . . . EFV 88
Palme (Viale delle) . . . . . . EU 92
Piazza Michele (V.) . . . . . . EV 100
Resurrezione (V. della) . . . EU 114
Resuttana (V.) . . . . EU 116

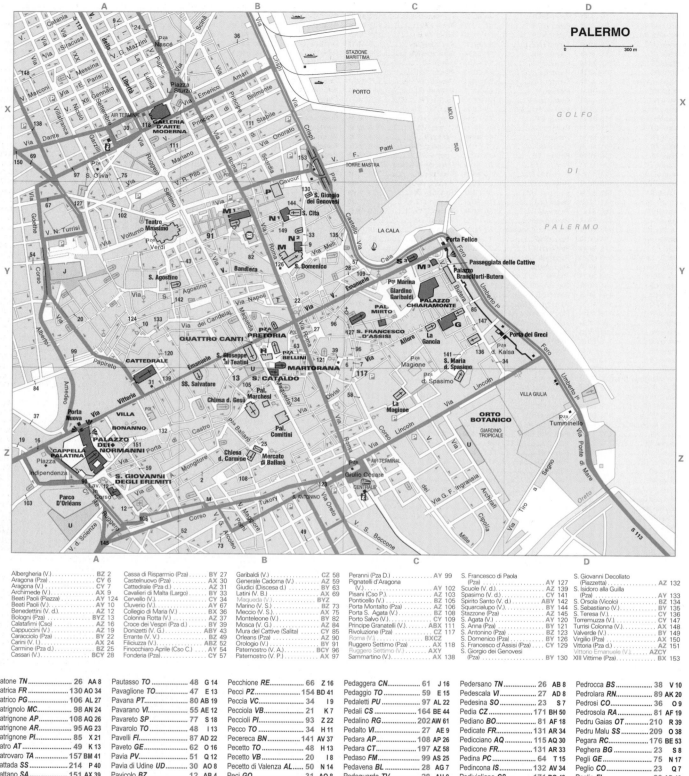

Albergheria (V.) . . . . . BZ 2
Aragona (Pza) . . . . . CY 6
Aragona (V.) . . . . . CY 7
Archimede (V.) . . . . . AX 9
Beati Paoli (Piazza) . . . . . AY 124
Beati Paoli (V.) . . . . . AY 10
Benedettini (V. d.) . . . . . AZ 12
Bologni (Pza) . . . . . BYZ 13
Calatafimi (Cso) . . . . . AZ 16
Cappuccini (V.) . . . . . AZ 19
Caracciolo (Pza) . . . . . BY 22
Carini (V. I.) . . . . . AX 24
Carmine (Pza d.) . . . . . BZ 25
Cassari (V.) . . . . . BCY 28
Cassa di Risparmio (Pza) . . . . . BY 27
Castelnuovo (Pza) . . . . . AX 30
Cattedrale (Pza d.) . . . . . AZ 31
Cavalieri di Malta (Largo) . . . . . BY 33
Cervello (V.) . . . . . CY 34
Cluverio (V.) . . . . . AY 67
Collegio di Maria (V.) . . . . . BX 36
Colonna Rotta (V.) . . . . . AZ 37
Croce dei Vespri (Pza d.) . . . . . BY 39
Donizetti (V. G.) . . . . . ABY 43
Errante (V. V.) . . . . . BZ 49
Filiciuzza (V.) . . . . . ABZ 52
Finocchiaro Aprile (Cso C.) . . . . . AY 54
Fonderia (Pza) . . . . . CY 57
Garibaldi (V.) . . . . . CZ 58
Generale Cadorna (V.) . . . . . AZ 59
Giudici (Discesa d.) . . . . . BY 63
Latini (V. B.) . . . . . AX 69
Maqueda (V.) . . . . . BYZ
Marino (V. S.) . . . . . BZ 73
Meccio (V. S.) . . . . . AX 75
Monteleone (V.) . . . . . BY 82
Mosca (V. G.) . . . . . AZ 84
Mura del Cattive (Salita) . . . . . CY 85
Orleans (Pza) . . . . . AZ 90
Orologio (V.) . . . . . BY 91
Paternostro (V. A.) . . . . . BCY 96
Paternostro (V. P.) . . . . . AX 97
Peranni (Pza D.) . . . . . AY 99
Pignatelli d'Aragona (V.) . . . . . AY 102
Pisani (Cso P.) . . . . . AZ 103
Ponticello (V.) . . . . . BZ 105
Porta Montalto (Pza) . . . . . AZ 106
Porta S. Agata (V.) . . . . . BZ 108
Porto Salvo (V.) . . . . . CY 109
Principe Granatelli (V.) . . . . . ABX 111
Rivoluzione (Pza) . . . . . CZ 117
Roma (V.) . . . . . BXCZ
Ruggero Settimo (Pza) . . . . . AX 118
Ruggero Settimo (V.) . . . . . AXY
Sammartino (V.) . . . . . AX 138
S. Francesco di Paola (Pza) . . . . . AY 127
Scuole (V. d.) . . . . . AZ 139
Spasimo (V. d.) . . . . . CY 141
Spirito Santo (V. d.) . . . . . ABY 142
Squarcialupo (V.) . . . . . BY 144
Stazzone (Pza) . . . . . AZ 145
S. Agata (V.) . . . . . AY 120
S. Anna (Pza) . . . . . BY 121
S. Antonino (Pza) . . . . . BZ 123
S. Domenico (Pza) . . . . . BY 126
S. Francesco d'Assisi (Pza) . . . . . CY 129
S. Giorgio dei Genovesi (Pza) . . . . . BY 130
S. Giovanni Decollato (Piazzetta) . . . . . AZ 132
S. Isidoro alla Guilla (Pza) . . . . . AY 133
S. Orsola (Vicolo) . . . . . BZ 134
S. Sebastiano (V.) . . . . . BY 135
S. Teresa (V.) . . . . . CY 136
Torremuzza (V.) . . . . . CY 147
Turrisi Colonna (V.) . . . . . AX 148
Valverde (V.) . . . . . BY 149
Virgilio (Pza) . . . . . AX 150
Vittoria (Pza d.) . . . . . AZ 151
Vittorio Emanuele (V.) . . . . . AZCY
XIII Vittime (Pza) . . . . . BX 153

Patone ***TN*** .... 26 AA 8
Patrica ***FR*** .... 130 AO 34
Patrico ***PG*** .... 106 AL 27
Patrignolo ***MC*** .... 98 AN 24
Patrignone ***AP*** .... 108 AQ 26
Patrignone ***AR*** .... 95 AG 23
Patrignone ***PI*** .... 85 X 21
Patro ***AT*** .... 49 K 13
Patrovaro ***TA*** .... 157 BM 41
Pattada ***SS*** .... 214 P 40
Pattano ***SA*** .... 151 AX 39
Pattano ***SA*** .... 162 BA 42
Pattemouche ***TO*** .... 46 C 14
Patti ***ME*** .... 188 AY 55
Patti ***PA*** .... 184 AO 54
Patù ***LE*** .... 161 BT 44
Pau ***OR*** .... 217 N 45
Paularo ***UD*** .... 16 AN 4
Pauli Arbarei ***VS*** .... 221 O 46
Pauli Arruis ***VS*** .... 221 O 45
Paulilatino ***OR*** .... 217 N 43
Paullo ***MI*** .... 37 R 11
Paupisi ***BN*** .... 142 AW 36
Paurano ***SI*** .... 93 AB 23
Pautasso ***TO*** .... 48 G 14
Pavaglione ***TO*** .... 47 E 13
Pavana ***PT*** .... 80 AB 19
Pavarano ***VI*** .... 55 AE 12
Pavareto ***SP*** .... 77 S 18
Pavarolo ***TO*** .... 48 I 13
Pavelli ***FI*** .... 87 AD 22
Paveto ***GE*** .... 62 O 16
Pavia ***PV*** .... 51 Q 12
Pavia di Udine ***UD*** .... 30 AO 8
Pavicolo ***BZ*** .... 12 AB 4
Pavigliaiti Trunca ***RC*** .... 178 BD 55
Pavignano ***BI*** .... 34 J 10
Paviole ***RO*** .... 56 AE 14
Pavona ***RM*** .... 128 AK 33
Pavone ***BS*** .... 39 X 10
Pavone Canavese ***TO*** .... 34 I 11
Pavone del Mella ***BS*** .... 53 W 12
Pavullo nel Frignano ***MO*** .. 79 AA 17
Pazzano ***MO*** .... 79 Z 17
Pazzano ***RC*** .... 177 BH 53
Pazzon ***VR*** .... 39 Z 10
Peagna ***SV*** .... 73 K 19
Peaio ***BL*** .... 14 AI 5
Pecchione ***RE*** .... 66 Z 16
Pecci ***PZ*** .... 154 BD 41
Peccia ***VC*** .... 34 I 9
Pecciola ***VB*** .... 21 K 7
Peccioli ***PI*** .... 93 Z 22
Pecco ***TO*** .... 34 H 11
Pecereca ***BN*** .... 141 AV 37
Pecetto ***TO*** .... 48 H 13
Pecetto ***VB*** .... 20 I 8
Pecetto di Valenza ***AL*** .... 50 N 14
Peci ***GO*** .... 31 AQ 8
Pecorara ***PC*** .... 63 R 14
Pecorari ***CE*** .... 131 AS 35
Pecoreria ***TP*** .... 182 AK 56
Pecorile ***AN*** .... 97 AN 23
Pecorile ***PR*** .... 65 X 15
Pecorile ***RE*** .... 65 Y 16
Pecorile ***SV*** .... 75 M 17
Pecorini a Mare ***ME*** .... 180 AW 52
Pecorone ***PZ*** .... 164 BE 43
Pecorone ***TR*** .... 105 AG 27
Pecoul ***TO*** .... 59 E 15
Pedace ***CS*** .... 171 BH 48
Pedagaggi ***SR*** .... 203 AY 60
Pedaggera ***CN*** .... 61 J 16
Pedaggio ***TO*** .... 59 E 15
Pedaletti ***PU*** .... 97 AL 22
Pedali ***CS*** .... 164 BE 44
Pedalino ***RG*** .... 202 AW 61
Pedalto ***VI*** .... 27 AE 9
Pedara ***AP*** .... 108 AP 26
Pedara ***CT*** .... 197 AZ 58
Pedaso ***FM*** .... 99 AS 25
Pedavena ***BL*** .... 28 AG 7
Pedeguarda ***TV*** .... 28 AH 8
Pedemonte ***GE*** .... 62 O 16
Pedemonte ***PN*** .... 29 AK 7
Pedemonte ***SO*** .... 23 T 6
Pedemonte ***VB*** .... 21 L 8
Pedemonte ***VC*** .... 20 I 8
Pedemonte ***VI*** .... 27 AC 8
Pedemonte ***VR*** .... 40 AA 10
Pedenosso ***SO*** .... 11 W 5
Pedergnaga ***BS*** .... 52 V 11
Pedergnano ***BS*** .... 38 U 10
Pederiva ***VI*** .... 41 AD 11
Pederoa ***BZ*** .... 4 AG 4
Pederobba ***TV*** .... 28 AG 8
Pedersano ***TN*** .... 26 AB 8
Pedescala ***VI*** .... 27 AD 8
Pedesina ***SO*** .... 23 S 7
Pedia ***CZ*** .... 171 BH 50
Pediano ***BO*** .... 81 AF 18
Pedicate ***FR*** .... 131 AR 34
Pedicciano ***AQ*** .... 115 AQ 30
Pedicone ***FR*** .... 131 AR 33
Pedina ***PC*** .... 64 T 15
Pedincona ***IS*** .... 132 AV 34
Pedivigliano ***CS*** .... 171 BG 49
Pedocchiella ***KR*** .... 173 BL 50
Pedocchio ***VI*** .... 41 AD 11
Pedocchio ***VR*** .... 55 AD 12
Pedogna ***LU*** .... 85 X 20
Pedona ***LU*** .... 84 W 20
Pedra Bianca ***OT*** .... 215 S 40
Pedra Sciolta ***SS*** .... 209 N 38
Pedraces ***BZ*** .... 14 AG 4
Pedrazzola ***RE*** .... 66 Z 14
Pedrengo ***BG*** .... 37 T 9
Pedreto ***RN*** .... 89 AK 20
Pedriano ***MI*** .... 51 Q 11
Pedrignano ***PR*** .... 65 X 15
Pedrocca ***BS*** .... 38 V 10
Pedrolara ***RN*** .... 89 AK 20
Pedrosi ***CO*** .... 36 O 9
Pedrosola ***RA*** .... 81 AF 19
Pedru Gaias ***OT*** .... 210 R 39
Pedru Malu ***SS*** .... 209 O 38
Pegara ***RC*** .... 176 BE 53
Peghera ***BG*** .... 23 S 8
Pegli ***GE*** .... 75 N 17
Peglio ***CO*** .... 23 Q 7
Peglio ***FI*** .... 80 AD 19
Peglio ***PU*** .... 89 AJ 21
Pegognaga ***MN*** .... 54 AA 14
Pegola ***BO*** .... 67 AE 15
Pegolotte ***VE*** .... 56 AH 12
Pegoraro ***PD*** .... 41 AF 11
Pegoraro ***PD*** .... 42 AG 11
Pegoraro ***TV*** .... 42 AH 10
Peia ***BG*** .... 24 U 9
Peio ***TN*** .... 11 Z 5
Peiron ***CN*** .... 70 D 18
Pelago ***FI*** .... 87 AE 21
Pelizzare ***RO*** .... 55 AE 14
Pella ***NO*** .... 35 L 9

Pellacini **PC** 64 S 15
Pellaro **RC** 189 BC 55
Pellegra **CR** 52 T 12
Pellegrina **PV** 50 N 13
Pellegrina **RC** 178 BD 54
Pellegrina **VR** 54 AB 12
Pellegrino **CE** 141 AU 36
Pellegrino **CZ** 174 BH 51
Pellegrino **ME** 189 BB 55
Pellegrino **RG** 204 AW 63
Pellegrino Parmense **PR** 64 U 15
Pellenchi **TO** 47 E 14
Pellescritta **AQ** 114 AO 28
Pellestrina **VE** 57 AI 12
Pellezzano **SA** 151 AX 39
Pellio d'Intelvi **CO** 22 P 8
Pellizzano **TN** 12 Z 6
Pellizzara **PA** 186 AT 57
Pellizzari **AL** 50 N 13
Pellizzari **PD** 42 AG 10
Pellizzaro **ME** 188 AZ 55
Pelos di Cadore **BL** 15 AJ 5
Pelosin **PD** 42 AG 10
Pelugo **TN** 25 Z 7
Penango **AT** 49 K 13
Penavara **FE** 68 AE 15
Penazzi **AL** 61 L 16
Pendenza **RI** 114 AN 29
Pendolo **NA** 151 AW 39
Pendolo **SA** 151 AW 39
Penegelet **BS** 25 X 9
Peneto **AR** 95 AG 23
Pengo **PD** 56 AG 12
Penia **TN** 13 AE 5
Penitro **LT** 139 AR 36
Penna **AR** 87 AE 22
Penna **AR** 95 AF 22
Penna **CB** 124 AW 33
Penna **TP** 190 AG 63
Penna in Teverina **TR** 113 AJ 29
Penna San Giovanni **MC** 98 AP 25
Penna Sant' Andrea **TE** 108 AR 28
Pennabilli **PU** 88 AI 21
Pennadomo **CH** 123 AU 31
Pennapiedimonte **CH** 116 AU 31
Pennar **VI** 27 AE 8
Penne **AP** 108 AR 26
Penne **PE** 116 AS 29
Pennes / Pens **BZ** 3 AD 3
Pennesi **AP** 108 AR 25
Pennini **AV** 151 AX 38
Pennisi **CT** 197 AZ 58
Penon / Penone **BZ** 12 AC 6
Penone/ Penon **BZ** 12 AC 6
Pens / Pennes **BZ** 3 AD 3
Pensabene **PA** 184 AO 55
Penta **SA** 151 AX 39
Pentedattilo **RC** 178 BD 56
Pentema **GE** 63 P 16
Pentenera **CN** 70 E 17
Pentimento **PG** 95 AG 25
Pentolina **SI** 94 AC 24
Pentone **CZ** 171 BI 50
Peonia Rosa **CI** 224 L 50
Peonis **UD** 16 AN 6
Pepponi **AV** 143 BB 38
Pequerel **TO** 46 D 13
Pera **AP** 108 AP 26
Pera **TN** 13 AF 5
Peracchia **AP** 108 AP 27
Perano **CH** 123 AV 31
Peraro **PD** 55 AD 13
Peraro **VI** 41 AE 9
Perarolo **VI** 41 AD 11
Perarolo di Cadore **BL** 15 AJ 5
Perasacco **FR** 130 AO 34
Perazze **FG** 135 BD 35
Perazzeta **BN** 142 AY 36
Perazzeta **GR** 103 AC 27
Perazzeta **RM** 118 AG 31
Perazzete **LT** 130 AN 35
Perazzeto **VT** 113 AJ 30
Perca / Percha **BZ** 5 AG 3
Percenna **SI** 94 AD 25
Percha / Perca **BZ** 5 AG 3
Percia **RC** 177 BH 53
Perciante-Strago **RC** 179 BG 54
Perciato **ME** 180 AV 52
Percile **RM** 120 AM 31
Percoto **UD** 31 AO 8
Percozzone **AN** 97 AM 22
Percusa **CZ** 175 BH 51
Perdaiola **CA** 225 M 49
Perdasdefogu **OG** 223 R 45
Perdaxius **CI** 224 M 49
Perdifumo **SA** 162 AZ 42
Perdioni **CN** 70 E 18
Perducco **PV** 63 Q 14
Peregallo **MI** 36 Q 9
Peregallo **MI** 37 Q 10
Perego **LC** 37 R 9
Perelli **AR** 94 AE 23
Perer **BL** 27 AF 7
Perer **TV** 42 AG 9
Peressine **PN** 29 AK 8
Pereta **GR** 110 AC 28
Pereto **AQ** 120 AN 31
Pereto **PR** 64 T 15
Pereto **PU** 88 AI 20
Pereto Molino
S. Antino **PU** 88 AI 21
Peretti **PR** 64 T 16
Peretti **TO** 59 G 14
Perfugas **SS** 209 O 39
Pergari **VR** 40 AB 10
Pergatti **AT** 49 L 14
Pergheri **BZ** 12 AB 5
Pergheri **TN** 26 AB 8
Perginato **FI** 86 AC 22
Pergine Valdarno **AR** 95 AF 23
Pergine Valsugana **TN** 26 AC 7
Pergo **AR** 95 AH 24
Pergola **PU** 89 AM 22
Pergola **PZ** 153 BD 41
Pergola **RA** 81 AF 18
Pergola **VR** 40 AC 11
Pergola Bella **PG** 105 AI 25
Pergole **AG** 198 AP 60
Pergusa **EN** 194 AU 58
Peri **PA** 186 AT 57
Peri **VR** 40 AA 10
Periasc **AO** 19 H 9
Perignano **PI** 85 Y 22
Perilli **TR** 105 AI 27
Perillo **SA** 153 BC 41
Perillo I **AV** 142 AZ 38
Perillo II **AV** 143 AZ 38
Perinaldo **IM** 72 H 20
Perinata Borghese **VT** 112 AI 28
Perinera **TO** 47 E 12
Perino **PC** 63 S 15
Perino **TP** 182 AK 57
Perito **CS** 171 BG 48
Perito **MC** 97 AN 25
Perito **SA** 162 AZ 42
Perlà **TO** 58 D 15
Perledo **LC** 23 Q 7
Perletta **CN** 74 J 17
Perletto **CN** 61 K 16
Perlezzi **GE** 77 R 17
Perloz **AO** 34 H 10
Permuta **CS** 168 BH 45
Perna **MC** 99 AQ 23
Pernasca **NO** 49 L 12
Pernasiti **RC** 178 BD 55
Pernate **NO** 35 N 11
Pernici **PG** 95 AG 25
Perno **AL** 49 K 13
Perno **CN** 60 I 16
Pernocari **VV** 174 BF 52
Pernosano **AV** 151 AW 38
Pernumia **PD** 56 AF 12
Pero **MI** 36 P 10
Pero **SV** 75 M 17
Pero **TV** 42 AJ 9
Pero dei Santi **AQ** 121 AP 32
Perolla **GR** 103 AA 25
Peron **BL** 28 AH 7
Peron **BL** 15 AJ 5
Perondo **CN** 71 I 18
Perosa **CN** 60 I 16
Perosa Argentina **TO** 47 E 14
Perosa Canavese **TO** 34 H 11
Perosini **AT** 61 J 15
Perossi **PC** 64 T 15
Perotta **PG** 96 AJ 25
Peroulaz **AO** 33 E 9
Perpoli **LU** 79 X 19
Perral **AO** 33 H 9
Perrazze **SA** 153 BA 39
Perrero **TO** 46 D 14
Perrero **TO** 47 G 12
Perriere **AO** 33 G 9
Perriere Sottano **CT** 202 AY 59
Perrillo **BN** 142 AX 37
Perrona **AT** 49 K 13
Perrone **CE** 141 AV 37
Pers **UD** 16 AN 6
Pers **UD** 16 AO 6
Persano **SA** 152 AZ 40
Persereano **UD** 30 AO 8
Persi **AL** 62 O 15
Persico **CR** 53 V 12
Persignano **AR** 87 AE 22
Persone **BS** 39 Y 9
Pert **PN** 16 AM 6
Pertana **PG** 97 AL 25
Pertegada **UD** 30 AN 9
Pertengo **VC** 49 L 12
Perteole **UD** 31 AP 8
Pertica **VR** 39 Z 10
Perticano **AN** 97 AL 23
Perticara **PU** 88 AI 20
Perticara **TR** 113 AK 28
Perticaro **KR** 169 BK 47
Pertina **CS** 168 BH 46
Pertosa **SA** 153 BB 40
Pertusella **VA** 36 P 10
Pertusio **TO** 48 G 11
Pertuso **PC** 63 S 16
Perucca **CN** 60 H 17
Perugia **PG** 96 AJ 25
Peruzzo **GR** 103 AB 25
Perzacco **VR** 40 AC 11
Pesariis **UD** 15 AL 4
Pesaro **PU** 89 AM 20
Pesca **FR** 131 AQ 33
Pescaglia **LU** 85 X 20
Pescaia **AR** 95 AF 24
Pescallo **CO** 23 Q 8
Pescantina **VR** 40 AA 11
Pescara **AQ** 116 AU 29
Pescara **FE** 56 AF 14
Pescara **FR** 130 AQ 34
Pescara **PG** 106 AJ 25
Pescara **SA** 152 BA 40
Pescara del Tronto **AP** 107 AO 27
Pescarella **RM** 128 AK 34
Pescarola **MO** 79 Z 17
Pescarola **UD** 30 AN 9
Pescarolo ed Uniti **CR** 53 W 12
Pescarzo **BS** 25 W 7
Pescarzo di Breno **BS** 25 W 8
Pescasseroli **AQ** 122 AR 33
Pescate **LC** 23 R 9
Pescazze **RG** 204 AW 63
Pesche **CE** 132 AT 35
Pesche **IS** 132 AU 34
Pesche **PC** 64 S 16
Pescheto **CE** 132 AU 35
Peschici **FG** 127 BF 32
Peschiera **AQ** 121 AP 32
Peschiera **MT** 155 BH 41
Peschiera **PC** 63 R 14
Peschiera **PG** 105 AH 25
Peschiera Borromeo **MI** 37 Q 11
Peschiera
del Garda **VR** 39 Z 11
Peschiere **MO** 79 Y 17
Peschilli **SA** 162 BA 42
Peschiola **AQ** 115 AO 30
Peschiola **CH** 124 AW 31
Peschiola **PE** 116 AS 30
Pescia **PG** 107 AN 27
Pescia **PT** 85 Z 20
Pescia Fiorentina **GR** 111 AD 29
Pescia Romana **VT** 111 AD 29
Pesciamorta **PT** 85 Z 20
Pesciano **PG** 106 AJ 27
Pescina **AQ** 122 AQ 31
Pescina **FI** 86 AC 20
Pescina **FI** 87 AD 22
Pescina **GR** 104 AE 26
Pescina **PC** 63 R 15
Pescincanna **PN** 29 AL 8
Pesciola **FI** 86 AA 22
Pesciola **FI** 87 AD 20
Pesciola **LU** 78 W 19
Pesciola **SO** 10 W 6
Pesco **CS** 166 BF 47
Pesco Farese **CB** 133 AX 34
Pesco San Nicola **CB** 133 AW 35
Pesco Sannita **BN** 142 AX 36
Pesco Strascino **CB** 133 AX 35
Pescocanale **AQ** 121 AP 32
Pescocostanzo **AQ** 123 AT 32
Pescocupo **CB** 133 AX 35
Pescocupo **IS** 132 AU 34
Pescolanciano **IS** 132 AV 33
Pescole **AV** 142 AY 37
Pescolla **AP** 108 AR 26
Pescomaggiore **AQ** 115 AQ 29

PARMA

Bottego (Ponte) BY 18
Cavour (Str.) BY 3
Duomo (Str. al) CY 8
Garibaldi (Pza) BZ 9
Garibaldi (V.) BCY
Mazzini (V.) BZ 13
Pace (Pza della) BY 15
Parmigianino (Borgo del) CY 16
Pilotta (Pza) BY 17
Ponte Caprazucca BZ 19
Ponte di Mezzo BZ 21
Ponte Italia BZ 20
Ponte Verdi BY 22
Reggio (V.) BY 23
Rustici (Viale G.) BZ 24
Salnitrara (Borgo) BZ 26
Studi (Borgo degli) CY 27
Toscanini (Viale) BZ 28
Trento (V.) CY 30
Varese (V.) BZ 31

Battistero CY **A**
Casa Toscanini BY **M²**
Madonna della Steccata BZ **E**
Museo Glauco Lombardi BY **M¹**
San Giovanni Evangelista CYZ **D**

Battisti (Viale) . . . . . AY 2
Borgo Calvenzano (Pza) . . . . . AY 3
Brambilla (Viale A.) . . . . . AY 4
Castello (Pza) . . . . . BY 5
Cavallotti (V.) . . . . . BZ 7
Cavour (Cso) . . . . . AZ
Chiesa (Viale Damiano) . . . . . AY 8
Dante (Pza) . . . . . AY 10
Diacono (V. P.) . . . . . AZ 12
Filiberto (Pza E.) . . . . . BY 13
Gatti (V. B.) . . . . . AZ 16
Giulietti (V. M. G.) . . . . . AZ 17
Manzoni (Cso) . . . . . AYZ 18
Matteotti (Viale) . . . . . AY 21
Mentana (V.) . . . . . ABZ 22
Minerva (Piazzale) . . . . . AZ 23
Omodeo (V.) . . . . . AZ 26
Petrarca (Pza) . . . . . AY 27
Porta Pertusi (V.) . . . . . AZ 28
Sacchi (V.) . . . . . BYZ 31
Strada Nuova . . . . . AZ
S. Margherita (V.) . . . . . AZ 32
S. Maria alle Pertiche (V.) . . . . . BY 34
Vinci (Pza Leonardo da) . . . . . BZ 37
Vittoria (Pza) . . . . . AZ 38
20 Settembre (V.) . . . . . AZ 39

Chiesa di San Michele . . . . . ABZ **B** Duomo . . . . . AZ **D**

Pescone *NO* 21 L 8
Pescopagano *CE* 140 AS 37
Pescopagano *PZ* 143 BB 38
Pescopennataro *IS* 123 AU 32
Pescore *AV* 142 AY 38
Pescorocchiano *RI* 114 AN 30
Pescosansonesco *PE* 116 AS 30
Pescosansonesco Vecchio *PE* 116 AS 30
Pescosolido *FR* 131 AQ 33
Pescosta *BZ* 14 AG 4
Pescul *BL* 14 AH 5
Pesculuse *LE* 161 BS 44
Peseggia *VE* 42 AI 10
Pesek di Grozzana *TS* 45 AS 10
Pesina *VR* 39 Z 10
Pesindolo *MC* 98 AO 25
Pessano *MI* 37 R 10
Pessenti *AL* 62 N 15
Pessina Cremonese *CR* 53 W 12
Pessinate *AL* 63 P 15
Pessinea *TO* 47 E 12
Pessinetto *TO* 47 F 12
Pessione *TO* 48 I 14
Pessola *PR* 64 U 16
Pestello *AR* 94 AE 22
Pesus *CI* 225 M 49
Peta *PZ* 153 BC 40
Petacciato *CB* 124 AY 31
Petacciato Marina *CB* 124 AY 31
Petarolo *VR* 40 AC 11
Petazzano *PG* 96 AK 23
Peternel *UD* 17 AQ 7
Peticcia *CH* 117 AV 29
Petigliolo *FI* 86 AC 21
Petilia Policastro *KR* 172 BJ 49
Petina *SA* 153 BB 40
Petogna *AQ* 115 AQ 29
Petralana *OT* 207 R 36
Petralia Soprana *PA* 186 AT 57
Petralia Sottana *PA* 186 AT 57
Petrana *RI* 108 AO 28
Petrara *AV* 151 AX 39
Petrara *AV* 142 AZ 38
Petrara *BN* 142 AX 37
Petrara *IS* 132 AT 34
Petrara *IS* 132 AT 34
Petrara *PU* 97 AL 22
Petrara *RC* 177 BG 54
Petrarca *CO* 36 O 9
Petrarca *PD* 42 AG 10
Petrarca *VE* 42 AH 10
Petraro *CS* 170 BF 47
Petraro *CS* 167 BG 47
Petraro *SA* 151 AW 39
Petraro Pucciano *SA* 151 AX 39
Petrarolo *BA* 147 BM 38
Petrazzi *FI* 86 AB 22
Petrella *AP* 108 AR 26
Petrella *TE* 108 AR 27
Petrella Guidi *PU* 88 AI 20
Petrella Liri *AQ* 121 AO 31
Petrella Massana *AR* 88 AI 21
Petrella Salto *RI* 114 AN 30
Petrella Tifernina *CB* 133 AX 33
Petrelle *PG* 96 AH 23
Petrelle *PU* 89 AJ 21
Petrellosa *SA* 151 AX 39
Petreto *AR* 95 AG 23
Petriano *PU* 89 AL 21
Petricci *GR* 104 AE 27
Petriccia *SI* 104 AG 25
Petricciana *RC* 176 BF 53
Petricciolo Alli *CZ* 175 BI 50
Petrignacola *PR* 65 V 16
Petrignano *PG* 96 AK 25
Petrignano di Lago *PG* 95 AG 25
Petrilli *CB* 133 AW 35
Petrilli Alto *TE* 116 AS 28
Petrini *CS* 167 BG 47
Petriolo *FI* 87 AD 21
Petriolo *MC* 98 AP 24
Petriolo *PG* 95 AH 22
Petriolo *PG* 95 AH 23
Petrito *AV* 142 AY 37
Petritoli FM 99AQ 25
Petrizzi *CZ* 175 BH 51
Petrognano *AR* 95 AG 22
Petrognano *FI* 94 AB 22
Petrognano *FI* 87 AE 20
Petrognano *FI* 87 AE 21
Petrognano *LU* 78 W 18
Petrognano *LU* 85 Y 20
Petrognano *PG* 106 AL 27
Petrognola *LU* 78 W 18
Petroia *PG* 96 AK 24
Petroia *PG* 97 AL 24
Petroio *SI* 94 AC 23
Petroio *SI* 95 AF 25
Petrola *PG* 96 AJ 25
Petrole *CB* 133 AW 34
Petrolo *PT* 85 Z 20
Petrolo *RM* 113 AJ 30
Petrona *CZ* 172 BJ 49
Petrone *CS* 167 BF 46
Petrone *CS* 170 BG 48
Petrone *CS* 171 BH 48
Petroro *PG* 106 AJ 27
Petrosa *AV* 151 AX 38
Petrosa *CS* 166 BE 46
Petrosa *SA* 162 BA 42
Petrosino *CT* 196 AX 56
Petrosino *TP* 190 AJ 57
Petrozza *CS* 167 BG 47
Petrucci *PT* 86 AA 20
Petrucco *PZ* 154 BD 40
Petrulli *CT* 197 AZ 57
Petrulo *CE* 141 AT 36
Petruro *AV* 151 AX 38
Petruro Irpino *AV* 142 AX 37
Petruschetto *RM* 119 AJ 31
Pettenasco *NO* 35 L 9
Petti di Galera *VV* 176 BE 51
Pettinara *RA* 81 AG 18
Pettinengo *BI* 34 J 10
Pettineo *ME* 186 AU 56
Pettino *PG* 106 AL 26
Pettiva *VC* 49 K 11
Pettogallico *RC* 178 BD 54
Pettoranello del Molise *IS* 132 AU 34
Pettorano sul Gizio *AQ* 122 AS 32
Pettorazza Grimani *RO* 56 AG 13
Pettunti *BN* 133 AX 35
Peveragno *CN* 71 G 18
Peveranza *VA* 36 O 9
Pevero *OT* 211 S 37
Pey *PC* 63 Q 15
Pez *BL* 28 AG 7
Pezza *GE* 63 P 16
Pezza *GE* 76 P 17
Pezza Grande *SA* 152 AZ 40
Pezza Rotonda *SA* 152 AZ 40
Pezzagrande *CE* 141 AU 37
Pezzalonga *CS* 170 BF 48
Pezzan *TV* 42 AH 9
Pezzan *TV* 42 AI 9
Pezzana *VC* 49 L 12
Pezzano *SA* 152 AY 39
Pezzatonega *VR* 55 AC 12
Pezze *TN* 28 AF 7
Pezzè *BL* 27 AF 7
Pezze della Regina *CS* 167 BF 46
Pezze di Greco *BR* 148 BN 39
Pezze di Monsignore *BR* 148 BN 39
Pezzeit *UD* 17 AP 5
Pezzingoli *PA* 184 AO 55
Pezzo *AR* 88 AG 21
Pezzo *BS* 11 Y 6
Pezzo *VR* 40 AB 10
Pezzo La Corte *PZ* 164 BF 44
Pezzoli *RO* 56 AG 13
Pezzolla *BA* 147 BN 39
Pezzolo *BG* 24 V 8
Pezzolo *LO* 51 R 12
Pezzolo *ME* 189 BB 55
Pezzolo *RA* 82 AH 17
Pezzolo *RC* 177 BH 53
Pezzolo Valle Uzzone *CN* 61 K 16
Pezzoro *BS* 38 W 9
Pfalzen / Falzes *BZ* 4 AG 3
Pfatten / Vadena *BZ* 13 AC 5
Pfelders / Plan *BZ* 3 AB 3
Pflersch / Fleres *BZ* 3 AD 2
Pflung / Vallone *BZ* 5 AH 3
Pfunders / Fundres *BZ* 4 AF 2
Piacco *VA* 22 O 8
Piacentina *RO* 56 AE 14
Piacenza *PC* 52 S 13
Piacenza d'Adige *PD* 55 AE 13
Piadena *CR* 53 X 13
Piaganini *TE* 115 AQ 28
Piagge *AN* 98 AN 22
Piagge *AP* 108 AQ 26
Piagge *AQ* 115 AO 30
Piagge *FR* 121 AN 33
Piagge *GR* 104 AE 26
Piagge *PG* 97 AL 24
Piagge *PU* 90 AM 21
Piagge *RI* 114 AN 30
Piaggia *CN* 72 H 19
Piaggia *PG* 107 AM 26
Piaggia *VB* 21 M 7
Piaggiasecca *AN* 97 AL 23
Piaggie *AN* 97 AM 23
Piaggie *AQ* 115 AO 30
Piaggine *SA* 153 BB 41
Piaggio *VB* 7 K 6
Piaggio di Valmara *VB* 7 N 7
Piaggione *LU* 85 Y 20
Piaggiori *LU* 85 X 20
Piaggiori *LU* 85 Y 20
Piaghedo *CO* 23 Q 6
Piagna *MS* 77 T 18
Piagnano *PU* 89 AJ 21
Piagnolo *RE* 65 X 16
Piai *BL* 28 AH 7
Piai *TO* 49 J 13
Piai *TV* 29 AJ 7
Piaia *BL* 28 AI 6
Piallancato *VC* 20 J 9
Pialpetta *TO* 33 E 11
Piamaggio *BO* 80 AC 18
Piamborno *BS* 24 W 8
Piamboschi *SV* 73 K 19
Piammartino *MC* 98 AO 23
Piamo *VA* 22 O 8
Piamori *PT* 80 AB 19
Piampalente *MC* 97 AN 25
Piampaludo *SV* 75 M 17
Piamprato *TO* 33 G 10
Pian Bausano *TO* 47 F 12
Pian Camuno *BS* 24 V 8
Pian Castagna *AL* 62 M 16
Pian da Lago *BL* 14 AH 4
Pian d'Alma *GR* 102 Z 26
Pian d'Assino *PG* 96 AJ 24
Pian d'Audi *TO* 47 G 11
Pian de' Cerri *FI* 86 AB 21
Pian de Sorres *SS* 208 L 39
Pian de' Valli *RI* 114 AM 29
Pian degli Ontani *PT* 79 Z 19
Pian dei Conti *PU* 89 AL 22
Pian Dei Manzi *GE* 76 Q 17
Pian dei Sisi *PT* 79 Z 19
Pian del Colle *TO* 46 B 13
Pian del Lago *CS* 171 BG 48
Pian del Medico *AN* 98 AO 23
Pian del Meo *PT* 85 Z 19
Pian del Poggio *PV* 63 Q 15
Pian del Ponte *AR* 87 AG 21
Pian del Vantaggio *TR* 105 AH 27
Pian dell' Osteria *BL* 29 AJ 7
Pian della Noce *MC* 107 AN 26
Pian della Noce *PG* 106 AK 27
Pian della Pieve *MC* 98 AO 23
Pian della Pieve *PG* 97 AK 25
Pian della Serra *PG* 96 AJ 22
Pian Delle Merie *PN* 15 AL 6
Pian dell'Elmo *MC* 97 AN 23

Alessi (V.) . . . . . BY 2
Asilo (V. dell') . . . . . BY 3
Baglioni (V.) . . . . . BZ 4
Bartolo (V.) . . . . . BY 7
Bonazzi (V. L.) . . . . . AZ 8
Bontempi (V.) . . . . . BY 9
Cupa (V. della) . . . . . AY 12
Danti (Pza) . . . . . BY 13
Fabretti (V.) . . . . . BY 14
Fortebraccio (Pza) . . . . . BY 17
Forze (V. delle) . . . . . AZ 18
Imbriani (V. M.) . . . . . BY 23
Indipendenza (Viale) . . . . . ABZ 24
Italia (Pza) . . . . . BZ 26
Maestà delle Volte (V.) . . . . . ABY 29
Mariotti (Pza A.) . . . . . AZ 30
Marzia (V.) . . . . . BZ 32
Matteotti (Pza) . . . . . BY 34
Mazzini (V.) . . . . . BY 35
Morlacchi (Pza) . . . . . AY 38
Oberdan (V.) . . . . . BZ 39
Partigiani (Pza dei) . . . . . AZ 40
Piccinino (Pza) . . . . . BY 43
Repubblica (Pza della) . . . . . BZ 45
Roscetto (V. del) . . . . . BY 47
S. Elisabetta (V.) . . . . . BY 50
Vannucci (Cso) . . . . . BYZ 51
Viola (V. della) . . . . . BY 52
Volte della Pace (V.) . . . . . BY 55

Arco Etrusco . . . . . BY **K**
Cattedrale . . . . . BY **F**
Collegio del Cambio . . . . . BY **E**
Museo Archeologico Nazionale dell'Umbria . . . . . BZ **M**[1]
Palazzo dei Priori . . . . . BY **D**
Palazzo Gallenga . . . . . BY **U**
Rocca Paolina . . . . . BZ **Q**
Sant'Angelo . . . . . AY **R**

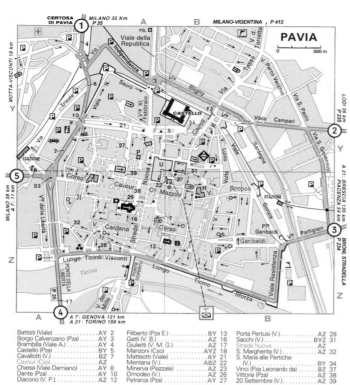

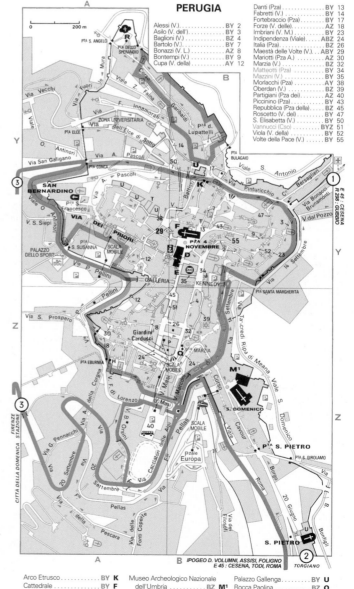

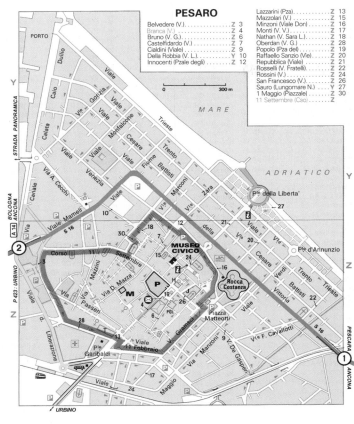

PESARO

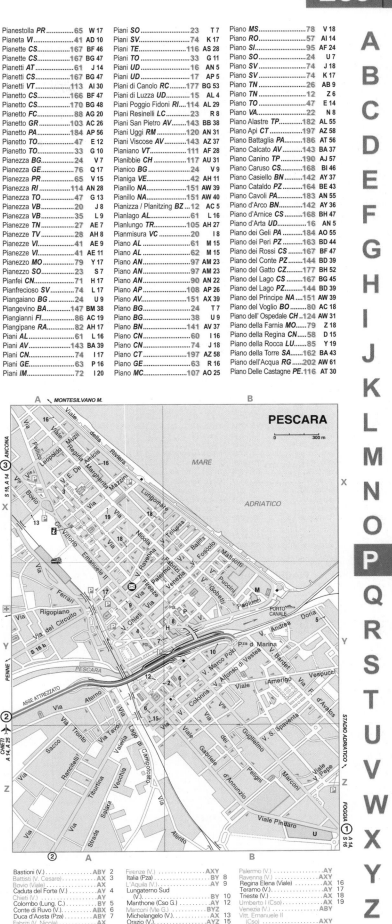

PESCARA

A B C D E F G H I J K L M N O **P** Q R S T U V W X Y Z

PESARO

Belvedere (V.)	Z 3
Branca (V.)	Z 4
Bruno (V. G.)	Z 6
Castelfidardo (V.)	Z 7
Cialdini (Viale)	Z 9
Della Robbia (V. L.)	Y 10
Innocenti (Pzale degli)	Z 12
Lazzarini (Pza)	Z 13
Mazzolari (V.)	Z 15
Minzoni (Viale Don)	Z 16
Monti (V. V.)	Z 17
Nathan (V. Sara L.)	Z 18
Oberdan (V.)	Z 28
Popolo (Pza del)	Z 19
Raffaello Sanzio (Vie)	Z 20
Repubblica (Viale)	Z 21
Rosselli (V. Fratelli)	Z 22
Rossini (V.)	Z 24
San Francesco (V.)	Z 26
Sauro (Lungomare N.)	Y 27
1 Maggio (Piazzale)	Z 30
11 Settembre (Cso)	Z

Pian di Balbano PU	97	AK 23
Pian di Barca SP	77	T 18
Pian di Casale BO	80	AB 18
Pian di Cerreto LU	79	X 19
Pian di Gerri RM	129	AL 33
Pian di Là UD	17	AP 5
Pian di Lucchio PU	97	AJ 23
Pian di Marte PG	96	AI 24
Pian di Molino MS	78	V 18
Pian di Molino PU	89	AJ 22
Pian di Monetto VT	112	AH 28
Pian di Morrano GR	111	AE 28
Pian di Mugnone FI	86	AC 21
Pian di Novello PT	79	Z 19
Pian di Ospedaletto LU	85	Y 19
Pian di Porto PG	106	AJ 27
Pian di Rocca GR	102	Z 27
Pian di Rosce RI	114	AM 29
Pian di Rose PU	90	AM 21
Pian di Rota LI	92	X 22
Pian di S. Martino VT	112	AH 29
Pian di Salesei BL	14	AG 5
Pian di San Bartolo FI	86	AC 20
Pian di San Martino PG	106	AJ 27
Pian di Scale TR	105	AH 26
Pian di Sco AR	87	AE 22
Pian di Spille VT	111	AF 30
Pian di Venola BO	80	AC 18
Pian di Ventena RN	89	AL 20
Pian Falzarego BL	14	AH 4
Pian Formosa BL	29	AJ 6
Pian Gelassa TO	46	D 13
Pian Grande PG	96	AK 23
Pian Munè CN	59	E 16
Pian Prè BI	34	I 10
Piana AT	61	J 14
Piana BG	37	S 9
Piana BN	142	AY 36
Piana CB	132	AX 34
Piana CN	59	F 16
Piana CS	166	BF 46
Piana MC	98	AP 24
Piana ME	188	AY 55
Piana PG	95	AH 25
Piana PV	51	P 14
Piana RM	118	AH 31
Piana SO	23	T 7
Piana SP	77	S 18
Piana TO	47	G 12
Piana TO	34	H 11
Piana VB	21	K 8
Piana VC	20	J 8
Piana VC	34	J 9
Piana Altare CB	133	AX 35
Piana Battolla SP	77	U 18
Piana Calzata PA	186	AS 55
Piana degli Albanesi PA	184	AO 56
Piana dei Greci AV	142	AY 37
Piana del Sole RM	119	AI 33
Piana della Torre CS	165	BI 44
Piana delle Mele CH	117	AW 31
Piana di Forno VB	21	K 8
Piana di Monte Verna CE	141	AW 36
Piana di Nese PG	96	AI 24
Piana di Sciarra CB	132	AW 33
Piana d'Olmo CB	133	AX 35
Piana Macaro CB	133	AW 34
Piana Materazzi RG	204	AW 62
Piana Pugliese VV	174	BF 51
Piana Romana BN	142	AY 36
Piana San Raffaele TO	48	I 13
Pianacce LU	79	X 19
Pianacce PU	89	AL 22
Pianaccero AP	108	AP 27
Pianacci MO	79	Y 18
Pianacci PU	89	AJ 20
Pianaccio BO	79	AA 19
Pianadella PC	63	R 15
Pianadetto PR	78	V 17
Pianale UD	30	AO 9
Pianaronda VC	21	K 8
Pianas-Sa Murighessa OT	210	P 39
Pianatti UD	17	AP 5
Pianavia IM	72	I 20
Pianaz BL	14	AH 5
Pianazzo SO	23	R 5
Piancada UD	30	AN 9
Piancaldoli FI	81	AD 18
Piancarani TE	108	AR 27
Piancasale PC	63	R 15
Piancastagnaio SI	104	AF 26
Piancavallo PN	15	AK 7
Piancavallo VB	21	M 7
Pianceri BI	34	K 9
Piancerreto AL	49	K 13
Pianche CN	70	D 18
Pianchiosso CN	74	J 18
Piandana PG	96	AJ 23
Piandebari SI	94	AE 24
Piandebussi MC	98	AO 25
Piandeipreti GE	76	Q 17
Piandelagotti MO	79	Y 18
Piandelloro AP	108	AP 27
Piandemma TO	33	F 11
Piandicastello PU	89	AK 20
Piandicontro AP	108	AP 26
Piandifieno GE	77	R 17
Piandimeleto PU	89	AJ 21
Piandoli PG	107	AM 27
Piandrati FI	87	AE 20
Piane AP	99	AQ 25
Piane GE	76	P 17
Piane GE	63	Q 17
Piane GE	76	Q 17
Piane GE	63	R 17
Piane MC	97	AN 24
Piane RI	113	AL 29
Piane Chienti AP	99	AQ 24
Piane Chienti MC	99	AR 24
Piane Crati CS	171	BG 48
Piane di Falerone AP	98	AP 25
Piane di Mocogno MO	79	Z 18
Piane di Morro AP	108	AQ 27
Piane di Potenza MC	98	AP 23
Piane di Rosso GE	76	P 17
Piane Maglierici TE	116	AT 28
Piane Vecchie PA	186	AS 55
Pianella CN	61	L 15
Pianella PE	116	AT 29
Pianella SA	152	AY 40
Pianelle MC	107	AO 25
Pianelle SA	153	BB 39
Pianelli PR	64	U 15
Pianello AN	97	AM 23
Pianello AN	90	AN 23
Pianello AN	98	AN 23
Pianello GE	62	O 16
Pianello MC	107	AO 25
Pianello PA	186	AT 57
Pianello PG	96	AK 25
Pianello PU	96	AK 25
Pianello PU	97	AL 22
Pianello TR	105	AH 26
Pianello VC	21	K 8
Pianello del Lario CO	23	Q 7
Pianello Val Tidone PC	51	R 14
Pianellucci CZ	171	BH 49
Pianengo CR	37	T 11
Pianera BS	38	V 10

PESCARA

Bastioni (V.)	ABY 2
Battisti (V. Cesare)	AX 3
Bovio (Viale)	AX
Caduta del Forte (V.)	AY 4
Chieti (V.)	AY
Colombo (Lung. C.)	BY 5
Conte di Ruvo (V.)	ABX 6
Duca d'Aosta (Pza)	ABY 7
Fabrizi (V. Nicola)	AX
Firenze (V.)	AXY
Italia (Pza)	BY 8
L'Aquila (V.)	AY 9
Lungaterno Sud	
	BY 10
Manthonè (Cso G.)	BY
Marconi (Vle G.)	BYZ
Michelangelo (V.)	AX 13
Orazio (V.)	AYZ 15
Palermo (V.)	AY
Ravenna (V.)	AXY
Regina Elena (Viale)	AX 16
Teramo (V.)	AY 17
Trieste (V.)	AY 18
Umberto I (Cso)	AY 19
Venezia (V.)	ABY
Vitt. Emanuele II (Cso)	AXY

Pianestolla PR	65	W 17
Pianeta VI	41	AD 10
Pianette CS	167	BF 46
Pianette CS	167	BG 47
Pianetti AT	61	J 14
Pianetti CS	167	BG 47
Pianetti VT	113	AI 30
Pianetto CS	166	BF 47
Pianetto CS	170	BG 48
Pianetto FC	88	AG 20
Pianetto GR	103	AC 26
Pianetto PA	184	AP 56
Pianetto TO	47	E 12
Pianetto TO	33	G 10
Pianezza BG	24	V 7
Pianezza GE	76	Q 17
Pianezza PR	65	V 15
Pianezza RI	114	AN 28
Pianezza TO	47	G 13
Pianezza VB	20	J 8
Pianezza VB	35	L 9
Pianezze TN	27	AE 7
Pianezze TV	28	AH 8
Pianezze VI	41	AE 9
Pianezze VI	41	AE 11
Pianezzo SV	79	Y 17
Pianezzo SO	23	S 7
Pianfei CN	71	H 17
Pianfrecioso SV	74	L 17
Piangaiano BG	24	U 9
Piangevino BA	147	BM 38
Piangianni FI	86	AC 19
Piangipane RA	82	AH 17
Piani AL	61	L 16
Piani AV	143	BA 39
Piani CN	74	I 17
Piani GE	63	P 16
Piani IM	72	I 20
Piani SO	23	T 7
Piani SV	74	K 17
Piani TE	116	AS 28
Piani TO	33	G 11
Piani UD	16	AN 5
Piani UD	17	AP 5
Piani di Canolo RC	177	BG 53
Piani di Luzza UD	15	AL 4
Piani Poggio Fidoni RI	114	AL 29
Piani Resinelli LC	23	R 8
Piani San Pietro AV	143	BB 38
Piani Uggi RM	120	AN 31
Piani Viscose AV	143	AZ 37
Pianibbie CH	117	AU 31
Pianico BG	24	V 9
Pianiga VE	42	AM 11
Pianillo NA	151	AW 39
Pianillo NA	151	AW 40
Pianizza / Planitzing BZ	12	AC 5
Pianlago AL	61	L 16
Pianlungo TR	105	AH 27
Pianmisura VC	7	AJ 36
Piano AL	61	M 15
Piano AL	62	M 15
Piano AN	97	AM 23
Piano AN	90	AN 22
Piano AP	108	AP 26
Piano AV	151	AX 39
Piano BG	24	T 7
Piano BG	38	U 9
Piano BN	141	AV 37
Piano CN	60	I 16
Piano CN	74	J 18
Piano CT	197	AZ 58
Piano GE	63	R 16
Piano MC	107	AO 25
Piano MS	78	V 18
Piano RO	57	AI 14
Piano SI	95	AF 24
Piano SO	24	U 7
Piano SV	74	J 18
Piano SV	74	K 17
Piano TN	26	AB 9
Piano TN	12	Z 16
Piano TO	47	E 14
Piano VA	22	N 8
Piano Alastre TP	182	AL 55
Piano Api CT	197	AZ 58
Piano Battaglia PA	186	AT 56
Piano Calcato AV	143	BA 37
Piano Canino TP	190	AJ 57
Piano Caruso CS	168	BI 46
Piano Casiello BN	142	AY 37
Piano Cataldo PZ	164	BE 43
Piano Cavoli PA	183	AN 55
Piano d'Arco BN	142	AY 36
Piano d'Arnice CS	168	BH 47
Piano d'Arta UD	16	AN 5
Piano dei Geli PA	184	AO 55
Piano dei Peri PZ	163	BD 44
Piano dei Rossi CS	167	BF 47
Piano del Conte PZ	144	BD 39
Piano del Gatto CZ	177	BH 52
Piano del Lago CS	167	BG 45
Piano del Lago PZ	144	BD 39
Piano del Principe NA	151	AW 39
Piano del Voglio BO	80	AC 18
Piano dell' Ospedale CH	124	AW 31
Piano della Farnia MO	79	Z 18
Piano della Regina CN	58	D 15
Piano della Rocca LU	85	Y 19
Piano della Torre SA	162	BA 43
Piano dell'Acqua RG	202	AW 61
Piano Delle Castagne PE	116	AT 30

Piano delle Fonti CH 117 AU 30
Piano delle Rose CS 167 BF 46
Piano di Ascigno CH 117 AU 31
Piano di Collecchia MS 78 V 18
Piano di Coreglia LU 79 X 19
Piano di Follo SP 77 U 19
Piano di Madrignano SP 77 U 18
Piano di Maglia PZ 164 BE 42
Piano di Mommio LU 84 W 20
Piano di Rocchetta AN 97 AM 23
Piano di Sorrento NA 151 AV 40
Piano d'Orta PE 116 AS 30
Piano Grande TE 108 AQ 28
Piano Grande TE 116 AR 28
Piano Inferno PA 183 AN 55
Piano Lanzirotti PA 185 AP 55
Piano Liguori NA 150 AS 39
Piano Maggiore TE 108 AQ 27
Piano Maglio-Blandino PA 184 AO 55
Piano Marzano PZ 143 BB 38
Piano Menta CS 166 BE 46
Piano Mezzapelle TP 190 AK 57
Piano Ospedale PA 186 AU 57
Piano Pantaleo PA 185 AP 55
Piano Pietra CZ 174 BH 51
Piano Porlezza CO 22 Q 7
Piano Pozzi RG 202 AY 61
Piano Risteccio TE 108 AQ 27
Piano Rosso LT 129 AL 35
Piano San Michele PU 90 AM 22
Piano San Paolo CT 202 AW 61
Piano San Pietro TE 108 AQ 27
Piano Scarpara PE 116 AS 29
Piano Serre CZ 174 BH 51
Piano Soprano SV 74 K 18
Piano Sottano SV 74 K 18
Piano Stoppa PA 185 AP 55
Piano Tavola CT 197 AY 58
Piano Vite CT 195 AY 58
Piano Vomano TE 115 AQ 28
Pianoconte ME 181 AY 53
Pianogreca ME 181 AY 53
Pianola AQ 115 AP 30
Pianomarotta AV 143 AZ 38
Pianomonaci ME 188 AX 55
Piano-Pezze AV 142 AY 38
Pianopoli CZ 171 BH 50
Pianore PI 85 Z 21
Pianoro BO 80 AD 17
Pianorso MO 79 Z 17
Pianosa LI 100 V 28
Pianoscafo-Liattughelle CS 168 BH 45
Pianosinatico PT 79 Z 19
Piano-Starze AV 142 AY 38
Pianotaverna AV 143 AZ 37
Piano-Vetrale SA 162 BA 42
Pianporcelli SI 104 AG 26
Pianporcino SI 104 AF 25
Piansano VT 111 AF 28
Piansone CN 59 E 16
Piansuolo AL 63 P 16
Pianta BO 81 AE 17
Piantaglio PT 79 Z 19
Piante PN 29 AK 7
Piantedo SO 23 R 7
Piantito BN 141 AV 37
Piantoli CE 131 AS 35
Piantonia PR 65 V 16
Piantorre CN 74 I 17
Piantrano PG 96 AH 23
Piantravigne AR 87 AE 22
Pianucciolo VT 112 AI 28
Pianura NA 150 AU 38
Pianzano TV 29 AJ 8
Pianzo RE 65 X 16
Piardello LO 52 T 13
Piario BG 24 U 8
Piasco CN 59 F 16
Piastra MS 78 V 19
Piastre PT 85 AA 19
Piastroso LU 79 Y 19
Piateda SO 24 U 7
Piateda Centro SO 24 U 7
Piatour TO 33 F 11
Piatta SO 24 T 6
Piattaforma ME 187 AX 55
Piatto BI 34 J 10
Piattoni AP 108 AR 26
Piavenna BZ 2 Y 3
Piavola FC 82 AH 19
Piavon TV 43 AK 9
Piazza AL 61 M 16
Piazza BS 38 V 10
Piazza CN 71 I 17
Piazza NA 151 AW 39
Piazza PR 65 X 15
Piazza RO 56 AH 14
Piazza SI 94 AC 22
Piazza TN 26 AB 8
Piazza TO 47 F 14
Piazza al Serchio LU 78 W 18
Piazza Armerina EN 194 AV 59
Piazza Brembana BG 23 T 8
Piazza Caduti BG 37 S 9
Piazza del Galdo-Sant'Angelo SA 151 AX 39
Piazza di Brancoli LU 85 Y 20
Piazza di Pandola AV 151 AX 39
Piazza Nuova BO 67 AE 16
Piazza Nuova RE 66 Y 14
Piazza Rivalunga VR 55 AB 11
Piazza Roma NA 151 AW 39
Piazza Vecchia SV 74 K 18
Piazza Vecchia VE 42 AH 11
Piazzana LU 79 Y 19
Piazzano AL 49 K 13
Piazzano FI 87 AD 20
Piazzano LU 85 X 20
Piazzatorre BG 23 T 8
Piazze BS 24 W 8
Piazze BS 39 X 10
Piazze SI 105 AG 26
Piazze TN 26 AA 8
Piazze TN 27 AC 7
Piazzeda SO 24 V 6
Piazzette TO 47 E 12
Piazzette VI 27 AE 9
Piazzo GE 62 P 16
Piazzo SO 9 R 6
Piazzo TN 40 AA 9
Piazzo TN 26 AC 6
Piazzo Alto BG 23 T 8
Piazzo Basso BG 23 T 8
Piazzola TN 12 Z 5
Piazzola sul Brenta PD 41 AF 10
Piazzolla PZ 154 BD 41
Piazzolo AL 50 M 13
Piazzolo BG 23 T 8
Piazzolo BG 24 U 8
Pibor TN 25 Y 8
Picarelli AV 142 AX 38
Picasi ME 187 AX 55
Piccalinna VS 220 M 46
Piccarello GE 62 O 17
Picchena SI 93 AB 23
Picchetta NO 35 N 10
Picchetto PG 96 AI 23
Picchio BO 81 AE 17
Piccianello PE 116 AS 29
Picciano PE 116 AS 29
Picciano PU 89 AL 20
Picciche PG 106 AL 26
Piccilli CE 132 AT 35
Piccione PG 96 AK 24
Piccione PU 97 AL 23
Piccola Casetta di Nazareth CE 140 AT 38
Piccoli PC 63 S 15
Piccolini PV 50 N 12
Piccolino BZ 4 AG 3
Piccolo Pevero OT 211 S 37
Picenengo CR 52 U 13
Picenze AQ 115 AQ 30
Picerno PZ 153 BC 40
Pichl Ausser / Colle di Fuori BZ 5 AI 3
Picille FI 86 AC 21
Picinisco FR 131 AS 34
Piciò RC 178 BD 54
Pico BR 148 BN 39
Pico FR 130 AQ 35
Picone SA 162 AZ 42
Pideura RA 81 AF 18
Pidig Alm / Malga Pudio BZ 5 AI 2
Pie' Casavecchia MC 107 AN 26
Piè dei Balzi SA 163 BC 42
Pie' del Colle MC 107 AO 25
Piè del Colle PG 107 AN 26
Piè del Dosso BS 38 V 10
Pie' del Sasso MC 107 AN 26
Piè delle Piagge FR 131 AR 34
Pie di Moggio RI 113 AL 28
Piè la Costa AQ 115 AO 30
Piea AT 49 J 13
Pieberi SI 94 AD 25
Piecorto SI 94 AC 22
Piedelpoggio RI 114 AM 28
Piedicastello TN 26 AB 7
Piedicavallo BI 34 I 9
Piedicolle AQ 114 AO 28
Piedicolle PG 106 AJ 26
Piedicolle RI 114 AM 28
Piedifiume RI 113 AL 29
Piedilacosta PG 107 AM 27
Piedilago VB 7 L 6
Piedilama AP 107 AO 27
Piediluco TR 113 AL 28
Piedim UD 16 AN 5
Piedimonte CE 140 AS 36
Piedimonte FI 81 AE 19
Piedimonte SA 152 AY 39
Piedimonte TR 113 AK 28
Piedimonte del Calvario GO 31 AQ 8
Piedimonte Etneo CT 197 BA 57
Piedimonte Matese CE 132 AV 35
Piedimonte San Germano Alta FR 131 AR 34
Piedimonte San Germano FR 131 AR 34
Piedimordenti RI 114 AN 28
Piedimulera VB 21 K 7
Piedipaterno PG 107 AM 27
Piediripa MC 98 AP 24
Piediripa PG 107 AN 27
Piedivalle AP 107 AO 26
Piedivalle PG 107 AN 26
Piegaro PG 105 AH 26
Piegolelle SA 152 AX 39
Piegusciano MC 98 AN 25
Pieia PU 96 AK 22
Pielia MO 79 Y 18
Pielungo PN 16 AM 6
Piemarano AP 99 AR 25
Piemonte PG 106 AK 27
Pienza SI 104 AF 25
Piepasso AL 49 L 14
Pierabec UD 15 AL 4
Pieranica CR 37 S 11
Pierantonio PG 96 AJ 24
Pierdicino PI 85 X 21
Pieria UD 15 AL 4
Pieris GO 31 AP 9
Pierle AR 96 AH 24
Pierno PZ 144 BC 39
Piero SO 10 W 6
Pierosara AN 97 AM 23
Pierremenaud TO 46 B 13
Pierucciani PT 86 AA 20
Pietà SA 162 AY 42
Pietole MN 54 Z 13
Pietole Vecchie MN 54 Z 13
Pietra BG 24 U 7
Pietra BO 67 AD 15
Pietra CZ 171 BG 49
Pietra GE 63 P 16
Pietra PD 56 AG 12
Pietra RC 177 BH 53
Pietra SO 9 R 5
Pietra TN 26 AB 8
Pietra TN 26 AB 8
Pietra VI 40 AC 9
Pietra Alata SI 94 AB 24
Pietra Bassa PU 88 AI 20
Pietra de' Giorgi PV 51 Q 13
Pietra dell'Uso FC 88 AI 20
Pietra Forcella CT 197 AZ 58
Pietra Lamberti FR 130 AO 33
Pietra Ligure SV 74 K 19
Pietra Marazzi AL 50 N 14
Pietra Porci LT 130 AO 35
Pietra Stoppa CS 165 BI 44
Pietrabbondante IS 123 AV 33
Pietrabianca ME 189 BA 56
Pietrabianca RC 178 BD 54
Pietrabissara GE 62 O 16
Pietrabruna IM 72 I 20
Pietrabuona PT 85 Z 20
Pietracamela TE 115 AQ 28
Pietracatella CB 133 AY 34
Pietracolora BO 80 AA 18
Pietracupa CB 132 AW 33
Pietracuta PU 89 AJ 20
Pietradonata IS 132 AU 34
Pietrafaccia GE 62 O 16
Pietrafitta CS 171 BH 48
Pietrafitta FR 131 AR 34
Pietrafitta GE 76 Q 17
Pietrafitta PG 105 AI 26
Pietrafitta SI 94 AC 23
Pietrafitta SI 104 AE 25
Pietraforte RI 120 AM 31
Pietragalla PZ 154 BE 39
Pietragavina PV 63 Q 14
Pietragrossa ME 188 AZ 56
Pietraguisa MO 79 Y 18
Pietraia AR 95 AG 24
Pietraia PG 105 AI 25
Pietralacroce AN 91 AQ 22
Pietralavezzara GE 62 O 16
Pietralba BZ 13 AD 5
Pietrale-Capo di Fiume SA 152 AZ 41
Pietralta TE 108 AP 27
Pietralunga CT 195 AY 58
Pietralunga PG 96 AJ 23
Pietramala FI 80 AD 19
Pietramaura PU 89 AJ 20
Pietramelara CE 141 AU 35
Pietramelina PG 96 AJ 24
Pietramogolana PR 64 U 16
Pietramonte BN 133 AY 35
Pietramontecorvino FG 134 AZ 34
Pietramora RA 81 AG 18
Pietramorella CS 168 BH 46
Pietramurata TN 26 AA 7
Pietranera GE 63 Q 16
Pietranico PE 116 AS 30
Pietransieri AQ 123 AT 32
Pietrapaola CS 168 BJ 47
Pietrapazza FC 88 AG 20
Pietrapennata RC 179 BF 56
Pietrapertosa PZ 154 BF 40
Pietraperzia EN 194 AT 59
Pietrapiana FI 87 AE 21
Pietrapica PZ 164 BF 43
Pietraporzio CN 70 D 17
Pietrara VT 112 AH 30
Pietraroja BN 133 AW 35
Pietrarotta CZ 177 BI 53
Pietrasalta MS 77 U 18
Pietrasanta LU 84 W 20
Pietrascritta CZ 175 BH 51
Pietrasecca AQ 121 AN 31
Pietraspaccata PR 64 U 15
Pietrastornina AV 142 AX 38
Pietratagliata UD 16 AO 5
Pietrauta PG 106 AK 26
Pietravairano CE 132 AU 36
Pietraviva AR 94 AE 23
Pietre Marce VC 20 J 8
Pietre Mole PA 184 AO 55
Pietre Nere San Zagaria RG 204 AX 62
Pietre Rosse ME 188 BA 55
Pietrelcina BN 142 AY 36
Pietrelunghe PA 184 AO 55
Pietremarine CS 168 BH 46
Pietrenere RC 176 BE 53
Pietrerotte CE 139 AS 36
Pietretagliate TP 182 AK 56
Pietreto LI 92 X 22
Pietri AV 143 BA 38
Pietrineri SI 104 AF 26
Pietrito RM 129 AN 34
Pietroneri CB 132 AW 34
Pietta PR 65 W 16
Pievalle / Bevalle BZ 13 AE 5
Pieve AL 62 N 15
Pieve BL 14 AI 5
Pieve BO 67 AE 16
Pieve BS 38 V 11
Pieve BS 38 W 10
Pieve BS 39 X 9
Pieve BS 39 Z 9
Pieve GE 62 O 16
Pieve LU 84 W 20
Pieve MC 107 AN 26
Pieve MS 78 U 18
Pieve MS 78 V 18
Pieve PC 63 Q 15
Pieve PD 41 AF 10
Pieve PN 29 AK 8
Pieve PR 64 T 16
Pieve PU 89 AJ 21
Pieve PU 89 AJ 21
Pieve PV 50 N 13
Pieve SI 95 AF 24
Pieve SP 77 T 18
Pieve TN 28 AF 6
Pieve TO 47 F 14
Pieve TV 28 AG 8
Pieve VI 40 AC 9
Pieve VR 40 AC 11
Pieve a Elici LU 84 W 20
Pieve a Maiano AR 95 AF 23
Pieve a Nievole PT 85 Z 20
Pieve a Pitania FI 87 AE 21
Pieve a Presciano AR 95 AF 23
Pieve a Salti SI 94 AE 25
Pieve a Socana AR 87 AF 22
Pieve al Toppo AR 95 AF 23
Pieve Albignola PV 50 O 13
Pieve Asciata SI 94 AD 23
Pieve Caina PG 105 AI 25
Pieve Cesato RA 82 AG 17
Pieve d'Alpago BL 29 AJ 7
Pieve del Cairo PV 50 N 13
Pieve del Pino BO 80 AD 17
Pieve del Vescovo PG 96 AI 25
Pieve delle Rosa PG 96 AI 22
Pieve Delmona CR 53 V 13
Pieve di Aggiglione PG 96 AJ 22
Pieve di Cadore BL 15 AJ 5
Pieve di Cagna PU 89 AK 21
Pieve di Cento BO 67 AC 15
Pieve di Chio AR 95 AG 23
Pieve di Compito LU 85 Y 21
Pieve di Compresseto PG 97 AL 24
Pieve di Coriano MN 55 AB 13
Pieve di Crespiano MS 78 V 18
Pieve di Cusignano PR 65 V 15
Pieve di Gusaliggio PR 64 U 16
Pieve di Ledro TN 25 Z 8
Pieve di Livinallongo BL 14 AG 5
Pieve di Marebbe BZ 4 AG 3
Pieve di Monti di Villa LU 85 Y 19
Pieve di Panzano FI 94 AC 22
Pieve di Pava SI 94 AE 25
Pieve di Piana SI 94 AD 25
Pieve di Rigutino AR 95 AG 23
Pieve di Saddi PG 96 AJ 23
Pieve di Santa Luce PI 92 Y 23
Pieve di Scalenghe TO 59 F 14
Pieve di Soligo TV 28 AI 8
Pieve di Teco IM 72 I 19
Pieve d'Olmi CR 53 V 13
Pieve Dugliara PC 64 S 14
Pieve Emanuele MI 51 Q 11
Pieve Fanonica PG 106 AL 25
Pieve Fissiraga LO 51 R 12
Pieve Fosciana LU 79 X 19
Pieve Grumone CR 53 V 12
Pieve Ligure GE 76 P 17
Pieve Pagliaccia PG 96 AJ 25
Pieve Petroia PG 96 AI 24
Pieve Pontenano AR 87 AF 22
Pieve Porto Morone PV 51 R 13
Pieve Rivoschio FC 88 AH 19
Pieve Rossa RE 66 Z 15
Pieve S. Lorenzo LU 78 W 18
Pieve S. Michele RN 83 AJ 19
Pieve Saliceto RE 66 Y 14
Pieve San Giacomo CR 53 W 13
Pieve San Giovanni AR 95 AF 22
Pieve San Nicolò PG 97 AK 25
Pieve San Quirico PG 96 AJ 24
Pieve San Vicenzo RE 78 W 17
Pieve Sant'Andrea BO 81 AE 18
Pieve Santo Stefano AR 88 AH 21
Pieve Terzagni CR 53 W 12
Pieve Tesino TN 27 AE 7
Pieve Torina MC 107 AN 25
Pieve Vecchia BS 39 X 9
Pieve Vecchia BS 39 Y 10
Pieve Vecchia PI 92 X 23
Pieve Vergonte VB 21 K 7
Pievebovigliana MC 107 AN 25
Pievecchia FI 87 AD 21
Pievedizio BS 38 V 11
Pievefavera MC 98 AO 25
Pievelunga TR 105 AH 26
Pieveottoville PR 53 V 13
Pievepelago MO 79 Y 18
Pievequinta FC 82 AH 18
Pievescola SI 94 AB 24
Pievetta CN 74 J 18
Pievetta GE 63 R 16
Pievetta PC 51 R 13
Pievevecchia PU 89 AL 20
Pievina SI 94 AE 24

PIACENZA

Belcredi (V. G.) B 2
Borgo (Pza) A 3
Calzolai (Via) A 6
Castello (Via del) A 4
Cavalli (Pza dei) B 5
Garibaldi (V.) A 9
Genova (Piazzale) A 10
Giordani (V. P.) B 12
La Primogenita (V.) B 13
Legione Zanardi Landi (V.) B 15
Legnano (V.) B 16
Manfredi (V. Giuseppe) A 17
Marconi (Piazzale) B 19
Milano (Piazzale) B 20
Pace (V.) B 22
Risorgimento (Viale) B 23
Roma (Piazzale) B 24
Scalabrini (V.) B 34
S. Antonino (V.) B 27
S. Eufemia (V.) A 28
S. Sisto (V.) A 29
S. Tommaso (V.) A 32
Torino (Piazzale) A 35
Venturini (V.) A 38
Verdi (V.) B 39
Vittorio Emanuele II (Cso) A 40
20 Settembre (V.) B 41

Duomo B E
Il Gotico B D

Pievuccia AR....95 AG 24
Piezza LU....79 X 19
Pigano BZ....12 AC 5
Pigazzano PC....64 S 14
Pigge PG....106 AL 26
Pighenzo TV....41 AG 9
Pigli AR....95 AG 23
Piglio FR....121 AN 33
Pigna IM....72 G 20
Pignano AV....151 AW 38
Pignano FR....130 AP 33
Pignano PI....93 AA 23
Pignano UD....30 AM 6
Pignare PD....56 AH 12
Pignaro PA....185 AR 56
Pignataro Interamna FR.131 AR 35
Pignataro Maggiore CE..141 AU 36
Pigne SA....152 AY 39
Pigno CT....197 AZ 58
Pigno PU....89 AL 22
Pignocco AN....98 AP 23
Pignola PZ....154 BD 40
Pignona SP....77 T 18
Pignone PR....65 W 17
Pignone SP....77 T 18
Pignotti AP....108 AO 26
Pignotto TE....109 AS 26
Pigozzo VR....40 AB 11
Pigra CO....22 P 8
Pila AO....33 E 9
Pila LI....100 W 27
Pila PD....41 AF 10
Pila PG....105 AI 25
Pila RO....57 AJ 14
Pila SO....24 V 7
Pila VC....34 J 9
Pilarcelle BN....142 AY 36
Pilarciano FI....87 AD 20
Pilastrello BO....67 AD 15
Pilastrello FE....67 AC 15
Pilastrello MO....66 AB 16
Pilastrello PR....65 X 15
Pilastri FE....55 AC 14
Pilastri RO....55 AE 14
Pilastri VI....41 AD 9
Pilastrino BO....80 AB 17
Pilastro MN....54 Y 13
Pilastro PR....65 W 15
Pilastro RA....82 AH 17
Pilastro VI....55 AD 12
Pilati RC....178 BD 56
Pilaz AO....19 H 9
Pilcante TN....26 AA 9
Pile VI....27 AE 9
Pile VT....112 AG 30
Piletta BI....34 J 11
Pili Il CH....124 AW 31
Pilieri PA....184 AO 54
Pilinga CZ....175 BI 51
Pilla BN....133 AY 35
Pillaz AO....34 I 10
Pille MN....54 Z 11
Pillo FI....93 AA 22
Pilone CB....133 AW 35
Pilone LT....139 AR 36
Pilone MN....54 Y 12
Pilone TE....115 AR 28
Piloni GR....103 AB 25
Piloni TR....113 AK 29
Pilonico Materno PG....105 AI 25
Pilonico Paterno PG....96 AK 25
Pilotti MC....108 AP 25
Pilottina PR....53 W 14
Pilzone BS....38 V 9
Pimentel CA....221 P 47
Piminoro RC....179 BF 54
Pinarella RA....82 AJ 18
Pinarolo Po PV....51 Q 13
Pinasca TO....47 E 14
Pincara RO....56 AE 14
Pincera AV....142 AX 38
Pincere CB....132 AV 35
Pinceto GE....62 O 16
Pinedo PN....15 AJ 6
Pinei BL....14 AH 6
Pineland SV....73 K 19
Pinerolo TO....59 F 14
Pinet CN....70 E 18
Pineta BS....38 W 9
Pineta BZ....13 AD 5
Pineta RC....176 BE 52
Pineta TN....12 AB 6
Pineta TN....26 AC 6
Pineta UD....16 AN 6
Pineta Mare CE....150 AS 38
Pineta Nuova CE....140 AS 37
Pineta Riviera CE....140 AS 37
Pinete FI....85 Z 21
Pineto RE....65 X 17
Pineto TE....109 AT 28
Pingrosso GR....103 AB 27
Piniè BL....14 AH 5
Piniè BL....15 AJ 4
Piniella IM....72 H 19
Pino BN....142 AX 37
Pino Collito CS....171 BI 48
Pino d'Asti AT....48 I 13
Pino Lago Maggiore VA....22 N 7
Pino Soprano GE....76 O 17
Pino Torinese TO....48 H 13
Pinocchio AN....91 AP 22
Pinto MC....98 AP 24
Pintura MC....99 AQ 24
Pinzago BZ....4 AE 3
Pinzale PO....86 AB 20
Pinzano MI....36 P 10
Pinzano al Tagliamento PN...16 AM 6
Pinzolo TN....26 Z 7
Pio RO....55 AD 13
Piobbico MC....107 AO 25
Piobbico PU....89 AK 22
Piòbesi d'Alba CN....60 I 15
Piobesi Torinese TO....47 G 14
Pioda SO....23 S 6
Pioda VB....7 K 6
Piode VC....34 J 9
Pioi VB....7 K 7
Piolanas CI....224 M 48
Piolo RE....78 X 18
Pioltello MI....37 Q 10
Pioltino MI....51 P 11
Piombino BO....67 AD 15
Piombino LI....102 Y 26
Piombino Dese PD....42 AH 10
Pionca PD....42 AG 11
Pione PR....64 S 16
Pioppa MO....66 AA 14
Pioppi SA....162 AZ 42
Pioppino MN....53 Y 13
Pioppo PA....184 AO 55
Pioraco MC....97 AM 24
Piosina PG....96 AI 23
Piossasco TO....47 F 14
Piovà Massaia AT....49 J 13
Piovani CN....59 G 16
Piove di Sacco PD....56 AH 12
Piovega PD....56 AH 12
Piovega TV....28 AG 9
Piovega TV....43 AK 9
Piovega VR....55 AD 12
Piovene Rocchette VI....41 AD 9
Piovera AL....50 N 14
Piovere BS....39 Z 9
Pioverno UD....16 AN 5
Piovezzano VR....39 Z 10
Piozzano PC....51 R 14
Piozzo CN....60 I 16
Pipirozzi IS....132 AT 35
Pippiete AP....108 AP 26
Piragineti CS....168 BI 46
Piraino ME....188 AY 55
Piraino Mare ME....188 AY 54
Piraino-Trappeto RC....179 BG 54
Piras OT....215 R 40
Pirastreddu SS....209 M 39
Piratello BO....81 AF 17
Pirato ME....188 AY 55
Pirato RG....204 AX 63
Pirazzolu OT....210 R 37
Piretto CS....167 BF 47
Pirillo CS....170 BG 48
Pirillo Sottano CZ....171 BH 49
Piro CS....170 BF 48
Pirocco PV....51 Q 13
Pirone RC....177 BG 54
Pirotto Li Frati OT....209 N 38
Pirrera ME....189 BB 54
Pirri CA....226 P 48
Pirricchio PZ....164 BF 43
Pirro Malena CS....168 BI 46
Pisa PI....85 X 21
Pisacane NA....151 AW 39
Pisana AV....142 AX 39
Pisano CT....197 AZ 58
Pisano NO....35 M 9
Pisavini CH....116 AU 31
Piscero CB....133 AX 35
Pischello PG....96 AH 24
Pischiano AR....88 AI 22
Pischina Salidda SS....208 K 38
Pischinazza OT....209 O 37
Piscia FR....131 AS 34
Pisciacavallo RM....119 AJ 31
Pisciano PG....96 AJ 23
Pisciarelli RM....119 AH 31
Pisciarello FR....130 AP 34
Pisciarello VT....112 AI 28
Pisciariello CE....131 AT 35
Piscina PD....56 AG 13
Piscina SO....24 W 6
Piscina TO....47 F 14
Piscinale CE....141 AV 37
Piscinas CI....225 N 49
Piscine TN....13 AC 6
Piscinelli CB....124 AW 33
Piscini CI....224 L 49
Pisciolo AV....143 BB 38
Pisciotta SA....162 BA 43
Pisciotto PA....186 AT 55
Pisciottolo PZ....164 BF 44
Piscitelli FR....130 AO 33
Piscitello TP....182 AK 56
Piscittina-Amola ME....187 AX 55
Piscopio VV....174 BF 52
Pisenti PG....106 AL 25
Pisetti BS....39 X 11
Pisignano FI....86 AB 21
Pisignano LE....159 BS 42
Pisignano RA....82 AI 18
Pismataro CS....169 BK 47
Pisnego NO....35 L 11
Pisogne BS....24 V 9
Pisogneto BS....24 W 7
Pisogno NO....35 L 9
Pisoniano RM....120 AM 32
Pissatola RO....55 AD 13
Pissignano PG....106 AL 26
Pissione VV....176 BE 52
Pisterzo LT....130 AO 35
Pisticci MT....155 BI 41
Pisticci Scalo MT....155 BI 41
Pistis VS....220 L 45
Pistoia PT....86 AA 20
Pistolesa BI....34 J 10
Pistone BR....148 BN 39
Pistoni MC....98 AN 23
Pistoni MN....53 X 12
Pistrino PG....96 AH 22
Pistrino PG....96 AH 23
Pitassi AQ....123 AU 32
Piteccio PT....86 AA 19
Piteglio PT....85 Z 19
Pitelli SP....77 U 19
Piticanni RC....177 BH 53
Piticchio AN....90 AM 22
Pitigliano GR....111 AF 28
Pitigliano PG....96 AI 22
Pitino MC....98 AO 24
Pitirolo RM....120 AL 30
Pito AP....108 AP 27
Pittarella CS....171 BG 49
Pitti CB....132 AV 34
Pittolo PC....52 S 13
Pittoni FR....131 AR 35
Pittulongu OT....211 S 38
Pitzinurri VS....220 M 46
Piubega MN....53 Y 12
Piuma GO....31 AQ 8
Piumazzo MO....67 AB 16
Piussogno SO....23 S 7
Piuzzo AL....63 P 15
Piverone TO....34 J 11
Piz BL....28 AH 7
Pizzago BZ....13 AF 4
Pizzale PR....65 V 14
Pizzale PV....51 P 13
Pizzanco VB....6 K 7
Pizzannocca TE....116 AS 28
Pizzano BO....81 AD 17
Pizzano TN....11 Z 6
Pizzarosto PV....50 M 12
Pizzelle BN....133 AY 35
Pizzighettone CR....52 T 12
Pizzinni VV....174 BF 52
Pizzino BG....23 S 8
Pizzo LE....160 BR 44
Pizzo MI....37 Q 11
Pizzo VV....174 BF 51
Pizzo Billi PG....97 AL 23
Pizzo Guglielmi PG....96 AJ 24
Pizzo Tamba RA....68 AG 16
Pizzocalvo BO....81 AD 17
Pizzocorno PV....63 P 14
Pizzoferrato CH....123 AU 32
Pizzoferro Monsignore TA...147 BK 39
Pizzofreddo PV....51 Q 14
Pizzolato TP....190 AJ 57
Pizzolese PR....65 X 14
Pizzoletta VR....54 AA 12
Pizzoli AQ....115 AO 29
Pizzoli BG....24 U 8
Pizzolungo TP....182 AK 55
Pizzon RO....56 AE 13
Pizzon VE....57 AI 13
Pizzone CE....140 AT 37
Pizzone IS....131 AT 33
Pizzoni PD....56 AG 13
Pizzoni VV....174 BG 52
Pizzutella PZ....144 BD 38
Placa RC....178 BD 56
Placanica RC....177 BH 53
Places AO....19 F 8
Plaesano RC....176 BF 53
Plaia Grande RG....204 AW 63
Plaino UD....30 AO 7
Plampincieux AO....18 C 9
Plan BZ....13 AF 4
Plan SO....10 W 4
Plan TO....46 C 14
Plan / Pfelders BZ....3 AB 3
Plan Checrouit AO....18 C 9
Plan della Mussa TO....47 D 12
Plan di Coces UD....16 AN 5
Plan di Fioba MS....78 W 19
Plan di Laris UD....16 AN 4
Plan Folliez AO....32 D 10
Plan Lambert AO....34 I 10
Plan Pessey AO....32 E 10
Plan Ponquet AO....18 C 9
Planaval AO....18 D 9
Plànaval AO....32 D 9
Planca di Sopra / Obenplanken BZ....5 AI 3
Planca di Sotto / Underplenken BZ....5 AI 3
Plancios / Palmschoss BZ...4 AF 3
Planeil / Planol BZ....2 Y 3
Planes TO....58 C 14
Plania FC....82 AH 18
Planitzing / Pianizza BZ..12 AC 5
Planol / Planeil BZ....2 Y 3
Plans UD....16 AO 5
Plante AO....32 D 10
Plasencis UD....30 AN 7
Plata BZ....4 AG 3
Plata BZ....5 AH 3
Plata / Platt BZ....3 AC 3
Plataci CS....165 BH 44
Platamona SS....208 L 39
Platamona Lido SS....208 L 39
Platania CZ....171 BG 49
Platano VR....39 Z 11
Plati RC....179 BF 54
Platischis UD....17 AP 6
Platt / Plata BZ....3 AC 3
Plau AO....33 G 9
Plaus BZ....12 AB 4
Plauto FR....131 AR 34
Plazzoles BZ....12 AB 4
Plembaci RC....178 BE 56
Plemmirio SR....203 BA 61
Plemo BS....24 W 8
Plesio CO....23 Q 7
Plessiva GO....31 AQ 8
Pleyne CN....58 D 16
Pleziche UD....17 AP 5
Plezzut UD....17 AQ 5
Ploaghe SS....213 N 40
Plodio SV....74 K 17
Pluda BS....53 W 11
Plugna UD....16 AM 5
Po Bandino PG....105 AG 26
Poasco MI....36 Q 11
Pobbia TO....34 I 11
Pobbietta TO....34 I 11
Pobbio AL....63 P 15
Pocaia AR....95 AH 23
Pocapaglia CN....60 I 15
Pocchettino TO....60 H 14
Poccola AT....61 J 14
Pocenia UD....30 AN 8
Pocol BL....14 AH 4
Podalla MC....107 AO 25
Podargoni RC....178 BD 55
Podenzana MS....78 U 18
Podenzano PC....52 T 14
Podenzoi BL....14 AI 6
Poder Cerreto TR....105 AI 27
Poder Fornaciaccia GR..104 AD 27
Poder le Pescine GR....103 AC 25
Poder Montarsone TR....105 AH 27
Poder Pian di Mucini GR..103 AA 25
Poder Toscano SI....104 AE 25
Poder Vaiano TR....105 AI 26
Podere PG....106 AJ 25
Podere PU....97 AL 22
Podere Borgheretto SI....104 AE 26
Podere Caminino GR....103 AB 26
Podere Cancelli SI....104 AE 26
Podere Cantagalline TR.105 AI 26
Podere Casanova PG....96 AK 25
Podere Casella TR....105 AI 26
Podere Castagna TR....113 AJ 28
Podere Causa SI....94 AC 24
Podere Cerbaiola SI....94 AC 24
Podere Corso GR....110 AC 28
Podere del Pelagone GR.102 AA 26
Podere Frassina SI....104 AD 25
Podere Galluzzi SI....104 AF 26

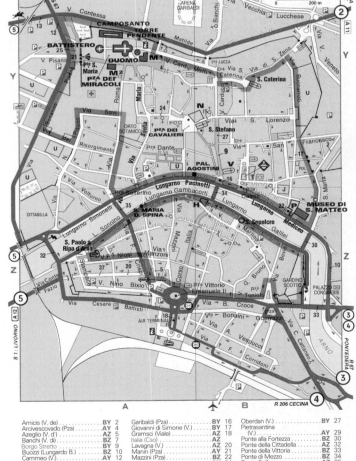

Amicis (V. de) BY 2
Arcivescovado (Pza) AY 4
Azeglio (V. d') AZ 5
Banchi (V. di) BZ 7
Borgo Stretto BY 9
Buozzi (Lungarno B.) BZ 10
Cammeo (V.) AY 12
Cascine (V. delle) AY 13
Consoli del Mare (V.) BY 15
Garibaldi (Pza) BY 16
Giovanni di Simone (V.) BY 17
Gramsci (Viale) AZ 18
Italia (Cso) AZ
Lavagna (V.) AZ 20
Manin (Pza) AY 21
Mazzini (Pza) BZ 22
Mille (V. dei) AY 24
Niccolini (V.) AY 25
Oberdan (V.) BY 27
Pietrasantina (V.) AY 29
Ponte alla Fortezza BZ 30
Ponte della Cittadella AZ 32
Ponte della Vittoria BZ 33
Ponte di Mezzo BZ 34
Ponte Solferino AZ 35
Zerboglio (V.) AZ 37

Museo delle Sinopie AY M[2]
Museo dell'Opera del Duomo AY M[1]
Palazzo dei Cavalieri ABY N
Palazzo dei Medici (Prefettura) BZ P
Palazzo Gambacorti (Municipio) BZ H
San Michele in Borgo BY V

Podere Gamosa SI 94 AD 25
Podere Gesseri PI 93 AA 24
Podere Gualda PI 93 Z 25
Podere Ischia TR 105 AI 27
Podere la Pieve LI 102 Z 25
Podere Lamaccione GR 103 AC 27
Podere Lanzo GR 103 AC 25
Podere Lazzeri GR 104 AF 27
Podere le Case SI 104 AE 26
Podere Lecce SI 104 AE 26
Podere Massò GR 103 AB 25
Podere Nuovo GR 104 AD 26
Podere Ospedaletto TR 113 AJ 28
Podere Pantano VT 105 AG 27
Podere Pelagone GR 111 AE 28
Podere Poggio Castagnolo GR 104 AE 26
Podere Pozzarello SI 95 AF 25
Podere Pozzi GR 103 AC 26
Podere San Fele TR 105 AI 27
Podere San Francesco PI 93 AA 24
Podere San Giustino VT 104 AF 27
Podere Santa Maria TR 113 AJ 28
Podere Sant'Antonio GR 103 AC 25
Podere Scala SI 104 AF 25
Podere Torre PG 106 AJ 26
Podere Treggiana PI 93 Z 24
Podere Vadopiano GR 103 AB 25
Podere Vesperino SI 94 AB 24
Poderetto TR 105 AG 27
Poderi di Montemerano GR 111 AE 28
Poderi Palombino FG 126 BB 33
Poderia SA 163 BB 43
Poderone GR 110 AC 28
Poderuccio VT 105 AG 27
Podio CN 60 I 16
Podresca UD 31 AQ 7
Poerza BG 24 V 8
Poesilla PT 86 AA 21
Poetto CA 226 P 48
Poffabro PN 15 AL 6
Pofi FR 130 AP 34
Pogallo VB 21 L 7
Pogerola SA 151 AW 40
Poggetello AQ 121 AO 31
Poggeto MC 97 AN 24
Poggetto BO 67 AD 15
Poggetto PO 86 AB 21
Poggetto PU 97 AL 23
Poggi GR 103 AC 26
Poggi IM 73 I 20
Poggi San Siro CN 74 J 17
Poggi Sant'Ercolano PG 97 AL 24
Poggi Santo Spirito CN 74 J 17
Poggialto IM 72 I 20
Poggiana TV 42 AG 9
Poggiardo LE 161 BT 43
Poggibonsi SI 94 AB 23
Poggiforzoli FI 87 AD 19
Poggio AL 61 L 16
Poggio AP 108 AP 26
Poggio AP 108 AP 27
Poggio BO 80 AA 19
Poggio BO 80 AB 18
Poggio BO 81 AE 17
Poggio FC 82 AH 18
Poggio FC 88 AH 20
Poggio GE 63 P 16
Poggio GE 63 P 16
Poggio IM 72 H 21
Poggio LI 100 W 27
Poggio LU 78 X 19
Poggio MC 108 AO 25
Poggio MC 98 AQ 24
Poggio PC 64 T 15
Poggio PG 106 AL 25
Poggio PI 85 AA 21
Poggio PR 64 T 17
Poggio PR 65 W 16
Poggio PU 88 AH 20
Poggio PV 51 Q 14
Poggio RM 119 AH 31
Poggio SV 73 J 19
Poggio TR 106 AJ 28
Poggio TR 113 AK 29
Poggio a Caiano PO 86 AB 21
Poggio a Isola PI 86 AA 21
Poggio alla Croce FI 87 AD 22
Poggio alla Malva PO 86 AB 21
Poggio all'Agnello LI 102 Y 26
Poggio alle Mura SI 104 AD 26
Poggio Ancisa PU 88 AH 21
Poggio Aquilone TR 105 AI 26
Poggio Berni RN 83 AJ 19
Poggio Bianco PU 88 AI 21
Poggio Brucoli SI 94 AC 25
Poggio Bustone RI 114 AM 28
Poggio Cancelli AQ 115 AO 28
Poggio Catino RI 113 AL 30
Poggio Catino RI 113 AL 30
Poggio Cavallo GR 103 AC 27
Poggio Cinolfo AQ 120 AN 31
Poggio Cupro AN 98 AN 23
Poggio d'Acona AR 88 AG 22
Poggio d'Ancona AN 91 AQ 22
Poggio d'Api RI 108 AO 27
Poggio dei Pini CA 226 O 49
Poggio del Castagno VT 112 AI 28
Poggio delle Corti PG 105 AI 25
Poggio delle Ginestre RM 119 AI 31
Poggio delle Rose TE 116 AR 28
Poggio dell'Ellera RM 119 AJ 31
Poggio di Bretta AP 108 AQ 26
Poggio di Croce PG 107 AM 26
Poggio di Loro AR 87 AE 22
Poggio di Roio AQ 115 AP 30
Poggio Favaro GE 76 P 17
Poggio Ferrato PV 63 Q 14
Poggio Fidoni RI 113 AL 29
Poggio Filippo AQ 121 AO 31
Poggio Fiorito RM 119 AK 32
Poggio Frusta VT 112 AH 28
Poggio Fuoco GR 111 AD 28
Poggio Gagliardo PI 92 Y 24
Poggio Gerba AT 61 L 14
Poggio Gherardo FI 86 AC 21
Poggio Giubbiani FI 87 AE 21
Poggio Imperiale FG 125 BB 33
Poggio Lastra FC 88 AG 20
Poggio Lavarino TR 106 AK 28
Poggio Mirteto RI 113 AL 30
Poggio Mirteto Scalo RI 113 AK 30
Poggio Moiano RI 114 AM 30
Poggio Montone GR 104 AE 27
Poggio Morello TE 109 AS 27
Poggio Morico PG 97 AK 24
Poggio Murella GR 104 AE 27
Poggio Nativo RI 114 AL 30
Poggio Nuovo PI 84 X 21
Poggio Nuovo TR 112 AI 28
Poggio Pallano PG 97 AL 25
Poggio Perugino RI 113 AL 29
Poggio Picenze AQ 115 AQ 30
Poggio Pinci SI 95 AE 24
Poggio Primocaso PG 107 AM 27
Poggio Rattieri TE 108 AQ 28
Poggio Renatico FE 67 AD 15
Poggio Ridente PA 184 AO 55
Poggio Rusco MN 55 AB 14
Poggio S. Lorenzo RI 114 AM 30
Poggio San Dionisio PG 97 AK 24
Poggio San Giovanni RI 114 AO 30
Poggio San Marcello AN 97 AN 22
Poggio San Marco AR 94 AE 23
Poggio San Michele PZ 154 BD 40
Poggio San Romualdo AN 97 AN 23
Poggio San Vicino MC 98 AN 23
Poggio San Vittorino TE 108 AR 28
Poggio Sannita IS 123 AV 33
Poggio Santa Cecilia SI 95 AE 24
Poggio Santa Maria AQ 115 AO 30
Poggio Sommavilla RI 113 AK 30
Poggio Sorifa MC 97 AM 25
Poggio Tempesti FI 85 Z 21
Poggio Terzarmata GO 31 AQ 8
Poggio Tignoso FI 80 AD 19
Poggio Ubertini FI 86 AB 22
Poggio Umbricchio TE 115 AQ 28
Poggio Valle TR 105 AG 26
Poggio Vecchio PI 84 X 21
Poggio Vittiano RI 114 AN 30
Poggio Zocchi PU 88 AJ 20
Poggiodomo PG 107 AM 27
Poggioferro GR 104 AD 27
Poggioferro GR 104 AE 26
Poggiofiorito CH 117 AU 30
Poggiola AR 95 AF 23
Poggiolforato BO 79 Z 18
Poggiolino FI 87 AD 22
Poggiolo AR 95 AF 24
Poggiolo PG 106 AJ 26
Poggiolo PT 86 AA 20
Poggiolo SI 94 AC 23
Poggiolo SI 95 AF 24
Poggiolo TR 113 AK 29
Poggiolo FI 87 AD 20
Poggiolungo PZ 153 BC 39
Poggiomarino NA 151 AW 39
Poggioni FI 85 AA 21
Poggioreale TP 191 AN 57
Poggioreale TP 191 AN 57
Poggiorsini BA 145 BG 38
Poggiovalle RI 114 AO 30
Poggiridenti SO 24 U 6
Pogi AR 95 AE 23
Pogli SV 73 J 19
Pogliana VA 22 O 8
Poglianasca MI 36 O 10
Pogliano Milanese MI 36 O 10
Pogliasca SP 77 T 18
Pogliola CN 71 H 17
Pognana MS 78 V 18
Pognana Lario CO 22 P 8
Pognano BG 37 S 10
Pogno NO 35 L 9
Poiago RE 79 Y 17
Poiana Maggiore VI 55 AE 12
Poiane BS 53 W 11
Poiane VR 40 AA 11
Poianella VI 41 AE 10
Poianis UD 31 AP 7
Poiano MN 53 X 12
Poiano RE 79 X 17
Poiano VA 35 M 9
Poiano VR 40 AB 11
Poincicco PN 29 AL 8
Poirino TO 48 I 14
Polaggia SO 24 T 6
Polava UD 17 AQ 6
Polaveno BS 38 V 10
Polazzo GO 31 AP 8
Polcanto FI 86 AD 20
Polcenigo PN 29 AJ 7
Polcoda PN 16 AM 6
Polea PU 96 AK 22
Poledrara VT 112 AG 29
Polegge VI 41 AE 10
Polenaco TR 106 AK 28
Polengo CR 52 U 12
Polenta FC 82 AH 19
Polentes BL 28 AI 7
Poleo VI 40 AC 9
Polese CB 133 AX 34
Polesella RO 56 AF 14
Polesine MN 54 Z 14
Polesine Camerini RO 57 AJ 14
Polesine Parmense PR 53 V 13
Polesinello RO 57 AI 14
Polesio AP 108 AQ 26
Poletto MN 54 AB 13
Polgeto PG 96 AI 24
Poli RM 120 AM 32
Polia VV 174 BG 51
Policarette CS 166 BF 46
Policaretto CS 168 BH 47
Policastrello CS 166 BF 45
Policastro Bussentino SA 163 BC 43
Policiano AR 95 AG 23
Policoro MT 165 BJ 42
Policorvo CH 123 AV 31
Polignano PC 52 U 13
Polignano a Mare BA 147 BM 38
Poligono BZ 5 AH 3
Polinago MO 79 Z 17
Polino TR 114 AM 28
Polistena RC 176 BF 53
Polizzello CL 193 AS 58
Polizzi Generosa PA 186 AT 57
Polla SA 153 BB 40
Pollara ME 181 AX 52
Pollastra AL 62 N 14
Pollein AO 33 F 9
Pollena Trocchia NA 151 AV 38
Pollentina AV 142 AZ 38
Pollenza MC 98 AP 24
Pollenzo CN 60 I 15
Pollica SA 162 AZ 42
Polligrone KR 173 BK 48
Pollina MS 77 U 17
Pollina PA 186 AT 56
Pollinare CS 168 BH 45
Polline RM 119 AI 31
Pollino AR 87 AF 21
Pollino VB 21 M 8
Pollone BI 34 J 10
Pollutri CH 124 AW 31
Polonghera CN 59 G 15
Polonini BS 39 X 11
Polpenazze del Garda BS 39 X 10
Polpet BL 28 AI 6
Polpresa TO 47 F 12
Poltu Quatu OT 207 R 37
Polvano AR 95 AH 23
Polveraia GR 103 AC 27
Polverara PD 56 AG 12
Polverara SP 77 T 19
Polveraro CS 167 BG 46
Polvereto FI 86 AB 22
Polverigi AN 91 AP 22
Polverina AP 108 AP 26
Polverina MC 98 AN 25
Polveroni LI 92 X 23
Polvica CE 141 AV 38
Polvica SA 151 AW 39
Pomaia PI 92 Y 23
Pomara MN 53 Y 13
Pomarance PI 93 AA 24
Pomarelli RC 178 BE 54
Pomaretto TO 47 E 14
Pomaretto TO 48 H 14
Pomarico MT 155 BI 40
Pomaro AP 108 AP 27
Pomaro Monferrato AL 50 M 13
Pomarolo CN 59 G 16
Pomarolo PC 63 R 16
Pomarolo TN 26 AB 8
Pombia NO 35 M 10
Pomeano TO 59 E 14
Pomedo LC 23 R 8
Pometo PV 51 Q 14
Pomezia RM 128 AK 33
Pomezzana LU 84 W 20
Pomice AV 142 AY 37
Pomicione NA 150 AS 39
Pomigliano d'Arco NA 151 AV 38
Pomino BG 37 R 9
Pomonte GR 111 AD 28
Pomonte LI 100 V 27
Pomonte PG 106 AK 26
Pomonte RI 113 AL 30
Pompagnano PG 106 AL 27
Pompeano MO 79 Z 17
Pompegnino BS 39 X 10
Pompei NA 151 AV 39
Pompeiana IM 72 I 20
Pompiano BS 38 U 11
Pomponesco MN 54 Y 14
Pompongias OR 220 M 45
Pomposa FE 69 AI 15
Pompu OR 221 N 45
Poncarale BS 38 W 11
Ponchiera SO 24 U 6
Pondel AO 32 E 9
Ponderano BI 34 J 10
Poneta FI 86 AC 22
Pongelli AN 90 AN 22
Pongennaro PR 53 V 14
Ponina AR 87 AG 22
Ponna CO 22 P 8
Ponna di Mezzo CO 22 P 8
Ponna Inf. CO 22 P 8
Ponnola AV 143 AZ 37
Ponsacco PI 85 Y 22
Ponsano PI 93 AA 23
Ponso PD 56 AE 12
Pont AO 18 D 8
Pont AO 32 E 10
Pont BL 28 AG 7
Pont Canavese TO 33 G 11
Pont Serrand AO 32 C 9
Pont St-Martin AO 34 H 10
Pont Suaz AO 33 E 9
Pont Trenta AO 34 I 9
Pontagliara RC 177 BG 53
Pontalto LT 138 AO 36
Pontano IS 131 AT 34
Pontaserchio PI 85 X 21
Pontasio BS 24 V 9
Pontassieve FI 87 AD 21
Pontassio PT 86 AA 20
Pontboset AO 33 H 10
Ponte BN 142 AX 36
Ponte CE 140 AS 36
Ponte PG 107 AM 27
Ponte VB 7 L 5
Ponte a Bozzone SI 94 AD 23
Ponte a Buriano AR 95 AF 22
Ponte a Cappiano FI 85 Z 21
Ponte a Egola PI 85 Z 21
Ponte a Elsa FI 86 AA 21
Ponte a Greve FI 86 AC 21
Ponte a Moriano LU 85 Y 20
Ponte a Tigliano PO 86 AB 21
Ponte a Tressa SI 94 AD 24
Ponte Abbadesse FC 82 AI 19
Ponte agli Stolli FI 87 AD 22
Ponte alla Mussa TV 42 AG 10
Ponte alla Navetta PI 85 Y 21
Ponte alla Piera AR 88 AG 22
Ponte all'Asse FI 86 AB 21
Ponte Alto BL 14 AH 6
Ponte Alto FE 67 AD 15
Ponte Alto VI 41 AE 11
Ponte Arche TN 26 AA 7
Ponte Arenazza CS 166 BE 46
Ponte Armellina PU 89 AL 21
Ponte Aventino CH 117 AV 31
Ponte Barizzo SA 152 AZ 41
Ponte Binuara TP 183 AL 56
Ponte Bolfalora NO 36 N 11
Ponte Bovino FG 134 BB 36
Ponte Buggianese PT 85 Z 20
Ponte Caffaro BS 25 Y 9
Ponte Calcara PG 97 AL 23
Ponte Cappuccini PU 89 AJ 21
Ponte Carolei CS 170 BG 48
Ponte Castronovo PA 185 AQ 55
Ponte Centesimo PG 106 AL 25
Ponte Cervaro FG 135 BC 35
Ponte Chiaradovo AN 97 AM 23
Ponte Ciatagnera TO 58 C 14
Ponte Cingoli BS 38 V 10
Ponte Cinque Archi CB 133 AX 35
Ponte Conca PU 89 AJ 21
Ponte Corradini LT 138 AN 35
Ponte Corvo CS 167 BF 47
Ponte Cozzolino NA 151 AV 38
Ponte Crenna PV 63 P 15
Ponte Crispolti RI 114 AM 29
Ponte d'Assi PG 96 AK 24
Ponte d'Arbia SI 94 AD 24
Ponte degli Alberi PU 89 AM 21
Ponte Dei Santi AV 142 AX 37
Ponte del Castello RA 81 AF 18
Ponte del Colombarone PU 89 AL 20
Ponte del Giulio PN 29 AL 7
Ponte del Grillo RM 119 AK 31
Ponte del Porco FG 134 BA 33
Ponte del Sabato AV 142 AY 38
Ponte del Trave AN 90 AO 22
Ponte della Delizia PN 30 AM 8
Ponte della Maddalena LU 85 Y 20
Ponte della Muda TV 29 AJ 8
Ponte della Pietra FC 82 AI 19
Ponte della Rovina CN 70 F 18
Ponte della Selva BG 24 U 8
Ponte della Valle FI 81 AF 19
Ponte della Venturina PT 80 AA 19
Ponte delle Tavole RM 120 AL 31
Ponte Dell'Olio PC 64 S 14
Ponte di Barbarano VI 41 AE 11
Ponte di Camurano FI 81 AE 19
Ponte di Castegnero VI 41 AE 11
Ponte di Castelvecchio PT 85 Z 20
Ponte di Cetti VT 112 AH 29
Ponte di Ciccalento FG 135 BC 34
Ponte di Ferro NA 151 AV 38
Ponte di Ferro PG 106 AK 26
Ponte di Ferro PU 89 AL 22
Ponte di Legno BS 11 Y 6
Ponte di Masino FI 85 AA 21
Ponte di Nanto VI 41 AE 11
Ponte di Nava CN 72 I 19
Ponte di Piave TV 43 AJ 9
Ponte di Posara MS 78 V 18
Ponte di Savignone GE 62 O 16
Ponte di Troia FG 134 BB 35
Ponte di Verzuno BO 80 AB 18
Ponte Doccia PU 89 AJ 21
Ponte Esse AR 95 AF 23
Ponte Ete-Caldarette AP 99 AR 25
Ponte Felcino PG 96 AJ 25
Ponte Felice AN 90 AO 22
Ponte Ferraioli LT 130 AN 35
Ponte Galeria RM 119 AJ 33
Ponte Gardena BZ 13 AE 4
Ponte Giacoio PZ 153 BC 39
Ponte Giurino BG 23 S 9
Ponte Grande PG 97 AK 25
Ponte Guazzariello SA 152 AX 39
Ponte Impiso BA 145 BG 38
Ponte in Valtellina SO 24 U 6
Ponte La Torre AQ 122 AS 31
Ponte Lambro CO 23 Q 9
Ponte Lungo SO 10 V 4
Ponte Maggiore LT 138 AO 36
Ponte Maglio AP 108 AQ 26
Ponte Malafede PZ 165 BG 43
Ponte Mariano RM 118 AH 31
Ponte Mercato RM 120 AL 30
Ponte Merlano MN 54 AA 13
Ponte Messa PU 88 AI 21
Ponte Mezzotta NA 150 AU 38
Ponte Minchione VT 113 AJ 30
Ponte Molinello SA 152 AY 39
Ponte Murello PU 90 AM 21
Ponte Musone AN 98 AO 23
Ponte Naso ME 188 AX 55
Ponte nelle Alpi BL 28 AI 6
Ponte Nina AP 99 AS 25
Ponte Nizza PV 63 P 14
Ponte Nossa BG 24 U 8
Ponte Nova / Birchabruck BZ 13 AD 5
Ponte Nuovo CO 23 Q 9
Ponte Nuovo CS 167 BG 45
Ponte Nuovo FG 135 BC 36
Ponte Nuovo MO 66 Z 15
Ponte Nuovo MO 66 Z 16
Ponte Nuovo PD 56 AE 13
Ponte Nuovo PG 106 AJ 25
Ponte Nuovo PG 107 AN 26
Ponte Nuovo PT 86 AA 20
Ponte Nuovo PU 89 AJ 21
Ponte Nuovo SA 153 BB 40
Ponte Odioso FR 131 AQ 35
Ponte Oliveto-Bagni SA 152 BA 39
Ponte Olivo CL 201 AU 61
Ponte Organasco PC 63 Q 15
Ponte Ospedaletto FC 82 AJ 19
Ponte Paoli PT 86 AA 20
Ponte Parco PA 184 AO 55
Ponte Parrano PG 97 AL 25
Ponte Pattoli PG 96 AJ 24
Ponte Pedana AP 108 AP 27
Ponte Pio AN 98 AO 23
Ponte Rio AN 90 AN 21
Ponte Rio PG 106 AL 25
Ponte Rodoni FE 67 AD 14
Ponte Romano GO 31 AQ 8
Ponte Ronca BO 67 AC 16
Ponte Rosso BS 53 W 11
Ponte Rosso PU 89 AK 22
Ponte S. Giovanni PG 96 AJ 25
Ponte S. Giusta FG 134 BB 34
Ponte S. Lucia PG 106 AL 26
Ponte S. Margherita RI 114 AN 29
Ponte S. Venere FG 143 BB 37
Ponte Samoggia BO 67 AB 16
Ponte San Biagio VT 105 AG 27
Ponte San Giovanni AN 97 AN 23
Ponte San Marco BS 39 X 11
Ponte San Michele SA 151 AW 39
Ponte San Nicolò PD 42 AG 11
Ponte San Pellegrino MO 67 AB 14
Ponte San Pietro BG 37 S 9
Ponte San Pietro FE 56 AG 14
Ponte San Quirino UD 31 AP 7
Ponte Santa Margherita SP 77 S 18
Ponte Santa Maria Maddalena PU 88 AJ 20
Ponte Santo BO 81 AF 17
Ponte Sargano PG 107 AM 26
Ponte Sestaione PT 79 Z 19
Ponte Sfondato RI 113 AK 30
Ponte Sorgenza BN 133 AX 36
Pontè Sotto PC 63 R 15
Ponte Stazzemese LU 84 W 19
Ponte Stoppino BO 68 AF 16
Ponte Storto VI 41 AF 9
Ponte Striglia VT 118 AH 30
Ponte Taro PR 65 W 15
Ponte Tavole BN 142 AX 37
Ponte Tavollo PU 89 AL 20
Ponte Teglia MS 78 U 17
Ponte Tesino AP 108 AR 26
Ponte Torto FI 86 AB 21
Ponte Travagli FE 68 AE 14
Ponte Ulica RM 129 AL 34
Ponte Uso FC 88 AI 20
Ponte Valleceppi PG 96 AJ 25
Ponte Vangaro PC 52 S 14
Ponte Vècchio RC 176 BE 53
Ponte Vecchio MI 36 O 11
Ponte Verucchio RN 89 AJ 20
Ponte Villanova FG 135 BC 34
Ponte Zanano BS 38 W 9
Ponte Zappella NA 151 AV 39
Ponte Zeza AV 142 AY 37
Ponteacco UD 31 AP 7
Pontebavi PG 106 AL 27
Pontebba UD 16 AO 4
Pontebernardo CN 70 D 17
Pontebosio MS 78 V 18
Pontebovesecco AN 97 AM 23
Pontecagnano SA 152 AY 40
Pontecasale PD 56 AG 12
Pontecchio LU 78 W 18
Pontecchio Marconi BO 80 AC 17
Pontecchio Polesine RO 56 AF 13
Ponteceno PR 64 S 16
Ponteceno PR 64 S 16
Pontechianale CN 58 D 16
Pontechiusita PG 107 AM 26
Pontechiusita PG 107 AM 26
Pontecorvo FR 131 AR 35
Pontecosi LU 78 X 19
Pontecurone AL 50 O 14
Pontecuti PG 106 AJ 27
Pontedassio IM 73 J 20
Pontedazzo PU 97 AK 23

Pontedazzo PU 97 AK 23
Pontedecimo GE 62 O 17
Pontedera PI 85 Y 22
Pontegatello BS 38 V 11
Ponteginori PI 93 Z 23
Pontegrande CZ 171 BI 50
Pontegrande VB 20 J 8
Pontegrande VR 55 AB 12
Pontelagoscuro FE 68 AE 14
Pontelandolfo BN 133 AX 36
Pontelangorino FE 69 AH 14
Pontelatone CE 141 AU 36
Pontelongo PD 56 AH 12
Pontelucerta AN 90 AN 22
Pontelungo PT 86 AA 20
Pontelungo PV 51 Q 12
Pontemaglio VB 7 K 6
Pontemaira CN 58 C 17
Pontemaodino FE 69 AH 14
Pontemazzori LU 84 W 20
Pontenano AR 87 AF 22
Pontenisi VV 174 BG 51
Pontenove BS 39 X 11
Pontenuovo IS 132 AT 35
Pontenure PC 52 T 14
Pontepetri PT 79 AA 19
Pontepietra TO 47 E 13
Pontepossero VR 54 AA 12
Ponteprimario SA 151 AW 39
Ponteranica BG 37 T 9
Pontericcioli PU 97 AK 23
Ponteromito AV 142 AZ 38
Ponterosso GE 62 O 16
Ponterotto AV 142 AY 37
Ponterotto GE 77 R 18
Ponterotto SV 74 K 17
Pontesambuca IS 123 AV 33
Pontesesto MI 36 Q 11
Pontestrambo PR 77 S 17
Pontestura AL 49 L 13
Ponteterra MN 53 X 14
Pontetto VB 7 K 7
Pontevecchio PU 89 AL 21
Pontevecchio SV 61 K 17
Ponteventuno MN 54 Z 13
Pontevico BS 53 V 12
Ponte-vigodarzere PD 42 AG 11
Pontevilla BZ 11 X 4
Pontey AO 33 G 9
Ponti AL 61 L 16
Ponti IM 72 I 19
Ponti di Spagna FE 55 AD 14
Ponti Ezzu OT 209 O 38
Ponti sul Mincio MN 39 Z 11
Ponticella BO 67 AD 17
Ponticelli AR 94 AE 23
Ponticelli BO 67 AD 15
Ponticelli BO 81 AE 18
Ponticelli CB 124 AY 32
Ponticelli PG 105 AG 26
Ponticelli PG 106 AJ 25
Ponticelli RE 66 Y 16
Ponticelli RI 120 AL 30
Ponticelli VR 54 AB 13
Ponticello PD 56 AF 12
Ponticello RA 82 AG 18
Ponticello RM 113 AK 30
Ponticino AR 95 AF 23
Ponticino / Bundschen BZ 13 AD 4
Pontida BG 37 R 9
Pontignale FI 86 AB 21
Pontignano SI 94 AD 23
Pontile MC 97 AM 24
Pontina LT 138 AN 36
Pontinia LT 138 AN 35
Pontinvrea SV 75 L 17
Pontirolo Capredoni CR 53 W 13
Pontirolo Nuovo BG 37 S 10
Pontisette FE 67 AE 14
Pontita PI 92 Y 22
Pontito PT 85 Z 20
Pontocello VR 40 AB 11
Pontoglio BS 38 U 10
Pontolo PR 64 T 17
Ponton VR 39 Z 10
Pontone NA 151 AV 40
Pontone RE 79 X 17
Pontone SA 151 AW 40
Pontone a Marciano NA 151 AU 40
Pontoni CB 124 AW 33
Pontoni LT 128 AK 34
Pontorme FI 86 AA 21
Pontoro LU 85 Y 20
Pontratico PI 92 Y 23
Pontremoli MS 77 U 17
Pontuglia PG 106 AL 27
Ponza LT 138 AM 38
Ponzalla FI 80 AD 19
Ponzana NO 35 M 11
Ponzanello MS 78 V 19
Ponzano BO 80 AB 17
Ponzano PT 86 AA 20
Ponzano TE 108 AR 27
Ponzano di Fermo FM 99 AQ 25
Ponzano Magra SP 78 U 19
Ponzano Monferrato AL 49 K 13
Ponzano Romano RM 113 AK 30
Ponzano Sup. SP 78 U 19
Ponzano Veneto TV 42 AI 9
Ponzilovo RO 56 AF 14
Ponzilovo VR 55 AC 11
Ponzina VR 55 AC 12
Ponzone AL 61 L 16
Popelli RC 177 BH 53
Popetto MS 78 U 18
Popiglio PT 79 Z 19
Popogna LI 92 X 22
Popola PG 107 AM 26
Popolano FI 81 AE 19
Popoli PE 116 AR 30
Popoli PG 107 AN 27
Popolo AL 49 L 13
Popolo TE 108 AQ 28
Popoltaio PG 105 AH 25
Poppano AV 142 AZ 38
Poppi AR 87 AF 21
Poppiano FI 86 AB 22
Poppino VA 22 N 7
Populonia LI 102 X 26
Por TN 25 Y 8
Porana-Ceranica PV 51 P 13
Porano TR 105 AH 27
Porassey AO 32 C 9
Porcagresta CS 167 BF 46
Porcale SP 77 T 19
Porcara BN 133 AY 35
Porcara MN 55 AC 14
Porcareccia RI 114 AO 30
Porcareccia VB 21 K 7
Porcari LU 85 Y 20
Porcellengo TV 42 AH 9
Porcelli VB 7 K 7
Porcellino FI 87 AE 22
Porcen BL 28 AG 8
Porchera BG 37 T 9
Porchera CE 132 AV 35
Porchia AP 108 AQ 26
Porchiano AP 108 AQ 26
Porchiano PG 106 AJ 27
Porchiano TR 113 AJ 28
Porcia PN 29 AK 8
Porciaglia RC 179 BG 54
Porciano AR 87 AF 21
Porciano FR 130 AO 33
Porciano PT 86 AA 21
Porcigatone PR 64 T 16
Porcili CS 166 BE 46
Porcino VR 39 Z 10
Porciorasco SP 77 S 17
Pordedone PN 29 AL 8
Porera LT 130 AO 34
Poreta PG 106 AL 27
Porle BS 39 X 10
Porlezza CO 22 P 7
Porliod AO 19 G 9
Pornaro VI 40 AD 9
Pornassino CN 72 H 19
Pornello TR 105 AI 26
Pornia SA 163 BB 43
Porossan AO 33 E 9
Porotto-Cassana FE 67 AE 14
Porpetto UD 30 AO 8
Porponi FI 86 AA 21
Porporana FE 55 AD 14
Porporano PR 65 X 15
Porrazzito SR 203 AZ 60
Porrazzo CT 195 AY 58
Porrena AR 87 AF 21
Porreta LU 78 W 19
Porretta Terme BO 80 AA 19
Porrettina SO 9 R 6
Porri SV 74 L 17
Porricelli NA 151 AV 38
Porrino FR 130 AQ 33
Porrona AL 62 N 14
Porrona GR 104 AD 26
Porta Sole RC 176 BE 53
Portacaldaia PE 116 AS 29
Portacomaro AT 49 K 14
Portalbera PV 51 Q 13
Portanuova AL 62 M 15
Portaria TR 106 AK 28
Portarino BR 148 BN 39
Porte TN 26 AB 8
Porte TO 59 E 14
Portegrandi VE 43 AJ 10
Portella FR 131 AS 34
Portella LT 130 AP 35
Portella RC 178 BD 55
Portella di Mare PA 185 AP 55
Portese BS 39 Y 10
Porti BN 141 AV 36
Porticalazzo TP 182 AK 56
Porticaletto SR 203 AY 61
Porticato ME 188 BA 55
Porticato ME 197 BA 57
Porticelle CS 171 BH 49
Porticello ME 181 AY 52
Porticello PA 185 AQ 55
Porticello RC 189 BD 54
Portichetto CO 36 P 9
Portici BG 38 U 11
Portici CR 38 U 11
Portici NA 151 AV 39
Portico BG 37 T 10
Portico BS 39 X 10
Portico CR 37 T 11
Portico di Caserta CE 141 AU 37
Portico di Romagna FC 81 AF 19
Portico e S. Benedetto FC 81 AF 19
Portiere-Crocifisso CT 197 AZ 58
Portigliola RC 179 BG 54
Portiglione GR 102 Z 26
Portile MO 66 AA 16
Portio SV 74 L 18
Portiolo MN 54 AA 13
Portirone BG 38 V 9
Portis UD 16 AN 5
Portis Vecchio UD 16 AN 5
Portisco OT 211 S 37
Portixeddu CI 220 L 47
Porto BS 38 U 10
Porto CZ 171 BI 50
Porto GE 63 Q 16
Porto LI 92 U 25
Porto PG 105 AG 25
Porto RA 69 AI 17
Porto SA 162 BA 43
Porto SI 95 AF 24
Porto Alabe OR 212 L 42
Porto Azzurro LI 102 X 27
Porto Badisco LE 161 BT 43
Porto Botte CI 224 M 49
Porto Ceresio VA 22 O 8
Porto Cervo OT 207 S 37
Porto Cesareo LE 158 BQ 42
Porto Columbu-
Perd'e Sali CA 225 P 49
Porto Conte SS 212 K 40
Porto Corallo CA 223 S 47
Porto Corsini RA 69 AI 17
Porto d'Adda MI 37 R 10
Porto d'Ascoli AP 109 AS 26
Porto di Basèleghe VE 44 AM 10
Porto di Brenzone VR 39 Z 9
Porto di Cortellazzo VE 43 AL 10
Porto di Falconera VE 44 AM 10
Porto di Maratea PZ 163 BD 44
Porto di Piave Vecchia VE 43 AK 11
Porto di Vasto CH 124 AX 30
Porto Empedocle AG 198 AQ 60
Porto Ercole GR 110 AC 29
Porto Foxi CA 226 P 49
Porto Fuori RA 82 AI 17
Porto Garibaldi FE 69 AI 15
Porto Istana OT 211 S 38
Porto Levante RO 57 AJ 13
Porto Mandriola OR 216 L 43
Porto Mantovano MN 54 Z 12
Porto Marghera VE 42 AI 10
Porto Massimo OT 207 R 36
Porto Maurizio IM 73 J 20
Porto Nogaro UD 30 AO 9
Porto Paglia OT 211 S 37
Porto Palma VS 220 L 45
Porto Palo AG 191 AM 58
Porto Pino CI 224 M 50
Porto Pollo OT 207 Q 36
Porto Potenza Picena MC 99 AR 23
Porto Pozzo OT 207 Q 36
Porto Rafael OT 207 R 36
Porto Recanati MC 99 AQ 23
Porto Rotondo OT 211 S 37
Porto S. Margherita VE 43 AM 10
Porto sa Ruxi CA 227 R 49
Porto Salvo LT 139 AQ 36
Porto Salvo ME 188 BA 55
Porto Salvo VV 174 BF 51
Porto San Giorgio FM 99 AR 24
Porto San Paolo OT 211 S 38
Porto Sant'Elpidio FM 99 AR 24
Porto
Santo Stefano GR 110 AB 29
Porto Secco VE 57 AI 12
Porto Taverna OT 211 S 38
Porto Tolle RO 57 AJ 14
Porto Torres SS 208 L 38
Porto Tramatzu CA 223 S 47
Porto Valtravaglia VA 21 N 8
Porto Viro RO 57 AI 13
Portobello di Gallura OT 210 P 37
Portobuffolé TV 29 AK 8
Portocannone CB 125 AZ 32
Portoferraio LI 100 W 27
Portofino GE 76 Q 18
Portogruaro VE 30 AM 9
Portolecchia AV 143 BA 37
Portolo TN 12 AB 6
Portolo TN 27 AC 7
Portomaggiore FE 68 AF 15
Portone FR 130 AQ 34
Portone del Pizzo PR 53 W 14
Portonovo AN 91 AQ 22
Portonovo BO 68 AF 16
Portopaleddu CI 224 L 48
Portopalo di Capo
Passero SR 205 AZ 63
Portopinetto CI 224 M 50
Portorotta FE 68 AF 15
Portosalvo CT 197 BA 57
Portoscuso CI 224 L 48
Portovecchio MO 55 AC 14
Portovenere SP 77 U 19
Portoverrara FE 68 AG 15
Portu Maga VS 220 L 46
Portula BI 34 K 9
Porzano BS 38 W 11
Porzano TR 106 AK 28
Porziano PG 97 AK 25
Porzus UD 17 AP 6
Posa CO 22 P 8
Posa MI 37 S 10
Posa TV 28 AG 9
Posada NU 215 T 40
Posala PT 80 AA 19
Posalz BL 14 AH 5
Posara MS 78 V 18
Posatora AN 91 AP 22
Poscante BG 37 T 9
Poschini AR 95 AF 24
Poscolle UD 17 AQ 4
Posico BS 38 W 9
Posillesi TP 183 AL 57
Posina VI 27 AC 9
Positano SA 151 AV 40
Posmon TV 28 AH 8
Possagno TV 28 AG 8
Possal UD 15 AL 4
Possessione VR 55 AC 12
Possesso RM 119 AI 30
Possidente PZ 144 BD 39
Posta RI 114 AN 28
Posta delle Camerelle FG 144 BD 37
Posta Fibreno FR 131 AR 33
Posta Fissa FG 144 BC 37
Posta Rosa FG 135 BD 34
Postal / Burgstall BZ 12 AC 4
Postalesio SO 24 T 6
Posterla MS 78 V 19
Posticciola RI 114 AM 30
Posticeddu BR 148 BQ 39
Postiglione SA 152 BA 40
Postignano PG 107 AM 26
Postilli CH 117 AU 29
Postioma TV 42 AH 9
Posto della Madonna-
Verlingieri SA 163 BC 42
Posto Rosso LE 160 BR 44
Postoncicco PN 30 AM 7
Postua VC 34 K 9
Postuman VR 40 AB 11
Potame CS 170 BG 48
Potame ME 188 AX 55
Potenza Picena MC 99 AQ 23
Potenza Picena PZ 154 BD 40
Potenzoni VV 174 BF 51
Potete BN 133 AW 36
Potete CE 131 AT 35
Pourrieres TO 46 C 13
Pove del Grappa VI 27 AF 9
Povegliano TV 42 AI 9
Povegliano Veronese VR 54 AA 11
Poverella CS 171 BH 48
Poverello NA 151 AW 38
Poviglio RE 78 W 17
Poviglio RE 65 Y 14
Povolaro UD 16 AM 4
Povolaro VI 41 AE 10
Povoletto UD 30 AO 7
Poza CE 140 AT 36
Pozza AP 108 AP 27
Pozza AQ 115 AO 29
Pozza GE 76 Q 17
Pozza MO 66 AA 16
Pozza TN 26 AB 6
Pozza TN 26 AB 8
Pozza TN 26 AC 7
Pozza VI 40 AC 9
Pozza VI 40 AC 10
Pozza VR 55 AC 11
Pozza di Fassa TN 13 AF 5
Pozzacchio TN 26 AB 8
Pozzaglia Sabino RI 120 AM 31
Pozzaglio CR 52 V 12
Pozzale BL 15 AJ 5
Pozzale FI 86 AA 21
Pozzale SA 153 BB 41
Pozzalis UD 30 AN 7
Pozzallo PV 63 R 15
Pozzallo RG 205 AY 63
Pozzan VI 41 AE 10
Pozzani di Sotto VI 41 AD 9
Pozzano NA 151 AV 39
Pozzarello PT 85 AA 20
Pozzarolo SA 152 AY 39
Pozzecco UD 30 AN 8
Pozzengo AL 49 K 13
Pozzera VI 40 AC 9
Pozzetto AN 98 AN 22
Pozzetto PD 56 AF 12
Pozzi LU 84 W 20
Pozzi RC 178 BD 55
Pozzi VE 30 AM 9
Pozzi VR 54 Z 11
Pozzilli IS 132 AT 34
Pozzillo CE 141 AU 36
Pozzillo CT 197 BA 58
Pozzillo PA 183 AN 54
Pozzillo SA 151 AX 39
Pozzillo SA 153 BB 40
Pozzin BZ 2 Y 2
Pozzis UD 16 AM 5
Pozzo PG 106 AK 26
Pozzo PN 29 AK 8
Pozzo PN 30 AM 7
Pozzo UD 30 AM 8
Pozzo Alto PU 89 AL 20
Pozzo Baronzio CR 53 W 13
Pozzo Bon TV 42 AH 9
Pozzo Ciolino TR 105 AI 28
Pozzo Cucù BA 147 BM 38
Pozzo d'Adda MI 37 S 10
Pozzo de Masi BN 142 AX 37
Pozzo del Sale AV 142 AX 38
Pozzo dell' Inferno LT 129 AL 34
Pozzo della Chiana AR 95 AF 24
Pozzo La Chianca TA 147 BN 39
Pozzo Nuovo AR 95 AG 23
Pozzo Ponente TP 182 AI 56
Pozzo Salerno TA 148 BN 39
Pozzo San Nicola SS 208 K 38
Pozzo Secco RC 176 BF 53
Pozzo Terraneo FG 144 BD 36
Pozzoceravolo NA 151 AW 38
Pozzolengo BS 39 Y 11
Pozzoleone VI 41 AF 10
Pozzolo MN 54 Z 12
Pozzolo PR 64 T 15
Pozzolo VI 41 AD 11
Pozzolo Formigaro AL 62 N 15
Pozzolo II CO 36 Q 9
Pozzomaggiore SS 213 M 41
Pozzomoretto VR 39 Z 11
Pozzone AQ 121 AQ 31
Pozzonovo PD 56 AF 12
Pozzoromolo NA 151 AW 38
Pozzovetere CE 141 AV 36
Pozzuoli NA 150 AT 39
Pozzuolo MC 98 AN 25
Pozzuolo PG 95 AG 25
Pozzuolo PU 89 AM 21
Pozzuolo SI 94 AE 24
Pozzuolo del Friuli UD 30 AO 8
Pozzuolo Martesana MI 37 R 10
Pra BZ 13 AF 4
Pra CN 71 I 18
Pra PD 56 AE 12
Prà GE 75 N 17
Prà VI 26 AC 9
Pra Campo SO 10 W 6
Pra d'Arc AO 18 D 8
Pra de Ram AO 33 H 9
Prà del Prete MS 77 U 17
Pra di Bondo TN 25 Z 8
Pra di Botte PD 55 AE 12
Pra di Farcoz AO 18 D 8
Prà di Levada VE 43 AL 9
Pra Piano TO 46 C 13
Prabernardo VB 6 J 7
Prabione BS 39 Z 9
Pracando LU 85 Y 20
Pracchi LU 79 Y 19
Pracchia PT 80 AA 19
Pracchia TR 106 AK 28
Pracchie PT 86 AB 20
Pracchiola MS 78 U 17
Pracorno TN 12 AA 5
Pracul TN 25 Y 8
Pracupola / Kuppelwies BZ 12 AA 4
Prad am Stilfser Joch /
Prato allo Stelvio BZ 11 Y 4
Prada RA 82 AH 17
Prada VR 39 Z 10
Pradalunga BG 37 T 9
Pradamano UD 30 AO 7
Pradazzi TV 42 AG 9
Pradazzo CR 52 T 12
Prade TN 27 AF 7
Pradeboni CN 71 G 18
Pradegnan TV 28 AH 8
Pradel BZ 13 AE 4
Pradella BG 24 V 7
Pradella BS 39 X 11
Pradella PC 63 R 15
Pradellano TN 27 AE 7
Pradelle SO 11 W 5
Pradelle VR 54 AA 12
Pradelle VR 40 AB 11
Pradelle VR 55 AB 13
Pradello MN 54 AA 13
Pradeltorno TO 58 E 14
Pradielis UD 16 AO 6
Pradimezzo BL 15 AG 5
Pradipaldo-Zeggio VI 27 AE 9
Pradipozzo VE 29 AL 9
Pradis PN 15 AL 6
Pradis PN 16 AM 6
Prádis UD 16 AO 5
Pradleves CN 70 E 17
Prado PV 51 Q 12
Pradona MO 79 Z 17
Pradovera PC 63 R 15
Pradumbli UD 15 AL 4
Praello VE 42 AI 10
Pragate PV 51 P 14
Pragatto BO 67 AB 16
Pragelato Ruà TO 46 C 13
Pragjel UD 16 AN 5
Prags / Braies BZ 5 AH 3
Praia a Mare CS 163 BD 44
Praia a Mare TA 157 BM 41
Praialonga KR 173 BK 50
Praiano SA 151 AW 40
Praie SV 61 K 17
Praie TO 33 G 11
Praie TO 49 J 13
Prailles AO 18 E 9
Praino CT 197 AZ 57
Praiola CT 197 BA 57
Pralboino BS 53 W 12
Prale CN 72 I 19
Praletto CN 70 E 17
Prali TO 58 D 14
Pralongo BL 14 AH 5
Pralongo TN 12 AA 5
Pralongo TV 43 AJ 10
Pralormo TO 60 I 14
Pralungo BI 34 J 10
Pramaggiore VE 29 AL 9
Pramezza BL 14 AG 5
Pramonico TO 33 H 11
Pramorella CN 59 F 16
Pramorisio BI 34 K 10
Prandaglio BS 39 X 10
Pranello PR 65 W 16
Pranixeddu OR 217 N 44
Prann / Prene BZ 3 AC 3
Pranolz BL 28 AI 7
Pranzalito TO 34 H 11
Pranzo TN 26 Z 8
Praole VR 40 AB 10
Prapiero PN 15 AK 6
Prapotnizza UD 17 AQ 6
Prarayer AO 33 F 9
Prarayer AO 19 G 8
Prarolo GE 62 O 16
Prarolo VC 49 L 12
Prarostino TO 59 E 14
Prasco AL 62 M 16
Prascorsano TO 47 G 11
Praso TN 25 Y 8
Prasottano SV 74 L 17

A B C D E F G H I J K L M N O P Q R S T U V W X Y Z

Prastio PZ 164 BF 44
Prata GR 103 AA 25
Prata LI 102 Y 25
Prata VB 7 K 7
Prata VB 7 K 7
Prata Camportaccio SO 9 R 6
Prata d'Ansidonia AQ 115 AQ 30
Prata di Laculo RI 114 AN 29
Prata di Pordenone PN 29 AK 8
Prata di Principato Ultra AV 142 AY 38
Prata di Sotto PN 29 AK 8
Prata Sannita CE 132 AU 35
Prata Sannita Inf. CE 132 AU 35
Prataccio PT 85 Z 19
Prata-Conte FR 131 AS 35
Pratalborato AL 62 N 15
Pratale AR 87 AF 21
Pratale PT 79 Z 19
Pratalenza PG 105 AH 26
Pratalutoli AR 87 AF 21
Pratantico AR 95 AF 23
Prataricca AR 87 AE 21
Pratarioni RI 120 AM 31
Pratavecchia CN 71 F 17
Pratavecchie PI 84 X 21
Pratella CE 132 AU 35
Pratello AQ 122 AT 32
Pratello BS 39 X 10
Prateria BZ 5 AI 3
Prateria RC 177 BG 53
Prati BO 80 AA 18
Prati BS 39 X 11
Prati GE 76 R 17
Prati RA 68 AH 17
Prati TN 26 AB 9
Prati VR 40 AB 10
Prati / Wiesen BZ 4 AD 2
Prati di Tesido BZ 5 AH 3
Prati di Tivo TE 115 AQ 28
Prati Gaggio SO 23 T 6
Prati Nuovi AO 34 H 10
Prati Nuovi RO 55 AE 14
Prati Nuovi VE 44 AM 9
Pratica di Mare RM 128
AJ 33Praticello RE 65 X 15
Pratieghi AR 88 AH 21
Pratiglione TO 47 G 11
Pratipoia SV 74 L 17
Pratissolo RE 66 Z 16
Prativero BI 34 K 10
Prato AL 63 P 15
Prato BO 67 AE 16
Prato BO 67 AE 16
Prato BO 81 AE 18
Prato CN 70 F 17
Prato CZ 174 BG 50
Prato GE 76 P 17
Prato GE 77 R 17
Prato MS 84 W 19
Prato PG 96 AH 23
Prato PO 86 AB 20
Prato PR 64 S 16
Prato PR 78 V 17
Prato PZ 163 BD 43
Prato RE 66 Z 15
Prato SA 153 BC 41
Prato SP 77 T 18
Prato SV 75 L 17
Prato TR 105 AI 27
Prato VB 6 K 7
Prato VV 174 BG 51
Prato alla Drava / Winnebach BZ 5 AJ 3
Prato all'Isarco / Blumau BZ 13 AD 5
Prato allo Stelvio / Prad amStilfser Joch BZ 11 Y 4
Prato Carnico UD 15 AL 4
Prato Casale AT 49 K 13
Prato Comune SA 163 BD 42
Prato delle Femmine PR 64 T 16
Prato d'Era PI 93 AA 23
Prato di Coppola LT 129 AM 35
Prato di Mandeto RE 66 Y 16
Prato di Strada AR 87 AF 21
Prato la Corte RM 119 AJ 31
Prato la Nave AQ 115 AQ 30
Prato Nevoso CN 71 H 18
Prato Perillo SA 153 BC 41
Prato Roseto RM 119 AJ 31
Prato San Pietro LC 23 R 8
Prato Selva TE 115 AP 28
Prato Sesia NO 35 L 10
Prato Valentino SO 24 V 6
Pratoataffa TR 105 AG 27
Pratobello NU 218 Q 43
Pratobotrile TO 47 E 13
Pratoferro TO 48 I 11
Pratogrande PR 64 T 15
Pratogrande SV 74 K 18
Pratoianni RI 114 AM 30
Pratola Peligna AQ 122 AS 31
Pratola Serra AV 142 AY 38
Pratole SA 152 AY 40
Pratoleva VT 112 AH 28
Pratolino FI 86 AC 20
Pratolongo BG 37 S 9
Pratolongo AL 62 O 15
Pratolongo CN 70 D 18
Pratolongo CN 59 E 16
Pratolongo GE 62 P 16
Pratolongo GR 104 AF 27
Pratolongo PC 64 U 14
Pratolungo PR 65 W 17
Pratolungo PV 63 Q 14
Pratolungo PV 63 Q 15
Prato-Masseria Perugini CS 167 BF 46
Pratomedici MS 78 V 18
Pratomorone AT 61 J 14
Pratonoero CN 61 J 16
Pratonuovo TO 48 H 12
Pratopiano PR 78 W 17
Pratora CZ 171 BI 50
Pratorotondo CN 70 C 17
Pratorsi PT 79 Z 19
Pratovalle AR 87 AF 22
Pratovecchio AR 87 AF 21
Pratovigero TO 47 F 13
Pratozanino GE 75 M 17
Praturlone PN 29 AL 8
Pravisdomini PN 29 AL 9
Pray BI 34 K 9
Praz AO 19 G 9
Praz AO 34 I 9
Praz Sec AO 18 D 8
Prazzo CN 58 D 17
Prazzo CN 60 I 15
Pre AO 18 C 9
Pre AO 34 H 10
Prè di Ledro TN 26 Z 8
Prea CE 141 AU 36
Prea CN 71 H 18
Preabocco VR 40 AA 10
Preara VI 41 AE 9
Preare PD 56 AF 12
Preazzano NA 151 AV 40
Precasaglio BS 11 Y 6
Precenicco UD 30 AN 9
Precenico TS 31 AR 9
Preci PG 107 AN 26
Precicchie AN 97 AN 23
Precona RO 55 AE 14
Predaia PN 15 AK 6
Predalbora PC 64 S 15
Predalve IS 132 AT 33
Predappio FC 82 AG 19
Predappio Alta FC 82 AG 19
Predas Arbas NU 214 Q 42
Predazzo TN 13 AE 6
Predenon VB 20 J 8
Prediera BO 80 AC 18
Prediera RE 66 Y 16
Predoi / Prettau BZ 5 AH 1
Predondo BS 25 W 9
Predore BG 38 V 9
Predosa AL 62 M 15
Pregaio AR 95 AH 23
Preganziol TV 42 AI 10
Preganziol TV 42 AI 10
Pregasina TN 26 Z 8
Pregasio BS 39 Z 9
Preggio PG 96 AI 24
Preghena TN 12 AB 5
Pregnana Milanese MI 36 P 10
Pregno BS 38 W 10
Pregola PV 63 Q 15
Preia VB 21 K 8
Preiale RC 177 BG 54
Preie AT 61 K 15
Preit CN 70 D 17
Preitoni VV 176 BE 52
Prejon PD 56 AG 13
Prelà IM 72 I 20
Prelerna PR 64 U 16
Prelle BI 34 J 11
Premana LC 23 R 7
Premanico GE 76 P 17
Premaor TV 28 AH 8
Premaore VE 42 AH 11
Premariacco UD 31 AP 7
Premeno VB 21 M 8
Premenugo MI 37 R 11
Premezzo VA 35 N 9
Premia VB 7 L 6
Premilcuore FC 87 AF 20
Premolo BG 24 U 8
Premosello VB 21 L 7
Pren BL 28 AG 7
Prendomino PV 63 P 14
Prene / Prann BZ 3 AC 3
Prennaro CO 23 Q 6
Preone UD 16 AM 5
Preore TN 26 Z 7
Prepezzano SA 152 AY 39
Prepier TV 43 AK 9
Prepotto UD 31 AP 7
Prerro NO 35 L 9
Presa CN 70 E 17
Presa CT 197 AZ 57
Presa Pisana RO 57 AI 14
Presciane RO 55 AE 13
Presciano AR 88 AI 21
Presciano SI 94 AD 24
Prese CN 59 G 15
Prese della Franza TO 47 E 13
Prese di Piossasco TO 47 F 13
Prese Montone TO 32 E 11
Presegno BS 39 X 9
Preselle GR 103 AC 27
Presenaio BL 15 AK 4
Presenzano CE 132 AT 35
Presezzo BG 37 S 9
Presicce LE 161 BS 44
Presina PD 41 AF 10
Presina VR 55 AC 12
Presinaci VV 174 BF 52
Pressana VR 55 AD 12
Pressano TN 26 AB 7
Pressenga VR 39 Z 10
Pressocito RC 179 BF 56
Presta BN 141 AV 37
Prestarona RC 177 BG 54
Prestarona RC 179 BG 54
Pré-St-Didier AO 32 C 9
Presteno UD 31 AP 7
Prestianni CL 193 AT 59
Prestine BS 25 W 8
Prestone SO 9 R 5
Presule / Prosels BZ 13 AD 4
Preta CE 140 AT 36
Preta RI 108 AP 28
Pretara TE 115 AQ 29
Pretare AP 107 AO 27
Pretaro PE 117 AU 29
Pretella AR 87 AF 22
Preti BR 158 BO 41
Preti PZ 164 BF 43
Pretoro CH 116 AT 30
Pretta PC 52 S 14
Prettau / Predoi BZ 5 AH 1
Preturo AQ 115 AO 29
Prevalle BS 39 X 10
Prevenisco TE 108 AQ 27
Previdè MS 78 U 17
Prezza AQ 122 AS 31
Prezzo TN 25 Y 8
Priabona VI 41 AD 10
Priacco TO 33 G 11
Priami VC 20 J 8
Priano CZ 171 BG 50
Priatu OT 210 Q 38
Priero CN 74 J 17
Priezzo BS 26 Z 9
Prignano Cilento SA 162 AZ 42
Prignano sulla Secchia MO 79 Z 17
Primaluna LC 23 R 8
Primaluna TN 27 AE 7
Primavalle RM 119 AJ 32
Prime Ville RI 114 AM 30
Primecase RI 113 AL 30
Primo Ponte FR 120 AN 33
Primogenito RC 176 BF 53
Primolano VI 27 AF 8
Primolo SO 10 U 6
Primosole Beach CT 203 AZ 59
Primosole Est CT 203 AZ 59
Primulacco UD 30 AO 7
Prinardo CN 70 C 17
Principe SA 162 AY 42
Principe I RG 204 AW 63
Principi AV 142 AX 37
Principina a Mare GR 103 AB 27
Priò TN 12 AB 6
Priocca CN 61 J 15
Priola CN 74 J 18
Priola UD 16 AM 4
Priolo CL 201 AV 61
Priolo Gargallo SR 203 BA 61
Priorato PR 65 V 14
Priore PZ 144 BC 39
Priosa GE 63 Q 17
Prisa CZ 170 BG 50
Priscoli SA 151 AX 39
Prisdarella RC 177 BH 53
Prissiano BZ 12 AC 4
Prisuole UD 15 AL 5
Privano UD 31 AO 8
Privata Monterusso NA 150 AT 38
Priverno LT 130 AO 35
Prizzi PA 192 AP 57
Prizzone TN 27 AE 8
Procaria TO 47 F 12
Procchio LI 100 W 27
Proceno VT 104 AF 27
Procida NA 150 AT 39
Procoio LT 138 AN 35
Procoio PZ 164 BF 43
Procoio RM 128 AI 33
Procoio RM 119 AK 31
Prodo TR 105 AI 27
Prodolone PN 30 AM 8
Proe di Sopra VI 41 AD 9
Proe di Sotto VI 41 AD 9
Profeti CE 141 AU 36
Profondiero CS 166 BD 44
Progasso BS 38 V 9
Prognol VR 40 AA 10
Proh NO 35 M 10
Promano PG 96 AI 23
Prombialla PT 86 AA 19
Promiod AO 19 G 9
Promo BS 39 X 9
Propata GE 63 Q 16
Propezzano AP 108 AP 26
Prosano AN 97 AM 23
Prosecco TS 31 AR 9
Prosels / Presule BZ 13 AD 4
Proserpio CO 23 Q 9
Prosperi TE 109 AS 26
Prospi CE 141 AV 37
Prossedi LT 130 AO 34
Prosto SO 9 R 6
Prota MS 78 V 18
Protonotaro ME 188 BA 55
Protte PG 106 AL 27
Proussaz AO 32 D 10
Prova MN 55 AD 14
Provaglio d' Iseo BS 38 V 10
Provaglio Val Sabbia BS 39 X 9
Provagna BL 15 AI 6
Provalo VR 40 AA 10
Provazzano PR 65 X 16
Proveis / Proves BZ 12 AB 5
Provenziani MC 99 AQ 23
Proves / Proveis BZ 12 AB 5
Provesano PN 30 AM 7
Provezza FC 82 AI 18
Provezze BS 38 V 10
Provonda TO 47 E 13
Provvidenti CB 133 AX 33
Provvidenza ME 188 AY 55
Prozzolo VE 42 AH 11
Prugnano PI 93 AA 24
Prugno RA 81 AE 18
Prun VR 40 AA 10
Prunaro BO 67 AE 17
Prunarola BO 80 AB 18
Prunella RC 178 BD 56
Pruneto LT 130 AN 35
Prunetta PT 85 Z 19
Prunetto CN 61 J 17
Pruno BZ 4 AD 2
Pruno LU 84 W 19
Pucara SA 151 AW 39
Pucciarelli PG 105 AH 25
Pudiano BS 38 V 11
Puegnago del Garda BS 39 Y 10
Puginate CO 36 P 9
Puglia AR 95 AG 22
Puglia BN 142 AX 36
Puglia PC 52 S 13
Puglianella LU 78 W 19
Puglianello BN 141 AV 36
Pugliano CE 140 AT 36
Pugliano LU 78 W 18
Pugliano PU 89 AJ 20
Puglietta SA 152 AZ 40
Pugliole AR 95 AG 23
Pugnago MO 79 Y 17
Pugnai BL 27 AF 7
Pugnano PI 85 X 21
Pugnello VI 40 AC 10
Pugnetolo PR 65 V 16
Pugnetto TO 47 F 12
Pugnochiuso FG 127 BG 33
Pugnolo CR 53 W 13
Puia PN 29 AK 8
Puianello RE 66 Y 16
Pula CA 225 P 49
Pulani TP 190 AJ 57
Pulcheddu OT 207 R 37
Pulcherini LT 139 AR 36
Pulciano BS 39 Y 10
Pulciarati PG 96 AI 22
Pulfero UD 17 AP 6
Pulica MS 78 V 19
Pulicciano AR 87 AE 22
Pulicciano FI 87 AD 20
Pullo ME 188 AX 55
Pulpiano RE 66 Y 16
Pulsano TA 157 BN 41
Puma CS 166 BE 45
Pumenengo BG 38 U 11
Puncichitti CH 117 AV 30
Punta Ala GR 102 Z 27
Punta Bados OT 211 S 38
Punta Braccetto RG 204 AV 63
Punta del Cavalluccio CH 117 AW 30
Punta del Lago VT 112 AI 30
Punta Don Diego OT 211 S 38
Punta Gorzone VE 57 AI 12
Punta Grande AG 198 AP 60
Punta Lagno NA 151 AU 40
Punta Marina RA 69 AI 17
Punta Milocca SR 203 BA 61
Punta Molara NU 211 T 38
Punta Pali VE 57 AH 13
Punta Parrino Sibiliana TP 190 AJ 57
Punta Pedrosa OT 211 S 38
Punta Pietra Bianca OT 211 S 38
Punta Prosciutto LE 158 BP 42
Punta Rossa LT 138 AN 36
Punta Secca RG 204 AV 63
Punta Tramontana SS 209 M 38
Punta Villa OT 207 R 36
Puntalazzo CT 197 AZ 57
Puntarazzi RG 204 AX 62
Puntata PI 85 X 21
Puntone GR 102 Z 26
Puntone PI 85 Y 21
Puntoni PT 85 AA 21
Puntoni VT 112 AH 30
Puori SA 162 BA 42
Puos d'Alpago BL 29 AJ 7
Pupaggi PG 107 AM 26
Purano VR 40 AA 10
Purello PG 97 AL 24
Purgatorio FR 131 AR 34
Purgatorio TP 183 AL 55
Purgessimo UD 31 AP 7
Puria CO 22 P 7
Purtud AO 18 C 9
Pus BL 28 AI 7
Pusiano CO 23 Q 9
Pusterno BL 27 AF 8
Putifigari SS 212 L 40
Putignano BA 147 BL 38
Putignano PI 85 X 21
Putignano TE 108 AQ 27
Putzolu OT 210 R 38
Putzu Idu OR 216 L 43
Puys TO 46 B 13
Puzzaca FR 130 AQ 34
Puzzaca FR 131 AR 34
Puzzillo CS 170 BG 48
Puzzoni OT 207 R 36
Pyrgi RM 118 AG 31

PRATO

Cairoli (V.) 3
Cambioni (V.) 4
Carducci (Largo) 5
Comune (P. del) 6
Dante (V.) 7
Garibaldi (V.) 8
Giuzzelmi (V.) 9
Guasti (V. Cesare) 10
Lippi (V.) 12
Mazzini (V. G.) 15
Mazzoni (V. G.) 16
Misericordia (V. della) 17
Muzzi (V. L.) 18
Pellegrino (V.) 19
Ponte Mercatale 20
Porta Serraglio (V. di) 21
Protche (V. L.) 22
Ricasoli (V.) 23
Savonarola (Cso) 24
S. Domenico (Pza) 25
S. Francesco d'Assisi (Pza) 27
S. Maria d. Carceri (Pza) 29
Tintori (V. dei) 30

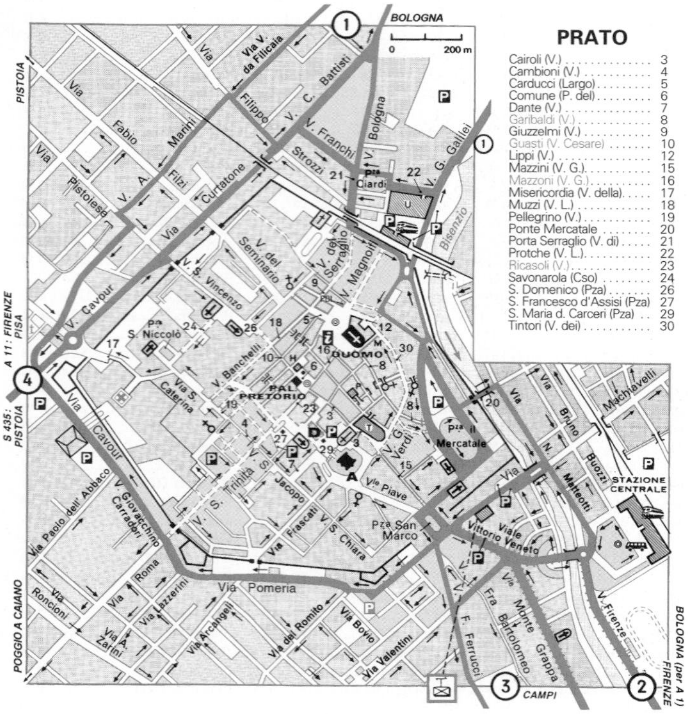

Castello dell'Imperatore A   Palazzo Pretorio D

Q

Quacinara PA 186 AU 57
Quaderna BO 67 AE 17
Quaderni VR 54 Z 12
Quadrato Il LT 129 AL 35
Quadreggiana MC 97 AM 24
Quadrella AV 142 AW 38
Quadrelle li RM 120 AM 33
Quadrelli PC 64 S 14
Quadrelli TR 106 AK 28
Quadri CH 123 AU 32
Quadri VI 27 AC 8
Quadrivio SA 152 AZ 40
Quadro RM 119 AK 31
Quadroni RM 118 AH 31
Quadruviale SA 151 AX 39
Quagliera TO 47 E 12
Quaglietta AV 152 BA 39
Quaglio RG 202 AW 61
Qua-gliuzzo TO 34 H 11
Qualiano NA 150 AT 38
Qualso UD 16 AO 6
Qualto BO 80 AC 18
Quantin BL 28 AI 7
Quara RE 79 Y 17
Quara VB 7 L 7
Quaranta FI 86 AC 20
Quaranta SI 104 AE 26
Quaranti AT 61 L 15
Quarantoli MO 55 AB 14
Quarata AR 95 AF 22
Quarata VB 7 K 7
Quaratica SP 77 T 19
Quarazzana MS 78 V 18
Quare VC 34 J 9
Quaregna BI 34 J 10
Quarena BS 39 X 10
Quaresima CS 171 BH 48
Quargente VI 41 AE 11
Quargnenta VI 40 AC 10
Quargnento AL 49 L 14
Quari Destra VR 55 AD 12
Quarna Sopra VB 21 L 8
Quarna Sotto VB 21 L 8
Quarona VC 34 K 9
Quaronia AT 60 I 14
Quarrata PT 86 AA 20
Quartaia SI 93 AB 23
Quartana TP 182 AK 55
Quartarella CB 133 AX 35
Quartarella RG 204 AX 63
Quartarole IM 73 I 19
Quartazzola PC 52 S 13
Quartesana FE 68 AF 15
Quarti AL 49 L 13
Quarti CR 53 V 13
Quarti RO 56 AF 14
Quartiano LO 51 R 11
Quarticciolo FR 130 AO 34
Quarticciolo RM 119 AJ 31
Quartière FE 68 AF 15
Quartiere Paolo VI TA 157 BM 40
Quartino AT 61 K 16
Quartirolo MO 66 AA 15
Quarto AT 61 K 14
Quarto BO 67 AD 16
Quarto FC 88 AH 20
Quarto IS 123 AV 33
Quarto NA 150 AT 38
Quarto PC 52 S 14
Quarto d'Altino VE 43 AJ 10
Quarto Dei Mille GE 76 O 17
Quarto La Lastra FI 86 AC 21
Quartolo RA 81 AF 18
Quartu Sant' Elena CA 226 Q 48
Quartucciu CA 226 Q 48
Quarzano CO 22 P 8
Quarzina CN 72 I 19
Quasano BA 146 BI 38
Quassa VA 35 M 9
Quassolo TO 34 H 10
Quattordio AL 61 L 14
Quattrelle MN 55 AD 14
Quattrino LI 102 Z 25
Quattro Cascine AL 62 N 14
Quattro Castella RE 65 X 16
Quattro Strade AG 193 AQ 59
Quattro Strade FR 130 AO 34
Quattro Strade MN 53 X 12
Quattro Strade PI 85 Y 21
Quattro Strade TV 28 AG 8
Quattro Stradoni CE 132 AT 35
Quattro Vanelle TP 182 AJ 56
Quattro Vie PD 56 AF 12
Quattrocase CR 53 X 14
Quattrocase MN 55 AB 14
Quattropani ME 181 AY 52
Quattrostrade CR 53 V 13
Quattrostrade GR 110 AC 29
Quercere TN 27 AC 8
Quellenhof BZ 3 AC 3
Querce FI 85 Z 21
Querce al Pino SI 105 AG 25
Querce d'Orlando VT 112 AH 30
Quercegrossa SI 94 AC 23
Querceta LU 84 W 20
Querceti BO 80 AB 18
Querceto AN 90 AN 21
Querceto AR 87 AE 22
Querceto AR 95 AF 23
Querceto AR 87 AG 21
Querceto CS 167 BG 47
Querceto PC 64 S 14
Querceto PI 92 Y 22
Querceto PI 93 Z 24
Querceto SI 93 AB 24
Quercia MS 78 V 18
Quercia Ompiso PE 116 AT 29
Quercianella LI 92 X 23
Querciapiana CB 124 AW 33
Querciola BO 79 AA 18
Querciola FI 86 AC 20
Querciola FI 86 AC 20
Querciolano FC 81 AF 19
Quercioli RE 65 Y 15
Quero BL 28 AG 8
Quers BL 29 AJ 6
Quetta TN 12 AB 6
Quiesa LU 84 X 20
Quiliano SV 75 L 18
Quinciano SI 94 AD 24
Quincinetto TO 34 H 10
Quincod AO 33 H 9
Quindici AV 151 AW 38
Quingentole MN 54 AB 13
Quinlis UD 16 AM 5
Quintanello TO 59 G 14
Quintano CR 37 S 11
Quintilago BS 39 X 10
Quintino BG 38 U 10
Quinto FI 86 AC 21
Quinto al Mare GE 76 P 17
Quinto di Treviso TV 42 AI 10
Quinto di Valpantena VR 40 AB 11
Quinto Romano MI 36 P 11
Quinto Vercellese VC 35 L 11
Quinto Vicentino VI 41 AE 10
Quintodecimo AP 108 AP 27
Quintosole MI 36 Q 11
Quinzanello BS 38 V 11
Quinzano AP 108 AP 26
Quinzano BO 80 AD 18
Quinzano PR 65 W 16
Quinzano PR 65 X 16
Quinzano VA 35 N 9
Quinzano VR 40 AA 11
Quinzano d'Oglio BS 52 V 12
Quirra CA 223 S 46
Quistello MN 54 AA 13
Quistello VR 54 Z 12
Quistro CR 53 V 12
Quittengo BI 34 J 10
Quorle AR 87 AF 21
Quota AR 87 AF 21
Quote Roseto RC 177 BI 53
Quote San Francesco-Stranghilo RC 179 BG 54

R

Rabatana MT 165 BH 42
Rabatta FI 87 AD 20
Rabbini PC 64 T 15
Rabenstein / Corvara in Passiria BZ 3 AB 2
Rablà BZ 12 AB 3
Racale LE 160 BR 44
Racalmuto AG 193 AR 59
Raccano RO 56 AF 14
Racchiuso UD 16 AO 7
Racciano SI 93 AB 23
Racconigi CN 59 H 15
Raccui ME 188 BA 56
Raccuja ME 188 AY 55
Racines / Ratschings BZ 3 AC 2
Radda in Chianti SI 94 AD 23
Raddi IS 132 AT 34
Raddusa CT 195 AW 59
Radein / Redagno BZ 13 AD 5
Radi SI 94 AD 24
Radicara RI 114 AM 29
Radicena RC 176 BF 53
Radicofani SI 104 AF 26
Radicondoli SI 93 AB 24
Radicosa AN 97 AM 23
Radicosa FR 131 AS 34
Radicosa FR 131 AS 35
Radogna FG 134 BB 36
Raffa BS 39 Y 10
Raffadali AG 192 AQ 59
Raffaello Sanzio AP 99 AR 25
Raffo PA 186 AT 57
Ragada TN 25 Y 6
Ragalna CT 196 AY 58
Ragapiedi-Bonavita CS 167 BF 46
Ragazza BO 80 AB 18
Ragazzola PR 53 W 13
Raggi NA 151 AW 38
Raggiano MC 97 AN 25
Raggio FC 88 AG 20
Raggio PG 96 AK 23
Raggio PG 106 AK 27
Raggioli FI 87 AE 21
Raggiolo AR 87 AE 21
Raghudi Nuovo RC 178 BD 56
Ragnitelli PE 116 AS 30
Ragogna UD 16 AM 6
Ragoli TN 26 Z 7
Ragonà VV 177 BH 53
Ragonese CT 195 AW 59
Ragusa RG 204 AX 62
Rai CN 71 H 17
Rai TV 29 AJ 9
Raiano AQ 122 AR 31
Raiello SA 152 AY 40
Rain in Taufers / Riva di Tures BZ 5 AH 2
Raina TN 12 AB 5
Rainuzzi RE 65 X 15
Raisa I EN 195 AX 58
Raisa II EN 195 AX 58
Raito SA 151 AX 40
Raiù ME 188 BA 55
Raldon VR 54 AB 11
Rallio PC 64 S 14
Rallo TN 12 AB 5
Ramacca CT 202 AX 59
Ramazzano PG 96 AJ 24
Rambona MC 98 AO 24
Ramedello RO 56 AE 13
Ramello AT 61 K 14
Ramello SP 77 T 18
Ramen BL 28 AF 7
Ramera TV 29 AJ 8
Ramezzana VC 49 K 12
Ramiano PR 65 V 16
Ramilia CL 193 AS 59
Ramini PT 86 AA 20
Ramiola PR 65 V 15
Ramiseto RE 78 W 17
Rammatico CS 166 BE 46
Ramon TV 42 AG 9
Ramonnino PZ 144 BD 39
Ramoscello PR 65 X 14
Rampazzo VI 41 AF 10
Rampin VR 55 AC 13
Ramponio CO 22 P 8
Ramunno I BR 148 BO 39
Ramunno II BR 148 BO 39
Ramuscello PN 30 AM 8
Ramuscello Vecchio PN 30 AM 8
Ranca TA 157 BO 42
Rancale PG 96 AJ 24
Rancana PG 97 AK 23
Ranchi PG 96 AI 23
Ranchio FC 88 AH 20
Ranciano PG 105 AH 25
Rancio Valcuvia VA 22 N 8
Ranco AR 95 AH 23
Ranco AR 88 AI 21
Ranco CH 117 AV 31
Ranco PG 97 AL 23
Ranco SV 73 J 19
Ranco VA 35 M 9
Randacoli RC 177 BH 53
Randazzo CT 196 AY 56
Rangasia CT 202 AW 60
Rango BS 39 X 9
Rango TN 26 Z 7
Rangona FE 55 AD 14
Rangone LT 129 AM 34
Ranica BG 37 T 9
Ranno CT 195 AY 58
Ranucci VT 112 AH 28
Ranuccio FR 130 AN 33
Ranza SI 93 AB 23
Ranzanico BG 24 U 9
Ranzano PN 29 AK 7
Ranzano PR 78 W 17
Ranzi SV 74 K 19
Ranzo TN 26 AA 7
Ranzola PG 96 AH 23
Raossi TN 26 AB 9
Rapagnano FM 99 AQ 25
Rapale AR 94 AE 23
Rapallo GE 76 Q 17
Rapano ME 189 BB 54
Rapano Sup. ME 189 BB 54
Rapattoni PE 116 AT 29
Rapegna MC 107 AN 26
Rapelle RI 114 AN 29
Rapezzo FI 81 AD 19
Rapicciano PG 106 AK 27
Rapino CH 116 AU 30
Rapino TE 108 AR 28
Rapolano Terme SI 95 AE 24
Rapolla PZ 144 BD 38
Rapolla PZ 164 BE 42
Rapone AV 151 AX 38
Rapone PZ 143 BC 38
Rappareddi TP 190 AK 57
Rara BZ 5 AG 3
Ras BZ 4 AG 3
Rasa BZ 4 AE 3
Rasa RO 55 AE 13
Rasa di Varese VA 22 N 8
Rasai BL 28 AG 8
Raschiaccio UD 31 AP 7
Rascio AP 108 AO 26
Rasdeglia SO 9 Q 5
Rasega VI 41 AF 10
Rasego BG 37 T 10
Rasen-Antholz / Rasun-Antersalva BZ 5 AH 3
Rasenna MC 107 AM 26
Rasetti BG 38 U 9
Rasiglia PG 107 AM 26
Rasina PG 97 AL 24
Rasora BO 80 AB 19
Raspano UD 16 AO 6
Rassa VC 34 J 9
Rassina AR 87 AG 22
Rastellino MO 67 AB 16
Rastello CN 71 H 18
Rastia MC 97 AN 24
Rasun di Sopra / Oberrasen BZ 5 AH 3
Rasun di Sotto / Niederrasen BZ 5 AH 3
Rasun-Antersalva / Rasen-Antholz BZ 5 AH 3
Rasura SO 23 S 7
Ratschings / Racines BZ 3 AC 2
Rattaloro TP 182 AK 56
Rattine RC 178 BE 55
Rattisio Nuovo BZ 3 AA 3
Raune UD 31 AQ 7
Rauscedo PN 30 AL 7
Rauth / Novale BZ 13 AD 5
Rava BG 23 S 8
Rava CN 60 I 15
Ravadese PR 65 X 14
Ravaglia BG 37 S 11
Ravaldino FC 82 AH 19
Ravalle FE 55 AE 14
Ravanusa AG 199 AS 60
Ravarano PR 65 V 16
Ravarino MO 67 AB 15
Ravascletto UD 16 AM 4
Ravazzana RC 178 BD 56
Ravazzolo PD 56 AG 12
Ravello MI 36 O 10
Ravello MI 36 O 11
Ravello SA 151 AW 40
Ravenna RA 82 AI 17
Raveo UD 16 AM 5
Ravera CR 53 W 13
Ravera TO 47 E 14
Ravezza PR 77 S 17
Ravi GR 103 AA 26
Ravigliano PG 105 AH 25
Ravignano PG 106 AL 25
Ravina BZ 3 AC 2
Ravina TN 26 AB 7
Ravinis UD 16 AN 4
Raviscanina CE 132 AU 35
Ravizze SO 23 S 7
Ravoledo SO 11 W 6
Ravosa UD 30 AO 7
Razzà RC 179 BF 56
Razzagno RE 79 Y 17
Razzuolo FI 81 AD 19
Re TE 108 AR 27
Re VB 7 M 7
Rea PV 51 P 13
Rea VI 27 AF 9
Reaglie TO 48 H 13
Reala CN 60 I 15
Realdo IM 72 H 19
Reale MN 54 Z 12
Realizio TO 34 I 11
Realmonte AG 198 AP 60
Rean AO 33 F 9
Reana del Roiale UD 30 AO 7
Reane BL 15 AJ 4
Reano TO 47 F 13
Reant UD 17 AP 7
Reaso PD 56 AG 12
Rebecco MN 53 Y 12
Rebeccu SS 213 N 41
Reboana CR 53 W 13
Recale CE 141 AU 37
Recanati MC 98 AQ 23
Recattivo PA 193 AT 58
Recchia RM 120 AN 33
Recco GE 76 P 17
Recenza SI 94 AC 24
Recesio PC 64 S 15
Recetto NO 35 L 11
Recoaro Terme VI 40 AC 9
Recoleta MT 165 BI 42
Recorfano CR 53 X 13
Recovato MO 67 AB 16
Reda RA 82 AG 18
Redagno / Radein BZ 13 AD 5
Redagno di Sotto BZ 13 AD 5
Redavalle PV 51 Q 13
Redealto CB 133 AX 35
Redena FE 55 AC 14
Redenzicco UD 30 AM 7
Redicesi MS 78 W 19
Redipiano CS 171 BG 47
Redipuglia GO 31 AP 8
Redona PN 15 AL 6
Redondesco MN 53 Y 13
Redù MO 67 AB 16

Caduti per la Libertà (Pza) Z 4
Candiano (V.) Z 5
Castel S. Pietro (V.) Z 6
Corti alle Mura (V.) Z 7
Diaz (V.) Y 8
Falier (V.) Y 9
Garibaldi (Pza) Z 12
Gessi (V. Romolo) Z 13
Ghiselli (V. G.) Y 14
Gordini (V.) Z 15
Guerrini (V.) Z 16
Guidarelli (V.) Z 17
Industrie (V. delle) Y 18
Mariani (V.) Z 19
Maroncelli (Viale) Y 20
Molinetto (Circ. canale) Z 21
Molino (V.) Z 22
Monfalcone (V.) Z 23
Oberdan (V.) Z 24
Oriani (V. A.) Z 25
Pallavicini (Viale G.) Z 26
Piave (V.) Z 27
Ponte Marino (V.) Y 28
Popolo (Pza del) Z 29
Rava (V. L.) Z 30
Ricci (V. C.) Z 31
Ricci (V. Romolo) Z 32
Rocca Brancaleone (V.) Y 33
Romea (V.) Z 34
S. Teresa (V.) Z 35
Trieste (V.) Z 38
4 Novembre (V.) Y 40

Battistero degli Ariani Y D
Cattedrale Z E
Mausoleo di Teodorico Y B
Museo Arcivescovile Z M2
Museo Nazionale Y M1
Sepolcro di Dante Z A

Refavaie TN 13 AE 6
Reforzate PU 90 AM 21
Refrancore AT 49 L 14
Refrontolo TV 28 AI 8
Regalbuto EN 195 AW 58
Regalgioffoli PA 185 AQ 57
Regedano AN 97 AL 23
Regello FI 87 AE 21
Reggetto BG 23 S 8
Reggimonti SP 77 S 18
Reggio di Calabria RC 189 BC 55
Reggio nell'Emilia RE 66 Y 15
Reggiolo RE 54 Z 14
Reggio-Scornavacca CS 170 BF 48
Regia Corte PA 185 AP 55
Regia Mandria TO 47 G 13
Regina PV 50 O 13
Regina Coeli PE 116 AS 29
Regina Elena VV 174 BF 52
Reginaldo CH 116 AT 30
Reginella NA 150 AT 38
Regio SR 203 AZ 60
Regnano MC 98 AO 25
Regnano MS 78 W 18
Regnano PG 96 AI 23
Regnano RE 66 Y 16
Regoledo LC 23 Q 7
Regoledo SO 23 S 7
Regolelli VT 113 AJ 30
Regona BS 53 W 12
Regona CR 52 T 12
Reine CB 132 AW 34
Reinero CN 70 D 17
Reino BN 133 AX 36
Reinswald / San Martino BZ 4 AD 3
Reischach / Riscone BZ 5 AG 3
Reitani SR 205 AZ 63
Reitano ME 187 AV 56
Remanzacco UD 30 AO 7
Remats TO 46 C 13
Remedello di Sopra BS 53 X 12
Remedello di Sotto BS 53 X 12
Remelli VR 54 Z 12
Remoncino VR 55 AC 11
Remondata MI 50 O 11
Remondato TO 47 G 12
Remondey AO 32 D 9
Remondò PV 50 N 12
Remorfengo AT 49 J 13
Remune FR 131 AS 34
Ren BL 14 AG 6
Rena Majore OT 206 Q 37
Renacci AR 87 AE 22
Renaio LU 79 Y 19
Renate MB 36 Q 9
Renaudo CN 71 G 17
Renaz BL 14 AG 5
Renazzo FE 67 AC 15
Rencine SI 94 AC 23
Rencine SI 94 AE 24
Rendale VI 27 AE 8
Rende CS 170 BG 48
Rendinara AQ 121 AP 32
Rendola AR 94 AE 23
Renno MO 79 Z 18
Reno PR 65 W 16
Reno TO 47 E 13
Reno VA 21 M 8
Reno Centese FE 67 AC 15
Reno Finalese MO 67 AC 15
Renzana BS 39 X 10
Renzano BS 39 Y 10
Renzetti PG 88 AI 22
Reonis PN 16 AM 6
Rep. di San Marino RSM 89 AJ 20
Repasto RI 113 AL 29
Repele VI 40 AC 10
Repergo AT 61 K 15
Rero FE 68 AG 15
Resana TV 42 AG 10
Rescalda MI 36 O 10
Rescaldina MI 36 O 10
Resceto MS 78 W 19
Reschen / Resia BZ 2 Y 3
Reschigliano PD 42 AG 11
Rescia PG 107 AM 28
Resera TV 28 AI 8
Reseretta TV 28 AI 8
Resia UD 16 AO 5
Resia / Reschen BZ 2 Y 3
Resicco NA 151 AW 40
Residenza-Dorica SA 152 AZ 41
Resinali PG 96 AJ 24
Resinego BL 14 AI 5
Resiutta UD 16 AO 5
Respaglie CR 52 T 11
Respiccio PR 65 V 15
Ressora SP 78 U 19
Restall AO 34 H 9
Restegassi AL 63 P 15
Restocina GO 31 AP 7
Restone FI 87 AE 22
Resuttano CL 193 AT 57
Retegno CO 22 P 8
Retegno LO 52 T 13
Retignano LU 84 W 19
Retinella RO 57 AI 13
Retorbido PV 51 P 14
Retorto AL 62 M 15
Retorto PC 63 R 16
Retrosi RI 108 AO 28
Rettargole VI 41 AE 10
Rettifilo-Vannullo SA 152 AZ 41
Reusa MS 78 W 18
Revedoli VE 43 AL 10
Revellino LO 51 S 12
Revello CN 59 F 16
Reverdita SV 75 L 17
Revere MN 55 AB 13
Revigliasco TO 48 H 13
Revigliasco d'Asti AT 61 J 14
Reviglione NA 151 AV 38
Revignano AT 61 J 14
Revine Lago TV 28 AI 7
Revislate NO 35 M 9
Revò TN 12 AB 5
Rey AO 19 E 8
Rezzago CO 23 Q 8
Rezzanello PC 63 S 14
Rezzano PC 64 T 14
Rezzato BS 38 W 10
Rezzo IM 72 I 19
Rezzo RO 56 AE 14
Rezzoaglio GE 63 R 16
Rezzonico CO 23 Q 7
Rhêmes-Notre-Dame AO 32 D 10
Rhêmes-St-Georges AO 32 D 10
Rho MI 36 P 10
Rhuilles TO 46 C 14
Riabella BI 34 J 10
Riace RC 177 BH 53
Riace Marina RC 177 BI 53
Riaci Capo RC 178 BD 56
Riale BO 67 AC 17
Riale RE 79 Y 17
Riale VB 7 L 5
Riale VC 20 I 8
Rialmosso BI 34 J 10
Rialto PD 56 AF 13
Rialto PD 56 AG 12
Rialto SV 74 K 18
Rialto VE 42 AH 10
Rialto-Terminillo RI 114 AM 29
Riana LU 79 X 19
Riana PR 78 V 17
Rianico CS 171 BG 48
Riano PR 65 W 16
Riano RM 119 AK 31
Riardo CE 141 AT 36
Ribba TO 58 D 14
Ribera AG 192 AO 58
Ribera PC 52 T 14
Ribis UD 30 AO 7
Riboda TO 47 E 13
Ribolla GR 103 AB 26
Ribordone TO 33 G 11
Ribottoli AV 142 AY 38
Ricadi VV 176 BE 52
Ricalcata TP 182 AL 57
Ricaldone AL 61 L 15
Ricasoli AR 94 AE 22
Ricavo SI 94 AC 23
Ricca CN 61 J 16
Riccardina BO 67 AE 16
Ricchiardi TO 32 E 11
Ricchiardo CN 60 H 15
Ricchiò ME 187 AV 55
Ricci CE 141 AV 36
Riccia CB 133 AY 35
Ricciardelli AV 142 AX 39
Riccio AR 95 AH 24
Ricciolio RC 179 BF 55
Riccione RN 83 AK 19
Ricco MS 78 U 18
Riccò del Golfo di Spezia SP 77 T 19
Riccourt AO 34 I 9
Riccovolto MO 79 Y 18
Riceci PU 89 AL 21
Ricengo CR 37 T 11
Riceno VB 7 K 6
Ricetto RI 114 AN 30
Richetti CZ 171 BH 50
Richiaglio TO 47 F 12
Riciano SI 94 AC 23
Ricigliano SA 153 BB 39
Riclaretto TO 47 D 14
Ricò FC 82 AH 19
Ricoso CS 166 BE 46
Ricota Grande CS 168 BI 45
Ricuzzu PA 184 AO 55
Ridanna / Ridnaun BZ 3 AC 2
Ridello MN 54 Y 11
Ridnaun / Ridanna BZ 3 AC 2
Ridotti AQ 122 AQ 33
Ridracoli FC 87 AG 20
Ried / Novale BZ 4 AD 2
Ried / Novale BZ 5 AH 3
Riesci LE 159 BR 41
Riese Pio X TV 42 AG 9
Riesi CL 200 AT 60
Rietine RI 114 AL 29
Rietine SI 94 AD 23
Riffian / Rifiano BZ 3 AC 3
Rifiano / Riffian BZ 3 AC 3
Rifiglio AR 87 AF 21
Rifodor CN 70 E 18
Riforano CN 71 G 17
Riforno CN 61 J 15
Rifreddo CN 59 F 16
Rifreddo CN 71 I 17
Rifreddo PZ 154 BD 40
Rifredo FI 81 AD 19
Rifugia MC 107 AO 26
Riga PE 116 AT 31
Rigaiolo SI 95 AF 24
Rigaletta TP 182 AK 55
Rigali PG 97 AL 24
Rigatti RI 114 AN 30
Riglio PC 64 T 15
Riglione PI 85 X 21
Rignano Flaminio RM 113 AJ 30
Rignano Garganico FG 135 BC 33
Rignano sull'Arno FI 87 AD 21
Rigo AP 108 AO 27
Rigolato UD 16 AM 4
Rigoli PI 85 X 21
Rigolizia PA 184 AO 55
Rigolizia SR 203 AY 62
Rigomagno SI 95 AF 24
Rigon VI 40 AD 10
Rigoni VI 27 AE 8
Rigoroso AL 62 O 16
Rigosa BO 67 AC 16
Rigosa PR 53 W 14
Rigoso PR 78 V 17
Rigrasso CN 59 G 16
Riguardo SI 104 AD 25
Rigutino AR 95 AG 23
Rilevo SR 203 AZ 60
Rilievo TP 182 AK 56
Rima VC 20 I 8
Rimaggio FI 86 AD 21
Rimaggio FI 87 AE 21
Rimagna PR 78 V 17
Rimale PR 64 V 14
Rimasco VC 20 J 8
Rimbocchi AR 88 AG 21
Rimella VC 21 K 8
Rimendiello PZ 164 BE 42
Rimigliano LI 102 Y 25
Rimini RN 83 AK 19
Riminino VT 111 AE 29
Riminino Nuovo VT 111 AE 29
Rimiti ME 189 BA 56
Rimogno LU 85 Y 20
Rina BZ 4 AG 3
Rina ME 189 BB 56
Rinacchio CS 166 BF 46
Rinaldi AT 61 K 15
Rinaldi CN 60 I 16
Rinascente RM 119 AI 31
Rinazza RC 178 BD 55
Rincine FI 87 AE 20
Rinella ME 181 AX 52
Rinella ME 188 AX 55
Rinforzati FI 87 AD 22
Ringata ME 188 AY 54
Rino BS 25 X 7
Rio BO 81 AD 18
Rio BZ 4 AE 3
Rio FR 131 AR 34
Rio PG 106 AL 25
Rio SP 77 T 18
Rio Claro LT 138 AP 36
Rio di Lagundo / Aschbach BZ 12 AB 4
Rio di Pusteria / Mühlbach BZ 4 AF 3
Rio Forgia TP 182 AK 55
Rio Marina LI 102 X 27
Rio nell'Elba LI 102 X 27
Rio Petroso FC 88 AG 20
Rio Saliceto RE 66 Z 15
Rio Salso FC 88 AG 20
Rio Salso-Case Bernardi PU 89 AL 20
Rio San Martino VE 42 AH 10
Rio Secco BO 80 AC 19
Rio Torto VI 40 AC 10
Rio Verde FR 131 AQ 34
Riobianco / Weissenbach BZ 3 AD 3
Riobianco / Weissenbach BZ 4 AG 2
Riobonello VI 41 AD 10
Riofreddo FC 88 AH 20
Riofreddo MC 107 AM 26
Riofreddo RM 120 AM 31
Riofreddo SV 74 J 18
Riofreddo UD 17 AQ 5
Riola BO 80 AB 18
Riola di Vergato BO 80 AB 18
Riola Sardo OR 216 M 44
Riolo LO 51 S 11
Riolo MO 67 AB 16
Riolo Terme RA 81 AF 18
Riolunato MO 79 Y 18
Riomaggiore SP 77 T 19
Riomagno LU 84 W 19
Riomolino / Mühlbach BZ 5 AG 2
Riomoro TE 109 AS 26
Riomurtas CI 225 N 48
Rione Branca RC 178 BD 56
Rione Catalano TP 182 AK 55
Rione Forche AV 143 BA 38
Rione Fornace AV 143 BA 38
Rione La Sala TP 182 AK 55
Rione Marcucci CH 123 AV 33
Rione Montemarano AV 143 BA 38
Rione Sant'Antonio CH 123 AT 32
Rionero / Schwazenbach BZ 13 AD 5
Rionero in Vulture PZ 144 BD 38
Rionero Sannitico IS 132 AT 33
Riosecco AR 87 AF 21
Riosecco PG 96 AI 23
Riosto BO 80 AD 17
Riotorto LI 102 Z 26
Rioveggio BO 80 AC 18
Riozzo MI 51 Q 11
Ripa AQ 115 AQ 30
Ripa BG 24 U 8
Ripa LU 84 W 20
Ripa MN 54 Z 12
Ripa MS 78 U 18
Ripa PG 96 AK 25
Ripa SV 74 K 18
Ripa TE 108 AQ 28
Ripa Dicorno RI 114 AM 28
Ripa d'Orcia SI 104 AE 25
Ripa Teatina CH 116 AU 29
Ripaberarda AP 108 AQ 26
Ripabianca PG 106 AJ 26
Ripabottoni CB 133 AX 33
Ripacandida PZ 144 BD 38
Ripafratta PI 85 X 21
Ripaioli PG 106 AJ 26
Ripaldina PV 51 R 13
Ripalimosani CB 133 AW 34
Ripalta AN 90 AM 22
Ripalta FG 125 BA 32
Ripalta PU 90 AM 21
Ripalta SP 77 T 18
Ripalta Arpina CR 52 T 12
Ripalta Guerina CR 52 T 12
Ripalta Nuova CR 52 T 12
Ripalta Vecchia CR 52 T 11
Ripalta-Cremasca CR 52 T 12
Ripalvella TR 105 AI 26
Ripamassana PU 89 AK 20
Ripapersico FE 68 AF 15
Riparbella PI 92 Y 23
Riparotonda RE 79 X 18
Ripatransone AP 108 AR 25
Ripattoni TE 109 AS 27
Ripavecchia AP 108 AP 26
Ripe AN 90 AN 21
Ripe PU 89 AL 21
Ripe TE 108 AQ 27
Ripe Alte LI 102 X 27
Ripe San Ginesio MC 98 AP 25
Ripi FR 130 AP 34
Ripiani FR 130 AP 34
Ripola MS 78 V 18
Ripole FR 130 AP 35
Ripoli AR 95 AH 23
Ripoli BO 80 AC 18
Ripoli CN 70 F 17
Ripoli PI 85 X 21
Ripoli PI 92 Y 22
Ripório CN 59 E 15
Riposto CT 197 BA 57
Ripuaria NA 150 AT 38
Risano UD 30 AO 8
Riscone / Reischach BZ 5 AG 3
Riserva Nuova LT 129 AK 34
Risi CZ 174 BG 50
Risigliano NA 141 AW 38
Rissordo CN 60 I 17
Ristonchi AR 87 AF 21
Ristonchi FI 87 AE 21
Ristonchia AR 95 AG 24
Risubbiani PO 80 AC 19
Ritani SV 75 L 17
Ritirata PG 97 AK 24
Ritiro RE 66 Z 15
Ritornato TO 47 G 11
Rittana CN 70 F 17
Riulade UD 16 AO 5
Riva BS 38 V 10
Riva BZ 4 AE 2
Riva CN 60 H 15
Riva CO 22 P 8
Riva GE 77 R 18
Riva MN 54 Z 14
Riva PC 64 S 14
Riva PC 64 U 14
Riva RE 54 Z 14
Riva TN 26 AB 9
Riva TO 59 F 14
Rivà RO 57 AI 14
Riva Borghino CN 59 F 16
Riva dei Tessali TA 156 BK 41
Riva del Garda TN 26 AA 8
Riva del Sole GR 102 AA 27
Riva di Solto BG 38 V 9
Riva di Sotto BZ 12 AC 5
Riva di Tures / Rain in Taufers BZ 5 AH 2
Riva Faraldi IM 73 J 20
Riva Ligure IM 72 I 20
Riva Livenza TV 29 AK 9
Riva Presso Chieri TO 48 I 14
Riva Staro VI 40 AC 9
Riva Valdobbia VC 20 I 8
Riva Verde MC 99 AR 23
Riva Verde RA 69 AI 17
Rivabella BO 80 AB 18
Rivabella BO 67 AC 17
Rivabella BO 67 AD 16
Rivabella LE 160 BR 43
Rivabella RN 83 AK 19
Rivadolmo PD 56 AE 12
Rivai BL 27 AF 8
Rivaira BZ 11 X 4
Rivalazzo PR 65 V 15
Rivalba AL 50 M 13
Rivalba PR 65 V 17
Rivalba TO 48 I 13
Rivale GE 76 P 17
Rivale VE 42 AH 11
Rivalgo BL 15 AJ 5
Rivalpo UD 16 AN 5
Rivalta CN 60 I 16
Rivalta MN 54 Z 12
Rivalta PR 65 W 16
Rivalta PR 65 X 16
Rivalta RA 82 AG 18
Rivalta RE 66 Y 16
Rivalta TV 42 AJ 10
Rivalta VR 40 AA 10

REGGIO DI CALABRIA

Agam Spanò (V.) Z 2
Arcovito (V.) Z 3
Barlaam (V.) Z 4
Cattolica dei Greci (V.) Z 6
Cimino (V. Antonio) Z 7
Crocefisso (V.) Z 9
De Nava (Pza) Y 10
Garibaldi (Cso) YZ
Garibaldi (Pza) Z 12
Genoese Zerbi (Viale) Y 14
Indipendenza (Pza) Y 15
Italia (V.) Y 17
Manfroce (Viale) Y 18
Matteotti (Corso Giacomo) YZ 28
Missori (V.) Z 19
Popolo (Pza del) Y 21
Salvatore (V. del) Z 22
S. Caterina (V.) Y 24
S. Francesco da Paola (V.) Z 25
S. Marco (V.) Y 27
Vitt. Emanuele III (Pza) Z 29
25 Luglio 1943 (Viale) Y 31

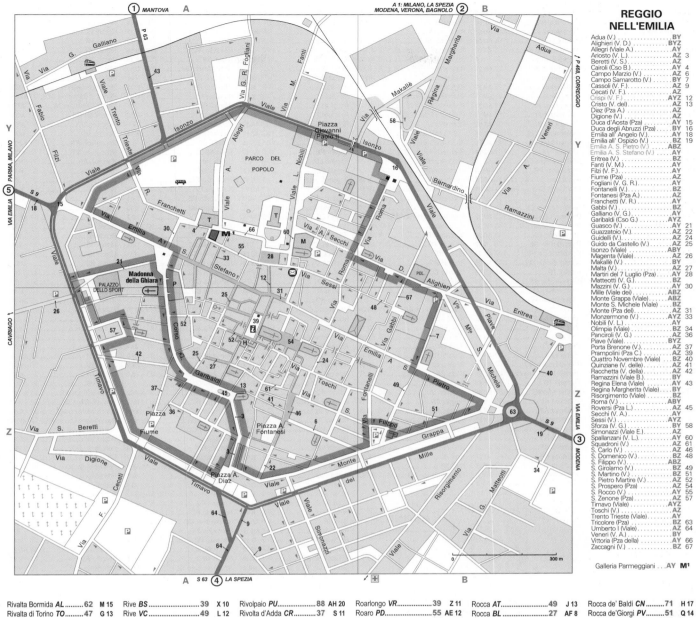

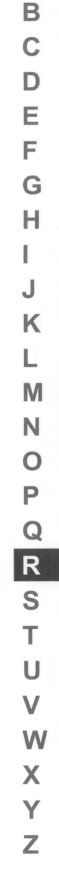

REGGIO NELL'EMILIA

Adua (V.) . . . . . BY
Alighieri (V. D.) . . . . . BYZ
Allegri (Viale A.) . . . . . AY
Ariosto (V. L.) . . . . . AZ 3
Beretti (V. S.) . . . . . AZ
Cairoli (Cso B.) . . . . . AY 4
Campo Marzio (V.) . . . . . AZ 6
Campo Samarotto (V.) . . . . . BY 7
Cassoli (V. F.) . . . . . AZ 9
Cecati (V. F.) . . . . . AZ
Crispi (V. F.) . . . . . AYZ 12
Cristo (V. del) . . . . . AZ 13
Diaz (Pza A.) . . . . . AZ
Digione (V.) . . . . . AZ
Duca d'Aosta (Pza) . . . . . AY 15
Duca degli Abruzzi (Pza) . . . . . BY 16
Emilia all' Angelo (V.) . . . . . AY 18
Emilia all' Ospizio (V.) . . . . . BZ 19
Emilia A. S. Pietro (V.) . . . . . ABZ
Emilia A. S. Stefano (V.) . . . . . AY
Eritrea (V.) . . . . . BZ
Fanti (V. M.) . . . . . AY
Filzi (V. F.) . . . . . AY
Fiume (Pza) . . . . . AZ
Fogliani (V. G. R.) . . . . . AY
Fontanelli (V.) . . . . . BZ
Fontanesi (Pza A.) . . . . . AZ
Franchetti (V. R.) . . . . . AY
Gabbi (V.) . . . . . BZ
Galliano (V. G.) . . . . . AY
Garibaldi (Cso G.) . . . . . AYZ
Guasco (V.) . . . . . AY 21
Guazzatoio (V.) . . . . . AZ 22
Guidelli (V.) . . . . . AZ 24
Guido da Castello (V.) . . . . . AZ 25
Isonzo (Viale) . . . . . ABY
Magenta (Viale) . . . . . AZ 26
Makallè (V.) . . . . . BY
Malta (V.) . . . . . AZ 27
Martiri del 7 Luglio (Pza) . . . . . AY 28
Matteotti (V. G.) . . . . . BZ
Mazzini (V. G.) . . . . . AY 30
Mille (Viale dei) . . . . . ABZ
Monte Grappa (Viale) . . . . . ABZ
Monte S. Michele (Viale) . . . . . BZ
Monte (Pza del) . . . . . AZ 31
Monzermone (V.) . . . . . AYZ 33
Nobili (V. L.) . . . . . AY
Olimpia (Viale) . . . . . BZ 34
Panciroli (V. G.) . . . . . AZ 36
Piave (Viale) . . . . . BYZ
Porta Brenone (V.) . . . . . AZ 37
Prampolini (Pza C.) . . . . . AZ 39
Quattro Novembre (Viale) . . . . . BZ 40
Quinziane (V. delle) . . . . . AZ 41
Racchetta (V. della) . . . . . AZ 42
Ramazzini (Viale B.) . . . . . BY
Regina Elena (Viale) . . . . . AY 43
Regina Margherita (Viale) . . . . . BY
Risorgimento (Viale) . . . . . BZ
Roma (V.) . . . . . ABY
Roversi (Pza L.) . . . . . AZ 45
Secchi (V. A.) . . . . . AY
Sessi (V.) . . . . . AYZ
Sforza (V. G.) . . . . . BY 58
Simonazzi (Viale E.) . . . . . AZ
Spallanzani (V. L.) . . . . . AY 60
Squadroni (V.) . . . . . AZ 61
S. Carlo (V.) . . . . . AZ 46
S. Domenico (V.) . . . . . BZ 48
S. Filippo (V.) . . . . . ABZ
S. Girolamo (V.) . . . . . BZ 49
S. Martino (V.) . . . . . BZ 51
S. Pietro Martire (V.) . . . . . AZ 52
S. Prospero (Pza) . . . . . AZ 54
S. Rocco (V.) . . . . . AY 55
S. Zenone (Pza) . . . . . AZ 57
Timavo (Viale) . . . . . AYZ
Toschi (V.) . . . . . AZ
Trento Trieste (Viale) . . . . . AY
Tricolore (Pza) . . . . . BZ 63
Umberto I (Viale) . . . . . AZ 64
Veneri (V. A.) . . . . . BY
Vittoria (Pza della) . . . . . AY 66
Zaccagni (V.) . . . . . BZ 67

Galleria Parmeggiani . . . AY M1

Rivalta Bormida *AL* .... 62 M 15
Rivalta di Torino *TO* .... 47 G 13
Rivalta Nuova *AL* .... 62 N 14
Rivalta Trebbia *PC* .... 52 S 14
Rivalto *PI* .... 93 Y 23
Rivamaor *BL* .... 28 AI 7
Rivamonte Agordino *BL* .... 14 AH 6
Rivanazzano *PV* .... 50 P 14
Rivara *MO* .... 67 AC 14
Rivara *TO* .... 48 G 11
Rivarano *AV* .... 151 AX 38
Rivarola *CN* .... 59 H 16
Rivarola *GE* .... 76 R 17
Rivarolo *PR* .... 65 W 14
Rivarolo Canavese *TO* .... 48 H 12
Rivarolo del Re *CR* .... 53 X 13
Rivarolo Ligure *GE* .... 75 O 17
Rivarolo Mantovano *MN* .... 53 X 13
Rivarone *AL* .... 50 N 14
Rivarossa *TO* .... 48 H 12
Rivarotta *PN* .... 29 AK 8
Rivarotta *UD* .... 30 AN 9
Rivarotta *VI* .... 41 AF 9
Rivasacco *TO* .... 47 G 12
Rivasco *VB* .... 7 L 6
Rivasecca *TO* .... 59 F 14
Rivasso *AT* .... 60 J 14
Rivasso *PC* .... 51 S 14
Rivata *TO* .... 47 F 13
Rivazza *PV* .... 51 P 14
Rivazzo *MS* .... 78 U 18
Rivazzurra *RN* .... 83 AK 19
Rive *BS* .... 39 X 10
Rive *VC* .... 49 L 12
Rive *VI* .... 40 AD 9
Rive *VI* .... 41 AF 9
Rive d'Arcano *UD* .... 30 AN 7
Rivello *PZ* .... 163 BD 43
Rivera *PR* .... 65 X 16
Rivera *TO* .... 47 F 13
Rivera *TO* .... 48 H 12
Rivera *VB* .... 7 K 7
Rivere *AL* .... 61 L 16
Rivergaro *PC* .... 64 S 14
Rivette *TV* .... 28 AH 9
Rividulano *PR* .... 65 V 17
Riviera *BO* .... 81 AE 18
Riviera *PN* .... 16 AM 6
Riviera *RE* .... 66 Y 16
Riviera di Marcigliano *NA* .... 151 AV 40
Rivignano *UD* .... 30 AN 8
Rivis *UD* .... 30 AM 7
Rivisondoli *AQ* .... 123 AT 32
Rivo *UD* .... 16 AN 4
Rivò *BI* .... 34 K 9
Rivodora *TO* .... 48 H 13
Rivodutri *RI* .... 114 AM 28
Rivoira *CN* .... 71 G 18
Rivoira *TO* .... 47 E 14
Rivoira *TO* .... 33 G 11
Rivola *RA* .... 81 AF 18
Rivoli *TO* .... 47 G 13
Rivoli di Osoppo *UD* .... 16 AN 6
Rivoli Veronese *VR* .... 39 Z 10
Rivolpaio *PU* .... 88 AH 20
Rivolta d'Adda *CR* .... 37 S 11
Rivoltella *BS* .... 39 Y 11
Rivoltella *PV* .... 50 M 12
Rivoltella *VI* .... 27 AF 9
Rivolto *UD* .... 30 AN 8
Rivoreta *PT* .... 79 Z 19
Rivorte *VB* .... 7 L 7
Rivotorto *PG* .... 106 AK 25
Rivotta *UD* .... 30 AN 7
Rizza *VR* .... 40 AA 11
Rizza *VR* .... 55 AB 12
Rizzacorno *CH* .... 117 AV 30
Rizzardina *TV* .... 42 AH 9
Rizzato *RO* .... 57 AI 14
Rizziconi *RC* .... 176 BE 53
Rizzios *BL* .... 15 AJ 5
Rizzo *TP* .... 190 AH 63
Rizzoli *BG* .... 24 U 8
Rizzolo *BZ* .... 4 AE 2
Rizzolo *PC* .... 64 T 14
Rizzolo *UD* .... 30 AO 7
Rizzuto *CS* .... 170 BG 48
Ro *FE* .... 56 AF 14
Rò di Sopra *BS* .... 39 X 11
Rò di Sotto *BS* .... 39 X 11
Roa *TN* .... 27 AF 7
Roà Marenca *CN* .... 71 I 18
Roà Piana *CN* .... 71 I 18
Roana *VI* .... 27 AD 8
Roapiana *CN* .... 71 H 17
Roara *PD* .... 41 AF 10
Roarlongo *VR* .... 39 Z 11
Roaro *PD* .... 55 AE 12
Roaschia *CN* .... 71 F 18
Roascio *CN* .... 74 J 17
Roasio *VC* .... 35 K 10
Roata Chiusani *CN* .... 71 G 17
Roata Rossi *CN* .... 71 G 17
Roata Soprano *CN* .... 74 I 17
Roatta Sottana *CN* .... 74 I 17
Roatto *AT* .... 49 J 14
Robarello *VC* .... 49 K 11
Robassomero *TO* .... 47 G 12
Robbiano *MI* .... 37 Q 11
Robbiate *LC* .... 37 R 9
Robbio *PV* .... 50 M 12
Robecchetto con Induno *MI* .... 35 N 10
Robecco *LO* .... 52 S 12
Robecco d'Oglio *CR* .... 53 V 12
Robecco Pavese *PV* .... 51 P 13
Robecco sul Naviglio *MI* .... 36 O 11
Robegano *VE* .... 42 AH 10
Robella *AT* .... 49 J 13
Robella *CN* .... 59 E 16
Robella *VC* .... 49 K 12
Roberso *TO* .... 46 D 14
Roberti *VI* .... 41 AF 9
Robilante *CN* .... 71 G 18
Robini *CN* .... 61 K 15
Roboaro *AL* .... 61 L 16
Roburent *CN* .... 71 I 18
Rocca *AP* .... 107 AO 26
Rocca *AP* .... 108 AP 26
Rocca *AT* .... 49 J 13
Rocca *BL* .... 27 AF 8
Rocca *CZ* .... 175 BI 50
Rocca *GE* .... 63 R 16
Rocca *IM* .... 73 J 20
Rocca *IS* .... 131 AT 35
Rocca *LU* .... 85 Y 20
Rocca *PC* .... 64 S 15
Rocca *PC* .... 63 S 16
Rocca *PC* .... 64 U 14
Rocca *PD* .... 56 AG 12
Rocca *PR* .... 64 T 16
Rocca *PR* .... 65 W 15
Rocca *RO* .... 56 AF 14
Rocca *SV* .... 75 L 17
Rocca *TO* .... 47 E 13
Rocca *TO* .... 48 I 12
Rocca Bernarda *UD* .... 31 AP 7
Rocca Canavese *TO* .... 47 G 12
Rocca Canterano *RM* .... 120 AN 32
Rocca Ceppino *TE* .... 108 AQ 27
Rocca Cerbaia *PO* .... 86 AB 19
Rocca Ciglиè *CN* .... 74 I 17
Rocca Cilento *SA* .... 162 AZ 42
Rocca Cinquemiglia *AQ* .... 123 AT 33
Rocca Colonnalta *MC* .... 98 AO 25
Rocca Corneta *BO* .... 79 AA 18
Rocca Cranata *AR* .... 88 AH 22
Rocca da Capo *AP* .... 107 AO 26
Rocca d'Anfo *BS* .... 25 X 9
Rocca d'Arazzo *AT* .... 61 K 14
Rocca d'Arce *FR* .... 131 AQ 34
Rocca de' Baldi *CN* .... 71 H 17
Rocca de'Giorgi *PV* .... 51 Q 14
Rocca d'Evandro *CE* .... 131 AS 35
Rocca di Botte *AQ* .... 120 AN 31
Rocca di Cambio *AQ* .... 115 AP 30
Rocca di Capri Leone *ME* .... 187 AX 55
Rocca di Cave *RM* .... 120 AM 32
Rocca di Civitelle *TE* .... 108 AR 27
Rocca di Corno *RI* .... 114 AN 29
Rocca di Fondi *RI* .... 114 AN 29
Rocca di Fondi *RI* .... 114 AN 29
Rocca di Galbato *ME* .... 188 AY 54
Rocca di Mezzo *AQ* .... 115 AQ 30
Rocca di Monte Varmine *AP* .... 108 AQ 25
Rocca di Morro *AP* .... 108 AQ 27
Rocca di Neto *KR* .... 173 BL 48
Rocca di Papa *RM* .... 120 AL 33
Rocca di Roffeno *BO* .... 80 AB 18
Rocca di Sillano *PI* .... 93 AA 24
Rocca d'Orcia *SI* .... 104 AE 25
Rocca Grimalda *AL* .... 62 M 15
Rocca Imperiale *CS* .... 165 BI 43
Rocca Imperiale Marina *CS* .... 165 BI 43
Rocca Leonella *PU* .... 89 AK 22
Rocca Malatina *MO* .... 80 AA 17
Rocca Marsaglia *CN* .... 74 I 17
Rocca Massima *LT* .... 129 AM 33
Rocca Monte Calvo *AP* .... 108 AP 27
Rocca Pia *AQ* .... 122 AS 32
Rocca Pietore *BL* .... 14 AG 5

A B C D E F G H I J K L M N O P Q R S T U V W X Y Z

Rocca Pitigliana BO .... 80 AB 18
Rocca Pratiffi PU .... 88 AI 21
Rocca Priora AN .... 91 AP 22
Rocca Priora RM .... 120 AL 33
Rocca Ripesena TR .... 105 AH 27
Rocca Rossa PA .... 185 AP 55
Rocca Ruja SS .... 208 K 38
Rocca S. Stefano RM ..... 120 AN 32
Rocca San Casciano FC .. 81 AG 19
Rocca San Felice AV ...... 143 AZ 38
Rocca San Giovanni CH .. 117 AV 30
Rocca San Zenone TR .... 113 AL 28
Rocca Santa Maria MO .... 66 Z 17
Rocca Sant'Angelo PG .... 96 AK 25
Rocca Sigillina MS .... 78 U 17
Rocca Sinibalda RI .... 114 AM 30
Rocca Vecchia LE .... 159 BT 42
Roccabascerana AV .... 142 AX 37
Roccabernarda KR .... 172 BK 49
Roccabianca PR .... 53 W 13
Roccabruna CN .... 59 E 17
Roccacaramanico PE .... 122 AT 31
Roccacasale AQ .... 122 AS 31
Roccacerro AQ .... 121 AO 31
Roccadaspide SA .... 152 BA 41
Roccaferrara PR .... 65 V 17
Roccafinadamo PE .... 116 AR 29
Roccafiorita ME .... 189 BA 56
Roccaforte del Greco RC . 179 BE 55
Roccaforte Ligure AL ...... 62 P 15
Roccaforte Mondovì CN ... 71 H 18
Roccaforzata TA .... 157 BN 41
Roccafranca BS .... 38 U 11
Roccagiovine RM .... 120 AN 31
Roccagloriosa SA .... 163 BB 43
Roccagnano PG .... 96 AH 23
Roccagorga LT .... 130 AN 34
Roccaguglielma FR .... 131 AR 35
Roccalanzona PR .... 65 V 15
Roccalbegna GR .... 104 AE 27
Roccalberti LU .... 78 W 19
Roccalta SR .... 202 AY 61
Roccalumera ME .... 189 BB 56
Roccalvecce VT .... 112 AH 28
Roccamaia MC .... 107 AN 25
Roccamandolfi IS .... 132 AV 34
Roccamare GR .... 102 Z 27
Roccamena PA .... 184 AN 56
Roccamonfina CE .... 140 AS 36
Roccamorice PE .... 116 AT 30
Roccamurata PR .... 64 U 16
Roccani CZ .... 175 BJ 50

Roccanolfi PG .... 107 AN 26
Roccanova PZ .... 164 BG 42
Roccantica RI .... 113 AL 30
Roccapalumba PA .... 185 AQ 57
Roccapassa RI .... 114 AO 28
Roccapiemonte SA .... 151 AX 39
Roccapietra VC .... 34 K 9
Roccaporena PG .... 107 AM 27
Roccaprebalza PR .... 64 U 16
Roccapreturo AQ .... 115 AR 30
Roccarainola NA .... 141 AW 38
Roccaromana CE .... 141 AU 36
Roccarandisi RI .... 114 AO 30
Roccaranieri RI .... 114 AN 30
Roccaraso AQ .... 123 AT 32
Roccaravindola IS .... 132 AT 34
Roccaromana CE .... 141 AU 36
Roccasalli RI .... 107 AO 28
Roccascalegna CH .... 123 AU 31
Roccasecca FR .... 131 AR 34
Roccasecca dei Volsci LT . 130 AO 35
Roccasecca Stazione FR . 131 AQ 34
Roccasicura IS .... 132 AU 33
Roccasparvera CN .... 71 F 17
Roccaspinalveti CH .... 123 AV 32
Roccaspromonte CB ...... 133 AW 34
Roccastrada GR .... 103 AC 25
Roccatagliata GE .... 76 Q 17
Roccatamburo PG .... 107 AM 27
Roccatederighi GR .... 103 AB 25
Roccati TO .... 48 I 13
Roccavaldina ME .... 189 BB 54
Roccaverano AT .... 61 K 16
Roccavignale SV .... 74 K 17
Roccavione CN .... 71 F 18
Roccavivara CB .... 124 AW 32
Roccavivi AQ .... 121 AQ 33
Roccazzo RG .... 202 AW 61
Roccella CZ .... 175 BI 51
Roccella PA .... 191 AN 57
Roccella Ionica RC .... 177 BH 54
Roccella Valdemone ME . 188 AZ 56
Roccette TO .... 47 E 13
Rocchenere ME .... 189 BB 56
Rocchetta AL .... 61 K 16
Rocchetta AN .... 97 AM 23
Rocchetta AN .... 90 AM 21
Rocchetta AP .... 108 AR 26
Rocchetta CE .... 141 AT 36
Rocchetta CN .... 59 E 15
Rocchetta MC .... 98 AO 24

Rocchetta MO .... 80 AA 17
Rocchetta PC .... 64 T 15
Rocchetta PG .... 107 AM 27
Rocchetta RI .... 113 AJ 29
Rocchetta TP .... 191 AM 58
Rocchetta al Volturno IS . 132 AT 34
Rocchetta Belbo CN .... 61 K 16
Rocchetta Cairo SV .... 74 K 17
Rocchetta di Vara SP ...... 77 T 18
Rocchetta Ligure AL .... 63 P 15
Rocchetta Nervina IM ...... 72 G 20
Rocchetta Nuova IS .... 132 AT 34
Rocchetta Palafea AT ...... 61 L 15
Rocchetta
   Sant'Antonio FG .... 143 BB 37
Rocchetta Scalo FG ...... 144 BC 37
Rocchetta Tanaro AT .... 61 L 14
Rocchette GR .... 104 AE 27
Rocchette RI .... 113 AK 29
Rocchetti PD .... 42 AG 11
Rocchetti TN .... 27 AC 8
Rocchetti VR .... 39 Z 10
Rocchetto sul Naviglio MI . 36 Q 10
Rocchi AV .... 142 AW 37
Rocciano TE .... 108 AR 28
Rocciola RG .... 204 AX 62
Rocco BS .... 39 Y 9
Roccolo BG .... 24 V 8
Roccolo CO .... 22 O 9
Roccolo VA .... 21 M 8
Roccolo VA .... 36 N 9
Roccolo VA .... 22 O 8
Roccolo Svampa AP .... 99 AQ 24
Rochemolles TO .... 46 B 13
Roco FI .... 81 AD 18
Roda ME .... 188 AY 55
Roda TN .... 13 AE 6
Rodallo TO .... 48 I 12
Rodano MI .... 37 R 11
Roddi CN .... 60 I 15
Roddino CN .... 60 J 16
Rodeano UD .... 30 AN 7
Rodello CN .... 61 J 16
Rodello MO .... 66 Z 16
Rodeneck / Rodengo BZ .... 4 AF 3
Rodengo / Rodeneck BZ .... 4 AF 3
Rodengo BR .... 38 V 10
Rodero CO .... 22 O 9
Rodì RC .... 178 BE 56
Rodì ME .... 188 BA 55
Rodi Garganico FG .... 127 BE 32

Rodiano BO .... 80 AB 18
Rodiano MO .... 80 AA 17
Rodigo MN .... 54 Y 12
Rodina PD .... 56 AG 12
Rodio SA .... 162 BA 43
Rodocanacchi LI .... 92 X 22
Rodogno RE .... 78 X 17
Rodolo SO .... 23 T 7
Rodoretto TO .... 46 D 14
Roe BL .... 28 AH 7
Roè BS .... 39 X 10
Roeto AT .... 61 K 15
Rofelle AR .... 88 AI 21
Roffia PI .... 85 AA 21
Rofigliano SA .... 152 AZ 40
Rofrano SA .... 163 BB 42
Rogani ME .... 189 BA 56
Rogeno LC .... 36 Q 9
Roggia BL .... 14 AI 6
Roggia di Sopra VI .... 41 AD 11
Roggia di Sotto VI .... 41 AD 11
Roggiano VA .... 22 N 8
Roggiano Gravina CS .... 167 BF 46
Roggio LU .... 78 W 19
Roggio SV .... 73 J 20
Roggiolo VA .... 22 N 7
Roggione CE .... 52 T 12
Roghudi RC .... 179 BE 55
Rogliano CS .... 171 BG 48
Rognano PV .... 51 P 12
Rogno BG .... 24 V 8
Rognoni CT .... 195 AY 58
Rogolo SO .... 23 R 7
Rogoredo LC .... 37 Q 9
Rogorotto MI .... 36 O 10
Roi VC .... 20 J 8
Roia / Rojen BZ .... 2 X 3
Roiano TE .... 108 AQ 27
Roiate RM .... 120 AN 32
Roina BS .... 39 Y 9
Roio del Sangro CH ...... 123 AV 32
Roio Piano AQ .... 115 AP 30
Roisan AO .... 19 E 9
Rojen / Roia BZ .... 2 X 3
Rolasco AL .... 49 L 13
Rolassa AT .... 49 K 14
Roledo VB .... 7 K 7
Roletto TO .... 47 E 14
Roletto VB .... 20 J 8
Rolino BI .... 34 K 10
Rolle TV .... 28 AI 8
Rolletta ME .... 188 AY 55
Rollieres TO .... 46 C 14
Rollini AL .... 49 L 13
Rollo SV .... 73 J 20
Rollo SV .... 73 K 19
Rolo RE .... 66 AA 14
Roma RM .... 119 AK 32
Romaggi GE .... 76 Q 17
Romagnani CR .... 53 W 12
Romagnano PU .... 88 AI 20
Romagnano TN .... 26 AB 7
Romagnano VR .... 40 AB 10
Romagnano al Monte SA . 153 BB 40
Romagnano Sesia NO ...... 35 L 10
Romagnese PV .... 63 Q 14
Romallo TN .... 12 AB 5
Romana SS .... 213 M 41
Romana SV .... 74 K 18
Romanazzi BA .... 147 BM 38
Romandola SA .... 152 AZ 40
Romanengo CR .... 37 T 11
Romani MC .... 107 AO 25
Romani NA .... 151 AV 38
Romani RE .... 66 Z 15
Romanico VB .... 21 M 8
Romanina BI .... 34 J 10
Romaniz PN .... 15 AL 6
Romano Banco MI .... 36 Q 11
Romano Canavese TO ..... 34 I 11
Romano d'Ezzelino VI ...... 27 AF 9
Romano di Lombardia BG .. 37 T 10
Romanore MN .... 54 Z 13
Romanoro MO .... 79 Y 18
Romans UD .... 30 AN 8
Romans d'Isonzo GO .... 31 AP 8
Romanziol VE .... 43 AK 9
Romatisi CZ .... 174 BG 51
Romazzano PG .... 106 AJ 27
Romazzino OT .... 211 S 37
Rombiolo VV .... 174 BF 52
Romeggio PG .... 96 AJ 24
Romeno TN .... 12 AB 5
Romentino NO .... 35 N 11
Romera PV .... 51 P 13
Rometta ME .... 189 BB 54

Rometta MS .... 78 V 18
Rometta VC .... 34 K 11
Rometta Marea ME .... 189 BB 54
Romezzano PR .... 63 S 16
Romita FI .... 86 AC 22
Romitello PA .... 183 AN 55
Romiti BN .... 133 AY 35
Romito Magra SP .... 78 U 19
Romitorio LU .... 85 Y 20
Romitorio RM .... 120 AK 31
Romola FI .... 86 AB 21
Romola PC .... 64 S 14
Romprezzagno CR .... 53 X 13
Romperein AO .... 32 E 9
Romprezzagno CR .... 53 X 13
Ronago CO .... 22 O 9
Ronc AO .... 18 E 9
Roncà VR .... 40 AC 11
Roncaccio VA .... 22 O 8
Roncaciso RE .... 79 X 17
Roncade TV .... 43 AJ 10
Roncadella RE .... 66 Z 16
Roncadelle BS .... 38 V 10
Roncadelle TV .... 43 AJ 9
Roncadello CR .... 53 X 14
Roncadello FC .... 82 AH 18
Roncadello VI .... 41 AE 9
Roncadello D'adda CR .... 51 S 11
Roncagli IM .... 73 J 20
Roncaglia AL .... 49 L 13
Roncaglia CN .... 59 G 15
Roncaglia CN .... 60 I 16
Roncaglia PC .... 52 T 13
Roncaglia PU .... 89 AM 20
Roncaglia PV .... 90 AM 21
Roncaglia SO .... 23 S 6
Roncaglia TO .... 47 F 13
Roncaglia TO .... 60 I 14
Roncaglia VA .... 35 N 9
Roncaglia VI .... 41 AE 9
Roncaglia Entro BG .... 23 S 8
Roncaglia-Case
   di Sopra PU .... 90 AM 22
Roncaglie PD .... 42 AG 11
Roncalceci RA .... 82 AH 17
Roncali BZ .... 4 AE 3
Roncalto VI .... 27 AD 8
Roncan BL .... 29 AI 7
Roncanova VR .... 55 AB 13
Roncaro PV .... 51 Q 12
Roncarolo PC .... 52 U 13
Roncastaldo BO .... 80 AC 18
Roncegno TN .... 27 AD 7
Roncello MB .... 37 R 10
Ronch BL .... 14 AG 5
Ronch TN .... 13 AF 5
Ronch de' Buos BL .... 14 AH 6
Ronche CR .... 52 U 11
Ronche PN .... 29 AJ 8
Ronche VE .... 43 AK 10
Ronche VI .... 41 AE 11
Ronchetti PR .... 65 W 14
Ronchetto CO .... 36 O 9
Ronchetto VA .... 22 N 8
Ronchetto delle Rane MI . 36 Q 11
Ronchi AT .... 61 K 14
Ronchi BO .... 67 AB 15
Ronchi BS .... 39 Y 11
Ronchi BZ .... 4 AE 3
Ronchi CN .... 71 G 17
Ronchi LO .... 52 T 13
Ronchi MN .... 55 AB 13
Ronchi MN .... 53 Y 13
Ronchi MN .... 54 Z 14
Ronchi MO .... 79 Z 17
Ronchi PC .... 63 Q 14
Ronchi PC .... 64 T 15
Ronchi PD .... 42 AG 10
Ronchi PD .... 56 AG 12
Ronchi PD .... 42 AH 10
Ronchi PG .... 96 AI 23
Ronchi RE .... 66 AA 14
Ronchi SO .... 24 U 7
Ronchi SV .... 74 K 18
Ronchi TN .... 26 AB 7
Ronchi TN .... 40 AB 9
Ronchi TN .... 13 AF 5
Ronchi TO .... 33 G 11
Ronchi UD .... 30 AO 8
Ronchi VA .... 39 AP 9
Ronchi VC .... 20 J 8
Ronchi VC .... 48 J 12

Ronchi VE .... 30 AM 9
Ronchi VI .... 40 AC 9
Ronchi VI .... 27 AE 8
Ronchi VI .... 27 AE 9
Ronchi VR .... 55 AC 12
Ronchi VR .... 55 AD 12
Ronchi VR .... 39 Z 10
Ronchi VR .... 39 Z 11
Ronchi / Rungg BZ .... 12 AC 5
Ronchi dei Legionari GO .. 31 AQ 9
Ronchi di Bagnarola BO .. 68 AE 16
Ronchi Valsugana TN ...... 27 AD 7
Ronchiettis UD .... 30 AO 8
Ronchis UD .... 30 AM 9
Ronchis UD .... 30 AO 7
Roncigliano RM .... 119 AJ 31
Ronciglione VT .... 112 AI 30
Roncitelli AN .... 90 AN 21
Ronco AL .... 63 P 15
Ronco BG .... 24 V 7
Ronco BI .... 34 K 10
Ronco BL .... 14 AH 4
Ronco BO .... 81 AE 18
Ronco BS .... 38 V 10
Ronco BS .... 25 W 6
Ronco BS .... 39 X 10
Ronco BZ .... 4 AF 3
Ronco BZ .... 4 AG 4
Ronco CO .... 22 O 8
Ronco CO .... 36 P 9
Ronco FC .... 52 U 11
Ronco FC .... 82 AH 18
Ronco GE .... 75 O 17
Ronco NO .... 21 L 9
Ronco PC .... 64 T 14
Ronco PD .... 41 AF 10
Ronco PD .... 56 AF 12
Ronco RA .... 82 AG 18
Ronco SV .... 75 M 17
Ronco TN .... 27 AF 7
Ronco VB .... 21 M 8
Ronco all'Adige VR .... 55 AC 11
Ronco Biellese BI .... 34 J 10
Ronco Briantino MB .... 37 R 10
Ronco Campo Canetto PR . 65 W 14
Ronco Canavese TO .... 33 G 11
Ronco Scrivia GE .... 62 O 16
Roncobello BG .... 24 T 8
Roncobello VI .... 27 AF 8
Roncobertolo BO .... 80 AC 18
Roncobilaccio BO .... 80 AC 19
Roncocesi RE .... 66 Y 15
Roncoferraro MN .... 54 AA 13
Roncofreddo FC .... 82 AI 19
Roncogennaro AL .... 61 L 15
Roncola BG .... 37 S 9
Roncole VC .... 34 K 9
Roncole Verdi PR .... 53 V 14
Roncoleva VR .... 54 AA 12
Roncolo RE .... 65 X 16
Roncolongo PR .... 65 V 16
Roncone TN .... 25 Z 8
Ronconi VR .... 40 AA 10
Roncopascolo PR .... 65 W 14
Roncosambaccio PU .... 90 AM 20
Roncostorto VE .... 57 AH 13
Roncovetro RE .... 65 X 16
Roncroffio RE .... 65 X 17
Rondanina GE .... 63 Q 16
Rondellini GR .... 104 AE 26
Rondissone TO .... 48 I 12
Rondole VI .... 41 AD 11
Rondon GO .... 31 AP 9
Rondotto BS .... 39 Y 11
Rondover PN .... 29 AK 8
Rong AO .... 34 H 9
Rongio BI .... 34 K 10
Rongolise CE .... 140 AS 36
Ronta FC .... 82 AI 18
Ronta FI .... 87 AD 19
Rontagnano FC .... 88 AI 20
Rontano LU .... 78 X 19
Ronti PG .... 96 AH 23
Ronzano AR .... 95 AG 24
Ronzano TE .... 115 AR 28
Ronzini CT .... 197 AZ 58
Ronzino PZ .... 163 BD 43
Ronzo TN .... 26 AA 8
Ronzone TN .... 12 AB 5
Ropaga AP .... 108 AP 26

CESENATICO

RIMINI

0 ——— 400 m

MARE ADRIATICO

PARCO
F. Fellini

ZONA

AL MARE

PIAZZALE
Kennedy

Marvelli

BICCIONE

A14 : BOLOGNA, FORLI
RAVENNA, VIA ADRIATICA

PARCO
XXV APRILE

Pte di
Tiberio

P 288 : VERUCCHIO
SAN SEPOLCRO

PALAZZO
DEI CONGRESSI

PALAZZETTO
DELLO SPORT

S. MARINO

S 16 : AEROPORTO
S 72 : S. MARINO
A 14 : PESARO

B
Augusto (Cso d') .... AZ 2
Bastioni Settentrionale (V.) . AYZ 3
Cavour (Pza) .... AZ 4
Clementini (V.) .... BZ 6
Galeria (V. C.) .... BZ 7
Giovanni XXIII (Cso) .... AYZ 8
Giulio Cesare (Largo) .... AZ 9
Principe Amedeo (V.) .... BY
Rodi (Viale) .... ABY 10
Serpieri (V.) .... AZ 12
Tempio Malatestaino (V.) ..... AZ 14
Tonini (V. L.) .... AZ 15
Verdi (V. G.) .... AZ 19
4 Novembre (V.) .... AZ

Tempio Malatestiano ...... AZ A

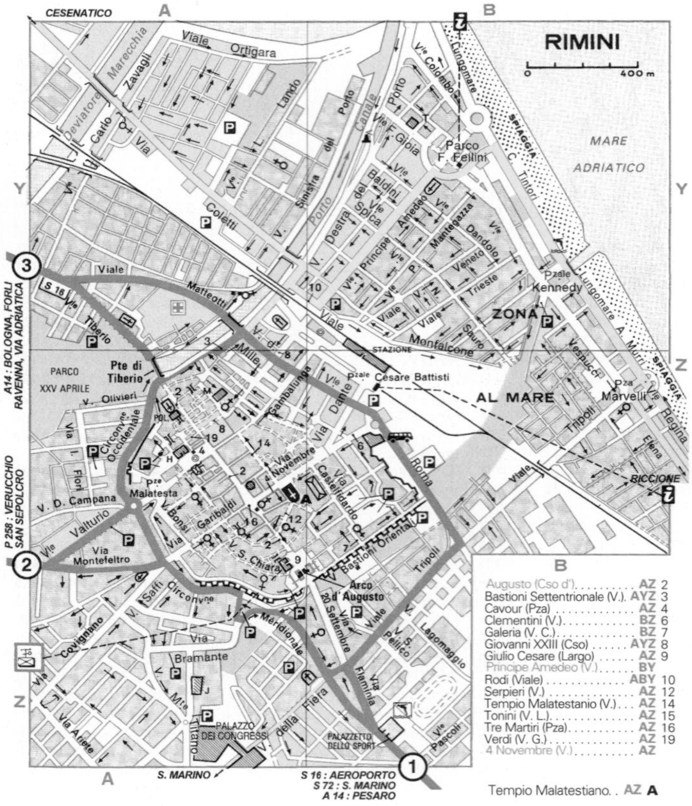

Roppa *UD*.....................15 AK 5
Roppe *PN*.....................15 AK 6
Roppolo *BI*...................34 J 11
Rora *TO*........................59 E 15
Roracco *CN*.................71 H 17
Rorai Piccolo *PN*.......29 AK 8
Rore *CN*.......................59 E 16
Roreto Chisone *TO*...47 D 14
Rosa *PN*.......................30 AM 8
Rosà *VI*.........................41 AF 9
Rosa Marina *BR*.......148 BO 39
Rosa Marina *LE*........159 BS 41
Rosagnoli *TO*..............47 G 12
Rosaine *SA*................162 AY 42
Rosala *NO*....................35 N 11
Rosali *RC*..................189 BD 54
Rosaneto *CS*.............163 BD 44
Rosanisco *FR*............131 AR 34
Rosaniti *RC*...............178 BD 54
Rosano *AL*...................62 O 14
Rosano *AL*...................63 P 16
Rosano *FI*....................87 AD 21
Rosano *RE*...................78 X 17
Rosapineta *RO*...........57 AI 13
Rosara *AP*..................108 AQ 26
Rosara *PD*...................57 AH 12
Rosara *PV*....................63 Q 14
Rosario *CS*...............170 BG 48
Rosario *FE*...................55 AD 14
Rosario *MN*.................54 AB 14
Rosario *VI*....................41 AF 9
Rosarno *RC*...............176 BE 53
Rosaro *TR*.................106 AJ 27
Rosarolo *VB*................21 K 8
Rosasco *GE*.................76 Q 17
Rosasco *PV*.................50 M 12
Rosate *MI*....................50 P 11
Rosazza *BI*...................34 I 9
Rosazzo *UD*.................31 AP 7
Rosceto *PG*...............106 AJ 27
Roscia *AQ*.................121 AP 32
Rosciano *BG*...............37 S 9
Rosciano *PE*.............116 AT 30
Rosciano *PU*................88 AI 20
Rosciano *PU*................90 AM 21
Rosciano *TR*.............114 AL 28
Rosciavizza *CH*........117 AV 30
Roscigno *SA*.............152 AY 39
Roscigno *SA*.............153 BB 41
Rosciolo dei Marsi *AQ*...121 AP 31
Rose *CS*.....................167 BG 47
Rose *RI*......................114 AN 28
Rosegaferro *VR*...........54 Z 11
Roselle Modica *RG*...205 AY 63
Roselli *FR*..................131 AR 34
Roselli *PG*.................106 AK 27
Rosello *CH*................123 AV 32
Rosenga *AN*.................97 AM 23
Rosennano *SI*..............94 AE 23
Roseto Capo Spulico *CS*..165 BI 44
Roseto degli Abruzzi *TE*.109 AT 27
Roseto Marina *CS*....165 BI 44
Roseto Valfortore *FG*....134 AZ 35
Rosi *PC*.......................64 U 15
Rosia *SI*......................94 AC 24
Rosica *SO*.....................9 T 6
Rosignano Marittimo *LI*....92 X 23
Rosignano Monferrato *AL*..49 L 13
Rosignano Solvay *LI*....92 X 23
Rosina *AR*....................88 AG 21
Rosingo *AL*..................49 K 13
Rosio *MI*......................36 O 11
Rosito *KR*..................173 BL 50
Rosito *RC*..................177 BI 53
Rosna *BL*.....................27 AF 7
Rosola *MO*...................80 AA 18
Rosole *AV*..................143 AZ 38
Rosolina *RO*................57 AI 13
Rosolina Mare *RO*.......57 AI 13
Rosolini *SR*...............205 AY 63
Rosolotti *VR*................39 Z 11
Rosone *TO*...................33 F 11
Rosora *AN*....................97 AN 23
Ross *PN*.......................16 AM 6
Rossa *BS*.....................38 U 11
Rossa *VC*......................20 J 9
Rossaga *VA*..................22 O 8
Rossana *CN*.................59 F 16
Rossano *CS*...............168 BI 46
Rossano *MS*.................77 T 18
Rossano Stazione *CS*..168 BI 46
Rossano Veneto *VI*......41 AF 9
Rossarola *PC*...............63 R 15
Rossato *TO*...................47 F 12
Rosselli *CE*................141 AU 38
Rossellina *ME*............189 BA 55

Rossena *RE*.................65 X 16
Rossetta *RA*.................68 AH 17
Rossi *AT*......................49 L 14
Rossi *CN*......................60 I 16
Rossi *GE*......................63 P 17
Rossi *NA*....................151 AV 38
Rossi *PR*......................64 T 16
Rossi *PR*......................64 U 15
Rossi *SV*......................73 J 19
Rossi *SV*......................74 K 18
Rossi *VI*.......................40 AC 9
Rossi *VI*.......................27 AD 8
Rossiglione *GE*............62 N 16
Rossignago *VE*............42 AH 10
Rossignolo *PD*.............41 AF 10
Rossillo *CS*...............167 BG 46
Rossina *LE*................160 BR 43
Rossoio *PI*....................87 AE 20
Rossone *PV*..................63 Q 14
Rosta *TO*.....................47 F 13
Rosta *VR*......................55 AC 13
Rosta *VR*......................55 AD 13
Rostagni *TO*.................59 E 14
Rostio *GE*.....................76 Q 18
Rota *RM*.....................118 AH 31
Rota *TR*......................105 AI 27
Rota *VR*........................40 AB 11
Rota Dentro *BG*...........23 S 8
Rota Fuori *BG*.............23 S 9
Rota Greca *CS*..........167 BF 47
Rotacesta *PE*............116 AS 29
Rotale *PZ*...................163 BD 43
Roteglia *RE*..................66 Z 17
Rotella *AP*..................108 AQ 26
Rotelle *CH*.................117 AV 30
Rotelli *MC*....................98 AQ 24
Rotello *CB*.................125 AZ 33
Roti *MC*......................107 AN 25
Rotola *BN*...................142 AX 37
Rotonda *AT*..................61 J 14
Rotonda *PZ*................164 BF 44
Rotondella *MT*...........165 BH 44
Rotondella *PZ*............163 BD 43
Rotondi *AV*.................142 AW 37
Rotondo *MI*..................37 R 11
Rotone *PT*....................86 AA 20
Rotorscio *AN*...............97 AN 23
Rotta *FC*......................82 AH 18
Rotta *MN*.....................54 Z 12
Rotta *PC*......................52 U 13
Rotta *PV*......................51 P 13
Rotta *VE*......................43 AL 9
Rottanova *VE*..............56 AH 13
Rottofreno *PC*.............52 S 13
Rottole *FE*....................68 AE 15
Rotzo *VI*.......................27 AD 8
Rovagnate *LC*..............37 R 9
Rovale *CS*..................171 BI 48
Rovarè *TV*....................43 AJ 9
Rovasco *CO*.................22 P 8
Rovasenda *VC*.............35 K 10
Rovate *VA*....................36 O 9
Rovato *BS*....................38 U 10
Roveda *TN*...................27 AC 7
Rovedaro *LO*................52 T 12
Rovegliana *VI*...............40 AC 9
Rovegno *GE*.................63 Q 16

Rovegro *VB*..................21 L 8
Roveleto *PC*.................52 S 14
Roveleto *PC*.................52 U 14
Rovesca *VB*....................6 J 7
Rovella *CS*.................171 BG 48
Rovellasca *CO*.............36 P 9
Rovello Porro *CO*.........36 P 9
Rovenaud *AO*...............32 E 10
Rovenna *CO*.................22 P 8
Rover *TN*......................13 AD 6
Roverè della Luna *TN*...12 AC 6
Roverbella *MN*.............37 N 11
Roverbella *MN*.............54 Z 12
Roverchiara *VR*...........55 AC 12
Roverchiaretta *VR*.......55 AC 12
Rovere *BS*....................38 V 10
Rovere *FC*....................82 AG 18
Rovere *MN*...................55 AC 13
Rovere *SV*....................74 L 18
Ròvere *AQ*..................115 AQ 30
Rovere Veronese *VR*....40 AB 10
Roveredo *UD*................30 AM 8
Roveredo *UD*................30 AM 8
Roveredo *UD*................16 AO 5
Roveredo di Guà *VR*....55 AD 12
Roveredo in Piano *PN*..29 AK 7
Rovereto *CR*.................52 S 12
Rovereto *FE*..................68 AG 15
Rovereto *GE*.................77 R 18
Rovereto *PC*.................63 R 16
Rovereto *TN*.................26 AB 8
Rovereto Chiesa *AL*.....62 N 15
Rovereto sul Secchia *MO*.66 AA 14
Roversano *FC*...............82 AI 19

Roversella *MN*.............55 AC 14
Roversola *VR*...............55 AB 11
Rovescala *PV*...............51 R 13
Roveta *FI*......................86 AB 21
Rovetino *AP*...............108 AQ 26
Roveto *SR*..................205 AZ 63
Rovetta *BG*...................24 U 8
Rovettazzo *CT*............197 BA 57
Roviano *RM*...............120 AM 31
Roviasca *SV*.................74 L 18
Roviera *CN*...................70 D 18
Rovigliano *PG*..............96 AH 23
Roviglieto *PG*.............106 AL 26
Rovigo *RO*....................56 AF 13
Rovina *PR*.....................64 T 15
Rovinaglia *PR*...............77 T 17
Rovinato *LI*.................102 Y 25
Rovito *CS*...................171 BG 48
Rovitolo *AP*................108 AO 26
Rovittello *CT*..............197 BA 57
Rovittello *CT*..............197 AZ 56
Rovizza *VR*...................39 Y 11
Rovolon *PD*..................41 AE 11
Rovole *VI*.....................27 AF 9
Rozzampia *VI*...............41 AE 9
Rozzano *MI*..................51 P 11
Rua Bernardo *CN*.........71 F 17
Rua Croce *CN*..............59 E 15
Ruà del Prato *CN*.........59 E 17
Rua di Feletto *TV*..........28 AI 8
Rualis *UD*.....................31 AP 7
Rualp *TN*......................13 AF 5
Ruano *MC*.....................99 AQ 24
Ruari *VI*........................27 AC 9

Ruata *CN*......................58 E 15
Ruata *TO*......................47 E 14
Ruata del Re *CN*..........59 F 16
Ruata Eandi *CN*...........59 G 16
Ruatela *BA*.................136 BF 36
Ruballa *FI*.....................86 AB 22
Rubano *PD*...................41 AF 11
Rubattorno *PT*..............86 AA 20
Rubbianello *AP*.............99 AR 25
Rubbiano *AP*...............107 AO 26
Rubbiano *CR*................52 S 12
Rubbiano *MO*...............79 Y 17
Rubbiano *PR*.................65 V 15
Rubbiara *MO*................66 AB 16
Rubbio *VI*.....................27 AE 9
Rubiana *TO*..................47 F 13
Rubiana *VR*..................39 Z 10
Rubianetta *TO*..............47 G 13
Rubiera *RE*...................66 Z 16
Rubignacco *UD*............31 AP 7
Rubina *RC*..................177 BG 53
Rubizzano *BO*..............43 AD 15
Rubone *MI*...................36 N 11
Rucavà *BL*...................14 AG 5
Ruccoli *CS*.................170 BF 49
Rucigno *FI*....................87 AE 21
Rucorno *BS*..................38 U 11
Ruda *UD*......................31 AP 8
Rudalza *OT*................211 S 37
Rudiano *BS*..................38 U 11
Rue *TO*........................59 E 14
Rueglio *TO*...................33 H 11
Rufelli *RM*..................129 AK 33
Ruffano *LE*.................161 BS 44
Ruffia *CN*.....................59 G 15

A B C D E F G H I J K L M N O P Q R S T U V W X Y Z

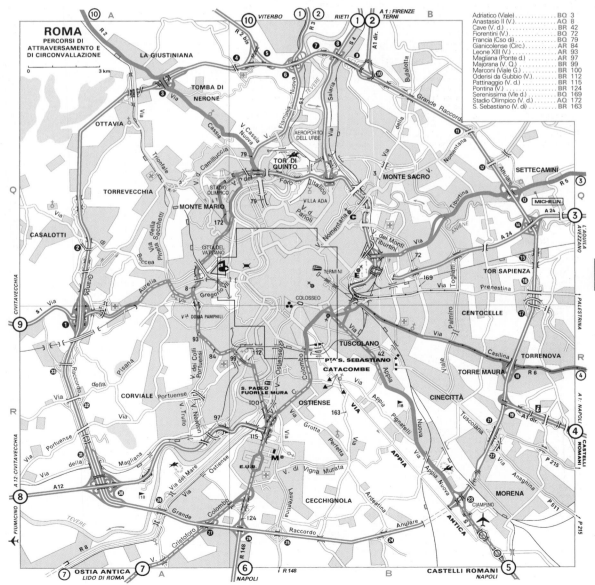

ROMA
PERCORSI DI
ATTRAVERSAMENTO E
DI CIRCONVALLAZIONE

Adriatico (Viale) . . . . BQ 3
Anastasio II (V.) . . . . AQ 8
Cave (V. d.) . . . . BR 42
Fiorentini (V.) . . . . BQ 72
Francia (Cso d.) . . . . BQ 79
Gianicolense (Circ.) . . . . AR 84
Leone XIII (V.) . . . . AR 93
Magliana (Ponte d.) . . . . AR 97
Majorana (V. Q.) . . . . BR 99
Marconi (Viale G.) . . . . BR 100
Oderisi da Gubbio (V.) . . . . . . BR 112
Pattinaggio (V. d.) . . . . BR 115
Pontina (V.) . . . . BR 124
Serenissima (Vie d.) . . . . BR 169
Stadio Olimpico (V. d.) . . . . . AQ 172
S. Sebastiano (V. di) . . . . BR 163

ROMA
MUSEO NAZ. DI VILLA GIULIA
GALLERIA NAZ. D'ARTE MODERNA
GALLERIA BORGHESE
VILLA BORGHESE
VILLA ALBANI
Pza DEL POPOLO
Pincio
Villa Medici
TRINITÀ DEI MONTI
Pza DI SPAGNA
Mausoleo di Augusto
MUSEI VATICANI
GIARDINI VATICANI
CASTEL S. ANGELO
Pza S. PIETRO
S. PIETRO
Palazzo di Montecitorio
Pza COLONNA
FONTANA DI TREVI
PAL. DEL QUIRINALE
PAL. BARBERINI
S. MARIA D. VITTORIA
Terme di Diocleziano
Pza d. Repubblica
Pza dei Cinquecento
PAL. MASSIMO
TERMINI
Pza NAVONA
PANTHEON
CHIESA NUOVA
PALAZZO D. CANCELLERIA
Pza CAMPO D. FIORI
PALAZZO FARNESE
PAL. SPADA
GESÙ
AREA SACRA
Pza VENEZIA
Vittoriano
FORI IMPERIALI
MTE VIMINALE
S. MARIA MAGGIORE
MTE ESQUILINO
S. PIETRO IN VINCOLI
DOMUS AUREA
VILLA FARNESINA
Palazzo Corsini
GIANICOLO
CAMPIDOGLIO
FORO ROMANO
COLOSSEO
ARCO DI COSTANTINO
S. CLEMENTE
ISOLA TIBERINA
S. MARIA IN TRASTEVERE
S. CECILIA IN TRASTEVERE
TRASTEVERE
S. PIETRO IN MONTORIO
VILLA DORIA PAMPHILI
S. MARIA IN COSMEDIN
PALATINO
Circo Massimo
PARCO D. CELIO
Pza S. Giovanni in Laterano
Scala Santa
BATTISTERO
Pal. Lateranense
SAN GIOVANNI IN LATERANO
MTE CELIO
S. SABINA
MTE AVENTINO
TERME DI CARACALLA
Pza Albania
PTA S. PAOLO
Piramide
PTA LATINA
PTA ARDEATINA
PTA S. SEBASTIANO
San Paolo Fuori le Mura
E.U.R.
Catacombe
Via Appia Antica
S. Lorenzo Fuori le Mura

ROMA

S

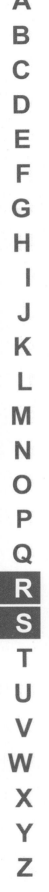

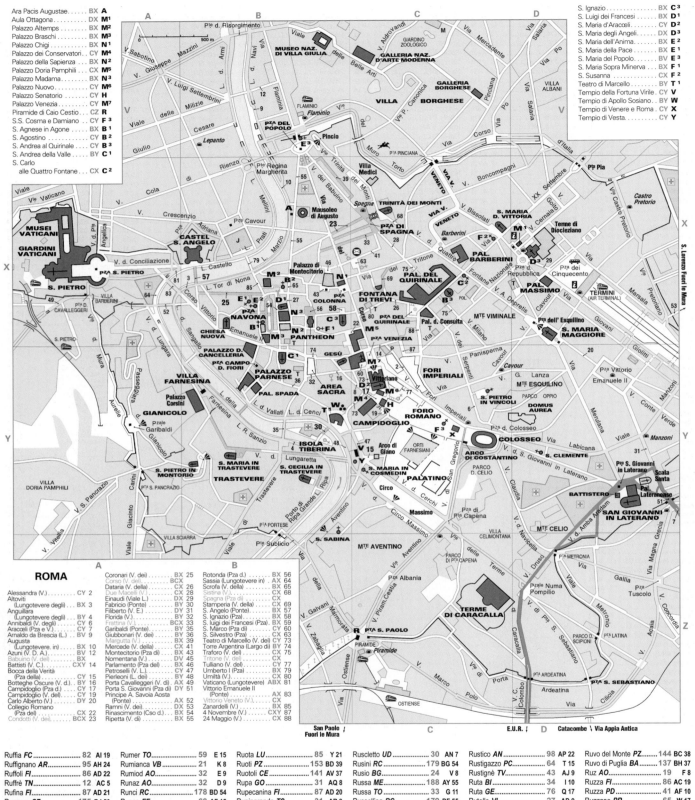

Sa Istrana OT 210 R 38
Sa Lumenera OR 212 L 42
Sa Marigosa OR 216 L 43
Sa Mela SS 209 O 39
Sa Perda Longa CA 225 O 50
Sa Perda Pera OG 223 S 45
Sa Portedda CA 225 N 50
Sa Segada SS 212 K 40
Sa Serra OT 210 R 39
Sa Sia SS 210 P 39
Sa Stallada VS 221 O 46
Sa Tanca 'e Sa Idda NU 213 O 42
Sa Zeppara VS 221 M 46
Sabadi CA 227 R 48
Sabatara CS 166 BE 46
Sabatella SA 152 AZ 41
Sabatini TA 157 BM 40
Sabatino FR 130 AP 34
Sabaudia LT 138 AN 36
Sabbia VC 21 K 8
Sabbieta MC 98 AN 24
Sabbio Chiese BS 39 X 10
Sabbion VR 55 AD 12
Sabbionara TN 40 AA 9
Sabbioncello San Pietro FE 68 AF 14
Sabbione FE 67 AD 14
Sabbione PV 51 P 12
Sabbione RE 66 Z 16
Sabbionera-
Breda Franca BS 38 U 11
Sabbioneta MN 53 X 14
Sabbioni BO 80 AC 18
Sabbioni FE 56 AF 14
Sabbioni RO 57 AH 14
Sabbiuno BO 67 AD 16
Sabioncello San Vittore FE 68 AF 14
Sabionera BS 38 V 10
Sacca BS 24 W 8
Sacca MN 54 AA 13
Sacca MN 54 Y 12
Sacca PR 53 X 14
Sacca VE 43 AL 10
Saccavezza VR 55 AB 12
Sacchetta PR 53 X 14
Saccione AR 95 AG 23
Sacco BL 15 AJ 5
Sacco BZ 4 AD 3
Sacco BZ 4 AE 3
Sacco CO 36 P 9
Sacco RI 114 AN 28
Sacco SA 153 BB 41
Sacco SO 23 S 7
Sacco TN 26 AB 8
Saccol TV 28 AH 8
Saccolongo PD 41 AF 11
Saccon BL 28 AI 7
Saccona TO 47 F 12
Sacconago VA 36 O 10
Saccone TN 26 AA 9
Sacconi AV 142 AX 38
Sacconi CN 71 H 18
Saccovescio PG 107 AN 26
Saccuti RC 179 BF 55
Sacerno BO 67 AC 16
Sachet BL 14 AG 5
Sacile PN 29 AJ 8
Saciletto UD 31 AP 8
Saclaro TO 34 H 10
S'Acqua Callenti CI 225 N 49
Sacramento PU 90 AM 21
Sacri Cuori AP 99 AR 25
Sacro Cuore CT 195 AY 57
Sacro Cuore VI 41 AF 9
Sacrofano RM 119 AJ 31
Sacudello PN 30 AM 8
Sadali CA 218 Q 45
Sadleri TN 26 AC 8
Sadurano BO 80 AD 18
Sadurano FC 82 AG 19
Safforze BL 28 AI 6
Sagama OR 213 M 42
Sagarote CS 166 BE 45
Saggese NA 150 AV 38
Sagginale FI 87 AD 20
Sagliano PV 63 P 14
Sagliano Micca BI 34 J 10
Sagliasco NO 35 L 9
Saglieta BN 142 AY 37
Sagno VI 40 AC 9
Sagrado GO 31 AP 8
Sagrati RO 57 AH 13
Sagron TN 28 AG 6
Saguccio RC 178 BE 55
Saguedo RO 56 AE 13
Saiaccio FC 88 AH 20
Saiano FC 82 AI 19
Saiano BR 38 V 10
Saiatine ME 188 AZ 55
Saie CT 202 AW 60
Sailetto MN 54 Z 13
Saint Denis AO 33 G 9
Saint Gree CN 74 I 18
Saint Jacques AO 19 H 8
Saint Marcel AO 33 F 9
Saint Maurice AO 32 E 9
Saint Oyen AO 18 E 9
Saint Pierre AO 32 E 9
Saint-Rhémy-en-Bosses AO 18 E 8
Saint-Vincent AO 33 G 9
Sairano PV 51 P 13
Saitta RG 204 AY 62
Saitta-Dromo RC 179 BG 54
Saittì TE 108 AR 27
Sala AP 108 AP 27
Sala AP 108 AQ 25
Sala AR 87 AF 21
Sala AV 142 AY 37
Sala AV 142 AY 38
Sala AV 142 AY 38
Sala BL 14 AG 4
Sala CE 141 AU 37
Sala FC 83 AJ 19
Sala FI 86 AA 22
Sala LU 85 Y 19
Sala MC 98 AN 25
Sala PC 64 S 15
Sala PR 53 W 14
Sala PV 63 Q 15
Sala RC 177 BH 53
Sala RI 114 AM 29
Sala RI 114 AN 28
Sala SA 151 AW 39
Sala TO 47 F 13
Sala TR 105 AH 27
Sala TV 42 AH 9
Sala Baganza PR 65 W 15
Sala Biellese BI 34 I 10
Sala Bolognese BO 67 AC 16
Sala Comacina CO 22 P 8
Sala Consilina SA 153 BC 41
Sala Mandelli PC 51 R 14
Sala Monferrato AL 49 L 13
Salaci PA 186 AT 57
Salaiola GR 104 AE 26
Salamina BR 147 BN 39
Salamina BR 147 BN 39
Salandra MT 155 BG 40
Salaparuta TP 191 AM 57
Salaparuta TP 191 AN 57
Salapreti LU 84 W 20
Salara AP 108 AQ 26
Salara LU 79 X 18
Salara RO 55 AD 14
Salarona ME 187 AW 55
Salasco VC 49 K 12
Salasio TO 60 H 14
Salassa TO 48 H 11
Salata GE 63 P 16
Salbertrand TO 46 C 13
Salboro PD 42 AG 11
Salce BL 28 AI 7
Salce CH 123 AV 33
Salcedo VI 41 AE 9
Salceto PU 88 AI 20
Salcheto SI 95 AG 25
Salci PG 105 AG 26
Salciaroli CH 117 AV 30
Salcito CB 124 AW 33
Sale AL 50 N 14
Sale BS 38 V 10
Sale VB 7 L 6
Sale VR 40 AA 10
Sale delle Langhe CN 74 J 17
Sale Marasino BS 38 V 9
Sale San Giovanni CN 74 J 17
Salecchio FI 81 AE 19
Salecchio Inf. VB 7 L 6
Salecchio Sup. VB 7 L 6
Salella CZ 177 BH 52
Salemi CT 197 AZ 58
Salemi TP 183 AL 57
Salento SA 162 BA 42
Salenzano FI 86 AC 20
Salera CB 132 AW 34
Salera VB 7 L 6
Salerano Canavese TO 34 I 11
Salerano sul Lambro LO 51 R 12
Salere AT 61 K 15
Salerna PA 194 AT 57
Salerno CS 168 BH 47
Salerno SA 151 AX 39
Sales TS 31 AR 9
Saletta FE 56 AF 14
Saletta MC 98 AP 25
Saletta NA 151 AW 39
Saletta RI 107 AO 27
Saletta TO 47 E 12
Saletta VC 49 L 12
Salette AP 99 AR 24
Salette VR 54 AA 12
Saletti TE 116 AS 28
Saletto BO 67 AD 16
Saletto PD 55 AE 12
Saletto PD 42 AG 11
Saletto PN 30 AM 8
Saletto TV 43 AJ 9
Saletto UD 16 AO 5
Saletto UD 17 AP 5
Saletto / Wieden BZ 4 AE 2
Salettuol TV 42 AI 9
Salgareda TV 43 AJ 9
Salgaro PD 42 AG 11
Sali Vercellese VC 49 K 12
Saliano CS 171 BH 48
Salica KR 173 BL 49
Salice CS 170 BF 48
Salice CS 170 BF 48
Salice CZ 171 BG 49
Salice CZ 170 BG 49
Salice CZ 171 BH 50
Salice ME 189 BB 54
Salice SA 162 BA 42
Salice Salentino LE 158 BQ 41
Salice Terme PV 62 P 14
Saliceto CN 60 I 15
Saliceto CN 74 K 17
Saliceto ME 188 AY 55
Saliceto PC 64 U 14
Saliceto PC 52 U 14
Saliceto PR 64 T 16
Saliceto PR 65 W 16
Saliceto VC 21 K 8
Saliceto Buzzalino MO 66 AA 15
Saliceto Parano MO 66 AA 16
Salicetti CS 168 BH 45
Salici CS 168 BH 46
Salicuneta SA 162 BA 42
Salietto IS 132 AU 34
Salignano LE 161 BT 44
Salimati CS 166 BF 47
Salina MN 54 Y 14
Salina PA 185 AQ 55
Salinà ME 188 AY 55
Salina Bamba NU 211 T 38
Saline AT 61 K 15
Saline MC 98 AP 25
Saline PD 56 AE 12
Saline PD 56 AF 12
Saline RO 56 AF 13
Saline RO 56 AG 13
Saline VR 40 AA 10
Saline VT 118 AF 30
Saline di Volterra PI 93 Z 23
Saline Ioniche RC 178 BD 56
Salinedda NU 211 T 38
Salinella KR 172 BK 48
Salinella PA 186 AT 57
Salinella RG 204 AX 62
Salinelle BR 158 BO 41
Salino GE 77 R 17
Salino IM 73 J 19
Salino SP 77 S 18
Salino UD 16 AN 4
Salinola BR 148 BO 39
Salionze VR 39 Z 11
Salirod AO 33 H 9
Salisano RI 113 AL 30
Salita LU 85 Y 19
Salitto SA 152 AZ 39
Salitto SA 153 BA 39
Salivoli LI 102 Y 26
Salizzole VR 55 AB 12
Salle PE 116 AS 30
Salle Vecchia PE 116 AS 30
Salleret AO 33 G 10
Salmaregia PG 97 AM 24
Salmaso PD 42 AG 11
Salmour CN 60 H 16
Salò BS 39 Y 10
Salogni AL 63 Q 15
Salomino VC 49 J 11
Salomone PU 90 AM 21
Salonetto / Schlaneid BZ 12 AC 4
Salorno / Salurn BZ 12 AC 6
Salponada TV 43 AJ 9
Salsan BL 28 AH 7
Salse IM 72 H 19
Salso PR 65 V 14
Salsomaggiore Terme PR 64 U 15
Salsominore PC 63 R 16
Salt UD 30 AO 7
Salt / Salto BZ 12 Z 4
Saltalfabbro SI 94 AE 24
Saltara PU 90 AM 21
Saltaus / Saltusio BZ 3 AC 3
Salter TN 12 AB 5
Salterana SP 77 S 17
Salterana VC 34 J 9
Saltino FI 87 AE 21
Saltino MO 79 Y 17
Saltirana VA 21 N 8
Salto BZ 3 AB 2
Salto GE 63 Q 17
Salto MO 80 AA 18
Salto TO 33 G 11
Salto / Salt BZ 12 Z 4
Salto Chiesa GE 76 Q 17
Salto Covino LT 138 AP 36
Saltore TV 42 AI 9
Saltrio VA 22 O 8
Saltusio / Saltaus BZ 3 AC 3
Saluci CT 197 AY 58
Saludecio RN 89 AL 20
Saluggia VC 48 J 12
Salurn / Salorno BZ 12 AC 6
Salussola BI 34 J 11
Salutio AR 87 AF 22
Saluzzo CN 59 F 16
Salvano AP 99 AR 25
Salvarano RE 65 Y 16
Salvarolo VE 29 AL 9
Salvarosa TV 42 AG 9
Salvaterra RE 66 Z 16
Salvaterra RO 55 AE 13
Salvatonica FE 55 AD 14
Salvatore SA 162 AY 42
Salvatronda TV 42 AG 9
Salve LE 161 BS 44
Salvello BS 38 V 11
Salvero BO 80 AB 18
Salvi AP 108 AP 26
Salvi RC 177 BG 54
Salviano LI 92 X 22
Salvina PA 183 AN 55
Salvirola CR 52 T 11
Salvitelle SA 153 BB 40
Salza Irpina AV 142 AY 38
Salzano VE 42 AH 10
Salzen BL 28 AF 7
Salzetto TO 33 G 10
Samarate VA 35 N 10
Samassi VS 221 O 47
Samatorza TS 31 AR 9
Samatzai CA 221 P 47
Sambate CZ 171 BG 49
Sambatello RC 178 BD 54
Sambiase CZ 171 BG 50
Sambo UD 16 AO 6
Samboseto PR 53 V 14
Sambrasi RC 177 BH 53
Sambruson VE 42 AH 11
Sambuca FI 94 AC 22
Sambuca LU 78 X 19
Sambuca di Sicilia AG 191 AN 58
Sambuca Pistoiese PT 80 AA 19
Sambuceto CH 116 AU 29
Sambuceto GE 77 R 18
Sambuceto PR 64 T 16
Sambucetole TR 113 AJ 28
Sambucheto MC 98 AP 23
Sambucheto TR 107 AL 28
Sambuchi PA 185 AQ 56
Sambuci RM 120 AM 32
Sambuco CN 70 D 17
Sambuco RM 118 AH 31
Sambuco SA 151 AW 39
Sambuco SI 104 AF 26
Sambughé TV 42 AI 10
Sambughetto VB 21 K 8
Sammardenchia UD 16 AO 6
Sammardenchia UD 30 AO 8
Sammarella PZ 164 BG 43
Sammartini BO 67 AC 15
Sammichele di Bari BA 147 BK 38
Sammontana FI 86 AB 21
Samo RC 179 BF 55
Samoclevo TN 12 AA 5
Samoggia BO 80 AB 17
Samolaco SO 9 R 6
Samone MO 80 AA 17
Samone TN 27 AE 7
Samone TO 34 I 11
Samperone PV 51 P 12
Sampeyre CN 58 E 16
Sampierdarena GE 75 O 17
Sampieri RG 204 AX 63
Samprogno BL 28 AH 7
Samuele PE 116 AR 29
Samugheo OR 218 O 44
San Agapito RI 114 AN 30
San Barnaba CN 59 G 16
San Barbato AV 142 AY 38
San Barbato CH 124 AW 31
San Barnaba AP 108 AR 26
San Baronto PT 86 AA 20
San Bartolo AN 90 AN 21
San Bartolo ME 181 BA 51
San Bartolo PU 90 AM 21
San Bartolo al Monte ME 181 AY 53
San Bartolomeo AN 98 AN 23
San Bartolomeo AT 48 I 14
San Bartolomeo AV 151 AX 39
San Bartolomeo AV 142 AY 37
San Bartolomeo BA 147 BM 38
San Bartolomeo BG 24 T 8
San Bartolomeo CE 140 AS 36
San Bartolomeo CH 117 AU 30
San Bartolomeo CN 71 H 18
San Bartolomeo CN 60 I 16
San Bartolomeo CN 60 I 17
San Bartolomeo CO 36 O 9
San Bartolomeo CZ 171 BH 49
San Bartolomeo GE 62 O 16
San Bartolomeo GE 76 P 17
San Bartolomeo GE 76 Q 17
San Bartolomeo IM 72 H 20
San Bartolomeo IM 72 I 19
San Bartolomeo ME 187 AW 55
San Bartolomeo PG 96 AK 23
San Bartolomeo PG 106 AL 26
San Bartolomeo RA 82 AI 17
San Bartolomeo RE 65 Y 15
San Bartolomeo RM 120 AM 33
San Bartolomeo SV 73 J 20
San Bartolomeo TO 48 H 13
San Bartolomeo TR 113 AK 28
San Bartolomeo TV 43 AJ 9
San Bartolomeo VB 7 N 7
San Bartolomeo
a Quarate FI 86 AC 21
San Bartolomeo al Mare IM 73 J 20
San Bartolomeo
in Bosco FE 68 AE 15
San Bartolomeo
in Galdo BN 134 AZ 35
San Bartolomeo
Val Cavargna CO 22 P 7
San Basile CH 117 AU 30
San Basile CS 166 BE 45
San Basile CS 166 BE 46
San Basile CS 167 BF 45
San Basile EN 187 AV 57
San Basilio CA 222 Q 46
San Basilio CA 227 R 48
San Basilio ME 188 AX 55
San Basilio ME 188 AZ 55
San Basilio MT 156 BJ 42
San Basilio RC 178 BD 55
San Basilio RM 119 AK 32
San Basilio RO 57 AI 14
San Basilio TA 147 BK 39
San Bavello FI 87 AE 20
San Bellino RO 56 AE 13
San Benedetto AG 193 AQ 59
San Benedetto AQ 115 AP 30
San Benedetto BI 34 J 11
San Benedetto BO 67 AB 16
San Benedetto BO 67 AD 15
San Benedetto BZ 4 AF 3
San Benedetto CI 220 M 47
San Benedetto CS 171 BG 47
San Benedetto CS 168 BH 46
San Benedetto LT 138 AO 36
San Benedetto MS 78 U 18
San Benedetto PD 41 AF 11
San Benedetto PG 96 AJ 23
San Benedetto RI 114 AL 30
San Benedetto RM 121 AN 32
San Benedetto SP 77 T 19
San Benedetto VE 42 AH 10
San Benedetto VI 40 AD 10
San Benedetto Belbo CN 61 J 17
San Benedetto
dei Marsi AQ 122 AQ 31
San Benedetto
del Querceto BO 80 AD 18
San Benedetto
del Tronto AP 109 AS 26
San Benedetto in Alpe FC 87 AF 20
San Benedetto
in Perillis AQ 116 AR 30
San Benedetto Po MN 54 AA 13
San Benedetto Ullano CS 167 BF 47
San Benedetto Val
di Sambro BO 80 AC 18
San Benedetto Valle MC 107 AN 25
San Benigno CN 60 G 17
San Benigno PG 106 AJ 27
San Benigno TO 48 G 13
San Benigno Canavese TO 48 H 12
San Bernardino AN 91 AP 22
San Bernardino AT 61 K 15
San Bernardino CR 52 T 11
San Bernardino LO 52 S 13
San Bernardino NO 35 M 10
San Bernardino RA 68 AG 16
San Bernardino RE 66 Y 14
San Bernardino RM 119 AI 30
San Bernardino SP 77 T 19
San Bernardino TO 47 F 13
San Bernardino TR 113 AL 28
San Bernardino VR 54 AA 12
San Bernardino VT 113 AJ 29
San Bernardo BS 38 V 11
San Bernardo CN 59 F 16
San Bernardo CN 70 F 18
San Bernardo CN 71 F 18
San Bernardo CN 60 H 16
San Bernardo CN 60 H 16
San Bernardo CN 60 I 15
San Bernardo CN 61 J 17
San Bernardo GE 62 O 17
San Bernardo GE 76 R 18
San Bernardo IM 72 G 21
San Bernardo PD 56 AH 12
San Bernardo SO 24 T 7
San Bernardo SO 24 U 6
San Bernardo SO 11 X 5
San Bernardo SV 74 K 18
San Bernardo SV 74 L 18
San Bernardo SV 75 M 17
San Bernardo TN 12 AA 5
San Bernardo TO 60 H 14
San Bernardo VA 36 O 9
San Bernardo VB 21 K 7
San Bernardo VB 7 K 7
San Bernardo di Conio IM 72 I 20
San Bernolfo CN 70 D 18
San Biagio AN 91 AP 22
San Biagio AN 98 AP 23
San Biagio BL 14 AH 4
San Biagio BO 67 AC 17
San Biagio BS 39 X 10
San Biagio CN 59 G 17
San Biagio CN 71 H 17
San Biagio CS 170 BG 47
San Biagio FE 68 AE 15
San Biagio FE 68 AG 16
San Biagio GE 62 O 17
San Biagio ME 188 AX 55
San Biagio ME 188 AY 55
San Biagio MN 54 AA 13
San Biagio MO 67 AB 14
San Biagio PA 192 AN 58
San Biagio PC 64 T 15
San Biagio PD 41 AF 11
San Biagio PD 56 AF 12
San Biagio PG 96 AJ 23
San Biagio PU 90 AM 20
San Biagio PV 50 O 12
San Biagio PV 51 P 14
San Biagio RA 82 AQ 18
San Biagio RA 82 AG 18
San Biagio RE 66 Z 15
San Biagio RI 113 AL 29
San Biagio SA 153 BC 42
San Biagio TE 108 AQ 27
San Biagio del Vezzane FE 55 AD 14
San Biagio
della Cima IM 72 G 21
San Biagio della Valle PG 105 AI 25
San Biagio di Callalta TV 43 AJ 9
San Biagio di
Chiesanuova GE 77 R 17
San Biagio Platani AG 192 AQ 58
San Biagio Saracinisco FR 131 AS 34
San Biase CB 133 AW 33
San Biase CS 170 BF 48
San Biase SA 162 BA 42
San Bonico PC 52 T 13
San Bonifacio VR 40 AC 11
San Bononio BI 34 K 10
San Bortolo PD 56 AF 12
San Bortolo delle
Montagne VR 40 AC 10
San Bovio MI 37 Q 11
San Bovo CN 61 J 16
San Brancato PZ 164 BG 42
San Briccio VR 40 AB 11
San Brizio MN 54 Z 12
San Brizio PG 106 AL 27
San Bruno Melia VV 176 BE 52

A
B
C
D
E
F
G
H
I
J
K
L
M
N
O
P
Q
R
S
T
U
V
W
X
Y
Z

San Bucolino *LU* .... 85 Y 21
San Buono *CH* .... 124 AW 32
San Callisto *PE* .... 116 AT 30
San Calògero *VV* .... 176 BF 52
San Candido *CS* .... 166 BE 46
San Candido / Innichen *BZ*.. 5 AI 3
San Canzian d'Isonzo *GO*.. 31 AP 9
San Capone *RI* .... 107 AO 27
San Carlo *AT* .... 61 J 14
San Carlo *AT* .... 61 K 14
San Carlo *AT* .... 61 K 15
San Carlo *AT* .... 49 L 14
San Carlo *CE* .... 140 AS 36
San Carlo *CN* .... 60 I 16
San Carlo *CR* .... 37 T 11
San Carlo *FC* .... 82 AI 19
San Carlo *FE* .... 67 AD 15
San Carlo *GE* .... 62 O 17
San Carlo *GR* .... 103 AB 27
San Carlo *LI* .... 102 Y 25
San Carlo *LU* .... 79 X 19
San Carlo *MC* .... 98 AO 24
San Carlo *ME* .... 189 BA 56
San Carlo *MS* .... 78 V 19
San Carlo *NO* .... 35 M 9
San Carlo *PA* .... 183 AN 55
San Carlo *PA* .... 192 AO 58
San Carlo *RC* .... 178 BE 56
San Carlo *RE* .... 54 Z 14
San Carlo *SO* .... 11 W 5
San Carlo *SP* .... 77 S 17
San Carlo *TR* .... 113 AK 29
San Carlo Canavese *TO* .. 47 G 12
San Carlo d'Ascoli *FG* .. 144 BD 37
San Casciano *MC* ...... 107 AO 25
San Casciano *TR* ...... 113 AK 28
San Casciano
dei Bagni *SI* .... 105 AG 26
San Casciano in
Val di Pesa *FI* .... 86 AC 22
San Cassiano *AR* .... 95 AG 23
San Cassiano *FC* .... 81 AG 18
San Cassiano *LE* ...... 161 BS 43
San Cassiano *LU* .... 79 Y 19
San Cassiano *LU* .... 85 Y 21
San Cassiano *MC* .... 97 AM 24
San Cassiano *MN* .... 54 Y 11
San Cassiano *MN* .... 53 Y 12
San Cassiano *RA* .... 81 AF 19
San Cassiano *RE* .... 79 Y 17
San Cassiano *RO* .... 56 AG 13
San Cassiano *SO* .... 9 R 6
San Cassiano *VR* .... 40 AB 11

San Cassiano /
St.Kasalen *BZ* .... 14 AG 4
San Cassiano
di Livenza *PN* .... 29 AK 8
San Castrese *CE* .... 139 AS 36
San Cataldo *CE* .... 131 AS 35
San Cataldo *CL* .... 193 AS 59
San Cataldo *CS* .... 169 BK 46
San Cataldo *CZ* .... 170 BG 49
San Cataldo *FR* .... 131 AQ 34
San Cataldo *IS* .... 123 AV 33
San Cataldo *LE* .... 159 BS 41
San Cataldo *ME* .... 197 BA 56
San Cataldo *MN* .... 54 Z 13
San Cataldo *PA* .... 183 AN 55
San Cataldo *PZ* .... 153 BD 39
San Cataldo *PZ* .... 164 BF 44
San Cesareo *PU* .... 90 AM 21
San Cesareo *RM* .... 120 AL 33
San Cesario di Lecce *LE*.. 159 BS 42
San Cesario sul Panaro *MO*.. 66 AB 16
San Chiaffredo *CN* ...... 59 G 17
San Chierlo *BO* .... 80 AB 17
San Chimento *AR* .... 95 AG 23
San Chirico I *SA* ...... 152 AZ 41
San Chirico II *SA* ...... 152 AZ 41
San Chirico Nuovo *PZ*.. 154 BF 39
San Chirico Raparo *PZ*.. 164 BF 42
San Cipirello *PA* .... 184 AO 56
San Cipriano *AP* .... 108 AQ 27
San Cipriano *AQ* .... 115 AP 30
San Cipriano *BL* .... 14 AH 6
San Cipriano *BZ* .... 13 AE 5
San Cipriano *GE* .... 62 O 17
San Cipriano *PI* .... 93 AA 23
San Cipriano *PU* .... 89 AK 21
San Cipriano *SP* .... 77 T 18
San Cipriano *TV* .... 43 AJ 10
San Cipriano d'Aversa *CE*.. 141 AT 38
San Cipriano Picentino *SA*.. 152 AY 39
San Cipriano Po *PV* ...... 51 Q 13
San Cirillo *PI* .... 93 AA 24
San Ciro Ulmi Filci *TP*.. 183 AL 56
San Claudio *MC* .... 98 AQ 24
San Claudio
Stazione Trodica *MC* .. 98 AQ 24
San Clemente *AL* .... 63 P 16
San Clemente *AP* .... 98 AQ 25
San Clemente *BO* .... 81 AD 18
San Clemente *CE* ...... 131 AS 35
San Clemente *CE* ...... 141 AV 37
San Clemente *FI* .... 87 AD 21
San Clemente *RI* ...... 114 AN 28

San Clemente *RN* .... 89 AK 20
San Clemente *TP* ...... 182 AK 56
San Clemente in Valle *AR*.. 87 AE 22
San Colombano *BS* .... 25 X 9
San Colombano *FC* .... 82 AH 19
San Colombano *GE* .... 76 Q 17
San Colombano *LU* .... 85 Y 20
San Colombano *PV* .... 50 O 12
San Colombano *TN* .... 26 AB 8
San Colombano *TO* .... 46 C 13
San Colombano
al Lambro *MI* .... 51 R 12
San Colombano
Belmonte *TO* .... 33 G 11
San Concordio
di Moriano *LU* .... 85 X 20
San Cono *CT* .... 201 AV 60
San Cono *ME* .... 188 AZ 55
San Cono *ME* .... 189 BB 55
San Cono *VV* .... 174 BF 51
San Cono Sottano *CL* .. 201 AV 60
San Corrado di Fuori *SR*.. 205 AZ 62
San Cosimo *AV* .... 143 AZ 37
San Cosimo *RC* .... 177 BH 53
San Cosimo
della Macchia *BR* ...... 158 BP 41
San Cosma *SA* .... 151 AW 40
San Cosmo Albanese *CS*.. 168 BH 46
San Costantino *ME* ...... 188 AY 55
San Costantino *PZ* ...... 163 BD 43
San Costantino *VV* ...... 174 BF 51
San Costantino /
San Kostantin *BZ* ...... 13 AE 4
San Costantino
Albanese *PZ* .... 165 BG 43
San Costantino
Calabro *VV* .... 174 BF 52
San Costanzo *PU* .... 90 AN 21
San Crescentino *PU* ...... 97 AK 23
San Cresci *FI* .... 87 AD 20
San Crispieri *TA* ...... 157 BN 41
San Cristoforo *AL* ...... 62 N 15
San Cristoforo *AP* ...... 108 AP 25
San Cristoforo *AR* ...... 88 AG 22
San Cristoforo *CH* ...... 123 AV 32
San Cristoforo *FC* ...... 82 AI 18
San Cristoforo *FE* ...... 68 AF 15
San Cristoforo *MS* ...... 77 U 17
San Cristoforo *PC* ...... 63 R 15
San Cristoforo *PG* ...... 107 AM 26
San Cristoforo *PV* ...... 51 P 13
San Cristoforo *SA* ...... 163 BC 43

San Cristoforo *TR* ...... 105 AH 26
San Cristoforo Basso *PG*.. 96 AK 24
San Cristoforo de'valli *PU*.. 89 AL 21
San Croce *AN* .... 97 AM 23
San Cusumano
di Sotto *SR* .... 203 BA 60
San Damaso *MO* .... 66 AA 16
San Damiano *BO* .... 80 AB 19
San Damiano *FC* .... 88 AI 20
San Damiano *PG* .... 96 AJ 23
San Damiano *PU* .... 64 T 14
San Damiano *PG* .... 106 AJ 27
San Damiano *PG* .... 106 AK 25
San Damiano *SV* .... 73 J 19
San Damiano *VC* .... 34 K 11
San Damiano al Colle *PV*.. 51 R 13
San Damiano d'Asti *AT*.. 61 J 15
San Damiano Macra *CN*.. 59 E 17
San Dana *LE* .... 161 BT 44
San Daniele *TV* .... 29 AJ 7
San Daniele *TV* .... 29 AJ 8
San Daniele *VI* .... 40 AC 10
San Daniele *VI* .... 41 AD 10
San Daniele del Friuli *UD*.. 30 AN 7
San Daniele Po *CR* ...... 53 W 13
San Demetrio *SR* ...... 203 AZ 59
San Demetrio Corone *CS*.. 167 BH 46
San Demetrio
ne' Vestini *AQ* .... 115 AQ 30
San Desiderio *AT* .... 49 K 14
San Desiderio *PV* .... 63 P 14
San Didero *TO* .... 47 E 13
San Domenico *AN* .... 98 AP 23
San Domenico *BA* ...... 146 BI 37
San Domenico *BN* ...... 142 AX 36
San Domenico *CE* ...... 140 AS 36
San Domenico *CE* ...... 141 AV 36
San Domenico *CH* ...... 117 AU 30
San Domenico *FR* ...... 130 AQ 33
San Domenico *RC* ...... 178 BD 55
San Domenico *VB* .... 7 K 6
San Domenico *VI* .... 27 AD 8
San Donà *VI* .... 27 AD 9
San Donà di Piave *VE* .. 43 AK 10
San Donaci *BR* .... 158 BQ 41
San Donatino *SI* .... 94 AC 23
San Donato *AN* .... 97 AM 23
San Donato *AP* .... 109 AS 26
San Donato *AQ* .... 121 AO 31
San Donato *AR* .... 87 AF 21
San Donato *AR* .... 88 AI 21
San Donato *BL* .... 27 AF 7
San Donato *BN* .... 142 AY 37
San Donato *BR* .... 148 BN 39
San Donato *CE* .... 140 AS 36
San Donato *CN* .... 61 J 16
San Donato *CR* .... 52 T 12
San Donato *FI* .... 86 AC 20
San Donato *FI* .... 94 AC 22
San Donato *FI* .... 87 AE 21
San Donato *GR* .... 110 AC 28
San Donato *IM* .... 72 H 20
San Donato *LT* .... 138 AM 35
San Donato *LU* .... 85 X 20
San Donato *PD* .... 56 AG 12
San Donato *PG* .... 97 AK 25
San Donato *PI* .... 85 Z 21
San Donato *PI* .... 85 Z 21
San Donato *PR* .... 65 X 15
San Donato *PU* .... 88 AI 20
San Donato *PU* .... 89 AJ 20
San Donato *PU* .... 89 AK 21
San Donato *PU* .... 89 AL 20
San Donato *PZ* .... 154 BD 41
San Donato *SI* .... 93 AB 23
San Donato *TA* .... 157 BM 41
San Donato a Livizzano *FI*.. 86 AB 21
San Donato di Lecce *LE*.. 159 BS 42
San Donato di Ninea *CS*.. 166 BF 45
San Donato in Avane *FI*.. 87 AD 22
San Donato in Collina *FI*.. 87 AD 21
San Donato in
Taviglione *PU* .... 89 AK 21
San Donato Milanese *MI*.. 36 Q 11
San Donato Val
di Comino *FR* .... 131 AR 33
San Donato Vecchio *GR*.. 110 AC 28
San Donnino *BO* .... 67 AC 16
San Donnino *AN* .... 97 AM 23
San Donnino *FC* .... 81 AG 19
San Donnino *FI* .... 86 AB 21
San Donnino *LU* .... 78 W 18
San Donnino *MO* .... 66 AA 16
San Donnino *PG* .... 96 AI 23
San Donnino a Maiano *AR*.. 95 AG 23

San Erasmo *SA* .... 151 AW 39
San Fabiano *AR* .... 95 AG 23
San Fabiano *SI* .... 94 AD 24
San Facondino *PG* ...... 97 AL 24
San Fantino *KR* .... 173 BL 50
San Fantino *RC* .... 178 BD 56
San Faustino *BS* .... 39 X 10
San Faustino *CR* .... 53 W 13
San Faustino *PG* .... 96 AJ 23
San Faustino *PR* .... 65 V 14
San Faustino *TR* .... 105 AI 27
San Faustino *TR* .... 113 AK 28
San Faustino *VR* .... 39 Z 11
San Fedele Intelvi *CO* .. 22 P 8
San Fedele Lusignano *SV*.. 73 K 19
San Fele *PZ* .... 144 BE 39
San Felice *AL* .... 50 M 13
San Felice *AN* .... 97 AL 23
San Felice *AV* .... 142 AX 38
San Felice *AV* .... 151 AX 39
San Felice *AV* .... 142 AZ 36
San Felice *BG* .... 38 U 9
San Felice *BL* .... 28 AH 7
San Felice *BN* .... 133 AW 35
San Felice *CB* .... 132 AX 35
San Felice *CE* .... 140 AS 36
San Felice *CE* .... 132 AT 35
San Felice *CE* .... 132 AO 36
San Felice *CR* .... 53 V 13
San Felice *PG* .... 105 AH 25
San Felice *PG* .... 106 AK 26
San Felice *RE* .... 66 Y 16
San Felice *RN* .... 89 AK 20
San Felice *SI* .... 94 AD 23
San Felice *TE* .... 108 AQ 28
San Felice *TO* .... 48 H 13
San Felice *TV* .... 29 AJ 8
San Felice *VV* .... 40 AB 11
San Felice / St.Felix *BZ*.. 12 AB 5
San Felice a Cancello *CE*.. 141 AV 37
San Felice Circeo *LT*.. 138 AN 36
San Felice del Benaco *BS*.. 39 Y 10
San Felice del Molise *CB*.. 124 AX 32
San Felice d'Ocre *AQ* .. 115 AP 30
San Felice sul Panaro *MO*.. 67 AB 14
San Feliciano *PG* .... 96 AI 25
San Feliciano *VI* .... 55 AD 11
San Fennardo *UD* .... 30 AO 7
San Ferdinando *RC* ...... 176 BE 53
San Ferdinando
di Puglia *BT* .... 136 BF 36
San Fereolo *LO* .... 51 R 12
San Fermo *BG* .... 38 U 9
San Fermo *BS* .... 38 U 11
San Fermo *MN* .... 53 Y 12
San Fermo *VI* .... 41 AD 9
San Fermo *VR* .... 40 AB 11
San Fermo
della Battaglia *CO* ...... 22 P 9
San Fili *CS* .... 170 BF 47
San Fili *CZ* .... 171 BG 49
San Fili *RC* .... 176 BF 53
San Filippo *CS* .... 166 BD 45
San Filippo *FI* .... 94 AC 22
San Filippo *FR* .... 130 AN 33
San Filippo *FR* .... 130 AP 34
San Filippo *ME* .... 188 AZ 55
San Filippo *NA* .... 151 AV 40
San Filippo *RC* .... 189 BD 55
San Filippo *RG* .... 204 AX 63
San Filippo del Mela *ME*.. 189 BA 54
San Filippo Inf. *ME* .. 189 BC 55
San Filippo
sul Cesano *PU* .... 90 AN 21
San Filippo Sup. *ME*.. 189 BC 54
San Filippo-Battendieri *CS*.. 166 BE 46
San Filomene *TE* ...... 109 AS 27
San Fior di Sopra *TV* .. 29 AJ 8
San Fior di Sotto *TV* .. 29 AJ 8
San Fiorano *LO* .... 52 T 13
San Fiore *CR* .... 53 Y 13
San Fiorino *PU* .... 89 AK 22
San Firenze *AR* .... 95 AG 23
San Firmano *MC* .... 98 AQ 23
San Firmino *CN* .... 59 F 15
San Floreano *UD* .... 16 AN 6
San Floriano *BZ* .... 12 AC 6
San Floriano *PN* .... 15 AJ 6
San Floriano *TV* .... 42 AG 9
San Floriano *VR* .... 40 AA 10
San Floriano /
Obereggen *BZ* .... 13 AE 5
San Floriano del Collio *GO*.. 31 AQ 8
San Floriano
di Campagna *TV* .... 42 AG 9
San Floriano Olmi *TV* .. 42 AI 9

San Floro *CZ* .... 175 BI 50
San Foca *PN* .... 29 AL 7
San Fortunato *AN* .... 97 AM 23
San Fortunato *PG* ...... 105 AI 26
San Fortunato *PG* ...... 106 AK 26
San Fortunato *RN* .... 83 AK 19
San Forzorio *CA* .... 226 Q 48
San Francesco *AP* ...... 108 AQ 26
San Francesco *AR* ...... 108 AR 26
San Francesco *AV* ...... 142 AY 39
San Francesco *AV* ...... 143 AZ 38
San Francesco *BI* .... 34 J 10
San Francesco *BL* .... 15 AJ 5
San Francesco *BO* .... 81 AF 17
San Francesco *BS* .... 39 Y 11
San Francesco *CS* ...... 166 BE 45
San Francesco *CS* ...... 166 BE 46
San Francesco *FI* .... 87 AD 21
San Francesco *ME* ...... 188 AY 55
San Francesco *PN* .... 16 AM 6
San Francesco *PZ* ...... 154 BD 39
San Francesco *RM* ...... 120 AN 32
San Francesco *RM* ...... 120 AN 32
San Francesco *SI* ...... 105 AG 26
San Francesco *TA* ...... 156 BK 39
San Francesco *TN* .... 27 AD 7
San Francesco *TO* .... 48 H 12
San Francesco *VC* .... 43 AJ 9
San Francesco *VR* .... 55 AD 12
San Francesco *VR* .... 39 Z 9
San Francesco
al Campo *TO* .... 48 G 12
San Francesco
di Paola *ME* .... 189 BB 56
San Francisco *GR* ...... 111 AF 28
San Fratello *ME* .... 187 AW 55
San Frediano *PI* .... 92 Y 22
San Fruttuoso *GE* .... 76 Q 18
San Gabriele *BL* .... 28 AG 7
San Gabriele *BO* .... 68 AE 16
San Gabriele *PC* .... 63 R 14
San Gabriele *VR* .... 54 AB 12
San Gaetano *AP* .... 99 AQ 25
San Gaetano *MC* .... 99 AR 24
San Gaetano *MO* .... 66 Z 16
San Gaetano *RO* .... 56 AF 14
San Gaetano *TV* .... 42 AH 9
San Gaetano *VE* .... 57 AI 13
San Gaetano *VE* .... 43 AM 10
San Gaetano *VI* .... 41 AE 9
San Gaetano *VI* .... 41 AE 9
San Gaetano *VI* .... 27 AF 8
San Galgano *SI* .... 94 AB 25
San Gallo *BG* .... 23 T 8
San Gallo *BS* .... 38 W 10
San Gallo *PD* .... 56 AH 12
San Gallo *SO* .... 11 X 5
San Gaudenzio *AL* .... 62 P 15
San Gaudenzio *FI* .... 86 AB 22
San Gaudenzio *NO* .... 35 M 10
San Gaudenzio *PV* .... 50 P 13
San Gaudenzio *VI* .... 41 AD 11
San Gavino *NU* .... 211 T 39
San Gavino Monreale *VS*.. 221 N 46
San Gemignanello *SI* .. 95 AE 24
San Gemignano *LU* .... 85 Y 19
San Gemini *TR* .... 113 AK 28
San Genesio *TO* .... 48 I 12
San Genesio Atesino /
Jenesian *BZ* .... 13 AC 4
San Genesio ed Uniti *PV*.. 51 Q 12
San Gennaro *FR* .... 131 AS 34
San Gennaro *LT* .... 139 AR 36
San Gennaro *LU* .... 85 Y 20
San Gennaro *RM* .... 129 AL 33
San Gennaro
Vesuviano *NA* .... 151 AW 38
San Genuario *VC* .... 49 J 12
San Germano *AL* .... 49 L 13
San Germano *AN* .... 91 AQ 22
San Germano Chisone *TO*.. 59 E 14
San Germano dei Berici *VI*.. 41 AD 11
San Germano
Vercellese *VC* .... 49 K 11
San Gervasio *PI* .... 85 Z 22
San Gervasio *PU* .... 89 AL 22
San Gervasio *UD* .... 30 AN 9
San Gervasio *UD* .... 16 AO 6
San Gervasio Bresciano *BS*.. 53 V 12
San Gervasio d'Adda *BG*.. 37 S 10
San Giacomo *AL* .... 62 M 15
San Giacomo *AP* .... 109 AS 26
San Giacomo *AQ* .... 115 AP 29
San Giacomo *AT* .... 61 J 14
San Giacomo *BI* .... 34 J 10

SALERNO

0   300 m

per Cava de Tirreni
Str. Panoramica

CASTELLO

PEDAGGIO

A 3
A 3

NAPOLI

V. Porto

V. Porto

PORTO

Via Risorgimento

Via Risorgimento

Via De Renzi
S. V. de Ruggiero
V. Spinola
Via

V. Torquato Tasso

V. M. Varnieri
Via
Prignano
Via Arce
Via Schipa

DUOMO
PINACOTECA
V. Benedetto
S.
VIA MERCANTI
Via Roma
Corso
Via V. Volpe
Roma

LUNGOMARE TRIESTE
LUNGOMARE TRIESTE

Via Emanuele

COSENZA, AVELLINO
POTENZA

BATTIPAGLIA
S 18

AMALFI, POSITANO, CAPRI

Circolazione regolamentata nel centro città

Abate Coforti (Largo) .... AB 2
Alfano 1 (Pza) .... B 3
Cavaliero (V. L.) .... B 4
Cilento (V. A.) .... B 6
Dogana Vecchia (V.) .... A 7
Duomo (V.) .... B 8
Indipendenza (V.) .... A 9
Lista (V. Stanislas) .... A 10
Luciani (Pza M.) .... A 12
Mercanti (V.) .... AB
Paglia (V. M.) .... B 13
Plebiscito (Largo) .... B 14
Portacatena (V.) .... A 15
Porta di Mare (V.) .... A 16
Sabatini (V. A.) .... A 19
Sedile del Campo (Largo) .... A 23
Sedile di Pta. Nuova (Pza) .... B 24
Sorgente (V. Camillo). .... B 25
S. Eremita (V.) .... B 20
S. Tommaso d'Aquino
(V.) .... B 22
Velia (V.) .... B 26
Vittorio Emanuele (Cso) ...... B
24 Maggio (Pza) .... B 27

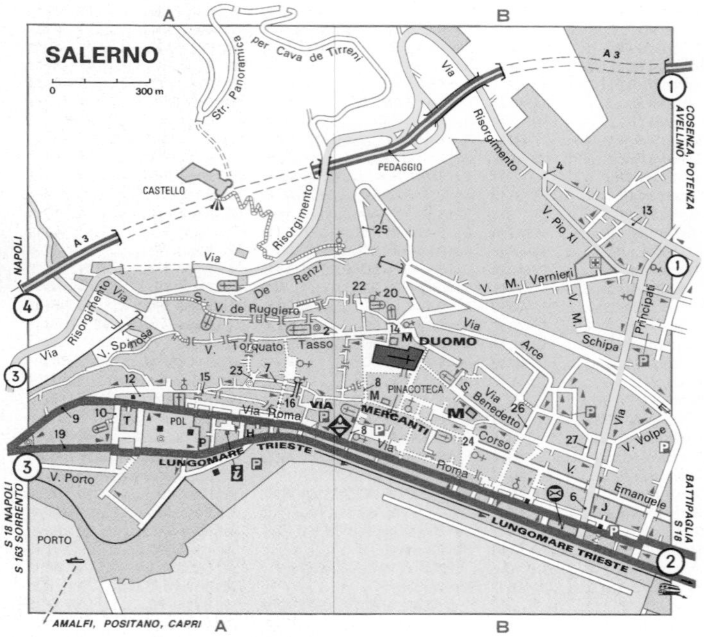

San Giacomo *BO* 67 AC 16
San Giacomo *BO* 80 AC 19
San Giacomo *BS* 39 X 10
San Giacomo *BZ* 13 AF 4
San Giacomo *CH* 124 AW 31
San Giacomo *CN* 70 E 17
San Giacomo *CN* 71 G 18
San Giacomo *CN* 71 H 17
San Giacomo *CN* 71 H 18
San Giacomo *CN* 60 I 15
San Giacomo *CN* 71 I 18
San Giacomo *CR* 52 T 12
San Giacomo *CS* 167 BF 47
San Giacomo *CS* 168 BJ 46
San Giacomo *FC* 88 AG 20
San Giacomo *IM* 72 G 21
San Giacomo *LO* 52 S 12
San Giacomo *MC* 99 AQ 24
San Giacomo *MI* 36 O 11
San Giacomo *MN* 54 Y 12
San Giacomo *PE* 116 AT 28
San Giacomo *PG* 106 AL 27
San Giacomo *RA* 82 AH 17
San Giacomo *RE* 66 Y 16
San Giacomo *SO* 24 V 7
San Giacomo *SS* 213 O 40
San Giacomo *SV* 75 M 17
San Giacomo *TE* 109 AS 28
San Giacomo *TN* 12 AA 5
San Giacomo *TN* 26 AA 9
San Giacomo *TO* 33 F 11
San Giacomo *TO* 47 G 12
San Giacomo *TO* 47 G 12
San Giacomo *TR* 113 AK 29
San Giacomo *TV* 29 AI 8
San Giacomo *TV* 43 AJ 10
San Giacomo *VC* 49 J 12
San Giacomo *VE* 30 AM 9
San Giacomo *VI* 41 AF 9
San Giacomo / St.Jacob *BZ* 13 AD 5
San Giacomo / St.Jacob *BZ* 4 AE 2
San Giacomo / St.Jakob *BZ* 5 AH 1
San Giacomo d'Acri *CS* 168 BH 46
San Giacomo d'Agliasco *CN* 59 E 15
San Giacomo degli Schiavoni *CB* 124 AY 32
San Giacomo del Martignone *BO* 67 AC 16
San Giacomo della Cereda *PV* 51 Q 13
San Giacomo delle Segnate *MN* 54 AB 14
San Giacomo dell'Occa *CN* 59 F 15
San Giacomo di Musestrelle *TV* 42 AI 9
San Giacomo Filippo *SO* 9 R 5
San Giacomo Lovara *CR* 53 V 13
San Giacomo Maggiore *MO* 80 AA 18
San Giacomo Maggiore *RE* 54 Y 14
San Giacomo Minore *RE* 66 Y 14
San Giacomo Montesano *RG* 204 AY 62
San Giacomo Mulino *RG* 204 AX 62
San Giacomo Po *MN* 54 AA 13
San Giacomo Roncole *MO* 67 AB 14
San Giacomo Torre *RG* 204 AY 62
San Giacomo Vercellese *VC* 35 K 11
San Giacomo-Albaccara *RG* 205 AY 62
San Giacomo-Marinella *CS* 168 BJ 46
San Gianni *AR* 88 AI 21
San Gillio *TO* 47 G 13
San Gimignano *SI* 93 AB 23
San Ginese *LU* 85 Y 21
San Ginesio *AN* 90 AM 22
San Ginesio *MC* 98 AO 25
San Giobbe *BO* 67 AD 16
San Giorgetta *AP* 108 AQ 26
San Giorgio *BL* 28 AH 6
San Giorgio *BS* 38 V 10
San Giorgio *BS* 38 W 10
San Giorgio *BS* 39 X 11
San Giorgio *BZ* 12 AB 4
San Giorgio *BZ* 3 AC 3
San Giorgio *BZ* 13 AD 4
San Giorgio *CE* 141 AU 36
San Giorgio *CN* 70 F 17
San Giorgio *CO* 22 P 9
San Giorgio *CT* 197 AZ 59
San Giorgio *EN* 194 AV 58
San Giorgio *FC* 82 AH 18
San Giorgio *FC* 82 AI 18
San Giorgio *GR* 103 AB 26
San Giorgio *LC* 23 Q 8
San Giorgio *ME* 187 AX 55
San Giorgio *ME* 188 AY 54
San Giorgio *NA* 151 AW 39
San Giorgio *NO* 35 M 10
San Giorgio *PC* 51 R 14
San Giorgio *PG* 107 AN 27
San Giorgio *PI* 85 Y 21
San Giorgio *PU* 89 AL 21
San Giorgio *PZ* 144 BC 38
San Giorgio *PZ* 144 BD 39
San Giorgio *RA* 82 AH 17
San Giorgio *RE* 65 X 14
San Giorgio *RE* 54 Z 14
San Giorgio *RI* 107 AO 28
San Giorgio *RO* 57 AJ 14
San Giorgio *SP* 77 S 18
San Giorgio *SV* 73 K 19
San Giorgio *SV* 74 L 18
San Giorgio *TE* 115 AQ 28
San Giorgio *TE* 116 AS 28
San Giorgio *TN* 26 AA 8
San Giorgio *TO* 47 E 13
San Giorgio *TP* 190 AK 57
San Giorgio *TR* 105 AH 27
San Giorgio *TV* 43 AJ 9
San Giorgio *UD* 16 AO 5
San Giorgio *VC* 34 K 10
San Giorgio *VI* 27 AD 9
San Giorgio *VI* 41 AD 10
San Giorgio *VI* 41 AE 9
San Giorgio *VR* 40 AA 10
San Giorgio *VR* 40 AB 9
San Giorgio *VR* 40 AB 10
San Giorgio / St.Georgen *BZ* 4 AG 3
San Giorgio a Colonica *FI* 86 AB 21
San Giorgio a Cremano *NA* 151 AV 39
San Giorgio a Liri *FR* 131 AR 35
San Giorgio al Tagliamento *VE* 30 AM 9
San Giorgio Albanese *CS* 168 BH 46
San Giorgio all'Isola *AP* 108 AP 26
San Giorgio Canavese *TO* 48 H 11
San Giorgio del Sannio *BN* 142 AY 37
San Giorgio della Richinvelda *PN* 30 AM 7
San Giorgio Delle Pertiche *PD* 42 AG 10
San Giorgio di Brenta *PD* 41 AF 10
San Giorgio di Livenza *VE* 43 AL 10
San Giorgio di Lomellina *PV* 50 N 12
San Giorgio di Mantova *MN* 54 Z 13
San Giorgio di Nogaro *UD* 30 AO 8
San Giorgio di Pesaro *PU* 90 AM 21
San Giorgio di Piano *BO* 67 AD 16
San Giorgio in Bosco *PD* 41 AF 10
San Giorgio in Ceparano *RA* 81 AG 18
San Giorgio in Salici *VR* 39 Z 11
San Giorgio Ionico *TA* 157 BN 41
San Giorgio La Molara *BN* 133 AY 36
San Giorgio Lucano *MT* 165 BH 43
San Giorgio Monferrato *AL* 49 L 13
San Giòrgio Morgeto *RC* 176 BF 53
San Giorgio Piacentino *PC* 52 T 14
San Giorgio Scarampi *AT* 61 K 16
San Giorgio su Legnano *MI* 36 O 10
San Giovannello *CT* 197 AZ 58
San Giovannello *EN* 194 AU 58
San Giovanni *AN* 97 AM 23
San Giovanni *AN* 97 AN 23
San Giovanni *AN* 90 AO 22
San Giovanni *AP* 108 AP 27
San Giovanni *AP* 108 AQ 26
San Giovanni *AQ* 121 AO 31
San Giovanni *AQ* 115 AQ 30
San Giovanni *AR* 95 AF 24
San Giovanni *BA* 147 BL 38
San Giovanni *BG* 24 U 8
San Giovanni *BN* 142 AX 37
San Giovanni *BS* 38 V 10
San Giovanni *BZ* 12 AC 6
San Giovanni *CB* 124 AX 33
San Giovanni *CH* 123 AV 31
San Giovanni *CH* 123 AV 32
San Giovanni *CI* 224 L 48
San Giovanni *CN* 59 G 16
San Giovanni *CN* 71 G 18
San Giovanni *CN* 60 H 16
San Giovanni *CN* 60 H 17
San Giovanni *CN* 60 I 17
San Giovanni *CO* 22 P 7
San Giovanni *CO* 23 Q 8
San Giovanni *CS* 170 BF 47
San Giovanni *CS* 167 BF 47
San Giovanni *CS* 168 BI 47
San Giovanni *CT* 197 AZ 57
San Giovanni *CZ* 171 BI 49
San Giovanni *FC* 82 AJ 19
San Giovanni *FE* 68 AH 15
San Giovanni *FR* 130 AO 33
San Giovanni *FR* 130 AP 34
San Giovanni *IS* 132 AT 34
San Giovanni *ME* 187 AW 55
San Giovanni *MN* 54 AA 13
San Giovanni *MO* 67 AB 16
San Giovanni *NA* 151 AV 38
San Giovanni *NO* 35 N 10
San Giovanni *NU* 214 R 41
San Giovanni *NU* 215 T 40
San Giovanni *PA* 185 AR 56
San Giovanni *PA* 194 AT 57
San Giovanni *PC* 52 T 13
San Giovanni *PD* 41 AF 10
San Giovanni *PE* 116 AT 29
San Giovanni *PG* 106 AK 26
San Giovanni *PG* 106 AL 25
San Giovanni *PI* 93 Z 23
San Giovanni *PN* 29 AK 7
San Giovanni *PU* 89 AJ 21
San Giovanni *PU* 89 AK 21
San Giovanni *PV* 63 P 14
San Giovanni *PZ* 153 BD 39
San Giovanni *PZ* 164 BE 42
San Giovanni *PZ* 154 BE 42
San Giovanni *RC* 178 BD 55
San Giovanni *RC* 176 BE 53
San Giovanni *RE* 65 X 17
San Giovanni *RI* 114 AN 28
San Giovanni *RI* 107 AO 27
San Giovanni *RO* 55 AC 13
San Giovanni *SA* 152 AY 39
San Giovanni *SA* 162 AZ 42
San Giovanni *SA* 153 BB 40
San Giovanni *SI* 94 AD 23
San Giovanni *SO* 24 U 6
San Giovanni *SO* 24 V 6
San Giovanni *SR* 205 AZ 62
San Giovanni *SS* 208 M 39
San Giovanni *SS* 209 N 38
San Giovanni *SV* 73 J 20
San Giovanni *SV* 75 L 17
San Giovanni *TE* 115 AQ 28
San Giovanni *TN* 26 AA 8
San Giovanni *TN* 13 AF 5
San Giovanni *TO* 46 D 13
San Giovanni *TO* 59 E 15
San Giovanni *TO* 47 F 13
San Giovanni *TO* 59 F 15
San Giovanni *TO* 60 H 15
San Giovanni *TO* 48 I 13
San Giovanni *TV* 28 AH 8
San Giovanni *TV* 29 AK 9
San Giovanni *VR* 55 AB 12
San Giovanni *VT* 113 AJ 30
San Giovanni *VV* 174 BE 51
San Giovanni *VV* 174 BF 52
San Giovanni / St.Jhann *BZ* 3 AD 3
San Giovanni / St.Johan *BZ* 4 AG 2
San Giovanni a Piro *SA* 163 BB 43
San Giovanni al Natisone *UD* 31 AP 8
San Giovanni al Timavo *TS* 31 AQ 9
San Giovanni alla Vena *PI* 85 Y 21
San Giovanni Battista *MO* 66 AA 14
San Giovanni Bianco *BG* 23 S 8
San Giovanni Cerreto *CB* 133 AX 34
San Giovanni d'Asso *SI* 94 AE 25
San Giovanni dei Gelsi *CB* 133 AX 34
San Giovanni del Dosso *MN* 55 AB 14
San Giovanni del Pantano *PG* 96 AI 24
San Giovanni del Tempio *PN* 29 AK 8
San Giovanni della Fossa *RE* 66 Z 15
San Giovanni delle Contee *GR* 104 AF 27
San Giovanni di Baiano *PG* 106 AL 27
San Giovanni di Casarsa *PN* 30 AM 8
San Giovanni di Gerace *RC* 177 BG 53
San Giovanni di Nanto *VI* 41 AE 11
San Giovanni di Querciola *RE* 66 Y 16
San Giovanni di Sinis *OR* 216 L 44
San Giovanni di Sopra *PN* 29 AK 8
San Giovanni e Paolo *CE* 141 AV 36
San Giovanni Galermo *CT* 197 AZ 58
San Giovanni Gemini *AG* 193 AQ 58
San Giovanni II *TE* 109 AR 26
San Giovanni Ilarione *VR* 40 AC 10
San Giovanni in Croce *CR* 53 X 13
San Giovanni in Fiore *CS* 171 BJ 48
San Giovanni in Fonte *FG* 135 BD 36
San Giovanni in Fonti *SA* 153 BC 41
San Giovanni in Galdo *CB* 133 AX 34
San Giovanni in Galilea *FC* 88 AJ 20
San Giovanni in Golfo *CB* 133 AX 34
San Giovanni in Marignano *RN* 89 AL 20
San Giovanni in Persiceto *BO* 67 AC 16
San Giovanni in Petroio *FI* 86 AC 20
San Giovanni in Pietra *PU* 89 AJ 21
San Giovanni in Pozzuolo *PU* 89 AK 21
San Giovanni in Strada *AP* 108 AR 26
San Giovanni in Triario *BO* 67 AE 16
San Giovanni Incarico *FR* 130 AQ 34
San Giovanni La Punta *CT* 197 AZ 58
San Giovanni Lipioni *CH* 124 AW 32
San Giovanni Lupatoto *VR* 40 AB 11
San Giovanni Paganica *AQ* 114 AO 28
San Giovanni Reatino *RI* 114 AM 29
San Giovanni Rotondo *FG* 126 BD 33
San Giovanni San Bernardino *PC* 64 S 15
San Giovanni Suergiu *CI* 224 M 49
San Giovanni Teatino *CH* 116 AU 29
San Giovanni Valdarno *AR* 94 AE 22
San Giovanni Valle Roveto Inf. *AQ* 121 AQ 33
San Giovenale *CN* 71 G 18
San Giovenale *FI* 87 AE 22
San Giovenale *RI* 114 AN 28
San Girio *MC* 99 AQ 23
San Girolamo *AP* 99 AQ 25
San Girolamo *PD* 57 AH 12
San Girolamo *PI* 92 X 23
San Girolamo *RE* 54 Z 14
San Giuliano *AL* 62 N 14
San Giuliano *CE* 140 AT 36
San Giuliano *CN* 59 E 17
San Giuliano *CS* 170 BF 47
San Giuliano *PC* 52 U 13
San Giuliano *PD* 42 AG 10
San Giuliano *SA* 162 AZ 41
San Giuliano *VT* 111 AF 29
San Giuliano a Mare *RN* 83 AK 19
San Giuliano del Sannio *CB* 133 AW 35
San Giuliano di Puglia *CB* 133 AY 33
San Giuliano Milanese *MI* 36 Q 11
San Giuliano Nuovo *AL* 62 N 14
San Giuliano Terme *PI* 85 X 21
San Giuseppe *AP* 108 AR 25
San Giuseppe *AT* 48 I 13
San Giuseppe *AT* 49 J 14
San Giuseppe *AV* 142 AY 38
San Giuseppe *AV* 143 BA 37
San Giuseppe *BS* 38 U 10
San Giuseppe *CN* 59 F 17
San Giuseppe *CN* 71 H 17
San Giuseppe *CN* 60 I 15
San Giuseppe *CN* 61 J 15
San Giuseppe *CS* 165 BI 44
San Giuseppe *CT* 195 AW 59
San Giuseppe *FE* 69 AI 15
San Giuseppe *FR* 131 AS 34
San Giuseppe *MC* 98 AO 24
San Giuseppe *ME* 188 AY 55
San Giuseppe *MI* 51 P 12
San Giuseppe *PA* 183 AN 55
San Giuseppe *PZ* 164 BD 43
San Giuseppe *RM* 120 AM 33
San Giuseppe *RN* 89 AL 20
San Giuseppe *SA* 152 AZ 41
San Giuseppe *SA* 153 BC 41
San Giuseppe *SI* 105 AG 25
San Giuseppe *SO* 10 U 6
San Giuseppe *SS* 209 O 39
San Giuseppe *SV* 74 K 17
San Giuseppe *TE* 109 AR 26
San Giuseppe *TE* 109 AS 27
San Giuseppe *TV* 43 AJ 9
San Giuseppe *VC* 20 J 8
San Giuseppe / Moos *BZ* 5 AJ 3
San Giuseppe / St.Joseph *BZ* 12 AC 5
San Giuseppe della Chiusa *TS* 45 AS 10
San Giuseppe in Anterselva *BZ* 5 AH 2
San Giuseppe Jato *PA* 184 AO 56
San Giuseppe La Rena *CT* 203 AZ 59
San Giuseppe Vesuviano *NA* 151 AW 38
San Giustino *AR* 95 AE 23
San Giustino *PG* 96 AI 22
San Giustino Valdarno *AR* 95 AF 22
San Giusto *LI* 92 Y 25
San Giusto *MC* 98 AN 25
San Giusto *PI* 93 AA 23
San Giusto *SI* 94 AD 23
San Giusto *SI* 94 AD 23
San Giusto *VE* 30 AL 9
San Giusto *VT* 104 AG 27
San Giusto alle Monache *SI* 94 AD 23
San Giusto Canavese *TO* 48 H 12
San Giusto di Brancoli *LU* 85 Y 20
San Godenzo *FI* 87 AE 20
San Gottardo *BS* 38 V 11
San Gottardo *BS* 38 W 10
San Gottardo *SO* 11 X 5
San Gottardo *UD* 30 AO 7
San Gratignano *PG* 96 AI 24
San Grato *AT* 61 K 15
San Grato *CN* 59 F 16
San Grato *CN* 71 H 17
San Grato *CN* 60 I 16
San Grato *CN* 71 I 17
San Grato *LO* 51 R 12
San Gregorio *AN* 90 AN 22
San Gregorio *AP* 108 AP 27
San Gregorio *AQ* 115 AP 30
San Gregorio *AV* 142 AY 38
San Gregorio *BG* 37 R 9
San Gregorio *CA* 227 R 48
San Gregorio *CN* 60 I 16
San Gregorio *IM* 72 H 20
San Gregorio *PC* 64 S 16
San Gregorio *PG* 96 AK 25
San Gregorio *RC* 189 BC 55
San Gregorio *RI* 114 AM 29
San Gregorio *SA* 151 AX 39
San Gregorio *SV* 73 J 20
San Gregorio *VR* 55 AC 11
San Gregorio da Sassola *RM* 120 AM 32
San Gregorio di Catania *CT* 197 AZ 58
San Gregorio d'Ippona *VV* 174 BF 52
San Gregorio Magno *SA* 153 BB 40
San Gregorio Matese *CE* 132 AV 35
San Gregorio nelle Alpi *BL* 28 AH 7
San Gregorio-Bagnoli *ME* 187 AX 55
San Grisante *VC* 49 J 12
San Grisogono *MC* 98 AQ 24
San Guido *LI* 92 Y 24
San Gusmè *SI* 94 AD 23
San Iacopo *PI* 85 X 21
San Iorio *CS* 166 BE 47
San Ippolito *RI* 114 AN 30
San Jacopo al Girone *FI* 86 AD 21
San Kostantin / San Costantino *BZ* 13 AE 4
San Lanfranco *PV* 51 P 12
San Latino *CR* 52 T 12
San Lauro *CS* 166 BF 46
San Lazzaro *AP* 108 AR 26
San Lazzaro *BN* 133 AY 36
San Lazzaro *CN* 59 F 16
San Lazzaro *CS* 167 BF 45
San Lazzaro *GE* 77 R 18
San Lazzaro *LO* 51 S 12
San Lazzaro *MN* 53 Y 12
San Lazzaro *MO* 66 AA 16
San Lazzaro *NA* 151 AW 40
San Lazzaro *PC* 52 T 13
San Lazzaro *PG* 107 AM 26
San Lazzaro *RO* 56 AE 13
San Lazzaro *SV* 74 K 17
San Lazzaro *TN* 26 AB 7
San Lazzaro *VI* 41 AE 10
San Lazzaro degli Armeni *VE* 43 AJ 11
San Lazzaro di Savena *BO* 67 AD 17
San Lazzaro Reale *IM* 72 I 20
San Leo *AR* 95 AH 22
San Leo *BO* 68 AE 16
San Leo *IS* 132 AU 33
San Leo *PU* 88 AJ 20
San Leo *PU* 89 AK 21
San Leo *RC* 189 BC 55
San Leo Bastia *PG* 96 AH 24
San Leo-Apesana *ME* 187 AW 55
San Leonardo *AO* 18 E 9
San Leonardo *AV* 143 BA 37
San Leonardo *BA* 147 BM 39
San Leonardo *CB* 124 AW 33
San Leonardo *CH* 117 AU 30
San Leonardo *CI* 224 M 49
San Leonardo *FG* 135 BD 34
San Leonardo *FG* 144 BD 37
San Leonardo *GR* 104 AF 27
San Leonardo *KR* 169 BL 47
San Leonardo *KR* 173 BL 49
San Leonardo *ME* 188 AY 55
San Leonardo *PN* 29 AL 7
San Leonardo *PR* 65 X 15
San Leonardo *PV* 51 Q 13
San Leonardo *RC* 178 BD 56
San Leonardo *SA* 152 AX 40
San Leonardo *SA* 153 BA 39
San Leonardo *TP* 182 AJ 56
San Leonardo *UD* 31 AQ 7
San Leonardo / St.Leonard *BZ* 14 AG 4
San Leonardo / St.Leonhard *BZ* 4 AF 3
San Leonardo de Siete Fuentes *OR* 217 M 42
San Leonardo di Cutro *KR* 173 BK 50
San Leonardo in Passiria / St.Leonhardi. Pass *BZ* 3 AC 3
San Leonardo in Schiova *FC* 82 AH 18
San Leone *AG* 199 AQ 60
San Leone Mosè *AG* 199 AQ 60
San Leonino *AR* 94 AE 23
San Leonino *SI* 94 AC 23
San Leopardo *MC* 98 AQ 23
San Leopoldo *UD* 16 AP 4
San Leucio del Sannio *BN* 142 AX 37
San Liberale *VE* 42 AJ 10
San Liberato *RI* 114 AM 29
San Liberato *RM* 119 AH 31
San Liberato *TR* 113 AJ 29
San Liberato *VT* 113 AJ 29
San Liberatore *AV* 142 AZ 37
San Liberatore *BN* 142 AX 37
San Liberio *PU* 90 AM 21
San Ligorio *LE* 159 BS 41
San Liguori *CS* 164 BF 44
San Lino *BS* 39 X 10
San Litardo *PG* 105 AG 26
San Lorenzello *BN* 141 AW 36
San Lorenzello *RC* 178 BD 55
San Lorenzo *AL* 62 M 16
San Lorenzo *AL* 62 P 14
San Lorenzo *AP* 108 AP 25
San Lorenzo *AP* 99 AR 24
San Lorenzo *AQ* 115 AO 29
San Lorenzo *AQ* 115 AQ 30
San Lorenzo *AR* 95 AH 22
San Lorenzo *AT* 61 L 15
San Lorenzo *BG* 37 T 9
San Lorenzo *BG* 24 U 8
San Lorenzo *BN* 133 AX 35
San Lorenzo *BN* 142 AY 37
San Lorenzo *BO* 67 AB 16
San Lorenzo *BO* 81 AE 17
San Lorenzo *CE* 140 AT 36
San Lorenzo *CE* 141 AU 38
San Lorenzo *CH* 124 AW 31
San Lorenzo *CN* 59 E 16
San Lorenzo *CN* 71 F 17
San Lorenzo *CN* 70 F 18
San Lorenzo *CN* 70 F 18
San Lorenzo *CN* 59 G 15
San Lorenzo *CN* 71 G 17
San Lorenzo *CN* 60 H 16
San Lorenzo *CN* 72 I 19
San Lorenzo *CS* 166 BE 46
San Lorenzo *CS* 170 BF 48
San Lorenzo *FC* 82 AH 19
San Lorenzo *FG* 127 BF 32
San Lorenzo *GE* 76 Q 17
San Lorenzo *GR* 104 AE 26
San Lorenzo *IM* 72 G 21
San Lorenzo *LT* 139 AR 36
San Lorenzo *MC* 98 AO 24
San Lorenzo *MC* 98 AP 25
San Lorenzo *MI* 36 O 10
San Lorenzo *MN* 54 AB 13
San Lorenzo *MN* 54 Y 12
San Lorenzo *MN* 54 Z 13
San Lorenzo *MO* 66 AA 16
San Lorenzo *NU* 211 T 39
San Lorenzo *PA* 184 AO 55
San Lorenzo *PA* 185 AP 56
San Lorenzo *PC* 64 U 14
San Lorenzo *PD* 56 AG 12
San Lorenzo *PG* 106 AK 25
San Lorenzo *PG* 97 AL 24
San Lorenzo *PG* 106 AL 26
San Lorenzo *PN* 30 AL 8
San Lorenzo *PU* 88 AI 21
San Lorenzo *PU* 89 AK 21

A B C D E F G H I J K L M N O P Q R S T U V W X Y Z

SAN GIMIGNANO

Berignano (V.)
Bonda (V. di) 2

Circolazione stradale regolamentata nel centro città

Capassi (V.) ....
Castello (V. del) 3
Cisterna (Pza della) ....
Diacceto (V.) 4
Duomo (Pza del) ....
Folgore da S. Gimignano (V.)
Fonti (V. delle) ....
Fossi (V. dei) ....
Garibaldi (V.) ....
Ghiacciaia (V.) ....

Mainardi 7
Martiri di Montemaggio (Piazzale dei) .....
Pecori (Pza Luigi) 9
Piandornella (V.) ....
Quercecchio (V. di) 8
Romite (V. delle) ....
Santo Stefano (V.) 12
S. Giovanni (V.) ....
S. Matteo (V.) ....
20 Settembre (V.) 13

Map labels: PISA / CERTALDO — Garibaldi — Via della Ghiacciaia — S. Agostino — PORTA S. IACOPO — PORTA S. MATTEO — Via Folgore da S. Gimignano — PORTA DELLE FONTI — Via delle Fonti — Via S. Matteo — Via dei Fossi — ROCCA — S. MARIA ASSUNTA — Pal. del Podestà — PZA DEL DUOMO — PZA DELLA CISTERNA — Capassi — PORTA QUERCECCHIO — Via Berignano — Via S. Giovanni — Via delle Romite — Via Piandornella — Porta S. Giovanni — Piazzale dei Martiri di Montemaggio — POGGIBONSI / VOLTERRA — SIENA / FIRENZE — ☐ Casa torre — 0 ... 200 m

San Lorenzo PZ ..... 164 BF 44
San Lorenzo RA ..... 68 AG 17
San Lorenzo RC ..... 178 BE 55
San Lorenzo RI ..... 120 AN 31
San Lorenzo SA ..... 151 AW 39
San Lorenzo SR ..... 205 AZ 63
San Lorenzo SS ..... 209 M 39
San Lorenzo SV ..... 74 K 18
San Lorenzo TR ..... 105 AH 26
San Lorenzo TR ..... 113 AK 29
San Lorenzo UD ..... 30 AM 8
San Lorenzo UD ..... 31 AP 8
San Lorenzo VI ..... 7 K 7
San Lorenzo a Collina FI ..... 86 AC 21
San Lorenzo a Merse SI ..... 94 AC 25
San Lorenzo a Montalbano SI ..... 93 AA 24
San Lorenzo a Vaccoli LU ..... 85 X 21
San Lorenzo al Lago MC ..... 107 AN 25
San Lorenzo al Mare IM ..... 72 I 20
San Lorenzo al Pinaco RI ..... 108 AO 28
San Lorenzo Aroldo CR ..... 53 X 13
San Lorenzo Bellizzi CS ..... 165 BG 44
San Lorenzo Croce della Madonna ..... 116 AT 30
San Lorenzo De' Picenardi CR ..... 53 W 13
San Lorenzo del Vallo CS ..... 167 BG 45
San Lorenzo di Fiumicello UD ..... 31 AP 9
San Lorenzo di Monte Nero PG ..... 96 AJ 24
San Lorenzo di Rabatta PG ..... 96 AJ 24
San Lorenzo di San / St.Lorenzen BZ ..... 4 AG 3
San Lorenzo e Flaviano RI ..... 107 AO 27
San Lorenzo Guazzone CR ..... 53 X 13
San Lorenzo in Banale TN ..... 26 AA 7
San Lorenzo in Campo PU ..... 90 AM 22
San Lorenzo in Collina BO ..... 67 AC 17

San Lorenzo in Colpolina MC ..... 98 AN 25
San Lorenzo in Correggiano RN ..... 83 AK 19
San Lorenzo in Noceto FC ..... 82 AH 19
San Lorenzo in Seanno FC ..... 82 AJ 19
San Lorenzo in Strada RN ..... 83 AK 19
San Lorenzo Isontino GO ..... 31 AQ 8
San Lorenzo Maggiore BN ..... 142 AW 36
San Lorenzo Mondinari CR ..... 53 W 13
San Lorenzo Nuovo CS ..... 165 BG 44
San Lorenzo Nuovo VT ..... 105 AG 27
San Lorenzo Primo VT ..... 113 AJ 30
San Lorenzo Secondo VT ..... 113 AJ 30
San Lorenzo Stellanelo SV ..... 73 J 19
San Lorenzo Vecchio PG ..... 106 AL 25
San Lorenzo Vecchio SR ..... 205 AZ 63
San Luca AL ..... 62 M 16
San Luca MC ..... 98 AN 25
San Luca MS ..... 78 V 19
San Luca PD ..... 56 AG 12
San Luca PG ..... 106 AL 25
San Luca RC ..... 178 BD 55
San Luca RC ..... 178 BE 54
San Luca RC ..... 179 BF 55
San Luca SA ..... 152 AY 40
San Luca TO ..... 59 F 15
San Luca VI ..... 27 AE 9
San Luca CH ..... 117 AV 31
San Lucchese SI ..... 94 AB 23
San Luciano AR ..... 95 AF 23
San Lucido CS ..... 170 BF 48
San Lugano BL ..... 14 AH 6
San Lugano BZ ..... 13 AD 6
San Luigi AN ..... 91 AP 22
San Luigi AT ..... 61 J 15
San Luigi CN ..... 74 J 17
San Luigi IM ..... 72 I 19
San Luigi RI ..... 113 AK 30
San Lupo BN ..... 142 AW 36
San Macario in Piano LU ..... 85 X 20
San Magno BA ..... 145 BH 37

San Magno CN ..... 71 G 17
San Magno LT ..... 130 AP 35
San Maiano PG ..... 96 AI 23
San Mamante TV ..... 42 AG 9
San Mamete CO ..... 22 P 7
San Mamilliano TR ..... 113 AL 28
San Mango SA ..... 162 AZ 42
San Mango d'Aquino CZ ..... 170 BG 49
San Mango Piemonte SA ..... 152 AY 39
San Mango sul Calore AV ..... 142 AY 38
San Marcellino CE ..... 141 AU 38
San Marcellino SI ..... 94 AD 23
San Marcello AN ..... 90 AO 22
San Marcello MC ..... 98 AN 25
San Marcello VI ..... 40 AD 11
San Marcello VR ..... 55 AC 12
San Marcello Pistoiese PT ..... 79 Z 19
San Marco AP ..... 99 AR 24
San Marco AQ ..... 115 AO 29
San Marco AR ..... 95 AG 24
San Marco BA ..... 147 BM 39
San Marco BG ..... 23 T 9
San Marco BL ..... 28 AG 7
San Marco CE ..... 140 AT 36
San Marco CE ..... 141 AU 36
San Marco CE ..... 141 AU 36
San Marco CE ..... 141 AV 37
San Marco CH ..... 123 AV 31
San Marco CT ..... 197 BA 57
San Marco FR ..... 131 AR 35
San Marco FR ..... 131 AR 35
San Marco LT ..... 139 AR 36
San Marco MC ..... 98 AN 25
San Marco ME ..... 188 AZ 55
San Marco MT ..... 154 BF 40
San Marco NA ..... 150 AT 38
San Marco PD ..... 41 AF 11
San Marco PG ..... 96 AI 25
San Marco PG ..... 97 AK 24
San Marco PG ..... 107 AN 27
San Marco RA ..... 82 AH 17
San Marco SA ..... 162 AY 42
San Marco SA ..... 153 BC 41
San Marco SA ..... 163 BC 43
San Marco SS ..... 212 K 40
San Marco TO ..... 46 C 13
San Marco TP ..... 182 AK 55
San Marco TV ..... 42 AG 10
San Marco UD ..... 30 AN 7
San Marco VB ..... 7 K 7
San Marco VC ..... 35 K 11
San Marco ai Monti BN ..... 142 AX 37
San Marco Argentano CS ..... 167 BF 46
San Marco d'Alunzio ME ..... 187 AX 55
San Marco dei Cavoti BN ..... 133 AY 36
San Marco Evangelista CE ..... 141 AV 37
San Marco in Lamis FG ..... 126 BC 33
San Marco La Catola FG ..... 134 AZ 34
San Marco-Campitello CE ..... 132 AV 35
San Mariano AN ..... 90 AM 22
San Mariano PG ..... 105 AI 25

San Marino BO ..... 67 AD 16
San Marino CR ..... 53 V 13
San Marino MO ..... 66 AA 15
San Marino PU ..... 88 AI 21
San Marino PU ..... 89 AJ 20
San Marino PU ..... 89 AL 21
San Marino RM ..... 129 AN 33
San Marino RN ..... 83 AJ 19
San Marino TR ..... 105 AI 27
San Marino VI ..... 27 AF 8
San Marino d'Urbino PU ..... 89 AL 21
San Martin in T. / San Martino in B. BZ ..... 4 AG 3
San Martino AL ..... 49 L 13
San Martino AN ..... 90 AM 22
San Martino AP ..... 108 AP 25
San Martino AP ..... 108 AP 27
San Martino AP ..... 108 AQ 26
San Martino AQ ..... 115 AQ 30
San Martino AQ ..... 115 AQ 30
San Martino AR ..... 94 AE 23
San Martino AR ..... 87 AF 22
San Martino AT ..... 61 L 14
San Martino AV ..... 142 AZ 37
San Martino BI ..... 34 K 10
San Martino BL ..... 28 AH 7

San Martino BN ..... 142 AY 37
San Martino BO ..... 67 AC 16
San Martino BO ..... 80 AC 18
San Martino BO ..... 80 AC 18
San Martino BO ..... 68 AF 17
San Martino BS ..... 39 Y 9
San Martino BZ ..... 4 AG 3
San Martino CB ..... 133 AX 34
San Martino CE ..... 140 AS 36
San Martino CH ..... 116 AU 29
San Martino CH ..... 124 AW 33
San Martino CN ..... 58 D 16
San Martino CN ..... 59 F 15
San Martino CN ..... 60 I 16
San Martino CN ..... 61 K 15
San Martino CO ..... 23 Q 7
San Martino CS ..... 166 BE 46
San Martino CS ..... 168 BH 47
San Martino FC ..... 82 AG 19
San Martino FC ..... 82 AG 19
San Martino FC ..... 88 AG 20
San Martino FC ..... 88 AH 20
San Martino FC ..... 82 AI 19
San Martino FE ..... 68 AE 15
San Martino FI ..... 87 AD 21
San Martino GE ..... 76 R 17
San Martino GR ..... 103 AC 26
San Martino IM ..... 72 H 20
San Martino LI ..... 100 W 27
San Martino LI ..... 93 Y 24
San Martino LT ..... 130 AP 35
San Martino MC ..... 107 AM 26
San Martino MC ..... 98 AN 25
San Martino MC ..... 98 AP 25
San Martino ME ..... 188 AZ 56
San Martino ME ..... 189 BB 54
San Martino MO ..... 66 AA 15
San Martino NA ..... 80 AA 38
San Martino NO ..... 35 N 11
San Martino PD ..... 41 AF 11
San Martino PG ..... 105 AH 25
San Martino PI ..... 85 X 21
San Martino PI ..... 92 Y 23
San Martino PN ..... 15 AJ 6
San Martino PN ..... 29 AK 7
San Martino PR ..... 64 T 16
San Martino PR ..... 64 U 16
San Martino PR ..... 65 X 14
San Martino PU ..... 89 AJ 21
San Martino PU ..... 89 AJ 21
San Martino PV ..... 50 N 13
San Martino PV ..... 63 Q 15
San Martino PZ ..... 144 BD 39
San Martino RC ..... 176 BE 53
San Martino RE ..... 54 Z 14
San Martino RE ..... 66 Z 15
San Martino RI ..... 114 AM 30
San Martino RN ..... 83 AJ 19
San Martino RN ..... 83 AK 19
San Martino SA ..... 151 AX 39
San Martino SA ..... 152 AY 39
San Martino SI ..... 94 AB 22
San Martino SI ..... 94 AD 23
San Martino SO ..... 9 S 6
San Martino SO ..... 11 W 5
San Martino SO ..... 11 X 5
San Martino SV ..... 75 M 17
San Martino TN ..... 26 AA 8
San Martino TO ..... 46 D 14
San Martino TO ..... 59 F 14
San Martino TO ..... 48 H 13
San Martino TV ..... 28 AG 9
San Martino TV ..... 42 AH 10
San Martino TV ..... 29 AJ 8
San Martino TV ..... 42 AJ 9
San Martino UD ..... 30 AM 8
San Martino VR ..... 39 Z 11
San Martino / Reinswald BZ ..... 4 AD 3
San Martino / St.Martin BZ ..... 4 AG 2
San Martino a Carcheri FI ..... 86 AB 21
San Martino a Maiano FI ..... 86 AB 22
San Martino a Monte AR ..... 87 AF 21
San Martino a Scopeto FI ..... 87 AD 20
San Martino al Cimino VT ..... 112 AH 29
San Martino al Monte / St.Martin am Vorberg BZ ..... 12 AA 4
San Martino al Tagliamento PN ..... 30 AM 7
San Martino Alfieri AT ..... 61 J 15
San Martino alla Palma FI ..... 86 AB 21
San Martino Buon Albergo VR ..... 40 AB 11
San Martino Canavese TO ..... 34 H 11
San Martino Carano MO ..... 66 AB 14
San Martino d'Agri PZ ..... 164 BF 42

San Martino dall'Argine MN ..... 53 Y 13
San Martino dei Colli PG ..... 105 AI 25
San Martino dei Muri PU ..... 89 AL 22
San Martino del Carso GO ..... 31 AQ 8
San Martino del Lago CR ..... 53 W 13
San Martino del Piano PU ..... 89 AJ 22
San Martino del Piano PU ..... 89 AL 21
San Martino Delfico PG ..... 106 AJ 25
San Martino della Battaglia BS ..... 39 Y 11
San Martino delle Scale PA ..... 184 AO 55
San Martino di Bagnolo FC ..... 82 AI 19
San Martino di Bagnolo FC ..... 82 AI 19
San Martino di Castrozza TN ..... 14 AF 6
San Martino di Finita CS ..... 167 BF 47
San Martino di Lupari PD ..... 41 AG 10
San Martino di Muggiano MO ..... 66 AA 16
San Martino di Noceto GE ..... 76 Q 17
San Martino di Terzo UD ..... 31 AO 9
San Martino di Venezze RO ..... 56 AG 13
San Martino di Villafranca FC ..... 82 AH 18
San Martino Gusnago MN ..... 53 Y 12
San Martino in Argine BO ..... 68 AE 16
San Martin in T. BZ ..... 4 AG 3
San Martino in Beliseto CR ..... 52 U 12
San Martino in Campo PG ..... 106 AJ 25
San Martino in Casola BO ..... 67 AB 17
San Martino in Colle LU ..... 85 Y 20
San Martino in Colle PG ..... 106 AJ 25
San Martino in Colle PG ..... 96 AK 23
San Martino in Fiume FC ..... 82 AI 18
San Martino in Freddana LU ..... 85 X 20
San Martino in Gattara RA ..... 81 AF 19
San Martino in Passiria / St.Martin i. P. BZ ..... 3 AC 3
San Martino in Pedriola BO ..... 81 AE 17
San Martino in Pensilis CB ..... 125 AZ 32
San Martino in Poggio AR ..... 95 AF 23
San Martino in Rio RE ..... 66 Z 15
San Martino in Selvanera PU ..... 89 AJ 21
San Martino in Soverzano BO ..... 67 AE 16
San Martino in Strada FC ..... 82 AH 18
San Martino in Strada LO ..... 51 S 12
San Martino in Trignano PG ..... 106 AK 27
San Martino Monte L'Abate RN ..... 83 AK 19
San Martino Monteneve / St.Martin am Schnesberg BZ ..... 3 AC 2
San Martino Oleario MI ..... 37 R 11
San Martino Pizzolano LO ..... 52 S 13
San Martino Sannita BN ..... 142 AY 37
San Martino Siccomario PV ..... 51 P 13
San Martino Sinzano PR ..... 65 W 15
San Martino Sopr'Arno AR ..... 95 AG 22
San Martino Spino MO ..... 55 AC 14
San Martino sul Fiora GR ..... 104 AE 27
San Martino sulla Marrucina CH ..... 116 AU 30
San Martino Tremoleto AR ..... 87 AF 21
San Martino Valle Caudina AV ..... 142 AW 37
San Martino/ in Casies / Valbassa BZ ..... 5 AI 3
San Marzano di San Giuseppe TA ..... 157 BO 41
San Marzano Oliveto AT ..... 61 K 15
San Marzano sul Sarno SA ..... 151 AW 39
San Marzanotto AT ..... 61 K 14
San Massimo CB ..... 132 AV 35
San Massimo GE ..... 76 Q 17
San Massimo PD ..... 56 AG 12
San Massimo SV ..... 74 K 16
San Massimo TE ..... 115 AR 29
San Massimo all'Adige VR ..... 40 AA 11
San Materno BA ..... 147 BL 37
San Matteo AN ..... 90 AM 21
San Matteo BA ..... 137 BJ 36
San Matteo CN ..... 70 F 17
San Matteo FG ..... 126 BB 33
San Matteo FG ..... 126 BC 33
San Matteo PR ..... 78 V 17
San Matteo delle Chiaviche MN ..... 54 Y 13
San Mattia SA ..... 152 AY 40
San Maurizio AL ..... 49 L 13
San Maurizio BZ ..... 13 AC 4

San Maurizio BZ ..... 13 AE 4
San Maurizio CN ..... 59 E 16
San Maurizio CN ..... 70 E 18
San Maurizio RE ..... 66 Y 15
San Maurizio VC ..... 34 K 10
San Maurizio al Monte GE ..... 76 Q 17
San Maurizio Canavese TO ..... 48 G 12
San Maurizio d'Opaglio NO ..... 35 L 9
San Mauro AV ..... 152 BA 39
San Mauro CE ..... 141 AV 37
San Mauro CN ..... 59 F 17
San Mauro CN ..... 71 F 17
San Mauro CT ..... 202 AV 60
San Mauro FI ..... 86 AB 21
San Mauro ME ..... 188 AX 55
San Mauro NU ..... 218 P 43
San Mauro SA ..... 151 AW 39
San Mauro TE ..... 109 AR 27
San Mauro TN ..... 26 AC 7
San Mauro VE ..... 30 AM 9
San Mauro a Mare RN ..... 83 AJ 19
San Mauro Castelverde PA ..... 186 AU 56
San Mauro Cilento SA ..... 162 AZ 42
San Mauro di Saline VR ..... 40 AB 10
San Mauro la Bruca SA ..... 162 BA 43
San Mauro Marchesato KR ..... 173 BK 49
San Mauro Pascoli FC ..... 83 AJ 19
San Mauro Torinese TO ..... 48 H 13
San Mazzeo-Vallone Cupo CZ ..... 171 BG 49
San Menaio FG ..... 127 BE 32
San Menale SA ..... 163 BB 42
San Miceli CS ..... 170 BF 47
San Michele AG ..... 193 AQ 59
San Michele AN ..... 97 AM 23
San Michele AN ..... 97 AM 24
San Michele AN ..... 98 AN 23
San Michele AP ..... 99 AR 25
San Michele AT ..... 60 I 14
San Michele BA ..... 147 BL 39
San Michele BS ..... 25 Z 9
San Michele CN ..... 71 F 17
San Michele CN ..... 60 I 16
San Michele CN ..... 61 K 17
San Michele CO ..... 36 P 9
San Michele CR ..... 38 U 11
San Michele CS ..... 171 BG 48
San Michele CS ..... 168 BH 46
San Michele CZ ..... 171 BH 50
San Michele FI ..... 87 AD 21
San Michele FR ..... 131 AS 34
San Michele IM ..... 72 G 20
San Michele KR ..... 173 BK 48
San Michele ME ..... 189 BC 54
San Michele PC ..... 64 T 15
San Michele PI ..... 93 Y 23
San Michele PN ..... 29 AJ 8
San Michele PZ ..... 164 BF 42
San Michele RA ..... 82 AH 17
San Michele RE ..... 66 Z 15
San Michele RI ..... 113 AK 30
San Michele RM ..... 120 AL 31
San Michele SA ..... 151 AW 40
San Michele SV ..... 74 K 17
San Michele SV ..... 74 K 19
San Michele TO ..... 59 E 15
San Michele TP ..... 190 AG 63
San Michele TV ..... 42 AG 9
San Michele TV ..... 28 AI 8
San Michele TV ..... 42 AJ 10
San Michele VA ..... 22 N 8
San Michele VB ..... 7 L 5
San Michele VS ..... 221 N 47
San Michele VT ..... 112 AI 29
San Michele / St.Michael BZ ..... 13 AE 4
San Michele / a Monteripaldi FI ..... 86 AC 21
San Michele a Torri FI ..... 86 AB 21
San Michele al Fiume PU ..... 90 AM 22
San Michele al Tagliamento VE ..... 30 AM 9
San Michele all'Adige TN ..... 26 AB 6
San Michele Angarano VI ..... 27 AF 9
San Michele dei Mucchietti MO ..... 66 Z 16
San Michele del Carso GO ..... 31 AQ 8
San Michele di Ganzaria CT ..... 201 AV 60
San Michele di Piave TV ..... 29 AJ 9

San Michele di Pratola AV.. 142 AY 38
San Michele di Serino AV.. 142 AY 38
San Michele e Grato TO.. 60 H 14
San Michele Extra VR.. 40 AB 11
San Michele Gatti PR.. 65 W 15
San Michele in Bosco MN.. 54 Y 13
San Michele in Quartieri RA 81 AF 18
San Michele in Teverina VT.112 AI 28
San Michele Mondovì CN.74 I 17
San Michele Salentino BR.. 148 BO 40
San Michele Tiorre PR.. 65 W 15
San Minà CZ.. 170 BG 50
San Miniatello FI.. 86 AB 21
San Miniato PI.. 85 AA 21
San Miniato in Alpe FI.. 87 AE 21
San Mommè PT.. 86 AA 19
San Montano NA.. 150 AS 39
San Morello CS.. 169 BK 47
San Nazario CN.. 60 I 16
San Nazario SA.. 162 BA 43
San Nazario VI.. 27 AE 8
San Nazzaro SI.. 94 AE 25
San Nazzaro AL.. 63 P 15
San Nazzaro BN.. 142 AY 37
San Nazzaro IS.. 132 AT 34
San Nazzaro PC.. 52 U 13
San Nazzaro PR.. 158 W 14
San Nazzaro Sesia NO.. 35 L 11
San Nazzaro
    Val Cavargna CO.. 22 P 7
San Nicandro AQ.. 115 AQ 30
San Niccolo BO.. 80 AC 18
San Niccolo a Cignano SI.. 95 AG 24
San Niccolò di Celle PG..106 AJ 25
San Nico CS.. 168 BH 46
San Nicola AG.. 199 AS 60
San Nicola AQ.. 115 AO 30
San Nicola AV.. 142 AY 37
San Nicola BN.. 141 AW 37
San Nicola CB.. 133 AW 34
San Nicola CL.. 194 AT 58
San Nicola CS.. 164 BE 44
San Nicola CS.. 167 BF 47
San Nicola CS.. 168 BH 46
San Nicola FG.. 127 BF 32
San Nicola FR.. 131 AR 35
San Nicola LT.. 130 AQ 35
San Nicola NA.. 151 AW 39
San Nicola PC.. 52 S 13
San Nicola PE.. 116 AS 29
San Nicola PZ.. 144 BD 37
San Nicola PZ.. 154 BD 39
San Nicola PZ.. 163 BD 44
San Nicola PZ.. 164 BE 42
San Nicola RC.. 178 BD 54
San Nicola RC.. 178 BD 56
San Nicola RC.. 176 BF 54
San Nicola RC.. 179 BF 54
San Nicola RC.. 179 BF 55
San Nicola RC.. 177 EH 53
San Nicola RC.. 177 EH 53
San Nicola SA.. 152 AX 39
San Nicola SA.. 152 AZ 41
San Nicola SA.. 162 BA 42
San Nicola SA.. 162 BA 43
San Nicola SA.. 163 BC 43
San Nicola SS.. 213 O 40
San Nicola TO.. 59 F 15
San Nicola VT.. 112 AI 29
San Nicola CS.. 166 BI 44
San Nicola a Mare SA.. 162 AY 42
San Nicola Arcella CS.. 166 BD 44
San Nicola Baronia AV.. 143 BA 37
San Nicola da Crissa VV..174 BG 52
San Nicola d'Arpi FG.. 135 BC 34
San Nicola
    De Legistris VV.. 176 BE 52
San Nicola dell'Alto KR.. 173 BK 48
San Nicola di Tremiti FG.. 126 BC 31
San Nicola la Strada CE.. 141 AU 37
San Nicola l'Arena PA..185 AQ 55
San Nicola Manfredi BN.. 142 AX 37
San Nicola Silano CS.. 171 BI 48
San Nicola Varano FG.. 126 BD 32
San Nicolao PE.. 116 AT 31
San Nicolao TO.. 59 G 14
San Nicolas AO.. 32 E 9
San Nicolella ME.. 188 AY 55
San Nicolino AP.. 108 AR 26
San Nicollò TV.. 43 AK 9
San Nicolò BO.. 81 AE 17
San Nicolò FE.. 68 AF 15
San Nicolò ME.. 188 AY 55
San Nicolò PC.. 52 S 13
San Nicolò PG.. 106 AL 27
San Nicolò UD.. 31 AP 8

San Nicolò UD.. 31 AP 9
San Nicolò VV.. 176 BE 52
San Nicolò /St.Nicolaus BZ.. 12 AA 4
San Nicolò a Tordino TE.109 AR 27
San Nicolò d'Arcidano OR.. 221 M 45
San Nicolò d'Ega /
    St.Nikolaus Eggen BZ.. 13 AE 5
San Nicolò di Comelico BL.. 15 AK 4
San Nicolò Gerrei CA.. 222 Q 47
San Nicolò Po MN.. 54 AA 13
San Nicolò Vecchio ME..188 AY 55
San Novo MI.. 36 P 11
San Nullo CT.. 197 AZ 58
San Onofrio RM.. 119 AJ 32
San Pacifico MC.. 98 AO 24
San Pancrazio AR.. 95 AE 23
San Pancrazio FI.. 86 AB 22
San Pancrazio IM.. 72 G 21
San Pancrazio ME.. 188 AY 55
San Pancrazio MO.. 66 AA 15
San Pancrazio PR.. 65 W 15
San Pancrazio RA.. 82 AH 17
San Pancrazio TO.. 47 G 13
San Pancrazio TR.. 113 AJ 28
San Pancrazio VA.. 35 N 9
San Pancrazio VA.. 36 O 9
San Pancrazio VR.. 40 AB 11
San Pancrazio /
    St.Pankraz BZ.. 12 AB 4
San Pancrazio
    Salentino BR.. 158 BQ 41
San Panfilo d'Ocre AQ.. 115 AP 30
San Pantaleo OT.. 210 R 37
San Pantaleone RC.. 178 BE 56
San Paolo AN.. 97 AM 23
San Paolo AP.. 108 AP 27
San Paolo BZ.. 4 AF 3
San Paolo CA.. 227 R 48
San Paolo CN.. 74 I 17
San Paolo FC.. 88 AG 20
San Paolo FI.. 86 AC 21
San Paolo ME.. 189 BA 55
San Paolo MN.. 54 Z 13
San Paolo PN.. 30 AM 8
San Paolo PV.. 50 M 12
San Paolo PV.. 63 P 14
San Paolo PZ.. 164 BE 43
San Paolo RN.. 83 AJ 19
San Paolo SA.. 152 AZ 40
San Paolo SA.. 162 BA 42
San Paolo SR.. 205 AZ 62
San Paolo TA.. 157 BM 40
San Paolo VE.. 42 AI 10
San Paolo VI.. 41 AF 9
San Paolo /San Paul BZ.. 12 AC 5
San Paolo Albanese PZ..165 BH 43
San Paolo Bel Sito NA.. 151 AW 38
San Paolo Cervo BI.. 34 J 10
San Paolo d'Argon BG.. 37 T 9
San Paolo di Civitate FG..125 BA 33
San Paolo di Jesi AN.. 98 AO 23
San Paolo in Acquilano FC.. 82 AH 19
San Paolo in Alpe FC.. 87 AF 20
San Paolo Solbrito AT.. 48 I 14
San Pasquale CE.. 141 AU 36
San Pasquale FG.. 127 BE 33
San Pasquale OT.. 207 Q 36
San Pasquale RC.. 179 BE 56
San Paterniano AN.. 98 AP 22
San Patrignano PU.. 89 AK 21
San Patrignano RN.. 89 AK 20
San Patrizio RA.. 68 AF 17
San Paul / San Paolo BZ.. 12 AC 5
San Pedretto PC.. 52 U 13
San Pedrino MI.. 37 R 11
San Pelagio TS.. 31 AR 9
San Pelagio TV.. 42 AI 9
San Pelino AQ.. 114 AO 29
San Pelino AQ.. 121 AP 31
San Pellegrinetto LU.. 85 X 19
San Pellegrinetto MO.. 79 Z 17
San Pellegrino AN.. 99 AQ 23
San Pellegrino FI.. 81 AD 19
San Pellegrino PE.. 116 AS 29
San Pellegrino PG.. 97 AL 24
San Pellegrino PG.. 107 AN 27
San Pellegrino PT.. 80 AA 19
San Pellegrino TN.. 13 AF 5
San Pellegrino in Alpe LU.. 79 X 18
San Pellegrino Terme BG.. 23 S 8
San Peri RC.. 178 BD 54
San Pier d'Isonzo GO.. 31 AP 8
San Pier Fedele RC.. 176 BF 52
San Pier Niceto ME.. 189 BB 55
San Piero AR.. 87 AF 21
San Piero FI.. 85 Z 21
San Piero FI.. 87 AD 21

San Piero ME.. 187 AW 55
San Piero a Ponti FI.. 86 AB 21
San Piero a Sieve FI.. 86 AC 20
San Piero in Bagno FC.. 88 AG 20
San Piero in Campo LI.. 100 W 27
San Piero in Campo SI..104 AF 26
San Piero Patti ME.. 188 AY 55
San Pietrello PU.. 89 AL 22
San Pietro AL.. 50 N 13
San Pietro AN.. 90 AM 22
San Pietro AN.. 98 AP 23
San Pietro AP.. 108 AQ 25
San Pietro AP.. 108 AQ 27
San Pietro AQ.. 115 AP 29
San Pietro AQ.. 121 AP 31
San Pietro AT.. 61 J 14
San Pietro AV.. 151 AX 39
San Pietro AV.. 143 AZ 37
San Pietro BA.. 146 BK 37
San Pietro BN.. 142 AW 36
San Pietro BN.. 141 AW 37
San Pietro BO.. 81 AD 17
San Pietro BS.. 24 V 7
San Pietro BS.. 39 Y 11
San Pietro BS.. 3 AB 3
San Pietro BZ.. 11 Y 4
San Pietro CA.. 227 S 48
San Pietro CE.. 141 AU 36
San Pietro CE.. 141 AV 36
San Pietro CN.. 59 F 16
San Pietro CN.. 61 J 15
San Pietro CS.. 166 BF 47
San Pietro CS.. 170 BG 48
San Pietro CZ.. 171 BI 49
San Pietro FC.. 88 AG 20
San Pietro FR.. 131 AR 34
San Pietro FR.. 131 AS 34
San Pietro GE.. 62 O 17
San Pietro KR.. 173 BL 50
San Pietro LC.. 23 R 8
San Pietro MC.. 98 AQ 23
San Pietro MC.. 98 AQ 24
San Pietro ME.. 188 AY 55
San Pietro ME.. 181 AZ 52
San Pietro ME.. 189 BB 54
San Pietro MI.. 36 O 11
San Pietro MI.. 36 P 11
San Pietro MO.. 67 AB 15
San Pietro NA.. 150 AT 38
San Pietro NU.. 211 S 39
San Pietro PC.. 64 U 14
San Pietro PE.. 116 AS 30
San Pietro PG.. 105 AI 25
San Pietro PG.. 106 AK 26
San Pietro PG.. 106 AK 27
San Pietro PR.. 64 T 16
San Pietro PZ.. 164 BF 42
San Pietro RC.. 189 BD 54
San Pietro RC.. 178 BD 55
San Pietro RC.. 176 BF 53
San Pietro RI.. 113 AK 30
San Pietro RI.. 113 AK 30
San Pietro RI.. 114 AN 28
San Pietro SA.. 151 AW 39
San Pietro SA.. 162 AY 42
San Pietro SA.. 162 BA 42
San Pietro SO.. 9 R 6
San Pietro SO.. 11 X 5
San Pietro SV.. 73 X 20
San Pietro TE.. 115 AQ 29
San Pietro TE.. 116 AR 28
San Pietro TO.. 47 F 12
San Pietro TO.. 48 H 13
San Pietro TV.. 29 AJ 8
San Pietro UD.. 16 AM 6
San Pietro VA.. 21 N 8
San Pietro VB.. 7 J 7
San Pietro VC.. 49 J 11
San Pietro VE.. 42 AH 11
San Pietro VR.. 40 AB 11
San Pietro VR.. 55 AC 12
San Pietro / St.Peter BZ..5 AH 1
San Pietro a Grado PI.. 84 X 21
San Pietro a Maida CZ..174 BH 50
San Pietro a Maida
    Scalo CZ.. 174 BG 50
San Pietro a Mare SS.. 209 N 38
San Pietro a Monte PG.. 96 AI 23
San Pietro a Vico LU.. 85 Y 20
San Pietro
    Acquaeortus TR..105 AG 26

San Pietro ad Lacum TE..108 AR 27
San Pietro al Natisone UD.. 31 AP 7
San Pietro al Tanagro SA.153 BB 41
San Pietro all'Olmo MI.. 36 P 11
San Pietro Apostolo CZ..171 BH 49
San Pietro Assarti CT.. 59 F 15
San Pietro Avellana IS.. 123 AU 33
San Pietro Basso RO.. 56 AH 13
San Pietro Belvedere PI.. 93 Z 22
San Pietro Capofiume BO.. 68 AE 16
San Pietro Chiazzacco UD.. 31 AP 7
San Pietro Clarenza CT.. 197 AZ 58
San Pietro d'Airali TO.. 48 I 13
San Pietro d'Arli AP.. 108 AP 27
San Pietro del Gallo CN.. 71 H 16
San Pietro di Cadore BL.. 15 AK 4
San Pietro di Candidà RC..176 BF 52
San Pietro
    di Cavarzere VE.. 57 AI 13
San Pietro di Feletto TV.. 28 AI 8
San Pietro di Morubio VR.. 55 AC 12
San Pietro d'Olba SV.. 62 M 17
San Pietro d'Orzio BG.. 23 S 8
San Pietro Frascati GE.. 77 S 18
San Pietro in Amantea CS.170 BF 49
San Pietro in Angaro CS.. 168 BI 47
San Pietro in Bevagna TA.. 158 BP 42
San Pietro in Campiano RA.. 82 AI 18
San Pietro in Campo BL.. 28 AI 7
San Pietro in Campo VI.. 79 X 19
San Pietro in Cariano VR.40 AA 10
San Pietro in Casale BO.. 67 AD 15
San Pietro in Cerro PC.. 52 U 13
San Pietro in Corte PC.. 52 U 13
San Pietro in Curolis FR.131 AR 35
San Pietro in Gardena BZ.. 13 AE 4
San Pietro in Gu PD.. 41 AE 10
San Pietro in Guarano CS.171 BG 47
San Pietro in Guardiano FC.. 82 AI 18
San Pietro in Laguna RA..81 AH 18
San Pietro in Lama LE.. 159 BR 42
San Pietro in Mercato FI.. 86 AB 22
San Pietro in Palazzi LI.. 92 Y 24
San Pietro in Trento RA.. 82 AH 18
San Pietro in Valle IS.. 132 AV 34
San Pietro in Valle VR.. 55 AB 13
San Pietro in Villa AR.. 88 AH 22
San Pietro in Vincoli RA.. 82 AH 18
San Pietro in Volta VE.. 57 AI 12
San Pietro Infine CE.. 131 AS 35
San Pietro Intrigogna VI.. 41 AE 11
San Pietro Irpino AV.. 142 AX 37
San Pietro
    Mezzomonte BZ.. 4 AE 3
San Pietro Mosezzo NO.. 35 M 11
San Pietro Mussolino VI.. 40 AC 10
San Pietro Novello TV.. 43 AJ 10
San Pietro Piturno BA.. 147 BL 38
San Pietro Polesine RO.. 55 AC 13

San Pietro Sovera CO.. 22 P 7
San Pietro Spadafora ME.189 BA 54
San Pietro Val Lemina TO.. 59 E 14
San Pietro Valdastico VI.. 27 AD 8
San Pietro Vara SP.. 77 S 17
San Pietro Vecchio VI.. 40 AC 10
San Pietro Vernotico BR..149 BQ 41
San Pietro Viminario PD.. 56 AF 12
San Pio AQ.. 115 AQ 30
San Pio delle Camere AQ.. 115 AQ 30
San Placido MC.. 107 AN 26
San Polematese CB.. 132 AW 35
San Polo AR.. 95 AG 23
San Polo BS.. 38 W 10
San Polo PC.. 52 T 14
San Polo PR.. 65 X 14
San Polo RI.. 113 AK 29
San Polo SI.. 94 AD 23
San Polo dei Cavalieri RM..120 AM 31
San Polo d'Enza RE.. 65 X 16
San Polo di Piave TV.. 29 AJ 9
San Polo in Chianti FI.. 86 AD 21
San Polomatese CB.. 132 AV 35
San Ponso Canavese TO.. 48 H 11
San Ponzo Semola PV.. 63 P 14
San Possidonio MO.. 66 AA 14
San Potito AQ.. 121 AQ 31
San Potito RA.. 82 AH 17
San Potito Sannitico CE.132 AV 35
San Potito Ultra AV.. 142 AY 38
San Predengo CR.. 52 U 13
San Presto PG.. 97 AL 25
San Pretoia Dame AR.. 96 AH 23
San Priamo CA.. 223 S 47
San Primo CO.. 23 Q 8
San Prisco CE.. 141 AU 37
San Procolo AP.. 99 AQ 25
San Procolo FR.. 120 AN 33
San Procopio RC.. 178 BE 54
San Prospero BO.. 80 AB 17
San Prospero BO.. 67 AD 15
San Prospero MN.. 54 Z 13
San Prospero PI.. 85 X 21
San Prospero PR.. 65 X 15
San Prospero RA.. 81 AG 18
San Prospero RE.. 66 Z 15
San Prospero RI.. 113 AK 29
San Prospero
    sulla Secchia MO.. 66 AB 15
San Protaso PC.. 64 U 14
San Prugnano FI.. 87 AD 21
San Quirico AL.. 62 N 15
San Quirico CN.. 59 G 17
San Quirico FR.. 120 AN 32
San Quirico GE.. 76 R 17
San Quirico GR.. 104 AF 27
San Quirico LU.. 85 Y 21
San Quirico PO.. 80 AB 19

San Quirico PR.. 77 T 17
San Quirico PR.. 53 W 14
San Quirico PT.. 85 Z 20
San Quirico RI.. 114 AN 29
San Quirico SI.. 94 AC 23
San Quirico SO.. 9 T 6
San Quirico SS.. 208 M 39
San Quirico TR.. 105 AH 27
San Quirico VI.. 40 AC 9
San Quirico d'Orcia SI..104 AE 25
San Quirico in Collina FI.. 86 AD 21
San Quirino PN.. 29 AL 7
San Raffaele CS.. 167 BG 47
San Raffaele SA.. 153 BC 41
San Raffaele TO.. 48 I 13
San Regolo PI.. 92 X 22
San Regolo SI.. 94 AD 23
San Roberto RC.. 178 BD 54
San Rocchetto AN.. 98 AQ 23
San Rocchino PC.. 64 U 14
San Rocco AL.. 61 M 15
San Rocco AT.. 61 K 15
San Rocco BG.. 24 T 9
San Rocco BS.. 38 V 10
San Rocco CE.. 132 AT 35
San Rocco CH.. 116 AT 30
San Rocco CH.. 117 AU 30
San Rocco CH.. 117 AV 30
San Rocco CN.. 59 F 16
San Rocco CN.. 60 I 14
San Rocco CN.. 60 I 15
San Rocco CN.. 74 J 17
San Rocco CO.. 22 P 8
San Rocco CR.. 52 S 11
San Rocco FI.. 86 AB 21
San Rocco GE.. 76 P 17
San Rocco LU.. 84 X 20
San Rocco MN.. 54 AB 14
San Rocco MO.. 67 AB 15
San Rocco NA.. 150 AT 38
San Rocco PD.. 41 AF 10
San Rocco PR.. 52 V 14
San Rocco PT.. 85 AA 21
San Rocco PU.. 97 AK 23
San Rocco RA.. 82 AG 18
San Rocco RC.. 189 BD 54
San Rocco RE.. 66 Y 14
San Rocco RO.. 69 AJ 14
San Rocco SO.. 9 R 5
San Rocco SO.. 10 V 4
San Rocco SO.. 24 V 6
San Rocco TO.. 59 F 14
San Rocco TS.. 45 AR 10
San Rocco TS.. 45 AR 10
San Rocco TV.. 42 AI 9
San Rocco UD.. 16 AM 6
San Rocco VB.. 7 K 6
San Rocco VI.. 41 AD 9

A
B
C
D
E
F
G
H
I
J
K
L
M
N
O
P
Q
R
S
T
U
V
W
X
Y
Z

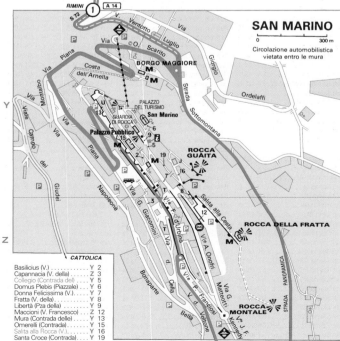

SAN MARINO
0   300 m
Circolazione automobilistica vietata entro le mura

CATTOLICA
Basilicius (V.) . . . . Y 2
Capannacia (V. della) . . . . . . Z 3
Collegio (Contrada del) . . . Y 5
Domus Plebis (Piazzale) . . Y 6
Donna Felicissima (V.) . . . . . Y 7
Fratta (V. della) . . . . Y 8
Libertà (Pza della) . . . . . Y 9
Maccioni (V. Francesco) . . . . Z 12
Mura (Contrada delle) . . . . . Y 13
Omerelli (Contrada) . . . . Y 15
Salita alla Rocca (V.) . . . . . Y 16
Santa Croce (Contrada) . . . Y 19

A B C D E F G H I J K L M N O P Q R S T U V W X Y Z

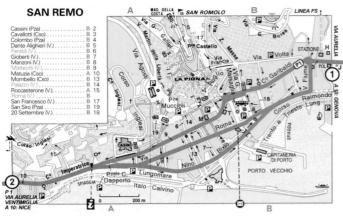

SAN REMO

Cassini (Pza) . . . . B 2
Cavallotti (Cso) . . . . B 3
Colombo (Pza) . . . . B 4
Dante Alighieri (V.) . . . . B 5
Feraldi (V.) . . . . B 6
Gioberti (V.) . . . . B 7
Manzoni (V.) . . . . B 8
Matteotti (V.) . . . . B 9
Matuzia (Cso) . . . . A 10
Mombello (Cso) . . . . B 13
Palazzo (V.) . . . . B 14
Roccasterone (V.) . . . . A 15
Roma (V.) . . . . B 16
San Francesco (V.) . . . . B 17
San Siro (Pza) . . . . B 19
20 Settembre (V.) . . . . B 18

San Rocco VR .... 40 AA 10
San Rocco VR .... 40 AB 11
San Rocco VR .... 39 Z 11
San Rocco VT .... 112 AI 30
San Rocco a Pilli SI .... 94 AC 24
San Rocco al Porto LO .. 52 T 13
San Rocco di Bemezzo CN .. 71 F 17
San Rocco di Piegara VR .. 40 AB 10
San Rocco di Premia VB .. 7 L 6
San Romano CH .... 117 AU 30
San Romano FC .... 88 AH 19
San Romano LU .... 85 X 19
San Romano PI .... 85 Z 21
San Romano RE .... 66 Y 16
San Romano
in Garfagnana LU ...... 78 X 18
San Remedio TN .... 12 AB 5
San Romolo IM .... 72 H 20
San Romualdo RA .... 69 AI 17
San Ruffillo FC .... 81 AG 19
San Ruffillo RA .... 81 AE 18
San Ruffillo RA .... 81 AF 18
San Ruffillo BO .... 67 AD 17
San Ruffino AL .... 62 O 14
San Ruffino PI .... 92 Y 22
San Ruffino PR .... 65 W 15
San Ruffino RE .... 66 Z 16
San Rufo SA .... 153 BB 41
San Ruosi-Ceraldi CE .... 140 AS 36
San Rustico AP .... 99 AQ 24
San Sabino AN .... 98 AQ 23
San Sabino PG .... 106 AK 26
San Sabino PG .... 106 AL 27
San Sago CS .... 164 BD 44
San Salvaro PD .... 55 AD 12
San Salvatore AP .... 109 AR 26
San Salvatore BN .... 142 AY 36
San Salvatore BR .... 148 BN 39
San Salvatore CN .... 59 G 16
San Salvatore CR .... 53 W 13
San Salvatore CS .... 170 BF 47
San Salvatore CZ .... 174 BH 51
San Salvatore FG .... 127 BE 33
San Salvatore GE .... 76 R 18
San Salvatore LU .... 85 Z 20
San Salvatore PC .... 63 R 15
San Salvatore RC .... 178 BD 55
San Salvatore RN .... 83 AK 20
San Salvatore TE .... 115 AR 29
San Salvatore VA .... 22 O 8
San Salvatore
di Fitalia ME .... 188 AX 55
San Salvatore
di Nulvara OT .... 210 Q 38
San Salvatore
Monferrato AL .... 50 M 14
San Salvatore
Telesino BN .... 141 AV 36
San Salvo CH .... 124 AX 31
San Sano SI .... 94 AD 23
San Saturnino GE .... 77 S 18
San Saturnino SS .... 214 P 41
San Savino AP .... 108 AR 26
San Savino AQ .... 121 AP 32
San Savino CR .... 53 V 13
San Savino FC .... 82 AG 19
San Savino PC .... 64 S 15
San Savino PG .... 96 AI 25
San Savino RA .... 68 AG 17
San Savino RE .... 66 Y 15
San Savino RN .... 89 AK 20
San Savino SI .... 105 AG 25
San Sebastiano AQ ...... 122 AR 32

San Sebastiano AT .... 60 I 14
San Sebastiano BS .... 38 W 10
San Sebastiano CE ...... 140 AS 36
San Sebastiano CN ...... 59 H 16
San Sebastiano FR ...... 130 AO 34
San Sebastiano PD ...... 56 AG 12
San Sebastiano PE ...... 116 AS 29
San Sebastiano PI .... 93 Z 24
San Sebastiano RI .... 113 AL 30
San Sebastiano SO ...... 24 V 7
San Sebastiano SV ...... 74 K 18
San Sebastiano TN ...... 26 AC 8
San Sebastiano VR ...... 55 AD 12
San Sebastiano VR ...... 55 AD 12
San Sebastiano
al Vesuvio NA .... 151 AV 38
San Sebastiano Curone AL .. 63 P 15
San Sebastiano da Po TO .. 48 I 13
San Secondo BI .... 34 J 11
San Secondo PG .... 96 AI 23
San Secondo
di Pinerolo TO .... 59 E 14
San Secondo
Parmense PR .... 53 W 14
San Severino AP .... 99 AQ 25
San Severino SA .... 162 BB 43
San Severino Lucano PZ .. 164 BF 43
San Severino Marche MC .. 98 AO 24
San Severo AR .... 95 AG 23
San Severo FG .... 134 BB 33
San Severo RA .... 82 AG 17
San Sicario TO .... 46 B 14
San Sicario Alto TO ...... 46 B 14
San Sigismondo BZ .... 4 AF 3
San Sillo CR .... 53 V 12
San Silvestro AN .... 90 AO 22
San Silvestro AP .... 108 AR 26
San Silvestro AV .... 143 AZ 37
San Silvestro BI .... 34 K 11
San Silvestro FC .... 88 AG 20
San Silvestro FI .... 86 AC 21
San Silvestro MN .... 54 Z 13
San Silvestro MO .... 66 AB 15
San Silvestro NU .... 211 T 39
San Silvestro PE .... 116 AU 29
San Silvestro PG .... 106 AL 27
San Silvestro PU .... 89 AK 21
San Silvestro RA .... 82 AG 18
San Silvestro RI .... 114 AM 30
San Silvestro VC .... 49 J 12
San Simone CA .... 221 P 46
San Simone TA .... 157 BM 40
San Sinibaldo FR .... 131 AS 35
San Siro MI .... 36 P 11
San Siro PD .... 56 AG 12
San Siro PR .... 64 U 16
San Siro PR .... 65 W 14
San Siro Foce GE .... 77 R 17
San Sisto IS .... 132 AV 34
San Sisto LO .... 52 T 13
San Sisto PG .... 106 AJ 25
San Sisto PG .... 106 AJ 27
San Sisto PU .... 88 AJ 21
San Sisto RO .... 56 AF 13
San Sisto TV .... 42 AH 9
San Sisto dei Valdesi CS .. 170 BF 47
San Sosimo BG .... 37 S 9
San Sosio FR .... 130 AP 34
San Sossio AV .... 142 AY 38
San Sossio Baronia AV .. 143 BA 37

San Sostene CZ .... 175 BH 52
San Sostene Marina CZ .. 175 BI 52
San Sosti CS .... 166 BF 46
San Sperate CA .... 221 P 47
San Stefano RA .... 82 AI 18
San Stefano RI .... 114 AO 30
San Stefano UD .... 16 AN 6
San Stefano Lodigiano LO .. 52 T 13
San Stefano Udinese UD .. 30 AO 8
San Stino di Livenza VE .. 43 AL 9
San Tammaro CE .... 141 AU 37
San Teodoro BZ .... 5 AG 3
San Teodoro ME .... 187 AX 56
San Teodoro NU .... 211 T 39
San Teodoro SA .... 162 AZ 42
San Terenziano GE ...... 76 Q 17
San Terenziano PG ...... 106 AJ 26
San Terenzio PU .... 89 AL 20
San Terenzo MS .... 78 V 18
San Terenzo SA .... 78 U 19
San Tiburzio AP .... 99 AQ 25
San Todaro RC .... 177 BG 53
San Tomà VI .... 41 AD 11
San Tomaso BS .... 39 X 11
San Tomaso FC .... 82 AI 19
San Tomaso LO .... 51 S 12
San Tomaso RE .... 66 Z 15
San Tomaso UD .... 16 AN 6
San Tomaso Agordino BL .. 14 AG 5
San Tomè FC .... 82 AH 18
San Tomio VI .... 41 AD 10
San Tomio VR .... 55 AC 12
San Tommaso BS .... 39 X 11
San Tommaso CS .... 166 BE 46
San Tommaso CS .... 167 BG 46
San Tommaso PE .... 116 AS 30
San Tommaso RE .... 66 Z 15
San Tommaso
della Fossa RE .... 66 Z 15
San Tommè AR .... 94 AE 22
San Trovaso TV .... 42 AI 10
San Valentino FR .... 130 AO 33
San Valentino GR .... 104 AF 27
San Valentino PD .... 56 AH 12
San Valentino PG .... 105 AJ 26
San Valentino PG .... 107 AL 27
San Valentino RE .... 66 Z 16
San Valentino RI .... 113 AL 30
San Valentino SI .... 95 AF 25
San Valentino TN .... 26 AA 9
San Valentino TR .... 113 AK 28
San Valentino VI .... 41 AD 9
San Valentino VI .... 41 AD 11
San Valentino VR .... 40 AB 10
San Valentino /
Gummer BZ .... 13 AD 5
San Valentino /
St. Valentin BZ .... 3 AD 3
San Valentino alla Muta /
St.Valentin a. d. Halde BZ .. 2 Y 3
San Valentino
di Fiumicello UD .... 31 AP 9
San Valentino
in Abruzzo PE .... 116 AS 30
San Valentino Torio SA .. 151 AW 39
San Varese PV .... 51 P 12
San Venanzio BO .... 67 AD 15
San Venanzio MO .... 66 AA 17
San Venanzio AP .... 99 AQ 24
San Venanzio AP .... 108 AQ 26
San Venanzio MC .... 97 AM 24
San Venanzo MC .... 98 AO 23

San Venanzo MC .... 108 AP 25
San Venanzo TR .... 105 AI 26
San Venanzo II TE .... 109 AS 26
San Vendemiano TV ...... 29 AI 8
San Venditto CE .... 139 AS 36
San Vero Congius OR ..... 217 N 44
San Vero Milis OR .... 216 M 43
San Vettore VI .... 41 AD 11
San Vicino RN .... 89 AJ 20
San Vidotto UD .... 30 AM 8
San Vigilio BG .... 24 V 8
San Vigilio BL .... 29 AJ 7
San Vigilio BS .... 38 W 10
San Vigilio BZ .... 13 AE 4
San Vigilio MN .... 53 X 11
San Vigilio VR .... 39 Z 10
San Vigilio / St.Vigil BZ .. 12 AB 4
San Vigilio / St.Vigil BZ .. 5 AE 3
San Vincenti SI .... 94 AE 23
San Vincenzo BA .... 147 BM 38
San Vincenzo BO .... 67 AD 15
San Vincenzo CH .... 117 AU 30
San Vincenzo LI .... 102 Y 25
San Vincenzo ME .... 181 BA 51
San Vincenzo PD .... 56 AG 12
San Vincenzo PE .... 116 AS 29
San Vincenzo PG .... 96 AI 23
San Vincenzo PN .... 16 AM 6
San Vincenzo PR .... 77 T 17
San Vincenzo SA .... 152 AZ 41
San Vincenzo d'Elba GR .. 103 AA 27
San Vincenzo Ferreri FR .. 131 AQ 33
San Vincenzo
La Costa CS .... 170 BF 47
San Vincenzo Nuovo AQ .. 121 AQ 32
San Vincenzo
Valle Roveto AQ .... 121 AQ 32
San Vincenzo
Valle Roveto Sup. AQ .. 121 AQ 32
San Vitale AP .... 99 AQ 25
San Vitale BO .... 67 AC 16
San Vitale CN .... 59 G 16
San Vitale CR .... 52 T 12
San Vitale PG .... 106 AK 25
San Vitale RA .... 81 AG 17
San Vitale TV .... 42 AI 10
San Vitale di Baganza PR .. 65 W 16
San Vitale in Arco VR ... 40 AB 10
San Vitaliano NA .... 151 AV 38
San Vito AP .... 108 AP 27
San Vito AT .... 61 K 15
San Vito AV .... 143 AZ 36
San Vito AV .... 143 AZ 37
San Vito AV .... 143 BA 37
San Vito AV .... 143 BA 38
San Vito BA .... 147 BM 37
San Vito BG .... 37 T 9
San Vito BL .... 27 AF 8
San Vito BS .... 39 X 11
San Vito BZ .... 13 AD 5
San Vito CA .... 223 S 47
San Vito CB .... 133 AW 34
San Vito CB .... 133 AY 33
San Vito CN .... 60 I 15
San Vito CO .... 23 Q 7
San Vito CR .... 52 U 12
San Vito FE .... 68 AG 15
San Vito FI .... 93 AB 22
San Vito LC .... 23 Q 8
San Vito LT .... 138 AN 36
San Vito MN .... 53 X 12
San Vito MO .... 66 AA 16
San Vito MS .... 84 W 19
San Vito MT .... 156 BJ 41
San Vito PG .... 96 AI 24
San Vito PG .... 106 AK 27
San Vito PG .... 153 BC 40
San Vito PZ .... 153 BD 41
San Vito RG .... 205 AY 62
San Vito RI .... 114 AN 28
San Vito SA .... 152 AY 40
San Vito SI .... 94 AD 23
San Vito SI .... 94 AE 24
San Vito TA .... 157 BM 41
San Vito TE .... 108 AQ 27
San Vito TN .... 12 AB 5
San Vito TO .... 26 AC 7
San Vito TO .... 48 H 13
San Vito TP .... 190 AG 63
San Vito TR .... 113 AJ 29
San Vito TV .... 28 AG 8
San Vito TV .... 42 AG 9
San Vito VI .... 42 AI 9
San Vito VE .... 57 AI 12
San Vito VI .... 41 AD 11

San Vito VI .... 41 AE 9
San Vito VR .... 55 AC 12
San Vito VT .... 112 AI 29
San Vito / St.Volt BZ ... 5 AH 3
San Vito al Tagliamento PN .. 30 AM 8
San Vito al Torre UD ..... 31 AP 8
San Vito Chietino CH .... 117 AV 30
San Vito dei Normanni BR .. 148 BP 40
San Vito di Cadore BL ... 14 AI 5
San Vito di Fagagna UD .. 30 AN 7
San Vito di Leguzzano VI .. 41 AD 9
San Vito di Rimini RN .... 83 AJ 19
San Vito in Monte TR .... 105 AI 26
San Vito lo Capo TP ..... 183 AL 54
San Vito Romano RM .... 120 AM 32
San Vito sul Cesano PU .. 90 AM 22
San Vito sullo Ionio CZ .. 175 BH 51
San Vittore AL .... 62 P 14
San Vittore AN .... 97 AM 23
San Vittore CN .... 59 G 16
San Vittore CO .... 22 P 8
San Vittore FC .... 82 AI 19
San Vittore MC .... 98 AO 23
San Vittore PR .... 64 U 15
San Vittore PV .... 50 O 12
San Vittore RI .... 113 AK 29
San Vittore SO .... 9 R 6
San Vittore del Lazio FR .. 131 AS 35
San Vittore Olona MI .... 36 O 10
San Vittorino AQ .... 115 AO 29
San Vittorino di San BZ .. 4 AG 3
San Vittorino IS .... 132 AT 33
San Vittorino PE .... 116 AT 31
San Vittorino RI .... 114 AM 29
San Vittorino RM .... 120 AL 32
San Vittorito TE .... 116 AT 28
San Vivaldo FI .... 93 AA 22
San Zaccaria RA .... 82 AI 18
San Zaccaria SA .... 152 BA 40
San Zanone TR .... 113 AK 28
San Zanut GO .... 31 AP 8
San Zeno AL .... 50 N 14
San Zeno CN .... 59 G 16
San Zeno CR .... 52 T 12
San Zeno RA .... 81 AG 17
San Zeno BS .... 39 Y 11
San Zeno VR .... 40 AC 11
San Zeno VR .... 40 AC 11
San Zeno VR .... 54 Z 12
San Zeno
di Montagna VR .... 39 Z 10
San Zeno Naviglio BS ... 38 W 11
San Zenone BO .... 67 AE 16
San Zenone BS .... 38 W 11
San Zenone VR .... 55 AD 12
San Zenone al Lambro MI .. 51 R 12
San Zenone al Po PV ... 51 R 13
San Zenone
degli Ezzelini TV .... 41 AG 9
Sanacco MS .... 78 V 18
Sanalvò OT .... 211 S 39
Sanarica LE .... 161 BT 43
Sanatori BS .... 24 V 8
SanBernardo SO .... 10 V 6
Sanbucchi PE .... 116 AT 29
Sanbucco CT .... 197 AZ 58
Sand i. Taufers /
Campo Tures BZ ...... 5 AG 2
Sanda SV .... 75 M 17
Sandalo RM .... 129 AK 34
Sandetole FI .... 87 AE 20
Sandigliano BI .... 34 J 10
Sandolo FE .... 68 AF 15
Sandon VE .... 42 AH 11
Sandrà VR .... 39 Z 11
Sandri VI .... 40 AC 9
Sandri VI .... 41 AD 10
Sandrigo VI .... 41 AE 10
Sansepolcro AR .... 88 AI 22
San-Faustino MC .... 98 AO 23
Sanfré CN .... 60 H 15
Sanfront CN .... 59 E 16
Sangano TO .... 47 F 13
Sangano VA .... 21 M 8
Sangineto CS .... 166 BE 46
Sangineto Lido CS ...... 166 BE 46
Sangineto TO .... 48 G 13
Sanguarzo UD .... 31 AP 7
Sanguigna PR .... 53 X 14
Sanguignano PV .... 63 P 14
Sanguinaro PR .... 65 V 14
Sanguinello CZ .... 170 BG 50
Sanguineto GE .... 76 Q 17
Sanguineto PG .... 95 AH 24
Sanguineto VR .... 55 AB 12
Sanguoneda BO .... 80 AB 18

Sanico BS .... 39 Y 10
Sant'Andrea BZ .... 4 AF 3
Sankt Anton /
Sant'Antonio BZ .... 12 AC 5
San Felix / San Felice BZ .. 12 AB 5
Sankt Georgen /
San Giorgio BZ .... 4 AG 3
Santa Geltrude BZ ..... 12 AA 5
Sankt Jacob /
San Giacomo BZ .... 13 AD 5
Sankt Jacob /
San Giacomo BZ .... 4 AE 2
Sankt Jakob /
San Giacomo BZ .... 5 AH 1
Sankt Jhann /
San Giovanni BZ .... 3 AD 3
Sankt Johan /
San Giovanni BZ .... 4 AG 2
Sankt Joseph /
San Giuseppe BZ ...... 12 AC 5
Sankt Kasalen /
San Cassiano BZ .... 14 AG 4
Sankt Leonard /
San Leonardo BZ ...... 14 AG 4
Sankt Leonhard /
San Leonardo BZ ...... 4 AF 3
Sankt Leonhardi. Pass /
San Leonardo in Passiria BZ .. 3 AC 3
Sankt Lorenzen /
San Lorenzo di San BZ .. 4 AG 3
Sankt Magdalena /
Santa Maddalena BZ .. 13 AF 4
Sankt Magdalena / Santa Maddalena
in Casies Vallalta BZ .. 5 AI 2
Sankt Martin /
San Martino BZ .... 4 AG 2
Sankt Martin /
San Martino BZ .... 2 Y 4
S. Martino Monteneve BZ .. 3 AC 2
Sankt Martin am Vorberg /
San Martino i. P. /
San Martino in Passiria BZ .. 3 AC 3
Sankt Michael /
San Michele BZ .... 13 AE 4
Sankt Michael /
San Michele BZ .... 12 AC 5
Sankt Nicolaus /
San Nicolò BZ .... 12 AA 4
Sankt Nikolaus Eggen / San Nicolò
d'Ega BZ .... 13 AE 5
Sankt Pankraz /
San Pancrazio BZ ...... 12 AB 4
Sankt Peter / San Pietro BZ .. 5 AH 1
Sankt Ulrich / Ortisei BZ .. 13 AF 4
Sankt Valentin /
San Valentino BZ ...... 3 AD 3
Sankt Valentin a. d. Halde /
S. Valentino alla Muta BZ .. 2 Y 3
Sankt Vigil / San Vigilio BZ .. 12 AB 4
Sankt Vigil /
San Vigilio BZ .... 5 AG 3
Sankt Volt / San Vito BZ .. 5 AH 3
Sankt Walburg /
Santa Valburga BZ .... 12 AB 4
Sanluri VS .... 221 O 46
Sannazzaro
de' Burgondi PV .... 50 O 13
Sannicandro di Bari BA .. 146 BJ 37
Sannicandro
Garganico FG .... 126 BC 33
Sannicola LE .... 160 BR 43
Sano TN .... 26 AA 8
Sansone FG .... 127 BF 33
Sant Gurs AO .... 32 D 9
Santa Anatolia RI ...... 121 AO 31
Santa Balbina RM ...... 128 AM 32
Santa Barbara AV ...... 142 AZ 37
Santa Barbara CA ...... 227 R 48
Santa Barbara CS ...... 166 BE 46
Santa Barbara CS ...... 170 BF 48
Santa Barbara LE ...... 160 BR 42
Santa Barbara ME ...... 188 AZ 55
Santa Barbara PD ...... 56 AH 12
Santa Barbara PR ...... 93 AA 23
Santa Barbara PU ...... 89 AL 20
Santa Barbara SA ...... 162 BA 42
Santa Barbara TN ...... 26 AA 8
Santa Barbara
in Campitelli PU .... 89 AK 21
Santa Barbara-Ripa FG .. 127 BE 32
Santa Barnaba RA ...... 82 AG 18

Santa Bianca FE 67 AD 14
Santa Brigida BG 23 S 8
Santa Brigida BO 67 AD 16
Santa Brigida FI 87 AD 20
Santa Brigida TV 42 AG 10
Santa Caterina AR 95 AG 24
Santa Caterina AV 142 AX 38
Santa Caterina AV 142 AZ 37
Santa Caterina AV 143 BA 39
Santa Caterina BL 15 AJ 4
Santa Caterina BZ 12 AC 4
Santa Caterina BZ 13 AD 5
Santa Caterina CI 224 L 49
Santa Caterina CS 170 BF 49
Santa Caterina CS 167 BG 47
Santa Caterina GR 104 AD 27
Santa Caterina LE 160 BQ 43
Santa Caterina MO 54 AA 14
Santa Caterina PR 53 V 14
Santa Caterina PZ 163 BD 44
Santa Caterina RC 177 BG 54
Santa Caterina RC 179 BG 54
Santa Caterina SA 152 AZ 41
Santa Caterina SO 11 X 5
Santa Caterina TN 26 AC 7
Santa Caterina TV 43 AJ 9
Santa Caterina UD 17 AP 4
Santa Caterina VI 40 AC 9
Santa Caterina VI 27 AE 9
Santa Caterina VT 112 AH 28
Santa Caterina / Katharinaberg BZ 3 AA 3
Santa Caterina Albanese CS 166 BF 46
Santa Caterina dello Ionio CZ 177 BI 52
Santa Caterina dello Ionio Marina CZ 177 BI 52
Santa Caterina di Pittinuri OR 216 L 43
Santa Caterina Primo AP 99 AR 24
Santa Caterina Secondo AP 99 AR 24
Santa Caterina Villarmosa CL 193 AT 58
Santa Cecilia PC 63 R 15
Santa Cecilia TE 108 AQ 27
Santa Cesarea Terme LE 161 BT 43
Santa Chiara BT 136 BF 35
Santa Chiara LE 158 BQ 42
Santa Chiara TP 190 AG 63
Santa Chiara TP 190 AG 63
Santa Chiara del Tirso OR 217 O 43
Santa Colomba PI 85 Y 21
Santa Colomba SI 94 AC 24
Santa Cristina AV 151 AX 38
Santa Cristina BZ 13 AF 4
Santa Cristina NO 35 L 9
Santa Cristina PG 96 AK 24
Santa Cristina PG 106 AL 25
Santa Cristina PV 63 Q 15
Santa Cristina PV 51 R 13
Santa Cristina RM 120 AM 33
Santa Cristina RN 89 AJ 20
Santa Cristina VR 40 AA 11
Santa Cristina VR 39 Y 11
Santa Cristina d'Aspromonte RC 179 BE 54
Santa Cristina Gela PA 184 AO 56
Santa Croce AN 97 AM 23
Santa Croce AP 99 AQ 25
Santa Croce AP 99 AR 24
Santa Croce AQ 115 AO 30
Santa Croce AR 88 AH 22
Santa Croce BG 23 T 8
Santa Croce BN 141 AV 37
Santa Croce BN 142 AX 37
Santa Croce CE 141 AU 36
Santa Croce CN 71 G 17
Santa Croce CS 168 BI 46
Santa Croce LT 139 AR 36
Santa Croce MC 98 AO 25
Santa Croce ME 188 BA 55
Santa Croce MN 55 AC 14
Santa Croce PD 56 AE 12
Santa Croce PG 106 AL 27
Santa Croce PR 53 V 13
Santa Croce PV 51 P 13
Santa Croce RI 114 AN 28
Santa Croce RO 55 AD 14
Santa Croce SA 151 AW 39
Santa Croce SO 9 R 6
Santa Croce SO 23 S 7
Santa Croce TE 115 AQ 28
Santa Croce TE 109 AS 27
Santa Croce TN 26 AA 7
Santa Croce TS 31 AR 9
Santa Croce VI 41 AE 10
Santa Croce Bigolina PD 41 AF 10
Santa Croce Camerina RG 204 AW 63
Santa Croce del Lago BL 29 AI 7
Santa Croce del Sannio BN 133 AX 35
Santa Croce di Magliano CB 125 AY 33
Santa Croce di Marmorta BO 68 AF 16
Santa Croce sull'Arno PI 85 Z 21
Santa Domenica CZ 174 BG 50
Santa Domenica ME 188 AX 55
Santa Domenica ME 188 AY 55
Santa Domenica ME 189 BB 55
Santa Domenica RC 177 BH 53
Santa Domenica VV 176 BE 52
Santa Domenica Talao CS 166 BE 45
Santa Domenica Vittoria ME 188 AY 56
Santa Elisabetta AG 192 AQ 59
Santa Elisabetta SO 10 U 6
Santa Eufemia Lamezia CZ 174 BG 50
Santa Eufemia Vetere CZ 171 BG 50
Santa Fecitola LT 138 AM 35
Santa Felicita AV 143 AZ 38
Santa Filomena AG 192 AP 58
Santa Filomena PE 116 AU 29
Santa Filomena PZ 144 BC 39
Santa Fiora AR 95 AG 23
Santa Fiora AR 88 AH 22
Santa Fiora GR 104 AE 27
Santa Firmina AR 95 AG 23
Santa Fista PG 96 AH 22
Santa Flavia PA 185 AQ 55
Santa Foca LE 159 BT 42
Santa Fosca BL 14 AH 5
Santa Franca PR 53 V 13
Santa Francesca FR 130 AP 33
Santa Geltrude / Sankt Gertraud BZ 12 AA 5
Santa Giorgia RC 179 BE 54
Santa Giuletta PV 51 Q 13
Santa Giulia GE 76 R 18
Santa Giulia RO 69 AJ 14
Santa Giuliana TN 27 AC 8
Santa Giulianeta CE 140 AT 36
Santa Giusta CH 123 AV 32
Santa Giusta FR 131 AS 35
Santa Giusta OR 216 M 44
Santa Giusta RI 114 AN 28
Santa Giusta RI 107 AO 28
Santa Giustina BL 28 AH 7
Santa Giustina BS 38 W 11
Santa Giustina MS 78 U 17
Santa Giustina PC 51 R 14
Santa Giustina RN 83 AJ 19
Santa Giustina SV 75 L 17
Santa Giustina TV 42 AG 9
Santa Giustina VR 40 AC 11
Santa Giustina in Colle PD 42 AG 10
Santa Giustina Vigona MO 55 AB 14
Santa Iusta IS 132 AV 34
Santa Libera RO 56 AF 13
Santa Libera SV 74 K 18
Santa Liberata GR 110 AB 29
Santa Luce AR 95 AF 24
Santa Luce PI 92 Y 23
Santa Lucia AN 90 AN 21
Santa Lucia AN 90 AO 22
Santa Lucia AN 90 AO 22
Santa Lucia AP 108 AP 26
Santa Lucia AP 99 AQ 25
Santa Lucia AP 98 AQ 25
Santa Lucia AP 108 AR 26
Santa Lucia AQ 115 AP 30
Santa Lucia AQ 122 AS 31
Santa Lucia AV 142 AY 37
Santa Lucia AV 143 BA 37
Santa Lucia AV 143 BA 38
Santa Lucia BA 147 BM 38
Santa Lucia BG 37 T 9
Santa Lucia BL 28 AG 7
Santa Lucia BN 141 AW 36
Santa Lucia BO 80 AB 18
Santa Lucia CE 132 AT 36
Santa Lucia CH 124 AW 32
Santa Lucia CN 70 E 17
Santa Lucia CN 70 F 17
Santa Lucia CN 71 F 18
Santa Lucia CS 166 BE 46
Santa Lucia CS 171 BG 47
Santa Lucia CZ 175 BH 51
Santa Lucia FI 80 AC 19
Santa Lucia FR 130 AP 35
Santa Lucia FR 131 AS 35
Santa Lucia LU 84 W 20
Santa Lucia MC 98 AP 24
Santa Lucia MC 98 AQ 24
Santa Lucia ME 189 BC 55
Santa Lucia MN 54 AB 13
Santa Lucia MN 54 Z 12
Santa Lucia NU 215 T 40
Santa Lucia PD 41 AF 9
Santa Lucia PD 56 AF 12
Santa Lucia PE 116 AT 29
Santa Lucia PG 96 AI 23
Santa Lucia PI 85 Y 22
Santa Lucia PN 29 AK 7
Santa Lucia PT 85 Z 20
Santa Lucia PU 89 AJ 20
Santa Lucia RA 82 AG 18
Santa Lucia RI 113 AK 29
Santa Lucia RI 113 AK 30
Santa Lucia RI 114 AN 30
Santa Lucia RI 114 AN 30
Santa Lucia RM 113 AK 30
Santa Lucia RM 120 AN 32
Santa Lucia SA 151 AW 39
Santa Lucia SA 151 AX 39
Santa Lucia SA 162 AZ 42
Santa Lucia SI 93 AB 22
Santa Lucia SI 93 AB 23
Santa Lucia SI 94 AC 23
Santa Lucia SO 11 X 5
Santa Lucia SR 203 AY 61
Santa Lucia SR 203 BA 61
Santa Lucia TE 109 AS 27
Santa Lucia TN 26 AB 9
Santa Lucia TR 106 AK 27
Santa Lucia TR 113 AK 28
Santa Lucia TV 42 AG 9
Santa Lucia VI 41 AD 10
Santa Lucia VR 55 AC 12
Santa Lucia VR 39 Z 10
Santa Lucia VR 39 Z 11
Santa Lucia CS 170 BF 48
Santa Lucia del Mela ME 189 BA 55
Santa Lucia di Piave TV 29 AI 8
Santa Lucia di Serino AV 142 AY 38
Santa Lucia I RC 189 BC 54
Santa Lucia Inf. SA 152 AY 40
Santa Lucia-Santa Maria La Nova SA 152 AZ 40
Santa Maddalena BZ 2 Y 2
Santa Maddalena SV 75 L 17
Santa Maddalena / St.Magdalena BZ 13 AF 4
Santa Maddalena in Casies Vallalta / St.Magdalena BZ 5 AI 2
Santa Mama AR 87 AG 22
Santa Marena AV 143 BA 37
Santa Margherita AP 98 AP 25
Santa Margherita AT 61 J 15
Santa Margherita BO 67 AD 16
Santa Margherita BO 81 AE 18
Santa Margherita CA 225 O 50
Santa Margherita CN 59 E 17
Santa Margherita CN 71 G 17
Santa Margherita CO 22 P 7
Santa Margherita FE 68 AG 15
Santa Margherita FI 80 AC 19
Santa Margherita ME 181 AY 53
Santa Margherita ME 188 AY 55
Santa Margherita ME 188 AY 55
Santa Margherita ME 189 BB 56
Santa Margherita MI 36 Q 10
Santa Margherita PD 57 AH 12
Santa Margherita PR 65 V 14
Santa Margherita PV 51 Q 13
Santa Margherita PV 63 Q 15
Santa Margherita RI 114 AM 29
Santa Margherita TE 109 AS 28
Santa Margherita TN 26 AB 9
Santa Margherita TO 48 H 13
Santa Margherita TV 28 AG 9
Santa Margherita UD 30 AN 7
Santa Margherita VE 30 AM 9
Santa Margherita VR 40 AC 11
Santa Margherita a Saletta FI 86 AC 21
Santa Margherita di Belice AG 191 AN 57
Santa Margherita Ligure GE 76 Q 18
Santa Maria AL 63 P 15
Santa Maria AN 97 AN 23
Santa Maria AN 98 AO 22
Santa Maria AN 98 AP 23
Santa Maria AP 108 AP 27
Santa Maria AP 99 AR 25
Santa Maria AT 49 K 13
Santa Maria BG 38 U 11
Santa Maria BI 34 K 10
Santa Maria BI 34 K 10
Santa Maria BL 28 AG 8
Santa Maria BN 142 AX 36
Santa Maria CA 223 S 47
Santa Maria CE 141 AV 36
Santa Maria CN 60 I 16
Santa Maria CO 36 O 9
Santa Maria CO 23 Q 7
Santa Maria CZ 171 BG 50
Santa Maria CZ 175 BI 50
Santa Maria FC 87 AG 20
Santa Maria FI 87 AD 21
Santa Maria FR 130 AP 34
Santa Maria KR 173 BK 48
Santa Maria LT 138 AM 38
Santa Maria ME 188 AY 55
Santa Maria ME 189 BA 55
Santa Maria PC 63 R 14
Santa Maria PC 63 R 15
Santa Maria PE 116 AS 29
Santa Maria PG 105 AI 27
Santa Maria PG 96 AJ 24
Santa Maria PI 93 AA 24
Santa Maria PU 88 AI 20
Santa Maria PU 89 AJ 20
Santa Maria PU 90 AM 21
Santa Maria PZ 154 BD 41
Santa Maria RC 178 BE 55
Santa Maria RI 113 AL 29
Santa Maria RI 113 AL 30
Santa Maria RM 119 AJ 31
Santa Maria RM 120 AM 32
Santa Maria SA 162 AY 42
Santa Maria SA 152 AZ 41
Santa Maria SA 153 BC 41
Santa Maria SO 10 V 4
Santa Maria SP 77 S 17
Santa Maria SP 77 T 18
Santa Maria SP 77 U 18
Santa Maria SS 208 K 38
Santa Maria TE 115 AR 28
Santa Maria TO 47 G 13
Santa Maria TO 48 H 11
Santa Maria TR 105 AH 26
Santa Maria TR 113 AJ 28
Santa Maria TV 28 AI 8
Santa Maria VC 20 J 8
Santa Maria VC 49 J 12
Santa Maria VC 35 K 10
Santa Maria VV 176 BE 52
Santa Maria VV 177 BG 52
Santa Maria a Bagnano FI 94 AB 22
Santa Maria a Coleiaula FI 86 AB 21
Santa Maria a Corte AP 108 AQ 27
Santa Maria a Mare AP 99 AR 25
Santa Maria a Monte PI 85 Z 21
Santa Maria a Pantano CE 150 AT 38
Santa Maria a Potenza MC 99 AR 23
Santa Maria a Vezzano FI 87 AD 20
Santa Maria a Vico CE 141 AV 37
Santa Maria a Vico SA 152 AY 39
Santa Maria al Bagno LE 160 BR 43
Santa Maria Amaseno FR 130 AP 33
Santa Maria Ammalati CT 197 AZ 58
Santa Maria Apparente MC 99 AR 24
Santa Maria Apparve AN 90 AN 22
Santa Maria Arabona PE 116 AT 30
Santa Maria Ausiliatrice PG 106 AJ 25
Santa Maria Capua Vetere CE 141 AU 37
Santa Maria Codifiume FE 68 AE 16
Santa Maria Coghinas SS 209 O 38
Santa Maria de Is Acquas VS 221 N 46
Santa Maria degli Angeli PG 106 AK 25
Santa Maria degli Ulivi SA 153 BC 41
Santa Maria dei Manzi FG 135 BE 35
Santa Maria dei Sabbioni CR 52 U 12
Santa Maria del Bosco MI 50 O 11
Santa Maria del Campo FR 131 AR 33
Santa Maria del Castello NA 151 AV 40
Santa Maria del Cedro CS 166 BE 45
Santa Maria del Colle AN 98 AO 23
Santa Maria del Fiore AN 90 AO 22
Santa Maria del Fiume ME 188 AY 55
Santa Maria del Focallo RG 205 AY 63
Santa Maria del Giudice LU 85 X 21
Santa Maria del Mare OR 212 L 42
Santa Maria del Mare VE 42 AI 12
Santa Maria del Mare Torrazzo CZ 175 BI 51
Santa Maria del Molise IS 132 AV 34
Santa Maria del Monte MC 98 AP 23
Santa Maria del Monte PE 116 AS 30
Santa Maria del Monte VA 22 N 8
Santa Maria del Piano AN 98 AO 22
Santa Maria del Piano PR 65 W 16
Santa Maria del Piano RN 89 AK 20
Santa Maria del Piave TV 29 AI 9
Santa Maria del Ponte AQ 115 AQ 30
Santa Maria del Rivo PC 64 T 14
Santa Maria del Sasso AR 87 AF 21
Santa Maria del Sasso BG 37 T 10
Santa Maria del Taro PR 77 R 17
Santa Maria dell'Arzilla PU 90 AM 20
Santa Maria della Fede AP 108 AR 25
Santa Maria della Fossa RE 66 Z 15
Santa Maria della Grazia SA 152 AZ 41
Santa Maria della Neve TR 113 AK 29
Santa Maria della Portella FR 121 AO 32
Santa Maria della Versa PV 51 Q 14
Santa Maria della Vittoria TV 28 AH 9
Santa Maria delle Grazie AR 87 AF 21
Santa Maria Delle Macchie CB 133 AW 35
Santa Maria delle Vergini MC 98 AP 24
Santa Maria delle Vertighe AR 95 AF 24
Santa Maria di Campagna TV 43 AK 9
Santa Maria di Castellabate SA 162 AY 42
Santa Maria di Cavamonte RM 120 AL 32
Santa Maria di Cropani VV 177 BG 52
Santa Maria di Feletto TV 28 AI 8
Santa Maria di Flumentepido CI 224 L 48
Santa Maria di Galeria RM 119 AI 31
Santa Maria di Licodia CT 195 AY 58
Santa Maria di Mortola CE 131 AS 35
Santa Maria di Negrar VR 40 AA 10
Santa Maria di Non PD 41 AG 10
Santa Maria di Piave VE 43 AK 10
Santa Maria di Pieca MC 98 AO 25
Santa Maria di Pugliano FR 120 AN 33
Santa Maria di Rispescia GR 103 AB 27
Santa Maria di Roversano FC 82 AI 19
Santa Maria di Sala VE 42 AH 10
Santa Maria di Sclaunicco UD 30 AN 8
Santa Maria di Sette PG 96 AI 24
Santa Maria di Settimo CS 170 BG 47
Santa Maria di Veggiano PD 41 AF 11
Santa Maria di Zevio VR 40 AB 11
Santa Maria d'Irsi MT 155 BH 39
Santa Maria d'Olivola FG 143 BB 37
Santa Maria d'Oriente AQ 121 AO 31
Santa Maria 'E Saccu NU 213 O 41
Santa Maria Egiziaca FR 131 AS 35
Santa Maria Fiume FR 130 AP 34
Santa Maria Goretti AP 108 AR 26
Santa Maria Hoè LC 37 R 9
Santa Maria Imbaro CH 117 AV 30
Santa Maria in Calafria PU 89 AL 21
Santa Maria in Duno BO 67 AD 16
Santa Maria in Fabriago RA 68 AG 17
Santa Maria in Pantano PG 106 AK 27
Santa Maria in Prato MI 51 R 12
Santa Maria in Punta RO 57 AH 14
Santa Maria in Stelle VR 40 AB 11
Santa Maria in Strada BO 67 AB 16
Santa Maria in Valle PG 106 AL 26
Santa Maria Infante LT 139 AR 36
Santa Maria la Carità NA 151 AW 39
Santa Maria La Castagna CS 167 BF 47
Santa Maria la Fossa CE 141 AT 37
Santa Maria La Longa UD 30 AO 8
Santa Maria la Palma SS 212 K 40
Santa Maria la Piana CE 140 AS 36
Santa Maria La Scala CT 197 BA 58
Santa Maria la Scala NA 151 AV 39
Santa Maria La Stella CT 197 AZ 58
Santa Maria la Strada BN 142 AW 36
Santa Maria Le Grotte CS 167 BF 47
Santa Maria Li Piani SA 163 BC 43
Santa Maria Macerata FI 86 AC 22
Santa Maria Maddalena BO 80 AC 18
Santa Maria Maddalena PC 64 U 14
Santa Maria Maddalena RO 56 AE 14
Santa Maria Maddalena SO 11 X 5
Santa Maria Maddalena TR 113 AK 29
Santa Maria Maddalena VI 27 AE 8
Santa Maria Maddalena VI 41 AF 11
Santa Maria Maggiore VB 7 L 7
Santa Maria Manganelli AV 143 BA 38
Santa Maria Navarrese OG 219 T 44
Santa Maria Nuova AN 98 AO 23
Santa Maria Nuova FC 82 AI 18
Santa Maria Nuova RM 119 AJ 32
Santa Maria Oliveto IS 132 AT 34
Santa Maria Pietrafitta RN 89 AL 20
Santa Maria Rassinata AR 95 AH 23
Santa Maria Riopetra FC 82 AI 19
Santa Maria Rossa PG 106 AJ 25
Santa Maria Soccorso-Lago AP 99 AR 25
Santa Maria Val di Loto PU 89 AJ 21
Santa Maria Valongo CE 140 AS 36
Santa Maria Vecchia RM 120 AM 31
Santa Maria Villiana BO 80 AB 18
Santa Marina CS 166 BE 46
Santa Marina CT 196 AY 58
Santa Marina ME 187 AX 55
Santa Marina PU 90 AM 20
Santa Marina RC 176 BF 53
Santa Marina SA 163 BC 43
Santa Marina in Particeto FC 82 AG 19
Santa Marina Salina ME 181 AY 52
Santa Marinella RM 118 AG 31
Santa Marizza UD 30 AM 8
Santa Marta GE 62 O 16
Santa Marta RM 119 AK 31
Santa Massenza TN 26 AA 7
Santa Menna TV 43 AJ 9
Santa Nicola ME 189 BA 55
Santa Ninfa TP 191 AM 57
Santa Oliva FR 131 AQ 35
Santa Palomba RM 128 AK 33
Santa Panagia SR 203 BA 61
Santa Paola FC 82 AI 19
Santa Paolina AV 142 AY 37
Santa Porada CA 226 O 48
Santa Procula Maggiore RM 128 AK 34
Santa Rania KR 172 BJ 48
Santa Reparata FC 81 AF 19
Santa Reparata OT 206 Q 36
Santa Restituta AQ 121 AQ 32
Santa Restituta NA 150 AS 39
Santa Restituta TR 106 AJ 28
Santa Rita CL 193 AT 59
Santa Rita PU 89 AJ 20
Santa Rosa LT 129 AL 35
Santa Rosalia PA 184 AO 55
Santa Rosalia PA 192 AQ 57
Santa Rosalia RG 204 AX 62
Santa Rossella CN 59 H 15
Santa Rufina AQ 115 AP 30
Santa Rufina RI 114 AM 29
Santa Rufina RI 114 AN 28
Santa Scolastica RM 121 AN 32
Santa Serra CS 170 BF 48
Santa Severa RM 118 AG 31
Santa Severina KR 173 BK 49
Santa Sofia BS 38 U 11
Santa Sofia CE 141 AV 37
Santa Sofia FC 88 AG 20
Santa Sofia OR 218 P 44
Santa Sofia SA 162 AZ 41
Santa Sofia d'Epiro CS 167 BG 46
Santa Susanna OR 217 O 43
Santa Tecla CT 197 BA 58
Santa Tecla SA 152 AY 39
Santa Teresa PE 116 AT 29
Santa Teresa VR 55 AC 12
Santa Teresa VR 55 AC 13
Santa Teresa VT 112 AI 30
Santa Teresa di Riva ME 189 BB 56
Santa Teresa Gallura OT 206 Q 36
Santa Teresina OT 211 R 37
Santa Teresina VE 43 AK 9
Santa Trada RC 178 BE 55
Santa Trinità PG 107 AN 27
Santa Valburga / Sankt Walburg BZ 12 AB 4
Santa Venera CT 197 BA 57
Santa Venera ME 188 AX 55
Santa Venera Grotta ME 188 BA 55
Santa Veneranda AN 90 AO 22
Santa Veneranda PU 90 AM 20
Santa Venere CS 165 BI 43
Santa Venere SA 152 AZ 41

Santa Venerina CT 197 AZ 57
Santa Viola BO 67 AC 16
Santa Vittoria AQ 114 AO 28
Santa Vittoria PE 116 AS 29
Santa Vittoria RE 66 Y 14
Santa Vittoria RI 114 AM 30
Santa Vittoria SS 209 N 39
Santa Vittoria d'Alba CN 60 I 15
Santa Vittoria di Libiola GE 77 R 18
Santa Vittoria in Matenano FM 108 AP 25
Sant'Abbondio TR 105 AH 27
Santadi CI 225 N 49
Santadi Basso CI 225 N 49
Sant'Adriano FI 81 AE 19
Sant'Adriano Vecchio ME 188 AX 55
Sant'Agapito IS 132 AU 34
Sant'Agapito VT 112 AG 28
Sant'Agata AR 95 AG 24
Sant'Agata CE 140 AS 36
Sant'Agata CH 123 AU 31
Sant'Agata CN 59 E 16
Sant'Agata CO 23 R 7
Sant'Agata CS 167 BH 46
Sant'Agata FC 87 AF 20
Sant'Agata FI 86 AD 19
Sant'Agata FI 87 AE 21
Sant'Agata KR 169 BK 47
Sant'Agata PC 52 T 14
Sant'Agata PC 52 V 14
Sant'Agata RE 66 Z 15
Sant'Agata VB 7 N 7
Sant'Agata VV 176 BE 52
Sant'Agata Bolognese BO 67 AB 16
Sant'Agata de' Goti BN 141 AW 37
Sant'Agata del Bianco RC 179 BF 55
Sant'Agata del Terrino AR 95 AG 23
Sant'Agata di Esaro CS 166 BE 46
Sant'Agata di Militello ME 187 AW 55
Sant'Agata di Puglia FG 143 BB 37
Sant'Agata Feltria PU 88 AI 20
Sant'Agata Fossili AL 62 O 15
Sant'Agata Li Battiati CT 197 AZ 58
Sant'Agata sul Santerno RA 68 AG 17
Sant'Agnello NA 151 AV 40
Sant'Agnese CB 133 AW 33
Sant'Agnese SI 94 AC 23
Sant'Agnese TN 26 AC 7
Sant'Agostino CE 132 AU 35
Sant'Agostino FE 67 AD 15
Sant'Agostino PD 57 AH 12
Sant'Agostino TE 108 AR 28
Sant'Agostino TO 47 F 13
Sant'Agostino TV 43 AK 9
Sant'Albano PV 63 Q 14
Sant'Albano Stura CN 60 H 16
Sant'Alberto BO 67 AD 15
Sant'Alberto RA 69 AH 16
Sant'Alberto TV 42 AH 10
Sant'Albino SI 104 AF 25
Sant'Alessandro BG 38 U 9
Sant'Alessandro Barbaglio PV 50 N 12
Sant'Alessio RC 178 BD 54
Sant'Alessio con Vialone PV 51 Q 12
Sant'Alessio Siculo ME 189 BB 56
Sant'Alessio Village ME 189 BB 56
Sant'Alfio CT 197 AZ 57
Sant'Alfonso PZ 164 BE 43
Sant'Alosio AL 62 O 15
Sant'Amato-Nasuti CH 117 AV 30
Sant'Ambrogio AL 63 P 15
Sant'Ambrogio BG 38 T 9
Sant'Ambrogio CO 36 Q 9
Sant'Ambrogio MO 66 AA 16
Sant'Ambrogio PA 186 AT 55
Sant'Ambrogio PD 42 AH 10
Sant'Ambrogio SI 95 AF 25
Sant'Ambrogio di Torino TO 47 F 13
Sant'Ambrogio di Valpolicella VR 40 AA 10
Sant'Ambrogio Olona VA 22 N 8
Sant'Ambrogio sul Garigliano FR 131 AS 35
Sant'Amico AN 90 AO 22
Sant'Amico CH 123 AV 31
Sant'Anastasia NA 151 AV 38
Sant'Anastasia RM 128 AK 33
Sant'Anastasio PI 93 AA 23
Sant'Anastasio TV 43 AL 9
Sant'Anatolia PG 107 AM 27
Sant'Anatolia di Narco PG 107 AM 27
Santandra TV 42 AI 9
Sant'Andrat UD 30 AN 8
Sant'Andrat UD 31 AP 8
Sant'Andrea AL 61 M 15
Sant'Andrea AN 91 AQ 22
Sant'Andrea AP 99 AQ 24
Sant'Andrea AR 88 AI 21
Sant'Andrea AV 142 AY 38
Sant'Andrea BN 142 AY 36
Sant'Andrea BO 80 AC 18
Sant'andrea BO 81 AD 17
Sant'Andrea BO 81 AD 18
Sant'Andrea BS 39 X 10
Sant'Andrea CA 226 P 48
Sant'Andrea CA 226 Q 48
Sant'Andrea CE 140 AT 37
Sant'Andrea FG 127 BF 32
Sant'Andrea FR 131 AR 34
Sant'Andrea GO 31 AQ 8
Sant'Andrea GR 110 AD 28
Sant'Andrea IS 132 AV 33
Sant'Andrea KR 173 BL 49
Sant'Andrea LE 159 BT 42
Sant'Andrea LU 85 Y 21
Sant'Andrea MC 98 AO 25
Sant'Andrea ME 188 AY 55
Sant'Andrea ME 189 BB 54
Sant'Andrea PG 107 AN 27
Sant'Andrea PN 29 AK 8
Sant'Andrea PR 52 V 14
Sant'Andrea PR 65 W 14
Sant'Andrea PR 65 X 14
Sant'Andrea PU 90 AM 20
Sant'Andrea PZ 144 BC 38
Sant'Andrea RA 82 AG 17
Sant'Andrea RA 82 AI 18
Sant'Andrea RI 113 AK 29
Sant'Andrea RI 114 AL 30
Sant'Andrea RN 83 AJ 19
Sant'Andrea SA 152 AY 39
Sant'Andrea SA 152 AZ 40
Sant'Andrea SI 93 AB 23
Sant'Andrea SI 94 AB 23
Sant'Andrea TE 108 AR 27
Sant'Andrea TN 26 AB 8
Sant'Andrea TV 42 AG 10
Sant'Andrea VC 20 K 8
Sant'Andrea VR 40 AB 10
Sant'Andrea VR 55 AD 12
Sant'Andrea / Sankt Andrä BZ 4 AF 3
Sant'Andrea a Gavignalla FI 93 AA 22
Sant'Andrea a Morgiano FI 86 AD 21
Sant'Andrea Apostolo dello Ionio CZ 175 BI 52
Sant'Andrea Bagni PR 65 V 15
Sant'Andrea Bonagia TP 182 AK 55
Sant'Andrea d'Agliano PG 106 AJ 25
Sant'Andrea del Garigliano FR 131 AS 35
Sant'Andrea delle Fratte PG 105 AJ 25
Sant'Andrea di Barbarana TV 43 AJ 9
Sant'Andrea di Codiverno PD 42 AG 11
Sant'Andrea di Conza AV 143 BB 38
Sant'Andrea di Foggia GE 76 Q 17
Sant'Andrea di Rossano FC 82 AH 18
Sant'Andrea di Rovereto GE 76 Q 18
Sant'Andrea di Sorbello AR 96 AI 24
Sant'Andrea di Suasa PU 90 AM 22
Sant'Andrea Frius CA 222 Q 47
Sant'Andrea in Bagnolo FC 82 AI 18
Sant'Andrea in Casale RN 89 AK 20
Sant'Andrea Ionio Marina CZ 175 BI 52
Sant'Andrea Pelago MO 79 Y 18
Sant'Angelo AN 90 AO 21
Sant'Angelo AP 108 AQ 26
Sant'Angelo CH 123 AV 31
Sant'Angelo CI 220 L 47
Sant'Angelo CS 166 BE 46
Sant'Angelo CS 167 BF 47
Sant'Angelo CS 170 BF 47
Sant'Angelo CZ 175 BI 51
Sant'Angelo FC 83 AJ 19
Sant'Angelo FI 86 AB 21
Sant'Angelo FR 130 AP 35
Sant'Angelo MC 97 AM 24
Sant'Angelo MC 97 AN 24
Sant'Angelo NA 150 AS 39
Sant'Angelo PG 107 AN 26
Sant'Angelo PI 86 AA 21
Sant'Angelo PU 90 AN 21
Sant'Angelo PZ 154 BD 39
Sant'Angelo RC 178 BD 54
Sant'Angelo RI 114 AN 28
Sant'Angelo RI 108 AO 28
Sant'Angelo TE 109 AS 26
Sant'Angelo TR 113 AJ 28
Sant'Angelo VE 42 AH 10
Sant'Angelo VT 112 AH 30
Sant'Angelo VV 174 BG 52
Sant'Angelo a Cancelli AV 142 AY 37
Sant'Angelo a Cupolo BN 142 AX 37
Sant'Angelo a Fasanella SA 153 BB 41
Sant'Angelo a Scala AV 142 AX 38
Sant'Angelo all Esca AV 142 AY 37
Sant'Angelo d'Alife CE 132 AU 35
Sant'Angelo dei Lombardi AV 143 BA 38
Sant'Angelo del Pesco IS 123 AU 32
Sant'Angelo di Brolo ME 188 AY 55
Sant'Angelo di Celle PG 106 AJ 25
Sant'Angelo di Chieli PG 96 AJ 24
Sant'Angelo di Piove di Sacco PD 42 AH 11
Sant'Angelo di Sotto BN 142 AX 37
Sant'Angelo in Colle SI 104 AD 26
Sant'Angelo in Formis CE 141 AU 37
Sant'Angelo in Grotte IS 132 AV 34
Sant'Angelo in Lizzola PU 89 AL 21
Sant'Angelo in Mercole PG 106 AL 27
Sant'Angelo in Pontano MC 98 AP 25
Sant'Angelo in Theodice FR 131 AR 35
Sant'Angelo in Vado PU 89 AJ 21
Sant'Angelo in Villa FR 130 AP 33
Sant'Angelo Le Fratte PZ 153 BC 40
Sant'Angelo Limosano CB 133 AW 33
Sant'Angelo Lodigiano LO 51 R 12
Sant'Angelo Lomellina PV 50 M 12
Sant'Angelo Muxaro AG 192 AQ 59
Sant'Angelo Romano RM 120 AL 31
Santaniello CB 124 AW 33
Sant'Anna AG 192 AO 58
Sant'Anna AG 193 AR 59
Sant'Anna AN 98 AO 23
Sant'Anna AP 109 AR 26
Sant'Anna AT 61 J 15
Sant'Anna BL 29 AJ 7
Sant'Anna BN 141 AV 37
Sant'Anna BN 133 AW 36
Sant'Anna BO 67 AD 16
Sant'Anna BO 67 AE 16
Sant'Anna BS 38 V 10
Sant'Anna CN 59 E 16
Sant'Anna CN 58 E 16
Sant'Anna CN 70 E 17
Sant'Anna CN 71 F 17
Sant'Anna CN 70 F 17
Sant'Anna CN 71 G 17
Sant'Anna CN 71 G 18
Sant'Anna CN 71 H 18
Sant'Anna CN 71 I 18
Sant'Anna CO 22 P 8
Sant'Anna CT 197 BA 57
Sant'Anna EN 195 AW 58
Sant'Anna FR 130 AN 33
Sant'Anna FR 130 AP 33
Sant'Anna IS 132 AV 34
Sant'Anna KR 173 BL 49
Sant'Anna LU 84 W 20
Sant'Anna ME 188 AZ 55
Sant'Anna MN 53 Y 12
Sant'Anna MO 66 AB 16
Sant'Anna NU 215 S 40
Sant'Anna OR 217 M 45
Sant'Anna PI 85 Y 21
Sant'Anna PU 90 AM 21
Sant'Anna RC 176 BE 54
Sant'Anna RC 176 BF 53
Sant'Anna RC 179 BF 55
Sant'Anna SI 95 AE 25
Sant'Anna SO 10 U 6
Sant'Anna SO 10 U 6
Sant'Anna SO 10 W 4
Sant'Anna SV 74 K 17
Sant'Anna TE 109 AT 28
Sant'Anna TN 26 AB 8
Sant'Anna TN 26 AB 9
Sant'Anna TO 46 D 12
Sant'Anna TO 48 H 12
Sant'Anna VA 35 M 9
Sant'Anna VB 7 N 7
Sant'Anna VE 57 AI 13
Sant'Anna VI 41 AE 10
Sant'Anna VR 55 AD 13
Sant'Anna Arresi CI 224 M 49
Sant'Anna d'Alfaedo VR 40 AA 10
Sant'Anna di Rialpo CN 70 E 18
Sant'Anna di Valdieri CN 70 E 18
Sant'Anna Morosina PD 41 AF 10
Sant'Anna Pelago MO 79 Y 18
Sant'Ansano FI 86 AA 21
Sant'Ansovino RN 89 AK 20
Sant'Antimo NA 150 AU 38
Sant'Antimo TR 113 AK 28
Sant'Antioco CI 224 L 49
Sant'Antonino AT 49 K 14
Sant'Antonino CT 197 BA 57
Sant'Antonino ME 188 AX 55
Sant'Antonino RE 66 Z 16
Sant'Antonino VC 49 J 12
Sant'Antonino di Susa TO 47 E 13
Sant'Antonino Sciortino ME 188 AX 55
Sant'Antonino Ticino VA 35 N 10
Sant'Antonino-Selvotta FR 131 AS 35
Sant'Antonio AN 90 AO 22
Sant'Antonio AP 99 AQ 25
Sant'Antonio AP 108 AQ 27
Sant'Antonio AQ 122 AQ 32
Sant'Antonio AQ 122 AT 32
Sant'Antonio AT 48 J 14
Sant'Antonio AT 61 K 15
Sant'Antonio BG 37 R 9
Sant'Antonio BG 37 T 9
Sant'Antonio BG 38 U 9
Sant'Antonio BL 28 AG 7
Sant'Antonio BL 28 AH 7
Sant'Antonio BN 141 AW 36
Sant'Antonio BN 142 AW 37
Sant'Antonio BN 133 AX 35
Sant'Antonio BN 142 AY 37
Sant'Antonio BO 68 AF 16
Sant'Antonio BS 24 W 7
Sant'Antonio BS 38 W 11
Sant'Antonio BZ 3 AD 2
Sant'Antonio BZ 13 AE 4
Sant'Antonio CN 59 E 15
Sant'Antonio CN 59 F 16
Sant'Antonio CN 59 G 15
Sant'Antonio CN 59 G 16
Sant'Antonio CN 60 I 15
Sant'Antonio CN 60 J 16
Sant'Antonio FG 134 BA 35
Sant'Antonio FR 130 AP 34
Sant'Antonio GR 103 AC 27
Sant'Antonio IM 72 G 21
Sant'Antonio IM 72 H 20
Sant'Antonio KR 172 BK 48
Sant'Antonio LO 52 U 13
Sant'Antonio ME 188 AX 55
Sant'Antonio MO 79 AA 17
Sant'antonio NA 150 AS 39
Sant'Antonio NO 35 L 10
Sant'Antonio PC 64 U 14
Sant'Antonio PD 41 AF 11
Sant'Antonio PG 96 AH 22
Sant'Antonio PN 30 AM 8
Sant'Antonio PR 64 U 15
Sant'Antonio PZ 153 BC 40
Sant'Antonio PZ 145 BF 39
Sant'Antonio RC 178 BD 55
Sant'Antonio RC 177 BG 54
Sant'Antonio RM 118 AG 31
Sant'Antonio SA 152 AY 39
Sant'Antonio SA 162 AY 42
Sant'Antonio SA 162 AZ 42
Sant'Antonio SO 23 T 7
Sant'Antonio SO 24 V 7
Sant'Antonio SO 11 X 5
Sant'Antonio TN 26 AA 8
Sant'Antonio TO 59 F 15
Sant'Antonio TO 48 H 12
Sant'Antonio TV 28 AG 9
Sant'Antonio TV 28 AI 9
Sant'Antonio TV 43 AJ 9
Sant'Antonio UD 31 AP 9
Sant'Antonio VC 34 I 9
Sant'Antonio VC 20 K 8
Sant'Antonio VE 43 AK 10
Sant'Antonio VE 57 AI 12
Sant'Antonio VI 40 AC 9
Sant'Antonio VI 41 AD 11
Sant'Antonio VR 40 AC 11
Sant'Antonio VT 112 AH 28
Sant'Antonio / S.Anton BZ 12 AC 5
Sant'Antonio a Picenzia SA 152 AY 40
Sant'Antonio a Trebbia PC 52 S 13
Sant'Antonio Abate NA 151 AW 39
Sant'Antonio Casalini PZ 153 BC 39
Sant'Antonio Dascula BA 147 BM 38
Sant'Antonio di Gallura OT 210 Q 38
Sant'Antonio di Mavignola TN 26 Z 6
Sant'Antonio di Santadi VS 220 L 45
Sant'Antonio in Bosco TS 45 AS 10
Sant'Antonio in Mercadello MO 66 AA 14
Sant'Antonio Morignone SO 11 X 5
Sant'Antonio-Avagliano SA 151 AW 39
Sant'Antuono SA 153 BC 41
Sant'Apollinnare FI 81 AE 19
Sant'Apollinare AN 98 AO 23
Sant'Apollinare BO 80 AB 17
Sant'Apollinare BO 81 AE 18
Sant'Apollinare CH 117 AV 30
Sant'Apollinare FE 56 AG 14
Sant'Apollinare FR 131 AR 35
Sant'Apollinare PG 105 AI 26
Sant'Apollinare PU 88 AJ 20
Sant'Apollinare RO 56 AF 13
Sant'Apollinare in Gifarco PU 89 AK 21
Sant'Apollonia AN 90 AN 22
Sant'Apollonia PD 56 AG 12
Sant'Apollonio BS 38 W 10
Sant'Appiano FI 94 AB 22
Sant'Arcangelo ME 188 AY 55
Sant'Arcangelo PZ 164 BG 42
Santarcangelo di Romagna RN 83 AJ 19
Sant'Arcangelo Trimonte BN 142 AY 37
Santarioli RI 114 AL 28
Sant'Arpino CE 141 AU 38
Sant'Arsenio SA 153 BB 41
SantaTrinita PN 29 AK 8
Sant'Atto TE 109 AR 27
Sante Marie AQ 121 AO 31
Sant'Edigio FE 68 AE 15
Sant'Egidio AV 142 AY 37
Sant'Egidio CH 117 AW 30
Sant'Egidio MC 98 AP 23
Sant'Egidio PG 105 AH 26
Sant'Egidio PG 96 AJ 25
Sant'Egidio PU 90 AN 21
Sant'Egidio TE 108 AR 28
Sant'Egidio VT 112 AI 30
Sant'Egidio alla Vibrata TE 108 AR 27
Sant'Egidio del Monte Albino SA 151 AW 39
Santel TN 26 AB 6
Sant'Elena AN 97 AN 23
Sant'Elena AQ 123 AU 32
Sant'Elena BZ 12 AA 4
Sant'Elena MC 98 AN 24
Sant'Elena MN 53 X 12
Sant'Elena OR 216 M 43
Sant'Elena PD 56 AF 12
Sant'Elena PG 105 AI 26
Sant'Elena RC 178 BD 56
Sant'Elena TV 42 AJ 10
Sant'Elena VE 43 AL 9
Sant'Elena Irpina AV 142 AY 37
Sant'Elena Sannita IS 132 AV 34
Sant'Elia AN 97 AN 23
Sant'Elia CA 226 P 48
Sant'Elia CS 171 BG 48
Sant'Elia CZ 171 BI 50
Sant'Elia LE 158 BR 41
Sant'Elia PA 185 AQ 55
Sant'Elia PE 116 AT 30
Sant'Elia RC 178 BD 56
Sant'Elia RI 113 AK 30
Sant'Elia RI 114 AL 29
Sant'Elia a Pianisi CB 133 AY 34
Sant'Elia Fiumerapido FR 131 AS 34
Sant'Eligio CN 70 E 18
Sant'Ella AQ 115 AP 29
Sant'Ellero FI 87 AD 21
Santellone BS 38 U 10
Sant'Elmo CA 227 S 48
Sant'Elpidio RI 114 AO 30
Sant'Elpidio a Mare FM 99 AR 24
Sant'Elpidio Morico AP 108 AQ 25
Santena TO 48 H 14
Sant'Enea AR 95 AG 23
Sant'Enea PG 106 AJ 25
Sant'Eraclio PG 106 AL 26
Santeramo in Colle BA 146 BJ 39
Sant'Erasmo BG 37 T 9
Sant'Erasmo MC 97 AN 25
Sant'Erasmo PA 184 AP 55
Sant'Erasmo VE 43 AJ 11
Sant'Ermete RN 83 AJ 19
Sant'Ermia CZ 170 BG 50
Sant'Ermo PI 92 Y 22
Santerno RA 69 AH 17
Sant'Eufemia FC 87 AG 20
Sant'Eufemia PD 42 AG 10
Sant'Eufemia RA 81 AF 18
Sant'Eufemia a Maiella PE 122 AT 31
Sant'Eufemia d'Aspromonte RC 178 BE 54
Sant'Eufemia della Fonte BS 38 W 10
Sant'Eulalia TV 28 AF 9
Sant'Eupleo ME 188 AY 55
Sant'Eurosia BI 34 J 10
Sant'Eurosia TE 108 AR 27
Sant'Eusanio AQ 114 AO 29
Sant'Eusanio IS 132 AT 34
Sant'Eusanio del Sangro CH 117 AU 30
Sant'Eusanio Forconese AQ 115 AQ 30
Sant'Eusebio MO 66 AA 16
Sant'Eusebio PU 89 AJ 22
Sant'Eusebio PV 63 Q 14
Sant'Eustachio AV 142 AZ 38
Sant'Eustachio CE 141 AV 37
Sant'Eustachio MS 84 W 19
Sant'Eustachio SA 152 AX 40
Sant'Eutizio VT 112 AI 29
Santhià VC 49 K 11
Santi AQ 114 AO 29
Santi Angeli TV 28 AH 9
Santi Cancelli PG 106 AL 26
Santi Cosma e Damiano LT 139 AR 36
Santi Filippo e Giacomo TP 182 AK 56
Santi Neri AN 90 AO 22
Santicolo BS 25 W 6
Santiella VI 41 AD 11
Sant'Ignazio AN 98 AO 23
Sant'Ignazio TO 47 F 12
Sant'Ilario FI 86 AB 21
Sant'Ilario FI 81 AE 19
Sant'Ilario MC 107 AN 25
Sant'Ilario PZ 144 BC 39
Sant'Ilario Baganza PR 65 W 16
Sant'Ilario dello Ionio RC 179 BG 54
Sant'Ilario d'Enza RE 65 X 15
Sant'Ilario in Campo LI 100 W 27
Sant'Ilario Ligure GE 76 P 17
Sant'Imento PC 52 S 13
Sant'Imero AP 108 AR 25
Sant'Ingenuim / Saubam BZ 13 AE 4
Sant'Iona AQ 121 AQ 31
Sant'Ippolito CS 171 BG 48
Sant'Ippolito PO 80 AB 19
Sant'Ippolito PU 90 AM 21
Santiquaranta PZ 163 BD 43
Sant'Irene CS 168 BI 46
Sant'Isidoro AN 90 AN 22
Sant'Isidoro AP 99 AR 25
Sant'Isidoro BN 142 AY 37
Sant'Isidoro CA 225 N 50
Sant'Isidoro CA 226 Q 48
Sant'Isidoro CO 36 Q 9
Sant'Isidoro CS 168 BJ 46
Sant'Isidoro LE 160 BQ 42
Sant'Odorico UD 30 AM 7
Sant'Olcese GE 62 O 17
Sant'Omero TE 109 AR 27
Sant'Omobono Imagna BG 23 S 9
Sant'Onofrio CH 117 AV 30
Sant'Onofrio CS 167 BF 46
Sant'Onofrio FR 131 AR 33
Sant'Onofrio PA 185 AQ 56
Sant'Onofrio PZ 164 BF 44
Sant'Onofrio TE 108 AR 27
Sant'Onofrio TE 108 AR 27
Sant'Onofrio VV 174 BF 51
Santopadre FR 131 AQ 34
Sant'Oreste RM 113 AK 30
Santoro BR 148 BN 39
Santorso VI 41 AD 9
Sant'Orsola TN 27 AC 7
Sant'Osvaldo BZ 3 AC 3
Sant'Osvaldo BZ 13 AE 4
Sant'Osvaldo PN 15 AJ 6
Sant'Osvaldo UD 30 AO 7
Sant'Ottaviano PI 93 AA 23
Santino PZ 154 BD 41
Santino VB 21 M 8
Santissima Annunziata NU 215 R 40
Santissima Trinità AN 90 AN 22
Santissimo Salvatore ME 189 BB 54
Santo SI 103 AC 25
Santo Ianni CE 140 AT 36
Santo Ianni CS 164 BE 44
Santo Ianni CS 166 BE 46
Santo Ianni CS 166 BE 46
Santo Ianni CS 166 BE 46
Santo Ianni CS 164 BF 44
Santo Ianni CS 170 BG 48
Santo Ianni CS 170 BG 48
Santo Ianni IS 132 AV 34

Santo Ianno ***CB*** 133 AW 35
Santo Iasso ***SA*** 151 AW 39
Santo Janni ***CB*** 132 AW 34
Santo Jorio ***SA*** 152 AZ 41
Santo Martino ***PZ*** 163 BD 42
Santo Massimo ***RM*** 120 AN 32
Santo Nocaio ***CS*** 164 BE 44
Santo Padre
delle Perriere ***TP*** 190 AK 57
Santo Pietro ***CT*** 202 AV 61
Santo Sisino ***RM*** 113 AJ 30
Santo Sperato ***RC*** 178 BD 55
Santo Spirito ***AV*** 142 AZ 36
Santo Spirito ***BA*** 137 BJ 37
Santo Spirito ***PE*** 116 AT 30
Santo Spirito ***SA*** 152 BA 41
Santo Stefano ***AL*** 50 N 14
Santo Stefano ***AL*** 62 N 16
Santo Stefano ***AN*** 97 AM 23
Santo Stefano ***AN*** 91 AP 22
Santo Stefano ***AP*** 108 AQ 26
Santo Stefano ***AP*** 99 AR 25
Santo Stefano ***AQ*** 121 AO 31
Santo Stefano ***AR*** 95 AH 23
Santo Stefano ***AT*** 49 L 14
Santo Stefano ***BN*** 142 AW 36
Santo Stefano ***BZ*** 4 AG 3
Santo Stefano ***BZ*** 12 Z 4
Santo Stefano ***CA*** 227 S 49
Santo Stefano ***CB*** 133 AW 34
Santo Stefano ***CN*** 71 F 17
Santo Stefano ***CN*** 60 I 16
Santo Stefano ***CS*** 170 BG 47
Santo Stefano ***CZ*** 177 BH 52
Santo Stefano ***FC*** 81 AF 19
Santo Stefano ***FI*** 86 AA 22
Santo Stefano ***FI*** 87 AD 20
Santo Stefano ***FI*** 86 AD 21
Santo Stefano ***LU*** 85 X 20
Santo Stefano ***MC*** 98 AO 24
Santo Stefano ***ME*** 188 AY 54
Santo Stefano ***NO*** 35 M 11
Santo Stefano ***PO*** 86 AB 19
Santo Stefano ***PU*** 89 AL 20
Santo Stefano ***RI*** 113 AK 30
Santo Stefano ***RI*** 114 AO 30
Santo Stefano ***RO*** 55 AC 13
Santo Stefano ***SI*** 94 AC 25
Santo Stefano ***TE*** 108 AQ 28
Santo Stefano ***TN*** 26 AC 7
Santo Stefano ***TV*** 28 AH 8
Santo Stefano ***TV*** 29 AJ 8
Santo Stefano ***TV*** 43 AK 9
Santo Stefano ***VA*** 36 N 9
Santo Stefano ***VR*** 55 AC 12
Santo Stefano ***VR*** 41 AD 11
Santo Stefano al Mare ***IM*** 72 I 20
Santo Stefano Belbo ***CN*** 61 K 15
Santo Stefano Canetto ***AT*** 61 K 15
Santo Stefano d'Aveto ***GE*** 63 R 16
Santo Stefano del Sole ***AV*** 142 AY 38
Santo Stefano di Briga ***ME*** 189 BB 55
Santo Stefano di Cadore ***BL*** 15 AK 4
Santo Stefano
di Camastra ***ME*** 187 AV 55
Santo Stefano di Magra ***SP*** 78 U 19
Santo Stefano
di Rogliano ***CS*** 171 BG 48
Santo Stefano
di Sessanio ***AQ*** 115 AQ 29
Santo Stefano
in Aspromonte ***RC*** 178 BD 54
Santo Stefano
Quisquina ***AG*** 192 AP 58
Santo Stefano Roero ***CN*** 60 I 15
Santo Stefano Ticino ***MI*** 36 O 11
Santo Todaro ***VV*** 177 BH 53
Santojanni ***CE*** 132 AT 35
Santomato ***PT*** 86 AA 20
Santomenna ***SA*** 143 BA 39
Santu Juanni ***OT*** 211 S 39
Santu Lussurgiu ***OR*** 217 M 43
Santuario ***SV*** 75 L 17
Santuario del Rosario ***PA*** 184 AO 56
Santuario
della Mentorella ***RM*** 120 AM 32
Santuario
di Caravaggio ***BG*** 37 S 11
Santuario Francescano ***RI*** 113 AL 29
Santuario Grotta
di Santa Rosalia ***PA*** 184 AP 54
Santuario Incoronata ***FG*** 135 BC 35
Santuario Madonna
dell'Olio ***PA*** 194 AT 57
Santuario
San Francesco ***CS*** 170 BF 47
Santuario Valleverde ***FG*** 134 BB 36
Sant'Ubaldo ***AN*** 90 AO 22
Sant'Ubarto ***FC*** 88 AG 20
Santuccione ***PE*** 116 AT 29
Sant'Ulderico ***VI*** 40 AD 9
Sant'Uopo ***PZ*** 164 BG 43
Sant'Urbano ***BS*** 39 Y 10
Sant'Urbano ***PD*** 56 AE 13
Sant'Urbano ***TR*** 113 AK 29
Sant'Urbano ***VI*** 41 AD 10
Sanvarezzo ***SV*** 61 K 17
Sanza ***NA*** 151 AW 39
Sanza ***SA*** 163 BC 42
Sanzan ***BL*** 28 AG 8
Sanzeno ***TN*** 12 AB 5
Sao Paolo ***BA*** 146 BJ 37
Sao Paolo ***PG*** 106 AL 26
Saonara ***PD*** 42 AG 11
Saone ***TN*** 26 Z 7
Sapienze ***BN*** 141 AW 36
Sapigno ***PU*** 88 AI 20
Saponara ***ME*** 189 BB 54
Saponara Marittima ***ME*** 189 BB 54
Saponelli ***CH*** 117 AV 31
Sappada ***BL*** 15 AL 4
Sappade ***BL*** 14 AG 5
Sappanico ***AN*** 91 AP 22
Sapri ***SA*** 163 BC 43
Saps ***UD*** 16 AO 5
Saputelli ***TE*** 116 AR 28
Saputelli di Sopra ***TE*** 116 AR 28
Saquana ***AL*** 61 L 16
Saracchi ***AT*** 61 J 15
Saracena ***CS*** 166 BD 44
Saracena ***CS*** 167 BF 45
Saraceni ***LE*** 158 BQ 42
Saracinello ***CS*** 163 BD 44
Saracinesco ***RM*** 120 AM 31
Saragano ***PG*** 106 AJ 26
Saragiolo ***SI*** 104 AE 26
Sarasino ***BS*** 38 V 9
Sarcedo ***VI*** 41 AE 9
Sarche ***TN*** 26 AA 7
S'Archittu ***OR*** 216 L 43
Sarconi ***PZ*** 164 BE 42
Sardagna ***TN*** 26 AB 7
Sardara ***VS*** 221 N 46
Sardigliano ***AL*** 62 O 15
Sarego ***VI*** 40 AC 9
Sarego ***VI*** 41 AD 11
S'Arena Scoada ***OR*** 216 L 43
Sarentino / Sarnthein ***BZ*** 13 AD 4
Saret ***CN*** 70 E 18
Saretto ***CN*** 58 C 17
Saretto ***CN*** 70 E 17
Sarezzano ***AL*** 62 O 14
Sarezzo ***BS*** 38 W 10
Sariginesco ***MN*** 54 Y 12
Sariano ***PC*** 64 T 14
Sariano ***RO*** 55 AD 13
Sarignan ***AO*** 32 E 9
Sarigo ***VA*** 21 N 8
Sarissola ***GE*** 62 O 16
Sarmato ***PC*** 51 R 13
Sarmazza ***VR*** 40 AC 11
Sarmede ***TV*** 29 AJ 8
Sarmego ***VI*** 41 AF 11
Sarmeola ***PD*** 41 AF 11
Sarna ***AR*** 88 AG 21
Sarna ***RA*** 81 AF 18
Sarnano ***MC*** 107 AO 25
Sarnella ***NA*** 151 AW 38
Sarnes ***BZ*** 4 AE 3
Sarnico ***BG*** 38 U 9
Sarno ***SA*** 151 AW 39
Sarnonico ***TN*** 12 AB 5
Sarnthein / Sarentino ***BZ*** 13 AD 4
Sarola ***IM*** 73 I 20
Sarone ***PN*** 29 AJ 8
Saronno ***VA*** 36 P 10
Saronsella ***TO*** 48 I 13
Sarra ***OT*** 211 S 39
Sarral ***AO*** 32 D 10
Sarriod ***AO*** 32 E 9
Sarripoli ***PT*** 85 AA 20
Sarro ***CT*** 197 AZ 57
Sarrocciano ***MC*** 98 AQ 24
Sarroch ***CA*** 226 P 49
Sarrottino ***CZ*** 175 BI 50
Sarsina ***FC*** 88 AH 20
Sartano ***CS*** 167 BG 46
Sarteano ***SI*** 105 AG 26
Sartiano ***PU*** 88 AI 20
Sartirana Lomellina ***PV*** 50 N 13
Sarto ***RC*** 178 BD 55
Sartore ***VE*** 42 AH 11
Sartore ***VI*** 40 AC 9
Sarturano ***PC*** 51 S 14
Sarule ***NU*** 214 Q 42
Sarzana ***SP*** 78 U 19
Sarzano ***RO*** 56 AF 13
Sas Contreddas ***SS*** 209 O 38
Sas Linnas Siccas ***NU*** 215 T 41
Sas Murtas ***NU*** 215 T 39
Sas Tanchittas ***SS*** 209 O 39
Sasi ***TP*** 183 AM 56
S'Aspru ***SS*** 213 N 40
Sassa ***AQ*** 115 AO 29
Sassa ***PI*** 93 Z 24
Sassaia ***LU*** 84 W 20
Sassalbo ***MS*** 78 W 18
Sassani ***PA*** 184 AO 55
Sassano ***PZ*** 144 BD 39
Sassano ***SA*** 153 BC 41
Sassari ***SS*** 209 M 39
Sassatella ***MO*** 79 Y 18
Sassatelli ***RA*** 68 AF 16
Sassella ***SO*** 24 U 7
Sassello ***SV*** 61 L 17
Sasseta ***PO*** 80 AB 19
Sasseta ***SP*** 77 T 18
Sassetta ***LI*** 102 Y 25
Sassi ***CE*** 140 AS 36
Sassi ***LU*** 79 X 19
Sassi ***MN*** 53 Y 12
Sassi ***TO*** 48 H 13
Sassi ***VI*** 27 AE 9
Sassia ***AT*** 49 K 14
Sassinoro ***BN*** 133 AW 35
Sasso ***AL*** 62 O 15
Sasso ***AN*** 97 AN 23
Sasso ***BS*** 39 Y 9
Sasso ***BZ*** 4 AE 2
Sasso ***CE*** 141 AU 36
Sasso ***FC*** 87 AF 20
Sasso ***MC*** 107 AN 26
Sasso ***MO*** 79 Z 18
Sasso ***PD*** 56 AH 12
Sasso ***PG*** 106 AL 25
Sasso ***PR*** 65 W 16
Sasso ***RM*** 118 AH 31
Sasso ***SA*** 153 BA 39
Sasso ***TN*** 26 AB 8
Sasso ***TN*** 27 AD 7
Sasso ***VA*** 36 N 9
Sasso ***VI*** 27 AE 8
Sasso ***VR*** 40 AB 11
Sasso di Bordighera ***IM*** 72 H 21
Sasso di Castalda ***PZ*** 153 BD 41
Sasso d'Ombrone ***GR*** 103 AC 26
Sasso Marconi ***BO*** 80 AC 17
Sasso Marozzo ***MC*** 98 AN 24
Sasso Morelli ***BO*** 81 AF 17
Sasso Pisano ***PI*** 93 AA 24
Sassocorvaro ***PU*** 89 AJ 21
Sassofeltrio ***PU*** 89 AK 20
Sassoferrato ***AN*** 97 AM 23
Sassofortino ***GR*** 103 AB 25
Sassoleone ***BO*** 81 AD 18
Sassomolare ***BO*** 80 AA 18
Sassomonello ***MO*** 79 Z 17
Sassonero ***BO*** 81 AD 18
Sassorosso ***LU*** 79 X 18
Sassu ***OR*** 216 M 45
Sassuolo ***MO*** 66 Z 16
Sassuolo ***PG*** 97 AL 24
Sa'Tanca ***VS*** 220 M 46
Satia ***BR*** 148 BN 39
Satriano ***CZ*** 175 BH 52
Satriano di Lucania ***PZ*** 153 BC 40
Saturnana ***PT*** 86 AA 20
Saturnia ***GR*** 104 AE 28
Saturo ***TA*** 157 BM 41
Saubam/Sant'Ingenuim ***BZ*** 13 AE 4
Sauglio ***TO*** 48 H 14
Sauris di Sopra ***UD*** 15 AL 5
Sauris di Sotto ***UD*** 15 AL 5
Sauro ***ME*** 188 AY 55
Sause ***VC*** 20 J 8
Sauze di Cesana ***TO*** 46 C 14
Sauze d'Oulx ***TO*** 46 C 13
Sava ***SA*** 151 AX 39
Sava ***TA*** 157 BO 41
Savalons ***UD*** 30 AN 7
Savarna ***RA*** 69 AH 16
Savazza ***BO*** 81 AD 18
Savelletri ***BR*** 148 BN 38
Savelli ***KR*** 172 BJ 48
Savelli ***PG*** 107 AN 27
Savellon ***PD*** 56 AF 13
Savenone ***BS*** 25 W 9
Savi ***AT*** 48 I 14
Saviano ***NA*** 151 AW 38
Savigliano ***CN*** 59 G 16
Savignano ***BO*** 80 AB 18

SASSARI

Alberto (V. C.) Z 2
Azuni (Pza) Y 6
Cavallotti (Largo) Y 8
Duomo (Pza) Y 9
Fiume (Pza) Z 12
Gazometro (Vicolo) Y 14
Nuova (Porta) Z 15
Rosello (V.) Y 18
Saffi (V. A.) Y 20
Sicilia (Viale) Y 26
S. Antonio (Pza) Y 21
S. Caterina (V.) Y 22
S. Donato (V.) Y 23
S. Elisabetta (V.) Y 24
Turritana (V.) Z 28
Vitt. Emanuele II (Cso) Y

Museo Nazionale Sanna Z **M**

Savignano ***PU*** 89 AJ 20
Savignano ***TN*** 26 AB 8
Savignano a Mare ***FC*** 83 AJ 19
Savignano di Rigo ***FC*** 88 AI 20
Savignano Irpino ***AV*** 143 BA 36
Savignano sul Panaro ***MO*** 66 AB 17
Savignano sul Rubicone ***FC*** 83 AJ 19
Savignano-Montetassi ***PU*** 89 AJ 20
Savigno ***BO*** 80 AB 17
Savignone ***GE*** 62 O 16
Savinelli ***CE*** 141 AV 37
Saviner di Calloneghe ***BL*** 14 AH 5
Saviner di Laste ***BL*** 14 AG 5
Savini ***CH*** 117 AU 29
Savio ***PD*** 42 AG 11
Savio ***RA*** 82 AI 18
Saviore dell'Adamello ***BS*** 25 X 7
Savoca ***ME*** 189 BB 56
Savogna ***UD*** 17 AQ 7
Savogna d'Isonzo ***GO*** 31 AQ 8
Savognatica ***RE*** 79 Y 17
Savogno ***SO*** 9 R 5
Savoia di Lucania ***PZ*** 153 BC 40
Savona ***SV*** 75 L 18
Savonera ***TO*** 47 G 13
Savoniero ***MO*** 79 Y 17
Savora ***TO*** 47 E 13
Savorgnano ***PN*** 30 AM 8
Savorgnano del Torre ***UD*** 16 AO 7
Savoulx ***TO*** 46 B 13
Savuci ***CZ*** 171 BI 49
Savuto ***CS*** 170 BG 49
Sbarra ***TE*** 115 AR 28
Sbarra Molinella ***MN*** 54 AA 12
Scabbiamara ***GE*** 63 Q 16
Scacciano ***RN*** 89 AK 20
Scafa ***BN*** 142 AX 37
Scafa ***ME*** 188 AX 55
Scafa ***PE*** 116 AS 30
Scafali ***PG*** 106 AL 26
Scafati ***SA*** 151 AW 39
Scaffa ***FR*** 130 AQ 34
Scaffardi ***PR*** 64 U 16
Scafone Cipollazzi ***ME*** 187 AW 55
Scaglia ***RM*** 118 AF 31
Scaglieri ***LI*** 100 W 27
Scagnane ***PE*** 116 AS 30
Scagnane di Sotto ***PE*** 116 AS 30
Scagnello ***CN*** 74 I 17
Scai ***RI*** 114 AO 28
Scala ***ME*** 188 AZ 55
Scala ***ME*** 189 BB 54
Scala ***PI*** 85 AA 21
Scala ***RC*** 178 BD 55
Scala ***SA*** 151 AW 40
Scala Coeli ***CS*** 169 BK 47
Scala di Furno ***LE*** 158 BQ 42
Scala di Giocca ***SS*** 209 M 39
Scala Greca ***SR*** 203 BA 61
Scala Nuova ***CL*** 193 AS 58
Scala Nuova ***CL*** 193 AS 58
Scala Pedrosa ***OT*** 210 R 39
Scala Ruia ***OT*** 209 O 38
Scalandrone ***NA*** 150 AT 38
Scalaro ***TO*** 33 H 10
Scalchi ***VI*** 41 AF 9
Scaldaferro ***VI*** 41 AF 10
Scaldasole ***PV*** 50 O 13
Scale ***PA*** 184 AO 55
Scalea ***CS*** 166 BD 45
Scalelle ***AP*** 108 AP 27
Scalenghe ***TO*** 59 F 14
Scalera ***PZ*** 144 BD 38
Scaleres / Schalders ***BZ*** 4 AE 3
Scaletta ***RG*** 204 AV 62
Scaletta Marina ***ME*** 189 BB 55
Scaletta Sup. ***ME*** 189 BB 55
Scaletta Uzzone ***CN*** 61 K 17
Scaliti ***VV*** 174 BF 52
Scalo Calitri-
Pescopagano ***AV*** 143 BB 38
Scalo dei Saraceni ***FG*** 135 BE 34
Scalo di Savignano
e Greci ***AV*** 143 AZ 36
Scalo Ferroviario ***AQ*** 123 AU 33
Scalo Ferroviario ***CE*** 140 AT 36
Scalo Ferroviario ***CS*** 166 BD 45
Scalo Ferroviario ***CS*** 167 BG 46
Scalo Ferroviario ***CZ*** 171 BH 50
Scalo Ferroviario ***PA*** 185 AR 57
Scalo Ferroviario ***RM*** 120 AL 32
Scalo Montorsi ***BN*** 142 AX 37
Scalo Tarsia ***CS*** 167 BG 46
Scalo Teverina ***VT*** 113 AJ 29
Scalon ***BL*** 28 AG 8
Scalonazzo ***CT*** 197 AZ 58
Scalone ***ME*** 189 BB 54
Scaltenigo ***VE*** 42 AH 11
Scalvaia ***SI*** 103 AB 25
Scalvino ***BG*** 23 T 8
Scalzati ***CS*** 171 BG 48
Scalzatoio ***CE*** 141 AV 36
Scalzeri ***VI*** 27 AC 8
Scamardella ***BA*** 147 BL 38
Scamardi ***CZ*** 175 BH 51
Scampata ***AV*** 143 AZ 37
Scampata ***FI*** 87 AD 22
Scampitella ***AV*** 143 BA 37
Scanarello ***RO*** 57 AJ 13
Scanasio ***MI*** 36 P 11
Scandale ***KR*** 173 BK 49
Scandeluzza ***AT*** 49 J 13
Scandiano ***RE*** 66 Z 16
Scandicci ***FI*** 86 AC 21
Scandolara ***TV*** 42 AH 10
Scandolara ***VR*** 40 AB 10
Scandolara Ravara ***CR*** 53 W 13
Scandolara Ripa d'Oglio ***CR*** 53 V 12
Scandolaro ***PG*** 106 AL 26
Scandole ***BZ*** 5 AH 3
Scandole ***VR*** 40 AB 10
Scandosio ***TO*** 33 G 10
Scandriglia ***RI*** 120 AM 31
Scanello ***BO*** 80 AD 18
Scannabue ***CR*** 37 S 11
Scanno ***AQ*** 122 AS 32
Scano al Brembo ***BG*** 37 S 9
Scano di Montiferro ***OR*** 216 M 42
Scansano ***GR*** 103 AD 27
Scanzano ***AQ*** 121 AO 31
Scanzano ***PG*** 106 AL 26
Scanzano Jonico ***MT*** 165 BJ 42
Scanzorosciate ***BG*** 37 T 9
Scapezzano ***AN*** 90 AO 21
Scapoli ***IS*** 131 AT 34
Scapuccia ***AN*** 97 AM 23
Scaracci ***PG*** 106 AL 27
Scarampi ***PR*** 64 U 15
Scaramuccia ***AL*** 61 L 15
Scarazze ***CS*** 170 BF 48
Scarcelli ***CS*** 166 BF 47
Scarcelli ***ME*** 189 BB 54
Scarcioni ***BN*** 133 AX 35
Scardevara ***VR*** 55 AC 11
Scardola ***PD*** 56 AG 12
Scardon ***VR*** 40 AB 10
Scardovari ***RO*** 57 AJ 14
Scarenna ***CO*** 23 Q 8
Scareno ***VB*** 21 M 7
Scaria ***CO*** 22 P 8
Scaricalasino ***AN*** 91 AQ 22
Scario ***SA*** 163 BB 43
Scarlino ***GR*** 102 AA 26
Scarlino Scalo ***GR*** 102 AA 26
Scarmagno ***TO*** 34 I 11
Scarna ***SI*** 94 AB 23

Scarnadore MN 54 Y 11
Scarnafigi CN 59 G 15
Scarnecchia AV 143 AZ 37
Scarnici-Forche RC 178 BD 54
Scarpaleggia PZ 164 BF 44
Scarparina RC 179 BF 55
Scarpelli CZ 171 BH 50
Scarpello LU 79 Y 19
Scarperia FI 86 AD 20
Scarpizzolo BS 38 V 11
Scarro VV 174 BG 51
Scarrone CN 60 I 16
Scarrone TO 60 I 14
Scarzola RE 65 Y 16
Scascoli BO 80 AC 18
Scatolari VI 27 AC 8
Scauri LT 139 AR 36
Scauri TP 190 AG 63
Scauri Basso TP 190 AG 63
Scavata SA 152 AY 40
Scavignano RA 81 AG 18
Scavolino PU 88 AI 21
Scavolio CS 170 BG 49
Scavuzzo AG 198 AP 60
Scena / Schenna BZ 3 AC 3
Scendame VV 174 BG 52
Scendamo VV 174 BH 51
Scentella AP 108 AP 25
Scerne TE 109 AT 28
Scerni CH 124 AW 31
Sceselunghe CE 141 AV 37
Scesta LU 79 Y 19
Sceti ME 188 AX 55
Schabs / Sciaves BZ 4 AF 3
Schalders / Scaleres BZ 4 AE 3
Scheggia AR 95 AG 22
Scheggia e Pascelupo PG 97 AL 23
Scheggianico FI 81 AD 19
Scheggino PG 107 AL 27
Schenna / Scena BZ 3 AC 3
Schete CE 131 AT 35
Schia PR 65 W 17
Schiagni PG 97 AL 25
Schianno VA 36 O 9
Schiava NA 141 AW 38
Schiavi AV 143 BB 38
Schiavi VI 41 AD 10
Schiavi di Abruzzo CH 123 AV 33
Schiavizzolo AR 95 AG 24
Schiavo RC 179 BG 54
Schiavo RC 177 BG 54
Schiavoi PN 29 AJ 8
Schiavon VI 41 AE 9
Schiavonea CS 171 BG 48
Schiavoni BN 133 AW 36
Schiavonia PD 56 AF 12
Schiazzano FC 88 AH 20
Schiazzano NA 151 AV 40
Schieno Vieste CZ 171 BG 49
Schieranco VB 6 J 7
Schierano AT 48 I 13
Schiete CE 141 AV 37
Schieti PU 89 AK 21
Schievenin BL 28 AG 8
Schifanoia TR 113 AK 29
Schifanola PG 97 AK 24
Schifoni NU 211 S 39
Schignano PO 86 AB 20
Schigno PU 88 AH 21
Schilpario BG 24 V 7
Schine PG 96 AH 23
Schio VI 41 AD 9
Schiocca VV 174 BG 51
Schioppo PG 106 AL 27
Schito MC 108 AO 25
Schivenoglia MN 55 AB 14
Schivito AV 142 AZ 37
Schizzola PV 51 P 14
Schlanders / Silandro BZ 12 Z 4
Schlaneid / Salonetto BZ 12 AC 4
Schleis / Clusio BZ 2 Y 3
Schluderbach / Carbonin BZ 5 AI 4
Schluderns / Sluderno BZ 2 Y 4
Schmieden / Ferrara BZ 5 AH 3
Schnels / Senales BZ 3 AA 3
Schonau / Belprato BZ 3 AB 2
Schwazenbach / Rionero BZ 13 AD 5
Sciabani AG 199 AS 60
Sciacca AG 191 AN 58
Scialara FG 127 BF 32
Sciali degli Zingari FG 135 BE 34
Sciali di Lauro FG 135 BE 34
Scianini ME 188 AY 55
Sciano FI 93 AB 22
Sciantarri VV 176 BF 52
Sciara PA 185 AR 56
Sciarborasca GE 75 M 17
Sciattigli FR 131 AS 35
Sciaves / Schabs BZ 4 AF 3
Sciccone NA 150 AT 38
Scicli RG 204 AX 63
Scido RC 179 BE 54
Sciedi PG 107 AN 27
Scifelli FR 130 AP 33
Scifelli FR 130 AP 34
Sciffra PZ 154 BD 40
Scifi ME 189 BA 56
Scifo KR 173 BM 49
Scigliano CS 171 BG 49
Sciglioti SA 152 AZ 41
Sciglio ME 189 BB 56
Scilla RC 178 BD 54
Scillato PA 186 AS 56
Scille AR 88 AG 22
Scillichenti CT 197 BA 58
Scintilia AG 193 AR 59
Sciolze TO 48 I 13
Scipione PR 64 U 15
Scipione TE 116 AR 28
Scirca PG 97 AL 23
Scirropio KR 173 BK 48
Scisciano AN 98 AN 23
Scisciano NA 151 AV 38
Sciullo AQ 123 AU 32
Sciuvechi TP 190 AG 63
Scivolenta CS 166 BF 46
Sclafani Bagni PA 186 AS 57
Sclanò RC 178 BD 55
Sclaunicco UD 30 AN 8
Scoffera GE 63 P 17
Scoglitti RG 204 AV 62
Scogna Inf. SP 77 T 18
Scogna Sup. SP 77 T 18
Scoiano AR 95 AH 22
Scomigo TV 29 AI 8
Scontrone AQ 131 AT 33
Scopa VC 34 J 9
Scopella VR 40 AA 11
Scopello TP 183 AL 55
Scopello VC 34 J 9
Scopeti FI 87 AE 20
Scopeto AR 95 AG 23
Scopeto SI 94 AD 23
Scopeto SI 104 AD 25
Scopetta VC 34 J 9
Scopiccio LT 129 AN 34
Scopoli PG 106 AL 26
Scopolo PR 64 S 16
Scoppieto TR 105 AI 27
Scoppio TR 106 AK 27
Scoppito AQ 114 AO 29
Scorano MS 77 U 17
Scorcelletti AN 98 AO 22
Scorcetoli MS 78 U 17
Scorciagallo CH 123 AV 31
Scorciapelle RC 177 BG 54
Scorciosa CH 117 AV 30
Scorcoro PR 65 X 16
Scordia CT 202 AY 60
Scorgiano SI 94 AB 23
Scorsa SA 153 BB 40
Scorrano LE 161 BS 43
Scorrano TE 109 AR 28
Scorrone CN 61 K 16
Scortichino FE 67 AC 14
Scorzano AN 97 AM 23
Scorzarolo MN 54 Z 13
Scorzè VE 42 AH 10
Scorzo SA 153 BA 40
Scossicci MC 99 AQ 23
Scotaneto PU 89 AL 21
Scovetta RO 57 AJ 14
Scovizze VI 41 AD 10
Scovola BS 38 W 11
Scriò GO 31 AQ 7
Scrisà RC 179 BF 55
Scrisera ME 188 AX 55
Scritto PG 96 AK 24
Scrofario RC 176 BF 53
Scrofiano SI 95 AF 24
Scruppo PZ 154 BD 41
Scrutto UD 31 AQ 7
Scubina UD 17 AQ 6
Sculazzon VI 27 AD 8
Sculca CS 171 BI 48
Sculchiella CS 171 BI 48
Scullera BG 24 T 8
Scuola San Pietro MC 98 AQ 23
Scuole RM 119 AI 32
Scupaggiu OT 209 O 38
Scura CT 197 AZ 58
Scurano PR 65 W 16
Scurati TP 182 AL 55
Scurcola Marsicana AQ 121 AP 31
Scurelle TN 27 AE 7
Scurtabò SP 77 S 17
Scurzolengo AT 49 K 14
Scutellara RE 65 X 14
Sealza IM 72 G 21
Seano PO 86 AB 21
Sebbioni CB 132 AV 34
Seborga IM 72 H 21
Secca Grande AG 192 AO 59
Seccata CN 71 H 18
Secchia MO 66 AA 15
Secchia RE 66 Z 16
Secchiano PU 88 AI 20
Secchiano PU 89 AK 22
Secchio RE 79 X 17
Secciola TE 108 AR 27
Secinaro AQ 115 AR 31
Seclì LE 160 BR 43
Seconde Ville RI 114 AM 30
Secugnago LO 52 S 12
Secula VI 41 AE 11
Seddargia CI 224 M 48
Seddas Moddizzis CI 224 L 48
Sedegliano UD 30 AM 7
Sedena BS 39 X 11
Sedesina BS 39 X 10
Sedico BL 28 AH 7
Sedilis UD 16 AO 6
Sedilo OR 217 O 42
Sedime TO 48 G 12
Sedini SS 209 N 38
Sedrano PN 29 AL 7
Sedriano MI 36 O 11
Sedrina BG 23 S 9
Sedrio RE 65 Y 16
Sefro MC 97 AM 25
Sega MI 50 O 11
Sega PD 41 AG 10
Sega TN 26 AB 8
Sega TN 26 AB 9
Sega TV 42 AH 10
Sega VR 39 Z 10
Sega Digon BL 15 AK 4
Segabiello BS 38 V 10
Segalare FE 57 AI 14
Segalari FI 86 AC 20
Segana PA 184 AO 55
Segariu VS 221 O 46
Segat TV 28 AI 7
Seggiano GR 104 AE 26
Seggiano PG 106 AK 26
Seggio CS 168 BH 46
Seggio LU 79 Y 19
Seggio PG 107 AM 25
Seggiole MC 107 AN 25
Seghe BZ 5 AI 3
Seghe TN 26 AA 7
Seghe VI 27 AD 9
Seghebbia CO 22 P 7
Segheria BZ 5 AH 3
Seghetto LU 85 Y 20
Seglia IM 72 G 21
Segnacco UD 16 AO 6
Segni RM 129 AN 33
Segno SV 74 L 18
Segno TN 12 AB 6
Segonda MN 55 AC 14
Segonzano TN 26 AC 6
Segrate MI 36 Q 11
Segreta CT 197 AY 58
Segromigno LU 85 Y 20
Seguno FC 88 AH 20
Seguro MI 36 P 11
Segusino TV 28 AG 8
Seiano NA 151 AV 40
Seio TN 12 AB 5
Seis / Siusi BZ 13 AE 4
Seissogne AO 33 F 9
Selargius CA 226 Q 48
Selasca VB 21 M 8
Selbagnone FC 82 AH 18
Selci PG 96 AI 22
Selci RI 113 AK 30
Selegas CA 221 P 46
Seleganzo AP 98 AP 25
Seleiraut TO 46 D 13
Selinunte TP 191 AL 58
Sella BI 34 J 10
Sella GE 63 P 17
Sella TN 27 AD 7
Sella UD 30 AN 8
Sella VI 27 AC 8
Sella VI 41 AD 10
Sella / Soll BZ 12 AC 5
Sella di Corno AQ 114 AO 29
Sella Nevea UD 17 AP 5
Sellano PG 107 AM 26
Sellecchia RI 113 AL 29
Sellere BG 24 V 9
Sellero BS 25 X 7
Sellette CN 58 D 16
Sellia CZ 171 BI 50
Sellia Marina CZ 175 BJ 50
Sellica ME 188 AY 55
Sellina CS 170 BF 48
Sellitte CS 167 BG 46
Seluci PZ 164 BE 43
Selva BI 34 J 10
Selva BR 147 BM 39
Selva PN 29 AK 7
Selva RO 56 AG 13
Selva VT 112 AH 28
Selva /Walkenstein BZ 13 AF 4
Selva Candida RM 119 AJ 32
Selva Cimino-Setera LT 139 AR 36
Selva dei Molini / Mühtwald BZ 4 AG 2
Selva del Montello TV 28 AH 9
Selva di Cadore BL 14 AH 5
Selva di Progno VR 40 AB 10
Selva di Trissino VI 40 AC 10
Selva Grossa PR 64 V 16
Selva Maggiore CR 38 U 11
Selva Malvezzi BO 68 AE 16
Selva Piana-Baia d'Argento LT 138 AN 36
Selva Ponterossi SA 162 AZ 42
Selva Sup. AL 63 P 15
Selvacava FR 131 AR 35
Selvaccia SI 94 AC 24
Selvaggio TO 47 E 13
Selvalagli MC 98 AN 24
Selvalonga FR 131 AS 35
Selvanelli SI 95 AF 25
Selvanizza PR 78 W 17
Selvapiana AL 63 Q 15
Selvapiana BN 133 AY 35
Selvapiana FC 88 AH 20
Selvapiana MC 107 AM 26
Selvapiana RE 65 X 16
Selvarelle Basse TR 106 AJ 27
Selvarizzo MN 54 Y 12
Selvatelle PI 93 Z 22
Selvatine SA 162 AZ 42
Selvatorta AN 90 AO 22
Selvavecchia VR 40 AA 10
Selvazzano MC 97 AN 25
Selvazzano Dentro PD 41 AF 11
Selve VC 49 K 12
Selve Vecchie AV 142 AX 38
Selvelle FR 131 AQ 34
Selvena GR 104 AE 27
Selvino BG 37 T 9
Selvis UD 30 AO 7
Selvola PR 63 S 16
Selvone FR 131 AS 35
Selvone IS 132 AT 34
Selvotta FR 131 AR 35
Selvotta IS 132 AT 35
Selvuzzis UD 30 AO 8
Semelano MO 80 AA 18
Sementana AN 97 AM 22
Semestene SS 213 N 41
Semiana PV 50 N 13
Seminara RC 176 BE 53
Seminario CS 168 BI 46
Seminario VT 105 AG 27
Seminario Vescovile FG 135 BC 35
Seminenga AL 49 J 13
Semino GE 62 O 16
Seminò PC 51 R 14
Semogo SO 11 W 5
Semoin PD 42 AG 11
Semonte Castello PG 96 AK 23
Semonte-Casamorcia PG 96 AK 23
Semonzetto TV 28 AF 9
Semonzo TV 28 AF 9
Semovigo GE 77 R 17
Semproniano GR 104 AE 27
Semurano CO 23 Q 7
S'ena 'e sa Chitta NU 215 T 40
Senago MI 36 P 10
Senale / Walde BZ 12 AB 4
Senales / Schnels BZ 3 AA 3
Senarega GE 63 P 16
Senarica TE 115 AQ 28
Senatello PU 88 AH 21
Seneghe OR 216 M 43
Senerchia AV 152 BA 39
Seniga BS 53 W 12
Senigallia AN 90 AO 21
Senis OR 218 O 45
Senise PZ 164 BG 43
Senna Comasco CO 36 P 9
Senna Lodigiana LO 52 S 13
Sennariolo OR 216 M 42
Senni FI 86 AD 20
Sennori SS 209 M 39
Sènoli RC 179 BF 54
Senorbì CA 222 P 46
Sensano PI 93 AA 23
Sentina AP 109 AS 26
Sentino MC 98 AN 25
Senzano BS 38 V 9
Senzano FC 81 AF 19
Separassiu CA 226 Q 48
Sepicciano CE 132 AV 35
Sepino CB 133 AW 35
Seppiana VB 7 K 7
Seppio MC 97 AN 24
Septumian AO 33 G 9
Sequals PN 30 AL 7
Serapo LT 139 AQ 36
Seravezza LU 84 W 20
Serbadone RN 89 AK 20
Serbariu CI 224 M 49
Sercognano MS 78 V 18
Serdes BL 14 AI 5
Serdiana CA 222 P 47
Seregno MB 36 Q 10
Seren del Grappa BL 28 AG 8
Sergnano CR 37 T 11
Sergola MS 77 U 17
Seriate BG 37 T 9
Serina BG 24 T 8
Serione MC 98 AO 25
Serle BS 39 X 10
Serluca -Calabaia CS 166 BE 46
Sermerio BS 25 Z 9
Sermezzana LU 78 W 18
Sermide MN 55 AC 13
Sermoneta LT 129 AM 34
Sermoneta Scalo LT 129 AM 34
Sermoria AL 62 N 16
Sermugnano VT 105 AH 28
Sernaglia della Battaglia TV 28 AH 8
Serniga BS 39 Y 10
Sernio SO 10 W 6
Sernovella LC 37 R 9
Serò SP 77 T 18
Serole AT 61 K 16
Serone SO 23 S 7
Serpiano MO 79 Y 18
Serra AL 49 K 13
Serra AL 49 K 13
Serra AL 61 L 14
Serra AL 61 L 15
Serra AL 63 P 15
Serra AP 108 AP 26
Serra AR 88 AG 21
Serra AT 48 I 13
Serra AV 142 AY 37
Serra AV 142 AY 38
Serra AV 142 AY 38
Serra AV 142 AZ 37
Serra CN 74 I 18
Serra CN 61 J 17
Serra CS 171 BG 48
Serra CT 196 AX 56
Serra CZ 171 BG 50
Serra CZ 171 BH 50
Serra CZ 175 BJ 50
Serra FC 88 AI 20
Serra GE 76 Q 17
Serra MO 79 Z 17
Serra PA 183 AN 55
Serra PI 93 Z 24
Serra PO 86 AB 21
Serra PU 89 AL 20
Serra PU 89 AL 20
Serra PZ 153 BD 40
Serra PZ 164 BF 44
Serra RE 66 Y 16
Serra RN 89 AK 20
Serra SA 162 AY 42
Serra SA 152 AZ 41
Serra SP 78 U 19
Serra TE 108 AQ 27
Serra TN 12 Z 5
Serra Alimini I LE 159 BT 42
Serra Alimini II LE 159 BT 42
Serra Amendola MT 154 BF 39
Serra Bassa PG 106 AL 26
Serra Bernarda ME 187 AW 55
Serra Brunamonti PG 97 AK 24
Serra Carpini IS 123 AV 32
Serra Castagna CZ 171 BG 49
Serra Cavallo MT 155 BG 40
Serra Chiesa GE 62 O 16
Serra d'Aiello CS 170 BF 49
Serra d'Asino CS 167 BG 46
Serra de' Conti AN 90 AN 22
Serra dei Monti BN 142 AY 36
Serra del Monte PV 63 P 15
Serra del Stella BA 146 BH 39
Serra dell'Edera SA 163 BC 42
Serra di Croce MT 155 BH 41
Serra di Fusco AV 143 BA 37
Serra di Genga PU 89 AL 21
Serra di Maiolo PU 88 AI 20
Serra di Piastra PU 89 AJ 21
Serra di Piro CS 171 BH 49
Serra di Sopra BO 80 AC 19
Serra di Sopra RN 89 AK 20
Serra di Sotto RN 89 AK 20
Serra d'Olivo CS 170 BF 48
Serra d'Ulivo CS 170 BG 47
Serra Innocenti PA 185 AQ 55
Serra Marina MT 156 BJ 41
Serra Masini PU 88 AI 20
Serra Miceli CS 170 BG 48
Serra Nanni PU 89 AJ 21
Serra Pedace CS 171 BH 48
Serra Pertucci PG 96 AJ 24
Serra Pistoiese PT 85 Z 20
Serra San Bruno VV 174 BG 52
Serra San Facondino AN 97 AM 23
Serra San Quirico AN 97 AN 23
Serra Sant'Abbondio PU 97 AL 23
Serra Sarzana BO 80 AB 18
Serra Scirocco PA 185 AQ 55
Serra Venerdì MT 155 BI 39
Serracapriola FG 125 AZ 33
Serrada TN 26 AB 8
Serradarce SA 152 AZ 40
Serradica AN 97 AM 24
Serradifalco CL 193 AS 59
Serradimigni MO 79 Y 18
Serraglio BO 80 AC 19
Serraglio MN 54 Z 13
Serraglio RA 68 AF 17
Serraglio VR 54 AA 12
Serralonga AV 143 AZ 36
Serralonga CS 168 BH 47
Serralonga SS 208 M 39
Serralta MC 98 AO 24
Serralta MS 77 U 18
Serralunga d'Alba CN 60 J 16
Serralunga di Crea AL 49 K 13
Serramanna VS 221 O 47
Serramazzoni MO 79 Z 17
Serramezzana SA 162 AZ 42
Serramonacesca PE 116 AT 30
Serrano LE 161 BT 42
Serranova BR 148 BP 39
Serrantona PT 86 AA 20
Serrapetrona MC 98 AO 24
Serrapreta AV 143 AZ 37
Serrara NA 150 AS 39
Serraspinosa PU 89 AL 22
Serrastretta CZ 171 BH 49
Serrata RC 176 BF 52
Serravalle AR 87 AG 21
Serravalle AT 49 J 14
Serravalle CN 59 F 16
Serravalle FE 56 AH 14
Serravalle FI 86 AC 20
Serravalle MS 78 U 17
Serravalle PG 107 AN 27
Serravalle PR 64 U 15
Serravalle RSM 89 AJ 20
Serravalle SI 94 AD 25
Serravalle a Po MN 55 AB 13
Serravalle all'Adige TN 26 AB 9
Serravalle di Carda PU 89 AJ 22
Serravalle di Chienti MC 107 AM 25
Serravalle Langhe CN 61 J 16
Serravalle Pistoiese PT 85 Z 20
Serravalle Scrivia AL 62 O 15
Serravalle Sesia VC 35 K 9
Serrazzano PI 93 Z 24
Serre AV 143 AZ 38
Serre BN 141 AW 36
Serre CH 123 AV 32
Serre CN 58 D 16
Serre CN 59 E 15
Serre ME 187 AW 55
Serre MO 79 Z 17
Serre SA 152 BA 40
Serre TO 46 D 14
Serre TO 47 E 14
Serre TO 47 E 14
Serre TO 59 E 14
Serre Calabre VV 174 BG 52
Serre di Conca FR 131 AR 33
Serre di Rapolano SI 95 AE 24
Serrenti VS 221 O 47

SIENA

0   200 m

A B C D E F G H I J K L M N O P Q R S T U V W X Y Z

Banchi di Sopra (V.) .... E VX 4
Banchi di Sotto (V.) .... BX 6
Beccafumi (V. D.) .... BV 9
Camporegio (V.) .... AV 15
Cantine (V. delle) .... BX 16
Capitano (V. del) .... AX 17
Casato di Sopra .... BX 18
Città (V. di) .... BX
Fusari (V. dei) .... AX 31
Galluzza (V. della) .... AX 32
Gazzani (V.) .... AV 33
Maitani (V. L.) .... BV 39
Massetana (Strada) .... AX 42
Montanini (V. dei) .... AV
Montluc (V. Biagio di) .... AV 45
Orti (V. degli) .... BV 49
Pellegrini (V. di) .... BX 50
Pian d' Ovile .... ABV 54
Porrione (V. del) .... BX 59
Rinaldini (V.) .... BX 64
Salimbeni (Pza) .... BV 70
S. Caterina (V. di) .... AX 67
S. Girolamo (V.) .... BX 68
Tolomei (Pza) .... BV 78
Vittorio Emanuele II
(Viale) .... AV 85

Battistero S. Giovanni .... A
Museo dell'Opera Metropolitana .... M¹
Palazzo Pubblico .... H

Serreta IM .... 73 J 20
Serretta MS .... 78 W 19
Serretto PT .... 79 Y 19
Serri CA .... 222 P 45
Serricciolo MS .... 78 V 18
Serricella CS .... 166 BF 47
Serricella CS .... 168 BH 47
Serricella VV .... 177 BG 53
Serripola MC .... 98 AN 24
Serrisi CS .... 171 BI 48
Serro CN .... 59 E 16
Serro CN .... 71 H 18
Serro ME .... 188 AY 55
Serro ME .... 189 BA 54
Serro ME .... 189 BB 54
Serro RC .... 178 BD 54
Serro RC .... 178 BD 55
Serro Alloro ME ..... 188 AX 55
Serro Calderaro CT .. 195 AW 59
Serro d'Annunzio AV .. 143 BA 37
Serro del Bosco AV .. 143 AZ 38
Serro di Ruzzolino ME . 188 BA 55
Serro Palumbo AV ... 143 AZ 37
Serromaio ME .... 188 AY 55
Serronchia MC .... 98 AN 23
Serrone FR .... 121 AN 32
Serrone MC .... 98 AO 24
Serrone PG .... 107 AM 26
Serrone PZ .... 164 BE 43
Serrone SA .... 153 BC 41
Serroni AV .... 151 AX 38
Serroni LT .... 130 AO 35
Serroni RM .... 121 AO 32
Serroni SA .... 152 AV 40
Serroni SA .... 152 BA 39
Serrungarina PU ..... 90 AM 21
Sersale CZ .... 172 BJ 49
Seruci PI .... 224 L 48
Servagno CN .... 70 D 17
Servagno CZ .... 175 BH 51
Servigliani MC ...... 107 AO 25
Servigliano FM ...... 98 AP 25
Servillo TE .... 108 AQ 28
Servino CN .... 70 D 17
Servo BL .... 28 AF 7
Sesona VA .... 35 N 9
Sessa Aurunca CE ... 140 AS 36
Sessa Cilento SA .... 162 AZ 42
Sessaglia PU .... 89 AJ 22
Sessame AT .... 61 L 15
Sessana AL .... 49 K 13
Sessano del Molise IS . 132 AU 34
Sessant AT .... 49 J 14
Sessarego GE .... 76 P 17
Sesso RE .... 66 Y 15
Sesta PR .... 78 V 17
Sesta Godano SP .... 77 T 18
Sestano SI .... 94 AE 23
Sesto LO .... 51 S 12
Sesto RG .... 202 AW 61
Sesto TN .... 26 AA 7
Sesto / Sexten BZ ... 5 AJ 3
Sesto Calende VA ... 35 M 9
Sesto Campano IS ... 132 AT 35
Sesto Ed Uniti CR ... 52 U 12
Sesto Fiorentino FI .. 86 AC 20
Sesto Imolese BO ... 68 AF 17
Sesto San Giovanni MI . 36 Q 10
Sesto Ulteriano MI ... 36 Q 11
Sestola MO .... 79 Z 18
Sestri Levante GE ... 77 R 18
Sestri Ponente GE ... 75 O 17
Sestriere TO .... 46 C 14
Sestriere Vecchio TO . 46 C 14
Sestu CA .... 226 P 48
Seta RE .... 66 Y 15

Setri PG .... 107 AM 26
Settala MI .... 37 R 11
Sette Dolori RI ..... 114 AM 29
Sette Feudi CT ..... 202 AW 60
Sette Poste FG ..... 135 BE 35
Sette Torri BA ...... 146 BI 37
Sette Vene VT ...... 119 AJ 31
Settebagni RM ...... 119 AK 31
Settecamini RM ..... 120 AK 32
Settecerri TE .... 108 AQ 27
Settefichi SA .... 152 AX 39
Settefinestre MC .... 98 AP 23
Settefonti BO .... 81 AD 17
Settefrati FR .... 131 AS 33
Settefrati PA .... 186 AS 55
Settepolesini FE .... 67 AD 14
Setteporte KR ...... 173 BK 48
Settequerce / Siebenelch BZ . 12 AC 4
Setterone PR .... 77 S 17
Setteville RM .... 120 AK 32
Setti Ballas CA ..... 225 O 50
Settignano FI .... 86 AC 21
Settignano FR ...... 131 AR 34
Settima PC .... 52 S 14
Settime AT .... 49 J 14
Settimello FI .... 86 AC 20
Settimo CS .... 167 BG 47
Settimo PV .... 51 Q 12
Settimo TV .... 42 AH 9
Settimo TV .... 42 AH 10
Settimo VE .... 29 AL 8
Settimo VR .... 40 AA 11
Settimo di Gallese VR . 54 AA 12
Settimo Milanese MI .. 36 P 11
Settimo Rottaro TO .. 34 I 11
Settimo San Pietro CA . 226 Q 48
Settimo Torinese TO .. 48 H 13
Settimo Vittone TO .. 34 H 10
Settingiano CZ ...... 171 BI 50
Settingiano Scalo CZ . 175 BI 50
Settumi SR .... 203 AZ 60
Setzu VS .... 221 O 45
Seui OG .... 218 Q 44
Seulo CA .... 218 Q 44
Seuni CA .... 222 P 46
Sevegliano UD ...... 30 AO 8
Severini AV .... 142 AX 37
Seveso MB .... 36 P 10
Sevignano TN .... 26 AC 6
Sevizzano PC .... 63 R 14
Sexten / Sesto BZ ... 5 AJ 3
Sezza UD .... 16 AN 5
Sezzadio AL .... 62 M 15
Sezze LT .... 129 AN 34
Sezze Scalo LT ..... 129 AN 35
Sezzella AL .... 62 O 15
Sfaranda ME .... 188 AX 55
Sfercia MC .... 98 AN 25
Sferracavallo AV .... 143 BA 37
Sferracavallo TR .... 105 AH 27
Sferro CT .... 195 AX 58
Sforza-costa MC .... 98 AP 24
Sforzesca GR .... 104 AF 27
Sforzesca PV .... 50 O 12
Sforzin TV .... 43 AK 9
Sfrizzera VR .... 54 Z 12
Sfruz TN .... 12 AB 5
Sgarbina PV .... 51 P 14
Sgarbossa Ponte Galle PD . 42 AG 10
Sgonico TS .... 31 AR 9
Sgrillazzo GR .... 111 AD 28
Sgurgola FR .... 130 AN 33
Shlinig / Slingia BZ .. 2 X 3
Siacco UD .... 30 AO 7
Siamaggiore OR ..... 216 M 44
Siamanna OR .... 217 N 44
Siano CZ .... 171 BI 50
Siano SA .... 151 AX 39
Siapiccia OR .... 217 N 44
Sibano BO .... 80 AC 18
Sibari CS .... 168 BH 45
Siba-Roncone TP .... 190 AG 63
Siberia PI .... 92 Y 22
Sicaminò ME .... 189 BA 55
Sicciarotta-Calatubo PA . 183 AM 55
Sicelle SI .... 94 AC 22
Sicicano degli Alburni SA . 153 BA 40
Sicili SI .... 163 BC 43
Sicilia PZ .... 154 BD 40
Sicille SI .... 95 AF 25
Sicina TN .... 13 AD 6
Siciliana AG .... 198 AP 59
Siciliana Marina AG .. 198 AP 59
Siddi VS .... 221 O 45
Siderno RC .... 179 BG 54
Siderno Sup. RC .... 177 BG 54

Sidolo PR .... 64 T 16
Sieci FI .... 87 AD 21
Sief BL .... 14 AG 5
Siena ME .... 188 AZ 55
Siena SI .... 94 AD 24
Sierre BR .... 148 BN 39
Sieti SA .... 152 AY 39
Sigilletto UD .... 15 AL 4
Sigillo PG .... 97 AL 23
Sigillo RI .... 114 AN 29
Sigliano AR .... 88 AH 22
Signa FI .... 86 AB 21
Signano MS .... 78 V 18
Signat / Signato BZ .. 13 AD 4
Signatico PR .... 65 V 16
Signato / Signat BZ .. 13 AD 4
Signayes AO .... 33 E 9
Signols TO .... 46 B 13
Signorella PZ .... 144 BC 38
Signoressa TV ...... 42 AH 9
Signoria PG .... 106 AJ 25
Sigola LO .... 52 T 13
Siino Orsa PA .... 183 AN 54
Silana OG .... 219 S 43
Silandro / Schlanders BZ . 12 Z 4
Silanus NU .... 213 O 42
Sile PN .... 29 AL 8
Sile TV .... 42 AH 9
Silea TV .... 42 AI 10
Siligo SS .... 213 N 40
Siliqua CA .... 225 N 48
Silis CA .... 222 Q 46
Silla BO .... 80 AA 18
Silla SA .... 153 BC 41
Sillano LU .... 78 W 18
Sillavengo NO ...... 35 L 10
Sillavetro BS .... 39 Y 10
Sillicagnana LU ..... 78 X 19
Sillicano LU .... 78 X 19
Sillico LU .... 79 X 19
Silù BZ .... 12 AC 4
Silva AT .... 61 K 14
Silva PR .... 64 U 15
Silva TO .... 34 H 11
Silvana Mansio CS .. 171 BI 48
Silvani PC .... 64 U 15
Silvano d'Orba AL ... 62 N 15
Silvano Pietra PV .... 50 O 13
Silvella CR .... 53 W 13
Silvella TV .... 29 AJ 8
Silvella UD .... 30 AN 7
Silvelle PD .... 42 AH 10
Silvera NO .... 35 L 9
Silvi Alta TE .... 116 AT 28
Silvi Marina TE ..... 116 AT 28
Silviane BS .... 38 V 10
Silvignano PG ...... 106 AL 27
Simala OR .... 221 N 45
Simaxis OR .... 217 N 44
Simbario VV .... 174 BH 52
Simbario VV .... 174 BH 52
Simeri CZ .... 171 BI 50
Simeri Mare CZ ..... 175 BJ 50
Simigliano ME ...... 188 BA 55
Simignano SI .... 94 AC 24
Simioni PD .... 42 AG 10
Simioni SO .... 221 O 45
Simius CA .... 227 S 49
Simma KR .... 173 BK 48
Simonetti I CS ...... 168 BH 47
Simonini BN .... 142 AX 36
Sinabi/Tanna BZ .... 12 AB 5
Sinagra ME .... 188 AY 55
Sinalunga SI .... 95 AF 24
Sindacale VE .... 43 AM 9
Sindacato Marina ME . 189 BB 54
Sindia NU .... 213 M 42
Singlin AO .... 19 G 8
Sini OR .... 221 O 45
Sinigo BZ .... 12 AC 4
Sinio CN .... 60 J 16
Siniscola NU .... 215 T 40
Sinnai CA .... 226 Q 48
Sinni CS .... 166 BE 46
Sinopoli RC .... 178 BE 54
Sinopoli Inf. RC ..... 178 BE 54
Sinopoli Vecchio RC . 178 BE 54
Sipari FG .... 135 BE 35
Sipicciano CE .... 131 AS 36
Sipicciano VT .... 112 AI 28
Siracusa SR .... 203 BA 61
Sirai CI .... 224 L 48
Sirignano PA .... 183 AM 56
Siris OR .... 221 N 45

Sirleto CZ .... 177 BI 52
Sirmione BS .... 39 Y 11
Sirolo AN .... 91 AQ 22
Sirone LC .... 37 Q 9
Siror TN .... 28 AF 6
Sirri CI .... 224 M 48
Sirta SO .... 23 T 7
Sirtori LC .... 37 Q 9
Sirugo Sotto CZ ..... 171 BG 49
Sisamo SA .... 163 BC 43
S'Iscala NU .... 211 T 39
Sisini CA .... 222 P 46
Sismano PG .... 106 AJ 27
Sissa PR .... 53 W 14
Sista Alta VE .... 57 AH 12
Sista Bassa VE ..... 57 AH 12
Sistiana TS .... 31 AQ 9
Sisto BR .... 147 BN 39
Sitagliacciu NU ..... 211 S 39
Sitizano RC .... 179 BE 54
Siurgus CA .... 222 Q 46
Siusi / Seis BZ ...... 13 AE 4
Siva BG .... 23 S 8
Siviano BS .... 38 V 9
Sivigliano UD .... 30 AN 8
Sivignano AQ .... 115 AO 28
Sivizzano PR .... 65 V 16
Siziano PV .... 51 Q 12
Sizzano NO .... 35 L 10
Siebenelch / Settequerce BZ . 12 AC 4
Slingia / Shlinig BZ .. 2 X 3
Sluderno / Schluderns BZ . 2 Y 4
Smarano TN .... 12 AB 5
Smeglio VB .... 7 K 6
Smerillo FL .... 108 AP 25
Sminatori PU .... 89 AL 20
Smirra PU .... 89 AL 22
Smudres BZ .... 4 AD 3
Snodres BZ .... 4 AE 3
Soanne PU .... 88 AI 20
Soarza PC .... 52 V 13
Soave MN .... 54 Z 12
Soave VR .... 40 AC 11
Soccher BL .... 29 AI 6
Socchieve UD .... 16 AM 5
Socciglia LU .... 85 Y 20
Soccorso ME .... 189 BA 55
Soccorso PG .... 96 AI 25
Soccorso SA .... 151 AX 39
Soci AR .... 87 AF 21
Socol BL .... 14 AH 4
Socraggio VB .... 7 M 7
Socragno VB .... 7 N 7
Sodalarga IS .... 132 AT 34
Soddi OR .... 217 O 43
Sodo AR .... 95 AG 24
Soella VI .... 41 AE 10
Sofarma MC .... 98 AP 24
Sofferetti CS .... 168 BH 46
Soffocavo BL .... 14 AI 6
Soffratta TV .... 29 AJ 8
Soghe VI .... 41 AE 11
Sogliano al Rubicone FC . 82 AI 19
Sogliano Cavour LE .. 160 BS 43
Soglio AT .... 49 J 14
Soglio GE .... 76 Q 17
Soglio MS .... 77 U 17
Soglio VI .... 27 AD 8
Soglio VI .... 40 AD 10
Soglioni CB .... 133 AX 34
Sogna AR .... 95 AE 23
Sogno LC .... 23 R 9
Soi di Dentro VB ..... 20 J 8
Soi di Fuori VB ...... 20 J 8
Soiana PI .... 93 Y 22
Soianella PI .... 93 Y 22
Soiano del Lago BS .. 39 Y 10
Sois BL .... 28 AH 7
Sola BG .... 37 T 11
Solagna CH .... 123 AV 31
Solagne PE .... 116 AS 30
Solanas CA .... 227 R 49
Solanas OR .... 216 M 44
Solano Inf. RC ...... 178 BD 54
Solano Sup. RC ..... 178 BD 54
Solanto PA .... 185 AQ 55
Solara MO .... 67 AB 15
Solara RE .... 65 X 16
Solarino SR .... 203 AZ 61
Solaro LC .... 23 R 9
Solaro MI .... 36 P 10
Solaro PC .... 63 R 15

A B C D E F G H I J K L M N O P Q R S T U V W X Y Z

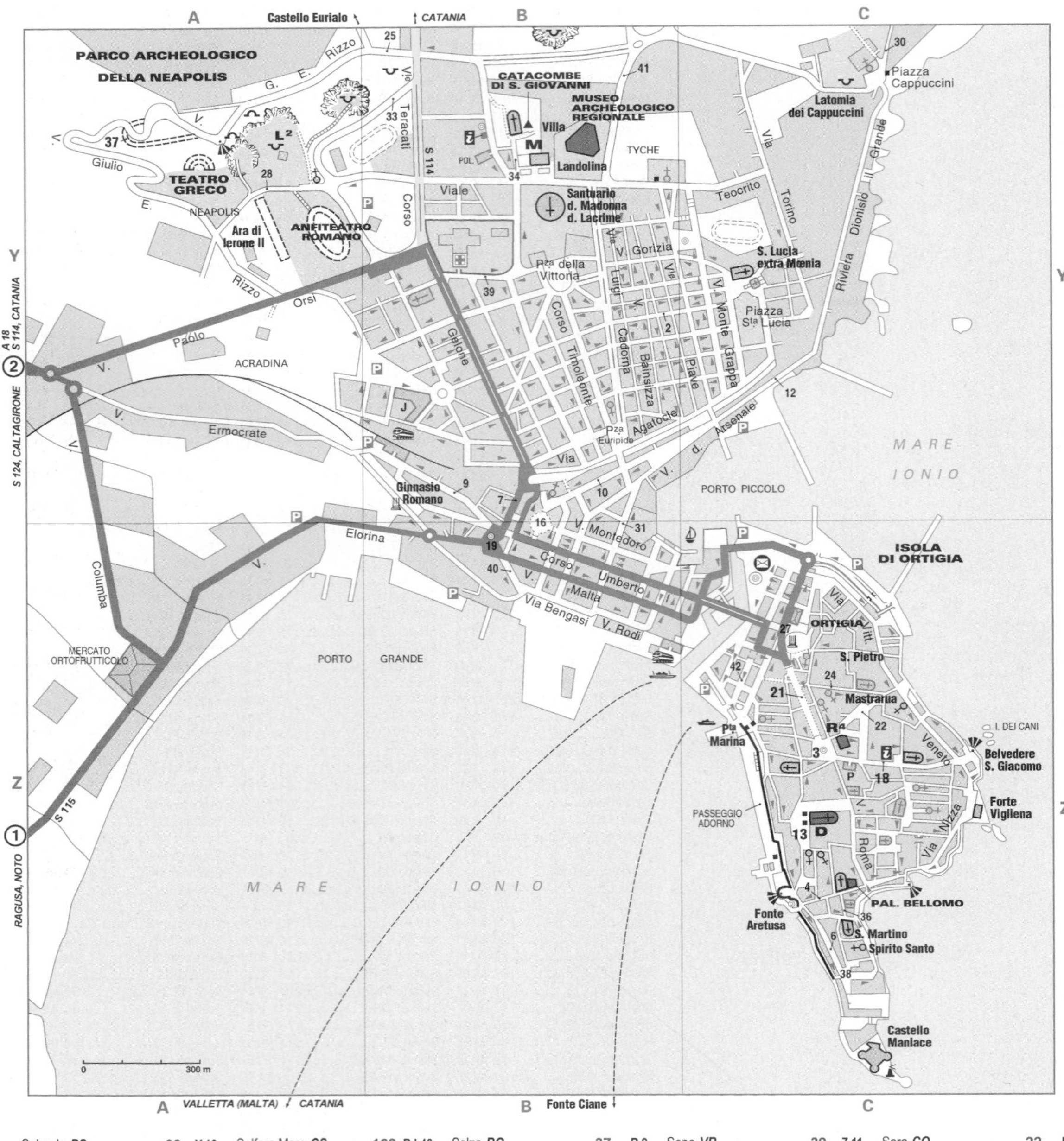

SORRENTO

S. Antonino (Pza) ... B 6
S. Cesareo (V.) ... AB 7
S. Maria d. Grazie
De Maio (V.) ... B 3
Italia (Cso) ... AB
Vittoria (Pza della) ... A 9

Belvedere di Correale ... B A
Chiesa di San Francesco ... A F
Museo Correale
di Terranova ... B M

Sos Sonorcolos OT ... 214 R 40
Soseto BS ... 39 X 10
Sospiro CR ... 53 V 13
Sospirolo BL ... 28 AH 7
Sossai BL ... 28 AI 7
Sossano VI ... 41 AE 11
Sossasso AP ... 108 AO 26
Sostegno BI ... 34 K 10
Sostegno PV ... 51 R 13
Sostino PG ... 106 AL 26
Sott'Acqua BS ... 38 W 10
Sotterra CS ... 170 BF 47
Sottili PI ... 85 Z 21
Sottinghiazza BL ... 14 AG 5
Sotto la Frua VB ... 7 L 5
Sottocastello BS ... 39 X 9
Sottochiesa BG ... 23 S 8
Sottocroda TV ... 28 AI 8
Sottoguda BL ... 14 AG 5
Sottolerive BL ... 14 AH 5
Sottomarina VE ... 57 AI 12
Sottomonte BO ... 81 AD 18
Sottomonte OT ... 211 S 38
Sottomonte PN ... 15 AL 6
Sottoripa AL ... 49 K 13
Sottoriva AL ... 41 AD 10
Sottoselva UD ... 31 AO 8
Sottovalle AL ... 62 O 16
Soubras TO ... 46 B 13
Souchères-Basses TO ... 46 C 13
Souchères-Hautes TO ... 46 C 13
Souiran TO ... 58 D 14
Sovana GR ... 111 AE 28
Sovarette CS ... 167 BG 47
Sovazza NO ... 35 L 9
Sover TN ... 13 AC 6
Soverano CS ... 167 BG 46
Soverato CZ ... 175 BI 51
Soverato Sup. CZ ... 175 BI 51
Sovere BG ... 24 V 9
Sovereto BA ... 146 BI 37
Soveria Mannelli CZ ... 171 BH 49
Soveria Simeri CZ ... 171 BJ 50
Soverito CZ ... 171 BH 50
Soverzene BL ... 14 AI 6
Sovicille SI ... 94 AC 24
Sovico MB ... 36 Q 10
Sovita LI ... 92 X 23
Sovizzo VI ... 41 AD 10
Sovvieco SA ... 152 AY 39
Sozza OT ... 211 R 39
Sozzago NO ... 35 N 11
Sozze di Sopra AV ... 142 AY 38
Sozze di Sotto AV ... 142 AY 38
Sozzigalli MO ... 66 AA 15
Sozzine BS ... 11 Y 6
Spaccarelli CH ... 117 AX 30
Spaccio Bacucco MC ... 98 AP 23
Spaccio Costa
  dei Ricchi MC ... 98 AQ 23
Spaccio Romitelli MC ... 98 AQ 23
Spaccio Tombesi MC ... 98 AQ 23
Spada PC ... 51 R 14
Spada PG ... 97 AK 24
Spadacenta VE ... 29 AL 9
Spadafora ME ... 189 BE 54
Spadarolo RN ... 83 AK 19
Spadellata MN ... 129 AK 34
Spadola VV ... 174 BH 52
Spagnago VI ... 40 AC 10
Spagnolo BN ... 133 AY 36
Spagnolu CA ... 225 P 49
Spagnulo LE ... 160 BS 43
Spagnuola TP ... 182 AJ 56

Spagnuolo NA ... 141 AU 38
Spalmatoio Ischiaiola GR ... 110 AB 30
Sparacia AG ... 193 AR 58
Sparaciotta PA ... 184 AN 56
Sparagona ME ... 189 BB 56
Sparanise CE ... 140 AT 36
Sparone TO ... 33 G 11
Spartà ME ... 189 BC 54
Spartimento NA ... 151 AW 38
Sparvasile CS ... 166 BE 46
Sparvo BO ... 80 AC 18
Spatolicchi RC ... 179 BF 56
Spazzona AL ... 61 M 15
Speccheri TN ... 26 AB 9
Specchia BR ... 148 BN 39
Specchia LE ... 161 BS 44
Specchia TP ... 182 AK 56
Specchiagallone LE ... 161 BT 43
Specchiarica LE ... 158 BP 42
Specchiaruzzo BR ... 148 BN 39
Specchiolla BR ... 148 BP 39
Spedaletto BO ... 81 AD 18
Spedaletto FC ... 82 AH 18
Spedaletto FI ... 86 AC 21
Spedaletto PT ... 80 AA 19
Spedaletto SI ... 94 AC 23
Spedalicchio PG ... 96 AI 24
Spedaluzzo FI ... 86 AC 22
Spedino RI ... 115 AO 30
Spello PG ... 106 AL 26
Spelonga AP ... 107 AO 27
Spelongaia GR ... 103 AB 27
Sperina CN ... 60 H 15
Sperlinga EN ... 187 AV 57
Sperlinga PA ... 185 AQ 55
Sperlonga LT ... 139 AP 36
Speron VI ... 27 AE 9
Sperone AQ ... 122 AR 32
Sperone AV ... 142 AW 38
Sperone CN ... 60 I 15
Sperone PT ... 86 AA 20
Spert BL ... 29 AJ 7
Sperticano BO ... 80 AC 18
Spessa FC ... 87 AG 20
Spessa PD ... 41 AF 10
Spessa PV ... 51 P 13
Spessa PV ... 51 R 13
Spessa UD ... 31 AP 7
Spessa VR ... 55 AD 11
Spettine PC ... 64 S 14
Spettino BG ... 23 T 8
Spettoleria BO ... 67 AD 16
Speziale BR ... 148 BN 39
Spezzano MO ... 66 AA 16
Spezzano Albanese CS ... 167 BG 45
Spezzano della Sila CS ... 171 BH 48
Spezzano Piccolo CS ... 171 BH 48
Spiaggia di Rio Torto RM ... 128 AJ 34
Spiaggia Scialmarino FG ... 127 BF 32
Spiaggio PR ... 64 U 15
Spianate LU ... 85 Z 21
Spiano SA ... 151 AX 39
Spiano TE ... 108 AR 28
Spianzana VI ... 41 AE 11
Spiazzi BG ... 24 U 8
Spiazzi VR ... 40 AA 10
Spiazzo TN ... 25 Z 7
Spiazzo VR ... 40 AA 10
Spiazzolo LC ... 37 R 9

Spicchio PT ... 86 AA 21
Spicchio-Sovigliana FI ... 86 AA 21
Spicciano MS ... 78 V 18
Spicciano PI ... 92 Y 23
Spicello PU ... 90 AN 21
Spigarolo PR ... 53 V 14
Spignana PT ... 79 Z 19
Spigno Monferrato AL ... 61 L 16
Spigno Saturnia Inf. LT ... 139 AR 36
Spigno Saturnia Sup. LT ... 139 AR 36
Spignon UD ... 31 AP 7
Spigone RE ... 65 X 17
Spilamberto MO ... 66 AB 16
Spilimbergo PN ... 30 AM 7
Spilinga VV ... 176 BE 52
Spillichi VR ... 40 AB 10
Spilocchi FI ... 93 AA 22
Spilonci BR ... 158 BP 41
Spin RO ... 57 AH 14
Spin VR ... 55 AD 12
Spina BS ... 38 U 10
Spina CS ... 170 BG 47
Spina PG ... 105 AJ 26
Spina PG ... 107 AM 26
Spina RC ... 176 BE 53
Spina Nuova PG ... 107 AM 26
Spinaceto RI ... 113 AL 29
Spinaceto RM ... 128 AJ 33
Spinadesco CR ... 52 U 13
Spinazzino FE ... 68 AE 15
Spinazzo PZ ... 164 BF 44
Spinazzo SA ... 152 AZ 41
Spinazzola BT ... 145 BF 38
Spindoli MC ... 97 AM 24
Spinea VE ... 42 AH 11
Spineda CR ... 53 Y 13
Spineda TV ... 42 AG 9
Spinelli AV ... 142 AZ 36
Spinelli CT ... 195 AY 58
Spinelli PI ... 85 Y 22
Spinello FC ... 88 AG 20
Spinello KR ... 172 BK 48
Spinello PC ... 63 S 15
Spineto PG ... 105 AJ 26
Spineta SI ... 104 AF 26
Spinete CB ... 132 AX 34
Spineto AN ... 97 AM 23
Spineto CS ... 170 BF 48
Spineto CS ... 171 BI 49
Spineto TO ... 33 H 11
Spineto Manco CS ... 171 BH 48
Spineto Scrivia AL ... 62 O 14
Spinetoli AP ... 108 AR 26
Spinetta CN ... 71 G 17
Spinetta SV ... 74 K 17
Spinetta Marengo AL ... 62 N 14
Spinetto CS ... 167 BG 46
Spinetto VV ... 176 BG 52
Spinga BZ ... 4 AE 3
Spini TN ... 26 AB 7
Spinielli AV ... 142 AX 38
Spinimbecco VR ... 55 AD 13
Spino d'Adda CR ... 37 R 11
Spinoli CT ... 197 BA 57
Spinone Dei Castelli BG ... 38 U 9
Spinoso PZ ... 164 BE 42
Spirago PV ... 51 Q 12
Spirano BG ... 37 T 10
Spirito Santo CS ... 167 BF 47
Spisone ME ... 197 BA 56
Spizzichino RM ... 119 AJ 32

Spoccia VB ... 7 M 7
Spoiano AR ... 95 AF 23
Spoletino VT ... 112 AI 28
Spoleto PG ... 106 AL 27
Spoltore PE ... 116 AT 29
Sponda BG ... 24 T 7
Spondigna / Spondinig BZ ... 11 Y 4
Spondinig / Spondigna BZ ... 11 Y 4
Spongano LE ... 161 BT 43
Spontumata SA ... 151 AX 39
Spora PR ... 63 S 16
Spormaggiore TN ... 26 AB 6
Sporminore TN ... 12 AB 6
Sportinia TO ... 46 C 13
Spotigene VB ... 7 L 6
Spotorno SV ... 75 L 18
Spranico CZ ... 171 BH 50
Sprazzi ME ... 187 AW 55
Sprea VR ... 40 AC 10
Spresiano TV ... 42 AI 9
Spriana SO ... 10 U 6
Spromonte RC ... 178 BD 56
Spropolo RC ... 179 BF 56
Squadretto BS ... 53 W 12
Squadrone RM ... 120 AK 31
Squarci PR ... 77 T 17
Squillace CZ ... 175 BI 51
Squillani AV ... 142 AX 37
Squille CE ... 141 AV 37
Squinzano LE ... 158 BR 41
Squizzato PD ... 41 AG 10
Squizzato PD ... 42 AG 10
Stabbio GE ... 62 O 16
Stabiazzoni PT ... 80 AA 19
Stabirigo BL ... 14 AI 4
Stabiuzzo TV ... 43 AJ 9
Stabiziane BL ... 14 AI 4
Stablo BS ... 25 X 7
Stablum TN ... 12 AA 5
Staccaiolo SA ... 151 AX 39
Stacciola PU ... 90 AN 21
Stadano MS ... 78 U 18
Stadelhof / Stadio BZ ... 13 AC 5
Stadera PC ... 51 Q 14
Stadio / Stadelhof BZ ... 13 AC 5

Stadirano PR ... 65 W 16
Stadolina BS ... 11 X 6
Stadtl BZ ... 13 AE 5
Stafalo VR ... 39 Z 11
Staffarda CN ... 59 F 15
Staffola RE ... 54 Z 14
Staffoli PI ... 85 Z 21
Staffoli RI ... 114 AN 30
Staffolo MN ... 39 Y 11
Staffolo OT ... 98 AO 23
Staffolo VE ... 43 AL 10
Staggia MO ... 67 AB 15
Staggia SI ... 94 AC 23
Staggiano AR ... 95 AG 23
Staghiglione PV ... 51 Q 14
Staglieno GE ... 76 O 17
Staglio BN ... 142 AX 36
Staglio CS ... 171 BH 49
Stagliozzo PZ ... 144 BD 39
Stagnali OT ... 207 R 36
Stagnetto VS ... 221 O 47
Stagno BO ... 80 AB 19
Stagno CR ... 52 V 13
Stagno LI ... 84 X 22
Stagno PR ... 53 W 13
Stagno Lombardo CR ... 53 V 13
Staineri TN ... 26 AB 9
Staiti RC ... 179 BF 55
Staletti BG ... 24 U 8
Stalettì CZ ... 175 BI 51
Stalis UD ... 16 AM 4
Stalla BN ... 142 AX 36
Stalla Pescara RI ... 120 AM 31
Stallavena VR ... 40 AA 10
Stanco BO ... 80 AB 18
Stander VR ... 40 AB 10
Stange BZ ... 3 AD 2
Stanghella PD ... 56 AF 13
Stanpella SA ... 162 AZ 42
Stanpella I SA ... 162 BA 42
Staro VI ... 40 AC 9

Starza AV ... 142 AX 39
Starza BN ... 142 AX 37
Starza CE ... 132 AX 36
Starza CE ... 141 AU 37
Starza CE ... 141 AV 37
Starza SA ... 151 AX 39
Starze CE ... 132 AT 35
Starze IS ... 132 AT 34
Statale GE ... 77 R 17
Statigliano CE ... 141 AU 36
Statte TA ... 157 BM 40
Statua RM ... 119 AH 32
Stauli Gnivizza UD ... 16 AO 5
Stava BZ ... 12 AA 4
Stava UD ... 16 AN 5
Stavali UD ... 16 AN 5
Stavellina AN ... 97 AL 23
Stavena PN ... 29 AJ 8
Stazione AN ... 98 AN 22
Stazione FR ... 130 AP 34
Stazione PG ... 106 AJ 26
Stazione PG ... 106 AK 27
Stazione PR ... 53 X 16
Stazione VE ... 29 AL 9
Stazione Casal Sabini BA ... 146 BI 39
Stazione Chiarone GR ... 111 AD 29
Stazione di Acri
  Bisignano CS ... 167 BG 47
Stazione di Alcamo
  Diramazione TP ... 183 AM 56
Stazione di Alviano TR ... 112 AI 28
Stazione
  di Apricena FG ... 125 BB 33
Stazione di Aragona
  Caldara AG ... 193 AQ 59
Stazione di Ascoli
  Satriano FG ... 143 BC 36
Stazione di Bassano
  in Teverina VT ... 113 AI 29
Stazione di Bovino FG ... 134 BB 36
Stazione di
  Cammarata AG ... 193 AR 58
Stazione di Candelaro FG ... 135 BD 34
Stazione di Cannara PG ... 106 AK 25
Stazione di Cistermino BR ... 148 BN 39
Stazione di Eccellente VV ... 174 BG 51

A
B
C
D
E
F
G
H
I
J
K
L
M
N
O
P
Q
R
S
T
U
V
W
X
Y
Z

SPOLETO

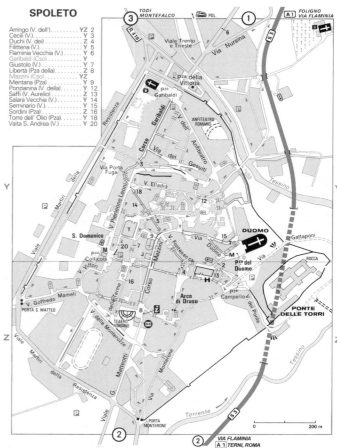

Arringo (V. dell') ... YZ 2
Cecili (V.) ... Y 3
Duchi (V. dei) ... Z 4
Filittteria (V.) ... Y
Flaminia Vecchia (V.) ... Y 6
Garibaldi (Cso) ... Y
Giustolo (V.) ... Y 7
Libertà (V. della) ... Z 8
Mazzini (Cso) ... YZ
Mentana (Pza) ... Y 9
Ponzianina (V. della) ... Y 12
Saffi (V. Aurelio) ... Z 13
Salara Vecchia (V.) ... Y 14
Seminario (V.) ... Y 15
Sordini (Pza) ... Z 16
Torre dell' Olio (Pza) ... Y 18
Vaita S. Andrea (V.) ... Y 20

Basilica di San Salvatore ... Y B   San Gregorio Maggiore ... Y D

Stazione di Enna *EN* 194 AU 58
Stazione di Fasano *BR* 147 BN 38
Stazione di Fiumefreddo Bruzio *CS* 170 BF 48
Stazione di Francavilla *VV* 174 BG 51
Stazione di Itri *LT* 139 AQ 36
Stazione di Mongrassano *CS* 167 BG 46
Stazione di Montemiletto *AV* 142 AY 38
Stazione di Orta Nova *FG* 135 BD 35
Stazione di Pirato *EN* 194 AV 58
Stazione di Poggio Mirteto *RM* 113 AK 30
Stazione di Ricadi *VV* 176 BE 52
Stazione di Salone *RM* 120 AK 32
Stazione di San Marco in Lamis *FG* 126 BC 33
Stazione di Spezzano Albanese *CS* 167 BG 45
Stazione di Torano *CS* 167 BG 47
Stazione di Tuturano *BR* 149 BQ 40
Stazione di Zambrone *VV* 174 BE 51
Stazione Mandela Scalo *RM* 120 AM 31
Stazione Montalto *CS* 167 BG 47
Stazione Morrovalle *MC* 99 AQ 24
Stazione Nasisi *TA* 157 BM 40
Stazione Ponte Rio *PG* 106 AJ 27
Stazione Sant'Oreste *RM* 113 AJ 30
Stazione Troia-Castelluccio dei Sauri *FG* 134 BB 36
Stazione Vibo Pizzo *VV* 174 BF 51
Stazione Vizzini Licodia *CT* 202 AX 60
Stazzana *LU* 78 X 19
Stazzano *AL* 62 O 15
Stazzano Nuovo *RM* 120 AL 31
Stazzema *LU* 84 W 20
Stazzo *CT* 197 BA 58
Stazzo *RM* 119 AJ 31
Stazzo dei Cavalli *CH* 123 AU 31
Stazzo Villa *OT* 207 R 36
Stazzona *CO* 23 Q 7
Stazzona *SO* 24 V 6
Stazzone *ME* 187 AX 55
Stazzone *MS* 78 U 17
Stazzu Bruciatu *NU* 211 S 39
Steccato *KR* 173 BK 50
Stefanàconi *VV* 174 BF 51
Steinegg / Collepietra *BZ* 13 AD 5
Steinhaus / Cadipietra *BZ* 5 AG 2
Stella *AP* 109 AR 26
Stella *SA* 162 AZ 42
Stella *SV* 75 L 17
Stella *TO* 59 F 14
Stella *UD* 16 AO 6
Stellar *VI* 27 AE 8
Stellata *FE* 55 AD 14
Stelletànone *RC* 176 BF 53
Stellone *MS* 78 U 18
Stelvio / Stilfs *BZ* 11 Y 4
Stenico *TN* 26 AA 7
Stern / La Villa *BZ* 14 AG 4
Sternatia *LE* 160 BS 42
Sterpaia *PI* 84 X 21
Sterpara *RM* 120 AM 32
Sterpara del Piano *CB* 133 AX 35
Sterpare *FR* 130 AO 34
Sterpareti Primo *RM* 119 AK 31
Sterparo *IS* 132 AT 34
Sterpete *PG* 106 AL 26
Sterpeti *PU* 90 AM 21
Sterpeti *VT* 112 AH 28
Sterpeto *PG* 96 AI 23
Sterpeto *PG* 96 AK 25
Sterpeto *PG* 106 AK 27
Sterpetto *FR* 130 AO 34
Sterpine *TA* 156 BK 40
Sterpito di Sopra *PZ* 144 BD 39
Sterpito di Sotto *PZ* 144 BD 39
Sterpo *UD* 30 AN 8
Sterzing / Vipiteno *BZ* 4 AD 2
Stevani *AL* 49 L 13
Stezzano *BG* 37 S 10
Stia *AR* 87 AF 21
Stiaccia *SI* 104 AD 25
Stiano *RE* 79 Y 17
Stiappa *PT* 85 Z 20
Stiatico *BO* 67 AD 16
Stiava *LU* 84 W 20
Stiavola *AR* 88 AI 21
Stibbio *PI* 85 Z 21
Sticcianese *GR* 103 AC 27
Sticciano *GR* 103 AB 26
Sticciano Scalo *GR* 103 AB 26
Stienta *RO* 55 AE 14
Stiffe *AQ* 115 AQ 30
Stigliano *MT* 155 BG 41
Stigliano *SI* 94 AC 24
Stigliano *VE* 42 AH 10
Stigliano Capo *MC* 98 AN 24
Stigliano Piede *MC* 98 AN 24
Stignano *FG* 126 BC 33
Stignano *RC* 177 BH 53
Stilfs / Stelvio *BZ* 11 Y 4
Stilo *RC* 177 BH 53
Stilo de' Mariani *CR* 53 W 13
Stilves *BZ* 4 AD 2
Stimigliano *RI* 113 AK 30
Stimigliano Scalo *RI* 113 AK 30
Stinco *MC* 107 AO 25
Stinò *RC* 178 BD 56
Stintino *SS* 208 K 38
Stio *CS* 167 BG 47
Stio *SA* 162 BA 42
Stiolo *RE* 66 Z 15
Stiore *BO* 67 AB 17
Stipes *RI* 114 AM 30
Stoccareddo *VI* 27 AE 8
Stolvizza *UD* 17 AP 5
Stonera *VI* 40 AC 9
Stoppiaro *MN* 55 AC 14
Storaco *AN* 98 AO 23
Storca *AR* 88 AG 21
Storlo *RE* 78 W 17
Stornara *FG* 135 BD 36
Stornarella *FG* 135 BD 36
Storno *AP* 99 AR 25
Storo *TN* 25 Y 8
Storti *AV* 142 AZ 38
Storti *VI* 40 AC 9
Stortola *PD* 56 AF 12
Stozza *BN* 133 AX 35
Strà *PC* 51 R 14
Strà *VE* 42 AH 11
Strà *VR* 55 AC 12
Strabatenza *FC* 88 AG 20
Straboria *TP* 182 AJ 56
Straccis *UD* 30 AM 8
Straci *RC* 178 BE 56
Strada *AR* 87 AF 21
Strada *MC* 97 AN 25
Strada *MC* 98 AO 23
Strada *PI* 85 Z 22
Strada *PU* 89 AJ 21
Strada *RE* 65 X 17
Strada *RE* 65 Y 16
Strada *SI* 93 AB 23
Strada *SV* 74 K 17
Strada *TN* 25 Y 8
Strada dei Confini *LT* 130 AO 35
Strada delle Risaie *LT* 138 AN 36
Strada in Chianti *FI* 86 AC 22
Strada Romana *VT* 112 AH 29
Strada Romana Dritta *RM* 119 AJ 31
Strada San Zeno *FC* 82 AG 19
Stradella *MN* 54 AA 12
Stradella *PR* 64 T 16
Stradella *PR* 65 W 15
Stradella *PV* 50 O 12
Stradella *PV* 51 Q 13
Stradella *RE* 65 X 16
Stradellino *PV* 51 P 13
Stradona *VR* 55 AD 13
Straelle *PD* 42 AG 10
Stragolata *KR* 169 BK 47
Straluzzo *CN* 71 H 18
Stramare *TV* 28 AG 8
Strambinello *TO* 33 H 11
Strambino *TO* 34 I 11
Stramentizzo *TN* 13 AD 6
Strangolagalli *CE* 141 AU 36
Strangolagalli *FR* 130 AP 34
Strano *RC* 177 BH 53
Straorino *RC* 178 BD 55
Strappaceci *VT* 112 AH 28
Strasatti *TP* 190 AK 57
Strasatto *PA* 184 AO 55
Strassoldo *UD* 31 AO 8
Stratola-Trave *AV* 143 AZ 37
Straulas *NU* 211 S 39
Stravignano *PG* 97 AL 25
Stravino *TN* 26 AA 7
Strazzari *SA* 163 BB 43
Stregara *SA* 152 AZ 41
Stregna *UD* 31 AQ 7
Strela *PR* 64 T 16
Strella *VC* 49 K 11
Strembo *TN* 25 Z 7
Stremiz *UD* 17 AP 6
Strepeto *PR* 77 S 17
Streppina *SA* 152 AZ 41
Stresa *TO* 47 G 13
Stresa *VB* 21 M 8
Stretti *UD* 17 AP 5
Stretti *VE* 43 AL 10
Strettura *PG* 106 AL 28
Strevi *AL* 61 M 15
Striano *FI* 87 AD 19
Striano *NA* 151 AW 39
Stribugliano *GR* 104 AD 26
Strigaia *PG* 105 AH 25
Strigara *FC* 88 AI 20
Strigno *TN* 27 AE 7
Strim *BL* 14 AG 5
Strognano *PR* 65 W 16
Stromboli *ME* 181 BA 51
Strona *BI* 34 K 10
Strona *VB* 21 L 8
Stroncone *TR* 113 AK 28
Strongòli *KR* 173 BL 48
Stroppare *PD* 56 AF 13
Stroppari *PD* 42 AG 10
Stroppari *VI* 41 AF 9
Stroppiana *VC* 49 L 12
Stroppo *CN* 58 D 16
Strove *SI* 94 AC 23
Strovina *VS* 221 O 46
Strozza *BG* 37 S 9
Strozzacapponi *PG* 105 AI 25
Struda *LE* 159 BS 42
Strugas *NU* 211 S 39
Studena Alta *UD* 16 AO 4
Studena Bassa *UD* 16 AO 4
Stuerda *TO* 60 I 14
Stuetta *SO* 9 R 5
Stuffione *MO* 67 AB 15
Stulles *BZ* 3 AC 3
Stumiaga *TN* 26 AA 7
Stumio *KR* 173 BL 50
Stupinigi *TO* 47 G 14
Stupizza *UD* 17 AP 6
Stura *AT* 49 J 13
Sturla *GE* 76 O 17
Sturno *AV* 143 AZ 37
Su Benatzu *CI* 225 N 49
Su Bullone *SS* 209 O 39
Su Cambusciu *CI* 224 M 50
Su Carroppu *CA* 226 O 48
Su Carru *OT* 210 R 39
Su Cossu *NU* 215 S 39
Su de Is Pinnas *CI* 225 N 48
Su De is Seis *CA* 225 N 49
Su Fonnesu *CA* 225 M 49
Su Guventeddu *CA* 225 P 50
Su Meriagu *CA* 221 O 48
Su Montiju *SS* 209 O 39
Su Noduledu *OT* 210 Q 39
Su Pallosu *OR* 216 L 43
Su Pardu *CI* 224 M 48
Su Peppi Mereu *CI* 225 N 49
Su Pezzu Mannu *CA* 226 Q 48
Su Planu *CA* 226 P 48
Su Pradu *NU* 214 R 41
Su Pranu *CI* 224 M 49
Su Pranu *NU* 215 T 40
Su Rai *CA* 225 N 49
Su Tirialzu *OT* 210 R 39
Sualdin *PN* 16 AM 6
Sualeddu *OT* 207 R 36
Suardi *PV* 50 N 13
Suaredda *NU* 211 S 39
Subbiano *AR* 88 AG 22
Subiaco *RM* 120 AN 32
Subit *UD* 17 AP 6
Suc *AO* 34 I 10
Succhi *CN* 71 H 17
Succhiva *NA* 150 AS 39
Succiano *AQ* 115 AR 30
Succinto *TO* 33 H 10
Succiso *RE* 78 W 17
Succivo *CE* 141 AU 38
Sucinva *BS* 25 W 8
Sueglio *LC* 23 Q 7
Suelli *CA* 222 P 46
Suello *LC* 23 Q 9
Sugano *TR* 105 AH 27
Sughera *FI* 93 AA 22
Sugherotorto *RG* 204 AV 62
Sugremaro *PR* 64 T 17
Suio *LT* 139 AS 36
Suisio *BG* 37 S 10
Sulbiate Inf. *MB* 37 R 10
Sulbiate Sup. *MB* 37 R 10
Sulcina *LU* 78 X 18
Sulden / Solda *BZ* 11 Y 4
Sulmona *AQ* 122 AS 31
Sulpiano *TO* 49 J 13
Sulzano *BS* 38 V 9
Sumirago *VA* 35 N 9
Summaga *VE* 30 AL 9
Summichele *RC* 177 BG 54
Summonte *AV* 142 AX 38
Suna *VB* 21 M 8
S'Ungroni *OR* 216 M 45
Suni *OR* 213 M 42
Suniglia *CN* 59 G 16
Suno *NO* 35 M 10
Sunvile *UD* 16 AO 6
Supellone *PV* 51 Q 13
Superga *BA* 146 BK 37
Superga *TO* 48 H 13
Supersano *LE* 161 BS 43
Supiane *BS* 39 Y 10
Supino *FR* 130 AO 34
Suppa *CE* 141 AV 37
Suppiane *BL* 14 AI 5
Suppiavento *VR* 55 AD 12
Suracianins *BZ* 14 AG 4
Surano *LE* 161 BT 43
Surbo *LE* 159 BR 41
Surda *CS* 171 BG 48
Surdelli *VS* 221 P 45
Surdo *CS* 170 BG 48
Surigheddu *SS* 212 L 40
Survia *RC* 177 BH 53
Susa *TO* 46 D 13
Susà *TN* 26 AC 7
Susano *BO* 80 AB 18
Susano *MN* 54 AA 12
Susano *MO* 79 Y 17
Susans *UD* 16 AN 6
Susegana *TV* 28 AI 8
Susella *PV* 63 P 14
Suseneo *IM* 72 H 20
Susinna *PA* 184 AO 55
Suso *LT* 129 AN 34
Sussisa *GE* 76 P 17
Sustinente *MN* 54 AB 13
Sustinenza *VR* 55 AC 13
Sutera *CL* 193 AR 58
Sutri *VT* 112 AI 30
Sutrio *UD* 16 AM 4
Suvarelli *PA* 184 AO 55
Suvereto *LI* 102 Z 25
Suveri *SA* 152 AZ 41
Suvero *SP* 77 T 18
Suviana *BO* 80 AB 19
Suvignano *SI* 94 AD 24
Suzzano *PC* 52 S 14
Suzzara *MN* 54 Z 14
Suzzi *PC* 63 Q 16
Suzzolins *VE* 30 AM 9
Svarchi *AN* 99 AQ 23
Svizzo *PR* 78 V 17
Svolta del Podere *AR* 88 AH 21

T

Tabaccaia *GR* 103 AD 25
Tabaccaro *TP* 182 AJ 57
Tabano *AN* 90 AO 22
Tabbiano *MC* 98 AN 24
Tabbiano *PR* 65 W 16
Tabellano *MN* 54 Z 13
Tabia dei Colli Alti *BZ* 5 AH 3
Tabiago Cibrone *LC* 36 Q 9
Tabiano *RE* 66 Y 16
Tabiano Castello *PR* 64 V 15
Tabina *PD* 42 AG 10
Tabina *VE* 42 AH 10
Tabina *VE* 42 AH 10
Tabina *VE* 43 AL 10
Tablà / Tabland *BZ* 12 AA 4
Tabland / Tablà *BZ* 12 AA 4
Taboga *UD* 16 AN 6
Tacca Rossa *CI* 224 K 48
Taccarelli *AP* 108 AO 26
Taccoli *MC* 98 AO 24
Taccona *PV* 51 P 13
Taccone *MT* 145 BF 39
Taccone *VV* 176 BE 52
Tacconotti *AL* 61 L 15
Taceno *LC* 23 R 7
Tache *AO* 32 E 9
Tadasuni *OR* 217 O 43
Tagaro *BA* 147 BN 39
Taggì di Sopra *PD* 41 AF 11
Taggì di Sotto *PD* 41 AF 11
Taggia *IM* 72 I 20
Tagli *RC* 178 BD 54
Tagliaborsa *CT* 197 BA 57
Tagliacozzo *AQ* 121 AO 31
Tagliaferri *CH* 117 AW 30
Tagliaferro *FI* 86 AC 20
Tagliaferro *TO* 48 G 14
Tagliano *FR* 121 AN 33
Tagliaretto *TO* 47 E 14
Tagliata *BG* 24 T 8
Tagliata *CN* 60 H 15
Tagliata *CN* 60 H 16
Tagliata *MO* 80 AA 17
Tagliata *RE* 54 Z 14
Tagliatore *ME* 189 BA 54
Taglieto *SP* 77 S 17
Taglio *PD* 56 AG 13
Taglio *RO* 57 AI 13
Taglio *VE* 42 AH 11
Taglio Corelli *RA* 68 AH 16
Taglio di Candia *AN* 91 AP 22
Taglio di Falce *FE* 69 AI 15
Taglio di Po *RO* 57 AI 13
Taglio di Torrette *AN* 91 AP 22
Tagliolo Monferrato *AL* 62 N 16
Taglione *FE* 68 AE 15
Tagliuno *BG* 38 U 10
Tagusa / Tagusena *BZ* 13 AE 4
Tagusena / Tagusa *BZ* 13 AE 4
Tai di Cadore *BL* 15 AJ 5
Taibo *FC* 88 AI 20
Taibon *BL* 14 AH 6
Taiedo *PN* 29 AL 8
Taiello *LC* 37 R 9
Tainate *MI* 51 P 11
Taino *VA* 35 M 9
Taio *TN* 12 AB 6
Taipana *UD* 16 AP 6
Tairano di Quà *VC* 35 K 9
Taisten / Tesido *BZ* 5 AH 3
Taizzano *TR* 113 AJ 29
Talacchio *PU* 89 AL 21
Talada *RE* 78 X 17
Talamello *PU* 88 AI 20
Talamona *SO* 23 S 7
Talamone *GR* 110 AB 28
Talana *OG* 219 R 43
Talavà *NU* 211 S 39
Talavorno *MS* 78 U 18
Talbignano *MO* 79 Z 17
Talciona *SI* 94 AC 23
Taleggio *BG* 23 S 8
Talente *FI* 86 AB 21
Taliani *RM* 129 AK 33
Talla *AR* 87 AF 22
Tallacano *AP* 108 AP 27
Tallandino *BL* 28 AH 7
Tallorno *TO* 33 G 10
Talmassons *UD* 30 AN 8
Talocci *RI* 113 AL 30
Talonno *NO* 35 L 9
Taloro *NU* 218 P 43
Talosio *TO* 33 F 11
Talponedo *PN* 29 AK 8
Talsano *TA* 157 BM 41
Talucco *TO* 47 E 14
Talvacchia *AP* 108 AQ 27
Tamagnone *TO* 48 I 14
Tamai *PN* 29 AK 8
Tamantino *GR* 103 AC 26
Tamara *FE* 68 AF 14
Tamaricciola *FG* 135 BD 35
Tamarispa *NU* 211 T 39
Tamaroz *UD* 17 AP 5
Tamborlani *PC* 63 R 14
Tambre *BL* 29 AJ 7
Tambre d'Alpago *BL* 29 AJ 7
Tamburiello *NA* 151 AV 38
Tamburino *FI* 87 AD 20
Tamburu *OT* 209 P 37
Tamers / Tamores *BZ* 5 AH 4
Tamiòn *TR* 13 AE 5
Tamores / Tamers *BZ* 5 AH 4
Tampolose *UD* 17 AP 6
Tana *AT* 61 K 15
Tana *VI* 27 AE 8
Tana a Termini *LU* 79 Z 19
Tanai / Thanai *BZ* 2 Z 3
Tanas / Tannas *BZ* 11 Z 4
Tanaunella *NU* 211 T 39
Tanca Altara *NU* 215 T 40
Tanca Manna *CI* 224 M 49
Tanca Manna *OT* 210 R 37
Tanca Marchese *OR* 220 M 45
Tanca Molino *OR* 217 M 44
Tanca Regia *OR* 217 N 43
Tanca su Cordolino *CA* 227 S 49
Tancau sul Mare *OG* 219 T 44
Tanchello *VB* 21 L 8
Tanesi *TE* 109 AS 27
Taneto *RE* 65 X 15
Tangi *TP* 182 AL 56
Tanì *PT* 85 AA 20
Tanì *CI* 224 M 48
Taniga Malafede *SS* 209 M 39

STRESA

Bolongaro (V. F.) Y 3
Borromeo (V. F.) Y 4
Cadorna (Pza) Y 5
Canonica (V. P.) Y 6
Cardinale F. Borromeo (V.) Y 7
Carducci (V. G.) Y 8
Cavour (V.) Y 9
D'Azeglio (V. M.) Y 10
Devit (V.) Y 14
De Amicis (V. E.) Y 12
De Martini (V. C.) Y 13
Europa (Piazzale) Y 15
Fulgosi (V.) Y 18
Garibaldi (V. G.) Y 17
Gignous (V.) Y 20
Italia (Csol) Y 22
Lido (Viale) Y 23
Marconi (Pza) Y 25
Mazzini (V. G.) Y 30
Monte Grappa (V. del) Y 32
Principe Tomaso (V.) Y 33
Roma (V.) Y 35
Rosmini (V. A.) Y 36
Sempione (Strada statale del) Y 39
Volta (V. A.) Y 42

TARANTO

Aquino (V. d') ...
Arcivescovado (Pza) ... 2
Battisti (V. Cesare) ... 3
Cugini (V.) ... 4
De Cesare (V. G.) ... 5
Duca d'Aosta (Viale) ... 6
Ebalia (Pza) ... 8
Falanto (V.) ... 9
Mari (Cso due) ... 10
Massari (V. G.) ... 12
Mignogna (V. Nicola) ... 13
Palma (V. di) ...
Ponte (Vico del) ... 14
Porto Mercantile (V.) ... 16
Pupino (V.) ... 17
Roma (V.) ... 18
Vasto (V. del) ... 19

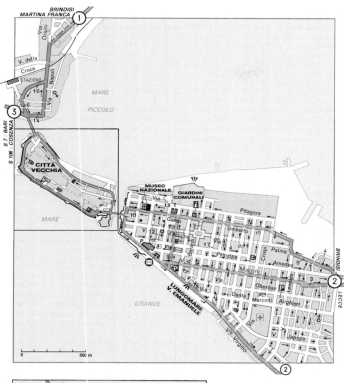

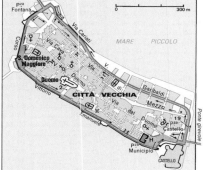

Tanimento ***CN*** ... 59 F 15
Tanna / Sinablana ***BZ*** ... 12 AB 5
Tannas / Tanas ***BZ*** ... 11 Z 4
Tantighi ***VV*** ... 177 BG 52
Tanzarella ***BR*** ... 148 BN 39
Tanzolino ***PR*** ... 65 X 15
Taormina ***ME*** ... 197 BA 56
Tapigliano ***NO*** ... 35 M 9
Tapogliano ***UD*** ... 31 AP 8
Taponecco ***MS*** ... 78 V 18
Tapot Clanzon ***UD*** ... 16 AO 5
Tappi Rosa ***BI*** ... 34 J 10
Tappino ***CB*** ... 133 AW 34
Tarabina ***RA*** ... 68 AF 16
Tarano ***RI*** ... 113 AK 29
Taranta Peligna ***CH*** ... 123 AU 31
Tarantasca ***CN*** ... 59 G 16
Taranto ***TA*** ... 157 BM 41
Tarantone ***LT*** ... 130 AP 35
Tarasco ***MS*** ... 78 U 17
Tarcento ***UD*** ... 16 AO 6
Tarces / Tarstsch ***BZ*** ... 2 Y 3
Tarcetta ***UD*** ... 17 AP 7
Tarderia ***CT*** ... 197 AZ 58
Tardiano ***SA*** ... 163 BD 42
Tarditi ***AT*** ... 61 K 16
Targnod ***AO*** ... 33 H 9
Tarifi ***CS*** ... 170 BF 48
Tarifi Croce ***CS*** ... 170 BF 48
Tarifi Giudice ***CS*** ... 170 BF 48
Tarignano ***AQ*** ... 114 AO 29
Tarmassia ***VR*** ... 54 AB 12
Tarnell / Tarnello ***BZ*** ... 11 Z 4
Tarnello / Tarnell ***BZ*** ... 11 Z 4
Taro ***MC*** ... 107 AN 25
Taronno ***SO*** ... 11 W 6
Tarpezzo ***UD*** ... 31 AQ 7
Tarquinia ***VT*** ... 111 AF 30
Tarres / Tarsch ***BZ*** ... 12 AA 4
Tarsch / Tarres ***BZ*** ... 12 AA 4
Tarsia ***CS*** ... 167 BG 46
Tarsogno ***PR*** ... 77 S 17
Tarstsch / Tarces ***BZ*** ... 2 Y 3
Tartano ***SO*** ... 23 T 7
Tartari ***FR*** ... 131 AR 35
Tartiglia ***AR*** ... 87 AF 21
Tarugo ***PU*** ... 89 AL 22
Tarvisio ***UD*** ... 17 AQ 4
Tarvò ***RC*** ... 177 BH 53
Tarzo ***TV*** ... 28 AI 8
Tasonis ***CA*** ... 226 Q 48
Tassanare ***AN*** ... 97 AN 23
Tassani ***GE*** ... 77 R 18
Tassano ***BS*** ... 38 V 9
Tassara ***PC*** ... 51 R 14
Tassarolo ***AL*** ... 62 N 15
Tassei ***BL*** ... 28 AI 7
Tassera ***CO*** ... 36 Q 9
Tassignano ***LU*** ... 85 Y 20
Tassitano ***CS*** ... 171 BI 48
Tasso ***AP*** ... 108 AP 26
Tasso ***AR*** ... 95 AE 22
Tasso ***CS*** ... 171 BH 49
Tasso ***GE*** ... 76 P 17
Tassone Alto ***BG*** ... 37 T 9
Tassorello ***GE*** ... 76 P 17
Tassullo ***TN*** ... 12 AB 5
Tatti ***GR*** ... 103 AB 25
Taufers / Tubre ***BZ*** ... 11 X 4
Taufers / Tures ***BZ*** ... 5 AG 2
Taurano ***AV*** ... 151 AW 38
Taurasi ***AV*** ... 142 AY 37
Taureana ***RC*** ... 176 BE 53
Tauriana ***CS*** ... 170 BF 48
Tauriano ***PN*** ... 30 AM 7
Taurianova ***RC*** ... 176 BF 53
Taurisano ***LE*** ... 160 BS 44
Tausano ***PU*** ... 88 AJ 20
Tausia ***UD*** ... 16 AN 4
Tavagnacco ***UD*** ... 30 AO 7
Tavagnasco ***TO*** ... 34 H 10
Tavanora ***VR*** ... 55 AB 12
Tavarnelle Val di Pesa ***FI*** .. 94 AC 22
Tavarone ***SP*** ... 77 S 18
Tavazzano con Villavesco ***LO*** ... 51 R 12
Tavella ***MS*** ... 77 U 18
Tavenna ***CB*** ... 124 AX 32
Taverna ***AV*** ... 143 BA 37
Taverna ***CH*** ... 123 AV 33
Taverna ***CS*** ... 167 BG 47
Taverna ***CZ*** ... 171 BI 49
Taverna ***FR*** ... 131 AS 35
Taverna ***LT*** ... 130 AQ 35
Taverna ***PR*** ... 64 S 16
Taverna ***RN*** ... 89 AK 20
Taverna del Postiere ***PZ*** . 164 BE 43
Taverna di Mezzo ***AP*** ... 108 AQ 27
Taverna di Montaguto ***AV*** ... 143 BA 36
Taverna di Pignataro Maggiore ***CE*** ... 141 AT 36
Taverna Figura ***AV*** ... 142 AY 37
Taverna Marotta ***CE*** ... 141 AU 37
Taverna Nuova ***AV*** ... 142 AY 38
Taverna Orneta ***AV*** ... 142 AX 38
Taverna Pittella ***PZ*** ... 164 BE 43
Taverna Rocca ***BN*** ... 142 AY 36
Taverna Sottana ***CS*** ... 171 BG 48
Tavernacce ***PG*** ... 96 AJ 24
Tavernago ***PC*** ... 51 R 14
Tavernanova ***CS*** ... 167 BG 47
Tavernaricci ***IS*** ... 132 AT 34
Tavernasco ***MI*** ... 51 P 11
Taverna-Zarone ***CE*** ... 140 AT 36
Tavernazza ***FG*** ... 134 BB 35
Taverne ***MC*** ... 107 AM 25
Taverne ***PZ*** ... 153 BC 41
Taverne ***SA*** ... 153 BC 41
Taverne d' Arbia ***SI*** ... 94 AD 24
Tavernelle ***AP*** ... 108 AP 26
Tavernelle ***MO*** ... 66 AA 17
Tavernelle ***MS*** ... 78 V 18
Tavernelle ***PG*** ... 105 AH 25
Tavernelle ***PU*** ... 90 AM 21
Tavernelle ***SI*** ... 104 AD 25
Tavernelle ***VI*** ... 41 AD 10
Tavernelle d'Emilia ***BO*** ... 67 AC 16
Tavernerio ***CO*** ... 22 P 9
Tavernette ***TO*** ... 47 F 14
Tavernola ***BN*** ... 142 AY 36
Tavernola ***BO*** ... 80 AB 18
Tavernola ***FG*** ... 135 BD 35
Tavernola ***FR*** ... 130 AP 34
Tavernola Bergamasca ***BG*** ... 38 V 9
Tavernole ***VR*** ... 40 AB 10
Tavernole sul Mella ***BS*** ... 38 W 9
Tavianella ***BO*** ... 80 AC 19
Taviano ***LE*** ... 160 BR 44
Taviano ***PT*** ... 80 AB 19
Taviano ***RC*** ... 178 BD 55
Taviano ***RE*** ... 78 W 17
Tavigliano ***BI*** ... 34 J 10
Tavo ***PD*** ... 42 AG 11
Tavodo ***TN*** ... 26 AA 7
Tavola ***CE*** ... 140 AT 36
Tavola ***PO*** ... 86 AB 20
Tavolaia ***PI*** ... 85 Y 21
Tavolaro ***CS*** ... 165 BI 43
Tavole ***IM*** ... 72 I 20
Tavoleto ***PU*** ... 89 AK 20
Tavoletta ***TR*** ... 112 AI 28
Tavolicci ***FC*** ... 88 AH 20
Tavon ***TN*** ... 12 AB 5
Tavullia ***PU*** ... 89 AL 20
Tazza ***MC*** ... 107 AN 26
Tazzo ***PG*** ... 107 AN 27
Teana ***PZ*** ... 164 BF 43
Teano ***CE*** ... 140 AT 36
Teatro ***BS*** ... 38 W 11
Tebano ***RA*** ... 81 AF 18
Teggiano ***SA*** ... 153 BC 41
Teggiate ***SO*** ... 9 R 5
Tegli ***AL*** ... 62 O 16
Teglia ***AP*** ... 108 AP 26
Teglia ***MS*** ... 77 U 17
Teglia ***SA*** ... 153 BB 39
Teglia ***SV*** ... 75 M 17
Teglie ***BS*** ... 39 X 10
Teglieto ***RI*** ... 114 AN 30
Teglio ***SO*** ... 24 V 6
Teglio Veneto ***VE*** ... 30 AM 9
Tegolaio ***RG*** ... 205 AY 63
Tegoleto ***AR*** ... 95 AF 23
Tel ***BZ*** ... 3 AB 3
Telegrafo ***CS*** ... 166 BE 46
Telese ***BN*** ... 141 AW 36
Telese Vetere ***BN*** ... 141 AW 36
Telfen ***BZ*** ... 13 AE 4
Telfes / Telves ***BZ*** ... 3 AD 2
Telgate ***BG*** ... 38 U 10
Teliseri ***NU*** ... 218 Q 43
Tellaro ***SP*** ... 78 U 19
Telti ***OT*** ... 210 R 38

TAORMINA

Carmine (Pza d.) ... AZ 3
Don Bosco (V.) ... BZ 6
Duomo (Pza d.) ... AZ 7
Fazzelo (V.) ... AZ 9
Giardinazzo (V.) ... BZ 10
Ginnasio (V. d.) ... BZ 12
Giovanni (V. d.) ... BZ 13
Guardiola Vecchia (V.) ... BCZ 15
Jallia Bassia (V.) ... BZ 16
S. Antonio (Pza) ... AZ 18
S. Caterina (Largo) ... BZ 19
S. Domenico (Piazzale) ... AZ 21
Umberto I (Cso) ... ABZ
Von Gloeden (V. W.) ... AZ 22

Circolazione regolamentata nel centro città da giugno a settembre

A B C D E F G H I J K L M N O P Q R S T U V W X Y Z

Telugno FR 131 AR 33
Telve TN 27 AD 7
Telves / Telfes BZ 3 AD 2
Temennotte IS 132 AU 34
Temi NU 214 R 40
Temossi GE 76 R 17
Tempa del Conte PZ 164 BE 42
Tempa delle Craste SA 152 AY 40
Tempa Grue-Pedace SA 153 BC 41
Tempa Rossa PZ 154 BF 42
Tempagnano LU 85 X 20
Tempalta SA 152 AZ 41
Tempe SA 153 BC 41
Tempe SA 163 BC 42
Tempera AQ 115 AP 29
Tempi Nuovi LE 159 BS 41
Tempio TV 29 AJ 9
Tempio Pausania OT 210 P 38
Tempone PZ 164 BE 43
Tempone SA 153 BC 41
Temponi SA 152 AY 39
Temponi SA 153 BB 40
Temporia RE 78 W 17
Temù BS 11 X 6
Tenaglie TR 105 AI 28
Tencarola PD 41 AF 11
Tendola MS 78 V 19
Tenerano MS 78 V 19
Tenimento CS 170 BF 47
Tenimento CS 168 BH 46
Tenna TN 27 AC 7
Tenne PG 106 AL 26
Tenno TN 26 AA 8
Tenou CN 58 D 16
Tenuta Colonna VT 112 AI 28
Tenuta La Bartolina GR 103 AB 26
Tenuta la Castellaccia GR 103 AB 26
Tenuta Quarto FG 136 BE 36
Tenuta S. Cecilia RM 119 AJ 32
Tenuta Schizzanello RM 128 AK 33
Tenutella SR 203 AZ 60
Teo AL 63 P 15
Teodorano FC 82 AH 19
Teolo PD 41 AF 11
Teonghio VI 55 AD 11
Teor UD 30 AN 8
Teora AQ 114 AO 29
Teora AV 143 BA 38
Tepolini GR 104 AE 26
Teramo TE 108 AR 27
Terceretoli MS 78 U 18
Tercimonte UD 17 AQ 6
Tercine PG 96 AI 24
Terdobbiate NO 50 N 11
Tereglio LU 79 Y 19
Terelle FR 131 AR 34
Terenten / Terento BZ 4 AF 3
Terento / Terenten BZ 4 AF 3
Terenzano LO 52 S 12
Terenzano MS 78 V 18
Terenzano UD 30 AO 7
Terenzo PR 65 V 16
Tergu SS 209 N 38
Teriasca GE 76 P 17
Terlago TN 26 AB 7
Terlan / Terlano BZ 12 AC 4
Terlano / Terlan BZ 12 AC 4
Terlizzi BA 146 BI 37
Terma dei Gracchi VT 113 AJ 30
Terme PD 41 AF 11
Terme Aurora SS 214 P 41
Terme Caronte CZ 171 BG 50
Terme di Bacedasco PC 64 U 14
Terme di Cotilia RI 114 AN 29
Terme di Firenze FI 86 AC 21
Terme di Fontecchio PG 96 AI 23
Terme di Salvarola MO 66 Z 16
Terme di Spezzano della Sila CS 167 BG 45
Terme di Valdieri CN 70 E 18
Terme Luigiane CS 166 BE 47
Terme Santa Lucia MC 98 AO 24
Terme Vigliatore ME 188 AZ 55
Termenago TN 12 Z 6
Termeno / Tramin BZ 12 AC 5
Termetrio BR 148 BN 39
Termine AQ 114 AO 29
Termine AQ 115 AO 30
Termine BL 15 AI 6
Termine SP 77 S 18
Termine TR 113 AK 28
Termine Grosso PC 63 R 14
Termini IM 72 H 21
Termini NA 151 AV 40
Termini Imerese PA 185 AR 56
Termini-Sant' Agata SA 153 BC 41
Termo SP 77 U 19
Termoli CB 125 AY 31
Termon TN 12 AB 6
Ternano GE 62 P 16
Ternate VA 35 N 9
Ternavasso TO 60 I 14
Terne PG 107 AM 26
Ternengo BI 34 J 10
Terni TR 113 AL 28
Ternità CS 168 BH 46
Terno d'Isola BG 37 S 9
Ternova Piccola TS 31 AR 9
Terontola AR 95 AH 24
Terontola Stazione AR 95 AH 24
Terra RI 114 AN 28
Terra Bianca SI 95 AF 25
Terra del Sole FC 82 AG 18
Terra del Sole SV 73 K 19
Terra Fredda VT 118 AH 30
Terra Verde BS 52 U 11
Terrabianca SS 209 N 38
Terrabianca TE 109 AS 27
Terracina LT 138 AO 36
Terracino RI 107 AO 27
Terracorpo CE 131 AT 36
Terrada SS 208 M 39
Terradura PD 56 AF 12
Terradura SA 162 BA 43
Terraglione PD 42 AG 11
Terraia PG 106 AL 27
Terraio FI 87 AD 21
Terralba OR 220 M 45
Terranegra VR 55 AC 12
Terranera AQ 115 AQ 30
Terranova AG 191 AK 70
Terranova AL 49 M 13
Terranova BN 142 AX 37
Terranova BN 142 AY 37
Terranova CH 116 AT 30
Terranova CH 123 AU 31
Terranova PD 56 AH 12
Terranova SA 153 BA 40
Terranova da Sibari CS 167 BH 46
Terranova dei Passerini LO 52 S 12
Terranova di Pollino PZ 165 BG 44
Terranova Sappo Minulio RC 176 BF 54
Terranuova Bracciolini AR 94 AE 22
Terrapadedda NU 211 S 39
Terrapini CN 60 H 15
Terrarossa GE 76 Q 17
Terrarossa GE 76 R 17
Terrarossa GR 110 AC 29
Terrarossa MS 78 U 18
Terras Collu CI 224 L 48
Terrasa PV 50 M 12
Terraseo CI 224 M 48
Terrasili CA 226 P 48
Terrasini PA 183 AN 55
Terrassa Padovana PD 56 AG 12
Terrata OT 211 S 38
Terrati CS 170 BF 49
Terravalle FR 130 AO 33
Terravecchia CS 169 BK 47
Terravecchia SA 152 AY 39
Terravecchia-Portoquadro OT 206 Q 36
Terrazzano MI 36 P 10
Terrazze AT 48 I 14
Terrazzo VR 55 AD 12
Terrazzu CI 225 N 49
Terredonniche CS 170 BG 48
Terremorte CT 197 AZ 57
Terrenove TP 190 AK 57
Terres TN 12 AB 6
Terresoli CI 225 N 49
Terreti RC 178 BD 55
Terria RI 114 AL 29
Terria TR 107 AM 28
Terricciola PI 93 Z 22
Terricoli MC 97 AM 24
Terrignano FR 120 AN 33
Terrigoli PO 86 AB 19
Terrinca LU 84 W 19
Terro MC 107 AO 25
Terrone SA 152 AZ 41
Terrossa VR 40 AC 11
Terrossola AR 87 AF 21
Terrubia CI 225 N 48
Terruggia AL 49 L 13
Terrusso GE 76 P 17
Tertenia OG 223 S 45
Tertiveri FG 134 BA 35
Teruzzi PC 64 T 15
Terzago BS 39 X 10
Terzago MI 36 P 11
Terzano FI 87 AD 21
Terzerie SA 152 AZ 41
Terzigno NA 151 AV 39
Terzo AL 61 L 15
Terzo PT 85 Z 20
Terzo PV 50 O 13
Terzo PZ 164 BG 43
Terzo UD 16 AN 5
Terzo Caracciolo MT 156 BJ 42
Terzo Cavone MT 156 BJ 42
Terzo d'Aquileia UD 31 AP 9
Terzo di Mezzo SA 152 BA 40
Terzo di Mezzo I AV 143 BA 38
Terzo la Pieve PG 106 AK 27
Terzo Marzoccolo MT 156 BJ 42
Terzo San Severo PG 106 AK 27
Terzoglio BI 34 K 10
Terzolas TN 12 AA 5
Terzone RI 114 AN 28
Terzorio IM 72 I 20
Tese BS 25 X 9
Tese TO 47 F 12
Tesenella FR 130 AQ 34
Tesero TN 13 AE 6
Tesido / Taisten BZ 5 AH 3
Tesimo / Tisens BZ 12 AC 4
Tesina PG 106 AL 25
Tesis PN 29 AL 7
Tesori CS 167 BG 47
Tesoriero ME 188 AY 55
Tesoro AN 91 AP 22
Tesoro AV 143 AZ 37
Tessano CS 170 BG 48
Tessar Sopra VI 27 AE 8
Tessello FC 82 AH 19
Tessennano VT 111 AF 29
Tessera VE 42 AI 10
Testa dell'Acqua SR 205 AY 62
Testa di Lepre di Sopra RM 119 AI 32
Testa di Lepre di Sotto RM 119 AI 32
Testaccio NA 150 AS 39
Testaccio TR 113 AK 29
Testana GE 76 P 17
Testara CB 133 AX 34
Testi FI 86 AC 22
Testico SV 73 J 19
Teti NU 218 P 43
Tetti CN 59 E 17
Tetti TO 33 G 11
Tetti Avena CN 59 F 16
Tetti Canova CN 74 I 18
Tetti Cavalloni TO 59 G 14
Tetti Chiaramelli CN 60 H 16
Tetti della Tula CN 70 E 18
Tetti Fasano TO 48 H 14
Tetti Gaina CN 70 E 18
Tetti Giro TO 48 H 14
Tetti Grella CN 70 F 18
Tetti Griffa TO 48 G 14
Tetti Maigre CN 70 F 18
Tetti Martin CN 71 F 18
Tetti Mauriti TO 48 H 14
Tetti Merlet CN 71 G 18
Tetti Milanesi CN 60 H 15
Tetti Neirotti TO 47 G 13
Tetti Parodo IM 72 I 19
Tetti Pesio CN 71 G 17
Tetti Roccia CN 59 G 16
Tetti Rolle TO 48 G 14
Tetti Rosbella CN 71 G 18
Tetti Sapini TO 48 H 14
Tetti Sottani CN 71 G 18
Tettile SS 209 O 39
Tetto Cherro CN 71 F 18
Tetto Chiappello CN 71 G 18
Tetto Curune CN 71 G 18
Tetto della Colla CN 71 F 18
Tetto Grosso CN 71 G 18
Tetto Massa Soprano CN 71 F 18
Tetto Tonietto CN 71 F 18
Tettorosso CN 59 F 17
Teulada CA 225 N 50
Tevero BG 24 V 8
Teverina AR 96 AH 24
Teverola CE 141 AU 38
Texauto FG 135 BC 35
Tezze BS 38 U 11
Tezze BS 53 X 11
Tezze MN 54 Y 12
Tezze TN 27 AE 8
Tezze TV 29 AJ 9
Tezze VE 43 AL 9
Tezze VI 41 AD 10
Tezze VR 39 Z 10
Tezze sul Brenta VI 41 AF 9
Tezzeli TN 26 AC 8
Tezzo FC 88 AH 20
Tezzon VE 43 AL 10
Thanai / Tanai BZ 2 Z 3
Thiene VI 41 AD 9
Thiesi SS 213 N 40
Thoules AO 19 F 8
Thoules di Sopra AO 19 F 8
Thovex AO 32 C 9
Thuins / Tunes BZ 3 AD 2
Thumel AO 32 D 10
Thuras TO 58 C 14
Thures TO 46 B 14
Thures Gorlier TO 46 B 14
Thurio CS 168 BH 45
Thuy AO 33 G 9
Tiago BL 28 AH 7
Tiana NU 218 P 43
Tiarno di Sopra TN 25 Z 8
Tiarno di Sotto TN 25 Z 8
Tiberia PV 50 P 13
Tiberio ME 187 AX 55
Ticciano NA 151 AV 40
Ticengo CR 52 T 11
Ticineto AL 50 M 13
Tidolo CR 53 V 13
Tiedoli PR 64 T 16
Tierno TN 26 AA 8
Tiers / Tires BZ 13 AE 5
Tierzi AV 143 AZ 37
Tiezzo PN 29 AL 8
Tiggiano LE 161 BT 44
Tigliano FI 86 AA 21
Tigliano FI 87 AD 21
Tiglieto GE 62 M 16
Tiglio LU 79 Y 19
Tiglio PR 64 S 16
Tiglio UD 17 AP 7
Tiglio Alto LU 79 Y 19
Tigliole AT 61 J 14
Tignai TO 47 D 13
Tignale BS 39 Z 9
Tignano BN 142 AY 37
Tignano BO 80 AC 17
Tignano FI 94 AC 22
Tignes BL 29 AJ 7
Tignet AO 32 E 10
Tiles BZ 4 AE 3
Tilly AO 33 H 9
Timau UD 16 AN 4
Timmari MT 155 BH 40
Timoline BS 38 V 10
Timonchio VI 41 AD 9
Timpanari RC 189 BC 54
Timparello CS 167 BG 47
Timparossa PZ 164 BE 43
Timparossa SR 205 AY 62
Timpello LU 84 X 19
Timperosso KR 173 BL 49
Timpi Bianchi TP 183 AL 55
Timpone CZ 171 BG 49
Timpone SA 163 BC 43
Timpone TP 183 AL 55
Timpone Morte CS 167 BH 47
Timponello CZ 175 BI 51
Tina CS 170 BF 47
Tina TO 34 I 11
Tinchi MT 156 BI 41
Tindari ME 188 AZ 55
Tingi CL 193 AR 59
Tinnari OT 209 O 37
Tinnura OR 213 M 42
Tino RI 107 AO 27
Tintiera PZ 154 BD 40
Tintoria BO 80 AB 17
Tintoria BO 67 AE 16
Tintoria MO 79 Z 18
Tiocchi CH 123 AU 31
Tiola BO 80 AB 17
Tiola SO 11 X 5
Tiolo SO 11 W 6
Tione degli Abruzzi AQ 115 AQ 30
Tione di Trento TN 25 Z 7
Tiosels BZ 13 AE 4
Tipano FC 82 AI 19
Tipoldo ME 189 BB 55
Tiranni ME 187 AW 55
Tirano SO 10 W 6
Tiravento FR 131 AR 33
Tires / Tiers BZ 13 AE 5
Tiria OR 217 N 44
Tiricella PI 85 Y 21
Tiriddò OT 211 S 38
Tiriolo CZ 171 BI 50
Tirivolo CZ 171 BI 49
Tirli GR 103 AA 26
Tirlo Valloni FR 131 AR 34
Tiro a Segno FR 130 AP 34
Tirol / Tirolo BZ 3 AB 3
Tirolo MN 54 Y 12
Tirolo / Tirol BZ 3 AB 3
Tironega BG 24 U 9
Tirrenia PI 84 W 22
Tisana BZ 13 AE 4
Tisens / Tesimo BZ 12 AC 4
Tiso BZ 13 AE 4
Tisoi BL 28 AI 7
Tissano UD 30 AO 8
Tissi SS 213 M 39
Titelle BL 14 AG 6
Titi RC 177 BH 53
Titiano UD 30 AN 9
Titignano TR 105 AI 27
Tito PZ 153 BD 40
Titta PG 96 AI 23
Tivegna SP 77 U 18
Tivo FC 88 AH 20
Tivoli BO 67 AB 16
Tivoli RM 120 AL 32
Tivolille CS 170 BG 48
Tizio BS 25 X 9
Tizzana PT 86 AB 20
Tizzano Val Parma PR 65 W 16
Tizzola RE 79 X 17
Tizzolo RE 65 X 17
Toano RE 79 Y 17
Toara VI 41 AE 11
Tobbiana PO 86 AB 20
Tobbiana PT 86 AB 20
Tobia VT 112 AH 29
Tobia PN 30 AM 8
Toblach / Dobbiaco BZ 5 AI 3
Toccalmatto PR 65 V 14
Tocchi SI 94 AC 25
Toccio PG 97 AL 24
Tocco Caudio BN 142 AW 37
Tocco da Casauria PE 116 AS 30
Toceno VB 7 L 7
Todesca TN 25 Y 6
Todeschino CR 52 T 11
Todi PG 106 AJ 27
Todiano PG 107 AN 26
Todocco CN 61 K 16
Tofarole AV 151 AX 38
Tofe AP 108 AO 26
Toffia RI 113 AL 30
Tofo TE 108 AQ 28
Togliano UD 31 AP 7
Toglie TO 47 F 12
Tognana PD 56 AH 12
Tognano AV 142 AY 38
Tognazza SI 94 AC 23
Tognola TN 13 AF 6
Toiano FI 86 AA 21
Toiano PI 85 Z 22
Toiano SI 94 AC 24
Toirano SV 73 K 19
Tola SO 11 X 5
Tolcinasco MI 51 Q 11
Tole MO 79 Z 18
Tolè BO 80 AB 18
Tolentino MC 98 AO 24
Toleto AL 61 M 16
Tolfa RM 118 AG 31
Toline BS 24 V 9
Tollara PC 64 T 14
Tolle RO 57 AJ 14
Tollegno BI 34 J 10
Tolli BN 133 AY 35
Tollo CH 117 AU 29
Tollo TN 27 AE 7
Tolmezzo UD 16 AN 5
Tolosano CN 70 D 17
Tolve PZ 154 BF 39
Tomacella FR 130 AO 34
Tomaini CZ 171 BH 49
Tomaiolo FG 127 BE 33
Tomassucci MC 98 AP 25
Tomba BO 81 AD 17
Tomba PG 106 AK 25
Tomba UD 16 AN 6
Tomba UD 30 AN 7
Tombara MS 84 V 19
Tombazosana VR 55 AC 12
Tombe BO 67 AC 16
Tombe BO 67 AD 15
Tombe BO 81 AF 17
Tombe FE 69 AH 15
Tombelle VE 42 AG 11
Tombolino VE 43 AK 10
Tombolo PD 41 AF 10
Tommaselle RO 55 AD 14
Tommaso Natale PA 184 AO 54
Tomo BL 28 AG 7
Tomoliccio CB 133 AW 35
Ton TN 12 AB 6
Tonadico TN 28 AG 6
Tonara NU 218 Q 43
Tonco AT 49 K 13
Tonda FI 93 AA 22
Tondaco Nuovo CT 202 AY 59
Tonengo AT 48 J 13
Tonengo TO 48 I 12
Toneri NU 218 P 43
Tonezza del Cimone VI 27 AD 8
Tonfano LU 84 W 20
Tonnara CI 224 L 48
Tonnara CS 170 BF 49
Tonnara SS 209 M 38
Tonnara di Bonagia TP 182 AK 55
Tonnara Saline SS 208 K 38
Tonnare CI 224 K 48
Tonnarella ME 188 AZ 55
Tonni SI 94 AC 24
Tonnicoda RI 114 AN 30
Tonniello IS 132 AV 33
Tontola FC 82 AG 19
Topaligo PN 29 AJ 8
Topanera PE 116 AS 29
Topanti LT 130 AO 35
Topina SI 94 AC 23
Topolò UD 17 AQ 6
Toppo PN 16 AL 6
Toppo di Sciscio PZ 153 BD 39
Toppola AV 142 AY 38
Toppole AR 95 AH 23
Toppolo AV 142 AY 38
Toppolo al Vento BN 142 AY 37
Toppolo San Felice AV 142 AY 38
Toppolocozzetto AV 142 AY 38
Tor Bella Monaca RM 120 AK 32
Tor di Bruno RM 128 AK 33
Tor Sapienza RM 119 AK 32
Tor Tre Ponti LT 129 AM 34
Tor Vaiánica RM 128 AJ 34
Tora CE 131 AT 35
Tora CE 132 AV 36
Tora PZ 154 BD 40
Torana AV 142 AZ 37
Toranello RA 81 AF 18
Torano CE 140 AS 36
Torano MS 78 V 19
Torano RI 121 AO 31
Torano Castello CS 167 BF 46
Torano Nuovo TE 108 AR 27
Torassi TO 48 I 12
Torazza BI 34 J 10
Torba PD 42 AH 10
Torba VA 36 O 9
Torbecchia PT 85 AA 20
Torbiato BS 38 U 10
Torbiera TN 26 AA 8
Torbole BS 38 V 10
Torbole TN 26 AA 8
Torca NA 151 AV 40
Torcegno TN 27 AD 7
Torcello AL 49 L 13
Torcello VE 43 AJ 11
Torchiagina PG 96 AK 25
Torchiara SA 162 AZ 42
Torchiaro AP 99 AR 25
Torchiarolo BR 149 BR 41
Torchiati AV 151 AX 39
Torchiedo LC 23 Q 7
Torchiera BS 53 V 12
Torcigliano LU 84 X 20
Torcigliano LU 85 X 20
Tordandrea PG 106 AK 25
Tordibetto PG 97 AK 25
Tordinia TE 108 AQ 28
Tore LT 139 AR 36
Torella dei Lombardi AV 143 AZ 38
Torella del Sannio CB 132 AW 34
Torelle CE 140 AS 36
Torello BN 141 AV 36
Torello CE 131 AT 36
Torello PU 89 AJ 20
Torello SA 152 AY 39
Torgiano PG 106 AJ 25
Tori CH 117 AV 31
Toria CN 71 H 19
Torille Rivarolla AO 33 H 9
Torino TO 48 H 13
Torino di Sangro CH 117 AW 30
Torino di Sangro Marina CH 117 AW 30
Toritto BA 146 BJ 38
Torlano UD 16 AO 6
Torlino Vimercati CR 37 S 11
Tormeno VI 41 AE 10
Tormine MN 54 Z 12
Tormo LO 52 S 11
Tornaco NO 50 N 11

Tornadri SO .... 10 U 6
Tornano FC .... 88 AI 20
Tornareccio CH .... 123 AV 31
Tornarezza PC .... 63 R 16
Tornata CR .... 53 X 13
Tornavento VA .... 35 N 10
Tornazzano AN .... 98 AP 23
Tornello PV .... 51 Q 13
Tornetti TO .... 47 F 12
Tornia AR .... 95 AH 24
Torniella GR .... 103 AB 25
Tornimparte AQ .... 115 AO 30
Torno CO .... 22 P 8
Torno FR .... 131 AR 34
Torno PZ .... 164 BF 44
Tornolo PR .... 64 S 17
Tornova RO .... 57 AI 13
Toro CB .... 133 AX 34
Torone AV .... 143 AZ 37
Torone CE .... 141 AV 37
Torpè NU .... 215 T 40
Torpiana SP .... 77 T 18
Torra AP .... 108 AP 26
Torra TN .... 12 AB 6
Torraca SA .... 163 BC 43
Torralba SS .... 213 N 40
Torrano MS .... 77 U 17
Torrano PC .... 64 T 14
Torrano VR .... 55 AD 12
Torrate PN .... 30 AL 8
Torrazza CN .... 59 G 15
Torrazza GE .... 76 O 17
Torrazza PV .... 50 O 12
Torrazza Clavi IM .... 72 I 20
Torrazza Coste PV .... 51 P 14
Torrazza Piemonte TO .... 48 I 12
Torrazzo AT .... 61 J 15
Torrazzo AT .... 61 K 14
Torrazzo BI .... 34 I 11
Torrazzo RE .... 79 Y 17
Torre AL .... 49 K 13
Torre AQ .... 114 AO 29
Torre AR .... 87 AF 21
Torre AV .... 142 AZ 38
Torre BO .... 67 AD 16
Torre FI .... 85 Z 21
Torre IS .... 132 AV 34
Torre LU .... 85 X 20
Torre LU .... 85 X 20
Torre MC .... 98 AO 23
Torre MN .... 54 Z 12
Torre PG .... 97 AL 24
Torre PR .... 77 T 17
Torre PR .... 65 V 16
Torre PR .... 65 W 16
Torre PR .... 65 X 16
Torre RC .... 176 BE 53
Torre VA .... 22 N 8
Torre VI .... 27 AF 9
Torre VR .... 54 AA 12
Torre a Castello SI .... 94 AE 24
Torre a Cona FI .... 87 AD 21
Torre a Mare BA .... 147 BK 37
Torre Accio MT .... 156 BI 41
Torre Alfieri BN .... 142 AX 37
Torre Alfina VT .... 105 AG 27
Torre Annunziata NA .... 151 AV 39
Torre Archifari CT .... 197 BA 57
Torre Balfredo TO .... 34 I 11
Torre Beretti PV .... 50 N 13
Torre Berteri CR .... 53 W 13
Torre Boldone BG .... 37 T 9
Torre Bormida CN .... 61 J 16
Torre Caietani FR .... 130 AO 33
Torre Calderari AL .... 62 O 14
Torre Calzolari PG .... 97 AL 24
Torre Canavese TO .... 33 H 11
Torre Canne BR .... 148 BN 38
Torre Caravicchia FR .... 130 AP 33
Torre Castiglione LE .... 158 BP 42
Torre Cerchiara CS .... 168 BH 45
Torre Colimena TA .... 158 BP 42
Torre Colonna-
Sperone PA .... 185 AQ 55
Torre d'Acceglio CN .... 71 G 17
Torre d'Arese PV .... 51 Q 12
Torre d'Astari PV .... 51 Q 12
Torre de' Busi LC .... 37 R 9
Torre de' Negri PV .... 51 R 13
Torre de' Passeri PE .... 116 AS 30
Torre de' Picenardi CR .... 53 W 13
Torre de' Torti PV .... 51 P 13
Torre degli Alberi PV .... 63 Q 14
Torre degli Amanti AV .... 143 AZ 37
Torre dei Corsari VS .... 220 L 45
Torre dei Frati CN .... 71 G 17
Torre dei Guardiniani BA .... 137 BH 37
Torre dei Mussi SA .... 152 AY 40
Torre del Colle PG .... 106 AK 26
Torre del Greco NA .... 151 AV 39
Torre del Lago Puccini LU .... 84 W 21
Torre del Lauro ME .... 187 AW 55
Torre del Mangano PV .... 51 P 12
Torre del Maro FC .... 82 AI 19
Torre del Padiglione LT .... 129 AL 34
Torre del Vento BA .... 136 BH 37
Torre dell' Inserraglio LE .... 160 BQ 42
Torre dell' Ovo TA .... 157 BO 42
Torre della Castagna IS .... 132 AV 33
Torre della Chiesa CS .... 167 BH 45
Torre dell'Acqua GR .... 110 AC 29
Torre delle Stelle CA .... 227 R 49
Torre dell'Orso LE .... 159 BT 42
Torre de'Roveri BG .... 37 T 9
Torre di Bari OG .... 219 T 45
Torre di Buiano FI .... 86 AD 20
Torre di Campi FG .... 127 BG 33
Torre di Fine VE .... 43 AL 10
Torre di Gaffe AG .... 199 AS 61
Torre di Mezzo RG .... 204 AV 63
Torre di Mezzo I CS .... 168 BI 46
Torre di Mezzo II CS .... 168 BH 46
Torre di Mosto VE .... 43 AL 9
Torre di Nolfi AQ .... 122 AS 31
Torre di Portogreco FG .... 127 BG 33
Torre di Ruggiero CZ .... 174 BH 52
Torre di Santa Maria SO .... 10 U 6
Torre di Taglio RI .... 114 AO 30
Torre d'Isola PV .... 51 P 12
Torre Elena CZ .... 175 BI 51
Torre Ellera RC .... 177 BI 53
Torre Faro ME .... 189 BC 54
Torre Gaia RM .... 120 AK 32
Torre Garemia PG .... 105 AH 26
Torre Gentile PG .... 106 AJ 27
Torre Guaceto BR .... 148 BP 39
Torre Guevara FG .... 134 BB 36
Torre Lapillo LE .... 158 BQ 42
Torre Le Nocelle AV .... 142 AY 37
Torre Logge CZ .... 174 BH 51
Torre Lupara RM .... 120 AK 31
Torre Maccarese RM .... 119 AI 32
Torre Magna CS .... 171 BG 47
Torre Maina MO .... 66 AA 17
Torre Malizia CS .... 167 BG 47
Torre Mancina RM .... 120 AK 31
Torre Marangone RM .... 118 AF 31
Torre Marino VV .... 176 BE 52
Torre Masino VR .... 54 AA 12
Torre Mattarelle BR .... 149 BR 40
Torre Mattina SA .... 153 BB 40
Torre Melissa KR .... 173 BL 48
Torre Metola PU .... 89 AJ 22
Torre Mileto FG .... 126 BC 32
Torre Mondovì CN .... 74 I 17
Torre Montenero FR .... 131 AQ 34
Torre Mozza LE .... 160 BR 44
Torre Nova RM .... 120 AK 32
Torre Nuova LT .... 138 AM 35
Torre Olivola PG .... 106 AJ 27
Torre Orsaia SA .... 163 BB 43
Torre Pali LE .... 161 BS 44
Torre Pallavicina BG .... 38 U 11
Torre Papone IM .... 72 I 20
Torre Passeri BG .... 38 T 10
Torre Pedrera RN .... 83 AK 19
Torre Pellice TO .... 59 E 15
Torre Picentina SA .... 152 AY 40
Torre Pozella BR .... 148 BP 39
Torre Rinalda LE .... 149 BS 41
Torre Rossa BR .... 149 BQ 39
Torre San Giorgio CN .... 59 G 15
Torre San Giovanni LE .... 160 BR 44
Torre San Marco PU .... 90 AM 22
Torre San Patrizio FM .... 99 AQ 24
Torre San Sabina BR .... 148 BP 39
Torre San Severo TR .... 105 AH 27
Torre Santa Lucia AP .... 108 AP 27
Torre Santa Susanna BR .... 158 BP 41
Torre Santi RM .... 120 AN 33
Torre Saracena LE .... 159 BT 42
Torre Sibiliana TP .... 190 AJ 57
Torre Spaccata RM .... 148 BN 39
Torre Spada FE .... 67 AC 15
Torre Specchia
Ruggeri LE .... 159 BT 42
Torre Squillace LE .... 160 BQ 42
Torre Suda LE .... 160 BR 44
Torre Susale BR .... 148 BN 39
Torre Vado LE .... 161 BS 45
Torre Valgorrera TO .... 60 I 14
Torre Voluta di Frassa CS .... 168 BH 45
Torre Voluta
di Torricella CS .... 168 BH 45
Torreano UD .... 30 AN 7
Torreano UD .... 31 AP 7
Torrebelvicino VI .... 40 AC 9
Torrebruna CH .... 124 AW 32
Torrecandele ME .... 187 AW 55
Torrecchia Nuova LT .... 129 AM 34
Torrececcona PG .... 106 AJ 27
Torrechiara PR .... 65 W 16
Torrecuso BN .... 142 AX 36
Torredaniele TO .... 34 H 10

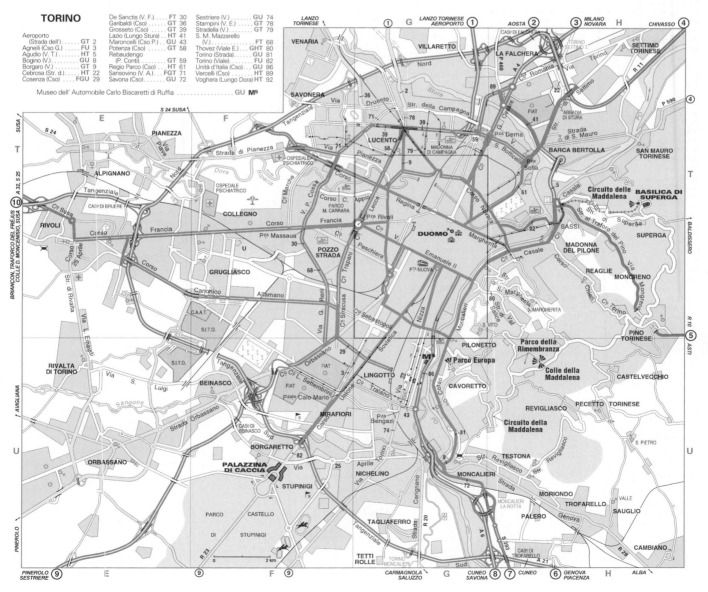

TORINO

Aeroporto (Strada dell') ...... GT 2
Agnelli (Cso G.) ...... FU 3
Agudio (V. T.) ...... HT 5
Bogino (V.) ...... GU 8
Borgaro (V.) ...... GT 9
Cebrosa (Str. d.) ...... HT 22
Cosenza (Cso) ...... FGU 29
De Sanctis (V. F.) ...... FT 30
Garibaldi (Cso) ...... GT 36
Grosseto (Cso) ...... GT 39
Lazio (Lungo Stura) ...... HT 41
Maroncelli (Cso P.) ...... GU 43
Potenza (Cso) ...... GT 58
Rebaudengo (P. Conti) ...... GT 59
Regio Parco (Cso) ...... HT 61
Sansovino (V. A.) ...... FGT 71
Savona (Cso) ...... GU 72
Sestriere (V.) ...... GU 74
Stampini (V. E.) ...... GT 78
Stradella (V.) ...... GT 79
S. M. Mazzarello (V.) ...... FT 68
Thovez (Viale E.) ...... GHT 80
Torino (Strada) ...... GU 81
Torino (Viale) ...... FU 82
Unità d'Italia (Cso) ...... GU 86
Vercelli (Cso) ...... HT 89
Voghera (Lungo Dora) ...... HT 92

Museo dell' Automobile Carlo Biscaretti di Ruffia ...... GU M5

318

A B C D E F G H I J K L M N O P Q R S T U V W X Y Z

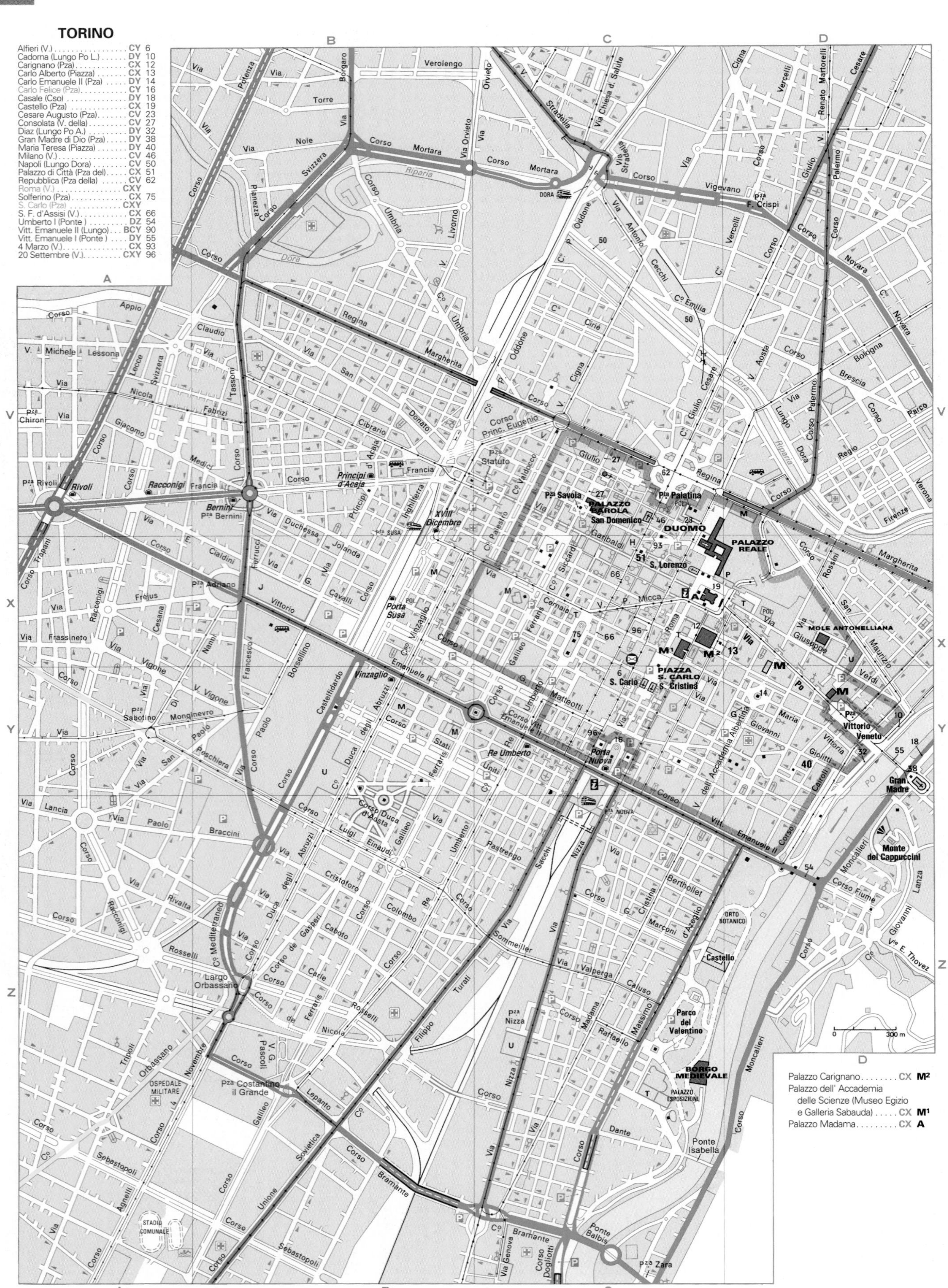

TORINO

Torreggiani *TP*................190 AJ 57
Torreglia *PD*........................56 AF 11
Torregrotta *ME*................189 BB 54
Torreluca *PG*..................105 AI 27
Torremaggiore *FG*..........134 BA 33
Torremenapace *PV*..........50 O 13
Torremezzo
di Falconara *CS*..........170 BF 48
Torremontanara *CH*........116 AU 29
Torremuzza *ME*..............187 AU 55
Torrenieri *SI*...................104 AE 25
Torrenova *ME*.................187 AX 55
Torrent *AO*.........................32 C 9
Torrènt *AO*.........................19 E 9
Torrenuova *CS*...............166 BE 46
Torrenzana *PI*....................93 Y 23
Torreorsina *TR*................113 AL 28
Torrepaduli *LE*................161 BS 44
Torrepinta *CS*.................168 BH 46
Torrerossa *GE*....................75 N 17
Torresella *VE*.....................30 AM 9
Torreselle *PD*.....................42 AH 10
Torresina *CN*......................74 J 17
Torreto *MC*.........................98 AN 24
Torretta *CL*........................194 AT 59
Torretta *CS*........................166 BF 47
Torretta *CT*........................202 AX 61
Torretta *FR*........................130 AO 33
Torretta *IM*..........................72 I 20
Torretta *KR*........................169 BL 47
Torretta *PA*........................184 AO 55
Torretta *PI*..........................92 X 22
Torretta *PR*..........................65 X 15
Torretta *PV*..........................63 P 15
Torretta *PV*..........................51 Q 12
Torretta *PZ*........................154 BD 39
Torretta *SP*..........................77 U 18
Torretta *TA*........................157 BN 41
Torretta *TA*........................157 BN 41
Torretta *TP*........................182 AL 56
Torretta *VI*..........................41 AE 11
Torretta *VR*..........................55 AB 11
Torretta *VR*..........................55 AC 13
Torretta Spiaggia *ME*......188 BA 54
Torretta-Scalzapecora *NA*....150 AT 38
Torrette *CN*.........................58 D 16
Torrette *PU*.........................90 AN 21
Torrette *PZ*.......................154 BD 41
Torrette di Ancona *AN*......91 AP 22
Torrevecchia *CS*..............166 BE 46
Torrevecchia *CZ*..............174 BG 51
Torrevecchia *OR*..............220 M 45
Torrevecchia Pia *PV*.........51 Q 12
Torrevecchia Teatina *CH*..116 AU 29
Torri *FC*..............................82 AG 18
Torri *FI*...............................86 AB 20
Torri *FI*...............................86 AB 21
Torri *FI*...............................87 AD 21
Torri *IM*..............................72 G 20
Torri *PC*..............................52 S 13
Torri *PT*..............................80 AB 19
Torri *SI*...............................93 AB 23
Torri *SI*...............................94 AC 24
Torri del Benaco *VR*.........39 Z 10
Torri di Confine *VI*............41 AD 11
Torri di Quartesolo *VI*........41 AE 10
Torri in Sabina *RI*............113 AK 29
Torria *IM*............................73 I 20
Torriana *RN*.......................89 AJ 20
Torricchio *CH*...................123 AV 31
Torricchio *MC*..................107 AN 26
Torrice *FR*........................130 AP 34
Torricella *AR*......................95 AF 24
Torricella *BN*....................141 AW 37
Torricella *CR*......................53 W 12
Torricella *LE*....................149 BS 41
Torricella *MC*.....................98 AN 24
Torricella *ME*....................181 AY 52
Torricella *MN*.....................54 Z 13
Torricella *PG*......................96 AI 25
Torricella *PN*......................30 AM 8
Torricella *PR*......................53 W 14
Torricella *PU*......................88 AI 20
Torricella *PU*......................89 AK 20
Torricella *PU*......................89 AL 22
Torricella *PU*......................97 AL 22
Torricella *RO*......................55 AC 13
Torricella *TA*....................157 BO 41
Torricella del Pizzo *CR*.....53 W 13
Torricella in Sabina *RI*....114 AM 30
Torricella Inf. *CS*............168 BI 46
Torricella Peligna *CH*......123 AU 31
Torricella Sicura *TE*........108 AQ 28
Torricella Soprana *CS*....168 BI 46
Torricelli Inf. *FR*.............131 AR 35
Torricelli Sup. *FR*............131 AR 35
Torricello *PC*.....................63 R 14
Torriggia *CO*......................22 P 8
Torriglia *GE*.......................63 P 16
Torrile *PR*..........................53 W 14
Torrimpietra *RM*...............119 AI 32
Torrino *PV*..........................51 P 12
Torrio Casetta *PC*..............63 R 16
Torriola *PU*.........................89 AJ 21
Torrion Quartara *NO*...........35 M 11
Torrione *AP*........................99 AQ 24
Torrione *MC*........................99 AQ 23
Torrione *NO*........................49 L 12
Torrione *SA*.......................151 AX 39
Torrione *TO*.........................59 F 14
Torrione *VC*.........................49 L 12
Torrioni *AV*........................142 AX 37
Torrita *RI*..........................107 AO 28
Torrita di Siena *SI*..............95 AF 24
Torrita Tiberina *RM*...........113 AK 30
Torrone *AQ*........................122 AS 31
Torrone *IS*.........................132 AT 34
Torrone *MC*..........................98 AN 25
Torrone *MC*..........................98 AO 23
Torrone *PV*..........................51 Q 14
Torrone Serralta *MC*...........98 AO 24
Torsa *UD*.............................30 AN 8
Torsana *MS*.........................78 V 18
Torsoli *FI*.............................94 AD 22
Tortal *BL*..............................28 AH 7
Tortiano *PR*..........................65 X 15
Tortigliano *AR*......................95 AH 23
Tortima *VI*............................27 AE 9
Tortolì *OG*..........................219 S 44
Tortona *AL*...........................62 O 14
Tortora *CS*.........................164 BD 44
Tortora *SA*.........................151 AW 39
Tortora Marina *CS*.............163 BD 44
Tortorella *SA*......................163 BC 43
Tortorelle *TP*......................190 AK 57
Tortoreto Alto *TE*...............109 AS 27
Tortoreto Lido *TE*...............109 AS 27
Tortorici *ME*.......................188 AX 55
Tortorolo *PV*.........................50 N 13
Torvaianica Alta *RM*...........128 AJ 34
Torvillo *NA*.........................151 AV 40
Torviscosa *UD*.....................30 AO 9
Torza *SP*...............................77 S 18
Tos *BL*..................................14 AH 5
Tosca *PR*..............................64 T 16
Toscanella *BO*.......................81 AE 17
Toscano *ME*.........................188 AZ 55
Toscella *PG*.........................106 AJ 26
Toscolano *TR*.......................106 AJ 28
Toscolano Maderno *BS*.........39 Y 10
Tosi *FI*...................................87 AE 21
Tosi *VR*..................................40 AB 11
Tosina *FI*...............................87 AE 21
Tosse *SV*...............................74 L 18
Tossicia *TE*..........................115 AQ 28
Tossignano *BO*.......................81 AE 18
Tossilo *NU*...........................213 N 42
Tossino *FC*............................81 AF 18
Tostini *RM*...........................120 AN 32
Toteri *CE*.............................132 AV 36
Tottea *TE*.............................115 AP 28
Tottubella *SS*........................208 L 39
Tour d'Hereraz *AO*.................34 H 10
Touranz *AO*............................32 E 9
Tovena *TV*..............................28 AI 8
Tovere *SA*.............................151 AW 40
Tovio *BL*.................................27 AF 8
Tovo di Sant'Agata *SO*...........11 W 6
Tovo Faraldi *IM*......................73 J 20
Tovo San Giacomo *SV*............74 K 18
Trabia *PA*..............................185 AQ 55
Trabia *PA*..............................185 AQ 56
Trabuccato *SS*.......................208 K 37
Trabuchello *BG*.......................24 T 8
Tracchi *VR*..............................40 AB 10
Tràcino *TP*............................190 AH 63
Tracoccia *ME*........................189 BB 54
Tradate *VA*..............................36 O 9
Trafana *MT*............................165 BI 42
Trafficanti *BG*.........................37 T 9
Trafoi *BZ*.................................11 Y 4
Traforo del Frejus *TO*.............46 B 13
Traforo Gran
San Bernardo *AO*...................18 E 8
Traggiaia *AR*...........................87 AE 22

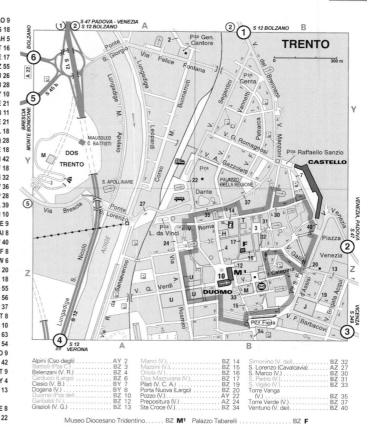

Alpini (Cso degli) .... AY 2
Battisti (Pza C.) .... BZ 3
Belenzani (V. R.) .... BZ 4
Carducci (Largo) .... BZ 6
Clesio (V. B.) .... BY 7
Dogana (V.) .... BY 8
Duomo (Pza del) .... BZ 10
Garibaldi (V.) .... BZ 12
Grazioli (V. G.) .... BZ 13
Manci (V.) .... BZ 14
Mazzini (V.) .... BZ 15
Oriola (V.) .... BZ 16
Oss Mazzurana (V.) .... BZ 17
Pilati (V. C. A.) .... BZ 19
Porta Nuova (Largo) .... BZ 20
Pozzo (V.) .... AY 22
Prepositura (V.) .... AZ 24
Sta Croce (V.) .... BZ 34
Simonino (V. del) .... BZ 32
S. Lorenzo (Cavalcavia) .... AZ 27
S. Marco (V.) .... BZ 30
S. Pietro (V.) .... BZ 31
S. Vigilio (V.) .... BZ 33
Torre Vanga (V.) .... BZ 35
Torre Verde (V.) .... BZ 37
Ventuno (V. dei) .... BZ 40

Museo Diocesano Tridentino...... BZ **M¹** Palazzo Tabarelli .... BZ **F**

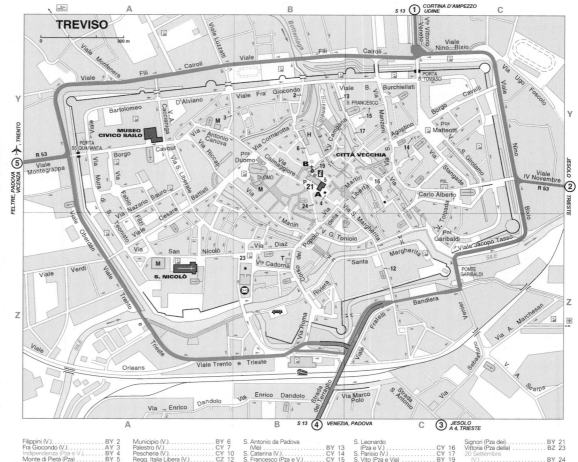

Filippini (V.) .... BY 2
Fra Giocondo (V.) .... AY 3
Indipendenza (Pza e V.) .... BY 4
Monte di Pietà (Pza) .... BY 5
Municipio (V.) .... BY 6
Palestro (V.) .... CY 7
Pescheria (V.) .... CY 10
Regg. Italia Libera (V.) .... CZ 12
S. Antonio da Padova (Vle) .... BY 13
S. Caterina (V.) .... CY 14
S. Francesco (Pza e V.) .... CY 15
S. Leonardo (Pza e V.) .... CY 16
S. Parisio (V.) .... CY 17
S. Vito (Pza e Via) .... BY 19
Signori (Pza dei) .... BY 21
Vittoria (Pza della) .... BZ 23
20 Settembre (V.) .... BY 24

Palazzo dei Trecento .... BY **A** Santa Lucia .... BY **B**

A B C D E F G H I J K L M N O P Q R S T U V W X Y Z

Traghetto *BR*...............148 BO 39	Trapozzo *AN*................97 AM 23	Travatura *RC*...............177 BI 53	Tre Croci *TP*.................183 AM 56	Trebbio *RN*...............83 AJ 19	Tregnago *VR*.............40 AB 10
Traghetto *FE*.................68 AF 16	Trappa *CN*.....................74 I 18	Travazzano *PC*.............64 T 14	Tre Croci *VT*................112 AH 29	Trebbio *RN*...............89 AL 20	Tregole *SI*.................94 AC 23
Tragliata *RM*...............119 AI 32	Trappeto *PA*................183 AN 55	Trave *AN*......................91 AQ 22	Tre Fontane *TP*.............191 AL 58	Trebbio della Sconfitta *PU*..90 AM 20	Tregozzano *AR*..........95 AG 22
Tragliatella *RM*...........119 AI 31	Trappeto *RC*................179 BG 54	Travelio *VB*....................7 L 7	Tre Masserie *AV*..........143 AZ 37	Trebbo di Reno *BO*.....67 AC 16	Treia *MC*..................98 AO 24
Tragliatella *RM*...........119 AI 32	Trappola *AR*..................87 AE 22	Traverde *MS*..................77 U 17	Tre Masserie *BN*..........141 AW 37	Trebecco *BG*..............38 U 10	Treiso *CN*..................61 J 15
Traiana *AR*....................95 AF 22	Trarego *VB*......................7 M 7	Traversa *FI*...................80 AC 19	Tre Olmi *RE*.................66 Z 15	Trebecco *PC*..............63 Q 14	Trelli *UD*...................16 AN 5
Trainu Moltu *OT*..........210 R 39	Trasacco *AQ*................121 AQ 32	Traversa *SA*.................151 AX 39	Tre Piccioni *NA*............150 AT 38	Trebiano *SP*...............78 U 19	Tremarende *PD*..........42 AG 10
Trajo *AO*.......................33 E 10	Trasaghis *UD*................16 AN 6	Traversa II *PA*.............184 AO 56	Tre Ponti *BL*................28 AH 7	Trebiciano *TS*.............45 AR 9	Tremauriello *AV*.........142 AY 38
Tralia *NA*....................151 AW 39	Trasasso *BO*.................80 AC 18	Traversa III *PA*............184 AO 56	Tre Ponti *PI*.................85 X 21	Trebisacce *CS*............165 BI 44	Tremea *BL*.................28 AH 7
Tramariglio *SS*............212 J 40	Traschio *PC*..................63 Q 16	Traversara *RA*...............82 AH 17	Tre Ponti *PU*................89 AL 20	Trecallo *CO*................36 P 9	Tremenico *LC*.............23 R 7
Tramatza *OR*...............217 M 43	Traso *GE*.......................76 P 17	Traversella *TO*...............46 D 12	Tre Re *PV*....................51 P 13	Trecasali *PR*...............53 W 14	Tremensuoli *LT*..........139 AR 36
Trambesere *AO*............33 H 10	Trasquera *VB*..................7 K 6	Traversella *TO*...............33 H 10	Tre Rii *PR*....................65 V 16	Trecase *NA*................151 AV 39	Tremestieri *ME*..........189 BC 55
Tramin / Termeno *BZ*....12 AC 5	Trassani *PU*..................89 AK 21	Traverses *TO*.................46 C 13	Tre Stelle *CN*................61 J 15	Trecastagni *CT*...........197 AZ 58	Tremestieri Etneo *CT*...197 AZ 58
Tramontana *AL*............62 N 16	Trassera *BO*..................80 AB 18	Traversetolo *PR*.............65 X 16	Tre Valloni *CB*.............124 AW 33	Trecasuzze *RG*...........204 AX 62	Tremezzo *CO*.............23 Q 8
Tramonte *PD*.................41 AF 11	Trassilico *LU*.................79 X 19	Traverso *BN*.................142 AY 36	Trearie *CS*...................171 BH 49	Trecate *NO*................35 N 11	Tremignon *PD*............41 AF 10
Tramonti *CE*...............132 AT 35	Trastanello *IM*...............72 I 19	Travesio *PN*..................16 AM 6	Treazzano *AP*..............109 AR 26	Trecchina *PZ*..............163 BD 43	Tremoleto *PI*..............92 Y 22
Tramonti di Mezzo *PN*...15 AL 6	Trastulli *CH*.................117 AV 30	Travettore *VI*.................41 AF 9	Trebaseleghe *PD*..........42 AH 10	Trecciano *AR*..............88 AG 22	Tremoli *CS*................166 BE 44
Tramonti di Sopra *PN*...15 AL 6	Tratalias *CI*.................224 M 49	Travo *PC*.......................64 S 14	Trebbiantico *PU*...........90 AM 20	Treccione *CO*..............23 Q 7	Tremonti *AQ*.............121 AO 31
Tramonti di Sotto *PN*...15 AL 6	Trattera *CS*.................168 BI 46	Tre Aree *CZ*.................174 BH 51	Trebbio *AR*...................96 AH 22	Trecella *MI*.................37 R 10	Tremosine *BS*.............25 Z 9
Tramostera *RG*............202 AW 61	Trattoio *TR*..................105 AG 27	Tre Arie *RC*.................179 BF 54	Trebbio *BS*...................39 X 9	Trecenta *RO*...............55 AD 13	Trenno *MI*..................36 P 11
Trampolino *CR*..............52 T 11	Traugnano *BN*..............141 AV 37	Tre Camimi *AP*..............99 AQ 25	Trebbio *BS*...................39 X 10	Treciminiere *TE*..........116 AT 28	Trenta *CS*.................171 BG 48
Tramutola *PZ*...............154 BD 42	Trava *UD*......................16 AM 5	Tre Camini *AP*...............99 AS 25	Trebbio *FC*...................81 AF 19	Trecroci *VV*................174 BG 51	Trenta Miglia *VT*........112 AI 30
Trana *TO*.......................47 F 13	Travacò Siccomario *PV*..51 P 13	Tre Cancelli *RM*...........129 AL 35	Trebbio *FI*....................86 AC 20	Tredozio *FC*................81 AF 19	Trentinara *SA*............152 AZ 41
Trani *BT*......................137 BH 36	Travagliato *BS*...............38 V 10	Tre Canne *PD*................56 AE 13	Trebbio *LU*...................85 X 20	Trefontane *GE*.............62 P 16	Trentino *MO*...............79 Z 18
Tranna *FR*...................131 AQ 33	Travaglini *CB*...............124 AY 33	Tre Carlini *VV*..............174 BG 51	Trebbio *MC*.................107 AN 25	Trefonti *GR*...............104 AE 26	Trento *RO*..................55 AD 14
Tranquillo *BS*................97 AK 23	Travaglini *CH*...............124 AW 30	Tre Case *MO*.................66 AB 14	Trebbio *MC*...................98 AP 24	Tregasio *MI*.................36 Q 9	Trento *TN*...................26 AB 7
Transacqua *BZ*..............12 Z 4	Travagliola *BL*...............28 AG 7	Tre Case *SI*.................104 AE 26	Trebbio *PO*...................86 AB 19	Treggiaia *PI*.................85 Z 22	Trentola *BO*................81 AF 17
Transacqua *TN*..............28 AF 6	Travagola *BL*.................28 AG 7	Tre Chiese *BZ*...............13 AE 4	Trebbio *PU*...................89 AK 20	Treggio *PG*.................106 AL 26	Trentola *FC*................81 AH 19
Tranzi *CE*....................140 AT 36	Travale *GR*...................93 AB 25		Trebbio *PU*...................89 AL 21	Treglia *CE*.................141 AU 36	Trentola-Ducenta *CE*...141 AU 38
Traona *SO*....................23 S 7			Trebbio *PV*...................51 P 14	Treglio *CH*.................117 AV 30	Trenzanesio *MI*...........37 R 11
Trapani *TP*...................182 AK 55					Trenzano *BS*................38 V 11

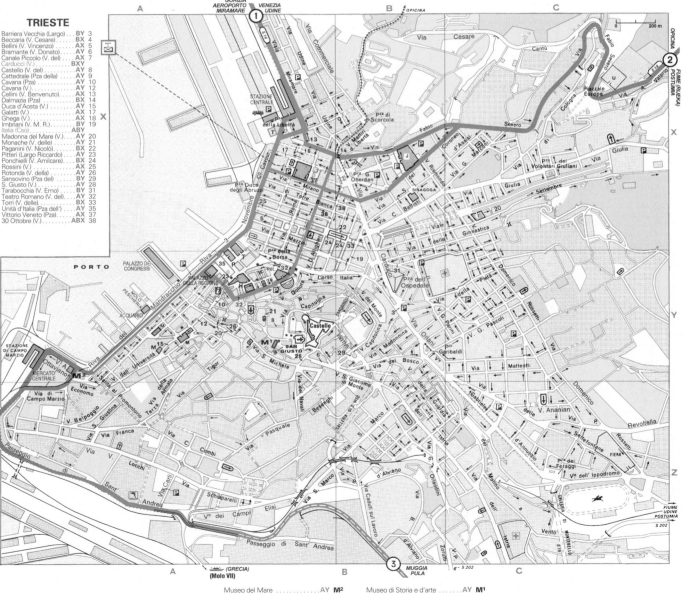

TRIESTE

Barriera Vecchia (Largo) . . BY 3
Beccaria (V. Cesare) . . . . . BX 4
Bellini (V. Vincenzo) . . . . . AX 5
Brannante (V. Donato) . . . . AX 6
Canale Piccolo (V. del) . . . AX 7
Carducci (V.) . . . . BXY
Castello (V. del) . . . . AY 8
Cattedrale (Pza della) . . . . AY 9
Cavana (Pza) . . . . AY 10
Cavana (V.) . . . . AY 12
Cellini (V. Benvenuto) . . . . AX 13
Dalmazia (Pza) . . . . BX 14
Duca d'Aosta (V.) . . . . . . AY 15
Galatti (V.) . . . . AX 17
Ghega (V.) . . . . AX 18
Imbriani (V. M. R.) . . . . . . BY 19
Italia (Cso) . . . . ABY
Madonna del Mare (V.) . . . AY 20
Monache (V. delle) . . . . . . AY 21
Paganini (V. Nicolò) . . . . . BX 22
Pitteri (Largo Riccardo) . . . AY 23
Ponchielli (V. Amilcare) . . . BX 24
Rossini (V.) . . . . AX 25
Rotonda (V. della) . . . . . . AX 26
Sansovino (Pza del) . . . . . BY 29
S. Giusto (V.) . . . . AY 28
Tarabocchia (V. Erno) . . . . BY 31
Teatro Romano (V. del) . . . AY 32
Torri (V. delle) . . . . BX 33
Unità d'Italia (Pza dell') . . AY 35
Vittorio Veneto (Pza) . . . . AX 37
30 Ottobre (V.) . . . . ABX 38

Museo del Mare . . . . AY M²   Museo di Storia e d'arte . . . . AY M¹

Treo *FR* ... 131 AR 33
Trepalade *VE* ... 43 AJ 10
Trepalle *SO* ... 10 W 4
Trepellice *TO* ... 59 G 15
Trepidò Soprano *KR* ... 171 BJ 48
Trepidò Sottano *KR* ... 171 BJ 48
Treponti *BS* ... 39 X 10
Treponti *PD* ... 41 AF 11
Treponti *PD* ... 56 AF 13
Treponti *PD* ... 57 AH 12
Treponti *RO* ... 56 AE 13
Treppanico *FR* ... 131 AQ 34
Treppio *PT* ... 80 AB 19
Treppo Carnico *UD* ... 16 AN 4
Treppo Grande *UD* ... 16 AN 6
Treppo Piccolo *UD* ... 16 AN 6
Trepuzzi *LE* ... 159 BR 41
Trequanda *SI* ... 95 AF 24
Trerio *RA* ... 81 AE 18
Tres *TN* ... 12 AB 6
Tresana *MS* ... 78 U 18
Tresanti *FI* ... 86 AB 22
Tresauro *RG* ... 204 AW 62
Treschè Conca *VI* ... 27 AD 8
Treschietto *MS* ... 78 V 17
Trescore Balneario *BG* ... 38 U 9
Trescore Cremasco *CR* ... 37 S 11
Tresenda *SO* ... 24 V 7
Tresigallo *FE* ... 68 AG 15
Tresilico *RC* ... 176 BE 54
Tresivio *SO* ... 24 U 6
Tresnico *BS* ... 39 Y 10
Tresnuraghes *OR* ... 212 M 42
Tresole *PU* ... 90 AM 20
Trespiano *FI* ... 86 AC 21
Tressanti *AV* ... 142 AZ 36
Tressanti *BN* ... 142 AX 37
Tressanti *FG* ... 135 BE 35
Tressi *TO* ... 33 F 10
Trestina *PG* ... 96 AI 23
Tret *TN* ... 12 AB 5
Treti *CS* ... 170 BG 48
Tretto *VI* ... 40 AD 9
Trevane *AR* ... 87 AE 22
Trevenzuolo *VR* ... 54 AA 12
Trevi *PG* ... 106 AL 26
Trevi *TR* ... 113 AL 28
Trevi nel Lazio *FR* ... 121 AO 32
Trevico *AV* ... 143 BA 37
Treviglio *BG* ... 37 S 10
Treviglio *PR* ... 65 W 17
Trevignano *PR* ... 78 W 17
Trevignano *TV* ... 42 AH 9
Trevignano Romano *RM* 119 AI 31
Treville *AL* ... 49 L 13
Treville *TV* ... 42 AG 10
Trevinano *VT* ... 105 AG 27
Trevine *PG* ... 96 AI 23
Treviolo *BG* ... 37 S 9
Trevisago *VA* ... 21 N 8
Treviso *TV* ... 42 AI 9
Treviso Bresciano *BS* ... 39 X 9
Trevozzo *PC* ... 51 R 14
Trezzano Rosa *MI* ... 37 R 10
Trezzano sul Naviglio *MI* .. 36 P 11
Trezzo *SP* ... 77 T 18
Trezzo sull'Adda *MI* ... 37 S 10
Trezzo Tinella *CN* ... 61 J 15
Trezzolano *VR* ... 40 AB 10
Trezzolasco *CR* ... 37 T 11
Triaca *PU* ... 90 AN 21
Triana *GR* ... 104 AE 27
Trianelli *BA* ... 136 BG 36
Triangia *SO* ... 24 U 6
Triasso *SO* ... 24 U 7
Tribano *PD* ... 56 AF 12
Tribbio *AN* ... 97 AM 23
Tribbio *MC* ... 98 AO 25
Tribbio *PG* ... 107 AM 26
Tribiano *MI* ... 37 R 11
Tribil di Sopra *UD* ... 31 AQ 7
Tribil Inf. *UD* ... 31 AQ 7
Tribola *FC* ... 82 AJ 19
Tribulina *BG* ... 37 T 9
Tricarico *MT* ... 154 BF 40
Tricase *LE* ... 161 BT 44
Tricase Porto *LE* ... 161 BT 44
Tricerro *VC* ... 49 K 12
Tricesimo *UD* ... 30 AO 7
Triches *BL* ... 28 AI 7
Trichiana *BL* ... 28 AH 7
Triei *OG* ... 219 S 43
Trieste *TS* ... 55 AR 10
Trifari *CS* ... 166 BE 46
Trifari Alto *CS* ... 166 BE 46
Triflisco *CE* ... 141 AU 37
Triggianello *BA* ... 147 BM 38
Triggiano *BA* ... 146 BK 37
Triginto *MI* ... 37 Q 11
Triglia Scaletta *TP* ... 190 AK 57
Trignano *MO* ... 79 AA 18
Trignano *TE* ... 115 AR 28
Trignete *IS* ... 132 AU 34
Trigolo *CR* ... 52 T 12
Trigoria Alta *RM* ... 128 AJ 33
Trimezzo *RI* ... 107 AN 28
Trimonti *AV* ... 142 AZ 36
Trina *PD* ... 55 AE 12
Trinità *BS* ... 38 W 10
Trinità *CN* ... 70 E 17
Trinità *CN* ... 71 F 18
Trinità *CN* ... 60 H 16
Trinità *RE* ... 65 X 16
Trinità *SA* ... 153 BC 41
Trinità *TE* ... 115 AR 28
Trinità *TO* ... 47 G 11
Trinità *TR* ... 105 AH 27
Trinità d'Agultu
e Vignola *OT* ... 209 O 38
Trinitapoli *BT* ... 136 BF 35
Trinkstein /
Fonte alla Roccia *BZ* ... 5 AH 1
Trino *VC* ... 49 K 12
Trinquelli *AN* ... 97 AM 23
Triolo *CS* ... 166 BE 46
Triora *IM* ... 72 H 20
Tripalle *PI* ... 92 Y 22
Triparni *VV* ... 174 BF 51
Tripi *ME* ... 188 AZ 55
Tripoli *LO* ... 51 S 12
Tripoli *PR* ... 65 X 15
Tripoli *VI* ... 41 AE 9
Tripomelingi *CZ* ... 175 BH 51
Triponzo *PG* ... 107 AM 27
Trippa Bella *BN* ... 133 AW 36
Trischiamps *UD* ... 16 AM 5
Triscina *TP* ... 191 AL 58
Triscioli *CS* ... 167 BF 47
Trisobbio *AL* ... 62 M 16
Trisogli *AL* ... 49 M 14
Trissino *VI* ... 41 AD 10
Trisungo *AP* ... 108 AO 27
Tritanti *RC* ... 176 BF 53
Trito *BA* ... 147 BN 39
Tritoni *TP* ... 182 AJ 56
Triuggio *MB* ... 36 Q 10
Triulza *LO* ... 52 T 13
Triulzo *MI* ... 36 Q 11
Trivellano *MN* ... 54 AA 14
Trivellini *BS* ... 39 X 11
Trivento *CB* ... 124 AW 33
Trivero *BI* ... 34 J 9
Trivero *BI* ... 34 J 10
Triviat *PN* ... 16 AM 6
Triviglano *FR* ... 130 AO 33
Trivignano *VE* ... 42 AI 10
Trivignano Udinese *UD* ... 31 AP 8
Trivigno *PZ* ... 154 BE 40
Trivigno *SO* ... 24 W 6
Trivio *AN* ... 97 AN 23
Trivio *AP* ... 108 AR 26
Trivio *LT* ... 139 AQ 36
Trivio *NA* ... 151 AW 38
Trivio *PG* ... 107 AM 28
Trivolischi *CE* ... 141 AU 36
Trivolzio *PV* ... 51 P 12
Trizzino *RC* ... 178 BD 55
Trobaso *VB* ... 21 M 8
Trobiolo *BS* ... 39 Y 10
Trochey *AO* ... 19 H 9
Trodena / Truden *BZ* ... 13 AD 6
Trodica *MC* ... 99 AQ 24
Trofarello *TO* ... 48 H 14
Trognano *PG* ... 107 AN 28
Trognano *PV* ... 51 Q 12
Trogoni *BO* ... 80 AA 19
Troia *FG* ... 134 BA 35
Troiani *AV* ... 142 AY 38
Troiano *CH* ... 116 AU 29
Troiano *TE* ... 116 AR 28
Troilo *IS* ... 123 AV 33
Troina *EN* ... 187 AW 57
Trombone *PG* ... 97 AM 24
Tromello *PV* ... 50 O 12
Tronca *KR* ... 173 BL 48
Tronca di Strongoli *KR* ... 173 BL 48
Troncea *TO* ... 58 C 14
Tronchetti *AN* ... 97 AM 23
Trontano *VB* ... 7 L 7
Tronzano *AP* ... 108 AQ 26
Tronzano Lago Maggiore *VA* .22 N 7
Tronzano Vercellese *VC* ... 49 K 11
Tropea *VV* ... 176 BE 51
Troppola *PG* ... 97 AK 23
Troscia *PG* ... 106 AJ 26
Trossieri *TO* ... 47 D 14
Trovasta *IM* ... 72 I 19
Troviggiano *MC* ... 98 AO 23
Trovo *PV* ... 50 P 12
Truc di Miola *TO* ... 47 G 12
Truccazzano *MI* ... 37 R 11
Trucchi *CN* ... 71 G 17
Trucco *CN* ... 59 F 16
Trucco *IM* ... 72 G 20
Trucco *TO* ... 47 E 13
Trudda *OT* ... 211 S 38
Truden / Trodena *BZ* ... 13 AD 6
Truglio *CS* ... 166 BE 45
Truglione *TA* ... 157 BN 42
Trugnano *SA* ... 151 AW 39
Truia *UD* ... 15 AL 4
Trullo *RM* ... 119 AJ 31
Trunconi *SS* ... 209 M 39
Truncu Reale *SS* ... 208 L 39
Trune *CN* ... 70 E 18
Truscera *PZ* ... 164 BF 44
Trussan *TO* ... 47 D 14
Truvio Pagliarella *KR* ... 173 BL 48
Tschenels / Cengles *BZ* .. 11 Y 4
Tù *BS* ... 11 X 6
Tualis *UD* ... 16 AM 4
Tubbiano *LU* ... 85 Y 20
Tubione *AQ* ... 121 AO 31
Tubre / Taufers *BZ* ... 11 X 4
Tucci *PT* ... 86 AA 20
Tuenno *TN* ... 12 AB 6
Tuerra *CA* ... 223 S 47
Tuerra li *CA* ... 223 S 47
Tufano *FR* ... 130 AO 33
Tufano *NA* ... 151 AV 39
Tufara *BN* ... 142 AX 37
Tufara *CB* ... 133 AY 35
Tufello *RM* ... 119 AK 32
Tuffarelli *RC* ... 177 BH 53
Tuffo *AT* ... 49 J 13
Tufillo *CH* ... 124 AW 32
Tufino *NA* ... 141 AW 38
Tufo *AP* ... 107 AO 27
Tufo *AQ* ... 121 AN 31
Tufo *AV* ... 142 AX 37
Tufo *BN* ... 142 AY 37
Tufo *LT* ... 139 AR 36
Tufo Alto *AQ* ... 120 AN 31
Tuglie *LE* ... 160 BR 43
Tuili *VS* ... 221 O 45
Tula *SS* ... 209 O 39
Tulliano *AR* ... 87 AF 22
Tulve *BZ* ... 4 AD 2
Tumbarino *SS* ... 208 K 37
Tuna *PC* ... 52 S 14
Tunes / Thuins *BZ* ... 3 AD 2
Tungoni *SS* ... 209 O 38
Tuninetti *TO* ... 60 H 14
Tuomaz *UD* ... 17 AQ 6
Tuori *AR* ... 95 AF 23
Tuori-punzoli *CE* ... 131 AS 35
Tuorlo *SI* ... 94 AD 24
Tuoro *AV* ... 142 AX 37
Tuoro *CE* ... 131 AT 36
Tuoro *CE* ... 140 AT 36
Tuoro *CE* ... 140 AT 36
Tuoro *CE* ... 141 AV 37
Tuoro Podesti *CE* ... 140 AS 36
Tuoro sul Trasimeno *PG* ... 95 AH 24
Tuorofunaro *CE* ... 132 AT 36
Turago Bordone *PV* ... 51 Q 12
Turania *RI* ... 120 AN 31
Turano *MS* ... 84 V 19
Turano *MS* ... 78 W 18
Turano Lodigiano *LO* ... 52 S 12
Turas *OR* ... 212 L 42
Turate *CO* ... 36 P 10
Turbigo *MI* ... 35 N 10
Turchetti *VR* ... 54 Z 12
Turchetto *LU* ... 85 Y 21
Turchia *AP* ... 99 AR 25
Turchio *PZ* ... 163 BD 43
Turcio *VI* ... 27 AE 8
Turco *AV* ... 143 AZ 37
Tures / Taufers *BZ* ... 5 AG 2
Turi *BA* ... 147 BL 38
Turicchi *FI* ... 87 AE 20
Turlago *MS* ... 78 V 18
Turlin *AO* ... 33 E 9
Turner *SA* ... 151 AW 39
Turpino *AL* ... 61 L 16
Turra *PD* ... 56 AF 12
Turra *VI* ... 41 AE 9
Turrati *CZ* ... 175 BI 51
Turri *CH* ... 117 AU 30
Turri *VS* ... 221 O 45
Turri Piano *SO* ... 11 X 5
Turriaco *GO* ... 31 AP 9
Turrida *UD* ... 30 AM 7
Turrita *OT* ... 211 S 38
Turrita *PG* ... 106 AK 26
Turritecava *LU* ... 85 X 19
Turriti *CZ* ... 175 BI 51
Turrito *FC* ... 88 AH 20
Turrivalignani *PE* ... 116 AT 30
Turro *PC* ... 52 T 14
Turro *VA* ... 21 M 8
Tursi *MT* ... 165 BH 42
Tusa *ME* ... 186 AU 56
Tuscania *VT* ... 112 AG 29
Tussillo *AQ* ... 115 AQ 30
Tussio *AQ* ... 115 AQ 30
Tutino *LE* ... 161 BT 44
Tuturano *BR* ... 149 BQ 40

UDINE

Bartolini (Riva) ... AY 3
Calzolai (V.) ... BZ 4
Carducci (V.) ... BZ 5
Cavedalis (Piazzale G. B.) ... AY 6
Cavour (V.) ... AY 7
D'Annunzio (Piazzale) ... BZ 8
Diacono (Piazzale Paolo) ... AY 9
Gelso (V. del) ... AZ 12
Leopardi (Viale G.) ... BZ 13
Libertà (Pza della) ... AY 14
Manin (V.) ... BY 16
Marconi (Pza) ... AY 17
Matteotti (Pza) ... AY 18
Mercato Vecchio (V.) ... AY 19
Patriarcato (Pza) ... BY 20
Piave (V.) ... BYZ 21
Rialto (V.) ... AY 22
Vittorio Veneto (V.) ... BY 23
26 Luglio (Piazzale) ... AZ 24

Duomo ... BY **B** Palazzo Arcivescovile ... BY **A**

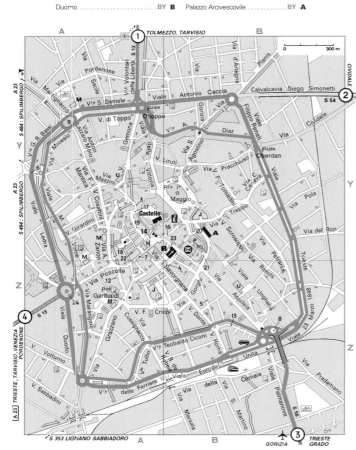

URBINO

Barocci (V.) ... 2
Comandino (Viale) ... 4
Don Minzoni (Viale) ... 5
Duca Federico (Pza) ... 6
Giro dei Debitori (V.) ... 8
Matteotti (V.) ... 10
Mazzini (V.) ... 12
Mercatale (Borgo) ... 13
Piave (V.) ... 16
Puccinotti (V.) ... 17
Raffaello (V.) ... 19
Repubblica (Pza della) ... 20
Rinascimento (Pza) ... 22
Stazione (V. della) ... 28
S. Chiara (V.) ... 23
S. Francesco (Pza) ... 24
S. Girolamo (V.) ... 25
Virgili (V.) ... 29
Vitt. Veneto (V.) ... 30

Casa di Raffaello ... **A**
Chiesa di San Giuseppe ... **B**
Chiesa-oratorio di San Giovanni Battista ... **F**
Galleria Nazionale delle Marche ... **M**

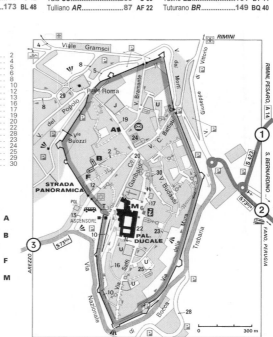

A B C D E F G H I J K L M N O P Q R S T U V W X Y Z

U

Ubaga *IM*............73 I 19
Uberverschach /
  Versciaco di Sotto *BZ*....5 AJ 3
Ubiale *BG*............37 S 9
Uboldo *VA*............36 P 10
Uccea *UD*............17 AP 6
Uccellatoio *FI*............86 AC 20
Ucerano *AR*............94 AE 23
Ucria *ME*............188 AY 55
Udine *UD*............30 AO 7
Uffogliano *PU*............88 AI 20
Ugento *LE*............160 BR 44
Uggiano La Chiesa *LE*...161 BT 43
Uggiano Montefusco *TA*.158 BO 41
Uggiate Trevano *CO*............22 O 9
Ugliancaldo *MS*............78 W 18
Ugliano *MC*............98 AN 24
Ugovizza *UD*............17 AP 4
Ugozzolo *PR*............65 X 15
Ugrigno *PU*............88 AI 20
Ulà Tirso *OR*............217 O 43
Ulassai *OG*............219 R 45
Ulfas *BZ*............3 AC 3
Ulignano *PI*............93 AA 23
Ulignano *SI*............93 AB 22
Uliveto Terme *PI*............85 Y 21
Ulmi *TP*............183 AL 56
Ultimo *BZ*............2 Y 3
Umbertide *PG*............96 AI 24
Umbri *CZ*............171 BI 50
Umbriano *AN*............91 AQ 22
Umbriatico *KR*............169 BK 47
Umbro *VV*............177 BG 52
Umens *AO*............33 H 9
Umes / Ums *BZ*............13 AE 4
Umin *BL*............28 AG 7
Umito *AP*............108 AP 27
Ummari *TP*............183 AL 56
Ums / Umes *BZ*............13 AE 4
Unchio *VB*............21 M 8
Uncinano *PG*............106 AK 27
Underplenken /
  Planca di Sotto *BZ*....5 AI 3
Ungiasca *VB*............21 M 8
Unserfrau in Schnals /
  Madonna di Senales *BZ*.2 AA 3
Unterfennberg /
  Favogna di Sotto *BZ*..12 AC 6
Untermol / Antermoia *BZ*...4 AG 3
Uomomorto *CB*............124 AW 33
Uopini *SI*............94 AC 23
Upega *CN*............72 H 19
Uppiano *PG*............96 AI 23
Urago *BS*............38 W 10
Urago d'Oglio *BS*............38 U 10
Uras *OR*............221 N 45
Urbana *PD*............55 AD 12
Urbania *PU*............89 AK 21
Urbe *SV*............62 M 17
Urbiano *RA*............82 AG 18
Urbignacco *UD*............16 AN 6
Urbino *PU*............89 AK 21
Urbisaglia *MC*............98 AP 24
Urgnano *BG*............37 T 10
Uri *SS*............212 L 40
Uria *CZ*............175 BJ 50
Urio *CO*............22 P 8
Urmo *TA*............158 BP 42
Ursini *RC*............177 BH 53
Ursinis *UD*............16 AN 6
Ururi *CB*............125 AZ 33
Urzano *PR*............65 W 16
Urzulei *OG*............219 S 43
Usago *PN*............16 AM 6
Usai *SS*............208 L 39
Uscerno *AP*............108 AP 26
Uscio *GE*............76 P 17
Usella *PO*............86 AB 20
Uselle *PG*............88 AI 22
Usellus *OR*............217 O 45
Userna *PG*............96 AI 23
Usi *GR*............104 AD 27
Usigliano *PI*............92 Y 22
Usigni *PG*............107 AM 27
Usini *SS*............213 M 40
Usmate Velate *MB*............37 R 10
Ussana *CA*............221 P 47
Ussaramanna *VS*............221 O 45
Ussassai *OG*............218 R 45
Usseaux *TO*............46 D 13
Usseglio *TO*............47 E 12
Ussel *AO*............33 G 9
Ussin *AO*............19 G 8
Ussolo *CN*............58 D 17
Ustica *PA*............185 AO 51

Usurana *SP*............77 T 18
Uta *CA*............226 O 48
Utile *BN*............142 AX 36
Uttenholm / Villa Ottone *BZ*....5 AG 2
Uzza *SO*............11 X 5
Uzzano *FI*............87 AE 20
Uzzano *FI*............86 AC 22
Uzzano *PT*............85 Z 20
Uzzi *CE*............132 AV 36

V

Va *AL*............50 M 13
Vaccara *PG*............97 AL 24
Vaccara *RO*............55 AD 13
Vaccara *VI*............41 AE 9
Vaccareccia *FR*............131 AR 34
Vaccareccia *MS*............78 V 18
Vaccareccia *RI*............114 AM 30
Vaccareccia Scanna
  Turco *MT*............156 BJ 42
Vaccarezza *GE*............62 P 16
Vaccarezza *PC*............63 R 15
Vaccarile *AN*............90 AN 22
Vaccarno *PD*............41 AF 10
Vaccariti *CZ*............171 BI 50
Vaccarizza *PV*............51 Q 13
Vaccarizzo *CS*............97 AL 24
Vaccarizzo Albanese *CS*..168 BH 46
Vaccarizzo Delfino *CT*....203 AZ 59
Vaccarizzotto *PA*............192 AO 57
Vaccarolo *BS*............39 Y 11
Vacchereccia *AR*............94 AD 22
Vacchereccia *PT*............85 Z 20
Vaccheria *CE*............141 AU 37
Vacci *TO*............59 F 15
Vacciago *NO*............35 L 9
Vaccileddi *OT*............211 S 38
Vaccolino *FE*............69 AI 15
Vachery *AR*............18 E 9
Vaciglio *MO*............66 AA 16
Vacil *TV*............42 AI 9
Vacile *PN*............30 AM 7
Vacone *RI*............113 AK 29
Vacri *CH*............116 AU 30
Vada *LI*............92 X 23
Vadaione *TN*............26 Z 7
Vadarengo *AL*............49 K 13
Vadena / Pfatten *BZ*............13 AD 4
Vadi *CS*............170 BF 49
Vaditari *CS*............166 BF 46
Vado *AN*............97 AM 23
Vado *BO*............80 AC 18
Vado *LU*............84 W 20
Vado *VE*............30 AM 9
Vado Amaseno *FR*............130 AP 33
Vado di Vaglia *FR*............131 AR 35
Vado Ligure *SV*............75 L 18
Vado Lucoli *AQ*............115 AP 30
Vado Oscuro *FR*............121 AN 33
Vadorotto *LT*............130 AO 35
Vadossi *SI*............104 AD 25
Vadue *CS*............170 BG 48
Vadun *AO*............32 D 9
Vaestano *PR*............78 W 17
Vaggi *MS*............77 U 18
Vaggimal *VR*............40 AA 10
Vaggio *FI*............87 AE 22
Vagli *AP*............99 AQ 24
Vagli *TR*............106 AJ 27
Vagli Sopra *LU*............78 W 19
Vagli Sotto *LU*............78 W 19
Vaglia *FI*............86 AC 20
Vagliagli *SI*............94 AD 23
Vaglie *MO*............79 Z 18
Vaglie *PG*............106 AL 27
Vaglie *RE*............78 W 18
Vaglierano *AT*............61 J 14
Vaglierano Basso *AT*............61 J 14
Vaglio *BS*............39 Y 11
Vaglio Basilicata *PZ*............154 BE 39
Vaglio Serra *AT*............61 L 15
Vagliole *MC*............97 AM 24
Vagliumina *BI*............34 I 10
Vagna *VB*............7 K 7
Vago *VR*............40 AB 11
Vaiano *CS*............167 BH 46
Vaiano *LO*............37 R 11
Vaiano *PG*............105 AH 25
Vaiano *PO*............86 AB 20
Vaiano *VT*............112 AI 28
Vaiano Cremasco *CR*............52 S 11
Vaie *PC*............51 R 14
Vaie *TO*............47 E 13

Vailate *CR*............37 S 11
Vaio *PC*............64 S 15
Vairano *CR*............37 T 11
Vairano *PV*............51 Q 12
Vairano Patenora *CE*............132 AT 36
Vairano Scalo *CE*............132 AT 36
Vairo *PR*............78 W 17
Vajont *PN*............29 AL 7
Val *BL*............14 AG 5
Val *UD*............16 AM 5
Val d'Asso *SI*............95 AE 24
Val della Meda *FI*............81 AE 19
Val della Meta *AR*............88 AG 21
Val di Lago *VT*............105 AG 28
Val di Luce *PT*............79 Y 19
Val di Mezzo *VR*............55 AD 12
Val di Mezzo / Mittertal *BZ*...3 AD 2
Val di Pugna *SI*............94 AD 24
Val di Rosa *PG*............96 AI 24
Val di Rua *VR*............55 AC 13
Val di Tenna *AP*............108 AP 25
Val Fegana *LU*............85 Y 19
Val Piana *TN*............28 AG 7
Val Sant'Angelo *MC*............107 AM 25
Val Tenna *AP*............99 AR 24
Valagnesi *AR*............87 AF 21
Valanidi *RC*............178 BD 55
Valanziera *FR*............131 AR 33
Valas *BZ*............13 AC 4
Valazzana *MS*............78 V 18
Valbembro *BG*............37 S 9
Valbiano *FC*............88 AH 20
Valbione *BS*............11 Y 6
Valbiore *SO*............9 S 6
Valbona *BS*............38 W 11
Valbona *LU*............79 X 18
Valbona *PD*............56 AE 12
Valbona *PR*............64 U 16
Valbona *RE*............78 W 17
Valbona *VR*............55 AC 12
Valbondione *BG*............24 V 7
Valbruna *UD*............17 AP 5
Valbuono *PG*............88 AI 22
Valbusa *VR*............40 AB 10
Valcaldara *MC*............107 AM 25
Valcaldara *PG*............107 AM 27
Valcanale *BG*............24 U 8
Valcanneto *RM*............119 AH 32
Valcarecce *MC*............98 AO 23
Valcarene *LI*............100 W 27
Valcasotto *CN*............74 I 18
Valcava *LC*............37 S 9
Valcava *TN*............27 AC 6
Valcerera *VE*............57 AI 13
Valcesura *FE*............68 AG 15
Valchiusella *TO*............33 H 10
Valcieca *PR*............78 W 17
Valcimarra *MC*............98 AO 25
Valcinante *AP*............98 AP 26
Valconasso *PC*............52 T 14
Valcora *MC*............97 AM 24
Valda *TN*............26 AC 6
Valdagno *VI*............40 AC 10
Valdamonte *PV*............51 Q 14
Valdaora di Mezzo *BZ*............5 AH 3
Valdaora di Sopra /
  Ober Olang *BZ*............5 AH 3
Valdaora di Sotto /
  Niederolang *BZ*............5 AH 3
Valdara *PU*............96 AK 22
Valdarca *PU*............89 AL 22
Valdarena *PG*............106 AL 27
Valdarmella *CN*............71 I 18
Valdazze *AR*............88 AH 21
Valdena *PR*............77 T 17
Valdenogher *BL*............29 AJ 7
Valderice *TP*............182 AK 55
Valdestoli *PN*............15 AL 6
Valdevarri *AQ*............121 AO 31
Valdibrana *PT*............86 AA 20
Valdicastello *LU*............84 W 20
Valdiccioli *PT*............81 AD 19
Valdichiesa *AT*............48 I 14
Valdichiesa *ME*............181 AX 52
Valdidentro *SO*............11 W 5
Valdieri *CN*............70 F 18
Valdimolino *VI*............41 AD 10
Valdimonte *PG*............88 AJ 22
Valdina *ME*............189 BB 54
Valdinferno *CN*............74 I 18
Valdinoce *FC*............82 AH 19
Valdiola *MC*............98 AN 24
Valdipino *SP*............77 T 19
Valdiporro *VR*............40 AB 10
Valditacca *PR*............78 V 17
Valditermine *MS*............77 T 17

Valdivilla *CN*............61 K 15
Valdo *VB*............7 L 5
Valdobbiadene *TV*............28 AG 8
Valdolenga *AL*............50 M 13
Valdolmo *AN*............97 AL 23
Valdone *CN*............60 I 15
Valdoneghe *VR*............39 Z 10
Valdonica *AN*............90 AN 22
Valdonica *PG*............107 AN 27
Valdonica *SP*............77 U 18
Valdorbia *PG*............97 AL 23
Valdoria *ME*............188 AY 55
Valdottavo *LU*............85 X 20
Valduga *TN*............26 AB 8
Valduggia *VC*............35 K 9
Valdugliano II *AV*............143 AZ 37
Valdurna / Durnholz *BZ*............4 AD 3
Valeggio *PV*............50 O 13
Valeggio sul Mincio *VR*............54 Z 11
Valenta *PT*............85 AA 20
Valentano *VT*............111 AF 28
Valente *BA*............146 BI 37
Valentino *CN*............60 I 15
Valentino *TO*............49 J 13
Valentins *PN*............16 AM 6
Valenza *AL*............50 M 13
Valenzani *AT*............61 K 14
Valenzano *AT*............88 AG 22
Valenzano *AR*............88 AI 21
Valenzano *BA*............108 AQ 26
Valenzano *BA*............146 BK 37
Valera *MI*............36 P 10
Valera *PR*............65 W 15
Valera Fratta *LO*............51 Q 12
Valeriano *PN*............30 AM 6
Valeriano *SP*............77 U 19
Valesana *VR*............39 Z 10
Valfabbrica *PG*............97 AK 25
Valfenera *AT*............60 I 14
Valfonda *VR*............40 AC 11
Valfrancesca *FR*............131 AQ 33
Valgatara *VR*............40 AA 10
Valgiano *LU*............85 Y 20
Valgioie *TO*............47 F 13
Valgoda *VI*............27 AF 8
Valgoglio *BG*............24 U 8
Valgrana *CN*............70 F 17
Valgrande *BL*............15 AJ 4
Valgreghentino *LC*............37 R 9
Valgrisenche *AO*............32 D 10
Valguarnera *EN*............194 AV 59
Valguarnera *PA*............183 AN 55
Valiano *SI*............95 AG 25
Valiera *RO*............56 AE 14
Valitosa *AN*............97 AL 23
Valla *AL*............61 L 16
Vallà *TV*............42 AG 9
Vallaccia *BZ*............12 AA 5
Vallada *BL*............14 AG 5

Vallalta *BL*............14 AG 6
Vallalta *MO*............54 AB 14
Vall'Alta *BG*............38 T 9
Vallancazza *ME*............188 AZ 55
Vallanza *MC*............107 AN 26
Vallanzengo *BI*............34 J 10
Vallare *AL*............49 L 13
Vallaspra *CH*............123 AV 31
Vallasciano *AP*............99 AR 24
Vallata *AV*............143 BA 37
Vallato *MC*............107 AO 25
Vallauria *PZ*............153 BC 40
Vallazza *NO*............35 M 10
Vallazza *PD*............56 AF 13
Valle *AV*............142 AW 37
Valle *BS*............25 X 7
Valle *IS*............132 AT 34
Valle *MS*............78 U 17
Valle *PN*............29 AK 8
Valle *UD*............16 AN 5
Valle *UD*............30 AO 7
Valle *UD*............17 AP 7
Valle Agricola *CE*............132 AU 35
Valle Amaseno *FR*............130 AP 33
Valle Avellana *PU*............89 AK 21
Valle Baroni *PE*............116 AS 30
Valle Benedetta *LI*............92 X 22
Valle Bianca *AP*............108 AQ 26
Valle Canzano *TE*............109 AR 28
Valle Caruso *CS*............167 BF 46
Valle Castellana *TE*............108 AQ 27
Valle Cecchina *AP*............108 AR 26
Valle Ceppi *TO*............48 H 13
Valle Clavia *FG*............127 BF 32
Valle Cupa *TE*............108 AQ 28
Valle d' Ocre *AQ*............115 AP 30
Valle Dame *AR*............96 AH 24
Valle dei Pelati *PU*............89 AM 20
Valle del Gelso *CS*............167 BG 45
Valle del Pozzo *PU*............90 AN 21
Valle del Sole *CH*............123 AU 32
Valle dell'Angelo *SA*............153 BB 41
Valle dell'Orco *CS*............166 BD 45
Valle di Cadore *BL*............15 AJ 5
Valle di Chiascio *PG*............97 AK 24
Valle di Gerola *SO*............23 S 7
Valle di Lifo *PZ*............154 BE 39
Valle di Maddaloni *CE*............141 AT 37
Valle di Paola *CS*............167 BG 45
Valle di Raio *SA*............153 BA 39
Valle di Sopra *CN*............60 H 15
Valle di Sopra *VI*............27 AE 9
Valle di Suio *LT*............139 AS 36
Valle di Teva *PU*............89 AJ 20
Valle Dorizzo *BS*............25 X 8
Valle Erica *OT*............207 Q 36
Valle Fiorana *AP*............108 AQ 26

Valle Frassino *SA*............163 BC 42
Valle Granara *FR*............121 AP 32
Valle Grazietti *PE*............116 AS 30
Valle La Posta *RM*............119 AJ 31
Valle Lomellina *PV*............50 N 13
Valle Maggiore *GR*............103 AB 27
Valle Magnone *PU*............89 AJ 20
Valle Marina *LT*............138 AO 35
Valle Martella *RM*............120 AL 32
Valle Mosso *BI*............34 J 10
Valle Olona *VA*............22 O 9
Valle Orsara *AP*............108 AO 27
Valle Pera *RM*............120 AM 33
Valle Petrina *PG*............96 AI 23
Valle Rosa *RI*............113 AK 30
Valle S. Martino *PG*............113 AL 28
Valle Sala *CS*............167 BF 46
Valle Salimbene *PV*............51 Q 12
Valle San Bartolomeo *AL*............50 N 14
Valle San Floriano *VI*............27 AE 9
Valle San Giorgio *PD*............56 AF 12
Valle San Giovanni *TE*............108 AQ 28
Valle San Martino *MN*............54 AA 14
Valle San Nicolao *BI*............34 J 10
Valle S. Silvestro/Wehlen *BZ*..5 AI 3
Valle Santa *RM*............119 AJ 32
Valle Sant'Innocenzo *AL*............62 O 14
Valle Sole *RM*............119 AJ 31
Valle Soprana *TE*............108 AQ 28
Valle Vecchia *CS*............167 BG 46
Valle Vegenana *MC*............98 AN 24
Valle Yoro *RM*............119 AK 31
Valleandona *AT*............61 J 14
Vallebona *IM*............72 G 21
Vallebona *VT*............112 AI 28
Vallebuona *GE*............76 P 17
Vallebuono *RI*............120 AM 31
Vallecalda *AR*............88 AH 22
Vallecalda *GE*............62 O 16
Vallecalda *GE*............62 O 16
Vallecanto *MC*............107 AO 25
Vallecchia *LU*............84 W 20
Vallecchie *FR*............130 AP 35
Vallecchio *FI*............86 AB 22
Vallecchio *RN*............89 AK 20
Vallecentanni *SA*............152 AZ 41
Vallecorsa *FR*............130 AP 35
Vallecrosia *IM*............72 G 21
Vallecrosia Alta *IM*............72 G 21
Vallecupa *AQ*............115 AQ 30
Vallecupa *CH*............123 AV 31
Vallecupa *IS*............131 AT 35
Vallecupola *RI*............114 AN 30
Valledolmo *PA*............193 AR 57
Vallefiorita *CZ*............175 BH 51
Vallefratta *FR*............130 AP 34

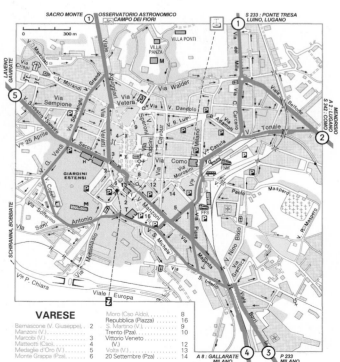

VARESE

Bernascone (V. Giuseppe)........2
Manzoni (V.)........3
Marcobi (V.)........3
Matteotti (Cso)........4
Medaglie d'Oro (V.)........5
Monte Grappa (Pzal.)........6
Moro (Cso Aldo)........8
Repubblica (Piazza)........16
S. Martino (V.)........9
Trento (Pzal.)........10
Vittorio Veneto (V.)........12
Volta (V.)........13
20 Settembre (Pza)........14

Vallefredda *FR* .... 131 AQ 33
Vallefredda *FR* .... 131 AQ 33
Vallefusella *AP* .... 108 AP 27
Valleggia *SV* .... 75 L 18
Vallegianno *CS* .... 171 BG 48
Vallegioliti *AL* .... 49 J 13
Vallegrande *FR* .... 131 AS 34
Vallegrascia *AP* .... 108 AO 26
Vallegrini *SA* .... 152 AZ 40
Vallelaposta *CS* .... 171 BH 49
Vallelarga *AQ* .... 122 AS 31
Vallelata Nord *LT* .... 129 AK 34
Vallelonga *VV* .... 174 BG 52
Valleluce *FR* .... 131 AS 34
Vallelunga *CE* .... 132 AU 35
Vallelunga
Pratameno *CL* .... 193 AR 57
Vallemaio *FR* .... 131 AR 35
Vallemania *AN* .... 97 AM 23
Vallemara *GE* .... 62 P 16
Vallemare *PE* .... 116 AT 29
Vallemare *RI* .... 114 AN 29
Vallemartina *FR* .... 130 AP 35
Vallemeta *AQ* .... 122 AR 32
Vallemicero *TR* .... 113 AK 28
Vallemontagnana *AN* .... 97 AM 23
Vallemontana *FR* .... 131 AR 35
Vallemontana *UD* .... 16 AO 6
Vallene *VR* .... 40 AA 10
Vallenoncello *PN* .... 29 AK 8
Vallenquina *TE* .... 108 AQ 27
Vallenzona *GE* .... 63 P 16
Vallepiana *GE* .... 77 R 17
Vallepietra *RM* .... 121 AO 32
Vallera *PC* .... 52 S 13
Valleranello *RM* .... 128 AJ 33
Vallerano *PR* .... 65 W 16
Vallerano *RM* .... 120 AM 32
Vallerano *SI* .... 94 AC 25
Vallerano *VT* .... 112 AI 29
Vallerea *PU* .... 90 AM 22
Valleregia Chiesa *GE* .... 62 O 16
Valleremita *AN* .... 97 AM 24
Vallericciardi Sup. *CZ* .... 170 BG 49
Vallermosa *CA* .... 221 N 47
Vallerona *GR* .... 104 AD 27
Vallerotonda *FR* .... 131 AS 34
Vallery *AO* .... 33 G 9
Valles / Vals *BZ* .... 4 AE 2
Vallesaccarda *AV* .... 143 BA 37
Vallese *VR* .... 55 AB 12
Vallesella *BL* .... 15 AJ 5
Vallesina *BZ* .... 12 AC 4
Vallesina di Sopra *BL* .... 14 AI 5
Vallestrema *VR* .... 55 AD 13
Vallestretta *MC* .... 107 AN 26
Valletta *BZ* .... 4 AF 3
Vallettaz *AO* .... 19 E 9
Valleve *BG* .... 24 T 7
Valleverde Stipes *RI* .... 114 AM 30
Vallevignale *TE* .... 109 AS 27
Valli *FR* .... 131 AR 35
Valli del Pasubio *VI* .... 40 AC 9
Valli di Sopra *PU* .... 89 AL 21
Valli Mocenighe *PD* .... 55 AE 13
Vallibbia *MC* .... 97 AM 24
Vallicchio *MC* .... 98 AN 25
Vallice *RO* .... 56 AE 14
Vallicella *AP* .... 108 AP 26
Vallicella *RO* .... 55 AD 14
Vallicelle *PG* .... 105 AI 26
Vallicelli *AV* .... 143 AZ 38
Vallico *LU* .... 85 X 19
Vallico di Sotto *LU* .... 85 X 19
Valliera *PD* .... 41 AF 10
Valliera *RO* .... 56 AH 13
Valliera *RO* .... 57 AI 13
Vallina *AN* .... 97 AL 23
Vallina *FI* .... 87 AD 21
Vallinfante *MC* .... 107 AO 26
Vallinfreda *RM* .... 120 AM 31
Vallini I *CS* .... 165 BH 44
Vallio *TV* .... 43 AJ 10
Vallio Terme *BS* .... 39 X 10
Valliola *RI* .... 114 AM 28
Vallisnera *RE* .... 78 W 17
Vallo *PD* .... 41 AG 9
Vallo *TO* .... 48 I 12
Vallo della Lucania *SA* .... 162 BA 42
Vallo di Nera *PG* .... 107 AM 27
Vallo Marino *CS* .... 167 BF 45
Vallo Scalo *SA* .... 162 AZ 42
Vallo Torinese *TO* .... 47 F 12
Vallocchia *PG* .... 106 AL 27
Vallocchia Tesima *FR* .... 131 AS 34
Vallolunga *CT* .... 197 AY 58
Vallombrosa *FI* .... 87 AE 21
Vallommari *FR* .... 131 AR 35
Vallonara *VI* .... 27 AE 9
Vallone *AN* .... 90 AO 21
Vallone *CN* .... 58 D 17
Vallone *RO* .... 56 AF 14
Vallone *SV* .... 73 J 19
Vallone Rosso *CT* .... 195 AY 57
Vallone/ Pflung *BZ* .... 5 AH 3
Vallonga *PD* .... 56 AH 12
Vallonga *TN* .... 13 AE 5
Vallonga *TV* .... 28 AI 8
Vallongo *TO* .... 60 H 14
Valloni *CB* .... 132 AV 34
Valloni *CH* .... 124 AV 32
Valloni *IS* .... 132 AT 34
Valloni *IS* .... 132 AT 34
Valloni *TE* .... 108 AQ 27
Vallonsecco *SA* .... 163 BD 42
Vallonto *TV* .... 29 AJ 8
Vallorano *AP* .... 108 AQ 26
Vallorch *TV* .... 29 AJ 7
Valloria *IM* .... 72 I 20
Valloria *LO* .... 52 S 13
Vallortigara *VI* .... 40 AC 9
Valloscura *AP* .... 99 AR 24
Vallucciole *AR* .... 87 AF 20
Vallumida *AT* .... 61 K 15
Vallunga *AR* .... 88 AI 21
Vallunga *RI* .... 114 AN 28
Vallunga *VI* .... 41 AD 10
Vallurbana *PG* .... 96 AI 22
Valmacca *AL* .... 50 M 13
Valmadonna *AL* .... 50 M 14
Valmadrera *LC* .... 23 R 8
Valmaggia *VC* .... 34 K 9
Valmaggiore *AT* .... 60 I 14
Valmaggiore *BG* .... 24 U 9
Valmala *CN* .... 59 F 16
Valmala *VR* .... 54 AA 12
Valmarana *VI* .... 41 AD 10
Valmareno *TV* .... 28 AH 8
Valmazzone *BS* .... 25 X 6
Valmesta *TN* .... 14 AF 6
Valmigna *BZ* .... 3 AD 2
Valmiletta *MT* .... 154 BF 41
Valmir *AP* .... 99 AR 25
Valmontasca *AT* .... 61 K 14
Valmontone *RM* .... 120 AM 33
Valmorea *CO* .... 22 O 9
Valmorel *BL* .... 28 AI 7
Valmoresca *BG* .... 23 S 7
Valmortorio *LT* .... 129 AL 35
Valmosca *BI* .... 34 I 9
Valmozzola *PR* .... 64 U 16
Valnegra *BG* .... 23 T 8
Valnera *BZ* .... 11 Y 4
Valnogaredo *PD* .... 56 AE 12
Valnontey *AO* .... 33 F 10
Valogno *CE* .... 140 AS 36
Valorz *TN* .... 12 AA 5
Valosio *AL* .... 61 M 16
Valparolo *AL* .... 50 M 13
Valpegara *VI* .... 27 AD 8
Valpelina *VE* .... 44 AN 10
Valpelline *AO* .... 19 E 9
Valperga *TO* .... 33 G 11
Valperosa *AT* .... 61 J 14
Valpetrosa *PU* .... 89 AJ 22
Valpiana *BG* .... 24 T 8
Valpiana *GR* .... 102 AA 25
Valpiana *TV* .... 28 AG 8
Valpiana *VB* .... 7 K 7
Valpiana *VC* .... 35 L 9
Valpicetto *UD* .... 16 AM 4
Valpone *CN* .... 60 J 15
Valporro *BL* .... 27 AF 7
Valprato Soana *TO* .... 33 G 10
Valpredina *BG* .... 38 T 9
Valpromaro *LU* .... 84 X 20
Valproto *VI* .... 41 AE 10
Valrovina *VI* .... 27 AF 9
Vals *PN* .... 15 AL 6
Vals / Valles *BZ* .... 4 AE 2
Vals em Schlem /
Fiè allo Sciliar *BZ* .... 13 AD 4
Valsalva *BO* .... 81 AE 18
Valsanzibio *PD* .... 56 AF 12
Valsavarenche *AO* .... 32 E 10
Valsavignone *AR* .... 88 AH 21
Valsecca *BG* .... 23 R 9
Valsenio *RA* .... 81 AE 18
Valserena *PI* .... 92 Y 24
Valseresino *CR* .... 52 T 12
Valsigiara *PC* .... 63 Q 16
Valsinni *MT* .... 165 BH 42
Valsoda *CO* .... 22 P 7
Valsondrà *VI* .... 27 AC 9
Valsorda *SV* .... 74 K 19
Valsorda *TN* .... 26 AB 7
Valstagna *VI* .... 27 AE 8
Valsuolo *AT* .... 60 I 14

Accademia (Pte dell') .... BV 3
Bandiera e Moro (Campo) .... FV 6
Capello (Ramo) .... FT 10
Gallina (Calle Larga G.) .... FT 18
Leoncini (Pzetta dei) .... EV 21
Libertà (Pte della) .... AT 24
Nuova (Str.) .... DET 28
Orologio (Merceria dell') .... EV 31
Pescaria (Campo della) .... DT 34
Sàuro (Campo N.) .... BT 76
Santi Apostoli (Rio Terà dei) .... ET 75
Sant' Angelo (Campo) .... DV 70
Seriman (Salizzada) .... ET 78
S. Bartolomeo (Campo) .... ET 39
S. Giovanni Crisostomo (Salizzada) .... ET 43
S. Lorenzo (Calle Larga) .... FT 46
S. Marco (Calle Larga) .... EV 49
S. Marco (Pzetta) .... EV 52
S. Maurizio (Campo) .... DV 55
S. Moisè (Salizzada) .... EV 58
S. Salvador (Merceria) .... EU 61
S. Samuele (Campo) .... BV 64
S. Simeon Profeta (Campo) .... BT 66
S. Zulian (Merceria) .... EU 67
Traghetto (Campo del) .... DV 79
Verona (Calle della) .... DV 82
2 Aprile (V.) .... ET 85

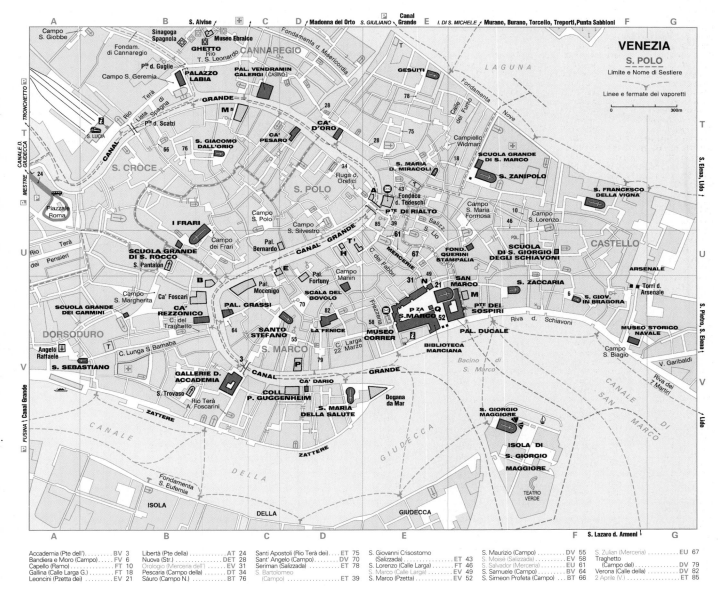

Valt *BL* 14 AG 5
Valtina / Walten *BZ* 3 AC 3
Valtopina *PG* 106 AL 25
Valtorta *BG* 23 S 8
Valtournenche *AO* 19 G 8
Valtreara *AN* 97 AM 23
Valtriano *PI* 85 Y 22
Valva *SA* 152 BA 39
Valvacera Primo *RM* 119 AK 31
Valvarino *RM* 120 AM 33
Valvasone *PN* 30 AM 8
Valventosa *LU* 84 W 20
Valverde *AL* 50 M 14
Valverde *CT* 197 AZ 58
Valverde *FC* 83 AJ 18
Valvestino *BS* 39 Y 9
Valvori *FR* 131 AS 34
Valzangona *PU* 89 AL 21
Valzeglio *AT* 60 J 14
Valzella *BG* 24 U 8
Valzemola *SV* 74 K 17
Valzurio *BG* 24 U 8
Vambolieri *CT* 197 AZ 58
Vancimuglio *VI* 41 AE 10
Vandoies di Sopra *BZ* 4 AF 3
Vandoies di Sotto *BZ* 4 AF 3
Vandra *IS* 132 AU 34
Vanga / Wangen *BZ* 13 AD 4
Vangadizza *VR* 55 AC 12
Vangile *PT* 85 Z 20
Vanoni *SO* 24 T 6
Vanoni *VR* 54 Z 12
Vantini *VR* 39 Z 11
Vanza *TN* 26 AB 8
Vanzaghello *MI* 35 N 10
Vanzago *MI* 36 O 10
Vanze *LE* 159 BS 42
Vanzetti *TR* 113 AK 28
Vanzi *VI* 41 AD 9
Vanzi *VR* 40 AC 10
Vanzo *PD* 56 AF 12
Vanzo Vecchio *VI* 41 AF 11
Vanzone *VB* 20 J 8
Vanzone *VB* 21 M 8
Vanzone *VC* 34 K 9
Vanzonico *CO* 23 Q 7
Vaprio d'Adda *MI* 37 S 10
Vaprio d'Agogna *NO* 35 M 10
Vara Inf. *SV* 75 M 17
Vara Sup. *SV* 75 M 17
Varago *TV* 42 AI 9
Varallo *VC* 34 K 9
Varallo Pombia *NO* 35 M 9
Varalta *VR* 40 AB 10
Varana *MO* 79 Z 17
Varanallo *AV* 143 AZ 36
Varano *AN* 97 AM 24
Varano *AN* 91 AQ 22
Varano *AP* 98 AP 25
Varano *MC* 98 AN 25
Varano *MS* 78 V 18
Varano *SA* 152 AZ 40
Varano *TE* 108 AR 27
Varano *TN* 26 AA 8
Varano Borghi *VA* 35 N 9
Varano de Melegari *PR* 64 V 15
Varano Marchesi *PR* 64 V 15
Varapodio *RC* 176 BE 54
Vararo *VA* 21 M 8
Varase *IM* 72 G 20
Varasone *TN* 25 Y 8
Varazze *SV* 75 M 17
Varco *MC* 98 AP 24
Varco *PZ* 164 BG 44
Varco d'Amendola *CS* 167 BG 45
Varco della Calce *SA* 153 BC 41
Varco d'Izzo *PZ* 154 BE 40
Varco Notar Ercole *SA* 153 BC 41
Varco Sabino *RI* 114 AN 30
Varco San Mauro *CS* 168 BH 47
Varcovalle *PZ* 164 BD 43
Varda *BL* 14 AG 4
Varedo *MB* 36 P 10
Varena *TN* 13 AD 6
Varengo *AL* 49 K 13
Varenna *LC* 23 Q 7
Varese *VA* 22 O 8
Varese Ligure *SP* 77 S 17
Vargo *AL* 62 O 15
Vari *MC* 107 AN 26
Varia de Franchis *CS* 168 BI 46
Variana *AL* 62 O 15
Variano *AL* 62 O 15
Variano *PC* 64 T 15
Variano *RN* 83 AJ 19
Variano *UD* 30 AN 7
Varignana *BO* 81 AE 17
Varigotti *SV* 74 L 18
Varinella *AL* 62 O 15
Variney *AO* 33 E 9
Varisella *TO* 47 F 12
Varliano *LU* 78 W 18
Varmo *UD* 30 AM 8
Varna *FI* 93 AA 22
Varna / Vahrn *BZ* 4 AE 3
Varni *GE* 63 Q 16
Varo Chirico *NA* 151 AW 39
Varollo *TN* 12 AB 5
Varone *TN* 26 AA 8
Varoni *BN* 142 AW 37
Varramista *PI* 85 Z 22
Varrazzo *PZ* 164 BE 43
Varreri *RC* 177 BG 53
Varrone *CS* 166 BF 46
Varrone *PR* 64 U 15
Varsi *PR* 64 U 16
Varzi *PV* 63 Q 15
Varzo *VB* 7 K 6
Vas *BL* 28 AG 8
Vasanello *VT* 113 AJ 29
Vasari *AN* 90 AO 22
Vasario *TO* 33 G 11
Vasca Cappotto *LT* 130 AO 35
Vascagliana *AT* 61 J 14
Vasche *RI* 114 AN 29
Vasci *CS* 170 BF 49
Vasciano *TR* 113 AK 29
Vasciano Nuovo *PG* 106 AJ 27
Vasco *CN* 71 H 17
Vascognano *GR* 102 Z 25
Vascon *TV* 42 AI 9
Vasconi *MC* 97 AM 24
Vasì *RC* 177 BH 53
Vasia *IM* 72 I 20
Vasio *TN* 12 AB 5
Vaso *BS* 53 X 11
Vassena *LC* 23 Q 8
Vaste *LE* 161 BT 43
Vasto *CH* 124 AX 31
Vasto di Sopra *MN* 54 Y 12
Vasto di Sotto *MN* 54 Y 12
Vastogirardi *IS* 123 AU 33
Vaticano *BO* 68 AF 17
Vaticino *GR* 103 AA 26
Vatolla *SA* 162 AZ 42
Vatoni *RC* 176 BF 53
Vattaro *TN* 26 AC 8
Vatticeci *IS* 132 AV 33
Vaud *AO* 19 E 8
Vauda *TO* 47 G 12
Vauda Canavese *TO* 47 G 12
Vauda Canavese Inf. *TO* 48 G 12
Vazia *RI* 114 AM 29
Vazons *TO* 46 B 13
Vazzano *VV* 174 BG 52
Vazzola *TV* 29 AJ 8
Veano *PC* 64 S 14
Vecchia Striano *SA* 151 AW 39
Vecchiano *PI* 85 X 21
Vecchiarelli *CB* 133 AW 35
Vecchiarello *CS* 169 BK 46
Vecchiazzano *FC* 82 AH 18
Vecchietto *FI* 87 AD 22
Vecchietto *MS* 78 U 18
Vecciano *RN* 89 AK 20
Vecciatica *PR* 78 W 17
Vecciola di Mezzo *MC* 107 AO 25
Vecersio *SV* 73 J 19
Vecite *SA* 151 AW 40
Vedano al Lambro *MB* 36 Q 10
Vedano Olona *VA* 36 O 9
Veddasca *VA* 22 N 7
Vedegheto *BO* 80 AB 17
Vedelago *TV* 42 AH 9
Vedeseta *BG* 23 S 8
Vediceto *PC* 63 S 15
Vedole *PR* 53 X 14
Vedrana *BO* 68 AE 16
Vedriano *BO* 81 AE 17
Vedriano *MS* 78 W 18
Vedriano *RE* 65 X 16
Vedronza *UD* 16 AO 6
Veduggio con Colzano *MB* 36 Q 9
Veduro *BO* 67 AD 16
Veggiano *PD* 41 AF 11
Veggio *BO* 80 AC 18
Veggiola *PC* 64 T 14
Veglia *CN* 60 H 15
Veglia *TV* 29 AI 8
Vegliasco *SV* 73 J 19
Veglie *LE* 158 BQ 41
Veglio *BI* 34 J 10
Vegna *CO* 22 P 7
Vegni *AL* 63 P 16
Vegno *LC* 23 R 7
Vegno *VB* 7 K 6
Vegonno *VA* 35 N 9
Vegre *VI* 41 AE 9

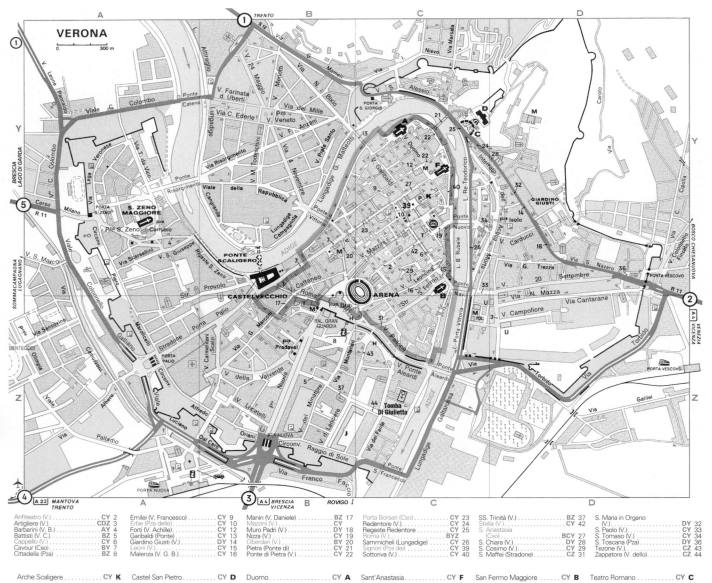

VERONA

Anfiteatro (V.) CY 2
Artigliere (V.) CDZ 3
Barbarini (V. B.) AY 4
Battisti (V. C.) BZ 5
Cappello (V.) CY 6
Cavour (Cso) BY 7
Cittadella (Pza) BZ 8
Emilei (V. Francesco) CY 9
Erbe (Pza delle) CY 10
Forti (V. Achille) CY 12
Garibaldi (Ponte) CY 13
Giardino Giusti (V.) DY 14
Leoni (V.) CY 15
Malenza (V. G. B.) CY 16
Manin (V. Daniele) BZ 17
Mazzini (V.) CY
Muro Padri (V.) DY 18
Nizza (V.) CY 19
Oberdan (V.) BY 20
Pietra (Ponte di) CY 21
Ponte di Pietra (V.) CY 22
Porta Borsari (Cso) CY 23
Redentore (V.) CY 24
Regaste Redentore CY 25
Roma (V.) BYZ
Sammicheli (Lungadige) CY 26
Signori (Pza dei) CY 39
Sottoriva (V.) CY 40
SS. Trinità (V.) BZ 37
Stella (V.) CY 42
S. Anastasia (Cso) BCY 27
S. Chiara (V.) DY 28
S. Cosimo (V.) CY 29
S. Maffei (Stradone) CZ 31
S. Maria in Organo (V.) DY 32
S. Paolo (V.) CY 33
S. Tomaso (V.) CY 34
S. Toscana (Pza) DY 36
Tezone (V.) CZ 43
Zappatore (V. dello) CZ 44

Arche Scaligere CY **K**
Castel San Pietro CY **D**
Duomo CY **A**
Sant'Anastasia CY **F**
San Fermo Maggiore CY **B**
Teatro Romano CY **C**

Vegre VI 41 AE 11
Vegri RO 55 AD 14
Vegri VI 40 AC 10
Vegri VI 41 AD 9
Vegri VR 55 AC 12
Veirera SV 75 M 17
Vejano VT 112 AH 30
Vela MN 54 AB 13
Vela TN 26 AB 7
Vela Piccola TV 43 AL 9
Velasca MI 37 R 10
Velate VA 22 N 8
Veleso CO 22 Q 8
Velezzo Lomellina PV 50 N 13
Velina SA 162 AZ 42
Velina VB 21 L 7
Vellai BL 28 AG 7
Vellano PT 85 Z 20
Vellau / Velloi BZ 3 AB 3
Vellego SV 73 J 19
Velletri RM 129 AL 33
Vellezzo Bellini PV 51 P 12
Vello BS 38 V 9
Velloi / Vellau BZ 3 AB 3
Velmaio VA 22 O 9
Velo d'Astico VI 27 AD 9
Velo Veronese VR 40 AB 10
Velon PD 56 AF 13
Velt UD 15 AL 5
Velturno / Feldthurns BZ 4 AE 3
Velucciana RE 79 X 17
Velva GE 77 S 18
Velzo CO 22 Q 7
Vena CT 197 AZ 57
Vena CZ 174 BH 50
Vena TO 33 G 11
Vena Imperi CT 197 AZ 56
Vena Media VV 174 BF 51
Vena Piccola AP 108 AQ 26
Vena Sup. VV 174 BF 52
Venafro IS 131 AT 35
Venagrande AP 108 AQ 26
Venamartello AP 108 AP 27
Venanzioni RI 113 AK 29
Venaria Reale TO 47 G 13
Venarotta AP 108 AP 26
Venas BL 14 AI 5
Venasca CN 59 F 16
Venatura AN 97 AL 23
Venaus TO 46 D 13
Vence Grande CS 170 BG 48
Venchi VR 40 AC 10
Vencò GO 31 AP 7
Vencorere AO 19 G 9
Vendaso MS 78 W 18
Vendicio LT 139 AQ 36
Venditti TE 116 AR 28
Vendoglio UD 16 AN 6
Vendrogno LC 23 Q 7
Vene PG 107 AM 26
Vene SV 74 K 18
Venegazzu TV 42 AH 9
Venegono Inf. VA 36 O 9
Venegono Sup. VA 36 O 9
Venenta BO 67 AC 16
Venere AQ 122 AQ 32
Veneri PT 85 Z 20
Veneria VC 49 K 12
Venetico ME 189 BB 54
Venetico Marina ME 189 BB 54
Venezia VE 42 AI 11
Veneziano RO 56 AG 13
Venezzano BO 67 AD 15
Vengore AT 61 K 16
Veniano Inf. CO 36 O 9
Veniano Sup. CO 36 O 9
Veniera RO 57 AI 14
Vennariello CS 170 BG 48
Venosa PZ 144 BD 38
Venoz AO 19 F 9
Vens AO 32 D 9
Ventarola GE 76 Q 17
Ventaroli CE 140 AS 36
Venti TR 106 AK 28
Ventimiglia IM 72 G 21
Ventimiglia di Sicilia PA 185 AQ 56
Ventosa LT 139 AR 36
Ventoso RE 66 Z 16
Ventoso RSM 89 AJ 20
Ventotene LT 139 AP 39
Ventria RC 178 BD 54
Venturelli VR 39 Z 11
Venturina LI 102 Y 25
Venzone UD 16 AN 6
Verana AO 33 G 10
Verano PC 52 S 13
Verano PC 52 S 14
Verano Brianza MB 36 Q 9
Verano / Voran BZ 12 AC 4
Veratica RO 55 AD 14
Veratto PC 52 S 13
Veravo SV 73 J 19
Verazzano AR 95 AH 23
Verbania VB 21 M 8
Verbicaro CS 166 BE 45
Vercana CO 23 R 7
Verceia SO 23 R 6
Vercelli VC 49 L 11
Vercengio VB 7 K 7
Verchiano PG 107 AM 26
Vercurago LC 23 R 9
Verda BZ 14 AG 4
Verdéggia IM 72 H 19
Verdellino BG 37 S 10
Verdello BG 37 S 10
Verderame TP 182 AK 56
Verderio Inf. LC 37 R 10
Verderio Sup. LC 37 R 9
Verdesca CE 132 AU 35
Verdesina TN 25 Z 7
Verdi I PA 186 AT 57
Verdi II PA 194 AT 57
Verdignes BZ 13 AE 4
Verdines / Verdins BZ 3 AC 3
Verdins / Verdines BZ 3 AC 3
Verdù ME 188 AY 55
Verduno CN 60 I 16
Verezzi SV 74 K 18
Verezzo IM 72 H 20
Vergagni AL 63 P 16
Vergano LC 23 R 9
Vergano Novarese NO 35 L 9
Vergari RE 54 Z 14
Vergato BO 80 AB 18
Vergelle SI 94 AE 25
Vergemoli LU 79 X 19
Verghera VA 35 N 10
Verghereto FC 88 AH 21
Verghereto PO 86 AB 21
Vergiano BO 80 AC 18
Vergiano RN 83 AK 19
Vergiate VA 35 N 9
Vergine Maria PA 184 AP 55
Vergineto PU 90 AM 21
Vergnacco UD 16 AO 7
Vergnasco BI 34 J 11
Vergne CN 60 I 16
Vergo MI 36 Q 9
Vergonzana CR 52 T 11
Veri CS 170 BF 49
Veriano BS 39 X 9
Verica MO 80 AA 18
Verità I CZ 171 BG 50
Verla TN 26 AB 7
Verlucca TO 33 G 11
Vermegliano GO 31 AQ 9
Vermezzo MI 36 O 11
Vermogno BI 34 J 11
Vermongoi TN 25 Y 8
Verna CO 22 P 8
Verna TO 47 E 13
Verna TO 47 F 13
Vernacchio BN 142 AY 37
Vernagl / Vernago BZ 2 AA 3
Vernagli CN 71 I 18
Vernago / Vernagl BZ 2 AA 3
Vernante CN 71 G 18
Vernasca PC 64 T 15
Vernassino UD 17 AQ 7
Vernasso UD 31 AP 7
Vernazza SP 77 T 19
Vernazzano Basso PG 96 AH 24
Vernetti CN 58 D 17
Vernetto CN 59 G 15
Verney AO 32 C 9
Verni LU 79 X 19
Verniana AR 95 AF 23
Vernicchio-Maiolongo CS 167 BG 46
Vernieri FR 130 AP 33
Vernine SI 95 AE 25
Vernio PO 80 AB 19
Vernole LE 159 BS 42
Vernone TO 48 I 13
Vernurio BZ 3 AC 3
Verolanuova BS 53 V 12
Verolavecchia BS 53 V 12
Verolengo TO 48 I 12
Veroli FR 130 AP 33
Verona VR 40 AB 11
Veronella VR 55 AC 12
Verpiana MS 78 V 18
Verpignano FI 87 AD 20
Verrand AO 18 C 9
Verratti CH 117 AV 31
Verrayes AO 33 G 9
Verre AO 19 H 8
Verrecchie AQ 121 AO 31
Verrès AO 33 H 10
Verretto PV 51 P 13
Verri AP 108 AP 26
Verrogne AO 32 E 9
Verrone BI 34 J 10
Verrone GE 62 O 16
Verroni BN 141 AW 37
Verrua Po PV 51 Q 13
Verrucola MS 78 V 18
Verrucole LU 78 X 18
Verrucolette LU 78 W 19
Versa AO 34 I 10
Versa GO 31 AP 8
Versaggi CS 170 BF 49
Versano CE 140 AT 36
Verschneid / Frassineto BZ 12 AC 4
Versciaco di Sopra / Obervierschach BZ 5 AI 3
Versciaco di Sotto / Uberverschach BZ 5 AJ 3
Versino TO 47 F 12
Versiola PN 30 AM 8
Versola MS 78 U 17
Versutta PN 30 AM 8
Vertelli AR 87 AE 21
Vertemate CO 36 P 9
Vertova BG 24 U 9
Verucchio RN 89 AJ 20
Veruno NO 35 M 9
Vervat AO 34 I 10
Vervio SO 10 W 6
Vervò TN 12 AB 6
Verza PC 52 T 13
Verzaglia FC 83 AJ 19
Verzago CO 36 Q 9
Verzari AV 142 AY 38
Verzedo SO 11 X 5
Verzegnis UD 16 AM 5
Verzella AL 61 L 16
Verzella CT 197 AZ 56
Verzen VR 40 AB 11
Verzi GE 76 Q 17
Verzi SV 74 K 19
Verzi SV 74 L 18
Verzimo VC 21 K 9
Verzino KR 172 BK 48
Verzuni PZ 164 BG 42
Verzuolo CN 59 F 16
Vesale MO 79 Z 18
Vesallo RE 79 Y 17
Vesallo SV 73 J 19
Vesbio CO 22 P 8
Vescia MC 107 AO 25
Vescia PG 106 AL 26
Vesciano AP 108 AP 25
Vescona SI 94 AD 24
Vescovado SI 94 AD 24
Vescovana PD 56 AF 13
Vescovato CR 53 V 12
Vesignano TO 48 H 11
Vesima GE 75 N 17
Vesima SV 74 K 17
Vesime AT 61 K 16
Vesimo PC 63 Q 16
Vesio BS 26 Z 9
Vespeno MS 78 V 18
Vespolate NO 50 N 11
Vessa FC 88 AH 20
Vessalico IM 72 H 19
Vessichelli BN 142 AY 36
Vesta BS 25 Y 9
Vesta PR 65 V 17
Vestana PR 65 V 16
Vestea PE 116 AS 29
Vestenanova VR 40 AC 10
Vestenavecchia VR 40 AC 10
Vestignano MC 98 AO 25
Vestigne TO 34 I 11
Vesto BS 38 V 9
Vestone BS 39 X 9
Vestreno LC 23 Q 7
Vetan AO 32 E 9
Veterana PU 90 AN 21
Veternigo VE 42 AH 10
Vetica LT 130 AO 35
Vetice AP 107 AO 26
Vetralla VT 112 AH 30
Vetrego VE 42 AH 11
Vetreto AP 108 AP 26
Vetria SV 74 J 18
Vetrianello LU 85 X 20
Vetriano LU 85 X 20
Vetrina FR 131 AR 35
Vetriolo TN 27 AC 7
Vetriolo VT 112 AH 28
Vetta PD 56 AF 12
Vettica Maggiore SA 151 AW 40
Vettica Minore SA 151 AW 40
Vettigne VC 34 K 11
Vetto RE 65 X 17
Vettola PI 84 X 21
Vetulonia GR 103 AA 26
Veveri NO 35 M 11
Vezio LC 23 Q 7
Vezza AR 87 AF 22
Vezza FR 131 AR 35
Vezza d'Alba CN 60 J 15
Vezza d'Oglio BS 11 X 6
Vezzan / Vezzano BZ 12 Z 4
Vezzane VR 39 Z 10
Vezzanello MS 78 V 18
Vezzano AP 107 AO 27
Vezzano MO 66 Z 17
Vezzano PR 65 W 16
Vezzano RI 114 AN 28
Vezzano TN 26 AA 7
Vezzano / Vezzan BZ 12 Z 4
Vezzano Ligure SP 77 U 19
Vezzano sul Crostolo RE 66 Y 16
Vezzo VB 21 M 8
Vezzola RE 66 Z 15
Vezzola SO 11 W 4
Vezzola SP 77 T 18
Vho AL 62 O 14
Via dei Romani CN 59 F 15
Via del Duca AR 95 AF 24
Via Impresa CS 166 BD 45
Via Larga MO 67 AB 15
Via Latina FR 131 AQ 34
Via Latina RM 120 AM 33
Via Lunga PD 56 AE 12
Via Marittima LT 130 AO 34
Via Militino RC 178 BD 54
Via Nuova BO 68 AF 17
Via Nuova SP 77 U 18
Via Piana PU 89 AL 21
Via Piana SI 105 AG 26
Via Provinciale CS 171 BG 48
Via Provinciale KR 173 BL 49
Via Purgatorio RC 178 BD 54
Via Sicilia AN 98 AQ 23
Via Stratta PU 89 AK 22
Via Vecchia TO 59 G 14
Viacce AN 97 AL 23
Viadagola BO 67 AD 16
Viadana MN 53 Y 14
Viadana Bresciana BS 39 X 11
Viadanica BG 38 U 9
Viagrande CT 197 AZ 58
Viaiano CN 60 I 16
Viaio AR 88 AH 22
Vialarda AL 49 L 13
Viale AT 49 J 13
Viale PG 106 AJ 25
Viale di Porto RM 119 AI 32
Vialfrè TO 34 H 11
Viamaggio AR 88 AH 21
Viancino VC 49 K 12
Viani CN 58 D 16
Vianino PR 64 U 15
Viano MS 78 V 19
Viano PU 89 AJ 21
Viano RE 66 Y 16
Vianoce AT 61 K 15
Vianova CZ 171 BH 50
Vianova LU 78 W 19
Viapiana PU 88 AH 21
Viarago TN 26 AC 7
Viareggio LU 84 W 20
Viarigi AT 49 L 14
Viarolo PR 65 W 14
Viarovere MO 67 AC 14
Viaso UD 16 AM 5
Viazza FE 56 AF 14
Viazzano PR 65 V 15
Vibbiana LU 78 X 18
Vibo Marina VV 174 BF 51
Vibo Valèntia VV 174 BF 51
Viboldone MI 36 Q 11
Vibonati SA 163 BC 43
Vicalvi FR 131 AR 33
Vicanini PR 64 T 16
Vicanino PC 64 T 15

Barche (Contrà delle) BZ 2	Erbe (Pza delle) BZ 14	Pusterla (Contrà) BY 26
Battisti (V. C.) AZ 3	Gualdi (Pza) BZ 16	Riale (Contrà) AY 27
Biade o della Biava (Pza d.) BZ 4	Lioy (V. P.) BZ 17	Signori (Pza dei) BZ 34
Cabianca (Contrà J.) BYZ 5	Matteotti (Pza) BY 19	S. Barbara (Contrà) BY 29
Canove Vecchie (Contrà) BY 7	Montagna (V. B.) AY 21	S. Corona (Contrà) BY 30
Canove (Contrà delle) BY 6	Mure Pta Nuova (Contrà) AZ 22	S. Marco (Contrà) AY 32
Castello (Pza del) AZ 8	Palladio (Cso A.) ABYZ	S. Tomaso (Contrà) BZ 33
Ceccarini (V.) BY 9	Porta Lupia (Contrà) BZ 23	Valmerlara (Contrà) BZ 36
Chinotto (V. G.) BZ 12	Porta S. Croce (Contrà) AY 24	Vescovado (Contrà) AZ 37
De Gasperi (Piazzale) AZ 13	Porti (Contrà) BY 25	20 Settembre (Contrà) BY 38

Basilica Palladiana BZ **B**	Loggia del Capitanio BZ **D**	Teatro Olimpico BY **A**
Chiesa delle Santa Corona BY **E**	Museo Civico BY **M**	Torre Bissara BZ **C**
Duomo AZ **F**		

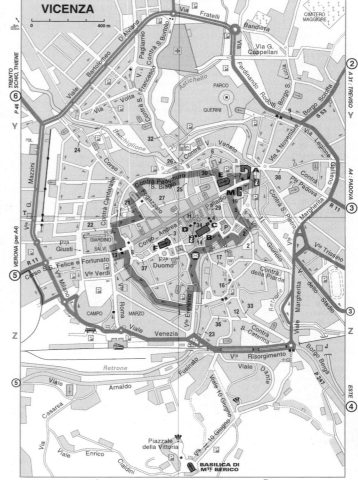

Vicarello LI 85 X 22
Vicarello RM 119 AI 31
Vicari PA 185 AQ 57
Vicchio FI 87 AD 20
Vicchio PI 92 Y 22
Vicende CB 132 AV 35
Vicenne AQ 121 AP 32
Vicenne BN 133 AY 35
Vicenne CB 132 AV 34
Vicenne PE 116 AS 30
Vicenno CB 133 AW 34
Viceno TR 105 AH 27
Viceno VB 7 K 6
Vicenza VI 41 AE 10
Vicero FR 130 AO 33
Vicinale UD 31 AP 7
Vicinato PG 106 AK 25
Vicinato PU 89 AL 20
Vicinato PU 89 AL 21
Vicinato PU 90 AM 21
Vicini-Ravazzoli PC 64 T 15
Viciomaggio AR 95 AF 23
Vico AL 61 L 16
Vico BS 25 W 6
Vico BS 39 X 9
Vico BS 39 Y 9
Vico LU 79 Z 19
Vico MC 107 AN 25
Vico MS 78 U 17
Vico NA 151 AW 38
Vico RE 65 X 16
Vico TE 115 AQ 28
Vico UD 15 AK 5
Vico UD 15 AK 5
Vico VC 34 K 9
Vico Canavese TO 33 H 11
Vico d'Arbia SI 94 AD 24
Vico del Gargano FG 127 BE 32
Vico d'Elsa FI 93 AB 22
Vico di Sopra BZ 13 AF 4
Vico Equense NA 151 AV 39
Vico Matrino VT 112 AH 30
Vico nel Lazio FR 130 AP 33
Vicobarone PC 51 R 14
Viconeghisio CR 53 X 13
Vicoferaldi FI 87 AE 20
Vicofertile PR 65 W 15
Vicoforte CN 71 I 17
Vicoli PE 116 AS 29
Vicoli Vecchio PE 116 AS 29
Vicolo Rancolfo PG 96 AJ 24
Vicolungo NO 35 L 11
Vicomarino PC 51 R 14
Vicomero PR 65 W 14
Vicomezzano GE 63 R 16
Vicomorasso GE 62 O 17
Vicomoscano CR 53 X 14
Vicomune PV 51 Q 13
Viconago VA 22 O 8
Viconovo FE 68 AF 14
Vicopisano PI 85 Y 21
Vicosoprano GE 63 R 16
Vicovaro RM 120 AM 31
Vidalengo BG 37 S 10
Vidalenzo PR 53 V 13
Vidali UD 16 AO 5
Vidardo LO 51 R 12
Viddalba SS 209 O 38
Vidiana PR 65 W 16
Vidiano PC 63 R 14
Vidiceto CR 53 W 13
Vidiceto RE 78 X 17
Vidiciatico BO 79 AA 18
Vidigulfo PV 51 Q 12
Vidimina LT 130 AO 35
Viduino BO 81 AF 17
Vidolasco CR 37 T 11
Vidoni AP 108 AO 26
Vidor TV 28 AH 8
Vidor TV 28 AI 8
Vidracco TO 33 H 11
Vidulis UD 30 AM 7
Vieille AO 33 G 9
Viepri PG 106 AK 27
Viering AO 33 G 9
Vierle FI 87 AE 20
Viesca FI 87 AD 22
Viesci RI 114 AN 28
Vieste FG 127 BG 32
Vietri di Potenza PZ 153 BC 40
Vietri sul Mare SA 151 AX 39
Vietti TO 47 F 12
Vieyes AO 32 E 10
Viezze RO 56 AF 14
Vigalfo PV 51 Q 12
Vigalzano TN 26 AC 7
Viganallo VC 35 K 9
Viganego GE 76 P 17
Viganella VB 7 K 7
Vigano MI 36 P 11
Viganò LC 37 Q 9
Vigano San Martino BG 38 U 9
Vigarano Mainarda FE 67 AD 14
Vigarano Pieve FE 67 AE 14
Vigasio VR 54 AA 12
Vigatto PR 65 W 15
Vigellio BI 34 J 11
Vigena PU 89 AJ 21
Vigentina RO 56 AG 14
Vigevano PV 50 O 12
Viggianello PZ 164 BF 44
Viggiano PZ 154 BE 41
Viggiona VB 22 N 7
Viggiù VA 22 O 8
Vigheffio PR 65 W 15
Vighignolo MI 36 P 11
Vighizzolo BS 39 X 11
Vighizzolo CO 36 P 9
Vighizzolo CR 53 W 13
Vighizzolo d'Este PD 56 AE 12
Viglia CS 170 BF 48
Vigliano AQ 114 AO 29
Vigliano MI 37 R 11
Vigliano Biellese BI 34 J 10
Vigliano d'Asti AT 61 K 15
Viglierchi CN 74 J 17
Vigna CN 71 H 18
Vigna PD 56 AH 12
Vigna di Valle RM 119 AI 31
Vigna Grande OT 207 R 36
Vigna Grande RM 119 AI 31
Vignacastrisi LE 161 BT 43
Vignaga VI 40 AC 10
Vignai IM 72 H 20
Vignaia PG 105 AI 25
Vignale AL 49 L 13
Vignale FI 93 AA 22
Vignale GE 76 R 17
Vignale LI 102 Z 26
Vignale NO 35 M 11
Vignale PR 65 X 16
Vignale TP 190 AL 57
Vignale Lungo SR 205 AY 63
Vignale-Santa
Margherita PZ 163 BD 43
Vignaletto RI 114 AM 29
Vignali CS 166 BE 45
Vignali EN 195 AX 58
Vignali SR 203 BA 60
Vignali SV 74 K 17
Vignali TO 49 J 13
Vignana SP 77 S 18
Vignanello VT 112 AI 29
Vignano SI 94 AD 24
Vignarello NO 50 N 11
Vignaretto SV 75 L 17
Vignate MI 37 R 11
Vigne AN 97 AN 23
Vigne BN 142 AX 37
Vigne KR 172 BK 48
Vigne RC 179 BG 54
Vigne SA 153 BC 41
Vigne TR 113 AK 29
Vigne di Circe LT 138 AN 36
Vigne Nuove GR 104 AD 26
Vigne Nuove VT 119 AI 30
Vigne Piane FR 131 AQ 34
Vigneta LU 78 W 18
Vignetta PR 65 W 16
Vignola CH 124 AX 31
Vignola FC 88 AI 20
Vignola MO 66 AB 17
Vignola MS 77 U 17
Vignola RI 114 AN 29
Vignola RM 120 AN 32
Vignola TN 27 AC 7
Vignola Mare OT 210 P 37
Vignole AO 33 E 9
Vignole BL 28 AH 7
Vignole CB 132 AW 34
Vignole TN 26 AA 8
Vignole TV 29 AJ 8
Vignole VI 41 AE 9
Vignole Borbera AL 62 O 15
Vignolo CN 71 F 17
Vignolo GE 75 N 17
Vignolo di Lusignana MS 78 U 17
Vignone VA 22 N 7
Vignone VB 21 M 8
Vignoni SI 104 AE 25
Vignui BL 28 AG 7
Vigo BO 80 AB 18
Vigo BZ 4 AG 4
Vigo GE 62 O 16
Vigo SV 73 K 19
Vigo TN 26 AA 7
Vigo VI 41 AD 10
Vigo VR 40 AA 10
Vigo VR 55 AC 12
Vigo Anaunia TN 12 AB 6
Vigo di Cadore BL 15 AJ 4
Vigo di Cavedine TN 26 AA 8
Vigo di Fassa TN 13 AF 5
Vigo Meano TN 26 AB 7
Vigo Rendena TN 25 Z 7
Vigodarzere PD 42 AG 11
Vigogna GE 63 P 16
Vigolante PR 65 W 15
Vigoleno PC 64 U 15
Vigolo BG 38 V 9
Vigolo CR 53 V 13
Vigolo PC 51 R 13
Vigolo RE 78 X 17
Vigolo Baselga TN 26 AB 7
Vigolo Marchese PC 64 U 14
Vigolo Vattaro TN 26 AC 7
Vigolone PR 65 V 16
Vigolzone PC 64 T 14
Vigone TO 59 F 14
Vigonovo PN 29 AK 8
Vigonovo VE 42 AH 11
Vigonza PD 42 AG 11
Vigonza PD 42 AG 11
Vigonzone PV 51 Q 12
Vigoponzo AL 63 P 15
Vigorovea PD 56 AG 12
Vigorso BO 67 AE 16
Vigostano PC 64 U 14
Viguzzolo AL 62 O 14
Viinoss / Funes BZ 13 AF 4
Vilano PU 96 AK 23
Viliani FI 86 AC 20
Villa AO 19 E 9
Villa AQ 115 AQ 30
Villa AR 87 AE 21
Villa AR 87 AF 21
Villa AT 61 K 15
Villa BL 14 AH 5
Villa BL 29 AJ 7
Villa BS 38 V 10
Villa BS 24 W 8
Villa BS 38 W 9
Villa BS 38 W 10
Villa BS 38 W 10
Villa BS 39 X 10
Villa BS 39 X 10
Villa BS 39 Y 9
Villa BS 39 Y 10
Villa BS 25 Z 9
Villa BZ 4 AF 3
Villa BZ 4 AF 3
Villa BZ 4 AF 3
Villa BZ 4 AG 4
Villa BZ 5 AH 2
Villa CE 141 AU 36
Villa CN 58 E 15
Villa CN 58 E 16
Villa CN 70 F 17
Villa CN 74 I 17
Villa CN 74 J 17
Villa CN 74 J 17
Villa CN 74 J 17
Villa FC 88 AH 20
Villa GR 104 AD 26
Villa IM 73 I 19
Villa IM 72 I 19
Villa IM 72 I 19
Villa LC 37 R 9
Villa LU 78 W 18
Villa LU 85 Y 21
Villa MN 53 X 12
Villa MO 66 AA 15
Villa MS 78 U 17
Villa MS 77 U 18
Villa PC 64 T 15
Villa PC 64 U 15
Villa PD 41 AF 11
Villa PG 96 AI 25
Villa PG 105 AJ 25
Villa PG 106 AK 26
Villa PR 64 V 16
Villa PU 88 AI 20
Villa RE 79 X 17
Villa RE 79 Y 17
Villa RN 89 AK 20
Villa SA 151 AX 39
Villa SI 94 AC 23
Villa SI 94 AD 23
Villa SP 77 T 18
Villa SV 74 J 18
Villa SV 61 K 17
Villa SV 74 K 18
Villa TN 26 AA 7
Villa TN 26 AA 7
Villa TN 27 AE 7
Villa TO 32 E 11
Villa TO 47 E 12
Villa TO 34 H 11
Villa UD 16 AM 5
Villa UD 30 AO 8
Villa VB 21 L 8
Villa VC 34 J 9
Villa VR 40 AA 10
Villa / Dorfl BZ 5 AI 2
Villa / Nordham BZ 13 AD 4
Villa a Roggio LU 85 X 20
Villa a Sesta SI 94 AD 23
Villa a Tolli SI 104 AE 25
Villa Alessandri FI 86 AA 21
Villa Alta UD 17 AR 5
Villa Andreoli CH 117 AV 30
Villa Antolini MC 98 AP 23
Villa Ardente TE 109 AS 27
Villa Ascoli PD 42 AG 10
Villa Badessa PE 116 AT 29
Villa Baldassarri LE 158 BQ 41
Villa Bartolomea VR 55 AD 13
Villa Basilica LU 85 Y 20
Villa Bassa UD 17 AQ 5
Villa Berarde AP 98 AP 25
Villa Berti RI 114 AM 28
Villa Betti PU 89 AM 21
Villa Bigioni RI 114 AM 28
Villa Bilotta CZ 171 BI 48
Villa Biscossi PV 50 N 13
Villa Bizzarri TE 108 AR 27
Villa Botteri AL 62 M 16
Villa Bozza TE 116 AS 28
Villa Bruna UD 30 AO 9
Villa Bufalini PG 96 AI 23
Villa Cal Frate PU 89 AK 21
Villa Caldari CH 117 AV 30
Villa Camera TE 108 AR 27
Villa Campanile PI 85 Z 21
Villa Camponeschi RI 114 AN 29
Villa Canale IS 123 AV 33
Villa Cantagallo MC 98 AP 24
Villa Cappella MN 54 Y 12
Villa Carmine RI 114 AM 28
Villa Carucci MC 108 AP 25
Villa Casale SI 94 AD 24
Villa Casetti TE 115 AR 28
Villa Castelli BR 148 BN 40
Villa Catenacci TE 109 AR 26
Villa Cavaretta PA 185 AP 55
Villa Ceccolini PU 89 AM 20
Villa Celiera PE 116 AS 29
Villa Cenol PG 96 AJ 24
Villa Cerreto AT 61 L 15
Villa Cheloni LI 85 X 22
Villa Ciambra-
Malpasso PA 184 AO 55
Villa Cimarella MC 98 AP 23
Villa Climinti RI 114 AM 28
Villa Col de' Canali PG 97 AL 23
Villa Collemandina LU 79 X 19
Villa Convento LE 159 BR 41
Villa Corbelli RE 66 Y 16
Villa Cortese MI 36 O 10
Villa Cristina TO 47 G 13
Villa Curti AP 108 AQ 26
Villa d' Arceno SI 94 AE 23
Villa da Capo MC 107 AO 26
Villa da Piano PU 89 AJ 21
Villa da Piedi MC 107 AO 26
Villa d'Adda BG 37 R 9
Villa d'Adige RO 55 AD 13
Villa d'Agri PZ 154 BD 41
Villa d'Aiano BO 80 AA 18
Villa d'Allegno BS 11 X 6
Villa d'Almè BG 37 S 9
Villa d'Arco PN 29 AK 8
Villa d'Asolo TV 29 AH 9
Villa De Leonardis RC 176 BF 53
Villa del Bosco BI 34 K 10
Villa del Bosco PD 56 AH 12
Villa del Conte PD 42 AG 10
Villa del Ferro VI 41 AD 11
Villa del Foro AL 61 M 14
Villa del Monte PU 90 AM 21
Villa del Piano-
ca Bartolino PU 89 AJ 21
Villa dele Fontane VT 111 AF 28
Villa di Baggio PT 86 AA 20
Villa di Briano CE 141 AT 38
Villa di Chiavenna SO 9 R 6
Villa di Fragheto PU 88 AI 21
Villa di Mezzo BO 80 AC 18
Villa di Mezzo BZ 13 AE 5
Villa di Molvena VI 41 AE 9
Villa di Panicale MS 78 V 18
Villa di Pianoia SI 104 AF 25
Villa di Postignano PG 97 AL 25
Villa di Serio BG 37 T 9
Villa di Sopra MS 78 U 17
Villa di Sopra /
Ober Wielenbach BZ 5 AH 3
Villa di Sotto PR 64 V 16
Villa di Su RE 54 Z 14
Villa di Tirano SO 10 V 6
Villa di Villa BL 28 AH 7
Villa di Villa TV 29 AJ 8
Villa Dogana FI 80 AC 19
Villa d'Ogna BG 24 U 8
Villa d'Orri CA 226 P 49
Villa Dragonetti BA 137 BH 36
Villa Elce CH 117 AV 30
Villa Estense PD 56 AF 12
Villa Eucheria FR 131 AR 34
Villa Faggeto PG 96 AI 24
Villa Falcineto PU 90 AM 21
Villa Falilò RI 114 AM 29
Villa Faraldi IM 73 J 20
Villa Fassia PG 96 AK 24
Villa Fastiggi PU 90 AM 20
Villa Felici TR 105 AH 27
Villa Fimon VI 41 AE 11
Villa Fiorentini RM 120 AM 32
Villa Fiorita RM 120 AK 31
Villa Fontana BO 68 AE 17
Villa Forci LU 85 X 20
Villa Fornace PV 51 Q 14
Villa Fornaci MI 37 R 10
Villa Fortuna NO 35 N 11
Villa Franchi TR 113 AJ 28
Villa Fumosa TE 109 AT 27
Villa Garibaldi MN 54 AA 13
Villa Gatti TE 109 AS 27
Villa Gizzi RI 114 AM 28
Villa Gorizia SS 208 M 39
Villa Grande AQ 115 AR 30
Villa Grande CH 117 AV 30
Villa Grazia CT 202 AW 61
Villa Greppo SI 104 AE 25
Villa Grotti RI 114 AM 29
Villa Guardia CO 36 P 9
Villa Immacolata VT 112 AH 29
Villa Inferno RA 82 AI 18
Villa Lagarina TN 26 AB 8
Villa Lanzi LI 102 Y 25
Villa Latina FR 131 AS 34
Villa Laura TR 105 AH 27
Villa Lempa TE 108 AQ 27
Villa Literno CE 140 AT 37
Villa Littorio SA 153 BA 41
Villa Lubatti CH 117 AV 30
Villa Luciani AP 99 AQ 24
Villa Maddalena RM 120 AN 32
Villa Maggiore TE 115 AR 28
Villa Maindi PU 88 AI 21
Villa Margherita LI 92 Y 25
Villa Margi ME 187 AV 55
Villa Martelli CH 117 AV 30
Villa Mattoni AP 108 AR 27
Villa Mazza PU 90 AM 20
Villa Minozzo RE 79 X 17
Villa Modica RG 205 AY 63
Villa Monga VR 54 AB 12
Villa Montagnola PG 106 AJ 25
Villa Montefreddo PG 105 AI 25
Villa Nabian AO 33 H 9
Villa Oliveti PE 116 AT 29
Villa Ornaro RI 114 AN 29
Villa Ottone /
Uttenholm BZ 5 AG 2
Villa Palomba TE 108 AR 28
Villa Palombara PU 89 AM 21
Villa Paradiso MI 37 R 10
Villa Pasquali MN 53 Y 14
Villa Pasqualone TE 109 AS 27
Villa Passo TE 108 AQ 27
Villa Penna TE 108 AR 27
Villa Petto TE 115 AR 28
Villa Piaggia PG 105 AH 26
Villa Piazzano PG 95 AH 24
Villa Pieri VT 112 AG 29
Villa Pitignano PG 96 AJ 25
Villa Poma MN 55 AB 13
Villa Pompea MI 37 R 10
Villa Pompeiana LO 37 R 11
Villa Potenza MC 98 AP 24
Villa Pucci PG 106 AJ 25
Villa Pulcini RI 114 AM 28
Villa Raspa TV 42 AG 9
Villa Raverio MI 36 Q 9
Villa Rendena TN 25 Z 7
Villa Rey CA 227 S 48
Villa Ricci TE 108 AR 27
Villa Rogatti CH 117 AV 30
Villa Roma RI 114 AM 28
Villa Romagnoli CH 117 AV 30
Villa Romana AN 91 AQ 22
Villa Romana AQ 120 AN 31
Villa Romano CO 36 Q 9
Villa Rosa PA 185 AP 55
Villa Rosa TE 109 AS 26
Villa Rosselli GR 104 AE 27
Villa Rossi TE 115 AR 28
Villa Rote PG 106 AK 26
Villa Ruzzi TE 115 AR 28
Villa S. Apollinare PG 96 AK 23
Villa S. Faustino PG 106 AK 27
Villa S. Giorgio
in Vezzano RA 81 AF 18
Villa S. Giovanni
in Tuscia VT 112 AH 30
Villa S. Maria TR 113 AK 29
Villa Saletta PI 85 Z 22
Villa San Filippo MC 99 AQ 24
Villa San Giovanni CH 117 AU 30
Villa San Giovanni PE 116 AT 29
Villa San Giovanni RC 189 BC 54
Villa San Giuseppe AP 108 AR 26
Villa San Leonardo CH 117 AV 30
Villa San Martino RA 81 AG 17
Villa San Nicola AV 142 AY 38
Villa San Nicola CH 117 AV 29
Villa San Pietro CA 225 O 49
Villa San Pietro CN 70 E 17
Villa San Pio X AP 108 AR 26
Villa San Romualdo TE 116 AS 28
Villa San Sebastiano AQ 121 AO 31
Villa San Secondo AT 49 J 13
Villa San Silvestro PG 107 AN 28
Villa San Tommaso CH 117 AV 29
Villa Santa Caterina BZ 5 AG 3
Villa Santa Croce CE 141 AU 36
Villa Santa Lucia FR 131 AR 34
Villa Santa Lucia
degli Abruzzi AQ 116 AR 30
Villa Santa Maria AQ 122 AR 32
Villa Santa Maria CH 123 AV 32
Villa Sant'Andrea BL 14 AG 6
Villa Sant'Angelo AQ 115 AQ 30
Villa Sant'Antonio AP 108 AR 26
Villa Sant'Antonio OR 217 O 44
Villa Santina UD 16 AM 5
Villa Santo Stefano FR 130 AO 34
Villa Saviola MN 54 Z 13
Villa Scontrone AQ 131 AT 33
Villa Serena AN 98 AO 22
Villa Serena PE 116 AT 28
Villa Stanazzo CH 117 AV 30
Villa Strada MC 98 AP 25
Villa Superiore MN 54 Z 14
Villa Talamazzi CR 53 W 13
Villa Tomolati TE 115 AR 28
Villa Torre CH 117 AV 30
Villa Torriola PU 88 AJ 21
Villa Tucci CH 117 AU 30
Villa Turchini UD 16 AN 6
Villa Vallucci TE 108 AQ 28
Villa Vecchia MS 77 U 17
Villa Vecchia PR 65 V 15
Villa Vela SR 205 AZ 62
Villa Verde OR 217 N 45
Villa Verucchio RN 83 AJ 19
Villa Viani IM 73 I 20
Villa Vicentina UD 31 AP 9
Villa Voglia MC 98 AO 24
Villa Volpe TE 109 AS 27
Villa Vomano TE 108 AR 28
Villa Zara AP 99 AQ 24
Villa Zunna RI 114 AM 28
Villabalzana VI 41 AE 11
Villabassa /
Niederdorf BZ 5 AI 3
Villabate PA 185 AP 55
Villabella AL 50 M 13
Villabella VR 40 AC 11
Villaberza RE 65 X 17
Villabianca MO 66 AA 17
Villabona MN 54 Z 12
Villabruna BL 28 AG 7
Villabuona BS 52 U 11
Villabuona LU 85 X 20
Villacaccia UD 30 AN 8
Villacampagna CR 52 U 11
Villacella GE 63 R 16
Villachiara BS 52 U 11
Villacidro VS 221 N 47
Villacriccola PN 29 AL 8

Villadeati *AL* 49 K 13
Villadolt *PN* 29 AK 8
Villadoro *EN* 194 AU 57
Villadose *RO* 56 AG 13
Villadosia *VA* 35 N 9
Villadossola *VB* 7 K 7
Villafalletto *CN* 59 G 16
Villafelice *FR* 131 AQ 34
Villafontana *VR* 55 AB 12
Villafora *RO* 55 AE 13
Villafranca *AN* 90 AN 21
Villafranca *LT* 129 AM 35
Villafranca *MO* 67 AB 14
Villafranca *SV* 73 J 19
Villafranca d'Asti *AT* 61 J 14
Villafranca di Forlì *FC* 82 AH 18
Villafranca di Verona *VR* 54 AA 11
Villafranca in Lunigiana *MS* 78 U 18
Villafranca Padovana *PD* 41 AF 11
Villafranca Piemonte *TO* 59 G 15
Villafranca Sicula *AG* 192 AO 58
Villafranca Tirrena *ME* 189 BB 54
Villafrati *PA* 185 AP 56
Villaga *BL* 28 AG 7
Villaga *VI* 41 AE 11
Villagana *BS* 52 U 11
Villaganzerla *VI* 41 AE 11
Villaggio *BL* 14 AI 5
Villaggio *TN* 13 AD 6
Villaggio Acea *RM* 120 AM 32
Villaggio Adriano *RM* 120 AL 32
Villaggio Adriatico *LE* 159 BS 41
Villaggio Altair *LE* 159 BT 42
Villaggio Amendola *FG* 135 BD 34
Villaggio Aurora *TO* 47 G 13
Villaggio Azzurro G. Lisa *FG* 135 BC 35
Villaggio Azzurro *BA* 147 BK 39
Villaggio Azzurro *TP* 182 AK 56
Villaggio Baiabella *CS* 165 BI 43
Villaggio Boncore *LE* 158 BQ 42
Villaggio Brollo *MI* 36 P 10
Villaggio Busonera *VE* 57 AH 13
Villaggio Canovai *RC* 179 BE 55
Villaggio Capparini *PA* 183 AN 57
Villaggio Carrao *CZ* 175 BJ 50
Villaggio Costa del Turchese *CZ* 175 BK 50
Villaggio Crimi *TP* 190 AJ 57
Villaggio Dario *LE* 159 BS 41
Villaggio degli Aracci *MS* 77 T 17
Villaggio degli Ulivi *RG* 204 AV 62
Villaggio dei Gigli *CA* 227 Q 48
Villaggio del Fanciullo *RM* 118 AF 31
Villaggio del Fanciullo *TA* 147 BN 39
Villaggio del Golfo *CZ* 170 BF 49
Villaggio del Pescatore *TS* 31 AQ 9
Villaggio del Sole *LE* 159 BS 41
Villaggio delle Mimose *CA* 227 R 48
Villaggio di Petruscio *TA* 156 BL 40
Villaggio Europa *BO* 79 AA 18
Villaggio Faina *CL* 193 AR 58
Villaggio Fosse *AG* 193 AR 59
Villaggio Frasso *CS* 168 BH 46
Villaggio Fratesca *MC* 98 AQ 23
Villaggio Fratta *KR* 171 BJ 49
Villaggio Gemma *AQ* 122 AS 31
Villaggio Grappa *CL* 193 AR 59
Villaggio Greco *TP* 190 AJ 57
Villaggio Grignella *VE* 57 AH 13
Villaggio Grotte *GR* 110 AA 29
Villaggio Gulfi *RG* 202 AX 61
Villaggio I Maggio *CS* 164 BD 44
Villaggio Ignis *VA* 22 N 9
Villaggio Ises *ME* 187 AW 55
Villaggio Ises *UD* 16 AN 6
Villaggio Laceno *AV* 143 AZ 39
Villaggio Lagomar *CZ* 171 BI 49
Villaggio Lario *AV* 142 AY 38
Villaggio Mancuso *CZ* 171 BI 49
Villaggio Mandorli *CA* 227 R 49
Villaggio Mangarelli *CL* 193 AR 59
Villaggio Martini *RI* 120 AL 30
Villaggio Merola *SA* 152 AY 41
Villaggio Montalto *TP* 190 AJ 57
Villaggio Montano *PA* 184 AO 55
Villaggio Monte Faito *NA* 151 AV 39
Villaggio Moresco Alto *FG* 127 BF 32
Villaggio Moresco Basso *FG* 127 BE 32
Villaggio Moschella *FG* 144 BE 37
Villaggio Mosè *AG* 199 AQ 60
Villaggio Nuragheddu *NU* 211 S 39
Villaggio Paradiso *LE* 161 BT 43
Villaggio Paradiso degli Aranci *CT* 203 AZ 59
Villaggio Pino Grande *KR* 172 BJ 48
Villaggio Piras *OT* 207 R 36
Villaggio Polifemo *CI* 224 L 49
Villaggio Porte Rosse *RG* 204 AV 62
Villaggio Principe *KR* 171 BJ 49
Villaggio Quadrifoglio *BA* 146 BJ 38
Villaggio Racise *CZ* 171 BI 49
Villaggio Resta *LE* 160 BQ 42
Villaggio Roma *UD* 30 AO 8
Villaggio S. Maria *RI* 114 AM 29
Villaggio S. Stefano *AV* 142 AY 38
Villaggio Samburgia *TP* 190 AJ 57
Villaggio Sammarco *EN* 194 AV 59
Villaggio San Domino *FG* 126 BB 31
Villaggio San Francesco *RM* 128 AI 33
Villaggio San Giovanni *BA* 146 BH 38
Villaggio San Giovanni *RG* 204 AV 62
Villaggio San Leonardo *SR* 203 AZ 59
Villaggio San Michele *CT* 197 AZ 57
Villaggio San Teodoro *TP* 182 AJ 56
Villaggio Santa Margherita *EN* 195 AW 57
Villaggio Santa Rita *LE* 160 BR 43
Villaggio Sant'Antonio *CT* 197 AZ 58
Villaggio Senn *CE* 139 AS 36
Villaggio Solito Posto *KR* 169 BL 47
Villaggio Stella d'Oro *TP* 190 AJ 57
Villaggio Taunus *AN* 99 AQ 22
Villaggio Tedeschi *PA* 185 AR 56
Villaggio Togliatti *LI* 102 X 27
Villaggio Tre Pietre *TP* 190 AG 63
Villaggio Volvito *KR* 169 BL 47
Villaggio Wojtila *LE* 159 BS 41
Villagonia *ME* 197 BA 56
Villagrande *AQ* 115 AO 30
Villagrande *BL* 14 AH 5
Villagrande *BL* 15 AJ 4
Villagrande *GE* 76 Q 17
Villagrande *PU* 88 AJ 20
Villagrande *PU* 90 AM 21
Villagrande Strisaili *OG* 219 S 44
Villagrappa *FC* 82 AG 18
Villagrazia di Carini *PA* 183 AN 55
Villagreca *CA* 221 P 47
Villagrossa *MN* 54 AA 13
Villagrossa *SP* 77 T 18
Villa-guattera *PD* 41 AF 11
Villair *AO* 32 C 9
Villair *AO* 32 D 9
Villair *AO* 32 D 9
Villair *AO* 19 E 9
Villair *AO* 33 F 9
Villalago *AQ* 122 AS 32
Villalba *AR* 88 AH 22
Villalba *CL* 193 AS 58
Villalba *RM* 120 AL 32
Vill'Albese *CO* 22 Q 9
Villalfonsina *CH* 124 AW 31
Villalta *FC* 82 AJ 18
Villalta *PD* 41 AF 10
Villalta *PN* 29 AL 8
Villalta *UD* 30 AN 7
Villalunga *PV* 51 P 12
Villalunga *RE* 66 Z 16
Villalvernia *AL* 62 O 15
Villamaggiore *MI* 51 Q 12
Villamagina *PG* 107 AM 26
Villamagna *CH* 116 AU 29
Villamagna *FI* 87 AD 21
Villamagna *PG* 97 AK 23
Villamagna *PI* 93 AA 23
Villamaina *AV* 143 AZ 38
Villamar *VS* 221 O 46
Villamarina *CI* 224 K 48
Villamarina *FC* 83 AJ 18
Villamarzana *RO* 56 AF 13
Villamassargia *CI* 224 M 48
Villamezzo *UD* 16 AN 4
Villamiroglio *AL* 49 K 13
Villammare *SA* 163 BC 43
Villamontagna *TN* 26 AB 7
Villana *CS* 170 BG 47
Villanders / Villandro *BZ* 13 AE 4
Villandro / Villanders *BZ* 13 AE 4
Villaneri *GE* 63 R 16
Villaneto *PZ* 164 BG 43
Villano *SA* 163 BC 43
Villanoce *GE* 63 R 16
Villanova *AL* 49 K 13
Villanova *BG* 37 T 10
Villanova *BL* 14 AI 5
Villanova *BL* 14 AI 5
Villanova *BL* 14 AI 6
Villanova *BO* 67 AD 17
Villanova *BR* 148 BO 39
Villanova *CR* 53 X 13
Villanova *CS* 170 BF 49
Villanova *FC* 82 AG 18
Villanova *FE* 68 AF 15
Villanova *FI* 86 AA 21
Villanova *MC* 98 AN 23
Villanova *MI* 37 R 10
Villanova *MO* 66 AA 15
Villanova *MS* 78 V 18
Villanova *PD* 42 AH 10
Villanova *PE* 116 AT 29
Villanova *PG* 105 AI 25
Villanova *PN* 29 AK 8
Villanova *PN* 29 AK 8
Villanova *PN* 29 AL 8
Villanova *PR* 65 V 16
Villanova *PR* 65 X 15
Villanova *PT* 86 AA 20
Villanova *PU* 88 AJ 20
Villanova *PU* 90 AM 21
Villanova *PV* 50 N 11
Villanova *RA* 69 AH 17
Villanova *RA* 82 AH 17
Villanova *RE* 54 AA 14
Villanova *RI* 107 AO 27
Villanova *RM* 120 AL 32
Villanova *SO* 24 V 6
Villanova *TO* 58 D 15
Villanova *TV* 42 AH 10
Villanova *TV* 43 AJ 9
Villanova *TV* 43 AK 9
Villanova *UD* 30 AM 7
Villanova *UD* 16 AO 5
Villanova *UD* 16 AO 6
Villanova *UD* 30 AO 9
Villanova *VE* 30 AM 8
Villanova *VI* 27 AE 9
Villanova *VR* 40 AA 10
Villanova *VR* 39 Z 10
Villanova Alghisi *CR* 53 V 12
Villanova Biellese *BI* 34 K 11
Villanova Canavese *TO* 47 G 12
Villanova Chiesa *PC* 63 S 15
Villanova d'Albenga *SV* 73 J 19
Villanova d'Ardenghi *PV* 51 P 12
Villanova d'Asti *AT* 48 I 14
Villanova de Bellis *MN* 54 AA 13
Villanova del Battista *AV* 143 AZ 37
Villanova del Ghebbo *RO* 56 AE 13
Villanova del Sillaro *LO* 51 R 12
Villanova dello Iudrio *UD* 31 AP 8
Villanova di Camposampiero *PD* 42 AG 11
Villanova di Farra *GO* 31 AQ 8
Villanova di Vado *VE* 30 AM 9
Villanova Maiardina *MN* 54 AA 12
Villanova Marchesana *RO* 56 AG 14
Villanova Mondovì *CN* 71 H 17
Villanova Monferrato *AL* 49 L 12
Villanova Monteleone *SS* 212 L 40
Villanova Solaro *CN* 59 G 15
Villanova Strisaili *OG* 219 R 44
Villanova sull'arda *PC* 52 U 13
Villanova Truschedu *OR* 217 N 44
Villanovaforru *VS* 221 O 46
Villanovafranca *VS* 221 P 46
Villanovatulo *CA* 218 Q 45
Villanovetta *CN* 59 F 16
Villanterio *PV* 51 R 12
Villanuova *BG* 38 U 11
Villanuova *BS* 52 V 12
Villanuova *PR* 65 V 15
Villanuova *TO* 33 G 11
Villanuova *VI* 55 AD 12
Villanuova sul Clisi *BS* 39 X 10
Villaorba *UD* 30 AN 7
Villapaiera *BL* 28 AG 7
Villaperuccio *CI* 225 N 49
Villapetrosa *TP* 190 AK 57
Villapia *MI* 36 O 10
Villapiana *BL* 28 AH 7
Villapiana *CS* 165 BH 44
Villapiana Lido *CS* 168 BH 45
Villapiana Scalo *CS* 168 BH 45
Villapinta *SO* 23 T 6
Villapriolo *EN* 194 AU 58
Villaputzu *CA* 223 S 47
Villar *CN* 58 D 16
Villar Dora *TO* 47 F 13
Villar Focchiardo *TO* 47 E 13
Villar Pellice *TO* 58 D 15
Villar Perosa *TO* 47 E 14
Villar San Costanzo *CN* 59 F 17
Villaraccolta *PN* 29 AK 8
Villarappa *PD* 42 AG 10
Villarasca *PV* 51 P 12
Villaraspa *TV* 28 AH 8
Villaraspa *VI* 41 AE 9
Villaraspa *VR* 55 AC 12
Villarazzo *TV* 42 AG 9
Villarbasse *TO* 47 F 13
Villarboit *VC* 35 L 11
Villarchiosso *CN* 74 I 18
Villareale *PV* 50 O 11
Villareggia *TO* 48 I 12
Villaregia *RO* 57 AI 14
Villarèia *PE* 116 AT 29
Villaret *AO* 32 C 9
Villaret *AO* 32 D 9
Villaretti *TO* 47 E 12
Villaretto *CN* 58 D 16
Villaretto *CN* 59 E 15
Villaretto *TO* 46 D 12
Villaretto *TO* 46 D 13
Villaretto *TO* 48 H 13
Villaricca *NA* 150 AU 38
Villarios *CI* 224 M 49
Villaro *CN* 58 C 17
Villaro *CN* 59 E 15
Villaro *CN* 74 I 19
Villarocca *CR* 53 W 12
Villaromagnano *AL* 62 O 14
Villarosa *EN* 194 AU 58
Villarotta *RE* 54 Z 14
Villasalto *CA* 222 R 47
Villasanta *MB* 36 Q 10
Villasanta *VS* 221 O 46
Villasco *CR* 53 V 12
Villaseta *AG* 198 AQ 60
Villasimius *CA* 227 S 49
Villasmundo *SR* 203 AZ 60
Villasor *CA* 221 O 47
Villaspeciosa *CA* 226 O 48
Villassio *BG* 24 U 8
Villastellone *TO* 48 H 14
Villastrada *MN* 54 Y 14
Villastrada *PG* 105 AH 25
Villata *AT* 60 I 14
Villata *VC* 35 L 11
Villate *TO* 48 I 11
Villatella *IM* 72 G 21
Villatico *LC* 23 R 7
Villatora *PD* 42 AG 11
Villaurbana *OR* 217 N 44
Villaurea *PA* 185 AR 56
Villavallelonga *AQ* 122 AQ 32
Villaverla *VI* 41 AD 10
Villavesco *LO* 51 R 11
Villazzano *TN* 26 AB 7
Ville *AL* 62 O 14
Ville *AN* 90 AN 22
Ville *AR* 94 AE 22
Ville *BS* 38 W 9
Ville *LU* 85 X 20
Ville *PU* 89 AM 21
Ville *SV* 74 K 17
Ville del Monte *TN* 26 Z 8
Ville di Fano *AQ* 114 AO 28
Ville di Giovo *TN* 26 AB 6
Ville di Roti *AR* 88 AH 21
Ville di Sopra *AR* 88 AI 21
Ville Petroni *SI* 94 AD 24
Ville San Pietro *IM* 72 I 20
Ville San Sebastiano *IM* 72 I 20
Ville Santa Lucia *PG* 97 AM 24
Ville Sasso *AN* 97 AN 23
Ville sur Sarre *AO* 32 E 9
Villecchia *MS* 77 U 18
Villefranche *AO* 33 F 9
Villeneuve *AO* 32 E 9
Villero *CN* 71 I 17
Villerose *RI* 114 AO 30
Villesse *GO* 31 AP 8
Villetta *BZ* 4 AF 3
Villetta *CN* 70 D 17
Villetta *LU* 78 X 19
Villetta Barrea *AQ* 122 AS 33
Villette *AO* 18 C 9
Villette *PV* 51 P 12
Villette *VB* 7 M 7
Villimpenta *MN* 54 AB 13
Villin *UD* 16 AO 6
Villò *PC* 64 S 14
Villongo *BG* 38 U 9
Villora *PR* 64 T 15
Villorba *TV* 42 AI 9
Villore *FI* 87 AE 20
Villotta *AO* 18 D 9
Villotta *PN* 29 AK 7
Villotta *PN* 29 AK 8
Villotta *PN* 29 AL 8
Villula *PR* 65 V 17
Villutta *PN* 29 AL 8
Villuzza *UD* 16 AM 6
Vilmaggiore *BG* 24 V 7
Vilmezzano *VR* 39 Z 10
Vilminore di Scalve *BG* 24 V 8
Vilpian / Vilpiano *BZ* 12 AC 4
Vilpiano / Vilpian *BZ* 12 AC 4
Vimanone *PV* 51 Q 12
Vimercate *MB* 37 R 10
Vimignano *BO* 80 AB 18
Vimodrone *MI* 36 Q 10
Vimogno *LC* 23 R 8
Vinacciano *PT* 85 AA 20
Vinadio *CN* 70 E 18
Vinago *VA* 35 N 9
Vinaio *UD* 16 AM 5
Vinano *MC* 97 AN 24
Vinca *MS* 78 V 19
Vinchiaturo *CB* 133 AW 35
Vinchio *AT* 61 K 15
Vinci *FI* 86 AA 21
Vinci *SR* 203 AZ 61
Vinciarello *CZ* 177 BI 53
Vincigliata *FI* 86 AC 21
Vincino *CO* 23 Q 6
Vinco *RC* 178 BD 55
Vincolise *CZ* 171 BI 49
Vindoli *RI* 114 AN 28
Vinè *CN* 71 H 18
Vinelli *ME* 189 BB 55
Vingiolo *CS* 163 BD 44

VITERBO

Ascenzi (V. F.) Y 2
Caduti (P.za dei) Y 3
Cardinale la Fontaine (V.) Z 4
Carmine (V. del) Z 6
Crispi (P.za F.) Y 7
Fabbriche (V. delle) Z 10
Gesù (P.za del) Z 12
Italia (C.so) Y
Lorenzo da Viterbo (V.) Z 13
Marconi (V. G.) Y
Maria SS. Liberatrice (V.) Y 15
Matteotti (V. G.) Y
Meone (V. del) Z 16
Mille (V. dei) Z 17
Morte (P.za della) Z 18
Orologio Vecchio (V.) Y 19
Pace (V. della) Z 20
Piaggiarelle (V. D.) Z 23
Pianoscarano (V. di) Z 24
Pietra del Pesce (V.) Z 25
Plebiscito (P.za del) Y 26
Roma (V.) Y 27
Rosselli (V. Fratelli) Y 28
Saffi (V.) YZ 29
San Bonaventura (V.) Y 32
San Carluccio (P.za) Z 33
San Leonardo (V.) Z 36
San Pellegrino (P.za) Z 37
San Pellegrino (V.) Z 39
Trinità (P.za della) Y 40
Vallepiatta (V.) Y 41
Verità (V. della) Y 43

Circolazione regolamentata nel centro città

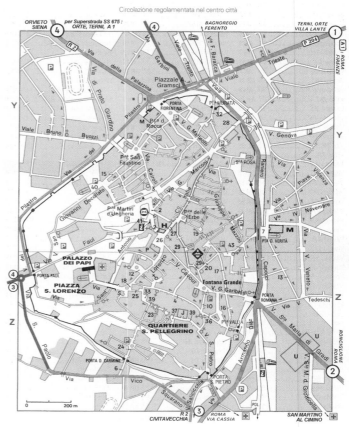

Vinigo BL 14 AI 5
Vinovo TO 48 G 14
Vintebbio VC 35 K 10
Vinzaglio NO 49 M 12
Vio PG 107 AM 26
Viola CN 74 I 18
Viola MN 54 AA 13
Viola PC 52 U 13
Viola PR 64 V 16
Viola TE 108 AR 27
Viola VE 57 AH 13
Viola VE 44 AM 9
Violeto PT 86 AA 20
Vione BS 11 X 6
Vione MI 51 Q 11
Vione PT 85 Z 21
Vione SO 11 W 6
Viotto TO 59 F 14
Viozene CN 71 H 19
Vipiteno / Sterzing BZ 4 AD 2
Virago TV 28 AG 8
Virani CN 60 I 15
Virano FC 82 AG 19
Virbo BA 147 BM 38
Virco UD 30 AN 8
Virgilio MN 54 Z 13
Virgoletta MS 78 U 18
Virle VR 39 Z 10
Virle Piemonte TO 59 G 14
Visano BS 53 X 12
Viscano TO 48 I 12
Viscarda AL 50 N 14
Viscari TP 183 AL 55
Vische TO 48 I 11
Visciano NA 151 AW 38
Visciano TR 113 AJ 29
Visciglieta PZ 153 BC 41
Visciglietle II CS 168 BH 46
Visciglietle III CS 168 BH 46
Visciglioso CS 166 BE 45
Visciglita CS 166 BE 45
Visco UD 31 AP 8
Viscone UD 31 AP 8
Viserba RN 83 AK 19
Viserbella RN 83 AK 19
Visgnola CO 23 Q 8
Visiano PR 64 V 15
Visignano FI 81 AD 18
Visinale PN 29 AK 8
Visinale UD 31 AP 8
Visinale di Sopra PN 29 AK 8
Visino CO 23 Q 8
Visintini GO 31 AQ 8
Visnà TV 28 AH 8
Visnà TV 29 AJ 8
Visnadello CR 53 V 13
Visnadello TV 42 AI 9
Visogliano TS 31 AQ 9
Visome BL 28 AI 7
Visone AL 61 M 16
Vissandone UD 30 AN 7
Vissani MC 98 AP 23
Vissignano PN 30 AM 8
Visso MC 107 AN 26
Vissone BS 24 V 9
Vistarino PV 51 Q 12
Vistorta PN 29 AJ 8
Vistrorio TO 33 H 11
Vita TP 183 AL 56
Vitale FR 130 AQ 33
Vitareta AR 87 AF 20
Vitarolo VI 27 AE 9
Vitelleria CT 196 AY 58
Vitellino PG 95 AH 25
Viterale CZ 171 BH 50
Viterbo VT 112 AH 29
Vitereta AR 95 AF 22
Vitiana LU 79 Y 19
Vitiano AR 95 AG 23
Viticcio LI 100 W 27
Viticuso FR 131 AS 34
Vitigliano FI 94 AC 22
Vitigliano FI 87 AD 20
Vitigliano LE 161 BT 43
Vitignano FC 82 AH 19
Vitimoso CS 164 BE 44
Vitinia RM 128 AJ 33
Vito RC 189 BD 55
Vito d'Asio PN 16 AM 6
Vito Nove TV 29 AI 7
Vitoio LU 78 W 19
Vitolini FI 86 AA 21
Vitorchiano VT 112 AI 29
Vitriola MO 79 Y 17
Vittadone LO 52 S 12
Vittoria GE 62 O 16
Vittoria RG 204 AW 62
Vittorio Veneto TV 29 AI 8
Vittorito AQ 122 AR 31
Vittuone MI 36 O 11
Vitulano BN 142 AW 36
Vitulazio CE 141 AU 37
Viturano AV 142 AY 37
Vituri MT 155 BG 42
Viù TO 47 F 12
Viustino PC 64 T 14
Vivai SA 152 AY 40
Vivaia SI 94 AC 23
Vivaio Forestale RC 178 BD 54
Vivara CB 124 AW 33
Vivario TO 33 H 11
Vivaro BI 34 K 10
Vivaro PN 29 AL 7
Vivaro Romano RM 120 AN 31
Vivente PV 51 Q 12
Viverone BI 34 J 11
Viviere CN 70 C 17
Vivo d'Orcia SI 104 AE 26
Viziliu SS 208 L 39
Vizioso CS 166 BE 45
Vizza TV 28 AI 7
Vizzaneta PT 79 Z 19
Vizzano BO 80 AC 17
Vizzarri CB 124 AY 33
Vizzero BO 80 AA 19
Vizzini CT 202 AX 61
Vizzola PR 65 V 15
Vizzola Ticino VA 35 N 10
Vo PD 56 AE 12
Vo VI 41 AD 11
Vò Pindemonte VR 54 AA 12
Vò Sinistro TN 40 AA 9
Vobarno BS 39 X 10
Vobbia GE 63 P 16
Vobbietta GE 62 O 16
Vocca VC 21 K 9
Vocemola AL 62 O 15
Voceto RI 108 AO 28
Vocolio PZ 164 BF 44
Vodà CZ 175 BI 52
Vodo Cadore BL 14 AI 5
Voga SO 9 R 6
Voghenza FE 68 AF 15
Voghera PV 50 P 14
Vogheria FE 68 AF 15
Vogogna VB 21 K 7
Vogognano AR 88 AG 22
Voilan / Foiana BZ 12 AB 4
Volania FE 69 AH 15
Volano FE 69 AI 15
Volano TN 26 AB 8
Volargne VR 39 Z 10
Volastra SP 77 T 19
Volata CS 171 BG 47
Volciano BS 39 X 10
Volciano RI 114 AN 28
Volegno LU 84 W 19
Volla FR 131 AR 35
Volla NA 151 AV 38
Vollein AO 33 F 9
Vollon AO 33 H 9
Volmiano FI 86 AC 20
Volognano FI 87 AD 21
Vologno RE 79 X 17
Volon VR 55 AB 11
Volongo CR 53 W 12
Volongo MN 53 X 12
Volpago del Montello TV 42 AH 9
Volpaia SI 94 AD 22
Volpaie SI 94 AD 24
Volpaio GR 103 AC 26
Volpara AL 63 P 15
Volpara PC 52 T 13
Volpara PR 63 S 16
Volpara PV 51 Q 14
Volpares UD 30 AN 9
Volpari AV 151 AX 39
Volparo PD 56 AG 12
Volparo SA 152 AZ 41
Volpedo AL 62 O 14
Volpeglino AL 62 O 14
Volpente VI 41 AE 9
Volpera BS 25 W 7
Volperino PG 107 AM 26
Volpetta TO 47 F 11
Volpi PR 64 T 16
Volpi Primo AP 98 AP 25
Volpiano TO 48 H 12
Volpicchi CS 170 BG 48
Volpina FC 82 AG 18
Volpino VR 40 AD 11
Volponi CS 171 BH 49
Volpreto AL 62 N 16
Volta VI 55 AD 12
Volta Brusegana PD 42 AG 11
Volta Mantovana MN 54 Y 12
Volta Nespola CT 197 AZ 58
Voltab arozzo PD 42 AG 11
Voltaggio AL 62 O 16
Voltago BL 14 AH 6
Voltana RA 68 AG 16
Voltellina MC 107 AM 26
Volterra PI 93 AA 23
Volterrano PG 95 AH 23
Voltido CR 53 W 13
Voltino BS 26 Z 9
Volto RO 57 AI 13
Voltois UD 15 AL 5
Voltole PG 97 AL 24
Voltone VT 111 AF 30
Voltorre VA 22 N 8
Voltre FC 82 AH 19
Voltri GE 75 N 17
Volturara Appula FG 134 AZ 35
Volturara Irpina AV 142 AY 38
Volturino FG 134 AZ 35
Volvera TO 47 G 14
Voragno TO 47 F 12
Voran / Verano BZ 12 AC 4
Vorea RC 179 BF 55
Vorno LU 85 Y 21
Voscari PZ 164 BF 44
Vottero CN 59 E 15
Vottignasco CN 59 G 16
Voze SV 74 L 18
Vreccia SA 162 BA 42
Vrù TO 47 F 11
Vuccolo Cappasanta SA 152 AZ 41
Vuccolo di Maiorano SA 152 AZ 41
Vucida RC 178 BE 55
Vuezzis UD 16 AM 4
Vulcanello ME 181 AY 53
Vulcano Bleu ME 181 AY 53
Vulcano Piano ME 181 AY 53
Vulcano Porto ME 181 AY 53
Vunazzi CZ 171 BH 49
Vurgo TP 190 AK 57
Vuturella CZ 177 BH 52

W

Walde / Senale BZ 12 AB 4
Walkenstein / Selva BZ 13 AF 4
Walten / Valtina BZ 3 AC 3
Wangen / Vanga BZ 13 AD 4
Wehlen /
Valle San Silvestro BZ 5 AI 3
Weissenbach /
Riobianco BZ 3 AD 3
Weissenbach /
Riobianco BZ 4 AG 2
Weitental / Vallarga BZ 4 AF 2
Wellblahn /
Lavinia Bianca BZ 13 AE 5
Welsberg / Monguelfo BZ 5 AH 3
Welschnofen /
Nova Levante BZ 13 AE 5
Wengen / La Valle BZ 4 AG 4
Wieden / Saletto BZ 4 AE 2
Wiesen / Prati BZ 4 AD 2
Winnebach /
Prato alla Drava BZ 5 AJ 3
Wolfl / Lupicino BZ 13 AD 5

X - Z

Xausa VI 27 AE 9
Xirbi CL 194 AT 58
Xitta TP 182 AK 56
Zaccanelle CS 170 BG 49
Zaccanesca BO 80 AC 18
Zaccano CZ 175 BI 50
Zaccanopoli VV 176 BE 52
Zaccaria SI 104 AF 26
Zadiana CS 170 BF 48
Zadina Pineta RA 82 AJ 18
Zaffaria ME 189 BC 55
Zafferana Etnea CT 197 AZ 57
Zaffignano PC 64 T 14
Zaganara PV 51 R 13
Zagarellaro CS 167 BG 47
Zagaria RC 178 BD 55
Zagaria VV 174 BG 51
Zagarise CZ 171 BI 49
Zagarolo RM 120 AL 32
Zagonara RA 82 AG 17
Zaiama UD 16 AO 6
Zaingra CS 167 BF 47
Zambana TN 26 AB 7
Zambana Vecchia TN 26 AB 7
Zambia PI 85 X 21
Zambla BG 24 T 8
Zambla Alta BG 24 T 8
Zambone MN 54 AA 14
Zamboni VI 26 AC 9
Zambra FI 93 AB 22
Zambrone VV 174 BE 51
Zammarelli FR 131 AR 35
Zammaro VV 174 BF 52
Zampani PG 106 AK 27
Zampielli CH 117 AU 31
Zampine RO 55 AE 14
Zampis UD 30 AO 7
Zana SA 152 AY 39
Zanano BS 38 W 10
Zanardi VR 55 AD 13
Zanca LI 100 V 27
Zancan PN 16 AM 6
Zanchi KR 172 BJ 49
Zanco AL 49 J 13
Zancona GR 104 AE 26
Zandobbio BG 38 U 9
Zanè VI 41 AD 9
Zanega SP 77 S 17
Zanengo CR 52 U 12
Zanetta MN 54 Z 13
Zanetti BG 24 U 8
Zanetti PD 56 AE 12
Zanga BI 34 J 11
Zangarona CZ 171 BH 50
Zangolo PG 96 AJ 23
Zanica BG 37 T 10
Zannini VI 27 AF 8
Zanon TN 12 AA 5
Zanon VR 54 AB 12
Zanoni TN 13 AE 6
Zapalli OT 211 R 38
Zapatocco UD 17 AP 6
Zappa ME 188 AY 55
Zappello CR 52 T 12
Zappello di Campagna CT 197 AZ 57
Zappia RC 177 BG 53
Zappolino BO 80 AB 17
Zapponeta FG 136 BE 35
Zappulla ME 187 AX 55
Zappulla RG 204 AX 63
Zappulla SR 203 AZ 60
Zappuneri ME 188 AY 55
Zara MN 54 AA 13
Zarantonelli VI 40 AC 10
Zarli LU 84 X 20
Zarlo FR 130 AO 34
Zattaglia RA 81 AF 18
Zavattarello PV 63 Q 14
Zazza BS 25 X 7
Zebbo VI 27 AE 8
Zebedassi AL 63 P 15
Zecca CZ 174 BH 51
Zeccagnuolo SA 151 AW 39
Zeccone PV 51 Q 12
Zeddiani OR 216 M 44
Zeffo Rovere FE 57 AI 14
Zegliacco UD 16 AN 6
Zeglianutto UD 16 AN 6
Zelarino VE 42 AI 10
Zelata PV 50 P 12
Zelbio CO 22 Q 8
Zeller TN 25 Z 7
Zellina UD 30 AO 8
Zello BO 81 AF 17
Zelloni-Vigne CE 140 AS 36
Zelo RO 55 AD 13
Zelo Buon Persico LO 37 R 11
Zelo Surrigone MI 36 O 11
Zeme PV 50 N 12
Zeminiana PD 42 AH 10
Zena BO 80 AD 17
Zena PC 52 T 14
Zenerigolo BO 67 AC 16
Zenevrari VI 41 AF 9
Zenevredo PV 51 Q 13
Zenevreto AL 49 K 13
Zenich BL 14 AH 6
Zenighe BS 38 U 10
Zenna AR 87 AG 22
Zenna VA 22 N 7
Zenodis UD 16 AN 4
Zenson di Piave TV 43 AJ 9
Zenzalino FE 56 AG 14
Zeppa Nuova RA 68 AG 17
Zeppara OR 221 N 45
Zepponami VT 112 AH 28
Zepponi BN 133 AX 35
Zerba AL 61 L 16
Zerba MN 53 Y 14
Zerba PC 63 Q 16
Zerbare VR 39 Z 11
Zerbati VI 40 AC 10
Zerbinate FE 55 AD 14
Zerbio PC 52 U 13
Zerbo PV 51 R 13
Zerbolò PV 50 P 12
Zerfaliu OR 217 N 44
Zergolon BL 15 AK 5
Zeri MS 77 T 17
Zeriolo TV 42 AH 10
Zerman TV 42 AI 10
Zermeghedo VI 41 AD 11
Zero Branco TV 42 AH 10
Zerti CS 171 BG 47
Zeta CZ 171 BH 49
Zevio VR 40 AB 11
Zianigo VE 42 AH 10
Ziano di Fiemme TN 13 AE 6
Ziano Piacentino PC 51 R 13
Zibana PR 78 V 17
Zibello PR 53 V 13
Zibido PV 51 Q 12
Zibido San Giacomo MI 51 P 11
Zifronte ME 189 BB 54
Zigaraga VE 42 AH 10
Zigole BS 38 W 9
Zija RC 177 BH 53
Zimardo Inf. RG 204 AY 63
Zimardo Sup. RG 204 AX 63
Zimarino CH 124 AW 30
Zimbi CZ 177 BH 52
Zimella VR 55 AD 11
Zimmaro CS 171 BI 48
Zimone BI 34 J 11
Zinasco Nuovo PV 50 P 13
Zinasco Vecchio PV 50 P 13
Zinga KR 172 BK 48
Zingarello AG 199 AQ 60
Zingarello BA 147 BM 38
Zingari AT 49 J 13
Zingarini RM 128 AJ 34
Zingolella BN 142 AX 36
Zini VR 40 AC 10
Zinnavo CZ 170 BG 50
Zinnì RC 177 BG 53
Zinnibiri Mannu OG 223 S 45
Zinnigas CA 225 N 48
Zinola SV 75 L 18
Ziona SP 77 S 18
Ziracco UD 31 AP 7
Ziribega BO 80 AB 17
Ziu Zolo NU 213 O 42
Zivedo PC 52 T 14
Zoadello BS 38 V 10
Zoagli GE 76 Q 17
Zoate MI 37 R 11
Zocca MN 54 AA 14
Zocca MO 80 AA 17
Zoccalia CS 167 BG 45
Zocchetta MO 80 AA 17
Zocco BS 38 U 10
Zocco SR 202 AY 61
Zocco VR 40 AB 10
Zogno BG 23 S 9
Zola Predosa BO 67 AC 17
Zoldo Alto BL 14 AH 5
Zolezzi GE 77 R 17
Zolforata RM 128 AK 33
Zolla TS 45 AR 9
Zollara RN 89 AK 20
Zolli AV 142 AX 37
Zollino LE 160 BS 42
Zomaro RC 176 BF 54
Zombarella CZ 177 BH 52
Zomeais UD 16 AO 6
Zomino RC 177 BG 54
Zompicchia UD 30 AN 8
Zompitta UD 16 AO 6
Zona Artigianale FG 135 BB 36
Zona Artigianale
Val Menocchia AP 108 AR 25
Zona Canuta BR 149 BR 40
Zona di Lallo LE 159 BR 41
Zona Erchie Piccolo LE 159 BS 41
Zona Industriale AN 98 AO 23
Zona Industriale
Cicerone TA 147 BM 39
Zona Industriale
di Stiatico BO 67 AD 16
Zona Marangi LE 159 BS 41
Zona Ovest AP 99 AR 24
Zona Pescola AP 99 AR 24
Zona Pip Beldiletto MC 98 AP 23
Zonca VB 7 K 7
Zone BS 38 V 9
Zone LU 85 Y 20
Zonzo SA 152 BA 40
Zoppè di Cadore BL 14 AI 5
Zoppi SA 162 AY 42
Zoppola PN 29 AL 8
Zorba AG 193 AQ 59
Zordan PD 42 AG 11
Zoreri TN 26 AC 8
Zorlesco LO 52 S 12
Zornasco VB 7 L 7
Zorzoi BL 27 AF 7
Zorzone BG 24 T 8
Zovello UD 16 AM 4
Zovencedo VI 41 AE 11
Zovo MN 54 AA 13
Zovo VI 41 AD 10
Zovo VR 40 AC 10
Zovo VR 39 Z 10
Zovon PD 56 AE 11
Zù BG 38 V 9
Zuanes PN 16 AM 6
Zuari SS 208 M 39
Zubbio I PA 185 AP 55
Zubbio II PA 185 AP 55
Zubiena BI 34 I 11
Zuccara SR 205 AZ 62
Zuccarelli BN 142 AY 37
Zuccarello PV 63 P 14
Zuccarello SV 73 J 19
Zuccarello VE 42 AJ 10
Zuccaro VC 35 L 9
Zucchea TO 59 F 15
Zucchi VI 41 AE 9
Zuccotti VR 39 Z 11
Zuclo TN 26 Z 7
Zuel BL 14 AH 4
Zuel di Qua TV 28 AI 8
Zugliano UD 30 AO 7
Zugliano VI 41 AE 9
Zuglio UD 16 AN 5
Zuiano PN 29 AL 8
Zuino AO 34 I 9
Zuino BS 39 Y 9
Zula BO 80 AD 17
Zum Zeri MS 77 T 17
Zumaglia BI 34 J 10
Zumiè BS 39 Y 9
Zummino ME 188 AX 55
Zummo CT 197 BA 57
Zumpano CS 171 BG 48
Zungoli AV 143 BA 37
Zungri VV 174 BE 52
Zunico MI 51 Q 11
Zuppino SA 153 BA 40
Zurco RE 66 Y 15
Zuri OR 217 O 43
Zurlengo BS 38 U 11
Zuzoli BN 142 AY 37
Zwischenwasser /
Longega BZ 4 AG 3

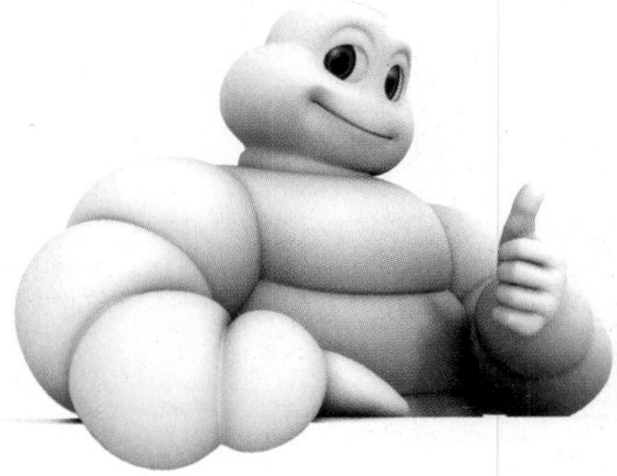

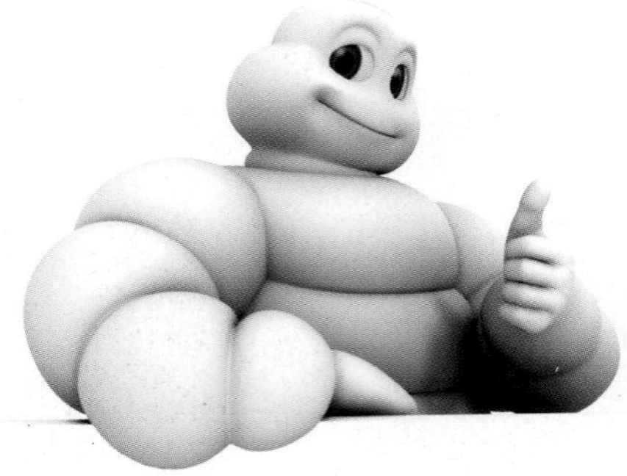

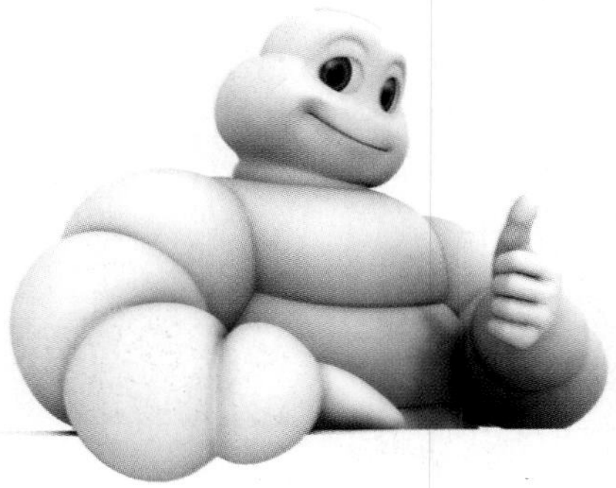

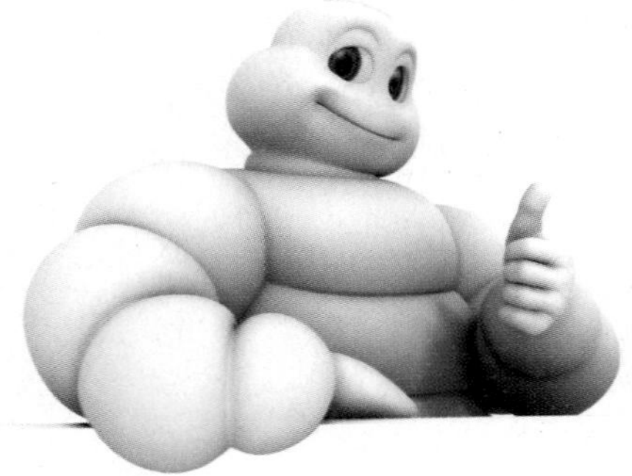

Dressée par la Manufacture Française des Pneumatiques MICHELIN
© 2012 Michelin, Propriétaires-éditeurs
Société en commandite par actions au capital de 504 000 004 EUR.
R.C.S. Clermont-Fd B 855 200 507
Place des Carmes-Déchaux - 63 Clermont-Ferrand (France)
Printed in Italy - NIIAG - Nuovo Istituto Italiano d'Arti Grafiche S.p.A. - Via Zanica, 92 - 24126 Bergamo - DL 01/2012

CARTE STRADALI E TURISTICHE PUBBLICAZIONE PERIODICA
Reg. Trib. Di Milano N° 80 del 24/02/1997 Dir. Resp. FERRUCCIO ALONZI

While every effort is made to ensure that all information printed in this publication is correct and up-to-date, Michelin accepts no liability for any direct, indirect or consequential losses howsoever caused so far as such can be excluded by law.
Please help us to correct errors and omissions by writing to us at
MICHELIN Cartes et Plans - 27 Cours de l'Ile Seguin, 92105 Boulogne-Billancourt Cedex.